1
自律神経系に作用する薬物 2
体性神経系に作用する薬物 3
中枢神経系に作用する薬物 4
オータコイド 5
免疫系作用薬 6
抗炎症薬 7
抗アレルギー薬 8
心臓・血管系に作用する薬物 9
呼吸器系に作用する薬物 10
消化器系に作用する薬物 11
泌尿器系に作用する薬物 12
生殖器系に作用する薬物 13
血液・造血器官系に作用する薬物 14
感覚器に作用する薬物 15
内分泌・代謝系作用薬 16
病原生物に作用する薬物 17
抗悪性腫瘍薬 18
診断用薬 19
非臨床試験（前臨床試験） 20
医薬品の安全性 21

新図解表説 薬理学・薬物治療学

PHARMACOLOGY & PHARMACOTHERAPEUTICS

菱沼 滋 著

第3版

TECOM
エムスリーエデュケーション株式会社

序

薬理学は，生体と薬物との相互作用を科学する学問であり，適切な薬物治療の基盤をなすとともに，創薬においても重要な位置を占める。

薬理学を習得するポイントとして，

[ポイント 1] 薬物の作用機序を理解するために，薬物の標的分子が生体内でどのような機能を果たしているかを正確に把握すること，

[ポイント 2] 新薬が 1 つ開発されると次々に類薬が開発されることから，それらの薬物名・商品名を全体的に把握すること，

[ポイント 3] 同種同効薬の中には，作用機序は同じでも薬物動態学的に異なる特徴をもつ薬物が含まれ，これが個々の患者に適した薬物選択にも応用されることになることから，個々の薬物の薬物動態学的特徴も合わせて把握すること，

[ポイント 4] 薬物の薬力学的及び薬物動態学的特徴や物理化学的性質は，全てその構造に由来することから，薬物の構造まで把握すること，

が重要である。そこで本書では，これらの学習過程を考慮して，以下の 5 点を心掛けた。

①レイアウト：図表形式を基本とすることにより，叙述性と視覚性を統合し，薬物に関する情報を明快に理解，そしてそのまま記憶できるように配置する。

②内容の流れ：各項目において，学習者の知識が徐々に広く深いものにステップアップできるよう内容を進めていく。

[ステップ 1] 薬物の作用機序を薬物群として全体的に把握できるよう，図解する。

[ステップ 2] その薬物群に含まれる個々の薬物名及び代表的商品名を把握できるよう，一覧表にリストアップする。

[ステップ 3] 同じ薬物群に分類される個々の薬物の簡単な特徴／違いを把握できるよう表に併記する。

③構造式：取りはずし式別冊「医薬品一般名・商品名・構造一覧」において，薬物の一般名・代表的商品名（剤形）・構造式を対応できるよう，薬物分類ごとにリストアップする。

④収載薬物：編集開始直前に承認された薬物まで収載することで，学習者に最新の情報を提供するとともに，現在臨床で使用されていない薬物を極力削除することで（歴史的価値のある薬物や試薬として用いられている薬物などを除く），学習者の負担を軽減する。

⑤索引：巻末において，調べたい医薬品に速やかにたどりつけるよう，索引の充実化をはかる。

本書は，専門性の高い内容をわかりやすく図解・表説することによって，薬学部学生のみならず，医学，歯学，看護学等医療系の学生やその他多くの医療従事者にとって利用価値の高いものになるよう努力したつもりであるが，至らぬ点に関してご教示いただければ幸いである。同時に，いかに注意を払おうとも，出版後の新知見等によって，内容に不正確な部分が生じる可能性があることをご理解またご容赦願う次第である。最後に，本書の出版にあたり，終始一方ならぬお力添えをいただいた編集部の皆様に深謝する。

2022 年 3 月

菱沼　滋

目次

第１章　薬物の作用機序

薬物の作用機序　2
1．薬物の作用機序 概観　2
2．受容体の分類　3
3．ホスホジエステラーゼとホスホリパーゼの分類　15
4．チャネルとトランスポーター　17
5．細胞内情報伝達分子 Ca^{2+}/cAMP(cGMP)と細胞応答　22
6．受容体作用薬と細胞応答　30
7．酵素反応と競合的・非競合的阻害薬　39
8．薬物の体内動態　40

第２章　自律神経系に作用する薬物

Ⅰ　自律神経系-概説-　46
1．神経系の分類　46
2．ニューロン　50
3．自律神経系の分布　52
4．自律神経系の神経伝達機構　53
5．各種効果器と自律神経系反応　54
Ⅱ　交感神経系作用薬　56
1．ノルアドレナリン／アドレナリンの生合成と代謝　57
2．アドレナリン受容体サブタイプ　58
3．アドレナリン受容体刺激薬・阻害薬（直接型交感神経作用薬）　59
4．間接型及び混合型交感神経興奮薬・抑制薬　64
Ⅲ　副交感神経系作用薬　67
1．アセチルコリンの生合成と代謝　68
2．アセチルコリン受容体サブタイプ　68
3．ムスカリン受容体刺激薬・阻害薬（直接型副交感神経作用薬）　70
4．間接型副交感神経作用薬　72
Ⅳ　自律神経節作用薬　76
1．各種効果器の自律神経支配の優位性と自律神経節遮断の効果　76
2．自律神経節刺激薬・遮断薬（ニコチンN_N受容体刺激薬・阻害薬）　78
Ⅴ　自律神経系と血圧　80
1．自律神経系と血圧　80
2．アドレナリン受容体と血圧　82
3．アセチルコリン受容体と血圧　85
4．アセチルコリン受容体・アドレナリン受容体と血圧（降圧条件のまとめ）　86
Ⅵ　自律神経系と眼　87
1．自律神経系と瞳孔・焦点・眼圧の調節　87
2．自律神経系作用薬と瞳孔・焦点・眼圧の変化　88

第３章　体性神経系に作用する薬物

Ⅰ　知覚神経系作用薬　90
1．局所麻酔薬の作用機序と一般的特徴　91
2．局所麻酔薬の適用方法　92
3．各種局所麻酔薬の特徴　93
Ⅱ　運動神経系作用薬　94
1．ニコチン受容体のサブタイプ　95

2．競合的拮抗薬ツボクラリンと脱分極性拮抗薬スキサメトニウムの比較 96
3．骨格筋の細胞膜電位変化 97
4．末梢性骨格筋弛緩薬 99
5．電気刺激によって誘発される骨格筋収縮と筋弛緩薬 100

第４章　中枢神経系に作用する薬物

Ⅰ　中枢神経系-概観- 104
1．中枢神経系の部位と主な機能 104
2．中枢神経系の主な神経伝達物質と関連疾患 105
Ⅱ　全身麻酔薬 106
1．全身麻酔薬の作用機序 106
2．麻酔の進行過程 107
3．吸入麻酔薬の特徴 107
4．静脈麻酔薬及び麻酔補助薬 109
5．エタノールの薬理 110
Ⅲ　催眠・鎮静薬 111
1．不眠について 111
2．GABA 受容体とベンゾジアゼピン受容体 112
3．バルビツレート系薬物とベンゾジアゼピン系薬物の特徴 114
4．各種催眠・鎮静薬の特徴 115
Ⅳ　向精神薬 117
1．向精神薬の分類 117
2．抗精神病薬〈メジャー・トランキライザー〉 118
3．抗不安薬〈マイナー・トランキライザー〉 123
4．抗うつ薬 127
5．幻覚薬 130
Ⅴ　抗てんかん薬 131
1．てんかん発作の分類 131
2．抗てんかん薬の作用機序 概観 132
3．抗てんかん薬 133
4．抗てんかん薬のスクリーニング法 134
Ⅵ　中枢性筋弛緩薬 135
1．脊髄反射 136
2．中枢性筋弛緩薬 137
Ⅶ　パーキンソン病治療薬 138
1．パーキンソン病／パーキンソン症候群の病態 138
2．パーキンソン病治療薬概観 139
3．パーキンソン病治療薬 140
Ⅷ　ハンチントン病治療薬及びレストレスレッグス症候群治療薬 143
1．ハンチントン病 143
2．レストレスレッグス症候群 143
Ⅸ　鎮痛薬 144
1．痛みと痛覚伝導路 144
2．内因性オピオイドとオピオイド受容体 146
3．オピオイド系鎮痛薬 147
4．その他の鎮痛薬 150
Ⅹ　中枢興奮薬 154
1．中枢興奮薬の分類 154
2．大脳皮質興奮薬 155
3．脳幹興奮薬 156
4．脊髄興奮薬 158
Ⅺ　めまい治療薬〈鎮暈薬〉 159
1．めまい〈眩暈〉について 159
2．めまいの原因と鎮暈薬の選択 160
Ⅻ　脳循環代謝改善薬 161
1．脳血管障害の分類 161
2．脳循環代謝改善薬及び関連薬 161
XIII　アルツハイマー病治療薬 163
1．アルツハイマー病の病態 163
2．アルツハイマー病治療薬 164

第５章　オータコイド

Ⅰ　オータコイド-概観- 166
Ⅱ　ヒスタミン 167
1．ヒスタミンの生合成と代謝過程 167

2．肥満細胞からのヒスタミン遊離とヒスタミン遊離に影響する薬物 168
3．ヒスタミン受容体と生理反応 170
4．ヒスタミン H_1 受容体拮抗薬 171

Ⅲ　セロトニン 174
1．セロトニンの生合成と代謝過程 174
2．セロトニンの分布と作用 175
3．セロトニン作動性神経に作用する薬物 176
4．セロトニン受容体と生理反応及びセロトニン関連薬物 177

Ⅳ　ポリペプチド類 179
1．レニン・アンギオテンシン・アルドステロン系 179
2．カリクレイン・キニン系 182
3．エンドセリン 183

Ⅴ　アラキドン酸代謝物 184
1．エイコサノイド前駆体とエイコサノイドの分類 184
2．エイコサノイドの生合成 186
3．エイコサノイドの生理作用 188
4．プロスタグランジン製剤及び誘導体 189
5．エイコサノイド阻害薬 190

Ⅵ　サイトカイン類 192
1．サイトカインの分類 192
2．炎症・免疫系・造血系におけるサイトカインの作用 194
3．サイトカイン関連薬物 196

第６章　免疫系作用薬

Ⅰ　免疫機構 200

Ⅱ　免疫抑制薬 201
1．免疫抑制薬 概観 201
2．特異的免疫抑制薬 203
3．その他の免疫抑制薬 204

Ⅲ　免疫強化薬 207

Ⅳ　関節リウマチ治療薬 209
1．関節リウマチ〈RA：Rheumatoid Arthritis〉 209
2．関節リウマチ治療薬 210

Ⅴ　免疫学的製剤 212
1．ワクチン，トキソイド，抗毒素 212
2．各種予防接種薬 212

第７章　抗炎症薬

Ⅰ　炎症のメカニズム 216
1．炎症の進行 216
2．炎症の経過とケミカルメディエーター〈化学伝達物質〉 217

Ⅱ　ステロイド性抗炎症薬 218
1．糖質コルチコイド（ステロイド性抗炎症薬）の作用機序 218
2．各種ステロイド性抗炎症薬の作用の特徴 220
3．天然／合成糖質コルチコイドの構造活性相関 221
4．ステロイド性抗炎症薬の適用と副作用 222
5．ステロイド性抗炎症薬の適用方法 223
6．ステロイド性抗炎症薬一覧 224

Ⅲ　非ステロイド性抗炎症薬〈NSAIDs：Non-Steroidal Anti-Inflammatory Drugs〉 227
1．酸性抗炎症薬（シクロオキシゲナーゼ阻害薬） 227
2．塩基性抗炎症薬 232
3．消炎酵素薬（蛋白・ムコ多糖・核酸分解酵素） 232
4．その他のNSAIDs 233

第８章　抗アレルギー薬

抗アレルギー薬　236
1．アレルギーの分類（Coombs & Gell）　236
2．Ⅰ型アレルギー誘発機序と各種抗アレルギー薬の作用段階　237
3．抗アレルギー薬（Ⅰ型アレルギー治療薬・予防薬）　237

第９章　心臓・血管系に作用する薬物

Ⅰ　心臓・血管系の生理　242
1．血液の循環と心筋・血管の種類　242
2．心臓の機能とパラメーター　243
3．心筋の電気的活動　243
4．心電図　244
5．心筋の収縮特性　245
6．心臓の反射性調節（延髄の心臓・血管運動中枢を介した調節）　246
7．自律神経系と心血管系　247
Ⅱ　強心薬・心不全治療薬　248
1．心不全と前負荷・後負荷　248
2．心不全治療薬概観　249
3．強心配糖体　250
4．cAMP 関連心不全治療薬　252
5．その他の心不全治療薬（血管拡張薬，利尿薬など）　255
Ⅲ　不整脈治療薬　257
1．不整脈について　257
2．抗不整脈薬の作用機序　257
3．クラスⅠ抗不整脈薬（Na^+チャネル遮断薬）　259
4．クラスⅡ抗不整脈薬（β受容体遮断薬）　260
5．クラスⅢ抗不整脈薬（K^+チャネル遮断薬）　260
6．クラスⅣ抗不整脈薬（Ca^{2+}チャネル遮断薬）　261
7．徐脈性不整脈治療薬　261
Ⅳ　狭心症治療薬　263
1．狭心症〈angina pectoris〉の病態　263
2．狭心症治療薬　264
Ⅴ　末梢循環改善薬　269
1．末梢循環障害　269
2．末梢循環改善薬　270
3．原発性（肺動脈性）肺高血圧症治療薬　273
Ⅵ　高血圧治療薬　275
1．高血圧の病態と降圧薬 概観　275
2．中枢性降圧薬　276
3．末梢性降圧薬　277
4．降圧薬に関する補足事項　282
Ⅶ　低血圧治療薬　287

第10章　呼吸器系に作用する薬物

Ⅰ　呼吸の生理　290
呼吸の調節機構　291
Ⅱ　呼吸興奮薬　292
Ⅲ　鎮咳薬　293
1．咳について　293
2．鎮咳薬　294
Ⅳ　去痰薬　295
1．痰について　295
2．去痰薬　296
Ⅴ　気管支喘息・慢性閉塞性肺疾患治療薬　298
Ⅵ　その他の呼吸器系作用薬　302

第11章　消化器系に作用する薬物

Ⅰ　消化器系の機能と疾患　304
1．消化器系の機能調節（消化酵素と消化管ホルモン）　304
2．消化器疾患　305
Ⅱ　健胃消化薬　306
Ⅲ　消化性潰瘍治療薬　307
1．攻撃因子抑制薬　308
2．防御因子増強薬（粘膜保護・組織修復促進薬）　310
3．ヘリコバクター・ピロリ菌の除菌薬　311
Ⅳ　催吐薬・制吐薬　312
1．嘔吐について　312
2．催吐薬　313
3．制吐薬　314
Ⅴ　胃腸機能改善薬　315
1．胃運動促進薬　315
2．大腸疾患治療薬　317
Ⅵ　鎮痙薬　319
Ⅶ　瀉下薬・止瀉薬　321
1．止瀉薬　321
2．瀉下薬（下剤）　323
Ⅷ　肝・胆・膵臓機能改善薬　327
1．利胆薬　327
2．肝炎治療薬　330
3．膵炎治療薬　331

第12章　泌尿器系に作用する薬物

Ⅰ　利尿薬　334
1．腎機能の生理　334
2．利尿薬の作用部位と作用機序・副作用　340
Ⅱ　排尿障害・蓄尿障害治療薬　347
1．排尿障害・蓄尿障害治療薬 概観　347
2．排尿障害・蓄尿障害（頻尿，尿失禁）治療薬　348

第13章　生殖器系に作用する薬物

生殖器系に作用する薬物　352
1．子宮収縮とホルモン・オータコイド　352
2．子宮収縮薬・子宮弛緩薬〈子宮鎮痙薬〉　353
3．経口避妊薬　356
4．子宮疾患治療薬　357
5．性機能不全治療薬　359

第14章　血液・造血器官系に作用する薬物

Ⅰ　血球成分　362
1．血球成分と役割　362
2．DNA／ヘモグロビン合成と鉄・ビタミン（B_6・B_{12}・葉酸）　363
3．赤血球への分化と貧血　363
Ⅱ　貧血・白血球減少症・血小板減少症／増多症治療薬　364
1．鉄欠乏性貧血　364
2．巨赤芽球性貧血　365
3．鉄芽球性貧血　366
4．腎性貧血　366

5．再生不良性貧血 368
6．溶血性貧血 369
7．白血球減少症治療薬 370
8．血小板減少症／増多症治療薬 371
Ⅲ　血液凝固・血栓形成と血栓溶解 372
1．血液凝固因子と血液凝固制御因子 372
2．血液凝固機構 374
3．血栓溶解機構（線維素溶解／線溶機構） 376
Ⅳ　止血薬 379
1．血液凝固因子の産生促進薬及び放出薬 379
2．血液凝固因子製剤及び類薬 380
3．その他の止血薬 381
Ⅴ　血液凝固抑制薬（抗血小板薬，抗凝血薬）と血栓溶解薬 382
1．抗血小板薬 382
2．抗凝血薬 385
3．血栓溶解薬 390
Ⅵ　血液代用薬 391
1．栄養輸液 391
2．電解質輸液 392
3．膠質輸液（血漿増量薬） 393
4．経中心静脈高カロリー輸液〈IVH〉 393
Ⅶ　血液製剤 394

第15章　感覚器に作用する薬物

Ⅰ　眼に作用する薬物 398
1．緑内障治療薬 398
2．白内障治療薬 401
3．アレルギー性結膜炎治療薬 401
4．その他の眼科用薬 402
Ⅱ　耳・鼻に作用する薬物 405
Ⅲ　皮膚に作用する薬物 406
1．収斂薬 406
2．腐食薬 406
3．刺激薬 407
4．緩和薬 407
5．各種皮膚疾患治療薬 408
6．外用抗炎症薬 413

第16章　内分泌・代謝系作用薬

Ⅰ　ホルモン療法薬 416
1．ホルモンの分類とホルモン産生・分泌のフィードバック調節 416
2．松果体ホルモン（メラトニン） 421
3．視床下部-下垂体系ホルモン 421
4．下垂体後葉ホルモン 428
5．副腎皮質ホルモン 429
6．性ホルモン 435
7．甲状腺ホルモン 441
8．パラトルモンとカルシトニン 443
9．膵臓ホルモン 444
10．消化管ホルモン 447
11．心臓ホルモン（ナトリウム利尿ペプチド） 448
Ⅱ　ビタミン 449
1．水溶性ビタミン 449
2．脂溶性ビタミン 452
Ⅲ　糖尿病治療薬 457
1．糖尿病 概観 457
2．糖尿病及び合併症治療薬 458
Ⅳ　脂質異常症治療薬 466
1．脂質異常症とリポ蛋白質 466
2．脂質の体内動態及び脂質異常症治療薬 概観 467
3．脂質異常症治療薬 468
Ⅴ　高尿酸血症治療薬 474
1．痛風と尿酸 474
2．高尿酸血症・痛風発作治療薬 475
Ⅵ　骨粗しょう症治療薬 476
1．骨粗しょう症治療薬 概観 476
2．骨粗しょう症治療薬 477

第17章　病原生物に作用する薬物

Ⅰ　病原生物に作用する薬物-概観-　482

Ⅱ　抗細菌薬（抗生物質，化学療法薬）　483

1．抗細菌薬 概観（抗結核薬を含む）　483
2．抗細菌薬の特徴（抗菌スペクトルと組織移行性）　485
3．細胞壁合成阻害薬　486
4．蛋白質合成阻害薬　495
5．細胞膜機能障害薬　503
6．キノロン系・ニューキノロン系抗菌薬　504
7．スルホンアミド系薬物（サルファ薬とその関連薬）　505

Ⅲ　抗抗酸菌薬　507

1．抗結核薬　507
2．非結核性（非定型）抗酸菌症治療薬　509
3．ハンセン病治療薬（抗らい菌薬）　509

Ⅳ　抗真菌薬　510

1．抗真菌薬　510
2．ニューモシスチス肺炎治療薬　512

Ⅴ　抗ウイルス薬　513

1．ウイルスの特徴と侵入・増殖過程　513
2．抗ヘルペスウイルス薬　514
3．抗肝炎ウイルス薬　516
4．抗インフルエンザウイルス薬　519
5．抗 HIV 薬（経口抗 AIDS ウイルス薬）　520
6．その他の抗ウイルス薬　523

Ⅵ　抗寄生虫薬　524

1．抗原虫薬　524
2．抗蠕虫薬　526
3．抗スピロヘータ薬　527

Ⅶ　殺菌薬・消毒薬　528

第18章　抗悪性腫瘍薬

Ⅰ　悪性腫瘍と抗悪性腫瘍薬-概説-　538

悪性腫瘍と抗悪性腫瘍薬　538

Ⅱ　アルキル化薬　540

Ⅲ　代謝拮抗薬　541

1．葉酸代謝拮抗薬　542
2．ピリミジン代謝拮抗薬　544
3．プリン代謝拮抗薬　548

Ⅳ　抗生物質　550

1．アントラサイクリン系抗生物質　550
2．その他の抗生物質　551

Ⅴ　白金錯体　552

Ⅵ　天然物由来物質　553

Ⅶ　ホルモン療法薬　554

Ⅷ　免疫療法薬　556

1．サイトカイン類及び細菌・キノコ由来免疫強化薬　556
2．免疫チェックポイント阻害薬　557

Ⅸ　分子標的治療薬　558

1．分子標的治療薬の作用機序 概観　558
2．分子標的治療薬（低分子製剤）　560
3．分子標的治療薬（高分子製剤）　565

Ⅹ　その他の抗悪性腫瘍薬　569

Ⅺ　抗悪性腫瘍薬の併用療法　573

Ⅻ　抗悪性腫瘍薬の補助薬　574

第19章　診断用薬

診断用薬 578
1．診断薬及び関連薬 578
2．機能検査薬 580
3．造影剤 582
4．放射性医薬品 587

第20章　非臨床試験（前臨床試験）

非臨床試験（前臨床試験） 592
1．非臨床試験（前臨床試験）概観 592
2．薬理試験法 593
3．安全性（毒性）試験 596

第21章　医薬品の安全性

Ⅰ　有害事象と副作用 598
Ⅱ　副作用発現に影響する因子 599
Ⅲ　依存形成薬物 601
Ⅳ　薬物の副作用 602
1．重大な副作用と初期症状 602
2．主な薬物の副作用 604
Ⅴ　障害誘発薬物 612
Ⅵ　薬物相互作用 615
1．薬力学的な相互作用 615
2．薬物動態学的な相互作用 616
Ⅶ　急性薬物中毒とその処置及び解毒薬 619
1．救急救命法 619
2．急性薬物中毒の解毒 620
Ⅷ　緊急安全性情報〈ドクターレター／イエローレター〉 625

付　表 627
索　引 638

第 1 章

薬物の作用機序

薬物の作用機序……………………………………………… 2
1．薬物の作用機序 -概観- ……………………………… 2
2．受容体の分類 ……………………………………… 3
3．ホスホジエステラーゼとホスホリパーゼの分類……………………………………………15
4．チャネルとトランスポーター ……………………17
5．細胞内情報伝達分子 Ca^{2+}/cAMP(cGMP)と細胞応答……………………………………………22
6．受容体作用薬と細胞応答 …………………………30
7．酵素反応と競合的・非競合的阻害薬 ……………39
8．薬物の体内動態……………………………………40

薬物の作用機序

おさえるべきところ

1. 受容体の分類と細胞内情報伝達系 ……………………p3
2. チャネルとトランスポーターの分類 ……………………p17
3. 細胞の興奮性変化：脱分極と過分極，Ca^{2+}と cAMP ……………………p18
4. 受容体作用薬と用量反応曲線 ……………………p30

薬理学＜Pharmacology＞とは，生体と薬物との相互作用を科学する学問である。薬理学のうち，薬物が生体に及ぼす影響を科学する学問は薬力学＜Pharmacodynamics＞とよばれ，一方，生体が薬物に及ぼす影響（薬物の吸収・分布・代謝・排泄など）を科学する学問は薬物動態学＜Pharmacokinetics＞とよばれる。

薬理学（Pharmacology）

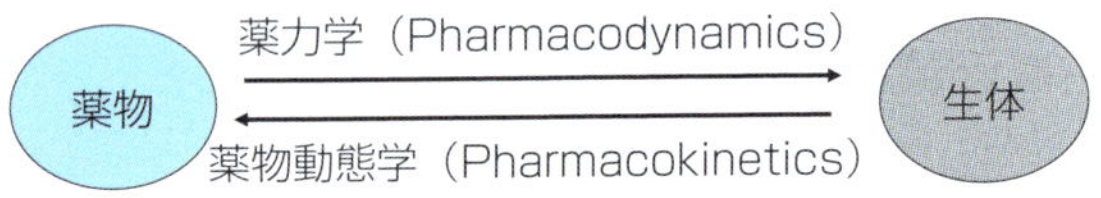

1. 薬物の作用機序 -概観-

薬物の作用機序は，標的細胞（効果器）に対する直接的作用及び間接的作用の大きく2つに分けて考えることができる。そして，薬物のターゲットとして，受容体・チャネル・トランスポーター・酵素などの機能を理解する必要がある。

分類	右図	説　明
直接的作用	❶	標的細胞（効果器）に直接作用して，受容体・チャネル・トランスポーター・酵素の機能・活性に影響を与え，標的細胞（効果器）の反応を変化させる。
間接的作用	❷	標的細胞（効果器）に影響を与えている分泌細胞（神経細胞，肥満細胞，好塩基球，内分泌細胞など）に作用して，分泌細胞の興奮性に影響を与えたり，生理活性物質の合成・貯蔵・放出・分解過程に影響を与えることによって，間接的に標的細胞（効果器）の反応を変化させる。

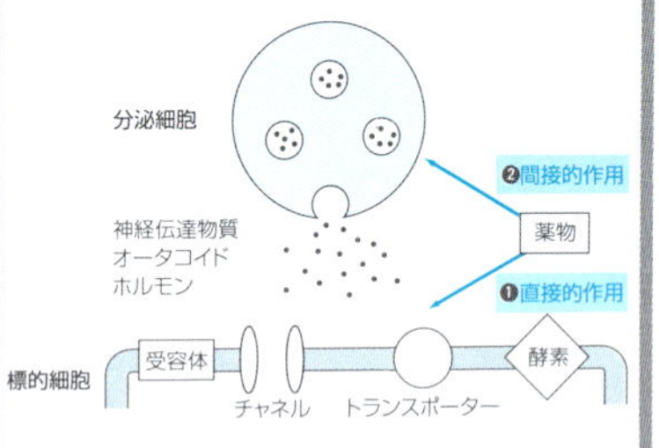

2. 受容体の分類

❶ 概　観

神経伝達物質，オータコイド，ホルモンなどの細胞外シグナル分子（ファースト・メッセンジャー）は，それぞれに特異的な受容体に結合して作用を及ぼす。受容体には，細胞膜表面に存在するもの（細胞膜受容体）と細胞質／核内に存在するもの（細胞内受容体）とがある。

分　類	説　明	
細胞膜受容体	神経伝達物質，オータコイド，ホルモンなどの細胞外のシグナル分子（ファースト・メッセンジャー）のほとんどは親水性であるため，細胞膜を直接通過できない。これらの親水性シグナル分子の受容体は細胞膜表面に存在し，細胞内情報伝達物質（セカンド・メッセンジャー）の産生を促進／抑制して，細胞応答を制御する。	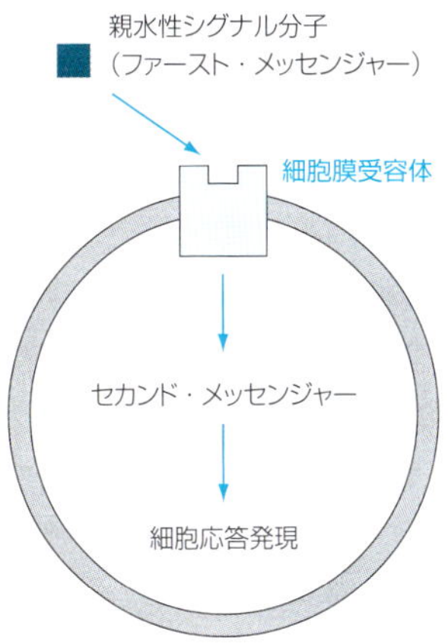
細胞内受容体	いくつかのホルモン（ステロイドホルモン*，甲状腺ホルモン）や脂溶性ビタミン（ビタミンA，ビタミンD）は細胞膜を通過可能である。これらの疎水性シグナル分子の受容体は細胞内（細胞質，核内）に存在し，DNAからmRNAへの転写を制御することにより，標的蛋白質の発現を促進／抑制して，細胞応答を制御する。 *ステロイド骨格を有するホルモン 性ホルモン：卵胞ホルモン 黄体ホルモン 男性ホルモン 副腎皮質ホルモン：糖質コルチコイド 鉱質コルチコイド など	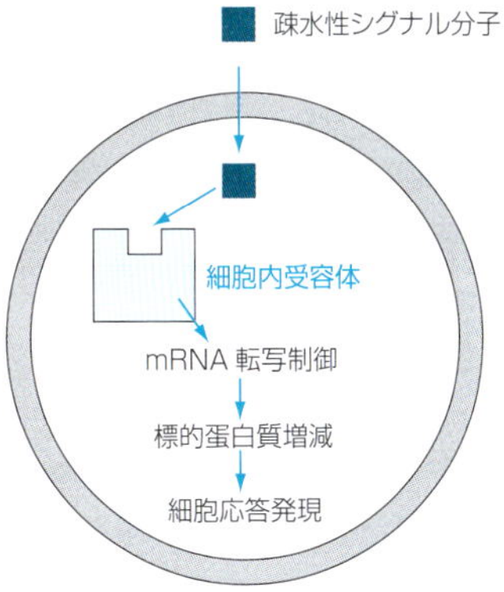

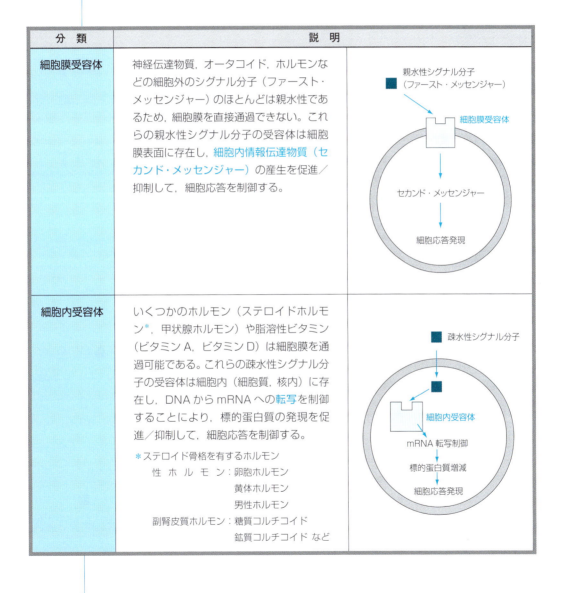

❷ 細胞膜受容体の分類と情報伝達

細胞膜受容体は，受容体の構造及び共役する細胞内情報伝達系の違いによって，G蛋白質共役型受容体，イオンチャネル内蔵型受容体，酵素活性内蔵型受容体の3種類に分けられる。このうち，G蛋白質共役型受容体は最も大きなグループを形成しており，ほとんどの受容体がこの型に属する。

分　類	説　明	
G蛋白質共役型受容体	受容体が活性化されると，αβγ 三量体型G蛋白質の活性化を介して効果器（酵素やチャネルなど）の活性が変化することにより細胞内情報伝達が行われる（☞ p9参照）。	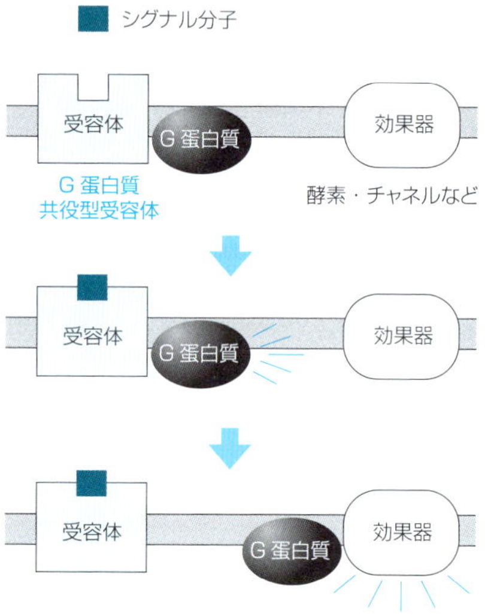
イオンチャネル内蔵型受容体	受容体が活性化されると，受容体に内蔵されているイオンチャネルのイオン透過性が亢進し，膜電位変化（脱分極／過分極）や細胞内イオン濃度変化を介して細胞内情報伝達が行われる。	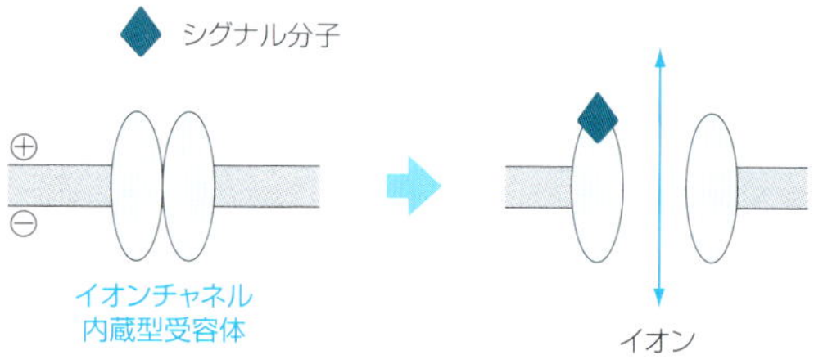
酵素活性内蔵型受容体	受容体が活性化されると，受容体自身の酵素活性（チロシンキナーゼ活性やグアニル酸シクラーゼ活性など）が亢進することによって細胞内情報伝達が行われる。	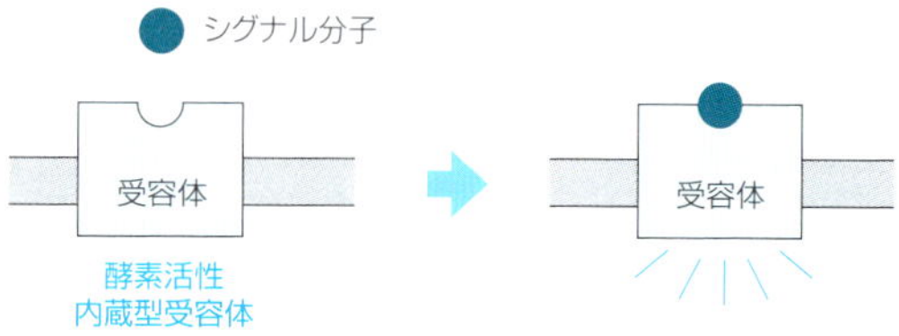

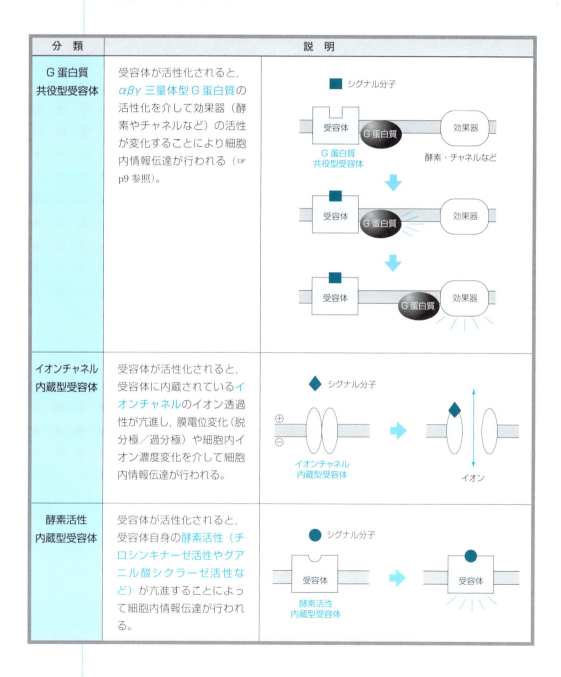

❸ 細胞膜受容体の構造

細胞膜上の受容体は，G 蛋白質共役型受容体，イオンチャネル内蔵型受容体，酵素活性内蔵型受容体の３種類に分けられることは前述の通りである。これら３種類の受容体には，構造上の特徴がある。

項　目	G 蛋白質共役型受容体	イオンチャネル内蔵型受容体	酵素活性内蔵型受容体
ペプチド鎖の基本構造	細胞膜７回貫通型受容体 （ペプチド鎖の細胞膜貫通領域が７ケ所存在する） 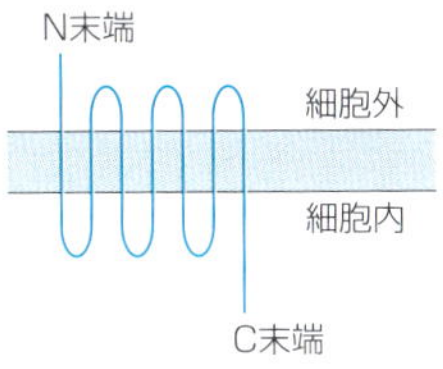	細胞膜４回貫通型受容体 （ペプチド鎖の細胞膜貫通領域が４ケ所存在する） 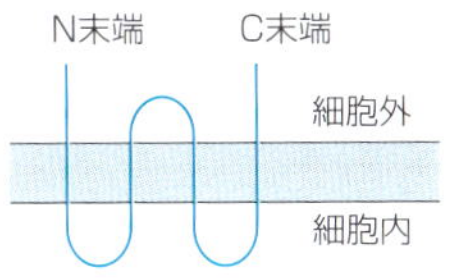 例外 ・ATP 受容体（P2X）：２回貫通型 ・バニロイド受容体：６回貫通型など	細胞膜１回貫通型受容体 （ペプチド鎖の細胞膜貫通領域が１ケ所だけ存在する） 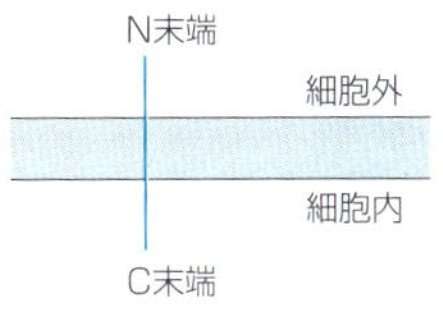
サブユニット構造	単量体〈モノマー〉 ※ただし，ダイマー〈二量体〉／オリゴマー〈重合体〉を形成して情報伝達をする場合もある。	五量体 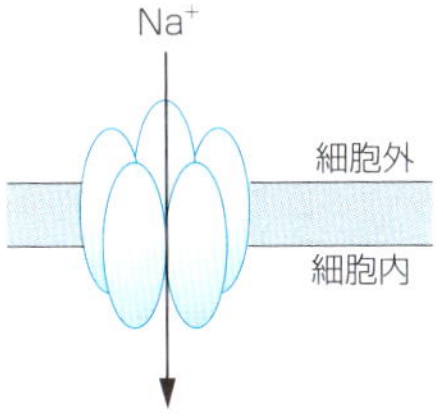 例：骨格筋ニコチン N_M 受容体	単～四量体 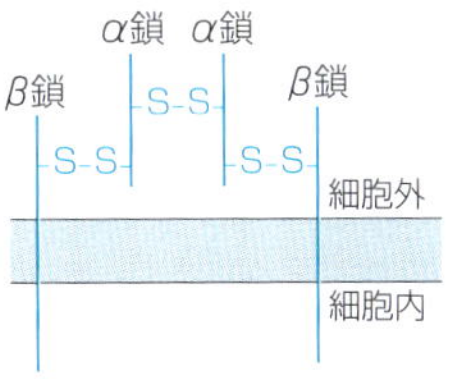 例：インスリン受容体
受容体	アドレナリン受容体 ムスカリン受容体 ヒスタミン受容体 セロトニン 5-$HT_{1/2/4}$受容体 ドパミン受容体 $GABA_B$受容体（ダイマー） オピオイド受容体 代謝型グルタミン酸受容体 など	ニコチン受容体 セロトニン 5-HT_3受容体 チャネル型グルタミン酸受容体 $GABA_A$受容体 グリシン受容体	チロシンキナーゼ インスリン受容体 細胞増殖因子受容体など セリン・スレオニンキナーゼ TGF-β 受容体など グアニル酸シクラーゼ ナトリウム利尿ペプチド（ANP/BNP）受容体

❹ G 蛋白質共役型受容体／イオンチャネル内蔵型受容体 の 細分類

受容体がどの G 蛋白質サブタイプ（G_s, $G_{i/o}$, $G_{q/11}$, G_t など）と共役するか，あるいは，カチオンチャネル内蔵型／アニオンチャネル内蔵型のどちらなのかを覚えておくと，各種細胞における薬物反応をうまく整理して理解することができる。

a）G 蛋白質 の 種類

分類	名前の由来	効果器に対する影響	細胞内情報伝達
G_s	Stimulatory〈刺激性の〉	アデニル酸シクラーゼ活性化	cAMP 産生促進
G_i	Inhibitory〈抑制性の〉	アデニル酸シクラーゼ抑制 K^+ チャネル活性化	cAMP 産生抑制 細胞膜の過分極性変化
G_o	Other〈別の〉	Ca^{2+} チャネル抑制	細胞内 Ca^{2+} 濃度低下
G_q	Queer〈珍奇な〉	ホスホリパーゼ C 活性化	IP_3／DG 産生促進 （Ca^{2+} 動員）
G_{11}	発見に伴う番号		
G_{12} G_{13}	発見に伴う番号	GDP／GTP 交換因子（GEF）活性化	低分子量 G 蛋白質 Rho 活性化 （→Rho キナーゼ活性化）
G_t	Transducin〈仲介因子〉	cGMP ホスホジエステラーゼ（ホスホジエステラーゼ VI）活性化	cGMP 分解促進 （Na^+ チャネル閉口による細胞膜の過分極性変化）

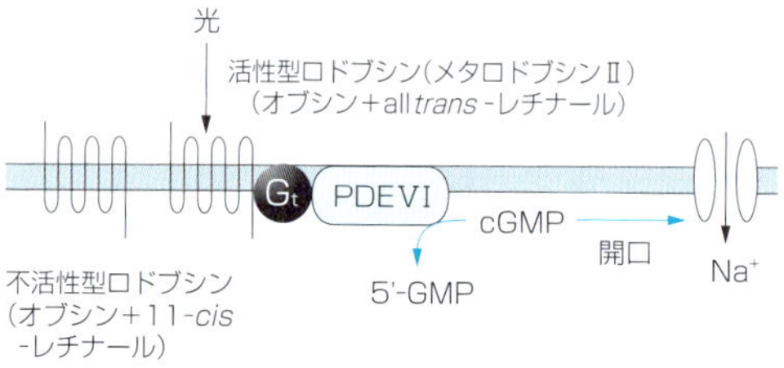

【低分子量 G 蛋白質】

G 蛋白質には，$\alpha\beta\gamma$ サブユニットからなる三量体型 G 蛋白質（☞上記及び p9 参照）と単量体型の低分子量 G 蛋白質（☞下記参照）とがある。G 蛋白質は，単量体型・三量体型ともに，GDP 結合型（不活性型）から GTP 結合型（活性型）に変換されて細胞内情報伝達を担う。

低分子量 G 蛋白質

分 類	主な機能
Rho ファミリー	細胞運動，細胞骨格
Ras ファミリー	細胞分化・増殖，遺伝子発現
Rab ファミリー	小胞輸送
Sar／Arf ファミリー	小胞輸送
Ran ファミリー	蛋白質の核–細胞質間輸送，有糸分裂

b）G 蛋白質共役型受容体／イオンチャネル内蔵型受容体 の 細分類

G 蛋白質共役型受容体／イオンチャネル内蔵型受容体 の 細分類 と 細胞内情報伝達

分　類	細分類	下図	受容体	細胞内情報伝達機構
G 蛋白質共役型受容体	G_s蛋白質共役型（cAMP 産生促進型）	R1	アドレナリン $\beta_1/\beta_2/\beta_3$受容体 ヒスタミン H_2受容体 セロトニン 5-HT_4受容体 ドパミン D_1受容体	細胞内 cAMP 産生を促進することによって，種々の興奮性／抑制性の細胞応答を誘発する。
	$G_{i/o}$蛋白質共役型（cAMP 産生抑制型）	R2	アドレナリン α_2受容体 ムスカリン M_2受容体 セロトニン 5-HT_1受容体 ドパミン D_2受容体 $GABA_B$受容体 オピオイド $\mu/\delta/\kappa$ 受容体	細胞内 cAMP 産生を抑制したり，K^+チャネルを開いたり，Ca^{2+}チャネルを閉じたりすることによって，種々の興奮性/抑制性の細胞応答を誘発する。
	$G_{q/11}$蛋白質共役型（Ca^{2+}動員型）	R3	アドレナリン α_1受容体 ムスカリン M_1/M_3受容体 ヒスタミン H_1受容体 セロトニン 5-HT_2受容体 アンギオテンシン AT_1受容体	細胞内 Ca^{2+} 濃度を上昇させることによって，主に興奮性の細胞応答を誘発する。
イオンチャネル内蔵型受容体	カチオン〈陽イオン〉チャネル内蔵型	R4	ニコチン N_N/N_M受容体 セロトニン 5-HT_3受容体 チャネル型グルタミン酸受容体	細胞膜を脱分極（☞p18 参照）させることによって，主に興奮性の細胞応答を誘発する。
	アニオン〈陰イオン〉チャネル内蔵型	R5	$GABA_A$受容体 グリシン受容体	細胞膜を過分極させることによって，主に抑制性の細胞応答を誘発する。

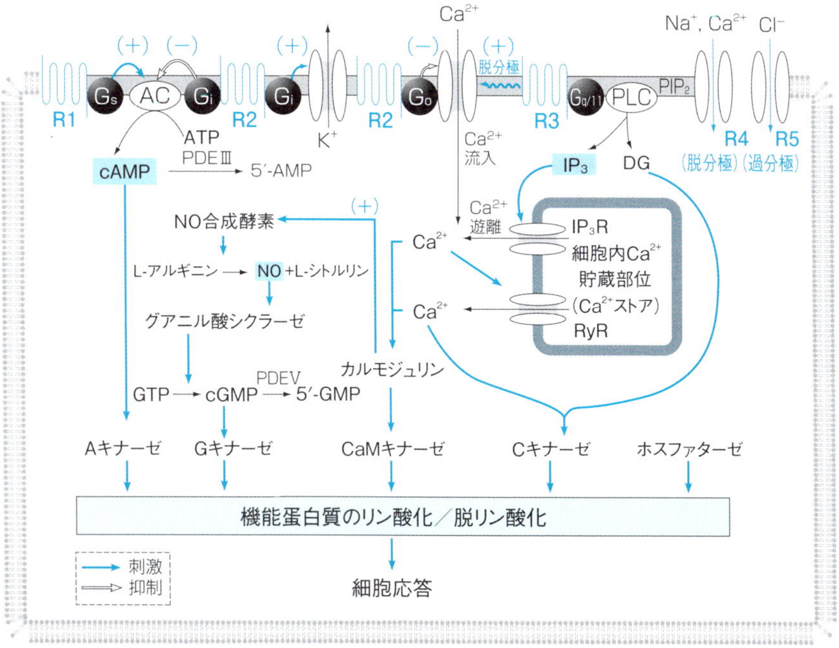

☞図内の略語等については，次頁の表を参照

細胞内情報伝達に関わる主な語句・略語（☞前頁の図参照）

語句・略語	正式名称	説　明
AC	アデニル酸シクラーゼ	ATP から cAMP を産生する酵素。 G_s蛋白質によって促進，G_i蛋白質によって抑制。 （☞p15 参照）
GC	グアニル酸シクラーゼ	GTP から cGMP を産生する酵素。 可溶性グアニル酸シクラーゼ（細胞質に存在）やグアニル酸シクラーゼ内蔵型受容体（細胞膜に存在）などがある。 （☞p15 参照）
cAMP 〈サイクリック AMP〉	アデノシン 3'，5'-環状一リン酸	プロテインキナーゼ A〈A キナーゼ：PKA〉を活性化。 （☞p15 参照）
cGMP 〈サイクリック GMP〉	グアノシン 3'，5'-環状一リン酸	プロテインキナーゼ G〈G キナーゼ：PKG〉を活性化。 （☞p15 参照）
PDE	ホスホジエステラーゼ	リン酸ジエステル結合の加水分解酵素。 cAMP を 5′-AMP に，cGMP を 5′-GMP に分解する。 （☞p15 参照）
PIP_2	ホスファチジルイノシトール 4, 5-二リン酸	細胞膜リン脂質の構成成分。 PLC により加水分解され，IP_3 と DG となる。 （☞p16 参照）
PLC	ホスホリパーゼ C	リン脂質の加水分解酵素。 PIP_2を加水分解し，IP_3と DG を産生。（☞p16 参照）
IP_3	イノシトール 1，4，5-三リン酸	小胞体の IP_3受容体に作用して，小胞体から Ca^{2+}を細胞質へ遊離。（☞p16 参照）
DG	ジアシルグリセロール	プロテインキナーゼ C〈C キナーゼ：PKC〉を活性化。 （☞p16 参照）
IP_3R	イノシトール 1，4，5-三リン酸受容体	Ca^{2+}チャネル内蔵型細胞内受容体。 IP_3によって開口。
RyR	リアノジン受容体	Ca^{2+}チャネル内蔵型細胞内受容体。 Ca^{2+}自身によって開口。
キナーゼ	リン酸化酵素	プロテインキナーゼ＝蛋白質リン酸化酵素。
ホスファターゼ	脱リン酸化酵素	プロテインホスファターゼ＝蛋白質脱リン酸化酵素。

❺ G 蛋白質共役型受容体の細胞内情報伝達機構（G protein signaling）

a）G 蛋白質共役型受容体の細胞内情報伝達（G protein signaling）

情報伝達過程	説明	
1）静止状態	静止状態（非刺激時）のαβγ三量体型 G 蛋白質のαサブユニットには GDP〈グアノシン 5'-二リン酸〉が結合している。	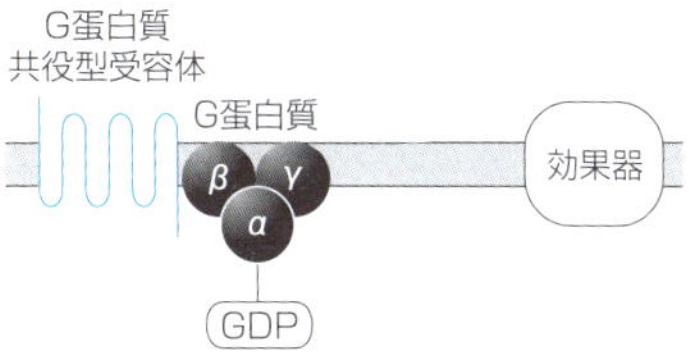
2）受容体活性化	神経伝達物質などのシグナル分子（ファーストメッセンジャー）が受容体に結合すると，受容体の立体構造は活性型に維持される。	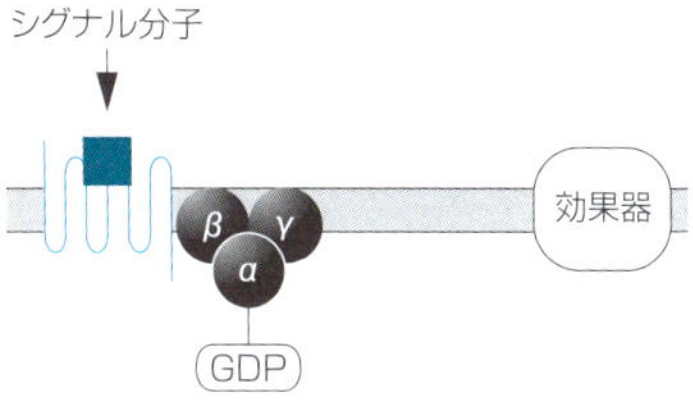
3）G 蛋白質活性化	活性型受容体が G 蛋白質に作用すると，G 蛋白質のαサブユニットに結合していた GDP は GTP〈グアノシン 5'-三リン酸〉に交換され（GDP/GTP 交換反応），GTP 結合型αサブユニットとβγサブユニットとに解離して共に活性型となる。	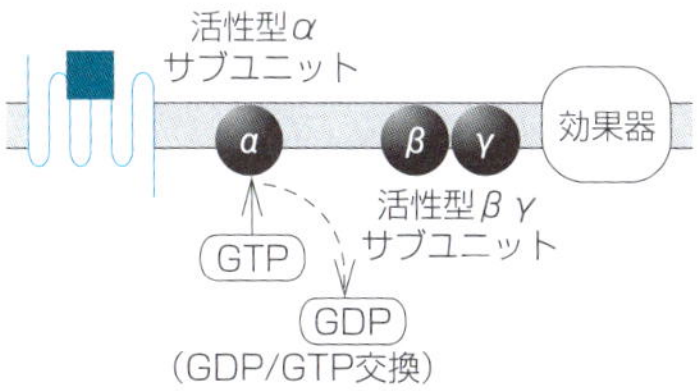
4）効果器活性化 （効果器抑制）	活性型αサブユニット及び活性型βγサブユニットは，効果器を活性化／抑制する。効果器は細胞内情報伝達分子（セカンドメッセンジャー）の産生促進／抑制を介して情報を伝達する。	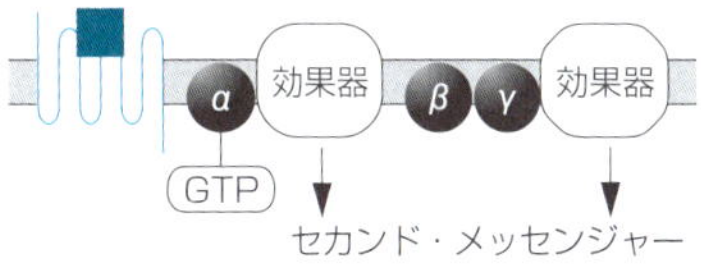
5）G 蛋白質不活性化 （静止状態）	αサブユニットは GTPase〈GTP 加水分解酵素〉活性をもち，GTP を加水分解して GDP に変換する（GTP 加水分解反応）。GDP 結合型に戻ったαサブユニットはβγサブユニットと再結合して静止状態に戻る。	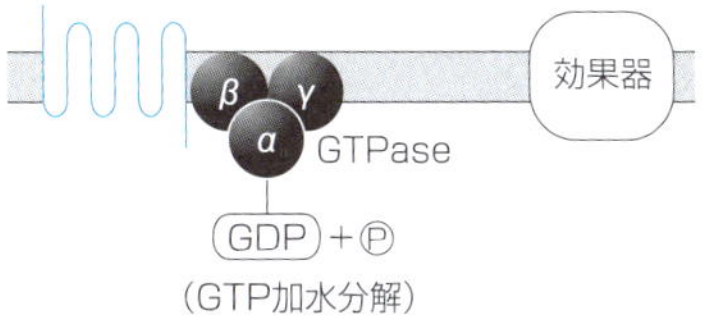

b）G protein signaling と ADP リボシル化毒素（コレラ毒素，百日咳毒素）

ADP リボシル化は，補酵素 NAD〈ニコチンアミド・アデニン・ジヌクレオチド〉の ADP リボース部分が種々の蛋白質に転移される蛋白質修飾反応である。

ADP リボシル化毒素	説　明	模式図
コレラ毒素	1）コレラ毒素は，G_s 蛋白質の α サブユニット（アルギニン残基）を ADP リボシル化することにより，α サブユニットのもつ GTPase 活性を消失させる。 2）その結果，G_s 蛋白質は活性型に維持されるため，アデニル酸シクラーゼが刺激され続けて cAMP 産生が持続する。 3）コレラ毒素が腸管上皮細胞に作用すると，腸管腔からの Na^+ や水の再吸収が阻害されて下痢が起こる。	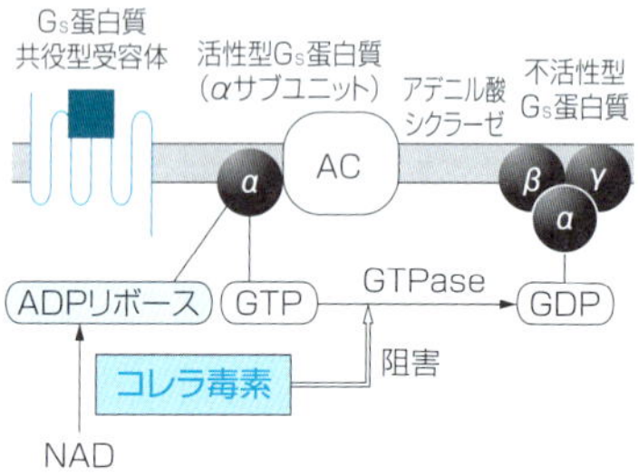
百日咳毒素 〈IAP：Islet-Activating Protein〉	1）百日咳毒素は，$G_{i/o}$ 蛋白質 α サブユニット（システイン残基）を ADP リボシル化することにより，受容体との共役を阻害する。 2）その結果，G_i 蛋白質は不活性型に維持されるため，アデニル酸シクラーゼへの抑制が阻害されて cAMP 産生が増加する。 3）なお，百日咳毒素は，膵臓 β 細胞での cAMP 産生増加によりインスリン分泌を促進させるため，IAP〈膵活性化蛋白質：Islet-Activating Protein〉ともよばれる。	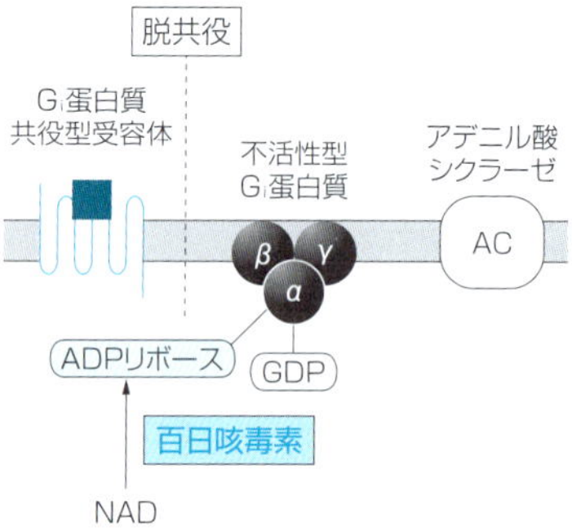

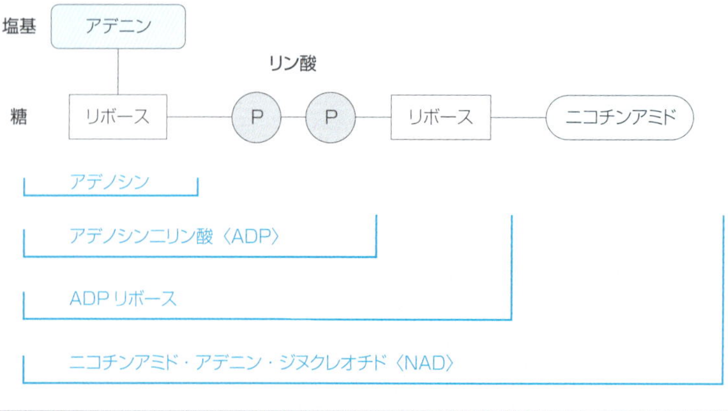

❻ 主な神経伝達物質・オータコイド・ホルモン受容体のサブタイプ

1つの神経伝達物質，オータコイド，ホルモンが複数の受容体サブタイプを刺激する場合が多い。従って，その刺激物質が細胞・組織にどのような反応を誘発するかは，細胞・組織に分布する受容体サブタイプによって決定される。また，異なる神経伝達物質，オータコイド，ホルモンでも，組織に分布するそれらの受容体が同じ型の受容体（例えばG_s蛋白質共役型受容体）であれば，同じ細胞内情報伝達系が活性化され，基本的には類似した細胞応答が誘発される。

受容体サブタイプと細胞応答に関する基本的な考え方

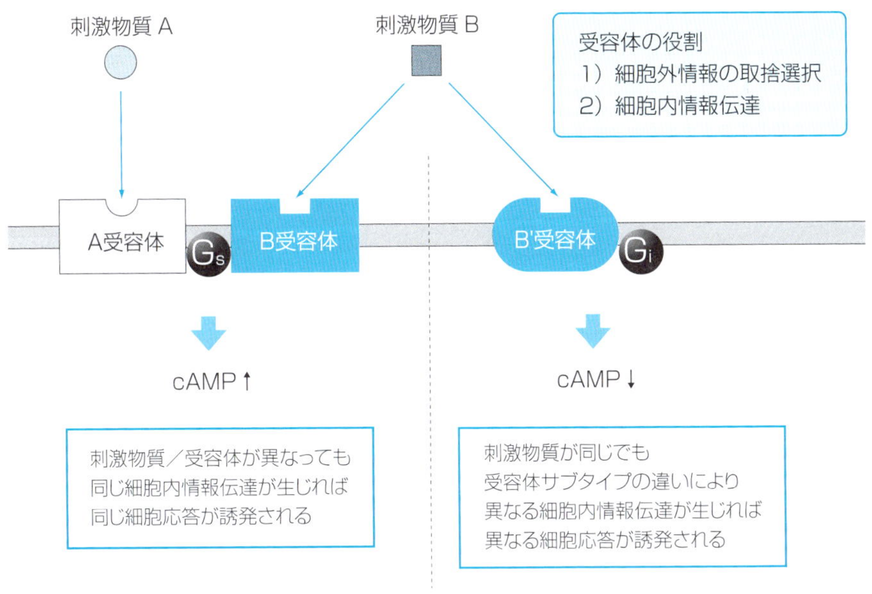

主な神経伝達物質・オータコイド・ホルモン受容体のサブタイプ

神経伝達物質など	G蛋白質共役型受容体			イオンチャネル内蔵型受容体	
	$G_{q/11}$	$G_{i/o}$	G_s	カチオン	アニオン
アドレナリン	$\alpha_{1A} \cdot \alpha_{1B} \cdot \alpha_{1D}$	$\alpha_{2A} \cdot \alpha_{2B} \cdot \alpha_{2C}$	$\beta_1 \cdot \beta_2 \cdot \beta_3$		
アセチルコリン	$M_1 \cdot M_3 \cdot M_5$	$M_2 \cdot M_4$		$N_N \cdot N_M$ (Na^+/Ca^{2+})	
ドパミン		$D_2 \sim D_4$	$D_1,\ D_5$		
グルタミン酸	$mGlu_1$ $mGlu_5$	$mGlu_2 \sim mGlu_4$ $mGlu_6 \sim mGlu_8$		NMDA$(Na^+/K^+/Ca^{2+})$ AMPA$(Na^+/K^+/Ca^{2+})$ Kainate$(Na^+/K^+/Ca^{2+})$	
GABA		$GABA_B$			$GABA_A$ (Cl^-)
グリシン					$\alpha1 \sim \alpha3 (Cl^-)$
オピオイド		$\mu,\ \delta,\ \kappa$			
ヒスタミン	H_1	$H_3,\ H_4$	H_2		
セロトニン	$5\text{-}HT_2$	$5\text{-}HT_{1,5}$	$5\text{-}HT_{4,6,7}$	$5\text{-}HT_3 (Na^+/K^+/Ca^{2+})$	
プロスタグランジン	FP TP EP_1	EP_3	DP IP $EP_2,\ EP_4$		
アンギオテンシンⅡ	AT_1	$(AT_1) \cdot AT_2$			
ブラジキニン	$B_1 \cdot B_2$				
タキキニン	$NK_1 \sim NK_3$				
LTB_4	$BLT_1 \cdot BLT_2$				
$LTC_4 \cdot D_4$	$CysLT_1 \cdot LT_2$				
エンドセリン	$ET_A \cdot ET_B$				
アデノシン		$A_1 \cdot A_3$	$A_{2A} \cdot A_{2B}$		
ATP				$P2X_1 \sim P2X_7$ $(Na^+/K^+/Ca^{2+})$	
ATP／ADP／UTP	$P2Y_{1,2,4,6,11}$	$P2Y_{12,13,14}$	$(P2Y_{11})$		
バソプレシン オキシトシン	$V_{1a} \cdot V_{1b}$ OT		V_2		
IP_3 リアノジン				細胞内 Ca^{2+} チャネル $IP_3R1 \sim IP_3R3$ $RyR1 \sim RyR3$	
情報伝達機構	$IP_3\uparrow (Ca^{2+}\uparrow)$ $DG\uparrow$	cAMP ↓ K^+ チャネル↑ Ca^{2+} チャネル↓	cAMP↑	Na^+：脱分極 Ca^{2+}：脱分極 （G_q 類似）	Cl^-：過分極
効果器の主な反応	興奮作用 神経興奮 胃酸分泌 インスリン分泌 興奮作用 平滑筋収縮 血小板凝集 肥満細胞興奮	抑制作用 神経抑制 胃酸分泌抑制 インスリン分泌抑制 心臓抑制 興奮作用 平滑筋収縮 血小板凝集 肥満細胞興奮	興奮作用 神経興奮 胃酸分泌 インスリン分泌 心臓興奮 抑制作用 平滑筋弛緩 血小板抑制 肥満細胞抑制	Na^+/Ca^{2+}：興奮 神経興奮 （記憶・学習, 嘔吐） 筋収縮	Cl^-：抑制 神経抑制

⑦ 主な生理活性物質受容体を介した薬理反応

主な生理活性物質受容体を介した薬理反応（その1）

生理活性物質	受容体	共役系	薬理反応
アドレナリン	α_1	G_q	末梢血管 α_1 刺激により末梢血管が収縮（昇圧）。
	α_2	G_i	延髄血管運動中枢 α_2 刺激により交感神経活動抑制（降圧）。
	β_1	G_s	心臓 β_1 刺激により心機能が亢進（頻脈，心拍出量増大，昇圧）。
	β_2	G_s	気管支平滑筋 β_2 刺激により気管支が拡張（気管支喘息改善）。 肝臓 β_2 刺激によりグリコーゲン分解促進（血糖値上昇）。
	β_3	G_s	膀胱平滑筋 β_3 刺激により膀胱平滑筋弛緩（過活動膀胱改善）。
アセチルコリン	ムスカリン受容体 M_1	G_q	ヒスタミン含有 ECL 細胞〈エンテロクロマフィン様細胞〉M_1 刺激によりヒスタミン遊離促進（胃酸分泌促進）。
	ムスカリン受容体 M_2	G_i	心臓 M_2 刺激により心機能が低下（徐脈，心拍出量低下，降圧）。
	ムスカリン受容体 M_3	G_q	消化管平滑筋 M_3 刺激により消化管運動が亢進。
	ニコチン受容体 N_N	カチオンチャネル	自律神経節 N_N 刺激により自律神経終末からノルアドレナリン・アセチルコリンの遊離が促進。また，副腎髄質クロム親和性細胞 N_N 刺激によりアドレナリン分泌促進。その結果，昇圧およびムスカリン作用が発現。
	ニコチン受容体 N_M	カチオンチャネル	骨格筋 N_M 刺激により骨格筋収縮。
ドパミン	D_2	G_i	中枢 D_2 遮断により，抗精神病作用，制吐作用，錐体外路障害（パーキンソン様症状），悪性症候群，プロラクチン分泌促進。
グルタミン酸	代謝調節型	G_q G_i	海馬グルタミン酸受容体刺激により，記憶・学習の素過程とされるシナプスの可塑的変化が発現（長期増強：Long-term potentiation）。
	チャネル型	カチオンチャネル	
GABA	$GABA_A$	Cl^- チャネル	中枢 $GABA_A$ 刺激により神経活動抑制（抗不安，催眠，筋弛緩，抗痙攣・抗てんかん）。
	$GABA_B$	G_i	中枢 $GABA_B$ 刺激により脊髄反射抑制（筋弛緩）。
グリシン	$\alpha1 \sim \alpha3$	Cl^- チャネル	中枢グリシン受容体刺激により脊髄反射抑制（筋弛緩）。
オピオイド	$\mu\delta\kappa$	G_i	中枢オピオイド受容体刺激により，鎮痛，鎮咳，呼吸抑制。
ヒスタミン	H_1	G_q	各種組織 H_1 刺激によりⅠ型アレルギー反応が発現（血管透過性亢進・炎症，気管支収縮，血管拡張・降圧）。
	H_2	G_s	胃壁細胞 H_2 刺激により胃酸分泌亢進。
セロトニン	$5\text{-}HT_1$	G_i	中枢 $5\text{-}HT_{1A}$ 刺激によりセロトニン神経活動抑制（抗不安）。 中枢 $5\text{-}HT_{1B/1D}$ 刺激により血管収縮及び CGRP 遊離抑制（片頭痛改善）。
	$5\text{-}HT_2$	G_q	血小板および血管 $5\text{-}HT_2$ 刺激により血小板凝集・血管収縮促進。
	$5\text{-}HT_3$	カオチンチャネル	延髄 CTZ および胃求心性迷走神経終末 $5\text{-}HT_3$ 刺激により嘔吐中枢興奮。
	$5\text{-}HT_4$	G_s	迷走神経終末 $5\text{-}HT_4$ 刺激によりアセチルコリン遊離促進（胃運動促進）。

主な生理活性物質受容体を介した薬理反応（その 2）

生理活性物質	受容体	共役系	薬理反応
エイコサノイド	FP	G_q	子宮および腸管平滑筋 FP 受容体刺激により律動的収縮促進。
	TP	G_q	血管および血小板 TP 受容体刺激により血管収縮・血小板凝集促進。
	$EP_{2/4}$	G_s	$EP_{2/4}$受容体刺激により血管拡張。
	EP_3	G_i	EP_3受容体刺激により，子宮収縮，発熱，発痛増強。
	IP	G_s	血管および血小板 IP 受容体刺激により血管拡張および血小板凝集抑制。
	BLT_1	G_q	白血球 BLT_1受容体刺激により白血球遊走促進。
	$CysLT_1$	G_q	気道 $CysLT_1$刺激により気管支収縮および炎症（喘息）。
アンギオテンシンⅡ	AT_1	G_q	血管 AT_1刺激により血管収縮。副腎皮質 AT_1刺激によりアルドステロン分泌促進。その結果，昇圧，体液貯留が生じる。
ブラジキニン	B_2	G_q	血管内皮細胞 B_2受容体刺激により NO 産生亢進（血管拡張）。
サブスタンスP	NK_1	G_q	中枢 NK_1受容体刺激により痛覚伝導路および嘔吐中枢興奮。
エンドセリン	ET_A	G_q	血管 ET_A受容体刺激により血管収縮。
アデノシン	A_1	G_i	心臓 A_1受容体刺激により心抑制。
	A_2	G_s	血管および血小板 A_2受容体刺激により血管拡張および血小板凝集抑制。
ADP	$P2Y_{12}$	G_i	血小板 $P2Y_{12}$刺激により血小板凝集。
オキシトシン	OT	G_q	子宮 OT 受容体刺激により律動的収縮促進。
バソプレシン	V_1	G_q	血管 V_1刺激により血管収縮（昇圧）。
	V_2	G_s	腎尿細管 V_2刺激により水再吸収促進（抗利尿・体液貯留）。

3. ホスホジエステラーゼ と ホスホリパーゼ の 分類

❶ ホスホジエステラーゼ（PDE）のサブタイプ（アイソザイム）

ホスホジエステラーゼは，リン酸ジエステル結合を加水分解する酵素である。例えば，3',5'-cAMP（3',5'-cGMP）ホスホジエステラーゼは，3' 側のリン酸エステル結合を切断して 5'-AMP（5'-GMP）を産生する。

ホスホジエステラーゼ（PDE）のサブタイプ（アイソザイム）の例

分類	基　質	付　記	選択的阻害薬
PDE I	cAMP＜cGMP	Ca^{2+}／カルモジュリンで活性化	ビンポセチン
PDE II	cAMP／cGMP		
PDE III	cAMP	心筋細胞，血管平滑筋細胞，血小板などに分布	ミルリノン（強心） アムリノン シロスタゾール（抗血小板）
PDE IV	cAMP	炎症性細胞に分布 　（炎症性サイトカイン発現制御）	アプレミラスト（抗炎症） ジファミラスト
PDE V	cGMP	陰茎海綿体血管平滑筋などに分布	シルデナフィル バルデナフィル（血管拡張） タダラフィル
PDE VI	cGMP	網膜に局在 　（ロドプシン→Gt→PDE VI→cGMP↓）	
PDE VII	cAMP	神経細胞に局在	

ヌクレオチド（塩基 + 糖 + リン酸）

ヌクレオシド（塩基 + 糖）

塩基　アデニン（グアニン）

糖　リボース　5' 位　リン酸　P—P—P

アデノシン 5'-三リン酸〈ATP〉
グアノシン 5'-三リン酸〈GTP〉

アデニル酸シクラーゼ
（グアニル酸シクラーゼ）

アデニン（グアニン）

リボース　5' 位　P
3' 位　環状

アデノシン 3',5'-環状一リン酸〈3',5'-cAMP〉
グアノシン 3',5'-環状一リン酸〈3',5'-cGMP〉

cAMP/cGMP ホスホジエステラーゼ

アデニン（グアニン）

リボース　5' 位　P

アデノシン 5'-一リン酸〈5'-AMP〉
グアノシン 5'-一リン酸〈5'-GMP〉

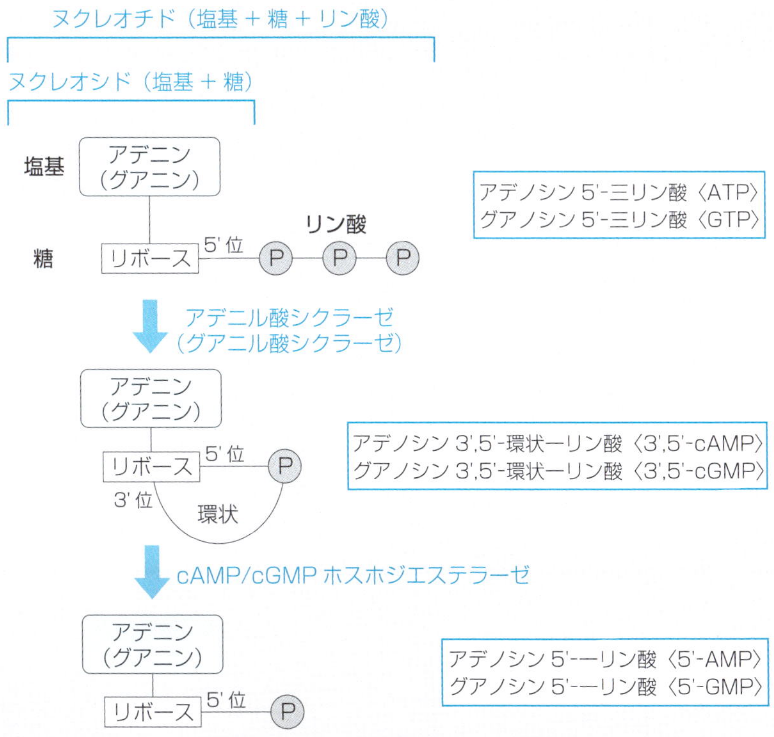

❷ ホスホリパーゼの分類

ホスホリパーゼは，リン脂質を加水分解する酵素である。加水分解するグリセロリン脂質のエステル結合の位置により，下図のように分類される。

ホスホリパーゼの分類

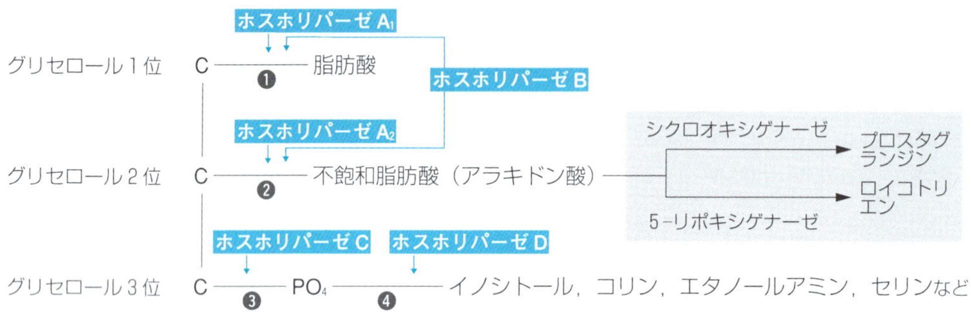

ホスホリパーゼ A_1〈PLA_1〉	❶を切断
ホスホリパーゼ A_2〈PLA_2〉	❷を切断（アラキドン酸切り出し酵素ともよばれる）
ホスホリパーゼ B〈PLB〉	❶と❷を切断
ホスホリパーゼ C〈PLC〉	❸を切断（☞下図も参照）
ホスホリパーゼ D〈PLD〉	❹を切断

ホスホリパーゼC〈PLC〉によるホスファチジルイノシトール4，5-二リン酸〈PIP_2〉の加水分解

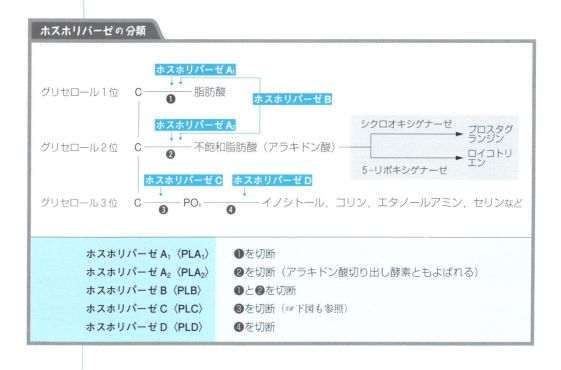

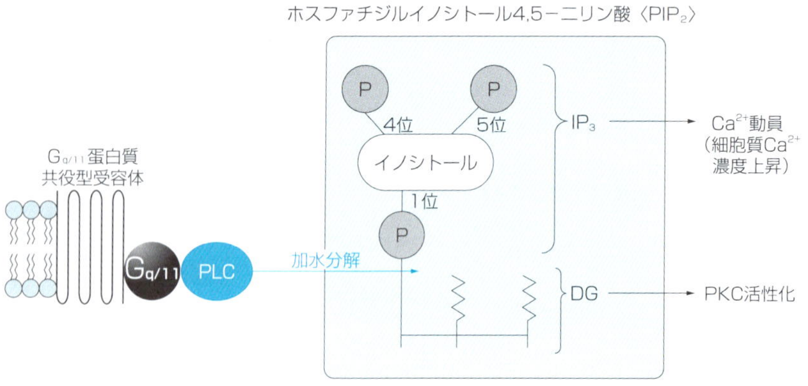

4. チャネルとトランスポーター

❶ 細胞膜を介した物質輸送

細胞膜を介した物質輸送は，単純拡散やチャネル及びトランスポーターを介した機構によって行われる。まず，チャネルとトランスポーターの基本的な違いについて概説する。

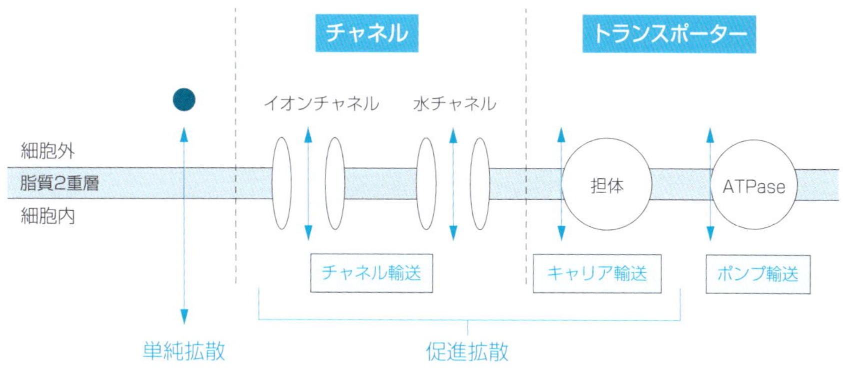

分類	チャネル	イオンチャネル	受動輸送 （促進拡散）	細胞内外の濃度勾配を利用して移動。 （共輸送／逆輸送を行うキャリアには，ATP の加水分解エネルギーの代わりに，Na^+や H^+の濃度勾配を利用して，別の分子の能動輸送を行うものがある：二次性能動輸送）
		水チャネル		
	トランスポーター	キャリア		
		ポンプ	能動輸送	ATP の分解エネルギーを使い，細胞内外の濃度勾配に逆らって輸送可能（一次性能動輸送）。
		※トランスポーターは，輸送分子の数や向きによって以下のように分類される。 1）ユニポーター　〈単輸送〉：1 種類の分子のみ輸送する。 2）シンポーター　〈共輸送〉：2 種類以上の分子を同方向に輸送する。 3）アンチポーター〈逆輸送〉：2 種類以上の分子を互いに逆方向に輸送する。 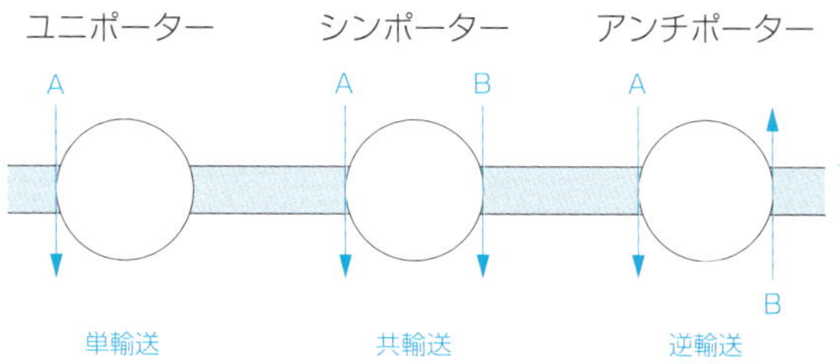 		

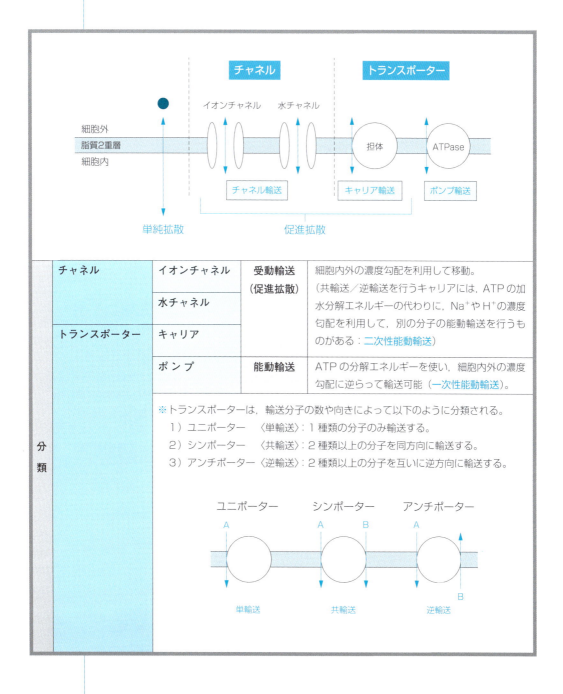

❷ 細胞膜電位変化と細胞の興奮

1）分極と静止膜電位

静止状態（非刺激時）の細胞膜の外側表面は＋に，細胞膜の内側表面は－に荷電している。つまり，＋と－の電荷が細胞膜の外側と内側とに分極している。この電位差を静止膜電位とよぶ。

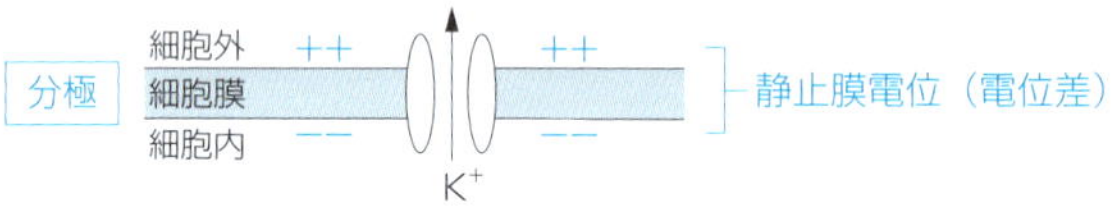

【Nernst の式（カリウムの平衡電位⇒静止膜電位）】

カリウムの平衡電位

＝((気体定数×絶対温度)／(ファラデー定数×K^+の原子価))×ln($[K^+]_{out}$／$[K^+]_{in}$)

＝61.5×log（$[K^+]_{out}$／$[K^+]_{in}$）（37℃のとき）

＝－90.8 mV　　　　（$[K^+]_{out}$＝5 mM，$[K^+]_{in}$＝150 mM のとき）

2）細胞膜の興奮

刺激に伴い，膜電位が浅くなったり（電位差が小さくなること），消失したり，あるいは細胞内が＋に逆転する現象を脱分極といい（分極状態から脱する），細胞が興奮している状態を表す。多くの場合，カチオン（＋イオン）である Na^+ あるいは Ca^{2+} が細胞外から細胞内に流入することによって脱分極が生じ，筋収縮や分泌など興奮性の細胞応答が誘発される。

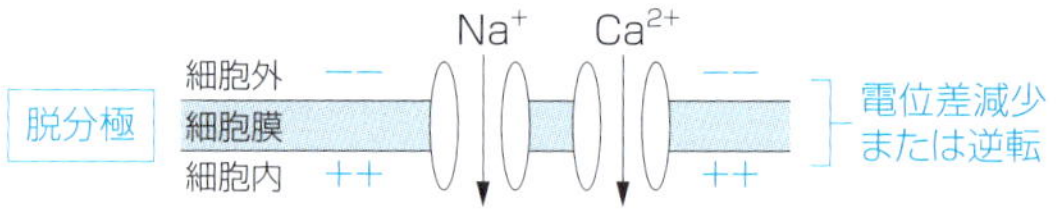

3）細胞膜の興奮性低下

刺激に伴い，膜電位が深くなること（電位差が大きくなること）を過分極といい（過度の分極状態），細胞の興奮性が低下している状態を表す。つまり，過分極状態では，通常の分極状態（静止膜電位）よりも閾値に達するまでに刺激がたくさん必要となる。多くの場合，アニオン（－イオン）である Cl^- が細胞内に流入したり，あるいはカチオン（＋イオン）である K^+ が細胞外に流出することによって過分極が生じ，筋収縮抑制や分泌抑制など抑制性の細胞応答が誘発される。

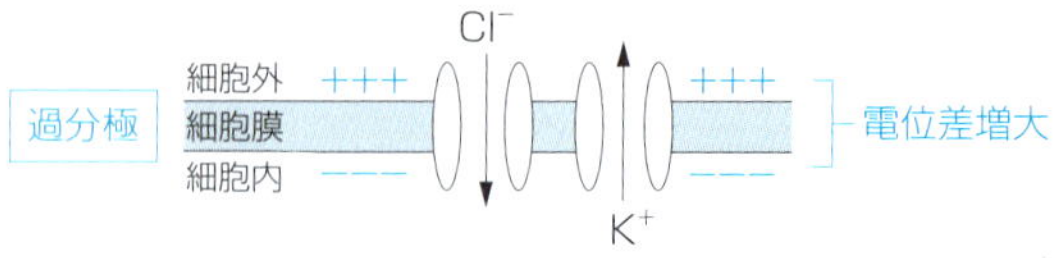

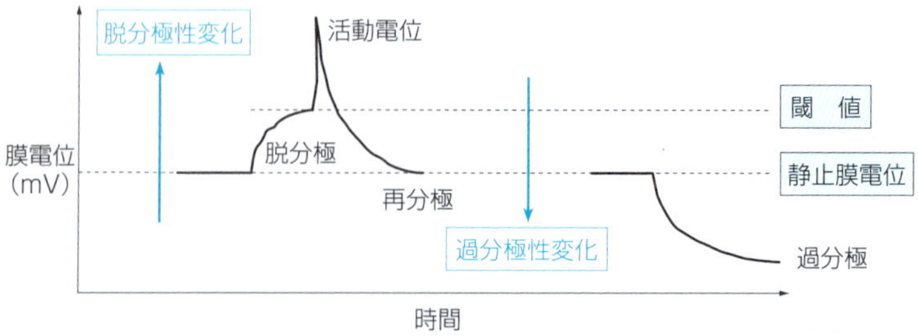

❸ チャネル開口時のイオンの流れと細胞応答

イオンチャネルを介したイオンの輸送は受動輸送（促進拡散）であるため，細胞内外のイオン濃度勾配によって決定される。従って，イオンチャネルが開いたときに各種イオンが細胞内・細胞外のどちらに移動するかを理解するには，細胞内外のイオン濃度の大小を知っておく必要がある。このイオンの移動の向きを理解すると，イオンチャネルが開いたときに細胞膜が脱分極（興奮）するのか過分極（抑制）するのかという基本的な現象が理解でき，誘発される細胞応答が推定できる。

チャネル	開口時のイオンの流れ	細胞応答
Na^+チャネル	細胞**外** Na^+が細胞内へ流**入**	脱分極／細胞興奮
Ca^{2+}チャネル	細胞**外** Ca^{2+}が細胞内へ流**入**	
K^+チャネル	細胞**内** K^+が細胞外へ流**出**	過分極／細胞興奮性低下
Cl^-チャネル	細胞**外** Cl^-が細胞内へ流**入**	（閾値に達するまで多くの刺激が必要）

	Na^+	Ca^{2+}	Mg^{2+}			Cl^-	HCO_3^-
細胞外	145mM	1〜2mM	1〜2mM	5mM	40nM	110mM	30mM
細胞膜							
細胞内	5〜15mM	100nM	0.5mM	140mM	70nM	5〜15mM	10mM
				K^+	H^+		

Na$^+$チャネル　Ca^{2+}チャネル　　K$^+$チャネル　Cl$^-$チャネル

脱分極（興奮）　　　　　過分極（抑制）

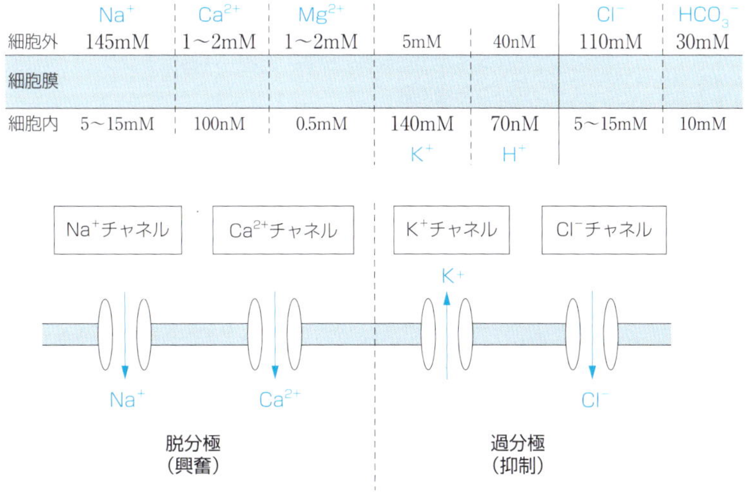

【膜電位変化と細胞内イオン濃度変化】

Na^+，K^+，Cl^-の細胞内外の濃度勾配は〜30倍程度であるが，細胞内外の高い方のイオン濃度は100〜150 mM もあるため，チャネルが開いたときに細胞膜を横切る電荷量は多い。従って，Na^+，K^+，Cl^-は，効率よく膜電位を変化させるが，これらのイオンの流入／流出による細胞内イオン濃度変化は，Ca^{2+}と比較すると小さい。

一方，細胞外 Ca^{2+}濃度は 1 mM 程度と低いが，細胞内 Ca^{2+}濃度は 100 nM と極めて低濃度に維持されているため，細胞内外の Ca^{2+}濃度勾配は約 10,000 倍に達する。従って，Ca^{2+}チャネルが開いたときに細胞膜を横切る電荷量は決して多くはないが，細胞内 Ca^{2+}濃度は劇的に変化することになるため，Ca^{2+}は細胞内情報伝達分子として機能する。

④ チャネルに作用する主な薬物

分類			薬物の作用
イオンチャネル	カチオンチャネル	Na^+チャネル	ニコチン N_N受容体（Na^+チャネル内蔵型受容体） ・ヘキサメトニウムで遮断 ⟶ 血圧下降
			ニコチン N_M受容体（Na^+チャネル内蔵型受容体） ・ツボクラリンで遮断 ⟶ 骨格筋弛緩
			電位依存性 Na^+チャネル ・局所麻酔作用（神経）及びキニジン様作用（心臓）で遮断 ⟶ 神経・心抑制
			アミロリド感受性〈上皮性〉Na^+チャネル ・アルドステロン受容体刺激薬で活性化 ⟶ 抗利尿 ・アルドステロン受容体拮抗薬やアミロリド・トリアムテレンで阻害 ⟶ 利尿
		Ca^{2+}チャネル	電位依存性 Ca^{2+}チャネル ・カルシウム拮抗薬で阻害 ⟶ 抗狭心症・抗不整脈・抗高血圧
			細胞内 Ca^{2+}チャネル ・IP_3受容体：IP_3で活性化 ⟶ 筋収縮・分泌反応惹起 ・リアノジン受容体：Ca^{2+}で活性化 ⟶ 筋収縮 ダントロレンで抑制 ⟶ 筋弛緩
		K^+チャネル	K_{ACh}チャネル（K_Gチャネル） ・アセチルコリンがムスカリン M_2受容体活性化 ⟶ G_i（G_K）活性化 ⟶ K_{ACh}（K_G）チャネル開口 ⟶ 過分極 ⟶ 心抑制（負の変力・変時・変伝導作用）
			K_{ATP}チャネル ・ニコランジルで刺激 ⟶ 冠血管拡張 ⟶ 抗狭心症作用 ・スルホニル尿素系経口糖尿病治療薬で阻害 ⟶ 膵臓ランゲルハンス島 β 細胞脱分極 ⟶ インスリン分泌亢進
			遅延整流 K^+チャネル ・アミオダロンで阻害 ⟶ 心筋電気活動第 3 相（再分極相）阻害 ⟶ 第 2 相延長 ⟶ 不応期延長 ⟶ 抗不整脈作用
			Ca^{2+}活性化 K^+チャネル（BK チャネル） ・イソプロピルウノプロストンで活性化 ⟶ 線維柱帯弛緩 ⟶ 眼房水排出促進 ⟶ 眼圧低下
	アニオンチャネル	Cl^-チャネル	$GABA_A$受容体 ・GABA・ベンゾジアゼピン・バルビツレートで促進 ⟶ 鎮静・催眠・筋弛緩など ・ピクロトキシンで抑制 ⟶ 痙攣
			グリシン受容体 ・ストリキニーネで競合拮抗 ⟶ 痙攣
			電位依存性 Cl^-チャネル（ClC-2） ・ルビプロストンで活性化 ⟶ 腸管内 Cl^-分泌促進 ⟶ 瀉下
水チャネル			バソプレシン〈抗利尿ホルモン：ADH〉が集合管の V_2受容体（G_s）刺激 ⟶ cAMP 増加 ⟶ PKA 活性化 ⟶ 細胞内から細胞膜への水チャネルの移動 ⟶ 水再吸収促進 ⟶ 抗利尿

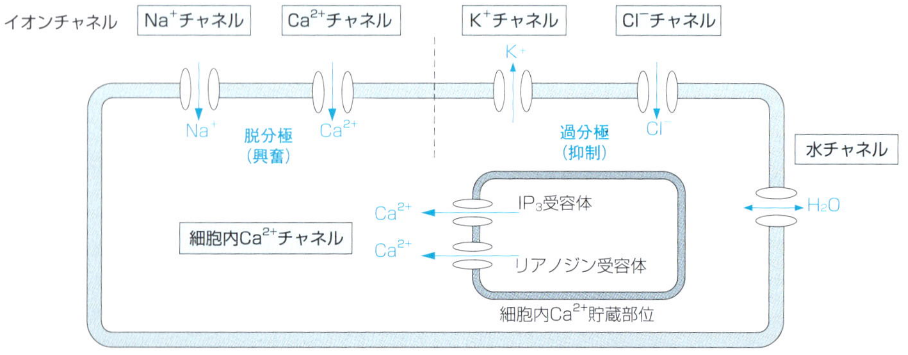

⑤ トランスポーターに作用する主な薬物

トランスポーターは，イオン，神経伝達物質，糖・アミノ酸などの細胞膜を介した輸送に関与する。まず，イオンポンプの名称をきちんと覚えて，ATP の分解エネルギーを使わないイオンチャネルと明確に区別しよう（例：プロトンポンプ＝H^+,K^+-ATPase，なお，ATPase＝ATP 加水分解酵素）。また，トランスポーターに作用する薬物がどのような薬理作用をもつか理解しよう。

分類			薬物の作用
イオン	H^+ポンプ　〈H^+, K^+-ATPase〉		**オメプラゾール**で阻害→抗潰瘍作用
	Na^+ポンプ　〈Na^+, K^+-ATPase〉		**ジギタリス**で阻害 →Na^+，Ca^{2+}アンチポーター抑制／逆駆動 →細胞質 Ca^{2+}濃度上昇　→強心作用
	Ca^{2+}ポンプ　〈Ca^{2+}, H^+-ATPase〉		
	Na^+, Ca^{2+}アンチポーター	（逆輸送）	心臓：**ジギタリス**で二次的に影響　→強心作用
	Na^+, H^+アンチポーター	（逆輸送）	近位・遠位尿細管：**アセタゾラミド**で二次的に抑制 →利尿作用
	Na^+, K^+, $2Cl^-$シンポーター	（共輸送）	ヘンレループ上行脚：**ループ利尿薬**で抑制
	Na^+, Cl^-シンポーター	（共輸送）	遠位尿細管：**チアジド系利尿薬**で抑制
神経伝達物質	GABA トランスポーター		**コカイン**や**三環系抗うつ薬**などで阻害
	モノアミントランスポーター	ノルアドレナリントランスポーター	**コカイン**や**各種抗うつ薬**などで阻害 →これらの神経伝達物質の作用を増強 →血圧上昇作用，抗うつ作用など
		セロトニントランスポーター	
		ドパミントランスポーター	**コカイン**や**アンフェタミン**などで阻害 →ドパミン作用増強　→覚醒効果など
糖	グルコーストランスポーター	GLUT（受動輸送）	**インスリン**刺激によって横紋筋・脂肪細胞内から細胞膜へ移動　→組織へのグルコース取込促進　→血中グルコース濃度（血糖値）低下　→糖尿病治療
		SGLT（共輸送）	**SGLT 阻害薬**によって糖の尿細管再吸収阻害　→糖の尿中排泄増加　→糖尿病治療

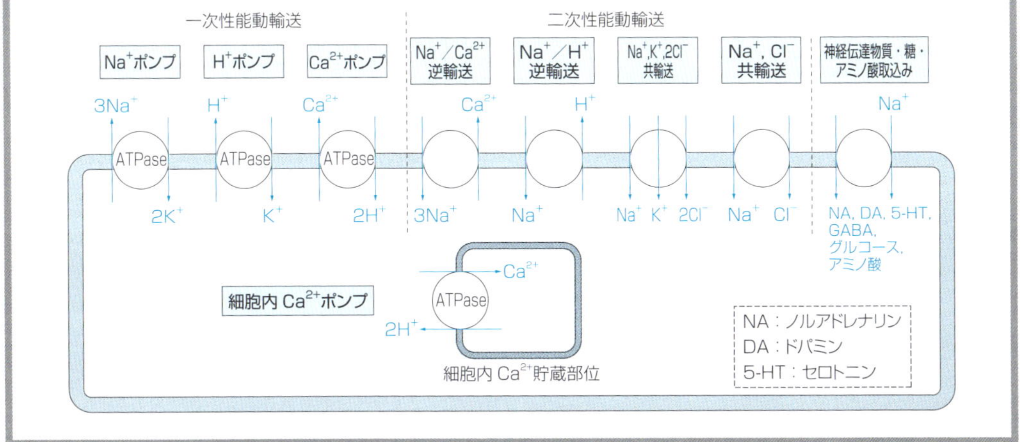

5. 細胞内情報伝達分子 Ca^{2+}/cAMP (cGMP) と細胞応答

どの受容体を刺激しても，同じ細胞内情報伝達機序が働けば，基本的には同じ細胞応答が引き起こされることになる。そこで，細胞内情報伝達分子である Ca^{2+} と cAMP（cGMP）が各種組織においてどのような細胞応答を誘発するかに注意して覚えよう。ここでは，まず，Ca^{2+}／cAMP によって細胞応答がどのように制御されているか，各種組織に対する Ca^{2+} と cAMP の興奮／抑制作用について大まかに整理しておこう。次に，筋肉の収縮機構を例として，Ca^{2+}／cAMP（cGMP）の作用機構について理解しよう。

❶ 各種組織に対する Ca^{2+} と cAMP の興奮／抑制作用

組織（興奮反応）	Ca^{2+}	cAMP
横紋筋（心筋・骨格筋収縮） 膵臓ランゲルハンス島 β 細胞（インスリン分泌） 胃壁細胞（胃酸分泌） 神経細胞（神経伝達物質遊離）など	興奮	興奮
平滑筋（収縮） 肥満細胞・好塩基球（ケミカルメディエーター遊離） 血小板（凝集）など	興奮	抑制

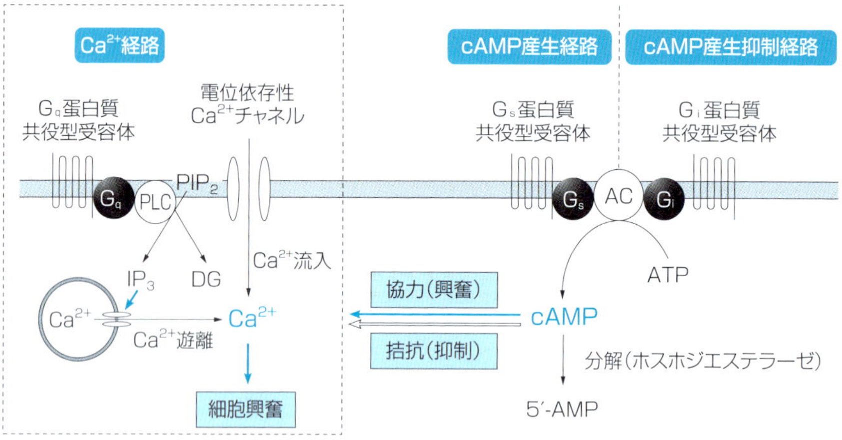

❷ 筋肉の分類と筋収縮調節機構

a）筋肉の分類

<table>
<tr><th colspan="2">分　類</th><th>支配神経</th><th>随意／不随意</th><th>Ca^{2+}貯蔵部位（筋小胞体）</th><th>収縮に利用されるCa^{2+}の主たる供給様式</th><th>Ca^{2+}による収縮機構</th><th>cAMPによる収縮調節</th></tr>
<tr><td rowspan="2">横紋筋</td><td>骨格筋</td><td>運動神経</td><td>随意筋</td><td>＋＋＋</td><td>筋小胞体貯蔵Ca^{2+}
（Ca^{2+}遊離）</td><td>Ca^{2+}
→トロポニンによる収縮抑制解除
→収縮</td><td>収縮増強
①Ca^{2+}チャネル活性化
②Ca^{2+}ポンプ活性化</td></tr>
<tr><td>心　筋</td><td>自律神経</td><td>不随意筋</td><td>＋＋</td><td>細胞外＋筋小胞体Ca^{2+}
（Ca^{2+}流入
＋Ca^{2+}遊離）</td><td colspan="2">（心　筋　☞p26，27参照
骨格筋　☞p28，29参照）</td></tr>
<tr><td colspan="2">平滑筋</td><td>自律神経</td><td>不随意筋</td><td>＋</td><td>細胞外Ca^{2+}
（Ca^{2+}流入）</td><td>Ca^{2+}
→カルモジュリン活性化
→MLCK活性化
→MLCリン酸化
→収縮</td><td>収縮抑制
①MLCK不活性化
②Ca^{2+}ポンプ活性化</td></tr>
<tr><td colspan="2"></td><td></td><td></td><td></td><td></td><td colspan="2">（☞p24，25参照）</td></tr>
</table>

b）平滑筋の収縮機構とcAMP／cGMPによる収縮抑制機構

平滑筋の収縮機構とcAMP／cGMPによる収縮抑制機構①

❶ Ca^{2+}経路（収縮）

平滑筋細胞に存在する**G_q共役型受容体**（血管α_1受容体，消化管M_3受容体など）を刺激すると，Ca^{2+}流入／Ca^{2+}遊離を介して細胞内Ca^{2+}濃度が上昇し，カルモジュリンの活性化 → ミオシン軽鎖リン酸化酵素〈ミオシン軽鎖キナーゼ〉の活性化 → ミオシンのリン酸化 → ミオシン（太いフィラメント）とアクチン（細いフィラメント）間の滑り込みの過程を介して平滑筋が収縮する。

なお，Rhoキナーゼは，ミオシン軽鎖脱リン酸化酵素〈ミオシン軽鎖ホスファターゼ〉を抑制することにより，平滑筋収縮を増強する（Ca^{2+}感受性増強）。

❷ cAMP産生経路（弛緩）

一方，平滑筋細胞に存在する**G_s共役型受容体**（血管β_2受容体など）を刺激すると細胞内cAMP濃度が上昇し，プロテインキナーゼAの活性化 → ミオシン軽鎖キナーゼの不活性化などの過程を介して平滑筋が弛緩する。また，プロテインキナーゼAは細胞膜Ca^{2+}ポンプ及び筋小胞体Ca^{2+}ポンプを活性化する。細胞膜Ca^{2+}ポンプ活性化は，細胞質Ca^{2+}濃度の低下をもたらし，平滑筋を弛緩させる。平滑筋では筋小胞体の発達程度が悪いこと，貯蔵Ca^{2+}が細胞外に漏出しやすいこと，収縮における貯蔵Ca^{2+}の利用度が低いことなどから，平滑筋での筋小胞体Ca^{2+}ポンプ活性化は，むしろ細胞質Ca^{2+}濃度低下による収縮抑制機構として働く。

右図 ❶〜❹参照

❸ cGMP産生経路（弛緩）

また，平滑筋細胞内でcGMP濃度が上昇すると，プロテインキナーゼGの活性化 → ミオシン軽鎖脱リン酸化酵素〈ミオシン軽鎖ホスファターゼ〉の活性化などの過程を介して平滑筋が弛緩する（cf. 血管内皮細胞M_3受容体刺激に伴い産生される内皮由来血管弛緩因子NO，ニトロ化合物，PDEV阻害薬シルデナフィル，心房性ナトリウム利尿ペプチドANP）。

❹ K^+流出経路（弛緩）

平滑筋細胞膜の**K_{ATP}チャネル**が活性化（開口）すると，細胞外へのK^+流出によって細胞膜の過分極が起こり平滑筋細胞膜の興奮性が下がるため，平滑筋は弛緩する。

平滑筋の収縮機構とcAMP／cGMPによる収縮抑制機構 ②

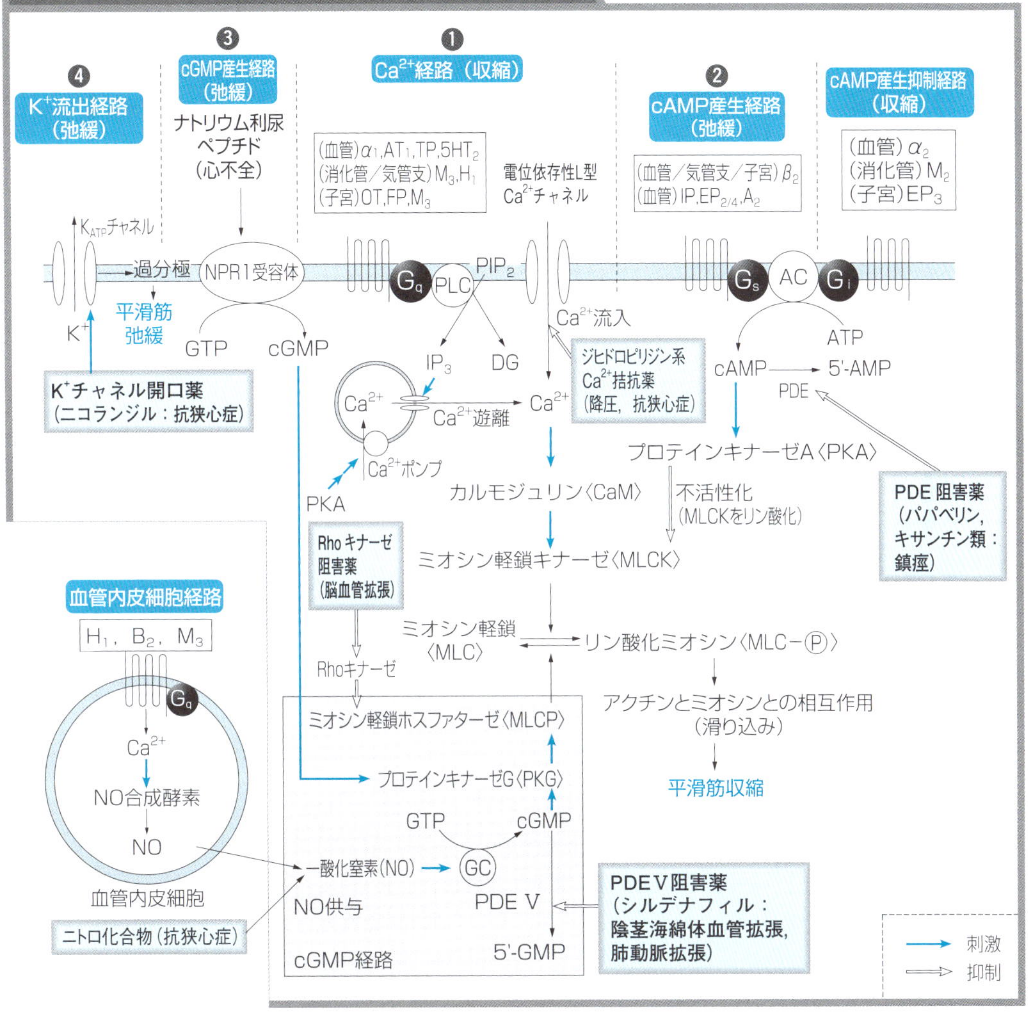

血管平滑筋と血管内皮細胞

血管壁の最内層を形成する血管内皮細胞は，血管弛緩因子（NO，PGI_2など）や血管収縮因子（エンドセリンなど）を放出して，血管平滑筋の緊張を制御する。

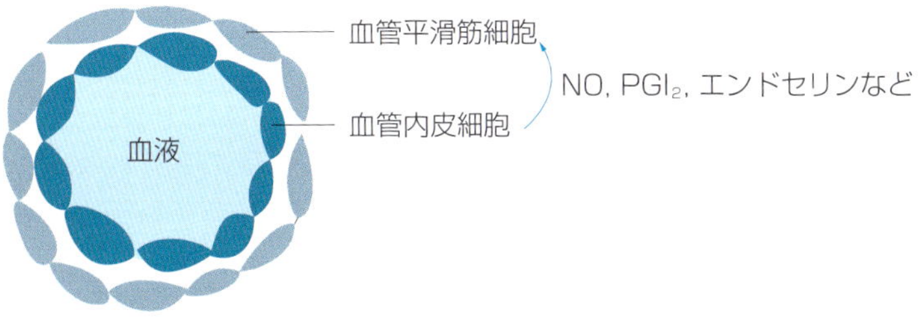

血管（断面）模式図

c）心筋の収縮機構とcAMPによる収縮増強機構

心筋の収縮機構とcAMPによる収縮増強機構 ①

❶ **脱分極／Ca^{2+}経路（収縮）**

洞房結節興奮 → 刺激伝導系興奮 → 心筋細胞脱分極の過程を介して心筋細胞に存在する**電位依存性L型Ca^{2+}チャネル**が活性化されると，細胞外Ca^{2+}が細胞内に流入するとともに，この流入したCa^{2+}によりリアノジン受容体が刺激されて筋小胞体からCa^{2+}が遊離される（Ca^{2+}誘起Ca^{2+}放出）。このようにして細胞質Ca^{2+}濃度が上昇し，トロポニンによる収縮抑制解除 → ミオシン（太いフィラメント）とアクチン（細いフィラメント）間の滑り込みの過程を介して心筋が収縮する。

❷ **cAMP産生経路（収縮増強）**

心筋細胞に存在する**G_s共役型受容体**（β_1受容体など）を刺激すると細胞内cAMP濃度が上昇し，プロテインキナーゼAの活性化を介して電位依存性L型Ca^{2+}チャネル活性化と筋小胞体Ca^{2+}ポンプ活性化が生じる。電位依存性L型Ca^{2+}チャネルの活性化はCa^{2+}流入を促進する。また，筋小胞体Ca^{2+}ポンプの活性化は貯蔵Ca^{2+}量を増加させるため，刺激に伴うCa^{2+}遊離量が増加する。これらの機構によって細胞質Ca^{2+}濃度が増加して心筋収縮力が増強される（cf. 強心配糖体：Na^+ポンプ遮断 → Na^+／Ca^{2+}交換機構の抑制／逆駆動 → 細胞質Ca^{2+}濃度上昇 → 収縮力増加）。

❸ **cAMP産生抑制経路（収縮抑制）**

一方，心筋細胞に存在する**G_i共役型受容体**（M_2受容体など）を刺激すると細胞内cAMP濃度が減少して心筋収縮力を低下させるとともに，K^+チャネルを開口して心筋細胞膜を過分極させて心抑制作用を現す（cf. 副交感神経：ムスカリンM_2受容体 → G_i蛋白質活性化 → K^+チャネル開口 → 過分極 → 洞房結節抑制 → 徐脈）。

右図 ❶～❸参照

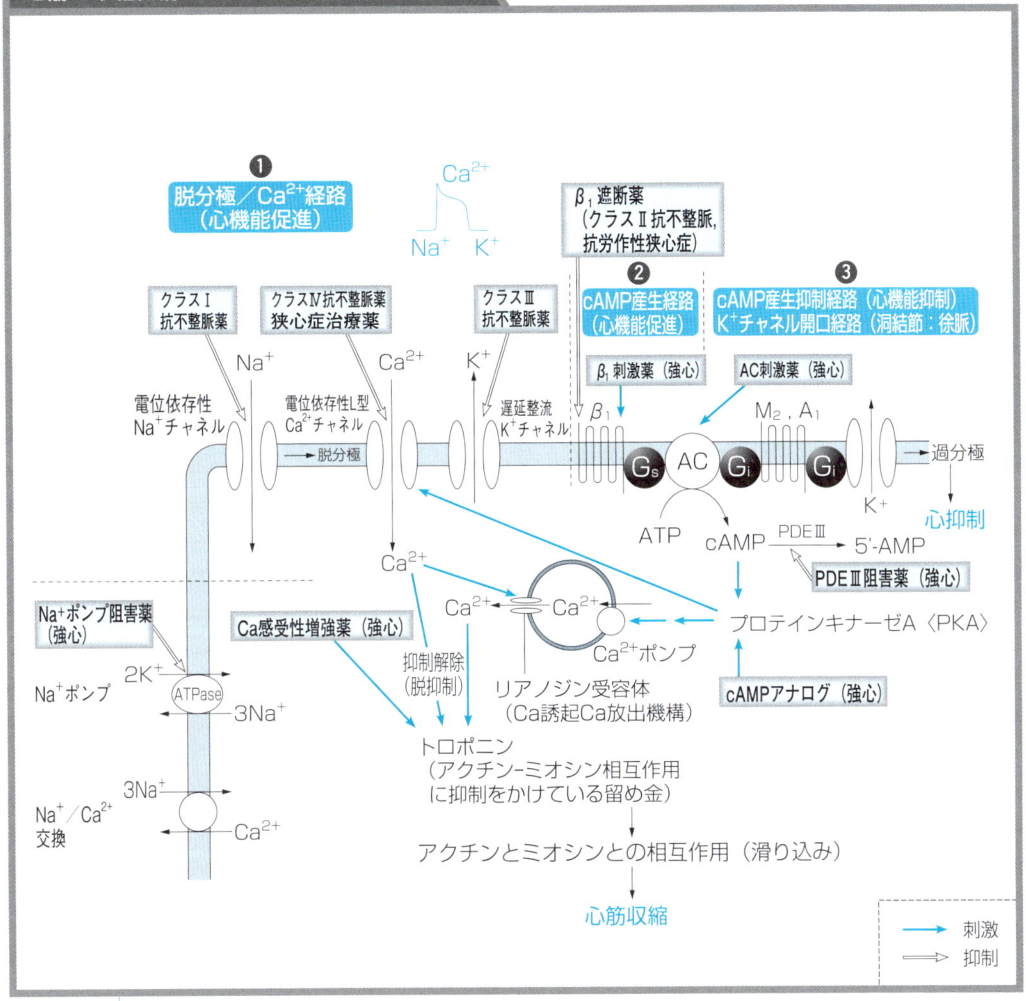
心筋の収縮機構とcAMPによる収縮増強機構②
❶
脱分極／Ca2+経路
(心機能促進)
Ca2+
Na+　K+
β1遮断薬
(クラスⅡ抗不整脈,
抗労作性狭心症)
❷
cAMP産生経路
(心機能促進)
❸
cAMP産生抑制経路（心機能抑制）
K+チャネル開口経路（洞結節：徐脈）
クラスⅠ
抗不整脈薬
クラスⅣ抗不整脈薬
狭心症治療薬
クラスⅢ
抗不整脈薬
β1刺激薬（強心）
AC刺激薬（強心）
Na+
Ca2+
K+
電位依存性
Na+チャネル
電位依存性L型
Ca2+チャネル
遅延整流
K+チャネル
β1
M2，A1
脱分極
Gs
AC
Gi
Gi
過分極
K+
心抑制
ATP
cAMP
PDEⅢ
5'-AMP
PDEⅢ阻害薬（強心）
Ca2+
Ca2+
Ca2+
Ca2+ポンプ
プロテインキナーゼA〈PKA〉
Na+ポンプ阻害薬
(強心)
Ca感受性増強薬（強心）
抑制解除
(脱抑制)
リアノジン受容体
(Ca誘起Ca放出機構)
cAMPアナログ（強心）
2K+
Na+ポンプ
ATPase
3Na+
トロポニン
(アクチン-ミオシン相互作用
に抑制をかけている留め金)
3Na+
Na+／Ca2+
交換
Ca2+
アクチンとミオシンとの相互作用（滑り込み）
心筋収縮
刺激
抑制

d）骨格筋の収縮機構とcAMPによる収縮増強機構

骨格筋の収縮機構とcAMPによる収縮増強機構①

❶ 脱分極／Ca^{2+}経路（収縮）

運動神経終末から放出されたアセチルコリンが，骨格筋細胞のNa^{+}チャネル内蔵型**ニコチンN_M受容体**を刺激すると，N_M受容体を介したNa^{+}流入 → 脱分極（微小終板電位）→ 電位依存性Na^{+}チャネル開口 → 活動電位 → 電位依存性L型Ca^{2+}チャネルとリアノジン受容体との蛋白-蛋白相互作用 → 筋小胞体からのCa^{2+}遊離 → 細胞内Ca^{2+}濃度上昇 → トロポニンによる収縮抑制解除 → ミオシン（太いフィラメント）とアクチン（細いフィラメント）間の滑り込み，という過程を介して骨格筋が収縮する。

右図❶❷参照

❷ cAMP産生経路（収縮増強）

骨格筋に存在する**G_s共役型受容体**（β_2受容体など）を刺激すると，細胞内cAMP濃度が上昇し，プロテインキナーゼAの活性化を介して電位依存性L型Ca^{2+}チャネル活性化と筋小胞体Ca^{2+}ポンプ活性化が生じる。電位依存性L型Ca^{2+}チャネルの活性化はリアノジン受容体との共役を促進し，また，筋小胞体Ca^{2+}ポンプの活性化は貯蔵Ca^{2+}量を増加させるため，刺激に伴うCa^{2+}遊離量が増加する。これらの機構によって細胞質Ca^{2+}濃度が増加して骨格筋の収縮力が増強される（cf. テオフィリンの呼吸筋収縮力増強作用，β_2受容体刺激薬の外尿道括約筋収縮力増強作用や手指振戦の副作用）。

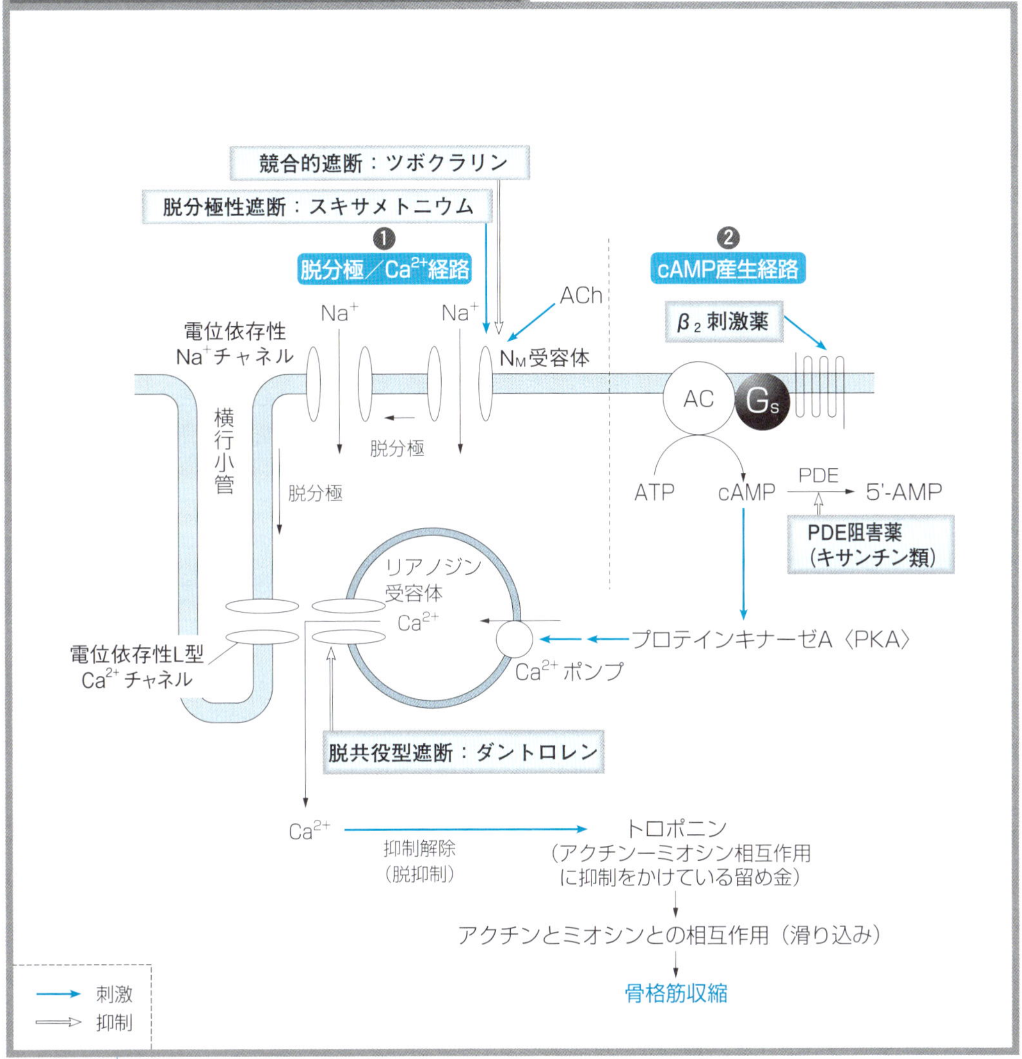

骨格筋の収縮機構とcAMPによる収縮増強機構②
競合的遮断：ツボクラリン
脱分極性遮断：スキサメトニウム
❶
脱分極／Ca2+経路
❷
cAMP産生経路
Na+
Na+
ACh
電位依存性
Na+チャネル
NM受容体
β2刺激薬
AC
Gs
横行小管
脱分極
脱分極
ATP
cAMP
PDE
5'-AMP
PDE阻害薬
（キサンチン類）
リアノジン受容体
Ca2+
プロテインキナーゼA〈PKA〉
電位依存性L型
Ca2+チャネル
Ca2+ポンプ
脱共役型遮断：ダントロレン
Ca2+
抑制解除
（脱抑制）
トロポニン
（アクチン－ミオシン相互作用
に抑制をかけている留め金）
アクチンとミオシンとの相互作用（滑り込み）
骨格筋収縮
刺激
抑制

6．受容体作用薬と細胞応答

❶ 刺激薬と拮抗薬（受容体結合と用量反応曲線）

薬物 A と受容体 R との結合は質量作用の法則に従う。そして，薬物 A によって誘発される薬理作用 E の大きさは，薬物結合型受容体濃度［AR］によって決定される。すなわち，薬物濃度［A］を増やすと薬物結合型受容体濃度［AR］が増大して作用が大きく現れる。

$$A + R \underset{k_2}{\overset{k_1}{\rightleftarrows}} AR \xrightarrow[\alpha]{} E$$

$$E = \alpha\,[AR]$$

$$K_D = \frac{k_2}{k_1} = \frac{[A][R]}{[AR]}$$

A　：薬　物
R　：薬物非結合型受容体
AR：薬物結合型受容体
E　：薬理作用
α　：薬物 A の内活性（$0 \leq \alpha \leq 1$）
k_1　：結合速度定数
k_2　：解離速度定数
K_D　：解離定数

ここで，受容体刺激薬（薬物 X）による用量（濃度）反応曲線は，片対数グラフ（横軸対数）ではシグモイド型〈S 字型〉曲線となる。

薬物の用量（濃度）と作用（反応）の関係

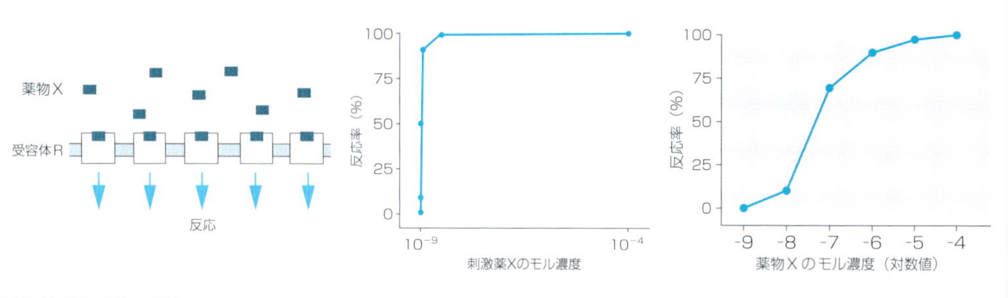

（参考）薬物の用量（濃度）と作用（有効率・死亡率）の関係

キーワード	説　明
ED_{50}値（EC_{50}値）	用量反応曲線における 50%有効量〈Effective Dose〉あるいは 50%有効濃度〈Effective Concentration〉
LD_{50}値（LC_{50}値）	用量致死曲線における 50%致死量〈Lethal Dose〉あるいは 50%致死濃度〈Lethal Concentration〉
治療係数（安全域）	薬物の安全性を示す値：LD_{50}値（LC_{50}値）÷ED_{50}値（EC_{50}値）

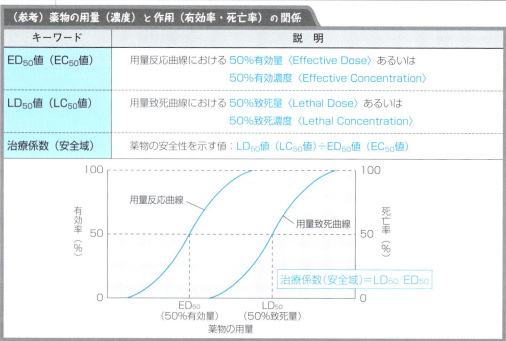

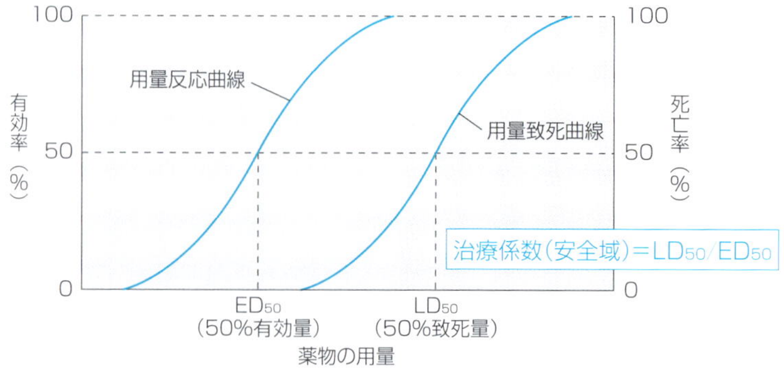

a）完全活性薬・部分活性薬・競合的拮抗薬 の 単独作用（内活性，pD_2値）

内活性は，薬物の誘発する「反応の大きさ」の指標である（有効性〈efficacy〉）。一方 pD_2値や EC_{50}値は，刺激作用を発現する「薬物濃度」の指標である（効力〈potency〉）。

内活性，pD_2値

内活性	組織が示し得る最大反応に比べて，ある薬物が最大限に誘発し得る反応の割合（0〜1 の値で表す）。内活性の大きな薬物は，大きな反応を誘発する。 ❶内活性＝1　：完全活性薬 ❷0＜内活性＜1：部分活性薬 ❸内活性＝0　：（完全）拮抗薬
pD_2値	その薬物が誘発する最大反応の 50%に相当する反応を誘発する刺激薬のモル濃度（EC_{50}値）の－log 値。pD_2値が大きい刺激薬は，より低濃度で刺激作用を示す。 pD_2値＝－log［EC_{50}（M)］

❶ 完全活性薬（内括性＝1）

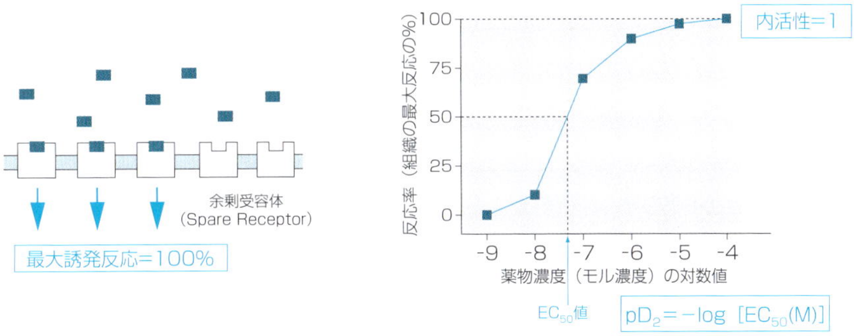

❷ 部分活性薬（0＜内括性＜1）

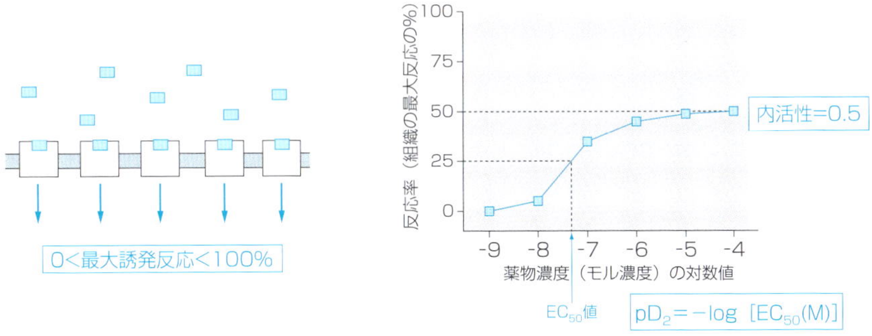

❸（完全）拮抗薬（内括性＝0）

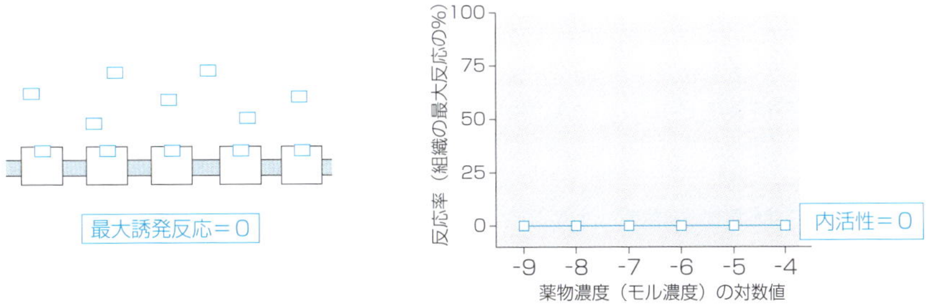

b）活性薬に対する競合的・非競合的拮抗薬の拮抗作用（pA_2値，pD'_2値）

pA_2値は競合的拮抗薬の効力の指標であり，pD'_2値は非競合的拮抗薬の効力の指標である。

pA_2値

pA_2値

競合的拮抗薬の効力の指標

刺激薬の用量反応曲線を2倍だけ高用量側に平行移動させるのに必要な（下図 EC_{50}'／EC_{50}＝2となるときの）競合的拮抗薬のモル濃度の－log値。pA_2値が大きい競合的拮抗薬はより低濃度で拮抗作用を示す。

$$pA_2値＝－\log[使用した競合的拮抗薬濃度(M)]＋\log[(EC_{50}'値／EC_{50}値)－1]$$

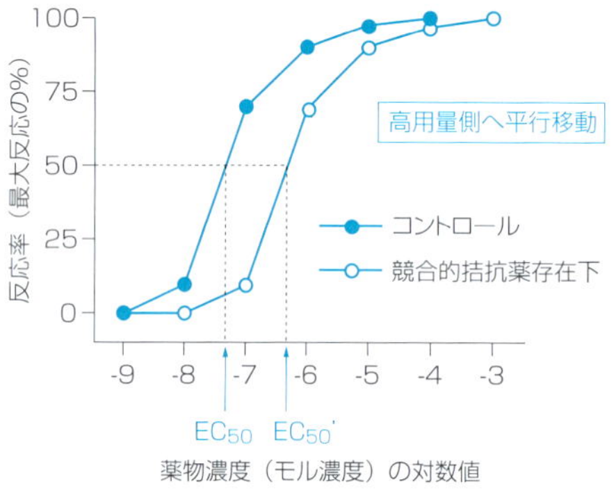

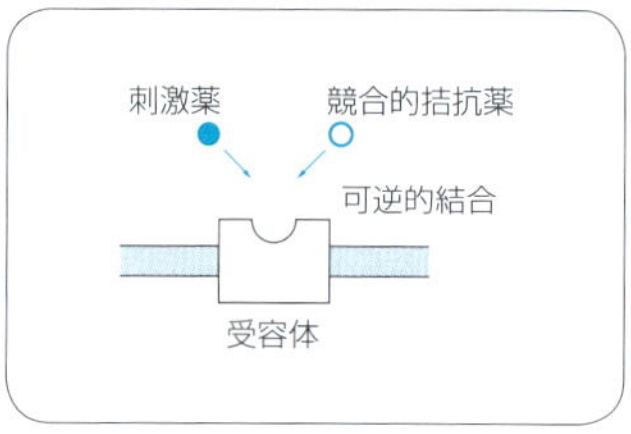

pA_2値が不明の場合

pA_2値が不明の競合的拮抗薬Aをある濃度で共存させたとき，用量反応曲線が高用量側に何倍平行移動するのかを実験により測定すれば，下式により薬物AのpA_2値を算出できる。

$$pA_2値＝－\log[使用した競合的拮抗薬濃度(M)]＋\log[(EC_{50}'値/EC_{50}値)^{*}－1]$$

＊EC_{50}'値／EC_{50}値＜2のとき：　pA_2値＜－log［使用した競合的拮抗薬の濃度］

EC_{50}'値／EC_{50}値＝2のとき：　pA_2値＝－log［使用した競合的拮抗薬の濃度］

EC_{50}'値／EC_{50}値＞2のとき：　pA_2値＞－log［使用した競合的拮抗薬の濃度］

pA_2値が既知の場合

逆に，例えばpA_2値が8であることが既にわかっている競合的拮抗薬Bをある濃度で共存させたとき，用量反応曲線が高用量側に何倍平行移動するのかについて，上式を用いることにより推定できる。

10^{-9}M薬物B共存：　$pA_2値＝8＝－\log[10^{-9}(M)]＋\log[(EC_{50}'値／EC_{50}値)－1]$
⇒EC_{50}'値／EC_{50}値＝1.1（1.1倍平行移動）

10^{-8}M薬物B共存：　$pA_2値＝8＝－\log[10^{-8}(M)]＋\log[(EC_{50}'値／EC_{50}値)－1]$
⇒EC_{50}'値／EC_{50}値＝2（2倍平行移動）

10^{-7}M薬物B共存：　$pA_2値＝8＝－\log[10^{-7}(M)]＋\log[(EC_{50}'値／EC_{50}値)－1]$
⇒EC_{50}'値／EC_{50}値＝11（11倍平行移動）

pD'₂値

pD'₂値

非競合的拮抗薬の効力の指標

ある刺激薬による最大反応を50%にまで抑制するのに必要な（下図P値＝50%となるときの）非競合的拮抗薬のモル濃度の－log値。pD'$_2$値が大きい非競合的拮抗薬は，より低濃度で拮抗作用を示す。

pD'$_2$値＝－log［使用した非競合的拮抗薬濃度（M）］＋log［（100／P値）－1］

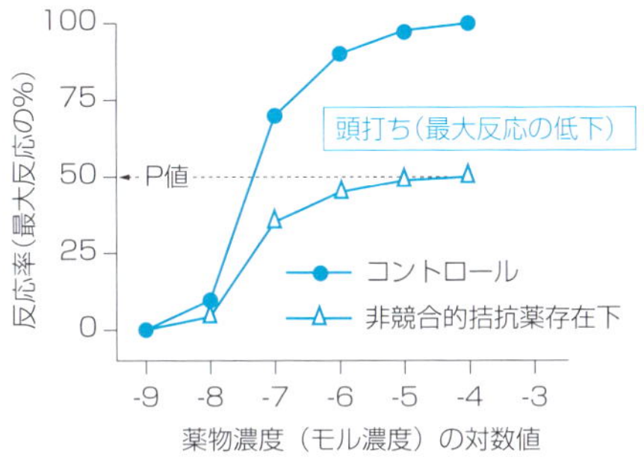

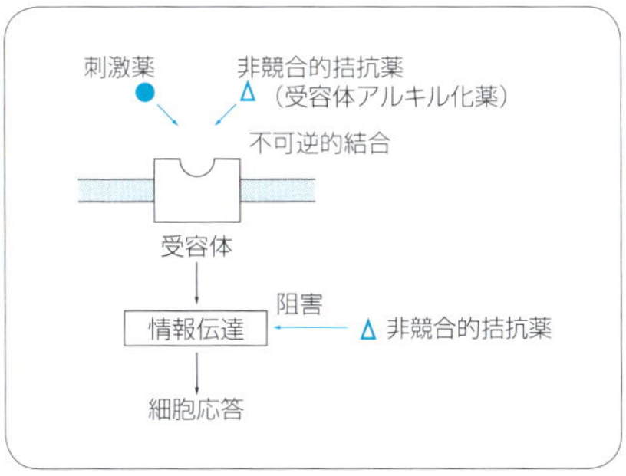

pD'₂値が不明の場合

pD'$_2$値が不明の非競合的拮抗薬Aをある濃度で共存させたとき，最大反応（P値）が何%にまで抑制されるのかを実験により測定すれば，下式により薬物AのpD'$_2$値を算出できる。

pD'$_2$値＝－log［使用した非競合的拮抗薬濃度（M）］＋log［（100／P値*）－1］

*P値＞50%のとき：　pD'$_2$値＜－log［使用した非競合的拮抗薬の濃度］

P値＝50%のとき：　pD'$_2$値＝－log［使用した非競合的拮抗薬の濃度］

P値＜50%のとき：　pD'$_2$値＞－log［使用した非競合的拮抗薬の濃度］

pD'₂値が既知の場合

逆に，例えばpD'$_2$値が8であることが既にわかっている非競合的拮抗薬Bをある濃度で共存させたとき，最大反応（P値）が何%にまで抑制されるのかについて，上式を用いることにより推定できる。

10^{-9}M薬物B共存：　pD'$_2$値＝8＝－log［10^{-9}(M)］＋log［(100／P値)－1］
⇒100／P値＝1.1（最大反応P＝91%）

10^{-8}M薬物B共存：　pD'$_2$値＝8＝－log［10^{-8}(M)］＋log［(100／P値)－1］
⇒100／P値＝2　（最大反応P＝50%）

10^{-7}M薬物B共存：　pD'$_2$値＝8＝－log［10^{-7}(M)］＋log［(100／P値)－1］
⇒100／P値＝11　（最大反応P＝9%）

❷ 逆作動薬とアロステリック作用薬

a）作動薬〈Agonist〉と逆作動薬〈Inverse agonist〉

1）受容体の構成的活性〈Constitutive activity〉

刺激物質が結合していない受容体も，活性（情報伝達能力）を有している（構成的活性）。従って，受容体は，少なくとも不活性型（R_i）と活性型（R_a）の二つの立体配座の平衡状態にある。

2）作動薬と逆作動薬

薬物(D)の受容体への結合によって，受容体の活性型／不活性型の平衡が変化する程度は，活性型／不活性型受容体に対する薬物の相対的な親和性によって決定される。

即ち，活性型受容体に高い親和性をもつ薬物は「作動薬」として作用する。一方，不活性型受容体に高い親和性をもつ薬物は「逆作動薬」として作用する。また，活性型／不活性型受容体に同じ親和性をもつ薬物は，受容体に結合するだけの中立的拮抗薬として作用する（単独では不活性な化合物である）。

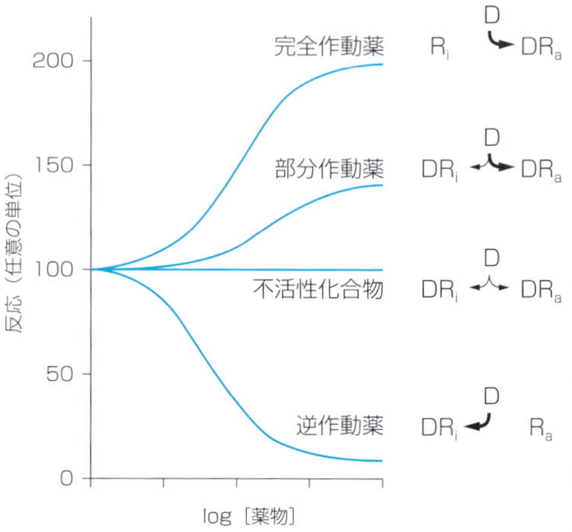

b）アロステリック作用薬

アロステリック作用薬は，内因性リガンドが結合する部位〈Orthosteric site〉とは別の受容体内部位〈Allosteric site〉に結合することによって，以下のような作用をもたらす。

1）内因性リガンドの結合親和性を上昇（低下）させる。

2）内因性リガンドによる受容体-効果器間の共役を促進（抑制）する。

3）受容体を直接活性化（抑制）する。

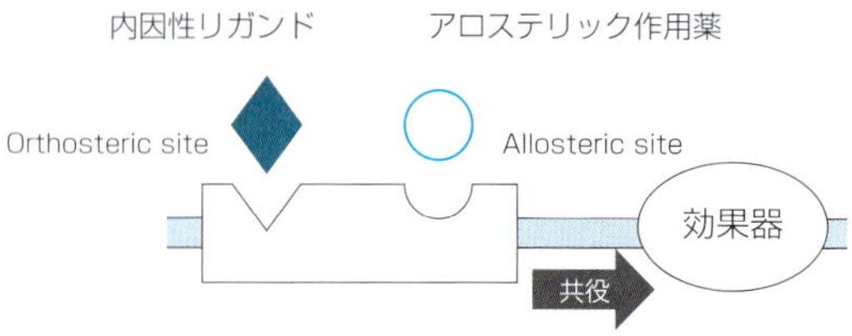

❸ 全受容体数（B_{max}値）と解離定数（K_d値）

a）飽和曲線〈Saturation curve〉

$$A + R \rightleftarrows AR$$

$$K_d = [A]\,[R]/[AR]$$

1）解離定数 K_d 値

リガンド濃度［A］を上げていくと，全受容体の半分が A で占有されるときがやってくる。このとき，非結合型受容体濃度［R］=結合型受容体濃度［AR］となる（☞下図左参照）。

K_d=[A][R]/[AR] に［R］=[AR] を代入すると，K_d=[A] となることから，全受容体の半分（$B_{max}/2$）を占有する時のリガンド濃度[A]が，A と受容体との解離定数 K_d 値を表す（☞下図右「飽和曲線」参照）。

2）全受容体数 B_{max}値

リガンド濃度［A］を無限大にすると，全受容体が A で占有・飽和される。この時の［AR］が全受容体数 B_{max} 値を表す（☞下図右「飽和曲線」参照）。

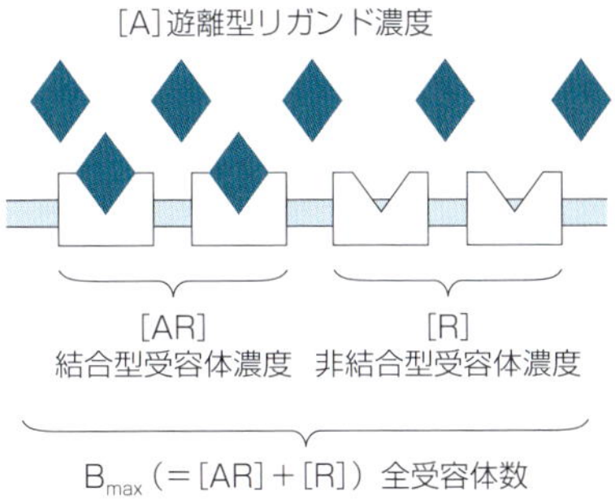

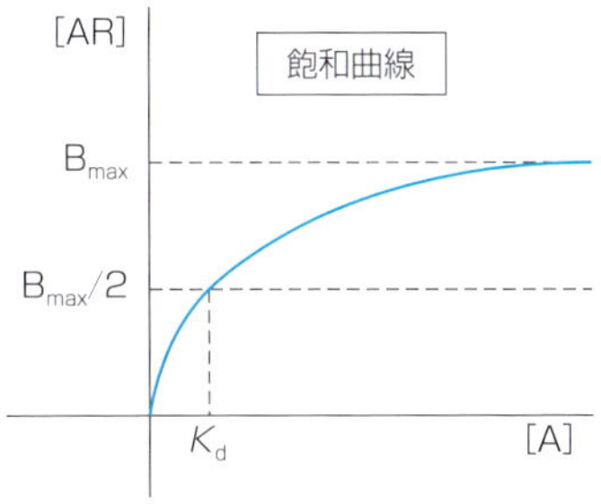

b）スキャッチャード・プロット〈Scatchard plot〉とヒル・プロット〈Hill plot〉

K_d = [A][R]/[AR] の式において，遊離型リガンド濃度［A］をFに，リガンド結合型受容体濃度［AR］をBに，リガンド非結合型受容体濃度［R］をB_{max}－Bに置き換えることによって，

$$K_d = F\ (B_{max} - B)/B$$

の関係式を得る。この式を変形させたものが，スキャッチャード・プロット〈Scatchard plot〉とヒル・プロット〈Hill plot〉である。

項　目	説　明
スキャッチャード・プロット〈Scatchard plot〉	$B/F=(-1/K_d) \times B + B_{max}/K_d$ **1）解離定数 K_d値** 横軸にB，縦軸にB/Fをとると，傾きは$-1/K_d$を示す。 **2）全受容体数 B_{max}値** リガンド濃度Fを無限大にすると，B/Fは0に近づく。このとき，全受容体はAで占有・飽和されていることから，B/F=0となるときのB（=横軸切片）が全受容体数〈B_{max}〉を表す。
ヒル・プロット〈Hill plot〉	$\log(B/(B_{max}-B)) = \log F - \log K_d$ **1）解離定数 K_d値** 横軸にlogF，縦軸に$\log(B/(B_{max}-B))$をとると，$\log(B/(B_{max}-B))$ = 0となる（即ち，Bが$B_{max}/2$=となる）ときに$\log F = \log K_d$となることから，横軸切片が$\log K_d$を表す。 **2）Hill係数〈nH〉** 傾きはHill係数〈nH〉とよばれ，基本的にnH=1となる。nH=1とならない場合には，リガンドが結合する受容体の不均一性（サブタイプの存在など）が示唆される。

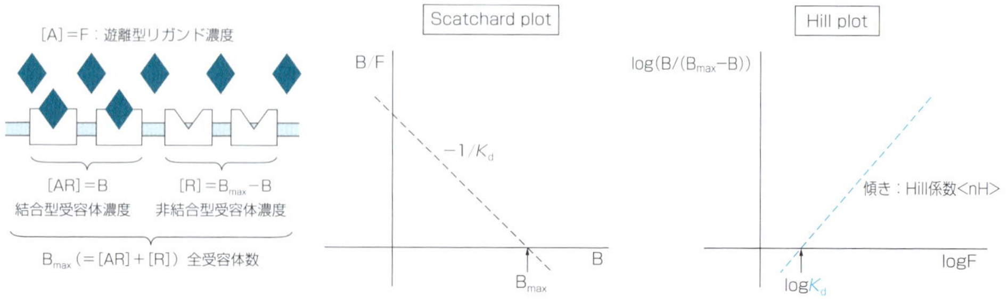

c）シルド・プロット〈Schild plot〉

刺激薬による用量反応曲線は，競合的拮抗薬の共存によって高濃度側に平行移動する。シルド・プロット〈Schild plot〉は，競合的拮抗薬が共存する場合に，刺激薬単独で誘発するのと同じ反応を誘発する刺激薬濃度が何倍に増加するか（CR：Concentration Ratio）を指標にして，競合的拮抗薬の解離定数 K_B 値あるいは pA_2 値を推定する方法である。刺激薬によって誘発される反応率（%）は，刺激薬が結合した受容体の割合（受容体占有率）によって決定されることを踏まえ，シルド・プロット〈Schild plot〉の式を理解する。

項　目	説　明
刺激薬 A 単独での受容体占有率 $A + R \rightleftarrows AR$	競合的拮抗薬 B 非共存下，刺激薬 A 単独による受容体占有率 Y（%）（③）は，以下の①及び②から［R］を消去することによって得られる。ここで，［Rt］は全受容体数（$=B_{max}$），K_A は刺激薬 A の解離定数を表す。 ① $K_A = [A][R]/[AR]$ ② $[Rt] = [R] + [AR]$ ③ $Y(\%) = [AR]/[Rt] \times 100$ $= ([A]/K_A)/(1 + [A]/K_A) \times 100$ ③において，［A0］の濃度の刺激薬 A による受容体占有率 Y0（%）は，以下のように表すことができる。 ④ $Y0(\%) = ([A0]/K_A)/(1 + [A0]/K_A) \times 100$
競合的拮抗薬 B が共存する場合の刺激薬 A の受容体占有率 $A + R \rightleftarrows AR$ $B + R \rightleftarrows BR$	競合的拮抗薬 B 共存下，刺激薬 A による受容体占有率 Y（③'）は，以下の①' 及び②' から［R］及び［BR］を消去することによって得られる。ここで，K_B は競合的拮抗薬 B の解離定数を表す。 ①' $K_A = [A][R]/[AR]$　$K_B = [B][R]/[BR]$ ②' $[Rt] = [R] + [AR] + [BR]$ ③' $Y(\%) = [AR]/[Rt] \times 100$ $= ([A]/K_A)/(1 + [A]/K_A + [B]/K_B) \times 100$ ③' において，［Bx］の濃度の競合的拮抗薬 B が共存する場合，［Ax］の濃度の刺激薬 A による受容体占有率 Yx（%）は，以下のように表すことができる。 ④' $Yx(\%) = ([Ax]/K_A)/(1 + [Ax]/K_A + [Bx]/K_B) \times 100$
シルド・プロット 〈Schild plot〉	1）競合的拮抗薬 B 非共存下及び共存下において，刺激薬 A が同じ受容体占有率を示すとき，即ち，Y0=Yx（④=④'）となるとき，以下の式が得られる。 $[Ax]/[A0] - 1 = [Bx]/K_B$ 両辺の対数をとると，シルド・プロット〈Schild plot〉の式が得られる。 $\log([Ax]/[A0] - 1) = \log[Bx] - \log K_B$ ここで，［Ax］/［A0］は，競合的拮抗薬が共存する場合に，刺激薬単独で誘発するのと同じ大きさの反応を誘発する刺激薬濃度が何倍に増加するかを示す値〈濃度比 CR：Concentration Ratio〉である。 **2）解離定数 K_B 値及び pA_2 値** 競合的拮抗薬の共存によって用量反応曲線が 2 倍だけ高濃度側に平行移動するとき，［Ax］/［A0］= 2　となる。このとき，縦軸 log（［Ax］/［A0］−1）= 0，即ち，log［Bx］= $\log K_B$ となることから，横軸切片が $\log K_B$（$-pA_2$ 値）を表す。

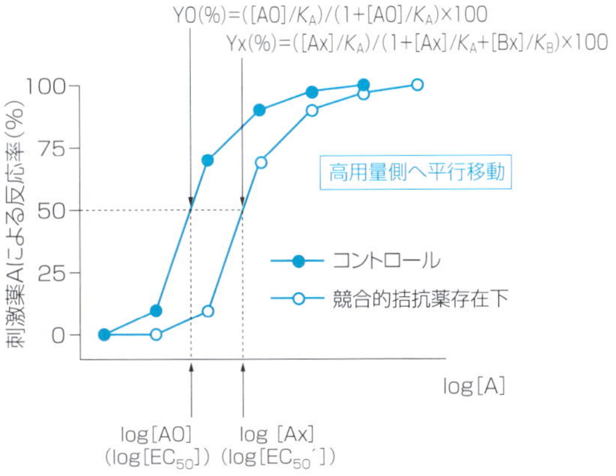

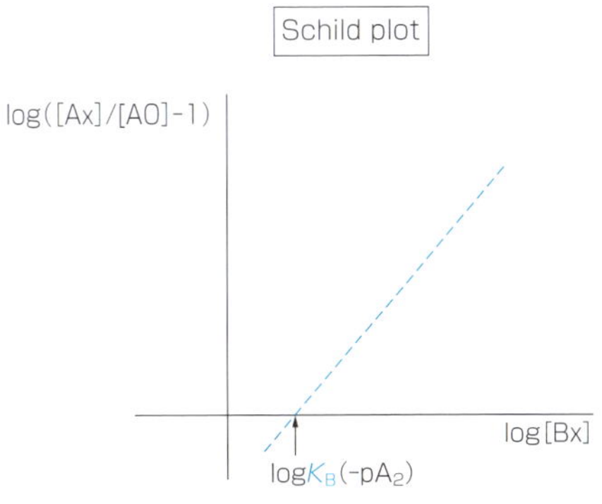

❹ 標的細胞の刺激感受性変化（脱感作〈desensitization〉／過感受性〈supersensitivity〉）

1）細胞膜表面の受容体数は，以下のことによって制御されている。
- 受容体蛋白の新規合成〈new synthesis〉と分解〈degradation〉による絶対数の調節
- 細胞膜から細胞内への受容体の移行〈receptor internalization または receptor sequestration〉と細胞内から細胞膜表面へのリサイクリング〈recycling〉による分布の調節

2）脱感作〈desensitization〉／脱感受性〈subsensitivity〉は，刺激に伴い組織／細胞の反応性が減弱してくる現象であり，急速に生じる場合には急性耐性〈acute tolerance〉や速成耐性〈タキフィラキシー：tachyphylaxis〉とよばれる。脱感受性の起こる機構として，以下のものなどが知られている。
- 受容体のアゴニストに対する親和性〈receptor affinity for agonist〉の低下
- 受容体と細胞内情報伝達機構との脱共役〈uncoupling〉
- エンドサイトーシス〈endocytosis〉による受容体の細胞内移行〈receptor internalization または receptor sequestration〉
- 受容体数の低下〈down-regulation〉

3）一方，過感受性〈supersensitivity〉とは細胞／組織のもつ刺激応答能が増加する現象であり，脱感受性／脱感作の対義語である。神経の脱落・変性に伴う神経伝達物質の減少や長期にわたる受容体阻害薬の投与後など，刺激されることの少なくなった標的細胞／組織において過感受性が認められる。過感受性の起こる機構として，以下のものなどが知られている。
- 受容体のアゴニストに対する親和性〈receptor affinity for agonist〉の増加
- 受容体数の増加〈up-regulation〉

4）脱感受性や過感受性は，生体の恒常性維持〈homeostasis〉のための適応〈adaptation〉の一つと解釈されているが，生理的変動域を超えた場合には病的状態を誘発したり，また，薬物治療効果にも密接に関連している。

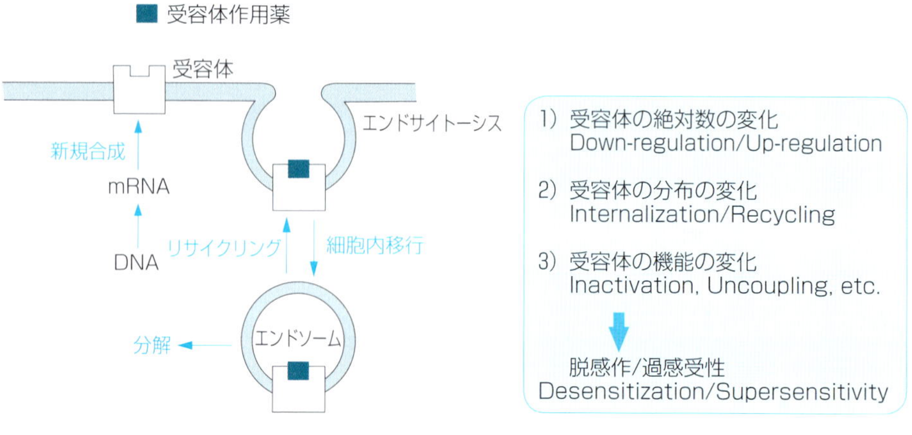

7. 酵素反応と競合的・非競合的阻害薬

薬物と受容体との結合反応と同様に，酵素Eと基質Sとの反応は，以下のように考えることができる。

$$\text{酵素 E} + \text{基質 S} \underset{k_{-1}}{\overset{k_{+1}}{\rightleftarrows}} \text{ES} \overset{k_{+2}}{\Longrightarrow} \text{E} + \text{生成物}$$

酵素の反応速度曲線において，基質濃度［S］を上げていくと，反応速度 V は徐々に最大反応速度〈V_{max}〉に近づいていく。この反応速度は，ミカエリス・メンテン〈Michaelis-Menten〉式によって表される。

$$V = V_{max}[S]/(K_m + [S])$$

ここで，K_m は，ミカエリス定数とよばれ，値が小さいほど，基質−酵素複合体が生成しやすいことを表す。

また，ミカエリス・メンテン式の両辺の逆数をとったプロットが，ラインウィーバー−バークプロット〈Lineweaver-Burk Plot〉である。

項　目	説　明
ミカエリス・メンテン式 〈Michaelis-Menten〉	$V=V_{max}[S]/(K_m + [S])$ **1）最大反応速度（V_{max}）** 基質濃度［S］を無限大にすると，酵素反応速度 V は最大値〈V_{max}〉に達する。 **2）ミカエリス定数（K_m）** ミカエリス・メンテン式において，$V=V_{max}/2$　を代入すると［S］$=K_m$　となる。即ち，反応速度曲線において，$V=V_{max}/2$　となるときの基質濃度［S］は K_m を表す。
ラインウィーバー−バークプロット 〈Lineweaver-Burk Plot〉	$1/V= (K_m/V_{max})/[S] + 1/V_{max}$ **1）最大反応速度（V_{max}）** 基質濃度［S］を無限大にすると，$1/[S]=0$　となる。このとき，$1/V=1/V_{max}$　となることから，縦軸切片は $1/V_{max}$ を表す。 **2）ミカエリス定数（K_m）** $1/V=0$　となるとき，$1/[S]=-1/K_m$　となることから，横軸切片は $-1/K_m$　を表す。 3）競合的拮抗薬共存下では，V_{max} は変わらないが K_m は増加する。一方，非競合的拮抗薬共存下では，K_m は変わらないが V_{max} は低下する。

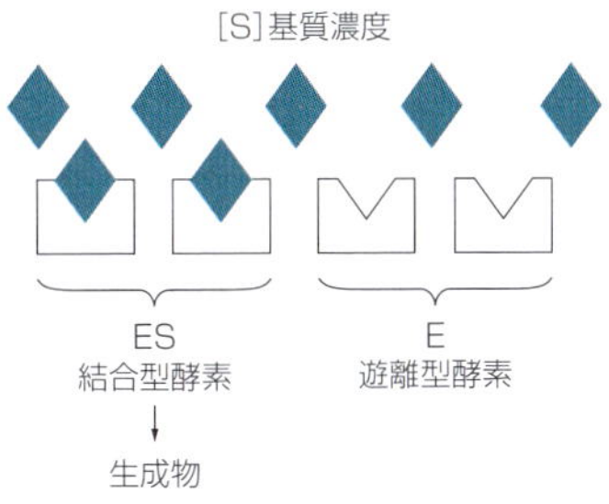

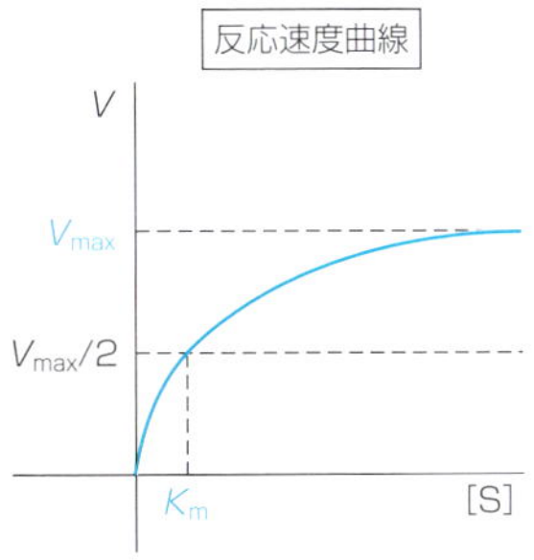

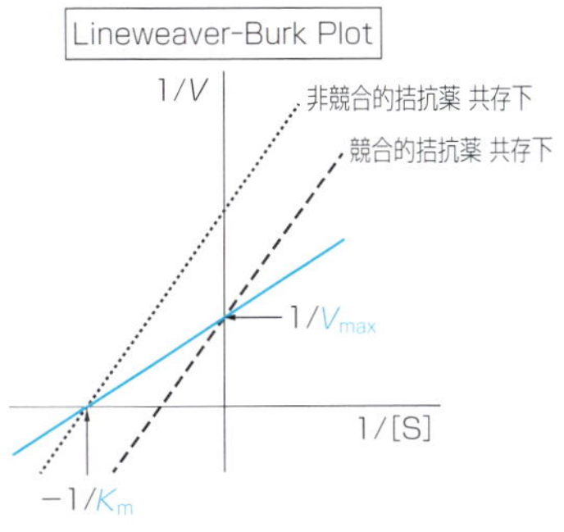

8．薬物の体内動態

❶ 薬物の体内動態 -概観-（吸収，分布，代謝，排泄）

薬効は，作用部位での薬物濃度に依存する。作用部位での薬物濃度は，投与部位からの薬物の吸収〈Absorption〉，体内分布〈Distribution〉，代謝〈Metabolism〉，排泄〈Excretion〉によって影響される。薬物体内動態は，これら4つのプロセスの頭文字をとってADMEとよばれることがある。

薬物の体内動態 -概観-①（吸収，分布）

吸収

1）吸収とは，薬物の投与部位から体循環に移行する過程を指す。薬物の吸収には，生体膜を介した薬物輸送が関与するため，薬物分子の脂溶性・分子形濃度・分子サイズ，吸収部位の表面積・貯留時間などによって影響される。

2）脂溶性が高い薬物，吸収部位での pH における分子形濃度が高い薬物，分子サイズが小さい薬物は吸収されやすい。

3）吸収部位の表面積が大きいほど吸収されやすい。分子形として胃から吸収されやすい酸性薬物でも，胃の表面積よりも小腸の表面積の方が圧倒的に大きいため，小腸からの吸収が優位であり，胃内容物排出速度が律速となる。

4）吸収部位での貯留時間が長いほど吸収されやすい。胃内容物排出速度が速く，小腸通過時間が遅い場合には，小腸での薬物吸収が高まる。食後に薬物を服用すると胃内容物排出速度・小腸通過時間ともに減少するため，ゆっくりと吸収される（一般に，食事により血漿薬物濃度のピーク値は低下するが，血漿薬物濃度-時間曲線下面積〈AUC〉は変わらない）。なお，小腸での担体輸送により吸収される薬物（ビタミン B 群）や溶解が遅い脂溶性薬物（グリセオフルビン）などは，食後の方が吸収が促進する。

5）pH と分子形薬物濃度の関係は，Henderson-Hasselbalch の式で表される（pK_a：薬物の解離定数）。

【酸性薬物】　$pH = pK_a + \log$（〔イオン形〕／〔分子形〕）
【塩基性薬物】　$pH = pK_a + \log$（〔分子形〕／〔イオン形〕）

分布

1）吸収された薬物が効果を発現するには，作用部位に分布・到達しなければならない。作用部位への分布には，薬物の生体膜透過性，血漿蛋白結合，血液関門，薬物排出機構などが関与する。

2）薬物の生体膜透過性では，分子量が約 1,000 以下の薬物は，一部の臓器を除き，水溶性薬物でも血管内皮に存在する膜小孔を介して容易に組織に移行する。

3）血漿蛋白結合の変動は遊離形薬物濃度の変動を介して，薬物の組織分布に影響を与える。血漿アルブミンの減少（肝硬変，ネフローゼなど），α_1酸性糖蛋白質の増加（炎症，ストレスなど），血漿蛋白結合が飽和状態を超えた場合，血漿蛋白結合の競り合いなどによる急激な遊離形薬物濃度変化が，薬物の組織分布に影響を与える。

4）特殊な臓器には血液関門が存在し，薬物の分布が制限される（血液脳関門，血液胎盤関門，血液精巣関門など）。

5）薬物排出機構としては，P 糖蛋白質を介した薬物排出機構などがある。

薬物の体内動態 -概観- ②（代謝，排泄）

代謝	1）薬物代謝には，薬物分子の酸化・還元・加水分解・水和・抱合・濃縮・異性化などの化学的反応が関与する。関与する酵素は多くの組織に存在するが，一般には，肝臓に高濃度存在する。 2）多くの場合，薬物は，まずチトクロム P-450〈CYP〉により代謝され（第 1 相反応），引き続き，内因性物質（グルクロン酸，グルタチオン，硫酸，グリシン）と抱合されることで（第 2 相反応），より極性を増した代謝物として腎排泄（尿中排泄）・胆汁排泄（糞中排泄）される。 3）CYP にはアイソザイム（異なるアミノ酸配列をもつイソ酵素）が知られている。CYP1A2（テオフィリンなどを代謝），CYP2C9（ワルファリンなどを代謝），CYP2C19（オメプラゾールなどを代謝），CYP2D6（コデインなどを代謝），CYP3A4（ジアゼパムなどを代謝）などは，代表的な CYP アイソザイムである。このうち，CYP3A4 は，肝臓に発現する CYP の大部分を占める。 4）活性型薬物が代謝によって不活性化される場合（不活性代謝物），代謝されても薬理活性を示す場合（活性代謝物），逆に不活性型薬物が代謝により活性化される場合（プロドラッグ）などがある。
排泄	1）排泄とは，薬物・代謝物が，それ以上の化学的変化を受けずに体内から排除される過程である。 2）薬物の主たる排泄経路は，腎排泄（尿中排泄）と胆汁排泄（糞中排泄）であるが，ほかに，呼気中排泄や乳汁中排泄などもある。

❷ 肝初回通過効果と生体内利用率〈Bioavailability〉

肝初回通過効果	1）薬物は，投与部位（皮膚・粘膜，皮下・筋肉内，消化管など）から体循環系（血管・リンパ管）への移行（吸収）により全身に輸送される。一方，静脈内投与では，薬物は直接体循環系に入る。 2）経口投与や腹腔内投与された薬物は，体循環系に入る前に門脈を経て肝臓に輸送されるため，まず肝代謝を受ける（肝初回通過効果）。一方，皮下・筋肉内・静脈内注射，舌下錠・坐薬などは，肝臓を経由せずに体循環系に入るため，肝初回通過効果を受けない。
生体内利用率	1）生体内利用率〈Bioavailability〉は，投与された薬物が，投与部位から全身循環に到達する割合を示す値である。従って，静脈内投与された薬物の生体内利用率は 100%である。一方，経口投与された薬物は，薬物分子の吸収や肝初回通過効果によって生体内利用率が変化する。 2）固形製剤では，口腔内あるいは消化管内で崩壊した後に分散するが，吸収には薬物の溶解が必要である。即ち，製剤の崩壊性・分散性・溶解性が薬物の生体内利用率に影響を与える。従って，化学的に等価であっても，崩壊性・分散性・溶解性の違いによる製剤間の生体内利用率の違いによって，生物学的あるいは治療的（臨床的）な違いが生じる。 3）薬物の服用しやすさや作用発現の速さ・持続性の改善，あるいは副作用回避などを目的として，口腔内崩壊錠，徐放性製剤，腸溶錠など，経口製剤が吸収されるまでの過程に特徴をもたせた特殊製剤がある。

③ 薬物の代表的な投与方法

非注射投与	経口投与	1）経口投与された薬物は，主に小腸からゆっくりと吸収され，血漿中薬物濃度もあまり高くならず，持続性が期待できるが，胃酸による失活や肝初回通過効果による分解に注意。 2）剤形の工夫による作用・副作用の改善（腸溶製剤・徐放製剤など）が可能。注射剤として不適当な薬物（低溶解性，注射局所の痛みなど）でも投与可能。
	皮膚適用	1）局所効果を期待する場合と経皮吸収による全身作用を期待する場合とがある。経皮吸収はゆっくりと持続性であり，肝初回通過効果を受けない。 2）軟膏，クリーム，テープ剤，貼付剤などが用いられ，テープをはがすなどの操作により薬物の吸収を容易に調節可能である。消化管障害を起こしやすい薬物の適用にも有用。
	粘膜適用	1）各種粘膜組織（口腔・舌下・頬，鼻，肺，直腸，膣など）に適用された薬物は，肝初回通過効果を受けず速やかに作用を発現する。 2）舌下錠，点鼻剤，吸入剤，坐薬などとして投与する。
注射投与	静脈内注射〈静注〉	1）静脈内投与された薬物は，投与された薬物がすべて速やかに全身循環に入るため，強力かつ速効性であり，刺激性薬物も投与可能。 2）作用の持続化には，持続点滴静注が有用。また，組織移行性を高めたリポ製剤もある。
	腹腔内注射	1）腹腔内は吸収面積が広く，腹腔内投与された薬物は，速やかに腸管膜血管系から門脈を経て全身に移行するため，静注に次いで速効性であるが，肝初回通過効果を受けることになる。 2）動物実験でよく用いられる投与方法。
	皮下注射	1）皮下投与された薬物は，単純拡散により毛細血管からゆっくりと吸収され（持続性），肝初回通過効果を受けず，経口投与よりも低用量で有効。 2）吸収促進（全身作用促進）にはヒアルロニダーゼ，吸収抑制（局所作用増強，全身作用軽減）にはアドレナリンを併用。作用の持続化には水性懸濁液や植込錠が有用。
	筋肉内注射〈筋注〉	1）筋肉内投与された薬物は，豊富な毛細血管を介して比較的速く吸収され（皮下投与よりも速い），知覚神経が少ないため皮下に適用できない刺激性薬物も適用可能。 2）吸収を遅らせることにより作用を持続化するには，乳剤・油性懸濁剤などが有用。
	動脈内注射	動脈支配下の特定臓器・組織に薬物を適用することで，臓器選択的に薬物を作用させることができる。
	脊髄腔内注射	1）薬物を直接脊髄腔内に投与することで，脳脊髄に移行しにくい薬物の効果を増強。 2）局所麻酔薬の脊髄腔内投与により，広範囲の麻酔効果を得ることができる。
薬物血中濃度の変化		非注射投与 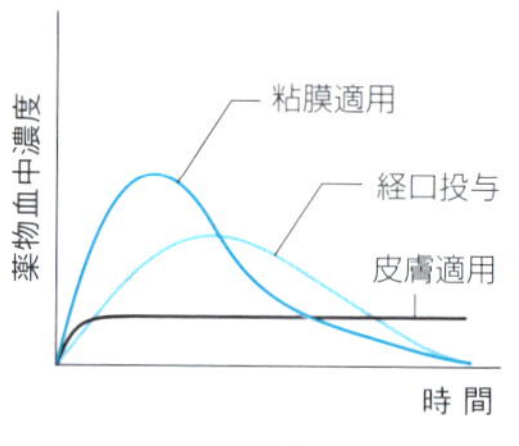 注射投与 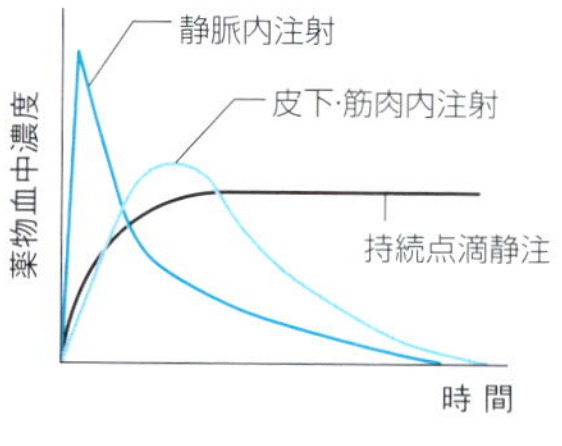

薬物血中濃度
時間
粘膜適用
経口投与
皮膚適用
静脈内注射
皮下·筋肉内注射
持続点滴静注

④ 薬物の主要な排泄経路

腎排泄〈尿中排泄〉	糸球体ろ過	1）分子量約 5,000 以下の分子はすべて糸球体ろ過されるが，分子量の大きな蛋白質は糸球体ろ過されないため，血漿蛋白結合型薬物（フェニルブタゾン，ワルファリン，ジゴキシンなど）の腎排泄は制限される。 2）例えば，フェニルブタゾンの血漿蛋白結合率は高いため(99%)，蛋白結合率が 1%低下して 98%になると，遊離型濃度は 1%から 2%に（即ち 2 倍に）増大し，糸球体ろ過量も 2 倍に増大する。
	尿細管分泌	1）比較的極性の高い酸性・塩基性薬物は，有機酸〈有機陰イオン〉トランスポーターや有機塩基〈有機陽イオン〉トランスポーターを介して，血漿中から尿細管に能動的に分泌される。 2）例えば，有機陰イオントランスポーターで輸送される薬物間（プロベネシドとペニシリンなど）では，競合的な分泌阻害が生じる（薬物相互作用に注意が必要）。
	尿細管再吸収	1）尿細管再吸収は受動輸送であり，脂溶性の高い薬物は再吸収されやすく，尿中排泄されにくい。 2）また，再吸収は薬物の分子形濃度に依存するため，尿中 pH（通常 pH＝6）の変動も重要である（弱酸であるアスピリンやフェノバルビタールの尿中排泄は，アルカリ化により促進）。 3）一方，極性の高い薬物は再吸収されにくく，再吸収には特殊な輸送機構が必要である（グルコース，アスコルビン酸，ビタミンB，尿酸など）。
胆汁排泄〈糞中排泄〉	胆汁排泄	1）胆汁排泄には，分子のもつ適度な脂溶性・極性・分子量が必要である。多くの場合，脂溶性薬物が肝ミクロソーム薬物代謝酵素により水酸化され，続いてグルクロン酸抱合あるいは硫酸抱合を受けることにより，適度な極性と分子サイズとなり，胆汁排泄される。 2）この胆汁排泄には種差があり，ヒト・サル・ウサギでは比較的大きな分子量の分子が胆汁排泄されるが（分子量約 500 以上），イヌ・ラットでは分子量が比較的小さくても胆汁排泄される（分子量約 350 以上）。従って，その境界線付近の薬物（分子量 450）の場合，ヒトでは尿中排泄が多く，ラットでは少なくなる。
	腸肝循環	1）胆汁排泄された抱合体（グルクロン酸抱合体や硫酸抱合体）が，腸管内で酵素的あるいは化学的に抱合が切断され，再度，消化管吸収されることにより，腸肝循環を繰り返す場合がある。 2）例えば，インドメタシン，モルヒネ，クロルプロマジンなどは，グルクロン酸抱合体として小腸に排泄された後，腸肝循環に移行する。
その他	呼気中排泄	揮発性薬物（吸入麻酔薬など）は，呼気中に排泄される。
	乳汁中排泄	薬物排泄の主経路ではないが，多くの薬物は母乳中に排泄されるため注意が必要である。

第 2 章

自律神経系に作用する薬物

Ⅰ　自律神経系-概説-　……………………46
Ⅱ　交感神経系作用薬……………………56
Ⅲ　副交感神経系作用薬……………………67
Ⅳ　自律神経節作用薬……………………76
Ⅴ　自律神経系と血圧　……………………80
Ⅵ　自律神経系と眼　……………………87

I　自律神経系 ―概 説―

おさえるべきところ

1. 神経系の解剖学的及び機能的分類 ……p46
2. 自律神経系の神経伝達の特徴（神経伝達物質とその受容体） ……p53
3. 各組織に分布するアドレナリン受容体及びアセチルコリン受容体のサブタイプと細胞応答 ……p54

1. 神経系の分類

神経系は中枢神経系と末梢神経系とに分けられる。末梢神経系は，中枢（脳・脊髄）と末梢とを結ぶ神経経路であり，解剖学的には脳・脊髄神経系とよばれる。また，末梢神経系は，機能的な分類から自律神経系と体性神経系とに分けられる。さらに，末梢神経系は，神経線維の電気生理学的あるいは組織学的特徴の違い（伝導速度や神経の太さなど）から分類される場合もある。

神経系の解剖学的分類

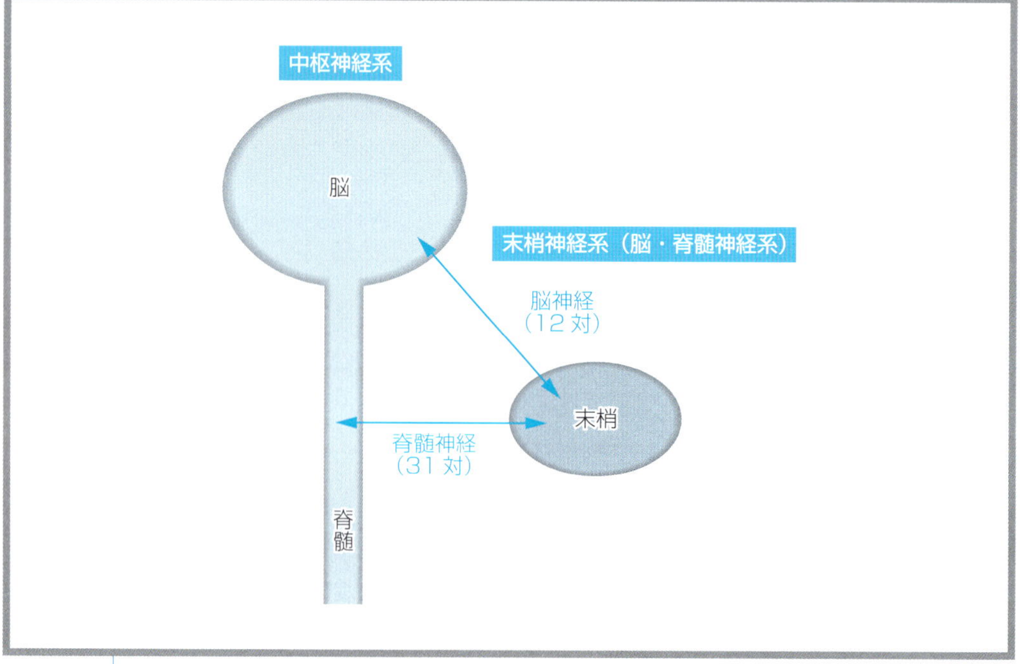

❶ 神経系の機能的分類

末梢神経系（脳・脊髄神経系）は，自律神経系（交感神経，副交感神経，内臓の感覚神経）と体性神経系（運動神経，知覚神経）とに分かれる。また，中枢から末梢に向かう神経は遠心性神経，末梢から中枢に向かう神経は求心性神経とよばれる。遠心性自律神経は，興奮・緊張しているときに優位に働く交感神経と，休憩・休息しているときに優位に働く副交感神経からなる。多くの組織は交感・副交感神経によって二重に支配されており，その活動が拮抗的に調節されている（拮抗的二重支配あるいは相反的二重支配とよばれる）。

神経系の機能的分類

分　類	細分類			機　能	
中枢神経系	脳・脊髄			精神活動，末梢神経系の制御	
末梢神経系 （脳・脊髄神経系）	自律神経系	遠心性	交感神経系	闘争〈Fight〉 逃走〈Flight〉 驚愕〈Fright〉 緊張	心機能↑ 血圧↑ 気管支拡張（通気量↑） エネルギー産生・放出↑ （グリコーゲン·脂肪分解↑） 散瞳 消化管運動・分泌↓ 排尿・排便↓
			副交感神経系	休養〈Rest〉 栄養〈Repast〉 くつろぎ	心機能↓ 血圧↓ 気管支収縮（通気量↓） エネルギー備蓄 （グリコーゲン合成↑·分解↓） 縮瞳 消化管運動・分泌↑ 排尿・排便↑
		求心性	内臓感覚神経	内臓の感覚を中枢へ伝達	
	体性神経系	遠心性	運動神経	骨格筋の運動を制御	
		求心性	知覚神経	末梢の感覚を中枢へ伝達	

❷ 末梢神経系（脳・脊髄神経系）の解剖学的分類

末梢神経系（脳・脊髄神経系）は，脳神経（左右 12 対）と脊髄神経（左右 31 対）からなり，これらの神経のなかに，機能的には自律神経や体性神経に分類される神経が含まれる。

脳神経 12 対　（無印：体性神経，＊印：副交感神経を含む）

名　称		機　能	名　称		機　能
第Ⅰ脳神経	嗅神経	嗅覚	第Ⅷ脳神経	内耳神経	聴覚 平衡感覚
第Ⅱ脳神経	視神経	視覚	第Ⅸ脳神経	舌咽神経＊	唾液分泌（耳下腺） 味覚（舌の後 1/3） 咽頭部運動・感覚・分泌 頸動脈洞・小体反射求心路
第Ⅲ脳神経	動眼神経＊	眼球運動 瞳孔括約筋収縮			
第Ⅳ脳神経	滑車神経	眼球運動			
第Ⅴ脳神経	三叉神経	そしゃく・嚥下運動 顔面皮膚感覚	第Ⅹ脳神経	迷走神経＊	外耳感覚 咽喉発声筋運動 胸腹部臓器の運動・分泌
第Ⅵ脳神経	外転神経	眼球運動			
第Ⅶ脳神経	顔面神経＊	顔面表情筋運動 唾液分泌 　（舌下腺・顎下腺） 涙液分泌 味覚（舌の前 2/3）	第Ⅺ脳神経	副神経	肩・首の運動 　（胸鎖乳突筋・僧帽筋）
			第Ⅻ脳神経	舌下神経	舌の運動（舌筋）

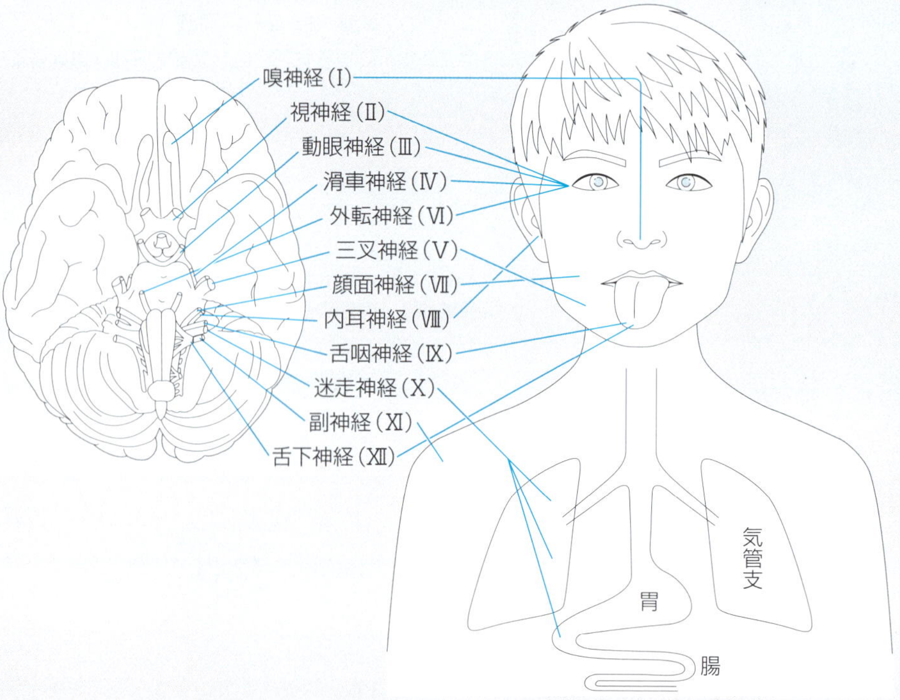

脊髄神経 31 対

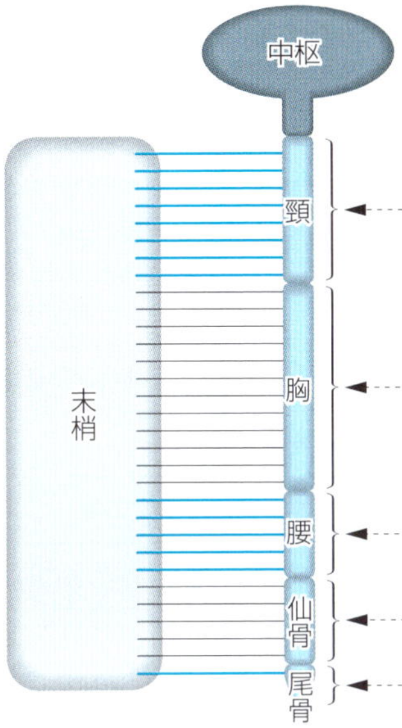

名　称	略　号	機　能
頸 神 経（8 対）	C_1～C_8	各種自律神経反応（交感・副交感）及び体性神経反応（知覚・運動）
胸 神 経（12 対）	T_1～T_{12}	
腰 神 経（5 対）	L_1～L_5	
仙骨神経（5 対）	S_1～S_5	
尾骨神経（1 対）	C_0	

【ベル・マジャンディーの法則】

求心性神経は背側（後根）から入り，遠心性神経は腹側（前根）から出る。

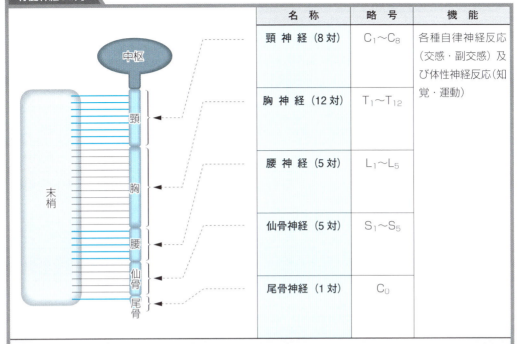

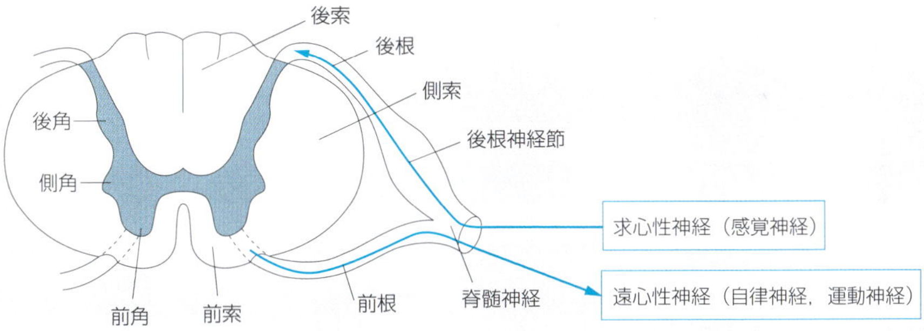

③ 末梢神経線維の電気生理学的／組織学的分類

末梢神経線維は，神経線維の電気生理学的及び組織学的特徴（伝導速度，神経の太さ，髄鞘の有無など）に基づき，以下のように分類される。

末梢神経線維		求心性神経線維	髄鞘の有無	神経線維の直径（μm）	伝導速度（m/s）	該当する神経
A	α	Ⅰa	有（厚い）	12〜20	70〜120	筋の知覚神経（筋紡錘），体性運動神経
		Ⅰb				筋の知覚神経（腱紡錘），体性運動神経
	β	Ⅱ		5〜12	30〜70	知覚神経（触・圧）
	γ			3〜6	15〜30	運動神経（筋紡錘）：γ運動ニューロン
	δ	Ⅲ		2〜5	12〜30	知覚神経（痛・温・触）
B			有（薄い）	＜3	3〜15	交感神経節前線維
C	脊髄後根	Ⅳ	無	0.4〜1.2	0.5〜2	知覚神経（痛），各種反射神経
	交感神経			0.3〜1.3	0.7〜2.3	交感神経節後線維

2．ニューロン

① ニューロンとシナプス

1）神経細胞をニューロン〈neuron〉とよぶ。

2）ニューロンのうち，核の存在する**細胞体**にはたくさんの**樹状突起**があり，他のニューロンからの情報を受け取る（入力）。

3）細胞体からは一本の**軸索**が伸びており（出力），細胞体の興奮は，Na^+チャネル開口による脱分極を介して軸索上を移動して伝えられ（**興奮の伝導**），他のニューロンへ情報を送る。

4）ニューロンとニューロンとの接合部はシナプスとよばれ，シナプス小胞に蓄えられている神経伝達物質が，刺激に伴い**シナプス間隙**（すき間）に放出され（開口分泌），シナプス後膜の神経伝達物質受容体を刺激する。このようにしてニューロン間の情報伝達が行われる（**興奮の伝達**）。

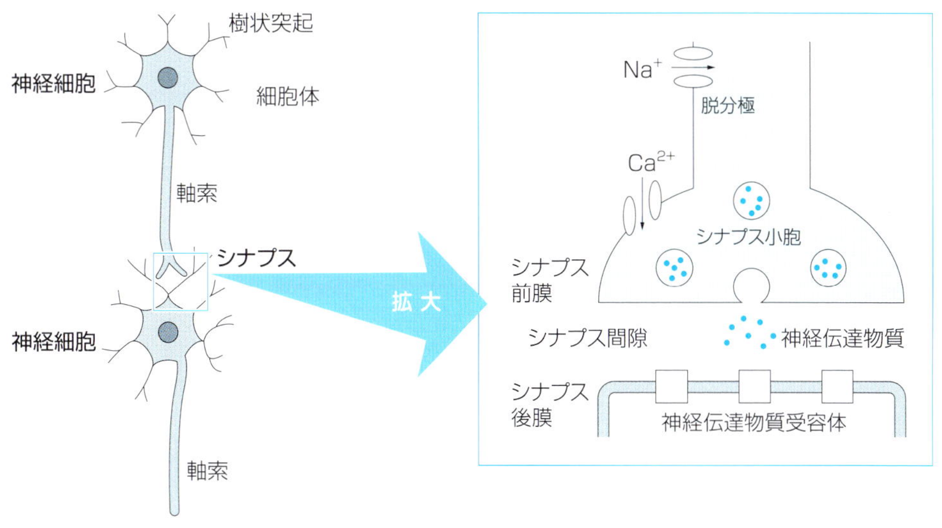

❷ ニューロンと髄鞘〈ミエリン鞘〉

ニューロンと髄鞘〈ミエリン鞘〉

1）髄鞘〈ミエリン鞘〉は，神経線維を包み込むグリア細胞である。

2）末梢神経の髄鞘はシュワン細胞，中枢神経の髄鞘はオリゴデンドロサイトよりなる。

3）髄鞘には絶縁作用があるため，髄鞘のない無髄線維よりも髄鞘で包まれた有髄線維の方が神経の伝導効率がよい。

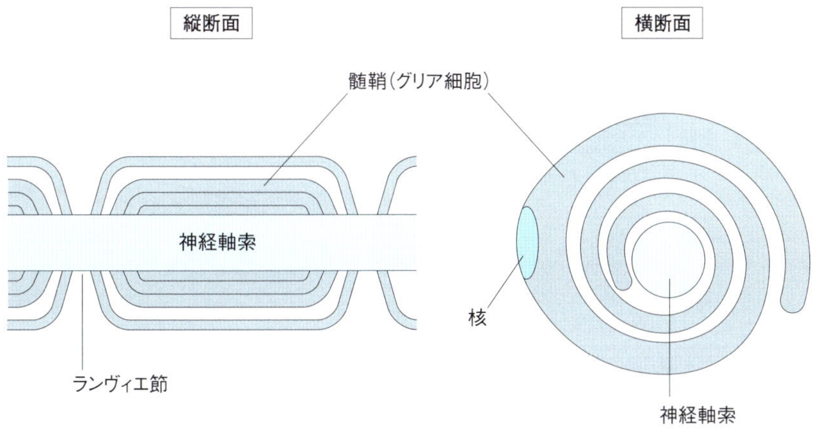

3. 自律神経系の分布

1）自律神経の上位中枢は，間脳・視床下部にある。

2）交感神経節前線維の細胞体は脊髄（胸髄，腰髄）にあり，脊髄（胸髄，腰髄）前角から出たコリン作動性節前線維は，交感神経幹やその他の神経節において節後線維に情報を伝達する。

3）一方，副交感神経節前線維の細胞体は中脳・延髄・脊髄（仙髄）にある。中脳・延髄及び脊髄（仙髄）前角から出たコリン作動性節前線維は，副交感神経節において節後線維に情報を伝達する。

4）副交感神経節は交感神経節と比較して，末梢組織に近いところ（中枢から遠いところ）に存在する。従って，副交感神経では，節前線維が長く，節後線維が短い。逆に，交感神経では，節前線維が短く，節後線維が長い。

5）多くの場合，組織は交感神経と副交感神経によって拮抗的〈相反的〉二重支配を受けており，交感神経と副交感神経の活動のバランスによって調節されている。

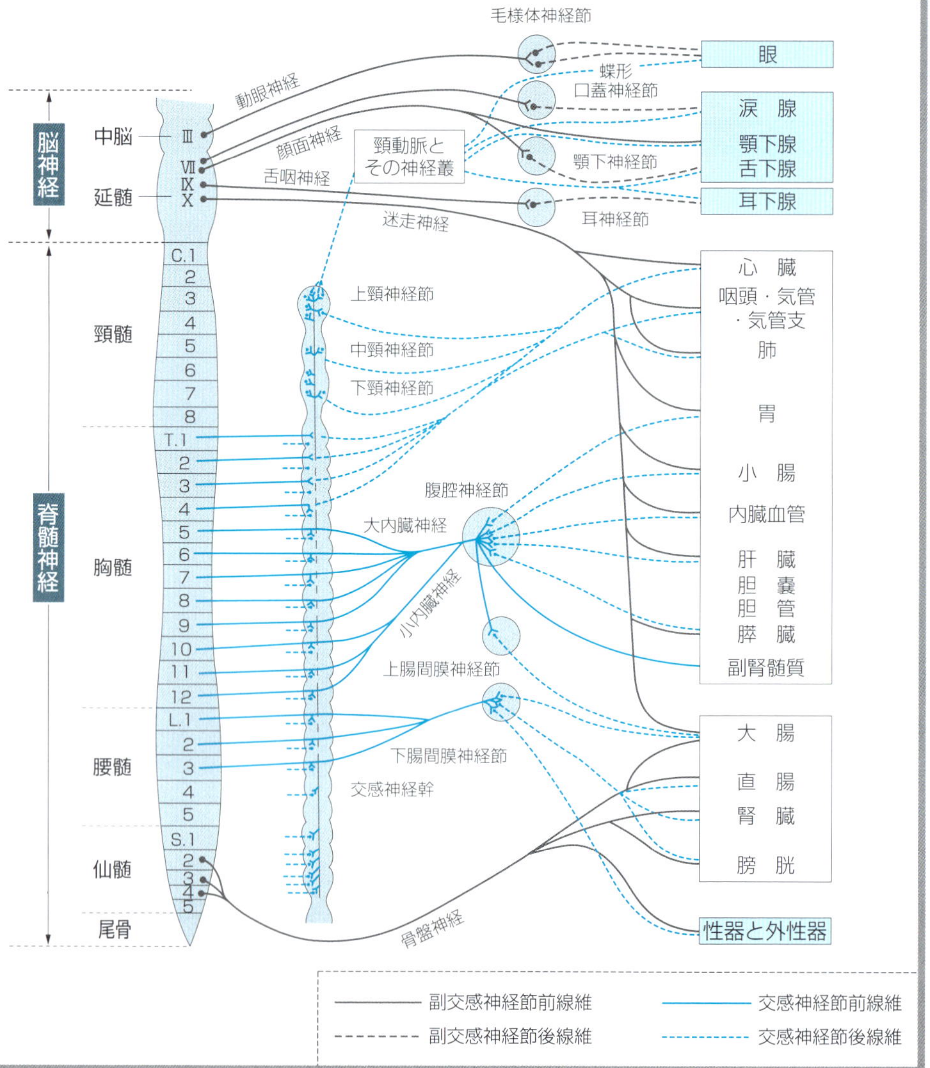

4. 自律神経系の神経伝達機構

交感神経節後線維終末から遊離する神経伝達物質がノルアドレナリン〈ノルエピネフリン〉である以外は，神経伝達物質としてアセチルコリンが遊離される。

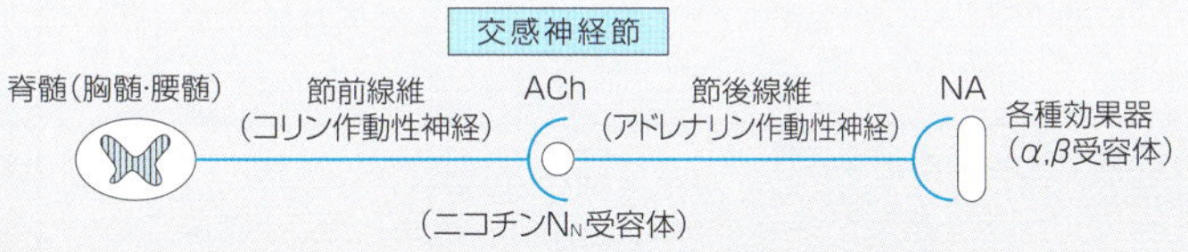

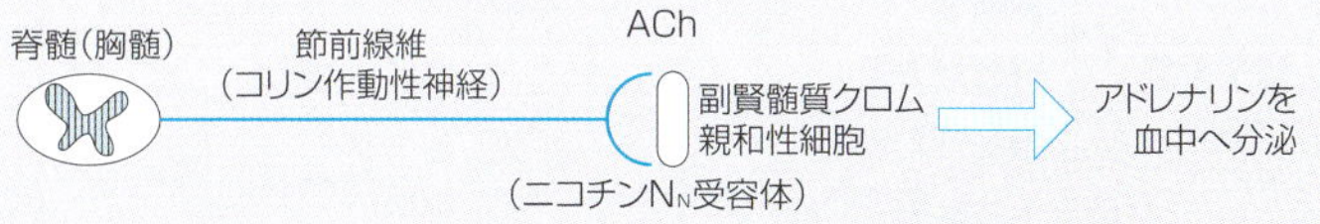

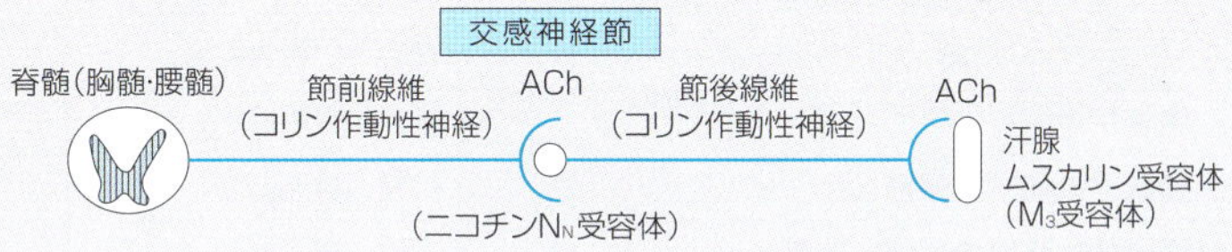

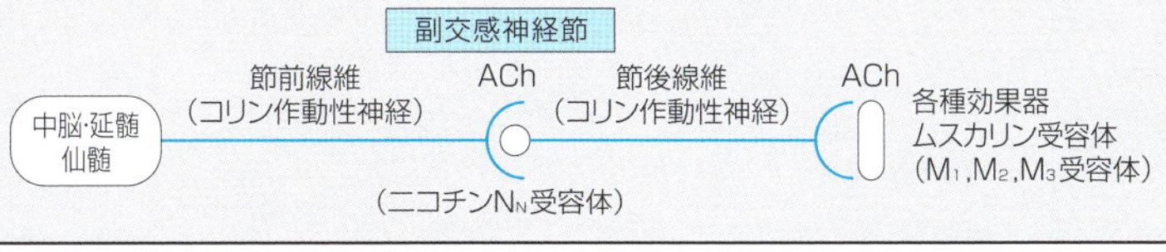

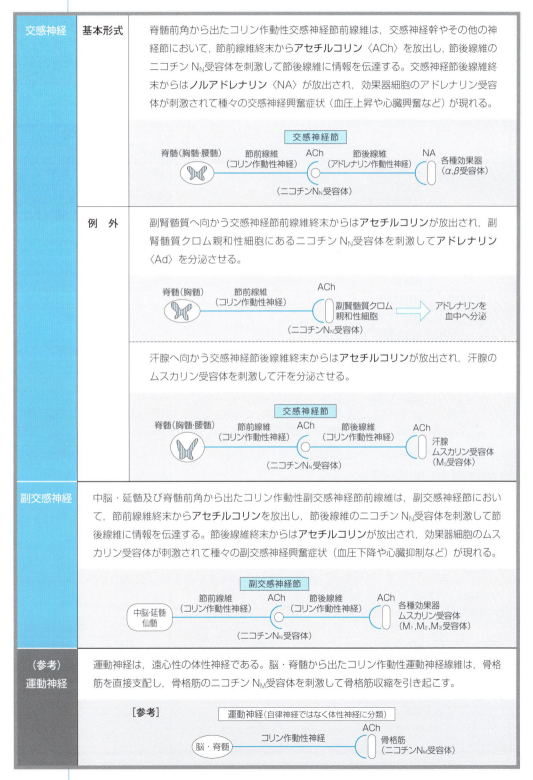

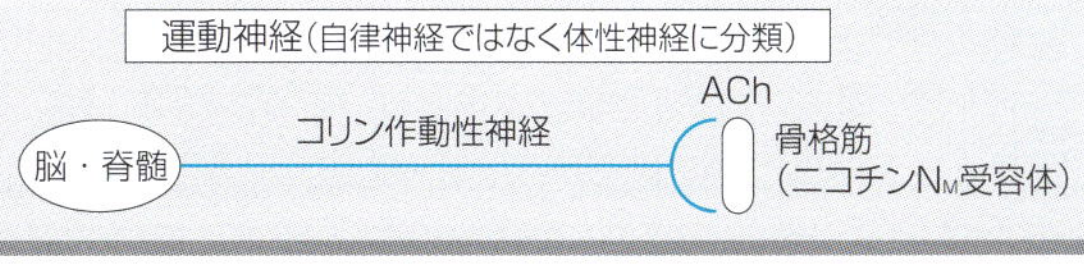

5．各種効果器と自律神経系反応

各種効果器の自律神経系反応は効果器に分布する受容体サブタイプを介した細胞内情報伝達によって決定される。従って，血管平滑筋でも，α_1受容体サブタイプ（$G_{q/11}$蛋白質共役型）が優位に存在する末梢細動脈はアドレナリンによって収縮するが，β_2受容体サブタイプ（G_s蛋白質共役型）が優位に存在する冠血管はアドレナリンによって弛緩・拡張する。各種効果器の自律神経系反応は，組織に分布する受容体サブタイプを覚えることによって理解しよう。

自律神経系支配の効果器と反応

効果器			交感神経		副交感神経	
			受容体	反応	受容体	反応
平滑筋	血管平滑筋	末梢細動脈 脳血管 腹部内臓血管	$\alpha_1>\beta_2$	収縮＞拡張	血管内皮 M_3	拡張（M_3刺激によって血管内皮細胞で産生されたNOが血管平滑筋細胞へ移行して血管を拡張）
		皮膚血管 粘膜血管	α_1，α_2			
		冠血管 骨格筋血管 肺血管	$\beta_2>\alpha$	拡張＞収縮		
	眼平滑筋	瞳孔散大筋	α_1	収縮（散瞳）		
		瞳孔括約筋			M_3	収縮（縮瞳）
		毛様体筋	β_2	弛緩 シュレム管閉口 →眼圧上昇，遠視	M_3	収縮 シュレム管開口 →眼圧低下，近視
	気管支平滑筋		β_2	拡張	M_3	収縮
	胃平滑筋	運動・緊張	β_2	抑制	M_3	促進
		幽　門	α_1	収縮（内容物貯留）	M	弛緩（内容物腸へ）
	腸管平滑筋		β_1・β_2	弛緩（運動抑制）	M_3	収縮（運動促進）
	膀胱平滑筋（排尿筋）		β_3	弛緩（排尿抑制）	M_3	収縮（排尿促進）
	膀胱括約筋（内尿道括約筋）		α_1	収縮（排尿抑制）	M_3	弛緩（排尿促進）
	前立腺平滑筋		α_1	収縮（排尿抑制）		
心　臓		心室筋 洞房結節 刺激伝導系	β_1	正の変力 正の変時 正の変伝導・変閾	M_2	負の変力 負の変時 負の変伝導
腎　臓		傍糸球体装置	β_1	レニン分泌促進		
副腎髄質		クロム親和性細胞	N_N	Ad／NA 分泌促進		
肝　臓			β_2・α_1	グリコーゲン分解		
脂肪細胞		白色脂肪細胞 褐色脂肪細胞	α_1・β_1・ β_2・β_3	脂肪分解・熱産生		
腺分泌		唾液腺	α_1 β	粘稠性分泌促進 アミラーゼ分泌促進	M_1・M_3	漿液性分泌促進
		気管支・胃腸・ 膵臓ラ島（β）	α β	抑制 促進	M_1・M_3	促進
		胃酸（壁細胞）			M_1・M_3	促進
		汗　腺	α_1 M_3	局所的分泌促進（手掌・蹠） 全身的分泌促進		

ポイント整理

アドレナリン受容体・ムスカリン受容体サブタイプの情報伝達系と細胞応答

1）アドレナリン受容体・ムスカリン受容体サブタイプの情報伝達系

$G_{q/11}$共役型受容体（細胞質 Ca^{2+}濃度上昇）：α_1受容体，M_1・M_3受容体

$G_{i/o}$ 共役型受容体（cAMP 産生抑制など）：α_2受容体，M_2受容体

G_s 共役型受容体（cAMP 産生促進）：β_1・β_2・β_3受容体

（☞詳細は p13 参照）

2）平滑筋細胞

平滑筋細胞に存在する $G_{q/11}$共役型受容体（α_1，M_3）を刺激すると細胞質 Ca^{2+}濃度が上昇してミオシン軽鎖キナーゼが活性化され収縮する。一方，G_s共役型受容体（β_2）を刺激すると cAMP・A キナーゼ系を介して細胞質 Ca^{2+}濃度低下（Ca^{2+}ポンプ活性化）やミオシン軽鎖キナーゼ不活性化が起こり弛緩する。

※注意：血管内皮細胞に存在する $G_{q/11}$共役型受容体（M_3）を刺激すると細胞質 Ca^{2+}濃度が上昇して一酸化窒素〈NO〉が産生される。その NO は，血管平滑筋細胞に移行して cGMP・G キナーゼ系を介して血管平滑筋を弛緩させる。

（☞詳細は p24，25 参照）

3）心筋細胞

心筋細胞では，平滑筋細胞と異なり，G_s共役型受容体（β_1）を刺激すると cAMP・A キナーゼ系を介して細胞質 Ca^{2+}濃度が上昇して（Ca^{2+}チャネル活性化）収縮が増大する。また，心筋細胞に存在する $G_{i/o}$共役型受容体（M_2）を刺激すると K^+チャネル活性化による過分極や cAMP・A キナーゼ系に対する抑制によって心筋細胞が抑制される。

（☞詳細は p26，27 参照）

4）分泌細胞

分泌細胞では，$G_{q/11}$共役型受容体刺激／細胞質 Ca^{2+}濃度上昇は分泌反応を促進させるが，G_s共役型受容体刺激／cAMP・A キナーゼ系は分泌を促進させる場合（唾液腺アミラーゼ分泌，膵臓インスリン分泌，胃壁細胞胃酸分泌など）と分泌を抑制する場合（肥満細胞ヒスタミン遊離や血小板セロトニン分泌など）がある。

Ⅱ　交感神経系作用薬

☞『医薬品一般名・商品名・構造一覧』p1

おさえるべきところ

1. ノルアドレナリン／アドレナリンの生合成と代謝 ……p57
2. 交感神経系作用薬（直接的作用薬，間接的作用薬，混合型作用薬）・各種臓器に分布する受容体サブタイプ・受容体刺激効果／抑制効果との関連 ……p58

交感神経系（節後線維終末及び副腎髄質クロム親和性細胞）

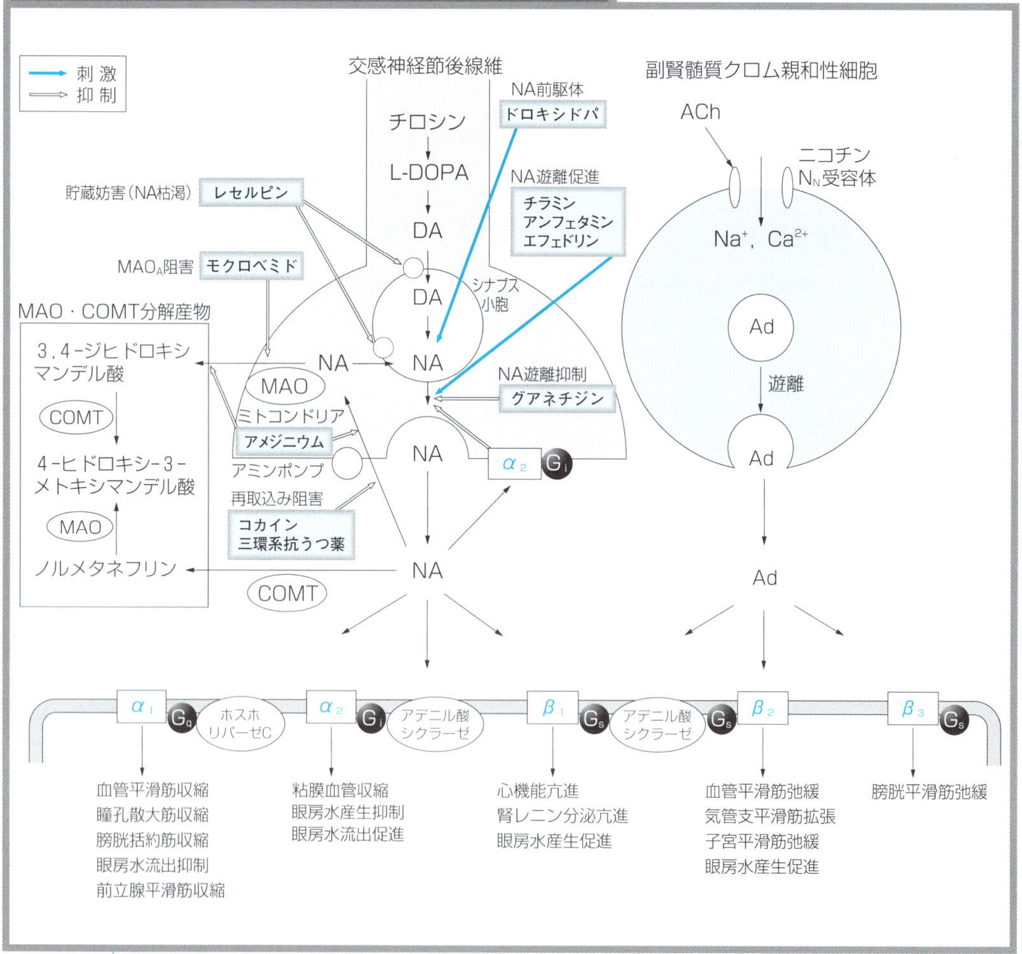

1. ノルアドレナリン／アドレナリンの生合成と代謝

生合成

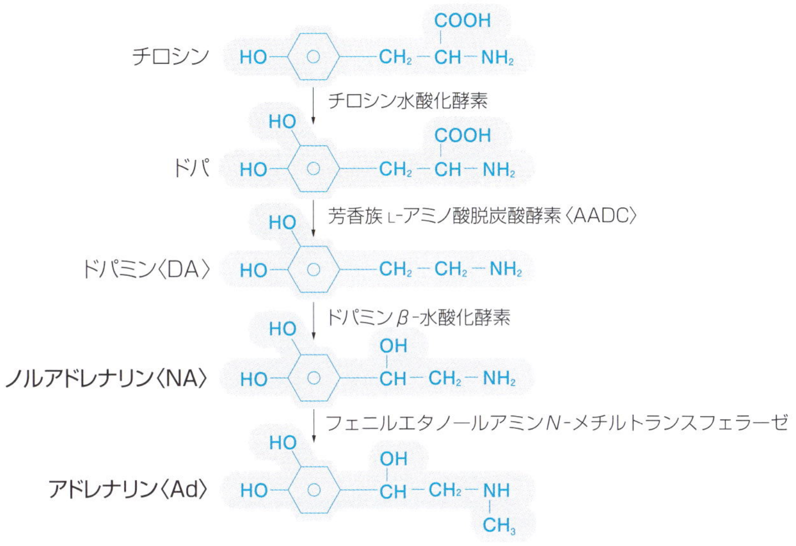

代謝

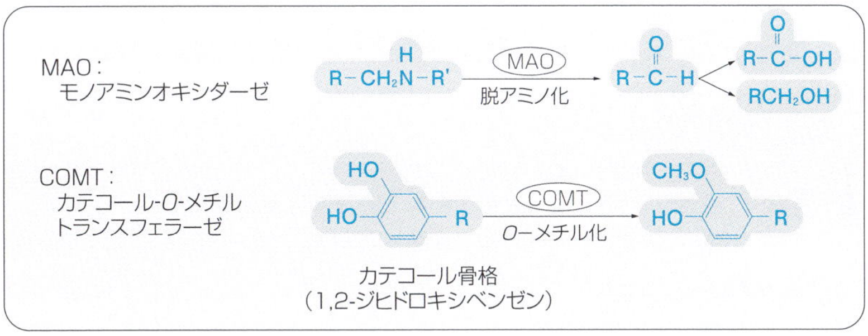

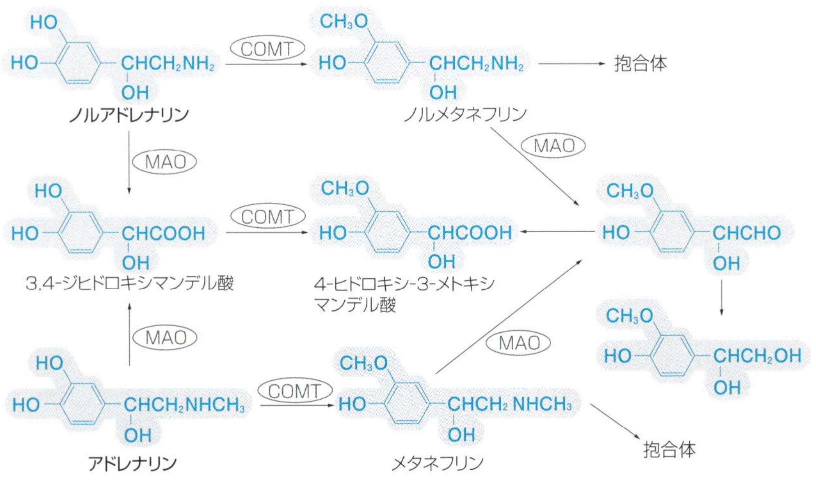

2. アドレナリン受容体サブタイプ

分 類	サブタイプ	共役型	情報伝達	分布（刺激効果）
α受容体	α_1	$G_{q/11}$	Ca^{2+}動員	末梢細動脈（収縮） 前立腺平滑筋・膀胱括約筋（収縮） 瞳孔散大筋（収縮）
	α_2	$G_{i/o}$	cAMP 産生抑制 K^+チャネル開口（過分極） Ca^{2+}チャネル閉口	交感神経終末（ノルアドレナリン遊離抑制） 延髄心臓・血管運動中枢（交感神経抑制） 粘膜血管（収縮）
β受容体	β_1	G_s	cAMP 産生促進	心筋細胞（興奮） 腎傍糸球体装置（レニン分泌促進）
	β_2	G_s	cAMP 産生促進	気管支平滑筋（拡張） 子宮平滑筋（弛緩） 心臓冠血管（拡張） 骨格筋血管（拡張） 肺血管（拡張） 肝細胞（グリコーゲン分解促進）
	β_3	G_s	cAMP 産生促進	膀胱平滑筋（弛緩） 脂肪細胞（脂肪分解・熱産生）

ポイント整理

アドレナリン受容体サブタイプの情報伝達系と細胞応答

1）アドレナリン受容体サブタイプ

$G_{q/11}$共役型受容体（細胞質 Ca^{2+}濃度上昇）：α_1受容体
$G_{i/o}$ 共役型受容体（cAMP 産生抑制・K^+チャネル活性化など）：α_2受容体
G_s 共役型受容体（cAMP 産生促進）：β_1・β_2・β_3受容体

2）α_1受容体

α_1受容体は，末梢細動脈（抵抗血管）などに分布して血管を収縮させ，交感神経興奮時に血圧を上昇させる方向に働く。また，胃幽門平滑筋・膀胱括約筋にも分布して平滑筋を収縮させ胃内容物や尿を貯留させたり，瞳孔散大筋を収縮させて瞳孔を散大させる。

3）α_2受容体

α_2受容体は，交感神経終末からのノルアドレナリン遊離を抑制する負のフィードバック機構として働く。また，粘膜における血管収縮に関与する。

4）β_1受容体

β_1受容体は，心筋細胞や腎傍糸球体装置に分布して心機能亢進やレニン分泌促進に関与し，血圧を上昇させる方向に働く。

5）β_2受容体

β_2受容体は，気管支平滑筋・心臓冠血管・骨格筋血管・肺血管に分布して平滑筋を拡張させ，交感神経興奮時に酸素を供給する方向に働く。また，子宮平滑筋や消化管平滑筋に分布して平滑筋収縮を抑制する。また，肝細胞に分布してグリコーゲン分解（エネルギー産生）を促進する。

6）β_3受容体

β_3受容体は，膀胱平滑筋に分布して平滑筋を弛緩させ，交感神経興奮時に蓄尿方向に働く。また，脂肪細胞に分布し，脂肪分解や熱産生に関与する。

3. アドレナリン受容体刺激薬・阻害薬
（直接型交感神経作用薬）

❶ アドレナリン受容体刺激薬 の 構造活性相関

薬　物	構　造 $R^1 \overset{\text{HO}}{\underset{\text{OH}}{\bigcirc}} \text{CHCH}_2\text{NHR}^2$	主な作用	
フェニレフリン	$R^1 = H$, 　$R^2 = CH_3$	α_1	
ノルアドレナリン	$R^1 = OH$, 　$R^2 = H$	α_1, α_2	β_1
アドレナリン	$R^1 = OH$, 　$R^2 = CH_3$	α_1, α_2	β_1, β_2
イソプレナリン	$R^1 = OH$, 　$R^2 = CH\big\langle\substack{CH_3 \\ CH_3}$		β_1, β_2

①R^1：水酸基を導入するとカテコール骨格となり，アドレナリン受容体への作用が強まる。

②R^2：アミノ基にかさ高い基を導入すると，β受容体に対する選択性が高まる。

❷ アドレナリン受容体サブタイプ選択的刺激薬・阻害薬

　　各種組織に分布するアドレナリン受容体サブタイプには違いが認められる。例えば，気管支平滑筋にはβ_2受容体が分布して気管支拡張反応に関与し，一方，心臓にはβ_1受容体が分布して心臓興奮反応に関与している。従って，狭心症治療の目的（心臓の仕事量を減少させる目的）で非選択的β受容体遮断薬を用いると，気管支平滑筋は狭窄してしまうため気管支喘息を悪化させる。このようなことから，副作用を軽減する目的で，受容体サブタイプ選択的薬物が有用となる。

　　また，受容体に対する部分活性薬は，完全拮抗薬よりも弱い拮抗薬として作用するため，マイルドな拮抗作用を期待するときなどに有用である（例：β遮断薬のもつ内因性交感神経刺激作用〈ISA〉）。

ISA〈内因性交感神経刺激作用：Intrinsic Sympathomimetic Activity〉	
ISA（－）のβ遮断薬	β受容体に対する完全拮抗薬
ISA（＋）のβ遮断薬	β受容体に対する部分活性薬

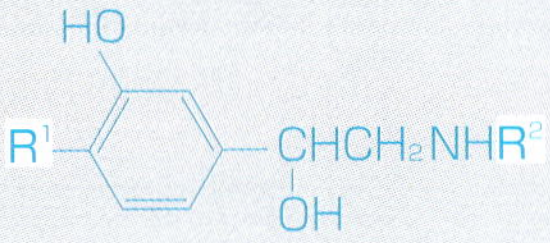

サブタイプ選択的刺激薬・阻害薬①（α受容体作用薬）

分類	受容体	項目	刺激薬	適応	阻害薬	適応
$G_{q/11}$共役型	α_1	作用	末梢血管収縮（昇圧） 瞳孔散大筋収縮（散瞳）		末梢血管拡張（降圧） 膀胱括約筋・前立腺平滑筋弛緩（排尿促進）	
		薬物	**フェニレフリン** ネオシネジン	急性低血圧（ショック） 発作性上室頻拍 治療・診断目的の散瞳 局所麻酔薬の作用増強	**プラゾシン** ミニプレス **テラゾシン** ハイトラシン，バソメット **ウラピジル** エブランチル	高血圧 排尿困難 （前立腺肥大）
			ミドドリン メトリジン	本態性／起立性低血圧	**ドキサゾシン** カルデナリン **ブナゾシン** デタントール	高血圧
			（メトキサミン）	麻酔時低血圧 発作性上室頻拍	**タムスロシン**（$\alpha_{1A/1D}$） ハルナール **ナフトピジル**（$\alpha_{1A/1D}$） フリバス **シロドシン**（α_{1A}） ユリーフ	排尿困難 （前立腺肥大）
$G_{i/o}$共役型	α_2	作用	シナプス前NA放出抑制，中枢性降圧， 眼圧低下，鼻粘膜血管収縮			
		薬物	**クロニジン** カタプレス **α-メチルドパ** アルドメット **グアナベンズ** ワイテンス	高血圧（内服）		
			アプラクロニジン アイオピジン **ブリモニジン** アイファガン	高眼圧（点眼）		
			テトラヒドロゾリン コールタイジン **トラマゾリン** トラマゾリン	鼻閉（点鼻）		

サブタイプ選択的刺激薬・阻害薬②（β受容体作用薬）

分類	受容体	項目	刺激薬	適応	阻害薬	適応
G_s 共役型	β_1	作用	心機能促進，レニン分泌促進		心抑制，レニン分泌抑制	
		薬物	**ドパミン** イノバン，カコージン **ドブタミン** ドブトレックス，ドブポン	心原性・出血性急性循環不全（ショック）（静注）	ISA（－） **アテノロール** テノーミン **メトプロロール** セロケン，ロプレソール **ビソプロロール** メインテート，ビソノテープ **ベタキソロール** ケルロング **ランジオロール** オノアクト，コアベータ	本態性高血圧 労作性狭心症 頻脈性不整脈
			ドカルパミン タナドーパ	ドパミン点滴静注からの離脱（ドパミンのプロドラッグ）（内服）		
			デノパミン カルグート	慢性心不全（内服）	ISA（＋） **アセブトロール** アセタノール **セリプロロール** セレクトール **エスモロール** ブレビブロック	
	β_2	作用	気管支平滑筋拡張 子宮平滑筋弛緩		気管支喘息悪化 血管α作用優位（緊張増加）	
		薬物	**【第一世代】** $\beta_1<\beta_2$ **メトキシフェナミン**（$\alpha<\beta$） アストーマ **トリメトキノール**（$\alpha\fallingdotseq0$） イノリン		（ブトキサミン）	
			【第二世代】 β_2，持続性 **テルブタリン** ブリカニール **サルブタモール** サルタノール，ベネトリン **【第三世代】** β_2↑，持続性↑ **プロカテロール** メプチン **ツロブテロール** ホクナリン，ベラチン **フェノテロール** ベロテック **クレンブテロール** スピロペント **サルメテロール** セレベント **ホルモテロール** オーキシス **インダカテロール** オンブレス **ビランテロール** レルベア，アノーロ **オロダテロール** スピオルト	気管支喘息 慢性閉塞性肺疾患 ［手指振戦の副作用注意］ （サルメテロール～オロダテロール）―長時間型吸入薬		
			リトドリン（内服，静注） ウテメリン	早流産防止		
	β_3	薬物	**ミラベグロン** ベタニス **ビベグロン** ベオーバ	過活動膀胱		

❸ アドレナリン受容体（サブタイプ非選択的）刺激薬・阻害薬

受容体	刺激薬	適 応	阻害薬		適 応
α	ナファゾリン プリビナ	局所麻酔薬の作用増強（注射） 眼充血・鼻閉（点眼・点鼻）	（フェノキシベンザミン ダイベナミン）	不可逆的阻害薬（受容体アルキル化薬）	
			フェントラミン レギチーン	競合的拮抗薬	褐色細胞腫の診断・治療
			（トラゾリン）		末梢循環障害 視神経炎
β	イソプレナリン イソメニール，アスプール，プロタノールS，プロタノールL	めまい（内服） 徐脈（内服・注射） 急性心不全（注射） 気管支喘息（注射・吸入）	プロプラノロール インデラル ブフェトロール アドビオール ナドロール ナディック	ISA（−）	労作性狭心症 頻脈性不整脈 本態性高血圧
	イソクスプリン ズファジラン	頭部外傷後遺症 末梢循環障害 早流産防止 （内服，注射）	ピンドロール カルビスケン，ブロクリンL カルテオロール ミケラン	ISA（＋）	
α・β	ノルアドレナリン（β_2作用弱） ノルアドレナリン	ショック（注射）	ニプラジロール（ニトロ基あり） ニプラノール，ハイパジール	α遮断弱い	労作性狭心症 頻脈性不整脈 本態性高血圧
	アドレナリン ボスミン，アドレナリン，エピペン	ショック 気管支喘息 局所麻酔薬の作用増強（注射）	ベバントロール（$\alpha \cdot \beta_1$） カルバン	α：β効力比 1：14	
			カルベジロール アーチスト	1：8	
	エチレフリン エホチール	低血圧（注射，内服）	アロチノロール アロチノロール	1：8	
			ラベタロール（$\alpha_1 \cdot \beta$） トランデート	1：3	
			アモスラロール ローガン	1：1	

④ 麦角アルカロイド

麦角アルカロイドは，アドレナリンα受容体，ドパミン受容体，セロトニン受容体に対して部分作動薬あるいは拮抗薬として作用することによって，多様な薬理作用を示す。

薬　物	作用の特徴	用　途
エルゴタミン クリアミン	1）アドレナリン α_1 受容体に部分作動薬として作用することによって，血管収縮作用を示す。 2）セロトニン 5-$HT_{1B/1D}$ 受容体を介した脳血管収縮作用によって，片頭痛に効果を示す。	片頭痛 ※発作前兆期に投与
(ジヒドロエルゴタミン)	エルゴタミンに比べて，アドレナリンα受容体遮断作用が強く，血管収縮作用は弱い。	
(ジヒドロエルゴトキシン) （エルゴコルニン，エルゴクリスチン，エルゴクリプチンの混合物のジヒドロ体）	血管運動中枢を抑制することによって，血管拡張作用や降圧作用を示す。	脳循環改善，末梢循環改善
エルゴメトリン エルゴメトリンマレイン酸塩	1）妊娠子宮平滑筋に対して特異的に作用し，子宮収縮作用を示す。 2）血管収縮作用・アドレナリンα受容体遮断作用は弱い。	人工妊娠中絶 分娩後の弛緩性出血 ※陣痛誘発には用いない
メチルエルゴメトリン パルタン M	エルゴメトリンよりも子宮収縮作用はやや強く，作用持続時間も長い。	

4. 間接型及び混合型交感神経興奮薬・抑制薬

交感神経系作用薬には，前述のような効果器側受容体に対して直接作用する薬物（直接型交感神経作用薬）以外に，神経側に作用する薬物も含まれる。神経側に作用する薬物は，神経終末からのノルアドレナリンの分泌機構やノルアドレナリンの代謝過程を変化させることによって，間接的にノルアドレナリンに対する効果器の反応を変化させる（間接型交感神経作用薬）。また，神経側と効果器側受容体の両方に作用する薬物もある（混合型交感神経作用薬）。

間接型及び混合型交感神経作用薬

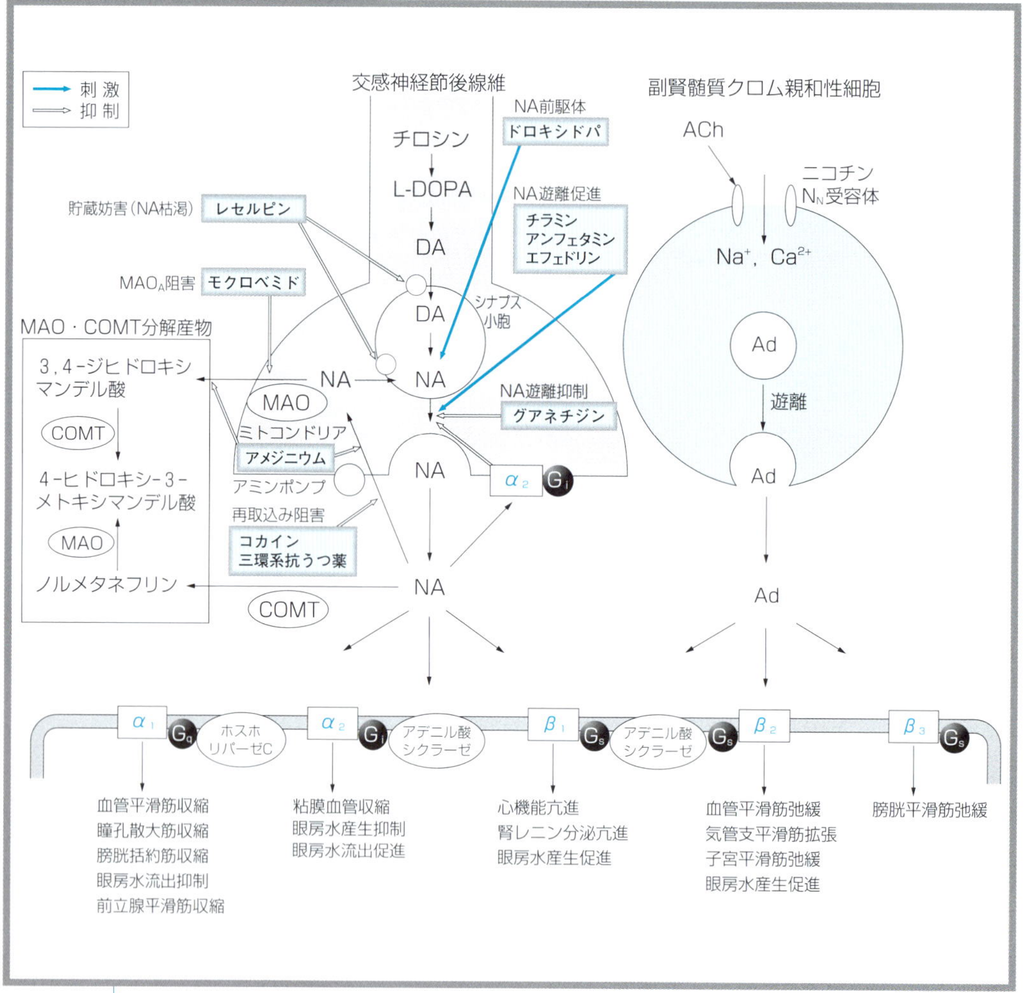

刺激
抑制
交感神経節後線維
NA前駆体
ドロキシドパ
チロシン
L-DOPA
DA
NA遊離促進
チラミン
アンフェタミン
エフェドリン
貯蔵妨害（NA枯渇）
レセルピン
MAO$_A$阻害
モクロベミド
シナプス小胞
NA
MAO
NA遊離抑制
グアネチジン
ミトコンドリア
アメジニウム
アミンポンプ
再取込み阻害
コカイン
三環系抗うつ薬
α_2
G_i
MAO・COMT分解産物
3,4-ジヒドロキシマンデル酸
COMT
4-ヒドロキシ-3-メトキシマンデル酸
MAO
ノルメタネフリン
COMT
副腎髄質クロム親和性細胞
ACh
ニコチン N$_N$受容体
Na$^+$, Ca^{2+}
Ad
遊離
α_1
G_q
ホスホリパーゼC
α_2
G_i
アデニル酸シクラーゼ
β_1
G_s
アデニル酸シクラーゼ
β_2
G_s
β_3
G_s
血管平滑筋収縮
瞳孔散大筋収縮
膀胱括約筋収縮
眼房水流出抑制
前立腺平滑筋収縮
粘膜血管収縮
眼房水産生抑制
眼房水流出促進
心機能亢進
腎レニン分泌亢進
眼房水産生促進
血管平滑筋弛緩
気管支平滑筋拡張
子宮平滑筋弛緩
眼房水産生促進
膀胱平滑筋弛緩

代謝酵素	分　布	基　質
COMT	神経細胞外，神経細胞内（小胞体膜），肝臓，腎臓など	カテコールアミン
MAO_A/MAO_B 共通	肝臓，腎臓，肺，十二指腸など（ミトコンドリア外膜）	ドパミン，チラミンなど
MAO_A 特異的	交感神経節，カテコラミン含有細胞，胎盤など	ノルアドレナリン，アドレナリン，セロトニンなど （注）セロトニン神経や血小板などのセロトニン含有細胞には MAO_A は存在しない。セロトニンは MAO_A が分布する他の細胞で代謝される
MAO_B 特異的	セロトニン神経，ヒスタミン神経，血小板，リンパ球など	ヒスタミンなど

［チーズ反応］MAO 阻害薬投与中，チラミン摂取により生じる高血圧発作

交感神経興奮薬・抑制薬（間接型及び混合型）

分　類	刺激機構	興奮薬	抑制機構	抑制薬
間接型 （神経終末に作用）	**NA 遊離促進（チラミン様作用）** シナプス小胞内 NA 叩き出しによる NA 遊離促進 （昇圧反応にタキフィラキシー）	（アンフェタミン チラミン）	**NA 遊離阻害**	（**グアネチジン** （チラミン様作用・レセルピン様作用あり） ※中枢に移行しにくい）
	NA 取込阻害（コカイン様作用） アミントランスポーター阻害による NA 取込阻害	**コカイン** コカイン塩酸塩 **三環系抗うつ薬** **アメジニウム** リズミック （MAO 阻害あり）	**NA 枯渇（レセルピン様作用）** シナプス小胞内へのカテコールアミン貯蔵妨害による NA 枯渇：DA や 5-HT も枯渇	（**レセルピン** ※中枢に移行しやすい（うつ症状誘発））
	NA 生合成前駆体	**ドロキシドパ** ドプス		
	NA 分解抑制 非選択的 MAO 阻害	**（サフラジン）**		
	選択的 MAO_A 阻害	**（モクロベミド）**		
混合型 （神経終末及び効果器側受容体に作用）	**チラミン様作用** **α・β 受容体直接刺激作用**	**気管支拡張薬** **エフェドリン** エフェドリン **メチルエフェドリン** メチエフ ※エフェドリンの気管支拡張は，β_2 直接作用による。昇圧は NA 遊離による間接作用のため，タキフィラキシー〈速成耐性〉が生じる		

ポイント整理

交感神経系作用薬のまとめ

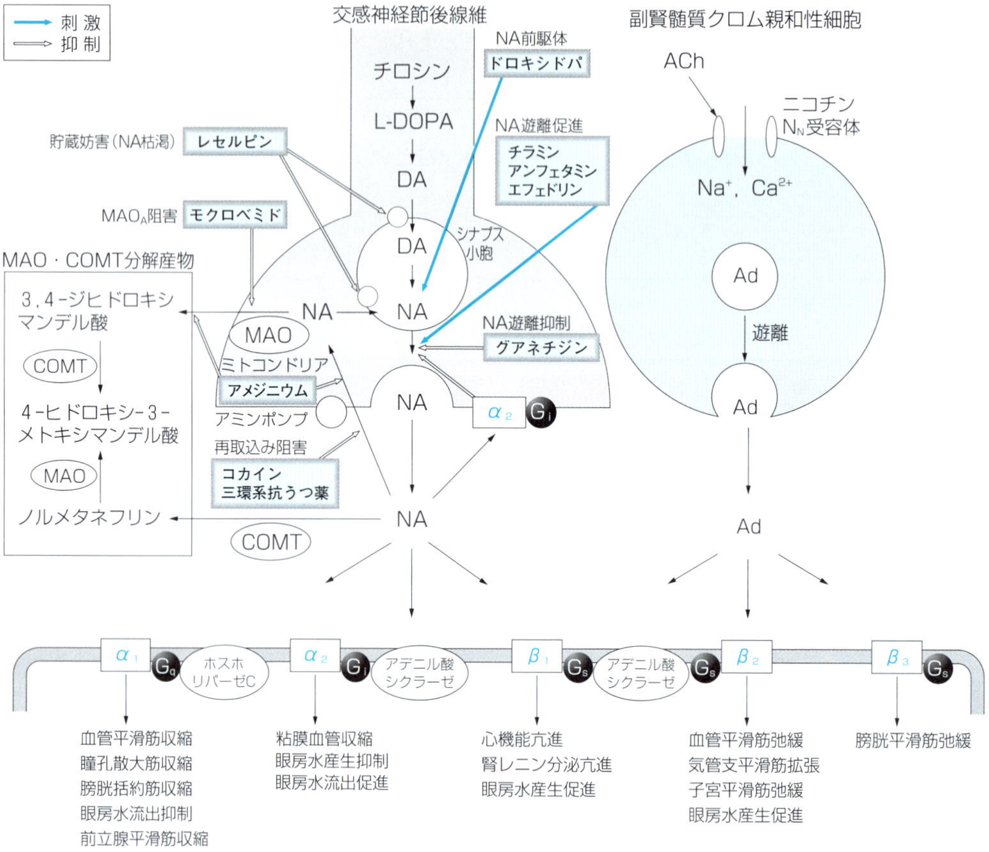

	α_1受容体	α_2受容体	β_1受容体	β_2受容体
刺激薬	フェニレフリン ミドドリン	クロニジン α-メチルドパ グアナベンズ ブリモニジン トラマゾリン	ドパミン ドブタミン ドカルパミン デノパミン	サルブタモール プロカテロール フェノテロール クレンブテロール リトドリン
	ナファゾリン		イソプレナリン，イソクスプリン	
	ノルアドレナリン			
	アドレナリン			
遮断薬	プラゾシン テラゾシン ウラピジル ドキサゾシン ブナゾシン タムスロシン ナフトピジル シロドシン		ISA（−）：アテノロール メトプロロール ビソプロロール ベタキソロール ランジオロール ISA（+）：アセブトロール セリプロロール エスモロール	
	フェノキシベンザミン（不可逆的） フェントラミン（競合的）		ISA（−）：プロプラノロール，チモロール ISA（+）：ピンドロール，カルテオロール	
	ISA（−）：カルベジロール，アロチノロール，アモスラロール，ベバントロール（$\alpha\beta_1$），ニプラジロール ISA（+）：ラベタロール（$\alpha_1\beta$）			

Ⅲ　副交感神経系作用薬

☞『医薬品一般名・商品名・構造一覧』p6

おさえるべきところ

1. アセチルコリンの生合成と代謝 ……p68
2. 副交感神経系作用薬（直接的作用薬，間接的作用薬）・各種臓器に分布する受容体サブタイプ・受容体刺激効果／抑制効果との関連 ……p68

副交感神経系（節後線維終末）

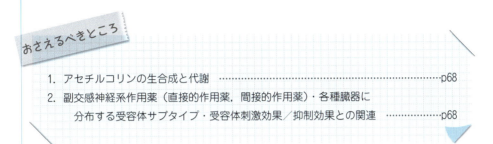

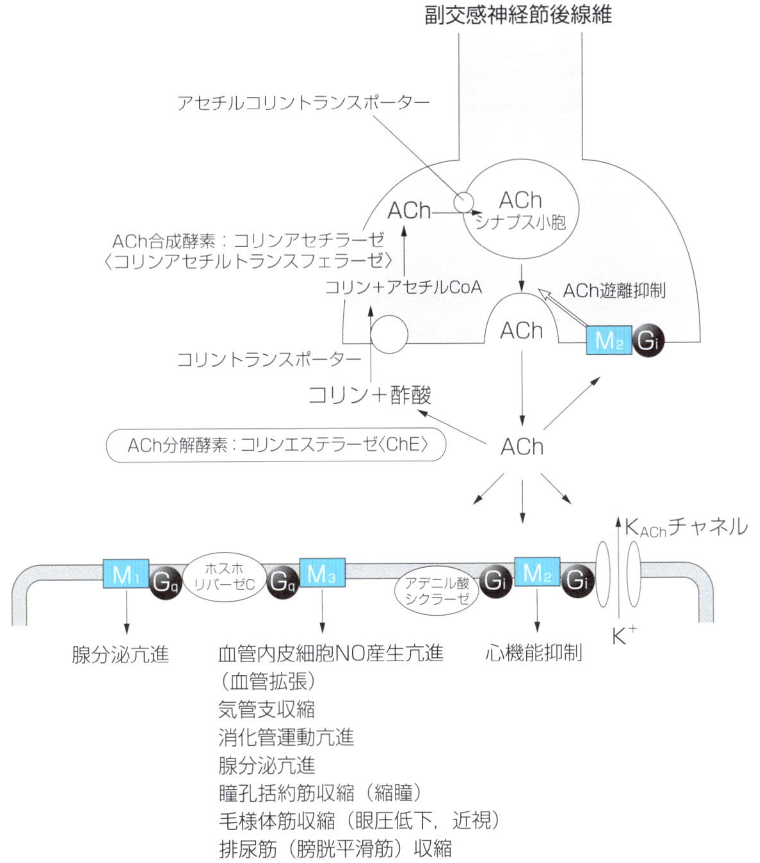

1. アセチルコリンの生合成と代謝

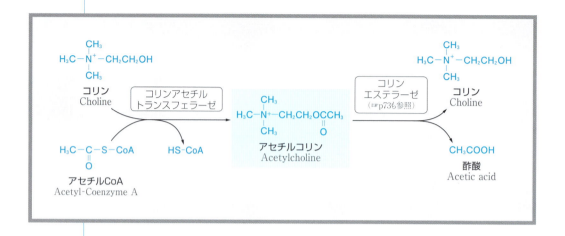

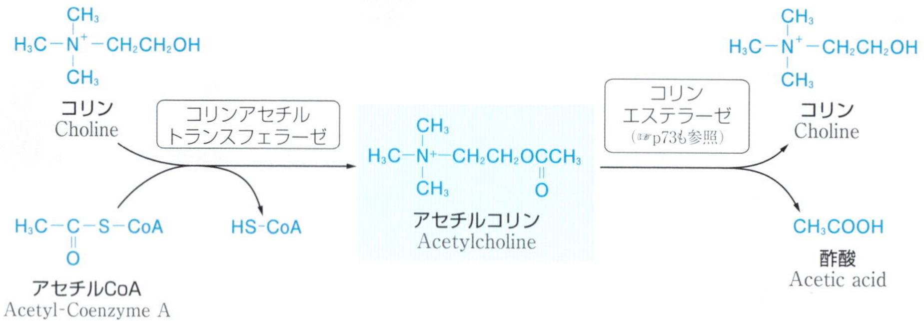

2. アセチルコリン受容体サブタイプ

各種組織に存在するアセチルコリン受容体サブタイプには違いが認められる。アセチルコリン受容体サブタイプとその共役型・細胞内情報伝達系をまず理解し，各組織（副交感神経系以外の組織も含む）に分布する主たる受容体サブタイプと受容体刺激効果を覚えよう。

分　類	サブタイプ	共役型	情報伝達	分布（刺激効果）
ニコチン受容体	N_N	カチオンチャネル内蔵型	Na^+，Ca^{2+}流入	中枢神経系（興奮） 自律神経節（興奮） 副腎髄質クロム親和性細胞（Ad 分泌）
	N_M	カチオンチャネル内蔵型	Na^+，Ca^{2+}流入	骨格筋（収縮）
ムスカリン受容体	M_1	$G_{q/11}$	Ca^{2+}動員	中枢神経系（興奮） 自律神経節（興奮） 分泌腺（分泌促進）
	M_2	$G_{i/o}$	cAMP 産生抑制 K^+チャネル開口（過分極）	心臓（抑制）
	M_3	$G_{q/11}$	Ca^{2+}動員	平滑筋（収縮） 分泌腺（分泌促進） ※ただし，血管平滑筋は弛緩（血管内皮細胞 NO 産生による）

ポイント整理

アセチルコリン受容体サブタイプの情報伝達系と細胞応答

1）アセチルコリン受容体サブタイプ

$G_{q/11}$共役型受容体（細胞質 Ca^{2+}濃度上昇）：ムスカリン M_1・M_3受容体
$G_{i/0}$共役型受容体（cAMP 産生抑制や K^+チャネル開口）：ムスカリン M_2受容体
カチオンチャネル内蔵型受容体（Na^+/Ca^{2+}細胞内流入）：ニコチン N_N・N_M受容体

2）ムスカリン M_1受容体

主に分泌細胞などに分布して消化活動を亢進させる方向に働く。

3）ムスカリン M_2受容体

主に心筋細胞に分布して心機能を抑制する。

4）ムスカリン M_3受容体

種々の平滑筋や分泌細胞に分布し，縮瞳・眼内圧低下，消化管運動や分泌の促進に関与する。また，血管内皮細胞に分布して NO 産生を介して血管を拡張させ，血圧を低下させる方向に働く。

5）ニコチン N_N受容体

自律神経節や副腎髄質クロム親和性細胞に分布して神経伝達物質（アセチルコリン，ノルアドレナリン）やホルモン（アドレナリン）の遊離に関与する。

6）ニコチン N_M受容体

骨格筋に分布して四肢の運動に関与する（☞詳細は p94「第3章 体性神経系に作用する薬物—II 運動神経系作用薬」参照）。

3. ムスカリン受容体刺激薬・阻害薬
（直接型副交感神経作用薬）

❶ ムスカリン受容体刺激薬

まず，ムスカリン受容体刺激薬を，その構造とコリンエステラーゼ感受性，ニコチン様作用（ニコチン受容体刺激作用）の有無に注意して覚えよう。

薬　物	構造式 $R^1-\underset{\underset{O}{\parallel}}{C}-O-\underset{\underset{R^2}{}}{CH}-CH_2-N^+\!\!\begin{smallmatrix}-CH_3\\-CH_3\\-CH_3\end{smallmatrix}$		コリンエステラーゼ感受性	ニコチン様作用	適応症
	R^1	R^2	＋：分解される	＋：作用有	
アセチルコリン オビソート	CH_3	H	＋＋＋	＋＋	腸管麻痺 急性胃拡張 円形脱毛
（メタコリン）	CH_3	CH_3	＋	＋	
（カルバコール）	NH_2	H	－	＋＋＋	
ベタネコール ベサコリン	NH_2	CH_3	－	－	慢性胃炎 腸管麻痺 麻痺性イレウス 低緊張性膀胱（尿閉）

その他のムスカリン受容体刺激薬

$\left(\begin{array}{l}\textbf{ムスカリン}（ベニテングダケ含有アルカロイド）\\ \textbf{オキソトレモリン}（痙攣・振戦誘発）\end{array}\right)$

ピロカルピン（ヤボランジ含有アルカロイド：緑内障治療，治療・診断用縮瞳，口腔乾燥症状治療）
サンピロ，サラジェン

セビメリン（口腔乾燥症状治療）
エボザック，サリグレン

アクラトニウム（慢性胃炎などの消化機能低下症治療）
アボビス

❷ ムスカリン受容体阻害薬（抗コリン薬）

ムスカリン受容体阻害薬（抗コリン薬）は，用途別に整理しよう。なお，ムスカリン受容体のサブタイプ選択的阻害薬については，M_1受容体選択的阻害薬ピレンゼピン（胃酸分泌を低下させ胃潰瘍に有効）がよく知られている。

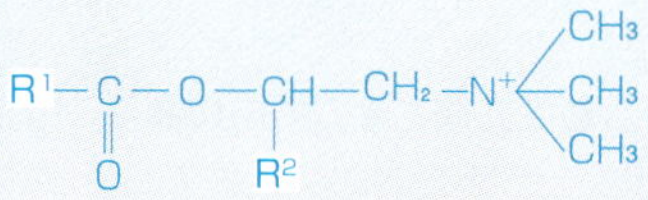

ムスカリン受容体阻害薬

分類	抗ムスカリン薬	主な用途	主な副作用
三級アミン	アトロピン〈*d,l*-ヒヨスチアミン〉 硫酸アトロピン，アトロピン硫酸塩，アトロピン，リュウアト スコポラミン〈*l*-ヒヨスチン〉 ハイスコ	眼（散瞳） 気道（分泌抑制） 消化器（鎮痙）　など	眼圧上昇（緑内障**禁忌**） 遠視性視調節麻痺 口渇 頻脈 排尿困難（前立腺肥大悪化） 便秘 など
	ピレンゼピン（M_1選択的阻害） ガストロゼピン	胃（胃潰瘍治療）	
	トリヘキシフェニジル アーテン，トレミン ビペリデン アキネトン，タスモリン メチキセン コリンホール ピロヘプチン トリモール マザチコール ペントナ プロフェナミン パーキン	中枢（パーキンソン症候群治療） ※薬剤性錐体外路障害にも有効であるが，向精神薬長期投与に基づく遅発性ジスキネジアには無効かかえって症状を増悪顕性化する。	
	トロピカミド ミドリンM シクロペントラート サイプレジン	眼（散瞳） ※アトロピンよりも短時間型	
	ジサイクロミン コランチル ピペリドレート ←…… 子宮弛緩薬としても使用 ダクチラン，ダクチル	消化器（鎮痙）	
	プロピベリン バップフォー オキシブチニン ポラキス，ネオキシテープ トルテロジン デトルシトール フェソテロジン トビエース イミダフェナシン（$M_{1/3}$選択的阻害） ウリトス，ステーブラ ソリフェナシン（M_3選択的阻害） ベシケア	膀胱平滑筋（頻尿治療）	
四級アンモニウム誘導体	プロパンテリン プロ・バンサイン ブチルスコポラミン ブスコパン メペンゾラート ←…… 過敏性腸症候群治療薬 トランコロン チキジウム チアトン チメピジウム セスデン *N*-メチルスコポラミン ダイピン ブトロピウム コリオパン	消化器（鎮痙）	
	イプラトロピウム アトロベント アクリジニウム エクリラ チオトロピウム（長時間型） スピリーバ グリコピロニウム（長時間型） シーブリ ウメクリジニウム（長時間型） エンクラッセ	気管支（吸入で喘息予防・慢性閉塞性肺疾患治療）	

4．間接型副交感神経興奮薬（コリンエステラーゼ阻害薬）

コリンエステラーゼはアセチルコリンを分解する酵素である。コリンエステラーゼ阻害薬はアセチルコリンの分解を阻害するため，間接的にアセチルコリンの作用を増強する。従って，副交感神経だけでなく，運動神経などのコリン作動性神経の活動も高める。また，中枢移行性の薬物の場合には，中枢内のコリン作動性神経の活動も間接的に高めることになる。副作用として，**コリン作動性クリーゼ**（腹痛，下痢，発汗，唾液分泌過多，縮瞳，線維束攣縮など）に注意が必要である。

間接型副交感神経興奮薬（概説）

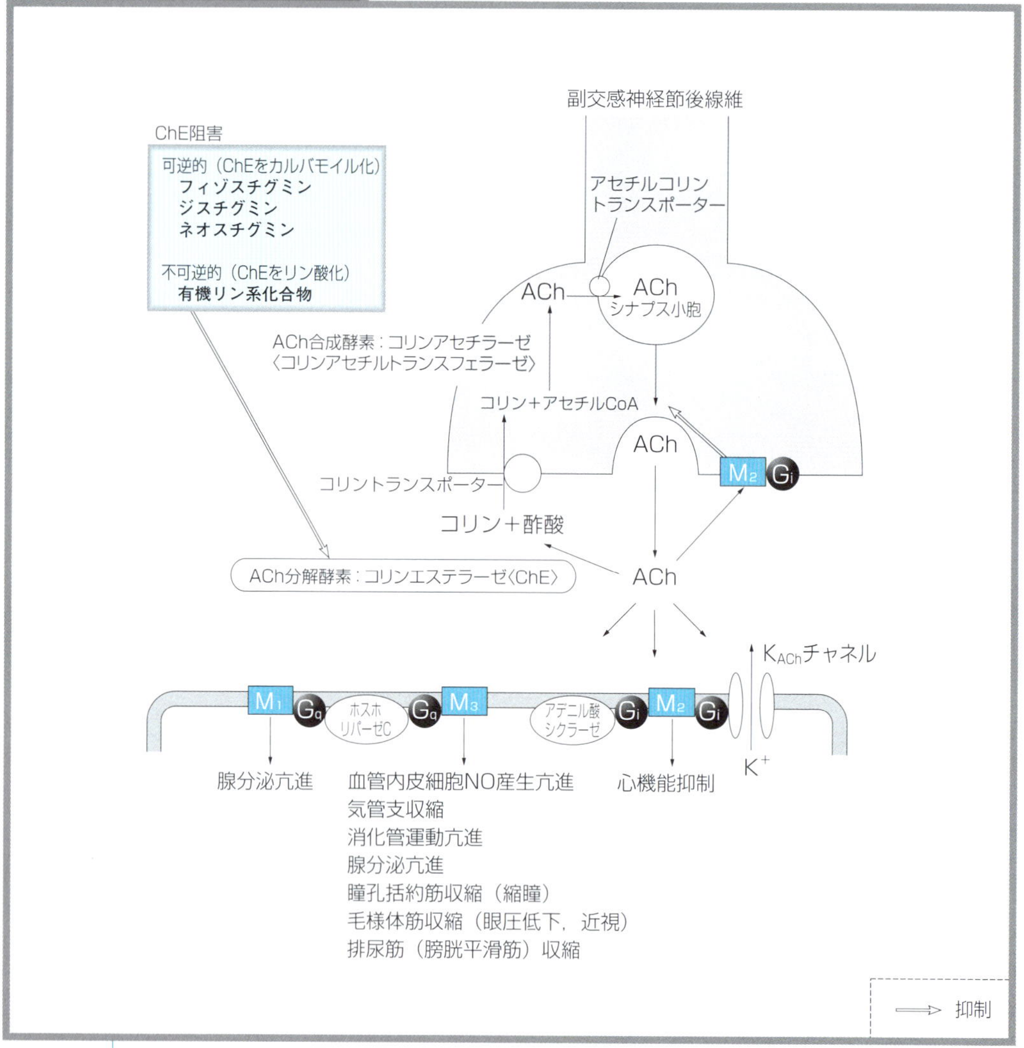

コリンエステラーゼ〈ChE〉の分類

真性コリンエステラーゼ 〈アセチルコリンエステラーゼ〉	ACh を特異的に分解。神経終末や赤血球などに存在。
偽性コリンエステラーゼ 〈ブチリルコリンエステラーゼ〉	ACh のほか，ベンゾイルコリン・スキサメトニウム・ブチリルコリンなどを分解。血漿・肝・脳グリアなどに存在。

コリンエステラーゼ阻害薬

分類			薬物	適用・解毒薬など
可逆的阻害薬	天然	植物アルカロイド（三級アミン）	（フィゾスチグミン（カラバル豆の種子））	
	合成薬	三級アミン	ドネペジル（内服） アリセプト リバスチグミン（貼付） イクセロン，リバスタッチ ガランタミン（内服） レミニール	アルツハイマー型認知症
			アコチアミド（内服） アコファイド	機能性ディスペプシア
		四級アンモニウム誘導体	ネオスチグミン（内服，注射） ワゴスチグミン	慢性胃炎 腸管麻痺・弛緩性便秘 神経因性膀胱による排尿困難 重症筋無力症
			ジスチグミン（内服，点眼） ウブレチド	緑内障 神経因性膀胱による排尿困難 重症筋無力症
			ピリドスチグミン（内服） メスチノン アンベノニウム（内服） マイテラーゼ	重症筋無力症
			エドロホニウム（注射） アンチレクス	重症筋無力症の診断 （作用が短時間のため治療には不適）
不可逆的阻害薬		有機リン系化合物	サリン パラチオン ジイソプロピルフルオロホスフェート〈DFP〉 テトラエチルピロホスフェート〈TEPP〉	**解毒薬（注射）：** ChE 賦活薬 **プラリドキシム〈PAM〉** 抗コリン薬 **アトロピン**

コリンエステラーゼによる基質の分解過程

基　質	基質の分解過程
アセチルコリン	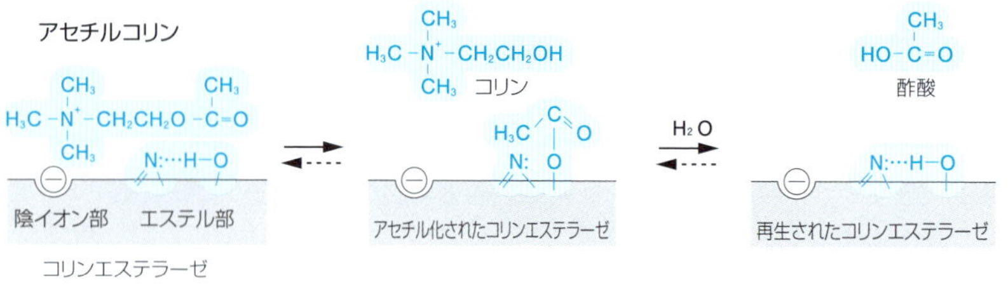アセチルコリン 陰イオン部 エステル部 コリンエステラーゼ コリン アセチル化されたコリンエステラーゼ H₂O 酢酸 再生されたコリンエステラーゼ
ネオスチグミン （可逆的阻害）	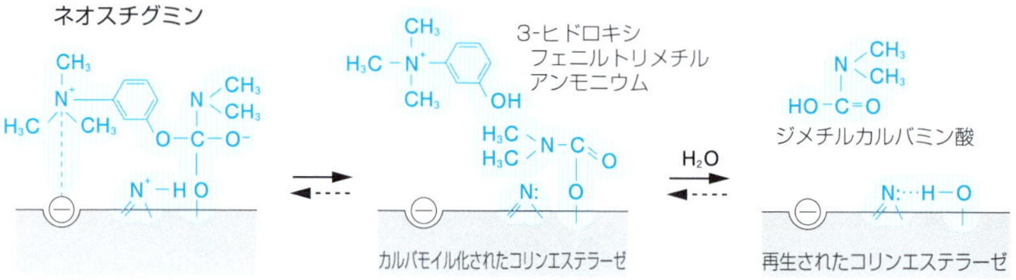ネオスチグミン 3-ヒドロキシ フェニルトリメチル アンモニウム カルバモイル化されたコリンエステラーゼ H₂O ジメチルカルバミン酸 再生されたコリンエステラーゼ
サリン （不可逆的阻害）	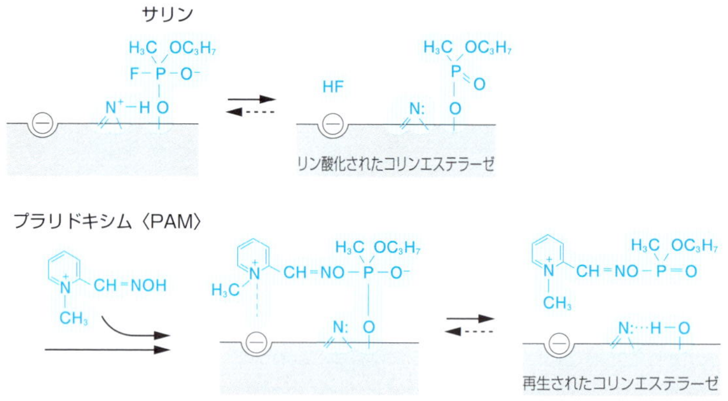サリン HF リン酸化されたコリンエステラーゼ プラリドキシム〈PAM〉 再生されたコリンエステラーゼ

ポイント整理

副交感神経系作用薬のまとめ

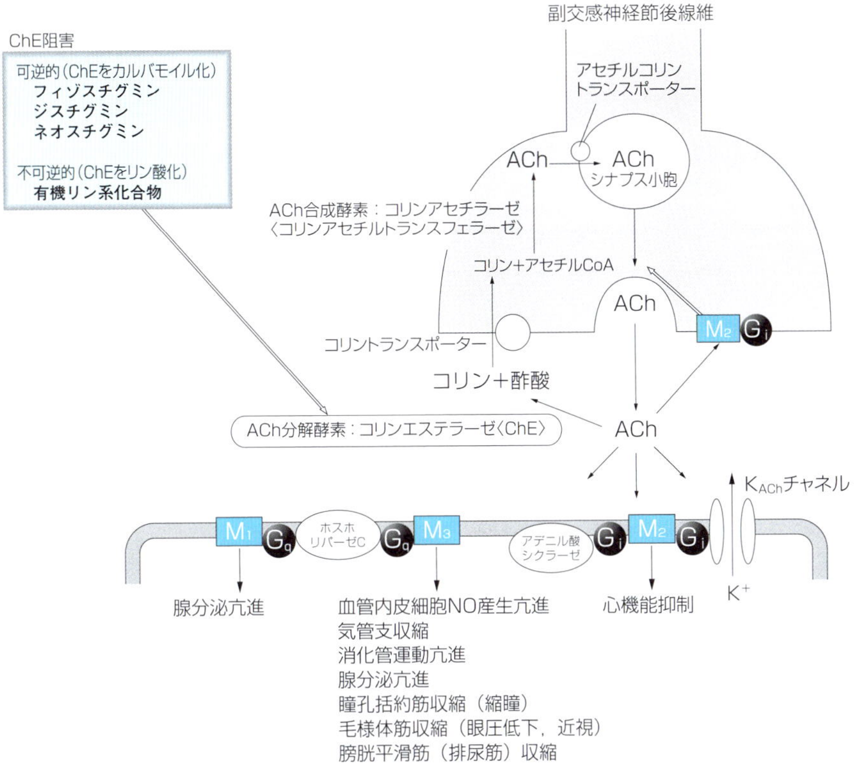

分　類	薬　物			適　応
	薬物名	ChE による分解	ニコチン様作用	
ムスカリン受容体刺激薬	アセチルコリン	＋＋＋	＋＋	腸管麻痺，円形脱毛
	メタコリン	＋	＋	
	カルバコール	－	＋＋＋	
	ベタネコール	－	－	慢性胃炎，腸管麻痺，麻痺性イレウス，低緊張性膀胱
	ピロカルピン	－	－	緑内障，診断・治療目的の縮瞳，口腔内乾燥症
ムスカリン受容体遮断薬	アトロピン〈*d,l*-ヒヨスチアミン〉 スコポラミン〈*l*-ヒヨスチン〉			鎮痙，散瞳，気道分泌抑制 など
	トロピカミド，シクロペントラート			診断・治療目的の散瞳
	イプラトロピウム，チオトロピウム			気管支喘息，慢性閉塞性肺疾患
	ピレンゼピン（M_1選択的阻害薬） プロパンテリン，ブチルスコポラミン など			消化性潰瘍，鎮痙
	メペンゾラート			過敏性腸症候群
	プロピベリン，オキシブチニン，トルテロジン ソリフェナシン（M_3選択的），イミダフェナシン（$M_{1/3}$選択的）			頻尿，尿失禁，過活動膀胱
	トリヘキシフェニジル，ビペリデン			パーキンソン症候群（中枢）

Ⅳ　自律神経節作用薬

☞『医薬品一般名・商品名・構造一覧』p9

おさえるべきところ

1. 各種効果器の自律神経支配の優位性と自律神経節遮断の効果

交感及び副交感神経によって拮抗的二重支配を受けている組織では，どちらかの神経が優位に働いている。自律神経節にはニコチン N_N受容体が分布しており，このニコチン N_N受容体を阻害することによって自律神経節を遮断すると，見かけ上，優位な神経の関与する反応が阻害される。例えば，血管は交感神経が優位に作用して血圧を維持しているため，節遮断薬を用いると血圧が下がる。一方，コリン作動性神経／副交感神経支配が優位な組織においては，節遮断薬（ニコチン N_N受容体遮断薬）によって神経伝達が阻害されると，その下流にある節後線維を介したムスカリン作用が低下するため，見かけ上，ムスカリン受容体遮断薬（抗コリン薬）を投与した場合と同じ効果が現れることになる。従って，節遮断薬（ニコチン N_N受容体遮断薬）を投与すると，降圧＋抗コリン作用（頻脈，口渇，散瞳，眼圧上昇，消化管機能低下，排尿困難など）が現れる。

各種効果器の自律神経支配の優位性と自律神経節遮断の効果

効果器	優位な支配神経	節遮断の効果	機　構	節遮断作用のまとめ
血　管	交感神経	拡張（降圧）	血管収縮作用（α_1）の低下	α_1作用低下
汗　腺	交感神経（コリン作動性）	分泌抑制	ムスカリン作用の低下	ムスカリン作用低下
心　臓	副交感神経	心拍数増加（頻脈）	洞房結節に対する抑制（M_2）の解除	
眼平滑筋	副交感神経	散瞳 眼圧上昇	瞳孔括約筋収縮（M_3）の解除 毛様体筋収縮（M_3）の解除	
気管支平滑筋 **胃腸平滑筋**	副交感神経	弛緩・運動低下	平滑筋収縮（M_3）の解除	
膀胱平滑筋	副交感神経	尿貯留（尿閉）	M_3を介した排尿作用（排尿筋収縮・膀胱括約筋弛緩）の解除	
唾 液 腺	副交感神経	分泌抑制（口渇）	ムスカリン作用の低下	

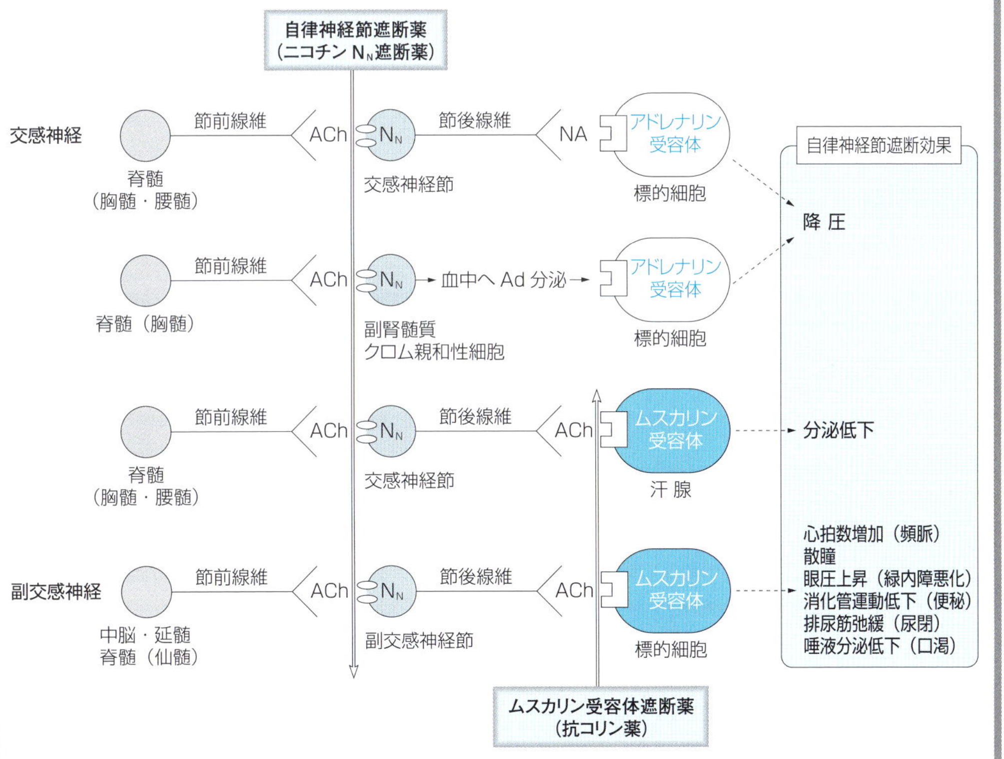

2. 自律神経節刺激薬・遮断薬（ニコチン N_N 受容体刺激薬・阻害薬）

① 自律神経節刺激薬・遮断薬（ニコチン N_N 受容体刺激薬・阻害薬）

自律神経節刺激薬・遮断薬の項目では，ニコチン N_N 受容体刺激薬・遮断薬について整理して覚えよう。なお，ニコチン N_N 受容体は，中枢神経系にも存在して覚醒効果などの反応に関与している。

分類		刺激薬	阻害薬
中枢移行性	三級アミン	少量ニコチン ［ニコチネル TTS］ cf. バレニクリン（経口禁煙補助薬） ［チャンピックス］ 大脳皮質ニコチン受容体選択的部分作動薬 ガランタミン（アルツハイマー病治療薬） ［レミニール］ ニコチン受容体アロステリック増強＋ChE 阻害	大量ニコチン
末梢性	四級アンモニウム化合物	ジメチルフェニルピペラジニウム〈DMPP〉	ヘキサメトニウム〈C_6〉 （☞次頁の表も参照）
	三級スルホニウム塩（S^+）		トリメタファン （速効短時間型で，点滴静注による持続的降圧により手術時の出血を防止）

② ニコチンの作用の特徴

ニコチン投与量	作　用
少　量	主として興奮作用のみ現れる。
大　量	はじめ一過性の興奮作用が現れ，後に脱分極性遮断による抑制作用が現れる。

③ メトニウム化合物［$(CH_3)_3N^+$-$(CH_2)_n$-$N^+(CH_3)_3$］の構造活性相関

n	薬　物	構　造	ニコチン受容体選択性	発現作用
6	ヘキサメトニウム	$(CH_3)_3N^+$-$(CH_2)_6$-$N^+(CH_3)_3$	$N_N > N_M$（競合的拮抗）	血圧下降
10	デカメトニウム	$(CH_3)_3N^+$-$(CH_2)_{10}$-$N^+(CH_3)_3$	$N_M > N_N$（脱分極性遮断）	骨格筋弛緩
	スキサメトニウム	$(CH_3)_3N^+$-$(CH_2)_2$-O-CO-$(CH_2)_2$-CO-O-$(CH_2)_2$-$N^+(CH_3)_3$		

補足）スキサメトニウムは，構造上の特徴からジアセチルコリン（アセチルコリン 2 分子結合体の意）あるいはサクシニルコリン（コハク酸とコリン 2 分子の結合体の意）ともよばれる。従って，スキサメトニウムは偽性コリンエステラーゼの基質となり，コハク酸 1 分子とコリン 2 分子に分解される。

ポイント整理

ニコチン受容体サブタイプの情報伝達系と細胞応答

1）ニコチン受容体サブタイプ

ニコチン N_N受容体：神経細胞などに分布するカチオンチャネル内蔵型受容体（Na^+／Ca^{2+}流入）

ニコチン N_M受容体：骨格筋に分布するカチオンチャネル内蔵型受容体（Na^+／Ca^{2+}流入）

2）交感神経節ニコチン N_N受容体刺激：

神経終末からノルアドレナリンを遊離　⇒交感神経刺激効果

副腎髄質クロム親和性細胞ニコチン N_N受容体刺激：

クロム親和性細胞からアドレナリンを遊離　⇒交感神経刺激効果

副交感神経節ニコチン N_N受容体刺激：

神経終末からアセチルコリンを遊離　⇒副交感神経刺激効果

3）骨格筋ニコチン N_M受容体刺激：

骨格筋収縮（四肢の運動）　⇒運動神経刺激効果

（☞詳細は p94「第 3 章 体性神経系に作用する薬物 —Ⅱ 運動神経系作用薬」参照）

V　自律神経系と血圧

おさえるべきところ

1. 自律神経系と血圧 ……p80
2. アドレナリン受容体と血圧 ……p82
3. アセチルコリン受容体と血圧 ……p85
4. アセチルコリン受容体・アドレナリン受容体と血圧（降圧条件のまとめ） ……p86

1. 自律神経系と血圧

血圧は，主に 心拍出量＋末梢血管抵抗＋循環血液量 によって決定される。交感神経が興奮するとなぜ血圧が上がるのか，逆に，副交感神経が興奮するとなぜ血圧が下がるのかについて，自律神経全体として整理しよう。

自律神経系と血圧

交感神経系	交感神経が興奮すると，交感神経節後線維終末からノルアドレナリンが，また副腎髄質クロム親和性細胞からアドレナリンが分泌される。ノルアドレナリン・アドレナリンは，主にα_1受容体刺激による末梢血管収縮（末梢血管抵抗増大）とβ_1受容体刺激による心拍出量・心拍数増大及びβ_1受容体刺激による腎臓傍糸球体装置レニン分泌増大（レニン・アンギオテンシン・アルドステロン昇圧系の活性化）によって血圧を上昇させる。
副交感神経系	副交感神経が興奮すると，副交感神経節後線維終末からアセチルコリンが分泌される。アセチルコリンは，心臓M_2受容体刺激による心抑制と血管内皮細胞M_3受容体刺激による血管平滑筋弛緩によって血圧を下降させる。

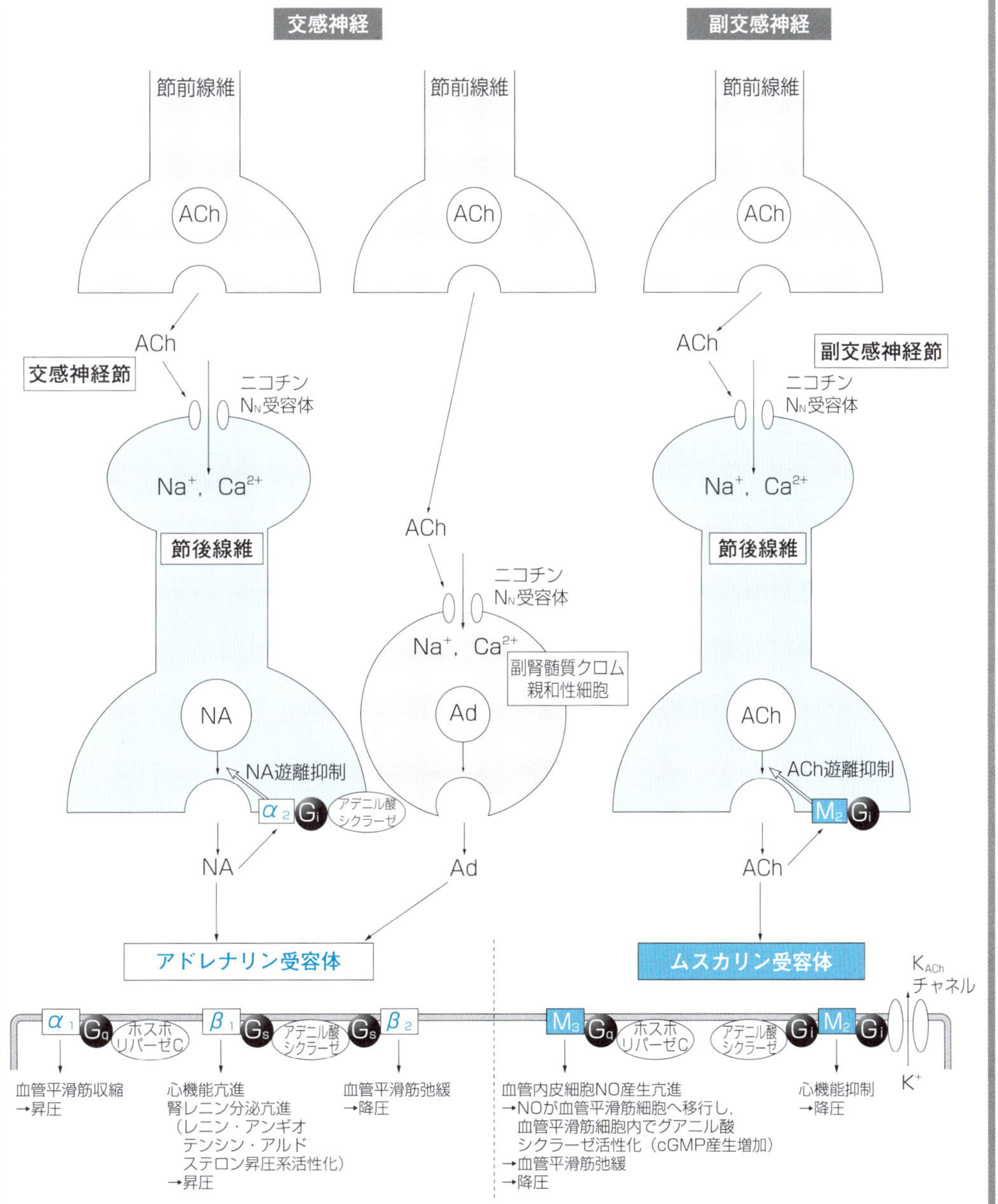

2. アドレナリン受容体と血圧

① アドレナリン受容体サブタイプと血圧

アドレナリン受容体サブタイプには，血圧上昇に関与する受容体（α_1・β_1）だけでなく血圧下降に関与する受容体（α_2・β_2）が存在するため，血圧上昇に関与する受容体（α_1・β_1）が遮断された条件下では，アドレナリンによって血圧が低下する場合がある。とくに，αブロッカー存在下ではアドレナリン刺激によって血圧が上昇せず，逆に低下する（アドレナリン反転：α_1受容体を介した昇圧成分が消失するため降圧に転じる）。また，アドレナリン受容体サブタイプに対する刺激の強さが異なる薬物では，血圧や心拍数にも異なる変化がもたらされる。

交感神経と血圧

血　圧	関与する受容体	
上　昇	α_1（血管収縮）	β_1（心拍出量↑，心拍数↑，腎傍糸球体装置レニン分泌↑）
低　下	α_2（NA 遊離↓）	β_2（血管拡張）

② アドレナリン受容体刺激薬と血圧・心拍数

交感神経作用薬	受容体刺激作用	血　圧			心拍数
		平均血圧	最大血圧（収縮期圧）	最低血圧（拡張期圧）	
ノルアドレナリン	α_1，α_2，β_1	↑↑↑	↑↑↑	↑↑↑	↓（反射性徐脈）
アドレナリン	α_1，α_2，β_1，β_2	↑	↑↑	↓	↑
イソプレナリン	β_1，β_2	↓	↑	↓↓	↑↑

【圧受容器を介した反射性徐脈】

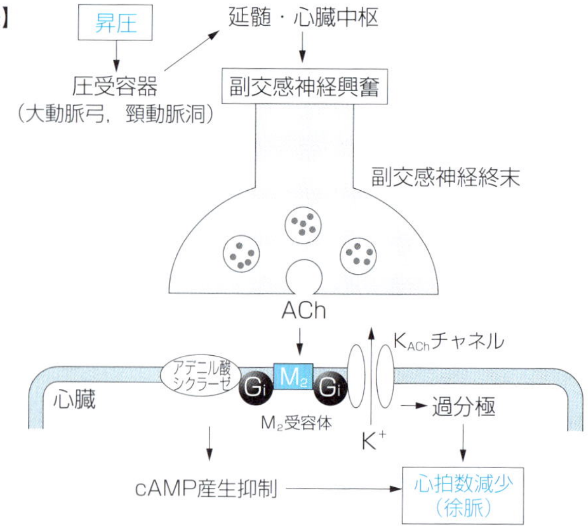
昇圧
圧受容器
（大動脈弓，頸動脈洞）
延髄・心臓中枢
副交感神経興奮
副交感神経終末
ACh
K_{ACh}チャネル
アデニル酸シクラーゼ
Gi
M_2
Gi
心臓
M_2受容体
K^+
過分極
cAMP産生抑制
心拍数減少（徐脈）

③ アドレナリン受容体刺激薬による血圧上昇反応に対するアドレナリン受容体遮断薬の作用

交感神経作用薬	受容体刺激作用	血圧		
		刺激薬単独	α遮断薬存在下	β遮断薬存在下
ノルアドレナリン	α_1, α_2, β_1	↑↑↑ ($\alpha+\beta_1$)	↑ (β_1)	↑↑ (α)
アドレナリン	α_1, α_2, β_1, β_2	↑ ($\alpha+\beta$)	↓ (β_1↑＜β_2↓↓) アドレナリン反転	↑↑ (α) 昇圧増強
イソプレナリン	β_1, β_2	↓ (β_1↑＜β_2↓↓)	↓ (β_1↑＜β_2↓↓)	→ (β作用の消失)

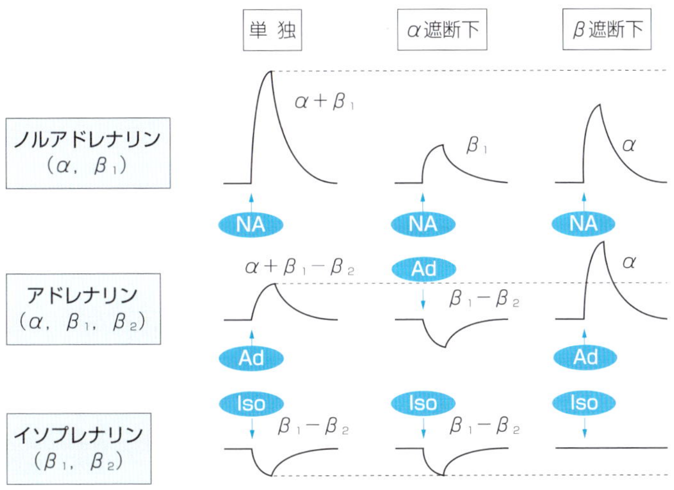

④ α遮断薬とβ遮断薬による降圧

生体内では，ノルアドレナリン〈NA〉とアドレナリン〈Ad〉の両方が分泌されて血圧維持に関与しており（血漿中濃度　NA : Ad＝10 : 1），結果としてβ作用においては，β_2に比べてβ_1優位（昇圧）となっている。従って，血圧は，α遮断薬やβ遮断薬によって低下する。

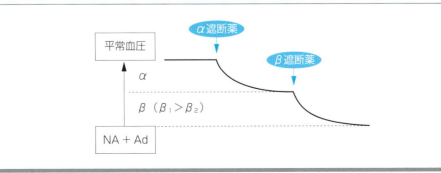

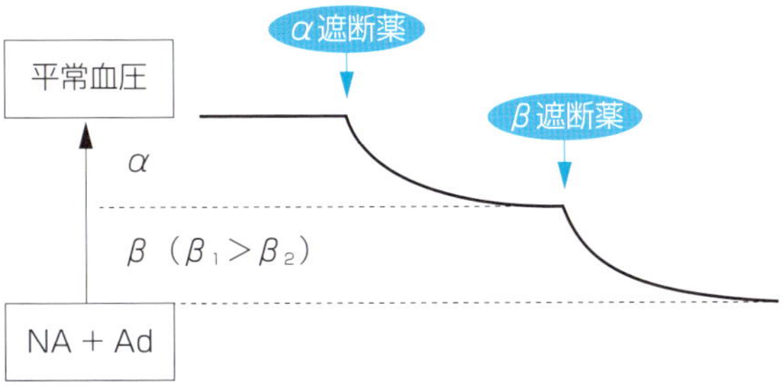

⑤ α遮断薬による頻脈（心臓への副作用）と β遮断薬による血管緊張増加（血管への副作用）

α遮断	α遮断薬による降圧反射により交感神経が興奮すると，その結果，遊離したNA／Adにより心臓β_1受容体が刺激され，頻脈が生じる。非選択的α遮断薬は，シナプス前α_2受容体を遮断してNA遊離を促進させるため，選択的α_1遮断薬に比べて頻脈の副作用が強い。
β遮断	一方，β遮断薬による降圧反射により交感神経が興奮すると，その結果，遊離したNA／Adにより血管α_1受容体が刺激され，末梢血管緊張が増加する。非選択的β遮断薬は，血管平滑筋β_2受容体を遮断して血管拡張に関与する成分を遮断するため，選択的β_1遮断薬に比べて血管緊張の副作用が強い。

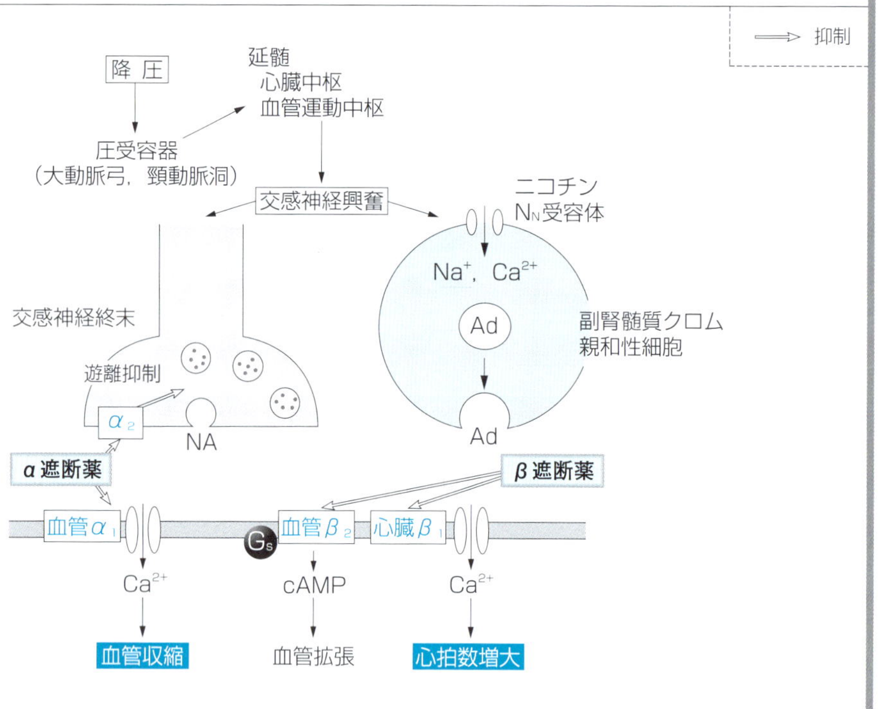

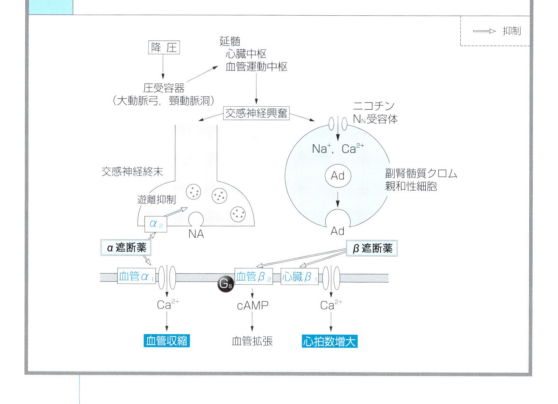

3. アセチルコリン受容体と血圧

① アセチルコリン受容体サブタイプと血圧

自律神経系のアセチルコリン受容体のうち，ムスカリン受容体は主に副交感神経系の反応に関与し（ムスカリン様作用），一方，ニコチン受容体は，交感神経節や副腎髄質などにも分布して交感神経系の反応にも関与する（ニコチン様作用）。血圧反応では，ムスカリン様作用は降圧反応に関与し，逆にニコチン様作用は昇圧反応に関与する。

アセチルコリン受容体と血圧

血　圧	受容体	組　織	反　応
上　昇（交感）	N_N	交感神経節	交感神経節後線維終末から NA 放出
		副腎髄質クロム親和性細胞	Ad 放出
低　下（副交感）	M_2	心　臓	負の変力・変時・変伝導作用
	M_3	血管内皮細胞	NO 産生（NO が血管平滑筋を拡張）

② アセチルコリン静注による血圧反応に対するムスカリン受容体遮断薬の作用

投与量	関与する主な受容体	血　圧	
		ACh 単独	ムスカリン受容体遮断薬存在下
少量アセチルコリン（1 μg/kg）	ムスカリン受容体	↓（主に内皮 M_3刺激）	→（ムスカリン作用の消失）
大量アセチルコリン（10 μg～1 mg/kg）	ムスカリン受容体＋ニコチン受容体	心停止（心臓 M_2刺激）	↑（自律神経節＋副腎髄質 N_N刺激⇒ニコチン様作用）

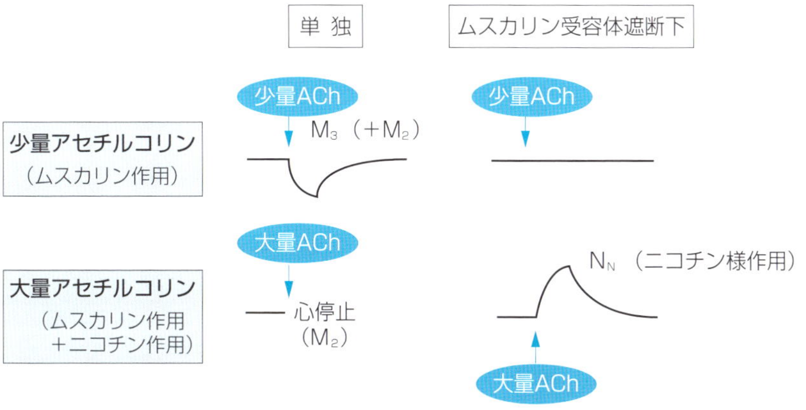

4. アセチルコリン受容体・アドレナリン受容体と血圧（降圧条件のまとめ）

臓器・組織・部位		交感神経系			副交感神経系
		アドレナリン受容体		アセチルコリン受容体	
		α受容体	β受容体	ニコチン受容体	ムスカリン受容体
末梢	自律神経節			N_N遮断 （交感神経活動↓）	
	副　腎 クロマフィン細胞			N_N遮断 （Ad 分泌↓）	
	心　臓		β_1遮断 （心拍出量↓）		M_2刺激 （負の変力・変時・ 変伝導）
	腎傍糸球体装置		β_1遮断 （レニン分泌↓）		
	血　管	α_1遮断 （血管平滑筋弛緩）	β_2刺激 （血管平滑筋弛緩）		内皮 M_3刺激 （内皮で産生された NO による 血管平滑筋弛緩）
中枢	延　髄 血管運動中枢	α_2刺激 （交感神経活動↓）	β遮断 （交感神経活動↓）		

Ⅵ　自律神経系と眼

1. 自律神経系と瞳孔・焦点・眼圧の調節

眼の平滑筋は自律神経系の支配を濃厚に受けている。ここでは，

（1）瞳孔の大きさ：瞳孔括約筋収縮（M_3受容体）による縮瞳

瞳孔散大筋収縮（α_1受容体）による散瞳

（2）焦　点：毛様体筋収縮（M_3受容体）による水晶体レンズ肥厚（近視性調節）

（3）眼　圧：毛様体筋収縮（M_3受容体）による眼房水流出（シュレム管開口）

ぶどう膜強膜流出路を介した眼房水流出

（α_1受容体：抑制，β_2受容体：促進）

毛様体上皮細胞における眼房水産生

（α_2受容体：抑制，β受容体：促進）

などにおける自律神経系の制御機構を理解し，関連する自律神経系作用薬について学ぼう。

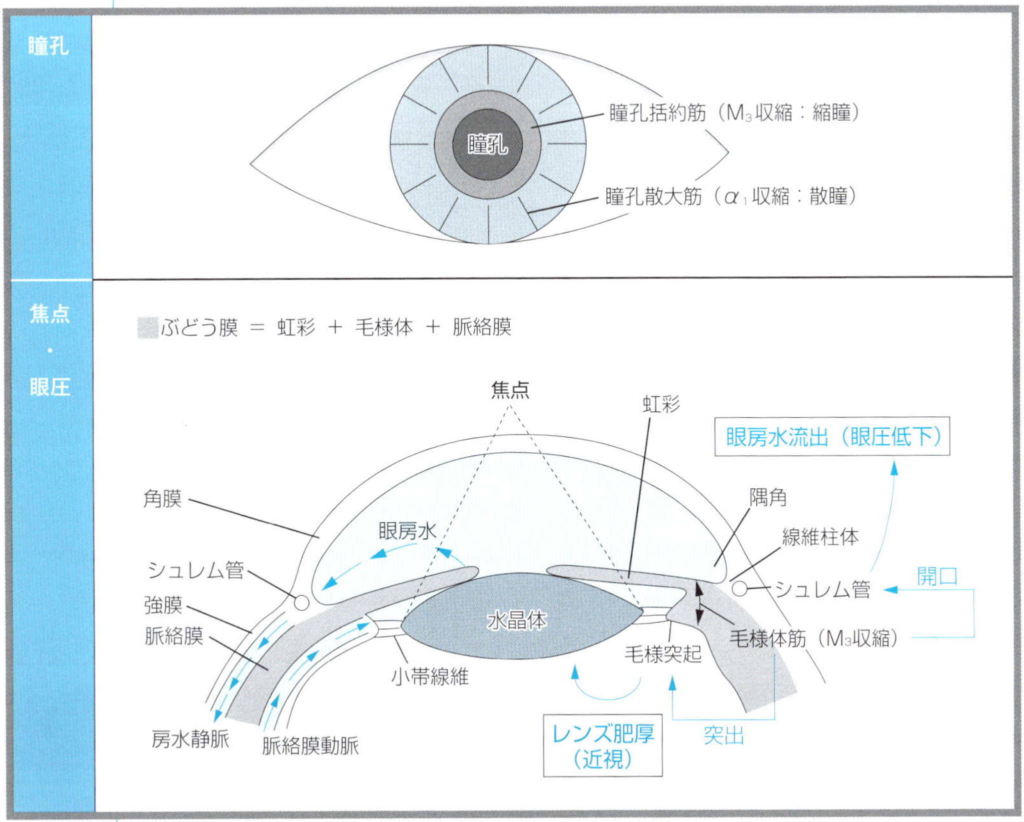

2. 自律神経系作用薬と瞳孔・焦点・眼圧の変化

自律神経系と眼

項目		関与組織	主な受容体	刺激反応	刺激薬	遮断薬（刺激反応と逆の反応を誘発）
瞳孔		瞳孔散大筋	α_1	収縮（散瞳）	【散瞳薬】 ジピベフリン* フェニレフリン	
		瞳孔括約筋	M_3	収縮（縮瞳）	【緑内障治療，縮瞳薬】 ピロカルピン ジスチグミン エコチオパート （縮瞳・近視・眼圧↓）	【緑内障禁忌，散瞳薬】 アトロピン シクロペントラート トロピカミド （散瞳・遠視・眼圧↑）
焦点		毛様体筋		収縮（近視）		
眼圧	眼房水流出	毛様体筋 （眼房水流出の主経路）		収縮 →シュレム管開口 →眼房水流出 →眼圧↓		
		ぶどう膜強膜流出路 （眼房水流出の副経路）	α_1	眼房水流出↓ →眼圧↑		【緑内障治療】 ブナゾシン（α_1） ニプラジロール（$\alpha\beta$）
			β_2	眼房水流出↑ →眼圧↓	【緑内障治療】 ジピベフリン* ※閉塞隅角緑内障には禁忌	
	眼房水産生	毛様体上皮細胞	α_2	眼房水産生↓ →眼圧↓	【緑内障治療】 ブリモニジン 【眼レーザー手術後の眼圧上昇防止】 アプラクロニジン	
			β	眼房水産生↑ （眼圧↑）		【緑内障治療】 チモロール カルテオロール レボブノロール ベタキソロール（β_1） ニプラジロール（$\alpha\beta$） ※気管支喘息に禁忌／慎重投与

*ジピベフリン：アドレナリンのプロドラッグ

第3章

体性神経系に作用する薬物

Ⅰ　知覚神経系作用薬……90
Ⅱ　運動神経系作用薬……94

I　知覚神経系作用薬

☞『医薬品一般名・商品名・構造一覧』p10

体性神経系は，知覚神経系と運動神経系とに分けられる。知覚神経系作用薬では局所麻酔薬（Na^+チャネル遮断薬）が対象となる。なお，鎮痛薬のうち，オピオイド系鎮痛薬と解熱鎮痛薬の一部は「第4章 中枢神経系に作用する薬物―Ⅸ 鎮痛薬」（p144）で，また，解熱鎮痛薬の多くは「第7章 抗炎症薬―Ⅲ 非ステロイド性抗炎症薬」（p227）で扱う。

おさえるべきところ

1．局所麻酔薬の作用機序と一般的特徴 ……… p91
2．局所麻酔薬の適用方法 ……… p92
3．各種局所麻酔薬の特徴 ……… p93

1. 局所麻酔薬の作用機序と一般的特徴

作用機序

1）神経の興奮の伝導には Na^+ チャネル開口による神経細胞膜の脱分極が関与する。

2）**局所麻酔薬は Na^+ チャネル遮断薬**であり，膜の脱分極を阻止して神経の興奮の伝導を遮断し知覚神経を麻痺させる。

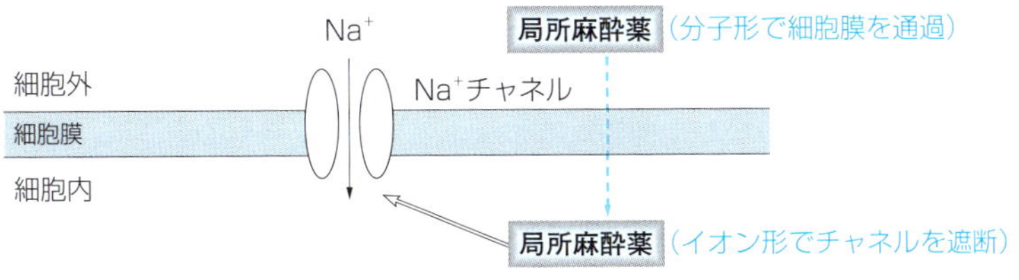

一般的特徴

1）静止膜電位と脱分極

静止膜電位には影響を与えず，興奮に伴う脱分極を阻止する。

2）神経の太さ

細い神経線維の方が局所麻酔作用を受けやすいため，**痛→冷→温→触→圧**　の順に感覚を消失させる（☞p50 参照）。

3）髄鞘の有無

髄鞘は神経線維を包み込むグリア細胞で（☞p51 参照），絶縁作用をもつため神経の伝導効率が上がる。髄鞘で包まれている**有髄線維**は局所麻酔薬が作用しにくい。逆に，髄鞘で包まれていない**無髄線維**は有髄線維よりも局所麻酔作用を受けやすい。

4）非特異性

適用部位や用量によっては，知覚神経以外の**神経細胞**（自律神経や運動神経など）や**筋細胞**（骨格筋，心筋，平滑筋）の Na^+ チャネルにも抑制作用を及ぼす。

5）脂溶性及び細胞内外 pH

局所麻酔薬は**分子形**として細胞膜を通過し，**イオン形**として細胞内から Na^+ チャネルを阻害する。従って，細胞膜を通過しやすい脂溶性の高い薬物の方が局所麻酔効果が強い。また，合成局所麻酔薬は塩基性薬物であり，**Henderson-Hasselbalch の式** $pH = pK_a + \log$（[分子形]／[イオン形]）に基づき，細胞外 pH 低下では細胞外分子形濃度が減少して効力が低下するが，細胞内 pH 低下では，細胞内イオン形濃度が増加するため，効力が増大する。

6）血管収縮薬の併用

局所麻酔薬が血流にのって全身に運ばれると，局所作用の減弱と全身への副作用が現れる。局所麻酔薬と血管収縮薬（血管平滑筋 α 受容体刺激作用をもつ薬物：**アドレナリン**，**フェニレフリン**，**ナファゾリン**など）とを併用すると局所麻酔薬の効果が持続し，また，全身性副作用が軽減される。

7）中枢副作用（痙攣，振戦など）

局所麻酔薬の中枢への副作用（痙攣，振戦など）に対しては，**ジアゼパム**の静注で対応する。

2. 局所麻酔薬の適用方法

分　類		適用方法	特　徴
表面麻酔		粘膜・角膜・皮膚創傷面などに塗布。	1）組織浸透性のよい薬物でないと不適。 2）**適　用**：傷口・眼・胃粘膜の局所麻酔や，各種挿管時の気管支・食道などの局所麻酔
注射麻酔	浸潤麻酔	組織に注射して知覚神経末端に近い分枝した神経線維を麻痺させる。	1）血流にのって全身に運ばれると，局所作用が減弱し全身への副作用が現れるため，血管収縮薬（α_1作用をもつ薬物：アドレナリン，フェニレフリン，ナファゾリンなど）を併用。 2）**適　用**：歯科・眼科・耳鼻咽喉科の局所小手術
	伝導麻酔〈伝達麻酔〉	知覚神経が分枝する前の神経幹・神経束・神経叢に適用して興奮の伝導を遮断する。	1）少量の局所麻酔薬で広範囲の麻酔効果が得られる。 2）運動神経も遮断される。 3）**適　用**：三叉神経痛，骨折整復など
	硬膜外麻酔	脊髄の硬膜の外に注入して神経根（後根）の麻酔を行う。	1）脊髄前根（運動神経や自律神経を含む部位）が侵されにくいため，頸部・上胸部にも適用可能。 2）硬膜外麻酔と全身麻酔を併用する麻酔法が普及。 3）**適　用**：上肢・胸部・下腹部の手術
	脊髄麻酔〈脊椎麻酔〉	脊髄のクモ膜下腔に注入して神経根部（前根及び後根）の麻酔を行う。腰椎麻酔がほとんど。	1）脊髄前根には交感神経も含まれているので強い血圧低下を起こしやすい。運動神経も麻痺。 2）薬液が頸髄に至ると呼吸筋を制御する運動神経麻痺によって呼吸麻痺を起こすので，薬液比重と患者の姿勢に注意。 3）**適　用**：下半身の麻酔

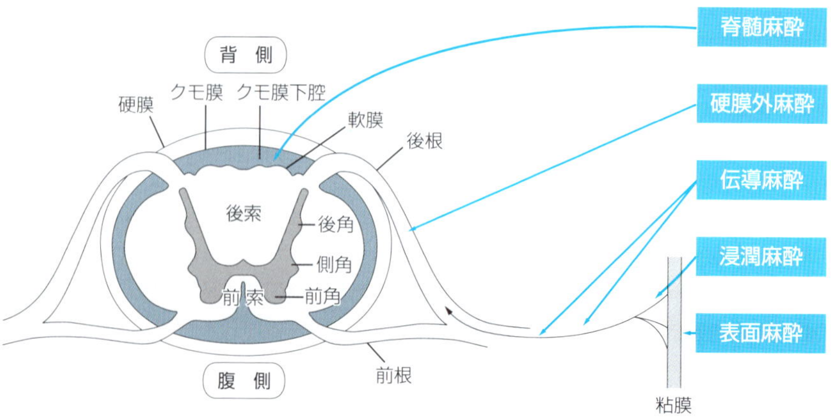

3. 各種局所麻酔薬の特徴

天然の局所麻酔薬コカインは，交感神経終末のアミンポンプ〈アミントランスポーター〉を阻害してノルアドレナリンの神経終末への再取込みを阻害する結果，シナプス間隙のノルアドレナリン濃度を高め，血管収縮など交感神経興奮作用を誘発する。また，中枢に移行して中枢興奮作用を示す。

一方，合成局所麻酔薬は血管収縮作用をもたず，むしろ拡張させるため，アドレナリンなどの血管収縮薬を併用する。各種局所麻酔薬の適用方法と血中エステラーゼ感受性の有無に注意して，薬物の特徴を覚えよう。

分　類	薬物名	
	エステル型（血中エステラーゼで分解）	アミド型（血中エステラーゼに安定）
表面麻酔に適用（組織浸透性よい）	**コカイン** コカイン塩酸塩 （天然局所麻酔薬・麻薬・アミンポンプ阻害作用：コカイン原末を溶液として粘膜塗布・点眼，軟膏として外用に使用） **オキシブプロカイン** ベノキシール，ラクリミン （点眼：眼科領域における表面麻酔） **アミノ安息香酸エチル** ビーゾカイン，ハリケイン （塗布：歯科領域における表面麻酔） **ピペリジノアセチルアミノ安息香酸エチル** スルカイン （内服：胃痛・嘔気・胃部不快感に適用）	**オキセサゼイン** ストロカイン （胃粘膜局所麻酔薬。胃酸に安定で，胃痛・嘔吐に内服で適用）
注射麻酔に適用（組織浸透性悪い）	**プロカイン** プロカイン塩酸塩，プロカニン，ロカイン （浸潤，伝達，硬膜外，脊椎）	**メピバカイン** カルボカイン，塩酸メピバカイン （浸潤，伝達，硬膜外） **ブピバカイン** マーカイン （伝達，硬膜外，脊椎） **レボブピバカイン** ポプスカイン （硬膜外） **ロピバカイン** アナペイン （伝達，硬膜外）
表面麻酔及び注射麻酔に適用	**テトラカイン** テトカイン （表面，浸潤，伝達，硬膜外，脊椎） **パラブチルアミノ安息香酸ジエチルアミノエチル** テーカイン （表面，浸潤，伝達）	**リドカイン** キシロカイン，ペンレステープ （表面，浸潤，伝達，硬膜外） **ジブカイン** プロネスパスタ，ネオビタカイン （表面，浸潤，伝達，硬膜外） **プロピトカイン** エムラ，シタネスト-オクタプレシン （表面，浸潤，伝達）

Ⅱ 運動神経系作用薬

☞『医薬品一般名・商品名・構造一覧』p11

運動神経系作用薬では，末梢性骨格筋弛緩薬（神経筋接合部遮断薬）が対象となる。なお，中枢性骨格筋弛緩薬（脊髄反射抑制薬）については，「第４章 中枢神経系に作用する薬物—Ⅵ 中枢性筋弛緩薬」（p135）で扱う。

おさえるべきところ

1．末梢性骨格筋弛緩薬の作用機序・特徴 ……p99
2．神経・骨格筋に対する電気刺激と骨格筋弛緩薬の作用 ……p100

神経筋接合部（運動神経と骨格筋との接合部）

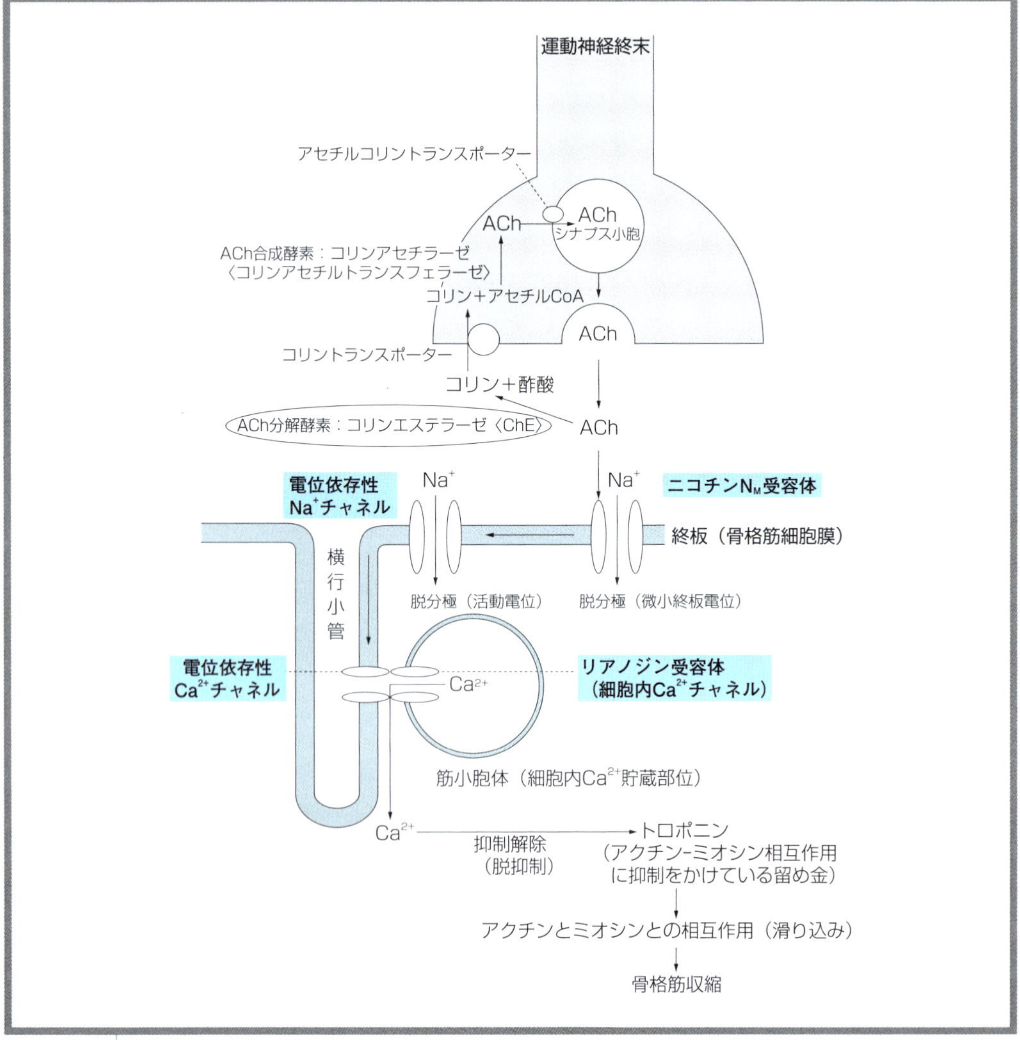

1. ニコチン受容体のサブタイプ

ここでは，ニコチンN_M受容体に対する競合的拮抗薬と脱分極性拮抗薬に注意しながら，ニコチン受容体サブタイプ全体について整理してみよう。

サブタイプ	共役型	情報伝達	分布（刺激効果）	拮抗薬（拮抗効果）
N_N	カチオンチャネル内蔵型	Na^+, Ca^{2+}細胞内流入	中枢神経系（興奮） 自律神経節（興奮） 副腎髄質クロム親和性細胞（Ad分泌）	**競合的拮抗薬**（血圧下降など） **ヘキサメトニウム**〈C_6〉 **トリメタファン**
N_M			骨格筋（収縮）	**競合的拮抗薬**（骨格筋弛緩） **ツボクラリン** **ベクロニウム**（ステロイド骨格） **ロクロニウム**（ステロイド骨格） **脱分極性拮抗薬**（骨格筋弛緩） **スキサメトニウム** **デカメトニウム**〈C_{10}〉 **非競合型拮抗薬**（骨格筋弛緩） **α-ブンガロトキシン**（蛇毒）

2. 競合的拮抗薬ツボクラリンと脱分極性拮抗薬スキサメトニウムの比較

	ツボクラリン	スキサメトニウム
ニコチン N_M受容体拮抗様式	競合的拮抗	脱分極性拮抗 （短時間の刺激作用あり）
コリンエステラーゼ感受性	なし （肝での代謝と未変化体腎排泄）	コリンとコハク酸に分解
コリンエステラーゼ阻害薬の作用 （エドロホニウム・テスト：非脱分極性遮断と脱分極性遮断との鑑別診断に応用）	ACh の分解を阻害するためツボクラリンの作用減弱（解毒）	コリンエステラーゼによるACh・スキサメトニウムの分解がともに阻害されるため，N_M受容体刺激作用を介した脱分極性遮断効果はむしろ増強
適　用	麻酔時の筋弛緩 気管内挿管時 骨折脱臼の整復時 破傷風などに伴う痙攣 重症筋無力症の診断 （現在は臨床で使用されない）	麻酔時の筋弛緩 気管内挿管時 骨折脱臼の整復時 喉頭痙攣 精神科における電撃療法時 腹部腫瘤診断時
禁忌・原則禁忌	アレルギー患者 （ヒスタミン遊離作用があるため） ※ツボクラリンは遊離したヒスタミンによる降圧作用をもつが，ロクロニウムやベクロニウムなどはこのような循環器系への副作用が弱い。	緑内障 （眼の骨格筋が一過性に収縮して眼圧が上昇するため）

3. 骨格筋の細胞膜電位変化

① 運動神経から遊離したアセチルコリンによる骨格筋の細胞膜電位変化

1）運動神経刺激によって運動神経終末からAChが放出されると，AChは骨格筋細胞膜（終板）に存在するニコチンN_M受容体を刺激するため，N_M受容体を介したNa^+流入によって微小終板電位が発生する。

2）微小終板電位が閾値に達すると，電位依存性Na^+チャネルが開き活動電位が発生し，筋収縮が誘発される。

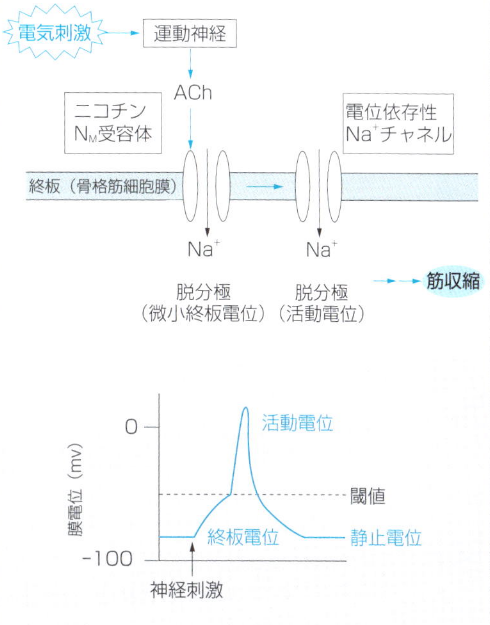

❷ ツボクラリンとスキサメトニウムの骨格筋細胞膜電位に対する作用

ツボクラリン

1）ツボクラリンは，N_M受容体上でACh と**競合的**に拮抗するため，ツボクラリン存在下では，神経刺激によって運動神経終末から放出されたACh のN_M受容体への結合が阻害される。

2）従って，ACh によって生じる微小終板電位は閾値に至らず，活動電位の発生が阻害されて筋収縮が抑制される。

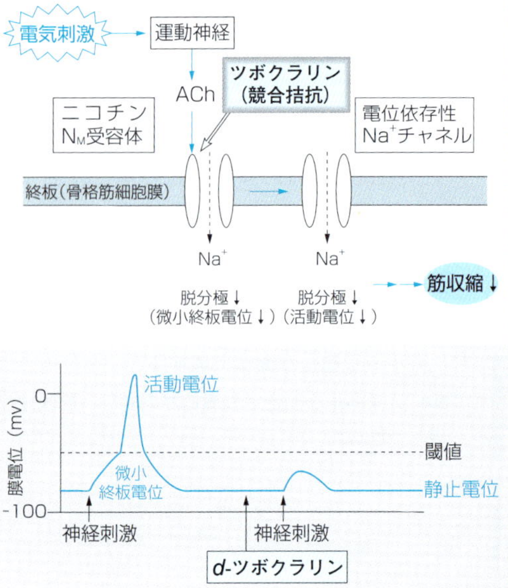

スキサメトニウム

1）第一相遮断（電位依存性 Na^+チャネルの不活性化）：スキサメトニウムは，N_M受容体を刺激して微小終板電位と活動電位を発生させるため，一過性の筋収縮を誘発するが，その後も脱分極が持続するため，電位依存性Na^+チャネルが**脱分極性遮断（不活性化）**の状態となる（第一相遮断）。このとき，神経刺激をすると，遊離したACh は終板N_M受容体を刺激するが，電位依存性 Na^+チャネルは不活性化状態にあるため活動電位は発生せず，筋収縮は抑制される。

2）第二相遮断（N_M受容体自身の脱感受性）：さらに，スキサメトニウムが持続的にN_M受容体を刺激すると，N_M受容体自身の**脱感受性**が起こる（第二相遮断）。一方，N_M受容体を介した終板電位が減少して膜電位が静止状態に戻るに従い，電位依存性 Na^+チャネルは脱分極性遮断状態から回復する。このとき，神経刺激をすると，N_M受容体は脱感受性状態にあるため，遊離したACh はN_M受容体を活性化できず，ACh によって生じる微小終板電位は閾値に至らないため，活動電位の発生が阻害されて筋収縮が抑制される。

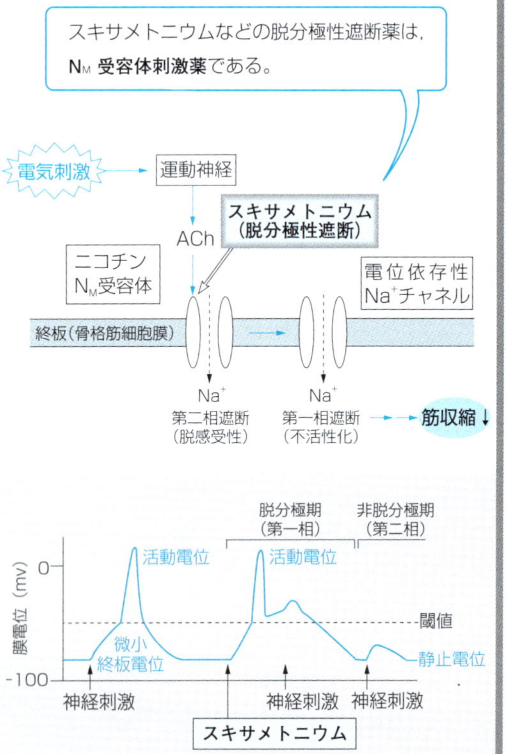

4. 末梢性骨格筋弛緩薬

作用部位	作用機序			薬　物
運動神経	興奮伝導遮断	電位依存性 Na^+ チャネル遮断（図❶に作用）		（テトロドトキシン）
	ACh 遊離阻害	開口分泌阻害（図❷に作用）		**ボツリヌス毒素** ボトックス，ナーブロック，ゼオマイン ※痙性斜頸，眼瞼痙攣，眉間・目尻表情皺，片側顔面痙攣，上肢・下肢痙縮，痙攣性発声障害，斜視，美容しわ取りなどに筋肉内投与，原発性腋窩多汗症に皮内投与
骨格筋	N_M受容体阻害（図❸に作用）	競合型阻害*1	非ステロイド系	（ツボクラリン）
			ステロイド系*2	**ベクロニウム** ベクロニウム **ロクロニウム** エスラックス
	N_M受容体刺激（図❸に作用）	脱分極型阻害		**スキサメトニウム** スキサメトニウム，レラキシン （デカメトニウム）
	細胞内貯蔵 Ca^{2+} の遊離阻害	リアノジン受容体遮断（図❹に作用）		**ダントロレン** ダントリウム ※悪性高熱症，悪性症候群による筋原性高熱に対する特効薬

作用部位（神経筋接合部模式図）

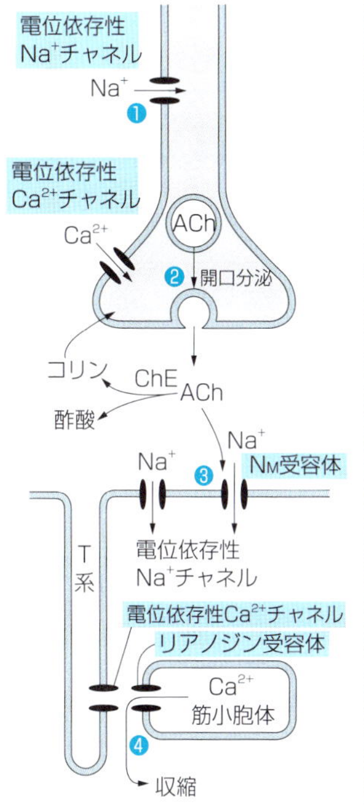

*1　競合型筋弛緩薬の解毒：ネオスチグミン・アトロピン合剤（アトワゴリバース）
（ACh の nAChR への作用増強＋ACh の mAChR への作用遮断）

*2　ステロイド系筋弛緩薬の解毒：スガマデクス（ブリディオン）（ベクロニウム，ロクロニウムを包接）

5. 電気刺激によって誘発される骨格筋収縮と筋弛緩薬

運動神経を電気刺激すると神経終末から ACh が遊離し，その遊離した ACh が骨格筋のニコチン N_M受容体を刺激して骨格筋収縮を誘発する。一方，骨格筋を直接電気刺激すると，骨格筋の細胞膜が脱分極して興奮し骨格筋が収縮する。これらの収縮における違いは，ニコチン N_M受容体を介するか否かである。従って，ニコチン N_M受容体を遮断する薬物とニコチン N_M受容体以降の収縮過程に作用する薬物とではこれらの電気刺激に対する作用に違いが出てくる。以下に，各種薬物の電気刺激収縮に対する作用をまとめてみよう。

電気刺激と骨格筋弛緩薬

薬　物	運動神経の電気刺激による収縮 （ニコチン N_M受容体を介した収縮）	骨格筋の電気刺激による収縮 （ニコチン N_M受容体を介さない収縮）
競合型筋弛緩薬 ツボクラリン	N_M受容体を介した骨格筋細胞膜の脱分極を阻害して，筋収縮を阻害（ChE 阻害薬で回復）。	阻害しない。
脱分極型筋弛緩薬 スキサメトニウム	N_M受容体を介した骨格筋細胞膜の脱分極性遮断により，筋収縮を阻害（ChE 阻害薬で回復しない）。	阻害しない。
脱共役型筋弛緩薬 ダントロレン	骨格筋細胞膜の脱分極は阻害しないが，リアノジン受容体を介した貯蔵 Ca^{2+} 遊離を阻害するため，筋収縮を阻害（脱共役作用）。	

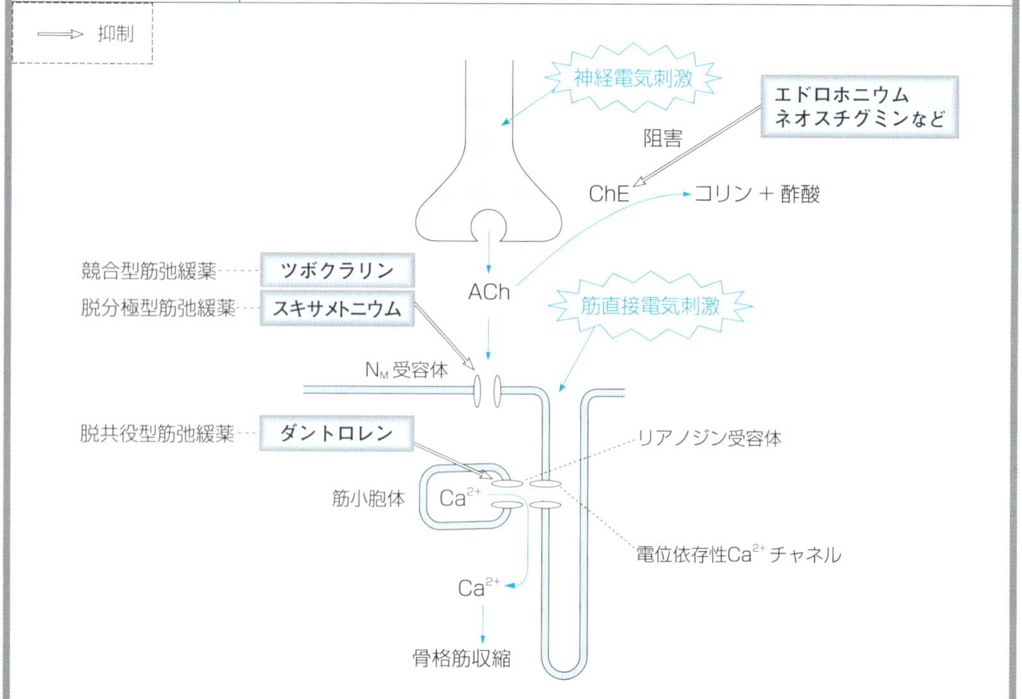
抑制
神経電気刺激
エドロホニウム
ネオスチグミンなど
阻害
ChE
コリン＋酢酸
競合型筋弛緩薬
ツボクラリン
脱分極型筋弛緩薬
スキサメトニウム
ACh
筋直接電気刺激
N_M 受容体
脱共役型筋弛緩薬
ダントロレン
リアノジン受容体
筋小胞体
Ca2+
電位依存性Ca2+ チャネル
Ca2+
骨格筋収縮

補足　重症筋無力症

病　態	1）重症筋無力症は，ニコチン N_M受容体に対する自己抗体が産生されて生じる疾患であり，以下に示すような機構によって骨格筋の収縮異常をもたらす。 2）抗 N_M受容体自己抗体が骨格筋ニコチン N_M受容体に結合すると，N_M受容体の分解が促進して N_M受容体数が減少する〈down-regulation〉。 3）また，神経筋接合部が乖離して，神経終末から放出されたアセチルコリンが骨格筋まで到達しにくい。
治　療	1）標準的治療：自己抗体産生を抑える免疫療法（胸腺摘出及び免疫抑制薬） 2）短期的あるいは補助療法：コリンエステラーゼ阻害薬

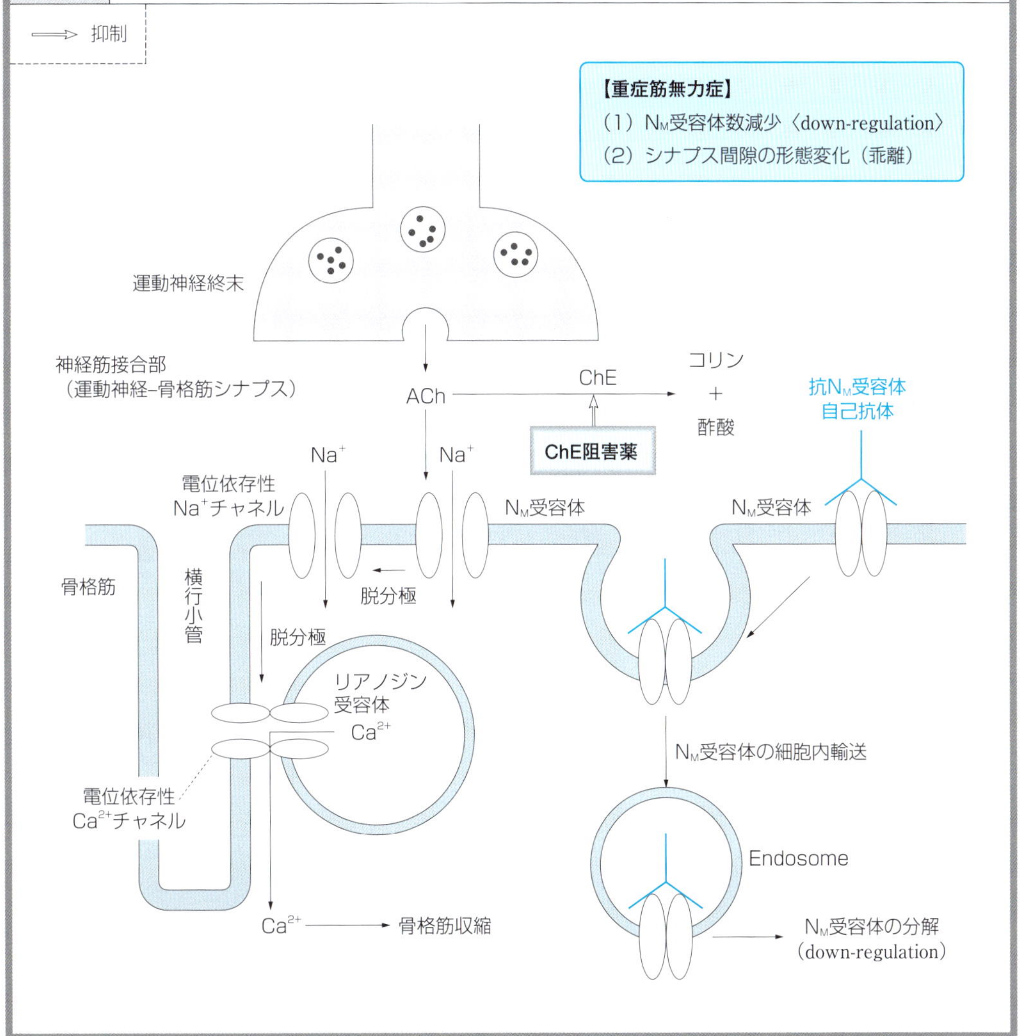

第 4 章

中枢神経系に作用する薬物

Ⅰ　中枢神経系 -概観- …… 104
Ⅱ　全身麻酔薬 …… 106
Ⅲ　催眠・鎮静薬 …… 111
Ⅳ　向精神薬 …… 117
Ⅴ　抗てんかん薬 …… 131
Ⅵ　中枢性筋弛緩薬 …… 135
Ⅶ　パーキンソン病治療薬 …… 138
Ⅷ　ハンチントン病治療薬及び
　　レストレスレッグス症候群治療薬 …… 143
Ⅸ　鎮痛薬 …… 144
Ⅹ　中枢興奮薬 …… 154
Ⅺ　めまい治療薬〈鎮暈薬〉 …… 159
Ⅻ　脳循環代謝改善薬 …… 161
XIII　アルツハイマー病治療薬 …… 163

I　中枢神経系 –概 観–

1. 中枢神経系の部位と主な機能

部 位			主な機能
大 脳	大脳皮質		連合中枢（思考・意識など高次精神活動），言語中枢， 運動領（随意運動），知覚領・聴覚領（感覚）
	大脳辺縁系		本能，記憶・情動（海馬）
	間 脳	視 床	求心性線維の中継
		視床下部	自律神経の高位中枢，体温調節中枢，睡眠中枢， 摂食・飲水中枢，感覚中枢，情緒中枢，内分泌
		下垂体	内分泌
中 脳			上行性網様体賦活系（睡眠・覚醒調節）， 身体の平衡，姿勢反射中枢
橋			呼吸調節中枢
延 髄			諸中枢（呼吸，心臓，血管運動，嘔吐，嚥下，咳嗽・くしゃみ， 胃液・唾液分泌，涙・瞬きなど）
小 脳			運動調節中枢，身体の平衡・姿勢・筋緊張調節
脊 髄			脊髄反射，求心性・遠心性神経の中継

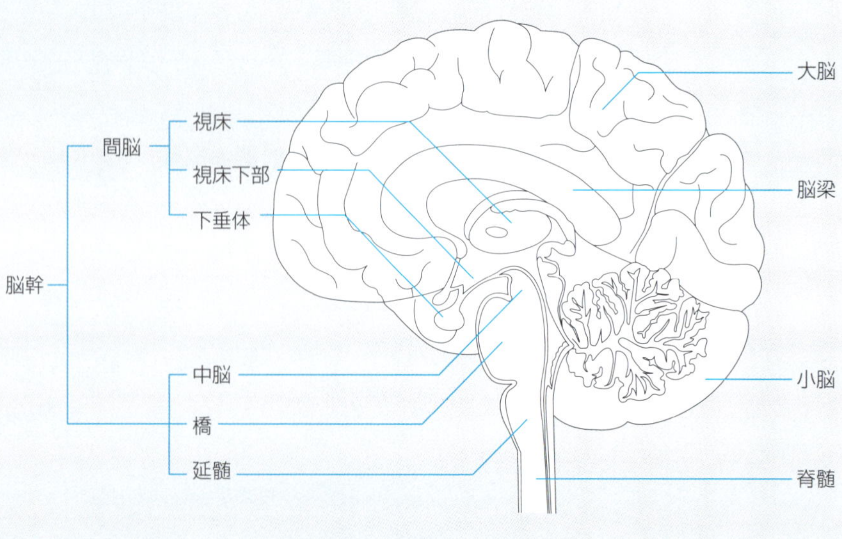

2．中枢神経系の主な神経伝達物質と関連疾患

神経伝達物質	主な神経経路 (起始核 — 投射部位)	主な神経機能	関連疾患
ドパミン	中脳（黒質）— 線条体系	不随意運動（錐体外路系）	パーキンソン病 ハンチントン舞踏病
	中脳 — 辺縁系	情動 脳内報酬系	統合失調症 薬物依存
	視床下部 — 下垂体系	プロラクチン分泌抑制	高プロラクチン血症
ノルアドレナリン	青斑核 — 皮質系 網様体 — 視床下部系	情動	うつ病
	延髄 — 脊髄系	下行性疼痛抑制系	
セロトニン	縫線核 — 皮質（上行路）	情動，摂食抑制	不安神経症，うつ病
	縫線核 — 脊髄（下行路）	下行性疼痛抑制系	
ヒスタミン	結節乳頭核（視床下部）— 中枢全体	覚醒，摂食抑制	動揺病
アセチルコリン	前脳内側基底部 — 皮質・辺縁系	記憶・学習 不随意運動（錐体外路系）	アルツハイマー病 レビー小体型認知症 パーキンソン病
グルタミン酸	大脳皮質神経系（下行路） 皮質下神経系	記憶・学習 （シナプス長期増強：LTP；Long-term potentiation）	アルツハイマー病
GABA	海馬，嗅球，小脳，脊髄 線条体 — 黒質系	神経活動の抑制 不随意運動（錐体外路系）	不安神経症 パーキンソン病 ハンチントン舞踏病

Ⅱ 全身麻酔薬

☞『医薬品一般名・商品名・構造一覧』p12

おさえるべきところ

1．全身麻酔薬の作用機序 ……p106
2．麻酔の進行過程 ……p107
3．吸入麻酔薬の特徴 ……p107
4．静脈麻酔薬及び麻酔補助薬 ……p109
5．エタノールの薬理 ……p110

1．全身麻酔薬の作用機序

全身麻酔薬の作用機序にはこれまで多くの仮説が提唱されてきた。現在では，全身麻酔薬の作用機序として，グルタミン酸受容体（カチオンチャネル内蔵型受容体：興奮性効果）に対する抑制作用や $GABA_A$受容体（Cl^-チャネル内蔵型受容体：抑制性効果）に対する増強作用などが関与すると考えられている。

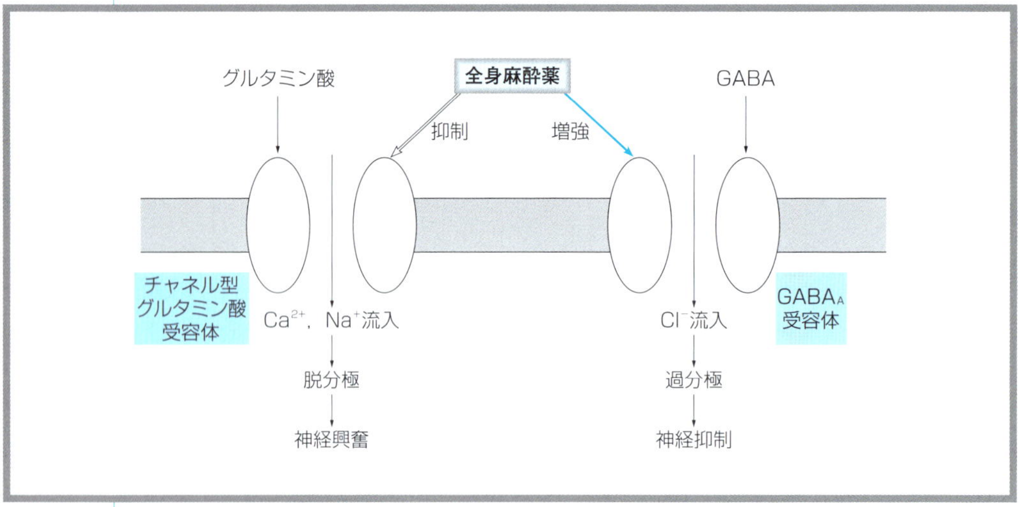

2．麻酔の進行過程

全身麻酔薬は，大脳 →間脳・中脳・小脳 →脊髄 →延髄 の順に中枢神経系を抑制する。これを不規則性下行性麻痺という（規則性下行性麻痺の場合には，脊髄よりも先に延髄が抑制される）。その結果，大きく第Ⅰ期（誘導期）→第Ⅱ期（発揚期）→第Ⅲ期（手術期）→第Ⅳ期（延髄麻痺期・虚脱期）の過程に分けられる。脊髄よりも先に延髄を麻痺させる中枢抑制薬（モルヒネなど）は，全身麻酔薬として利用できない。

麻酔進行の分類		第Ⅰ期（誘導期）	第Ⅱ期（発揚期）	第Ⅲ期（手術期）				第Ⅳ期（延髄麻痺期）
				第 1 相	第 2 相	第 3 相	第 4 相	
抑制の及ぶ部位		大脳皮質	大脳皮質	中脳～小脳	脊　髄	脊　髄	延　髄	延　髄
全身状態		意識・痛覚鈍麻	抑制系の抑制による見かけ上の興奮（脱抑制）	手術期	手術期	手術期	危険状態	致　死
眼	眼球運動（麻酔深度の指標）	随意的	（＋＋＋）	（＋＋）↓（±）	（－）	（－）	（－）	（－）
眼	瞳孔径	正　常	散　大	正　常	やや散大	散　大	かなり散大	完全に散大
眼	角膜反射	（＋）	（＋）	（＋）	（±）	（－）	（－）	（－）
循環系	血　圧	やや上昇	上　昇	正　常	正　常	やや低下	低　下	低　下
循環系	脈　拍	やや上昇	上　昇	正　常	正　常	やや上昇	上　昇	停　止
骨格筋緊張		（＋）	（＋＋）	（±）	（－）	（－）	（－）	（－）
皮膚反射		（＋）	（＋）	（＋）	（＋）	（－）	（－）	（－）
呼　吸		正　常	不規則	深く規則的	浅く規則的	浅く規則的	浅く不規則	停　止

3．吸入麻酔薬の特徴

① 吸入麻酔薬と静脈麻酔薬の作用の特徴

吸入麻酔薬の吸収と排泄は主に肺から行われるため麻酔深度のコントロールがしやすく，静脈麻酔薬と比較して麻酔の維持に優れている。一方，静脈麻酔薬は麻酔の導入に優れている。

❷ 吸入麻酔薬 の 最小肺胞濃度（MAC）と 血液／ガス分配係数

　　吸入麻酔薬の麻酔力の指標として，最小肺胞濃度〈MAC：Minimum Alveolar Concentration〉が用いられる。MAC は，切開などの痛み刺激を与えたとき，50％のヒト（動物）で屈曲反射などの逃避反応を抑制する吸入麻酔薬の濃度（v/v%）であり，値が小さいほど麻酔効力が強い。また，血液／ガス分配係数は，吸入麻酔薬の溶解度を示す指標であり，値が小さいほど麻酔の導入と覚醒が速い。

吸入麻酔薬 の 特徴

薬物名	麻酔力	MAC (v/v%)	麻酔導入	血液/ガス分配係数	筋弛緩	鎮痛	引火性	化学的性質	副作用
（ハロタン）	＋＋＋	0.8	速い	2.3	＋	＋	－	揮発性液体	心筋カテコールアミン感受性増大による不整脈
イソフルラン イソフルラン		1.4		1.3	＋＋＋	＋＋			悪性高熱症（☞下表参照）肝障害　　など ※全体的にハロタンが一番強い副作用を示す
（エンフルラン）		1.7		1.9	＋＋＋	＋＋			
セボフルラン セボフレン		1.7		0.6	＋	＋＋			
デスフルラン スープレン		6.0		0.4	？	？			
（エーテル）	＋＋＋	1.9	遅い	15	＋	＋＋＋	＋	揮発性液体	気道分泌増加 覚醒時嘔吐
亜酸化窒素〈笑気：N_2O〉液化亜酸化窒素	＋	105	速い	0.4	＋	＋＋	－	気体	酸素欠乏による血圧低下（通常，酸素 20％混合）

悪性高熱症 と 悪性症候群

1）悪性高熱症は，ハロタン・スキサメトニウム・リドカインなどによって，高熱・筋強剛・交感神経興奮症状・代謝亢進・アシドーシス・ミオグロビン尿などが急激に起こる予後不良の疾患である。高熱は，過度の骨格筋収縮による筋原性の発熱が原因とされ，末梢性筋弛緩薬ダントロレンの静脈内投与が有効である。

2）悪性高熱症は，抗精神病薬や抗うつ薬の投与，パーキンソン病治療薬の投与中断などによって誘発される悪性症候群と類似の疾患であるが，悪性高熱症は家族性に発症することから遺伝的疾患（骨格筋リアノジン受容体の遺伝子多型）であると考えられている。なお，悪性症候群では，末梢性筋弛緩薬ダントロレン（静脈内投与）とドパミン受容体刺激薬ブロモクリプチン（内服）による治療が有効である。

4. 静脈麻酔薬及び麻酔補助薬

全身麻酔をより安全に行うために，麻酔前，麻酔中，また麻酔後に投与する薬物を麻酔補助薬という。

目的	薬物分類		薬物名
基礎麻酔／静脈麻酔（発揚期を短縮）	$GABA_A$受容体刺激	超短時間型バルビツレート	チオペンタール，チアミラール ラボナール　イソゾール，チトゾール ※作用が短いのは，代謝が速やかなためではなく，脳から別の脂肪組織への再分布が速やかなため。体内蓄積の副作用や起立性低血圧に注意。
		（超）短時間型ベンゾジアゼピン	ミダゾラム，レミマゾラム ドルミカム　アネレム ※全身麻酔の導入・維持ともに可能。
		イソプロピルフェノール誘導体	プロポフォール ディプリバン ※肝代謝で速やかに分解されるため速効短時間型。持続静注で麻酔の導入・維持ともに可能（**全静脈麻酔**〈TIVA：Total Intravenous Anesthesia〉）。心室性不整脈，横紋筋融解症の副作用注意。まれに覚醒遅延。
	グルタミン酸NMDA受容体遮断	フェンシクリジン誘導体	ケタミン ケタラール ※大脳皮質では睡眠波，大脳辺縁系では覚醒波を生じる**解離性麻酔薬**。鎮痛作用強い。幻覚・妄想などの精神異常や眼内圧上昇の副作用注意。
気道分泌の抑制	抗コリン薬		アトロピン，スコポラミンなど
抗不安・鎮静	抗精神病薬		ドロペリドール ドロレプタン
	抗不安薬		ジアゼパム，ロラゼパム，ミダゾラムなど
鎮　痛	麻薬性鎮痛薬		フェンタニル，レミフェンタニル（超短時間型静注薬），ペチジン，モルヒネなど
制　吐	ドパミン D_2遮断薬		クロルプロマジン，メトクロプラミドなど
ストレスによる上部消化管出血予防	H_2遮断薬		ファモチジン，ラニチジンなど
出血低下を目的とした降圧	自律神経節遮断薬（ニコチン N_N遮断薬）		ニトロプルシドなど ※速効・短時間型で，持続静注で低血圧を維持。
筋弛緩	骨格筋弛緩薬（ニコチン N_M遮断薬）		ロクロニウム，ベクロニウム スキサメトニウムなど
抗不整脈	非選択的 β 遮断薬		プロプラノロールなど
	短時間型 β_1遮断薬		ランジオロール，エスモロール
血圧上昇	α 刺激による血管収縮薬		ノルアドレナリン フェニレフリンなど

【神経遮断性無痛〈Neuroleptanalgesia〉／神経遮断性麻酔〈Neuroleptanesthesia〉】

神経遮断性無痛：ドロペリドール　＋　フェンタニル〈配合注射剤：タラモナール®〉

神経遮断性麻酔：ドロペリドール　＋　亜酸化窒素

ドパミン D_2遮断薬（神経遮断薬／向精神薬）ドロペリドールと鎮痛作用の強い薬物（麻薬性鎮痛薬のフェンタニルや吸入麻酔薬の亜酸化窒素）との併用により，小手術可能な鎮痛状態を得ることができる。

5. エタノールの薬理

☞『医薬品一般名・商品名・構造一覧』p12

薬理作用	局所作用	蛋白質凝固作用・脱水作用による皮膚粘膜の収斂・発汗防止及び殺菌
	中枢神経系	1）全身麻酔薬と同様の不規則性下行性抑制 （大脳皮質 ⟶ 間脳・中脳・小脳 ⟶ 脊髄 ⟶ 延髄） 2）脱抑制による発揚期が全身麻酔薬に比べて長い。 3）中毒量では体温調節中枢の抑制による強い体温下降
	呼吸器	少量で呼吸興奮，大量で呼吸抑制
	循環器	1）末梢血管拡張（エタノールによる中枢抑制とアセトアルデヒドによる血管拡張）による降圧と熱放散促進 2）多量のエタノールでは徐脈・血圧下降
	消化器	1）少量ではガストリン分泌促進作用と胃粘膜直接刺激作用によって，酸・ペプシンの豊富な胃液分泌を促進（食欲・消化促進） 2）大量では胃液分泌・消化機能低下
	肝　臓	エタノールの代謝に伴い産生されたアセチル CoA〈アセチルコエンザイム A〉から脂肪酸・コレステロールが産生されて肝臓の脂肪蓄積が促進するため，脂肪肝や肝硬変が起こりやすい。
	内分泌系	1）副腎髄質クロム親和性細胞からアドレナリン遊離促進（一時的な高血糖・脂質異常症）。慢性アルコール中毒患者の脂質異常症は，リポ蛋白質リパーゼ活性の低下による血中脂質代謝の低下による。 2）脳下垂体後葉から抗利尿ホルモン〈バソプレシン〉分泌抑制（利尿作用）
アルコール血中濃度 (mg/100 mL) と症状	～50	脱抑制（行動活発，おしゃべり，興奮，自制心欠如など）
	～200	情緒不安定，感覚機能・運動能力低下，思考判断力低下
	～300	錯乱，視力・言語障害，記憶喪失
	～350	昏迷，意識消失
	～600	昏睡，呼吸・循環系不全（→死）
中毒時の解毒・治療法	急性中毒	胃洗浄，呼吸管理，腹膜透析・血液透析，輸液
	慢性中毒	1）禁断症状治療薬（ベンゾジアゼピン系薬）：**ジアゼパム**（セルシン） 2）嫌酒薬（アルデヒドデヒドロゲナーゼ阻害薬）：**ジスルフィラム**（ノックビン），**シアナミド**（シアナマイド） 3）断酒補助薬（グルタミン酸作動性神経抑制薬）：**アカンプロサート**（レグテクト） 4）飲酒量低減薬（オピオイド受容体調節薬）：**ナルメフェン**（セリンクロ）
代　謝		エタノールの大部分はアルコールデヒドロゲナーゼにより，また，一部は肝ミクロソームエタノール酸化系〈MEOS：Microsomal Ethanol Oxidizing System〉により，アセトアルデヒドに代謝される。アセトアルデヒドは，アルデヒドデヒドロゲナーゼによって酢酸に代謝される。 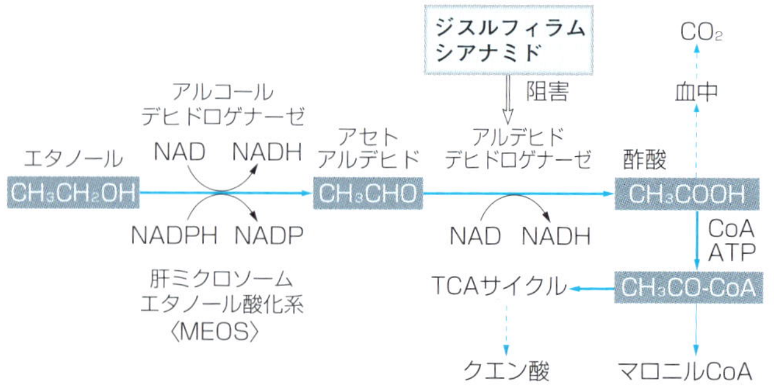

ジスルフィラム
シアナミド
阻害
CO2
血中
アルコール
デヒドロゲナーゼ
アセト
アルデヒド
アルデヒド
デヒドロゲナーゼ
エタノール
NAD
NADH
酢酸
CH3CH2OH
CH3CHO
CH3COOH
NADPH
NADP
NAD
NADH
CoA
ATP
肝ミクロソーム
エタノール酸化系
〈MEOS〉
TCAサイクル
CH3CO-CoA
クエン酸
マロニルCoA

Ⅲ　催眠・鎮静薬

☞『医薬品一般名・商品名・構造一覧』p12

おさえるべきところ

1．不眠について ……p111
2．GABA 受容体とベンゾジアゼピン受容体 ……p112
3．バルビツレート系薬物とベンゾジアゼピン系薬物の特徴 ……p114

1．不眠について

① 上行性網様体賦活系と覚醒／睡眠

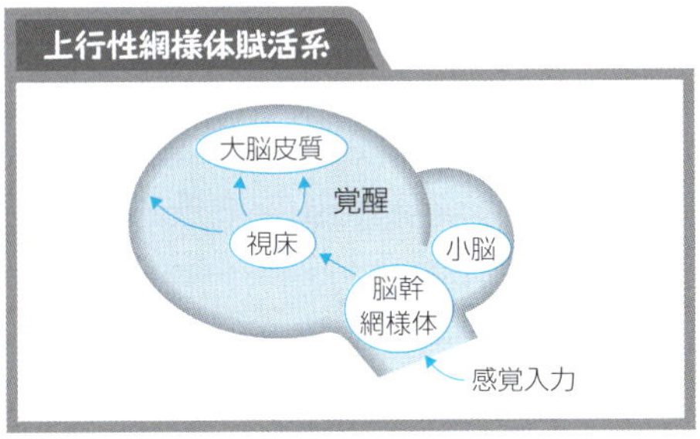

ヒトの意識は，上行性網様体賦活系の活動によって維持されている。脳幹網様体は，視床を経由して大脳皮質に情報を送り大脳皮質を賦活する系である。また，覚醒と睡眠のリズムは間脳（視床・視床下部）によって制御されていると考えられている。この正常の覚醒／睡眠リズムは，生活リズムやストレス，疾病など種々の要因によって影響され，とくに，大脳辺縁系の活動（不安などの情動に関与）の変化が睡眠リズムに影響を与える場合が多い。

② 不眠の分類

分　類	概　要	要　因	適用薬物
一過性不眠	数日続く不眠	時差ボケ，入院時など	短時間型催眠薬
短期不眠	数週間続く不眠	ストレスなど	
長期不眠	数週間以上続く不眠	精神疾患など	長時間型催眠薬
入眠障害〈就眠障害〉	30 分以上入眠に要する	外的刺激，神経性など	短時間型催眠薬
熟眠障害	夜間 2 回以上覚醒 午前 5 時以前に覚醒	うつ病，脳動脈硬化症，過度の心労，老人性など	長時間型催眠薬
その他	うつ病／統合失調症に伴う不眠	うつ病／統合失調症	抗うつ作用を有するエチゾラム，抗うつ薬・抗精神病薬

2. GABA 受容体とベンゾジアゼピン受容体

① GABA 受容体

GABA$_A$受容体	GABA$_B$受容体
1）GABA$_A$受容体は Cl^-チャネル内蔵型受容体であり，5つのサブユニットからなる。 2）GABA が GABA$_A$受容体に結合すると Cl^-チャネルが開き，Cl^-が細胞内に流入して過分極が生じるため，細胞の興奮性が低下する。 3）GABA$_A$受容体機能を高める薬物（**ベンゾジアゼピン系薬物**や**バルビツレート系薬物**など）は，GABA 結合部位とは別の調節部位に結合し，GABA による抑制作用を強めることで細胞の興奮性を低下させ，催眠・鎮静などの抑制作用を現す。 4）**ビククリン**は GABA 結合部位での競合的拮抗薬である。一方，**ピクロトキシン**や**ペンチレンテトラゾール**は，GABA$_A$受容体のピクロトキシン結合部位に結合して GABA 抑制を解除し，興奮作用（痙攣）を現す。 5）**フルマゼニル**は，GABA$_A$受容体のベンゾジアゼピン結合部位での競合的拮抗薬であり，ベンゾジアゼピン過量投与による呼吸抑制を解除する解毒薬として用いられる。	1）GABA$_B$受容体は，GABA$_{B1}$と GABA$_{B2}$との**ヘテロダイマー**よりなる。GABA$_{B1}$と GABA$_{B2}$は，ともに細胞膜 7 回貫通型構造を有する。 2）GABAの結合部位はGABA$_{B1}$に，$G_{i/O}$蛋白質との共役部位はGABA$_{B2}$に存在する。GABA$_B$受容体が刺激されると，$G_{i/O}$蛋白質の活性化を介して，アデニル酸シクラーゼ抑制，K^+チャネル開口，Ca^{2+}チャネル開口抑制などが生じるため，細胞の興奮性が低下する。 3）従って，GABA$_B$受容体刺激薬（**バクロフェン**など）は，細胞の興奮性を低下させて，中枢性筋弛緩作用などの抑制作用を現す。

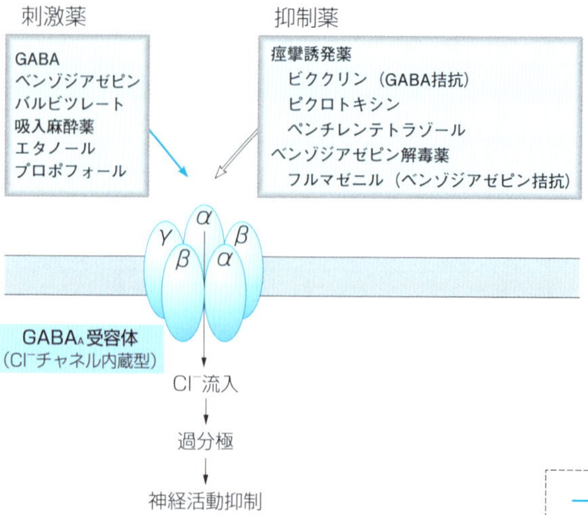

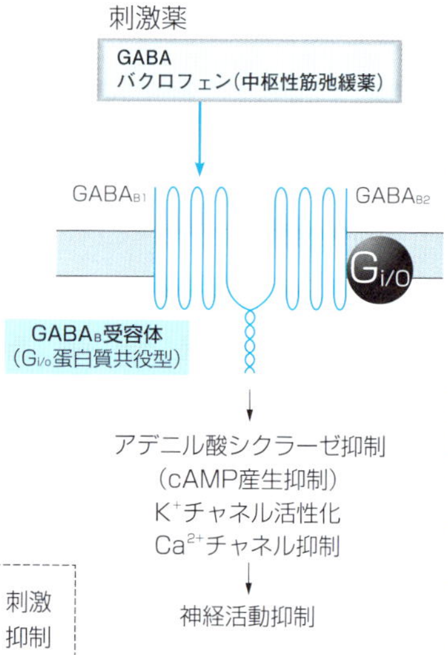

→ 刺激
⇒ 抑制

❷ ベンゾジアゼピン受容体

ベンゾジアゼピン受容体には，中枢型と末梢型とが存在する。中枢型ベンゾジアゼピン受容体は $GABA_A$ 受容体である。$GABA_A$ 受容体を構成する５つのサブユニットのうち，α サブユニットには６つ，β サブユニットには３つ，γ サブユニットには３つのアイソフォームが存在するが，α サブユニットのアイソフォームが α1 から構成される $GABA_A$ 受容体をベンゾジアゼピン ω_1 受容体，α1 でないアイソフォーム（α2，α3，α5 など）から構成される $GABA_A$ 受容体をベンゾジアゼピン ω_2 受容体とよぶ。ω_1 受容体選択的刺激薬は催眠薬として用いられ，筋弛緩の副作用が弱い。一方，ω_2 受容体選択的刺激薬は抗てんかん薬として用いられ，催眠の副作用が少ない。

なお，末梢型ベンゾジアゼピン受容体は，$GABA_A$ 受容体とは全く無関係であり，ベンゾジアゼピンの中枢作用とは関連しない。

中枢型ベンゾジアゼピン受容体〈$GABA_A$ 受容体〉

サブタイプ	$GABA_A$ 受容体 α サブユニット	分　布	機　能	選択的刺激薬
ω_1 受容体	α1 アイソフォーム	小脳，黒質，淡蒼球などに多い	鎮静・催眠 健忘 抗痙攣	**ゾルピデム**（超短時間型催眠薬） **クアゼパム**（中間型催眠薬） ※ゾルピデムは非ベンゾジアゼピン骨格
ω_2 受容体	α1 以外のアイソフォーム	脊髄，海馬，線条体などに多い	抗不安 筋弛緩 抗痙攣	**クロバザム**（抗てんかん薬）

3. バルビツレート系薬物とベンゾジアゼピン系薬物の特徴

	バルビツレート系	ベンゾジアゼピン系
作用の特徴	REM 睡眠抑制作用が強い。 安全性低い。	REM睡眠抑制作用が弱く自然睡眠に近い。 長期連用しても安全性高い。
作用部位	大脳皮質・脳幹網様体を抑制し， 上行性網様体賦活系（覚醒系）を抑制。	大脳辺縁系を抑制し，催眠・鎮静，抗不安作用などを示す。
作用機序	Cl^-チャネル内蔵型 $GABA_A$受容体機能促進。 低用量：$GABA_A$受容体への GABA 親和性増大 高用量：$GABA_A$受容体直接開口 神経細胞膜 Na^+及び Ca^{2+}チャネル抑制。	Cl^-チャネル内蔵型 $GABA_A$ 受容体機能促進（$GABA_A$ 受容体への GABA 親和性増大）。
副作用	反跳性不眠・不安，痙攣 悪夢（反跳性の REM 睡眠増加による） 悪心・幻覚・興奮・錯乱・抑うつ	一過性前向性健忘（短時間型に多い） 反跳性不眠（短時間型に多い） 傾眠・ふらつき
依存性・耐性	身体依存・精神依存・耐性ともに強い。 （バルビツレート・アルコール型）	身体依存・精神依存・耐性ともに強いとされるが，安全域は広い。 （バルビツレート・アルコール型）
薬物相互作用	CYP2C 酵素誘導によるワルファリン，フェニトイン，トルブタミドなどの代謝促進（CYP3A4 酵素誘導作用あり）。	CYP3A4で代謝される薬物が多く，CYP3A4 阻害薬で作用増強（逆に CYP3A4 酵素誘導で作用減弱）。
禁　忌	急性間歇性ポルフィリン症	急性閉塞隅角緑内障 重症筋無力症
解毒薬	呼吸興奮薬（**ジモルホラミン**） ※フェノバルビタール中毒ではアルカローシスにすると腎排泄増大	ベンゾジアゼピン拮抗薬（**フルマゼニル**）が呼吸抑制に拮抗。

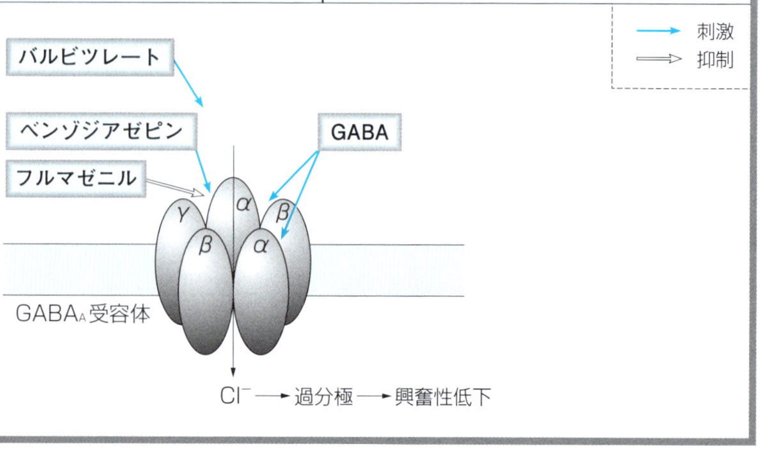

4. 各種催眠・鎮静薬 の 特徴

催眠・鎮静薬

分類		薬物	特徴や不眠症以外の適応
バルビツレート系	中間型	ペントバルビタール ラボナ	麻酔前投薬，鎮静，持続睡眠療法における睡眠調節
		セコバルビタール アイオナールナトリウム	麻酔前投薬，鎮静，全身麻酔の導入
		アモバルビタール イソミタール	鎮静
	長時間型	フェノバルビタール フェノバール，ルピアール，ワコビタール	抗てんかん，鎮静
ベンゾジアゼピン受容体作動薬	超短時間型 （〜6 時間）	トリアゾラム ハルシオン	麻酔前投薬
		ミダゾラム ドルミカム	麻酔前投薬，全身麻酔，人工呼吸中の鎮静
		ゾルピデム マイスリー	非ベンゾジアゼピン骨格 選択的 ω_1 受容体刺激薬
		ゾピクロン アモバン エスゾピクロン ルネスタ	非ベンゾジアゼピン骨格 エスゾピクロン：ゾピクロンの S 体
	短時間型 （〜12 時間）	リルマザホン リスミー	生体内でベンゾジアゼピン誘導体となるプロドラッグ
		エチゾラム デパス	神経症・うつ病・心身症・統合失調症に伴う睡眠障害
		ブロチゾラム レンドルミン	麻酔前投薬
		ロルメタゼパム エバミール，ロラメット	消化管吸収がよく翌日への持ち越し<hangover>がほとんどない
	中間型 （〜40 時間）	フルニトラゼパム サイレース	麻酔前投薬
		ニトラゼパム ネルボン，ベンザリン	麻酔前投薬，抗てんかん
		エスタゾラム ユーロジン	麻酔前投薬
		クアゼパム ドラール	ベンゾジアゼピン ω_1 受容体選択的刺激薬
	長時間型 （60 時間〜）	ハロキサゾラム ソメリン	
		フルラゼパム ベノジール，ダルメート	麻酔前投薬

催眠・鎮静薬

分類	薬物	特徴や不眠症以外の適応
メラトニン受容体作動薬	ラメルテオン ロゼレム	視交叉上核メラトニン MT_1/MT_2 受容体（Gi共役型）刺激 睡眠覚醒リズム障害・入眠障害
	メラトニン メラトベル	小児期の神経発達症に伴う入眠障害
オレキシン受容体遮断薬	スボレキサント ベルソムラ レンボレキサント デエビゴ	覚醒神経核オレキシン OX_1/OX_2 受容体遮断 スボレキサントは中途・早朝覚醒に適 レンボレキサントは効果発現が速く入眠困難にも適
トリクロロエタノール前駆体	抱水クロラール エスクレ	理学検査時における鎮静・催眠 静脈注射が困難なけいれん重積状態（坐薬・注腸）
	トリクロホス トリクロリール	脳波/心電図検査等における睡眠
臭素供与体	ブロモバレリル尿素 ブロバリン，ブロムワレリル尿素	不安緊張状態の鎮静 連用による依存性強い

鎮静薬

分類	薬物	特徴
臭素	臭化カリウム 臭化カリウム	長期作用型。生体内で Br^- として作用し，大脳皮質の知覚・運動中枢を抑制する。長期の鎮静，小児の難治性てんかんに用いられるが，催眠薬としては有用でない（経口）。
α_2刺激薬	デクスメデトミジン プレセデックス	中枢 α_2受容体を刺激して大脳皮質を抑制する。 集中治療における人工呼吸中及び離脱後の鎮静，局所麻酔下における非挿管での手術・処置時の鎮静に用いられる（静注）。

Ⅳ　向精神薬

☞『医薬品一般名・商品名・構造一覧』p14

おさえるべきところ

1．向精神薬の分類 ……………… p117
2．抗精神病薬〈メジャー・トランキライザー〉の作用機序と特徴 ……………… p118
3．抗不安薬〈マイナー・トランキライザー〉の作用機序と特徴 ……………… p123
4．抗うつ薬の作用機序と特徴 ……………… p127
5．幻覚薬の作用機序と特徴 ……………… p130

1．向精神薬の分類

意識や記憶，思考や感情などの精神機能に影響を与える薬物を「向精神薬」という。向精神薬のなかで，とくに乱用される危険性のある抗不安薬・催眠薬・抗てんかん薬・鎮痛薬などの多くのものが「麻薬及び向精神薬取締法」の適用を受ける。また，アンフェタミン類は，「覚醒剤取締法」の適用を受ける。

精神治療薬	精神抑制薬	抗精神病薬	定型抗精神病薬（D_2遮断薬）	クロルプロマジン ハロペリドールなど
			非定型抗精神病薬（SDA・MARTA・DSS）	リスペリドン，パリペリドン ペロスピロン，ブロナンセリン クエチアピン，オランザピン アリピプラゾール
			抗躁薬	リチウム カルバマゼピン
		抗不安薬	ベンゾジアゼピン系	ジアゼパムなど
		広義では，催眠薬及び抗てんかん薬も精神抑制薬に分類される。		
	精神賦活薬	抗うつ薬	三環系	イミプラミン クロミプラミンなど
			四環系	ミアンセリン セチプチリン マプロチリン
			SSRI	フルボキサミン パロキセチン セルトラリン
			SNRI	ミルナシプラン，デュロキセチン
			NaSSA	ミルタザピン
			アンフェタミン類 （中枢興奮薬にも分類）	アンフェタミン メタンフェタミン
精神異常発現薬	幻覚薬	LSD，メスカリン，シロシビン，フェンシクリジン， テトラヒドロカンナビノール（大麻，マリファナ，ハシシュ）		

2. 抗精神病薬〈メジャー・トランキライザー〉

抗精神病薬は，統合失調症や躁病の治療に用いられる薬物群である。

❶ 統合失調症と定型／非定型抗精神病薬 概観

統合失調症の病態と症状	統合失調症は，思考障害・陽性症状（幻覚・妄想，興奮など）と陰性症状（感情鈍麻，意欲減退，自閉・昏迷など）・人格の崩壊などの症状を特徴とする症候群である。原因は明らかではないが，遺伝的あるいは神経発達面での要因が考えられている。
陽性症状とドパミン D_2 受容体遮断薬	大脳皮質・辺縁系を支配するドパミン作動性神経の過剰活動が症状（とくに，陽性症状）の発現を促進すると考えられており，薬物のもつドパミン D_2 受容体遮断作用の強さと陽性症状改善作用とがよく相関する。従って，統合失調症治療薬として，従来からドパミン D_2 受容体遮断薬が用いられている（定型抗精神病薬）。
陰性症状とセロトニン 5-HT_2 受容体遮断薬	一方，陰性症状改善作用は，ドパミン D_2 受容体遮断作用の強さと相関しない。近年，セロトニン 5-HT_2 受容体遮断作用と陰性症状改善作用との関連が示されている。従って，陽性症状と陰性症状をともに改善する抗精神病薬として，D_2 受容体と 5-HT_2 受容体の両方を遮断する薬物が開発されている（非定型抗精神病薬）。

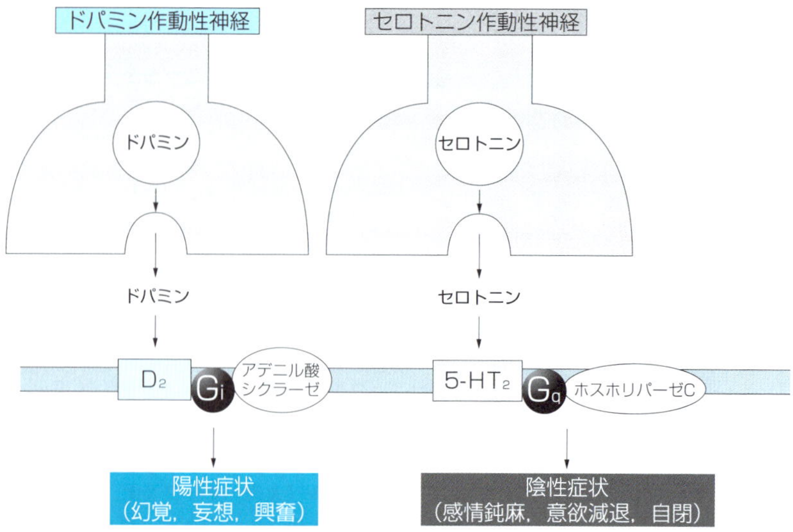

❷ ドパミン D_2 受容体遮断薬の一般的特徴

作用／副作用	説　明
1）抗精神病 静　穏 条件回避反応抑制	中脳-大脳皮質及び中脳-大脳辺縁系の抑制 視床下部・視床特殊核の抑制 脳幹網様体への入力側枝を抑制
2）制　吐	延髄第四脳室底の化学受容器引金帯〈CTZ〉のドパミン D_2 受容体遮断 ・アポモルヒネ嘔吐に拮抗 ・クロルプロマジンは CTZ を介さない嘔吐（動揺病）には無効 ・ムスカリン受容体拮抗作用・ヒスタミン H_1 受容体拮抗作用も制吐に寄与
3）正常体温低下	視床下部・体温調節中枢の抑制（→人工冬眠） cf. アスピリンは正常体温には影響しない。
4）錐体外路障害 （パーキンソン様症状）	黒質-線条体ドパミンニューロンの遮断 症　状：無動，筋強剛，振戦など。抗コリン薬が有効。
5）遅発性ジスキネジア	線条体ドパミン受容体の過感受性 症　状：口・舌・顔の常同性の不随意運動。重篤になると四肢や躯幹に舞踏病様症状が現れる。抗精神病薬を長期投与後，急激に投与量を減らしたり投薬を中止したりしたときに生じる。抗コリン薬は無効か症状を増悪顕性化させる。
6）悪性症候群	視床下部・大脳基底核での急激なドパミン受容体遮断 症　状：発熱・意識障害・筋強剛を主要症状とする悪性高熱症（☞p108 参照）と類似の症候群で致死的。ダントロレンとブロモクリプチンが有効。 三環系抗うつ薬の投与，パーキンソン病治療薬の投薬中断，抗精神病薬と併用したベンゾジアゼピン系薬物の投薬中断によっても起こる。
7）プロラクチン分泌増加 （乳汁分泌亢進・女性化乳房）	脳下垂体前葉のドパミン D_2 受容体遮断 （ドパミンは，下垂体からのプロラクチン分泌を抑制する視床下部ホルモンでもある）
8）その他	・α_1 受容体遮断作用：降圧・起立性低血圧誘発 ・抗コリン作用：口渇・便秘誘発，錐体外路障害の副作用軽減 ・抗ヒスタミン作用：眠気，鎮静作用 ・他の中枢抑制薬（麻酔薬・催眠薬）の作用を相乗的に増強 ・痙攣閾値の低下（てんかん誘発）

❸ 定型抗精神病薬（ドパミン D_2 受容体遮断薬）

分　類		薬　物	力　価	副　作　用			
				錐体外路 (D_2遮断)	鎮　静 ($α_1$遮断 H_1遮断)	降　圧 ($α_1$遮断)	抗コリン (M 遮断)
フェノチアジン系	脂肪族	クロルプロマジン ウインタミン，コントミン	低	+	＋＋＋	＋＋＋	＋＋
		レボメプロマジン ヒルナミン，レボトミン	低				
	ピペラジン系	フルフェナジン*¹ フルメジン	高	＋＋＋	＋＋	＋	＋
		ペルフェナジン トリラホン，ピーゼットシー	高				
		プロクロルペラジン ノバミン	高				
		プロペリシアジン ニューレプチル	中				
ブチロフェノン系		ハロペリドール*¹ セレネース	高	＋＋＋	＋	＋	＋
		チミペロン トロペロン	高				
		スピペロン スピロピタン	高				
		ブロムペリドール インプロメン	高				
ベンズアミド系		ネモナプリド エミレース	高	±	±	±	±
		スルピリド*² ドグマチール	低				
		スルトプリド バルネチール	低				
イミノジベンジル系		クロカプラミン クロフェクトン	中	＋	＋	＋	＋
		モサプラミン クレミン	中				

＊1　フルフェナジン，ハロペリドール：治療拒否／コンプライアンス不良例の維持療法として，
　　　フルフェナジンデカン酸エステル（4 週持効型），ハロペリドールデカン酸エステル（4 週持効型）
　　　フルデカシン　　　　　　　　　　　　　　　　　ネオペリドール，ハロマンス
　　　などの持効型プロドラッグ製剤が開発されている（筋注・皮下注）。

＊2　スルピリド：非定型抗精神病薬に分類される場合がある。また，統合失調症の治療だけでなく，抗うつ薬や消化性潰瘍治療薬としても用いられる（投与量：抗潰瘍＜抗うつ＜抗精神病）。

　上記以外に，ドパミン・ノルアドレナリン枯渇作用をもつインドール系抗精神病薬（オキシペルチン）もある。
　　　ホーリット

❹ 非定型抗精神病薬

　　陽性症状だけでなく，効きにくいとされた陰性症状にも効果があり，さらに再発予防効果が高く，副作用が弱いとされる薬物を「非定型抗精神病薬」とよび，従来の抗精神病薬（定型抗精神病薬）と区別している。

分　類	薬　物	力　価	説　明
SDA	リスペリドン[*1] リスパダール	高	**セロトニン・ドパミン・アンタゴニスト** 〈SDA：Serotonin-Dopamine Antagonist〉 　1）中枢セロトニン$5-HT_2$受容体遮断は，統合失調症の陰性症状の改善に効果を示す。 　2）また，セロトニンは，黒質－線条体ドパミン経路に対して抑制的に作用しているため，$5-HT_2$受容体を遮断すると，黒質－線条体ドパミン経路への抑制が解除される。即ち，$5-HT_2$受容体遮断は，ドパミンD_2受容体遮断による錐体外路系副作用の軽減に寄与する。 　3）従って，ドパミンD_2受容体とセロトニン$5-HT_2$受容体に対する拮抗作用を併せもつSDAは，陽性症状・陰性症状ともに有効であり，また錐体外路系の副作用が少ない。 　4）**重大な副作用**：SIADH〈抗利尿ホルモン不適合分泌症候群〉（低Na^+血症・尿中Na^+排泄増加，低浸透圧血症・高張尿，痙攣・意識障害など）に注意。
	パリペリドン[*2] インヴェガ	高	
	ペロスピロン ルーラン	高	
	ブロナンセリン ロナセン	高	
	ゾテピン ロドピン	中	
	ルラシドン ラツーダ	中	
MARTA	オランザピン ジプレキサ	高	**多元（作用型）受容体標的化抗精神病薬** 〈MARTA：Multi-Acting Receptor-Targeted Antipsychotics〉 　1）ドパミンD_2受容体やセロトニン$5-HT_2$受容体を含め，多数の神経伝達物質受容体に対する拮抗作用によって，統合失調症の陽性症状のみならず，陰性症状，認知障害，不安症状，うつ症状などを改善し，また，錐体外路系副作用を軽減する。 　2）**重大な副作用**：著しい血糖上昇による糖尿病性ケトアシドーシス，糖尿病性昏睡に注意。
	アセナピン シクレスト	高	
	クエチアピン セロクエル	中	
DSS	アリピプラゾール[*3] エビリファイ	高	**ドパミン・システム・スタビライザー** 〈DSS：Dopamine System Stabilizer〉 　1）ドパミンD_2受容体及びセロトニン$5-HT_{1A}$受容体に対する部分活性薬，セロトニン$5-HT_{2A}$受容体に対する拮抗薬である。従って，脳内ドパミンが少ないときには刺激薬として，多いときには拮抗薬として作用する。 　2）**重大な副作用**：著しい血糖上昇による糖尿病性ケトアシドーシス，糖尿病性昏睡に注意。
	ブレクスピプラゾール レキサルティ	高	
その他	クロザピン クロザリル	中	ドパミンD_2受容体遮断によらない中脳辺縁系ドパミン神経系の抑制。治療抵抗性統合失調症治療。

＊1　リスペリドン：2週持効性筋注薬あり
　　　リスパダールコンスタ
＊2　パリペリドン：リスペリドンの活性代謝物，パリペリドンパルミチン酸エステルは4週持効性筋注薬
　　　　　　　　　　　　　　　　　　　　　　　　　　ゼプリオン
＊3　アリピプラゾール：4週持効性筋注薬あり

❺ 抗躁薬（気分安定薬）

抗躁薬は，統合失調症や双極性障害〈躁うつ病〉の躁状態に用いられる薬物である。

炭酸リチウム，**抗てんかん薬**（カルバマゼピン，バルプロ酸，ラモトリギン），**統合失調症**
リーマス　　　　　　　　　　テグレトール　　　デパケン　　　ラミクタール
治療薬（クロルプロマジン，レボメプロマジン，ハロペリドール，スルトプリド，
　　　　ウインタミン, コントミン　　　ヒルナミン, レボトミン　　セレネース　　　　バルネチール
チミペロン，オランザピン，アリピプラゾール）などが用いられる。
トロペロン　　　ジプレキサ　　　エビリファイ

薬　物	作用機序	特　徴
炭酸リチウム〈Li$_2$CO$_3$〉リーマス	1）イノシトールリン脂質代謝回転阻害（ホスファチジルイノシトール代謝回転の阻害） 2）ノルアドレナリン・セロトニンの遊離抑制・取込み促進 　　　　　　　　　　　など	リチウム中毒に注意 　有 効 域：0.8～1.4 mEq/L 　中 毒 域：1.5 mEq/L 以上 　初期症状：下痢，嘔吐，振戦，発汗・発熱 　　　　　　など 　中毒症状：急性腎不全による電解質異常 　　　　　　（痙攣）

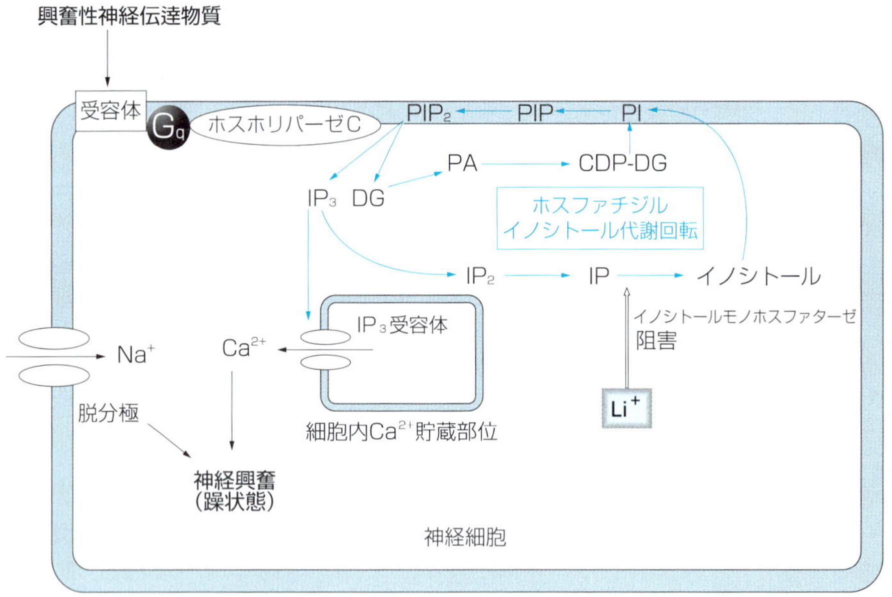

IP$_3$ ：イノシトール三リン酸
IP$_2$ ：イノシトール二リン酸
IP　 ：イノシトールリン酸
PI　 ：ホスファチジルイノシトール
PIP ：ホスファチジルイノシトール一リン酸
PIP$_2$：ホスファチジルイノシトール二リン酸
DG　：ジアシルグリセロール
PA　：ホスファチジン酸
CDP：シチジンニリン酸

3．抗不安薬〈マイナー・トランキライザー〉

❶ 神経症と心身症

神経症	病 態	心因性の精神障害であり，身体臓器の器質的障害は引き起こさず，機能的障害も軽度である。病識はあり，周囲に救いを求める点が，統合失調症と異なる。	
	分 類	不安神経症（不安発作）	漠然とした不安，眩暈，動悸，胸部苦悶・呼吸困難などの発作（不安発作）を伴う場合も多い。強い不安発作では，パニック状態に陥る（パニック発作，パニック障害）。
		強迫神経症（強迫性障害）	不合理・無意味を承知の上で振り払うことのできない強迫観念や行動（何度も手洗いをする洗浄強迫や何度も戸締まりを確認する行動など）
		恐怖神経症	不潔，閉所，広場，高所，対人，視線など，特定の対象と結びついた恐怖・不安
		ヒステリー性神経症（解離型，転換型）	心的葛藤による疾病への逃避。人格の統合性を失ったり（解離型ヒステリー：健忘，意識混濁，幻覚，妄想など），身体症状に転換される（転換型ヒステリー：感覚・運動障害など）。
		心気神経症	生理的現象を自分が病気である兆候ではないかと気に病む。
		抑うつ神経症	抑うつ症状のうち，不安や焦燥感が強い。
		離人恐怖症	自分や周囲の事柄に対する現実感の喪失，感情の疎遠化など
		その他	神経衰弱症，神経性食欲不振症など
心身症	病 態	身体疾患のなかでその発症や経過に心理社会的因子が密接に関与し，器質的障害（消化性潰瘍など）ないし機能的障害（過敏性腸症候群，気管支喘息，高血圧，片頭痛など）が認められる病態をいう。ただし，神経症やうつ病など，他の精神障害に伴う身体症状は除外する。	
	分 類	現実心身症	現実の社会的ストレスに起因する心身症
		性格心身症	ストレスを招きやすい自らの性格に起因する心身症
治 療		神経症や心身症の第一選択薬として，抗不安薬（ベンゾジアゼピン系薬物，タンドスピロン）が用いられる。また，強迫神経症やパニック発作の治療では，抗うつ薬（イミプラミン，クロミプラミン，フルボキサミン，パロキセチンなど）も用いられる。	

❷ 不安の神経回路と抗不安薬の作用機序

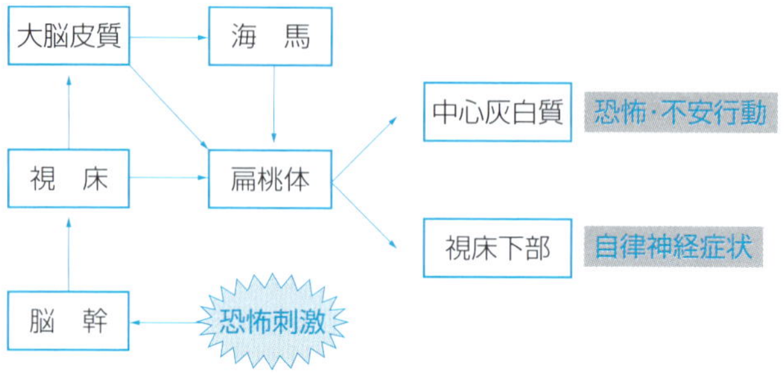

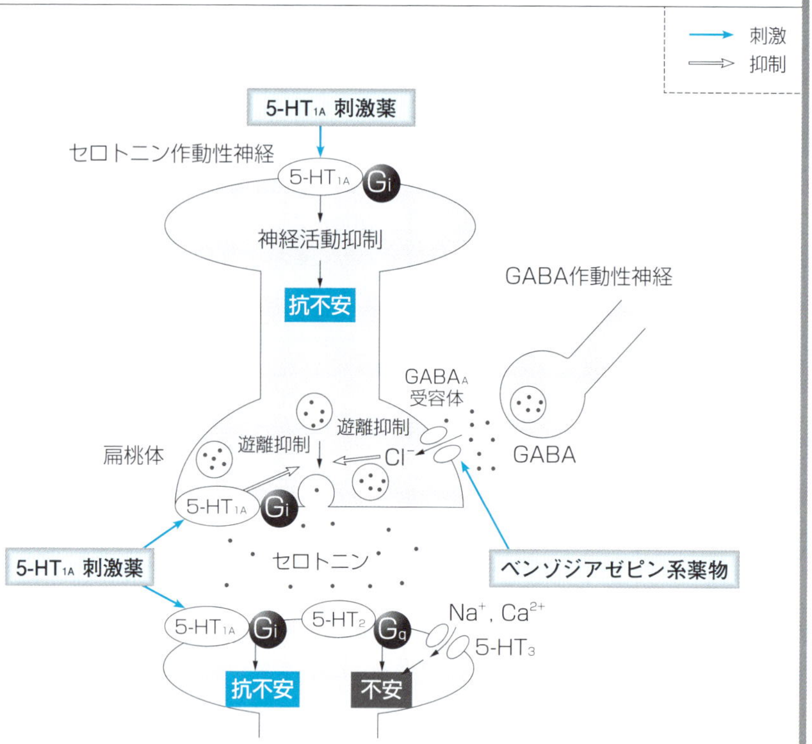

❸ ベンゾジアゼピン系抗不安薬

抗不安薬は，不安・焦燥・恐怖・興奮を取り除くために用いる薬物群であり，**ベンゾジアゼピン系薬物**が代表的である。ベンゾジアゼピン系薬物は，神経症・心身症・不眠症・アルコール中毒からの離脱や予防などに用いられ，個々の薬物の特徴によって，抗不安薬，催眠・鎮静薬，筋弛緩薬，抗てんかん薬などとして使い分けられている。以下にベンゾジアゼピン系薬物の一般的作用と個々の薬物の特徴を記す。

ベンゾジアゼピン系薬物の一般的特徴

1）作用機序	Cl^-チャネル内蔵型 $GABA_A$受容体機能促進による神経活動の抑制
2）適　用	神経症：不安・焦燥，抑うつ，不眠など 心身症：消化性潰瘍や過敏性腸症候群など身体症状を伴う神経症 その他：アルコール中毒からの離脱や予防
3）抗不安作用	1）大脳辺縁系や視床下部を抑制（扁桃核へのドパミン・セロトニン神経入力が不安を誘発するらしく，その入力に対してシナプス前抑制をかける）。 ・葛藤軽減作用：動物に報酬と罰とを同時に与えた時の葛藤を軽減 ・馴化（じゅんか）作用：闘争的な動物を馴れさせる 2）抗精神病薬のように行動そのものを抑制することはない（cf. 条件回避反応抑制作用）。 短時間型：**エチゾラム（チエノジアゼピン系）** 中間型：**ロラゼパム，アルプラゾラム** 長時間型：**ジアゼパム** 超長時間型：**オキサゾラム**
4）催眠作用 （☞p115 も参照）	大脳辺縁系を抑制して催眠・鎮静作用を示す。また，抗不安作用によって二次的に催眠作用を示す。 就眠障害：（超短時間型）**トリアゾラム** （短時間型）**ブロチゾラム，ロルメタゼパム** 熟眠障害：（中間型）**ニトラゼパム，エスタゾラム，クアゼパム** （長時間型）**ハロキサゾラム，フルラゼパム**
5）中枢性筋弛緩作用 （☞p137 も参照）	脊髄多シナプス反射抑制（シナプス前抑制の増強）。 単シナプス反射は抑制しにくい。 （cf. $GABA_B$受容体刺激薬バクロフェンは単シナプス反射も抑制）
6）抗てんかん作用 （☞p131 も参照）	てんかん焦点部位からの興奮の広がりを抑制。 **ニトラゼパム**：欠神発作〈小発作〉 **クロナゼパム**：欠神発作〈小発作〉・精神運動発作 **ジアゼパム，ミダゾラム，ロラゼパム**：てんかん重積症 **クロバザム**：すべての部分発作とほとんどの全般発作に有効（難治性てんかんにも併用薬としての投与で有効性示す）
7）副作用	眠気，運動失調，健忘など
8）依存性・耐性	身体依存・精神依存・耐性ともに強い（バルビツレート・アルコール型）。 投与中止によって痙攣発作を伴う禁断症状が現れる場合あり。
9）薬物相互作用	CYP3A4 で代謝される薬物が多く，CYP3A4 阻害薬で作用増強 （逆 CYP3A4 酵素誘導で作用減弱）。
10）禁　忌	急性閉塞隅角緑内障（抗コリン作用による） 重症筋無力症（筋弛緩作用による）
11）解毒薬	**ベンゾジアゼピン拮抗薬（フルマゼニル）**が過度の鎮静・呼吸抑制に拮抗。

ベンゾジアゼピン系抗不安薬

分類	薬物	力価※	特徴
短時間型 （～6時間） ＊：チエノジアゼピン系	エチゾラム＊ デパス	高	強力な抗不安作用に加え，催眠・筋弛緩・抗うつ作用を有する。眠気・ふらつきに注意。
	クロチアゼパム＊ リーゼ	低	軽い不安緊張や老人・小児にも適。
	フルタゾラム＊ コレミナール	低	心身症による消化管障害改善薬 （過敏性腸症候群，胃炎，消化性潰瘍）
中間型 （～24時間）	フルジアゼパム エリスパン	高	ジアゼパムの誘導体で，低用量で抗不安作用。
	アルプラゾラム コンスタン，ソラナックス	高	イミプラミン（☞p129参照）と同程度の抗うつ効果。
	ロラゼパム ワイパックス	高	蓄積作用少なく，老人にも可。
	ブロマゼパム レキソタン	中	強力な抗不安作用をもち，恐怖症・強迫症状にも有効。
長時間型 （24時間以上）	ジアゼパム セルシン，ホリゾン	中	筋弛緩・抗痙攣作用強力。
	クロキサゾラム セパゾン	中	抗不安作用・筋弛緩作用ともに強力。
	クロルジアゼポキシド コントール，バランス	低	
	メダゼパム レスミット	低	催眠・筋弛緩作用が少なく日中の服用も可。
	クロラゼプ酸二カリウム メンドン	低	
超長時間型 （50時間以上）	メキサゾラム メレックス	高	クロキサゾラム類似
	ロフラゼプ酸エチル メイラックス	高	強力持続性プロドラッグ
	フルトプラゼパム レスタス	高	フルオロプラゼパム。力価が高く安全性に優れる。持続性のため1日1回の投与でも十分効果が得られる。
	オキサゾラム セレナール	低	抑うつ気分解除作用あり。

※【力価】 高力価：標準1日最低用量≦5 mg
中力価：5 mg＜標準1日最低用量＜10 mg
低力価：10 mg≦標準1日最低用量

注）持続性製剤は，老人・子供・肝疾患患者の使用に注意。

④ その他の抗不安薬

分　類	薬　物	特　徴
5-HT_{1A}部分活性薬（アザピロン系）	タンドスピロン セディール	催眠・筋弛緩作用が弱く，日中も服用可。
ジフェニルメタン系	ヒドロキシジン アタラックス	抗アレルギー性抗不安薬。抗ヒスタミン薬で眠気の副作用強い。
自律神経調整薬	トフィソパム グランダキシン	ベンゾジアゼピン骨格をもつが，受容体への親和性はない。発汗などの自律神経症状を改善し，末梢血流量を増加させる。

4. 抗うつ薬

① うつ・抗うつ薬 -概観-

抗うつ薬は，中枢神経系の機能を賦活し，抑うつ状態やうつ病を改善する薬物群で，精神賦活薬ともよばれる。

うつ・抗うつ薬 -概観-

うつの病態		1）発病は遺伝的素因との関連が深いが，性格や心理社会的要因などの関与も重要である。 2）モノアミン欠乏仮説，モノアミン受容体過感受性仮説などが提唱されている。	
抗うつ薬	作用機序	1）抗うつ薬は，中枢神経系のモノアミン（とくに，ノルアドレナリンやセロトニン）のシナプス間隙濃度を高めることによって，うつ症状を徐々に改善する。 2）一般に，抗うつ効果発現には投薬後1週間以上要するものが多いことから，シナプス間隙のモノアミン濃度の上昇が直接抗うつ効果に結びつくのではなく，シナプス部におけるモノアミンの増加が受容体の脱感作や受容体数の低下を引き起こすことによって抗うつ効果がもたらされると考えられている。	
抗うつ薬	作用の特徴	**第一世代（三環系）**	効果は確実だが，抗コリン作用，心毒性あり。
		第二世代（四環系など）	第一世代より効果はやや劣るが，効果発現の速い薬物もある。
		第三世代（SSRI）	第二世代より効果はやや弱く発現も遅いが，うつ以外の適応をもつ。抗コリン作用は弱く心毒性も極めて弱いが，悪心が多い。
		第四世代（SNRI）	第一世代に匹敵する効果があり，作用発現も速く，広い作用スペクトラムをもつ。抗コリン作用，悪心も少なく，心毒性も極めて弱い。循環器系副作用（頻脈，動悸，血圧上昇）に注意。
		第五世代（NaSSA）	強力な抗うつ効果で作用発現が速い。性機能障害・胃腸症状出現しにくい。眠気・体重増加の副作用。
		第六世代（S-RIM）	SSRIよりもセロトニン・トランスポーター阻害作用が弱いため，性機能障害，悪心，中止後症候群などの副作用が少ない。SSRI同様，出血リスクに注意。
	適応症	うつ症状，強迫神経症，急性不安発作（パニック発作），ナルコレプシー（睡眠発作）など	

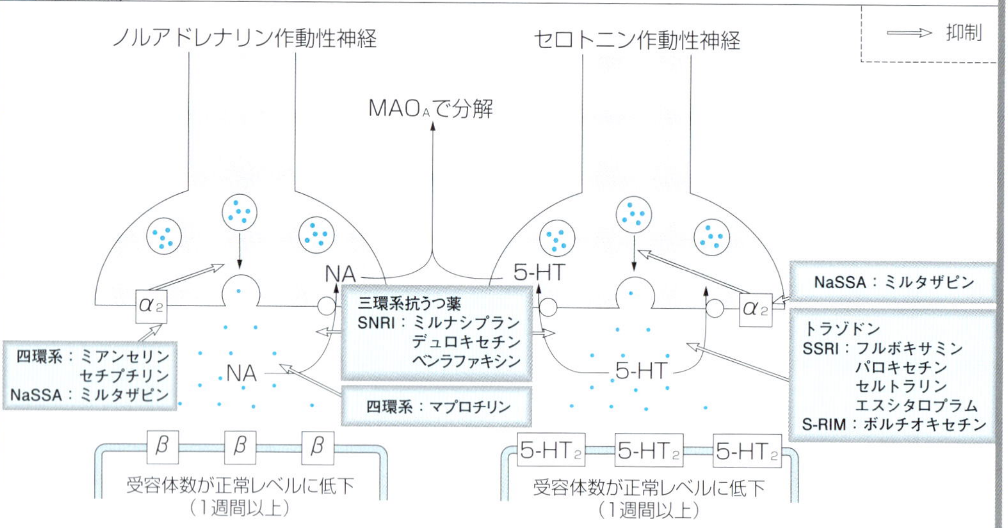

⟹ 抑制
ノルアドレナリン作動性神経
セロトニン作動性神経
MAOAで分解
NA
5-HT
α2
三環系抗うつ薬
SNRI：ミルナシプラン
デュロキセチン
ベンラファキシン
NaSSA：ミルタザピン
四環系：ミアンセリン
セチプチリン
NaSSA：ミルタザピン
四環系：マプロチリン
トラゾドン
SSRI：フルボキサミン
パロキセチン
セルトラリン
エスシタロプラム
S-RIM：ボルチオキセチン
β
5-HT2
受容体数が正常レベルに低下
（1週間以上）

SSRI　：Selective Serotonin Reuptake Inhibitor　〈選択的セロトニン再取込み阻害薬〉
SNRI　：Serotonin Noradrenaline Reuptake Inhibitor　〈セロトニン・ノルアドレナリン再取込み阻害薬〉
NaSSA：Noradrenergic and Specific Serotonergic Antidepressant　〈ノルアドレナリン作動性・特異的セロトニン作動性抗うつ薬〉
S-RIM　：セロトニン再取込み／セロトニン受容モデュレーター

❷ 各種抗うつ薬の特徴

分類		薬物名	作用機序	副作用
第一世代	三環系 （5-HT>NA）	イミプラミン イミドール，トフラニール クロミプラミン*1 アナフラニール アミトリプチリン*2 トリプタノール トリミプラミン スルモンチール	神経終末へのノルアドレナリン・セロトニンの再取込阻害 （グアネチジンのニューロン内取込も阻害するため，グアネチジンの降圧作用減弱）	D_2遮断：錐体外路障害，悪性症候群・高プロラクチン血症 H_1遮断：眠気 α_1遮断：起立性低血圧・反射性頻拍 抗コリン：眼圧上昇，口渇，便秘，麻痺性イレウス，排尿困難（遺尿症に用いられる） セロトニン症候群 無顆粒球症 SIADH
第一世代	三環系 （NA>5-HT）	ノルトリプチリン ノリトレン		
第二世代	三環系 （5-HT>NA）	ドスレピン プロチアデン		
第二世代	三環系 （NA>5-HT）	ロフェプラミン アンプリット アモキサピン アモキサン		
第二世代	四環系	ミアンセリン テトラミド セチプチリン テシプール	シナプス前α_2受容体遮断によるノルアドレナリン遊離促進	悪性症候群 無顆粒球症 インフルエンザ様症状 抗コリン作用：口渇，排尿困難，便秘
第二世代	四環系	マプロチリン ルジオミール	ノルアドレナリン再取込阻害	
第二世代	その他	トラゾドン デジレル，レスリン	セロトニン再取込阻害。 5-HT_1刺激作用，5-HT_2阻害作用あり	セロトニン症候群 悪性症候群 QT 延長など
第三世代	SSRI	フルボキサミン デプロメール，ルボックス パロキセチン*3 パキシル セルトラリン*3 ジェイゾロフト エスシタロプラム レクサプロ	選択的セロトニン再取込阻害 （ノルアドレナリンやドパミンの再取込には影響しない）	セロトニン症候群 悪性症候群 SIADH など
第四世代	SNRI	ミルナシプラン トレドミン デュロキセチン*4 サインバルタ ベンラファキシン イフェクサー	セロトニン・ノルアドレナリン再取込阻害	
第五世代	NaSSA	ミルタザピン リフレックス，レメロン	シナプス前α_2受容体遮断によるノルアドレナリン・セロトニン遊離促進（5-HT_2・5-HT_3遮断作用あり）	セロトニン症候群 無顆粒球症 SIADH など
第六世代	S-RIM	ボルチオキセチン トリンテリックス	・セロトニン再取り込み阻害作用及びセロトニン受容体調節作用（5-HT_{1A}アゴニスト，5-HT_{1B}部分アゴニスト，5-HT_{1D}・5-HT_3・5-HT_7アンタゴニスト） ・セロトニン受容体調節によって複数のモノアミン（セロトニン，ノルアドレナリン，ドパミン，アセチルコリン，ヒスタミン）の遊離を促進	セロトニン症候群 痙攣 SIADH など

＊1　クロミプラミン：ナルコレプシーに伴う情動脱力発作にも適用
＊2　アミトリプチリン：末梢性神経障害性疼痛にも適用
＊3　パロキセチン／セルトラリン：外傷後ストレス障害〈PTSD：Post-traumatic stress disorder〉にも適用
＊4　デュロキセチン：糖尿病性神経障害，線維筋痛症，変形性関節症，慢性腰痛症に伴う疼痛にも適用

5. 幻覚薬

幻覚薬は，正常人に幻覚・妄想・感情障害などの精神異常を起こす薬物である。LSD が強いセロトニン拮抗作用を示すことから，セロトニン拮抗作用と幻覚との関連が想定されているが詳細は不明である。

近年，カンナビノイド〈マリファナ〉受容体（$G_{i/o}$蛋白質共役型受容体）が同定され，また，内因性マリファナとしてアナンダミドや 2-アラキドノイルグリセロールも同定されている。

幻覚薬は，麻薬に指定されており，精神的依存性や耐性が発現するが，身体的依存性はほとんどない。

薬　物	由来など
リゼルグ酸ジエチルアミド〈LSD-25〉	麦角アルカロイド
メスカリン	ウバダマ（サボテン）由来
テトラヒドロカンナビノール	大麻由来 (別名：マリファナ，ハシシュ)
シロシビン	キノコ由来
フェンシクリジン	静脈麻酔薬として開発 (別名：angel dust，peace pill)

V　抗てんかん薬

☞『医薬品一般名・商品名・構造一覧』p18

おさえるべきところ

1．てんかん発作の分類と抗てんかん薬のスクリーニング法 ……………………p131，134
2．抗てんかん薬の作用機序と特徴（どの発作の型に有効か） ……………………………p132

1．てんかん発作の分類

てんかんは，周期的かつ予期せずに起こる発作であり，痙攣・意識障害・自律神経系反応を主症状とする脳機能障害である。てんかんの発生機構は明らかではないが，大脳皮質内に高頻度放電する焦点部位ができ，そこで発生する異常興奮が大脳皮質の他の部位へ広がるために発作が起こると考えられている。従って，てんかんは，焦点性に起こる部分発作と，大脳両半球に左右対称性に興奮が広がった全般発作に分けられる。

分類			特徴
部分発作		単純部分発作〈意識保持焦点発作〉	意識あり。 興奮の起こる部位によって運動性・知覚性・自律神経性・精神性の症状などが現れる。
		複雑部分発作〈意識減損焦点発作〉	意識混濁に様々な部分発作症状が加わる（側頭葉てんかんの精神運動発作や自動症など）。
		二次性全般化発作	単純部分発作・複雑部分発作から始まり，二次的に全般発作に進展する（ジャクソン発作など）。
全般発作	非運動発作	欠神発作	短時間の意識消失。 軽い痙攣を伴う場合あり。
	運動発作	ミオクロニー発作	意識あり。 両側四肢の突然の瞬間的な痙攣。
		脱力発作	意識消失と筋緊張低下が同時に起こって倒れこむ（小児の点頭てんかんなど）。
		強直間代発作〈大発作〉	意識消失。 全般性の強直性痙攣から間代性痙攣に移行。
てんかん重積症			てんかん発作が繰り返し起こり，発作と発作の間に意識が十分回復しない状態。種々のてんかん発作で重積状態が起こりうるが，とくに，大発作の重積状態が続くと，脳の低酸素による後遺症や生命の危険を伴う。

2. 抗てんかん薬の作用機序 -概観-

分類		薬物
抑制増強	GABA 抑制増強	GABA 分解抑制（GABA トランスアミナーゼ阻害）：バルプロ酸，ビガバトリン $GABA_A$受容体刺激：ベンゾジアゼピン，バルビツレート GABA 神経の維持・増強：ガバペンチン*1
興奮抑制	チャネル型グルタミン酸受容体遮断	トピラマート*2，ペランパネル*3
	電位依存性 Na^+チャネル遮断	バルプロ酸，バルビツレート，フェニトイン，カルバマゼピン，ゾニサミド，トピラマート*2，ラモトリギン，ラコサミド*4 など
	電位依存性 Ca^{2+}チャネル遮断	バルプロ酸，エトスクシミド，トリメタジオン，ガバペンチン*1，ゾニサミド，トピラマート*2 など

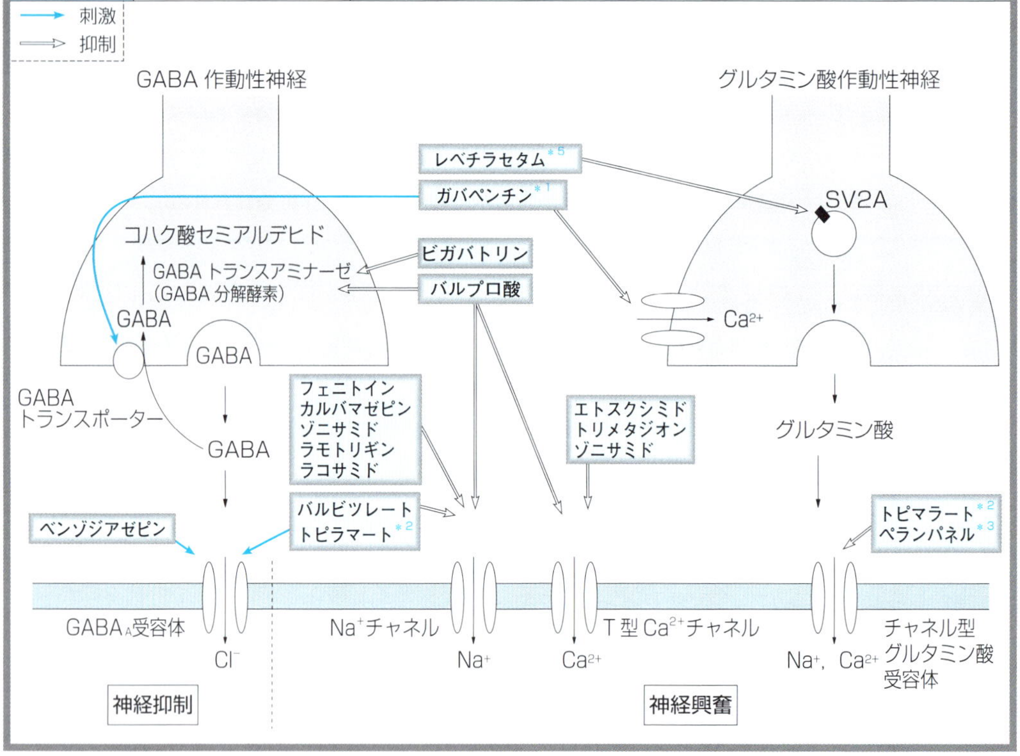
刺激
抑制
GABA 作動性神経
グルタミン酸作動性神経
レベチラセタム*5
ガバペンチン*1
SV2A
コハク酸セミアルデヒド
GABA トランスアミナーゼ
(GABA 分解酵素)
ビガバトリン
バルプロ酸
Ca^{2+}
GABA
GABA
GABA
トランスポーター
GABA
フェニトイン
カルバマゼピン
ゾニサミド
ラモトリギン
ラコサミド
エトスクシミド
トリメタジオン
ゾニサミド
グルタミン酸
バルビツレート
トピラマート*2
ベンゾジアゼピン
トピマラート*2
ペランパネル*3
$GABA_A$受容体
Cl^-
Na^+チャネル
Na^+
T 型 Ca^{2+}チャネル
Ca^{2+}
Na^+，Ca^{2+}
チャネル型
グルタミン酸
受容体
神経抑制
神経興奮

*1　ガバペンチン　：①興奮性グルタミン酸作動性神経の抑制（Ca^{2+}流入抑制）
②GABA 神経の維持・増強（GABA トランスポーターの活性化）

*2　トピラマート　：①電位依存性 Na^+チャネル遮断　②電位依存性 L 型 Ca^{2+}チャネル遮断
③チャネル型（AMPA／カイニン酸型）グルタミン酸受容体機能抑制
④$GABA_A$受容体機能亢進　⑤炭酸脱水酵素阻害
などの複合的な作用機序が関与

*3　ペランパネル　：AMPA 型グルタミン酸受容体の非競合的選択的遮断

*4　ラコサミド　：電位依存性 Na^+チャネルの緩徐な不活性化を選択的に促進

*5　レベチラセタム：①シナプス小胞蛋白質 SV2A 結合による神経伝達物質遊離抑制
②非 T 型〈non-T type〉Ca^{2+}チャネル遮断
などの作用機序が関与

3. 抗てんかん薬

（◎：第一選択薬，○：第二選択薬，×：無効）

分類		薬物	全般発作			部分発作	重積発作
			強直間代	欠神	ミオクロニー		
欠神発作のみ適応	スクシミド系	エトスクシミド エピレオプチマル，ザロンチン	×	◎			
	オキサゾリジン系	トリメタジオン ミノアレ	×				
欠神発作無効型	ヒダントイン系	フェニトイン アレビアチン，ヒダントール	○	×		○	○
		ホスフェニトイン ホストイン		×			○
		エトトイン アクセノン		×			
	バルビタール系	フェノバルビタール フェノバール，ノーベルバール，ルピアール，ワコビタール	○	×	○	○	○
		プリミドン（フェノバルビタールの還元型薬物） プリミドン		×			
	イミノスチルベン系	カルバマゼピン テグレトール		×		◎	
全般型	分岐脂肪酸系	バルプロ酸 セレニカR，デパケン	◎	◎	◎	○	
	スルホンアミド系	アセタゾラミド ダイアモックス					
		スルチアム オスポロット					
	アセチル尿素系（フェナセミド系）	アセチルフェネトライド クランポール					
	ベンゾジアゼピン系	ジアゼパム セルシン，ホリゾン，ダイアップ ミダゾラム ミダフレッサ，ブコラム ロラゼパム ロラピタ					◎
		ニトラゼパム ネルボン，ベンザリン					
		クロナゼパム ランドセン，リボトリール			◎	○	
併用薬	GABA 誘導体	ガバペンチン ガバペン				○	
	ベンゾジアゼピン系	クロバザム（ω_2受容体刺激） マイスタン	○		○	○	
	ベンズイソキサゾール系	ゾニサミド エクセグラン	○			◎	
	その他	トピラマート トピナ	○		○	◎	
		ペランパネル フィコンパ	○			○	
		ラモトリギン（単剤療法可） ラミクタール	○	○		◎	
		レベチラセタム（単剤療法可） イーケプラ	○		○	◎	
		ラコサミド（単剤療法可） ビムパット				○	

その他の抗てんかん薬

薬　物	作用機序	適　応
スチリペントール ディアコミット	GABA 神経伝達の亢進 ・GABA 取り込み阻害 ・GABA トランスアミナーゼ活性低下 ・脳組織中 GABA 濃度の増加 ・$GABA_A$受容体に対する促進性アロステリック調節	Dravet〈ドラベ〉症候群
ルフィナミド イノベロン	電位依存性 Na^+チャネル阻害 （不活性化状態からの回復遅延）	Lennox-Gastaut〈レンノックス・ガストー〉症候群
ビガバトリン サブリル	GABA トランスアミナーゼ不可逆的阻害	点頭てんかん

抗てんかん薬による治療

治療方針	1）抗てんかん薬は，原因ではなく発作型に基づいて選択する。 2）単剤治療が基本であるが，コントロールできない場合には併用する（**クロバザム，ガバペンチン，ゾニサミド，トピラマート，ラモトリギン，レベチラセタム**など）。 3）また，ミオクローヌス治療補助薬として**環状 GABA 誘導体ピラセタム**があり，抗てんかん薬と併用して用いられる。
治療上の注意	1）抗てんかん薬による治療は対症療法であり，長期投薬の場合が多く，副作用に注意が必要である。肝・腎機能障害，血液障害，皮膚症状，過敏症（紅斑，リンパ球増多，光過敏），催奇形性(胎児性ヒダントイン症候群，胎児性トリメタジオン症候群)などに注意を要する。 2）小児てんかんには，**バルプロ酸**や**フェノバルビタール**などが多用されるが，フェノバルビタールの抗てんかん作用はそれほど強くなく，また眠気・精神機能低下の副作用をもつため，成人や学童期の患者にはフェノバルビタールは通常使用されない。 3）一方，**フェニトイン**は，小脳毒性（運動異常）があるため脳発達期の小児には使用されない。なお，フェニトインは，催奇形性があるため妊婦への使用には注意が必要であり，また，歯肉増殖の副作用があるため，歯磨きなどにより口腔内を清潔にするように指導する。

4．抗てんかん薬のスクリーニング法

スクリーニング法	適　用	説　明
ペンテトラゾール誘発痙攣法	欠神発作 〈小発作〉	ペンテトラゾール〈ペンチレンテトラゾール〉は，$GABA_A$受容体のピクロトキシン結合部位に作用すると考えられている延髄興奮薬である。このペンテトラゾール誘発痙攣に対する薬物の抑制効果から，欠神発作〈小発作〉に対する抗てんかん作用を調べることができる。
電撃痙攣法	大発作 精神運動発作	最大電気刺激では強直間代発作〈大発作〉類似の痙攣を誘発し，電気刺激の条件を変えると精神運動発作類似の症状が誘発される。この電撃痙攣に対する薬物の抑制効果から，強直間代発作や精神運動発作に対する抗てんかん作用を調べることができる。

Ⅵ　中枢性筋弛緩薬

☞『医薬品一般名・商品名・構造一覧』p19

骨格筋の緊張を制御する中枢神経機構を選択的に抑制し，骨格筋の弛緩を起こす薬物を中枢性筋弛緩薬という。中枢性筋弛緩薬は，神経筋接合部（運動神経と骨格筋との接合部）には働かず，脳幹網様体や脊髄における多シナプス反射経路を抑制して筋痙縮を抑制する。痙性麻痺（脳脊髄性疾患・脊髄損傷など）や有痛性痙縮（腰背痛症・頸肩腕症候群など）に用いられる。副作用として，過敏症状・眠気・めまい・悪心・胃腸症状などがある。

おさえるべきところ

1．脊髄反射 ……p136
2．中枢性筋弛緩薬の分類と作用の特徴（多・単シナプス反射抑制） ……p137

1．脊髄反射

単シナプス反射	知覚神経が脊髄に入り，運動神経に直接入力することで，骨格筋収縮を誘発する反射経路。従って，この脊髄反射経路には，知覚神経と運動神経との間にシナプスが１つしか存在しない（単シナプス反射）。単シナプス反射は少なく，膝蓋腱反射（膝をたたくと足が上がる）が代表例である。
多シナプス反射	知覚神経が脊髄に入り，介在ニューロンを介して運動神経に入力することで，骨格筋収縮を誘発する反射経路（下図は，介在ニューロンが１つの場合）。従って，この脊髄反射経路には，知覚神経と運動神経との間にシナプスが複数存在することになる（多シナプス反射）。脊髄反射のほとんどは多シナプス反射であり，この多シナプス反射を中枢性に抑制する薬物を中枢性筋弛緩薬として用いる。
筋紡錘	１）筋紡錘は骨格筋内の感覚器であり，筋の伸長速度や伸長程度を検知する。 ２）筋紡錘は，結合線維の被膜に包まれた２～10本の筋線維（錘内筋線維）とこれを支配するγ運動神経〈γ運動ニューロン〉及び知覚神経より構成される。錘内筋線維は，通常の筋線維（錘外筋線維）と並列に位置し，両端で相互に付着している。 ３）筋紡錘は，錘内筋線維と錘外筋線維との長さの差を検知し，知覚神経を介して中枢に情報を送る。錘外筋線維が伸長すると錘内筋線維も伸ばされ，知覚神経が興奮する。
γ運動ニューロン	１）運動神経には，α運動ニューロンとγ運動ニューロンとがある。α運動ニューロンは，通常の骨格筋線維（錘外筋線維）を支配する運動神経である。一方，γ運動ニューロンは，錘内筋線維を支配する運動神経であり，筋紡錘の感度を調節する。 ２）γ運動ニューロンの活動が高まると，錘内筋線維の両端のみが収縮するため中央部を伸長させることになる。即ち，錘外筋線維の伸長による錘内筋線維の伸長と同じ状況となり，知覚神経を興奮させて骨格筋の伸長程度を中枢へ伝える（γ環）。

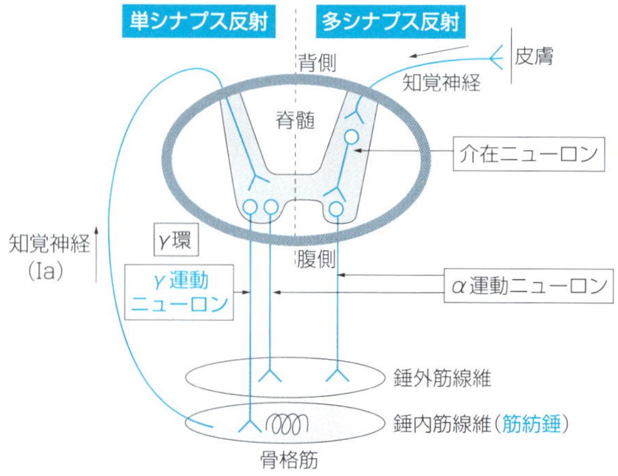

2. 中枢性筋弛緩薬

分　類	薬　物	シナプス反射抑制 多	シナプス反射抑制 単	適用・特徴など
プロパンジオール誘導体	（メフェネシン） クロルフェネシン リンラキサー メトカルバモール ロバキシン プリジノール ロキシーン	●		適　用：ストリキニーネ中毒 　　　　破傷風による痙攣
イミダゾリン誘導体	チザニジン テルネリン	●		アドレナリンα_2受容体刺激作用 疼痛緩和作用
βアミノプロピオフェノン誘導体	エペリゾン ミオナール	●	●	γ運動ニューロン抑制・筋紡錘感度低下。 筋弛緩作用はメフェネシンより強い。
キナゾリノン誘導体	アフロクァロン アロフト	●	●	γ運動ニューロン抑制・筋紡錘感度低下。 他の中枢抑制作用に比べて筋弛緩作用の特異性が高いが，全体的に作用は弱い。
ベンゾジアゼピン誘導体 （GABA$_A$受容体刺激薬）	ジアゼパム セルシン，ホリゾン，ダイアップ エチゾラム デパス	●		抗不安作用
GABA$_B$受容体刺激薬	バクロフェン ギャバロン，リオレサール	●	●	γ運動ニューロン抑制・筋紡錘感度低下。 適　用：多発性硬化症など

Ⅶ　パーキンソン病治療薬

☞『医薬品一般名・商品名・構造一覧』p20

おさえるべきところ

1．パーキンソン病／パーキンソン症候群の病態

概　説		1）線条体（尾状核・被核）では，ドパミンが抑制的に，アセチルコリンが促進的に作用してバランスをとり，不随意運動を調節している。 2）パーキンソン病では，黒質-線条体ドパミン作動性神経経路が脱落・変性し，そのためドパミン／アセチルコリンのバランスが崩れるために錐体外路症状（振戦・筋強剛・無動など）が起こると考えられている。 3）パーキンソン病が進行すると，青斑核ノルアドレナリン系や縫線核セロトニン系などのメラニン含有細胞にも変性が及ぶため，パーキンソン病は，黒質-線条体ドパミン作動性神経を中心としたアミン神経の変性疾患として位置付けられる。 4）また，種々の疾患・障害に続発してパーキンソン病類似の病像を示す一群の疾患は，パーキンソン症候群とよばれている。
症　状		1）主 症 状：静止時の振戦，筋強剛，無動，姿勢障害（前屈姿勢），小刻み歩行，突進現象，仮面様顔貌，自律神経症状など 2）二次症状：歩行障害，すくみ現象，言語障害など
原因	不　明	本態性パーキンソン病
	薬　物	1）抗精神病薬（D_2遮断） 2）レセルピン（ドパミン，ノルアドレナリン，セロトニン枯渇） 3）MPTP〈1-メチル-4-フェニル-1,2,3,6-テトラヒドロピリジン〉 合成麻薬ペチジンの副生成物で，容易に血液脳関門を通過し，脳内でMAO_Bにより$MPTP^+$に酸化された後，非酵素的にMPP^+に変換され神経毒性を発現する。 4）マンガン中毒 5）一酸化炭素中毒
	脳障害	1）脳血管障害 2）ウイルス性脳炎 3）頭部外傷 4）脳腫瘍
病理変化		1）黒質-線条体ドパミン作動性神経の脱落・変性 2）青斑核ノルアドレナリン系の脱落・変性 3）縫線核セロトニン系の脱落・変性

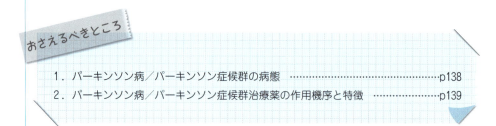

2. パーキンソン病治療薬 -概観-

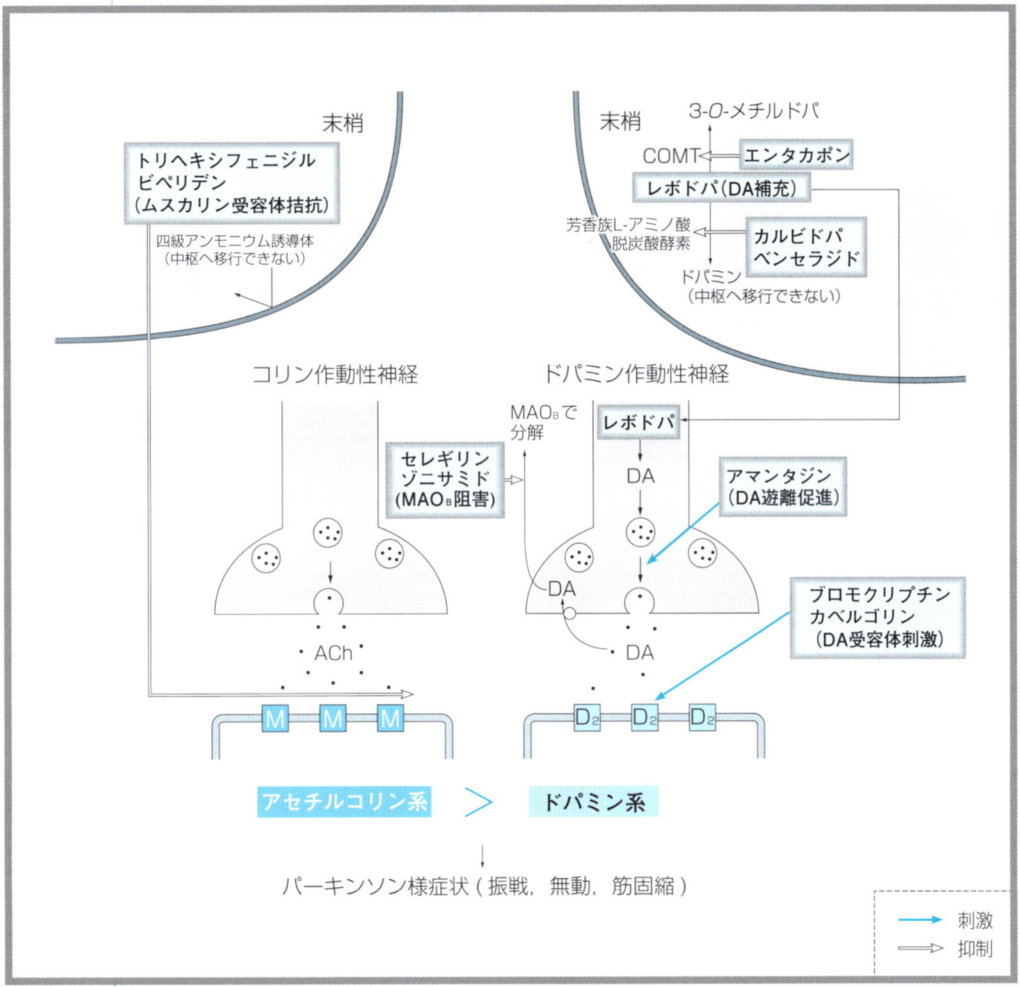

3. パーキンソン病治療薬

パーキンソン病治療薬（その1）

分 類			薬 物	特徴・副作用など
ドパミン系	ドパミン前駆体		**レボドパ** ドパストン，ドパゾール （ドパミンは血液脳関門を通過できないのでその前駆体であるレボドパを投与）	1）抗精神病薬で起こる錐体外路症状には無効。 2）無動・筋強剛を速やかに改善。振戦は徐々に改善。 3）レボドパは，芳香族L-アミノ酸脱炭酸酵素（ビタミンB_6が補酵素）によってドパミンとなる。末梢で95%以上がドパミンに変換され，脳内に到達するレボドパは1%以下。 4）**副作用**：ドーパ誘発性ジスキネジア，悪性症候群，精神障害，消化器障害
	芳香族L-アミノ酸脱炭酸酵素〈AADC〉阻害		**カルビドパ** ネオドパストン，メネシット，デュオドーパ **ベンセラジド** イーシー・ドパール，マドパー，ネオドパゾール （血液脳関門通過せず）	レボドパの末梢でのドパミンへの変換を阻害。併用によってレボドパ投与量を低下できる。
	末梢COMT阻害		**エンタカポン** コムタン **オピカポン** オンジェンティス	レボドパ・カルビドパ（ベンセラジド）併用療法中の症状の日内変動（wearing-off）の改善。 レボドパ・カルビドパ・エンタカポンの3剤配合錠あり。 スタレボ
	ドパミン遊離促進		**アマンタジン** シンメトレル	1）抗ウイルス薬（A型インフルエンザウイルスに有効） 2）NMDA受容体遮断作用あり 3）速効性（2～5日）でジスキネジア生じにくい。 4）効　果：無動・筋強剛＞振戦
	MAO_B阻害	非可逆的	**セレギリン** エフピー **ラサギリン** アジレクト	1）内因性ドパミン及びレボドパ投与患者における外因性ドパミンの作用を増強する。 2）ゾニサミド：抗てんかん薬。
		可逆的	**ゾニサミド** トレリーフ **サフィナミド** エクフィナ	
	ドパミン受容体刺激	麦角系	**ブロモクリプチン** パーロデル **ペルゴリド** ペルマックス **カベルゴリン** カバサール **アポモルヒネ** アポカイン	1）レボドパ単独投与では3～5年で不随意運動が出現するため投薬を中止せざるを得ないが，これらの薬物併用で長期投与が可能となる。 2）**副作用**：麦角系は悪心・嘔吐，非麦角系は眠気・突発性睡眠に注意。
		非麦角系	**タリペキソール** ドミン **プラミペキソール** ビ・シフロール，ミラペックス **ロピニロール** レキップ，ハルロピ **ロチゴチン** ニュープロパッチ	

パーキンソン病治療薬（その2）

分　類		薬　物	特徴・副作用など
アセチルコリン系	ムスカリン受容体遮断	**トリヘキシフェニジル** アーテン **ビペリデン** アキネトン **ピロヘプチン** トリモール **マザチコール** ペントナ 抗 H_1 作用あり **プロメタジン** ヒベルナ，ピレチア	1）抗精神病薬で起こる錐体外路症状にも有効。ただし，遅発性ジスキネジアには無効。 2）振戦によく効く（ムスカリン受容体刺激薬オキソトレモリンは振戦を誘発する）。 3）レボドパと併用で症状改善。 4）**副作用**：悪性症候群，精神障害，消化器障害
ノルアドレナリン系	ノルアドレナリン前駆体	**ドロキシドパ** ドプス 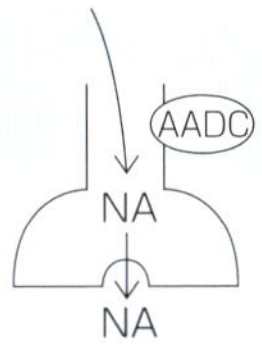	1）ヒドロキシル化されたドパであり，芳香族 L-アミノ酸脱炭酸酵素〈AADC〉によってノルアドレナリン〈NA〉に変換される。 2）すくみ足，無動症，立ちくらみ（起立性低血圧）に有効。
アデノシン系	アデノシン A_{2A} 受容体遮断	**イストラデフィリン** ノウリアスト 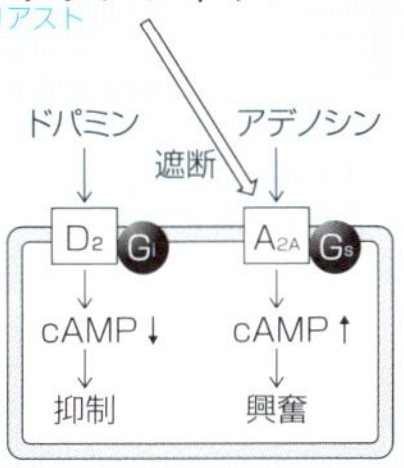中型有棘神経細胞〈MSN：Medium Spiny Neuron〉	1）線条体から淡蒼球に投射するGABA作動性神経（MSN）は，アデノシン（興奮）とドパミン（抑制）により拮抗的に制御されているため，ドパミン神経が脱落・変性すると，相対的にアデノシンのMSN興奮作用が亢進する。 2）イストラデフィリンは，G_S蛋白質共役型アデノシン A_{2A} 受容体を遮断してMSN活動を抑制し，アンバランスを是正する。 3）レボドパ含有製剤で治療中のwearing-offの改善に適用される。

補足　Wearing-off 現象と On-off 現象

Wearing-off 現象

1）薬物血中濃度の変動に伴い，症状の日内変動が現れる現象。パーキンソン病の進行によって脳内ドパミン神経の脱落・変性が進行すると，投与されたレボドパを取り込むドパミン神経が減少するため，脳内レボドパ保持能力が低下する。その結果，レボドパの有効閾値が上昇するため，投与 1 回あたりの有効時間が短縮する（☞下図参照）。

2）ここで，単純にレボドパ投与量を増やすと，レボドパ投与時の脳内ドパミン量が過剰となり，口・舌・顔・手足などの不随意運動〈ジスキネジア〉が出現しやすい。従って，レボドパの投与量を増やすよりも，投与回数を増やすことによって，レボドパの有効血中濃度を維持する方が良い。また，COMT 阻害薬，MAO_B 阻害薬，ドパミン受容体刺激薬などの併用も有効である。

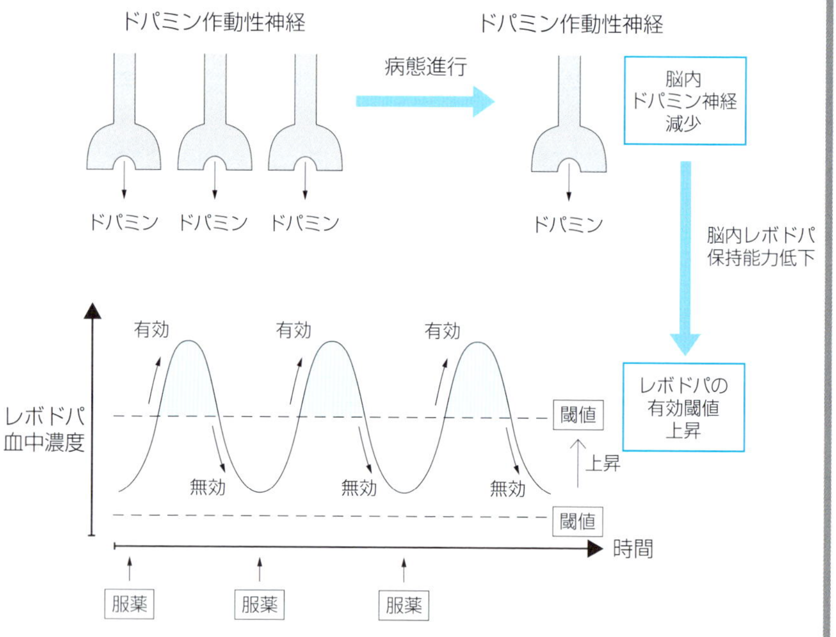

On-off 現象

薬物の血中濃度とは無関係に，症状が良くなったり（オン），突然悪くなったり（オフ）を繰り返す現象。原因の詳細は不明。

Ⅷ　ハンチントン病治療薬 及び レストレスレッグス症候群治療薬

☞『医薬品一般名・商品名・構造一覧』p21

1．ハンチントン病

症 状	常染色体優性遺伝型式を示す遺伝性の神経変性疾患で，舞踏運動などの不随意運動，精神症状，行動異常，認知障害などの特徴を示す。	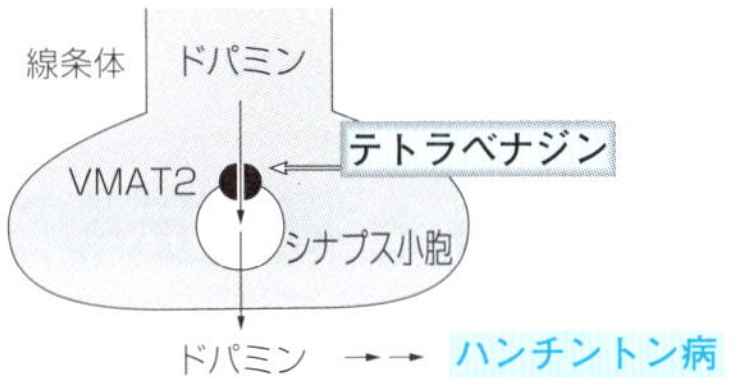
原 因	第 4 染色体ハンチンチン（IT15）遺伝子の異常	
治療薬	モノアミン小胞トランスポーター 2〈VMAT2〉選択的阻害薬	**テトラベナジン** コレアジン 神経終末モノアミン類（ドパミン，セロトニン，ノルアドレナリン）を枯渇させる。治療効果には，ハンチントン病の主病変部位である線条体でのドパミン枯渇が関与する。

2．レストレスレッグス症候群

症 状	1）レストレスレッグス症候群〈RLS：Rest-less Legs Syndrome〉は，下肢静止不能症候群，むずむず脚症候群とも呼ばれる。 2）脚の表面ではなく内側（深部）に不快な感じがあり，脚がじっとしていられない，むずむずする，痒い，痛い，虫が這うよう，などの自覚症状を呈する。夜間安静時，特に睡眠時間帯に増悪する。	
原 因	1）一次性（特発性）：原因不明 2）二次性：疾患（鉄欠乏性貧血，慢性腎不全（透析患者），妊娠，胃切除後，関節リウマチ，パーキンソン病，多発神経炎，脊髄疾患など）や薬物投与（向精神薬など）に伴って発症	
治療薬	ドパミン受容体刺激薬（パーキンソン病治療薬）	**プラミペキソール** ビ・シフロール **ロチゴチン** ニュープロパッチ
	Ca^{2+}チャネル遮断薬（抗てんかん薬）	**ガバペンチン エナカルビル** レグナイト （消化管吸収を改善したガバペンチンのプロドラッグ）

Ⅸ 鎮痛薬

おさえるべきところ

1．痛みと痛覚伝導路 ……p144
2．内因性オピオイドとオピオイド受容体 ……p146
3．オピオイド系鎮痛薬の作用機序と薬物の特徴 ……p147
4．その他の鎮痛薬 ……p150

1．痛みと痛覚伝導路

❶ 侵害受容器を刺激（発痛）／感作する化学伝達物質

痛みは感覚の一種で，皮膚・関節・筋肉・内臓などが傷害されるとそれらの組織で種々の化学伝達物質が遊離され，一次感覚神経の自由終末に存在する侵害受容器が刺激（発痛）あるいは感作される。侵害受容器の興奮は，脊髄後角へ伝えられ最終的に大脳皮質知覚領感覚野で痛みとして認知される。

分　類	化学伝達物質	局在／由来
刺　激 （発痛）	ブラジキニン	血漿キニノーゲン
	ヒスタミン	肥満細胞
	セロトニン	血小板
	カリウム	損傷を受けた細胞
感　作 （発痛増強）	プロスタグランジン	損傷細胞膜のアラキドン酸
	ロイコトリエン	
	サブスタンスＰ	一次求心性ニューロン

❷ 痛みと痛覚伝導路

痛みは，痛みの発生部位によって表在痛（皮膚），深部痛（筋肉・腱・骨膜など），内臓痛の3つに分けられる。また，痛みを脊髄に伝える一次求心性神経の種類によって，速く鋭い刺痛（有髄Aδ線維：モルヒネ無効）と遅く鈍い灼熱痛（無髄C線維：モルヒネ有効）の2つに分けられる。

脊髄から高位中枢への主な痛覚伝導路には，脊髄視床路（脊髄–視床–大脳皮質），脊髄網様体路（脊髄–脳幹網様体–視床–大脳皮質），脊髄中脳路（脊髄–中脳網様体・中脳水道周囲灰白質）の3つがある。

痛みの発生部位	皮膚：表在痛 筋肉・腱・骨膜など：深部痛 内臓：内臓痛
痛みを脊髄に伝える一次神経線維	有髄Aδ線維（速く鋭い刺痛：モルヒネ無効） 無髄 C 線維（遅く鈍い灼熱痛：モルヒネ有効）
脊髄から高位中枢への主な痛覚伝導路	脊髄視床路　（脊髄－視床－大脳皮質） 脊髄網様体路（脊髄－脳幹網様体－視床－大脳皮質） 脊髄中脳路　（脊髄－中脳網様体・中脳水道周囲灰白質）

③ 痛覚伝導路と鎮痛薬の作用機序

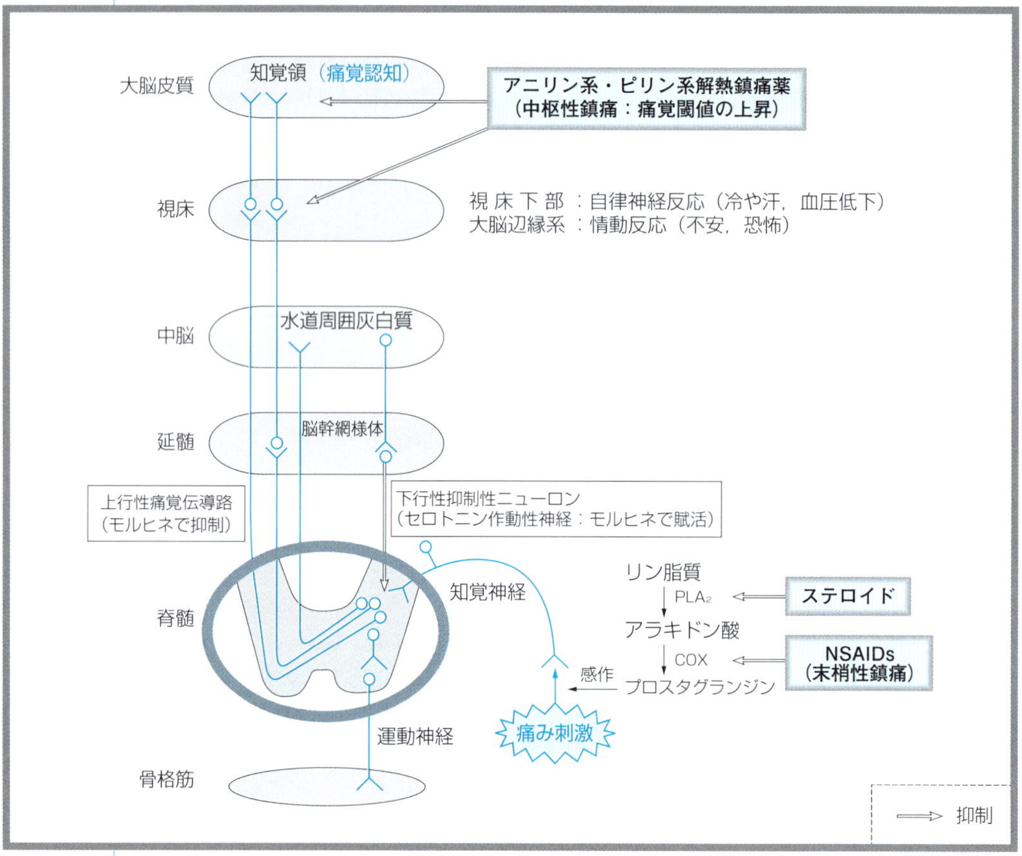

2. 内因性オピオイドとオピオイド受容体

分類	内因性オピオイド	前駆物質	作用する主な受容体
エンドルフィン	βエンドルフィン	プロオピオメラノコルチン（γ-MSH[*1]・ACTH[*2]・β-LPH[*3]を含む）	$\mu > \delta$
エンケファリン	ロイシン-エンケファリン メチオニン-エンケファリン	プロエンケファリンA	$\delta > \mu$
ダイノルフィン	ダイノルフィンA ダイノルフィンB α-ネオエンドルフィン β-ネオエンドルフィン	プロダイノルフィン （プロエンケファリンB）	κ

＊1 γ-MSH：γ-melanocyte-stimulating hormone〈メラニン細胞刺激ホルモン〉
＊2 ACTH：adrenocorticotropin〈副腎皮質刺激ホルモン〉
＊3 β-LPH：β-lipotropin〈脂肪動員ホルモン〉

3. オピオイド系鎮痛薬

☞『医薬品一般名・商品名・構造一覧』p22

❶ アヘンアルカロイド

ケシ未熟果皮の乳液乾燥粉末であるアヘンには，モルヒネ（10%），コデイン（0.5%），ノスカピン（6%），パパベリン（1%）などの種々の有用なアルカロイドが含まれている。

分　類	薬　物	構　造	主な作用
フェナントレン誘導体（モルヒナン骨格）	モルヒネ	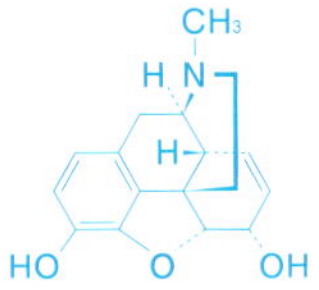	鎮痛・鎮咳・鎮痙
	コデイン	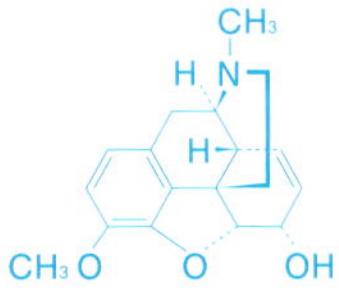	鎮痛・鎮咳・鎮痙
ベンジルイソキノリン誘導体	ノスカピン	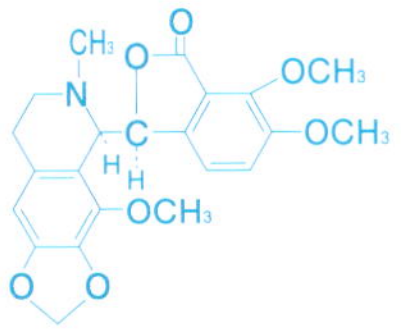	鎮咳
	パパベリン	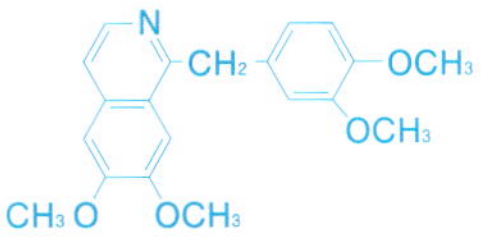	鎮痙

❷ モルヒネの作用・副作用の要点

作用機序		オピオイド受容体刺激（$\mu > \delta \cdot \kappa$） μ_1受容体：鎮痛など μ_2受容体：呼吸抑制や便秘など
適用		1）鎮痛・鎮静：激しい疼痛時における鎮痛・鎮静 2）鎮咳：激しい咳嗽発作における鎮咳 3）止瀉：激しい下痢の改善，手術後の腸管蠕動運動の抑制
作用	**鎮痛**	1）脊髄後角への下行性抑制性神経の賦活 2）視床への上行性痛覚伝導路の遮断（脊髄・視床・大脳皮質などでの抑制）
	鎮静	大脳辺縁系に作用して情動反応抑制（ヒト・イヌ・ウサギ・ラットなど） （ネコ・マウス・ウマでは視床下部への作用によって興奮）
	鎮咳	延髄・咳中枢の抑制
副作用	**呼吸抑制**	1）呼吸中枢の炭酸ガスに対する反応性低下 2）大量ではチェーン・ストークス型呼吸（浅い呼吸→深い呼吸→無呼吸→呼吸麻痺）
	脊髄興奮	ストラウブの挙尾反応
	悪心・嘔吐	延髄第四脳室底・化学受容器引金帯〈CTZ〉刺激（アポモルヒネ様作用）
	縮瞳	中脳・動眼神経核興奮→神経終末から ACh 遊離して瞳孔括約筋収縮 → 縮瞳 （モルヒネ点眼では無効。禁断時には散瞳に転じる。）
	緊張性便秘	1）蠕動運動抑制：μ受容体を介した副交感神経終末からの ACh 遊離抑制 2）緊張増加：腸管壁からのセロトニン遊離促進
中毒性	**急性中毒**	1）3 主徴：昏睡，縮瞳，呼吸抑制 2）解毒薬：麻薬拮抗薬ナロキソン（延髄興奮薬では痙攣誘発のおそれ）
	慢性中毒	1）禁断症状（退薬症候） 振戦・不安・不眠・痙攣・嘔吐・発汗・発熱・頻脈・下痢・腹痛・散瞳など ※麻薬拮抗薬ナロキソン投与で禁断症状誘発 2）治療法：モルヒネ漸減療法，メサドン代替療法
	依存性・耐性	1）モルヒネ型依存性（身体依存・精神依存・耐性ともに最も強い） 2）縮瞳・便秘などの作用は耐性が生じにくく，他の中枢抑制薬との鑑別に重要 3）痛みのある場合は，痛みのない場合に比べて耐性が生じにくい
その他		1）膵液・腸液分泌抑制 2）胆汁分泌抑制（Oddi 括約筋収縮） 3）尿貯留（膀胱括約筋収縮） 4）尿量減少（抗利尿ホルモン分泌亢進） 5）血圧下降（動脈・静脈緊張低下，ヒスタミン遊離促進）→肺うっ血や浮腫減少 6）血糖値上昇（副腎・交感神経系亢進） 7）基礎代謝低下

③ オピオイド系鎮痛薬及び関連薬

分類		薬物	特徴など
麻薬	モルヒネ系鎮痛薬	モルヒネ オプソ，パシーフ，アンペック，プレペノン，MS コンチン	鎮痛・鎮静・鎮咳・鎮痙（止瀉）
		コデイン コデインリン酸塩	鎮痛・鎮咳・鎮痙（止瀉）作用ともにモルヒネより弱い（鎮痛は 1/6，鎮咳は 1/8，鎮痙は 1/4）。
		ジヒドロコデイン ジヒドロコデインリン酸塩	鎮痛・鎮咳作用はコデインよりも強いが（鎮咳は 1.4 倍），モルヒネよりは弱い。鎮痙（止瀉）作用あり。
		オキシコドン オキシコンチン，オキノーム，オキファスト	鎮痛・鎮静・鎮咳，麻酔前投薬。鎮痛・呼吸抑制強い。
		ヒドロモルフォン ナルサス，ナルラピド，ナルベイン	
		参考：ジアセチルモルヒネ〈ヘロイン〉	鎮痛作用はモルヒネの 2～8 倍。陶酔感強い。
	合成麻薬性鎮痛薬	ペチジン ペチジン塩酸塩	鎮痛作用はモルヒネの 1/8。 鎮痛・鎮静・鎮痙，麻酔前投薬，無痛分娩に用いられる。 鎮咳・嘔吐・便秘作用はほとんどなし。
		フェンタニル デュロテップパッチ，ワンデュロパッチ，フェントステープ，イーフェン，アブストラル	鎮痛作用はモルヒネの 80 倍。依存性・呼吸抑制強い。 ドロペリドール併用で神経遮断性無痛。
		レミフェンタニル アルチバ	超短時間型。 全身麻酔の導入・維持における鎮痛（持続静注）。
		メサドン メサペイン	鎮痛作用はモルヒネと同等。耐性・禁断症状の発現遅い。 癌性疼痛やモルヒネ慢性中毒の治療（メサドン代替療法）。
		タペンタドール タペンタ	鎮痛作用はモルヒネの 1/4～同等。 オピオイド μ 受容体刺激作用及びノルアドレナリン再取り込み阻害によるアドレナリン α_2 受容体刺激作用を介して鎮痛効果発現。
非麻薬	麻薬拮抗性鎮痛薬（μ 受容体部分活性薬）	ペンタゾシン ソセゴン	κ 受容体刺激。鎮痛作用はモルヒネより弱い。 呼吸抑制には，麻薬拮抗薬（μ 受容体遮断薬）無効。化学受容器反射を介した末梢性呼吸興奮薬ドキサプラムが有効。
		エプタゾシン セダペイン	κ 受容体刺激。 鎮痛作用はモルヒネの 0.6 倍，ペンタゾシンの 3～4 倍。
		ナロルフィン	ナロルフィンテスト（モルヒネ中毒の判定）
		ブプレノルフィン レペタン，ノルスパンテープ	κ 受容体アンタゴニスト。 鎮痛作用はモルヒネの 25～50 倍。
		トラマドール トラマール，ワントラム，ツートラム	弱オピオイド。 アセトアミノフェンとの合剤あり。（トラムセット）
	そう痒症治療薬	ナルフラフィン レミッチ	κ 受容体選択的刺激薬。 血液・腹膜透析患者や慢性肝疾患患者におけるそう痒症治療。
	麻薬拮抗薬	レバロルファン ロルファン	弱いモルヒネ様作用（鎮痛）あり。 麻薬による呼吸抑制の改善。 ペチジンによる呼吸抑制を軽減する目的で，ペチジンとの配合薬がある。（ペチロルファン）
		ナロキソン ナロキソン塩酸塩	完全拮抗薬（$\mu > \delta > \kappa$） 麻薬による呼吸抑制及び覚醒遅延の改善
		ナルデメジン スインプロイク	末梢性 μ オピオイド受容体拮抗薬（δ，κ 遮断作用あり） オピオイド誘発性便秘症に適用

4. その他の鎮痛薬

☞『医薬品一般名・商品名・構造一覧』p23

① アニリン系〈パラアミノフェノール誘導体〉及び ピリン系〈ピラゾロン誘導体〉解熱鎮痛薬

解熱鎮痛薬はアスピリン〈アセチルサリチル酸〉が原型となっており，抗炎症作用をもつものは非ステロイド性抗炎症薬（NSAIDs）にも分類される。抗炎症作用をもつ解熱鎮痛薬の鎮痛作用には，主に末梢でのプロスタグランジンの合成阻害作用が関与し（末梢性鎮痛作用），一方，抗炎症作用が弱い解熱鎮痛薬の鎮痛作用には，主に視床や大脳皮質における痛覚閾値の上昇が関与すると考えられている（中枢性鎮痛作用）。

前者の詳細は「第７章 抗炎症薬 ―Ⅲ 非ステロイド性抗炎症薬」（p227）で扱うこととして，ここではまず，抗炎症作用が弱い解熱鎮痛薬（アニリン系及びピリン系）についてまとめる。

抗炎症作用が弱い解熱鎮痛薬は，大きくパラアミノフェノール誘導体〈アニリン系〉とピラゾロン誘導体〈ピリン系〉とに分けられる。アニリン系薬物の副作用には悪心・嘔吐，消化器障害，肝障害などがある。ピリン系薬物の副作用には，過敏症状（ピリン疹，ショック），胃腸障害，頭痛，倦怠感，腎障害などがある。これらの薬物の解熱鎮痛作用は，次のように考えられている。

アニリン系及びピリン系解熱鎮痛薬の作用機序

作用	作用機序
鎮痛	視床・大脳皮質における痛覚閾値を高める（中枢性鎮痛作用）。 cf. 酸性非ステロイド性抗炎症薬は末梢性鎮痛作用。
解熱	視床下部・体温調節中枢に作用して熱放散を促進させる（発汗・血管拡張作用など）。

アニリン系及びピリン系解熱鎮痛薬

分　類	薬　物	特徴など
アニリン系〈パラアミノフェノール誘導体〉	**アセトアミノフェン** カロナール，アンヒバ，アルピニー，アセリオ	シクロオキシゲナーゼ阻害作用はほとんどない。アセトアミノフェン中毒（心筋・肝・腎障害）の解毒には，グルタチオンの前駆物質 **N-アセチルシステイン**（グルタチオン抱合による代謝促進）。
	（フェナセチン）	代謝されてほとんどがアセトアミノフェンになる。腎乳頭壊死，腎盂・膀胱腫瘍などの副作用。
ピリン系〈ピラゾロン誘導体〉	アンチピリン：**アンチピリン**	食物中の亜硝酸と反応して発癌性ジメチルニトロソアミン形成するため単品経口不可。
	アンチピリン：**イソプロピルアンチピリン** SG顆粒	経口可能なアンチピリン
	スルピリン スルピリン	急性上気道炎の解熱（内服） 他の解熱薬の効果がない場合，他の解熱薬が投与できない場合の緊急解熱（注射） 乳幼児・小児の解熱（坐薬）

❷ 片頭痛治療薬

頭痛は，日常診療で最も訴えの多い痛みの一つであり，心因性から致死的な脳疾患まで様々な原因が関与する。頭痛には，血管性頭痛（片頭痛，群発頭痛），緊張性頭痛，症候性頭痛（頭部外傷性，感染性，代謝異常性，脳神経性，頸椎症性，薬剤性など）などがある。片頭痛の発症機序は十分には解明されていないが，セロトニンに起因する血管の収縮・拡張や，三叉神経から遊離する神経ペプチド（CGRP など）に起因する神経原性炎症が関与すると考えられている。

片頭痛治療薬

用途	分類	薬物	付記
急性期の治療	麦角アルカロイド製剤 （発作前兆期に使用）	エルゴタミン／カフェイン合剤 クリアミン	エルゴタミンは，セロトニン 5-HT1B/1D 受容体を介して脳血管収縮作用を示す。 また，カフェインは，エルゴタミンの消化管吸収を促進させる。
	5-HT1B/1D 刺激薬 （発作時に使用）	【トリプタン系薬物】 スマトリプタン イミグラン ゾルミトリプタン ゾーミッグ エレトリプタン レルパックス リザトリプタン マクサルト ナラトリプタン アマージ	脳血管選択的血管収縮作用によって頭痛発作時に拡張している血管を収縮させ頭痛発作を改善する（5-HT1B が関与）。また，三叉神経からの CGRP〈カルシトニン遺伝子関連ペプチド：Calcitonin Gene-Related Peptide〉の放出を抑制して神経原性炎症を抑制する（5-HT1D が関与）。

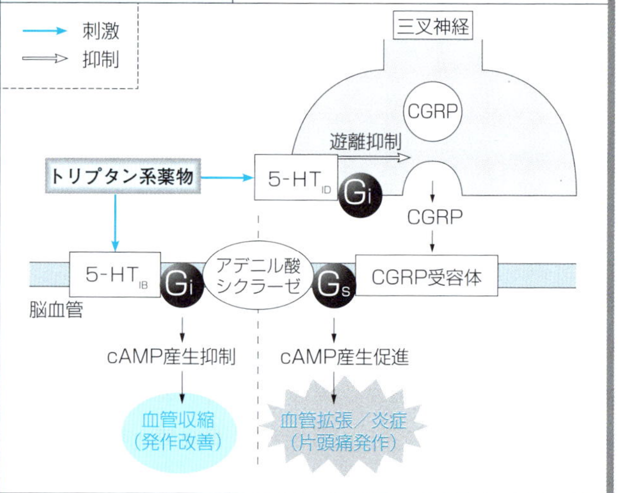

用途	分類	薬物	付記
急性期の治療	プロピオン酸系 NSAIDs	ナプロキセン ナイキサン	鎮痛，抗炎症作用
予防的治療 （発作が月に 2〜3 回以上生じるとき）	Ca 拮抗薬	ロメリジン ミグシス	脳血管選択的作用
	β 遮断薬	プロプラノロール インデラル	アドレナリン β_2受容体遮断による脳血管収縮
	セロトニン拮抗薬	ジメトチアジン ミグリステン	セロトニンによる脳血管収縮の抑制。抗ヒスタミン作用あり。
	抗てんかん薬	バルプロ酸 セレニカ R，デパケン トピラマート トピナ	各種神経原性疼痛に有効
	三環系抗うつ薬	アミトリプチリン トリプタノール	
	抗 CGRP 抗体	ガルカネズマブ エムガルティ フレマネズマブ アジョビ	カルシトニン遺伝子関連ペプチド〈CGRP〉に結合し，CGRP による片頭痛発作の発症を抑制（皮下注）。
	抗 CGRP 受容体抗体	エレヌマブ アイモビーグ	カルシトニン遺伝子関連ペプチド〈CGRP〉受容体に結合し，CGRP 受容体のシグナル伝達を阻害（皮下注）。

③ 神経障害性疼痛治療薬

疼痛には，侵害受容性疼痛（炎症性疼痛）のほかに，神経障害性疼痛がある。神経障害性疼痛は，原因となる神経損傷部位により中枢性と末梢性に分類される。帯状疱疹後神経痛は，末梢性神経障害性疼痛の代表的疾患である。神経障害性疼痛は慢性・難治性で，原因疾患が治癒しても疼痛は消失しにくい。なお，通常では無害な触覚刺激に対しても感じる痛みは接触性アロディニアとよばれ，静的アロディニア（皮膚を軽く点状に圧すること で生じる）と動的アロディニア（皮膚への軽擦で生じる）とに分類される。

神経障害性疼痛治療薬

プレガバリン リリカ ミロガバリン タリージェ	特　徴	静的及び動的アロディニアをともに抑制する（鎮痛用量モルヒネは動的アロディニアに無効）
	作用機序	1）中枢神経系の電位依存性 Ca^{2+} チャネル $\alpha_2\delta$ サブユニットに結合して Ca^{2+} 流入を抑制し，グルタミン酸等の神経伝達物質遊離を抑制して，鎮痛効果を発現。 2）プレガバリンの鎮痛効果には，下行性疼痛調節系（ノルアドレナリン経路，セロトニン経路）への作用にも関与。
	適応症	神経障害性疼痛（帯状疱疹後神経痛，糖尿病性末梢神経障害など） 線維筋痛症
ノイロトロピン ノイロトロピン	特　徴	1）ワクシニアウイルス接種家兎の炎症皮膚組織から抽出した非蛋白質性抽出液（単一で有効な成分は同定されていない） 2）鎮痛作用に，プロスタグランジン産生系やオピオイド系は関与しない
	作用機序	1）モノアミン作動性下行性疼痛抑制系の活性化 2）侵害刺激局所における起炎物質ブラジキニンの遊離抑制 3）末梢循環改善作用　など
	適応症	内服薬：帯状疱疹後神経痛，腰痛症，頸肩腕症候群，肩関節周囲炎，変形性関節症 注射薬：腰痛症，頸肩腕症候群，症候性神経痛，皮膚疾患（湿疹・皮膚炎，じん麻疹）に伴うそう痒，アレルギー性鼻炎，スモン〈SMON〉後遺症状の冷感・異常知覚・痛み

X　中枢興奮薬

☞『医薬品一般名・商品名・構造一覧』p24

おさえるべきところ

1．中枢興奮薬の分類 ……p154
2．大脳皮質興奮薬の作用と作用機序 ……p155
3．脳幹興奮薬の作用と作用機序 ……p156
4．脊髄興奮薬の作用と作用機序 ……p158

1．中枢興奮薬の分類

中枢神経系の機能を亢進させる薬物を中枢興奮薬という。中枢興奮薬は，大脳皮質興奮薬・脳幹興奮薬・脊髄興奮薬の3つに分けられるが，薬物の投与量を増加させると興奮は中枢全体に及ぶ。

分　類	作　用	適　応
大脳皮質興奮薬	精神機能向上	ナルコレプシー（睡眠発作） 注意欠陥／多動性障害〈AD／HD：Attention Deficit Hyperactivity Disorder〉 眠気・倦怠感 頭　痛
脳幹興奮薬	呼吸中枢興奮（呼吸興奮） 血管運動中枢興奮（血圧上昇） 間代性痙攣誘発	麻酔薬・睡眠薬の急性中毒 呼吸・循環機能障害 ※呼吸興奮／血圧上昇作用と痙攣を誘発する投与量の差が大きいほどよい。
脊髄興奮薬	脊髄反射亢進 強直性痙攣誘発	

2．大脳皮質興奮薬

	キサンチン誘導体	覚醒アミン（覚醒剤）など
薬　物	**カフェイン** カフェイン，無水カフェイン，レスピア	**アンフェタミン（覚醒剤）** **メタンフェタミン（覚醒剤）** ヒロポン **リスデキサンフェタミン（覚醒剤原料：アンフェタミンのプロドラッグ）** ビバンセ **メチルフェニデート** リタリン，コンサータ **ペモリン** ベタナミン **アトモキセチン** ストラテラ **グアンファシン** インチュニブ
作用機序	1）睡眠中枢アデノシン A_{2A} 受容体遮断（→覚醒） 2）覚醒神経を抑制するアデノシン A_1 受容体を遮断 3）cAMP ホスホジエステラーゼ阻害 4）細胞内 Ca^{2+} 遊離：リアノジン受容体刺激 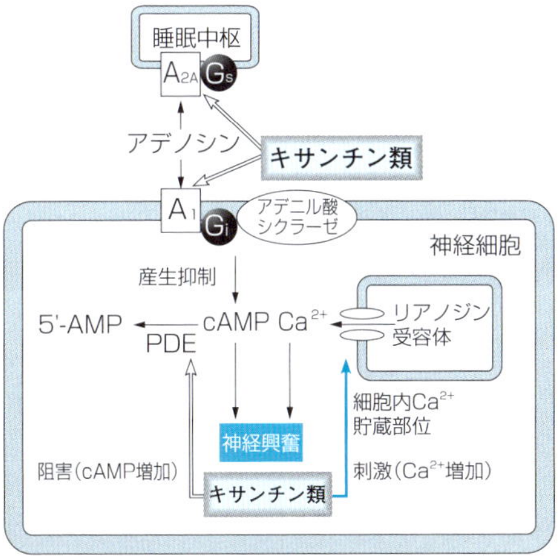	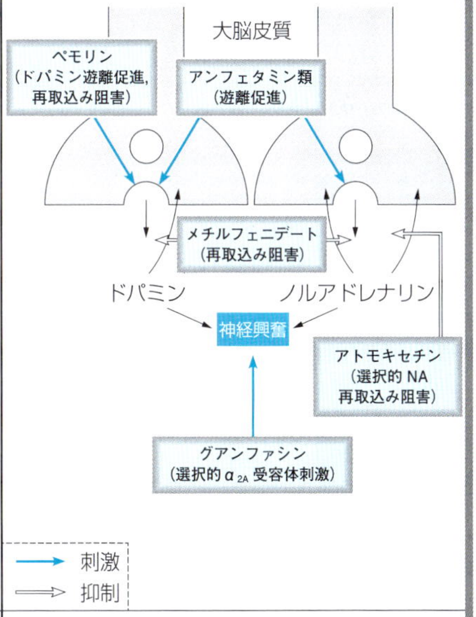
作　用	1）中枢興奮（延髄・呼吸／血管運動中枢も刺激） カフェイン＞テオフィリン＞テオブロミン 2）強心，利尿 テオフィリン＞テオブロミン＞カフェイン	1）大脳皮質・脳幹網様体興奮 →気分高揚，疲労感消失，覚醒・不眠，自発運動亢進 2）呼吸中枢刺激→呼吸興奮 3）視床下部・食欲中枢抑制→食欲減退

	カフェイン	メタンフェタミン	リスデキサンフェタミン	メチルフェニデート	ペモリン	アトモキセチン	グアンファシン
適　用	眠気・倦怠感 血管拡張性及び脳圧亢進性頭痛（片頭痛，高血圧性頭痛，カフェイン禁断性頭痛など） 未熟児無呼吸発作	ナルコレプシー（睡眠発作） 昏睡など	小児期における注意欠陥/多動性障害	ナルコレプシー（睡眠発作） 注意欠陥／多動性障害	ナルコレプシー（睡眠発作） 軽症うつ病 抑うつ神経症	注意欠陥／多動性障害	注意欠陥／多動性障害
副作用	神経過敏（不安・不眠），振戦・痙攣，不整脈，虚脱，めまい，散瞳	薬物依存	ショック・アナフィラキシー 皮膚粘膜眼症候群 心筋症 依存性	剥脱性皮膚炎 狭心症 悪性症候群 脳血管障害	重篤な肝障害 薬物依存	肝機能障害 アナフィラキシー様症状	低血圧 徐脈 失神 房室ブロック

3. 脳幹興奮薬

中脳・橋・延髄とを合わせて脳幹と呼ぶ。広義では，間脳（視床及び視床下部）も含まれる。

分　類	薬　物	作用機序・作用の特徴など
痙攣薬	（ビククリン）	$GABA_A$受容体遮断（GABA 結合部位での競合拮抗）
	（ピクロトキシン）	$GABA_A$受容体抑制（GABA 結合部位以外での非競合拮抗）
	（ペンチレンテトラゾール〈ペンテトラゾール〉）	$GABA_A$受容体ピクロトキシン結合部位に作用 → GABA 作用遮断 神経細胞外 K^+濃度上昇作用によって神経細胞の部分的脱分極 → 大脳皮質・延髄興奮
診断薬	（ベメグリド）	大脳皮質性異常脳波誘発（てんかんの診断）
作用機序	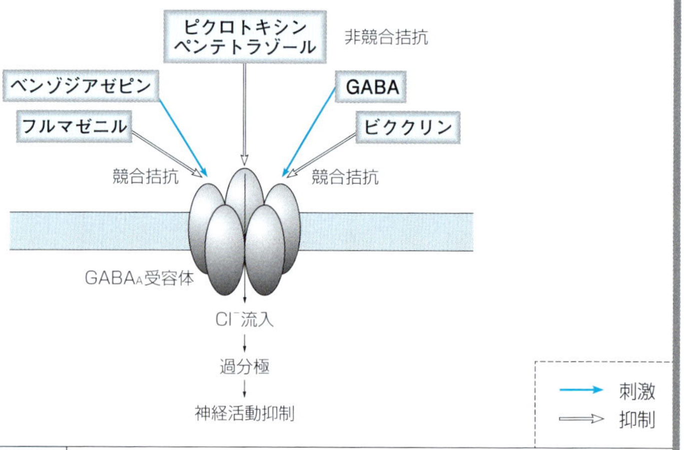	
呼吸興奮薬	中枢性：ジモルホラミン（テラプチク）	呼吸ニューロン直接刺激。消化管吸収悪い（筋注・静注）。
	末梢性（反射性）：ドキサプラム（ドプラム）	頸動脈小体・大動脈小体に存在する末梢性化学受容器を刺激し，反射性に呼吸中枢を興奮させる（注射薬）。
ナルコレプシー治療薬	モダフィニル（モディオダール）	GABA 遊離抑制（結果としてドパミン遊離促進）及びヒスタミン遊離促進により視床下部活性化。 特発性過眠性，閉塞性睡眠時無呼吸症候群にも適用。 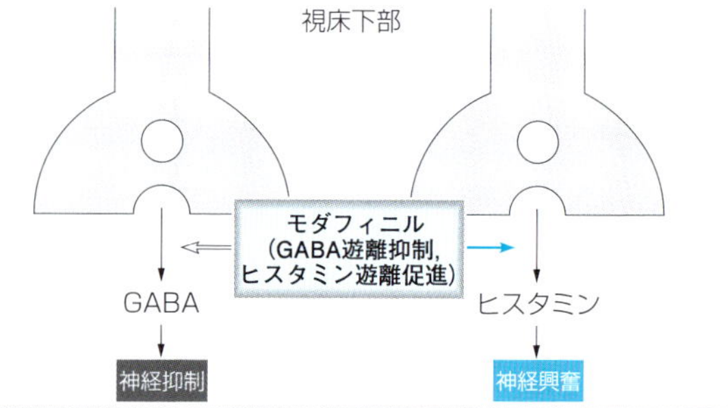

補足　食欲抑制薬と食欲増進薬

覚醒アミンには食欲抑制作用がある。そこで，食欲抑制薬（マジンドール）及び食欲増進薬（シプロヘプタジン）について以下にまとめる。マジンドールは，高度肥満症の補助療法に用いられる。シプロヘプタジンは，抗ヒスタミン作用及び抗セロトニン作用をもつアレルギー治療薬であるが，1971 年に食欲不振・体重減少への適応が追加された。しかし，その後の再評価によりこの追加適応が削除され，現在ではシプロヘプタジンの食欲亢進作用は副作用として添付文書に記載されている。

食欲抑制薬（マジンドール）と食欲増進薬（シプロヘプタジン）

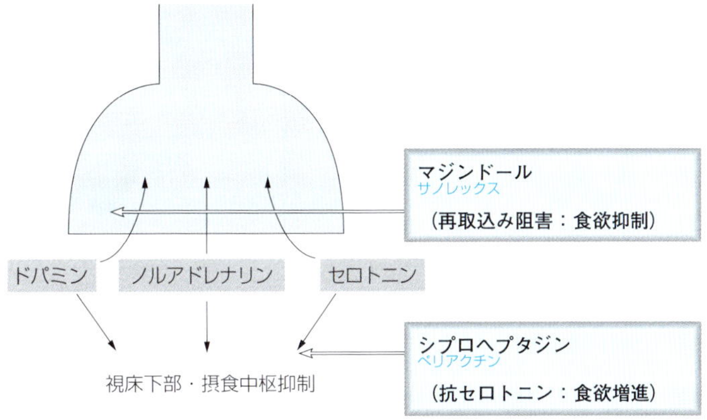

4. 脊髄興奮薬

ストリキニーネ（脊髄興奮薬）の作用の特徴について，ピクロトキシン（延髄興奮薬）と比較して以下にまとめる。

ストリキニーネ（脊髄興奮薬）とピクロトキシン（延髄興奮薬）

	ストリキニーネ	ピクロトキシン
分 類	脊髄興奮薬（強直性痙攣）	延髄興奮薬（間代性痙攣）
作用様式	グリシンによるシナプス後抑制の解除	GABA によるシナプス前抑制の解除
作用機序	グリシン受容体（Cl^-チャネル内蔵型）遮断 競合拮抗 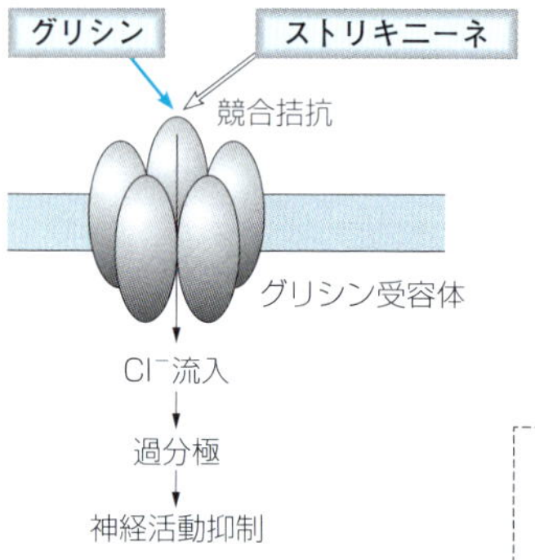  	$GABA_A$受容体（Cl^-チャネル内蔵型）抑制 非競合拮抗 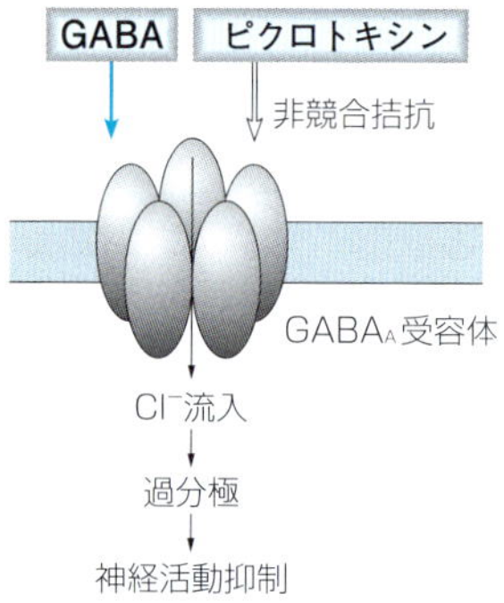
解毒薬	ベンゾジアゼピン，バルビツレート，メフェネシン	ベンゾジアゼピン，バルビツレート

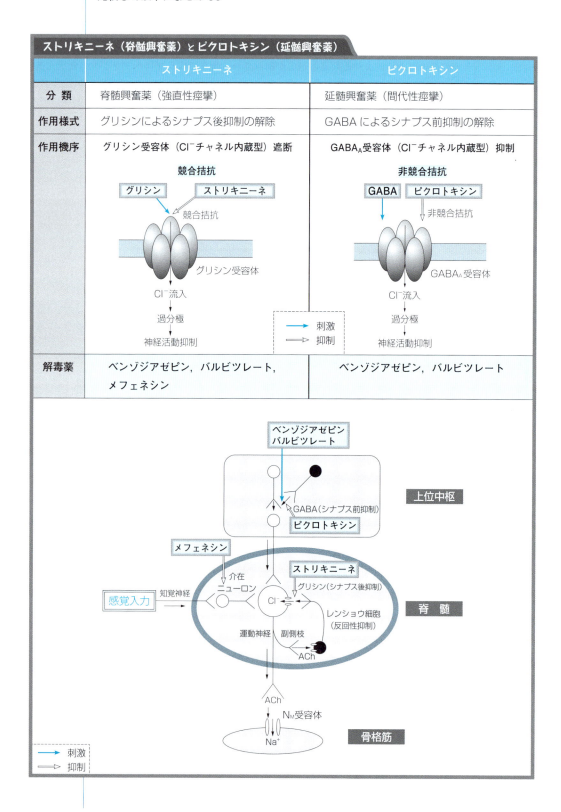

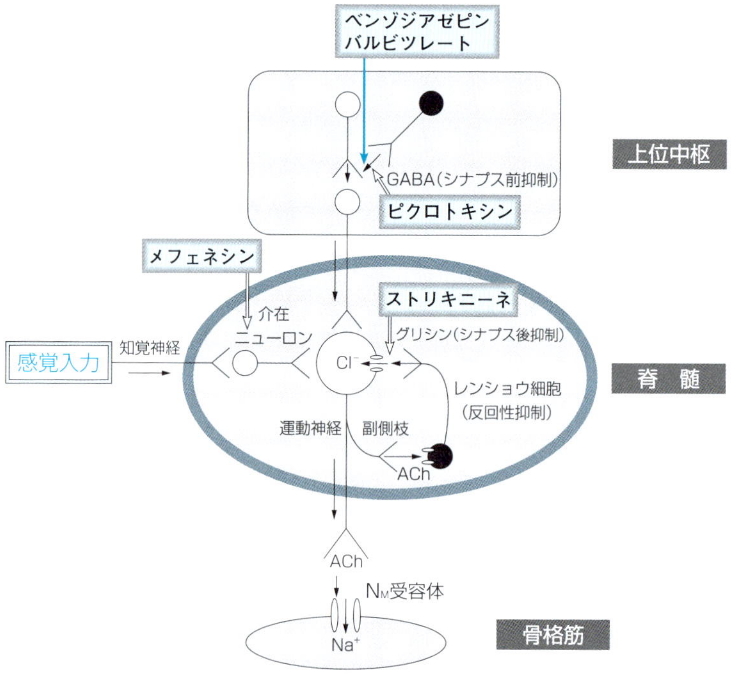

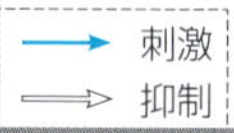

XI　めまい治療薬〈鎮暈薬〉

☞『医薬品一般名・商品名・構造一覧』p25

おさえるべきところ

1．めまい〈眩暈〉について

めまいには，末梢性・中枢性神経障害によるもの，全身に関係するもの（心血管系，血液・内分泌系，自律神経系などの障害），視性・頸性によるもの，精神科疾患によるものなど原因は様々である。めまいの症状としては，回転する感じのめまい（メニエル症候群などの内耳性のもの）や意識の遠くなるようなめまい（低血圧や脳循環障害など）がある。抗めまい薬〈鎮暈(ちんうん)薬〉は，原因に応じて使い分けられる。

2. めまいの原因と鎮暈薬の選択

分類	原因	薬物		説明
中枢性めまい	脳血管性 （脳梗塞，脳出血，頭部外傷などの後遺症）	脳循環代謝改善薬	イフェンプロジル セロクラール	血管平滑筋直接 ＋ α受容体遮断
			イブジラスト ケタス	PGI_2による血管拡張作用の増強
			メクロフェノキサート ルシドリール	グルコース代謝促進作用あり。
	心因性	抗不安薬	クロチアゼパム リーゼ トフィソパム グランダキシン ヒドロキシジンなど アタラックス	神経症，自律神経失調症に伴うめまいを改善。
末梢性めまい	メニエル症候群 （内耳中のリンパ液が異常に増加するために起こる平衡感覚及び聴覚の障害）	利尿薬	アセタゾラミド ダイアモックス イソソルビド イソバイド，メニレット	内耳リンパ浮腫除去
		血流改善薬	ベタヒスチン メリスロン	ヒスタミン作動薬。中枢性・末梢性を問わず，広範囲の前庭機能障害によるめまいに使用。
			ニコチン酸 ナイクリン ニコチン酸アミド ニコチン酸アミド	末梢循環障害改善
			カリジノゲナーゼ カルナクリン，ローザグッド	キニノーゲンからのキニン産生促進。閉塞性血栓性血管炎〈ビュルガー病またはバージャー病〉にも使用。
		代謝改善薬	アデノシン三リン酸二Na アデホス，ATP，トリノシン	脳血管障害，メニエル，内耳障害改善
			炭酸水素ナトリウム 重曹，メイロン	動揺病，メニエル，内耳障害改善
		D_2受容体遮断薬	ペルフェナジン トリラホン，ピーゼットシー	制吐作用強い。
	動揺病性	H_1受容体遮断薬	ジメンヒドリナート ドラマミン，トラベルミン プロメタジン ヒベルナ，ピレチア	ジメンヒドリナートは，ジフェンヒドラミンと8-クロルテオフィリンとの塩。中枢性，末梢性めまいに有効。
	内耳障害性	β刺激薬	イソプレナリン イソメニール	脳・内耳血流改善
		その他	ジフェニドール セファドール	椎骨脳底動脈不全の緩解，迷路機能のアンバランス改善
	頸性	中枢性筋弛緩薬	エペリゾン ミオナール	頸部筋の異常緊張が原因のめまいを改善

XII　脳循環代謝改善薬

☞『医薬品一般名・商品名・構造一覧』p27

おさえるべきところ

1．脳血管障害の分類 ……p161
2．脳循環代謝改善薬及び関連薬 ……p162

1．脳血管障害の分類

分　類	病態・症状
脳梗塞	1）脳梗塞は，脳血栓症（脳血管の動脈硬化が原因）や脳塞栓症（心臓など脳以外でできた塞栓子による脳血管閉塞が原因）などに分類される。 2）脳浮腫による脳圧亢進によって頭痛や意識障害が生じる（脳浮腫は発症後 72 時間後に最大となる）。脳血管閉塞が影響を与える脳領域によって，知覚障害や運動障害など様々な症状が現れる。症状は不変か改善しても後遺症が残るが，前駆症状としてしばしばみられる一過性虚血発作〈TIA〉の場合には，24 時間以内（多くは数時間以内）に症状は完全に消失する。
脳内出血	1）脳実質内の動脈出血（静脈，毛細血管の出血もある）。脳梗塞に次いで多い疾患。動脈硬化で脆弱化した血管に高い内圧が加わり動脈が破綻する高血圧性脳出血が 6 割を占める。被殻，視床，大脳皮質下，小脳，橋に発症する割合が高い。ほかに，頭部外傷，脳血管奇形，脳腫瘍などによる脳出血がある。 2）脳圧亢進による頭痛，意識障害，四肢の麻痺などの症状を呈し，脳梗塞に比べて二次性てんかんを起こしやすい。
くも膜下出血	1）クモ膜下腔（脳実質外）の動脈出血で，脳動脈瘤の破裂による場合が多い。ほかには，高血圧，動脈硬化，脳動脈奇形，頭部外傷，出血性素因などに起因する。 2）突然の激烈な頭痛で発症し，悪心・嘔吐を伴う場合が多く，重症例では意識障害や死に至る。出血後の血腫が脆弱な破裂後 24 時間以内（とくに，6 時間以内）に再発する場合が多く，また，血管攣縮により脳梗塞を来す場合が多い。
脳腫瘍	頭蓋内（脳実質内外）に発生する良性及び悪性新生物の総称。 頭蓋内を圧迫するため，頭蓋内圧亢進症状（頭痛，悪心・嘔吐など）を現す。

2．脳循環代謝改善薬及び関連薬

脳循環代謝改善薬は，脳血管障害後遺症（意欲低下・情緒障害・頭痛・めまい・しびれなど）や脳血管性認知症（意欲低下・行動異常など）の改善，あるいは静注で脳梗塞・頭部外傷などの急性期に用いられる薬物である。なお，脳梗塞急性期に用いる血栓溶解薬や脳梗塞二次予防に用いる抗血小板薬・抗凝血薬などは，「第 14 章　血液・造血器官系に作用する薬物—V　血液凝固抑制薬（抗血小板薬，抗凝血薬）と血栓溶解薬」（p382）で扱う。

脳循環代謝改善薬及び関連薬

分類	薬物	特徴／作用機序	適応
脳循環改善薬	**イフェンプロジル** セロクラール	血管平滑筋直接＋α遮断 抗血小板作用	脳梗塞・脳出血後遺症（めまい）
	イブジラスト ケタス	LTs・PAF 拮抗 PGI_2血管拡張増強	脳梗塞後遺症に伴う慢性脳循環障害（めまい）
	ニセルゴリン サアミオン	血管拡張＋抗血小板	脳梗塞後遺症に伴う慢性脳循環障害（意欲低下）
	ファスジル エリル	Rho キナーゼ阻害（血管拡張）	くも膜下出血術後の脳血管攣縮の改善及びこれに伴う脳虚血症状
	オザグレル Na カタクロット，キサンボン，オキリコン	トロンボキサン合成酵素阻害（血管拡張＋抗血小板）	くも膜下出血術後の脳血管攣縮の改善及びこれに伴う脳虚血症状 脳血栓症急性期に伴う運動障害
	クロピドグレル プラビックス **チクロピジン** パナルジン	ADP 受容体拮抗（抗血小板）	虚血性脳血管障害後の再発抑制（心原性脳塞栓症を除く）など
	シロスタゾール プレタール	PDE 阻害（抗血小板）	脳梗塞（心原性脳梗塞を除く）発症後の再発抑制
脳代謝改善薬	**メクロフェノキサート** ルシドリール	脳血流増加，抗低酸素 脳内グルコース取込亢進 脳内コリン増加	頭部外傷後遺症（めまい） 脳術後・頭部外傷急性期の意識障害
	アマンタジン シンメトレル	ドパミン遊離促進 NMDA 受容体遮断	脳梗塞後遺症（意欲・自発性低下）
	チアプリド グラマリール **スルピリド** ドグマチール	ドパミン D_2遮断	脳梗塞後遺症（攻撃的行動，精神興奮，徘徊，せん妄）
脳内生理活性物質	**シチコリン** ニコリン	レシチン（ホスファチジルコリン）前駆物質 上行性網様体賦活系促進（意識水準上昇），錐体路系促進（運動機能亢進），脳血流改善，脳内ドパミン増加	脳梗塞急性期意識障害 頭部外傷・脳手術に伴う意識障害 脳卒中後の片麻痺
	アデノシン三リン酸 Na アデホス，ATP，トリノシン	糖・脂肪・蛋白質代謝促進 脳血管拡張作用あり	頭部外傷後遺症
	GABA ガンマロン	TCA サイクル導入部に必要なヘキソキナーゼ活性を高め，脳内糖質代謝改善	頭部外傷後遺症（頭痛，頭重感，易疲労性，のぼせ感，耳鳴，記憶障害，睡眠障害，意欲低下）
	プロチレリン ヒルトニン	甲状腺刺激ホルモン放出ホルモン〈TRH〉製剤 自発運動・運動失調改善，脳波賦活・覚醒促進，下垂体 TSH 分泌促進	遷延性意識障害（昏睡・半昏睡を除く）
脳保護薬	**エダラボン** ラジカット	フリーラジカルを消去し，脂質過酸化抑制作用により，脳細胞（血管内皮細胞・神経細胞）の酸化的障害を抑制する（フリーラジカル・スカベンジャー）	脳梗塞急性期に伴う神経症候，日常生活動作障害，機能障害 筋萎縮性側索硬化症〈ALS〉における機能障害の進行抑制

XIII　アルツハイマー病治療薬

☞『医薬品一般名・商品名・構造一覧』p28

おさえるべきところ

1．アルツハイマー病の病態 ……p163
2．アルツハイマー病治療薬 ……p164

1．アルツハイマー病の病態

症　状	失認・失語・失行等を主症状とする。 全経過は 10〜15 年であるが，人により進行の速さは異なる。 1 期（自立可能）：記銘力低下，失見当識（時間），物盗られ妄想，意欲障害など 失語（言語の理解や発声が障害される） 2 期（要介護）：失見当識（場所，ヒト） 視空間失認（よく知っているトイレや家がわからなくなる） 鏡現象（鏡に映った自分がわからない）など 着衣失行（衣類の脱着ができない） 観念失行（今までできていた行為ができない） 3 期（寝たきり）：失外套症候群／無動性無言症（開眼しているが反応しない）など
脳の病理変化	1）老人斑（アミロイドβ蛋白質の沈着） 2）アルツハイマー神経原線維変化（過剰にリン酸化されたタウ蛋白質の蓄積） 3）全般性脳萎縮
生化学的所見	大脳皮質アセチルコリン減少

2. アルツハイマー病治療薬

下記の薬物は，認知症症状の進行は抑制するが，病態そのものの進行（神経の脱落・変性）を抑えることはできない。

分　類	薬　物	説　明
AChE 阻害	ドネペジル アリセプト	1）偽性コリンエステラーゼに比べて，真性コリンエステラーゼ〈アセチルコリンエステラーゼ：AChE☞p73 参照〉を選択的かつ可逆的・非競合的に阻害し，脳内アセチルコリン含量を増加させて抗アルツハイマー病効果を示す。 2）脳移行性と持続性に優れ，比較的選択的に脳内 AChE を阻害する。 3）レビー小体型認知症にも適用。
ChE 阻害	リバスチグミン リバスタッチパッチ，イクセロンパッチ	1）初の経皮吸収型製剤 2）コリンエステラーゼ〈ChE〉を偽非可逆的・競合的に阻害する。
AChE 阻害 ＋ ニコチン受容体アロステリック増強	ガランタミン レミニール	1）AChE を選択的・可逆的・競合的に阻害する。 2）ニコチン受容体アロステリック部位に結合し，アセチルコリンの作用を増強する（APL：Allosteric Potentiating Ligand アロステリック増強リガンド）。 3）神経細胞保護作用を示す。
グルタミン酸 NMDA受容体遮断	メマンチン メマリー	1）過剰なグルタミン酸による記憶・学習障害（細胞傷害やシナプティックノイズの増大）を改善する。 2）生理的な強い NMDA 受容体活性化時には，メマンチンは受容体から解離するため，神経伝達の長期増強には影響を及ぼさない。

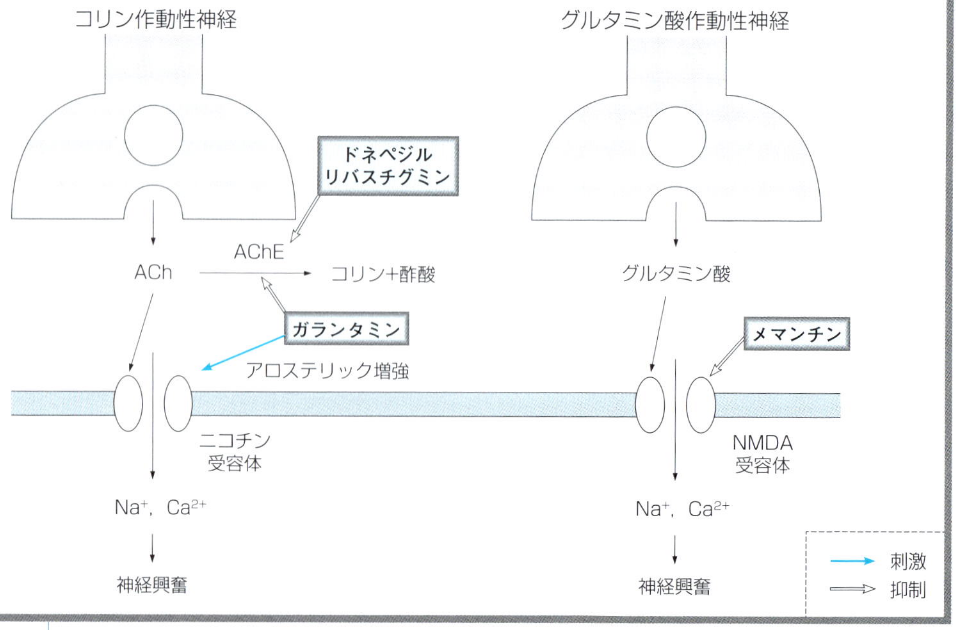

第 5 章

オータコイド

Ⅰ　オータコイド -概観- ······ 166
Ⅱ　ヒスタミン ······ 167
Ⅲ　セロトニン ······ 174
Ⅳ　ポリペプチド類 ······ 179
Ⅴ　アラキドン酸代謝物 ······ 184
Ⅵ　サイトカイン類 ······ 192

I　オータコイド －概 観－

おさえるべきところ

1．ヒスタミン及びその関連薬 ……p167
2．セロトニン及びその関連薬 ……p174
3．ポリペプチド類及びその関連薬 ……p179
4．アラキドン酸代謝物及びその関連薬 ……p184
5．サイトカイン類及びその関連薬 ……p192

神経伝達物質・ホルモン・オータコイド

1）神経伝達物質は，神経終末からシナプス間隙に分泌され，シナプスで密接する標的細胞に作用する。

2）ホルモンは，血中に分泌され，血流を介して標的細胞に到達し，作用を現す。

3）オータコイドは，神経伝達物質とホルモンとの中間的な性質をもち，組織内に分泌されて拡散により標的細胞に到達して作用を現す。オータコイドは，ギリシャ語の autos〈自己の〉と akos〈治療薬〉が語源であり，自己調節物質という意味をもつ。局所ホルモンとも表現される。

4）上記のような作用様式の違いによって，同じ生理活性物質でも，神経伝達物質として扱われたり，オータコイドとして扱われたりする場合がある（例えば，ヒスタミンやセロトニンなど）。

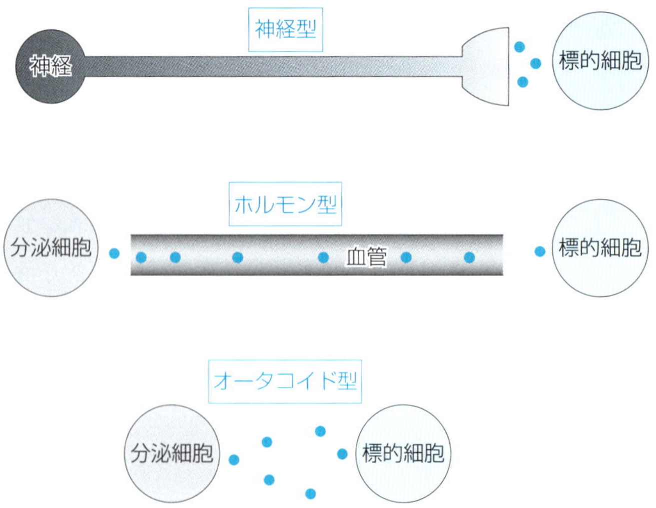

Ⅱ　ヒスタミン

☞『医薬品一般名・商品名・構造一覧』p29

おさえるべきところ

1．ヒスタミンの生合成と代謝過程 ……p167
2．肥満細胞からのヒスタミン遊離とヒスタミン遊離に影響する薬物 ……p168
3．ヒスタミン受容体と生理反応 ……p170
4．ヒスタミン H_1受容体拮抗薬 ……p171

1．ヒスタミンの生合成と代謝過程

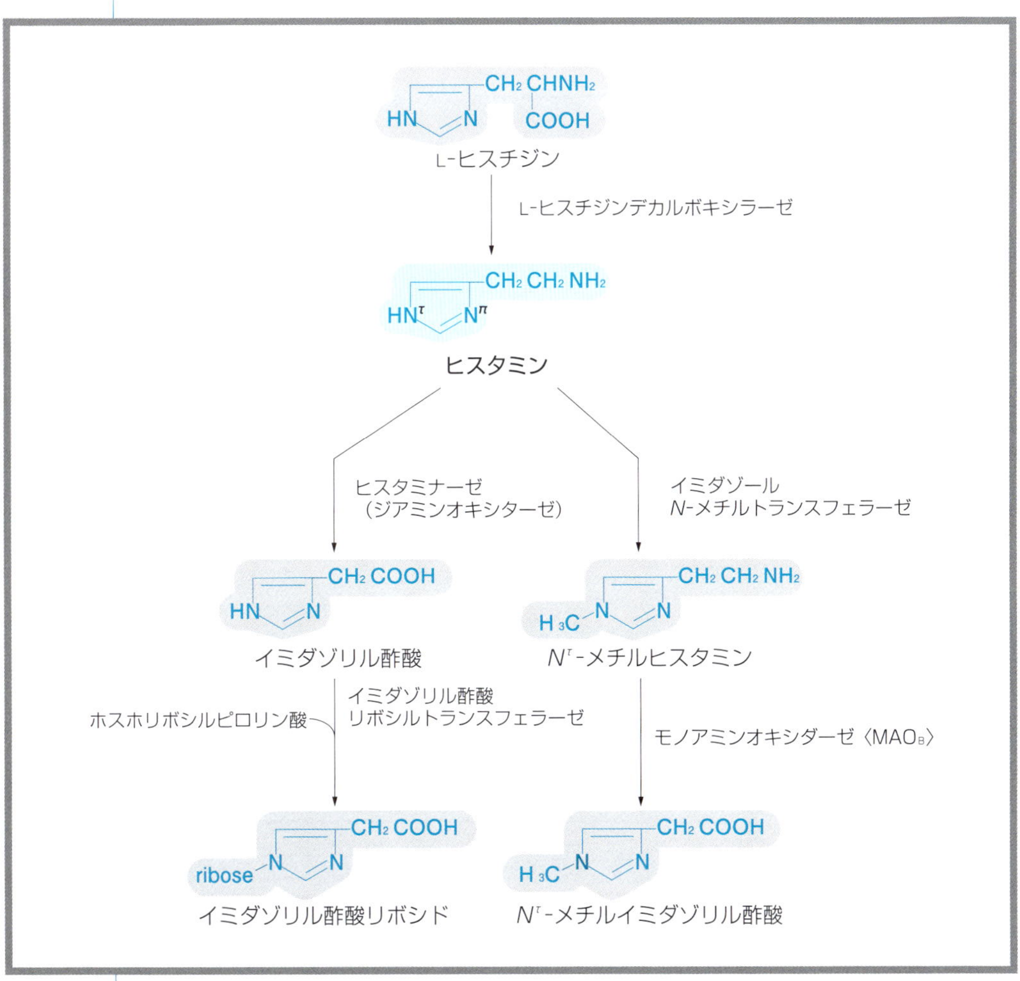

2. 肥満細胞からのヒスタミン遊離と ヒスタミン遊離に影響する薬物

❶ ヒスタミンの貯蔵と遊離

分　布	動植物界に広く分布。ヒトでは皮膚・肺・消化管に多い。
貯蔵細胞	主に，肥満細胞と好塩基球に貯蔵。 エンテロクロマフィン様細胞〈ECL細胞〉やマクロファージにも存在。 神経伝達物質としてヒスタミン作動性神経終末にも存在。
肥満細胞由来生理活性物質	ヒスタミン，ヘパリン，PAF，PGD_2，LTC_4，LTD_4，IL-1β，IL-4，キマーゼなど （肥満細胞内顆粒中では，ヒスタミンはヘパリン・蛋白複合体に弱く静電結合して貯蔵されている）
肥満細胞からのヒスタミン遊離	肥満細胞における開口分泌（脱顆粒：ケミカルメディエーター遊離）は，細胞内Ca^{2+}濃度上昇によって促進され，細胞内cAMP濃度上昇によって抑制される。

cAMP産生経路（遊離抑制）　Ca²⁺経路（遊離促進）

β_2刺激薬　ヒスタミン

架橋　抗原

Ca^{2+}　IgE

β_2　Gs　AC　Gs　H_2

Lyn Syk PLCγ　PIP₂

Fcε受容体〈FcεRI〉

ATP

cAMP → 5'-AMP
PDEⅢ

IP_3　DG

Ca^{2+}　IP₃受容体

ケミカルメディエーター

カルモジュリン　細胞内Ca^{2+}貯蔵部位

CaMキナーゼ　Cキナーゼ

抑制　促進

脱顆粒（開口分泌）

ヒスタミンH₁受容体　Gq

即時型（Ⅰ型）アレルギー
（喘息，鼻炎，結膜炎，じん麻疹，アナフィラキシーショックなど）

Lyn，Syk：チロシンキナーゼ

→ 刺激
⇒ 抑制

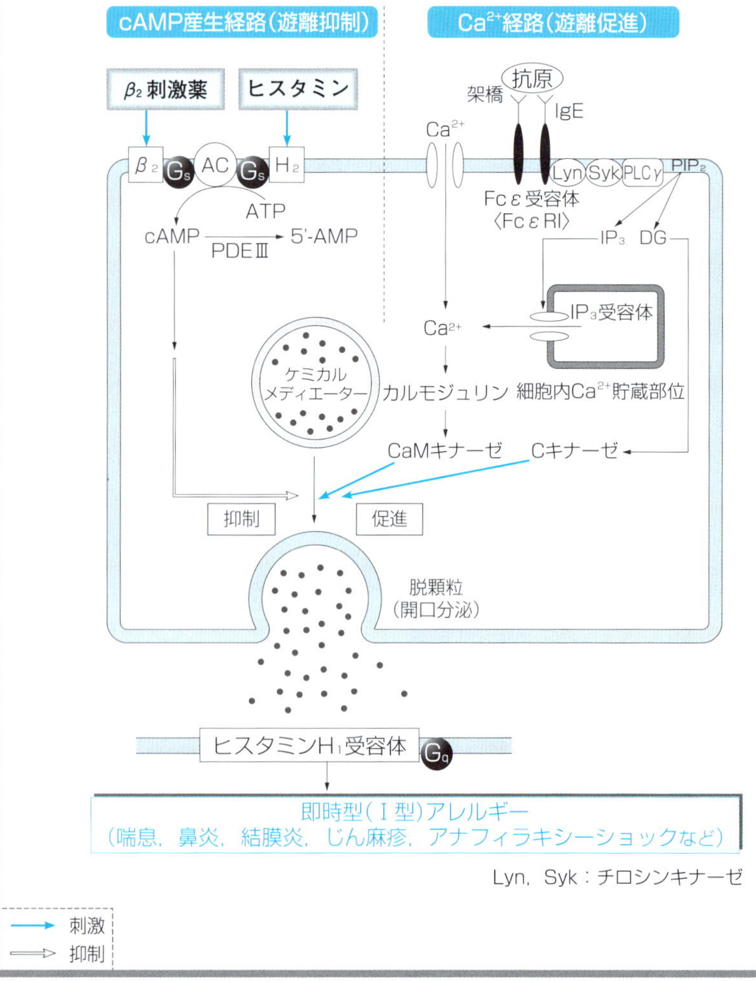

❷ 肥満細胞 からの ヒスタミン遊離 に 影響 する 薬物

項目	分 類		薬物など
遊離促進	抗原刺激		抗原（肥満細胞膜 Fcε 受容体に結合した IgE が抗原によって架橋されると細胞内情報伝達が開始し，脱顆粒が生じる）
	物理的刺激		摩擦，冷・温刺激
	化学的刺激		バンコマイシン，テイコプラニン（抗 MRSA グリコペプチド系 バンコマイシン　　　　タゴシッド 抗生物質：点滴速度が速すぎるとレッドネック症候群を誘発） モルヒネ，ツボクラリン サブスタンス P，ポリミキシン，ハチ毒
遊離抑制	cAMP関連薬	Gs共役型受容体刺激	ヒスタミン H2受容体刺激薬（ヒスタミン自身） β 受容体刺激薬
		ホスホジエステラーゼ阻害	テオフィリン テオドール，ユニフィル LA
	抗アレルギー薬 （H1受容体遮断作用なし）		オマリズマブ（ヒト化抗ヒト IgE モノクローナル抗体） ゾレア クロモグリク酸ナトリウム，トラニラスト インタール　　　　　　　　　リザベン イブジラスト，ペミロラスト ケタス　　　　　　　アレギサール，ペミラストン アシタザノラスト ゼペリン スプラタスト（Th2 サイトカイン阻害薬） アイピーディ

3. ヒスタミン受容体と生理反応

受容体	共役型	生理反応	刺激薬	拮抗薬
H_1	$G_{q/11}$	平滑筋収縮（子宮・腸管・気管支） 血管拡張（内皮 NO 産生） 血管透過性亢進 知覚神経終末での痛み・痒み 中枢興奮	2-メチルヒスタミン 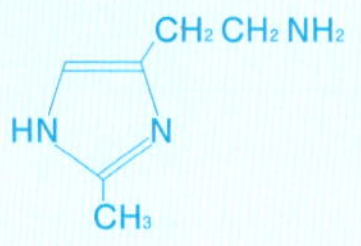	抗アレルギー薬 古典的抗ヒスタミン薬 抗アレルギー性 H_1拮抗薬
H_2	G_s	胃酸分泌 心収縮力増強・心拍数増加 血管拡張（一部） ラット子宮弛緩	4-メチルヒスタミン 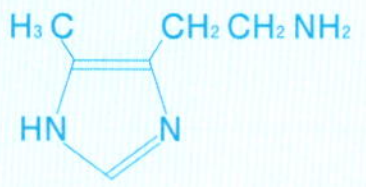	消化性潰瘍治療薬 シメチジン ラニチジン ファモチジン ニザチジン ロキサチジン ラフチジン
H_3	$G_{i/o}$	神経伝達物質の遊離抑制	(*R*)-α-メチルヒスタミン 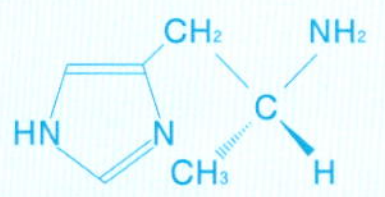	チオペラミド
H_4	$G_{i/o}$	白血球遊走	クロベンプロピット	チオペラミド

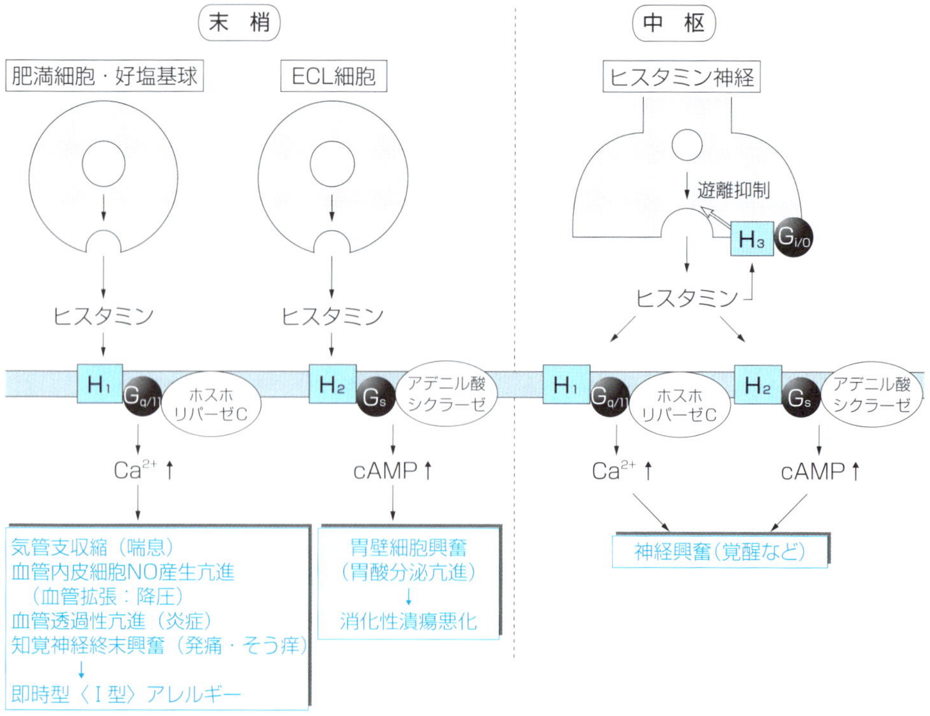
末　梢
肥満細胞・好塩基球
ECL細胞
ヒスタミン
ヒスタミン
H1
Gq/11
ホスホリパーゼC
H2
Gs
アデニル酸シクラーゼ
Ca2+↑
cAMP↑
気管支収縮（喘息）
血管内皮細胞NO産生亢進
（血管拡張：降圧）
血管透過性亢進（炎症）
知覚神経終末興奮（発痛・そう痒）
即時型〈I型〉アレルギー
胃壁細胞興奮
（胃酸分泌亢進）
消化性潰瘍悪化
中　枢
ヒスタミン神経
遊離抑制
H3
Gi/o
ヒスタミン
H1
Gq/11
ホスホリパーゼC
H2
Gs
アデニル酸シクラーゼ
Ca2+↑
cAMP↑
神経興奮（覚醒など）

4. ヒスタミン H_1 受容体拮抗薬

① ヒスタミン H_1 受容体拮抗薬 -概観-

作用点

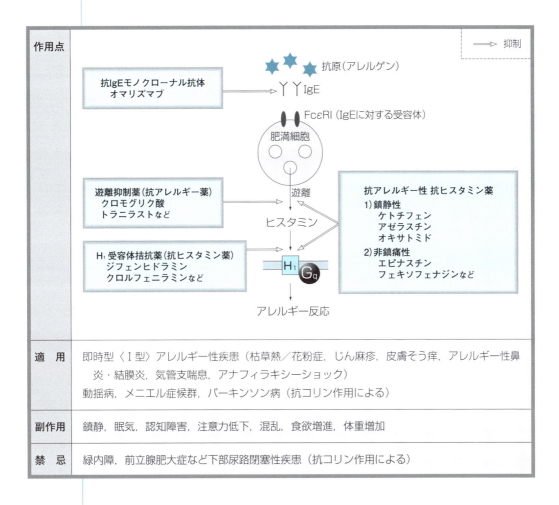

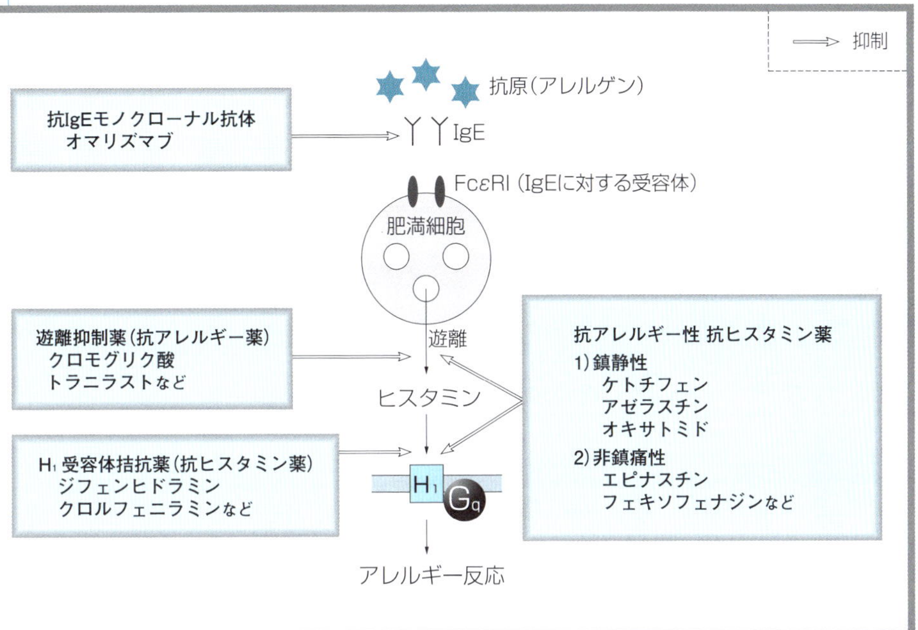

適　用	即時型〈Ⅰ型〉アレルギー性疾患（枯草熱／花粉症，じん麻疹，皮膚そう痒，アレルギー性鼻炎・結膜炎，気管支喘息，アナフィラキシーショック） 動揺病，メニエル症候群，パーキンソン病（抗コリン作用による）
副作用	鎮静，眠気，認知障害，注意力低下，混乱，食欲増進，体重増加
禁　忌	緑内障，前立腺肥大症など下部尿路閉塞性疾患（抗コリン作用による）

❷ 抗ヒスタミン薬（メディエーター遊離抑制作用のないH_1拮抗薬）

【古典的抗ヒスタミン薬の基本骨格】

$$\begin{matrix} Ar \\ Ar \end{matrix} X-C-C-N \begin{matrix} CH_3 \\ CH_3 \end{matrix}$$

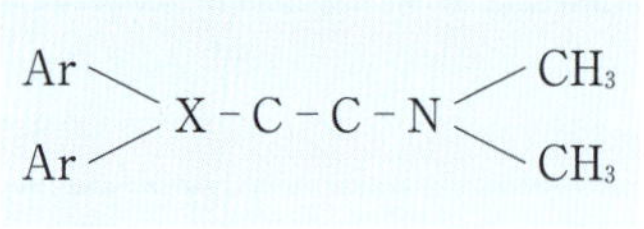

Ar：アリール基
X ：C-O, C, N

上図X	分　類	薬　物	特　徴	作　用			
				鎮 静	抗コリン	制 吐	抗動揺病
C-O	エタノール アミン	ジフェンヒドラミン レスタミン，ジフェンヒドラミン塩 酸塩，ベナパスタ ジメンヒドリナート* ドラマミン クレマスチン タベジール，テルギンG	抗ヒスタミン作用 が強く，止痒作 用・催眠作用強 い	＋＋＋	＋＋＋	（－）	＋＋＋
C	プロピルア ミン	クロルフェニラミン アレルギン，ネオレスタミン， クロダミン，ポララミン	エタノールアミン 系よりも止痒作 用・催眠作用弱 い	＋＋	＋＋	（－）	（－）
N	フェノチア ジン	プロメタジン ヒベルナ，ピレチア アリメマジン アリメジン	降圧薬の作用増強 に注意	＋＋	＋＋＋	＋＋＋	＋＋＋
	ピペラジン	ホモクロルシクリジン ホモクロルシクリジン ヒドロキシジン（抗不 アタラックス　　安薬）	抗セロトニン作用 抗ブラジキニン作用	（－）	＋	＋	＋＋＋
	エチレンジ アミン	メピラミン 〈ピリラミン〉	非医療用	＋	＋	（－）	（－）
	ピペリジン	シプロヘプタジン ペリアクチン	抗セロトニン作用，抗ムスカリン作用あり。				

＊ジメンヒドリナート：ジフェンヒドラミンと 8-クロルテオフィリンとの塩

❸ 抗アレルギー性抗ヒスタミン薬（メディエーター遊離抑制作用をもつ H_1 拮抗薬）

分　類	薬　物	説　明
鎮静性 （眠気・鎮静の中枢性副作用が比較的強い）	**ケトチフェン** ザジテン **ルパタジン** ルパフィン	抗 PAF〈血小板活性化因子〉作用あり。
	アゼラスチン アゼプチン **オキサトミド** オキサトミド	5-リポキシゲナーゼ阻害によるロイコトリエン合成阻害作用あり。
非鎮静性	**エピナスチン** アレジオン **エメダスチン** ダレン，レミカット **メキタジン** ゼスラン，ニポラジン **エバスチン** エバステル **セチリジン** ジルテック **レボセチリジン** ザイザル **フェキソフェナジン** アレグラ （テルフェナジン） **オロパタジン** アレロック，パタノール **ロラタジン** クラリチン **デスロラタジン** デザレックス **ベポタスチン** タリオン **レボカバスチン** リボスチン **ビラスチン** ビラノア	**テルフェナジン**は，CYP3A4 による代謝物が薬効を示す。未変化体は心抑制・不整脈を誘発するため，CYP3A4 阻害薬（マクロライド系抗生物質やアゾール系抗真菌薬）の併用で副作用が増大する。そこで，テルフェナジンの活性代謝物製剤として**フェキソフェナジン**が登場し，未変化体テルフェナジンによる QT 延長・心室性不整脈の副作用の問題が解決された。その結果，テルフェナジンは製造中止になっている。 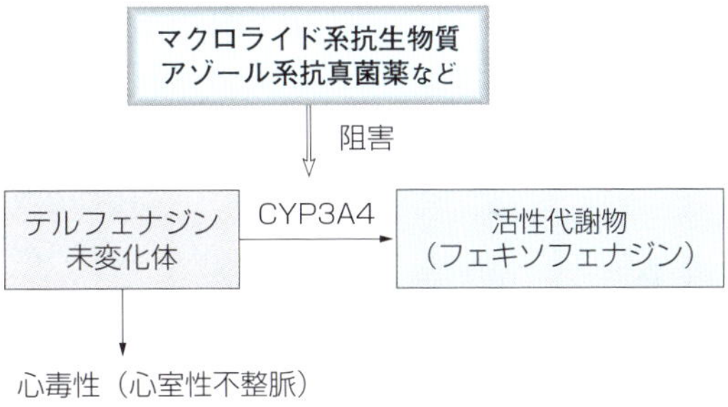

Ⅲ　セロトニン

☞『医薬品一般名・商品名・構造一覧』p32

おさえるべきところ

1．セロトニンの生合成と代謝過程 ……p174
2．セロトニン貯蔵細胞からのセロトニン放出 ……p175
3．セロトニン受容体と生理反応及びセロトニン関連薬物 ……p177

1．セロトニンの生合成と代謝過程

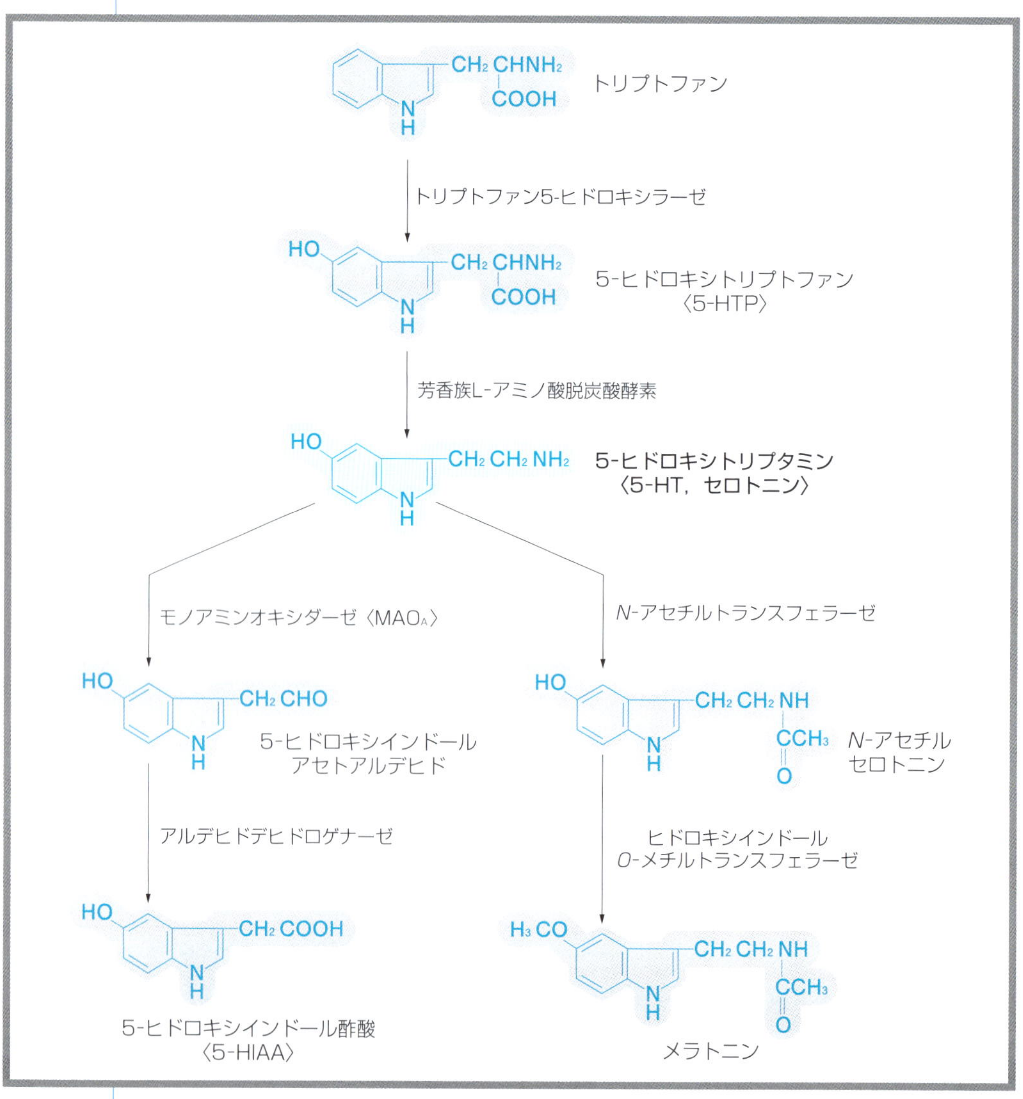

2. セロトニンの分布と作用

分　布		動植物界に広く分布
貯蔵細胞		腸クロム親和性細胞（90%） 血小板（8%） 中枢神経系（2%）：視床下部，松果体，脳幹下部（縫線核）
作用	**中枢**	1）**運 動 系**：脊髄運動ニューロン興奮，錐体外路系機能維持（パーキンソンでは低下），脳内セロトニン過剰によってセロトニン症候群（振戦・筋強剛・異常姿勢・異常運動）が出現。 2）**知 覚 系**：中枢痛覚路抑制（末梢作用と対照的） 3）**体温調節中枢**：ACh 系を介して熱産生 4）**そ の 他**：脳内セロトニン低下によって，不眠（徐波睡眠・逆説睡眠減少），摂食亢進，攻撃行動増加，幻覚（異常行動・精神異常），痙攣などが起こる。
	末梢	1）**消化器系**：低濃度で運動亢進（5-HT$_2$受容体刺激による直接収縮作用と副交感神経節及び終末 5-HT$_{3/4}$受容体刺激による ACh 遊離促進の間接作用） 2）**呼吸器系**：低濃度で頸動脈洞・大動脈弓の化学受容器を刺激して呼吸興奮（高濃度では求心性迷走神経 5-HT$_3$受容体刺激による呼吸抑制） 3）**心血管系**：皮膚血管の拡張（潮紅：交感神経終末 5-HT$_1$受容体刺激による NA 遊離抑制），末梢血管収縮（5-HT$_2$）と陽性変時・変力作用による一過性血圧上昇 4）**知 覚 系**：痛覚神経刺激（発痛）

補足　ダンピング症候群とカルチノイド症候群

ダンピング症候群	胃切除患者では，摂取した食物が小腸内に急に落ちてくる（Dump は物がドスンと落ちること）。胃切除患者にみられる胃腸症状（下痢，腹痛）や自律神経・血管運動神経症状（潮紅，動悸，めまい，冷汗）は，腸クロム親和性細胞から遊離するセロトニン過剰によって誘発されると考えられている。
カルチノイド症候群	内分泌腺細胞（胃腸管・気管支・膵臓など）から発生する腫瘍に起因する症候群。腸クロム親和性細胞由来の腫瘍はセロトニン産生腫瘍である場合が多く，腫瘍の肝転移があるとモノアミンオキシダーゼ〈MAO〉によるセロトニン分解が阻害されてカルチノイド症候群が現れる。胃腸症状，血管運動症状，気管支攣縮などの特徴的症状を呈する。

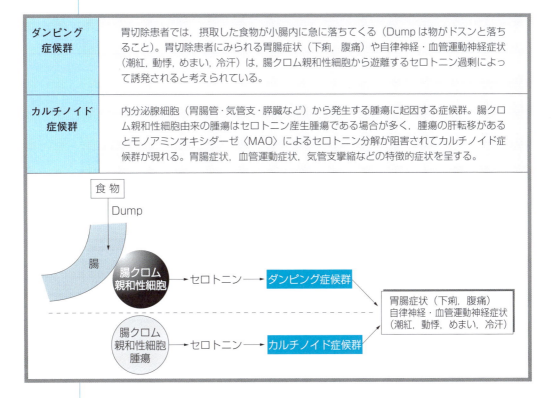

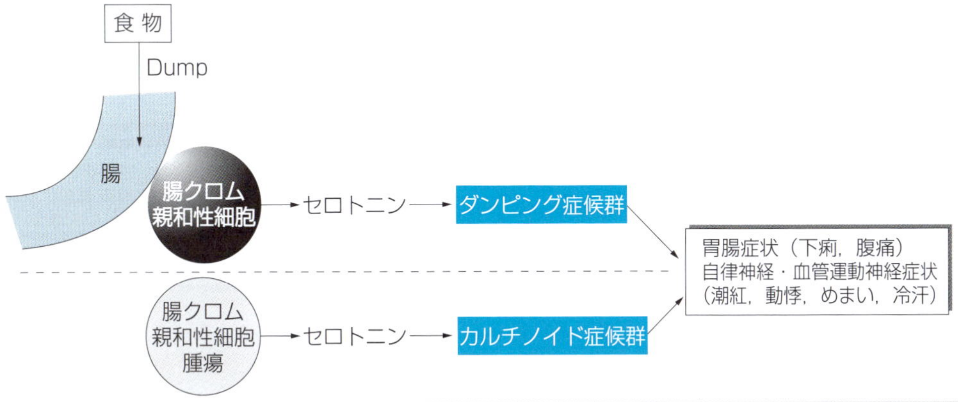

3．セロトニン作動性神経に作用する薬物

分　類			薬　物	作　用
興奮性	セロトニン遊離促進	α_2受容体遮断	NaSSA：ミルタザピン リフレックス、レメロン	抗うつ
	セロトニン再取込阻害	セロトニン選択的	SSRI：フルボキサミン デプロメール、ルボックス パロキセチン パキシル セルトラリン ジェイゾロフト エスシタロプラム レクサプロ S-RIM：ボルチオキセチン トリンテリックス トラゾドン デジレル、レスリン	
		セロトニン非選択的 （NA取込阻害作用併せもつ）	SNRI：ミルナシプラン トレドミン デュロキセチン サインバルタ ベンラファキシン イフェクサー 三環系抗うつ薬： イミプラミン イミドール、トフラニール クロミプラミン アナフラニール アミトリプチリンなど トリプタノール	
	セロトニン分解阻害	MAO_A阻害	（モクロベミド）	
抑制性	アミン枯渇		（レセルピン）	うつ誘発 鎮静・降圧作用（カテコラミンの枯渇による）

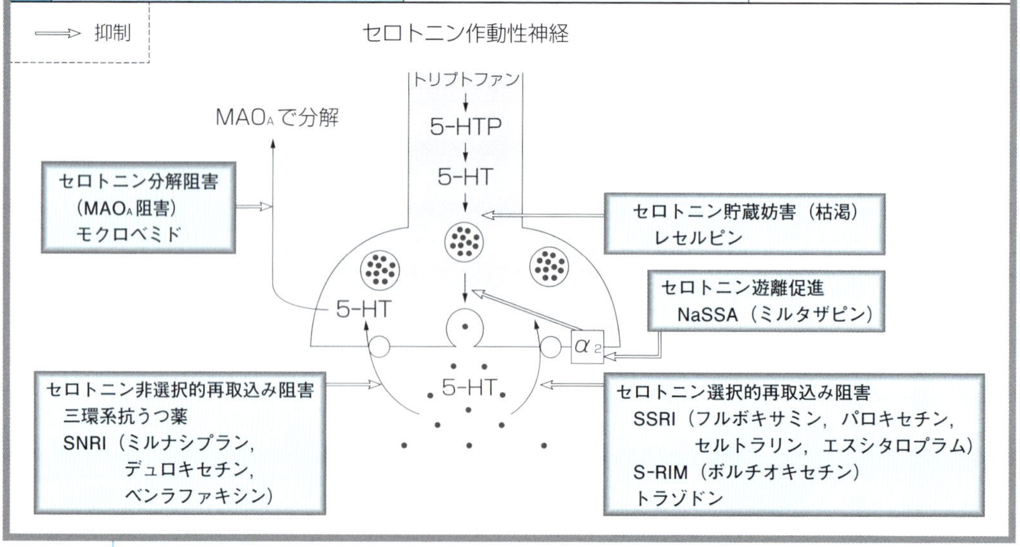

抑制
セロトニン作動性神経
トリプトファン
5-HTP
5-HT
MAOAで分解
セロトニン分解阻害
（MAOA阻害）
モクロベミド
セロトニン貯蔵妨害（枯渇）
レセルピン
セロトニン遊離促進
NaSSA（ミルタザピン）
5-HT
α2
5-HT
セロトニン非選択的再取込み阻害
三環系抗うつ薬
SNRI（ミルナシプラン，
デュロキセチン，
ベンラファキシン）
セロトニン選択的再取込み阻害
SSRI（フルボキサミン，パロキセチン，
セルトラリン，エスシタロプラム）
S-RIM（ボルチオキセチン）
トラゾドン

4. セロトニン受容体 と 生理反応 及び セロトニン関連薬物

セロトニン受容体 と 生理反応 及び セロトニン関連薬物（その1）

受容体	共役型	生理反応		関連薬	用途，付記事項など
5-HT$_1$ （図1）	G$_{i/o}$	セロトニン神経活動抑制 　（抗不安） 体温・血圧調節 三叉神経 CGRP 遊離抑制 脳血管収縮 迷走神経 ACh 遊離抑制	刺激	タンドスピロン セディール	5-HT$_{1A}$部分活性薬（抗不安）
				スマトリプタン イミグラン ゾルミトリプタン ゾーミッグ エレトリプタン レルパックス リザトリプタン マクサルト ナラトリプタン アマージ　　（長時間型）	5-HT$_{1B/1D}$刺激薬 （トリプタン系片頭痛治療） 　5-HT$_{1B}$：脳血管収縮 　5-HT$_{1D}$：CGRP 遊離抑制
5-HT$_2$ （図2）	G$_{q/11}$	中枢興奮 摂食中枢抑制 平滑筋収縮 　（子宮・腸管・気管支） 血小板凝集 血管透過性亢進 知覚神経刺激 　（痛み・痒み）	拮抗	シプロヘプタジン ペリアクチン	ダンピング症候群[*4] カルチノイド症候群[*4] アレルギー性疾患 （抗ヒスタミン作用・抗ムスカリン作用あり）
				サルポグレラート アンプラーグ	抗血小板薬 慢性動脈閉塞症（疼痛・潰瘍）
				ジメトチアジン ミグリステン	片頭痛・緊張性頭痛 （抗ヒスタミン作用あり）
				SDA[*1]／MARTA[*2]／ DSS[*3]	抗精神病薬（5-HT$_2$／D$_2$遮断）

（図1）5-HT$_1$受容体刺激薬

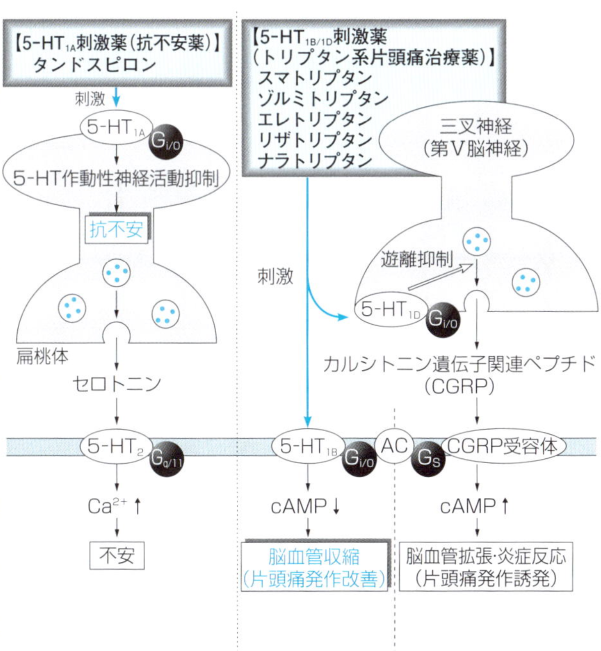

【5-HT$_{1A}$刺激薬（抗不安薬）】
タンドスピロン

刺激
5-HT$_{1A}$　G$_{i/o}$
↓
5-HT作動性神経活動抑制
↓
抗不安

扁桃体
セロトニン
↓
5-HT$_2$　G$_{q/11}$
↓
Ca^{2+} ↑
↓
不安

【5-HT$_{1B/1D}$刺激薬
（トリプタン系片頭痛治療薬）】
スマトリプタン
ゾルミトリプタン
エレトリプタン
リザトリプタン
ナラトリプタン

三叉神経
（第V脳神経）

刺激

遊離抑制
5-HT$_{1D}$　G$_{i/o}$

カルシトニン遺伝子関連ペプチド
（CGRP）

5-HT$_{1B}$　G$_{i/o}$　AC　G$_S$　CGRP受容体

cAMP ↓　　cAMP ↑

脳血管収縮
（片頭痛発作改善）　　脳血管拡張・炎症反応
（片頭痛発作誘発）

（図2）5-HT$_2$受容体遮断薬

【5-HT$_2$遮断薬】
統合失調症治療：リスペリドン　（SDA）
　　　　　　　　ペロスピロン　（SDA）
　　　　　　　　ブロナンセリン（SDA）
　　　　　　　　クエチアピン　（MARTA）
　　　　　　　　オランザピン　（MARTA）
　　　　　　　　アリピプラゾール（DSS）
抗ダンピング・抗カルチノイド
　　　　　　　：シプロヘプタジン
抗血小板　　　：サルポグレラート

神経・血小板
腸クロム親和性細胞
↓
セロトニン
↓
阻害
↓
5-HT$_2$　G$_{q/11}$
↓
Ca^{2+} ↑

中枢：統合失調症（陰性症状）
　　　摂食中枢抑制
末梢：血小板凝集
　　　ダンピング症候群
　　　カルチノイド症候群

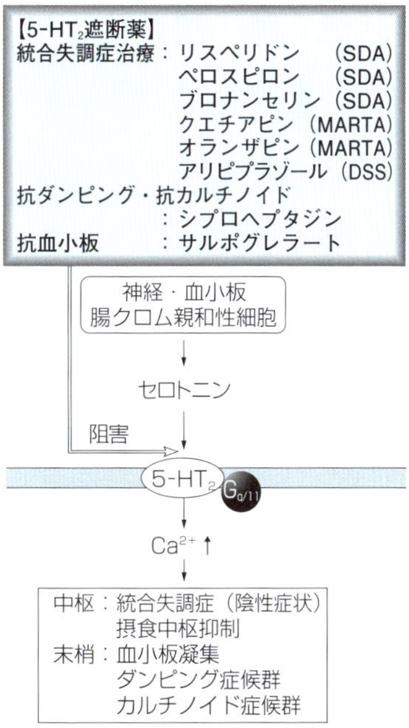

*1　SDA：セロトニン・ドパミン・アンタゴニスト（リスペリドン，ペロスピロン，ブロナンセリンなど）
*2　MARTA：多元作用型受容体標的化抗精神病薬（オランザピン，クエチアピン，アセナピン）
*3　DSS：ドパミン・システム・スタビライザー（アリピプラゾール，ブレクスピプラゾール）
*4　ダンピング症候群，カルチノイド症候群　☞ p175 参照

セロトニン受容体と生理反応及びセロトニン関連薬物（その2）

受容体	共役型	生理反応	関連薬		用途，付記事項など
$5\text{-}HT_3$ （図3）	カチオンチャネル内蔵	悪心・嘔吐 水溶性下痢 消化管運動異常	拮抗	**グラニセトロン**（カイトリル） **オンダンセトロン**（オンダンセトロン） **アザセトロン**（アザセトロン） **ラモセトロン**（ナゼア） **パロノセトロン**（アロキシ）	セトロン系制吐薬 （抗悪性腫瘍薬誘発嘔吐にも有効）
$5\text{-}HT_4$ （図4）	G_s	迷走神経 ACh 遊離促進 ヒト心臓の陽性変時作用	刺激	**モサプリド**（ガスモチン）	迷走神経終末 ACh 遊離促進 （胃運動亢進）

（図3）$5\text{-}HT_3$受容体遮断薬

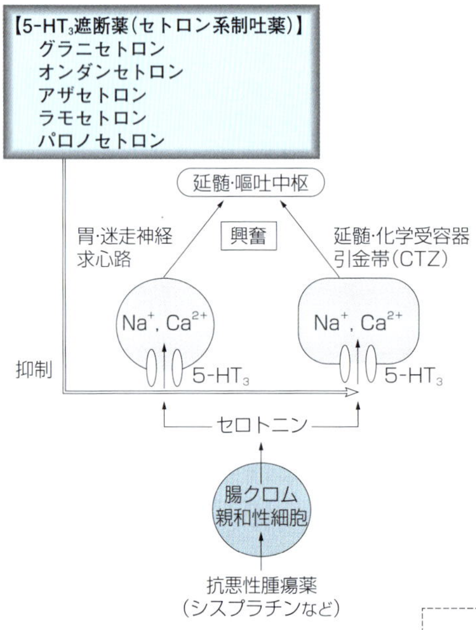
【5-HT₃遮断薬（セトロン系制吐薬）】
グラニセトロン
オンダンセトロン
アザセトロン
ラモセトロン
パロノセトロン
延髄·嘔吐中枢
胃·迷走神経
求心路
興奮
延髄·化学受容器
引金帯（CTZ）
Na⁺, Ca²⁺
Na⁺, Ca²⁺
抑制
5-HT₃
5-HT₃
セロトニン
腸クロム
親和性細胞
抗悪性腫瘍薬
（シスプラチンなど）

刺激
抑制

（図4）$5\text{-}HT_4$受容体刺激薬

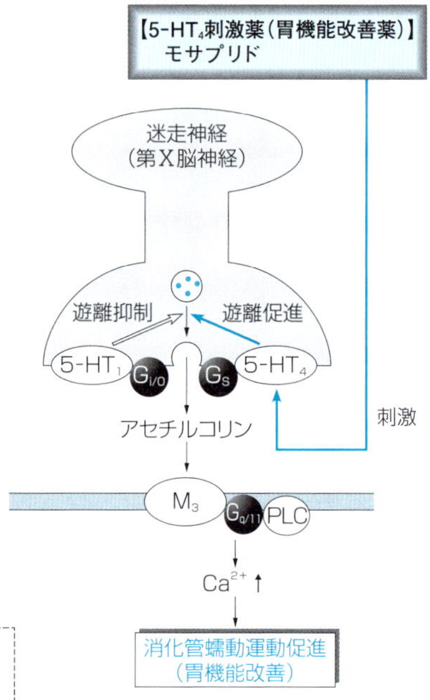
【5-HT₄刺激薬（胃機能改善薬）】
モサプリド
迷走神経
（第X脳神経）
遊離抑制
遊離促進
5-HT₁
Gi/o
Gs
5-HT₄
刺激
アセチルコリン
M₃
Gq/11
PLC
Ca²⁺↑
消化管蠕動運動促進
（胃機能改善）

Ⅳ　ポリペプチド類

☞『医薬品一般名・商品名・構造一覧』p34

おさえるべきところ

1．レニン・アンギオテンシン・アルドステロン系 ……p179
2．カリクレイン・キニン系 ……p182
3．エンドセリンと他の内皮由来血管調節因子 ……p183

1. レニン・アンギオテンシン・アルドステロン系

① アンギオテンシンの産生・代謝

レニン・アンギオテンシン・アルドステロン系は，2つの強力な生理活性物質（オータコイドであるアンギオテンシンⅡと副腎皮質ホルモンであるアルドステロン）の産生を介して，血圧調節及び体液・電解質調節に深く関与する。ここでは，アンギオテンシンⅡ産生に関与する酵素（レニン，アンギオテンシン変換酵素〈キニナーゼⅡ〉，キマーゼ）がどこに存在してどのような刺激で分泌されるのか，また，アンギオテンシノーゲンからアンギオテンシンⅡ産生までのどの段階に作用するのか，などを中心に理解しよう。

アンギオテンシンの産生・代謝

アンギオテンシンの産生と代謝	1）アンギオテンシノーゲン（主に肝臓で産生・分泌され，血漿 α_2-グロブリン分画に存在）は，腎傍糸球体装置から分泌されるレニンによってアンギオテンシンⅠに変換される。 2）アンギオテンシンⅠは，アンギオテンシン変換酵素によってアンギオテンシンⅡに変換される。 3）アンギオテンシンⅡは，アンギオテンシナーゼAによってアンギオテンシンⅢに変換される。 4）アンギオテンシンⅢは，アンギオテンシナーゼB・Cによって不活性ペプチドに代謝される（アンギオテンシンの活性にはアミノ末端から数えて3～8番目のペプチド鎖が必要）。
腎傍糸球体装置とレニン分泌	1）腎傍糸球体装置は，傍糸球体細胞と密集斑からなり，レニンを分泌する。 2）傍糸球体細胞は，腎還流圧低下（圧受容器）や交感神経興奮（β_1受容体）を検知してレニンを分泌する。 3）密集斑は，尿細管内 Na^+Cl^- 濃度の低下を検知してレニンを分泌する。
アンギオテンシンⅡ産生酵素	1）アンギオテンシン変換酵素〈ACE：Angiotensin Converting Enzyme〉は，アンギオテンシンⅠをアンギオテンシンⅡに変換する酵素であり，また，ブラジキニン分解酵素キニナーゼⅡと同一酵素である。主に肺などの血管内皮細胞で産生・分泌されて，血中及び血管内皮細胞膜上に存在する。 2）キマーゼ〈chymase〉（カイメースともよばれる）は，アンギオテンシン変換酵素とは別酵素であり，肥満細胞で合成・分泌されて，アンギオテンシンⅠをアンギオテンシンⅡに変換する。

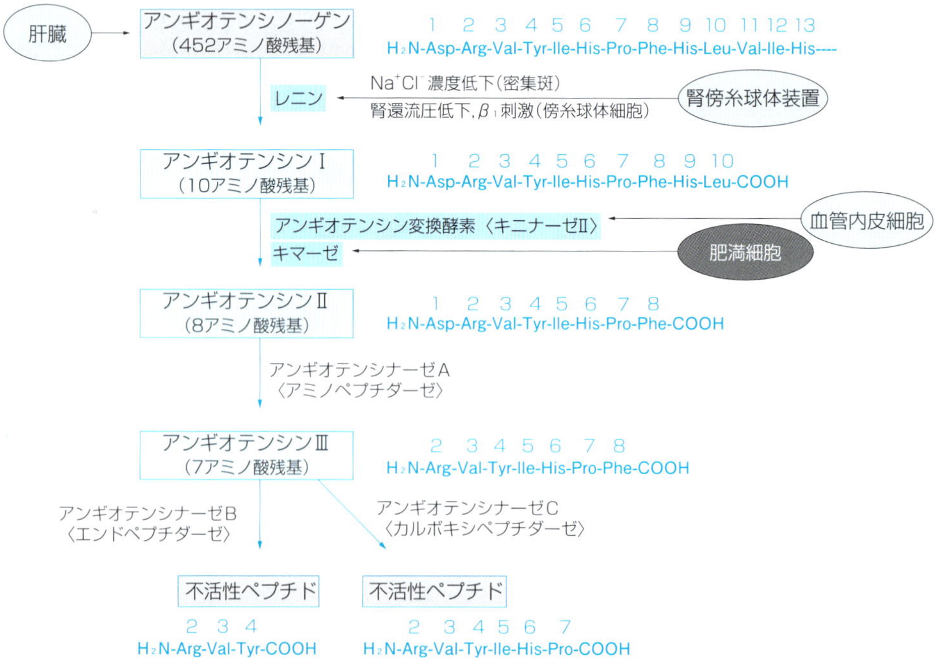

❷ アンギオテンシンⅡの作用とアンギオテンシン関連薬物

作用	AT₁受容体	血管収縮，アルドステロン分泌，細胞増殖，交感神経刺激 ⟶ 血圧上昇，体液貯留 （高血圧や慢性心不全などの病態に密接に関与する）
	AT₂受容体	細胞増殖抑制，NO 遊離促進 （胎児期や細胞異常増殖期に発現して AT₁受容体を介した作用に拮抗する）
薬物	直接的 レニン阻害薬	**アリスキレン** ラジレス
	ACE 阻害薬 〈ACE-Ⅰ〉	**カプトプリル，リシノプリル*，エナラプリル*，アラセプリル，デラプリル** カプトリル　ゼストリル，ロンゲス　レニベース，エナラート　セタプリル　アデカット **ベナゼプリル，シラザプリル，イミダプリル，テモカプリル，キナプリル** チバセン　インヒベース　タナトリル　エースコール　コナン **ペリンドプリルエルブミン，トランドラプリル** コバシル　オドリック （ブラジキニン分解阻害による降圧／腎血管拡張の利点あり）
	AT₁受容体 拮抗薬 〈ARB〉	**ロサルタン，バルサルタン，テルミサルタン，イルベサルタン，アジルサルタン** ニューロタン　ディオバン　ミカルディス　アバプロ，イルベタン　アジルバ **カンデサルタンシレキセチル*，オルメサルタンメドキソミル（持続性プロドラッグ）** ブロプレス　オルメテック （キマーゼ由来のアンギオテンシンⅡにも拮抗できる利点あり）
	適　応	高血圧症，慢性うっ血性心不全（上記*印の薬物） （心臓，腎臓などの臓器保護作用あり）
	副作用	高カリウム血症，血管浮腫，血液障害，妊婦禁忌（羊水減少，胎児死亡）など 【空咳の副作用について】 　ACE 阻害薬によって蓄積したキニンが求心性 C 線維を刺激して咳嗽反射を誘発し，またキニンが直接気管支平滑筋を収縮させるために生じる。従って，AT₁受容体阻害薬は ACE 阻害薬に比べて空咳の副作用が弱い。

⟹ 抑制

肝臓

アンギオテンシノーゲン ←

レニン阻害薬
（アリスキレン） ⟹ レニン ← 腎傍糸球体装置

分解

キニナーゼⅡ ⟸

ブラジキニン

アンギオテンシンⅠ

ACE阻害薬
（〜プリル） ⟹ ACE ← 血管内皮細胞
キマーゼ ← 肥満細胞

アンギオテンシンⅡ

AT₁拮抗薬
（〜サルタン） ⟹

B₂ Gq　　　　Gq AT₁ Gi/o　　　　AT₂ Gi/o

気道刺激

血管内皮細胞
NO/PGI₂産生亢進

副腎皮質（球状層）
アルドステロン分泌促進

腎尿細管
Na⁺/K⁺交換促進（抗利尿）

心血管系
血管収縮
心血管組織再構築
中枢/交感神経興奮作用

Tyr・Ser/Thr
ホスファターゼ活性化
MAPキナーゼ抑制

咳嗽反応
（空咳）

血管拡張（降圧）

血圧上昇
体液貯留（浮腫）
組織増殖（心肥大，血管肥厚，動脈硬化）

細胞増殖抑制
アポトーシス誘導
NO遊離増加

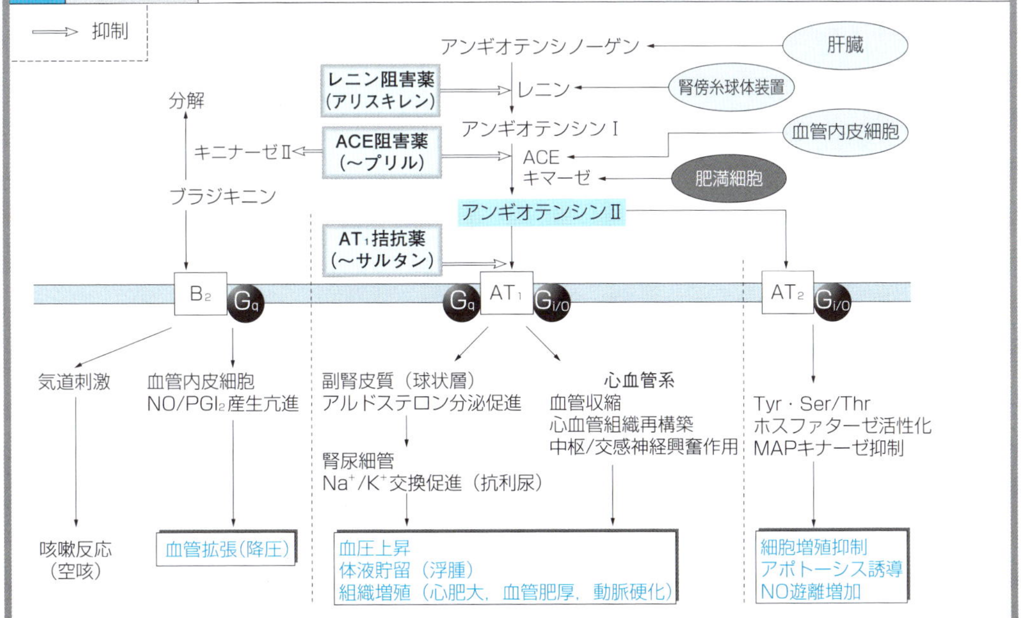

2. カリクレイン・キニン系

キニノーゲン		キニノーゲン（高分子キニノーゲン，低分子キニノーゲン）は，肝臓で産生・分泌され，血漿 α_2マクログロブリン分画に存在する。低分子キニノーゲンは，血管壁を通過して組織に移行できる。
カリクレイン（キニン産生酵素）		1）カリクレインは，セリンプロテアーゼである。 2）血漿カリクレイン（活性型）は，ハーゲマン因子（XII因子）やカリクレイン自身によって血漿プレカリクレイン（不活性型）から産生され，主に高分子キニノーゲンに作用してブラジキニンを産生する。 3）組織（腺性）カリクレインは，腎・膵・腸・唾液腺などの腺組織に分布し，主に低分子キニノーゲンに作用してカリジンを産生する。
キニン		ブラジキニン（9アミノ酸残基）やカリジン（10アミノ酸残基：リジルブラジキニン）のほかに，メチオニンリジルブラジキニン（11アミノ酸残基）がある。
キニン受容体	**B_1受容体**	1）通常は少ないが，炎症組織／細胞（マクロファージなど）で増加する。B_1受容体刺激に伴いIL-1やTNF-αが遊離され，組織障害が増悪する。 2）B_1受容体刺激因子：des-Arg^9-ブラジキニン，des-Arg^{10}-カリジン
	B_2受容体	1）発痛，血管透過性亢進，血管内皮細胞を介した血管拡張などによって，広範囲な生理作用（炎症など）に関与する。 2）B_2受容体刺激因子：ブラジキニン，カリジン 3）B_2受容体遮断薬：**イカチバント**（フィラジル）（遺伝性血管浮腫治療）

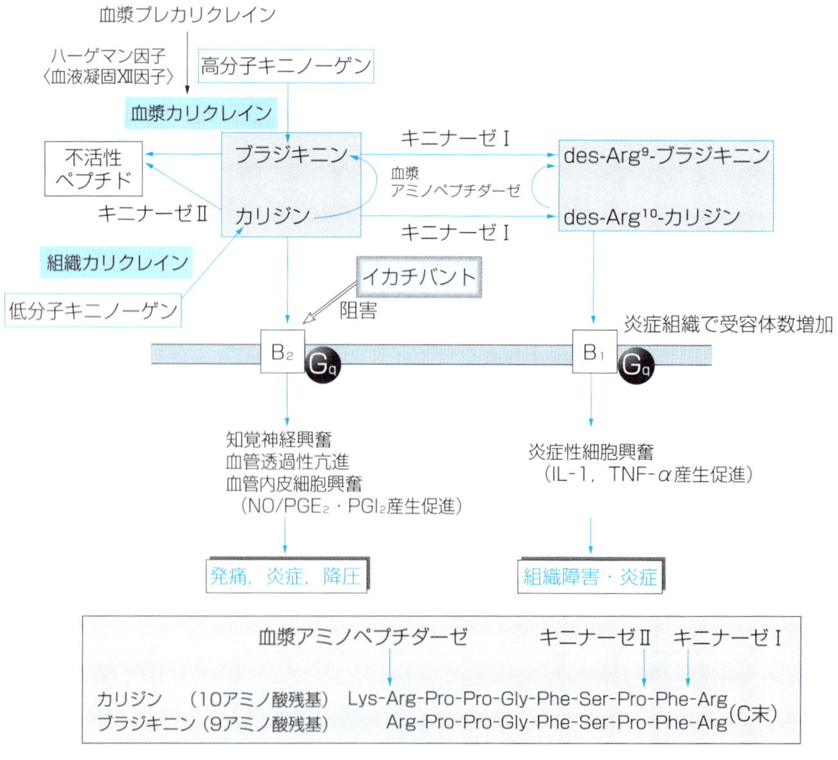

3．エンドセリン

内皮由来血管収縮／弛緩因子

分　類	内皮由来物質	血管平滑筋での標的因子	血管平滑筋での作用機構
内皮由来血管収縮因子〈EDCF：Endothelium-Derived Contracting Factor〉	**エンドセリン（ET-1，ET-2，ET-3）** ※21個のアミノ酸残基よりなり分子内に2個のS-S結合をもつ。内皮で産生されるのはET-1のみ	ET_A受容体（$G_{q/11}$共役型） ※ET_B受容体（$G_{q/11}$共役型）は，内皮細胞に分布してNO産生に関与する。	Ca^{2+}動員
内皮由来血管弛緩因子〈EDRF：Endothelium-Derived Relaxing Factor〉	**一酸化窒素（NO）**	グアニル酸シクラーゼ	cGMP産生増加
	プロスタサイクリン（PGI_2）	IP受容体（G_s共役型）	cAMP産生増加
	内皮由来血管過分極因子（EDHF）	K^+チャネル	過分極

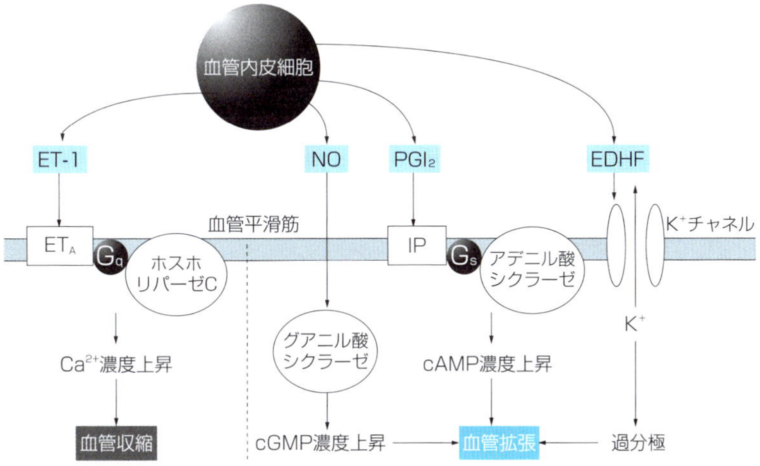

エンドセリン受容体拮抗薬

分　類	薬　物	適応・特徴
ET_A/ET_B拮抗薬	**ボセンタン**（トラクリア） **マシテンタン**（オプスミット）	原発性〈肺動脈性〉肺高血圧症治療薬（☞ p272 参照）。エンドセリンによる血管収縮，細胞増殖・肥大，細胞外マトリックス形成を阻害する。
選択的ET_A拮抗薬	**アンブリセンタン**（ヴォリブリス）	

V　アラキドン酸代謝物

☞『医薬品一般名・商品名・構造一覧』p35

おさえるべきところ

1．エイコサノイド前駆体とエイコサノイドの分類 ……p184
2．エイコサノイドの生合成 ……p186
3．エイコサノイドの生理作用 ……p188
4．プロスタグランジン製剤及び誘導体 ……p189
5．エイコサノイド阻害薬 ……p190

1．エイコサノイド前駆体とエイコサノイドの分類

① エイコサノイド前駆体からのエイコサノイド産生

1）エイコサノイドとは，炭素数 20 個（C_{20}）からなる不飽和脂肪酸の酸素添加代謝物の総称である。

2）エイコサノイド前駆体（エイコサポリエン酸）の大半は食物から摂取されるが，通常の食生活ではアラキドン酸の摂取量が圧倒的に多い。

3）体内でのアラキドン酸は，細胞膜グリセロリン脂質 2 位にエステル結合しており，ホスホリパーゼ A_2によって切り出される（☞ p16「ホスホリパーゼの分類」参照）。

4）切り出されたアラキドン酸は，シクロオキシゲナーゼによって代謝されプロスタノイドに，また 5-リポキシゲナーゼによって代謝されロイコトリエンになり，多彩な生理作用を発現する。

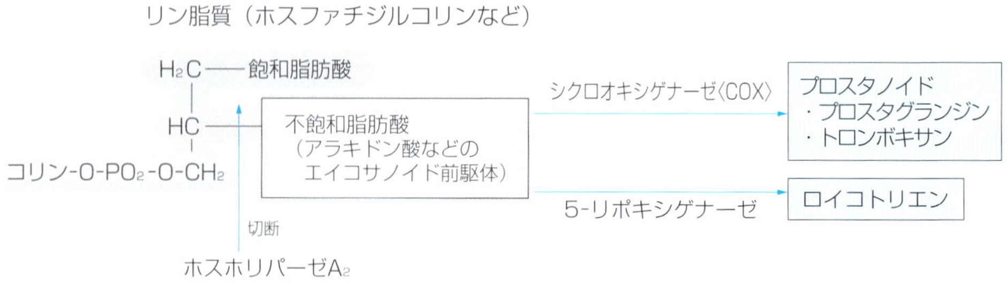

❷ エイコサノイド前駆体とエイコサノイドの分類

項　目	分　類	名　称	説　明
エイコサノイド	シクロオキシゲナーゼ代謝産物	プロスタノイド	プロスタグランジン類 トロンボキサン類
	リポキシゲナーゼ代謝産物	ロイコトリエン類	
エイコサノイド前駆体 （エイコサポリエン酸）	二重結合３つ	エイコサ<u>トリ</u>エン酸	二重結合１つのプロスタノイドに代謝
	二重結合４つ	エイコサ<u>テトラ</u>エン酸 （アラキドン酸）	二重結合２つのプロスタノイドに代謝 二重結合４つのロイコトリエンに代謝
	二重結合５つ	エイコサ<u>ペンタ</u>エン酸	二重結合３つのプロスタノイドに代謝 二重結合５つのロイコトリエンに代謝

ロイコトリエン　- →　LT$_4$　　　　　　LT$_5$

5-リポキシゲナーゼ　　　　5-リポキシゲナーゼ

PLA$_2$によって切り出された不飽和脂肪酸　→

8,11,14- エイコサトリエン酸	5,8,11,14- エイコサテトラエン酸	5,8,11,14,17- エイコサペンタエン酸

シクロオキシゲナーゼ　　　シクロオキシゲナーゼ　　　シクロオキシゲナーゼ

プロスタノイド　- - - - - -　PG$_1$　　　　　PG$_2$,TX$_2$　　　　　PG$_3$,TX$_3$

PG$_①$
PG$_②$　——数字は分子内の二重結合の数

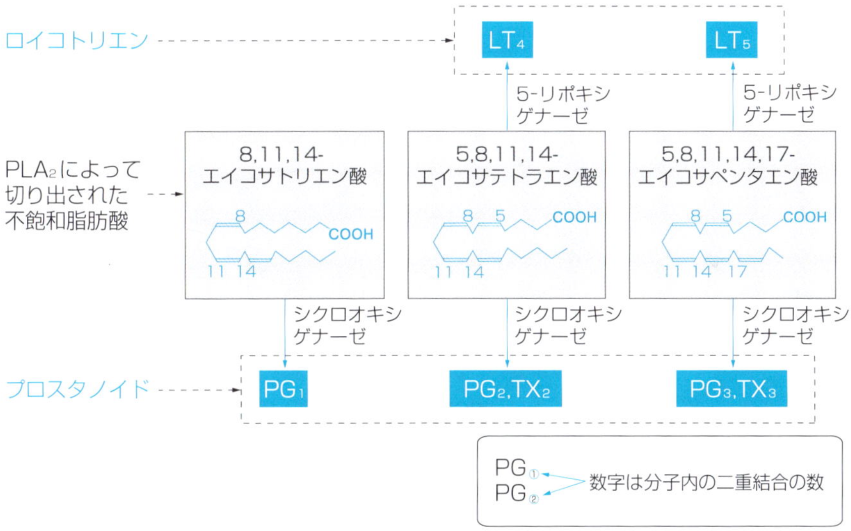

2. エイコサノイドの生合成

① プロスタノイドの生合成

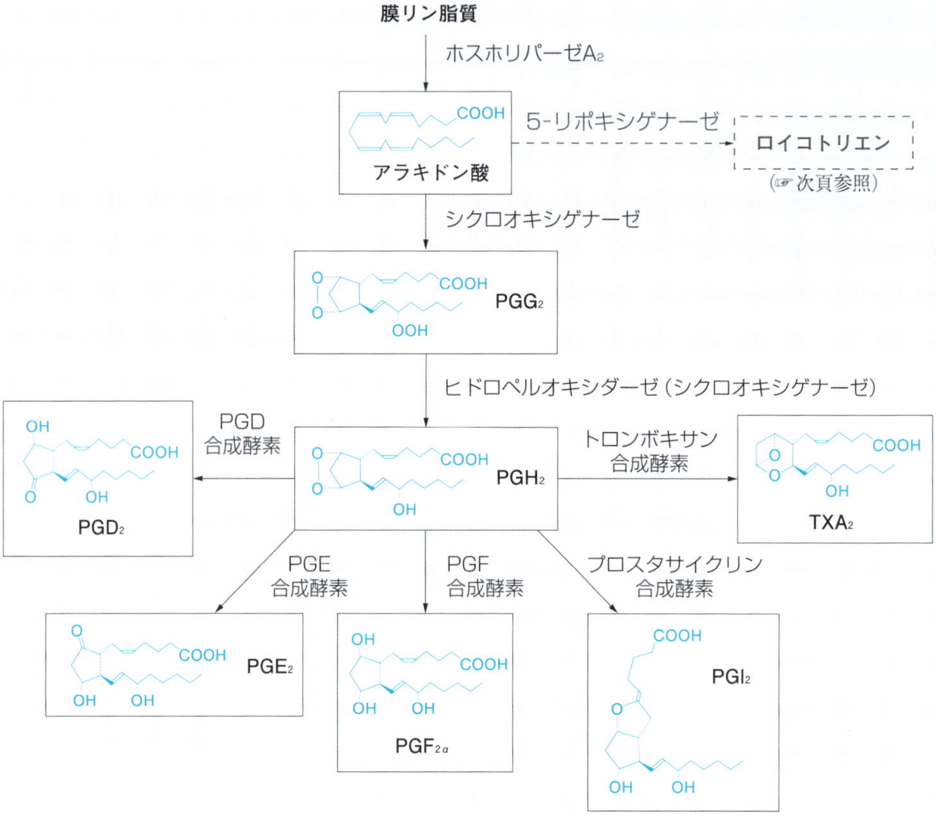

❷ ロイコトリエンの生合成

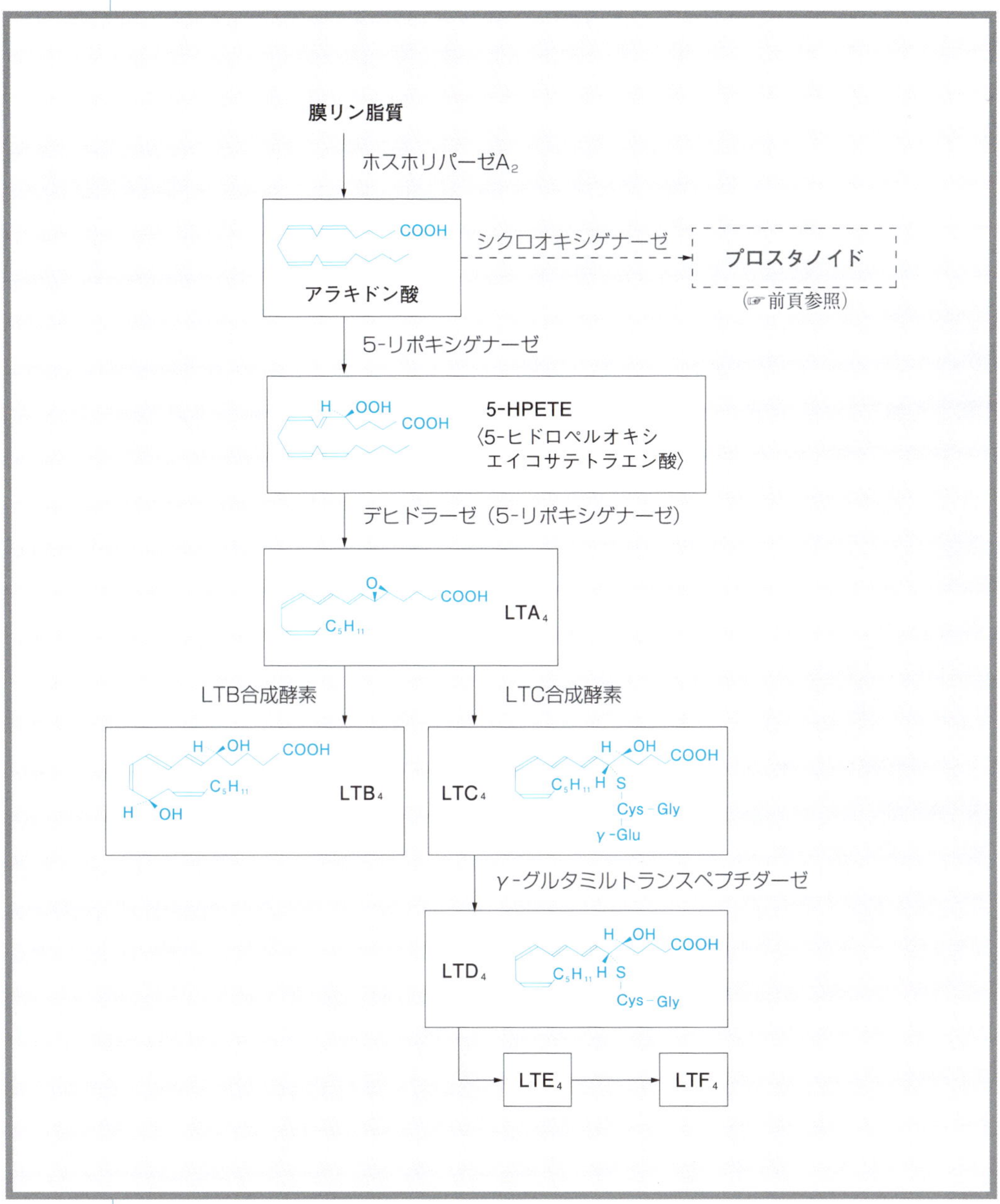

3. エイコサノイドの生理作用

以下に，エイコサノイドが作用する主たる受容体とその発現効果をまとめる。PGE_2に親和性の高い受容体（EP受容体）にはサブタイプが多く存在し，平滑筋では血管拡張（血圧低下，腎血流増大），気管支拡張，妊娠子宮収縮，消化管運動亢進などの反応に関与する。

項目		プロスタノイド								ロイコトリエン	
		PGD_2	PGE_2				PGI_2	$PGF_{2\alpha}$	TXA_2	LTB_4	LTD_4 (LTC_4)
受容体	G_q型		EP_1					FP	TP	$BLT_{1/2}$	$CysLT_{1/2}$
受容体	G_s型	DP_1		EP_2		EP_4	IP				
受容体	G_i型	DP_2			EP_3				TP	$BLT_{1/2}$	
平滑筋	血管			拡張		拡張	拡張	収縮	収縮		
平滑筋	気管支			拡張				収縮	収縮		収縮 ($CysLT_1$)
平滑筋	妊娠子宮				収縮			収縮			
平滑筋	消化管運動		促進					促進			
血小板凝集		抑制					抑制		促進		
胃酸分泌					抑制		抑制				
痛覚					増強		増強				
眼圧				低下				低下			
炎症・免疫		アレルギー炎症			発熱	免疫抑制	浮腫		免疫増強	白血球遊走促進 (BLT_1)	血管透過性亢進 ($CysLT_1$)
その他		睡眠	ストレス反応	卵胞成熟	脂肪分解抑制	動脈管開存，骨造成					

4．プロスタグランジン製剤及び誘導体

標的	分類	薬物	適応	作用機序
子宮	PGE_1	ゲメプロスト（膣坐薬） プレグランディン	治療的流産	EP_3受容体刺激による子宮平滑筋収縮
	PGE_2	ジノプロストン*（経口，膣用薬） プロスタグランジン E_2，プロウペス	陣痛誘発・分娩促進 子宮頸管熟化不全	ジノプロストン：コラゲナーゼ活性化，ヒアルロン酸合成促進による子宮頸管熟化
血管 血小板	PGE_1	ミソプロストール（経口） サイトテック	NSAIDs 誘発潰瘍	$EP_{2/4}$ 受容体刺激による胃粘膜血管拡張（胃粘膜増加），胃酸分泌抑制
		アルプロスタジル*（静注） パルクス，リプル アルプロスタジルアルファデクス*（動注・静注） プロスタンディン リマプロストアルファデクス（経口） オパルモン，プロレナール	慢性動脈閉塞症	$EP_{2/4}$・IP 受容体刺激による末梢血管拡張 血小板凝集抑制 ※ PGE_1の抗血小板作用は IP 受容体を介して発現するとされる
	PGI_2	エポプロステノール*（静注） フローラン ベラプロスト（経口） ドルナー，プロサイリン，ケアロード，ベラサス トレプロスチニル（静注・皮下注） トレプロスト イロプロスト（吸入） ベンテイビス	慢性動脈閉塞症 原発性肺高血圧症	
子宮 腸管	$PGF_{2\alpha}$ プロスト系	ジノプロスト*（静注） プロスタルモン・F	治療的流産 陣痛誘発・分娩促進 術後腸管麻痺	FP 受容体刺激による子宮／腸管平滑筋収縮
眼		ラタノプロスト（点眼） キサラタン トラボプロスト（点眼） トラバタンズ タフルプロスト（点眼） タプロス ビマトプロスト（点眼） ルミガン	緑内障	FP 受容体刺激によるぶどう膜強膜副経路を介した眼房水流出促進（眼内圧低下）
	プロストン系	イソプロピルウノプロストン（点眼） レスキュラ		Ca^{2+}活性化K^+チャネル〈BK チャネル〉刺激による線維柱帯／シュレム管経路を介した眼房水流出促進（眼内圧低下）
腸管		ルビプロストン（経口） アミティーザ	慢性便秘症	電位依存性 Cl^-チャネル〈ClC-2〉刺激による腸管内浸透圧上昇 ※ ClC-2：細胞内 Cl^-の排出に関与

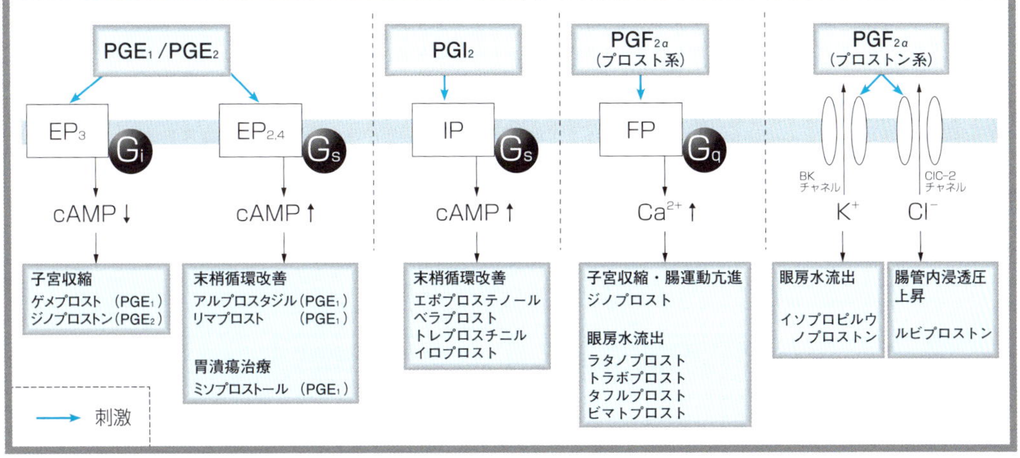
PGE1 / PGE2
EP3
Gi
cAMP ↓
子宮収縮
ゲメプロスト (PGE1)
ジノプロストン (PGE2)
EP2,4
Gs
cAMP ↑
末梢循環改善
アルプロスタジル (PGE1)
リマプロスト (PGE1)
胃潰瘍治療
ミソプロストール (PGE1)
PGI2
IP
Gs
cAMP ↑
末梢循環改善
エポプロステノール
ベラプロスト
トレプロスチニル
イロプロスト
PGF2α (プロスト系)
FP
Gq
Ca2+ ↑
子宮収縮・腸運動亢進
ジノプロスト
眼房水流出
ラタノプロスト
トラボプロスト
タフルプロスト
ビマトプロスト
PGF2α (プロストン系)
BK チャネル
ClC-2 チャネル
K+
Cl−
眼房水流出
イソプロピルウノプロストン
腸管内浸透圧上昇
ルビプロストン
刺激

*：PG 製剤（無印は PG 誘導体）

5. エイコサノイド阻害薬

分類		阻害薬物	作用
合成阻害	ホスホリパーゼ A_2 阻害	ステロイド ヒドロコルチゾン ベクロメタゾンなど	抗炎症，抗アレルギー，免疫抑制（ホスホリパーゼ A_2 阻害蛋白質リポコルチンの産生促進）
	シクロオキシゲナーゼ阻害	酸性非ステロイド性抗炎症薬 アスピリン インドメタシンなど	解熱，鎮痛，抗炎症
	リポキシゲナーゼ阻害	抗アレルギー薬 アゼラスチン オキサトミド アンレキサノクスなど	抗アレルギー
	トロンボキサン合成酵素阻害	オザグレル塩酸塩 ドメナン	気管支喘息の予防（内服）
		オザグレルナトリウム カタクロット，キサンボン，オキリコン	くも膜下出血後の脳血管攣縮や脳虚血の改善（静注）
	アラキドン酸代謝阻害（TXA_2 産生阻害）	イコサペント酸エチル〈EPA〉 エパデール	慢性動脈閉塞症，脂質異常症の改善
受容体拮抗	トロンボキサン受容体拮抗	セラトロダスト ブロニカ	気管支喘息の予防（PAF〈血小板活性化因子〉・LT 受容体拮抗作用あり）
		ラマトロバン バイナス	抗アレルギー性鼻炎 PGD_2 受容体（DP_2）遮断作用あり
	ロイコトリエン受容体拮抗	プランルカスト オノン モンテルカスト キプレス，シングレア	気管支喘息の予防 抗アレルギー性鼻炎

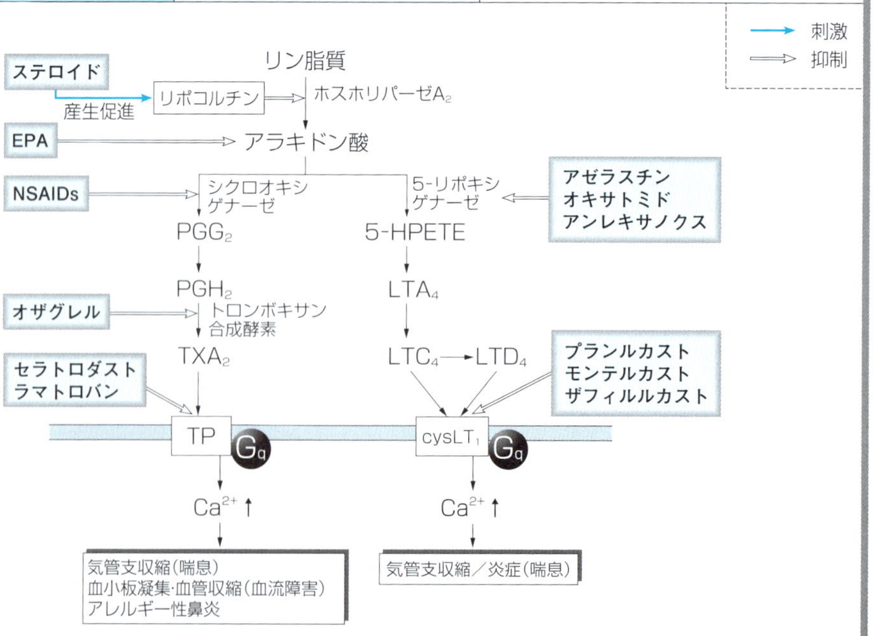
刺激
抑制
ステロイド
産生促進
リポコルチン
リン脂質
ホスホリパーゼA_2
EPA
アラキドン酸
NSAIDs
シクロオキシゲナーゼ
5-リポキシゲナーゼ
アゼラスチン
オキサトミド
アンレキサノクス
PGG_2
5-HPETE
PGH_2
LTA_4
オザグレル
トロンボキサン合成酵素
TXA_2
LTC_4 → LTD_4
セラトロダスト
ラマトロバン
プランルカスト
モンテルカスト
ザフィルルカスト
TP
Gq
$cysLT_1$
Gq
Ca^{2+}↑
Ca^{2+}↑
気管支収縮（喘息）
血小板凝集・血管収縮（血流障害）
アレルギー性鼻炎
気管支収縮／炎症（喘息）

補足 エイコサノイド阻害薬に関する補足事項

イコサペント酸エチル（エイコサペンタエン酸製剤）の作用機序

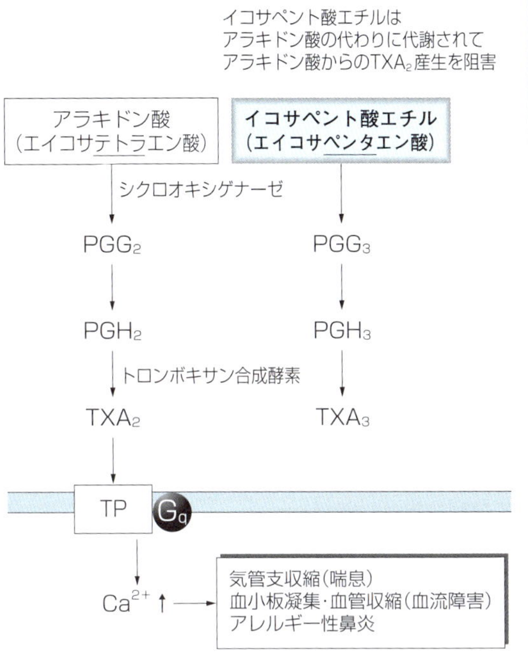

グリーンランドに住むイヌイットには，心筋梗塞などの血管障害が少ない。これは，イヌイットがエイコサペンタエン酸〈EPA〉を含む魚類を多く摂取するためと考えられている。**エイコサペンタエン酸**は二重結合３個シリーズのエイコサノイド前駆体であり（**アラキドン酸**は，二重結合２個シリーズの前駆体），生成された PGI_3は PGI_2と同程度の血管拡張作用をもつが，TXA_3は TXA_2と比べて血管収縮作用が非常に弱い。即ち，エイコサペンタエン酸製剤は，**TXA_2産生阻害**によって抗血小板作用や血管拡張作用を現す。また，血清脂質低下作用をもち，脂質異常症にも用いられる。

アスピリン（シクロオキシゲナーゼ阻害薬）の副作用

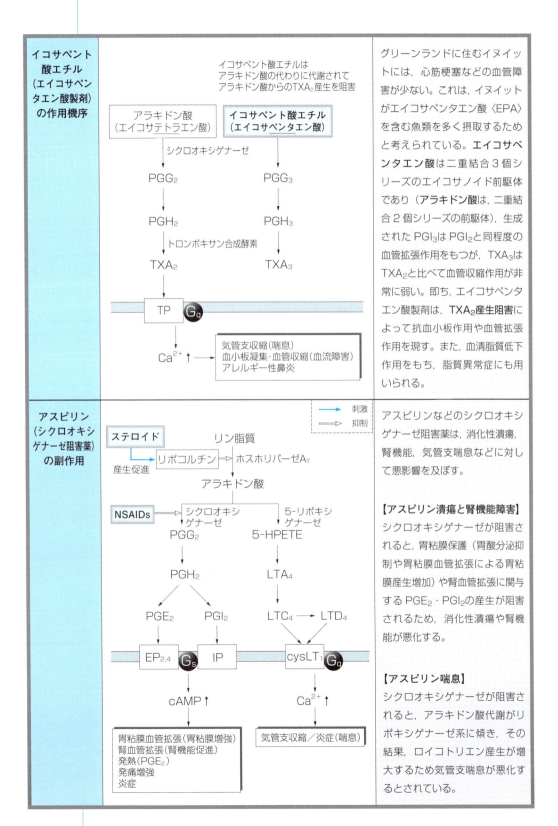

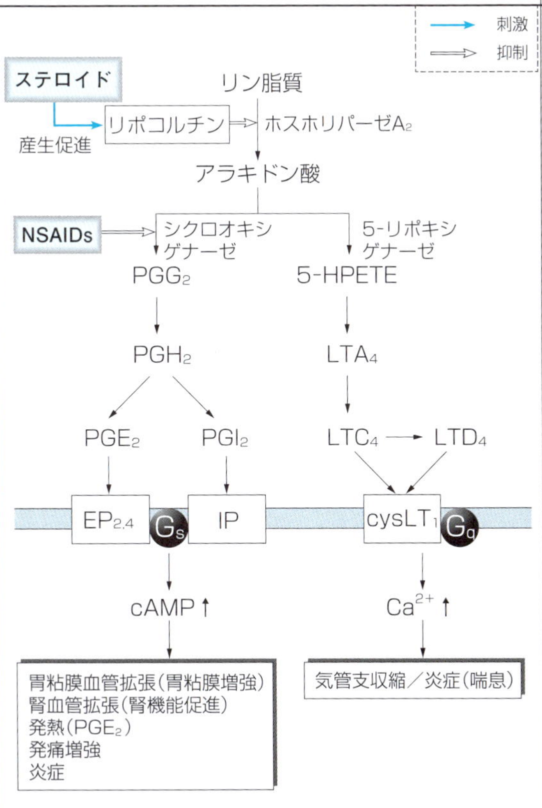

アスピリンなどのシクロオキシゲナーゼ阻害薬は，消化性潰瘍，腎機能，気管支喘息などに対して悪影響を及ぼす。

【アスピリン潰瘍と腎機能障害】
シクロオキシゲナーゼが阻害されると，胃粘膜保護（胃酸分泌抑制や胃粘膜血管拡張による胃粘膜産生増加）や腎血管拡張に関与する PGE_2・PGI_2の産生が阻害されるため，消化性潰瘍や腎機能が悪化する。

【アスピリン喘息】
シクロオキシゲナーゼが阻害されると，アラキドン酸代謝がリポキシゲナーゼ系に傾き，その結果，ロイコトリエン産生が増大するため気管支喘息が悪化するとされている。

Ⅵ　サイトカイン類

おさえるべきところ

1．サイトカインの分類 ……p192
2．サイトカインの作用（炎症・免疫系・造血系） ……p194
3．サイトカイン関連薬物 ……p196

1．サイトカインの分類

サイトカインは，細胞（主として白血球）の産生する抗体以外の生理活性蛋白質である。白血球のうち，リンパ球が産生する生理活性物質はリンホカイン，単球が産生する生理活性物質はモノカイン，白血球間の情報伝達物質はインターロイキンとよばれている。なお，白血球遊走・活性化作用を有する塩基性蛋白質（IL-8など）は，ケモカインともよばれる。

主なサイトカインと受容体

分　類	サイトカイン
インターロイキン〈Interleukin〉	IL-1α，IL-1β，IL-2〜IL-33 等
インターフェロン〈Interferon〉	IFN-α，IFN-β，IFN-γ
腫瘍壊死因子〈Tumor Necrosis Factor〉	TNF-α，TNF-β，LT〈リンホトキシン〉
造血因子〈Colony Stimulating Factor〉	顆粒球マクロファージコロニー刺激因子〈GM-CSF：Granulocyte Macrophage-Colony Stimulating Factor〉 顆粒球コロニー刺激因子〈G-CSF：Granulocyte-Colony Stimulating Factor〉 マクロファージコロニー刺激因子〈M-CSF：Macrophage-Colony Stimulating Factor〉 エリスロポエチン〈EPO：Erythropoietin〉 トロンボポエチン〈TPO：Thrombopoietin〉 幹細胞因子〈SCF：Stem Cell Factor〉
増殖因子〈Growth Factor〉	上皮細胞増殖因子〈EGF：Epidermal Growth Factor〉 血管内皮細胞増殖因子〈VEGF：Vascular Endothelial Growth Factor〉 線維芽細胞増殖因子〈FGF：Fibroblast Growth Factor〉 神経細胞増殖因子〈NGF：Nerve Growth Factor〉 血小板由来増殖因子〈PDGF：Platelet-Derived Growth Factor〉 インスリン様増殖因子〈IGF：Insulin-like Growth Factor〉 トランスフォーミング増殖因子〈TGF-α，TGF-β：Transforming Growth Factor〉

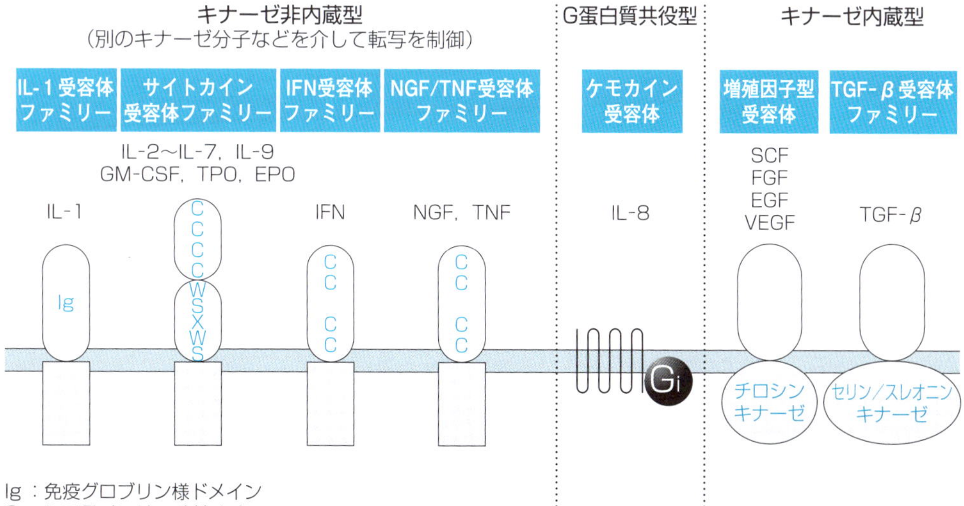

Ig：免疫グロブリン様ドメイン
C：システインリッチドメイン
W：トリプトファン
S：セリン

2. 炎症・免疫系・造血系におけるサイトカインの作用

① 炎症におけるサイトカインの作用

サイトカインは，炎症時の白血球の動員・遊走，発熱，組織修復・増殖に関与する。

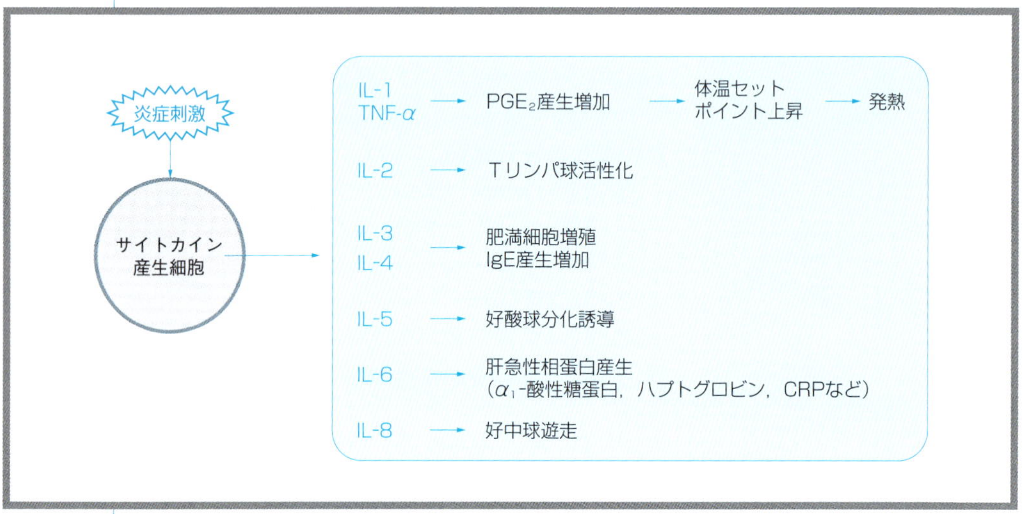

② 免疫系におけるサイトカインの作用

マクロファージが抗原を認識し，Tリンパ球の補助でBリンパ球が抗体を産生して体液性免疫が働く。また，T細胞はキラーT細胞に分化・増殖して細胞性免疫に関与する。サイトカインは，これらの免疫系細胞の分化・増殖過程に作用する。

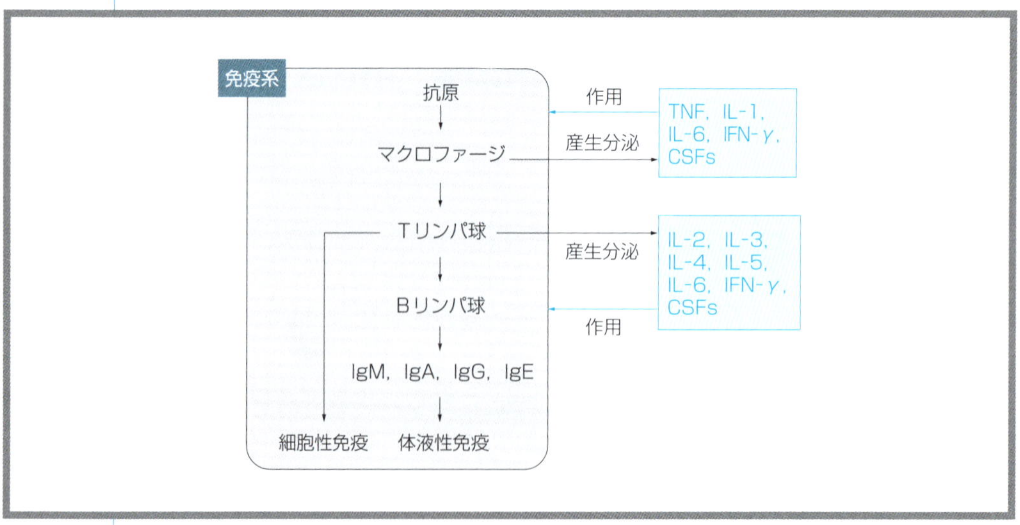

❸ 造血系におけるサイトカインの作用

サイトカインは，造血幹細胞の分化誘導・増殖過程に作用する。骨髄系幹細胞では，赤芽球・赤血球，巨核球・血小板，単球・マクロファージ（無顆粒性白血球），好中球・好塩基球・好酸球（顆粒性白血球），肥満細胞へと分化・増殖する。一方，リンパ系幹細胞では，Tリンパ球・Bリンパ球（無顆粒性白血球）へと分化・増殖し，Bリンパ球はさらに抗体産生細胞へと分化・増殖していく。

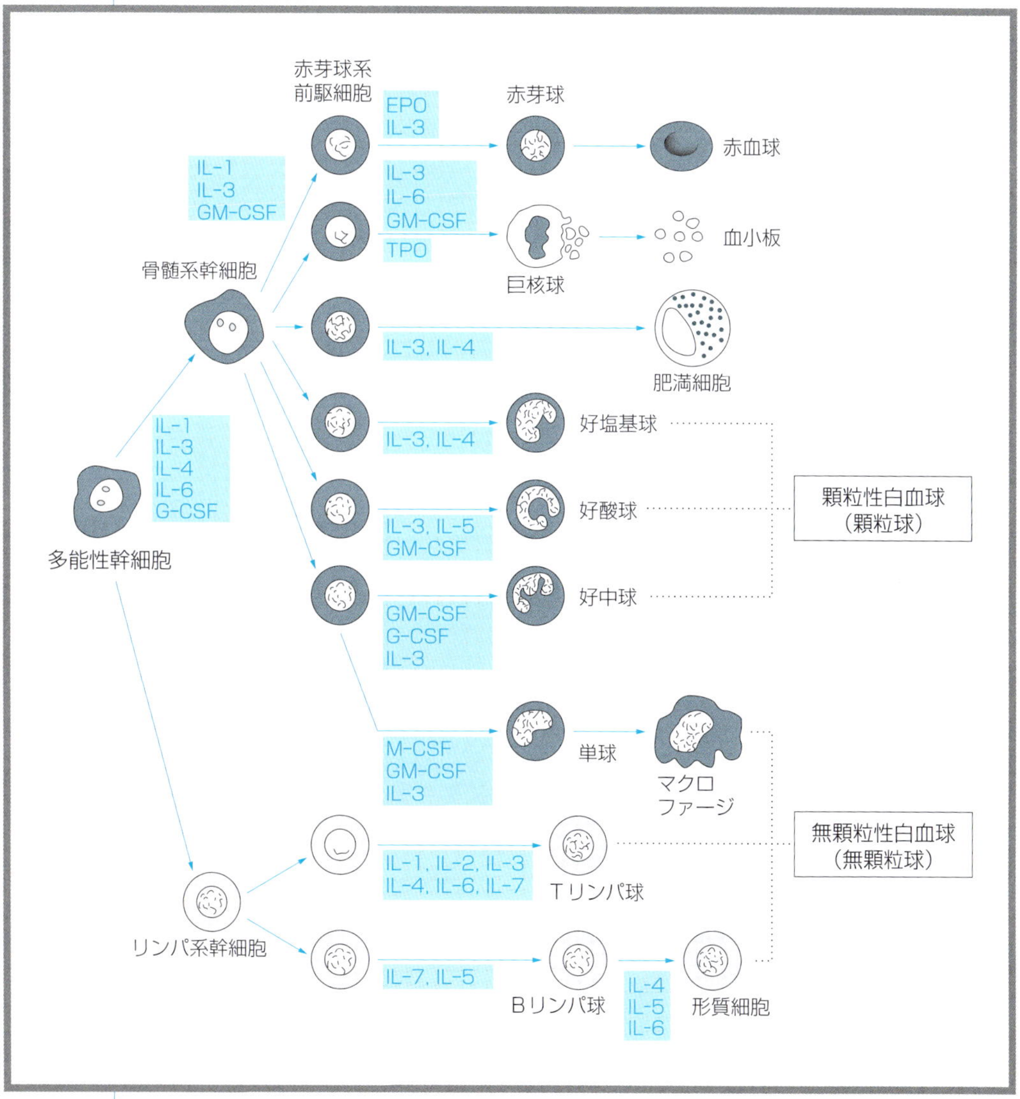

3. サイトカイン関連薬物

サイトカイン製剤・類似薬

分類		薬物	標的細胞	適用
塩基性線維芽細胞増殖因子〈bFGF〉		トラフェルミン フィブラスト，リティンパ，リグロス	線維芽細胞 血管内皮細胞	皮膚潰瘍・褥瘡
インターロイキン-2〈IL-2〉		テセロイキン イムネース	T細胞 NK細胞など	血管肉腫，腎癌
インターフェロン〈IFN〉	IFN-α	インターフェロンアルファ スミフェロン ペグインターフェロンアルファ-2a ペガシス ペグインターフェロンアルファ-2b ペグイントロン	マクロファージ T細胞 NK細胞など	腎癌 多発性骨髄腫 B型・C型肝炎
	IFN-β	インターフェロンベータ フエロン インターフェロンベータ-1a アボネックス インターフェロンベータ-1b ベタフェロン		
	IFN-γ	インターフェロンガンマ イムノマックス-γ		
エリスロポエチン〈EPO〉		エポエチンアルファ エスポー エポエチンベータ エポジン エポエチンベータペゴル ミルセラ ダルベポエチンアルファ ネスプ	赤芽球系前駆細胞	腎性貧血 （透析前後など） 手術前の自己血貯血
顆粒球コロニー刺激因子〈G-CSF〉		フィルグラスチム グラン ペグフィルグラスチム ジーラスタ レノグラスチム ノイトロジン	好中球前駆細胞	好中球減少症 （抗悪性腫瘍薬投与時や骨髄移植時）
マクロファージコロニー刺激因子〈M-CSF〉		ミリモスチム ロイコプロール	単球系前駆細胞	顆粒球減少症 （抗悪性腫瘍薬投与時や骨髄移植時）
トロンボポエチン〈TPO〉		ロミプロスチム ロミプレート エルトロンボパグ レボレード ルストロンボパグ ムルプレタ	巨核球系前駆細胞	血小板減少症

サイトカイン産生調節薬・抑制薬

分類		薬物	標的細胞	適用
サイトカイン産生調節薬		ピルフェニドン ピレスパ	マクロファージ T細胞など	特発性肺線維症
サイトカイン産生抑制薬	免疫抑制薬	シクロスポリン サンディミュン，ネオーラル，パピロックミニ タクロリムス グラセプター，プログラフ，タリムス，プロトピック	ヘルパーT細胞 （IL-2産生抑制）	拒絶反応抑制 （臓器移植時）
	ステロイド性抗炎症薬	糖質コルチコイド類	マクロファージ （IL-1産生抑制） ヘルパーT細胞 （IL-2産生抑制）など	抗炎症 抗アレルギー 免疫抑制
	Th2サイトカイン阻害薬	スプラタスト アイピーディ	Th2細胞 （IL-4，IL-5産生抑制）	抗炎症 抗アレルギー

抗サイトカイン抗体・おとり受容体

分類	標的分子	薬物	標的細胞	適用
抗サイトカイン抗体	TNFα	インフリキシマブ レミケード アダリムマブ ヒュミラ ゴリムマブ シンポニー セルトリズマブペゴル シムジア	リンパ球など	関節リウマチ クローン病 潰瘍性大腸炎
	IL-1β	カナキヌマブ イラリス	リンパ球など	全身型若年性特発性関節炎など
	IL-5	メポリズマブ ヌーカラ	好酸球など	気管支喘息 好酸球性多発血管炎性肉芽腫症
	IL-12/IL-23	ウステキヌマブ ステラーラ	リンパ球など	尋常性乾癬 関節症性乾癬 クローン病
	IL-17A	セクキヌマブ コセンティクス イキセキズマブ トルツ	角化細胞 好中球	尋常性乾癬 関節症性乾癬 膿疱性乾癬 乾癬性紅皮症
	IL-23p19	グセルクマブ トレムフィア リサンキズマブ スキリージ チルドラキズマブ イルミア	リンパ球など	尋常性乾癬 関節症性乾癬 膿疱性乾癬 乾癬性紅皮症
可溶性TNFα/LTαレセプター〈細胞外ドメイン〉製剤（おとり受容体）	TNFα/LTα	エタネルセプト エンブレル	リンパ球など	関節リウマチ

抗サイトカイン受容体抗体

標的分子	薬　物	標的細胞	適　用
IL-2受容体α鎖〈CD25〉	バシリキシマブ シムレクト	リンパ球など	拒絶反応抑制 （腎移植時）
IL-4/IL-13受容体αサブユニット	デュピルマブ デュピクセント	リンパ球など	アトピー性皮膚炎 気管支喘息
IL-5受容体αサブユニット	ベンラリズマブ ファセンラ	好酸球 好塩基球	気管支喘息
IL-6受容体	トシリズマブ アクテムラ サリルマブ ケブザラ	リンパ球など	関節リウマチ
IL-17受容体A	ブロダルマブ ルミセフ	リンパ球など	尋常性乾癬 関節症性乾癬 膿疱性乾癬 乾癬性紅皮症
Ⅰ型インターフェロン1受容体	アニフロルマブ サフネロー	リンパ球など	全身性エリテマトーデス

第 6 章

免疫系作用薬

Ⅰ　免疫機構……………………………………………………… 200
Ⅱ　免疫抑制薬…………………………………………………… 201
Ⅲ　免疫強化薬…………………………………………………… 207
Ⅳ　関節リウマチ治療薬……………………………………… 209
Ⅴ　免疫学的製剤………………………………………………… 212

I　免疫機構

細胞性免疫	T 細胞を中心とした免疫系細胞が関与する免疫。
体液性免疫	B 細胞の分化した形質細胞によって産生される抗体が主役となる免疫。

ヘルパー T 細胞

1）ヘルパー T 細胞（CD4 抗原陽性）は，T 細胞受容体〈TCR〉を介して，抗原提示細胞（マクロファージ，樹状細胞など）の主要組織適合性抗原複合体〈MHC：Major Histcompatibility Complex〉クラスⅡ抗原によって活性化される。

2）ナイーブ T 細胞〈Th0 細胞〉は，IL-12 によって Th1 細胞に，IL-4 によって Th2 細胞に分化・増殖する。

3）Th1 細胞は，IL-2，IFN-γ，TNF-β などを産生・分泌し，細胞傷害性 T 細胞を誘導して細胞性免疫に関与する。

4）Th2 細胞は，IL-4，IL-5 などを産生・分泌し，IL-4 は B 細胞を抗体産生細胞（IgG・IgE）に分化させて体液性免疫に関与するとともに，IL-5 は好酸球の活性を増大させてアレルギー反応に関与する。

5）Th1 病として関節リウマチや移植片対宿主病〈GVHD〉など，Th2 病として気管支喘息，アトピー性皮膚炎，全身性エリテマトーデス〈SLE〉などがある。

6）HIV は，T 細胞やマクロファージにそれぞれ選択的に感染し（標的細胞嗜好性），免疫不全を起こす。HIV 感染には，CD4 分子とケモカイン受容体（CCR5，CXCR4）が必要であり，ケモカイン・ケモカイン受容体の遺伝子多型は，HIV 感染感受性に影響を与える（例えば，変異 CCR5 発現者は AIDS を発症しにくい）。

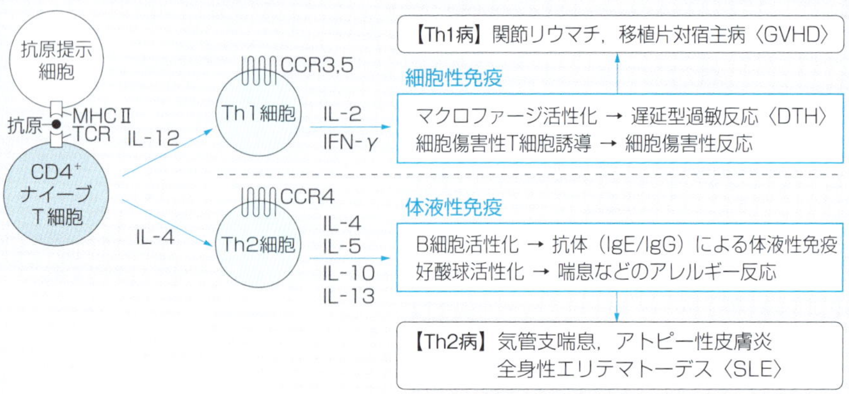

細胞傷害性 T 細胞〈キラー T 細胞〉

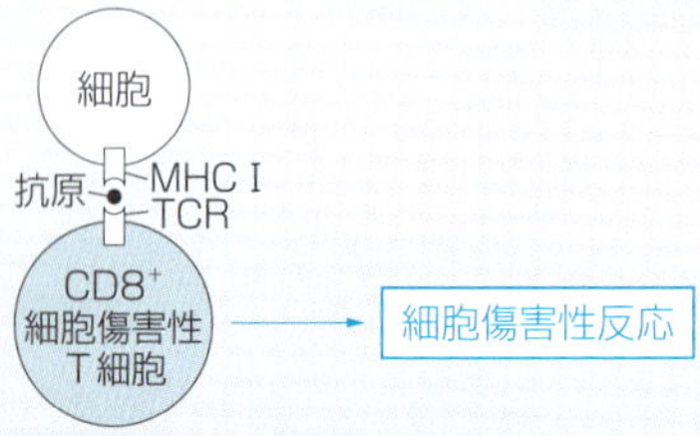

細胞傷害性 T 細胞（CD8 抗原陽性）は，ほとんどすべての有核細胞に存在する主要組織適合性抗原複合体〈MHC〉クラスⅠ抗原によって活性化され，細胞傷害性反応に関与する。

Ⅱ　免疫抑制薬

☞『医薬品一般名・商品名・構造一覧』p37

1. 免疫抑制薬 概観

免疫担当細胞（T 細胞，B 細胞など）は，細胞性免疫・体液性免疫に重要な役割を果たしており，免疫担当細胞の活性化や増殖を抑制する薬物が，免疫抑制薬として用いられる。

【ヒト白血球分化抗原〈CD 抗原：Cluster of Differentiation Antigen〉】

CD 分類は，モノクローナル抗体によって認識されるヒト白血球分化抗原の分類法である。CD 抗原は，CD 分類に基づいてヒト白血球分化抗原を番号付けしたものであり，そのいくつかを下表に示す。

ヒト白血球分化抗原〈CD 抗原〉

CD 番号	説　明	分　布	刺激効果
CD2	E ロゼット受容体	T リンパ球，NK 細胞	T 細胞活性化
CD3	T 細胞受容体〈TCR〉複合体形成	ヘルパー T 細胞	T 細胞活性化 （cf. ムロモナブ-CD3）
CD4	MHC クラスⅡへの結合 HIV 受容体	ヘルパー T 細胞	T 細胞抗原認識能亢進 HIV 感染
CD8	MHC クラスⅠへの結合	キラー T 細胞	T 細胞抗原認識能亢進
CD19	B リンパ球抗原	B リンパ球	B 細胞活性化
CD20	B リンパ球抗原	末梢 B リンパ球	B 細胞活性化 （cf. リツキシマブ）
CD25	IL-2 受容体 α 鎖	ヘルパー T 細胞	T 細胞活性化 （cf. バシリキシマブ）
CD33	シアル酸依存性接着分子	骨髄：顆粒球・マクロファージ前駆細胞 末梢血：単球	細胞増殖 （cf. ゲムツズマブ）
CD117	c-KIT 受容体 （チロシンキナーゼ）	造血前駆細胞など	細胞増殖 （cf. イマチニブ）
CD122	IL-2 受容体 β 鎖	ヘルパー T 細胞	T 細胞活性化

免疫抑制薬 概観

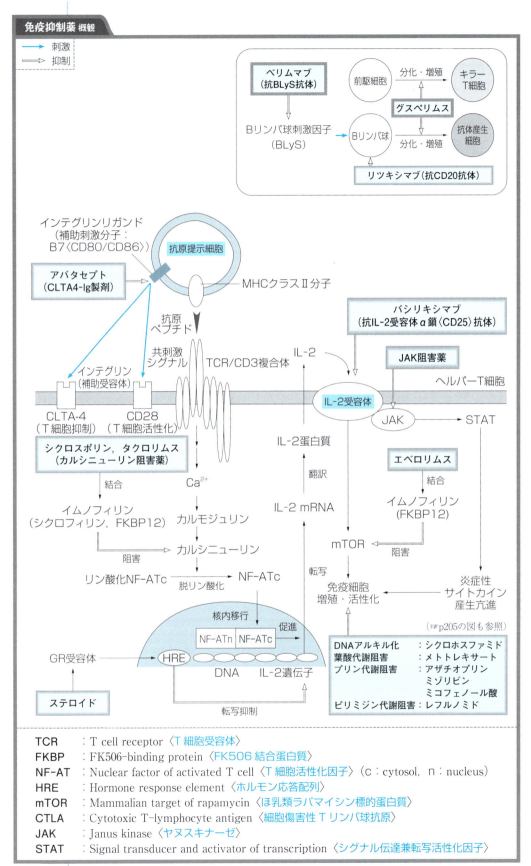

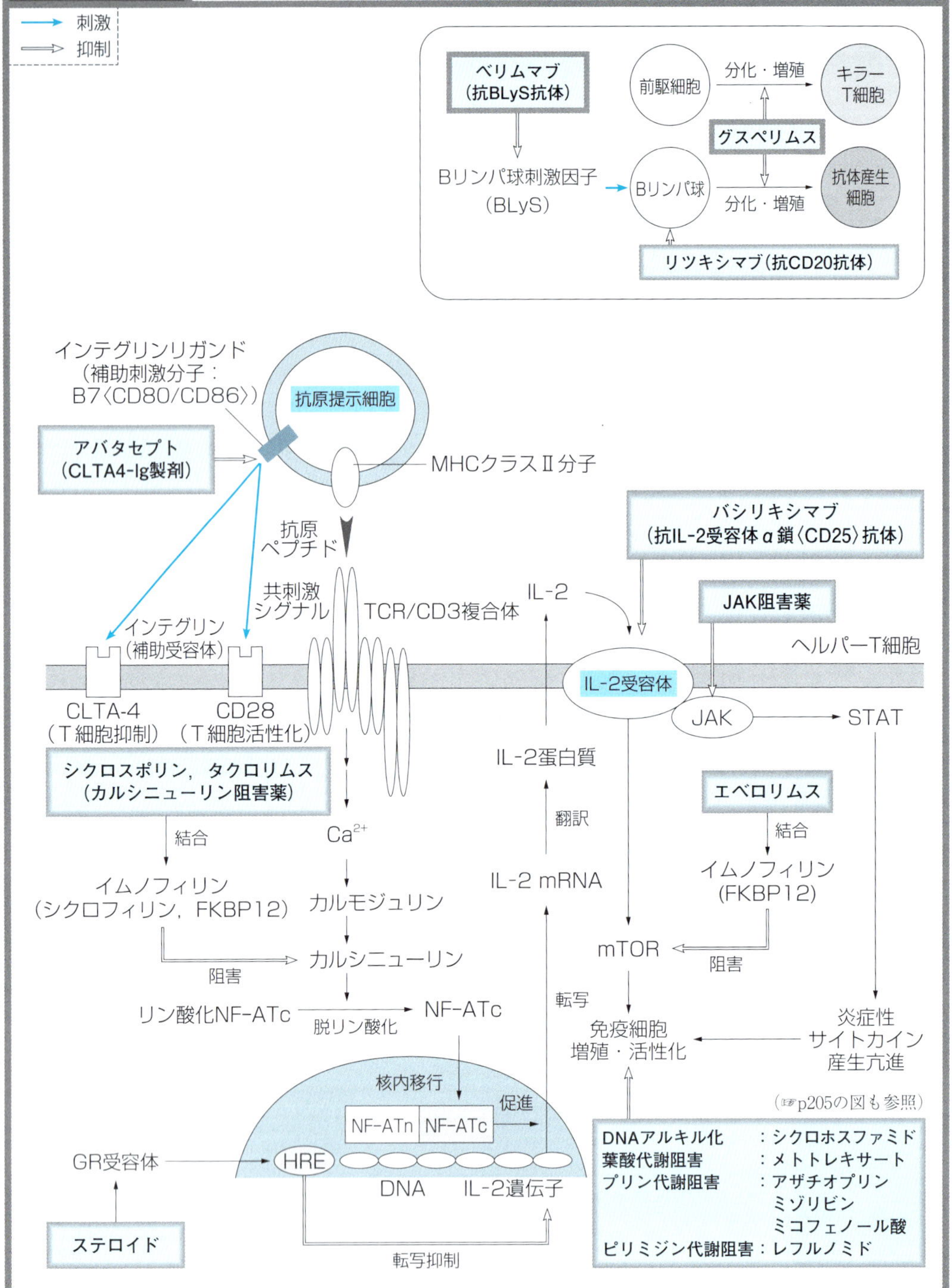

TCR : T cell receptor〈T細胞受容体〉
FKBP : FK506-binding protein〈FK506結合蛋白質〉
NF-AT : Nuclear factor of activated T cell〈T細胞活性化因子〉(c : cytosol, n : nucleus)
HRE : Hormone response element〈ホルモン応答配列〉
mTOR : Mammalian target of rapamycin〈ほ乳類ラパマイシン標的蛋白質〉
CTLA : Cytotoxic T-lymphocyte antigen〈細胞傷害性Tリンパ球抗原〉
JAK : Janus kinase〈ヤヌスキナーゼ〉
STAT : Signal transducer and activator of transcription〈シグナル伝達兼転写活性化因子〉

2. 特異的免疫抑制薬

T 細胞や B 細胞などの免疫担当細胞の機能を特異的に抑制する薬物であり，臓器移植後の拒絶反応抑制などに用いられる。

分類	薬物	説明
抗体	抗ヒト胸腺細胞ウサギ免疫グロブリン サイモグロブリン	1）ウサギをヒトの胸腺細胞で免疫して得られたポリクローナル抗体。 2）ウサギ由来でヒトにとっては異種蛋白であり，免疫応答が起こるため長期連用はできない。 3）腎・肝・心・肺・膵・小腸移植後の急性拒絶反応の抑制などに用いられる。
	バシリキシマブ シムレクト	1）抗ヒト IL-2 受容体α鎖〈CD25〉モノクローナル抗体。 2）IL-2 を介した免疫反応を抑制する。 3）腎移植後の急性拒絶反応の抑制に用いられる。
	ベリムマブ ベンリスタ	1）抗ヒト B リンパ球刺激因子〈BLyS〉モノクローナル抗体。 2）全身性エリテマトーデス〈SLE〉に用いられる。
	リツキシマブ リツキサン	1）抗ヒト CD20 モノクローナル抗体 2）B リンパ球に特異的に発現している CD20 に結合し，補体依存性細胞傷害作用，抗体依存性細胞介在性細胞障害作用を示す。 3）ABO血液型不適合移植（肝・腎）における抗体関連型拒絶反応の抑制に用いられる。
	アニフロルマブ サフネロー	1）抗 I 型インターフェロン 1 受容体モノクローナル抗体。 2）I 型インターフェロン〈IFN〉は，樹状細胞成熟，自己抗体産生，免疫複合体の形成，臓器炎症を促進するとともに，自己免疫を促すさらなる I 型 IFN の産生を促進することによって，全身性エリテマトーデス〈SLE〉の発症に中心的な役割を果たす。 3）全身性エリテマトーデス〈SLE〉に用いられる。
非抗体	シクロスポリン* サンディミュン，ネオーラル タクロリムス* プログラフ，グラセプター	1）シクロスポリンは土壌真菌代謝産物由来（環状ポリペプチド），タクロリムスは放線菌由来（マクロライド化合物）のカルシニューリン阻害薬。 タクロリムスの方が，1/100 程度の低用量で有効。 2）カルシニューリンは Ca^{2+}・カルモジュリン依存性脱リン酸化酵素であり，NF-ATc（T 細胞活性化因子）を脱リン酸化して NF-ATc の核内移行を促進する。その結果，ヘルパー T 細胞における IL-2 産生が促進し，免疫応答が起こる。シクロスポリンやタクロリムスはイムノフィリンに結合し，カルシニューリンを阻害することによって，ヘルパー T 細胞における IL-2 産生を抑制する。なお，シクロスポリンが結合するイムノフィリンはシクロフィリン，タクロリムスが結合するイムノフィリンは FKBP12〈FK506 結合蛋白質〉である。 3）両薬物とも，腎毒性の副作用に注意。
	エベロリムス* サーティカン	1）タクロリムスと同様に FKBP12 と結合するがカルシニューリンに働かず，mTOR〈ほ乳類ラパマイシン標的蛋白質：Mammalian Target of Rapamycin〉の阻害を介して T 細胞や癌細胞の増殖を抑制する。 2）心・腎・肝移植における拒絶反応の抑制や根治切除不能または転移性腎細胞癌の治療などに用いられる。
	グスペリムス スパニジン	1）バシルス属培養上清由来スペルグアリンの合成誘導体。 2）細胞傷害性 T リンパ球の前駆細胞から細胞傷害性 T リンパ球への成熟及び増殖を抑制するとともに，活性化 B リンパ球の増殖または分化を抑制することによって抗体産生を抑制する。 3）ヘルパー T 細胞での IL-2 産生には全く影響を与えない。 4）腎移植後の拒絶反応に関与する細胞傷害性 T 細胞の増殖を抑制する。

*：経口可

3．その他の免疫抑制薬

❶ 糖質コルチコイド（☞詳細は「第7章 抗炎症薬 —II ステロイド性抗炎症薬」（p218）参照）

糖質コルチコイド

薬　物	ヒドロコルチゾン〈コルチゾル〉，コルチゾン，プレドニゾロン，メチルプレドニゾロン トリアムシノロン，デキサメタゾン，ベタメタゾンなど
免疫抑制作用	1）マクロファージにおけるIL-1産生阻害。 2）ヘルパーT細胞におけるIL-2産生阻害　など。 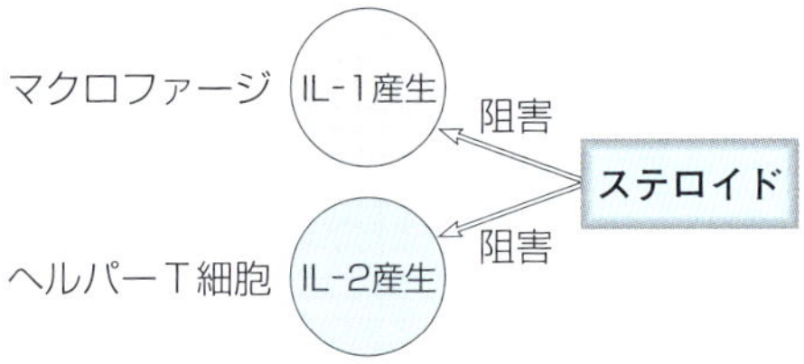
抗炎症作用	1）リソソーム膜安定化（起炎性リソソーム酵素の放出抑制）。 2）アラキドン酸代謝に関与する酵素系の抑制（起炎性エイコサノイドの産生阻害）。 3）炎症性サイトカイン発現の調節（TNFやIL-1産生抑制）。 4）血管内皮細胞に作用して多形核白血球（好中球）の接着・浸潤を抑制。
適　用	多くの自己免疫疾患，アレルギー性疾患，移植拒絶反応など。

❷ DNAアルキル化薬及び代謝拮抗薬

DNAアルキル化作用及び代謝拮抗作用により，細胞分裂の盛んな細胞（免疫担当細胞，骨髄）に対して傷害作用を示す。B細胞・T細胞のいずれにも作用して，細胞の分化・増殖を抑制し免疫抑制作用を示す。臓器移植後の拒絶反応抑制や一部の自己免疫疾患（関節リウマチなど）に用いる。また，造血幹細胞移植の前治療に用いられる薬物もある。骨髄抑制，消化管障害，易感染などの共通した副作用をもつ（p206の表には，これら以外の副作用を記す）。

DNAアルキル化薬及び代謝阻害薬概観

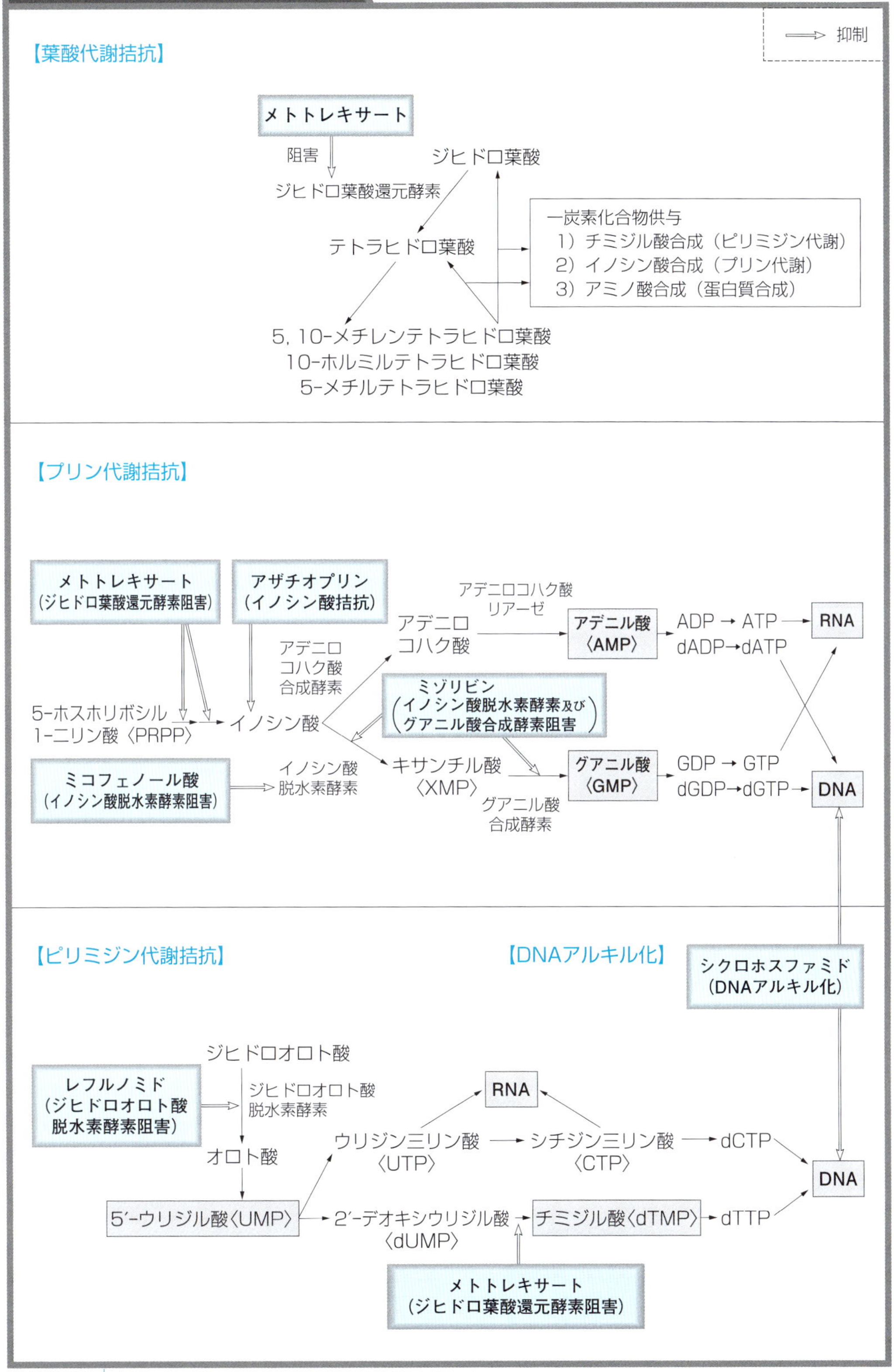
抑制
【葉酸代謝拮抗】
メトトレキサート
阻害
ジヒドロ葉酸還元酵素
ジヒドロ葉酸
テトラヒドロ葉酸
一炭素化合物供与
1）チミジル酸合成（ピリミジン代謝）
2）イノシン酸合成（プリン代謝）
3）アミノ酸合成（蛋白質合成）
5, 10-メチレンテトラヒドロ葉酸
10-ホルミルテトラヒドロ葉酸
5-メチルテトラヒドロ葉酸
【プリン代謝拮抗】
メトトレキサート（ジヒドロ葉酸還元酵素阻害）
アザチオプリン（イノシン酸拮抗）
アデニロコハク酸リアーゼ
アデニロコハク酸
アデニル酸〈AMP〉
ADP → ATP
dADP→dATP
RNA
アデニロコハク酸合成酵素
5-ホスホリボシル1-二リン酸〈PRPP〉
イノシン酸
ミゾリビン（イノシン酸脱水素酵素及びグアニル酸合成酵素阻害）
ミコフェノール酸（イノシン酸脱水素酵素阻害）
イノシン酸脱水素酵素
キサンチル酸〈XMP〉
グアニル酸〈GMP〉
GDP → GTP
dGDP→dGTP
DNA
グアニル酸合成酵素
【ピリミジン代謝拮抗】
【DNAアルキル化】
シクロホスファミド（DNAアルキル化）
ジヒドロオロト酸
レフルノミド（ジヒドロオロト酸脱水素酵素阻害）
ジヒドロオロト酸脱水素酵素
オロト酸
RNA
ウリジン三リン酸〈UTP〉
シチジン三リン酸〈CTP〉
dCTP
DNA
5′-ウリジル酸〈UMP〉
2′-デオキシウリジル酸〈dUMP〉
チミジル酸〈dTMP〉
dTTP
メトトレキサート（ジヒドロ葉酸還元酵素阻害）

DNA アルキル化薬及び代謝拮抗薬

分　類	薬　物	作用機序・特徴	適　用	副作用
DNA アルキル化薬	シクロホスファミド* エンドキサン	1）肝臓で活性代謝物となり，グアニン7位の NH_2 基をアルキル化。 2）B 細胞に対する抑制作用強い。	造血幹細胞移植の前治療	出血性膀胱炎 間質性肺炎 ショック　など
プリン代謝拮抗薬	アザチオプリン* アザニン，イムラン	1）6-メルカプトプリンのマスク化合物。 2）6-チオイノシン酸が，イノシン酸の偽基質としてプリン代謝を阻害。産生された 6-チオ GTP は，DNA に取り込まれて翻訳を阻害。 3）T 細胞に対する抑制作用強い。 4）キサンチンオキシダーゼの基質になるため，アロプリノール併用で作用増強。	腎・肝・心・肺移植後の拒絶反応抑制 自己免疫性肝炎	間質性肺炎 肝障害　など
	ミゾリビン* ブレディニン	1）イノシン酸脱水素酵素阻害(GTP 拮抗)。 2）DNA には取り込まれない。	腎移植後の拒絶反応抑制 関節リウマチ	肝・腎不全 間質性肺炎 など
	ミコフェノール酸モフェチル* セルセプト	1）イノシン酸脱水素酵素阻害。GTP，デオキシ GTP（dGTP）を枯渇させるため，リンパ球の DNA 合成が阻害されて免疫抑制作用が現れる。	腎・心・肝・肺・造血幹細胞移植後の拒絶反応抑制	肝・腎・心不全 など
ピリミジン代謝拮抗薬	レフルノミド* アラバ	1）ジヒドロオロト酸脱水素酵素阻害。 2）疾患修飾性遅効性抗リウマチ薬〈DMARDs〉。	関節リウマチ	皮膚症状 間質性肺炎 肝不全　など
葉酸代謝拮抗薬	メトトレキサート* リウマトレックス，メトレート	1）ジヒドロ葉酸還元酵素阻害。 2）イノシン酸合成，チミジル酸合成，アミノ酸合成を阻害。	関節リウマチ	肝・腎不全 間質性肺炎 など

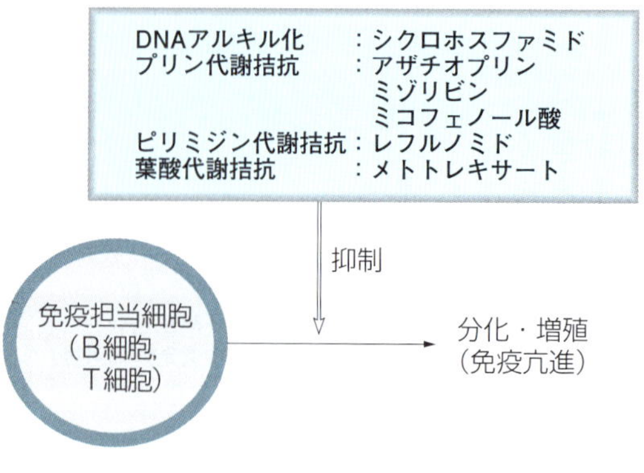
DNAアルキル化　：シクロホスファミド
プリン代謝拮抗　：アザチオプリン
ミゾリビン
ミコフェノール酸
ピリミジン代謝拮抗：レフルノミド
葉酸代謝拮抗　：メトトレキサート
抑制
免疫担当細胞
（B細胞，
T細胞）
分化・増殖
（免疫亢進）

＊：経口可

Ⅲ　免疫強化薬

☞『医薬品一般名・商品名・構造一覧』p38

分　類		薬　物	説　明
インターフェロン〈IFN〉	IFN-α	インターフェロンアルファ スミフェロン	1）免疫増強作用：マクロファージ・NK 細胞を活性化し，免疫増強作用を示す。 2）抗ウイルス作用：2′, 5′-オリゴアデニル酸合成酵素を誘導し，RNA 分解酵素〈RNase〉を活性化する 2′, 5′-オリゴアデニル酸の産生を促進するため，ウイルス蛋白合成が阻害されて，抗ウイルス作用が現れる。 3）腎癌，多発性骨髄腫，B 型・C 型肝炎に有効である。
		ペグインターフェロンアルファ-2a ペガシス	B 型・C 型肝炎に適用。
		ペグインターフェロンアルファ-2b ペグイントロン	C 型肝炎，悪性黒色腫に適用。
	IFN-β	インターフェロンベータ フエロン	B 型・C 型肝炎，膠芽腫，髄芽腫，星細胞腫，皮膚悪性黒色腫に適用。
		インターフェロンベータ-1a アボネックス	多発性硬化症に適用。
		インターフェロンベータ-1b ベタフェロン	多発性硬化症に適用。
	IFN-γ	インターフェロンガンマ イムノマックス-γ	腎癌，慢性肉芽腫症などに適用。
インターロイキン-2〈IL-2〉		テセロイキン イムネース	1）遺伝子組換えヒト IL-2。 2）T 細胞・NK 細胞を活性化して細胞障害性の高いキラー T 細胞が誘導される。 3）胃癌や血管肉腫に用いられる。
菌体成分		ピシバニール ピシバニール	1）溶連菌由来。免疫系を賦活化し，腫瘍抵抗性を高める。 2）サイトカイン産生増強。抗腫瘍マクロファージ・NK 細胞・キラー T 細胞が誘導される。 3）胃癌・肺癌に用いられる。
		ウベニメクス* ベスタチン	1）放線菌由来。 2）ロイシンアミノペプチダーゼの強力な阻害薬。IL-1・IL-2 分泌増強，遅延型過敏症・抗体産生増強によって免疫増強作用を示す。 3）成人急性非リンパ性白血病に用いられる。

*：経口可

その他の免疫強化薬

イミキモド ベセルナ	1）トール様受容体7型を刺激し，単球・樹状細胞からのサイトカイン産生（IFN，TNF-α，IL-12など）を促進する。 2）主としてIFN-αの産生促進を介して，ウイルス増殖抑制作用及び細胞性免疫応答賦活作用を示す。 3）尖圭コンジローマ及び日光角化症に用いられる。
イノシンプラノベクス* イソプリノシン	1）リンパ球活性化促進，細胞性免疫・マクロファージ機能増強によってウイルス感染や癌により低下した細胞性免疫能を改善し，抗ウイルス作用を発揮する。 2）亜急性硬化性全脳炎患者の延命に用いられる。
乾燥BCG（アジュバント） イムノブラダー	1）BCG〈Bacille Calmette-Guerin〉とその活性成分ムラミルジペプチドは，T細胞とNK細胞に働き免疫能を高める。 2）膀胱癌に用いられる（尿道カテーテルを介して膀胱内に注入）。
免疫グロブリン	1）体液性免疫補充。 2）ウイルス感染症や重症感染症に用いられる。 3）無処理製剤：筋注（静注ではアナフィラキシー誘発） ペプシン処理製剤やスルホン化製剤：静注可 （☞詳細は「第14章 血液・造血器官系に作用する薬物―Ⅶ 血液製剤」（p394）参照）

*：経口可

Ⅳ　関節リウマチ治療薬

☞『医薬品一般名・商品名・構造一覧』p38

1．関節リウマチ〈RA：Rheumatoid Arthritis〉

概　観	関節を病変の中心として，全身のほとんどの臓器を侵襲する慢性炎症性疾患。 Ⅲ型アレルギーに分類される。
病　因	遺伝的素因，環境因子，自己免疫を含めた免疫異常などの複合的要素が関与すると考えられている。
病態の進行機構	病因によって関節滑膜微小血管に障害が起こると，滑膜組織に好中球，マクロファージ，T 細胞，B 細胞が集まり血管新生が起こる。これらの細胞からは起炎性物質（IL-1，TNF-α など）が放出され，血管透過性の亢進，白血球の遊走・貪食・リソソーム酵素放出，プロスタグランジン類の産生などが起こる。その結果，滑膜細胞の増殖，破骨細胞・軟骨細胞の活性化，パンヌス（滑膜より生じて関節軟骨を侵食破壊していく肉芽組織）の形成が起こり，関節組織の破壊が進行する。

遺伝的素因，環境因子，急性発症因子（感染症，外傷）
↓
滑膜微小血管障害
↓
免疫異常（好中球・マクロファージ・B 細胞・T 細胞活性化）
血管新生
↓
炎症性サイトカイン（IL-1，TNF-α など）産生促進
プロスタグランジン産生促進
好中球リソソーム酵素（ペプチダーゼ，コラゲナーゼ，ホスホリパーゼ）放出
↓
滑膜肉芽組織増殖（パンヌス形成）
関節破壊進行
↓
関節滑膜の炎症・痛み

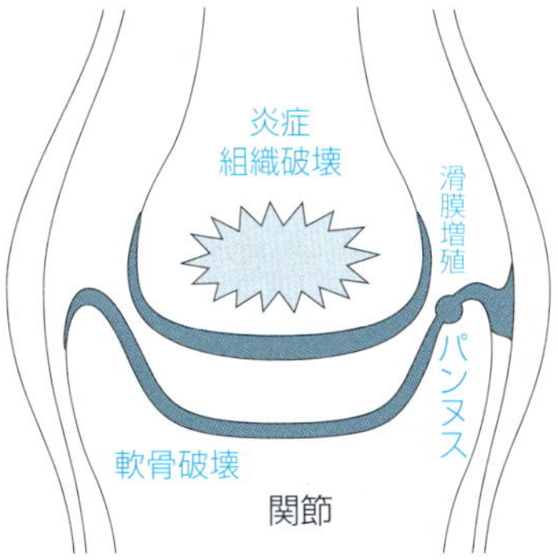

2. 関節リウマチ治療薬

関節リウマチ治療薬（その1）

分　類		薬物，特徴など
抗炎症薬	NSAIDs	副作用や耐容性に優れているプロピオン酸系薬物やプロドラッグが第一選択薬として用いられる。しかし，効果は一過性で，リウマチ自体がよくなることはまれ。
	ステロイド	疾患修飾性抗リウマチ薬と同様に，コントロールが難しい活動性の関節リウマチに対して用いられる。
	ステロイド関連薬	テトラコサクチド コートロシン （合成 ACTH 製剤）
ステロイド関連薬	テトラコサクチド（コートロシン）（合成 ACTH 製剤）	内因性の副腎皮質ホルモンを分泌させ，関節リウマチ，ネフローゼ症候群等の疾患治療や副腎皮質機能検査に用いられる。
疾患修飾性抗リウマチ薬〈DMARDs〉 ※効果発現までに6〜8週間かかるので遅効性抗リウマチ薬ともよばれる。	1）金製剤 　金チオリンゴ酸Na 　シオゾール　（筋注） 　オーラノフィン 　オーラノフィン（内服）	一価の金は硫黄に高親和性のため種々の酵素の SH 基に結合して酵素活性を阻害。 活動性がなく関節の変形のみが残っている場合には無効。 **副作用**：皮膚粘膜症状（そう痒感，紅斑，剥離性皮膚炎），口内炎，腎炎，血液障害
	2）SH 化合物 　ペニシラミン 　メタルカプターゼ 　ブシラミン 　リマチル	リウマトイド因子（IgG に対する自己抗体で主に IgM に属する）の S-S 結合切断。 早期活動型関節リウマチに適用。 重金属中毒，ウィルソン病（銅），強皮症にも有効。
	3）サラゾスルファピリジン 　〈スルファサラジン〉 　アザルフィジンEN	スルファピリジン（サルファ薬）とサリチル酸のアゾ化合物。 T 細胞における炎症性サイトカイン産生抑制，エイコサノイド産生抑制，免疫抑制などの作用。 抗潰瘍性大腸炎作用には還元的切断代謝物（5-アミノサリチル酸）が，抗リウマチ作用にはサラゾスルファピリジン自身が主として関与。
	4）免疫調節薬 　ロベンザリット 　カルフェニール 　アクタリット 　オークル，モーバー	サプレッサー T 細胞の活性化。
	5）免疫抑制薬 　タクロリムス………… 　プログラフ 　メトトレキサート…… 　リウマトレックス， 　メトレート 　ミゾリビン…………… 　ブレディニン 　レフルノミド………… 　アラバ	カルシニューリン阻害薬（ヘルパー T 細胞 IL-2 産生阻害）。 葉酸代謝拮抗薬。抗炎症・細胞性免疫抑制作用など多彩。 プリン代謝拮抗薬。 ピリミジン代謝阻害薬。
	6）ヤヌスキナーゼ 　〈JAK〉阻害薬 　トファシチニブ 　ゼルヤンツ 　バリシチニブ 　オルミエント 　ペフィシチニブ 　スマイラフ 　フィルゴチニブ 　ジセレカ 　ウパダシチニブ 　リンヴォック	ヤヌスキナーゼ〈JAK〉は，サイトカイン受容体を介した細胞内情報伝達に関与する。従って，JAK が阻害されると，リンパ球の活性化・増殖及び機能発現が阻害され，免疫反応・炎症反応が抑制される。
	7）NFκB 阻害薬 　イグラチモド 　ケアラム	転写因子 Nuclear Factor κB〈NFκB〉阻害により， 　①B 細胞による免疫グロブリン（IgG，IgM）の産生阻害 　②単球／マクロファージや滑膜細胞による炎症性サイトカイン（TNFα，IL-1β，IL-6，IL-8，MCP-1〈単球走化性因子〉）の産生阻害 が生じるため，免疫反応・炎症／疼痛反応が抑制される。

関節リウマチ治療薬（その2）

分　類	薬物，特徴など	
生物学的製剤	1）抗TNFα薬	
	インフリキシマブ（レミケード）	ヒト／マウスキメラ型抗ヒトTNFαモノクローナル抗体。 潰瘍性大腸炎，クローン病，川崎病にも使用。
	アダリムマブ（ヒュミラ）	ヒト型抗ヒトTNFαモノクローナル抗体。 潰瘍性大腸炎，クローン病，強直性脊椎炎，乾癬，非感染性ぶどう膜炎などにも使用。
	ゴリムマブ（シンポニー）	ヒト型抗ヒトTNFαモノクローナル抗体。潰瘍性大腸炎にも適用。
	セルトリズマブ ペゴル（シムジア）	ペグヒト化抗ヒトTNFαモノクローナル抗体Fab'断片製剤。
	エタネルセプト（エンブレル）	完全ヒト型TNFα／LTαレセプター製剤。ヒトTNFα受容体細胞外ドメイン（おとり受容体）とヒトIgG1定常領域（Fc領域）の2量体からなる糖蛋白質。
	2）抗IL-6受容体抗体 トシリズマブ（アクテムラ） サリルマブ（ケブザラ）	ヒト化抗ヒトIL-6受容体モノクローナル抗体。 トシリズマブは，キャッスルマン病（リンパ増殖性疾患）などにも使用。
	3）CTLA4-Ig製剤 アバタセプト（オレンシア）	CTLA-4〈Cytotoxic T-Lymphocyte Antigen〉とIgG（Fc）との融合蛋白質。 抗原提示細胞表面B7〈CD80／CD86〉に結合することにより，B7〈CD80／CD86〉がT細胞CD28に結合するのを阻害する（共刺激シグナル阻害）。その結果，T細胞の活性化を阻害する。 若年性特発性関節炎にも使用。
抗RANKL抗体	デノスマブ（プラリア）	関節リウマチに伴う骨びらんの進行抑制に適用。
潤 滑 薬	ヒアルロン酸ナトリウム（アルツ，スベニール，サイビスク）	膝関節腔内に注射投与。 軟骨組織に結合して表面を被覆し，粘弾性・潤滑作用，軟骨基質安定化による関節軟骨保護作用，炎症性細胞・滑膜細胞の表面被覆作用をもつ。

V　免疫学的製剤

免疫学的製剤とは，免疫学的理論を応用した生物学的製剤であり，ワクチン，トキソイド，抗毒素などが含まれる。また，組換え DNA 技術を応用した免疫学的製剤もある。免疫学的製剤は各種予防接種や感染症の治療に用いられる。

1．ワクチン，トキソイド，抗毒素

分類			説明	該当微生物・毒
抗原	ワクチン	弱毒生ワクチン	弱毒化した微生物（細菌，ウイルス，リケッチア）の浮遊液で，その微生物の感染予防に用いられる。	麻疹〈はしか〉，風疹，ポリオ，おたふくかぜ，水痘，黄熱，結核（BCG），ロタウイルス
		不活化ワクチン	不活性化した微生物（細菌，ウイルス，リケッチア）の浮遊液で，その微生物の感染予防に用いられる。	インフルエンザ，日本脳炎，コレラ，百日咳，狂犬病，ワイル病，秋やみ病，肺炎球菌，A 型肝炎，B 型肝炎，ポリオ，ヒト・パピローマウイルス
		mRNA ワクチン DNA ワクチン ベクターワクチン	微生物構成蛋白質の遺伝子あるいはその遺伝子をベクターに組み込んだもので，微生物の感染予防に用いられる。	エボラウイルス 新型コロナウイルス〈SARS-CoV-2〉
	トキソイド		細菌やヘビの産生した外毒素を抗原性を損なわずにホルマリンで無毒化した外毒素で，その細菌感染の予防に用いる。	ジフテリア，破傷風，ハブ毒
抗体	抗毒素		毒素を動物（ウマ）に注射して毒素に対する抗体を産生させ，その抗体を含む血清を採取したもの（抗毒素）。毒素の中和に用いる。	破傷風，ガス壊疽，ボツリヌス，ジフテリア，ハブ毒，マムシ毒
			毒素に対するモノクローナル抗体製剤。	*Clostridioides (Clostridium) difficile* トキシン B
	抗微生物抗体		微生物に対する抗体をヒト血液から採取したもの（血漿分画製剤）。	破傷風，B 型肝炎
			微生物に対するモノクローナル抗体製剤。	RS ウイルス 新型コロナウイルス〈SARS-CoV-2〉

2．各種予防接種薬

予防接種は有効ではあるが，100％の効果は期待できず，また，少ないながら一定頻度の副作用がある。伝染病予防という見地から予防接種は義務化されてきたが，予防接種法の改正により予防接種は義務接種から推奨接種へ移行している。

代表的な予防接種としては，ジフテリア・破傷風・百日咳・不活化ポリオ四種混合ワクチン，ジフテリア・破傷風・百日咳三種混合ワクチン，ジフテリア・破傷風二種混合トキソイド，ジフテリアトキソイド，破傷風トキソイド，ポリオ生ワクチン，不活化ポリオワクチン，麻疹生ワクチン，A 型・B 型肝炎ワクチン，BCG ワクチン，肺炎球菌ワクチンなどがある。ポリオ生ワクチンやロタウイルスワクチンは経口，BCG は経皮，それ以外は皮下あるいは筋肉内に投与する。

各種予防接種薬

分　類	種　類	接種回数	対　象	推奨接種年齢
予防接種法による定期接種	四種混合 ジフテリア 百日咳 破傷風 不活化ポリオ	初回免疫：3 回	生後 3〜90 ヶ月	生後 3〜12 ヶ月
		追加免疫：1 回	初回免疫終了後 12〜18 ヶ月後	―――
	生ポリオ（経口）	2 回（間隔 6 週以上）	生後 3 ヶ月以上	生後 3〜18 ヶ月
	ヒトパピローマ	3 回 （0，1，6 ヶ月後）	10 歳以上の女性	―――
	麻疹 風疹	第一期：1 回	生後 12〜24 ヶ月	―――
		第二期：1 回	5〜6 歳	―――
	日本脳炎 *1	第一期初回：2 回	生後 6〜90 ヶ月	3 歳
		第一期追加：1 回	一期終了後約 1 年後	4 歳
		第二期　　：1 回	9〜12 歳	9 歳
結核予防法による接種	BCG（経皮）*2		生後 1 歳未満	生後 5〜8 ヶ月
			ツベルクリン反応陰性者	―――
任意の予防接種	インフルエンザ	2 回（2〜4 週間隔）	6 ヶ月〜12 歳	―――
		1〜2 回（1〜4 週間隔）	13 歳以上	―――
	おたふく風邪	1 回	1 歳以上の未罹患者	生後24〜60ヶ月
	水痘	1 回	1 歳以上の未罹患者	―――
	A 型肝炎	3 回（2〜4 週間隔で 2 回，初回接種 24 週後 1 回）	16 歳以上	―――
	B 型肝炎 *3	3 回	HBe 抗原陽性の母から生まれた HBs 抗原陰性乳児(母子垂直感染防止)	生後 2，3，5 ヶ月
		3 回(事故後 7 日以内に 1 回，初回接種 1 ヶ月後，3〜6 ヶ月後に 2 回)	HBs 及び HBe 陽性血液による汚染事故者（B 型肝炎発症予防）	―――
		3 回 (4 週間隔で 2 回，その後20〜24週後に 1 回)	医療従事者，腎透析患者（ハイリスク者）(B 型肝炎の予防)	―――
	ロタウイルス（経口）	3 回 （4 週以上の間隔）	生後 6〜32 週	初回は生後 14 週 6 日まで

＊1〜3：☞次頁の補足事項を参照

第 6 章　免疫系作用薬

補足 予防接種に関する補足事項

1）日本脳炎ワクチンによる炎症性脱髄疾患 ADEM〈急性散在性脳脊髄炎〉

ADEM〈急性散在性脳脊髄炎〉は，麻疹〈はしか〉，水痘〈みずぼうそう〉，ムンプス〈おたふくかぜ〉，インフルエンザなどのウイルスやマイコプラズマなどの感染後あるいはワクチン接種後に，稀に発生する炎症性脱髄疾患であり（脱髄：髄鞘の脱落），通常，ワクチン接種後数日から2週間程度の間に発熱，頭痛，痙攣，運動障害等の症状が現れる。ステロイド剤などの治療により完全に回復する例が多く，良性の疾患とされているが，運動障害など神経系の後遺症が10%程度あるといわれている。

日本脳炎ワクチンの副反応としてのADEMは，70～200万回の接種に1回程度発生すると考えられている。従来の日本脳炎ワクチンは，日本脳炎ウイルスを感染させたマウス脳の中でウイルスを増殖させ，高度に精製した後ホルマリン等で不活化したものであり，この製造過程で微量ながら混入したマウスの脳組織成分によってADEMが起こる可能性が推定されている。一方，組織培養法によるワクチンでは，試験管内で培養したヒトや動物の組織・細胞でウイルスを増殖させるため，理論的には接種後のマウス脳成分による問題が起こる可能性はなくなる。そこで，組織培養法による日本脳炎ワクチンが開発され，使用されている。

2）乳幼児BCG接種時期変更と接種前のツベルクリン反応検査廃止

結核予防法（当時）の一部改正に伴い，2005（平成17）年4月1日より乳幼児のBCG接種時期が，それまでの「0ヶ月～4歳未満まで」から「生後1歳まで」に変更され，それに伴い，接種前のツベルクリン反応検査も廃止された。結核性髄膜炎をはじめとする乳幼児の重症の結核は1歳までに発生していることが多いため，結核感染前の生後早期にBCG接種を実施することにより，乳幼児の重症結核に対して高い予防効果が期待できる。

3）HBsとHBe

B型肝炎ウイルス（HBV）のもつ抗原には，HBs抗原（Surface：ウイルス表面），HBe抗原（Envelope：ウイルス外皮），HBc抗原（Core：ウイルス芯）などがある。HBs抗原陽性ではHBV感染が示唆され，HBe抗原陽性では多量HBV感染・増殖が示唆される。なお，HBc抗原は特殊処理なしには測定できないため，日常検査法としては用いられていない。一方，これらに対する抗体（HBs抗体，HBe抗体）が陽性の場合には，HBVに対する感染防御機構の存在が示唆される。

第 7 章

抗炎症薬

Ⅰ　炎症 の メカニズム …………………………………… 216
Ⅱ　ステロイド性抗炎症薬…………………………………… 218
Ⅲ　非ステロイド性抗炎症薬〈NSAIDs：
Non-Steroidal Anti-Inflammatory Drugs〉…………… 227

I　炎症のメカニズム

おさえるべきところ

1．炎症のメカニズム ……p216
2．ステロイド性抗炎症薬 ……p218
3．非ステロイド性抗炎症薬〈NSAIDs〉 ……p227

1．炎症の進行

概　観	炎症反応は，生体に有害な侵害刺激（異物侵入・感染，物理的刺激，化学的刺激）が加わったときに生じる一種の生体防御反応である。 「発赤・腫脹・発熱・疼痛」が炎症の４主徴とされている。 異物排除の仕組みとしての炎症反応が過剰な場合には，生体機能を阻害する病的状態として治療の対象となる。	
炎症の過程	急 性 期（第Ⅰ期）	微小血管の拡張，内皮間隙の離開による微小静脈の血管透過性亢進，それに伴い血漿成分の組織間隙への漏出が起こる。
	亜急性期（第Ⅱ期）	白血球（好中球，好酸球，単球，リンパ球など）の炎症部位への遊走・浸潤・活性化（ケミカルメディエーターの産生・遊離）から組織破壊へとつながる。
	慢 性 期（第Ⅲ期）	組織の変性・線維化が起こり炎症組織の修復へと移行する。
炎症の進行機構	一連の炎症反応には，種々のケミカルメディエーター（化学伝達物質）が関与している。 また，炎症部位ではこれらのメディエーターの産生酵素（ホスホリパーゼ A_2，誘導型シクロオキシゲナーゼ〈COX-2〉，誘導型一酸化窒素合成酵素〈iNOS〉）が誘導されるため，炎症部位では局所的に大量のメディエーターが産生されることになる。 アラキドン酸類は，炎症の各段階において種々のメディエーターの作用を増強することで炎症を増悪させる。	

2. 炎症の経過とケミカルメディエーター〈化学伝達物質〉

炎症の経過	関与するメディエーター	メディエーター遊離細胞	誘発反応
第Ⅰ期（急性期） 血管透過性亢進期	ヒスタミン セロトニン ブラジキニン	肥満細胞（ヒスタミン） 血小板（セロトニン） 血漿（ブラジキニン）	血管拡張 血管透過性亢進 疼痛
	PGE_2，PGI_2	炎症に関与するほとんど 　すべての細胞	血管拡張 発痛増強 発熱（PGE_2）
	LTC_4，LTD_4	白血球 肥満細胞	血管透過性亢進 気管支収縮
第Ⅱ期（亜急性期） 白血球の遊走・浸潤・活性化 （組織破壊）	IL-8，LTB_4	白血球	白血球の遊走・浸潤・活性化
	IL-1，TNF-α	好中球 マクロファージ	白血球の遊走・内皮細胞への粘着 内因性発熱物質（PGE_2産生）
	補体（C5a，C3a）	血漿	血管透過性亢進 白血球の遊走・粘着・活性化
	PAF〈血小板活性化因子〉	白血球 肥満細胞 血管内皮	血管透過性亢進 気管支収縮 白血球の粘着・活性化
	一酸化窒素〈NO〉	マクロファージ 血管内皮	血管拡張 組織破壊
	活性酸素〈O_2^-〉	白血球	組織破壊
	リソソーム酵素 ※蛋白質分解酵素（コラゲ 　ナーゼ・エラスターゼ・ 　カテプシンなど），脂質 　加水分解酵素〈PLA_2〉， 　多糖類分解酵素や核酸 　分解酵素を含む	白血球 マクロファージ	組織破壊
第Ⅲ期（慢性期） 修復期（線維芽細胞増殖期）	PDGF TGF-β FGF VEGF	血小板 マクロファージなど	肉芽形成 血管新生 組織再生

Ⅱ　ステロイド性抗炎症薬

☞『医薬品一般名・商品名・構造一覧』p40

ステロイド骨格をもつ副腎皮質ホルモンは，鉱質コルチコイド（塩類貯留作用：抗利尿）と糖質コルチコイド（血糖上昇作用）に分類される。糖質コルチコイドは抗炎症作用と免疫抑制作用を示すが，生体内に存在する糖質コルチコイドは弱いながらも鉱質コルチコイド様作用があるため，鉱質コルチコイド作用がほとんどなく抗炎症作用の強い合成糖質コルチコイドが，ステロイド性抗炎症薬として用いられている。

1. 糖質コルチコイド（ステロイド性抗炎症薬）の作用機序

糖質コルチコイドの抗炎症機序は，大きく以下の4つにまとめられる。

①リソソーム膜安定化（起炎性リソソーム酵素の放出抑制）

②アラキドン酸代謝に関与する酵素系の抑制（起炎性エイコサノイドの産生阻害）

③炎症性サイトカインの発現及び作用を抑制

④血管内皮細胞に作用して多形核白血球の接着・浸潤を抑制

糖質コルチコイド（ステロイド性抗炎症薬）の作用機序

糖質コルチコイドは細胞内に入り，細胞質にある糖質コルチコイド受容体〈GR〉/熱ショック蛋白質〈HSP〉複合体と結合する。糖質コルチコイドが受容体に結合すると熱ショック蛋白質〈HSP〉は複合体から解離し，糖質コルチコイド/受容体複合体が核内に移動する。核内に移動した糖質コルチコイド/受容体複合体は，種々の機能蛋白質遺伝子のホルモン応答配列〈HRE：Hormone Response Element〉に結合してmRNA転写を制御することによって機能蛋白質の発現を制御し，効果を現す。

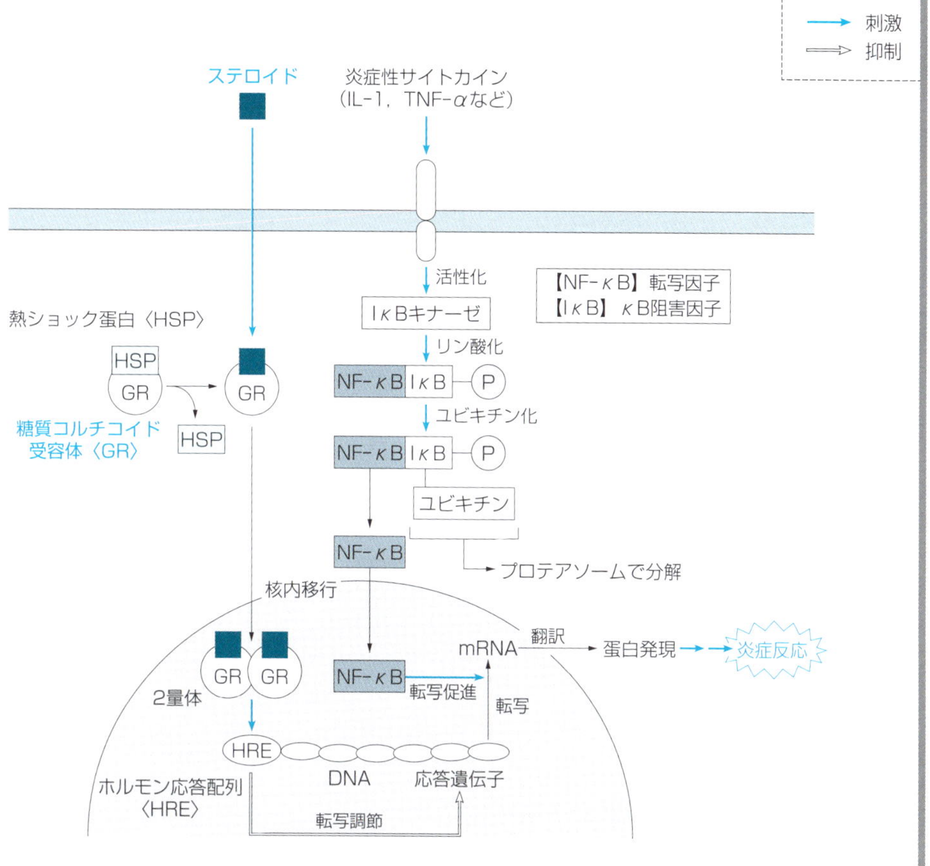

mRNA 転写促進（蛋白産生促進）	mRNA 転写抑制（蛋白産生抑制）
1）リポコルチン（PLA$_2$阻害蛋白質＝抗炎症蛋白質）	1）ホスホリパーゼA$_2$〈PLA$_2$〉
2）β$_2$受容体	2）誘導型シクロオキシゲナーゼ〈COX-2〉
3）サイトカイン（IL-4，TGF-β）	3）誘導型一酸化窒素合成酵素〈iNOS〉
4）IκBα（種々のサイトカインの合成分泌を調節している転写因子NF-κBに結合して，NF-κBの核内移行を抑制している細胞質蛋白質）	4）サイトカイン（IL-1，2，3，6，8，GM-CSF，TNF-α，IFN-γ）
	5）IgE抗体，エンドセリン-1，NK$_1$受容体

2. 各種ステロイド性抗炎症薬の作用の特徴

分類		薬物名	血漿半減期(min)	糖質コルチコイド作用(抗炎症作用)*	鉱質コルチコイド作用(Na+貯留効果)*
生体内ステロイド	短時間型	ヒドロコルチゾン〈コルチゾル〉	90	1	1
		コルチゾン	90	0.7〜0.8	0.7〜0.8
		コルチコステロン		0.3	15
		アルドステロン	20	0.3	3000
合成ステロイド	中間型	プレドニゾロン	200	4	0.8
		プレドニゾン	200	4	0.8
		メチルプレドニゾン	200	5	0〜0.5
		トリアムシノロン	200	5	0
	持続型	パラメタゾン	300	10	0
		デキサメタゾン	300	25	0
		ベタメタゾン	300	25	0

*：ヒドロコルチゾンの作用の強さを1として比較

3. 天然／合成糖質コルチコイドの構造活性相関

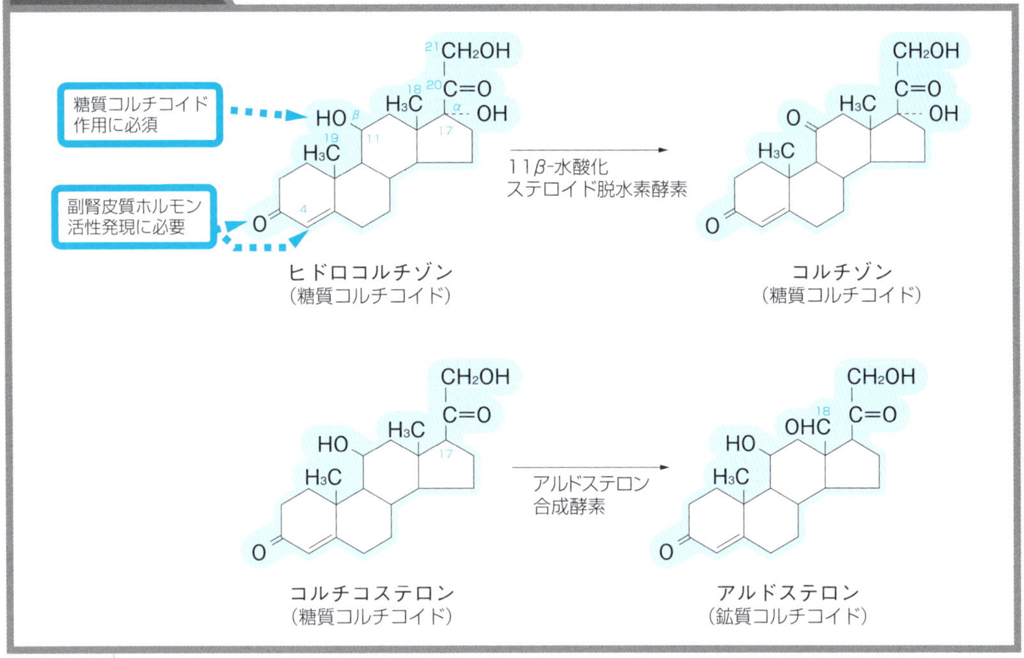

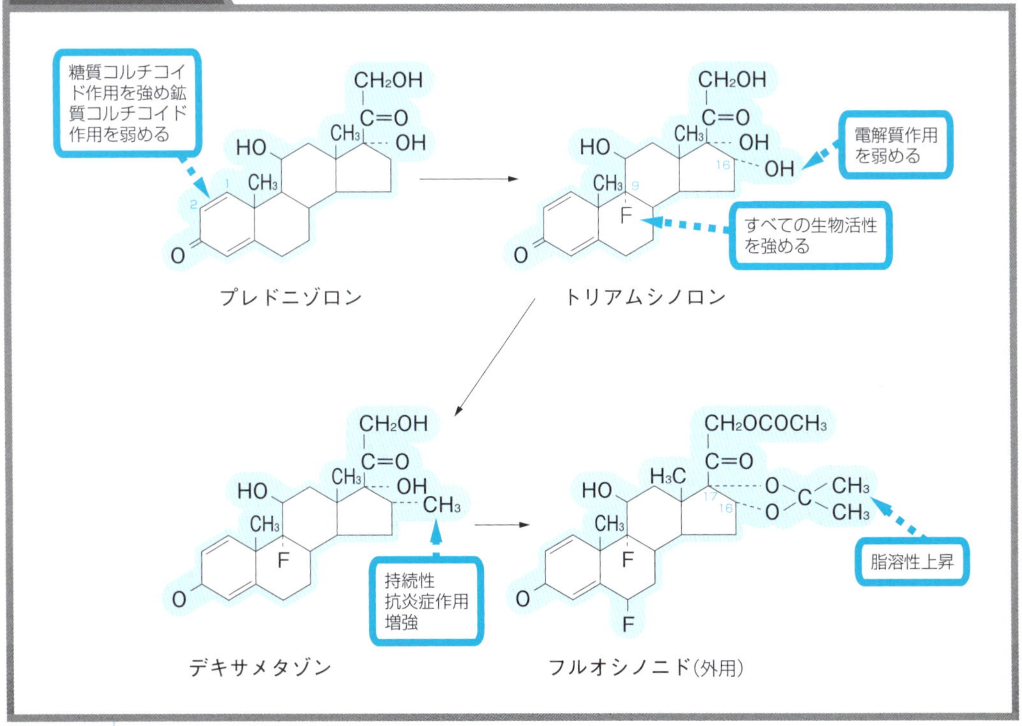

4．ステロイド性抗炎症薬の適用と副作用

項目	病態・症状	説明
適用	1）Ⅰ型アレルギー	気管支喘息，薬物アレルギー，アナフィラキシー
	2）血液疾患	溶血性貧血，再生不良性貧血，悪性リンパ腫，急性白血病，突発性血小板減少性紫斑病
	3）リウマチ性疾患	全身性エリテマトーデス，関節リウマチ，ベーチェット症候群，強皮症，全身性血管炎，多発性筋炎，皮膚筋炎
	4）腎障害	原発性糸球体腎炎，原発性ネフローゼ症候群
	5）副腎機能障害	原発性副腎不全（アジソン病，結核など） 下垂体機能不全による二次的副腎不全
	6）皮膚疾患	天疱瘡，乾癬，皮膚細網症（ホジキン病，細網肉腫など）
	7）消化器疾患	潰瘍性大腸炎，劇症肝炎
	8）神経疾患	多発性神経炎，多発性硬化症，脳浮腫・頭蓋内圧亢進
	9）眼疾患	虹彩網様体炎，ぶどう膜炎
	10）その他	原発性線維症，臓器移植後拒絶反応，種々の癌，ショック
副作用	1）感染抵抗性低下	免疫抑制作用が原因。
	2）副腎皮質機能低下	下垂体からの副腎皮質ホルモン分泌抑制が原因。
	3）ストレス抵抗性低下	下垂体-副腎皮質系の機能低下が原因。
	4）投与中止で離脱症候群	下垂体-副腎皮質系の機能低下が原因。 離脱症候群：全身倦怠感，関節痛，悪心などの症状を示す。
	5）筋障害・骨粗しょう症	骨格筋・骨芽細胞における蛋白質合成阻害が原因。 また，低カリウム血症による筋力低下も関与。
	6）糖尿病悪化	糖新生促進作用が原因。
	7）消化性潰瘍悪化	組織修復機能低下と胃酸分泌亢進が原因。
	8）満月様顔貌	体内脂肪の移動が原因。
	9）浮腫・高血圧・低カリウム血症	鉱質コルチコイド作用による Na^+ 排泄阻害作用（抗利尿）と K^+ 排泄促進作用（低カリウム血症）が原因。
	10）精神障害	

5. ステロイド性抗炎症薬の適用方法

投与方法		適用ステロイド
内　服	連日分割投与（2～4回／日） 間欠投与（週1回または3投4休）	**各種ステロイド**
	連日または隔日朝1回投与	主に**プレドニゾロン**
注　射 水溶剤・懸濁剤・ターゲット剤	筋肉内注射（連日1回）	**コハク酸プレドニゾロン**など
	持続療法（2～4週に1回筋注）	**トリアムシノロンアセトニド**など
	パルス療法（1日1g，3日間連続）	**コハク酸メチルプレドニゾロンNa**など
	点滴静注	**コハク酸ヒドロコルチゾンNa**など
	ターゲット療法 （リポステロイドを2週に1回点滴） ※点滴静注で炎症局所に集積（関節リウマチ）	**パルミチン酸デキサメタゾン** （デキサメタゾンエステルを脂肪微粒子に封入）
	関節内注入（関節リウマチ）	**各種エステル型懸濁剤** **酢酸メチルプレドニゾロン** **トリアムシノロンアセトニド**
気管支	エアゾル（気管支喘息の発作予防）	**ブデソニド，プロピオン酸フルチカゾン** **プロピオン酸ベクロメタゾン**など
大　腸	注腸（潰瘍性大腸炎，限局性腸炎）	**リン酸プレドニゾロンNa**など
	坐薬（潰瘍性大腸炎直腸炎型）	**ベタメタゾン**
外　用 （眼，鼻，口，皮膚） 軟膏・クリーム・テープ・噴霧剤	点眼（アレルギー性結膜炎）	**フルオロメトロン，酢酸ヒドロコルチゾン** **酢酸プレドニゾロン，リン酸デキサメタゾン** **メタスルホ安息香酸デキサメタゾン** **リン酸ベタメタゾン**など
	点鼻（アレルギー性鼻炎）	**プロピオン酸フルチカゾン** **プロピオン酸ベクロメタゾン**など
	口腔内塗布・貼付（口内炎）	**トリアムシノロンアセトニド** **プロピオン酸ベクロメタゾン**
	皮膚塗布・貼付 （アレルギー性皮膚炎など）	**各種外用ステロイド**

6. ステロイド性抗炎症薬一覧

ステロイド性抗炎症薬一覧（その1）

分類	薬物	内服	注射	吸入	口腔	眼	耳	鼻	皮膚	付記
コルチゾン	酢酸コルチゾン コートン	内								
	ヒドロコルチゾン コートリル，オイラックス，テラ・コートリル，エキザルベ	内							皮	
	リン酸ヒドロコルチゾン Na 水溶性ハイドロコートン		注							
	コハク酸ヒドロコルチゾン Na ソル・コーテフ		注							
	酢酸ヒドロコルチゾン デスパコーワ，強力レスタミンコーチゾンコーワ				口				皮	
	酪酸ヒドロコルチゾン ロコイド								皮	
	酪酸プロピオン酸ヒドロコルチゾン パンデル								皮	全身作用少ない
	酢酸フルドロコルチゾン フロリネフ	内								塩喪失性副腎皮質機能不全，アジソン病に適用
プレドニゾロン	プレドニゾロン プレドニン，プレドニゾロン	内				眼			皮	
	メチルプレドニゾロン メドロール，ネオメドロール EE	内				眼	耳	鼻		硫酸フラジオマイシン配合眼科・耳鼻科用軟膏
	酢酸プレドニゾロン プレドニン		注			眼				
	酢酸メチルプレドニゾロン デポ・メドロール		注							
	コハク酸プレドニゾロン Na 水溶性プレドニン		注							
	コハク酸メチルプレドニゾロン Na ソル・メドロール		注							
	吉草酸酢酸プレドニゾロン リドメックスコーワ								皮	全身作用少ない
	リン酸プレドニゾロン Na プレドネマ									注腸（潰瘍性大腸炎，限局性腸炎）
トリアムシノロン	トリアムシノロン レダコート	内								
	トリアムシノロンアセトニド ケナコルト-A，アフタッチ オルテクサー，レダコート		注		口				皮	口腔用ステロイド（口腔内粘膜付着型二重層錠や超薄型二層円型フィルム性の口腔内粘膜付着剤あり）

ステロイド性抗炎症薬一覧（その2）

分類	薬物	内服	注射	吸入	口腔	眼	耳	鼻	皮膚	付記
デキサメタゾン	デキサメタゾン デカドロン，オイラゾン，デキサメサゾン，サンテゾーン，アフタゾロン	内			口	眼			皮	
	リン酸デキサメタゾン Na オルガドロン，デカドロン		注			眼	耳	鼻		
	パルミチン酸デキサメタゾン リメタゾン		注							ターゲット療法用静注リポステロイド
	吉草酸デキサメタゾン ボアラ								皮	
	プロピオン酸デキサメタゾン メサデルム								皮	局所残存時間長い
	メタスルホ安息香酸デキサメタゾン Na サンテゾーン，ビジュアリン					眼	耳	鼻		
	シペシル酸デキサメタゾン エリザス							鼻		
ベタメタゾン	ベタメタゾン リンデロン									坐薬あり（潰瘍性大腸炎直腸型に適用）
	リン酸ベタメタゾン Na リンデロン，ステロネマ	内	注			眼	耳	鼻		注腸薬あり（潰瘍性大腸炎，限局性腸炎）
	吉草酸ベタメタゾン ベトネベート，リンデロン V								皮	
	ジプロピオン酸ベタメタゾン リンデロン DP								皮	
	酪酸プロピオン酸ベタメタゾン アンテベート								皮	強い局所抗炎症作用と弱い全身副作用
その他	フルオロメトロン オドメール，フルメトロン					眼				眼炎用ステロイド 眼圧上昇作用少ない
	シクレソニド オルベスコ			吸						肺で活性型となるプロドラッグ
	ブデソニド パルミコート，レクタブル，ゼンタコート	内		吸						注腸薬あり（潰瘍性大腸炎）
	フランカルボン酸モメタゾン アズマネックス，ナゾネックス，フルメタ			吸				鼻	皮	
	プロピオン酸フルチカゾン フルナーゼ，フルタイド			吸				鼻		吸入／鼻炎用ステロイド 全身作用少ない
	フランカルボン酸フルチカゾン アラミスト，アニュイティ			吸				鼻		
	プロピオン酸ベクロメタゾン サルコート，リノコート，キュバール			吸	口			鼻		吸入／口腔／鼻炎用ステロイド 全身作用少ない
	フルドロキシコルチド ドレニゾン								皮	テープ剤（ステロイド密封法 ODT*）

＊ODT〈Occlusive Dressing Therapy；閉鎖密封療法〉：塗布した薬物を病巣皮膚に深達させるために，薬物塗布部位の上を薄いプラスチックフィルム／ポリエチレンラップ（サランラップ®）等で覆い，接着テープで 2〜3 日間固定する治療法

ステロイド性抗炎症薬一覧（その 3：外用）

効力	薬 物	薬物濃度（%）	付 記
最強	プロピオン酸クロベタゾール デルモベート，コムクロ	0.05	
	酢酸ジフロラゾン ジフラール，ダイアコート	0.05	
かなり強力	ジプロピオン酸ベタメタゾン リンデロン DP	0.064	
	ジフルプレドナート マイザー	0.05	
	吉草酸ジフルコルトロン ネリゾナ，テクスメテン	0.1	
	フルオシノニド シマロン，トプシム	0.05	円形脱毛，尋常性白斑にも適用
	アムシノニド ビスダーム	0.1	
	酪酸プロピオン酸ヒドロコルチゾン パンデル	0.1	全身作用少ない
	酪酸プロピオン酸ベタメタゾン アンテベート	0.05	強い局所抗炎症作用と弱い全身副作用
	フランカルボン酸モメタゾン フルメタ	0.1	強い局所抗炎症作用と弱い全身副作用
強力	プロピオン酸デキサメタゾン メサデルム	0.1	局所残存時間長い
	吉草酸ベタメタゾン ベトネベート，リンデロン V	0.12	
	吉草酸デキサメタゾン ボアラ	0.12	
	フルオシノロンアセトニド フルコート	0.025	
	プロピオン酸デプロドン エクラー	0.3	非ハロゲン合成，貼付剤あり
中等度	吉草酸酢酸プレドニゾロン リドメックスコーワ	0.3	全身作用少ない
	トリアムシノロンアセトニド トリシノロン，レダコート	0.1	
	酪酸ヒドロコルチゾン ロコイド	0.1	
	酪酸クロベタゾン キンダベート	0.05	全身作用少ない
	プロピオン酸アルクロメタゾン アルメタ	0.1	
	デキサメタゾン オイラゾン，デキサメサゾン	0.1	
弱い	プレドニゾロン プレドニゾロン	0.5	

Ⅲ　非ステロイド性抗炎症薬
〈NSAIDs：Non-Steroidal Anti-Inflammatory Drugs〉

☞『医薬品一般名・商品名・構造一覧』p44

1．酸性抗炎症薬（シクロオキシゲナーゼ阻害薬）

❶ 酸性抗炎症薬の作用機序・適用・副作用

作用機序	抗炎症	1）**シクロオキシゲナーゼ〈COX〉阻害（プロスタグランジン産生抑制）**：プロスタグランジン類は，セロトニン・ヒスタミン・ブラジキニン・サイトカイン類の起炎作用を増強する。シクロオキシゲナーゼ阻害薬はこの増強分を抑制する **構成型シクロオキシゲナーゼ〈COX-1〉**：日常的に活動（胃粘膜保護，血小板凝集など） **誘導型シクロオキシゲナーゼ〈COX-2〉**：炎症で誘導，炎症促進 2）**リソソーム膜安定化** 3）**活性酸素の捕捉，酸化的リン酸化の抑制**
	解熱	**発熱機構**：細菌感染や各種刺激によって組織・細胞が損傷を受けると，好中球・単球・マクロファージなどから遊離された内因性発熱物質（インターロイキン-1 や腫瘍壊死因子）が，視床下部視束前野・体温調節中枢を刺激してプロスタグランジン E_2〈PGE_2〉の産生を促す。 PGE_2は，体温調節中枢の設定温度（体温セットポイント）を上昇させるために体温が上昇する。 **解熱機構**：解熱鎮痛薬は，PGE_2の産生を抑制して体温セットポイントを正常に戻す。従って，正常体温には影響しない。体温セットポイントが上昇していない熱射病などの発熱には無効。
	鎮痛	**プロスタグランジン**自身は発痛物質ではないが，**ブラジキニン**などの発痛物質に対する侵害受容器の感受性を増大させる（感作）。**アスピリン**などの酸性 NSAIDs は，末梢でのプロスタグランジン合成阻害によって，侵害受容器の感作を防ぐ（末梢性鎮痛作用）。
適用		・手術・抜歯後の消炎・鎮痛，前眼部炎症，かぜ症候群・咽喉頭炎 ・四肢の痛み・炎症（関節リウマチ，変形性関節症・脊椎症，腰痛症，腱鞘炎，頸肩腕症候群，神経痛，筋肉痛，痛風発作） ・生殖器・泌尿器系の痛み・炎症（後陣痛，骨盤内炎症，月経困難症，膀胱炎）
副作用		1）**消化性潰瘍**（COX-1 阻害による PGE_2・PGI_2産生阻害が関与）→胃腸管では不活性型で，吸収された後に活性型となるプロドラッグや COX-2 選択的阻害薬が有用 2）**血液障害**：再生不良性貧血，血小板・白血球減少，出血傾向，血尿 3）**肝障害**：黄疸，肝炎 4）**腎障害**：腎障害患者の急性腎不全，浮腫 5）**聴覚・視覚障害**：難聴，霧視 6）**中枢症状**：頭痛，めまい，耳鳴り，ふらつき，眠気，まれに錯乱・不眠・振戦 7）**皮膚疾患・アレルギー**：発疹，光線過敏症，多型滲出性紅斑，アナフィラキシー，Lyell 症候群〈中毒性表皮壊死症〉，Stevens-Johnson 症候群〈皮膚粘膜眼症候群〉 8）**不耐性（代謝異常，排泄異常などの素因による異常反応）**：鼻炎，じん麻疹，咽頭浮腫，口内炎，気管支収縮，血圧低下，ショック（中年の喘息・慢性じん麻疹患者で頻度が高い）
禁忌		消化性潰瘍，重篤な肝・腎障害，血液障害，心不全 妊娠末期（プロスタグランジン合成阻害による胎児動脈管の早期閉塞と陣痛抑制）

❷ アスピリンの作用

作用機序	シクロオキシゲナーゼ〈COX〉不可逆的阻害 （COXのセリン残基をアセチル化して不可逆的に阻害）	
	鎮　痛	末梢でのPGE_2・PGI_2産生阻害によって，ブラジキニンなどの発痛物質による侵害受容器の感作を防ぐ（末梢性鎮痛作用）。
	解　熱	PGE_2の産生を抑制することによって，PGE_2により上昇した視床下部・体温調節中枢の設定温度を正常に戻す。正常体温には影響しない。
	抗炎症	PGE_2・PGI_2による毛細血管透過性亢進作用や血管拡張作用を抑制して，炎症（第Ⅰ期）の進行を防ぐ。
	抗血小板	血小板凝集因子トロンボキサンA_2〈TXA_2〉の産生を抑制。アスピリンは，他の酸性非ステロイド性抗炎症薬と異なり，シクロオキシゲナーゼを不可逆的に阻害する。血小板には核がないためにシクロオキシゲナーゼが不可逆的に遮断されると，血小板寿命（7〜10日）の間は抑制が続く。大量では血管内皮細胞における血小板凝集抑制因子プロスタグランジンI_2〈PGI_2〉の産生も抑制されるため，期待したほどには効果は上がらず，逆に副作用が増大する（アスピリン・ジレンマ）。従って，低用量（通常，1日1回81 mg錠または100 mg錠を1錠）を経口投与する。
適　用	**鎮痛・抗炎症**：頭痛，歯痛，急性上気道炎，月経痛，術後疼痛，関節痛など炎症性の痛み，筋肉痛，関節リウマチ，痛風など **解　熱**：感冒性発熱，リウマチ熱など **抗血小板**：血栓・塞栓形成の抑制（狭心症，心筋梗塞など） ※投与量：〜100 mg/日（抗血小板），1.5 g/日（鎮痛），3 g/日（関節リウマチ）	
副作用	過敏症（ショック，アナフィラキシー様症状），出血，血液障害（再生不良性貧血，白血球・血小板減少），喘息発作誘発，皮膚障害（Stevens-Johnson症候群〈皮膚粘膜眼症候群〉，Lyell症候群〈中毒性表皮壊死症〉など），肝・腎機能障害，消化器障害（消化性潰瘍，悪心・嘔吐など），水痘感染時のライ症候群*など ＊ライ〈Reye〉症候群：水痘やインフルエンザを罹患している小児で遺伝的素因がある場合，アスピリン投与で肝障害を伴う致命的な脳障害を起こす危険がある。	
中　毒	サリチル酸中毒 慢性中毒では，頭痛，めまい，耳鳴，難聴，視力低下，発汗，悪心・嘔吐，過呼吸など。 急性中毒では，発疹，発熱，過呼吸（アルカローシス），脱水（下痢・発汗），胃腸管障害・潰瘍，痙攣，昏睡。幼児では呼吸抑制によってアシドーシス。 胃洗浄と輸液による脱水・酸塩基平衡の正常化により解毒。	

❸ 各種酸性抗炎症薬の特徴

各種酸性抗炎症薬の特徴（その1）

分類（誘導体）	薬　物	付記事項
サリチル酸	**アスピリン〈アセチルサリチル酸〉** アスピリン	シクロオキシゲナーゼ不可逆的阻害により，解熱，鎮痛，抗炎症，抗血小板作用を現す。 尿酸排泄促進作用により，抗痛風作用を有する。
	サリチル酸 Na サリチル酸 Na	主に静注薬として神経痛などに用いられる。
	サリチルアミド PL	主に配合剤（＋アセトアミノフェン，無水カフェイン，プロメタジン）として感冒や上気道炎に用いられる。
インドール酢酸	**インドメタシン** インテバン，インダシン	強力な解熱・鎮痛・抗炎症作用（アスピリンの 20〜30 倍）と強い副作用。 アスピリンと異なり，尿酸排泄作用なし。
	スリンダク* クリノリル	代謝されてインドメタシン類似物質になるプロドラッグ。 抗炎症作用はインドメタシンの半分。スルフィドではなくスルホン酸として排泄されるため腎障害が少ない。
	エトドラク オステラック，ハイペン	COX-2 選択性が高い。
	アセメタシン* ランツジール **プログルメタシン*** ミリダシン **インドメタシンファルネシル*** インフリー	代謝されてインドメタシンになるプロドラッグ。 プログルメタシンやインドメタシンファルネシルは特異的な組織移行性をもつ（炎症局所移行型：ファルネシルには胃粘膜保護作用もある）。
フェニル酢酸	**ジクロフェナク** ナボール SR，ボルタレン **ネパフェナク*** ネバナック **モフェゾラク** ジソペイン	インドメタシン同等の強い抗炎症作用。 遊離アラキドン酸のトリグリセリドへの取込促進によってロイコトリエン類の産生も阻害。 ジクロフェナクは副作用が少ないが（とくに中枢作用は極めて少ない），ウイルス性疾患に罹患した小児では，ライ〈Reye〉症候群を誘発するおそれがあるため**禁忌**。 ネパフェナクはアンフェナクのプロドラッグ（点眼薬）。
	ナブメトン* レリフェン	長時間作用型プロドラッグ。
	（フェンブフェン*）	プロドラッグ（活性代謝物はフェルビナク＝4-ビフェニル酢酸）。 抗炎症作用はインドメタシンよりやや弱い。 ニューキノロン系抗菌薬との併用で痙攣発作（GABA 作用抑制）。現在は使用されていない。

*：プロドラッグ；吸収されてから活性型となる薬物

各種酸性抗炎症薬の特徴（その 2）

分類（誘導体）	薬物	付記事項
プロピオン酸	イブプロフェン ブルフェン，イブリーフ	鎮痛・解熱・抗炎症作用をバランスよく備えている。 胃腸障害も少なく，小児科領域でも汎用される。 未熟児動脈管開存症にも適用（静注）。
	ナプロキセン ナイキサン	プロピオン酸の中で最も強力（アスピリンの 20 倍）かつ持続性。 白血球浸潤阻止作用が強く，痛風によく使用される。
	フルルビプロフェン フロベン	皮膚吸収もよく，貼付剤としても使用される。
	フルルビプロフェン アキセチル ロピオン	ターゲット療法用リポ化製剤で，速効性，激痛にも有効であるため各種癌・術後の疼痛に適用される。
	ケトプロフェン カピステン	貼付剤としても用いられる。
	プラノプロフェン ニフラン	点眼剤としても用いられる。
	チアプロフェン酸 スルガム	
	ロキソプロフェン* ロキソニン	還元されて活性体となるプロドラッグ。 胃腸障害少なく臨床効果が高いため，最もよく使用されている。 副作用は，肝障害。
	ザルトプロフェン* ソレトン，ペオン	炎症部位・炎症細胞において選択的に PG 合成を阻害するプロドラッグ。
	オキサプロジン アルボ	長時間作用型で，1 日 1 回の内服で十分な抗炎症作用。
ピリミジン系	ブコローム パラミヂン	抗炎症作用の作用機序は不明。 尿酸排泄促進作用をもち，高尿酸血症にも用いられる。
オキシカム	ピロキシカム バキソ	インドメタシン同等の強力な解熱・鎮痛・抗炎症作用。 長時間作用型で，1 日 1 回の内服で十分な抗炎症作用。
	アンピロキシカム* フルカム	ピロキシカムのプロドラッグ。
	メロキシカム モービック	COX-2 選択的。1 日 1 回内服。
	ロルノキシカム ロルカム	速効短時間型（CYP2C9 代謝）。1 日 3 回内服。
アントラニル酸	メフェナム酸 ポンタール フルフェナム酸 オパイリン	鎮痛作用が強い。 造血障害，過敏症，消化器障害（下痢など）の副作用強く，1 週間以上の連用は避ける。
コキシブ系	セレコキシブ セレコックス	COX-2 選択的。 心血管系血栓塞栓性副作用（心筋梗塞，脳卒中など）に注意。

*：プロドラッグ

補足　酸性抗炎症薬（シクロオキシゲナーゼ阻害薬）補足事項

分　類			薬　物	適応症など
COX-2 選択的阻害薬		インドール酢酸系	エトドラク オステラック，ハイペン	構成型シクロオキシゲナーゼCOX-1 阻害作用が弱く，胃腸障害が少ない
		オキシカム系	メロキシカム モービック	
		コキシブ系	セレコキシブ セレコックス	
外用薬	関節炎	サリチル酸系	サリチル酸メチル MS 冷シップ，MS 温シップ	変形性関節症，筋肉痛，肩関節周囲炎，腱・腱鞘炎，腱周囲炎，上腕骨上顆炎（テニス肘など），外傷後の腫脹・疼痛など
		インドール酢酸系	インドメタシン インテバン，イドメシン，インサイド，カトレップ	
		フェニル酢酸系	ジクロフェナク ボルタレン，ナボール	
			フェルビナク （フェンブフェンの活性本体） ナパゲルン，セルタッチ	
		プロピオン酸系	ケトプロフェン セクター，ミルタックス，モーラス フルルビプロフェン アドフィード エスフルルビプロフェン （フルルビプロフェンの *S* 体） ロコア ロキソプロフェン ロキソニン	
		オキシカム系	ピロキシカム バキソ，フェルデン	
	皮膚炎	プロピオン酸系	イブプロフェンピコノール スタデルム，ベシカム スプロフェン スルプロチン，スレンダム，トパルジック	急性・慢性湿疹，接触性皮膚炎，アトピー性皮膚炎，皮脂欠乏性皮膚炎，口囲皮膚炎，帯状疱疹など
		その他	ウフェナマート コンベック，フエナゾール	急性・慢性湿疹，アトピー性皮膚炎，おむつ皮膚炎，帯状疱疹など
			ベンダザック ジルダザック	褥瘡（床ずれ），放射性潰瘍，熱傷潰瘍，帯状疱疹，急性・慢性湿疹など

2. 塩基性抗炎症薬

作用・作用機序	1）作用機序不明。 2）シクロオキシゲナーゼ阻害作用はないか，または弱い。 3）解熱・鎮痛・抗炎症作用をもつが，酸性抗炎症薬より作用は弱い。抗リウマチ作用も弱い。
適　用	酸性抗炎症薬類似（上気道炎，腰痛，関節炎，抜歯後の消炎・鎮痛，会陰裂傷など）
副作用	酸性抗炎症薬に比べて副作用弱い。まれに，過敏症や消化器症状。
薬　物	チアラミド ソランタール

3. 消炎酵素薬（蛋白・ムコ多糖・核酸分解酵素）

作用・作用機序	炎症巣やその周囲に蓄積した壊死組織，変性蛋白質，ポリペプチド，ムコ多糖，核酸などを分解して炎症巣の循環を正常化すると考えられている。	
適　用	手術・外傷後の炎症性腫脹・血腫，皮膚潰瘍，結膜炎，膿性分泌物の分解などに適用。	
副作用	過敏症など	
薬　物	蛋白質分解酵素	ブロメライン（内服：痔核・裂肛・肛門部手術創，外用：熱傷・褥瘡・皮膚潰瘍など） ヘモナーゼ，ブロメライン
	ムコ多糖分解酵素	リゾチーム（点眼：慢性結膜炎） ムコゾーム
	核酸分解酵素	ドルナーゼアルファ（吸入：嚢胞性線維症における肺機能改善） プルモザイム

4．その他のNSAIDs

① アズレン

アズレンは，抗炎症作用，白血球遊走阻止作用，ヒスタミン遊離抑制作用，抗潰瘍作用，抗アレルギー作用，創傷治癒促進作用，角膜上皮再生促進作用などをもつ。

薬　物	適　応
アズレンスルホン酸ナトリウム アズノール，ノズレン，マズレニンG，ハチアズレ，アズレミック，アズラビン，アズレン，AZ	胃潰瘍，胃炎，咽頭炎，扁桃炎，口内炎，急性歯肉炎，舌炎，口腔創傷，結膜炎 （内服，含嗽，徐放性挿入錠，トローチ，点眼など）
ジメチルイソプロピルアズレン アズノール	湿疹，熱傷・その他の疾患によるびらん及び潰瘍（外用）

② グリチルリチン（甘草成分）

グリチルリチン（配糖体）の活性代謝物グリチルレチン酸は，11β-水酸化ステロイド脱水素酵素を阻害してヒドロコルチゾンからコルチゾンへの代謝を阻害する。グリチルレチン酸によって増加したヒドロコルチゾンは，コルチゾンに比べて糖質／鉱質コルチコイド作用が強いため，抗炎症／抗アレルギー作用や塩類貯留作用（副作用：偽アルドステロン症）が現れる。また，肥満細胞からのヒスタミン遊離抑制作用，解毒作用，抗ウイルス作用，インターフェロン-γ誘起作用を有し，炎症による組織傷害の抑制及び修復促進作用を示す。

薬　物	適　応
グリチルリチン酸 強力ネオミノファーゲンシー，ネオファーゲン，グリチロン，ノイボルミチン	慢性肝疾患における肝機能異常の改善，湿疹・皮膚炎，口内炎，アレルギー性結膜炎など（内服・静注・点眼）
グリチルレチン酸 デルマクリン，ハイデルマート	湿疹，皮膚そう痒症，神経皮膚炎（軟膏）

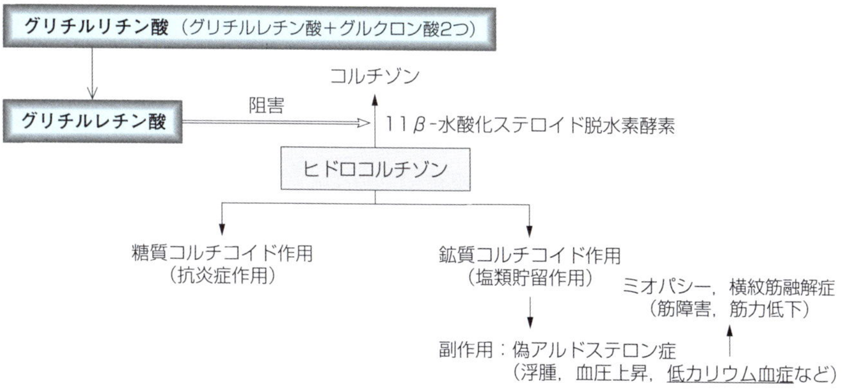

第 8 章

抗アレルギー薬

抗アレルギー薬……………………………………………… 236
1. アレルギーの分類(Coombs & Gell)………… 236
2. Ⅰ型アレルギー誘発機序と各種
抗アレルギー薬の作用段階…………………… 237
3. 抗アレルギー薬(Ⅰ型アレルギー治療薬・
予防薬) ……………………………………… 237

抗アレルギー薬

☞『医薬品一般名・商品名・構造一覧』p47

抗アレルギー薬は，Coombs & Gell によるアレルギー分類のなかのⅠ型アレルギーを抑える薬物を指す。ステロイドや化学伝達物質受容体拮抗薬なども含まれるが，狭義では，肥満細胞からのメディエーター遊離抑制薬を抗アレルギー薬とよぶ場合も多い。

おさえるべきところ

1．アレルギーの分類（Coombs & Gell）……p236
2．Ⅰ型アレルギー誘発機序と抗アレルギー薬……p237
3．各種抗アレルギー薬（Ⅰ型アレルギー治療薬・予防薬）……p237

1．アレルギーの分類（Coombs & Gell）

分　類		作用因子	化学伝達物質	反応時間	病　態
Ⅰ型	**即 時 型** （アナフィラキシー反応）	IgE 抗体	**ヒスタミン** **セロトニン** **エイコサノイド** **好酸球走化因子〈ECF-A〉**	30分以内	気管支喘息，花粉症 じん麻疹， アレルギー性鼻炎，結膜炎 アナフィラキシーショック
Ⅱ型	**細胞障害型** （抗体依存性細胞媒介反応）	IgM／IgG 抗体 ＋補体			溶血性・再生不良性貧血 血小板減少症，橋本病＊1 Goodpasture 症候群＊2
Ⅲ型	**アルサス型** （免疫複合体反応）	IgM／IgG 抗体 ＋補体		3～8時間	血清病，糸球体腎炎 ループス腎炎 全身性エリテマトーデス〈SLE〉
Ⅳ型	**遅 延 型** （細胞性免疫反応）	T 細胞	**リンホカイン**	1～2日	ツベルクリン反応 接触性皮膚炎 移植拒絶反応

＊1　橋本病：自己抗体による慢性甲状腺炎
＊2　Goodpasture 症候群：IgG 抗体沈着による肺出血・糸球体腎炎

2．I型アレルギー誘発機序と各種抗アレルギー薬の作用段階

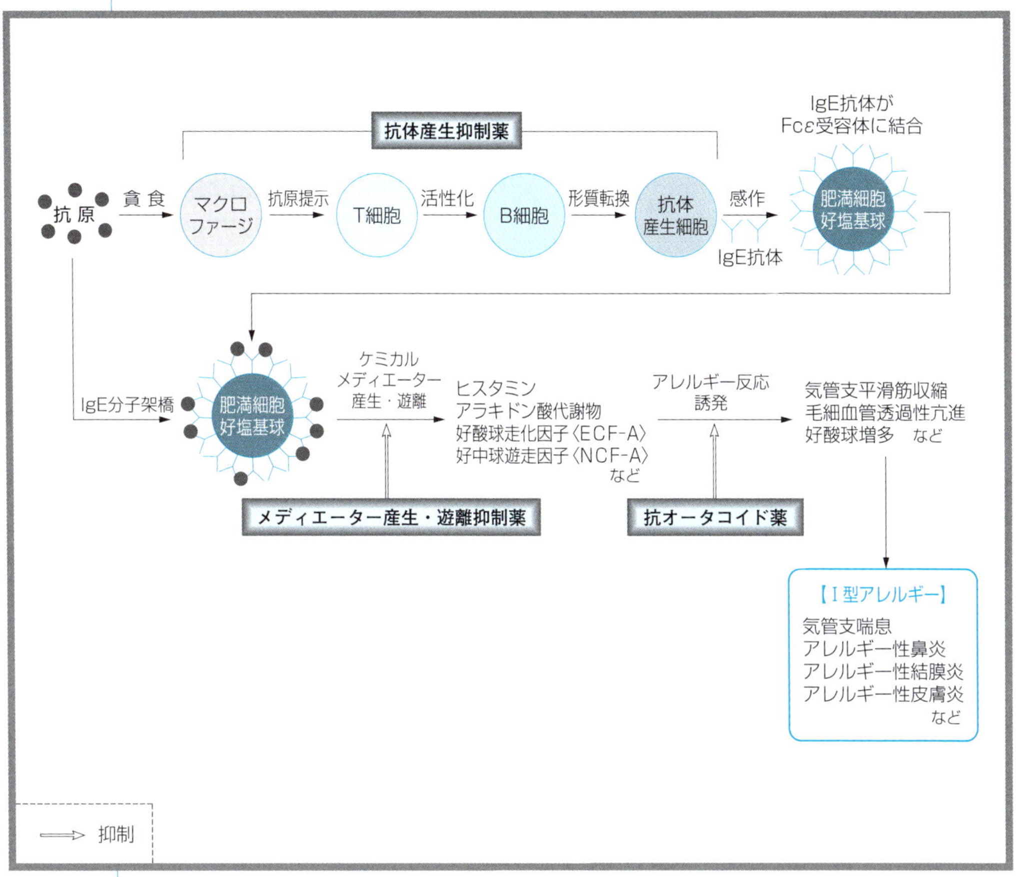

3．抗アレルギー薬（I型アレルギー治療薬・予防薬）

❶ 抗体産生抑制薬（ステロイド）

ヒドロコルチゾン〈コルチゾル〉，コルチゾン，プレドニゾロン，プレドニゾン，メチルプレドニゾン，トリアムシノロン，パラメタゾン，デキサメタゾン，ベタメタゾンなど（☞詳細は「第7章 抗炎症薬—II ステロイド性抗炎症薬」（p218）参照）。

❷ ケミカルメディエーター遊離抑制薬

	薬物	メディエーター遊離抑制	抗 H_1	抗LT	抗PAF	その他
H_1受容体拮抗作用なし	**オマリズマブ** ゾレア	●	—	—	—	ヒト化抗ヒトIgEモノクローナル抗体
	クロモグリク酸Na インタール	●	—	—	—	
	トラニラスト リザベン	●	—	—	—	副作用に膀胱炎
	スプラタスト アイピーディ	●	—	—	—	IL-4・IL-5産生抑制作用（IgE抗体産生抑制，好酸球活性抑制）
	アシタザノラスト* ゼペリン **ペミロラスト** アレギサール，ペミラストン	●	—	—	—	***アシタザノラスト**：タザノラストの活性代謝物
	イブジラスト ケタス	●	—	●	●	PGI_2作用増強
H_1受容体拮抗作用あり	**ケトチフェン** ザジテン **ルパタジン*** ルパフィン	●	●	—	●	*ルパタジン：活性代謝物にデスロラタジン（持続性）
	アゼラスチン アゼプチン	●	●	●	—	5-リポキシゲナーゼ阻害
	オキサトミド オキサトミド	●	●	●	●	5-リポキシゲナーゼ阻害
	テルフェナジン **アステミゾール**	●	●	●	●	アゾール系抗真菌薬やマクロライド系抗生物質などCYP3A4阻害薬併用で心臓副作用増大。現在は使用されていない
	エメダスチン ダレン，レミカット **エピナスチン** アレジオン	●	●	●	●	
	メキタジン ゼスラン，ニポラジン	●	●	●	—	
	エバスチン エバステル	●	●	—	—	
	セチリジン ジルテック **レボセチリジン*** ザイザル	●	●	—	—	好酸球遊走抑制 ***レボセチリジン**：セチリジンの活性本体（R-エナンチオマー）
	フェキソフェナジン アレグラ	●	●	—	—	好酸球遊走抑制，炎症性サイトカイン（IL-8，GM-CSF）産生抑制 **プソイドエフェドリン**（α刺激による鼻粘膜血管収縮）との配合錠あり ディレグラ
	オロパタジン アレロック，パタノール	●	●	●	●	
	ロラタジン クラリチン **デスロラタジン*** デザレックス	●	●	—	—	*デスロラタジン：ロラタジン・ルパタジンの活性代謝物
	ベポタスチン タリオン	●	●	—	—	好酸球浸潤・増多抑制，IL-5産生抑制
	レボカバスチン リボスチン	●	●	—	—	好中球・好酸球遊走抑制
	ビラスチン ビラノア	▲	●	—	—	空腹時投与

❸ 抗オータコイド薬

分　類		薬　物	特徴など
抗ヒスタミン薬（H_1受容体拮抗薬）	エタノールアミン誘導体	ジフェンヒドラミン レスタミン，ジフェンヒドラミン塩酸塩，ベナパスタ ジメンヒドリナート* ドラマミン	抗パーキンソン，抗メニエル 抗動揺病，膜安定化作用 *ジメンヒドリナート：ジフェンヒドラミンと 8-クロルテオフィリンとの塩
	プロピルアミン誘導体	クロルフェニラミン アレルギン，ネオレスタミン，クロダミン，ポララミン	中枢作用は比較的弱い
	プロパノールアミン誘導体	クレマスチン タベジール，テルギン G	中枢作用弱く，眠気を起こしにくい
	フェノチアジン誘導体	プロメタジン ヒベルナ，ピレチア アリメマジン アリメジン	抗パーキンソン，抗メニエル 膜安定化作用
	ピペラジン誘導体	ホモクロルシクリジン ホモクロルシクリジン塩酸塩 ヒドロキシジン アタラックス	抗メニエル
	ピペリジン誘導体	シプロヘプタジン ペリアクチン	抗セロトニン，抗ムスカリン 視床下部・摂食中枢興奮作用 （食欲不振や体重減少の治療に有効）
抗トロンボキサン薬	トロンボキサン合成酵素阻害薬	オザグレル塩酸塩 ドメナン	抗気管支喘息 （cf．オザグレルナトリウム＝抗血小板薬）
	TXA_2受容体拮抗薬	セラトロダスト ブロニカ	抗気管支喘息
		ラマトロバン バイナス	抗アレルギー性鼻炎 PGD_2受容体（DP_2）遮断作用あり
抗ロイコトリエン薬	LTC_4／LTD_4受容体拮抗薬	プランルカスト オノン モンテルカスト キプレス，シングレア	抗気管支喘息 抗アレルギー性鼻炎

第 9 章

心臓・血管系に作用する薬物

Ⅰ　心臓・血管系の生理 …………………………… 242
Ⅱ　強心薬・心不全治療薬 …………………………… 248
Ⅲ　不整脈治療薬 …………………………… 257
Ⅳ　狭心症治療薬 …………………………… 263
Ⅴ　末梢循環改善薬 …………………………… 269
Ⅵ　高血圧治療薬 …………………………… 275
Ⅶ　低血圧治療薬 …………………………… 287

I　心臓・血管系の生理

おさえるべきところ

1．血液の循環と心筋・血管の種類 ……p242
2．心臓の機能とパラメーター ……p243
3．心筋の電気的活動 ……p243
4．心電図 ……p244
5．心筋の収縮特性 ……p245
6．心臓の反射性調節（延髄の心臓・血管運動中枢を介した調節） ……p246
7．自律神経系と心血管系 ……p247

1．血液の循環と心筋・血管の種類

心筋の種類	固有心筋		収縮反応を担う心臓の筋肉
	特殊心筋		刺激伝導系（洞房結節 → 房室結節 → ヒス束 → プルキンエ線維） ※刺激伝導系は心臓の筋肉が特殊に分化したもの
血液の循環	大循環〈体循環〉		左心室 → 大動脈 → 大静脈 → 右心房
	小循環〈肺循環〉		右心室 → 肺動脈 → 肺 → 肺静脈 → 左心房
血管の種類	動脈系（後負荷）	弾性血管	太い動脈（>数 mm）：弾性に富み，心室の収縮に伴って発生する血液の断続的な脈動を圧変化の少ない連続的な流れに変える。
		抵抗血管〈筋性血管〉	中・細動脈（>数 10 μm）：平滑筋細胞に富み血流と血流分布の調節に重要。総末梢血管抵抗の約半分は細動脈に由来。
		交換血管	毛細血管（10 μm 前後）：内皮細胞のみで構成。血管壁が極めて薄く血流も著しく遅いため，物質交換に適する。
	静脈系（前負荷）	容量血管	毛細血管から先は静脈系となり，集合を繰り返して細静脈 → 静脈 → 大静脈となって右心房へ戻る（心臓に戻ってくる血液量を静脈還流量とよぶ）。血管壁は薄く伸展性に富み，全血液の約 75%が静脈側に存在する。動脈・静脈ともにすべての血管の内腔面は一層の内皮細胞で覆われている。

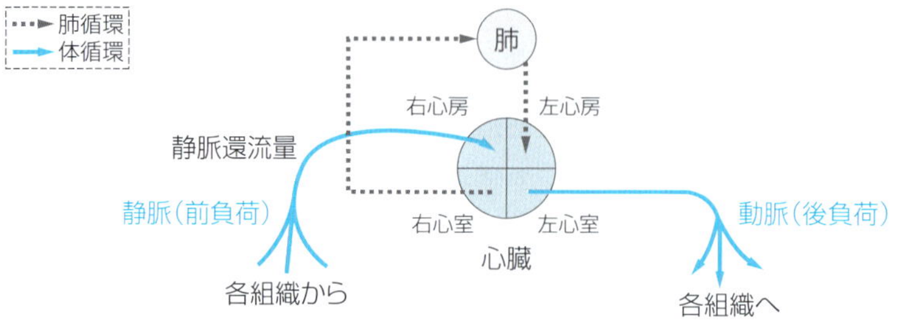

2．心臓の機能とパラメーター

心臓の機能を表すパラメーター

パラメーター	意　味	主たる関与部位	交感神経の作用（β_1受容体）	副交感神経の作用（M_2受容体）
変　力	心筋収縮力の変化	固有心室筋	正（陽性）	負（陰性）
変　時	心拍数の変化	洞房結節	正（陽性）	負（陰性）
変伝導	興奮伝導速度の変化（主として心房から心室への房室伝導速度を指す）	刺激伝導系	正（陽性）	負（陰性）
変　閾	自動興奮性の変化	刺激伝導系	正（陽性）	－

3．心筋の電気的活動

1）心臓の興奮は，右心房・洞房結節に発生する自発性活動電位で開始する。これが心房全体に伝わり，次いで房室結節 ⟶ ヒス束 ⟶ プルキンエ線維 ⟶ 心室筋へと伝えられる。

2）洞房・房室結節（A）ではCa^{2+}流入による脱分極によって興奮が始まり（Ca^{2+}スパイク），K^+流出で興奮が終息する。

3）一方，ヒス束・プルキンエ線維（B）や心室筋（C）では，Na^+流入による脱分極によって興奮が始まり（Na^+スパイク），Ca^{2+}流入による興奮の持続からK^+流出とNa^+ポンプ（Na^+, K^+-ATPase）活性化による再分極へ移行して興奮が終息する。

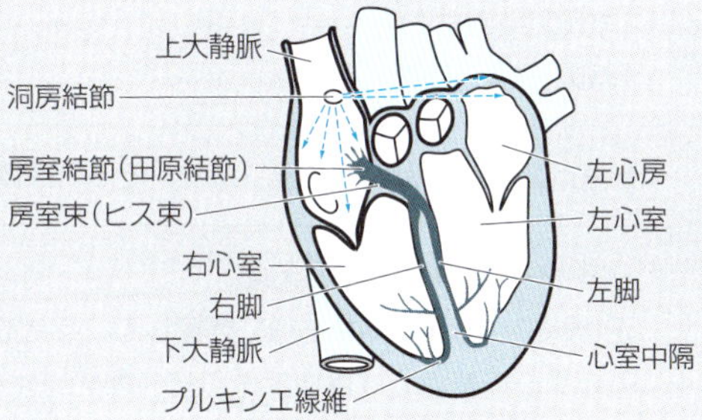

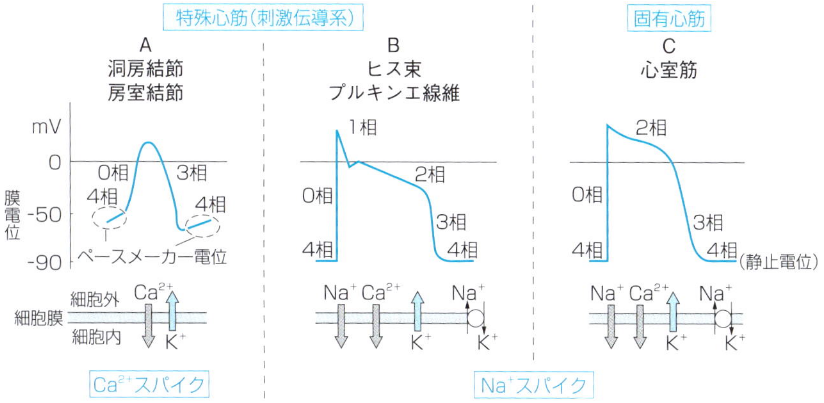

4. 心電図

心電図とは，種々の心電図誘導法（双極子誘導，単極子誘導，単極胸部誘導など）を用いて，心臓の電気的活動を身体の表面から測定し，心臓の全筋線維の活動電位の代数的総和を時間的変動として表したものである。

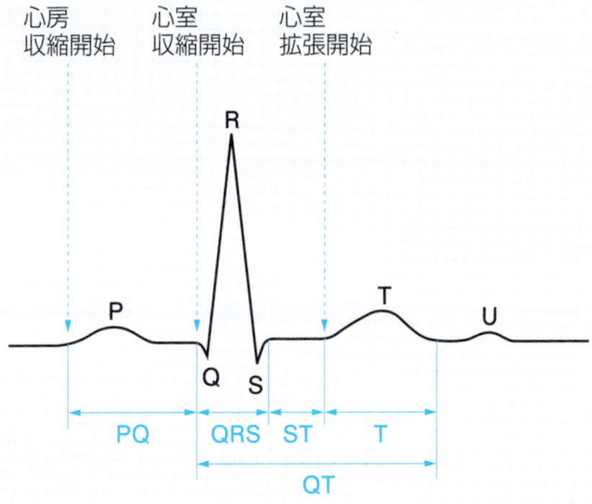

心電図の意味		
	P	心房の興奮（脱分極）
	QRS	心室全体へ興奮が広がる時間
	T	心室の興奮の回復（再分極）
	PR（PQ）	房室間興奮伝導時間（房室ブロックでは PR 間隔延長）
	ST	心室全体が興奮している時間 正常時には心室全体が一様に興奮しているため ST は基線上にあるが，狭心症や心筋梗塞では虚血部位心筋の電気的性質が変化しているため，ST は上昇（心筋梗塞・異型安静狭心症）あるいは下降（安静・労作性狭心症）する。
	QT	電気的心室興奮時間（QT 延長では心室性不整脈を起こしやすい）

5. 心筋の収縮特性

興奮収縮連関

1）心筋の活動電位の持続は，骨格筋よりも著しく長く，かつ，活動電位が持続している間は収縮が増大する。これは，細胞内への **Ca^{2+}流入**による（活動電位第二相）。

2）収縮における**細胞外 Ca^{2+}流入**の重要性は，平滑筋＞心筋＞骨格筋の順。逆に，収縮における**細胞内貯蔵 Ca^{2+}遊離**の重要性は，平滑筋＜心筋＜骨格筋の順。

全か無かの法則

心筋は機能的合胞体として働くため，心臓全体があたかも一本の筋線維のように収縮する。刺激の強さが閾値以上であれば，刺激の強さによらず同じ強さで収縮する。

不応期

興奮が続いている間は，電位依存性 Na^{+}チャネルが不活性化状態（脱分極性遮断状態）にあるため，刺激を与えても収縮しない。そのため骨格筋と異なり収縮の加重（強縮）が起こらない。

【絶対不応期】
どんなに強い刺激でも興奮させることのできない時期(活動電位発生時から再分極が 1/3 程度完了したあたりまで)

【相対不応期】
刺激に対する興奮性は低下しているが，ある程度刺激の強さを大きくすれば興奮する時期（絶対不応期以後，次の脱分極開始時点まで）

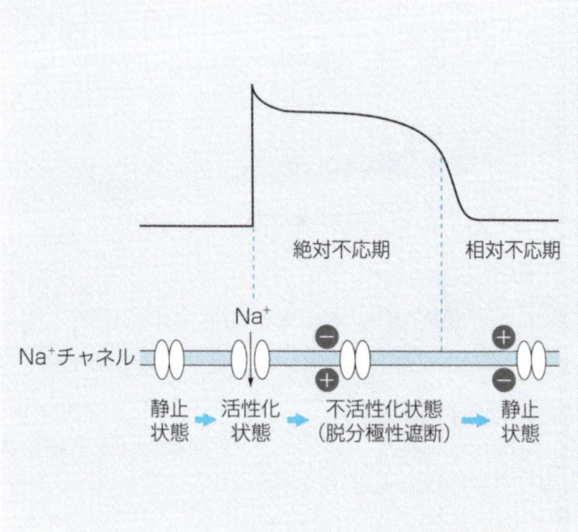

段階現象

停止している心臓に一定の強さの有効刺激を繰り返し与えると，収縮が徐々に大きくなって最大の反応を示すようになる。これは，繰り返し収縮に伴い細胞内に Ca^{2+}が蓄積することによる。骨格筋でも起こるが心筋で著しい。

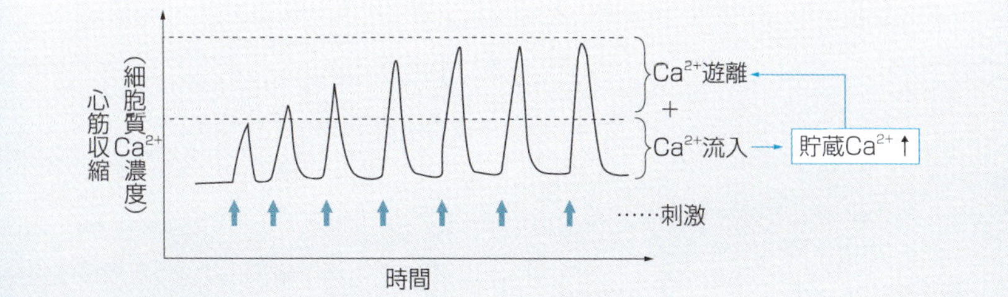

スターリングの心臓の法則

静脈還流量の増加によって心筋が伸展されればされるほど，心臓は強く収縮する(cf. ベインブリッジ反射　☞次頁参照)。

6. 心臓の反射性調節（延髄の心臓・血管運動中枢を介した調節）

分　類	受容器の存在部位	説　明	
伸展受容器反射〈ベインブリッジ反射〉	右心房 大静脈洞	静脈還流量の変化に伴う反射（cf. スターリングの法則 ☞前頁参照）	静脈還流量上昇 → 延髄の心臓・血管運動中枢刺激 → 交感神経興奮
圧受容器反射	大動脈弓 頸動脈洞	動脈圧の変化に伴う反射	動脈圧下降 → 延髄の心臓・血管運動中枢及び呼吸中枢刺激 → 交感神経興奮・呼吸促進
化学受容器反射	大動脈小体 頸動脈小体	CO_2・O_2・pH の変化に伴う反射	CO_2上昇・O_2低下・pH 低下 → 延髄の心臓・血管運動中枢及び呼吸中枢刺激 → 交感神経興奮・呼吸促進

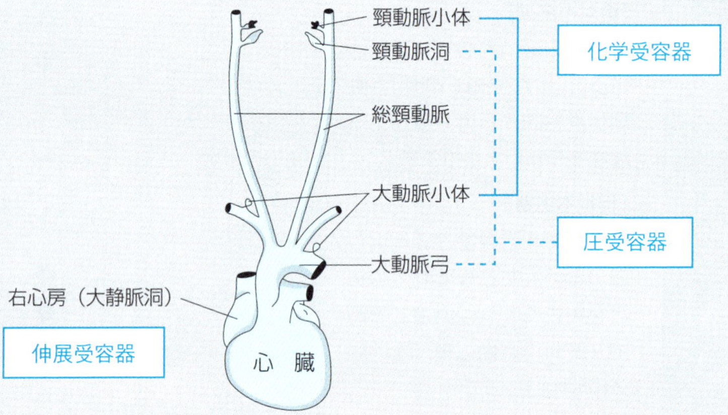
頸動脈小体
頸動脈洞
総頸動脈
大動脈小体
大動脈弓
化学受容器
圧受容器
右心房（大静脈洞）
伸展受容器
心　臓

7. 自律神経系 と 心血管系

項目	交感神経	副交感神経
心臓	**心臓 β_1受容体刺激** → 心筋細胞内 cAMP 増加 → 正の変力・変時・変伝導・変閾作用	**心臓 M_2受容体刺激** → 心筋細胞膜 K^+チャネル開口による過分極 　及び心筋細胞内 cAMP 産生低下 → 負の変力・変時・変伝導作用
血管	**血管平滑筋 α／β_2受容体刺激** → α優位の血管収縮（Ca^{2+}動員／cAMP 低下） 　（抵抗血管，皮膚粘膜血管など） 　β_2優位の血管拡張（cAMP 増加） 　（冠血管，肺動脈，骨格筋の血管など）	**血管内皮細胞 M_3受容体刺激** → 内皮細胞で NO 産生が増加 → NO が血管平滑筋へ移行してグアニル酸シクラーゼ活性化 → 血管拡張（cGMP 増加）

交感神経

節前線維 — ACh

節前線維 — ACh

副交感神経

節前線維 — ACh

ACh
交感神経節
ニコチン N_N受容体
Na^+，Ca^{2+}
節後線維
NA
NA遊離抑制
α_2 G_i アデニル酸シクラーゼ
NA

ACh
ニコチン N_N受容体
Na^+，Ca^{2+}
副腎髄質クロム親和性細胞
Ad
Ad

ACh
副交感神経節
ニコチン N_N受容体
Na^+，Ca^{2+}
節後線維
ACh
ACh遊離抑制
M_2 G_i
ACh

K_{ACh}チャネル〈K_Gチャネル〉

血管平滑筋／血管内皮細胞

α_1 G_q ホスホリパーゼC
血管平滑筋収縮
→昇圧

β_2 G_s アデニル酸シクラーゼ
血管平滑筋弛緩
→降圧

M_3 G_q ホスホリパーゼC
血管内皮細胞NO産生亢進
→NOが血管平滑筋細胞へ移行し，血管平滑筋細胞内でグアニル酸シクラーゼ活性化(cGMP産生増加)
→血管平滑筋弛緩
→降圧

心臓／腎臓傍糸球体装置

β_1 G_s アデニル酸シクラーゼ
心機能亢進
腎レニン分泌亢進
（レニン・アンギオテンシン・アルドステロン昇圧系活性化）
→昇圧

G_i M_2 G_i
心機能抑制
→降圧

K^+

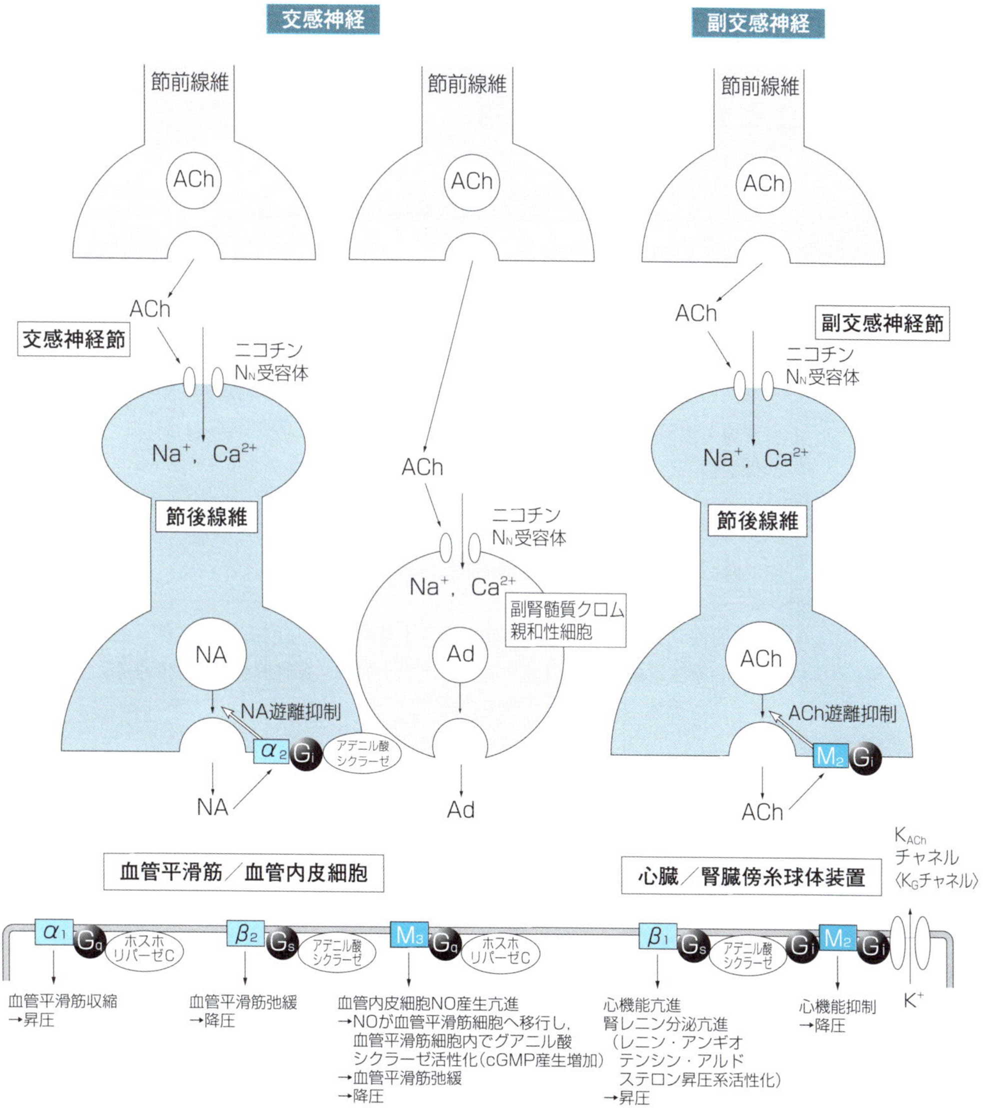

II 強心薬・心不全治療薬

☞『医薬品一般名・商品名・構造一覧』p48

おさえるべきところ

1．心不全と前負荷・後負荷 …… p248
2．心不全治療薬概観 …… p249
3．強心配糖体 …… p250
4．cAMP 関連心不全治療薬 …… p252
5．その他の心不全治療薬（血管拡張薬，利尿薬など） …… p255

1．心不全と前負荷・後負荷

心不全	心臓がポンプとして十分機能できず，末梢組織の血液需要に追いつかなくなった状態。
心肥大／線維化	心肥大は，個々の心筋細胞のサイズが大きくなり各細胞に含まれる収縮蛋白質が増加した状態。高血圧や心筋に器質性障害が生じると心臓の負担が増加し，長期化すると代償性機構として心肥大が起こる。一方，心筋間質の線維化は，心筋の拡張機能障害を誘発して心臓のポンプ機能を低下させる。
うっ血性心不全	あらゆる代償性機構を駆使しても全身の循環を維持できない状態。血液が静脈内に貯留して乏尿となり，浮腫を生じる。
急性心不全（ショック）	〔心原性ショック〕 急性心筋梗塞，不整脈，心筋症などに基づく心臓ポンプ異常 〔非心原性ショック〕 外傷，消化管出血，熱傷，急性膵炎，血管拡張などによる血液循環量の低下 全身が低酸素状態となり代謝異常を起こし，顔面蒼白，冷汗，頻脈が現れる。迅速かつ適切な処置をしないと，意識消失の後，死に至る。
前負荷（容量負荷）	心収縮の前（心臓拡張期）にあらかじめ心筋に加えられた張力（心室拡張末期の壁張力）。静脈還流量が大きいと，前負荷が大きくなる。
後負荷（圧負荷）	心筋収縮期の大動脈圧。末梢血管抵抗が大きいと後負荷が大きくなる。

2. 心不全治療薬 概観

急性／慢性心不全の病態と治療

治療目的と治療指針

急性心不全：救命，血行動態，自覚症状（呼吸困難など）の改善
（強心 ＋ 血管拡張 ＋ 利尿）

慢性心不全：QOL の向上，生命予後の改善
（交感神経系及びレニン・アンギオテンシン・アルドステロン系遮断）

スターリングの心臓の法則と心不全治療薬

1）**強　心　薬**：心拍出力の増加により，1 回拍出量が増加。

2）**血管拡張薬**：動脈拡張（後負荷軽減）により，心拍出量増加。
静脈拡張（前負荷軽減）により，心室充満期圧減少。

3）**利　尿　薬**：循環体液量減少により，心室充満期圧減少。

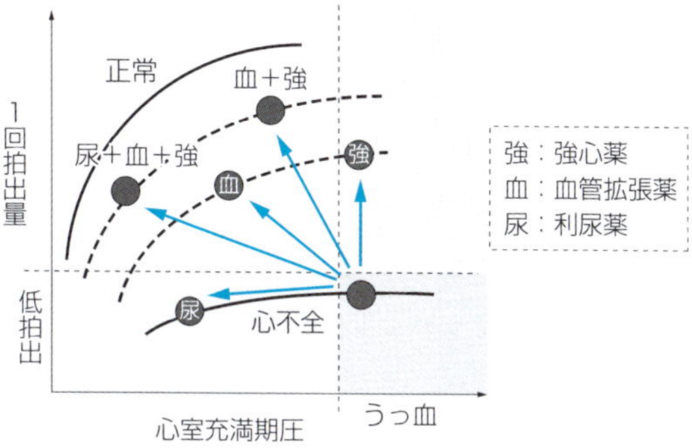

正常
血＋強
尿＋血＋強
血
強
尿
心不全
1回拍出量
低拍出
心室充満期圧
うっ血
強：強心薬
血：血管拡張薬
尿：利尿薬

慢性心不全と治療薬

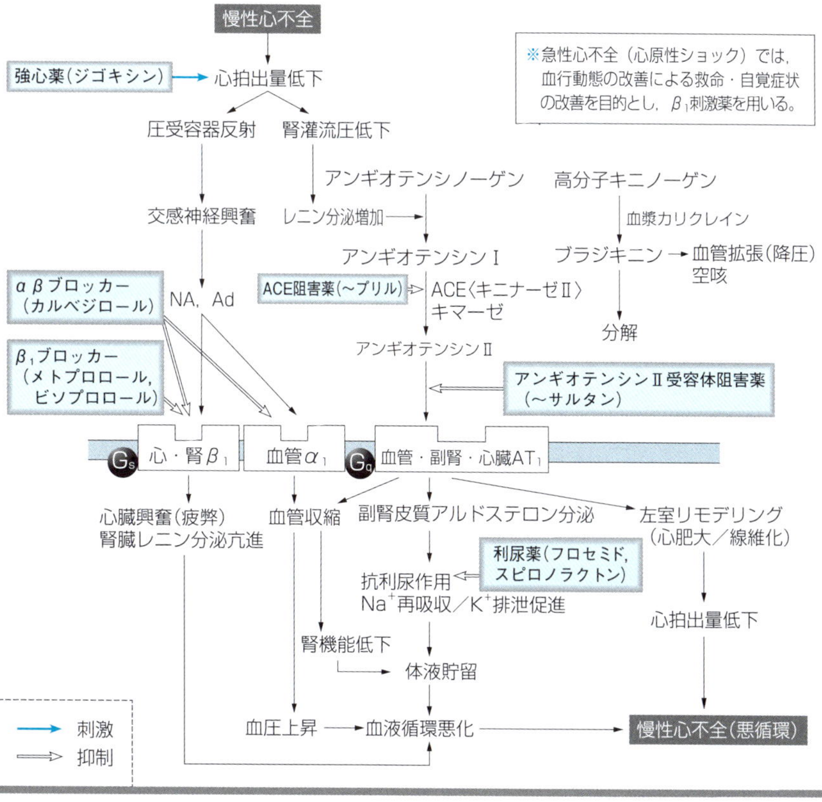

慢性心不全
強心薬(ジゴキシン)
心拍出量低下
※急性心不全（心原性ショック）では，血行動態の改善による救命・自覚症状の改善を目的とし，β1刺激薬を用いる。
圧受容器反射
腎灌流圧低下
アンギオテンシノーゲン
高分子キニノーゲン
交感神経興奮
レニン分泌増加
血漿カリクレイン
アンギオテンシンⅠ
ブラジキニン
血管拡張(降圧)
空咳
αβブロッカー（カルベジロール）
NA，Ad
ACE阻害薬(〜プリル)
ACE〈キニナーゼⅡ〉
キマーゼ
分解
β1ブロッカー（メトプロロール，ビソプロロール）
アンギオテンシンⅡ
アンギオテンシンⅡ受容体阻害薬（〜サルタン）
Gs
心・腎β1
血管α1
Gq
血管・副腎・心臓AT1
心臓興奮(疲弊)
腎臓レニン分泌亢進
血管収縮
副腎皮質アルドステロン分泌
左室リモデリング（心肥大／線維化）
利尿薬(フロセミド，スピロノラクトン)
抗利尿作用
Na+再吸収／K+排泄促進
腎機能低下
心拍出量低下
体液貯留
血圧上昇
血液循環悪化
慢性心不全(悪循環)
刺激
抑制

急性／慢性心不全治療薬 概観

分類		主な適応	薬物
心臓ポンプ機能亢進	Na^+, K^+-ATPase 阻害薬	急性／慢性	強心配糖体
	細胞内 cAMP 増加薬	急性	1）cAMP 産生促進薬：アドレナリン β_1受容体刺激薬 アデニル酸シクラーゼ刺激薬 2）cAMP 分解阻害薬：ホスホジエステラーゼⅢ阻害薬 3）cAMP アナログ：ジブチリル cAMP 製剤
	Ca^{2+}感受性増強薬	急性／慢性	ピモベンダン
心負担減少	血管拡張薬	急性	心房性ナトリウム利尿ペプチド〈ANP〉製剤 ニトロ化合物〈亜硝酸・硝酸化合物〉
		慢性	可溶性グアニル酸シクラーゼ活性化薬
	利 尿 薬	急性／慢性	ループ利尿薬，チアジド系利尿薬， バソプレシン V_2受容体遮断薬
	アンギオテンシン関連薬	慢性	アンギオテンシン変換酵素〈ACE〉阻害薬 アンギオテンシンⅡ受容体〈AT_1受容体〉遮断薬 抗アルドステロン薬
	交感神経遮断薬	慢性	β_1受容体阻害薬，α・β受容体阻害薬
	その他	慢性	アンギオテンシン受容体ネプリライシン阻害薬〈ARNI〉 過分極活性化環状ヌクレオチド依存性カチオンチャネル〈HCN チャネル〉遮断薬 Na^+-グルコース共輸送体 2〈SGLT2〉阻害薬

3. 強心配糖体

① 強心配糖体の分類

分類	強心配糖体	効果発現	効果持続	消化管吸収	排泄
ジギタリス類（キョウチクトウ科）	（ジギトキシン）	遅効型(6〜12時間)	20日（蓄積）	90〜100%	肝代謝型（遅い）
	ジゴキシン ジゴシン	中間型（2〜5時間）	6日	50〜90%	腎排泄型
	メチルジゴキシン（半合成品） ラニラピッド	中間型			腎排泄型
	（ラナトシド C）	中間型（1〜2時間）	3〜6日	40〜60%	腎排泄型
	デスラノシド ジギラノゲン	即効型		静注・筋注	腎排泄型
ストロファンツス類（ゴマノハグサ科）	(G-ストロファンチン〈ウワバイン〉)	即効型	1日	不良・内服無効（緊急時静注）	

❷ 強心配糖体 の 作用機序・適用・副作用

作用機序	1）正の変力作用（☞次頁「心筋」の図参照） Na^+ポンプ〈Na^+, K^+-ATPase〉の阻害 ⟶ 細胞内 Na^+濃度上昇 ⟶ Na^+／Ca^{2+}交換系の抑制／逆駆動 ⟶ 細胞質 Ca^{2+}濃度上昇とその Ca^{2+}による細胞内貯蔵 Ca^{2+}の細胞質への遊離（リアノジン受容体を介した Ca^{2+}誘起 Ca^{2+}放出） ⟶ 心収縮力増強 2）利尿作用（心負担減少） 強心作用による腎血流量の増加 腎尿細管 Na^+ポンプ阻害によって Na^+再吸収阻害 3）負の変時・変伝導作用（☞下図参照） 中枢を介した副交感神経刺激（強心作用による圧受容器反射） ⟶ 洞房結節抑制(負の変時作用) + 房室伝導抑制(負の変伝導作用：PR 間隔延長) ⟶ 心拍数減少 結果として，心臓は「ゆっくり強く」収縮する。
適　用	1）正の変力作用と利尿効果 → うっ血性心不全に有効 2）負の変時・変伝導作用 ⟶ 頻脈性心房性不整脈に有効
副作用など	1）安全域が狭い（中毒量の半分が治療量）・蓄積作用がある 2）心室の興奮性増大（心室性不整脈誘発） 3）消化器障害（CTZ 刺激による悪心・嘔吐，食欲不振，下痢） 4）神経障害（頭痛，黄視・緑視などの視覚異常，幻覚・錯乱） 5）低カリウム血症ではジギタリス作用・副作用増強（利尿薬併用注意）
ジギタリス中毒の解毒	1）カリウム剤投与（Na^+, K^+-ATPase に対する抑制を解除） 2）リドカイン・フェニトイン投与（房室伝導促進作用，心室の自動興奮性抑制作用） 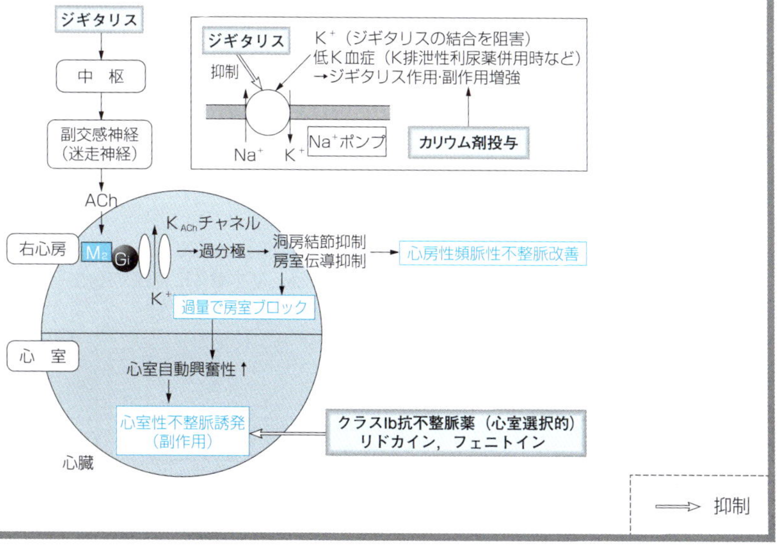

4．cAMP関連心不全治療薬

cAMPの心筋興奮機序

心臓での細胞内cAMP濃度上昇

→ プロテインキナーゼA〈PKA〉*活性化
→ 細胞膜 Ca^{2+}チャネル，筋小胞体 Ca^{2+}ポンプの活性化
→ Ca^{2+}チャネル開口，小胞体貯蔵 Ca^{2+}増加
→ 細胞外 Ca^{2+}流入，その流入 Ca^{2+}による細胞内貯蔵 Ca^{2+}の遊離促進（Ca^{2+}誘起 Ca^{2+}放出：リアノジン受容体）
→ 心収縮力増強（ポンプ機能亢進）
→ 循環改善（強心による利尿作用も関与）

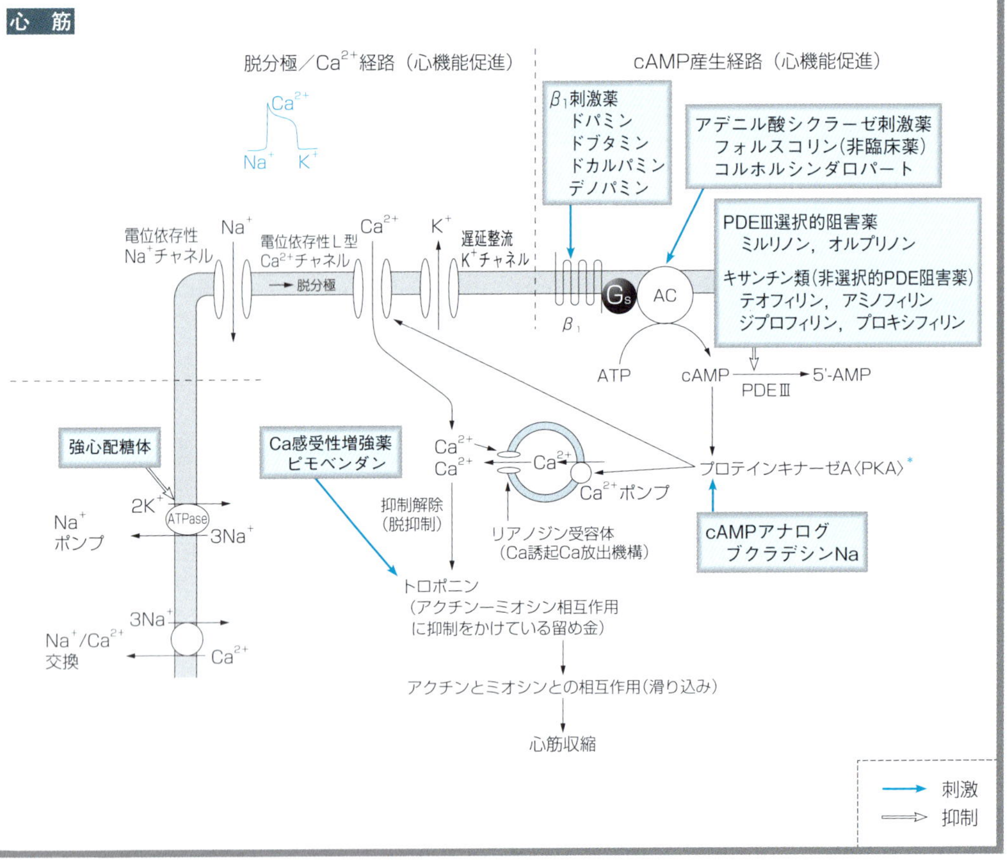

* プロテインキナーゼA〈PKA〉：Aキナーゼともいう。筋小胞体に存在するホスホランバンをリン酸化し，リン酸化されたホスホランバンが筋小胞体 Ca^{2+}ポンプを活性化する。

cAMP の血管平滑筋弛緩機序

血管平滑筋での細胞内 cAMP 濃度上昇

→ プロテインキナーゼ A〈PKA〉*活性化

→ ミオシン軽鎖キナーゼ〈MLCK〉の不活性化，細胞膜／筋小胞体 Ca^{2+}ポンプの活性化による細胞質 Ca^{2+}濃度低下

→ 血管平滑筋弛緩（末梢血管・腎血管・冠血管拡張）

→ 後負荷減少・利尿・心 O_2供給増大

→ 心負担減少（循環改善）

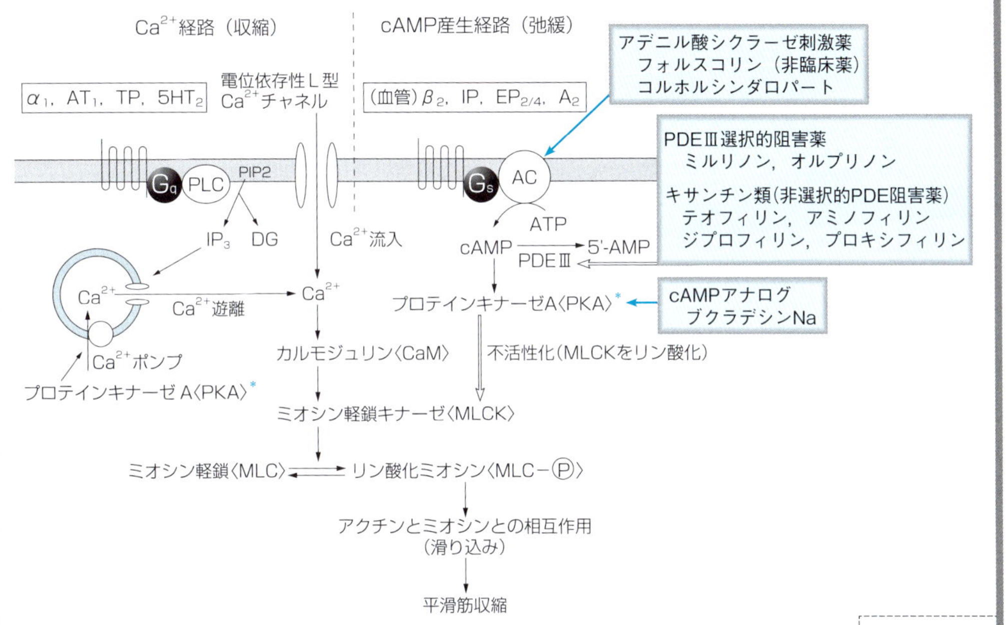

*プロテインキナーゼ A〈PKA〉: 前頁参照

心不全治療薬（cAMP 関連薬）

分類		薬物	説明
cAMP産生促進薬	非選択的アドレナリン受容体刺激薬	**アドレナリン** ボスミン，アドレナリン **イソプレナリン** プロタノールL	心拍数増加作用がある 急性心不全に適用（静注）
		ノルアドレナリン ノルアドレナリン	昇圧作用が強い。低血圧ショックに適用（静注）
	心臓 β_1 選択的刺激薬	**ドパミン*** イノバン，カコージン **ドブタミン** ドブトレックス，ドブポン	心拍数増加作用や催不整脈作用が少ない 心原性ショックの第一選択薬（静注）
		ドカルパミン タナドーパ	ドパミンのプロドラッグ ドパミン点滴静注からの離脱の目的で用いられる（経口）
		デノパミン カルグート	部分作動薬で耐性生じにくい 慢性心不全に適用（経口）
	アデニル酸シクラーゼ活性化薬	**コルホルシンダロパート** アデール	急性心不全に適用（静注）
cAMP分解阻害薬	PDEⅢ選択的阻害薬	**ミルリノン** ミルリーラ **オルプリノン** コアテック	心拍数増加が少ない利点 急性心不全に適用（静注） （慢性心不全には無効か悪化）
		ピモベンダン アカルディ	カルシウム感受性増強薬（PDEⅢ阻害弱い） 急性・慢性心不全に適用（内服）
	キサンチン類	**アミノフィリン（テオフィリンとエチレンジアミンとの塩）** キョーフィリン，ネオフィリン **ジプロフィリン** ジプロフィリン **プロキシフィリン** モノフィリン	温和な心循環改善作用（内服・注射） G_i共役型アデノシン A_1 受容体遮断による強心作用あり（心筋 cAMP↑） **強心利尿作用** テオフィリン＞テオブロミン＞カフェイン **中枢興奮作用** カフェイン＞テオフィリン＞テオブロミン **副作用**：頻脈・不眠・胃腸障害
cAMP アナログ		**ブクラデシン Na** アクトシン	細胞膜通過可能なジブチリル cAMP 製剤（静注）

＊ドパミン	低用量	D_1 受容体（G_s共役）を介した腎血管拡張による利尿作用（心負担↓）
	中用量	β_1 受容体（G_s共役）を介した強心作用
	高用量	α_1 受容体（G_q共役）を介した血管収縮作用（後負荷↑，肺換気↓）

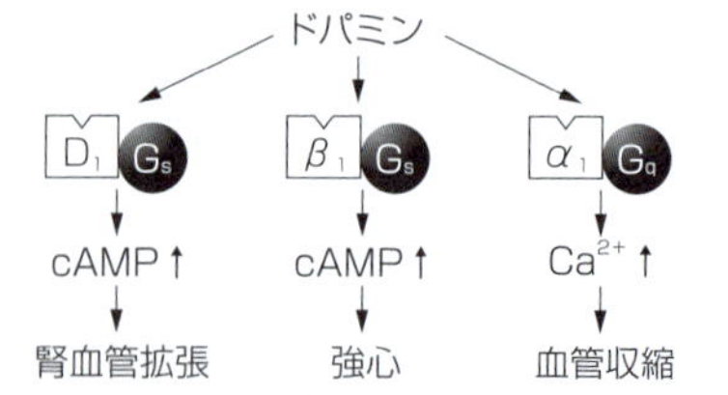

5. その他の心不全治療薬（血管拡張薬，利尿薬など）

その他の心不全治療薬①

分類		適応	主な薬物及び作用機序
血管拡張薬（cGMP↑）	心房性ナトリウム利尿ペプチド〈ANP〉	急性	カルペリチド（α型ヒト遺伝子組換え型 ANP 製剤。心原性ショックに点滴静注。利尿・血管拡張によって前・後負荷減少） ハンプ
	亜硝酸・硝酸化合物〈ニトロ化合物〉	急性	ニトログリセリン ミオコール，バソレーター，ミリスロール 二硝酸イソソルビド ニトロール ニトロプルシド ニトプロ ニコランジル シグマート
	可溶性グアニル酸シクラーゼ活性化薬	慢性	ベルイシグアト ベリキューボ
利尿薬	ループ利尿薬	急性／慢性	フロセミド　など ラシックス
	チアジド系利尿薬	慢性	トリクロルメチアジド，ヒドロクロロチアジド　など フルイトラン，ヒドロクロロチアジド
	経口バソプレシン V_2 受容体遮断薬	急性／慢性	トルバプタン（他の利尿薬で効果不十分な場合に併用） サムスカ
β遮断薬*	β_1遮断薬	慢性	メトプロロール，ビソプロロール セロケン，ロプレソール，メインテート
	α・β遮断薬	慢性	カルベジロール アーチスト
レニン・アンギオテンシン・アルドステロン系阻害薬	ACE 阻害薬	慢性	エナラプリル，リシノプリル　など レニベース，エナラート，ゼストリル，ロンゲス
	AT_1受容体遮断薬	慢性	カンデサルタンシレキセチル　など ブロプレス
	抗アルドステロン薬	慢性	スピロノラクトン，エプレレノン　など アルダクトンA，セララ
心筋代謝改善薬（細胞内 ATP 産生促進）	ユビデカレノン〈コエンザイム Q_{10}〉 ノイキノン	慢性	側鎖ユニット10個のコエンザイムQ(CoQ_{10})。心疾患時には心筋のコエンザイムQが減少するため，それを補うことで心筋代謝が改善する。ユビデカレノンは，リンパ管を経て吸収された後，細胞内ミトコンドリアに取り込まれ，虚血心筋での**酸素利用効率**を改善する。
	アミノエチルスルホン酸〈タウリン〉 タウリン	慢性	心筋に対して **Ca^{2+}モジュレーター**として作用する含硫アミノ酸。低 Ca^{2+}状態では陽性変力作用を，高 Ca^{2+}状態では陰性変力作用を示す。さらに心筋代謝の改善，ストレスの軽減作用をもつ。なお，虚血・低酸素条件下において肝機能の恒常性を維持させるため，高ビリルビン血症時の肝機能改善にも用いられる。

* β遮断薬：心抑制作用があるため低用量から開始。患者の忍容性を確認して徐々に維持量まで増量。

その他の心不全治療薬②

分類	薬物	適応	説明
アンギオテンシン受容体ネプリライシン阻害薬〈ARNI〉	**サクビトリル・バルサルタン** エンレスト	慢性	1）ネプリライシン阻害薬サクビトリルとアンギオテンシンⅡ AT_1受容体遮断薬バルサルタンとの結合化合物。生体内でサクビトリルとバルサルタンに解離する。 2）サクビトリルは，エステラーゼによって活性体サクビトリラートとなり，ネプリライシン〈中性エンドペプチダーゼ〉を阻害する。その結果，ナトリウム利尿ペプチドの代謝が阻害されて効果を発揮する。 3）一方，ネプリライシン阻害によりアンギオテンシンⅡの代謝も阻害されるが，アンギオテンシンⅡの作用はバルサルタンが遮断する。
過分極活性化環状ヌクレオチド依存性カチオンチャネル〈HCNチャネル〉遮断薬	**イバブラジン** コララン	慢性	1）HCNチャネルは，過分極及び環状ヌクレオチドにより活性化されるカチオンチャネルで，洞房結節のペースメーカー電位を誘発する。心臓が拍動を続けるメカニズムやβ_1受容体刺激に伴う頻脈に関与する。 2）イバブラジンは，HCNチャネルを遮断して心拍数を低下させることにより，心負担を軽減する。
Na^+-グルコース共輸送体2〈SGLT2〉阻害薬	**ダパグリフロジン** フォシーガ **エンパグリフロジン** ジャディアンス	慢性	1）SGLT2は，腎近位尿細管でNa^+と尿糖の再吸収を担うトランスポーター。 2）SGLT2阻害薬は，Na^+と尿糖の再吸収を抑制することによってNa^+利尿・浸透圧性利尿をもたらし，心負担を軽減する。 3）心保護・腎保護作用を示す。

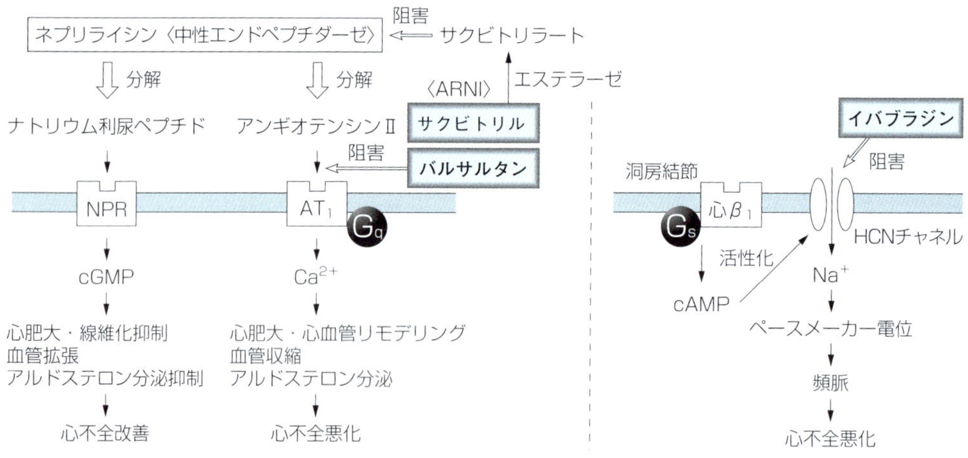

Ⅲ　不整脈治療薬

☞『医薬品一般名・商品名・構造一覧』p50

おさえるべきところ

1．不整脈について ……p257
2．抗不整脈薬の作用機序 ……p257
3．クラスⅠ抗不整脈薬（Na^+チャネル遮断薬） ……p259
4．クラスⅡ抗不整脈薬（β受容体遮断薬） ……p260
5．クラスⅢ抗不整脈薬（K^+チャネル遮断薬） ……p260
6．クラスⅣ抗不整脈薬（Ca^{2+}チャネル遮断薬） ……p261
7．徐脈性不整脈治療薬 ……p261

1．不整脈について

不整脈成立要因	説　明
刺激発生異常	洞房結節の異常 （洞性頻脈・徐脈，洞性不整脈） 異所性刺激発生 （洞房結節以外の部位での自動興奮）
興奮伝導異常	伝導遅延・伝導ブロック 興奮の再侵入（リエントリー）*

*リエントリー

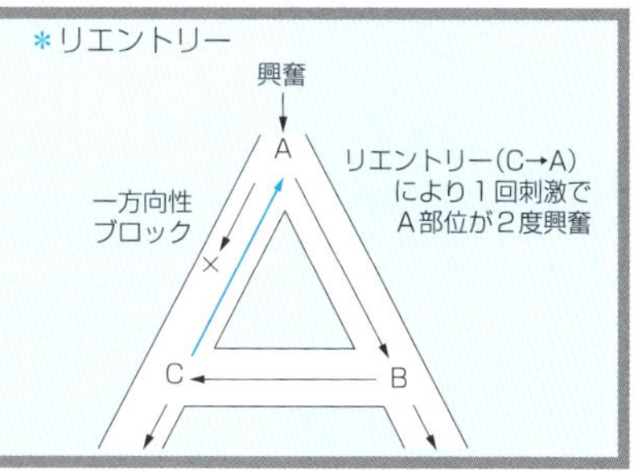

2．抗不整脈薬の作用機序

抗不整脈薬の作用機序①

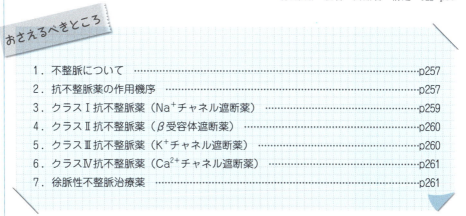

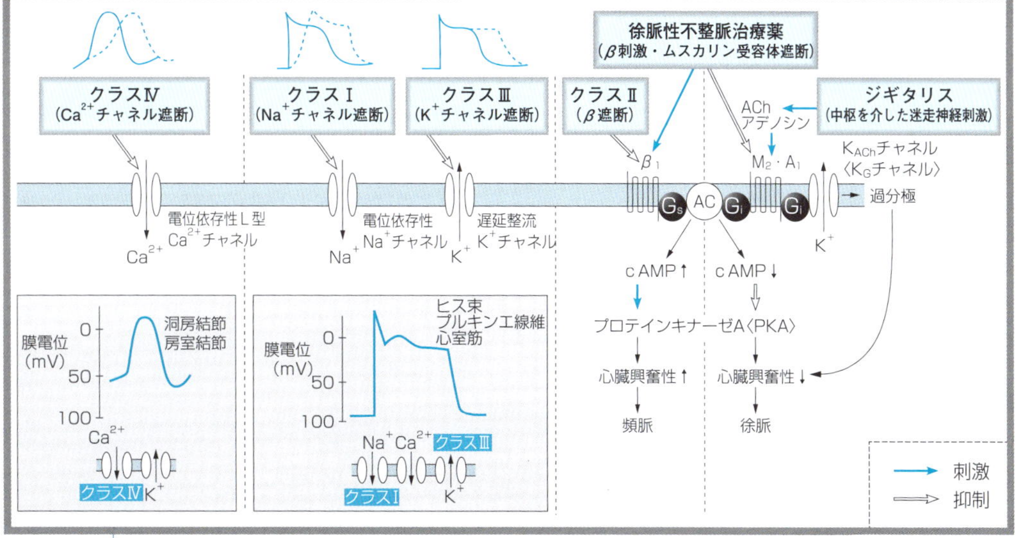

抗不整脈薬の作用機序 ②

分 類				作用機序と特徴
頻脈性	クラスⅠ	Na^+チャネル遮断薬 （Na^+チャネル遮断作用はIc>Ia>Ib）	Ia APD*延長型	活動電位の立ち上り（第０相）を抑制して伝導速度を遅くする（Ia・Ib・Ic共通）。 K^+チャネル遮断作用を併せもち，APDと有効不応期が延長。 心電図QT延長。 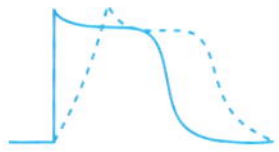
			Ib APD短縮型	洞房結節より心室筋に作用。 APDは短縮するが，Na^+チャネル遮断によって興奮性は低下するため，相対不応期は延長。 伝導の不均一性が是正され，伝導ブロック・リエントリーが起こりにくいため，催不整脈作用が弱く使いやすい。 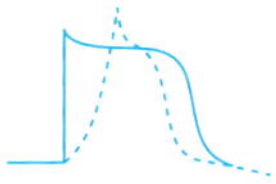
			Ic APD不変型	強力なNa^+チャネル遮断作用によって，顕著な興奮伝導速度の抑制（心電図QRS拡幅：QT延長）。 自動興奮性の抑制。 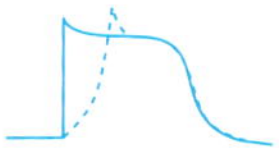
	クラスⅡ	β遮断薬		心臓β_1受容体遮断による自動興奮性の低下・伝導速度低下。 キニジン様（膜安定化）作用による不応期延長。
	クラスⅢ	K^+チャネル遮断薬		活動電位第３相を抑制してAPDと有効不応期が延長。 心電図QT延長。 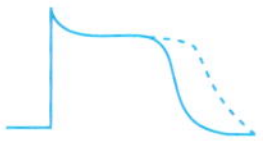
	クラスⅣ	Ca^{2+}チャネル遮断薬		Ca^{2+}チャネル開口によって生じる正所性（洞房結節）及び異所性興奮の発生を抑制。 房室結節の不応期延長による房室伝導の抑制（心房細動・粗動に適）。 
	その他	ジギタリス アデノシン		房室伝導抑制（心房性不整脈に適）。
徐脈性	β受容体刺激薬			心臓β_1受容体を介した正の変時・変伝導・変閾作用
	ムスカリン受容体拮抗薬			心臓M_2受容体を介した負の変時・変伝導作用の解除

＊APD：活動電位持続時間〈Action Potential Duration〉

【クラスⅠ～Ⅳ：Vaughan Williams 分類】

1）催不整脈作用：クラスⅠa／c，Ⅲが強い
2）心抑制作用：クラスⅠa／c，Ⅱ，Ⅳが強い
3）抗不整脈作用：全般（Ⅰa／c，Ⅱ，Ⅲ，ベプリジル）
心房（Ⅳ，ジギタリス）
心室（Ⅰb）

3．クラスⅠ抗不整脈薬（Na^+チャネル遮断薬）

分類	適 用	薬 物	特徴，副作用など
Ⅰa APD 延長型	主に 心房／上室性 （心室性にも有効）	キニジン （キニーネの右旋性異性体） キニジン硫酸塩	消化管吸収良好（内服） 副作用：キニジン失神（突然の心室細動・心室頻脈：K^+チャネル遮断によるQT延長，抗コリン作用による房室伝導促進），キナ中毒（聴・視神経障害，胃腸障害）
	心房／上室性 及び心室性	ジソピラミド リスモダン，リスモダンR，リスモダンP	キニジンに代わって繁用されるクラスⅠの代表薬（内服・静注） 重篤な副作用は少ないが抗コリン作用が強い（排尿困難・緑内障禁忌）
		プロカインアミド アミサリン	効力はキニジンの1/4（内服・静注）。代謝物*N*-アセチルプロカインアミドはクラスⅢ様作用あり 長期投与時に全身性エリテマトーデス〈SLE〉様症状発現
		シベンゾリン シベノール	Ca^{2+}チャネル阻害作用あり（内服・静注） 抗コリン作用（排尿困難・緑内障禁忌）
		ピルメノール ピメノール	抗コリン作用（排尿困難・緑内障禁忌）（内服）
Ⅰb APD 短縮型	心室性	リドカイン キシロカイン，オリベス，リドカイン	作用迅速で有効率高く，心室性不整脈全般の第一選択薬。上室性不整脈にも有効。 肝CYP3A4代謝型で初回肝通過で約70%が代謝されるため経口無効（静注）。シメチジン・バルビツレートなどとの薬物相互作用注意 ジギタリス不整脈の解毒
		フェニトイン アレビアチン，ヒダントール	ジギタリス不整脈の解毒（適応外使用：静注） 局所麻酔薬と異なり，静止膜電位を下げる作用も心興奮性低下に寄与 催奇形性
		メキシレチン メキシチール	リドカイン類似構造だが，リドカイン抵抗性不整脈に有効なことがある。経口可能（内服・静注） 糖尿病性神経障害にも用いられる 消化器系副作用
		アプリンジン アスペノン	心房／上室性・心室性不整脈ともに有効（内服・静注） 抗コリン作用なし（パーキンソン病悪化の副作用）
Ⅰc APD 不変	心房／上室性 及び心室性	フレカイニド タンボコール ピルシカイニド サンリズム プロパフェノン プロノン	心室性期外収縮の抑制に著効を示すが，重篤な催不整脈作用による突然死の可能性があるため，他薬が無効の場合のみ使用（内服・静注） **プロパフェノン**は，経口製剤のみなので緊急時には不適。また，プロパフェノンにはCa^{2+}チャネル阻害作用・β遮断作用がある

4. クラスⅡ抗不整脈薬（β受容体遮断薬）

分　類	ISA	薬　物	特徴，副作用など
非選択的 β遮断薬	ISA （−）	**プロプラノロール** インデラル **ナドロール** ナディック **ブフェトロール** アドビオール **チモロール** チモプトール	交感神経興奮（運動や精神的緊張など）が原因の不整脈に有効 ジギタリス中毒など頻脈全般に有効 **ランジオロール**，**エスモロール**は短時間型β_1遮断薬であり，手術時の上室性不整脈に対する緊急処置などに静注 **副作用**：過度の心抑制，血圧低下，気管支収縮など ※ISA：Intrinsic Sympathomimetic Activity 内因性交感神経刺激作用。β受容体に対する刺激作用を指す。β受容体遮断薬に分類される薬物が，完全拮抗薬であればマイナス，部分活性薬であればプラスで表示（☞59も参照）
	ISA （＋）	**ピンドロール** カルビスケン，ブロクリンL **カルテオロール** ミケラン	
選択的 β_1遮断薬	ISA （−）	**アテノロール** テノーミン **メトプロロール** セロケン，ロプレソール **ビソプロロール** メインテート，ビソノテープ **ランジオロール** オノアクト	
	ISA （＋）	**アセブトロール** アセタノール **エスモロール** ブレビブロック	
α・β遮断薬	ISA （−）	**カルベジロール** アーチスト **アロチノロール** アロチノロール	

5. クラスⅢ抗不整脈薬（K^+チャネル遮断薬）

薬　物	特徴，副作用など
アミオダロン アンカロン	作用・副作用ともに強力で，他薬無効の心室頻拍・心室細動あるいは心不全（低心機能）・肥大型心筋症に伴う心房細動（内服），難治性かつ緊急を要する心室頻拍・心室細動（静注）に適用 遅効性，Ⅰ・Ⅳ様作用あり **副作用**：抗甲状腺作用，間質性肺炎・肺線維症，致死性の催不整脈作用，房室ブロック
ソタロール ソタコール	β受容体遮断作用をもち，他薬無効の心室頻拍・心室細動に適用（内服）
ニフェカラント シンビット	他薬無効の心室頻拍・心室細動に適用されるこのクラス初の静注薬

6. クラスⅣ抗不整脈薬（Ca^{2+}チャネル遮断薬）

分　類	薬　物	特徴，副作用など
ジフェニルアルキルアミン系	ベラパミル ワソラン	発作性上室性頻脈，心房粗動・細動に有効 過度の心抑制に注意すれば比較的使いやすい（内服・静注） 心選択性はベラパミル＞ジルチアゼム＞ジヒドロピリジン系の順で，血管選択性（冠血管も含む）はその逆 ※ジヒドロピリジン系 Ca 拮抗薬は心抑制作用が弱く，逆に，降圧（血管拡張）に基づく反射性頻脈を生じるため，頻脈性不整脈治療には不適
ベンゾチアゼピン系	ジルチアゼム ヘルベッサー	
その他	ベプリジル ベプリコール	クラスⅠ・Ⅲ・Ⅳ作用をもつ Na^+／Ca^{2+}交換抑制（強心），カルモジュリン阻害（冠血管拡張）あり 他薬が無効の持続性心房細動・心室性不整脈に使用（内服） QT 延長，血液異常，過敏症などに注意

7. 徐脈性不整脈治療薬

分　類	薬　物	適　用
β受容体刺激薬	イソプレナリン プロタノールS，プロタノールL	洞房〈SA〉ブロック，房室〈AV〉ブロック，Adams-Stokes 発作（不整脈によって生じる意識消失発作）
ムスカリン受容体拮抗薬	アトロピン 硫酸アトロピン，アトロピン硫酸塩，アトロピン	洞性徐脈，房室〈AV〉ブロック
人工ペースメーカーの埋め込み		重度の心ブロックの場合

補足　抗不整脈薬のシシリアン・ガンビット〈Sicilian Gambit〉分類

薬物	イオンチャネル						受容体				ポンプ	臨床効果			心電図所見		
	Na			Ca	K	If	α	β	M_2	A_1	Na-K ATPase	左室機能	洞調律	心外性副作用	PR	QRS	JT
	Fast	Med	Slow														
リドカイン	○											→	→	◎			↓
メキシレチン	○											→	→	◎			↓
プロカインアミド		Ⓐ			K(中)							↓	→	●	↑	↑	↑
ジソピラミド			Ⓐ		K(中)				M_2(低)			↓	→	◎	↑↓	↑	↑
キニジン		Ⓐ			K(中)		α(低)		M_2(低)			→	↑	◎	↑↓	↑	↑
プロパフェノン		Ⓐ						β(中)				↓	↓	○	↑	↑	
アプリンジン		Ⓘ		Ca(低)	K(低)	If(低)						→	→	◎	↑	↑	→
シベンゾリン			Ⓐ	Ca(低)	K(中)				M_2(低)			↓	→	○	↑	↑	→
ピルメノール			Ⓐ		K(中)				M_2(低)			↓	↑	○	↑	↑	↑→
フレカイニド			Ⓐ		K(低)							↓	→	○	↑	↑	
ピルシカイニド			Ⓐ									↓→	→	○	↑	↑	
ベプリジル	○			Ca(高)	K(中)							?	↓	○			↑
ベラパミル	○			Ca(高)			α(中)					↓	↓	○	↑		
ジルチアゼム				Ca(中)								↓	↓	○	↑		
ソタロール					K(高)			β(高)				↓	↓	○	↑		↑
アミオダロン	○			Ca(低)	K(高)		α(中)	β(中)				→	↓	●	↑		↑
ニフェカラント					K(高)							→	→	○			↑
ナドロール								β(高)				↓	↓	○	↑		
プロプラノロール	○							β(高)				↓	↓	○	↑		
アトロピン									M_2(高)			→	↑	◎	↓		
ATP										■A_1		?	↓	○	↑		
ジゴキシン									■M_2		●	↑	↓	●	↑		↓

ブロック作用の相対的強さ　○：低　◎：中　●：高

Ⓐ：活性化チャネルブロッカー　Ⓘ：不活性化チャネルブロッカー　■：作動薬

If：過分極活性化内向き電流　JT：QT 間隔相当

Ⅳ　狭心症治療薬

☞『医薬品一般名・商品名・構造一覧』p51

1. 狭心症〈angina pectoris〉の病態

冠血管〈冠状血管〉とは，心臓内に分布し心筋に酸素と栄養素を供給している血管をいう。狭心症とは，冠血流の需要と供給のバランスが崩れ，心筋が酸素欠乏の状態に陥る虚血性疾患である。狭心症は，発症機構の違いによって労作性狭心症と安静狭心症に分けられる。

一方，心筋梗塞は，心臓の器質性病変を伴う心疾患であり，冠状動脈の閉塞（血栓など）による冠血流量の急激な減少が原因となって心筋に壊死が生じる。激烈な狭心症状（激痛）で始まり，不整脈，房室ブロック，急性心不全などを合併して高い死亡率を示す。改善薬として，オピオイド系鎮痛薬，抗不整脈薬，強心薬，血栓溶解薬などが用いられる。

冠状動脈〈冠動脈／冠血管〉

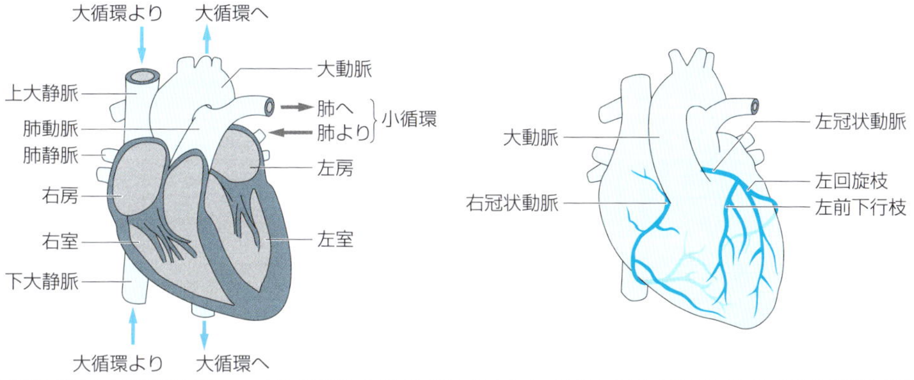

狭心症の病態

分　類	発症機構と特徴	心電図 ST の変化
労作性狭心症	1）冠動脈硬化などの器質的病変に起因し，運動（労作）や精神興奮などに伴う心筋酸素需要の増大に対して十分な冠血管の拡張が得られないために発症する（心臓の酸素需要↑がきっかけ）。 2）心臓に一定以上の負荷がかかれば発症し，安静にすれば消失する。 3）β遮断薬・血管拡張薬ともに有効。	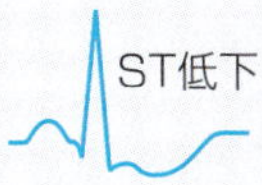
安静狭心症	1）冠動脈平滑筋の突発的攣縮（スパスム）によって血流が著しく減少あるいは途絶するため，安静時に必要な酸素すら確保できなくなり発症する（冠血管の酸素供給↓がきっかけ）。 2）深夜から早朝にかけて，左冠動脈起始部付近に好発する。 3）β遮断薬無効，血管拡張薬有効。	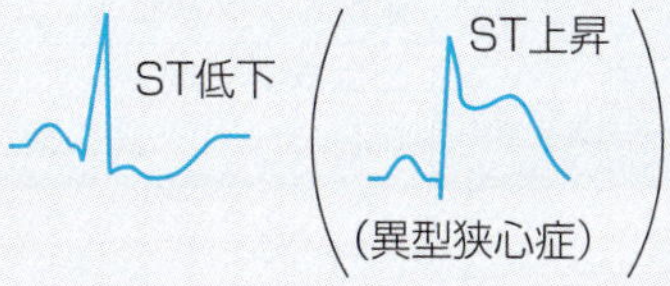

2. 狭心症治療薬

狭心症治療薬の第一の目的は，狭心症発作の予防・緩解による日常生活の質的向上にある。現在，狭心症治療薬は，①亜硝酸・硝酸化合物（ニトロ化合物），②カルシウム拮抗薬，③冠血管拡張薬（アデノシン増強薬），④β受容体遮断薬などに分類されている。また，狭心症は，心筋梗塞や重篤な心室性不整脈などの致死的疾患へ移行する可能性があり，これを防ぐことも重要である。心筋梗塞の発症予防に抗血小板薬としてアスピリン（低用量：通常1日1回81 mg錠または100 mg錠を1錠内服）が用いられている。

狭心症治療薬 概観

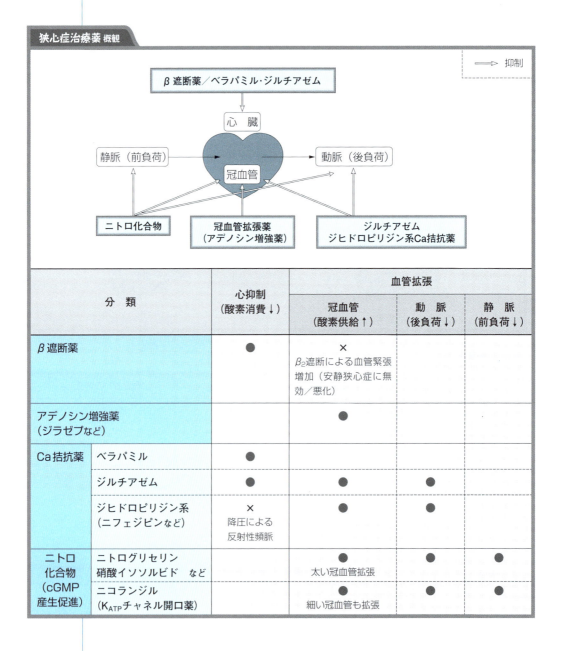

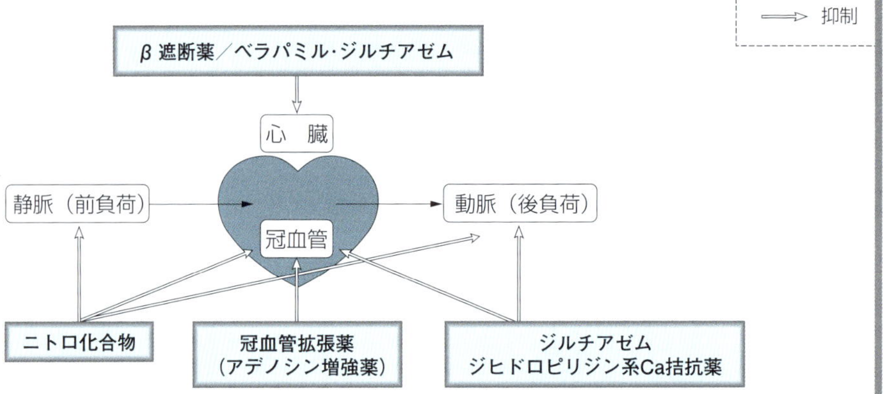

分類		心抑制（酸素消費↓）	血管拡張 冠血管（酸素供給↑）	血管拡張 動脈（後負荷↓）	血管拡張 静脈（前負荷↓）
β遮断薬		●	× β_2遮断による血管緊張増加（安静狭心症に無効／悪化）		
アデノシン増強薬（ジラゼプなど）			●		
Ca拮抗薬	ベラパミル	●			
	ジルチアゼム	●	●	●	
	ジヒドロピリジン系（ニフェジピンなど）	× 降圧による反射性頻脈	●	●	
ニトロ化合物（cGMP産生促進）	ニトログリセリン 硝酸イソソルビド　など		● 太い冠血管拡張	●	●
	ニコランジル（K_{ATP}チャネル開口薬）		● 細い冠血管も拡張	●	●

❶ 亜硝酸・硝酸化合物（ニトロ化合物）

狭心症治療薬（ニトロ化合物）

作用機序

1）NO の供与体として働き，NO の血管平滑筋 cGMP 産生増加作用（可溶性グアニル酸シクラーゼ活性化）により冠血管・末梢血管平滑筋ともに拡張する。

2）末梢血管平滑筋においては，静脈系の拡張作用が強く前負荷が減少，また，動脈系の血管拡張もあり後負荷も減少するため心臓仕事量が軽減される（酸素消費減少：主作用）。

3）さらに，太い冠血管拡張作用によって側副血行路が改善されて虚血部への血流が増加する（酸素供給増加）。

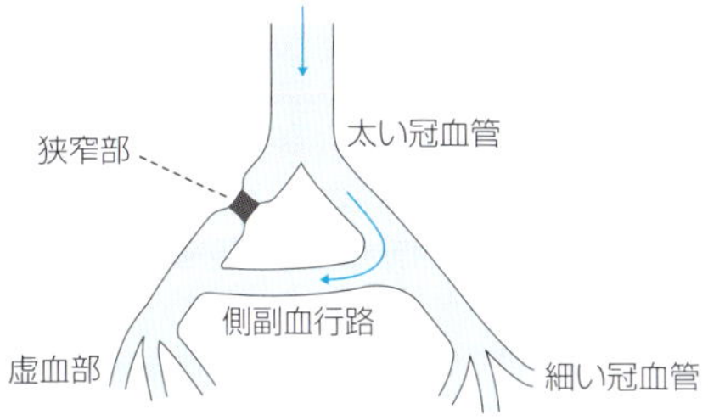

副作用・禁忌

副作用：血管拡張による起立性低血圧，血管性頭痛，顔面潮紅，過度の降圧。メトヘモグロビン血症。持続性製剤の長期使用で耐性発現（休薬期間をおくなどの対処法）

禁忌・慎重投与：閉塞隅角緑内障

併用禁忌：PDE Ⅴ阻害薬，グアニル酸シクラーゼ活性化薬

薬物

ニトログリセリン ニトロペン，ミオコール，バソレーター，ミリスロール，ニトロダーム，ミリステープ	狭心症発作の第一選択薬（肝初回通過効果により 9 割分解：内服無効） 発作の緩解：舌下錠，舌下噴霧，静注 発作の予防：経皮吸収薬（テープなど）
ニコランジル シグマート	1）ATP 感受性 K^+ チャネル開口薬で，硝酸基を有するニコチン酸誘導体。 2）ニトロ基特有の太い冠血管拡張作用と K^+ チャネル開口による細い冠血管拡張作用を併せもつ（末梢血管作用が少ないので冠血管拡張薬にも分類される）。 3）内服薬は発作予防に，注射薬は不安定狭心症・急性心不全に用いられる。
亜硝酸アミル 亜硝酸アミル	鼻孔吸入薬
一硝酸イソソルビド アイトロール **二硝酸イソソルビド** ニトロール，フランドル	静注，内服，舌下，スプレー，テープなど

❷ カルシウム拮抗薬

狭心症治療薬（カルシウム拮抗薬）		
作用機序	1）酸素消費低下：末梢血管拡張による心臓後負荷軽減。 陰性変時・変力作用による心臓仕事量減少。 2）酸素供給増大：冠血管拡張による冠血流量増大。 3）労作性・安静狭心症に有効。とくに，冠動脈攣縮の予防に優れた効果。	
薬　物	**ジヒドロピリジン系** **ニフェジピン** アダラート，セパミット **ニトレンジピン** バイロテンシン **ベニジピン** コニール **エホニジピン** ランデル **アムロジピン*** アムロジン，ノルバスク	1）血管選択性が高く，強力に冠血管と末梢血管を拡張するため冠血流増大と降圧を示す。高血圧・狭心症が主適応症。 2）常用量では心抑制はなく，むしろ降圧反射による心悸亢進（頻脈や動悸）が現れる。頻拍性不整脈には不適。 3）**禁　忌**：妊婦，心原性ショック 4）**副作用**：肝・腎障害，血液障害，歯肉肥厚，動悸・めまい，頭痛など 5）**相互作用**：作用増強（降圧薬・β遮断薬，グレープフルーツジュース，シメチジン，リトナビル，タンドスピロン，ジゴキシン，フェンタニル麻酔，シクロスポリン，フェニトイン，ダントロレン），作用減弱（リファンピシン）など ＊**アムロジピン**は効果発現が緩徐なため，緊急治療を要する不安定狭心症には不適。
	ベンゾチアゼピン系 **ジルチアゼム** ヘルベッサー	1）適度な血管拡張作用と心抑制作用をもち，副作用も少ない。徐放剤もあり1日1回の服用で有効。高血圧・狭心症・頻拍性不整脈に有効。 2）**禁　忌**：妊婦，心原性ショック，心不全（うっ血性，房室・洞房ブロック），重篤低血圧 3）**副作用**：心抑制，Lyell症候群〈中毒性表皮壊死症〉，Stevens-Johnson症候群〈皮膚粘膜眼症候群〉，肝障害，胃腸障害，歯肉肥厚，めまい，頭痛など 4）**相互作用**：P糖蛋白を介したジゴキシンの排泄を阻害してジゴキシンの血中濃度を上昇させるため，併用時の過度の徐脈に注意。
	フェニルアルキルアミン系 **ベラパミル** ワソラン	1）心筋選択性が高く，心抑制作用が強い。狭心症・心筋梗塞（経口）及び頻拍性不整脈（経口・静注）に有効。高血圧症には不適。 2）**禁　忌**：妊婦，心原性ショック，心不全（うっ血性，房室・洞房ブロック），急性心筋梗塞・心筋症，重篤低血圧 3）**副作用**：心抑制，意識消失，肝障害，胃腸障害，歯肉肥厚，めまいなど 4）**相互作用**：β遮断薬との併用で，過度の心抑制（徐脈や心不全）。その他，ジルチアゼム・ジヒドロピリジン系と類似の相互作用あり。
	ベプリジル ベプリコール	1）クラスⅠ・Ⅲ・Ⅳ作用をもつ。 2）他薬無効の不整脈（持続性心房細動，心室性不整脈）にも適用。高血圧症には不適。

❸ 冠血管拡張薬（狭義）

狭心症治療薬（冠血管拡張薬）

分　類	薬　物	作用機序，特徴，副作用など
アデノシン増強	ジピリダモール ペルサンチン ジラゼプ コメリアン	1）損傷部位で増加するアデノシンの赤血球・血管内皮細胞などへの取込みを阻害し，引き続き生じるアデノシンの分解（アデノシンデアミナーゼ）を阻害。 → アデノシンによる心抑制作用（G_i共役型 A_1受容体）及び冠血管拡張作用（G_s共役型 A_2受容体）を増強。 2）また，血管内皮細胞 PGI_2産生増加作用，血小板 TXA_2産生抑制作用，ホスホジエステラーゼ〈PDE〉阻害作用なども複合的に関与。 3）発作の緩解には無効であるが，血小板凝集阻害作用や側副血行路形成促進作用があるため，他薬で十分に制御できない症例や慢性時の治療に補助的に使用。
その他	トリメタジジン バスタレルF	1）脂肪酸β酸化抑制及びグルコース酸化亢進による心筋エネルギー代謝改善。 2）血管拡張，副血行路形成促進，心仕事量減少，心筋保護，血小板凝集抑制などの作用あり。
	トラピジル ロコルナール	1）冠動脈の比較的太い血管を拡張し，心筋虚血部の血流を改善。 2）末梢血管抵抗減少による後負荷軽減，静脈拡張による前負荷軽減。 3）血管内皮細胞 PGI_2産生促進，血小板 TXA_2産生抑制による抗血小板作用。 4）抗 PDGF〈血小板由来成長因子〉作用による動脈硬化進展抑制作用。

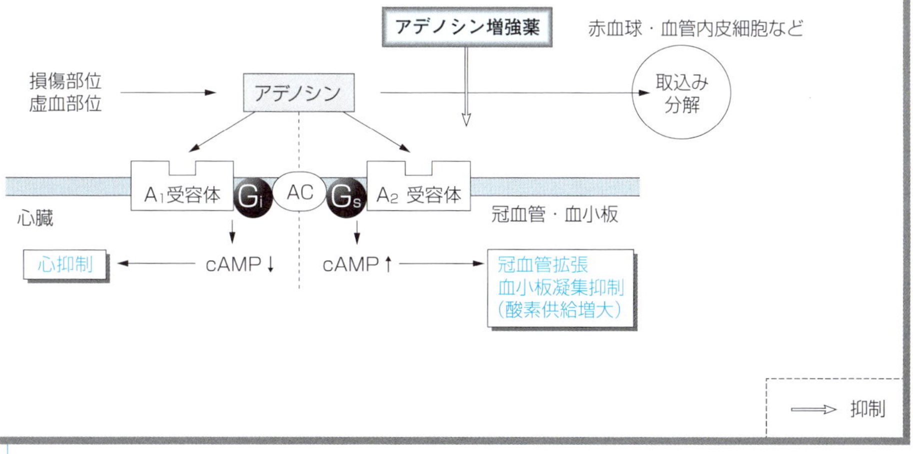

第9章　心臓・血管系に作用する薬物

❹ β受容体遮断薬

狭心症治療薬（β受容体遮断薬）

分　類		薬　物	作用機序，特徴，副作用など
非選択的 β遮断薬	ISA （−）	プロプラノロール インデラル ナドロール ナディック ブフェトロール アドビオール	1）酸素需要低下：心臓β₁受容体遮断により心収縮力・心拍数が低下し心臓の仕事量が減少するため，酸素消費が減少する。長期投与では血圧も下がり，後負荷減少。
	ISA （＋）	ピンドロール カルビスケン，ブロクリンL カルテオロール ミケラン	2）酸素供給増加：虚血部血管は反応性は悪く，虚血部以外の正常血管はβ₂遮断で収縮するため，その血液が虚血部に配分される（冠血流の再配分）。また，心室拡張期充満時間の延長によって冠血管流入血液量が増加。
選択的 β₁遮断薬	ISA （−）	アテノロール テノーミン メトプロロール セロケン，ロブレソール ビソプロロール メインテート ベタキソロール ケルロング	3）労作時（交感神経／副腎系活性上昇時）に著効。安静狭心症ではβ遮断に伴いα作用が優位となり冠攣縮誘発の危険性あり。
	ISA （＋）	アセブトロール アセタノール セリプロロール セレクトール	4）徐脈性不整脈に禁忌。クラスⅠa抗不整脈薬やカルシウム拮抗薬との併用による過度の心抑制に注意。突然の投薬中断で狭心症・心筋梗塞発作を誘発する危険性あり（中断症候群）。
α・β 遮断薬	ISA （−）	アロチノロール アロチノロール カルベジロール アーチスト ニプラジロール ハイパジール	

☞ISA については，p59 及び p286 表欄外参照

V　末梢循環改善薬

☞『医薬品一般名・商品名・構造一覧』p53

おさえるべきところ

1．末梢循環障害 ……p269
2．末梢循環改善薬 ……p270
3．原発性〈肺動脈性〉肺高血圧症治療薬 ……p273

1．末梢循環障害

疾患		原因
レイノー病		交感神経の異常興奮に伴い，四肢動脈が間欠的に攣縮。
慢性動脈閉塞症	バージャー病〈閉塞性血栓性血管炎〉	動脈内膜層の炎症とそれに伴う血栓形成によってできた動脈壁の病変が閉塞を誘発（ビュルガー病ともよばれる）。
慢性動脈閉塞症	閉塞性動脈硬化症〈ASO：Arteriosclerorosis obliterans〉	動脈硬化により血管が器質的に狭窄。

2．末梢循環改善薬

末梢循環改善薬は，主に四肢の皮膚や骨格筋の血管収縮・塞栓に起因する循環障害（レイノー病，バージャー病，閉塞性動脈硬化症）に用いられる薬物であり，脳血流（脳循環改善薬）や冠血流（抗狭心症薬）以外の末梢循環を対象とする薬物である。しかしながら，硬化層が存在する病変部では薬物反応性や血管柔軟性が低下しているため，正常部血管が血管拡張薬によって拡張すると病変部血管ではむしろ血流が減少する盗血現象〈スチール現象〉が起こる。従って，血管拡張薬の使用にあたっては，抗血小板薬（チクロピジン，サルポグレラート，シロスタゾール），抗凝血薬（アルガトロバン），血栓溶解薬（ウロキナーゼ，バトロキソビン）など血管拡張以外の方向からの血流改善薬の併用が望ましい。

末梢循環改善薬 概観

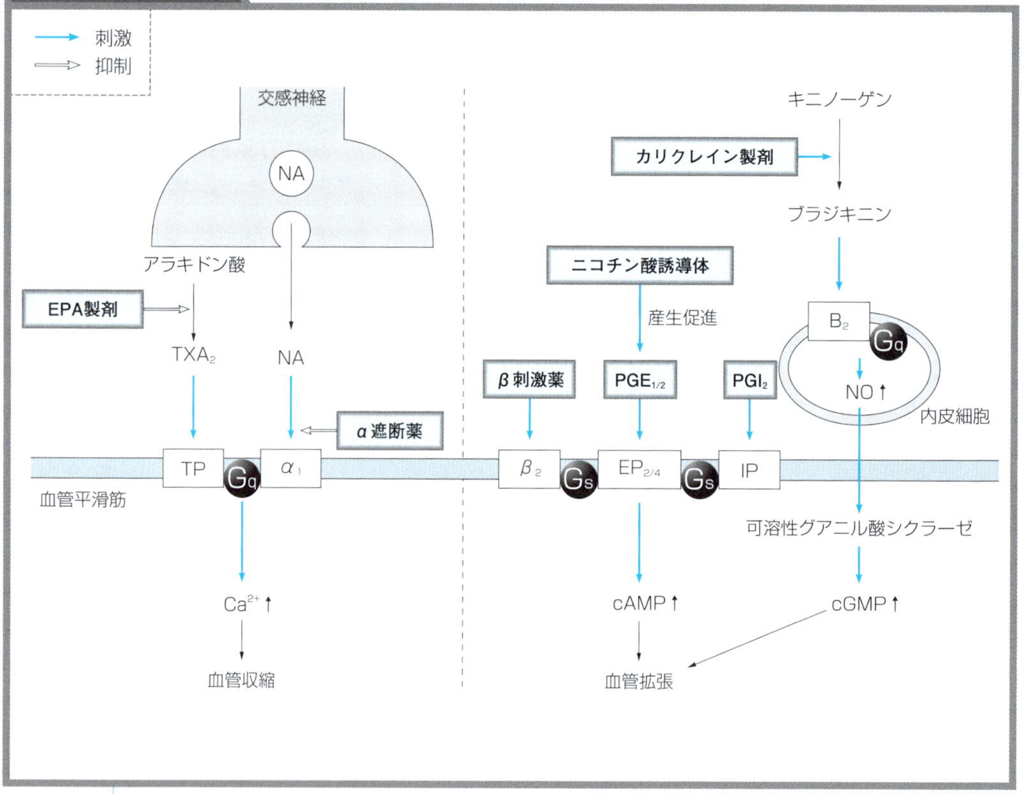

末梢循環改善薬

分類	薬物	適用 レイノー	バージャー	ASO	作用機序，特徴など
α 遮断薬	(トラゾリン)	レ	バ	A	カルシウム動員性受容体である α_1 受容体を遮断することによって血管収縮を阻害
β 刺激薬	イソクスプリン ズファジラン	レ	バ	A	β_2 受容体刺激によって血管平滑筋細胞内で cAMP 産生増加 → 血管拡張
プロスタグランジン関連薬	イコサペント酸エチル（EPA 製剤） （二重結合 3 シリーズの PG 前駆体） エパデール，イコサペント酸エチル			A	TXA_2 産生阻害により，血管拡張・血小板凝集抑制作用を現し，また，脂質代謝改善作用を示す。
	PGE_1 製剤 アルプロスタジル パルクス，リプル アルプロスタジルアルファデクス* プロスタンディン		バ	A	$EP_{2,4}$／IP 受容体刺激によって血管平滑筋細胞・血小板で cAMP 産生増加 → 血管拡張・血小板凝集抑制 ＊アルファデクス：α シクロデキストリン（環状オリゴ糖）包接化合物（☞次頁参照）
	PGE_1 誘導体 リマプロストアルファデクス* オパルモン，プロレナール		バ		
	PGI_2 誘導体 ベラプロスト ドルナー，プロサイリン		バ	A	
ニコチン酸類	トロフェロールニコチン酸エステル ユベラ N			A	1）ニコチン酸類は PGD_2・PGE_2 産生を介する一過性の血管拡張作用をもつが，顔面潮紅や頭痛などの副作用がある。副作用を軽減する目的で，徐々にニコチン酸を遊離するプロドラッグが用いられている。 2）また，ニコチン酸類は遊離脂肪酸生成阻害による脂質代謝改善作用をもつ。
	ニコモール コレキサミン	レ	バ	A	
	ニセリトロール ペリシット	レ	バ	A	
	ヘプロニカート ヘプロニカート	レ	バ	A	
	ナイアシン （ニコチン酸，ニコチン酸アミド） ナイクリン　ニコチン酸アミド	レ			
カリクレイン製剤	カリジノゲナーゼ カルナクリン		バ		キニノーゲンからのブラジキニン産生を促進する。産生されたブラジキニンによって血管内皮細胞で NO 産生促進 → 血管拡張

シクロデキストリン〈cyclodextrin〉

1）シクロデキストリン〈cyclodextrin〉は数分子のD-グルコースがα（1→4）グルコシド結合によって結合し環状構造をとった環状オリゴ糖の一種。α-シクロデキストリン（シクロヘキサアミロース：グルコースが6個結合），β-シクロデキストリン（シクロヘプタアミロース：グルコースが7個結合），γ-シクロデキストリン（シクロオクタアミロース：グルコースが8個結合）などがある。

2）シクロデキストリン環状構造の空孔内径は0.45～0.6 nm（α体），0.6～0.8 nm（β体），0.8～0.95 nm（γ体）。空孔内部は疎水性，外側（ヒドロキシ基）は親水性のため，疎水性分子を包接しやすく，包接化合物とすることにより水に溶解させたり，水や酸素と反応しやすい物質を保護したりできる。

3）シクロデキストリン包接化合物（薬物）では，
①薬物の安定性・溶解性の上昇
②薬物放出の調節
などが期待できる。

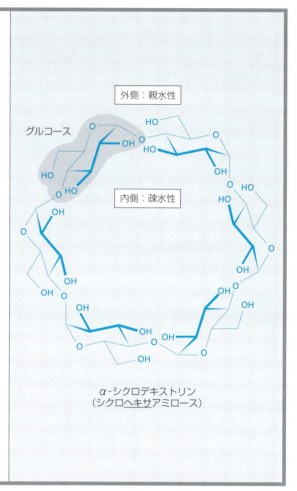

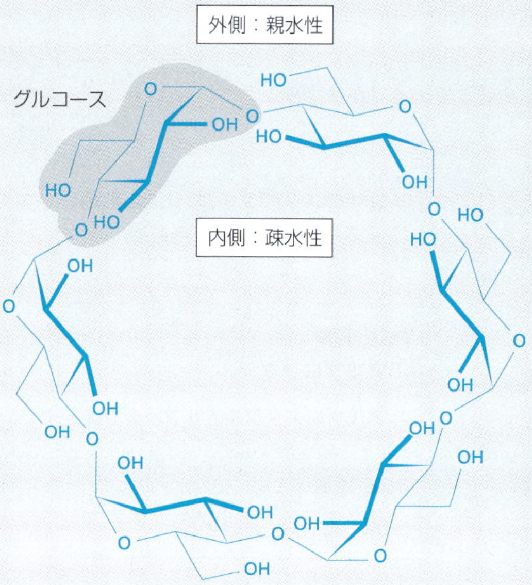

α-シクロデキストリン
（シクロヘキサアミロース）

3．原発性〈肺動脈性〉肺高血圧症治療薬

☞『医薬品一般名・商品名・構造一覧』p54

原発性〈肺動脈性〉肺高血圧症は，心臓（右心室）から肺に血液を送る肺動脈の圧力（血圧）が異常に上昇する疾患であり，難治性呼吸器疾患（指定難病）に認定されている。持続的な肺血管れん縮や血管壁の肥厚などによって肺動脈内腔が狭窄し，右心室不全を呈する。肺でのガス交換の低下により，動作時の息切れ，胸痛，動悸などの初期症状が現れる。治療には，肺動脈を拡張させる血管拡張薬が有効である。

原発性〈肺動脈性〉肺高血圧症治療薬 概観

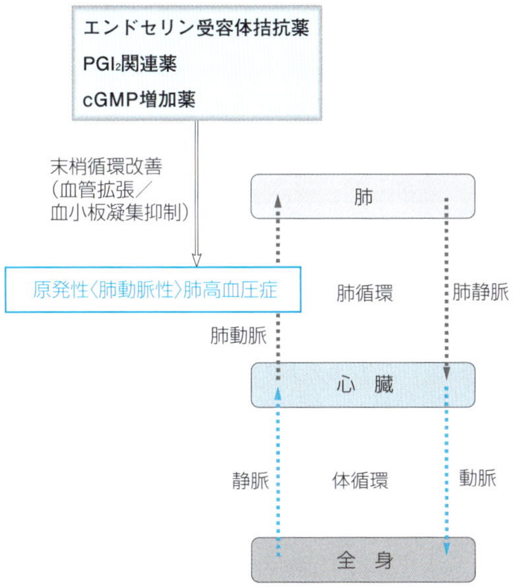

原発性〈肺動脈性〉肺高血圧症治療薬

分　類		薬　物	作用機序
エンドセリン受容体拮抗薬	ET$_A$／ET$_B$拮抗薬	ボセンタン トラクリア マシテンタン オプスミット	エンドセリン受容体を阻害することにより，エンドセリン-1〈ET-1〉による肺血管平滑筋の収縮及び増殖を抑制する。
	ET$_A$選択的拮抗薬	アンブリセンタン ヴォリブリス	
PGI$_2$関連薬	PGI$_2$製剤	エポプロステノール フローラン	血管平滑筋及び血小板PGI$_2$受容体（IP受容体）を刺激して細胞内cAMP産生を促進することにより，血管拡張作用，血小板凝集抑制作用，血管平滑筋細胞増殖抑制作用を発現する。
	PGI$_2$誘導体	ベラプロスト ケアロード，ベラサス ドルナー，プロサイリン トレプロスチニル トレプロスト イロプロスト ベンテイビス	
	IP受容体 　選択的作動薬	セレキシパグ ウプトラビ	
cGMP 増加薬	可溶性グアニル酸 　シクラーゼ活性化薬	一酸化窒素〈NO〉 アイノフロー リオシグアト アデムパス	1）可溶性グアニル酸シクラーゼ〈sGC〉を直接活性化し，細胞内cGMP産生を促進して肺血管を拡張する。 2）リオシグアトは，内因性NOに対するsGCの感受性増強作用も有する。 cf. ベルイシグアト：慢性心不全治療 ベリキューボ
	PDE Ⅴ阻害薬	シルデナフィル レバチオ タダラフィル アドシルカ	PDE Ⅴ（cGMP分解酵素）を選択的に阻害し，細胞内cGMPの分解を抑制して肺血管を拡張する。

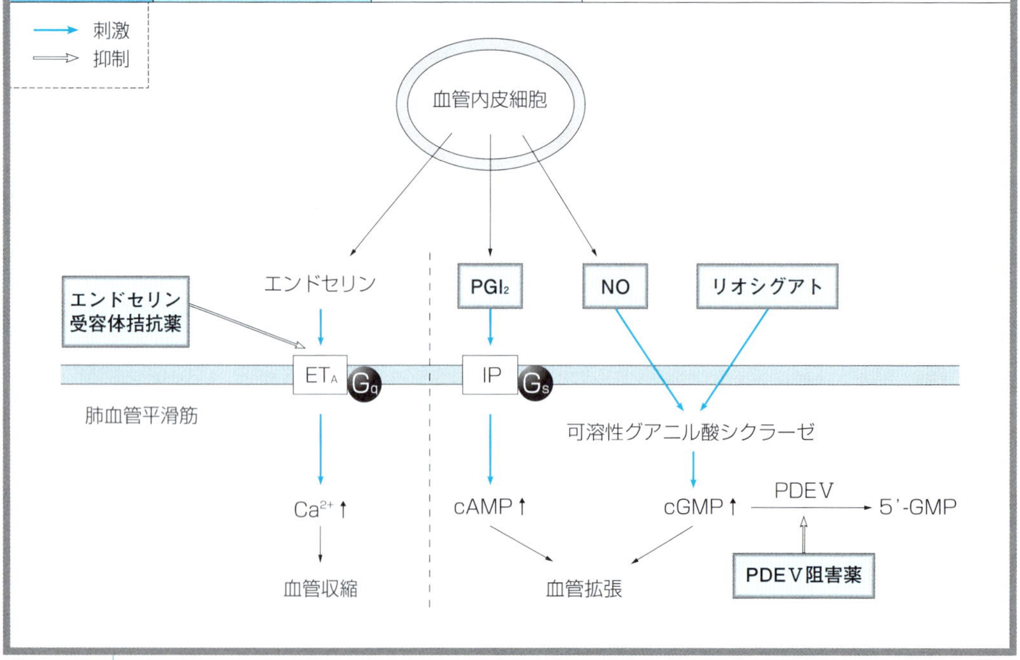

Ⅵ　高血圧治療薬

☞『医薬品一般名・商品名・構造一覧』p54

おさえるべきところ

1．高血圧の病態と降圧薬概観 ……p275
2．中枢性降圧薬 ……p276
3．末梢性降圧薬 ……p277

1．高血圧の病態と降圧薬概観

動脈圧が90 mmHg（拡張期血圧）～140 mmHg（収縮期血圧）の範囲内にあるものを正常とし，どちらかがこの値を越えた場合に高血圧と診断される。原因不明の本態性高血圧と，ある疾病に付随して生じる二次性高血圧とに大別される。高血圧の95%以上は本態性高血圧であり，放置すると心血管系疾患の発症頻度が著しく増大する。そのため，対症療法にすぎなくとも血圧を正常レベルに維持することが重要である。

高血圧分類

分類		拡張期血圧（mmHg）		収縮期血圧（mmHg）
正常	正常血圧	＜80	かつ	＜120
	正常高値血圧	＜80	かつ	＜120～129
	高値血圧	＜80～89	又は／かつ	＜130～139
高血圧	収縮期高血圧	＜90	かつ	≧140
	Ⅰ度高血圧（軽症）	＜90～99	又は／かつ	＜140～159
	Ⅱ度高血圧（中等症）	＜100～109	又は／かつ	＜160～179
	Ⅲ度高血圧（重症）	≧110	又は／かつ	≧180

降圧薬 概観

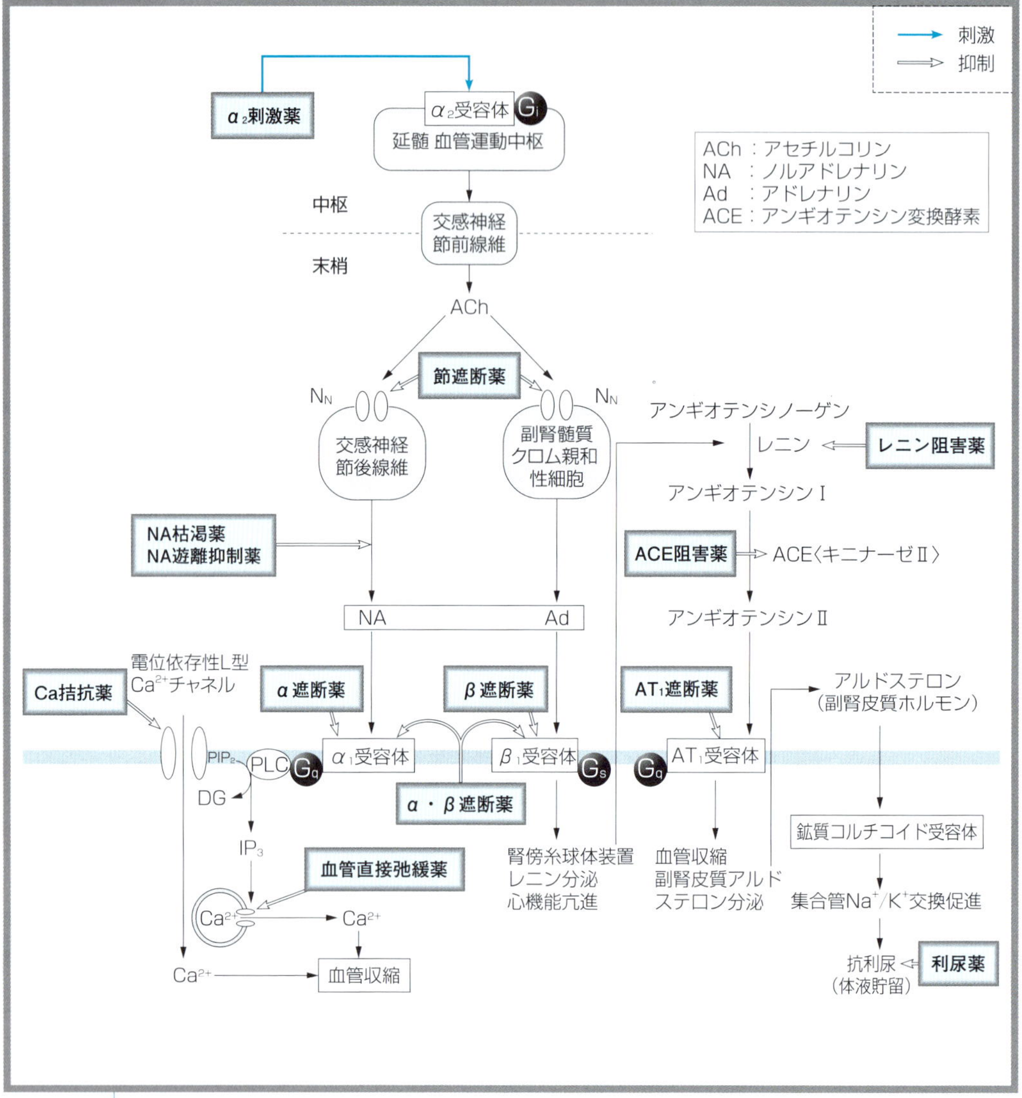

2．中枢性降圧薬

分類	薬物	作用機序
α_2受容体刺激薬	**クロニジン** カタプレス **αメチルドパ** （代謝物αメチルノルアドレナリンが作用） アルドメット **グアナベンズ** ワイテンス	1）延髄・血管運動中枢のα_2受容体刺激によって交感神経活動が抑制されて降圧（主作用）。 2）交感神経終末α_2受容体刺激によって交感神経からのNA遊離を抑制する。 3）妊婦の高血圧に適用可。

3. 末梢性降圧薬

① 末梢性降圧薬 概観

血圧 ＝ 末梢血管抵抗 ＋ 心拍出量 ＋ 循環体液量

末梢性降圧薬 概観

分類			作用機序
交感神経遮断薬	神経側	自律神経節遮断薬（N_N受容体遮断薬）	交感神経節（N_N受容体）遮断による交感神経終末からのNA遊離抑制 副腎髄質クロム親和性細胞（N_N受容体）遮断によるAd遊離抑制
		間接型交感神経遮断薬	NA枯渇 交感神経終末からのNA遊離抑制
	効果器側	α_1受容体遮断薬	NAやAdによる血管平滑筋収縮（α_1）の阻害
		β（β_1）受容体遮断薬	心拍出量（β_1）低下 腎傍糸球体装置からのレニン分泌（β_1）抑制
		α・β受容体遮断薬	血管平滑筋収縮（α_1）の阻害 心拍出量（β_1）低下 腎傍糸球体装置からのレニン分泌（β_1）抑制
Ca^{2+}動態関連（血管拡張）		カルシウム拮抗薬	細胞外Ca^{2+}の細胞質への流入阻害によって血管拡張
		カルシウム遊離抑制薬	細胞内Ca^{2+}貯蔵部位から細胞質へのCa^{2+}遊離阻害によって血管拡張
利尿薬（循環体液量低下）	K^+排泄性	ループ利尿薬	ヘンレ係蹄上行脚Na^+-K^+-$2Cl^-$共輸送阻害
		チアジド系利尿薬	遠位尿細管Na^+-Cl^-共輸送阻害
		チアジド類似薬	遠位尿細管Na^+-Cl^-共輸送阻害
	K^+保持性	アルドステロン受容体拮抗薬	集合管アルドステロン受容体拮抗→Na^+／K^+交換阻害
		Na^+チャネル遮断薬	集合管Na^+チャネル遮断→Na^+／K^+交換阻害
アンギオテンシン関連		レニン阻害薬	アンギオテンシノーゲンからアンギオテンシン〈Ang〉Ⅰへの変換を阻害→下流にあるAngⅡ・アルドステロンの産生阻害による降圧
		アンギオテンシン変換酵素〈ACE／キニナーゼⅡ〉阻害薬	アンギオテンシン〈Ang〉ⅠからⅡへの変換阻害及びキニンの分解阻害→AngⅡの産生阻害によるAngⅡの血圧上昇作用の減弱（AngⅡによる血管収縮及び副腎皮質アルドステロン分泌を抑制）及びキニンの降圧作用（血管拡張作用）の増強
		アンギオテンシンⅡ受容体〈AT_1受容体〉阻害薬	アンギオテンシンⅡ受容体〈AT_1受容体〉の阻害による血管収縮阻害及び副腎皮質アルドステロン分泌阻害
その他		ニトロ化合物	可溶性グアニル酸シクラーゼを活性化してcGMP産生を促進し，血管平滑筋を拡張

❷ 末梢性降圧薬各論

末梢性降圧薬各論（その1）

分類			薬物	特徴・副作用など
交感神経遮断薬	自律神経節遮断薬 （N_N受容体遮断薬）		（ヘキサメトニウム トリメタファン）	手術時の出血防止を目的とした降圧 （ニトロ化合物も同様の目的で使用）
	間接型交感神経遮断薬	NA 枯渇	（レセルピン）	中枢性降圧・鎮静作用あり **副作用**：重篤なうつ症状
		NA 遊離抑制	（グアネチジン）	レセルピン様作用，チラミン様作用あり
	α受容体遮断薬	非選択性	フェントラミン レギチーン	褐色細胞腫の手術前・手術中の血圧調整，褐色細胞腫の診断
		α_1選択性	プラゾシン，テラゾシン ミニプレス　ハイトラシン，バソメット ウラピジル エブランチル	心・腎不全，気管支喘息に適用可。とくに，褐色細胞種・レイノー病による高血圧，排尿困難・糖尿病・脂質異常症を伴う高血圧に適 **副作用**：起立性低血圧
			ブナゾシン，ドキサゾシン デタントール　カルデナリン	
	β受容体遮断薬 非選択性	ISA（－）	プロプラノロール，ナドロール インデラル　ナディック ブフェトロール アドビオール	**【一般的作用】** 心機能低下，LDL 及び中性脂肪増加・HDL 低下，血糖降下作用がある。 **禁忌・慎重投与**：喘息，慢性閉塞性肺疾患，心抑制（房室ブロック） ISA（－）では狭心症・不整脈に適 ISA（＋）では高齢者・徐脈傾向に適 **【cf. β刺激作用】** ・脂肪細胞（β_1/β_3） 中性脂肪分解↑ ・骨格筋（β_2） グリコーゲン分解↑（血糖↑） 血清K^+取込み↑（血清K^+↓）
		ISA（＋）	ピンドロール カルビスケン，ブロクリンL カルテオロール ミケラン	
	β受容体遮断薬 β_1選択性	ISA（－）	アテノロール テノーミン メトプロロール セロケン，ロプレソール ベタキソロール ケルロング ビソプロロール メインテート，ビソノテープ	
		ISA（＋）	アセブトロール アセタノール セリプロロール セレクトール	
	α・β受容体遮断薬 ※（ ）内はα：β効力比	ISA（－）	アモスラロール（1：1） ローガン アロチノロール（1：8） アロチノロール カルベジロール（1：8） アーチスト ベバントロール（1：14） カルバン ニプラジロール（α遮断弱） ハイパジール	α遮断による反射性頻脈やβ遮断薬による代償性α作用亢進に対応（☞p282 参照） α遮断薬・β遮断薬の**副作用**あり（起立性低血圧，心抑制，気管支喘息悪化など）。
		ISA（＋）	ラベタロール（1：3） トランデート	

末梢性降圧薬各論（その2）

分類			薬物	特徴・副作用など
Ca²⁺動態関連	カルシウム拮抗薬	ジヒドロピリジン系（血管選択性）	【第1世代】 ニフェジピン，ニカルジピン アダラート，セパミット　ペルジピン 【第2世代】 ニルバジピン ニバジール	持続性徐放製剤あり
			【第2世代】 ベニジピン コニール ニトレンジピン，マニジピン バイロテンシン　　　カルスロット バルニジピン，エホニジピン ヒポカ　　　　　ランデル フェロジピン，シルニジピン スプレンジール　アテレック アラニジピン サプレスタ，ベック 【第3世代】 アムロジピン，アゼルニジピン アムロジン，ノルバスク　カルブロック	持続性 ※注意：短時間型カルシウム拮抗薬の長期使用→生命予後悪化（心筋梗塞など）
		ベンゾチアゼピン系（心臓・血管作用）	ジルチアゼム ヘルベッサー	心臓・血管両方に適度に作用 持続性徐放製剤あり
	Ca²⁺遊離抑制薬？		ヒドララジン アプレゾリン	妊婦の高血圧に適用可 副作用：SLE様症状，劇症肝炎 禁忌：虚血性心疾患，心不全
利尿薬	K⁺排泄性	ループ利尿薬	フロセミド ラシックス	副作用：低カリウム血症，低カルシウム血症，代謝性アルカローシス，高尿酸血症，高血糖，難聴 相互作用：アミノ糖系抗生物質の聴覚障害増強，セフェム系抗生物質の腎毒性増強
		チアジド系利尿薬	ヒドロクロロチアジド ヒドロクロロチアジド トリクロルメチアジド フルイトラン ベンチルヒドロクロロチアジド ベハイド	腎機能が低下している場合には，効果は期待できない。 副作用：低カリウム血症，高カルシウム血症，代謝性アルカローシス，高尿酸血症，高血糖，光過敏症 禁忌：無尿，急性腎不全
		チアジド類似薬	インダパミド ナトリックス トリパミド，メフルシド ノルモナール　バイカロン	チアジド系よりも，カリウム排泄などの副作用少ない
	K⁺保持性	アルドステロン受容体拮抗薬｜ステロイド骨格	スピロノラクトン アルダクトンA	副作用：高カリウム血症，代謝性アシドーシス，女性化作用
		アルドステロン受容体拮抗薬｜ステロイド骨格	エプレレノン セララ	アルドステロン受容体選択的遮断 （女性化作用の副作用軽減）
		アルドステロン受容体拮抗薬｜非ステロイド骨格	エサキセレノン ミネブロ	
		Na⁺チャネル遮断薬	トリアムテレン トリテレン	副作用：高カリウム血症，代謝性アシドーシス，消化管症状

末梢性降圧薬各論（その3）

分類			薬物	特徴・副作用など
アンギオテンシン系	直接的レニン阻害薬		アリスキレン ラジレス	**副作用**：高カリウム血症，血管浮腫 **禁忌**：妊婦，イトラコナゾール，シクロスポリン投与中
	アンギオテンシン変換酵素〈キニナーゼII〉阻害薬 ACEI	SH基	カプトプリル*1 カプトリル アラセプリル セタプリル	**副作用**：キニンによる気道刺激増大（空咳），発疹，かゆみ，高カリウム血症，血管浮腫 **禁忌**：妊婦（羊水減少，胎児死亡）
		COOH基	エナラプリル*2 レニベース，エナラート デラプリル アデカット シラザプリル インヒベース リシノプリル*1,2 ゼストリル，ロンゲス ベナゼプリル チバセン イミダプリル タナトリル テモカプリル エースコール キナプリル コナン トランドラプリル オドリック ペリンドプリルエルブミン コバシル	
	アンギオテンシンII受容体〈AT_1受容体〉阻害薬 ARB	活性本体	ロサルタン ニューロタン バルサルタン ディオバン テルミサルタン ミカルディス イルベサルタン アバプロ，イルベタン アジルサルタン アジルバ	**副作用**：高カリウム血症，血管浮腫（空咳の副作用は弱い） **禁忌**：妊婦
		持続性プロドラッグ	カンデサルタンシレキセチル*2 ブロプレス オルメサルタンメドキソミル オルメテック	
	アンギオテンシン受容体ネプリライシン阻害薬〈ARNI〉		サクビトリル・バルサルタン エンレスト	ネプリライシン阻害薬サクビトリルとアンギオテンシンII AT_1受容体遮断薬バルサルタンとの結合化合物（慢性心不全にも適用）
その他	ニトロ化合物		ニトロプルシド ニトプロ	**適用**：手術時の低血圧維持，手術時の異常高血圧に対する緊急処置
	PGE_1製剤		アルプロスタジル アルファデクス プロスタンディン	

＊1 カプトプリル，リシノプリル：活性本体（これら以外のACEIはプロドラッグ）
＊2 エナラプリル，リシノプリル，カンデサルタンシレキセチル：慢性心不全にも適用

降圧薬の合剤（配合錠）

分類		薬物
利尿薬	＋アンギオテンシン AT_1受容体遮断薬〈ARB〉	ヒドロクロロチアジド ＋ ロサルタン（プレミネント） ヒドロクロロチアジド ＋ バルサルタン（コディオ） ヒドロクロロチアジド ＋ テルミサルタン（ミコンビ） ヒドロクロロチアジド ＋ カンデサルタンシレキセチル（エカード） トリクロルメチアジド ＋ イルベサルタン（イルトラ）
Ca 拮抗薬	＋アンギオテンシン AT_1受容体遮断薬〈ARB〉	アムロジピン ＋ バルサルタン（エックスフォージ） アムロジピン ＋ テルミサルタン（ミカムロ） アムロジピン ＋ テルミサルタン ＋ ヒドロクロロチアジド（ミカトリオ） アムロジピン ＋ カンデサルタンシレキセチル（ユニシア） アムロジピン ＋ イルベサルタン（アイミクス） アムロジピン ＋ アジルサルタン（ザクラス） アゼルニジピン ＋ オルメサルタンメドキソミル（レザルタス） シルニジピン ＋ バルサルタン（アテディオ）
	＋スタチン系 脂質異常症改善薬	アムロジピン ＋ アトルバスタチン（カデュエット）

4. 降圧薬に関する補足事項

❶ 降圧に伴う代償反応（頻脈，体液貯留）

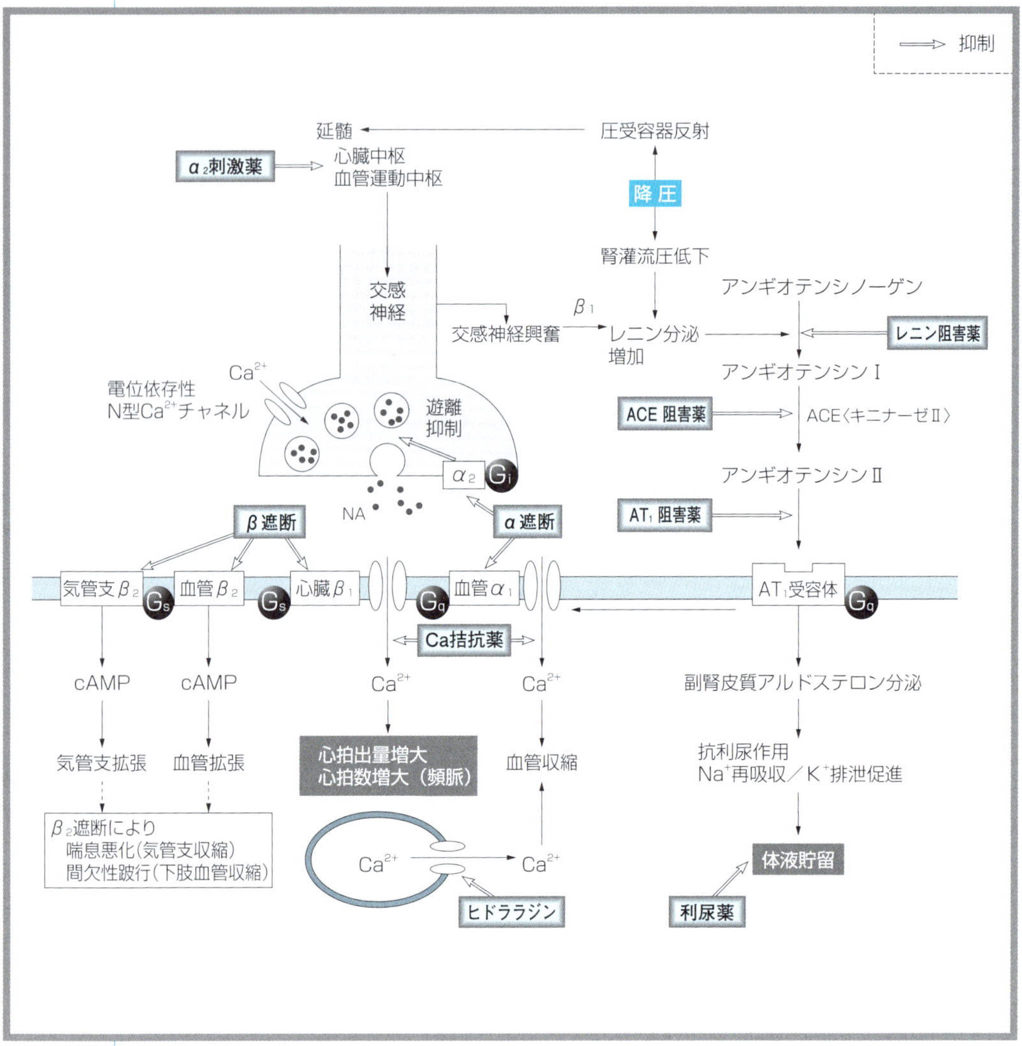

❷ カルシウム拮抗薬一覧 及び カルシウム拮抗薬 の 組織選択性発現機序

カルシウム拮抗薬 一覧

分類			薬物	高血圧	狭心症	不整脈	その他	付記事項
ジヒドロピリジン系	第一世代	非持続性 ※徐放製剤あり	ニフェジピン アダラート セパミット	●	●		腎性高血圧	血管選択性高い（ジヒドロピリジン系共通）。
			ニカルジピン ペルジピン	●			急性心不全	異常高血圧の緊急処置にも適用（静注）。
	第二世代	非持続性	ニルバジピン ニバジール	●			脳梗塞後遺症	脳血管拡張作用強い。 心臓抑制作用弱い。
		持続性	ニトレンジピン バイロテンシン	●	●		腎性高血圧	
			ベニジピン コニール	●	●		腎性高血圧	緩徐で持続的降圧。
			エホニジピン ランデル	●	●		腎性高血圧	高い血管選択性。 脳血流改善作用。 持続性利尿効果。 洞房結節T型 Ca^{2+} チャネル遮断による反射性頻脈軽減作用あり。
			バルニジピン ヒポカ	●			腎性高血圧	
			フェロジピン スプレンジール	●				高い血管選択性。
			シルニジピン アテレック	●				重症高血圧，腎障害を伴う高血圧に高い効果。 交感神経N型 Ca^{2+} チャネル阻害によるNA遊離阻害（反射性頻脈軽減）作用あり。
			マニジピン カルスロット	●				末梢細動脈に選択的。 腎血流量増加。
			アラニジピン サプレスタ，ベック	●				
	第三世代	持続性	アムロジピン アムロジン，ノルバスク	●	●			1日1回投与，遅効持続型。 グレープフルーツジュースとの相互作用少ない。 ARBやスタチンとの合剤あり。
			アゼルニジピン カルブロック	●				1日1回投与，遅効持続型。 ARBとの合剤あり。
ベンゾチアゼピン系			ジルチアゼム ヘルベッサー	●	●	●	異型狭心症	心臓・血管の両方に適度に作用。
ジフェニルアルキルアミン系			ベラパミル ワソラン		●	●	心筋梗塞	心選択性高く，心抑制強い。
その他			ベプリジル ベプリコール		●	●		クラスⅠ，Ⅲ，Ⅳ作用。

カルシウム拮抗薬の組織選択性発現機序

L型 Ca^{2+} チャネルの3つの状態

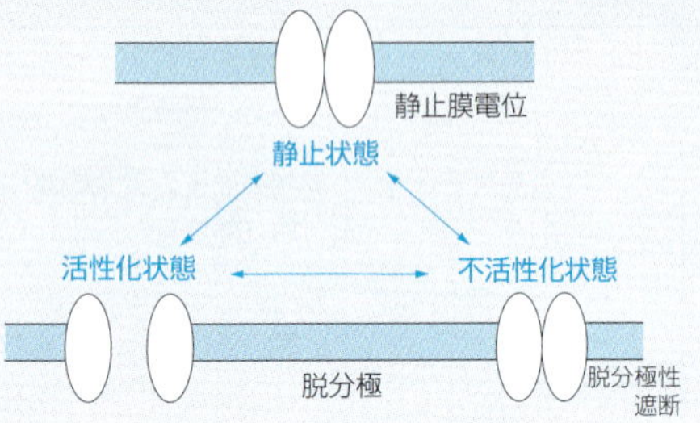

Ca^{2+} チャネルは，膜電位に応じて，

① 静止状態
② 活性化状態
③ 不活性化状態（脱分極性遮断）

の3つの状態を取る。

フェニルアルキルアミン誘導体（ベラパミル）の心筋選択性

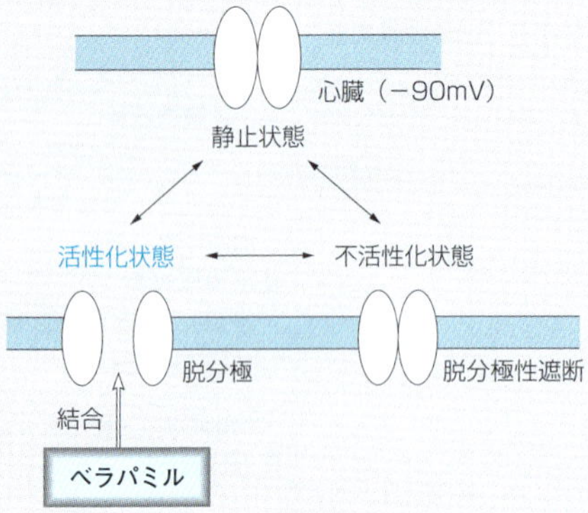

1）フェニルアルキルアミン誘導体は，チャネルが開いたときに，主に細胞膜内側よりその受容部位に結合して Ca^{2+} チャネルを遮断する（Open Channel Block）。

2）活動電位の頻度が高まると，Ca^{2+} チャネルから薬物がすべて解離する前に次の活動電位が生じ，Open Channel Block 作用によって薬物による遮断作用が蓄積される（頻度依存性遮断）。

3）膜電位が静止膜電位に戻れば Ca^{2+} チャネルは静止状態に戻り，Ca^{2+} チャネルを遮断していた薬物は比較的遅い速度で Ca^{2+} チャネルから解離する。しかし，膜電位が脱分極側では解離が極めて遅くなる（膜電位依存性解離）。

4）心臓の洞房結節や房室結節では最大拡張期電位（静止膜電位）が固有心筋よりも脱分極側にあるためにベラパミルやジルチアゼムが解離しにくく，刺激伝導系 Ca^{2+} チャネルを強く抑制することとなる。

ジヒドロピリジン誘導体（ニフェジピン）の血管選択性

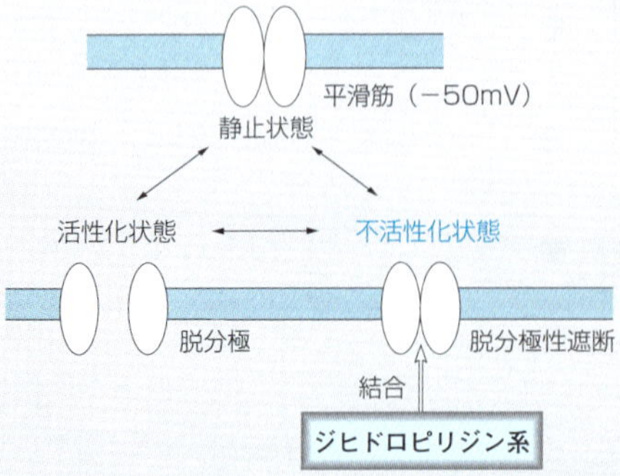

1）心筋と血管平滑筋のL型 Ca^{2+} チャネルは，アミノ酸配列で5%の違いではあるが異なった蛋白質である。血管平滑筋の Ca^{2+} チャネルの方が心筋の Ca^{2+} チャネルよりもジヒドロピリジン系薬物に親和性が高い。

2）ジヒドロピリジン系薬物は，不活性化状態の Ca^{2+} チャネルに極めて親和性が高い（Closed Channel Block）。冠状動脈血管平滑筋の静止膜電位（−50 mV）は，固有心筋の静止膜電位（−80〜−90 mV）より脱分極側にあるために，血管平滑筋の方が不活性化状態の Ca^{2+} チャネルの割合が多い。このため，血管平滑筋は心筋よりもジヒドロピリジン系薬物に対する感受性が100倍程度高い。

補足　電位依存性 Ca^{2+} チャネル の 分類（特徴と名前の由来）

電位依存性 Ca^{2+} チャネル の 特徴

分類		選択的阻害薬	活性化閾値	開口時間	主な分布
L 型		ジヒドロピリジン系薬物 ジルチアゼム ベラパミル	高閾値 （〜−20 mV）	長い	筋肉細胞 内分泌細胞
非 L 型	N 型	ω-コノトキシン （イモ貝毒）	高閾値 （〜−20 mV）	――	脳，神経
	P/Q 型	ω-アガトキシン （クモ毒）			
	R 型	SNX-482 （タランチュラ毒素）			
T 型		――	低閾値 （〜−60 mV）	短い	脳，心臓

電位依存性 Ca^{2+} チャネル の 名前 の 由来

分類		名前の由来
L 型		チャネル開口時間が持続的（Long-lasting） 単一チャネルコンダクタンス（電流の流れ易さ）が大きい（Large）
非 L 型	N 型	非 L 型（Non-L 型） 神経細胞（Neuronal）に分布
	P 型	小脳プルキンエ細胞（Purkinje）で同定
	Q 型	P 型のスプライス・バリアント（亜型） （P 型よりも，ω-アガトキシンに対する感受性が低い）
	R 型	L 型〜Q 型チャネルに対する阻害薬で阻害されない残り（Residual）
T 型		チャネル開口時間が一過性（Transient） 単一チャネルコンダクタンスが小さい（Tiny）

❸ β遮断薬一覧

分類	MSA[*1]	ISA[*2]	薬物	高血圧	狭心症	不整脈	中枢移行性	付記事項
β受容体非選択的遮断薬	+	−	プロプラノロール インデラル	●	●	●	+	右心室流出路狭窄による低酸素発作の発症抑制にも適用
			ブフェトロール アドビオール	▲	●	●	−	
	−	−	ナドロール ナディック	●	●	●		血中半減期長く1日1回投与可能
		+	ピンドロール カルビスケン, ブロクリンL	●	●	●	+	
			カルテオロール ミケラン	●	●	●	−	緑内障治療点眼薬としても使用
	?	?	チモロール チモプトール					緑内障治療点眼薬
			レボブノロール レボブノロール					緑内障治療点眼薬
β1選択的遮断薬	+	+	アセブトロール アセタノール	●	●	●	−	
			エスモロール ブレビブロック			●		短時間型β1遮断薬 手術時の上室性不整脈に対する緊急処置
	−	+	セリプロロール セレクトール	●	●	▲	−	β1選択的遮断作用とβ2選択的ISA作用。持続性血管拡張作用あり
		−	メトプロロール セロケン, ロプレソール	●	●	●	+	慢性心不全にも有効
			アテノロール テノーミン	●	●	●	−	血中半減期長く1日1回投与可能
			ビソプロロール メインテート, ビソノテープ	●	●	●	−	血中半減期長く1日1回投与可能 慢性心不全にも有効
			ベタキソロール ケルロング	●	●	▲	±	血中半減期長く1日1回投与可能 血管拡張作用あり。緑内障治療
			ランジオロール オノアクト			●		短時間型β1遮断薬 手術時の上室性不整脈に対する緊急処置など
α・β遮断薬	+	+	ラベタロール トランデート	●	▲	▲	+	$\alpha_1:\beta=1:3$, α_1選択性
		−	カルベジロール アーチスト	●	●	●	+	$\alpha:\beta=1:8$, 作用時間長い 慢性心不全にも有効
			ベバントロール カルバン	●	▲	▲	±	$\alpha:\beta_1=1:14$, β_1選択性
	−	−	アモスラロール ローガン	●	▲	▲	−	$\alpha:\beta=1:1$
			アロチノロール アロチノール	●	●	●	−	$\alpha:\beta=1:8$
			ニプラジロール ハイパジール	●	●	▲	+	α遮断弱。ニトロ化合物であり抗狭心症作用もある。緑内障治療

＊1　MSA〈Membrane-stabilizing Action〉：膜安定化作用（細胞膜の興奮性を下げる作用）

＊2　ISA〈Intrinsic Sympathomimetic Activity〉：内因性交感神経刺激作用（β受容体に対する刺激作用を指す。β受容体遮断薬に分類される薬物が，完全拮抗薬であればマイナス，部分活性薬であればプラスで表示）（☞p59 も参照）

Ⅶ　低血圧治療薬

☞『医薬品一般名・商品名・構造一覧』p56

一般に収縮期血圧が 100 mmHg 未満の場合，低血圧と診断される。低血圧は，原因不明の本態性低血圧と，ある疾患に基づく二次性〈症候性〉低血圧，起立性低血圧などに大別される。

低血圧治療薬

分　類		薬　物	作用機序
経口薬	α_1受容体刺激薬	ミドドリン（メトリジン）	血管収縮
	α・β受容体刺激薬	エチレフリン（エホチール）	血管収縮，心拍出量増大 腎レニン分泌促進
	NA 再取込阻害 NA 分解阻害（MAO 阻害）	アメジニウム（リズミック）	NA の血圧上昇作用増強
	NA 前駆体	ドロキシドパ（ドプス）	NA の血圧上昇作用増強
静注薬（急性ショック）	α・β受容体刺激薬	アドレナリン（α_1，α_2，β_1，β_2）（ボスミン，アドレナリン，エピペン） ノルアドレナリン（α_1，α_2，β_1）（ノルアドレナリン） エチレフリン（$\alpha > \beta$）（エホチール）	血管収縮，心拍出量増大 腎レニン分泌促進
	α_1受容体刺激薬	フェニレフリン（ネオシネジン） （メトキサミン）	血管収縮
	β_1受容体刺激薬（心原性ショック）	ドパミン（$D_1 + \beta_1 + \alpha_1$）（イノバン，カコージン） ドブタミン（血管への影響少ない）（ドブトレックス，ドブポン）	心拍出量増大 腎レニン分泌促進

NA：ノルアドレナリン
MAO：モノアミンオキシダーゼ

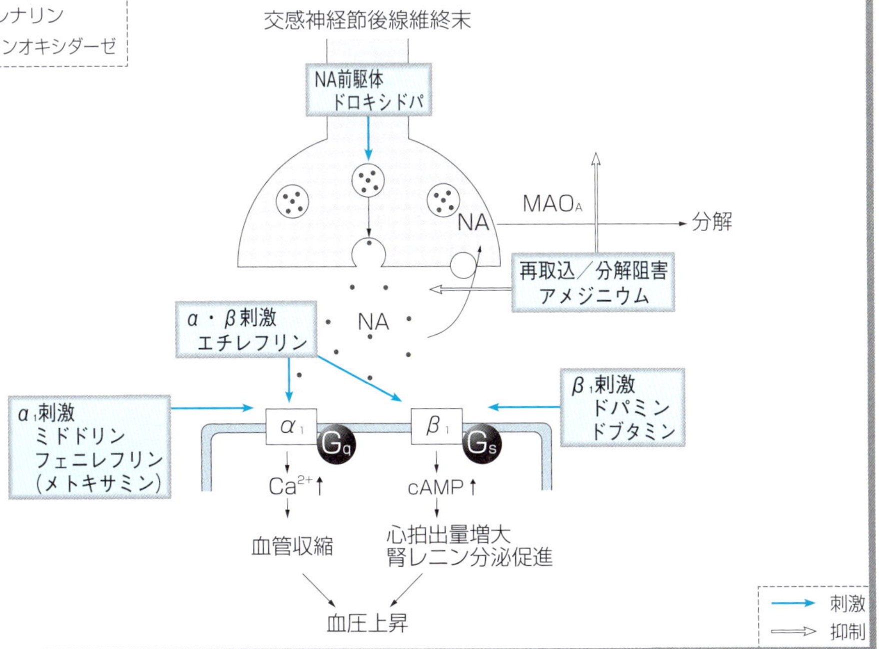

第10章

呼吸器系に作用する薬物

Ⅰ　呼吸の生理 …… 290
Ⅱ　呼吸興奮薬 …… 292
Ⅲ　鎮咳薬 …… 293
Ⅳ　去痰薬 …… 295
Ⅴ　気管支喘息・慢性閉塞性肺疾患治療薬 …… 298
Ⅵ　その他の呼吸器系作用薬 …… 302

I　呼吸の生理

生命維持に必要な酸素を取り入れ，物質代謝によって生じた二酸化炭素を排出する働きを呼吸という。呼吸には，肺胞内空気と血液との間のガス交換（換気）を指す外呼吸（肺呼吸）と，血液と組織細胞との間のガス交換を指す内呼吸（組織呼吸）とがある。肺には筋組織がなく，呼吸は主に吸息筋（骨格筋：外肋間筋と横隔膜筋）の収縮／弛緩による胸腔内圧変化によって外界空気が吸入／排出されて生じる。なお，呼息には肺自身の粘弾性も関与し，深呼吸時の呼息には呼息筋（内肋間筋）の収縮も関与する。

呼吸の生理と呼吸興奮薬 概観

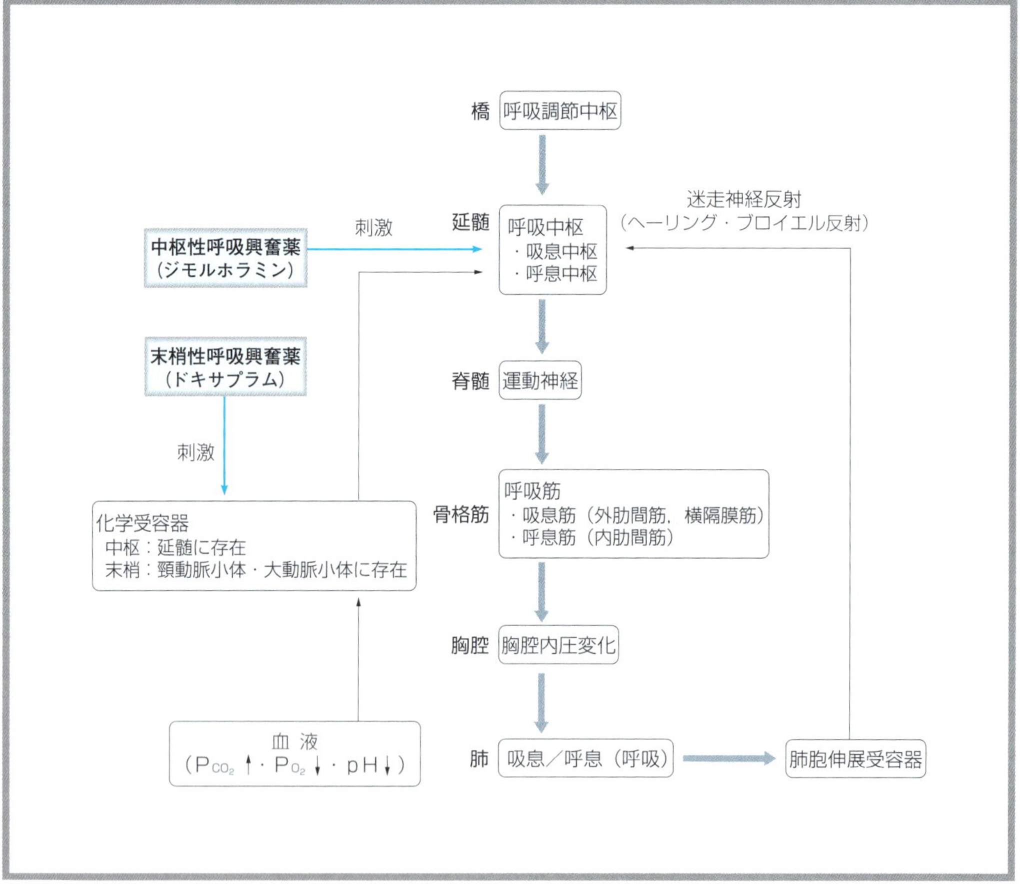

※呼吸数〈RP〉：15～20 回／分（3～4 秒に 1 回呼吸）

呼吸の調節機構

分類		存在部位	説明
呼吸調節中枢		橋	橋には呼吸調節中枢があり，延髄の呼吸中枢（主に吸息中枢）を調節して吸息／呼息の呼吸リズムを調節するペースメーカーとして機能している。
呼吸中枢		延髄網様体	延髄網様体に存在する呼吸中枢は吸息中枢と呼息中枢からなり，それぞれ吸息筋と呼息筋を支配している。
反射性調節	化学受容器反射	【中枢】 延髄（pH 変化に鋭敏） 【末梢】 頸動脈小体・大動脈小体（O_2分圧低下に鋭敏）	1）血中 CO_2／O_2分圧，pH 変化を検知し，延髄の呼吸中枢と心臓・血管運動中枢へ情報を送る。 2）血中 CO_2分圧↑，O_2分圧↓，pH↓によって呼吸促進・交感神経興奮。
	圧受容器反射	頸動脈洞・大動脈弓	1）動脈圧変化を検知し，延髄の呼吸中枢と心臓・血管運動中枢へ情報を送る。 2）動脈圧↓によって呼吸促進・交感神経興奮。
	固有受容器反射	筋・腱・関節	1）四肢の動きを検知し，延髄の呼吸中枢へ情報を送る。 2）運動時に呼吸促進。
	伸展受容器反射〈ヘーリング・ブロイエル反射〉	肺胞	1）肺胞の動きを検知し，求心性迷走神経を介して延髄の呼吸中枢へ情報を送る。 2）吸息によって肺胞が伸展すると吸息中枢が抑制されて呼息に転じる。
参考	チェーン・ストークス型呼吸	モルヒネによる呼吸抑制で呼吸が止まると，血中 CO_2／O_2分圧が変化して呼吸期が出現。呼吸によって血中 CO_2／O_2分圧が元に戻ると呼吸中枢が抑制状態に戻り無呼吸期が出現する。このような呼吸中枢の抑制／興奮が周期的に繰り返される。	

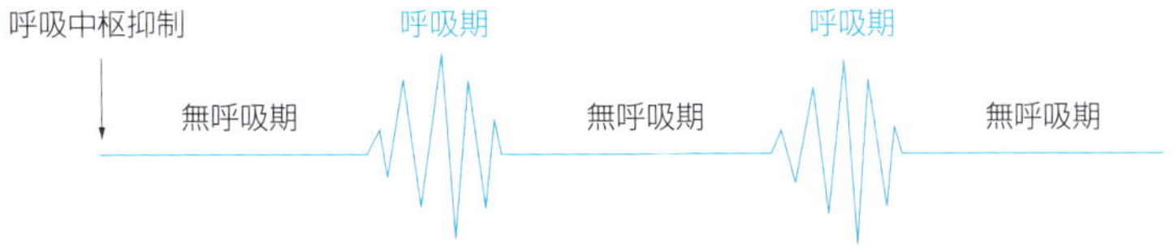

II　呼吸興奮薬

☞『医薬品一般名・商品名・構造一覧』p57

分　類	薬　物	作用機序	適用
中枢性	ジモルホラミン テラプチク	延髄・呼吸ニューロン及び血管運動中枢を直接刺激	呼吸障害及び循環機能低下時（静注・筋注・皮下注）
	ナロキソン ナロキソン塩酸塩 レバロルファン ロルファン	オピオイドμ受容体拮抗（麻薬拮抗薬） 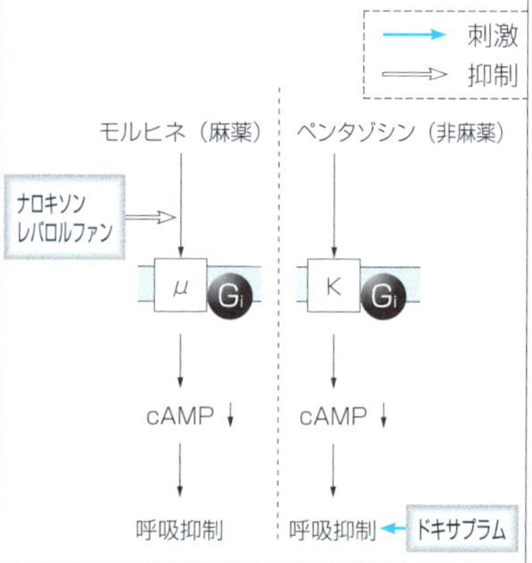刺激 抑制 モルヒネ（麻薬） ペンタゾシン（非麻薬） ナロキソン レバロルファン μ K Gi cAMP↓ 呼吸抑制 ドキサプラム	麻薬による呼吸抑制の解除（静注） ＊レバロルファンは，麻薬投与による呼吸抑制の予防にも適用（静注・筋注・皮下注）
	フルマゼニル アネキセート	ベンゾジアゼピン拮抗（$GABA_A$受容体ベンゾジアゼピン結合部位での競合拮抗） 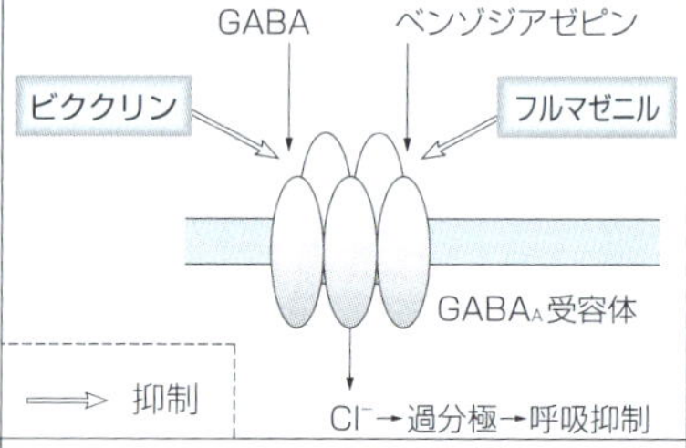GABA ベンゾジアゼピン ビククリン フルマゼニル GABAA受容体 抑制 Cl⁻→過分極→呼吸抑制	ベンゾジアゼピン系薬物による呼吸抑制の改善（静注）
末梢性（反射性）	ドキサプラム ドプラム	末梢性化学受容器刺激（頸動脈小体・大動脈小体）による反射性呼吸興奮	未熟児無呼吸発作，麻酔時や中枢抑制薬による呼吸抑制時など（静注）
その他の呼吸不全改善薬	カフェイン レスピア アミノフィリン アプニション	PDE阻害・アデノシン受容体遮断（cAMP↑）による呼吸中枢興奮	未熟児無呼吸発作(静注) ＊カフェインは内服可
	アセタゾラミド ダイアモックス	炭酸脱水酵素阻害（H^+増加）による呼吸中枢興奮	睡眠時無呼吸症(内服)
	肺サーファクタント製剤 サーファクテン	肺表面活性化(肺胞表面張力低下による換気能改善)	新生児呼吸窮迫症候群（気管内注入）

Ⅲ　鎮咳薬

☞『医薬品一般名・商品名・構造一覧』p57

1. 咳について

咳と鎮咳薬	1）喀痰を伴わない乾性の咳：咳は，本来異物排除のための防御反射である。しかしながら，上気道炎症，胸膜炎，腫瘍による気道圧迫，心臓疾患（心不全），心因性による咳など「喀痰を伴わない乾性の咳」は本来の生体防御機構から逸脱し，持続的咳による睡眠障害，悪心・嘔吐による食物摂取障害，肺胞内圧上昇による肺胞破壊（肺気腫）の誘発，など種々の悪影響を与えるため咳を抑制する必要がある。 2）濃厚かつ粘稠な分泌物を伴う咳：一方，気管支喘息や慢性閉塞性肺疾患（慢性気管支炎や慢性肺気腫）のように「濃厚かつ粘稠な分泌物」が気道内に膠着して換気障害と異常咳嗽反射を起こす呼吸器疾患では，鎮咳薬を用いると感染増悪や呼吸困難などの悪影響を及ぼす。この場合には，**去痰薬**や**気管支拡張薬・抗喘息薬**などを用いる。
咳中枢	1）延髄の迷走神経知覚核と嘔吐中枢付近に存在。 2）呼吸中枢との関連は不明（ホミノベンは，咳中枢は抑制するが呼吸中枢は興奮させる）。 3）咳中枢における神経伝達物質受容体としては，アセチルコリン受容体，セロトニン受容体，オピオイド受容体（μ_2受容体），グルタミン酸受容体（NMDA 受容体），グリシンなどが関与すると考えられている。
咳反射	1）咳反射に関与する各種受容器 A．存在場所による分類 ①上皮下受容器：気道粘膜に存在する侵害受容器。迷走神経内 A 線維を介して中枢へ伝達 ②C 線維末端受容器：気管支や肺胞に存在し，迷走神経内 C 線維を介して中枢へ伝達 ③平滑筋内受容器 ④肺胞伸展受容器（ヘーリング・ブロイエル反射） B．受容刺激による分類 ①機械的受容器：咽喉から気管分岐部の気道粘膜に分布 温熱・寒冷・異物などの機械的／物理的刺激で活性化 ②化学的受容器：気管支から細気管支の気道粘膜に分布 ケミカルメディエーターなどの化学的刺激で活性化 ③伸展受容器：細気管支の気道粘膜・肺胞に分布 組織の伸展によって活性化 2）これらの受容器は，上述の種々の刺激によって直接的に活性化され，また，これらの刺激によって誘発される気管支収縮によって二次的に（間接的に）活性化される。 3）受容器が活性化されると，そのインパルスが求心性線維（迷走神経，舌咽神経，上喉頭神経，横隔膜神経）によって咳中枢へ伝えられる。咳中枢からの刺激は，遠心性神経（迷走神経，下喉頭神経，横隔膜神経，肋間神経，腹壁筋支配神経）を介して咳運動を誘発する。 4）また，呼吸器以外では，外耳道炎症による迷走神経耳介枝（アーノルド神経）が刺激されても咳反射が起こる。

2. 鎮咳薬

中枢性鎮咳薬（咳中枢に作用して咳反射を抑制する薬物）

分類		薬物	特徴
麻薬性	アヘンアルカロイド類 （フェナントレン骨格）	**コデイン** コデインリン酸塩	モルヒネのフェノール性水酸基のメチル化体。 鎮咳・鎮痛・鎮痙作用をもち，それぞれモルヒネの 1/8・1/6・1/4。
		ジヒドロコデイン ジヒドロコデインリン酸塩	コデインの 1.4 倍の鎮咳作用。
		オキシメテバノール メテバニール	コデインの 5～14 倍の鎮咳作用。
非麻薬性（依存性なし）	アヘンアルカロイド類 （イソキノリン骨格）	**ノスカピン** ノスカピン	鎮咳作用はデキストロメトルファンよりも弱い。
	合成オピオイド化合物 （フェナントレン骨格）	**デキストロメトルファン** メジコン	右旋性（*d* 体）合成オピオイド化合物。 オピオイド受容体を介した作用はない。 NMDA 受容体遮断作用をもつ。 コデインの 1/2 の鎮咳作用。
		ジメモルファン アストミン	便秘の副作用弱い。
	抗ヒスタミン薬誘導体	**クロペラスチン** フスタゾール **ベンプロペリン** フラベリック **クロフェダノール** コルドリン	気管支拡張作用あり。
		ペントキシベリン ペントキシベリンクエン酸塩	アトロピン様作用，局所麻酔作用，パパベリン様鎮痙作用あり。 上気道炎急性期の咳に有効。
	その他	**チペピジン** アスベリン	気管支腺分泌・線毛上皮運動亢進による去痰作用あり。
		グアイフェネシン フストジル	気管支平滑筋弛緩による鎮咳作用，気道分泌増加による去痰作用あり。
		エプラジノン レスプレン	去痰作用あり。
		（ホミノベン）	咳中枢は抑制するが，呼吸中枢や血管運動中枢は興奮させる（呼吸興奮・血圧上昇作用）。 換気不全・呼吸不全を伴う咳に有効。

※鎮咳作用の強さ：麻薬性薬物は非麻薬性薬物よりも鎮咳作用が強い。
オキシメテバノール ＞ ジヒドロコデイン ＞ コデイン ＞ デキストロメトルファン ＞ ノスカピン

末梢性鎮咳薬（咳反射に関与する末梢受容器の感受性を低下させる薬物）

分類	薬物	特徴
テトラカイン誘導体	（ベンゾナテート）	1）局所麻酔作用によって，肺伸展受容器と気管支粘膜各種受容器の興奮性低下。 2）コデインと同等の鎮咳作用（非臨床）。
漢方薬	**麦門冬湯**	1）化学伝達物質の産生・遊離抑制作用と受容体拮抗作用。 2）過敏状態にある侵害受容器や C 線維末端受容器の興奮性低下作用。 3）妊婦・高齢者に繁用。正常動物では無効だが，気管支炎罹患動物には著効。ACE 阻害薬誘発空咳は中枢性鎮咳薬では効きにくいが，麦門冬湯はよく奏効。

Ⅳ　去痰薬

☞『医薬品一般名・商品名・構造一覧』p58

1．痰について

気道分泌液と痰

気道分泌液は気管支腺（気道粘膜下組織）や杯細胞（多杯細胞列線毛上皮内に散在）から分泌され，気道内面を潤滑化する。また，気道分泌物が量的・質的に異常を来したものが痰であり，侵入異物を排除する働きがある。

粘液線毛輸送系

気道粘膜を覆う分泌液は，深部の希薄なゾル状層と表面の濃厚なゲル状層の二層からなる。線毛は深部ゾル状層に浸かっており，線毛運動によって上部ゲル状層を移動させ異物を運ぶ。従って，適当な粘液粘度が必要であり，粘液粘度が著しく変化すると粘液線毛輸送系はうまく機能しなくなる。

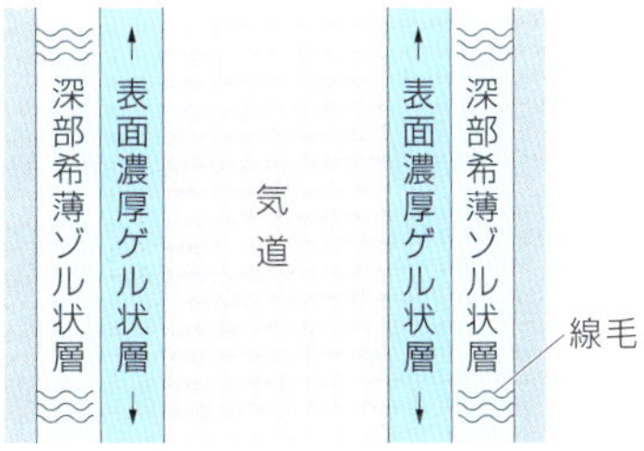

粘　度（粘稠性）

粘稠性に関与する因子としては，ムコ蛋白・酸性ムコ多糖（非感染時）やDNA（感染時）である。酸性ムコ多糖は，コンドロイチン硫酸，ヘパラン硫酸，ヒアルロン酸が主で，気道液に適度の粘弾性を与える。

【ムコ多糖とムコ蛋白】
　ムコ多糖：動物の粘性分泌物〈mucos〉由来の多糖
　ムコ蛋白：糖蛋白

去痰障害（気道クリアランス不全）

痰の気道壁への膠着と粘液線毛輸送機能不全によって起こる。従って，粘液溶解作用（粘稠度低下），粘液修復作用（粘液量・質の正常化），粘液線毛輸送促進作用などをもつ薬物が去痰薬として用いられる。

2. 去痰薬

❶ 気道分泌促進薬

去痰薬（気道分泌促進薬）

分類		薬物	説明
反射性気道分泌促進薬	催吐性去痰薬	エメチン（トコンアルカロイド） トコン	咽頭・上部消化管粘膜を刺激して反射性に悪心を起こし，気道分泌を促進する。
	刺激性去痰薬	サポニン（セネガ，オンジ，キキョウ）	咽頭・上部消化管粘膜を刺激して反射性に気道分泌を促進する。線毛運動促進作用あり。
	塩類去痰薬	アンモニウム塩（アンモニアウイキョウ精） ヨード塩（ヨウ化カリウム）	咽頭・上部消化管粘膜を刺激して，反射性に迷走神経による気道分泌を促進する。
末梢性気道分泌促進薬	多作用性去痰薬	ブロムヘキシン ビソルボン	1）吸収された後に粘膜腺から分泌され，漿液性分泌細胞からリソソーム様顆粒分泌を促進する。 2）胃粘膜刺激による反射性気道分泌を促進する。 3）ムコ多糖類線維切断により粘液を溶解する（粘稠度低下）。 4）ムコ蛋白分泌を変化させ，粘液線毛輸送機能を改善する。 5）肺胞Ⅱ型細胞からのサーファクタント遊離を促進する（気道壁潤滑，痰粘着力低下）。
	気道粘液潤滑薬	アンブロキソール ムコソルバン，ムコサール	1）ブロムヘキシンの活性代謝物。 2）サーファクタント遊離促進作用が強く汎用される。
	非サポニン配糖体	桜皮〈オウヒ〉エキス 杏仁〈キョウニン〉水	気道分泌を促進する。 鎮咳薬としても用いられる。

❷ 粘液溶解薬／粘液修復薬

去痰薬（粘液溶解薬／粘液修復薬）

分類		薬物	説明
システイン誘導体	ムコ蛋白質分解薬	**アセチルシステイン** ムコフィリン **エチルシステイン** チスタニン	吸収された後，気管支腔内に分泌され，粘液構成物質ムコ蛋白質（糖蛋白質）のS-S結合を開裂，分子量を低下させて粘性低下。
	粘液修復薬	**カルボシステイン** ムコダイン	痰中のフコムチン減少／シアロムチン増加（粘液構成成分の割合を正常化）。 システインのSH基がマスクされているため，S-S結合開裂作用はない。
	気道分泌細胞正常化薬	**フドステイン** クリアナール，スペリア	杯細胞（粘液分泌細胞）の過形成を改善し，気道の過剰分泌を修復させる。

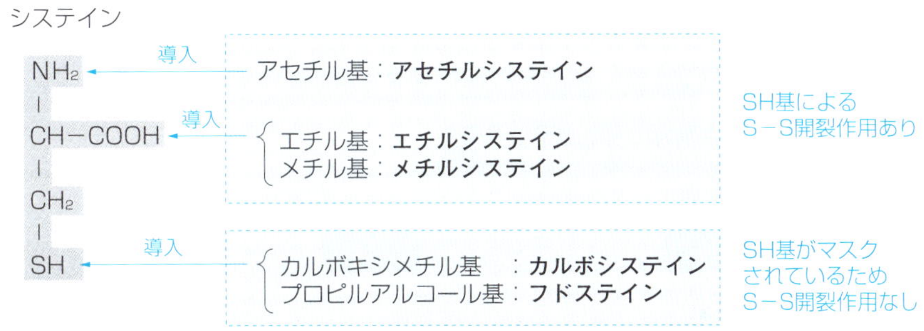
システイン
NH_2
CH−COOH
CH_2
SH
導入
導入
導入
アセチル基：アセチルシステイン
エチル基：エチルシステイン
メチル基：メチルシステイン
カルボキシメチル基：カルボシステイン
プロピルアルコール基：フドステイン
SH基による
S−S開裂作用あり
SH基がマスク
されているため
S−S開裂作用なし

分類		薬物	説明
酵素類	DNA分解酵素	**ドルナーゼアルファ** プルモザイム	遺伝子組換え型デオキシリボヌクレアーゼ（吸入）。 嚢胞性線維症※における肺機能の改善に適用。
界面活性薬		**チロキサポール** アレベール	痰の表面張力を低下させて粘着性を減少させる（吸入）。 界面活性作用を利用して，エアゾル吸入療法の基剤として使用される。
制酸薬		**炭酸水素ナトリウム** 炭酸水素ナトリウム，重曹	粘液をアルカリ化することにより，局所性の粘液溶解作用を示す。 上気道炎の補助療法に適用（含嗽・吸入）。

※嚢胞性線維症：全身の上皮膜細胞に発現する Cl^-チャネル（CFTR：Cystic Fibrosis Transmembrane Conductance Regulator）の遺伝子変異により，気道や消化管の分泌液が粘稠となる疾患。

V　気管支喘息・慢性閉塞性肺疾患治療薬

☞『医薬品一般名・商品名・構造一覧』p58

気管支喘息は好酸球の浸潤を伴う慢性炎症性疾患であり，原因はⅠ型アレルギーである。気管支平滑筋の痙攣性収縮，気管支粘膜の浮腫・腫脹，粘稠分泌物の貯留（粘液栓）などによって気道狭窄が生じ呼吸困難となる。薬物治療には，気管支拡張薬，抗炎症薬，抗アレルギー薬が用いられる。

【即時型喘息発作】肥満細胞からのケミカルメディエーター遊離による気管支収縮

【遅発型喘息発作】LT・PAF・$PGF_{2\alpha}$・好酸球などによる気管支上皮の炎症と剝離（気道過敏性上昇）

一方，慢性閉塞性肺疾患〈COPD：Chronic Obstructive Pulmonary Disease〉は，慢性気管支炎や肺気腫などの病態の総称で，労作時呼吸困難や慢性の咳・痰を初期症状とする進行性炎症性疾患である。主な原因は喫煙であり，肺が長期間タバコ煙に曝露されることによって生じる。薬物治療には，気管支拡張薬やステロイド性抗炎症薬が用いられる。

気管支喘息・慢性閉塞性肺疾患治療薬概観

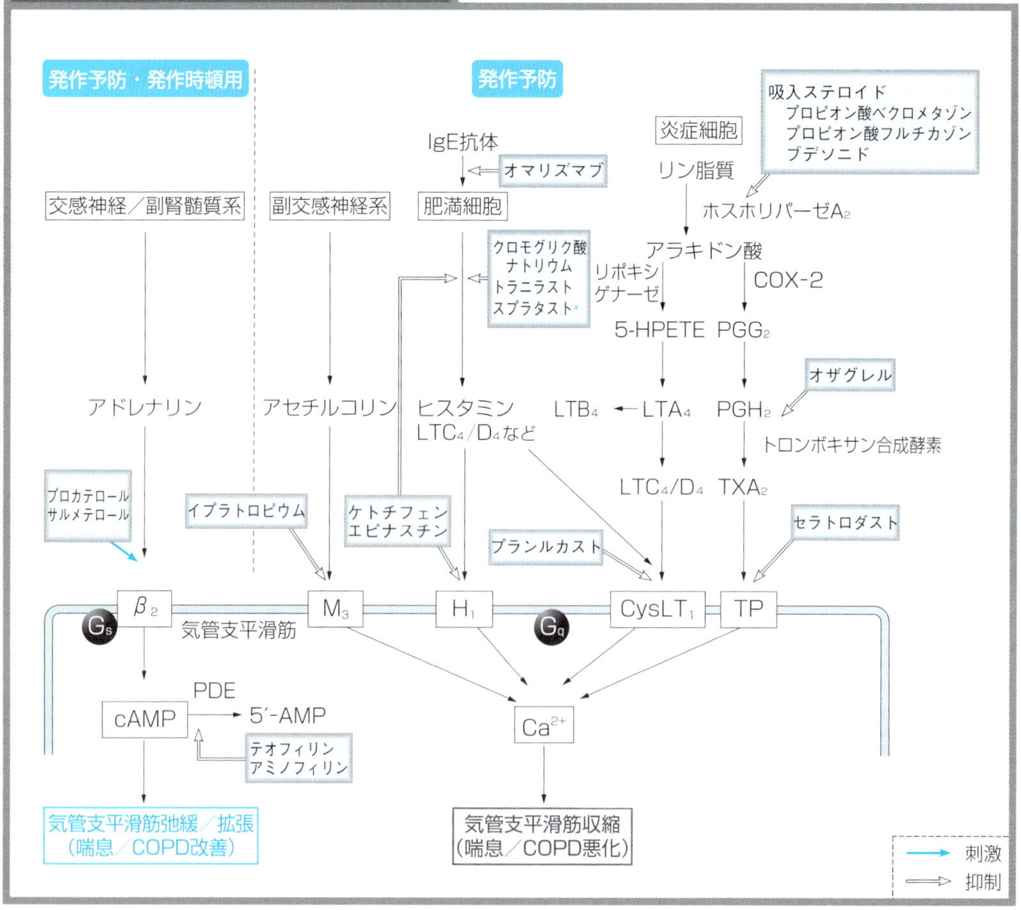

＊スプラタスト：Th2 細胞における IL-4，IL-5 産生抑制（IgE 抗体産生低下，好酸球浸潤抑制）

気管支拡張薬

分　類			薬　物
cAMP 増加薬	β受容体 刺激薬	非選択的薬物	**アドレナリン** ボスミン，アドレナリン **イソプレナリン** アスプール，プロタノールL ※心副作用注意
		β_2受容体 選択的薬物	**【第1世代**（$\beta_1<\beta_2$）**】** **メトキシフェナミン**（$\alpha<\beta$） アストーマ **トリメトキノール**（$\alpha \fallingdotseq 0$） イノリン **【第2世代**（β_2，持続性）**】** **テルブタリン** ブリカニール **サルブタモール** サルタノール，ベネトリン **【第3世代**（β_2↑，持続性↑）**】** **プロカテロール** メプチン **フェノテロール** ベロテック **ツロブテロール** ホクナリン，ベラチン **クレンブテロール** スピロペント 長時間型吸入薬〈LABA：Long-acting β_2 Agonist〉 **サルメテロール** セレベント **ホルモテロール** オーキシス **インダカテロール** オンブレス **ビランテロール** レルベア，アノーロ **オロダテロール** スピオルト ※動悸，悪心・嘔吐，手指振戦，低K^+血症などの副作用 ※短時間型吸入薬の頻用による喘息死増加
	混 合 型 （NA遊離と受容体刺激）		**エフェドリン** エフェドリン **メチルエフェドリン** メチエフ
	ホスホジエステラーゼ 〈cAMP分解酵素〉阻害薬 ※アデノシンA_1受容体遮断あり		**アミノフィリン** キョーフィリン，ネオフィリン **テオフィリン** テオドール，ユニフィルLA **ジプロフィリン** ジプロフィリン **プロキシフィリン** モノフィリン ※テオフィリンには，気管支拡張のほかに，抗炎症，線毛輸送促進，呼吸中枢興奮，呼吸筋力増強などの複合的作用あり
ムスカリン受容体拮抗薬 （予防吸入薬）			**イプラトロピウム** アトロベント **アクリジニウム** エリクラ 長時間型吸入薬〈LAMA：Long-acting Muscarinic Antagonist〉 **チオトロピウム** スピリーバ **グリコピロニウム** シーブリ **ウメクリジニウム** エンクラッセ

抗アレルギー薬・抗炎症薬

分類			薬物
メディエーター遊離阻害薬	H_1受容体拮抗なし		**オマリズマブ**（ヒト化抗 IgE 抗体） ソレア **クロモグリク酸 Na** インタール **トラニラスト** リザベン **スプラタスト**（Th2 サイトカイン阻害薬） アイピーディ **ペミロラスト** アレギサール，ペミラストン **イブジラスト** ケタス
	H_1受容体拮抗あり	鎮静性	**ケトチフェン** ザジテン **アゼラスチン** アゼプチン **オキサトミド** オキサトミド
		非鎮静性	**メキタジン** ゼスラン，ニポラジン **エピナスチン** アレジオン
メディエーター合成阻害または受容体阻害薬	TXA_2合成阻害		**オザグレル** ドメナン
	TXA_2受容体阻害		**セラトロダスト** ブロニカ cf. **ラマトロバン**（アレルギー性鼻炎に適用） バイナス
	LTC_4・LTD_4受容体阻害		**プランルカスト** オノン **モンテルカスト** キプレス，シングレア
ステロイド	静注（即効性，発作時使用）		**各種静注ステロイド**
	吸入（全身副作用低下，遅効性予防薬）		**ベクロメタゾンプロピオン酸エステル** キュバール **フルチカゾンプロピオン酸エステル** フルタイド **フルチカゾンフランカルボン酸エステル** レルベア，アニュイティ **ブデソニド** パルミコート **シクレソニド**（肺で活性型となるプロドラッグ） オルベスコ **モメタゾンフランカルボン酸エステル** アズマネックス ※免疫抑制作用による口腔カンジダ症注意（吸入後にうがいをして予防）
抗 IL-4/IL-13 薬（好酸球・IgE 抗体産生抑制）	抗 IL-4/IL-13 受容体抗体（両受容体が共有している IL-4 受容体αサブユニットに対する抗体）		**デュピルマブ** デュピクセント
抗 IL-5 薬（好酸球抑制）	抗 IL-5 抗体		**メポリズマブ** ヌーカラ
	抗 IL-5 受容体αサブユニット抗体		**ベンラリズマブ** ファセンラ

吸入薬の合剤

分類		薬物	適応
長時間型 β_2刺激薬	＋ ステロイド	ホルモテロール ＋ ブデソニド シムビコート ホルモテロール ＋ フルチカゾンプロピオン酸エステル フルティフォーム サルメテロール ＋ フルチカゾンプロピオン酸エステル アドエア ビランテロール ＋ フルチカゾンフランカルボン酸エステル レルベア インダカテロール ＋ モメタゾンフランカルボン酸エステル アテキュラ	喘息／COPD
	＋ 長時間型抗コリン薬	ビランテロール ＋ ウメクリジニウム アノーロ インダカテロール ＋ グリコピロニウム ウルティブロ ホルモテロール ＋ グリコピロニウム ビベスピ オロダテロール ＋ チオトロピウム スピオルト	COPD
	＋ 長時間型抗コリン薬 ＋ ステロイド	ビランテロール ＋ ウメクリジニウム ＋ フルチカゾンフランカルボン酸エステル テリルジー インダカテロール ＋ グリコピロニウム ＋ モメタゾンフランカルボン酸エステル エナジア ホルモテロール ＋ グリコピロニウム ＋ ブデソニド ビレーズトリ	COPD

Ⅵ その他の呼吸器系作用薬

☞『医薬品一般名・商品名・構造一覧』p61

分 類	薬 物	説 明
全身性炎症反応症候群に伴う急性肺障害治療薬	シベレスタット Na エラスポール	好中球エラスターゼ阻害薬 侵襲（感染症，急性膵炎，手術など） → 全身性炎症反応症候群〈SIRS：Systemic Inflammatory Response Syndrome〉 → 好中球活性化 → 好中球エラスターゼ（蛋白質分解酵素）分泌 ⇑ 阻害 シベレスタットNa（好中球エラスターゼ阻害薬） → 肺血管内皮細胞・肺胞上皮細胞破壊 → 急性肺障害
特発性肺線維症治療薬	ピルフェニドン ピレスパ	サイトカイン・増殖因子産生調節薬 各種サイトカイン及び増殖因子に対する産生調節作用を有し，線維芽細胞の増殖やコラーゲン産生を抑制する。 ① 炎症性サイトカイン（TNF-α，IL-1，IL-6 等）の産生抑制と抗炎症性サイトカイン（IL-10）の産生亢進 ② IFN-γ レベルの低下を改善し，Th2 型への偏りを改善（Th1・Th2 バランスの修正） ③ 線維化形成に関与する増殖因子（TGF-β1，b-FGF，PDGF）の産生抑制
	ニンテダニブ オフェブ	チロシンキナーゼ阻害薬 チロシンキナーゼ内蔵型受容体である血小板由来増殖因子〈PDGF〉受容体，線維芽細胞増殖因子〈FGF〉受容体，血管内皮細胞増殖因子〈VEGF〉受容体の ATP 結合ポケットに結合することによって，受容体チロシンキナーゼ活性を阻害する。その結果，特発性肺線維症の病態に関与する線維芽細胞の増殖・遊走・形質転換が抑制される。

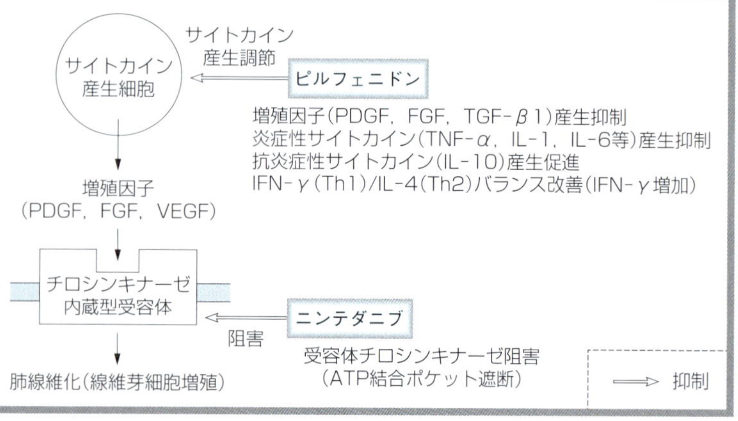
サイトカイン産生細胞
サイトカイン産生調節
ピルフェニドン
増殖因子(PDGF，FGF，TGF-β1)産生抑制
炎症性サイトカイン(TNF-α，IL-1，IL-6等)産生抑制
抗炎症性サイトカイン(IL-10)産生促進
IFN-γ(Th1)/IL-4(Th2)バランス改善(IFN-γ増加)
増殖因子（PDGF，FGF，VEGF）
チロシンキナーゼ内蔵型受容体
ニンテダニブ
阻害
受容体チロシンキナーゼ阻害（ATP結合ポケット遮断）
肺線維化(線維芽細胞増殖)
抑制

第 11 章

消化器系に作用する薬物

Ⅰ 消化器系の機能と疾患 …… 304
Ⅱ 健胃消化薬 …… 306
Ⅲ 消化性潰瘍治療薬 …… 307
Ⅳ 催吐薬・制吐薬 …… 312
Ⅴ 胃腸機能改善薬 …… 315
Ⅵ 鎮痙薬 …… 319
Ⅶ 瀉下薬・止瀉薬 …… 321
Ⅷ 肝・胆・膵臓機能改善薬 …… 327

I 消化器系の機能と疾患

消化器系は，口腔から肛門に至る消化管（食道，胃，小腸，大腸，肛門）とそれに付随する分泌臓器・分泌腺（唾液腺，膵臓，肝臓，胆嚢）から構成され，食物の消化・吸収・排泄に携わる。消化器系の機能は中枢・末梢神経系や内分泌系によって制御されており，その乱れによって消化器系の機能異常が誘発される。

1. 消化器系の機能調節（消化酵素と消化管ホルモン）

消化器系の機能調節（消化酵素と消化管ホルモン）

分　類	分泌細胞	調節因子	効　果
自律神経	交感神経	ノルアドレナリン アドレナリン	消化機能抑制
	副交感神経	アセチルコリン	消化機能促進
消化管ホルモン	胃幽門洞 G 細胞	ガストリン	胃酸分泌・胃運動促進
	上部小腸粘膜	セクレチン	胃酸分泌抑制（ガストリン分泌抑制） 膵液・胆汁分泌促進
		コレシストキニン	膵液・胆汁分泌促進
消化酵素	唾液腺	α-アミラーゼ 〈プチアリン〉	デンプン分解
	胃底腺	ペプシン キモシン〈rennin：レニン〉 リパーゼ	蛋白質分解 カゼイン分解（凝乳作用） 脂肪分解
	腸	マルターゼ スクラーゼ ラクターゼ	麦芽糖分解（グルコース + グルコース） ショ糖分解（グルコース + フルクトース） 乳 糖 分 解（グルコース + ガラクトース）
		エンテロキナーゼ アミノペプチダーゼ ジペプチダーゼ	トリプシノーゲン分解（トリプシン産生） ポリペプチド分解 ジペプチド分解
		リパーゼ	脂肪分解
		ヌクレオチダーゼ ヌクレオシダーゼ	ヌクレオチド分解 ヌクレオシド分解
	膵　臓	α-アミラーゼ	デンプン分解
		トリプシン キモトリプシン カルボキシペプチダーゼ	蛋白質/ポリペプチド分解 蛋白質/ポリペプチド分解 ポリペプチド分解
		リパーゼ	脂肪分解
		ヌクレアーゼ	核酸（DNA・RNA）分解

2. 消化器疾患

主な消化器疾患

消化管	疾　患
食　道	食道炎，食道潰瘍，食道アカラシア（食道の運動機能障害）
胃・十二指腸	急性・慢性胃炎，消化性潰瘍（胃潰瘍・十二指腸潰瘍）
大　腸	潰瘍性大腸炎，偽膜性大腸炎，クローン病，過敏性腸症候群（過敏大腸症）
肝　臓	急性・慢性肝炎，肝硬変，脂肪肝，黄疸
胆嚢・胆管	胆嚢・胆道炎，胆石症，胆道ジスキネジー（胆道運動異常）
膵　臓	急性・慢性膵炎 Zollinger-Ellison〈ゾリンジャー・エリソン〉症候群 （ガストリン産生性内分泌腫瘍：胃酸分泌亢進 → 潰瘍）

II 健胃消化薬

消化薬とは消化酵素製剤を指し，一方，健胃薬とは消化腺分泌を亢進させる薬物を指す。健胃消化薬は，消化液の分泌不足による消化不良や食欲不振を改善する目的で使用される。なお，胃運動促進によって消化運動を亢進させる薬物については，「V 胃腸機能改善薬」（p315）で扱う。

健胃消化薬

分類		薬物	説明
健胃薬	苦味	ゲンチアナ，センブリ リュウタン，ニガキ コロンボ，ホミカ クジン，オウバク オウレン，ダイオウ カスカラサクラダ コンズランゴ	舌の味覚神経末端に作用して反射性に唾液・胃液分泌を亢進させる。
	芳香	トウヒ，キジツ，チンピ ケイヒ，ウイキョウ カミツレ，ニクズク ショウキョウ，ハッカ油 ガジュツ，コウブシ コウボク，シュクシャ チョウジ	嗅覚を介して反射性に唾液・胃液分泌を亢進させる。
	辛味	コショウ，サンショウ カラシ，トウガラシ	胃粘膜を直接刺激して胃液分泌を亢進させる。
消化薬	動物性	含糖ペプシン	1）ウシ/ブタの胃粘膜ペプシン（蛋白質分解酵素）に乳糖を混和したもの。 2）至適 pH は約 2 であり，希塩酸や塩酸リモナーデと併用して服用。
		パンクレアチン パンクレリパーゼ リパクレオン	1）ブタ膵臓由来で，アミラーゼ（デンプン分解酵素），プロテアーゼ類（トリプシン・キモトリプシン・カルボキシペプチダーゼなどの蛋白質分解酵素），リパーゼ（脂肪分解酵素）を含む。 2）至適 pH は中性～弱アルカリ性。胃内で失活するのでアルカリ剤と併用か腸溶製剤にする。
	植物性	ジアスターゼ	1）主として麦芽由来のデンプン分解酵素。 2）至適 pH は弱酸性で，強酸・強アルカリで失活。制酸剤との合剤あり。
	微生物性	タカヂアスターゼ ビオヂアスターゼ サナクターゼ	1）アスペルギルス属微生物産生酵素。主として，アミラーゼ（デンプン分解酵素）を含む。 2）至適 pH3～5 で耐酸性。

Ⅲ　消化性潰瘍治療薬

☞『医薬品一般名・商品名・構造一覧』p62

胃・十二指腸が酸やペプシンにさらされても自己消化されないのは，粘膜が防御しているからである。酸やペプシンなどの攻撃因子と胃腸粘膜の防御因子とのバランスが崩れると消化性潰瘍が誘発される。従って，消化性潰瘍治療薬は，攻撃因子抑制薬と防御因子増強薬とに分類される。また，ヘリコバクター・ピロリの除菌薬も消化性潰瘍治療薬に含まれる。

消化性潰瘍治療薬 概観

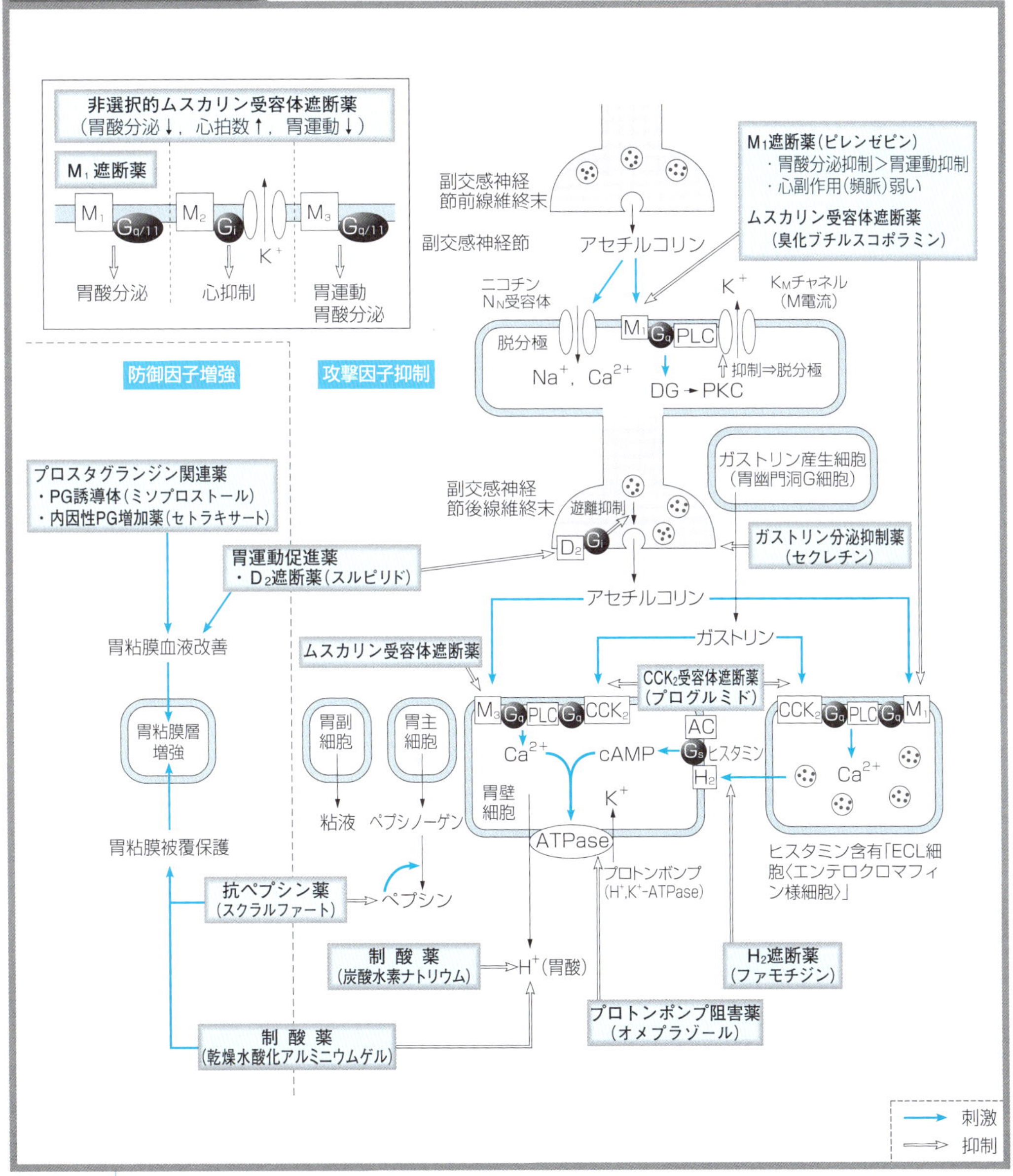

1. 攻撃因子抑制薬

消化性潰瘍治療薬（攻撃因子抑制薬 その1：末梢性酸分泌抑制薬）

分類		薬物，説明		
プロトンポンプ阻害薬	作用機序	胃酸分泌の最終過程である胃壁細胞プロトンポンプ〈H^+, K^+-ATPase〉を阻害し，胃酸分泌を抑制する。		
	薬物	非競合型	オメプラゾール（オメプラゾン，オメプラール） エソメプラゾール（ネキシウム） ランソプラゾール（タケプロン） ラベプラゾール（パリエット）	1）吸収後に胃粘膜壁細胞の酸生成部位へ移行し，酸による転移反応を経て活性体へと構造変換される。 2）活性体は，H^+，K^+-ATPase の SH 基と不可逆的に結合し，酵素活性を強力かつ持続的に阻害する。 3）主に CYP2C19 で代謝（CYP2C19 の遺伝子多型，併用薬との相互作用注意）。
		K^+競合型	ボノプラザン（タケキャブ）	1）K^+と競合的に拮抗することによって H^+，K^+-ATPase 活性を抑制する（K^+競合型アシッドブロッカー：P-CAB）。 2）酸に安定，強力かつ速効持続性。 3）主に CYP3A4 で代謝。
H_2受容体拮抗薬	作用機序	胃壁細胞 H_2受容体を競合的に遮断し，胃酸分泌を抑制する。H_2遮断による胃液・胃酸分泌低下に伴い，ペプシン分泌も低下する。		
	薬物	シメチジン（カイロック，タガメット）		**副作用**：ショック，血液障害，肝・腎障害，中枢症状（めまい，眠気，頭痛），抗アンドロゲン作用など **薬物相互作用**：CYP3A4 阻害による相互作用
		ラニチジン（ザンタック）		シメチジンより 8 倍強力。
		ファモチジン（ガスター）		シメチジンより 30 倍強力，持続性，内分泌系影響なし。
		ニザチジン（アシノン）		吸収速く，速効性。
		ロキサチジン酢酸エステル（アルタット）		シメチジンより 6 倍強力で，持続性徐放製剤。 粘膜保護作用を併せもち，内分泌系・肝代謝薬物酵素に影響なし。
		ラフチジン（プロテカジン）		胃粘膜カプサイシン感受性知覚神経を介した胃粘膜増強あり。
ムスカリン受容体拮抗薬	作用機序	自律神経節・エンテロクロマフィン様細胞（M_1）及び胃壁細胞（M_3）に存在するムスカリン受容体を競合的に遮断し，胃酸分泌を抑制する。		
	薬物	M_1拮抗薬	ピレンゼピン（ガストロゼピン）	三級アミン。胃運動よりも胃酸分泌を選択的に抑制。 心副作用（M_2遮断による頻脈）弱い。
		三級アミン	ジサイクロミン ピペリドレート	中枢作用強い。
		四級アンモニウム塩	ブチルスコポラミン *N*-メチルスコポラミン プロパンテリン チキジウム チメピジウム ブトロピウム （メチルベナクチジウム）	中枢副作用弱く，抗ムスカリン作用・節遮断作用が強い。 胃運動・胃酸分泌を抑制。
抗ガストリン薬	作用機序	ガストリンは胃幽門洞から分泌され，胃酸分泌・胃運動を亢進させる消化管ホルモン。エンテロクロマフィン様細胞からのヒスタミン遊離作用もある。従って，抗ガストリン薬は胃酸分泌を抑える。		
	薬物	（プログルミド）		ガストリン受容体遮断

消化性潰瘍治療薬（攻撃因子抑制薬 その2：制酸薬と抗ペプシン薬）

分類			薬　物	説　明
制酸薬	吸収性		炭酸水素ナトリウム 炭酸水素ナトリウム，重曹	吸収されて，全身性アルカローシスを起こす。 中和時に発生した CO_2 が胃酸分泌を刺激。
	非吸収性 局所性	Ca	沈降炭酸カルシウム 沈降炭酸カルシウム，炭カル	1）吸収されにくいので全身性副作用は少ないが，連用後の投与中断によって酸反跳（胃内 pH が低下していても胃酸分泌が持続する現象）が起こる場合あり。 2）Ca^{2+}塩・Mg^{2+}塩・Al^{3+}塩：テトラサイクリン等とキレートを形成し吸収を阻害。 3）Mg^{2+}塩：腸内で炭酸塩形成して瀉下作用。 4）Al^{3+}塩：蛋白と複合体形成して収斂作用。 5）ケイ酸塩：ゲル状 $SiO_2 \cdot H_2O$ が粘膜被覆・吸着作用。
		Mg	水酸化マグネシウム ミルマグ メタケイ酸アルミン酸マグネシウム キャベジンU	
		Al	ケイ酸アルミニウム 合成ケイ酸アルミニウム 乾燥水酸化アルミニウムゲル 乾燥水酸化アルミニウムゲル	
抗ペプシン薬	スクラルファート アルサルミン			ショ糖硫酸エステルアルミニウム塩 ペプシンに結合してペプシン活性を抑制 **攻撃因子抑制作用**：抗ペプシン，制酸 **防御因子増強作用**：胃粘膜被覆
	アルジオキサ アルジオキサ			アラントイン系薬物 **攻撃因子抑制作用**：抗ペプシン，制酸 **防御因子増強作用**：胃粘膜被覆，組織修復

消化性潰瘍治療薬（攻撃因子抑制薬 その3：中枢性酸分泌抑制薬と胃腸運動促進薬）

分　類		薬物，説明
中枢性酸分泌抑制薬（鎮静薬）	作用機序	ストレスなどによる中枢神経系興奮は，副腎皮質ホルモン分泌や迷走神経性の酸・ペプシン分泌を促進させる。鎮静薬は鎮静作用・抗不安作用によって中枢性に胃酸分泌を抑制する。
	薬　物	ベンゾジアゼピン系薬物
胃腸運動促進薬（D_2拮抗薬）	作用機序	1）副交感神経終末からのアセチルコリン遊離を促進して胃運動を促進し，胃内容物の胃内貯留を改善して潰瘍面と攻撃因子との接触時間を短縮する。 2）胃粘膜微小循環改善作用もある。
	薬　物	スルピリド ドグマチール メトクロプラミド プリンペラン

2. 防御因子増強薬（粘膜保護・組織修復促進薬）

消化性潰瘍治療薬（防御因子増強薬）

分類		薬物	説明
プロスタグランジン関連薬	PGE_1 誘導体	ミソプロストール サイトテック	NSAIDs 誘発潰瘍治療薬。 胃粘膜血流増加，粘液分泌促進，胃粘膜保護，胃酸分泌抑制。 子宮収縮のため妊婦に**禁忌**。
	内因性 PG 増加薬	テプレノン セルベックス	テルペン系。内因性 PG 増加作用。胃粘膜保護・胃粘膜血流増加。
		セトラキサート ノイエル	内因性 PG 増加，粘膜微小循環改善，抗プラスミン活性，抗トリプシン活性，抗ウレアーゼ活性をもつ。
		レバミピド ムコスタ	胃粘膜 PG 増加，胃粘膜保護，活性酸素抑制。
		ソファルコン ソロン	豆根抽出物ソファラジン誘導体。内因性 PG 増加。
		ベネキサートベータデクス ウルグート	胃粘膜に直接作用し，胃粘膜血流増加・内因性 PGE_2/PGI_2 増加。
		エカベト Na ガストローム	環状テルペン系で松香成分の誘導体。粘膜に選択的に結合して被覆保護，粘液分泌・アルカリ分泌促進，内因性 PG 増加，抗ピロリ菌作用によって強い抗潰瘍作用。
		トロキシピド アプレース	内因性 PG 増加作用，胃粘膜血流増加作用，抗ウレアーゼ活性，毒性が極めて低い組織修復促進薬。
胃粘膜被覆保護薬		ポラプレジンク プロマック	亜鉛錯体で，胃粘膜損傷部位に特異的に付着し被覆保護。
		エグアレン Na アズロキサ	pH 非依存性の胃粘膜被覆保護作用（シメチジン（☞p306 参照）との併用療法）。
		アルギン酸 Na アルロイド G	胃粘膜被覆保護及び止血作用。
その他		L-グルタミン L-グルタミン	胃粘膜ムコ多糖類（ヘキソサミン）増加作用によって胃粘膜を保護する。
		メチルメチオニンスルホニウム キャベジンU	生キャベツエキス中に多量に存在する抗潰瘍〈ulcer〉因子（ビタミン U）。
		イルソグラジン ガスロン N	ギャップ・ジャンクション補強作用（粘膜細胞間結合増強）。
		アズレン アズノール	抗炎症薬。胃炎症状緩解によって胃酸分泌を抑制。

3. ヘリコバクター・ピロリ の 除菌薬

ヘリコバクター・ピロリ菌と除菌薬

ヘリコバクター・ピロリ〈*H. Pylori*〉	らせん状グラム陰性桿菌であるヘリコバクター・ピロリは，慢性胃炎（萎縮性胃炎）や消化性潰瘍，胃がんの発症にとって重要な因子と考えられている。ピロリ菌は，ウレアーゼ活性をもち，尿素から粘膜障害作用をもつアンモニアを発生させるとともに，局所的に胃酸を中和することにより，胃粘膜層に感染・生息する。
ピロリ菌の除菌薬	【3剤併用】**プロトンポンプ阻害薬 ＋ アモキシシリン ＋ クラリスロマイシン** ・**プロトンポンプ阻害薬**：胃内 pH 上昇により，併用抗菌薬の抗菌活性上昇 ・**アモキシシリン**：**広域ペニシリン**（細胞壁合成阻害） ・**クラリスロマイシン**：**マクロライド系抗生物質**（蛋白合成阻害） ※**メトロニダゾール**（抗原虫薬：DNA 二重鎖切断）も有効 （上記無効の 2 次選択として，クラリスロマイシンの代わりに併用）

Ⅳ　催吐薬・制吐薬

☞『医薬品一般名・商品名・構造一覧』p64

1．嘔吐について

嘔　吐	1）嘔吐は胃内容物を排出する行為。胃幽門部の収縮，胃・食道の逆蠕動運動，腹筋収縮と横隔膜下降による腹圧・肺内圧上昇などの協調的な運動によって起こる。 2）嘔吐の原因には，胃内に摂取された異物による反射性嘔吐や，異臭，動揺病，過去の記憶に基づく精神的要因などがある。
嘔吐中枢	1）延髄外側網様体に存在。 2）主に以下の部位から入力を受けて興奮し，嘔吐を誘発する。 ①大脳皮質（痛み・視覚・嗅覚・連想） ②小脳・三半規管（運動・平衡感覚） ③CTZ（化学物質） ④胃腸・肝臓（求心性線維末端刺激） 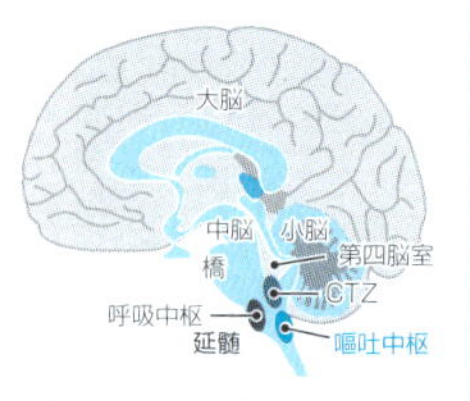
化学受容器引金帯〈CTZ：Chemoreceptor Trigger Zone〉	1）嘔吐中枢に近接した延髄第四脳室底最後野に存在する化学センサーで，血液脳関門外にある。 2）**血中の化学物質**（アポモルヒネ，ジギタリス，抗悪性腫瘍薬，細菌毒素など）を検知して興奮し，嘔吐中枢に情報を送る。
嘔吐に関連する受容体	1）**5-HT_3受容体**：嘔吐中枢，CTZ，弧束核，消化管求心神経末梢など 2）**D_2 受容体**：（嘔吐中枢），CTZ，弧束核，消化管求心神経末梢など 3）**H_1 受容体**：嘔吐中枢，孤束核，迷走神経背側核など 4）**M_1 受容体**：嘔吐中枢，CTZ，孤束核，迷走神経背側核など 5）**μ 受容体**：嘔吐中枢，CTZ，前庭器官など 6）**NK_1 受容体**：嘔吐中枢，CTZ，孤束核など

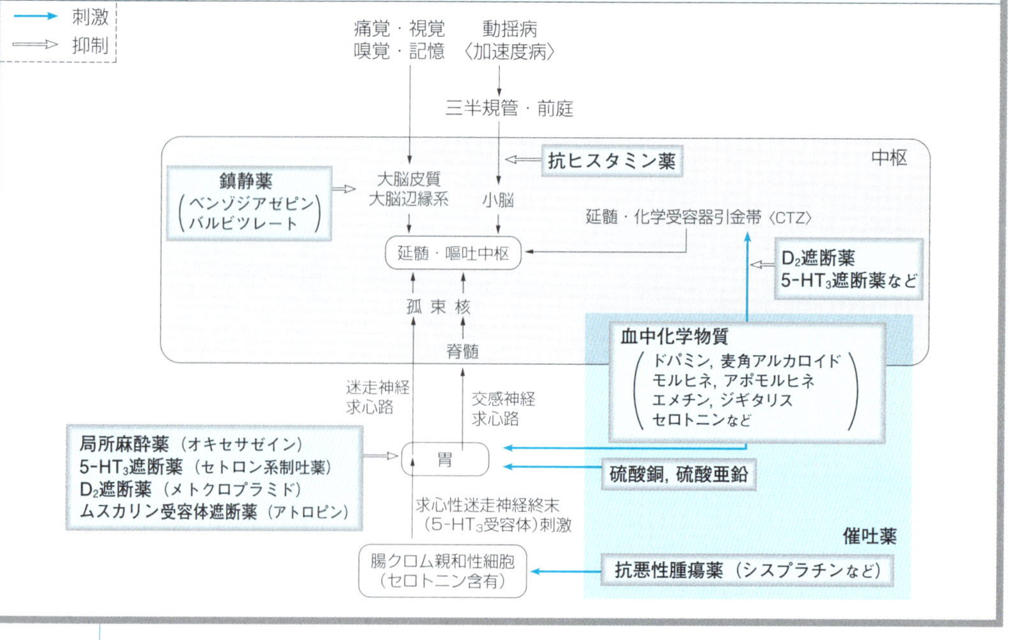

2．催吐薬

下表に，催吐作用を有する主な薬物を記す。なお，臨床で催吐薬として用いられているのはトコンのみであり，タバコ・医薬品の誤飲時における解毒薬として用いられる。

分類	作用機序	薬　物	説　明
中枢性	CTZ 刺激	ドパミン（レボドパ） アポモルヒネ 麦角アルカロイド	CTZ ドパミン受容体刺激
末梢性	胃粘膜刺激による反射性嘔吐	硫酸銅 硫酸亜鉛	1）ほとんど吸収されず，副作用少ない。 2）気道分泌亢進や悪心を伴わずに嘔吐を誘発する。 3）リン中毒の場合には，リンと不溶性化合物を作るので解毒に好都合。
混合型	CTZ 刺激 ＋胃粘膜刺激 による反射性嘔吐	エメチン （トコンアルカロイド） トコン	1）5-HT$_3$受容体刺激 2）催吐作用発現遅い。悪心によって気道分泌亢進（去痰薬）。
		ジギタリス	CTZ 刺激が悪心・嘔吐の主機構。
	CTZ 刺激 ＋ 前庭器官刺激 ＋ 消化管運動抑制	モルヒネ	1）CTZ μ受容体刺激 （→ ドパミン遊離促進） 2）前庭器官μ受容体刺激 （→ ヒスタミン遊離促進） 3）消化管μ受容体刺激 （→ 胃内容物停滞）

3. 制吐薬

分類	作用機序	作用部位	主な薬物	付記
中枢性	鎮静	高位中枢 嘔吐中枢	バルビツレート ベンゾジアゼピン	嘔吐中枢への入力低下。 嘔吐中枢自体の神経活動低下。 予測性悪心・嘔吐[*1]に有効。
	ヒスタミン H_1 受容体拮抗	嘔吐中枢 （内耳迷路：抗動揺病）	ジメンヒドリナート ドラマミン	ジフェンヒドラミンと 8-クロルテオフィリンとの塩。
			プロメタジン ヒベルナ，ピレチア	フェノチアジン誘導体。
			（メクリジン）	ピペラジン誘導体。
	タキキニン NK_1 受容体拮抗	嘔吐中枢 CTZ 孤束核	アプレピタント（内服） イメンド ホスアプレピタント プロイメンド （点滴静注）	サブスタンス P 受容体拮抗薬。 抗悪性腫瘍薬（シスプラチンなど）誘発急性及び遅発性悪心・嘔吐[*2]に有効。 ホスアプレピタントはアプレピタントのプロドラッグ。
末梢性	局所麻酔	胃粘膜求心性神経	ピペリジノアセチルアミノ安息香酸エチル スルカイン オキセサゼイン ストロカイン	胃の強酸性下でも効果発揮。
	抗炎症	炎症組織	ステロイド NSAIDs	癌周辺部や放射線照射に伴う炎症を抑える。
混合型	セロトニン $5\text{-}HT_3$ 受容体拮抗	CTZ 胃求心性迷走神経終末	グラニセトロン カイトリル オンダンセトロン オンダンセトロン アザセトロン アザセトロン ラモセトロン ナゼア パロノセトロン アロキシ	セトロン系制吐薬。 抗悪性腫瘍薬（シスプラチンなど）誘発急性悪心・嘔吐に有効。 パロノセトロンは急性及び遅発性悪心・嘔吐に有効。
	ドパミン D_2 受容体拮抗	CTZ 胃求心性迷走神経終末	クロルプロマジン ウインタミン，コントミン プロクロルペラジン ノバミン ペルフェナジン トリラホン，ピーゼットシー	フェノチアジン誘導体。 ほとんどすべての嘔吐に有効であるが，クロルプロマジンは動揺病による嘔吐には無効。
			スルピリド ドグマチール ドンペリドン ナウゼリン メトクロプラミド プリンペラン	メトクロプラミドには $5\text{-}HT_3$ 拮抗作用による制吐作用あり。
	多元受容体遮断（MARTA）	CTZ 胃求心性迷走神経終末	オランザピン ジプレキサ	抗悪性腫瘍薬(シスプラチンなど)投与に伴う悪心・嘔吐に使用。
	ムスカリン受容体拮抗	嘔吐中枢 胃求心性迷走神経終末 （＋胃弛緩・分泌阻害）	アトロピン スコポラミン	末梢性制吐機構が主。

＊1 予測性悪心・嘔吐：過去の経験に基づき，次回の抗悪性腫瘍薬投与前に生じる悪心・嘔吐

＊2 急性悪心・嘔吐：抗悪性腫瘍薬投与後 24 時間以内に生じる悪心・嘔吐
遅発性悪心・嘔吐：抗悪性腫瘍薬投与後 24 時間以降に生じる悪心・嘔吐

V　胃腸機能改善薬

☞『医薬品一般名・商品名・構造一覧』p65

1. 胃運動促進薬

胃の収縮運動は，食物と胃液の混和によって消化を補助し，また，胃内容物を十二指腸へ送り出す役割を果たしている。この胃運動機能の低下によって胃内容物が貯留・停滞すると，上腹部不定愁訴（胃部不快感）や潰瘍悪化などが起こる。胃運動促進薬は，副交感神経終末からのアセチルコリン遊離を促進させることによって胃運動を促進させる薬物と，胃腸平滑筋に存在するムスカリン M_3 受容体を直接刺激するムスカリン受容体刺激薬とがあり，慢性胃炎などに用いられる。

胃運動促進薬 概観

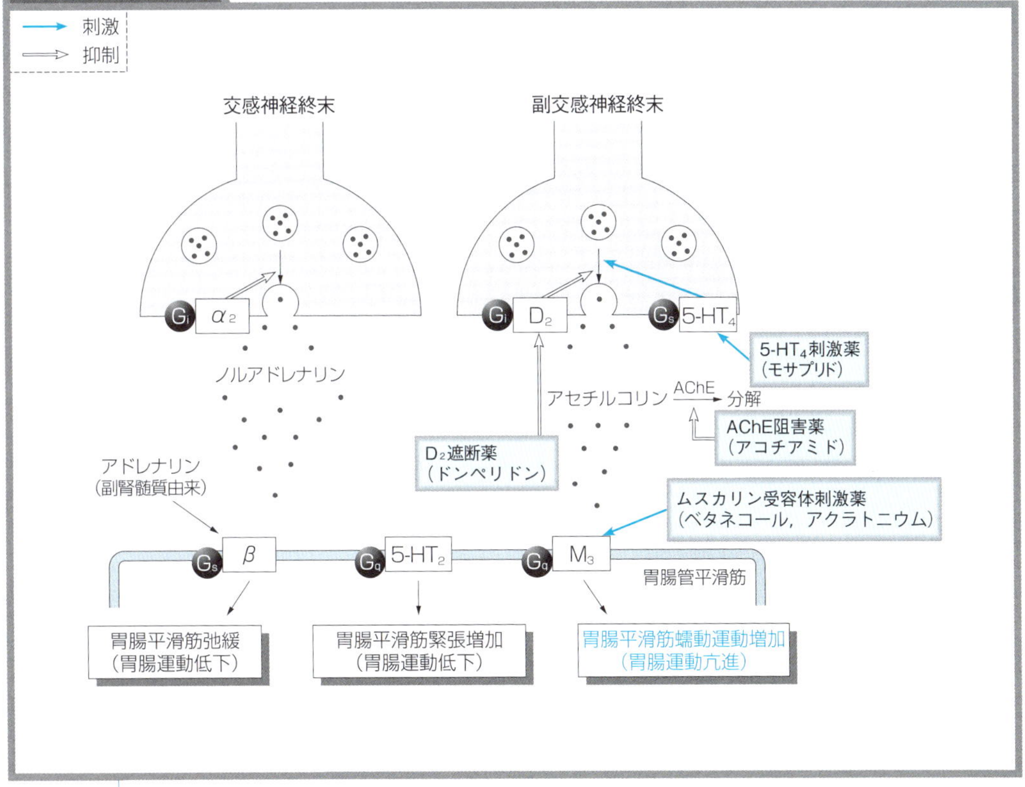

胃運動促進薬

分類		薬物，説明		
ACh遊離促進薬	ドパミン D_2受容体拮抗薬	作用機序	ドパミン D_2受容体（G_i 共役）は，副交感神経終末に存在して ACh 遊離を抑制（ここに作用するドパミンの由来は不明）。従って，D_2受容体を遮断すると ACh 遊離が促進し，胃運動が促進する。	
		薬　物	**ドンペリドン** ナウゼリン	血液脳関門通過しにくい（末梢性）。
			スルピリド ドグマチール	**投与量**：消化性潰瘍 ＜ うつ病 ＜ 統合失調症
			メトクロプラミド プリンペラン	5-HT_3拮抗・5-HT_4刺激作用あり。
			イトプリド ガナトン	コリンエステラーゼ阻害作用による ACh 作用増強作用あり。
	5-HT_4刺激薬	作用機序	セロトニン受容体と胃腸運動（セロトニンは腸クロム親和性細胞由来） 5-HT_1：副交感神経終末に存在し，ACh 遊離阻害 5-HT_2：平滑筋側に存在し，収縮・緊張促進 5-HT_3：副交感神経節に存在し，ACh 遊離促進 5-HT_4：副交感神経終末に存在し，ACh 遊離促進 従って，5-HT_4刺激によって ACh 遊離が促進され，胃運動が促進される。	
		薬　物	**モサプリド** ガスモチン	選択的 5-HT_4受容体（G_s 共役）刺激薬
AChE 阻害薬		作用機序	副交感神経終末から遊離した ACh がアセチルコリンエステラーゼ〈AChE〉によって分解されるのを阻害する。	
		薬　物	**アコチアミド** アコファイド	機能性ディスペプシア〈機能性胃腸症〉における食後膨満感，上腹部膨満感，早期満腹感に適用。
ムスカリン受容体刺激薬		作用機序	胃腸管平滑筋に存在するムスカリン M_3受容体（G_q 共役）を刺激して，胃腸運動と分泌を促進する。	
		薬　物	**ベタネコール** ベサコリン	**適　用**：慢性胃炎，腸管麻痺，麻痺性イレウス，低緊張性膀胱
			アクラトニウム アボビス	胆汁分泌促進作用あり。胃酸分泌には影響を与えない。 **適　用**：慢性胃炎，胆道ジスキネジー，消化管手術後の消化器機能異常（悪心・嘔吐，食欲不振，腹部膨満感）

2．大腸疾患治療薬

過敏性腸症候群治療薬

分　類	薬　物	効果		作用機序及び特徴
		下痢型	便秘型	
ムスカリン受容体拮抗薬	メペンゾラート など トランコロン	○		ムスカリン受容体を介した大腸運動を抑制して，下痢を改善。
セロトニン 5-HT_3 受容体拮抗薬	ラモセトロン イリボー	○		1）5-HT_3受容体を介した消化管運動と痛覚伝達を遮断。 2）下痢型過敏性腸症候群に適用。
グアニル酸シクラーゼC受容体刺激薬	リナクロチド リンゼス		○	1）結腸上皮細胞グアニル酸シクラーゼC〈GC-C〉受容体を刺激し，腸管運動・分泌を促進。 2）便秘型過敏性腸症候群に適用。
オピオイドμ受容体刺激薬	トリメブチン セレキノン	○	○	自律神経終末に存在するオピオイドμ受容体を刺激して，自律神経調整作用を示す（下痢及び便秘に有効）。
水分吸収薬	ポリカルボフィル Ca コロネル，ポリフル	○	○	1）胃内の酸性条件下でカルシウムを離脱してポリカルボフィルとなり，小腸や大腸などの中性条件下で高い水分吸収性を示し膨潤・ゲル化。 2）消化管内水分保持作用及び消化管内容物輸送調節作用によって下痢及び便秘に効果を発現する。過敏性腸症候群における便通異常（下痢，便秘）及び消化器症状に適用される。

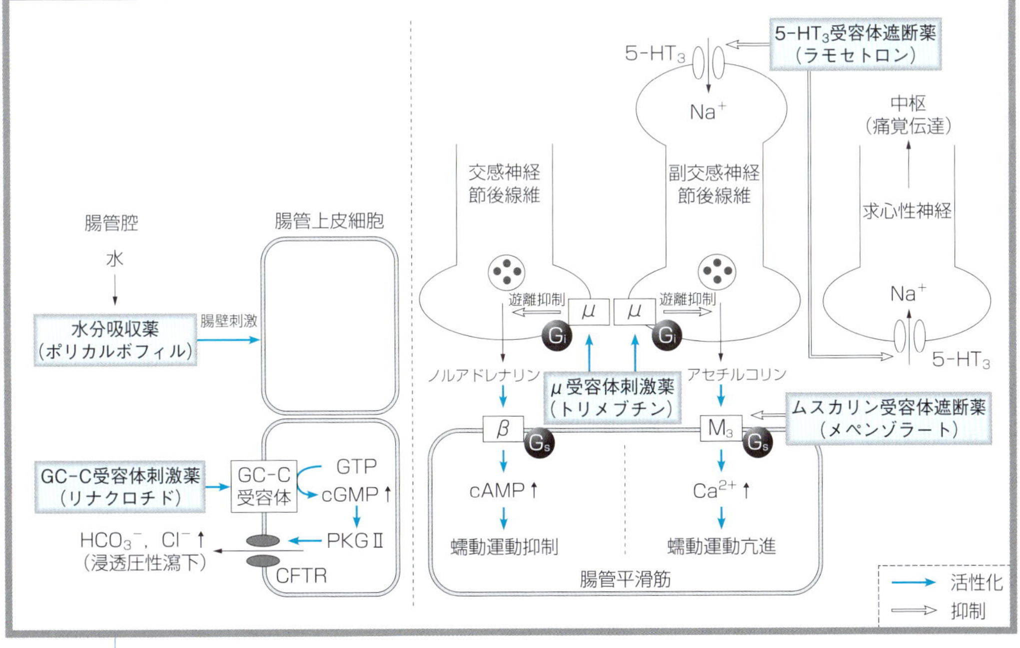

第11章　消化器系に作用する薬物

潰瘍性大腸炎治療薬及びクローン病治療薬

分　類	薬　物	適応 潰瘍性大腸炎	適応 クローン病	説　明
5-アミノサリチル酸関連薬	サラゾスルファピリジン サラゾピリン	○		1）約 1/3 が小腸で吸収され，残り約 2/3 が腸内細菌のアゾ還元酵素により 5-アミノサリチル酸とスルファピリジンに分解。 2）潰瘍性大腸炎には 5-アミノサリチル酸が，関節リウマチにはサラゾスルファピリジン自身が関与。 3）T 細胞・マクロファージにおけるサイトカイン産生抑制。
	メサラジン （5-アミノサリチル酸） ペンタサ，アサコール，リアルダ	○	○	1）5-アミノサリチル酸製剤。小腸・大腸で放出されるよう設計されたオーファンドラッグ（希少疾病用医薬品）。坐薬あり。 2）LTB_4 産生阻害による炎症性細胞の組織浸潤抑制，炎症性細胞から放出される活性酸素を消去。クローン病にも有効。
ステロイド性抗炎症薬	プレドニゾロン など プレドニン	○	○	潰瘍性大腸炎，限局性腸炎に適用（内服）。
	ベタメタゾン リンデロン	○		潰瘍性大腸炎直腸炎型に適用（坐薬）。
	リン酸ベタメタゾン Na ステロネマ リン酸プレドニゾロン Na プレドネマ	○		潰瘍性大腸炎，限局性腸炎に適用（注腸）。
	ブデソニド レクタブル，ゼンタコート	○	○	潰瘍性大腸炎（注腸），クローン病（内服）に適用。
カルシニューリン阻害薬	タクロリムス プログラフ	○		難治性の活動期潰瘍性大腸炎に適用（内服）。
プリン代謝拮抗薬	アザチオプリン アザニン，イムラン メルカプトプリン ロイケリン	○	○	潰瘍性大腸炎，クローン病に適用（内服）。
ヤヌスキナーゼ（JAK）阻害薬	トファシチニブ ゼルヤンツ	○		潰瘍性大腸炎に適用（内服）。
抗 $TNF\alpha$ 抗体	インフリキシマブ レミケード アダリムマブ ヒュミラ ゴリムマブ シンポニー	○	○	潰瘍性大腸炎，クローン病に適用（注射）。
抗 IL-12/IL-23 p40 抗体	ウステキヌマブ ステラーラ	○	○	潰瘍性大腸炎，クローン病に適用（注射）。
抗 $\alpha_4\beta_7$ インテグリン抗体	ベドリズマブ エンタイビオ	○	○	潰瘍性大腸炎，クローン病に適用（点滴静注）。

サイトカイン産生細胞 →
- ステロイド性抗炎症薬（ベタメタゾン，ブデソニドなど）
- カルシニューリン阻害薬（タクロリムス）
- プリン代謝拮抗薬（アザチオプリン，メルカプトプリン）
- サラゾスルファピリジン

$TNF\alpha$
IL-12/IL-23 →
- 抗$TNF\alpha$抗体（インフリキシマブ，アダリムマブなど）
- 抗IL-12/IL-23p40抗体（ウステキヌマブ）

サイトカイン受容体

ヤヌスキナーゼ〈JAK〉← JAK阻害薬（トファシチニブ）

炎症性細胞活性化（組織浸潤，活性酸素放出）← 5-アミノサリチル酸（メサラジン）

抗 $\alpha_4\beta_7$ インテグリン抗体（ベドリズマブ）

メモリーTリンパ球

⇒ 抑制

$\alpha_4\beta_7$ インテグリン　　$\alpha_4\beta_7$ インテグリン

細胞接着分子（MAdCAM-1）　　細胞接着分子（MAdCAM-1）

血管内

血管内皮細胞　　血管内皮細胞

血管外

消化管粘膜固有層に浸潤（炎症誘発）

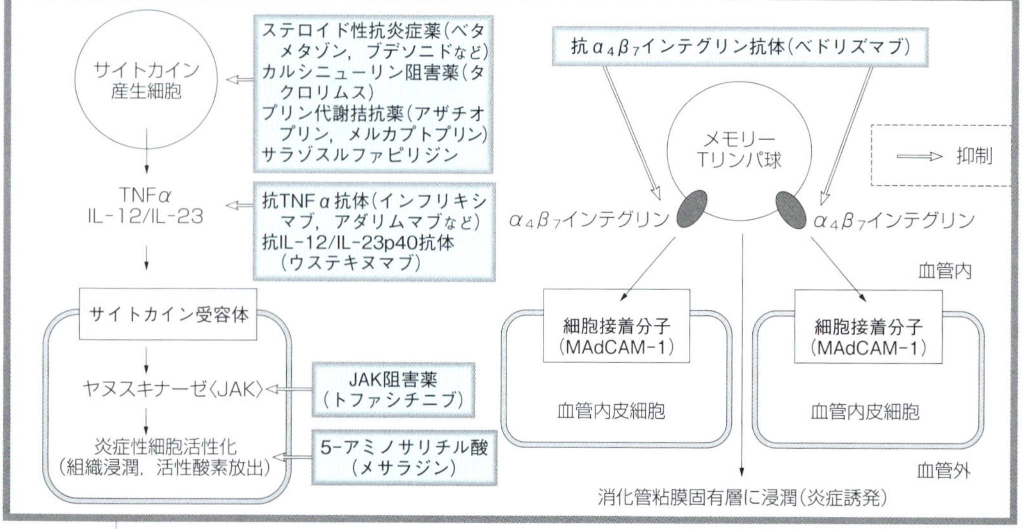

Ⅵ 鎮痙薬

☞『医薬品一般名・商品名・構造一覧』p67

鎮痙薬は，消化管・胆管・尿管などの平滑筋攣縮を弛緩作用によって緩解する薬物群で，平滑筋弛緩薬に属する。鎮痙薬は，向神経性鎮痙薬（アトロピンなどの神経伝達物質受容体拮抗薬）と向筋肉性鎮痙薬（パパベリンなど神経伝達物質受容体とは無関係な平滑筋弛緩薬）とに分けられる。

鎮痙薬 概観

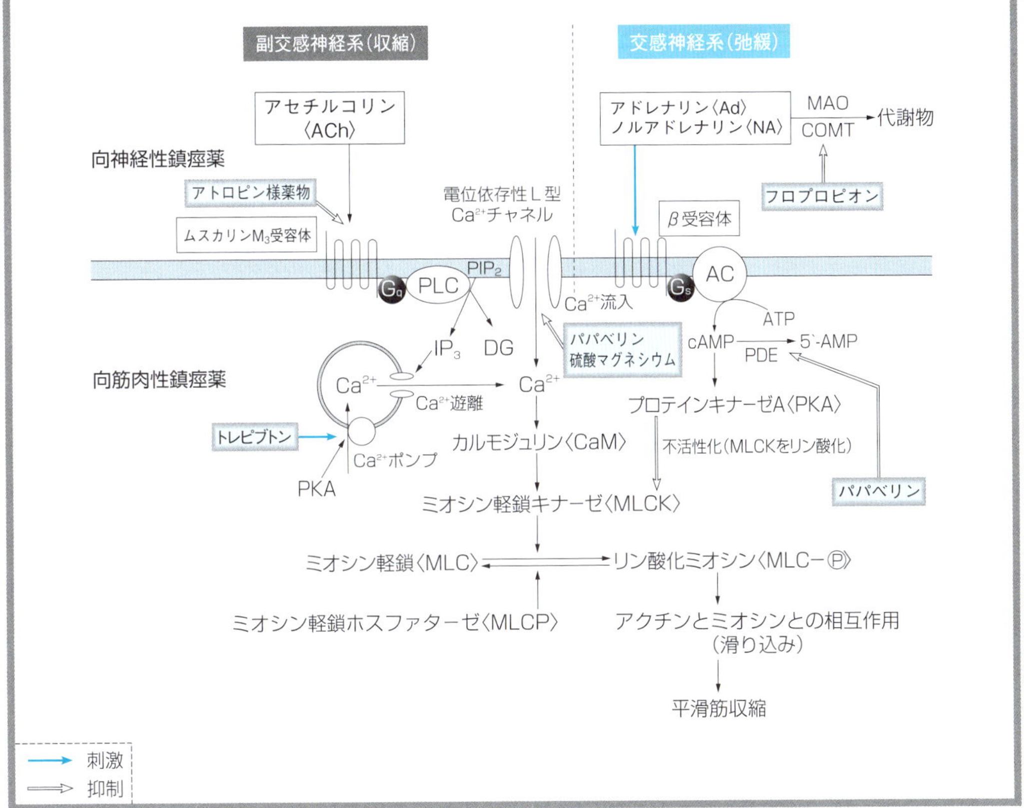

消化器系に作用する鎮痙薬

分類		薬物	作用機序	適応例	副作用
向神経性 鎮痙薬	三級アミン	ジサイクロミン コランチル	ムスカリン受容体拮抗	胃・十二指腸潰瘍 胃腸炎 胃酸過多 幽門痙攣 過敏性腸症候群 機能性下痢 胆嚢・胆管疾患 尿路結石 夜尿・遺尿症 膵炎	口渇 便秘 排尿困難 眼圧上昇 遠視性視調節麻痺 頻脈
		ピペリドレート ダクチラン, ダクチル			
	四級アンモニウム	ブチルスコポラミン ブスコパン			
		プロパンテリン プロ・バンサイン			
		メペンゾラート トランコロン			
		チキジウム チアトン			
		チメピジウム セスデン			
		N-メチルスコポラミン ダイピン			
		ブトロピウム コリオパン, ブトロパン			
		フロプロピオン コスパノン	抗セロトニン作用 COMT 阻害による 　交感神経作用	胆嚢・胆管疾患 膵炎, 尿路結石	胃腸障害 過敏症 めまい・耳鳴
向筋肉性 鎮痙薬		パパベリン パパベリン塩酸塩	Ca^{2+}流入阻害 PDE 阻害 酸化的リン酸化抑制	胃炎 胆嚢・胆管疾患 急性動脈塞栓 急性肺塞栓 末梢・冠循環障害	房室ブロック 不整脈 呼吸抑制
		硫酸マグネシウム 硫酸マグネシウム	Ca^{2+}拮抗	胆嚢・胆管疾患（胆 　管に十二指腸ゾン 　デで注入） 子癇（静注）	Mg 中毒（降圧, 中 　枢抑制）：解毒に 　は Ca 剤
		トレピブトン スパカール	Ca^{2+}貯蔵部位への Ca^{2+}取込促進	胆嚢・胆管疾患 膵炎	胃腸障害 過敏症 めまい・耳鳴

Ⅶ　瀉下薬・止瀉薬

☞『医薬品一般名・商品名・構造一覧』p67

1．止 瀉 薬

軟便や液状便を排泄する現象が下痢である。原因としては，

（1）神 経 性：心因性，副交感神経活動増加

（2）腸壁変化：腸壁炎症，潰瘍，腫瘍による腸粘膜過敏

（3）刺激物質：機械的刺激（不消化物），化学的刺激（腐敗，発酵，細菌代謝産物），薬物

（4）そ の 他：バセドウ病，アジソン病，尿毒症など

がある。止瀉薬は，下痢に伴う水分・電解質消失や栄養障害を改善する目的で用いられるが，刺激物質による下痢の場合には，その刺激物質を速やかに排泄した後に止瀉薬を投与するのが望ましい。

止瀉薬

分類		機構	薬物	付記
腸運動抑制薬		腸運動を抑制することによって水分の吸収を促進させる。	オピオイド関連薬 モルヒネ，コデイン アヘンチンキ ロペラミド（末梢性） ロペミン	副交感神経終末μ受容体刺激によってACh遊離を阻害し，腸管運動と分泌を抑制。
			鎮痙薬（抗コリン） ブチルスコポラミン ロートエキス など	腸管M_3受容体遮断による平滑筋弛緩と分泌抑制。
粘膜被覆保護薬	収斂薬	粘膜から吸収されずに粘膜表面蛋白質に結合・沈殿して不溶性の被膜を形成し，腸粘膜の被覆保護と抗炎症作用を示す。	金属塩 次硝酸ビスマス	防腐・殺菌作用あり。
			アセンヤク ゲンノショウコ タンニン酸アルブミン	腸でタンニン酸（没食子酸・グルコース複合体）を遊離して収斂作用を示す。
	粘滑薬	粘膜表面に付着して被覆保護する。	アラビアゴム デンプン	
解毒薬	吸着薬	下痢の原因となっている有害物質を吸着する（粘膜の被覆保護作用も有する）。	薬用活性炭	動物骨などの有機物を燃焼したもの。作用発現が速く，急性薬物中毒初期に適用。
			ケイ酸アルミニウム ケイ酸マグネシウム	ケイ酸塩には，吸着作用のほかに粘膜被覆作用がある。
	腸内殺菌薬	下痢の原因となる細菌・原虫を死滅させる。	アンピシリン クロラムフェニコール テトラサイクリン バンコマイシン など	細菌性の下痢に用いる。
			メトロニダゾール など	原虫類に起因する下痢に用いる。
			オウバク ベルベリン キョウベリン	腸内殺菌作用。小腸粘膜刷子縁に作用し，コレラ毒素によるcAMP上昇と水分分泌を抑制。腸運動を抑制するため細菌性下痢に原則禁忌。

2. 瀉下薬（下剤）

便秘は，腸内容物の移動が遅く，水分が過度に吸収されて排便困難を起こした状態である。便秘は，急性便秘と慢性便秘（常習性便秘，症候性便秘）あるいは器質性便秘（大腸内腔の狭窄などによる通過障害）と機能性便秘（痙攣性，弛緩性，直腸性排便反射異常）などに分けられる。

瀉下薬（下剤）は，作用の強さによって 軟下剤＜緩下剤＜峻下剤 に分類できるが，一般には作用機序によって①粘滑・浸潤性下剤，②膨張性下剤，③塩類・浸透圧性下剤，④刺激性下剤，などに分類される場合が多い。なお，下剤は子宮収縮をもたらすことがあるため，妊婦への投与には注意を要する。

① 粘滑・浸潤性下剤

作用機序	腸で吸収されずに，界面活性作用によって腸管内容物への水・脂肪の混入を容易にして内容物を膨潤・軟化させる。	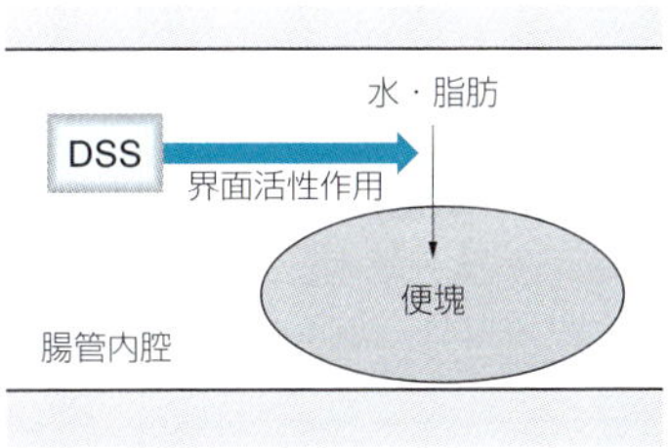
薬物	**ジオクチルソジウムスルホサクシネート〈DSS：ジオクチルスルホコハク酸 Na〉** ビーマス	1）瀉下作用が弱いため，大腸刺激薬カサンスラノールとの配合錠として下剤に用いられるが，カサンスラノールは母乳中に移行して乳児の下痢を誘発するため，授乳婦に**禁忌**。 2）ジオクチルソジウムスルホサクシネート単剤（耳科用液）は，外用で耳垢除去に用いられる。

② 膨張性下剤

作用機序	消化管でほとんど吸収されない。同時に服用した水とともに腸管内で粘性コロイド液となり，腸管内容物に浸透して容積を増大させることによって腸壁に物理的刺激を与え，局所性に蠕動運動を刺激する。	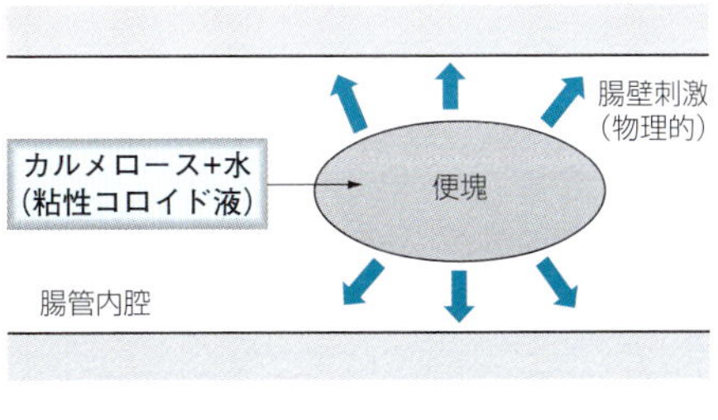
薬物	**カルボキシメチルセルロース〈カルメロース〉** バルコーゼ	緩下剤・軟下剤として用いられるが，腸狭窄時に投与するとイレウスを起こすことがある。

❸ 塩類・浸透圧性下剤

作用機序	腸管粘膜から吸収されにくく，腸管内浸透圧を高めて組織から管腔内に水分を吸引して腸内容量を増やす（水様便）。	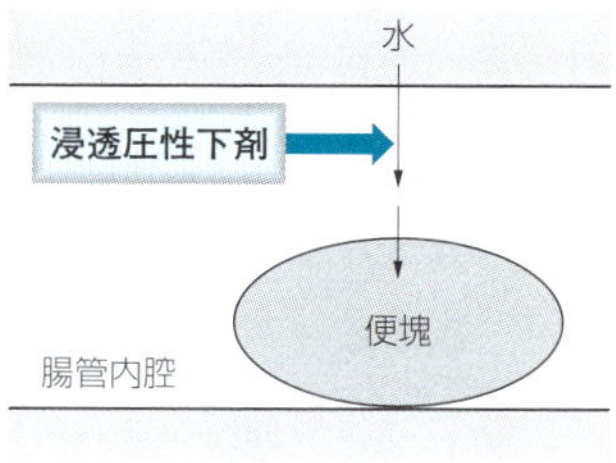
薬物	**硫酸マグネシウム** 硫酸マグネシウム水和物 **酸化マグネシウム** 酸化マグネシウム **クエン酸マグネシウム** マグコロール **水酸化マグネシウム** ミルマグ	1）腸で炭酸水素マグネシウムとなる。 2）十二指腸粘膜からコレシストキニンを分泌，膵液分泌促進，小腸・大腸の蠕動運動亢進。 3）Mg^{2+}は，一部腸から吸収された後腎排泄されるので，腎不全時にはマグネシウム中毒（徐脈，ショック，呼吸停止など）に注意。
	炭酸水素ナトリウム **塩化ナトリウム** **硫酸ナトリウム** **硫酸カリウム** 人工カルルス塩	1）マグネシウム塩よりも作用弱い。 2）心不全・腎不全・高血圧患者へのナトリウム過負荷に注意。
	マクロゴール 4000 モビコール	1）高分子量ポリエチレングリコール製剤。 2）浸透圧により腸管内の水分量が増加し，その結果，便が軟化するとともに便容積が増大することにより，大腸の蠕動運動が活発化して排便が促進する。 3）腸内の電解質バランスを維持する目的で，塩化ナトリウム，炭酸水素ナトリウム及び塩化カリウムとの配合剤として用いられる。
	ラクツロース モニラック，ラグノス	1）胃・十二指腸で分解も吸収もされない半合成二糖類で，浸透圧性に水分を組織から管腔内に吸収。 2）下部消化管で乳酸菌によって乳酸と酢酸に分解され腸管内を酸性化するため，アンモニア産生菌の活動を抑える（高アンモニア血症や肝性脳障害に適用）。

④ 刺激性下剤

作用機序

腸管内で分解され，その分解産物が，腸粘膜直接刺激作用や知覚神経終末刺激による壁内神経叢反射亢進作用を現すことによって蠕動運動を亢進させる。小腸に作用する小腸性下剤（栄養損失のため常習性には不適だが，食中毒時の速やかな瀉下に適）と，大腸に作用する大腸性下剤（常習便秘に適）とがある。

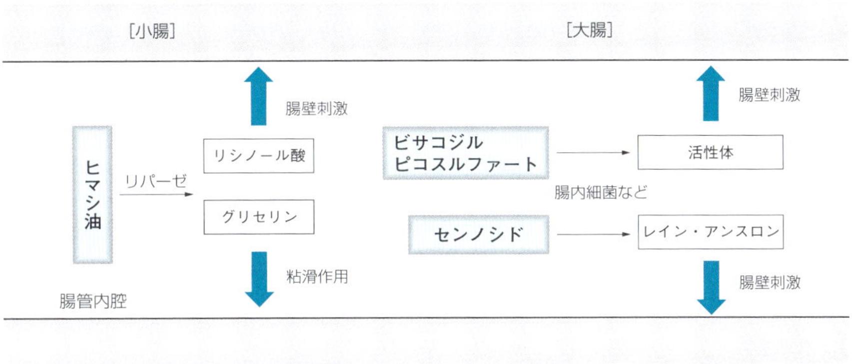
［小腸］
［大腸］
腸壁刺激
ヒマシ油
リパーゼ
リシノール酸
グリセリン
粘滑作用
腸管内腔
ビサコジル
ピコスルファート
活性体
腸内細菌など
センノシド
レイン・アンスロン
腸壁刺激
腸壁刺激

薬物

小腸性		**ヒマシ油** ヒマシ油	十二指腸でリパーゼによって分解され，リシノール酸（蠕動促進）とグリセリン（粘滑作用）になる。
大腸性	ジフェニルメタン系	**ビサコジル** テレミンソフト	大腸で活性体となり，腸管の Na^+ ポンプを阻害して水分・電解質の吸収を抑制することにより大腸性瀉下作用を示す。
	ジフェノール系	**ピコスルファート** ラキソベロン，ピコダルム，スナイリン	大腸で腸内細菌によって加水分解されてジフェノール体となり，大腸性瀉下作用を示す。
	アントラキノン系	**センノシド** プルゼニド，センノサイド	大腸で腸内細菌によって加水分解されてレイン・アンスロンとなり，大腸性瀉下作用を示す。

❺ その他の瀉下薬

ルビプロストン アミティーザ	1）小腸上皮に存在する電位依存性 Cl^-チャネル〈ClC-2〉*活性化薬。 2）Cl^-チャネルを直接活性化し，腸管管腔内への Cl^-分泌を促進する。その結果，腸管内浸透圧が高まり，腸管内への水分分泌が促進して瀉下作用を現す。 3）慢性便秘症（器質的便秘を除く）に適用。胎児に移行するため妊婦に**禁忌**。 ＊ClC-2：細胞内に蓄積した Cl^-の細胞外排出に関与する。
エロビキシバット グーフィス	1）回腸胆汁酸トランスポーター〈IBAT：Ileal Bile Acid Transporter〉阻害薬。 2）回腸末端部の上皮細胞に発現している回腸胆汁酸トランスポーターを阻害し，胆汁酸の再吸収を抑制することで，大腸へ移行する胆汁酸を増加させる。 3）大腸へ移行した胆汁酸は，G_s蛋白質共役型胆汁酸受容体（TGR5）を刺激し，cAMP/PKA 経路を介して嚢胞性線維症膜貫通調節因子（CFTR：Cystic Fibrosis Transmembrane Conductance Regulator）とよばれる陰イオンチャネルを活性化する。その結果，大腸管腔内に水分および電解質を分泌させる。また，腸クロム親和性細胞からのセロトニン遊離を介して，消化管運動を亢進させる。 4）慢性便秘症（器質的便秘を除く）に適用。
リナクロチド リンゼス	1）腸管グアニル酸シクラーゼ C（GC-C）受容体アゴニスト。 2）cGMP/Ⅱ型プロテインキナーゼ G〈PKGⅡ〉経路を介して CFTR を活性化する。その結果，腸管内への HCO_3^-及び Cl^-分泌が促進して腸管内浸透圧が高まり，腸管分泌・腸管運動が促進する。また，痛覚過敏改善作用も示す。 3）慢性便秘症（器質的便秘を除く）に適用。
ナルデメジン スインプロイク	1）経口末梢性オピオイド μ 受容体拮抗薬。 2）μ・δ・κ 受容体に対する拮抗作用をもち，刺激作用は示さない。 3）オピオイド誘発性便秘の改善に適用。

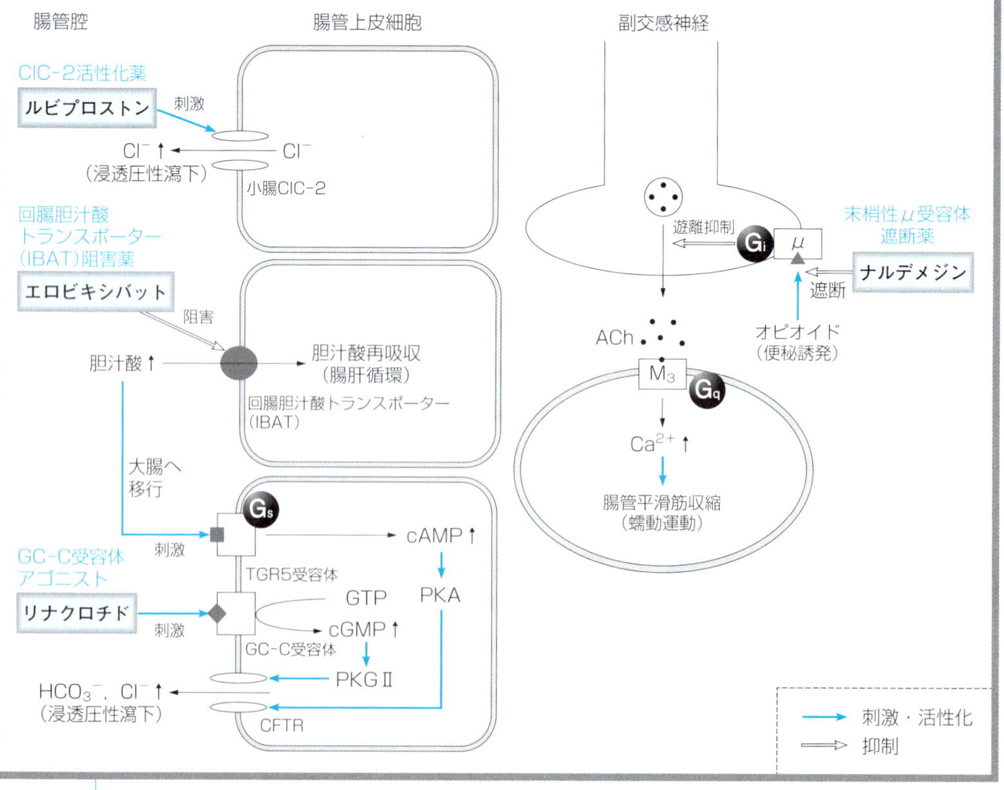

Ⅷ　肝・胆・膵臓機能改善薬

☞『医薬品一般名・商品名・構造一覧』p68

1. 利胆薬

① 胆嚢と胆汁

胆汁の分泌と排出	1）胆汁は肝細胞で産生され，総肝管 ⟶（胆嚢）⟶ 総胆管 ⟶（Oddi 括約筋）⟶ 十二指腸へと流出し，1 日に約 800 mL の胆汁が分泌される。消化時以外は総胆管の十二指腸出口は Oddi 括約筋で閉じられているため，胆汁は胆嚢に蓄えられ，ここで水と塩が吸収されて 5〜10 倍に濃縮される。 2）十二指腸に排出された胆汁のうち，胆汁酸（コール酸）などは腸管から再吸収される（腸肝循環）。 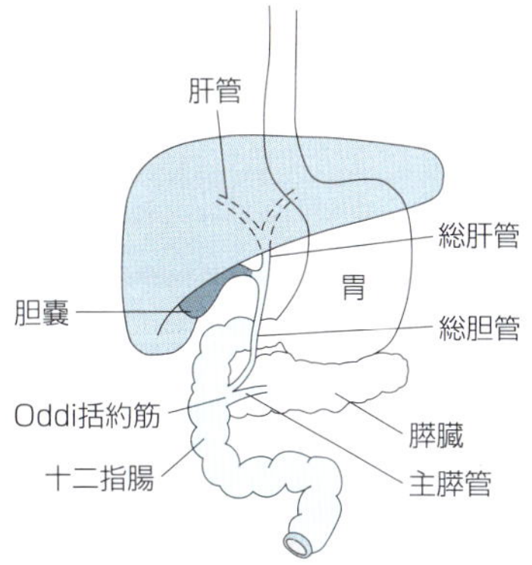
胆汁の成分	胆汁酸（コール酸），胆汁色素（ビリベルジン，ビリルビン），ムチン，コレステロール，レシチン（ホスファチジルコリン）などが胆汁の主成分。 細胞外液のビリルビン濃度が増加すると，皮膚，眼球，その他の身体組織が黄色化する（黄疸）。
胆汁の役割	胆汁それ自身は消化酵素をもたないが，胆汁酸の界面活性剤としての作用によって脂肪の消化・吸収を助ける。
胆汁排出の調節	1）消化管ホルモン：コレシストキニンは十二指腸上部から分泌され，胆嚢収縮と Oddi 括約筋弛緩によって胆汁排泄を増加させる。 2）自律神経：副交感神経は胆嚢収縮によって胆汁排出を促進させる。交感神経は胆嚢・Oddi 括約筋ともに弛緩させる。

❷ 利胆薬

利胆薬は，催胆薬（肝臓からの胆汁分泌促進薬）と排胆薬（胆嚢からの胆汁排出促進薬）とに分けられ，胆嚢・胆道疾患（胆石症，胆嚢炎，胆道ジスキネジー），胆管手術後の回復促進，脂肪消化不良などに用いられる。催胆薬は，さらに水利胆薬（水分が多く粘度の低い胆汁分泌）と胆汁成分分泌薬（固形成分を多く含む胆汁分泌）とに分けられる。

分類	標的	薬物		作用機序や特徴
催胆薬	肝臓	水利胆薬	デヒドロコール酸 デヒドロコール酸	1）コール酸の脱水素化合物。肝臓で還元され，タウリン・グリシンと抱合体を形成して胆汁中に排出され，胆汁の浸透圧増加によって水を管腔内に移動させる。 2）肝血流増加作用もある。
		胆汁成分分泌薬	ウルソデオキシコール酸 ウルソ	1）クマ胆汁成分で，コール酸から合成可能。 2）胆汁合成酵素活性化と強い利胆作用。 3）胆石表面のコレステロール溶解作用によって，胆石溶解薬としても作用する。 4）肝カタラーゼ活性化作用，抗脂肝作用，解毒促進作用，など肝機能全般の亢進。 5）慢性肝炎，肝硬変，黄疸などにも適用。
排胆薬	胆嚢 Oddi 括約筋 （☞「VI 鎮痙薬」（p317）も参照）	フロプロピオン コスパノン		カテコール-*O*-メチルトランスフェラーゼ〈COMT〉阻害による交感神経作用及び抗セロトニン作用によって胆嚢・Oddi 括約筋を弛緩させ排胆。
		トレピブトン スパカール		Ca^{2+}貯蔵部位への Ca^{2+}取込促進によって胆嚢・Oddi 括約筋を弛緩させ排胆。
		硫酸マグネシウム 硫酸マグネシウム		1）マグネシウムの Ca 拮抗作用により Oddi 括約筋が弛緩。 2）胆石症に十二指腸ゾンデで直接注入。
		パパベリン パパベリン塩酸塩		ホスホジエステラーゼ〈PDE〉阻害，カルシウムチャネル阻害による平滑筋弛緩。

❸ 胆石溶解薬

胆石は，胆汁中のコロイド成分が析出して生成したもので，コレステロール胆石（胆汁酸・レシチンの濃度が低いとコレステロールが溶けきれずに析出）とビリルビン胆石とがある。胆石溶解薬は，胆汁酸を補充してコレステロール胆石表面のコレステロールを溶解するが，外殻石灰化の認められるコレステロール胆石には無効である。また，フィブラート系薬物との併用で効果が減弱する場合がある。

分　類	薬　物	作用機序
胆石溶解薬	ケノデオキシコール酸 チノ	胆汁酸を補充して胆石表面のコレステロールをミセル化して溶解するとともに，肝臓のコレステロール合成を抑制するコレステロール胆石治療薬。
	ウルソデオキシコール酸 ウルソ	胆汁成分分泌型催胆薬であり，胆石表面のコレステロールを液晶化/小胞化して胆石を溶解する（利胆よりも高用量を用いる）。

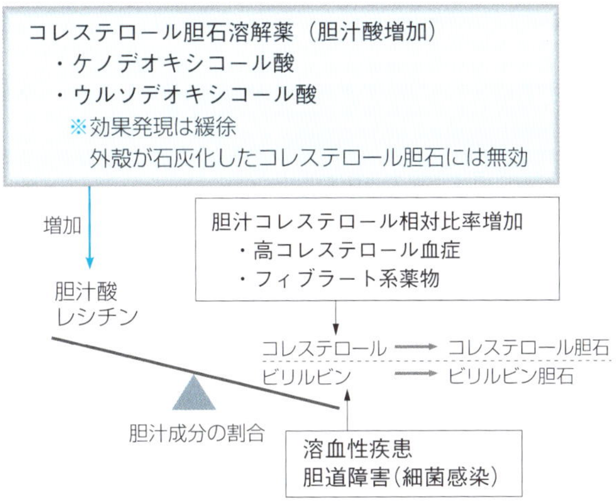
コレステロール胆石溶解薬（胆汁酸増加）
・ケノデオキシコール酸
・ウルソデオキシコール酸
※効果発現は緩徐
外殻が石灰化したコレステロール胆石には無効
増加
胆汁酸
レシチン
胆汁コレステロール相対比率増加
・高コレステロール血症
・フィブラート系薬物
コレステロール
コレステロール胆石
ビリルビン
ビリルビン胆石
胆汁成分の割合
溶血性疾患
胆道障害（細菌感染）

2．肝炎治療薬

分　類	薬　物	説　明
肝庇護薬	グリチルリチン酸（甘草成分） 強力ネオミノファーゲンシー，ネオファーゲン，グリチロン	ヒドロコルチゾンからコルチゾンへの変換阻害による抗炎症作用 偽アルドステロン症（高血圧，浮腫，低 K^+ 血症，代謝性アルカローシスなど）や横紋筋融解症（骨格筋細胞の破壊による筋肉のだるさ，赤褐色尿〈ミオグロビン尿〉，血中クレアチンキナーゼ上昇）などの副作用に注意
	小柴胡湯（甘草含有）	インターフェロンとの併用による間質性肺炎の副作用増強に注意
肝機能改善薬	ウルソデオキシコール酸 ウルソ	（☞「利胆薬」（p328）参照）
	アミノエチルスルホン酸〈タウリン〉 タウリン	肝細胞賦活，胆汁酸分泌，心筋代謝改善（細胞内 ATP 産生促進）
	プロトポルフィリン 2Na プロトポルト	組織呼吸促進，蛋白合成能促進（肝ヘム合成↑）
	ジクロロ酢酸ジイソプロピルアミン リバオール	肝再生促進，抗脂肪肝（肝核酸合成↑）
	チオプロニン チオラ グルタチオン タチオン	肝保護改善，重金属解毒作用あり（SH 基保護） 白内障にも適用
	ポリエンホスファチジルコリン EPL	肝細胞膜機能保持（細胞内酵素逸脱を是正）
	メチルメチオニンスルホニウム キャベジン U	メチル基供与体（核酸・リン脂質・リン蛋白質代謝↑）
高アンモニア血症治療薬	グルタミン酸アルギニン アルギメート	尿素回路〈オルニチン回路〉の活性化などによりアンモニアの代謝促進（点滴静注）
	ラクツロース モニラック，ラグノス ラクチトール ポルトラック	腸内細菌により分解されて腸管内を酸性化することにより，腸内アンモニア産生菌の活動を抑制し，腸内アンモニアの生成・吸収を抑制（内服）
	リファキシミン リフキシマ	難吸収性リファマイシン系抗菌薬。 細菌の DNA 依存性 RNA ポリメラーゼに結合し，RNA 合成を阻害する。 腸内アンモニア産生菌に殺菌的に作用する（内服）。
抗ウイルス薬	（☞「抗肝炎ウイルス薬」（p516）参照）	

3．膵炎治療薬

【急性膵炎】

トリプシンの活性化を引き金として活性化された膵消化酵素によって膵臓組織の自己消化が誘発され，さらに，その分解産物によって循環不全・呼吸不全・腎不全などが起こる全身性疾患。治療の基本は，鎮痛，体液・電解質の補正，膵外分泌の抑制，膵酵素抑制，感染症予防などである。

【慢性膵炎】

膵実質細胞の消失と間質の線維化を主体とする疾患で，膵内外分泌機能が低下するため，膵酵素分泌促進作用をもつ薬物が用いられる。慢性膵炎の治療の基本は，膵病変の進行阻止と膵組織の再生修復であるが，経過によって急性膵炎同様の治療法が適用される場合もある。

分類			薬物	説明
急性膵炎	鎮痛薬	オピオイド系鎮痛薬	モルヒネ ペンタゾシン　など	オピオイド系鎮痛薬はOddi括約筋攣縮による膵内圧増加作用をもつため抗コリン薬を併用（過度の腸管運動抑制による便秘・麻痺性イレウスに注意）。
	膵外分泌抑制薬	抗コリン薬	プロパンテリン チメピジウム　など	胃酸分泌阻害によって十二指腸内pHを上げてセクレチン及びコレシストキニンの分泌を抑制し，膵臓導管系細胞及び腺房細胞からの膵外分泌を抑制する。
	膵酵素阻害薬	ペプチド系蛋白分解酵素阻害薬	（アプロチニン）	ウシ肺から抽出された塩基性蛋白質。
			ウリナスタチン ミラクリッド	ヒト尿由来糖蛋白質。抗トリプシン，抗リパーゼ，抗顆粒球エラスターゼ。
		非ペプチド系蛋白分解酵素阻害薬	ガベキサート エフオーワイ ナファモスタット フサン カモスタット フオイパン	蛋白分解酵素阻害薬。トリプシン・カリクレインを阻害するとともに，Oddi括約筋に対して弛緩作用を示す。
慢性膵炎	Oddi括約筋弛緩薬（十二指腸出口からの膵外分泌促進薬）		フロプロピオン コスパノン	COMT阻害による交感神経作用及び抗セロトニン作用によって，消化器，尿路系平滑筋の運動異常を改善する。とくに膵胆管末端部のOddi括約筋に対して的確な弛緩効果を有し，膵胆道内圧を低下させ，肝胆道，膵疾患に伴う腹部症状を除去する。
			トレピブトン スパカール	Ca^{2+}貯蔵部位へのCa^{2+}取込促進によって胆嚢・Oddi括約筋を弛緩させ排胆。消化管平滑筋，とくにOddi括約筋を直接弛緩させて胆汁・膵液の排出を促進する。

第 12 章

泌尿器系に作用する薬物

Ⅰ　利尿薬 …………………………………………………… 334
Ⅱ　排尿障害・蓄尿障害治療薬……………………………… 347

I　利尿薬

☞『医薬品一般名・商品名・構造一覧』p70

おさえるべきところ

1．腎機能の生理 ……………………………………………………………p334
2．利尿薬の作用部位と作用機序・副作用 ……………………………………p340

1．腎機能の生理

① ネフロン

ネフロン

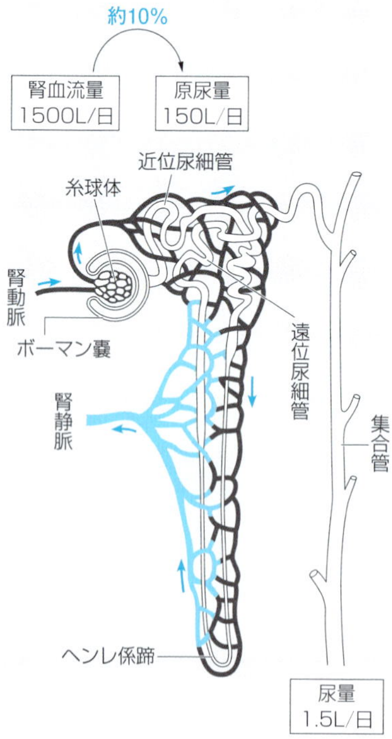

1）腎臓は，血中老廃物の排泄や体内電解質・体液量・血液 pH を調節している。ネフロンはその腎臓の構成単位で，一側の腎に約100万個のネフロンが存在する。

2）ネフロンは，糸球体 → 近位尿細管 → ヘンレ係蹄 → 遠位尿細管 → 集合管からなる。

3）腎血流量は 1 日に約 1500 L に達し，糸球体ろ過されて生じる原尿は 1 日に約 150 L（腎血流量の約 10%）である。その後，尿細管再吸収，尿細管分泌の過程を経て尿となり，輸尿管を経て膀胱に送られる。尿は 1 日に約 1.5 L 生成されるので，原尿の 99%は尿細管を通過する間に再吸収されていることになる。

4）糸球体ろ過量〈GFR〉: イヌリンあるいは内因性クレアチニンの毎分尿中排泄量と血漿中濃度の比によるクリアランス（C_{IN}または C_{CR}）から算出。これらは糸球体でろ過されるが尿細管で分泌・再吸収されない。

5）腎血漿流量〈RPF〉: パラアミノ馬尿酸〈PAH〉のクリアランス（C_{PAH}）から算出。PAH は糸球体でろ過され尿細管で分泌されるが，再吸収されない。

6）糸球体ろ過率〈FF〉: GFR／RPF で，糸球体を通過する血液の何%がろ過されるかを示す値。

❷ ネフロンにおける尿生成の仕組み

糸球体	1）糸球体は，ネフロンの膨大したボーマン嚢のなかに毛細血管毬が陥入したもので，毛細血管は輸入細動脈としてボーマン嚢に入り，輸出細動脈としてボーマン嚢から出る。 2）この間に，血球・蛋白・脂質以外の血液成分（分子量約 5,000 以下，直径 4～8 nm 以下）が限外ろ過され，輸入血液量の約 10%（約 150 L/日）が原尿として濾し出され尿細管に入る。
近位尿細管	1）原尿の約 75%が再吸収（原尿 Na^+約 60%再吸収）。 2）Na^+／H^+交換系：炭酸脱水酵素によって活性化。 3）等浸透圧性再吸収（グルコース，尿素，尿酸の一部，アミノ酸，K^+，HCO_3^-，HPO_4^{2-}）と分泌（有機酸，有機塩基，H^+，NH_4^+）が行われる。
ヘンレ係蹄	1）**下行脚**：間質が高張であるため，原尿の約 5%の水が水チャネルを介して再吸収（高張になる）。 2）**上行脚**：Na^+-K^+-$2Cl^-$共輸送系が存在するが，水に対して非透過性（原尿 Na^+約 30%再吸収：低張になる）。 3）下行脚と上行脚との水・イオンに対する透過性の違い，また血管とともにヘアピン構造をとることによって，対向流増幅系（尿細管内浸透圧勾配の形成）と対向流交換系（血流遅く浸透圧勾配を維持）を形成して尿を濃縮する。
遠位尿細管 **集合管**	1）遠位尿細管で原尿の約 15%（原尿 Na^+約 7%）が，集合管で原尿の約 4%（原尿 Na^+2～3%）が再吸収。 2）Na^+／H^+交換系：炭酸脱水酵素が関与 Na^+-Cl^-共輸送系：チアジド系利尿薬が阻害 Na^+／K^+交換系：副腎皮質ホルモンのアルドステロン（鉱質コルチコイド）が活性化 水チャネルによる水の再吸収：抗利尿ホルモン〈バソプレシン〉によって活性化 3）NH_4^+分泌。
再吸収の基本様式	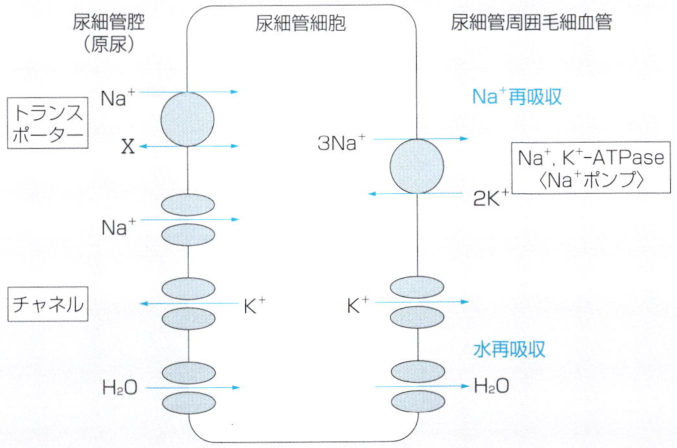 X：グルコース，アミノ酸，イオンなど

❸ 腎機能に関与するホルモン・酵素

a）炭酸脱水酵素〈CA：Carbonic Anhydrase〉

①炭酸脱水酵素は，$CO_2 + H_2O \Leftrightarrow H_2CO_3 \Leftrightarrow H^+ + HCO_3^-$ の反応を仲介する。

②まず，尿細管中を流れてきた H^+ と HCO_3^- は，尿細管細胞膜に存在する膜結合型炭酸脱水酵素によって CO_2 と H_2O に変換され，尿細管細胞内に移行する。尿細管細胞内に移行した CO_2 と H_2O は，尿細管細胞質に存在する細胞質性炭酸脱水酵素によって，再び H^+ と HCO_3^- に変換される。

③尿細管細胞内で産生された H^+ は，Na^+／H^+ 逆輸送体を介して尿細管腔（原尿側）に戻される。一方，HCO_3^- は，Na^+／HCO_3^- 共輸送体や Cl^-／HCO_3^- 逆輸送体を介して毛細血管側に再吸収される。その結果，尿は酸性化し（尿 pH＝6），血液はアルカリ化する（血液 pH＝7.4）。

④また，Na^+／H^+ 逆輸送体によって尿細管細胞内に取り込まれた Na^+ は，Na^+ ポンプや Na^+／HCO_3^- 共輸送体を介して毛細血管側に再吸収され，浸透圧性の水再吸収に関与する。

以上のように，腎臓において炭酸脱水酵素が働くと，Na^+，HCO_3^- の再吸収が促進されることによって，血液／尿の pH 及び体液量が調節される。

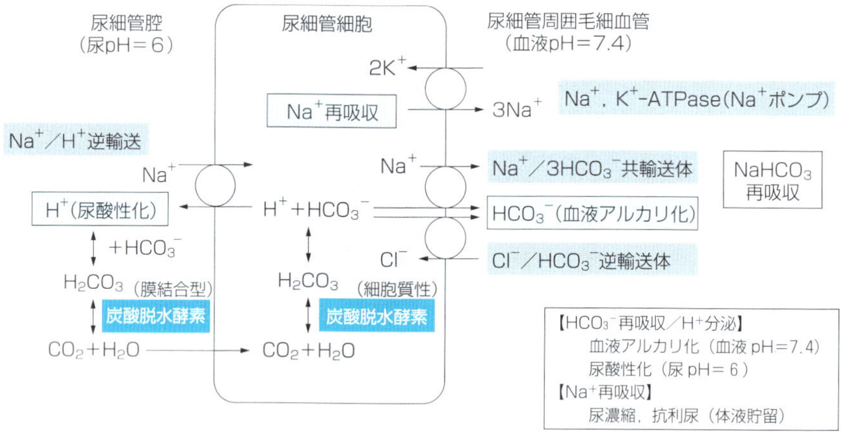

b）アルドステロン（鉱質コルチコイド）

①アルドステロンは，副腎皮質球状層からアンギオテンシンⅡによって放出される副腎皮質ホルモン（鉱質コルチコイド）。

②アルドステロンは，腎臓の後部遠位尿細管及び集合管において細胞内鉱質コルチコイド受容体に作用して mRNA 転写を制御する。その結果，AIP〈Aldosterone-induced Protein：アルドステロン誘導蛋白質〉とよばれる蛋白質が発現する。AIP は，尿細管腔側に存在する Na^+チャネル及び側底膜側に存在する Na^+ポンプの細胞膜発現量を増加させ，抗利尿作用を現す。

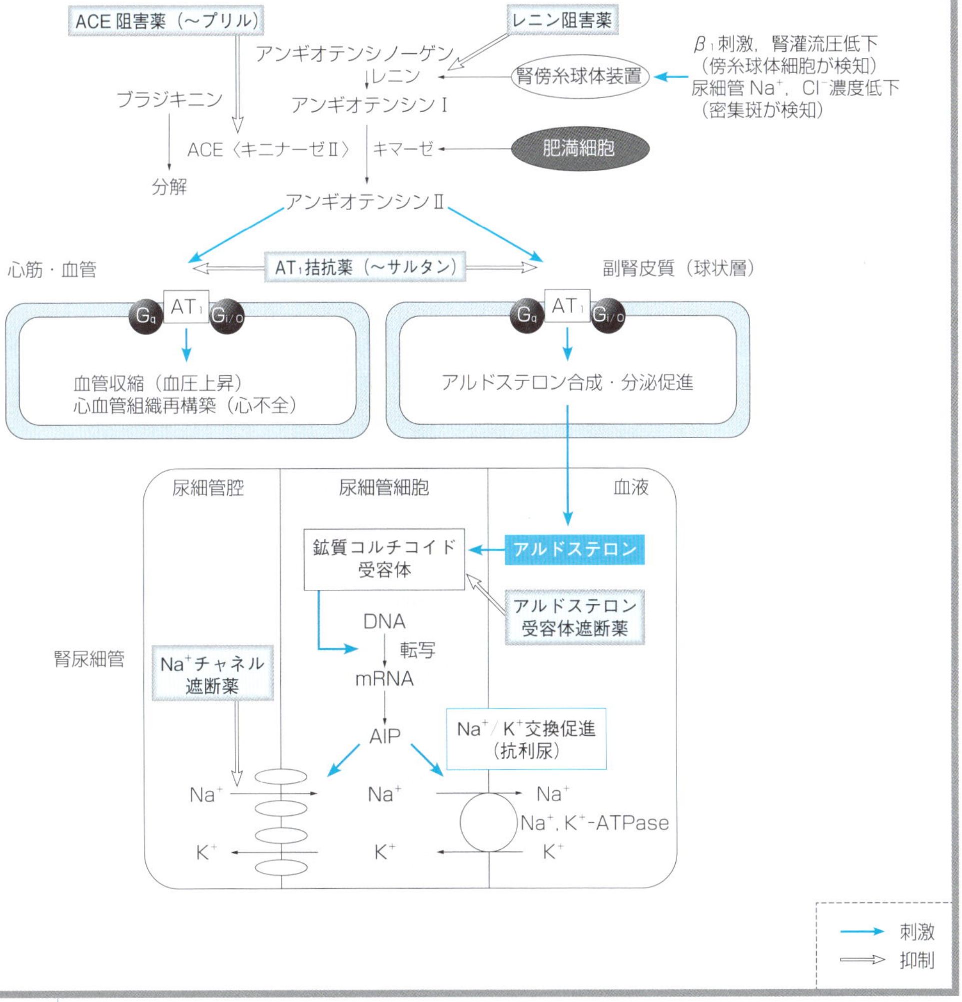

c）抗利尿ホルモン〈ADH：Antidiuretic Hormone〉

①別名バソプレシン。ADH 受容体には V_1受容体（G_q共役）と V_2受容体（G_s共役）が存在し，血管収縮と抗利尿作用によって血圧を上げる。

②V_1受容体（G_q共役）：細胞内 Ca^{2+}増加によって血管収縮を誘発。

③V_2受容体（G_s共役）：cAMP／プロテインキナーゼ A〈PKA〉を介して作用。集合管にある水チャネルのリン酸化によってチャネルが開口して尿細管中の水が再吸収されるとともに，細胞内エンドソームの水チャネルも管腔側膜へ移動して細胞膜上の水チャネルが増加し，水の再吸収が促進される。

④薬物：ADH 分泌低下による中枢性尿崩症には，V_2受容体刺激薬デスモプレシンが有効である（内服・鼻腔内投与）。
一方，ADH 分泌過剰による ADH 不適合分泌症候群〈SIADH：Syndrome of Inappropriate secretion of ADH〉には，V_2受容体遮断薬モザバプタン及びトルバプタンが低 Na^+血症の改善に有効である（内服）。また，トルバプタンは，利尿薬として心不全・肝硬変などにも用いられる（内服）。

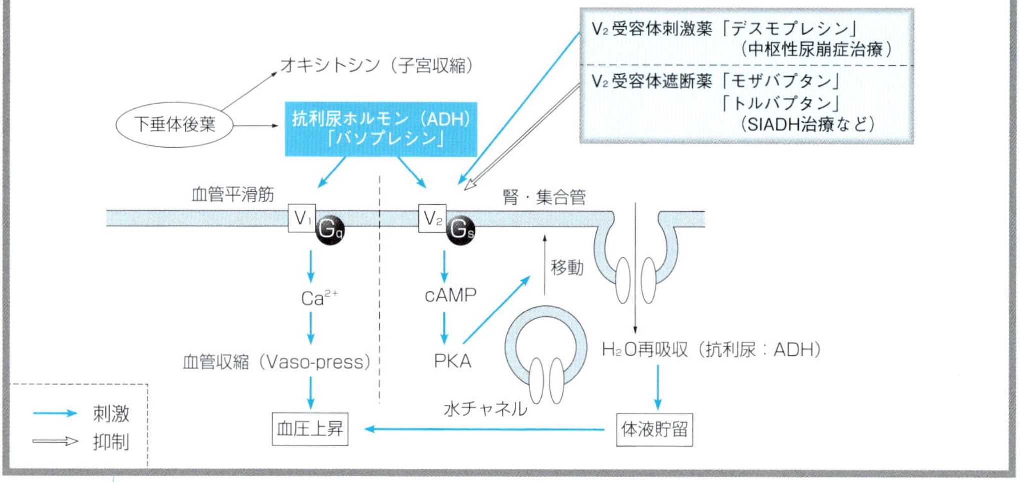

d）ナトリウム利尿ペプチド〈Natriuretic Peptide〉

①3 種類のナトリウム利尿ペプチド
ANP〈Atrial Natriuretic Peptide〉：心房由来
BNP〈Brain Natriuretic Peptide〉：脳／心室由来
CNP〈C-type Natriuretic Peptide〉：血管内皮細胞由来

②心不全時には，心房から ANP が，心室から BNP が分泌され，グアニル酸シクラーゼ内蔵型受容体〈NPR1〉を介した血管拡張・利尿作用によって，心負担を軽減する方向に働く（右図）。

③α型ヒト心房性ナトリウム利尿ペプチド〈ANP〉製剤（カルペリチド）は強力な利尿作用（フロセミドの 100 倍以上）と血管平滑筋弛緩作用によって急性心不全を改善する。

④ANP／BNP の利尿機序の詳細は不明。腎血流の増加，尿細管（とくに集合管）での水・NaCl 再吸収抑制，ADH やレニン・アルドステロンの分泌抑制などの作用がある。

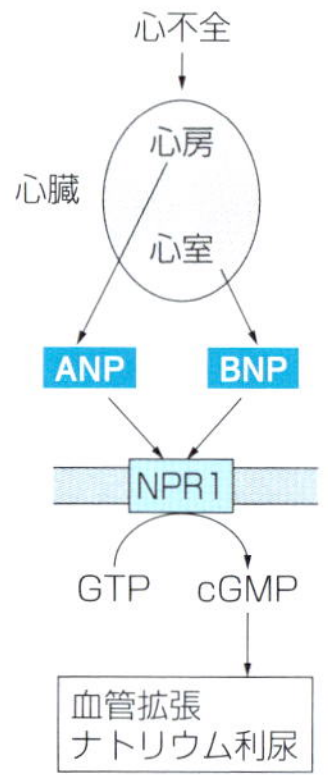

❹ 腎臓の内分泌機能

分泌物質	説　明
レニン	ヘンレ係蹄上行脚上部は糸球体輸入／輸出細動脈と近接し，その部分において尿細管細胞には密集斑（Na^+・Cl^-センサー）が，細動脈には腎傍糸球体細胞（β_1受容体，圧受容器）が形成されレニンを分泌する。これら腎傍糸球体細胞と密集斑とを合わせて腎傍糸球体装置といい，レニン・アンギオテンシン・アルドステロン昇圧系に関与する。
キニン	遠位尿細管から集合管にかけての細胞でキニンが産生・分泌され，カリクレイン・キニン降圧系に関与する。
プロスタグランジン	腎髄質間質細胞の一部は脂質小滴を含み，血管壁とともにプロスタグランジン（PGE_2・$PGF_{2\alpha}$・PGI_2）を産生・分泌する。プロスタグランジンはレニン分泌を促進する。

❺ 腎臓における活性型ビタミン D_3合成と Ca^{2+}再吸収

腎臓では，活性型ビタミン D_3合成と Ca^{2+}再吸収が行われる。腎不全では，活性型ビタミン D_3合成が低下して血中 Ca^{2+}濃度が低下するため，二次的にパラトルモン〈PTH〉分泌が増加する（二次性副甲状腺機能亢進症）。透析患者における二次性副甲状腺機能亢進症には，活性型ビタミン D_3製剤が用いられる。

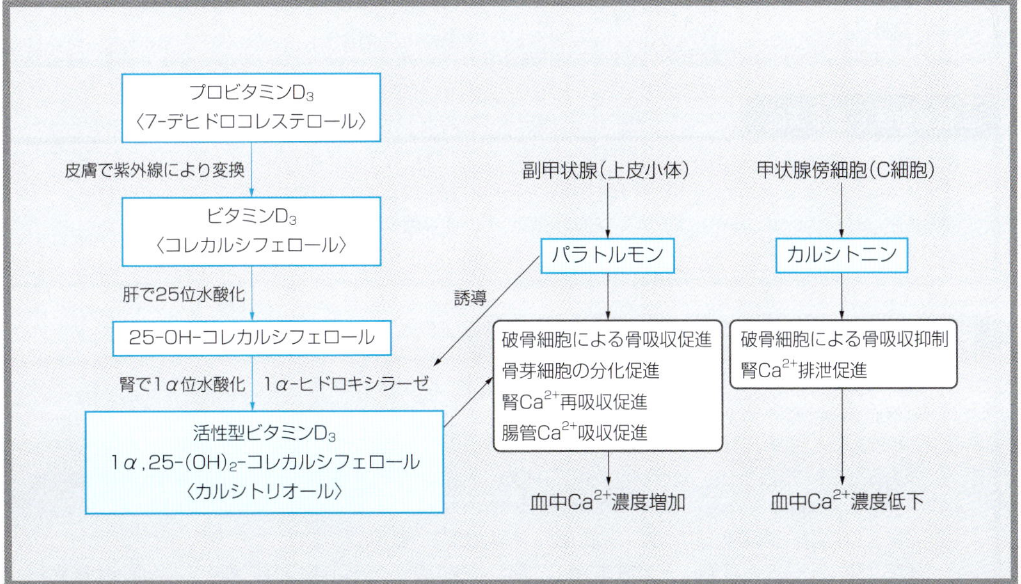

2. 利尿薬の作用部位と作用機序・副作用

利尿薬は，尿量を増加させる薬物である。利尿薬は，作用する部位によって糸球体性利尿薬と尿細管性利尿薬とに分けられる。尿細管を通過する過程で原尿の99%は再吸収されることから，糸球体ろ過量を増やす糸球体性利尿薬よりも尿細管における再吸収を阻害する尿細管性利尿薬の方が利尿効果が大きい。

利尿薬の作用部位

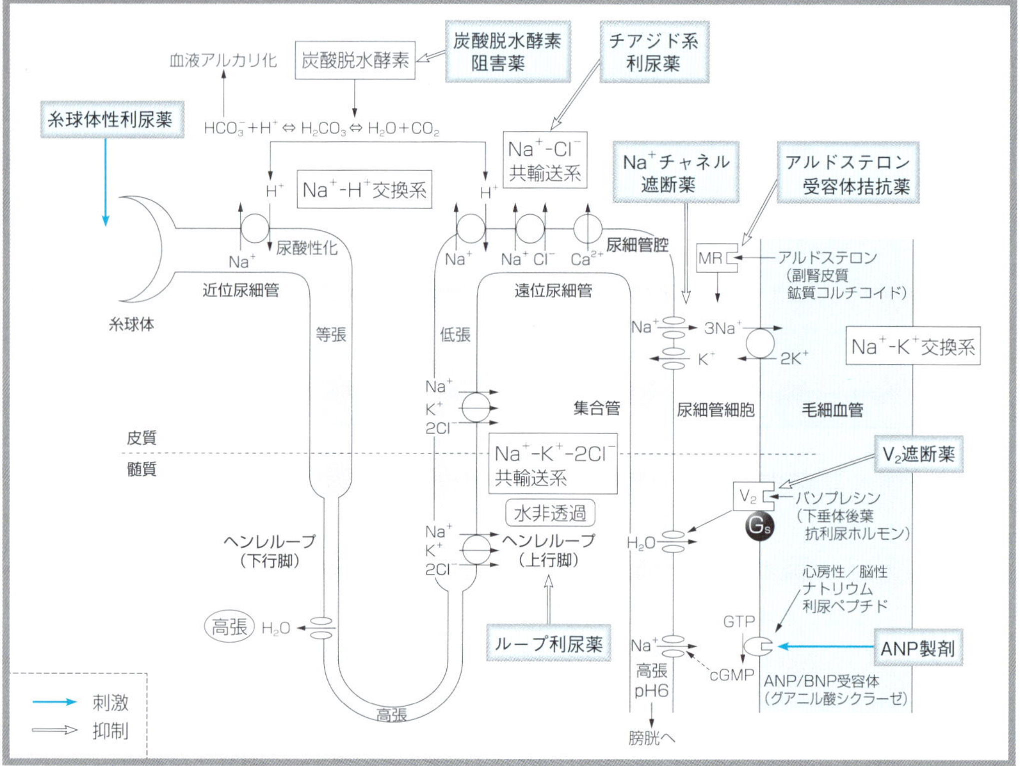

血漿浸透圧と尿浸透圧

血漿浸透圧≒300 mOsm/L（血中NaCl濃度に近い。血中 Na^+Cl^-≒280 mEq/L）
尿浸透圧（バソプレシン存在下）≒1200 mOsm/L（高張尿）：腎髄質尿細管周囲の浸透圧が上限
尿浸透圧（バソプレシン非存在下）≒　60 mOsm/L（低張尿）：尿崩症（低張多尿）
cf. ループ利尿（等張尿）

動脈血pH変動（アシドーシス及びアルカローシス）

1）動脈血pH

動脈血 pH＝pK_a＋log（[HCO_3^-]／[H_2CO_3]）

[H_2CO_3]＝0.03×Pco_2

※動脈血 pH＝7.4±0.05　炭酸 pK_a＝6.1　[HCO_3^-]＝24 mM　[H_2CO_3]＝1.2 mM　Pco_2＝40 mmHg

血中 CO_2溶解度＝0.03

2）動脈血pH変動と呼吸性因子（肺・赤血球）・代謝性因子（腎）

呼吸（肺）→ Pco_2変動 → 赤血球［H_2CO_3］産生の変動 →［H_2CO_3］増減による血液pH変動
→ 呼吸性アシドーシス／アルカローシス

腎［HCO_3^-］産生の変動 →［HCO_3^-］増減による血液pH変動
→ 代謝性アシドーシス／アルカローシス

❶ 糸球体性利尿薬

糸球体性利尿薬は，腎血流量の増加や輸入細動脈の拡張によって糸球体ろ過量〈GFR〉を増加させる薬物であるが，尿細管への作用を併せもつ薬物も多い。副作用には悪心・嘔吐，食欲不振などがある。

分類		薬物	作用機序	適用例
強心利尿薬	強心配糖体（Na^+ポンプ阻害）	ジギタリス	1）強心作用による糸球体ろ過量増加 2）尿細管 Na^+ポンプ抑制に伴う Na^+再吸収阻害で尿量増加	うっ血性心不全
強心利尿薬	キサンチン誘導体（PDE 阻害：cAMP↑）	アミノフィリン* キョーフィリン，ネオフィリン ジプロフィリン ジプロフィリン プロキシフィリン モノフィリン	1）強心作用による糸球体ろ過量増加 2）輸入細動脈拡張による糸球体ろ過量増加 3）尿細管 Na^+再吸収抑制による尿量増加	
浸透圧性利尿薬		マンニトール（15～20%溶液を点滴静注） マンニットール，マンニットT イソソルビド（70%溶液・ゼリーを内服） イソバイド，メニレット グリセリン・果糖（グリセリン10%・果糖5%溶液を点滴静注） グリセオール	1）血管内の浸透圧を高め，組織から水を除去し，循環血液量増加 2）糸球体ろ過された後，尿細管から再吸収されにくいため，尿細管内の浸透圧が高まり，水・Na^+再吸収を抑制して尿量増加	脳圧亢進時（脳腫瘍や頭部外傷）の脳圧低下 緑内障治療 腎／尿路結石 薬物中毒などによる急性腎不全の予防・治療 ※禁　忌：急性頭蓋内血腫 投与注意：うっ血性心不全・腎障害

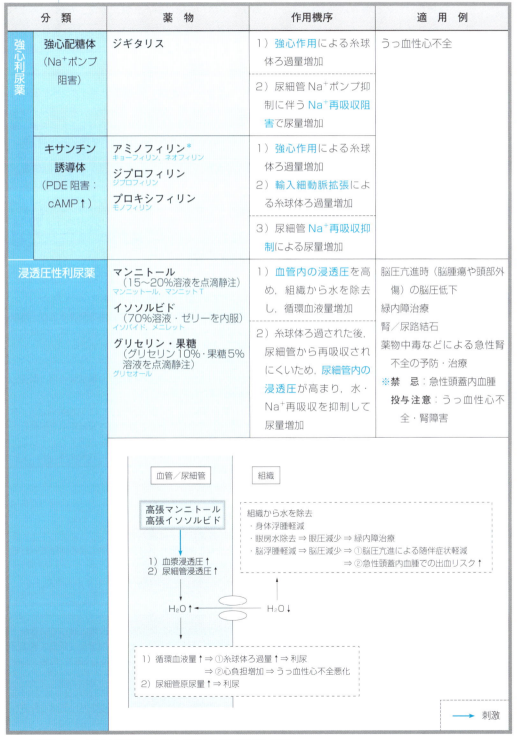

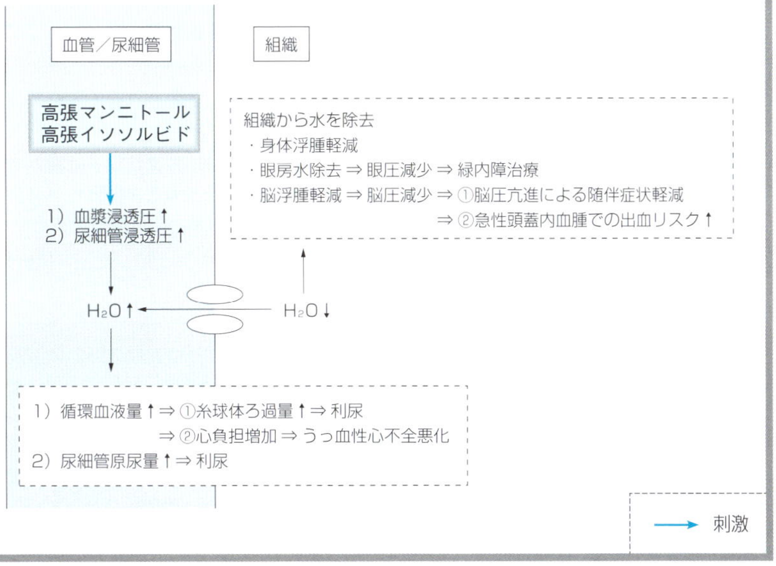

＊アミノフィリン：テオフィリンとエチレンジアミンとの塩

❷ 尿細管性利尿薬

尿細管の Na^+ 再吸収を阻害すると，Cl^- とその浸透圧に相当する水を伴って利尿が起こる。これを Na^+ 利尿とよぶが，他のイオンの排泄も考慮に入れるときには塩排泄利尿とよぶ。一方，Na^+ などの電解質の排泄量に影響を与えずに尿量を増やすことを水利尿とよぶ。尿細管性利尿薬の適用として，うっ血性心不全，各種浮腫（腎性，肝性，妊娠），本態性・腎性高血圧，腎・尿路結石，脳圧亢進などがある。尿細管性利尿薬による電解質異常や種々の副作用に注意を要する。

ナトリウム利尿	カリウム排泄性	炭酸脱水酵素阻害薬	1）アセタゾラミドは，温和なナトリウム利尿と尿中炭酸水素イオン排泄を来す。 2）現在はより優れた利尿薬があるため，緑内障，てんかん，肺気腫における呼吸性アシドーシス，心性・肝性浮腫，月経前緊張症，メニエル症候群，睡眠時無呼吸症候群，周期性四肢麻痺，水頭症など特殊な症例で用いられる。 **【肺気腫と呼吸性アシドーシス】** 肺気腫（換気能低下）→ 血中CO_2↑ 炭酸脱水酵素（赤血球）← 抑制 ← アセタゾラミド 呼吸中枢興奮 代謝性アシドーシス ← 誘発 動脈血 $pH = pK_a + \log\dfrac{[HCO_3^-]}{[H_2CO_3]\uparrow}$ → 呼吸性アシドーシス
		ループ利尿薬	1）強力な利尿作用を示し，利尿薬の第一選択薬として，各種浮腫に用いられる。 2）チアジド系利尿薬と異なり腎障害時にもある程度効果を発揮するが，無尿の患者には効果が期待できないため**禁忌**。なお，治療抵抗例では，少量のチアジド系利尿薬との併用で一時的に効果が増大することがある。
		チアジド系利尿薬	1）中等度の利尿作用を示し，ナトリウム排泄作用及び血管拡張作用と関連して降圧作用を示すので，降圧薬として使用される。 2）ループ利尿薬・チアジド系利尿薬は，近位尿細管において有機酸輸送系（有機アニオントランスポーター）を介して分泌されたのち尿細管中を移動し，それぞれの作用部位（ヘンレ係蹄上行脚，遠位尿細管）に到達する。そして，尿細管腔側（尿細管内側）から標的分子（Na^+-K^+-$2Cl^-$共輸送体，Na^+-Cl^-共輸送体）を阻害して作用を発揮する。
	カリウム保持性	アルドステロン受容体拮抗薬	1）利尿作用はごく弱いが，他の利尿薬の電解質代謝異常の補正の目的で併用される。 2）また，アルドステロン分泌亢進状態では有効であり，うっ血性心不全・肝硬変・ネフローゼ症候群などの二次性アルドステロン症による浮腫に対して単独・あるいはループ利尿薬との併用で用いられる。
		トリアムテレン（Na^+チャネル遮断薬）	3）トリアムテレンは，アルドステロン受容体拮抗薬よりも作用の発現が速く，カリウム保持性も強い。
水利尿		バソプレシンV_2受容体遮断薬	1）利尿作用は強く，低ナトリウム血症時の体液貯留の改善に適しているが，急激な利尿に伴う血清 Na^+ 濃度上昇による橋中心髄鞘崩壊症（急激な浸透圧増加により髄鞘が崩壊し，意識障害や四肢麻痺が生じる），高 K^+血症，血栓塞栓症などに注意が必要である。 2）異所性 ADH 産生腫瘍による ADH 不適合分泌症候群〈SIADH〉における低 Na^+血症，他の利尿薬で効果不十分な心不全・肝硬変における体液貯留などに，経口で用いられる。

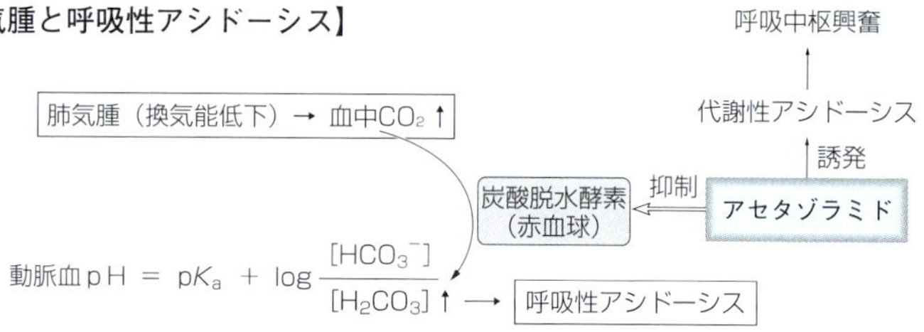

補足1　利尿薬の副作用

副作用		誘発薬物	誘発機序
K^+	低 K^+ 血症	炭酸脱水酵素阻害薬 ループ利尿薬 チアジド系利尿薬	これらの薬物は，アルドステロン依存性 Na^+/K^+ 交換系が働いている部位（後部遠位尿細管及び集合管）よりも糸球体側で Na^+ 再吸収を阻害して尿細管内 Na^+ 濃度を高める。尿細管内 Na^+ 濃度が上昇すると，後部遠位尿細管及び集合管における Na^+/K^+ 交換系が活性化され，その結果，K^+ の尿中排泄が亢進して低 K^+ 血症となる。
	高 K^+ 血症	アルドステロン受容体拮抗薬 Na^+ チャネル遮断薬	これらの薬物は，遠位尿細管及び集合管におけるアルドステロン依存性 Na^+/K^+ 交換系を阻害する。その結果，K^+ の尿中排泄が抑制されて高 K^+ 血症となる。
Ca^{2+}	低 Ca^{2+} 血症	ループ利尿薬	ループ利尿薬は，ヘンレループ上行脚における Ca^{2+} 再吸収を阻害する。その結果，Ca^{2+} の尿中排泄が亢進して低 Ca^{2+} 血症となる。
	高 Ca^{2+} 血症	チアジド系利尿薬	チアジド系利尿薬は，遠位尿細管におけるビタミン D_3 依存性 Ca^{2+} 再吸収を促進する。その結果，Ca^{2+} の尿中排泄は抑制され（尿路結石の治療には好都合），高 Ca^{2+} 血症となる。
動脈血 pH	代謝性アシドーシス	炭酸脱水酵素阻害薬	炭酸脱水酵素は，尿中 HCO_3^- の再吸収に関与する。従って，炭酸脱水酵素が阻害されると，HCO_3^- の尿中排泄が亢進して代謝性アシドーシスとなる。
		アルドステロン受容体拮抗薬 Na^+ チャネル遮断薬	これらの薬物は，遠位尿細管及び集合管における H^+ 分泌及び HCO_3^- 再吸収を阻害する。その結果，代謝性アシドーシスとなる。
	代謝性アルカローシス	ループ利尿薬 チアジド系利尿薬	これらの薬物は，Cl^- 再吸収を阻害して Cl^- の尿中排泄を促進する。その結果，尿細管における HCO_3^- の再吸収が代償性に亢進し，代謝性アルカローシスとなる。
高尿酸血症		ループ利尿薬 チアジド系利尿薬	これらの薬物は，近位尿細管において有機酸輸送系〈有機陰イオントランスポーター〉を介して分泌される。その際，有機酸輸送系を介した尿酸分泌を競合的に阻害する。その結果，高尿酸血症となる。
高血糖		炭酸脱水酵素阻害薬 ループ利尿薬 チアジド系利尿薬	これらの薬物は，低 K^+ 血症を誘発する。その結果，ランゲルハンス島 β 細胞の興奮性が低下するため，インスリン分泌が抑制されて高血糖となる。

補足2　ヘンレループ上行脚における Ca^{2+} 再吸収

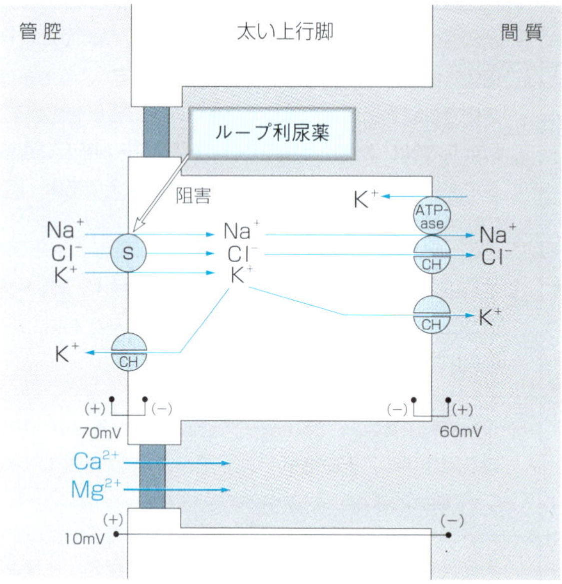

S：シンポーター（共輸送），CH：チャネル，ATPase：ポンプ

ループ利尿薬による低 Ca^{2+} 血症

ヘンレループ上行脚では，Na^+-K^+-$2Cl^-$共輸送の作用によって**管腔側（原尿側）よりも間質側がマイナスに傾いている**ため，尿中陽イオン（Ca^{2+}，Mg^{2+}）は間質側に再吸収される。ここで，ループ利尿薬により Na^+-K^+-$2Cl^-$共輸送が阻害されると，この電気的勾配が崩れるため Ca^{2+}，Mg^{2+}の再吸収が阻害される。その結果，**低 Ca^{2+} 血症**の副作用が現れることになる。

補足3　遠位尿細管・集合管における K^+，H^+ 分泌

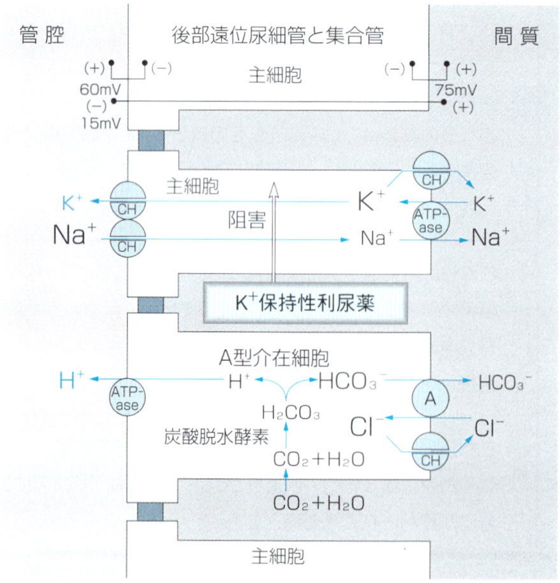

A：アンチポーター（逆輸送），CH：チャネル，ATPase：ポンプ

K^+保持性利尿薬による代謝性アシドーシス

遠位尿細管・集合管では，Na^+-K^+交換系の作用によって**間質側よりも管腔側（原尿側）がマイナスに傾いている**ため，尿細管細胞内の陽イオン（K^+，H^+）は管腔側（原尿側）に分泌され，逆に，陰イオン（HCO_3^-）は間質側に再吸収される。ここで，K^+保持性利尿薬により Na^+-K^+交換系が阻害されると，この電気的勾配が崩れるため H^+分泌及び HCO_3^-再吸収がともに阻害される。その結果，**代謝性アシドーシス**の副作用が現れることになる。

尿細管性利尿薬（Na$^+$利尿薬）

	分　類	薬　物	作用機序	副作用
カリウム排泄性	炭酸脱水酵素阻害薬	アセタゾラミド ダイアモックス	近位・遠位尿細管の炭酸脱水酵素阻害によって，結果的に Na$^+$/H$^+$交換を阻害。	低カリウム血症 代謝性アシドーシス（尿はアルカリ化） 光過敏症
	ループ利尿薬	フロセミド ラシックス ブメタニド ルネトロン アゾセミド ダイアート トラセミド ルプラック ※トラセミドは，アルドステロン拮抗作用を併せもち，低K血症の副作用少ない	ヘンレループ上行脚の Na$^+$-K$^+$-2Cl$^-$共輸送を阻害。	低カリウム血症 低カルシウム血症 代謝性アルカローシス 高尿酸血症 高血糖 難聴 アミノ糖系抗生物質の聴覚障害増強 セフェム系抗生物質の腎毒性増強
	チアジド系利尿薬	トリクロルメチアジド フルイトラン ヒドロクロロチアジド ヒドロクロロチアジド ベンチルヒドロクロロチアジド ベハイド	遠位尿細管の Na$^+$-Cl$^-$共輸送を阻害。	低カリウム血症 高カルシウム血症 代謝性アルカローシス 高尿酸血症 高血糖 光過敏症
	チアジド類似薬（スルホンミド系）	インダパミド ナトリックス トリパミド ノルモナール メフルシド（ループにも作用） バイカロン ※チアジド系よりも，カリウム排泄などの副作用少ない		
カリウム保持性	アルドステロン受容体拮抗薬：ステロイド骨格	スピロノラクトン アルダクトンA カンレノ酸カリウム ソルダクトン エプレレノン（アルドステロン受容体選択的） セララ	遠位尿細管から集合管におけるアルドステロン受容体拮抗作用によって，結果的に Na$^+$/K$^+$交換，Na$^+$/H$^+$交換を阻害。	高カリウム血症 代謝性アシドーシス 女性化作用 ＊エプレレノン，エサキセレノンはアルドステロン受容体選択的のため女性化作用が弱い。
	アルドステロン受容体拮抗薬：非ステロイド骨格	エサキセレノン ミネブロ		
	アミロリド感受性〈上皮性〉Na$^+$チャネル遮断薬	トリアムテレン トリテレン （アミロリド）	遠位尿細管から集合管における Na$^+$チャネル遮断作用によって，結果的に Na$^+$/K$^+$交換，Na$^+$/H$^+$交換を阻害。	高カリウム血症 代謝性アシドーシス 消化管症状
	ANP 製剤	カルペリチド ハンプ	グアニル酸シクラーゼ内蔵型受容体を活性化させることにより細胞内cGMP濃度を増加させ，Na利尿及び血管拡張作用を現す。	血圧低下 低血圧性ショック 徐脈 脱水（電解質異常，心室性不整脈など）

尿細管性利尿薬（水利尿薬）

分　類	薬　物	作用機序	副作用
バソプレシン〈ADH〉V_2受容体阻害薬	モザバプタン（フィズリン） トルバプタン（サムスカ）	集合管においてバソプレシン V_2受容体と拮抗し，水再吸収を阻害	脱水・口渇 急激な血清ナトリウム上昇(橋中心髄鞘崩壊症) 高カリウム血症 催奇形性など

❸ 電解質平衡異常治療薬

分　類		症　状	改善薬
カリウム	高K血症	筋緊張低下・脱力 不整脈・心停止	**グルコース・インスリン**（点滴静注）：骨格筋へのK取込み促進 **イオン交換樹脂〈ポリスチレンスルホン酸Na（Ca)〉**（内服・注腸）：下部結腸でのK吸着・排泄促進 **ジルコニウムシクロケイ酸Na**（内服）：選択的にK^+を補捉して糞中排泄
	低K血症	食欲不振 悪心・嘔吐 脱力 知覚麻痺 心筋収縮障害 ※ジギタリスの作用・副作用増強	**カリウム剤**（内服・静注） 塩化カリウム グルコン酸カリウム アスパラギン酸カリウム
カルシウム	高Ca血症	悪心・嘔吐 口渇 脱力 昏睡 心電図QT短縮 心停止	骨吸収亢進による高Ca血症の場合には，以下のような骨吸収抑制薬が有効。 **ビスホスホン酸誘導体**（静注） パミドロン酸 アレンドロン酸 ゾレドロン酸 **カルシトニン製剤**（筋注・静注） エルカトニン
	低Ca血症	テタニー（しびれ，痙攣） 骨粗しょう症 骨軟化症	**カルシウム剤**（内服・静注） 塩化カルシウム リン酸水素カルシウム 乳酸カルシウム グルコン酸カルシウム L-アスパラギン酸カルシウム **活性型ビタミンD_3製剤**（内服） アルファカルシドール カルシトリオール ファレカルシトリオール

Ⅱ　排尿障害・蓄尿障害治療薬

☞『医薬品一般名・商品名・構造一覧』p71

おさえるべきところ

1．排尿障害・蓄尿障害治療薬 概観

尿　路

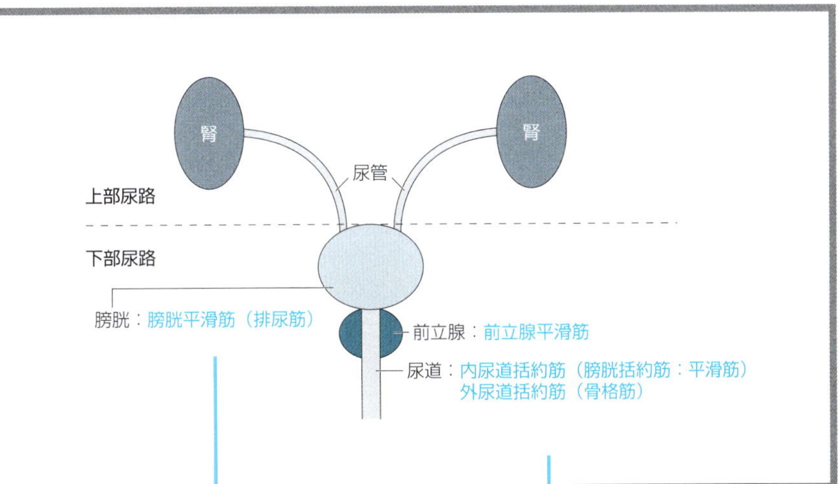

排尿・蓄尿機構と治療薬概観

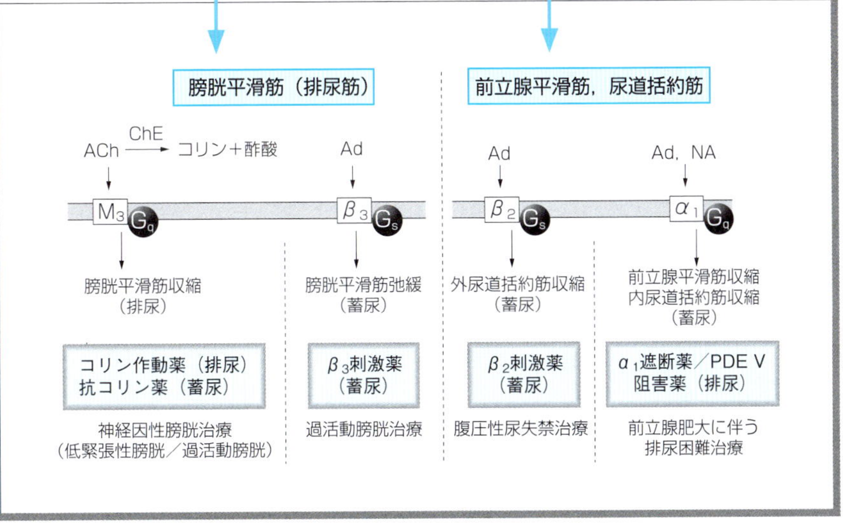

2．排尿障害・蓄尿障害（頻尿，尿失禁）治療薬

排尿障害治療薬

分類			薬物	説明
前立腺肥大による排尿困難	α_1受容体阻害薬	下部尿路選択的	タムスロシン（$\alpha_{1A/1D}$） ハルナール ナフトピジル（$\alpha_{1A/1D}$） フリバス シロドシン（α_{1A}） ユリーフ	1）尿道・前立腺部のα_1受容体阻害（前立腺平滑筋・膀胱括約筋弛緩） 2）前立腺肥大そのものは改善しない cf. ブナゾシン，ドキサゾシン（降圧薬）
		血管／尿路非選択的	プラゾシン ミニプレス テラゾシン ハイトラシン，バソメット ウラピジル エブランチル	
	PDE V阻害薬		タダラフィル ザルティア	1）PDE V（cGMP分解酵素）阻害による平滑筋細胞内cGMP濃度上昇 2）前立腺／尿道平滑筋・膀胱頸部平滑筋の弛緩による尿道抵抗の軽減 3）下部尿路血管平滑筋の弛緩（血流改善）に伴い，前立腺肥大による下部尿路組織障害が改善
	抗アンドロゲン薬	アンドロゲン受容体遮断	クロルマジノン酢酸エステル プロスタール アリルエストレノール アリルエストレノール	男性ホルモン依存性の前立腺肥大を抑制 1）アンドロゲン受容体遮断 2）血中テストステロンの前立腺細胞内取込み阻害 3）アリルエストレノールには5α-還元酵素阻害あり
		5α-還元酵素阻害	ゲストノロンカプロン酸エステル デポスタット	1）血中テストステロンの前立腺細胞内取込み阻害 2）5α-還元酵素阻害によるテストステロンから活性型5α-ジヒドロテストステロンへの転換阻害 3）マイルドなゴナドトロピン分泌抑制
			デュタステリド アボルブ	1型・2型5α-還元酵素阻害 cf. フィナステリド（2型5α-還元酵素阻害：男性型脱毛治療）
低緊張性膀胱（術後・分娩後，神経因性膀胱）	ムスカリン受容体刺激薬		ベタネコール ベサコリン	ムスカリン受容体刺激による膀胱平滑筋収縮
	コリンエステラーゼ阻害薬		ネオスチグミン ワゴスチグミン ジスチグミン ウブレチド	アセチルコリンの膀胱平滑筋収縮作用を増強

蓄尿障害（頻尿，尿失禁）治療薬

分類		薬物	説明
過活動膀胱（神経因性膀胱）	ムスカリン受容体遮断薬	トルテロジン デトルシトール	非選択的ムスカリン受容体遮断による膀胱平滑筋弛緩作用
		フェソテロジン トビエース	体内で加水分解され，活性代謝物 5-ヒドロキシメチルトルテロジンとなる
		ソリフェナシン ベシケア	M_3受容体選択的遮断
		イミダフェナシン ウリトス，ステーブラ	M_1/M_3受容体選択的遮断
		プロピベリン バップフォー オキシブチニン ポラキス，ネオキシテープ	抗コリン作用＋膀胱平滑筋直接弛緩作用
	アドレナリンβ_3受容体刺激薬	ミラベグロン ベタニス ビベグロン ベオーバ	β_3受容体刺激による膀胱平滑筋弛緩作用
	膀胱平滑筋直接作用薬	フラボキサート ブラダロン	Ca^{2+}チャネル遮断・PDE 阻害（cAMP↑）による膀胱平滑筋弛緩作用 （排尿力は低下させない）
	末梢神経終末アセチルコリン放出阻害薬	A 型ボツリヌス毒素 ボトックス	コリン作動性神経末端からのアセチルコリン放出阻害による膀胱平滑筋弛緩作用（膀胱壁内注入）
遺尿症／夜尿症	ムスカリン受容体遮断薬	アトロピン 硫酸アトロピン プロパンテリン プロ・バンサイン	ムスカリン受容体遮断による膀胱平滑筋弛緩作用
	三環系抗うつ薬（抗コリン作用）	クロミプラミン アナフラニール イミプラミン イミドール，トフラニール アミトリプチリン トリプタノール	三環系抗うつ薬のもつ抗コリン作用による膀胱平滑筋弛緩作用
	バソプレシンV_2受容体刺激薬	デスモプレシン デスモプレシン，ミニリンメルト	バソプレシン V_2受容体を介した抗利尿作用 男性における夜間多尿による夜間頻尿にも適用
腹圧性尿失禁	アドレナリンβ_2受容体刺激薬	クレンブテロール スピロペント	アドレナリン β_2受容体刺激による 外尿道括約筋収縮増強作用 膀胱平滑筋弛緩作用 膀胱内圧低下作用

第13章

生殖器系に作用する薬物

生殖器系に作用する薬物 …… 352
1．子宮収縮とホルモン・オータコイド …… 352
2．子宮収縮薬・子宮弛緩薬〈子宮鎮痙薬〉 …… 353
3．経口避妊薬 …… 356
4．子宮疾患治療薬 …… 357
5．性機能不全治療薬 …… 359

生殖器系に作用する薬物

☞『医薬品一般名・商品名・構造一覧』p74

おさえるべきところ

1．子宮収縮とホルモン・オータコイド ……p352
2．子宮収縮薬・子宮弛緩薬〈子宮鎮痙薬〉 ……p353
3．経口避妊薬 ……p356
4．子宮疾患治療薬 ……p357
5．性機能不全治療薬 ……p359

1．子宮収縮とホルモン・オータコイド

ホルモン／オータコイド	子宮平滑筋に対する作用
エストロゲン〈卵胞ホルモン〉	1）子宮平滑筋の肥大（10 数倍）を起こし，収縮蛋白も増加して筋収縮力を増加させる。 2）自発放電を増加させ，オキシトシン感受性を上げる（子宮が収縮し易くなる)。
プロゲステロン〈黄体ホルモン〉	1）子宮筋に過分極性（弛緩性）の変化を与える。また，オキシトシン感受性を下げる。 2）妊娠末期に至るまではプロゲステロンがエストロゲンとともに分泌されて，エストロゲンの子宮収縮性の作用に抑制をかけているため子宮筋の大きな収縮は起こらない。 3）分娩時にはエストロゲン優位となり，陣痛が誘発される。
オキシトシン〈下垂体後葉ホルモン〉	陣痛の開始によって産道の機械的刺激が中枢へ伝えられ，オキシトシンの分泌が促進して，子宮筋の律動的収縮が誘発される。
プロスタグランジン（PGE_2，$PGF_{2\alpha}$）	分娩時にオキシトシン刺激によって遊離され，律動的子宮収縮を起こし，陣痛を促す。

2．子宮収縮薬・子宮弛緩薬〈子宮鎮痙薬〉

❶ 子宮収縮／弛緩薬 概観

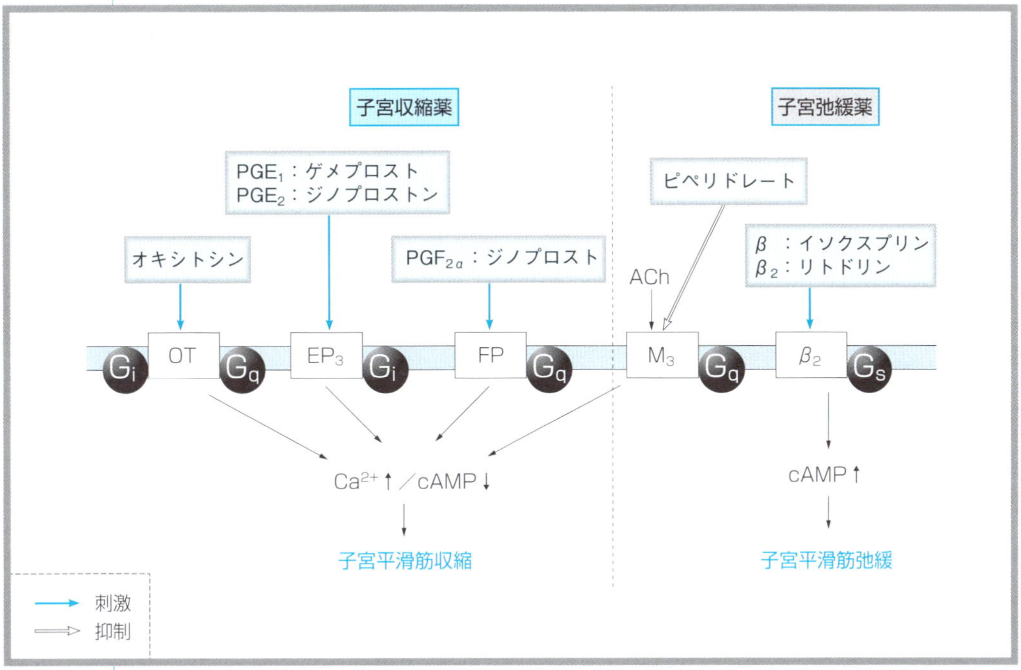

❷ 子宮収縮薬

子宮収縮薬は，子宮収縮の促進，子宮出血の予防・治療の目的で，

①人工妊娠中絶（妊娠中期）
②陣痛促進（妊娠後期）
③子宮復古不全・分娩後の弛緩性子宮出血（分娩後）

などの場合に使用される。

オキシトシン及び麦角アルカロイドに対する子宮の感受性は，妊娠末期及び分娩直後で高い。一方，プロスタグランジン類は妊娠のいずれの時期でも子宮収縮を誘発する（なお，非妊娠子宮は，$PGF_{2\alpha}$により収縮し，PGE_2により弛緩する）。

薬　物		投与方法	作　用	適　用	副作用
下垂体後葉ホルモン	オキシトシン アトニン-O	点 滴	G_q/G_i共役型OT受容体を介して， 1）子宮律動的収縮 2）射乳（乳導管周囲平滑筋収縮） 3）血管拡張（血圧下降）	人工妊娠中絶 陣痛促進 子宮復古不全 分娩後の弛緩性子宮出血	過強陣痛 子宮破裂 頸管裂傷 降圧・ショック 胎児徐脈・不整脈
プロスタグランジン類	**$PGF_{2\alpha}$製剤** ジノプロスト プロスタルモン・F	卵膜外注入 点 滴	G_q共役型FP受容体を介して， 1）子宮律動的収縮 2）子宮頸部の成熟・軟化（熟化） 3）腸管運動亢進	人工妊娠中絶 陣痛促進 術後腸管麻痺	過強陣痛 子宮破裂 頸管裂傷 ※妊娠末期のみ適用可（催奇形性のため） ※**併用注意**：オキシトシン ※**慎重投与**：喘息・緑内障・心疾患・帝王切開既往歴患者
	PGE_1誘導体 ゲメプロスト プレグランディン	腟坐薬	Gi共役型EP_3受容体を介して，子宮律動的収縮	人工妊娠中絶	
	PGE_2製剤 ジノプロストン プロスタグランジンE_2	経 口		陣痛促進	
麦角アルカロイド	エルゴメトリン エルゴメトリンマレイン酸塩	注 射 （速効）	律動的収縮に続き持続的緊張（胎児圧迫死の危険があるため，陣痛促進の目的には用いない）	人工妊娠中絶 分娩後の弛緩性子宮出血 子宮復古不全	子宮破裂 頸管裂傷 胎児圧迫死 壊疽，悪心・嘔吐 血圧上昇 ※**慎重投与**：心血管・肝・腎疾患，敗血症
	メチルエルゴメトリン パルタンM	経口・注射 （速効）			

❸ 子宮弛緩薬〈子宮鎮痙薬〉

子宮弛緩薬〈子宮鎮痙薬〉は，切迫早流産防止の目的で用いられる。

分　類	薬　物	作用機序	副作用
β刺激薬	**非選択性β刺激薬** イソクスプリン ズファジラン **β_2選択的刺激薬** リトドリン ウテメリン	1）子宮平滑筋β_2受容体を介した弛緩 2）パパベリン様平滑筋直接弛緩作用	心悸亢進，振戦，不安，頭痛，悪心・嘔吐，胃腸症状
抗ムスカリン薬	ピペリドレート ダクチラン，ダクチル	1）子宮平滑筋ムスカリン受容体遮断による弛緩 2）パパベリン様平滑筋直接弛緩作用	口渇，便秘，排尿困難，心悸亢進，散瞳 ※禁　忌：緑内障，前立腺肥大に伴う排尿困難
黄体ホルモン	プロゲステロン プロゲホルモン	子宮平滑筋への過分極性刺激による陣痛誘発抑制	過敏症状，肝障害，浮腫，悪心・嘔吐，倦怠感
その他	硫酸マグネシウム マグセント，マグネゾール	Ca^{2+}拮抗作用による子宮平滑筋弛緩 ※Ca^{2+}拮抗による中枢神経抑制及び運動神経抑制（骨格筋弛緩）があるため，重症妊娠高血圧症候群における子癇（しかん）（痙攣）の予防・治療にも適用	過量：母子心臓刺激伝導系抑制・神経筋接合部伝達抑制による心抑制・呼吸筋抑制 長期：胎児副甲状腺抑制（先天性くる病）

3. 経口避妊薬

<table>
<tr><td rowspan="7">薬　物</td><td rowspan="7">低用量ピル
（卵胞ホルモンと黄体ホルモンの合剤）</td><td>卵胞ホルモン</td><td colspan="3">エチニルエストラジオール（低用量：50 μg／日以下）</td></tr>
<tr><td>黄体ホルモン</td><td colspan="3">第一世代：ノルエチステロン
シンフェーズ
第二世代：レボノルゲストレル*
トリキュラー，アンジュ，ラベルフィーユ
第三世代：デソゲストレル
マーベロン，ファボワール
*レボノルゲストレル単剤
①子宮内避妊システム（ミレーナ®腟内装着）
②緊急避妊（性交後 72 時間以内にノルレボ®内服）</td></tr>
<tr><td rowspan="4">ピルの種類</td><td>一相性</td><td colspan="2">服用期間中のホルモン配合比が同じ</td></tr>
<tr><td>二相性</td><td colspan="2">後半 9 日間の黄体ホルモンを増量</td></tr>
<tr><td rowspan="2">三相性</td><td>中間増量型</td><td>服用開始 1 週間目から 5 日間の黄体ホルモンを増量</td></tr>
<tr><td>段階増量型</td><td>三段階に分けて黄体ホルモンを増量</td></tr>
<tr></tr>
<tr><td>作用機序</td><td colspan="5">1）ピルを連続的に服用することによって視床下部・下垂体系を抑制して排卵を抑える。
2）子宮内膜・卵管・頸管粘液を変化させて受精・着床を抑制する。</td></tr>
<tr><td>服用方法</td><td colspan="5">1）21 日間，活性成分を含んだ錠剤を服用した後，7 日間休薬する 21 錠タイプと，7 日間の休薬期間中にプラセボを服用して飲み忘れを予防する 28 錠タイプがある。ピルの服用周期が終わると，子宮粘膜の脱落が起こり月経が始まる。
2）段階型ピル（二相性・三相性）の場合は，決められた通りの順序で服用しないと不正性器出血の頻度が高まる。</td></tr>
<tr><td>副作用</td><td colspan="5">血栓症，高血圧，うつ症状など</td></tr>
<tr><td>禁　忌</td><td colspan="5">妊娠，卵胞ホルモン依存性腫瘍，肝疾患，血栓性静脈炎など</td></tr>
</table>

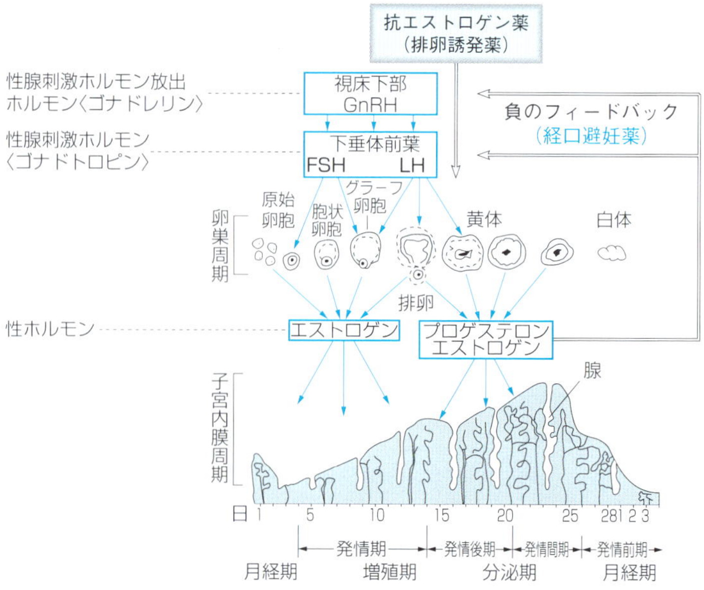

⟹ 抑制

4．子宮疾患治療薬

この項目では，子宮内膜症治療薬と子宮頸管熟化促進薬を扱う。

子宮内膜症と子宮頸管熟化不全

子宮内膜症	子宮内膜症は，子宮内膜組織が子宮以外の部位で増殖する良性（非癌性）疾患であり，下腹部や骨盤部の痛みを主症状とする。正常な子宮内膜組織と同様に，性ホルモンに対する感受性をもち，エストロゲンによって増殖し，プロゲステロンによって増殖は抑制される。
子宮頸管熟化不全	分娩には，子宮の律動的収縮に加えて，妊娠を維持するために硬く閉塞した子宮頸管組織の熟化（伸展性・弾性の上昇）が必要である。子宮頸管熟化促進薬は，子宮頸管組織の熟化を促進し，胎児の経腟分娩を補助する。

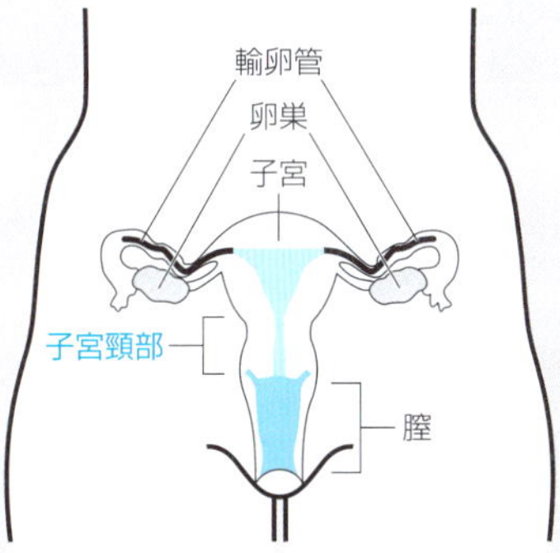

子宮疾患治療薬

分類		薬物	作用機序	副作用	禁忌
子宮内膜症治療薬 エストロゲン分泌抑制	GnRH誘導体	ゴセレリン（ゾラデックス） ブセレリン（スプレキュア） ナファレリン（ナサニール） リュープロレリン（リュープリン）	脳下垂体前葉GnRH受容体のDown-regulationによってゴナドトロピンの放出を抑制するためエストロゲン分泌を抑制する（注射・点鼻）。	低エストロゲン症状（・ほてり・頭痛・めまい・動悸・抑うつ・不安・不眠・発汗）不正性器出血など	妊婦 異常性器出血など
	男性ホルモン誘導体	ダナゾール（ボンゾール）	抗ゴナドトロピン作用（血中FSH・LH↓）によってエストロゲン分泌を抑制する（内服）。		
	選択的プロゲステロン受容体刺激薬	ジエノゲスト（ディナゲスト）	プロゲステロン受容体を刺激して視床下部一下垂体経路を抑制し，エストロゲン分泌を低下させる。卵巣機能抑制及び直接的な子宮内膜増殖抑制作用を示す（内服）。		
子宮頸管熟化促進薬	副腎性内因性ステロイドホルモン（エストロゲン補充）	プラステロン硫酸エステルNa（レボスパ） （デヒドロエピアンドロステロン・サルフェート〈DHEA-S〉製剤）	体内でDHEA-S→DHEA→エストラジオールへと代謝されて作用。子宮頸部に直接作用し，子宮頸部の熟化を促進。妊娠初期には胎児致死作用（胎児徐脈，過強陣痛）があり妊娠末期に使用するが，陣痛誘発薬との併用は避ける（静注）。	ショック	本剤過敏症の既往歴
	PGE_2	ジノプロストン（プロウペス）	コラゲナーゼ活性を上昇させ，子宮頸部コラーゲン線維を分解して熟化を促進させる（膣用剤）。	過強陣痛	すでに分娩を開始している患者など

5. 性機能不全治療薬

性機能不全治療薬（その1）

分類		薬物		適応症
性腺刺激ホルモン放出ホルモン〈GnRH〉拮抗薬		**セトロレリクス** セトロタイド **ガニレリクス** ガニレスト		調節卵巣刺激下における早発排卵の防止 （内因性 FSH／LH の作用を遮断する目的） cf. **デガレリクス**：前立腺癌治療 ゴナックス
性腺刺激ホルモン	**ヒト下垂体性性腺刺激ホルモン〈hMG〉** （主にFSH〈卵胞刺激ホルモン〉）	閉経期婦人尿由来製剤 HMG		間脳性（視床下部性）及び下垂体性無月経
		遺伝子組換え型 FSH 製剤	**ホリトロピンアルファ** ゴナールエフ	視床下部・下垂体機能障害に伴う無排卵・希発排卵 調節卵巣刺激
				低ゴナドトロピン性男子性腺機能低下症における精子形成誘導（hCG 併用）
			ホリトロピンデルタ レコベル	調節卵巣刺激
	ヒト絨毛性性腺刺激ホルモン〈hCG〉 （主にLH〈黄体形成ホルモン〉）	妊婦尿由来製剤 HCG，ゴナトロピン		無排卵症（無月経，無排卵周期症，不妊症） 機能性子宮出血，黄体機能不全症 妊娠初期の切迫流産・習慣性流産
				停留精巣，造精機能不全による男子不妊症 下垂体性男子性腺機能不全症（類宦官症）
		遺伝子組換え型 hCG 製剤	**コリオゴナドトロピンアルファ** オビドレル	視床下部-下垂体機能障害に伴う無排卵または希発排卵における排卵誘発及び黄体化 生殖補助医療における卵胞成熟及び黄体化
性ホルモン及び関連薬	**卵胞ホルモン**	**エストラジオール** エストラーナ **吉草酸エストラジオール** プロギノンデポー，ペラニンデポー **結合型エストロゲン** プリマリン		月経異常，機能性子宮出血，子宮発育不全症 卵巣欠落症状，卵巣機能不全症，不妊症など
	黄体ホルモン	**プロゲステロン** プロゲホルモン，ルテウム，ルティナス，ウトロゲスタン，ワンクリノン **ノルエチステロン**，**酢酸クロルマジノン** ノアルテン　ルトラール **カプロン酸ヒドロキシプロゲステロン** プロゲデポー **ジドロゲステロン** デュファストン **酢酸メドロキシプロゲステロン** ヒスロン，プロベラ **ジエノゲスト** ディナゲスト		月経異常，月経困難症，機能性子宮出血 黄体機能不全による不妊症 切迫流早産・習慣性流早産など
	卵胞ホルモン＋黄体ホルモン合剤	**安息香酸エストラジオール ＋ カプロン酸ヒドロキシプロゲステロン** ルテスデポー		機能性子宮出血
		エチニルエストラジオールベータデクス ＋ ドロスピレノン ヤーズ，ヤーズフレックス		月経困難症など
		エチニルエストラジオール ＋ ノルエチステロン ルナベル		
		エチニルエストラジオール ＋ レボノルゲストレル ジェミーナ		
		エチニルエストジオール ＋ ノルゲストレル プラノバール		月経異常，機能性子宮出血，卵巣機能不全など
	エストロゲン受容体拮抗薬	**クロミフェン** クロミッド **シクロフェニル** セキソビット		排卵障害
	男性ホルモン	**エナント酸テストステロン** エナルモンデポー，テスチノンデポー，テストロンデポー		男子性腺機能不全（類宦官症） 造精機能障害による男子不妊症など

性機能不全治療薬（その2）

分 類	薬 物	適応症
副腎皮質ホルモン	リン酸ベタメタゾンナトリウム リンデロン	副腎皮質機能障害による排卵障害
甲状腺ホルモン	レボチロキシン チラーヂンS	甲状腺機能障害による習慣性流産 及び 不妊症
PDE V阻害 (cGMP 分解阻害)	シルデナフィル バイアグラ バルデナフィル レビトラ タダラフィル シアリス	勃起不全〈ED：Erectile Dysfunction〉

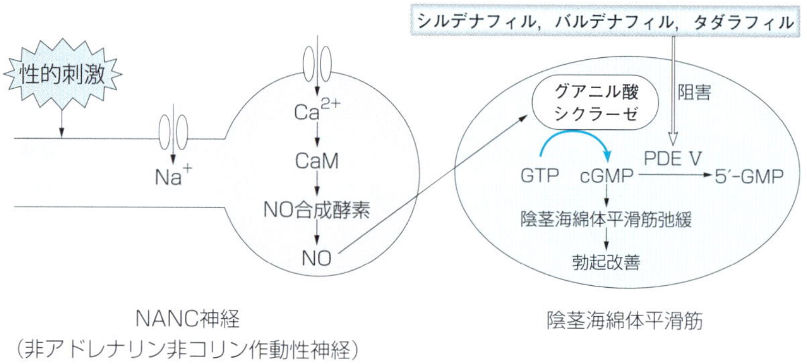
シルデナフィル，バルデナフィル，タダラフィル
性的刺激
Na+
Ca2+
CaM
NO合成酵素
NO
グアニル酸シクラーゼ
阻害
GTP
cGMP
PDE V
5′-GMP
陰茎海綿体平滑筋弛緩
勃起改善
NANC神経
(非アドレナリン非コリン作動性神経)
陰茎海綿体平滑筋

第 14 章

血液・造血器官系に作用する薬物

Ⅰ　血球成分…… 362

Ⅱ　貧血・白血球減少症・血小板減少症／増多症治療薬…… 364

Ⅲ　血液凝固・血栓形成と血栓溶解…… 372

Ⅳ　止血薬…… 379

Ⅴ　血液凝固抑制薬（抗血小板薬，抗凝血薬）と血栓溶解薬…… 382

Ⅵ　血液代用薬…… 391

Ⅶ　血液製剤…… 394

I　血球成分

1．血球成分と役割

血小板				1）無核で寿命 7～10 日。 2）粘着・凝集による一次血栓形成（止血）に関与。
赤血球				1）無核で複合蛋白体ヘモグロビンを主成分とする寿命 120 日の座布団状細胞。 2）主として酸素の運搬に関与するが，炭酸脱水酵素を有しており炭酸ガス運搬や pH 調節にも関与する。
白血球	顆粒球	好中球		1）体内に侵入した異物に向かって遊走・貪食し，リソソーム酵素によって消化・排除する。 2）死滅した好中球は膿となる。
		好酸球		1）アレルギー・寄生虫感染で増加する。 2）アレルギー病変部位に集合し，異種蛋白や抗原抗体反応生成物を摂取して蛋白質を解毒。
		好塩基球		肥満細胞に類似し，ヒスタミンなどの化学伝達物質を放出して即時型アレルギーに関与する。
	無顆粒球	単　球 マクロファージ		1）抗原を摂取して抗原情報を帯びた物質を分泌し，T リンパ球に抗原情報を提示する。 2）サイトカイン産生を介して免疫系細胞の分化・増殖に関与する。
		リンパ球	T リンパ球 （70%）	1）細胞性免疫に関与する。 2）サイトカイン産生を介して免疫系細胞の分化・増殖に関与する。
			B リンパ球 （30%）	1）抗体産生細胞に形質転換し，体液性免疫に関与する。 2）サイトカイン産生を介して免疫系細胞の分化・増殖に関与する。

2．DNA／ヘモグロビン合成と鉄・ビタミン(B_6・B_{12}・葉酸)

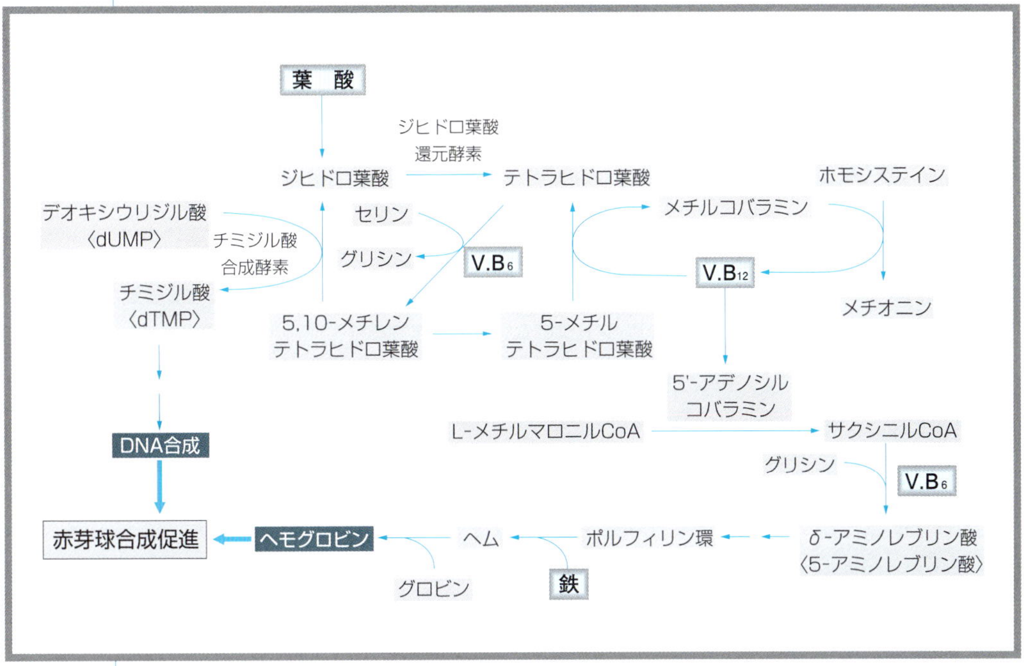

3．赤血球への分化と貧血

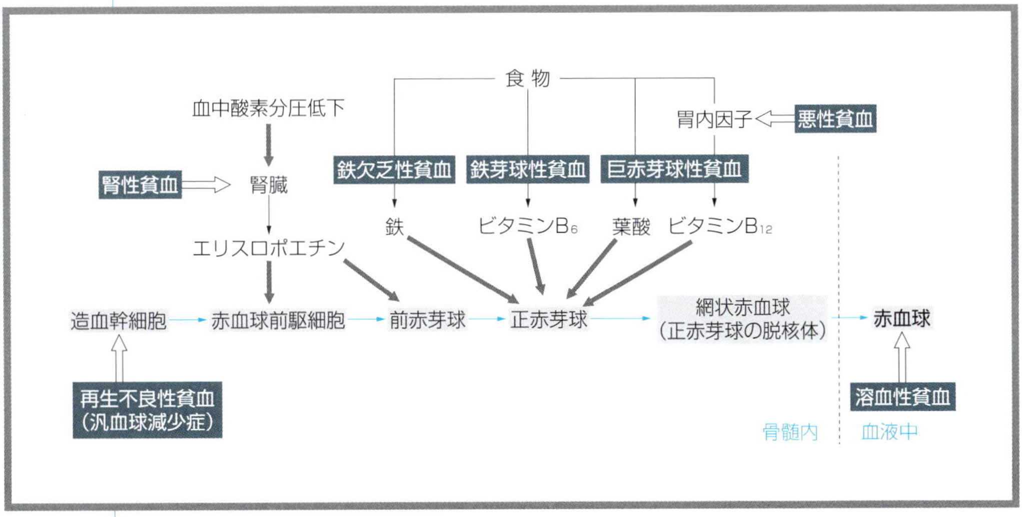

Ⅱ　貧血・白血球減少症・血小板減少症／増多症治療薬

☞『医薬品一般名・商品名・構造一覧』p77

1. 鉄欠乏性貧血

鉄の体内分布			血清鉄（約 70%）：ヘモグロビンやトランスフェリンなどに含まれる鉄 貯蔵鉄（約 30%）：肝臓や脾臓でフェリチンやヘモジデリンとして貯蔵される鉄 組織鉄（わずか）：シトクロムなどに含まれる鉄
鉄の吸収			1）摂取された非ヘム鉄は，胃酸に溶解したのち食物中還元物質や十二指腸上皮細胞膜上シトクロム b により還元され，Fe^{2+}として小腸上部粘膜上皮細胞で吸収される。 2）一方，ヘム鉄の場合は，そのまま消化管吸収され，血中ヘムオキシゲナーゼによってFe^{2+}とポルフィリンに分解される。 3）吸収された鉄は，血中ではFe^{3+}としてトランスフェリンに結合して全身に輸送されたのち，骨髄ではヘモグロビン合成に利用され，肝臓・脾臓ではフェリチンやヘモジデリンとして貯蔵される。 鉄吸収の粘膜遮断：小腸上部粘膜上皮細胞における鉄吸収はアポフェリチン／フェリチンによって調節されており，フェリチン（アポフェリチンに鉄が結合したもの）が多くなると鉄吸収が阻害される（粘膜遮断）。
鉄欠乏性貧血の原因			鉄の需要増大（妊娠・出産，発育・成長，出血など）あるいは鉄の供給減少（胃腸障害や低栄養・偏食などによる鉄摂取低下）によって体内鉄が欠乏すると，まず，貯蔵鉄が減少・枯渇したのち骨髄でのヘモグロビン合成が障害されて鉄欠乏性貧血が起こる。貧血の中で最も頻度が高い。
鉄欠乏性貧血の治療薬	経口	硫酸鉄 フェロ・グラデュメット フマル酸第一鉄 フェルム クエン酸第一鉄 Na フェロミア クエン酸第二鉄 リオナ 溶性ピロリン酸第二鉄 インクレミン	1）再発防止のため血清鉄だけでなく貯蔵鉄も正常化する必要があり，貧血改善後も約 3 ヶ月間継続投与する。 2）**副作用**：消化管粘膜障害による消化器系障害（悪心・嘔吐，食欲不振，腹痛，血便，吐血やショックなど）。
	静注	含糖酸化鉄 フェジン カルボキシマルトース第二鉄 フェインジェクト	経口薬での消化器系副作用が無視できない場合や，急速に貧血を改善する必要がある場合などに適用
慢性鉄過剰症の治療薬		デフェロキサミン（筋注・静注） デスフェラール デフェラシロクス（内服） ジャドニュ	1）Ca^{2+}よりも貯蔵鉄に親和性の高いFe^{3+}キレート剤 2）シトクロムやヘモグロビン中の鉄は除去しない。
鉄剤との相互作用		アスコルビン酸	第一鉄から第二鉄への酸化を防止して鉄吸収を増加
		制酸薬	胃内 pH 上昇によって鉄吸収を阻害
		テトラサイクリン系抗生物質	鉄と難溶性キレートを形成し，相互の吸収阻害

2．巨赤芽球性貧血

巨赤芽球性貧血		ビタミン B_{12} と葉酸は，DNA 合成に不可欠の補酵素である。これらの補酵素が欠乏すると，赤血球の分化・増殖に必要な DNA 合成が阻害され，核の成熟遅延のために細胞質のみが成熟した巨赤芽球が出現して貧血となる（巨赤芽球性貧血）。	
原因	ビタミン B_{12} 欠乏	ビタミン B_{12}は，胃の内因子（壁細胞で産生・分泌される糖蛋白）と複合体を形成して小腸下部から吸収される。胃切除などでこの内因子が欠如したり，小腸吸収部位に障害が起こると，ビタミン B_{12}の吸収が阻害されて巨赤芽球性貧血が起こる（内因子欠如による貧血を悪性貧血とよぶ）。	
	葉酸欠乏	葉酸は小腸で効率よく吸収されるが，妊娠時には需要が増大し，またアルコール中毒症では吸収が低下する。また，葉酸代謝拮抗薬やフェニトイン投与時にも欠乏する。	
	薬物の副作用	抗悪性腫瘍薬：シタラビン，フルオロウラシル，メトトレキサート，メルカプトプリン 抗菌薬：サルファ薬（スルファメトキサゾール，トリメトプリムなど） 抗てんかん薬：フェニトイン，フェノバルビタール，プリミドン 抗リウマチ薬：オーラノフィン 利尿薬：トリアムテレン　など	
ビタミン B_{12} 欠乏性貧血治療薬（悪性貧血治療薬）		**ヒドロキソコバラミン** フレスミンS **シアノコバラミン** シアノコバラミン **メコバラミン**（補酵素型） メチコバール **コバマミド**（補酵素型） ハイコバール	ヒドロキソコバラミンは排泄が遅く持続性。 ※ビタミン B_{12}欠乏のほとんどは，内因子欠如による吸収阻害であるため，通常，経口投与ではなく筋注で用いられる。
葉酸欠乏性貧血治療薬		**葉　酸** フォリアミン	悪性貧血の補助療法にも用いられる（ビタミン B_{12}併用）。

3. 鉄芽球性貧血

原 因	ビタミン B_6 は，ヘム合成の第 1 段階である δ-アミノレブリン酸〈5-アミノレブリン酸〉合成において補酵素として働いている。ビタミン B_6 の不足によってヘモグロビン合成が阻害されて鉄芽球性貧血が起こる。	
鉄芽球性貧血治療薬	**ピリドキシン** ビーシックス，ビタミン B_6 **ピリドキサールリン酸エステル** ピドキサール	イソニアジド（一次抗結核薬）やサイクロセリン（二次抗結核薬）投与によるビタミン B_6 欠乏症状（貧血や末梢神経炎）にも適用。 （ピリドキサールリン酸エステルは補酵素型）

4. 腎性貧血

原 因	腎臓の酸素分圧が低下すると，造血因子エリスロポエチンの産生が増加し，骨髄での赤血球への分化（赤芽球コロニー形成細胞 → 赤芽球）が促進して赤血球産生が増加する。腎不全時には，酸素分圧低下に反応しなくなり，赤血球産生が低下して腎性貧血となる。		
腎性貧血治療薬	エリスロポエチン製剤	**エポエチンアルファ** エスポー **エポエチンベータ** エポジン **エポエチンベータペゴル** ミルセラ **ダルベポエチンアルファ** ネスプ	1）ヒト・エリスロポエチンの遺伝子組換え製剤。 2）手術前の自己血貯血や AIDS・癌患者の貧血にも有効。 3）エポエチンベータペゴルは，エポエチンベータのポリエチレングリコール化〈PEG 化〉持続性製剤。 4）ダルベポエチンは，ヒト・エリスロポエチンの 5 ヶ所のアミノ酸残基が変更された持続性製剤。 5）**副作用**：過敏症や赤血球増加による血栓・塞栓
	エリスロポエチン様薬	**メピチオスタン** チオデロン	1）抗エストロゲン薬で乳癌治療薬 2）造血幹細胞に直接作用して赤芽球コロニー形成細胞を増加させる（エリスロポエチン様貧血改善作用）。
	男性ホルモン	**テストステロンエナント酸エステル** エナルモンデポー	1）造血幹細胞刺激作用 2）腎エリスロポエチン産生促進作用

腎性貧血治療薬	低酸素誘導因子－プロリン水酸化酵素（HIF-PH）阻害薬	**ロキサデュスタット** エベレンゾ **エナロデュスタット** エナロイ **ダプロデュスタット** ダーブロック **バダデュスタット** バフセオ **モリデュスタット** マスーレッド	1）低酸素誘導因子〈HIF：hypoxia inducible factor〉は，エリスロポエチンの主要な転写因子である。 2）HIF の分解酵素である HIF-プロリン水酸化酵素〈HIF-PH〉が阻害されると，HIF-α が安定化する。 3）HIF-α は，HIF-β と結合してエリスロポエチン遺伝子の転写を促進する。 4）その結果，通常酸素濃度下で内因性エリスロポエチンの産生が増加し，赤血球産生が促進する。

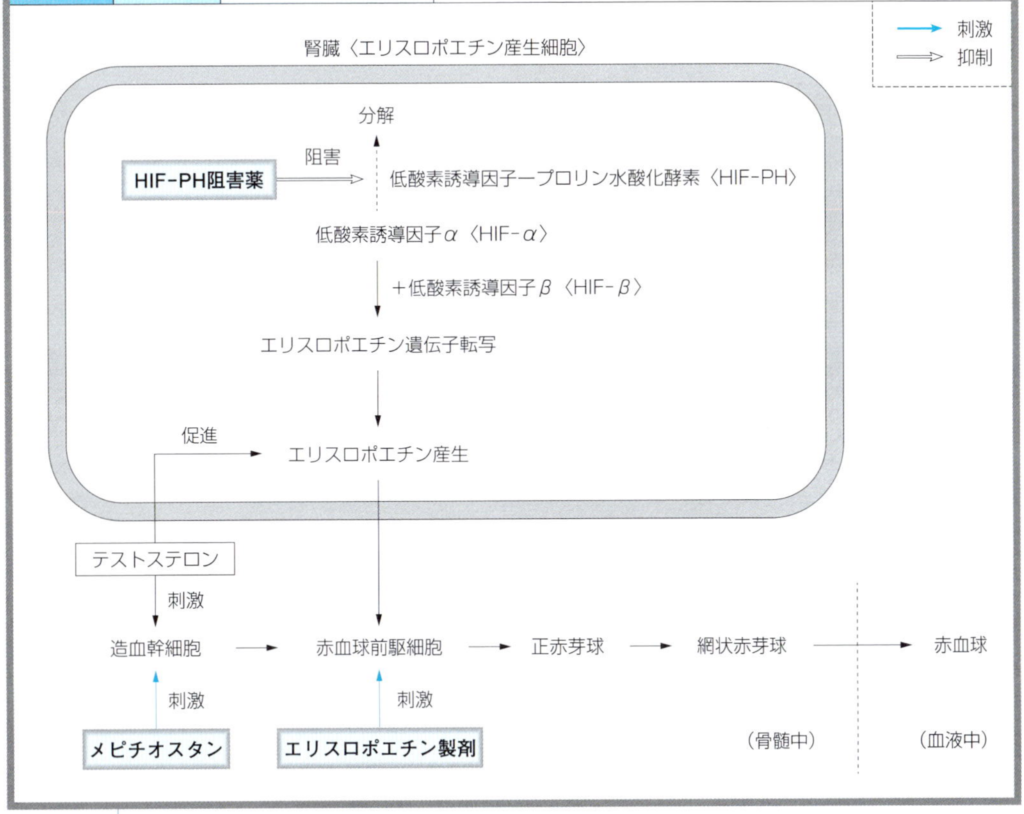

5．再生不良性貧血

再生不良性貧血		多能性幹細胞障害，造血微小環境障害，T リンパ球による造血幹細胞分化阻害などによって汎血球減少症（再生不良性貧血）が起こる。 重症の場合は骨髄移植の対象となる。
原因	突発性	原因不明（この型がほとんど）
	物理的	放射線
	化学的 （薬物の副作用）	抗菌薬：サルファ薬（スルファメトキサゾール，トリメトプリムなど），クロラムフェニコール 抗てんかん薬：フェニトイン，カルバマゼピン，プリミドン，エトスクシミド，トリメタジオン 抗精神病薬：クロルプロマジン NSAIDs：アスピリン，インドメタシン，ジクロフェナク，イブプロフェン，ナプロキセン，フェニルブタゾン 抗リウマチ薬：オーラノフィン，金チオリンゴ酸 Na，ペニシラミン 抗痛風薬：コルヒチン 抗ヒスタミン薬：クロルフェニラミン 利尿薬：チアジド系 抗潰瘍薬：シメチジン 経口糖尿病治療薬：アセトヘキサミド　など

再生不良性貧血治療薬	造血刺激薬	男性ホルモン ↓（男性化作用↓　蛋白同化作用↑） 蛋白同化ホルモン	**テストステロンエナント酸エステル** エナルモンデポー	
			メテノロン酢酸エステル プリモボラン **メテノロンエナント酸エステル** プリモボランデポー	⇨ 赤血球↑ 白血球↑ 血小板↑
		サイトカイン関連薬	**G-CSF 製剤** **（フィルグラスチム，レノグラスチム）** グラン　ノイトロジン	⇨ 好中球↑
			トロンボポエチン受容体作動薬 **（ロミプロスチム，エルトロンボパグ）** ロミプレート　レボレード	⇨ 血小板↑ 白血球↑
	免疫抑制薬	糖質コルチコイド	**プレドニゾロン** **デキサメタゾンなど**	
		カルシニューリン阻害薬	**シクロスポリン** サンディミュン，ネオーラル	
		抗体製剤	**抗ヒト胸腺細胞ウサギ免疫グロブリン** サイモグロブリン ＊胸腺：T リンパ球の分化に関与	

6．溶血性貧血

溶血性貧血		自己免疫疾患などによって赤血球が破壊され赤血球が減少する（溶血性貧血）。
原因	先天性	遺伝性球状赤血球症
	後天性	1）自己免疫性溶血（自己抗体による溶血） 2）薬物副作用 抗菌薬：サルファ薬（スルファメトキサゾール，トリメトプリムなど），ナリジクス酸，セフェム系，ペニシリン系 パーキンソン病治療薬：レボドパ，ベンセラジド，カルビドパ 降圧薬：メチルドパ NSAIDs：イブプロフェン，ナプロキセン，フルフェナム酸，インドメタシン 抗リウマチ薬：ペニシラミン 抗痛風薬：プロベネシド 経口糖尿病治療薬：アセトヘキサミド，トルブタミド 炭酸脱水酵素阻害薬：アセタゾラミド 抗不整脈薬：キニジン　など

溶血性貧血治療薬	免疫抑制薬	**糖質コルチコイド（プレドニゾロン，デキサメタゾン など）** **プリン代謝拮抗薬（アザチオプリン）** **DNA アルキル化薬（シクロホスファミド）** **抗 CD20 抗体（リツキシマブ）**
	抗補体（C5）ヒト化モノクローナル抗体製剤	**エクリズマブ（ソリリス），ラブリズマブ（ユルトミリス）（持続性）** 補体 C5 を介した溶血を抑制する。発作性夜間ヘモグロビン尿症における溶血抑制及び非典型溶血性尿毒症症候群における血栓性微小血管障害の抑制に適用。 〔発作性夜間ヘモグロビン尿症〕赤血球が血管内で異常に早く破壊されて生じる貧血で，早朝のヘモグロビン尿（コーラ色）を特徴とする。後天性に生じた血液細胞の遺伝子異常によって，赤血球が補体の攻撃を受けて破壊される。 〔非典型溶血性尿毒症症候群〕溶血性貧血，血小板減少，腎障害を 3 徴候とし，5 歳未満の小児に多くみられる。患者の約 9 割は下痢を伴い，病原性大腸菌感染（O157 等）により発症（比較的予後が良い）。一方，下痢を伴わない非典型（非定型）が約 1 割存在し（予後が悪い），その原因として，補体活性化制御因子の遺伝子異常が考えられている。

7. 白血球減少症治療薬

分　類	薬　物	作用機序	適　用
G-CSF 製剤（遺伝子組換え製剤）	フィルグラスチム グラン ペグフィルグラスチム ジーラスタ レノグラスチム ノイトロジン	好中球前駆細胞の分化・増殖促進	1）癌化学療法や再生不良性貧血などに伴う好中球減少症の改善 2）骨髄移植後の好中球増加促進
M-CSF 製剤（ヒト尿由来）	ミリモスチム ロイコプロール	1）単球系前駆細胞の分化・増殖促進 2）G-CSF, GM-CSF 産生促進による顆粒球・単球増加	骨髄移植後，急性骨髄性白血病や卵巣癌に対する抗癌薬治療における顆粒球増加促進
結核菌製剤	結核菌熱水抽出物 アンサー	単球・マクロファージ系細胞に作用し，CSF，IL-3 などの造血因子の誘起を促進	放射線治療による白血球減少症
タマサキツヅラフジ抽出アルカロイド	セファランチン セファランチン	造血幹細胞増加作用	
アミノ酸関連	グルタチオン タチオン L-システイン ハイチオール	SH 酵素の賦活などによる細胞分裂・細胞増殖促進	
ビタミン B_{12}	シアノコバラミン シアノコバラミン ヒドロキソコバラミン フレスミンS コバマミド ハイコバール	核酸合成促進	
プリン塩基	アデニン ロイコン		放射線曝射ないし薬物による白血球減少症

8. 血小板減少症／増多症治療薬

適　応	薬　物		作用機序
血小板減少症（慢性特発性血小板減少性紫斑病など）	トロンボポエチン受容体作動薬	遺伝子組換え製剤 ロミプロスチム ロミプレート	トロンボポエチン受容体を活性化することにより，巨核球系前駆細胞から巨核球への分化・増殖を増加させる。その結果，血小板数が増加する。
		低分子製剤 エルトロンボパグ レボレード ルストロンボパグ ムルプレタ	トロンボポエチン受容体に結合することにより，細胞内シグナル伝達経路の一部（JAK／STAT 系及び RAS／MAPK 系）を活性化し，骨髄前駆細胞から巨核球への分化・増殖を増加させる。その結果，血小板数が増加する。
	免疫抑制薬	副腎皮質ステロイド	細胞内糖質コルチコイド受容体に結合し，免疫抑制作用を示す。
		リツキシマブ リツキサン	抗 CD20 モノクローナル抗体。B リンパ球に対する補体依存性細胞傷害作用，抗体依存性細胞介在性細胞傷害作用を示す。
血小板増多症（本態性血小板血症）	アナグレリド アグリリン		巨核球の形成及び成熟を抑制することにより，血小板数を低下させる（明確な標的分子は不明：転写因子 GATA-1 及び FOG-1 の発現抑制？）。

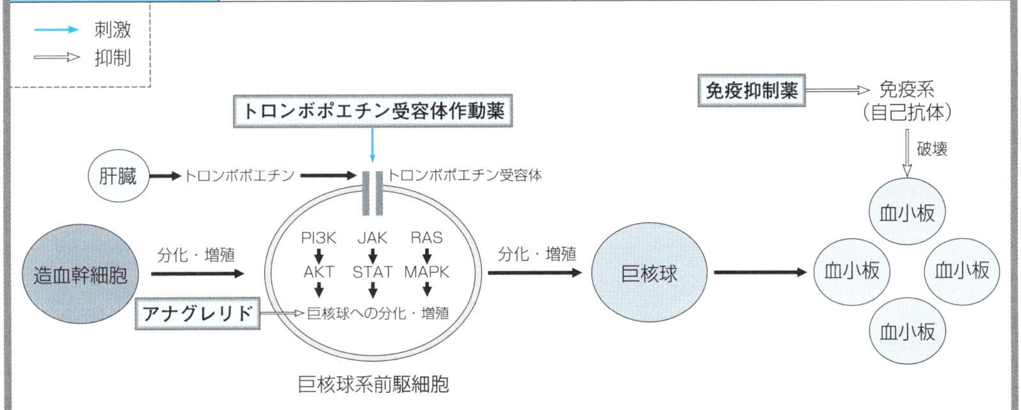

Ⅲ 血液凝固・血栓形成と血栓溶解

1. 血液凝固因子と血液凝固制御因子

① 血液凝固因子

血液凝固因子	活性型〈activated〉 ※( )内は別名	作 用 ※( )内は欠乏症	産生部位	分 布
Ⅰ（フィブリノゲン）	Ⅰa（フィブリン）	ゲル形成	肝臓	血漿
Ⅱ（プロトロンビン）	Ⅱa（トロンビン）	蛋白質分解 血小板活性化	肝臓	血漿
Ⅲ（組織トロンボプラスチン，組織因子：糖リポ蛋白）	Ⅲ	外因系開始	マクロファージ 内皮細胞	全組織
Ⅳ（Ca^{2+}）	Ⅳ	補助因子		血漿 全組織
Ⅴ（不安定因子）	Ⅴa	Ⅹa 補助因子	肝臓 骨髄巨核球	血漿
Ⅶ（安定因子）	Ⅶa	蛋白質分解	肝臓	血漿
Ⅷ（抗血友病因子）	Ⅷa	Ⅸa 補助因子（血友病 A）	網内系？	血漿
Ⅸ（クリスマス因子）	Ⅸa	蛋白質分解（血友病 B）	肝臓	血漿
Ⅹ（スチュアート因子）	Ⅹa	蛋白質分解	肝臓	血漿
Ⅺ（血漿トロンボプラスチン前駆物質）	Ⅺa	蛋白質分解	肝臓	血漿
Ⅻ（ハーゲマン因子）	Ⅻa	蛋白質分解〈内因系開始〉	肝臓	血漿
XIII（フィブリン安定化因子）	XIIIa	トランスグルタミナーゼ	肝臓	血漿
プレカリクレイン（フレッチャー因子）	カリクレイン	蛋白質分解	肝臓	血漿
高分子キニノーゲン（フィッツジェラルド因子）	脱ブラジキニン高分子キニノーゲン	Ⅻa 補助因子	肝臓	血漿
血小板第３因子（リン脂質）	リン脂質	Ⅸa/Ⅹa 補助因子	血小板	血小板

※アンチトロンビンⅢにより活性が抑制される因子：Ⅱa, Ⅸa, Ⅹa, Ⅺa, Ⅻa（cf. ヘパリン）

ビタミンＫ依存性に産生される因子：Ⅱ, Ⅶ, Ⅸ, Ⅹ（cf. ワルファリン）

❷ 血液凝固制御因子

分　類	血栓因子	抗血栓因子
血液凝固系	血液凝固系**活性化** ・外因系：組織トロンボプラスチン（第Ⅲ因子：組織因子 TF） ・内因系：コラーゲン，カリクレイン ・第Ⅰ～ⅩⅢ血液凝固因子（Ⅵは欠番。第ⅩⅢ因子トランスグルタミナーゼを除き，血液凝固系酵素はすべてセリンプロテアーゼ） ・血小板第３因子（リン脂質）	血液凝固系**抑制** ・アンチトロンビンⅢ（抗トロンビン因子） ・内因性ヘパリン・ヘパリン様物質 ・トロンボモデュリン（血管内皮トロンビン受容体） ・プロテインＣ（ビタミンＫ依存性抗凝固因子） ・プロテインＳ（ビタミンＫ依存性抗凝固因子でプロテインＣの補酵素） ・組織因子経路インヒビター ・α_2マクログロブリン ・ヘパラン硫酸プロテオグリカン
血小板系	血小板凝集**促進** ・血小板活性化因子〈PAF〉 ・von Willebrand 因子〈vWF〉 ・トロンボスポンジン ・トロンボキサン A_2〈TXA_2〉 ・ADP ・セロトニン	血小板凝集**抑制** ・プロスタサイクリン〈PGI_2〉 ・アデノシン ・一酸化窒素〈NO〉
血管系	血管**収縮** ・エンドセリン ・トロンボキサン A_2〈TXA_2〉 ・セロトニン	血管**拡張** ・プロスタサイクリン〈PGI_2〉 ・アデノシン ・一酸化窒素〈NO〉
線溶系	フィブリン**分解抑制** ・プラスミノゲン活性化因子インヒビター１〈PAI-1〉 ・α_2プラスミンインヒビター〈α_2-PI〉 ・α_2マクログロブリン	フィブリン**分解** ・組織プラスミノゲンアクチベーター〈t-PA〉 ・ウロキナーゼ型プラスミノゲンアクチベーター〈u-PA〉

2．血液凝固機構

❶ 一次止血

血液凝固機構（一次止血）

1）損傷によって血管内皮細胞が剥離して内皮下組織がむき出しになると，その部分に血漿中の粘着蛋白質 von Willebrand 因子〈vWF〉が結合・活性化される。

2）活性化された vWF は，血小板細胞膜上糖蛋白質 GPIb に結合して血小板を損傷部分に粘着・活性化する。

3）活性化血小板は，血小板細胞膜上のフィブリノゲン結合部位である糖蛋白質複合体 GPⅡb/Ⅲa でフィブリノゲンと結合し，フィブリノゲンを介して別の血小板との間に次々と架橋が形成される。また，活性化血小板からは，血小板凝集因子／血管収縮因子である TXA_2・ADP・セロトニンなどが放出されて血小板凝集がさらに促進され，一次血栓が形成される（一次止血）。

4）血小板による一次止血は，血管拡張作用・抗血小板凝集作用をもつプロスタサイクリン〈PGI_2〉，アデノシン，一酸化窒素〈NO〉などによって抑制的に制御されている。

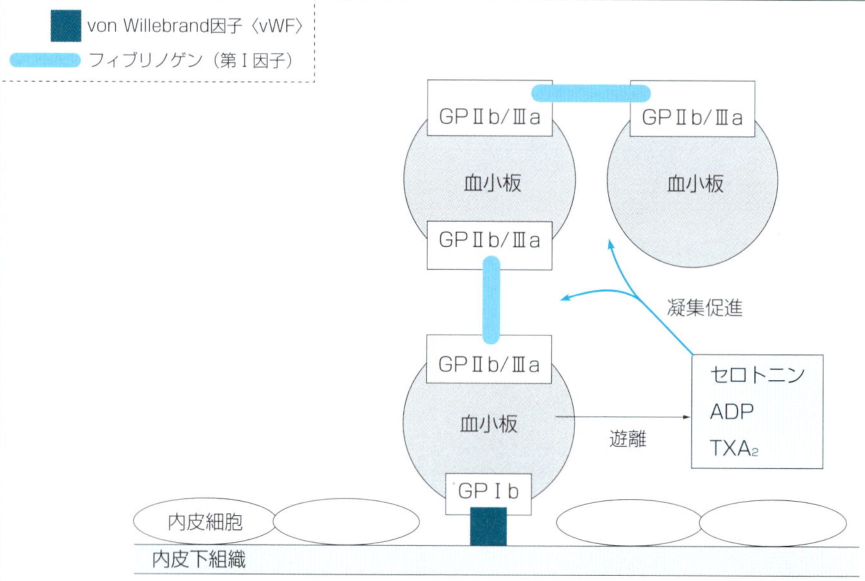

❷ 二次止血

血液凝固機構（二次止血）

一次止血と並行して，フィブリン血栓〈二次血栓／永久血栓〉を形成するための血液凝固系連鎖反応が起こる（二次止血）。この血液凝固連鎖反応には，連鎖反応開始に損傷組織由来成分である組織因子（第Ⅲ因子：組織トロンボプラスチン）が関与する外因系と関与しない内因系とがあり，両機構ともに途中から同じ凝固経路となって血液凝固が進む。

1）内因系経路：ハーゲマン因子（Ⅻ）が陰性荷電をもつ表面（損傷血管のコラーゲンやガラス）に接触し第Ⅻa 因子に活性化されて連鎖反応が開始する。

2）外因系経路：損傷組織から血中に流入した組織因子（Ⅲ）が，Ca^{2+}（Ⅳ）・第Ⅶa 因子と複合体を形成して連鎖反応が開始する。

3）両経路で活性化された第Ⅹ因子（Ⅹa）は，Ca^{2+}（Ⅳ）・Ⅴa・リン脂質と複合体を形成し，プロトロンビン（Ⅱ）を活性化してトロンビン（Ⅱa）に変換する。

4）トロンビン（Ⅱa）は，フィブリノゲン分子を切断してフィブリン単量体〈モノマー〉とフィブリノペプチドA・Bを産生するとともに，Ca^{2+}（Ⅳ）存在下でフィブリン安定化因子（ⅩⅢ）を活性化（ⅩⅢa）する。

5）活性化フィブリン安定化因子（ⅩⅢa）はフィブリン単量体〈モノマー〉分子間を架橋して安定化フィブリン（フィブリン塊）を形成し，二次血栓を形成する（二次止血）。

6）二次止血は，以下のものなどによって抑制的に制御されている。

・アンチトロンビンⅢ：Ⅸa・Ⅹa・Ⅺa・Ⅻa・トロンビンを抑制し，この抑制は内因性ヘパリン・ヘパリン様物質によって増強される

・トロンボモデュリン：トロンビンと結合して複合体を形成してトロンビン活性を消失させるとともに，その複合体はプロテインSを補酵素として抗凝固因子プロテインCを活性化してⅤa・Ⅷa を不活性化する

・組織因子経路インヒビター：Ⅹa・Ⅶa を抑制

・α_2-マクログロブリン：Ⅹa・トロンビンを抑制

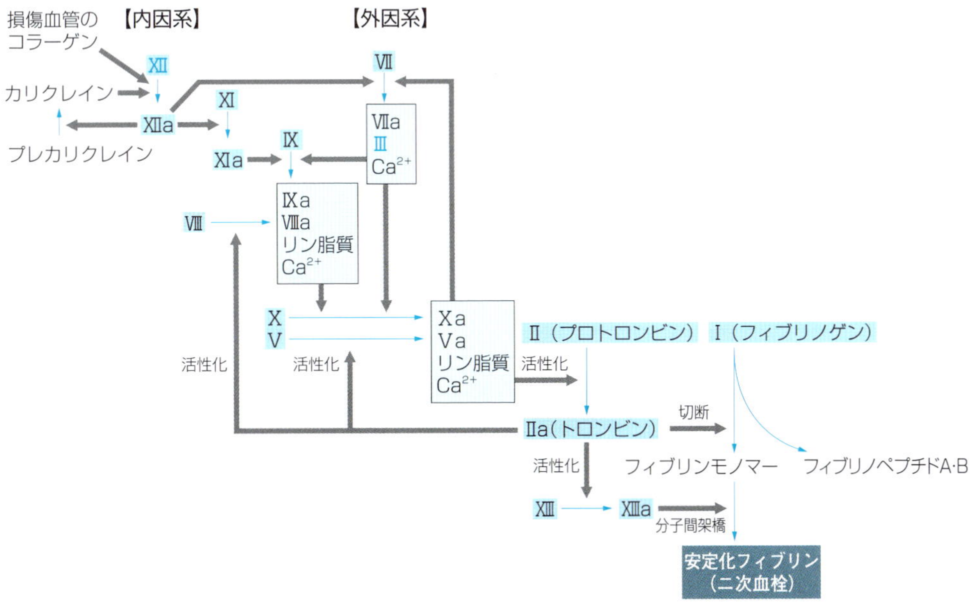

3. 血栓溶解機構（線維素溶解／線溶機構）

血栓溶解機構（線維素溶解／線溶機構）

フィブリン血栓〈二次血栓／永久血栓〉は，プラスミノゲン・プラスミン系によって溶解・除去される（血栓線溶系）。

1）血中プラスミノゲン（不活性型）は，ウロキナーゼ型プラスミノゲンアクチベーター〈u-PA〉（肝で産生され尿中排泄）や組織プラスミノゲンアクチベーター〈t-PA〉（血管内皮細胞で産生分泌）による限定分解によってプラスミン（活性型）に変換される。一方，動脈硬化危険因子であるリポ蛋白質（a）はプラスミノゲンを抑制し，そのため線溶系が阻害されて血栓が除去されにくくなる。

2）u-PA によって血中プラスミノゲンからプラスミンが産生されると，産生されたプラスミンは，α_2プラスミンインヒビターやα_2マクログロブリンによって速やかに不活性化されるため，この系は血栓線溶系にそれほど重要な役割を果たしていないと考えられている。

3）一方，t-PA はフィブリンが存在しないときにはプラスミノゲンに対する親和性が低いが，フィブリンが存在すると約 100 倍も親和性が上がる。つまり，フィブリンが存在するとフィブリン上に t-PA とプラスミノゲンが結合するため，フィブリン上で t-PA がプラスミンを効率よく産生してフィブリンを分解する。

4）t-PA は，プラスミノゲンアクチベーターインヒビター 1〈PAI-1〉（血管内皮細胞や血小板で産生・分泌）やプラスミノゲンアクチベーターインヒビター 2〈PAI-2〉（妊娠中に増加）によって直接抑制される。また，プラスミノゲンアクチベーターインヒビター 3〈PAI-3：プロテイン C インヒビター〉は，PAI-1 を抑制するプロテイン C を阻害するため，PAI-1 の t-PA に対する抑制作用を間接的に増強する。

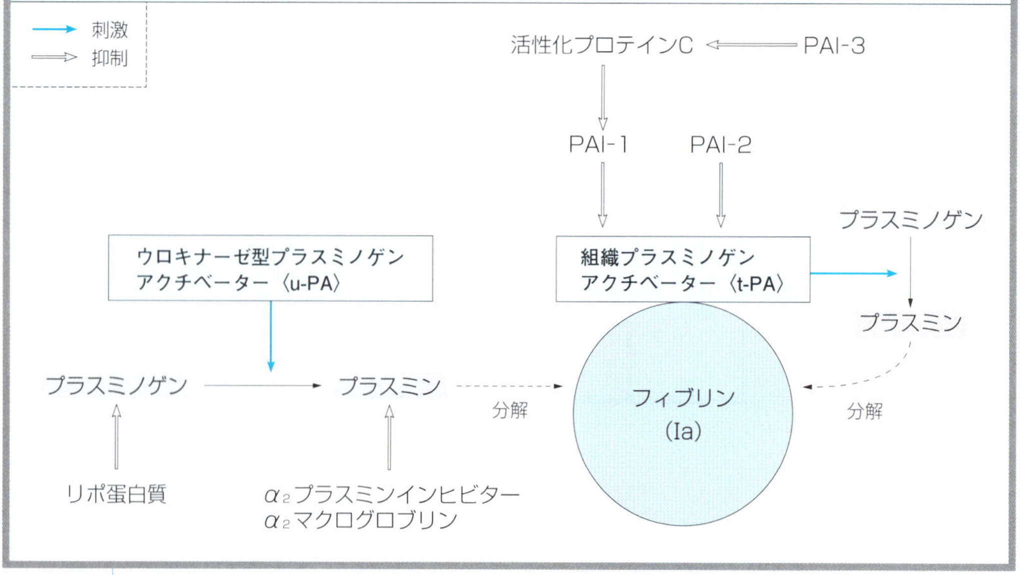

補足1 トロンビン（セリンプロテアーゼ）の血液凝固機序

トロンビンはセリンプロテアーゼであり，蛋白質加水分解酵素である。トロンビンの血液凝固作用は，以下のようにトロンビンのもつ蛋白質分解作用によって現れる。

1）一次止血（☞下図参照）

トロンビン受容体は，血小板，血管平滑筋，血管内皮細胞などに存在する G_q蛋白質共役型受容体である。トロンビンによって受容体のN末端が切断されると，残った受容体N末がアゴニストとして受容体を刺激し，その結果，細胞内 Ca^{2+}濃度が上昇して血管収縮や血小板凝集が誘発される。

このように，蛋白質分解酵素〈proteinase〉によって切断されて活性化される受容体は，PAR〈Proteinase-activated Receptor〉とも呼ばれる。

2）二次止血（☞p372 参照）

トロンビンはその蛋白質分解作用によって，フィブリノゲン → フィブリン，V → Va，Ⅷ → Ⅷa，XIII → XIIIa に分解・活性化し，血液凝固反応を誘発する。

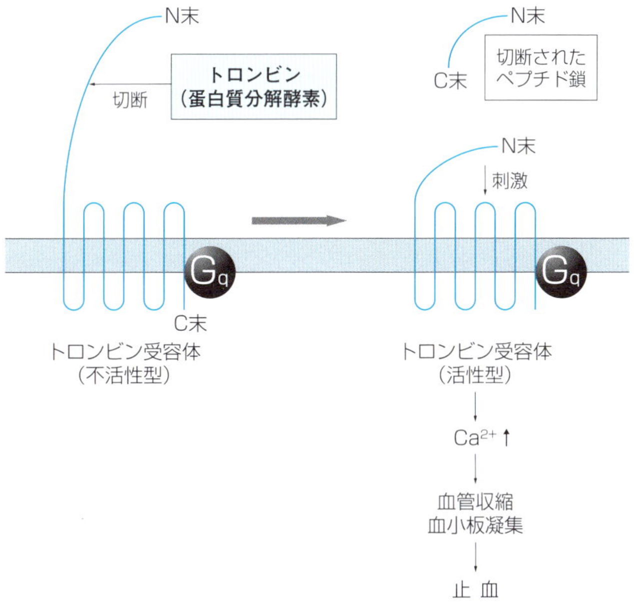

補足2 トロンビンとトロンボモデュリン

トロンビンの主作用は血液凝固作用であるが，血管内皮細胞膜に発現しているトロンボモデュリンと結合すると，以下のように抗凝固因子・線溶促進因子として作用するようになる。

❶トロンビンがトロンボモデュリンと結合すると，トロンビンはもはやフィブリノゲン，第Ⅴ因子，第Ⅷ因子，血小板に作用できなくなる。

❷トロンビン・トロンボモデュリン複合体は，プロテインCを切断して活性化し，プロテインSの協力のもとにⅤa・Ⅷa・Ⅺa因子を特異的に分解・不活性化して凝固系を抑制するとともに，線溶系を促進する作用も併せもつ。

※下図では，内皮由来の血小板凝集抑制因子（PGI_2，t-PA，NO）についてもまとめて記す。

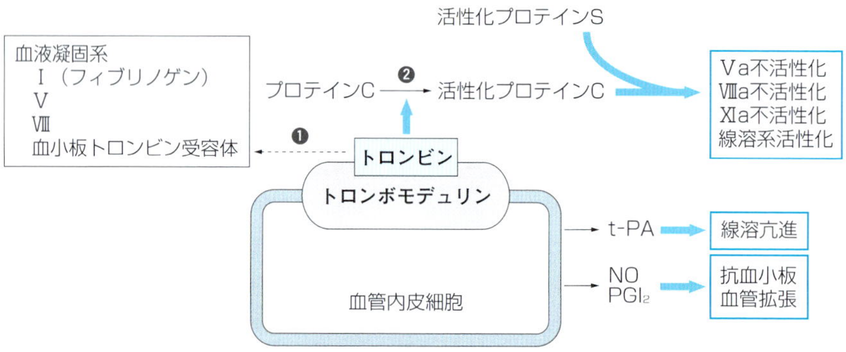

Ⅳ　止血薬

☞『医薬品一般名・商品名・構造一覧』p79

1. 血液凝固因子の産生促進薬及び放出薬

分　類	薬　物	説　明
凝固因子産生促進薬	**ビタミンK製剤** フィトナジオン（K_1） カチーフN，ケーワン，ビタミンK_1 メナテトレノン（K_2） ケイツー，グラケー	1）ビタミンK欠乏症による出血傾向（胆道・肝疾患，抗生物質による$V.K_2$産生腸内細菌の死滅，腸内細菌の共生不十分な乳児など）の改善 ※ビタミンK吸収には胆汁酸が必要 2）新生児メレナ（メレナ：消化管異常出血によって血液が消化液で変化し，黒色タール便が排出されること）の予防・治療 3）ワルファリンの解毒
凝固因子放出薬	デスモプレシン デスモプレシン	1）生体内（血管内皮細胞など）にプールされている第Ⅷ因子やvon Willebrand因子を血中に放出させることにより止血（静注） 2）経口・鼻腔内投与で夜尿症・尿崩症治療（バソプレシンV_2受容体刺激）

2. 血液凝固因子製剤 及び 類薬

分　類	薬　物	説　明
ヒト・動物由来第Ⅱa 因子製剤	トロンビン トロンビン	局所適用：結紮困難な細い血管や実質組織からの出血 経口投与：上部消化管出血に適用（至適 pH7 付近：胃酸で失活するため，牛乳またはリン酸緩衝剤に溶解して投与）
ヘビ毒由来製剤	ヘモコアグラーゼ レプチラーゼ	蛇毒由来血液凝固因子様薬（トロンビン／トロンボプラスチン様作用：筋注・静注） 肺・鼻・口腔内・性器・腎・創傷からの出血に適用
遺伝子組換え型活性型第Ⅶ因子製剤	エプタコグアルファ ノボセブン	血液凝固第Ⅷまたは第Ⅸ因子に対するインヒビターを保有する先天性血友病患者，後天性血友病患者，先天性第Ⅶ因子欠乏症患者，血小板輸血不能のグランツマン血小板無力症（GPⅡb/Ⅲa 欠損）患者の出血抑制に適用
遺伝子組換え型第Ⅷ因子製剤	オクトコグベータ コバールトリイ ルリオクトコグアルファ アドベイト ルリオクトコグアルファペゴル アディノベイト エフラロクトコグアルファ イロクテイト ツロクトコグアルファ ノボエイト ツロクトコグアルファペゴル イスパロクト ロノクトコグアルファ エイフスチラ シモクトコグアルファ ヌーイック ダモクトコグアルファペゴル ジビイ	血友病 A（第Ⅷ因子欠乏症患者）に適用
第Ⅷ因子代替製剤	エミシズマブ ヘムライブラ	第Ⅷ因子に対するインヒビターを保有する先天性Ⅷ因子欠乏患者に適用
遺伝子組換え型第Ⅸ因子製剤	ノナコグアルファ ベネフィクス ノナコグベータペゴル レフィキシア ノナコグガンマ リクスビス エフトレノナコグアルファ オルプロリクス アルブトレペノナコグアルファ イデルビオン	血友病 B（先天性第Ⅸ因子欠乏症患者）に適用
遺伝子組換え型第ⅩⅢ因子製剤	カトリデカコグ ノボサーティーン	先天性第ⅩⅢ因子 A サブユニット欠乏患者に適用
遺伝子組換え型 von Willebrand 因子製剤	ボニコグアルファ ボンベンディ	von Willebrand 病患者（von Willebrand 因子の質的異常や量的欠損患者）に適用
その他		（☞「Ⅶ　血液製剤」（p394）参照）

3．その他の止血薬

分類	薬物	説明
抗線溶薬（抗プラスミン薬）	トラネキサム酸 トランサミン （ε-アミノカプロン酸）	1）リシン構造類似体であり，プラスミノゲン／プラスミンのリシン結合部位に結合して，これらがフィブリノゲン／フィブリンのリシン残基に結合するのを阻害 2）一次線溶亢進による異常出血（突発性腎出血，t-PAの多い前立腺・肺・子宮の手術時異常出血）に適用 3）プラスミンによるキニン産生を阻害するため，アレルギー性皮膚疾患や扁桃炎・咽喉頭炎にも適用
血管強化薬	カルバゾクロムスルホン酸Na アドナ アドレノクロムグアニルヒドラゾン〈アドレノクロムモノアミノグアニジン〉 S・アドクノン	1）起炎物質による血管透過性亢進を抑制 2）血管壁成分のヒアルロン酸を分解する酵素ヒアルロニダーゼ活性を阻害 3）血管収縮作用なし，血液凝固／線溶系に影響なし
局所止血薬	ゼラチン スポンゼル，ゼルフィルム，ゼルフォーム 酸化セルロース サージセル・アブソーバブル・ヘモスタット アルギン酸Na アルト	創傷面に強く付着して凝血塊を形成し止血する。
硬化療法薬（血栓形成薬）	ポリドカノール エトキシスクレロール，ポリドカスクレロール オレイン酸モノエタノールアミン オルダミン	静脈瘤（食道・胃・下肢）に対する硬化療法。静脈瘤に適用すると，血栓形成後に静脈瘤が硬化・退縮する。

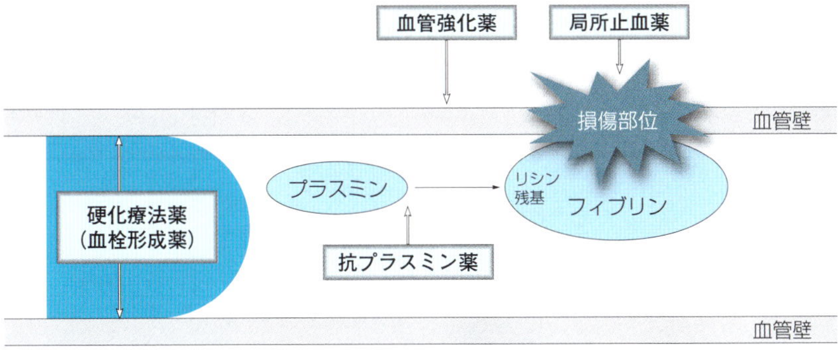

V　血液凝固抑制薬（抗血小板薬，抗凝血薬）と血栓溶解薬

☞『医薬品一般名・商品名・構造一覧』p80

抗血栓薬には，血栓形成を阻止する血液凝固抑制薬（抗血小板薬と抗凝血薬），血栓を溶解する血栓溶解薬とがある。血栓には，血栓が形成部位で血管を閉塞した血栓症と形成部位から血流に乗って他の血管を閉塞した塞栓症とがある。心筋梗塞（冠動脈血栓・塞栓），脳梗塞（脳動脈血栓・塞栓），肺血栓・塞栓症（下肢深部静脈血栓剥離による肺での塞栓形成など）ともに致死的な疾患である。血流が遅い静脈系では**血液凝固系**がより重要となるため静脈血栓には抗凝血薬を用いるのが基本となるが，血流が速い動脈での血栓形成には**血小板**が関与するため動脈血栓には抗血小板薬が有効である。

1. 抗血小板薬

血小板機能と抗血小板薬

分　類	生理活性物質	作用機序
凝集物質	トロンビン，コラーゲン，vWF トロンボキサン A_2〈TXA_2〉，セロトニン，ADP	血小板細胞内 Ca^{2+} 濃度上昇　など
凝集阻害物質	プロスタグランジン I_2・E_2〈PGI_2・PGE_2〉 アデノシン	血小板細胞内 cAMP 濃度上昇

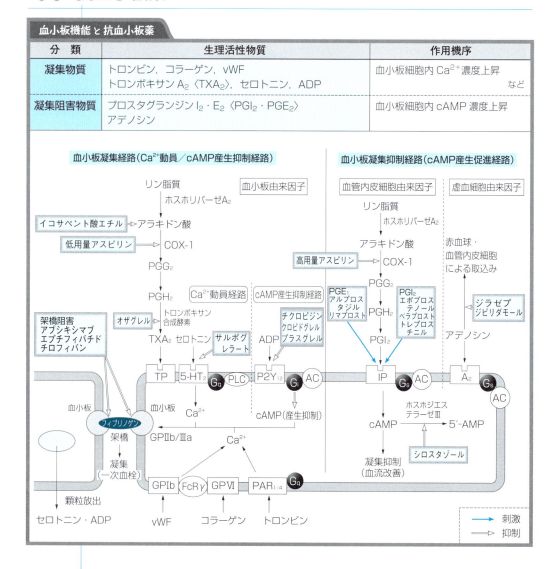

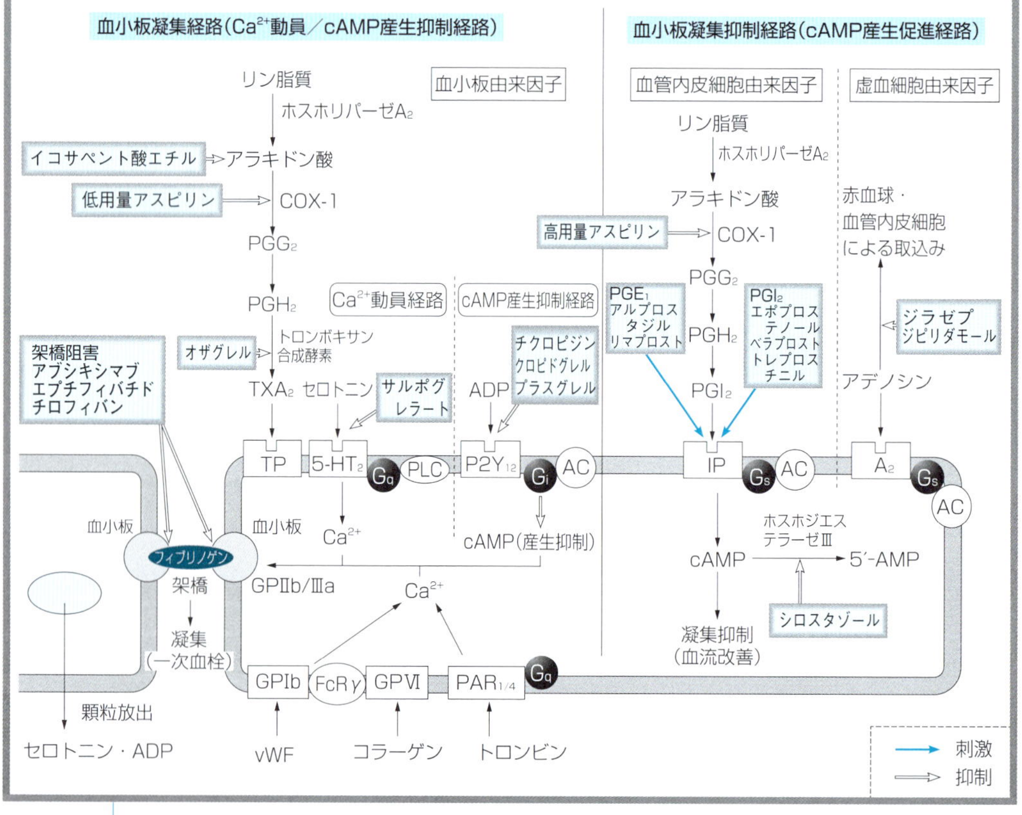

抗血小板薬（血小板カルシウム動態抑制薬）

分類		薬物	特徴
セロトニン 5-HT_2 受容体拮抗薬		**サルポグレラート** アンプラーグ	1）G_q共役型 5-HT_2受容体の可逆的阻害薬。セロトニンは，血小板や血管 5-HT_2受容体を刺激して細胞内Ca^{2+}濃度を上昇させ，血小板凝集や血管収縮を誘発する。 2）高濃度では，血管内皮細胞 PGI_2産生（血管拡張作用）を促進させる。
TXA_2 産生阻害薬	COX 阻害薬	**低用量アスピリン** （通常 81mg 錠/日，または 100mg 錠/日） バファリン A81 バイアスピリン	1）シクロオキシゲナーゼ〈COX〉不可逆的阻害によって，血小板凝集／血管収縮物質 TXA_2産生阻害。 2）高用量では内皮細胞での血小板凝集抑制／血管拡張物質 PGI_2産生も阻害（アスピリン・ジレンマ）。 3）アスピリンとの各種配合錠あり。 ダイアルミネート配合錠（バファリン A81®） クロピドグレル配合錠（コンプラビン®） ランソプラゾール配合錠（タケルダ®） ボノプラザン配合錠（キャブピリン®）
	トロンボキサン合成酵素阻害薬	**オザグレル Na** カタクロット，キサンボン，オキリコン	1）トロンボキサン合成酵素阻害薬（塩酸塩は抗喘息薬） 2）PGI_2産生増加作用もある。 3）血小板凝集抑制効果はアスピリンよりやや弱い。
	アラキドン酸代謝拮抗薬	**イコサペント酸エチル** エパデール，イコサペント酸エチル	1）血小板リン脂質膜に取り込まれ，アラキドン酸の代わりに代謝されて，TXA_2や PGI_2の代わりに TXA_3（TXA_2より凝集作用弱い）と PGI_3（PGI_2と同程度の血管拡張作用）を産生。作用発現遅い。 2）脂質の吸収・合成阻害による血清脂質低下作用あり（脂質異常症治療薬）。

抗血小板薬（血小板 cAMP 増加薬）

分類		薬物	特徴
プロスタグランジン	PGE_1製剤	**アルプロスタジル** パルクス，リプル **アルプロスタジルアルファデクス** プロスタンディン	1）血小板 G_s共役型 IP 受容体刺激。 2）PG 製剤は胃酸に不安定なため，経口無効。 3）経口薬として，PG 誘導体が開発されている。 4）トレプロスチニルは，静注・皮下注で用いられる PGI_2誘導体。
	PGE_1誘導体	**リマプロストアルファデクス** オパルモン，プロレナール	
	PGI_2製剤	**エポプロステノール** フローラン	
	PGI_2誘導体	**ベラプロスト** ケアロード，ベラサス，ドルナー，プロサイリン **トレプロスチニル** トレプロスト **イロプロスト** ベンテイビス	
	IP 受容体選択的作動薬	**セレキシパグ** ウプトラビ	
アデノシン増強薬		**ジラゼプ** コメリアン	1）冠血管拡張薬（アデノシン増強薬） 2）赤血球・内皮細胞などへのアデノシンの取込みを阻害し，その結果増加したアデノシンが，血小板 A_2受容体（G_s共役型）を刺激して血小板凝集を抑制。 3）血小板ホスホリパーゼ A_2阻害作用もある。
		ジピリダモール ジピリダモール，ペルサンチン	1）冠血管拡張薬（アデノシン増強薬） 2）アデノシン増強作用に加え，PGI_2増加作用，cAMP ホスホジエステラーゼ阻害作用によって血小板内 cAMP 濃度上昇。 3）血小板 TXA_2 合成阻害作用もある。
ADP 拮抗薬		**チクロピジン** パナルジン **クロピドグレル** プラビックス **プラスグレル** エフィエント	1）チクロピジン・クロピドグレルは主に CYP2C19，プラスグレルは主に CYP3A4／CYP2B6 を介して活性代謝物となる。 2）活性代謝物は，ADP 受容体 $P2Y_{12}$（G_i共役型）を不可逆的に阻害してアデニル酸シクラーゼに対する抑制を解除し，細胞内 cAMP 濃度を増加させる。 3）**副作用**：血栓性血小板減少性紫斑病，無顆粒球症，重篤な肝障害などを誘発するおそれがあり，投与後 2 ヶ月間は，2 週ごとに血液検査を行う。
		チカグレロル ブリリンタ	1）$P2Y_{12}$受容体の ADP 結合部位とは異なる部位に選択的かつ可逆的に結合して阻害。 2）アデノシン増強作用あり。 3）CYP3A4 で代謝・失活（一部，活性代謝物あり）。
ホスホジエステラーゼⅢ〈PDEⅢ〉阻害薬		**シロスタゾール** プレタール，シロスレット	cAMP 分解を抑制して，血小板内 cAMP 濃度上昇。

2. 抗凝血薬

① ヘパリンとワルファリン

ヘパリンとワルファリン（その1）

	ヘパリン （非経口抗凝血薬）	ワルファリン （経口抗凝血薬）
薬物	ヘパリン ヘパリンカルシウム，ヘパリンナトリウム	ワルファリン ワーファリン
性状	分子量 5,000～20,000 の不均一な構造をもつ陰性荷電に富む酸性ムコ多糖類。肥満細胞に存在し，ウシ肺・ブタ腸粘膜からの抽出物が市販されている。	クマリン誘導体 （腐敗スイートクローバーに含まれるジクマロールを摂取したウシに出血性疾患がみられたことがきっかけとなり，ワルファリンが開発された。）
機序	1）凝固抑制因子アンチトロンビンⅢ〈ATⅢ〉に結合して ATⅢの立体構造を変化させることによって，凝固因子（第Ⅱa・Ⅸa・Ⅹa・Ⅺa・Ⅻa 因子）に対する ATⅢの凝固抑制作用を強烈に増強。 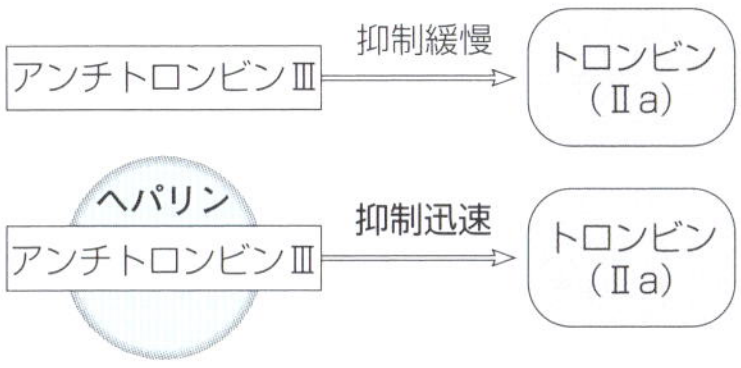 アンチトロンビンⅢ 抑制緩慢 トロンビン （Ⅱa） ヘパリン アンチトロンビンⅢ 抑制迅速 トロンビン （Ⅱa） 2）低用量ヘパリン療法：低用量では第Ⅹa因子に対する ATⅢの凝固抑制作用を選択的に増強（cf. 低分子ヘパリン療法）。 3）高用量では，血小板の粘着・凝集も抑制。 4）リポ蛋白質リパーゼを毛細血管内皮から血中に放出させることによる血漿脂質清澄作用があり（試験管内では無効），抗凝血作用を示さない低用量でも認められる。	1）ビタミンK 類似構造をもつワルファリンは，肝臓でのビタミンK 依存性血液凝固因子（第Ⅱ・Ⅶ・Ⅸ・Ⅹ因子）の産生を競合的に阻害。 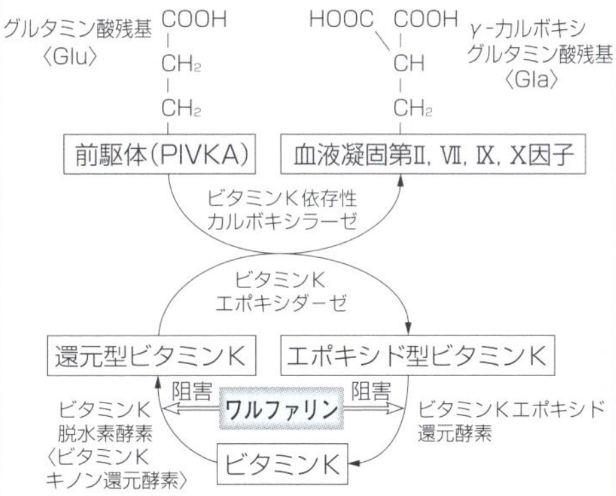 グルタミン酸残基 〈Glu〉 COOH CH_2 CH_2 HOOC　COOH CH CH_2 γ-カルボキシ グルタミン酸残基 〈Gla〉 前駆体（PIVKA） 血液凝固第Ⅱ，Ⅶ，Ⅸ，Ⅹ因子 ビタミンK依存性 カルボキシラーゼ ビタミンK エポキシダーゼ 還元型ビタミンK エポキシド型ビタミンK 阻害 ワルファリン 阻害 ビタミンK 脱水素酵素 〈ビタミンK キノン還元酵素〉 ビタミンKエポキシド 還元酵素 ビタミンK 2）ビタミンK 欠乏時産生蛋白〈PIVKA：Protein Induced by V.K Absence〉も抗凝血作用を示す。

ヘパリンとワルファリン（その2）

	ヘパリン （非経口抗凝血薬）	ワルファリン （経口抗凝血薬）
特　徴	1）消化管吸収不良 2）速効性（静注） 3）一過性（ヘパリナーゼで分解） 4）試験管内でも有効 5）胎盤は通過しない	1）消化管吸収良好 2）遅効性（服用後 24〜48 時間） 3）持続性（服用後 2〜5 日） 4）試験管内では無効（肝で作用するため） 5）胎盤を通過（妊婦に**禁忌**）
代　謝	ヘパリナーゼ	肝臓 CYP2C9 （代謝や蛋白結合における相互作用注意）
適　用	還流血液・輸血／採血時の凝血防止 播種性血管内凝固症候群〈DIC〉 血栓症・塞栓症の予防・治療	血栓症・塞栓症の予防・治療
副作用	出血，過敏症，血小板減少症	出血，皮膚壊死（反跳性血液凝固系異常亢進によって微小血栓形成）
禁　忌	**原則禁忌** ・出血傾向の患者 ・重篤な肝・腎障害 ・ヘパリン起因性血小板減少症既往　など ※ヘパリン起因性血小板減少症〈HIT：Heparin-induced thrombocytopenia〉 ヘパリン-血小板第 4 因子複合体に対する自己抗体〈HIT 抗体〉の出現により，免疫学的機序を介して，血小板減少と重篤な血栓症が生じる。	・出血傾向の患者 ・重篤な肝・腎障害 ・妊婦（催奇形性，出血による胎児死亡） ・イグラチモド投与中（作用増強） ・メナテトレノン（$V.K_2$）投与中（作用減弱） ※**併用注意**：納豆（V.K 産生菌）
解毒薬	硫酸プロタミン（塩基性ポリペプチド）で中和	ビタミンK（静注）
関連薬	**低分子ヘパリン／ヘパリノイド** **（非経口 Xa 因子選択的阻害薬）** **パルナパリン（血液透析）** ローヘパ **ダルテパリン（DIC，血液透析）** フラグミン，ダルテパリン Na **ダナパロイド（DIC）** オルガラン **エノキサパリン（血栓塞栓症）** クレキサン **合成 Xa 因子阻害薬** **フォンダパリヌクス（血栓塞栓症）** アリクストラ 低分子ヘパリン／ヘパリノイドは，第Xa因子の選択的阻害薬。ATⅢへの結合親和性が高く，また血中半減期も長いが，トロンビン阻害作用が少ないため，出血の副作用低下。	**可逆的経口直接トロンビン阻害薬** **ダビガトランエテキシラート** プラザキサ ワルファリンの場合には PT-INR〈プロトロンビン時間国際標準比〉を指標に投与量を調節する必要があるが，ダビガトランは，抗凝固作用のモニタリングが不要で有効性・安全性高い（腎障害注意）。ダビガトランの解毒薬として，抗ダビガトラン中和抗体**イダルシズマブ**がある。 プリズバインド **経口 Xa 因子阻害薬** **エドキサバン** リクシアナ **リバーロキサバン** イグザレルト **アピキサバン** エリキュース ※腎障害注意

❷ 血液凝固能検査

分類	検査事項	測定法
内因系	活性化部分トロンボプラスチン時間〈APTT〉 （正常値：25～40秒）	血漿＋［部分トロンボプラスチン（血小板第3因子：リン脂質），接触因子（XI，XII）活性化剤］ ↓ 加温 ↓ Ca^{2+} を加えて凝固反応開始 ↓ フィブリン析出までの時間（部分トロンボプラスチン時間）を測定
	標準（未分画）ヘパリンの効果判定	$\dfrac{\text{ヘパリン投与後の APTT}}{\text{ヘパリン投与前の APTT}}$　（→ 2～3 程度が目標）
外因系	プロトロンビン時間 （正常値：10～13秒）	血漿 ↓ 組織トロンボプラスチン（組織因子III）＆ Ca^{2+} を加えて凝固反応開始 ↓ フィブリン析出までの時間（プロトロンビン時間）を測定
	ワルファリンの効果判定 国際標準比〈P T-INR：Prothrombin Time-International Normalized Ratio〉	$\dfrac{\text{ワルファリン投与患者血液のプロトロンビン時間}}{\text{健常者血液のプロトロンビン時間}}$ 通常 2～3（70歳以上の患者では 1.6～2.6）になるようにワルファリンの投与量を調節する。

活性化部分トロンボプラスチン時間測定　→【内因系】

プロトロンビン時間測定　→【外因系】

損傷血管のコラーゲン

カリクレイン → ／プレカリクレイン

XII → XIIa
XI → XIa
VII → VIIa III Ca^{2+}
IX → IXa VIIIa リン脂質 Ca^{2+}
VIII →
X → Xa Va リン脂質 Ca^{2+}
V →
II（プロトロンビン）　I（フィブリノゲン）
IIa（トロンビン）
フィブリンモノマー　フィブリノペプチドA・B
XIII → XIIIa
安定化フィブリン（二次血栓）

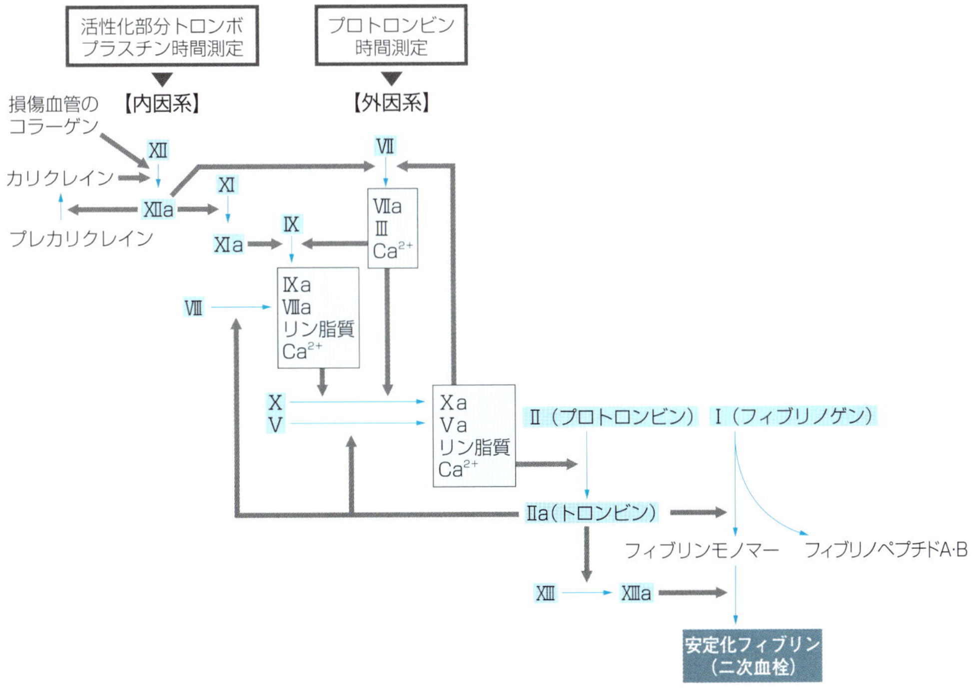

❸ ワルファリンの抗凝血効果に影響を与える薬物

ワルファリンの効果の個体差には，ワルファリンの代謝酵素である CYP2C9 の遺伝子多型に加えて，ワルファリンの標的分子であるビタミンKエポキシド還元酵素複合体1〈vitamin K epoxide reductase complex subunit 1：VKORC1〉の遺伝子多型が関与すると考えられている。

機　序	ワルファリンの作用増強	ワルファリンの作用減弱
蛋白結合の競り合い	ワルファリン遊離 ・インドメタシンやフェニルブタゾン（NSAIDs） ・クロフィブラート（抗脂質異常症薬） ・トルブタミド（抗糖尿病薬） など	
ワルファリンの代謝	代謝阻害 ・シメチジン（抗潰瘍薬） ・エリスロマイシン（マクロライド系） ・フルコナゾール（アゾール系抗真菌薬） ・メトロニダゾール（抗アメーバ薬） など	代謝促進（酵素誘導薬） ・バルビツレート（催眠薬） ・フェニトイン（抗てんかん薬） ・リファンピシン（抗結核薬） ・グリセオフルビン（抗真菌薬） など
V.K依存性凝固因子	産生阻害：蛋白同化ホルモン グルカゴン 異化促進：甲状腺ホルモン	凝血能増加 ・副腎皮質ステロイド ・経口避妊薬
V.K	$V.K_2$産生腸内細菌の死滅 ・抗生物質	$V.K_1$高含有食品 ・ブロッコリー ・クロレラ $V.K_2$産生菌 ・納豆菌 V.K製剤 ・フィトナジオン（$V.K_1$） ・メナテトレノン（$V.K_2$）
ワルファリンの消化管吸収		吸収阻害 ・コレスチラミン，コレスチミド
血小板機能	抑制増強 ・アスピリン（解熱鎮痛薬） ・スルフィンピラゾン（抗痛風薬） など	
その他	作用機序不明 ・イグラチモド（抗リウマチ薬）	

④ その他の抗凝血薬

分類	薬物	特色	適用
抗トロンビン薬	**アルガトロバン** スロンノンHI，ノバスタンHI	1）合成アルギニン誘導体 2）ATⅢ非依存性の抗トロンビン薬。トロンビンの活性中心に選択的に作用してトロンビンを失活させる。	慢性動脈閉塞症 ATⅢ欠乏患者・ヘパリン起因性血小板減少症Ⅱ型患者の血液体外循環 発症後48時間以内の脳血栓症（ラクネを除く）
蛋白質分解酵素阻害薬	**ガベキサート** エフオーワイ **ナファモスタット** フサン	1）合成セリンプロテアーゼ阻害薬 2）血液凝固因子（セリンプロテアーゼ）を阻害する。	急性膵炎 播種性血管内凝固症候群
アンチトロンビン製剤	**乾燥濃縮人アンチトロンビンⅢ** アンスロビンP，ノイアート，献血ノンスロン	1）ヒト血漿由来製剤 2）血液凝固因子（セリンプロテアーゼ）を阻害する。	先天的ATⅢ欠乏症 播種性血管内凝固症候群
	アンチトロンビンガンマ アコアラン	遺伝子組換え型製剤	
プロテインC製剤	**乾燥濃縮人活性化プロテインC** アナクトC	1）ヒト血液由来製剤 2）Va・Ⅷaを不活性化する。	先天性プロテインC欠乏症に起因する深部静脈血栓症・急性肺血栓塞栓症
トロンボモデュリン製剤	**トロンボモデュリンアルファ** リコモジュリン	1）遺伝子組換え型製剤 2）トロンビンによるプロテインC活性化を促進	播種性血管内凝固症候群
Ca^{2+}キレート薬	**クエン酸ナトリウム** チトラミン	第Ⅳ凝固因子（Ca^{2+}）を捕捉して抗凝血	採取血液の凝固防止

3. 血栓溶解薬

分　類	薬　物	説　明
u-PA 〈ウロキナーゼ型プラスミノゲンアクチベーター〉	**ウロキナーゼ** ウロキナーゼ	1）ヒト尿由来製剤 2）プラスミンが血栓を溶解するが，血中プラスミンの多くは α_2 プラスミンインヒビターによって即時的に不活性化されるため，ウロキナーゼの静注によってプラスミノゲンから産生されたプラスミンが動脈血栓を溶解するには大量を要する。 3）心筋梗塞（発症後 6 時間以内：冠動注，静注）， 脳血栓塞栓症（発症後 5 日以内：静注）， 末梢動・静脈閉塞症（発症後 10 日以内：静注）に適用。
t-PA 〈組織プラスミノゲンアクチベーター〉	**アルテプラーゼ** アクチバシン，グルトパ **モンテプラーゼ** クリアクター	1）遺伝子組換え型製剤 2）組織プラスミノゲンアクチベーター〈t-PA〉はフィブリンに親和性が高いため，t-PA・フィブリン・プラスミノゲン三量体を形成して血栓上で効率よくプラスミンを生成する。 3）フィブリンが存在しない流血中では作用がほとんどなく，全身線溶・出血傾向の副作用が少ない。 4）血栓溶解作用はウロキナーゼより強く，心筋梗塞（発症後 6 時間以内）に使用。 5）アルテプラーゼは脳梗塞（発症後 4.5 時間以内）， モンテプラーゼは急性肺塞栓症（肺動脈血栓）にも適用される。
その他	**バトロキソビン** デフィブラーゼ	1）フィブリノゲンからフィブリノペプチド A のみを分離し，線溶系による分解を受けやすい desA フィブリノゲンとすることによって，血中フィブリノゲン（第 I 因子）濃度を選択的に低下。 2）全血粘度低下作用，末梢循環改善作用もある。 3）末梢循環障害や突発性難聴に用いられる。
	デフィブロチド デファイテリオ	1）ブタ腸粘膜由来ポリ DNA 製剤 2）作用機序は明確でないものの，凝固・線溶系の各種因子に影響を与えることで血管内皮細胞に保護的に働く（アポトーシス抑制，プラスミン活性増強，組織因子発現抑制及び組織因子を介した凝固活性抑制，トロンボモジュリン発現促進，von Willebrand 因子抑制，組織因子経路インヒビター遊離促進など）。 3）肝毛細血管（肝類洞）内皮細胞が障害を受けて肝中心静脈が閉塞を来す肝類洞閉塞症候群（肝中心静脈閉塞症）に適用。

Ⅵ　血液代用薬

1．栄養輸液

分　類	輸　液	説　明
糖　質	ブドウ糖　(5〜70%)	1）5%液は等張で，栄養というより水分補給。50%以上は IVH〈経中心静脈高カロリー輸液〉用。 2）グルコースの骨格筋・脂肪への取込みにはインスリンが必要。
	果糖　(5〜50%) キシリトール (5〜50%) ソルビトール　(5%) マルトース　(10%)	組織への取込みにインスリンを必要とせず，血糖値への影響も少ないので糖尿病患者にも適する。 (ソルビトール)……肝臓で酸化され果糖となる。 (マルトース)……加水分解されて 2 分子のグルコースとなる。
アミノ酸	末梢用　(3〜5%) IVH 用　(10〜12%)	1）必須アミノ酸と非必須アミノ酸はほぼ同量含まれている。 2）分岐鎖アミノ酸（バリン・ロイシン・イソロイシン）は，主に筋肉や脂肪で代謝され，低エネルギー時のエネルギー産生源となる。 3）Cation Gap（Cl^-とNa^+との濃度差）がある場合，電解質輸液と併用すると高クロール性アシドーシスを起こすことがあるため，それを改善する目的で塩酸塩のアミノ酸を酢酸塩やリンゴ酸塩にした製剤や電解質非含有アミノ酸輸液もある。 4）エネルギー補給の目的で糖質を添加した製剤もある。 5）肝不全用：分岐鎖アミノ酸の比率が高く，芳香族アミノ酸・含硫アミノ酸の比率が低い。 6）腎不全用：必須アミノ酸 ＋ ヒスチジン
脂　質	脂肪乳剤（10%，20%）	カロリー補給や必須脂肪酸補給に用いる。 主 成 分：大豆油（必須脂肪酸リノール酸・リノレン酸含有） 乳 化 剤：卵黄リン脂質または大豆レシチン 等張補正：グリセリン

2. 電解質輸液

電解質輸液は，複合電解質輸液（等張・低張）と単一電解質輸液とに分けられる。等張複合電解質輸液は，大手術，熱傷などの細胞外液欠乏時の緊急細胞外液補充液として用いられる。低張複合電解質輸液では，総電解質濃度が血清より低いので「低張」とよばれているが，実際には糖質添加によって等張か高張になっている。電解質輸液には，大量急速静注で浮腫誘発の副作用がある。

分類		輸液名		成分	特徴や適応など
複合	等張	リンゲル液		NaCl，KCl，$CaCl_2$	クロール濃度が高く大量投与でアシドーシスを起こす
		乳酸リンゲル液〈ハルトマン液〉		リンゲル液の NaCl を乳酸 Na に置換	乳酸 Na が肝で代謝され HCO_3^-を発生してアシドーシスを補正
		酢酸リンゲル液		リンゲル液の NaCl を酢酸 Na に置換	酢酸 Na は肝以外でも代謝され HCO_3^-を発生してアシドーシスを補正
	低張	開　始　液〈1 号液〉 ※糖質 2.5～5%		NaCl 濃度はリンゲル液の 1/2～1/3 で，乳酸 Na または酢酸 Na 含有	病態不明時，手術前，脱水症の水分・電解質補給 （K^+：0 mEq／L）
		脱水補給液〈2 号液〉 ※糖質 1.45～10%		Na^+，K^+，Cl^-，乳酸塩 （Mg^{2+}，リン酸塩）	細胞外液異常，細胞内電解質異常 低 K 血症（K^+含有量多いため） （K^+：20～30 mEq／L）
		維　持　液〈3 号液〉 ※糖質 2.7～10%		2 号液類似組成だが，NaCl 濃度が 2 号液よりも低い	腎機能正常な場合の水分・電解質補給と維持（K^+：10～35 mEq／L）
		術後回復液〈4 号液〉 ※糖質 3.75～10%		Na^+，K^+，Cl^-，乳酸塩などを含むが総電解質濃度はこの群で最も低い	腎機能低下時（術後早期，乳幼児，高齢者）の水分・電解質補給 （K^+：0～8 mEq／L）
単一		生理食塩水		生理食塩水（0.9%NaCl）	水分補給（Na^+，Cl^-：154 mEq／L）
		電解質補正液		NaCl	Na 補給
				KCl，L-アスパラギン酸 K （K 補給では急激な心抑制を避けるため原則は内服薬）	K 補給。L-アスパラギン酸 K は細胞内に入りやすく，代謝されて HCO_3^-を出す（向アルカリ補正）
				$CaCl_2$，グルコン酸 Ca L-アスパラギン酸 Ca	Ca 補給
		pH 補正液	アルカリ化	炭酸水素ナトリウム 乳酸ナトリウム	HCO_3^-を発生してアルカリ化
				トロメタモール	血中 CO_2と反応して HCO_3^-を発生するため，呼吸性／代謝性アシドーシス治療に適
			酸性化	塩化アンモニウム	肝で尿素／アミノ酸に利用されるときに H^+，Cl^-を発生するため，低クロール性アルカローシスに有効。肝・腎障害に禁忌

3. 膠質輸液（血漿増量薬）

適　用	膠質浸透圧の維持，循環血液量確保	
副作用	うっ血性心不全に禁忌 アミノグリコシド系抗生物質の腎毒性増強	
膠質輸液	デキストラン 40	出血時及び血液体外循環における血液希釈，血小板機能抑制作用（血栓症予防・治療）
	ヒドロキシエチルデンプン	出血時及び血液体外循環における血液希釈（循環血液量の維持）

4. 経中心静脈高カロリー輸液〈IVH：Intravenous Hyperalimentation〉

経中心静脈高カロリー輸液〈IVH：Intravenous Hyperalimentation〉は，中心静脈までカテーテルを挿入して生体に必要な全ての栄養素を投与する方法で，完全経静脈高栄養法〈TPN：Total Parenteral Nutrition〉あるいは高カロリー輸液法ともよばれる。

適　用	1 日 1,000 kcal 以上のエネルギー補給が必要な場合	
副作用	ビタミン B_1 不足によって，乳酸アシドーシスやウェルニッケ脳症 高浸透圧性非ケトン性糖尿病性昏睡	
IVH	IVH 基本液	高濃度糖質（開始液は 20%程度），高濃度アミノ酸，主要電解質など ※脂肪乳剤は輸液回路途中の滅菌フィルターを通過しないので，別途投与される。
	総合ビタミン剤	IVH 基本液に，水溶性／脂溶性ビタミンを混合 ※水溶性ビタミンは必要量の 5 倍程度まで安全だが，脂溶性ビタミンは脂肪組織などへの蓄積性があるため過剰投与に注意。
	微量元素製剤	IVH 基本液に，亜鉛，鉄，銅，マンガン，ヨウ素を混合

Ⅶ 血液製剤

人の血液を材料として得られる薬剤を血液製剤という。近年では，不必要な血液成分による副作用を軽減する目的で，必要とする血液成分のみを輸血する成分輸血が主流となりつつある。

分類	説明		
全血製剤	血液そのもの	ヘパリン加新鮮血液，保存血液（保存薬含有）	
血液成分製剤	血液の各成分を分離精製したもの	血漿製剤	採血後4時間以内の全血を遠心分離して得た血漿，またはそれを凍結保存したもの。
		赤血球製剤	濃厚赤血球液 洗浄赤血球液 白血球除去赤血球液
		血小板製剤	濃縮血小板血漿
血漿分画製剤	血漿蛋白を分離精製したもの	アルブミン製剤	急性・慢性低蛋白血症，出血性ショック，外傷性ショック，熱傷，低アルブミン血症を伴う成人呼吸促迫症候群〈ARDS〉，肝硬変，ネフローゼなどに適用。単なる栄養補給やアルブミン濃度維持のための使用は避ける。遺伝子組換え型ヒト血清アルブミン製剤あり。
		免疫グロブリン製剤	1）無処理の免疫グロブリンは，静注するとアナフィラキシー様症状を呈するため筋注でしか投与できない。このため，酵素処理・化学処理した静注用免疫グロブリンが開発されている。 2）ペプシン処理製剤は，免疫グロブリン分子が分解されているため体内拡散はよいが，半減期が短くFc活性が期待できない。一方，化学処理製剤（スルホ化，ポリエチレングリコール処理，pH4処理，還元・アルカリ化処理など）では，これらの欠点がかなり改善されている。
		血液凝固因子製剤	血友病患者などへの非加熱製剤投与による肝炎・HIV感染の問題は，加熱処理によって解決されつつある。

血液製剤一覧（その 1）

分類		製剤	適用
血漿製剤		新鮮液状血漿 新鮮凍結血漿	血液凝固因子の補充 循環血漿量改善・維持 播種性血管内凝固症候群〈DIC〉 重症肝障害
アルブミン製剤		加熱人血漿蛋白 人血清アルブミン	低アルブミン血症 出血性ショック
免疫グロブリン製剤	人免疫グロブリン製剤	人免疫グロブリン 乾燥ペプシン処理人免疫グロブリン 乾燥スルホ化人免疫グロブリン ポリエチレングリコール処理人免疫グロブリン pH4 処理酸性人免疫グロブリン 乾燥イオン交換樹脂処理人免疫グロブリン	低・無ガンマグロブリン血症 重症感染症における抗生物質との併用 ウイルス性疾患（A 型肝炎・ポリオ・麻疹） 川崎病の急性期 特発性血小板減少性紫斑病 手術時・出産時（一過性の血小板増加作用による止血促進） ギラン・バレー症候群 水疱性類天疱瘡 Stevens-Johnson 症候群〈皮膚粘膜眼症候群〉 Lyell 症候群〈中毒性表皮壊死症〉 など
	抗破傷風人免疫グロブリン製剤	抗破傷風人免疫グロブリン ポリエチレングリコール処理抗破傷風人免疫グロブリン	破傷風の発症予防，発症後の症状軽減
	抗 HBs 人免疫グロブリン製剤	抗 HBs 人免疫グロブリン ポリエチレングリコール処理抗 HBs 人免疫グロブリン	HBs 抗原陽性血液の汚染事故後の B 型肝炎発症予防，新生児の B 型肝炎予防
	抗 D 人免疫グロブリン製剤	乾燥抗 D〈Rho〉人免疫グロブリン	Rh 式血液型の D〈Rho〉陰性の産婦で D〈Rho〉陽性胎児を出産した場合 ※分娩後に投与し，母体血液中に存在する胎児由来 D〈Rho〉陽性赤血球を破壊する。これによって，母体による抗 D〈Rho〉抗体産生が抑制されるため，第二子が D〈Rho〉陽性でも重篤な新生児溶血症を起こさない。

血液製剤一覧（その2）

分類		製剤	適用
血液凝固因子製剤	フィブリノゲン製剤	乾燥人フィブリノゲン	先天性低フィブリノゲン血症による出血傾向
		フィブリノゲン配合剤	組織の接着・閉鎖（生理的組織接着剤）
	第Ⅱ因子複合体製剤	乾燥濃縮人プロトロンビン複合体	ビタミンK拮抗薬投与中患者における出血傾向の抑制
	第Ⅶa因子製剤	乾燥濃縮人血液凝固第Ⅹ因子加活性化第Ⅶ因子	血液凝固第Ⅷまたは第Ⅸ因子インヒビターを保有する患者の出血傾向
	血液凝固因子抗体迂回活性複合体製剤	乾燥人血液凝固因子抗体迂回活性複合体	
	第Ⅷ因子製剤	乾燥濃縮人血液凝固第Ⅷ因子	血友病A（第Ⅷ因子欠乏）による出血傾向 von Willebrand病
	第Ⅸ因子製剤	乾燥人血液凝固第Ⅸ因子複合体 乾燥濃縮人血液凝固第Ⅸ因子	血友病B（第Ⅸ因子欠乏）による出血傾向
	第ⅩⅢ因子製剤	ヒト血漿由来乾燥血液凝固第ⅩⅢ因子	第ⅩⅢ因子欠乏による出血傾向
血液凝固抑制因子製剤	アンチトロンビンⅢ製剤	乾燥濃縮人アンチトロンビンⅢ	先天性アンチトロンビンⅢ欠乏による血栓形成傾向 播種性血管内凝固症候群〈DIC〉
	活性化プロテインC製剤	乾燥濃縮人活性化プロテインC	先天性プロテインC欠乏症に起因する深部静脈血栓症・急性肺血栓塞栓症
その他	C1-インアクチベーター製剤	人C1-インアクチベーター	遺伝性血管神経性浮腫〈HANE〉（C1-インアクチベーター低下を伴う免疫異常）の急性発作 ※補体第一成分（C1）をはじめ，血液凝固・線溶系やカリクレイン系などに対して広範な阻止作用を示す。
	ハプトグロビン製剤	人ハプトグロビン	熱傷・火傷，輸血，体外循環下開心術などの溶血に伴うヘモグロビン血症・ヘモグロビン尿症（腎機能保持）

第15章

感覚器に作用する薬物

I　眼に作用する薬物 …… 398
II　耳・鼻に作用する薬物 …… 405
III　皮膚に作用する薬物 …… 406

I　眼に作用する薬物

☞『医薬品一般名・商品名・構造一覧』p83

1．緑内障治療薬

① 緑内障

緑内障は，房水の流れの悪化によって眼圧が上昇し，視神経圧迫によって視機能が障害される疾患である。急性発作時には激しい眼痛・頭痛を伴い，早期に治療しないと失明する危険がある。

緑内障

分類	疾患名	説明
隅角開放性（広隅角）	**原発性開放隅角〈単性〉緑内障** **先天性緑内障〈牛眼〉**	隅角が開放され房水が線維柱帯網へ自由に通過できるが，線維柱帯／シュレム管での流出抵抗が高まっているために眼圧が上昇する。
隅角閉塞性（狭隅角）	**原発性閉塞隅角〈うっ血性〉緑内障**	隅角が閉塞して房水が線維柱帯網へ通過できないために房水流出抵抗が高まり，眼圧が上昇する。 禁　忌：**ジピベフリン**（アドレナリン作動薬）， **アセタゾラミド**（炭酸脱水酵素阻害薬） など
その他	**続発性緑内障**	血管新生性〈出血性〉緑内障 ステロイド性緑内障 ぶどう膜炎緑内障
	正常眼圧緑内障 （開放隅角緑内障様の症状）	視神経乳頭陥没 緑内障性視野変化

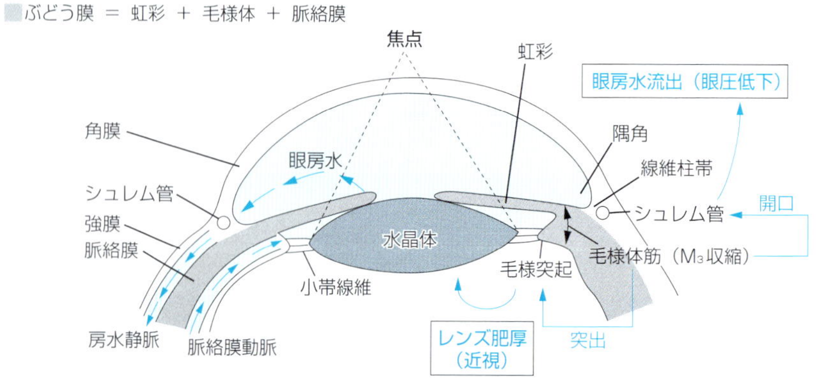

❷ 緑内障を悪化させる主な薬物（眼圧を上げる薬物）

分　類	薬　物
抗コリン薬	アトロピン，スコポラミン，ロートエキスなど
抗コリン作用をもつ薬物	三環系抗うつ薬（イミプラミン，アミトリプチリンなど） 抗ヒスタミン薬（クロルフェニラミン，ジフェンヒドラミンなど） ベンゾジアゼピン系薬物（ジアゼパム，オキサゾラムなど） Ⅰa 型抗不整脈薬（ジソピラミドなど）
ニトロ化合物	ニトログリセリン，ニコランジルなど
副腎皮質ホルモン	プレドニゾロン，ヒドロコルチゾンなど
骨格筋作用薬	スキサメトニウム（一過性の骨格筋収縮により眼圧上昇）

❸ 緑内障治療薬

緑内障治療薬 概観

房　水	分　類	薬　物
流出↑	シュレム管流出↑ （主経路）	コリン作動薬，BK チャネル活性化薬，Rho キナーゼ阻害薬
	ぶどう膜強膜流出↑ （副経路）	α_1遮断薬，α_2・β_2刺激薬， PGE_2受容体〈EP_2〉刺激薬，$PGF_{2\alpha}$受容体〈FP〉刺激薬
産生↓	毛様体上皮・房水産生↓	α_2刺激薬，β遮断薬，炭酸脱水酵素阻害薬

緑内障治療薬

分類	薬物			作用機序	禁忌
眼房水流出↑	ムスカリン受容体刺激薬	点眼	ピロカルピン サンピロ	毛様体筋収縮 （シュレム管開口）	虹彩炎
	コリンエステラーゼ阻害薬	点眼	ジスチグミン ウブレチド （エコチオパート）		胃・十二指腸潰瘍
	Rho キナーゼ阻害薬	点眼	リパスジル グラナテック	線維柱帯弛緩 （シュレム管開口）	本剤に過敏症の既往
	PGE₂ 受容体〈EP₂〉刺激薬	点眼	オミデネパグイソプロピル エイベリス	線維柱帯流出経路 ＋ ぶどう膜強膜流出経路促進	無水晶体眼または眼内レンズ挿入眼等
	PGF₂α 誘導体 / BK チャネル活性化薬（プロストン系）	点眼	イソプロピルウノプロストン レスキュラ	主経路あるいは副経路促進	
	PGF₂α 誘導体 / PGF₂α 受容体〈FP〉刺激薬（プロスト系）	点眼	ラタノプロスト キサラタン トラボプロスト トラバタンズ タフルプロスト タプロス ビマトプロスト ルミガン	ぶどう膜強膜流出経路促進	本剤に過敏症の既往
	α₁受容体遮断薬	点眼	ブナゾシン デタントール		
	血漿浸透圧上昇薬	内服	イソソルビド イソバイド，メンレット （70%）	前眼房において組織から水を吸収	急性頭蓋内血腫
		静注	マンニトール マンニットT，マンニットール （15〜20%）		
			グリセリン（10%）・果糖（5%） グリセオール		先天的グリセリン代謝異常
眼房水産生↓	β₁受容体遮断薬	点眼	ベタキソロール ベトプティック	毛様体上皮細胞 （眼房水産生分泌細胞）	心不全・妊婦
	β 受容体遮断薬	点眼	チモロール[*1] チモプトール カルテオロール[*2] ミケラン レボブノロール レボブノロール		心不全・気管支喘息
	炭酸脱水酵素阻害薬	内服	アセタゾラミド ダイアモックス		閉塞隅角緑内障
		点眼	ドルゾラミド トルソプト ブリンゾラミド エイゾプト		
眼房水流出↑及び眼房水産生↓	アドレナリン受容体刺激薬（主に流出↑）	点眼	ジピベフリン[*3] ピバレフリン	ぶどう膜強膜流出経路促進（α₂・β₂刺激） 毛様体上皮・房水産生抑制（α₂刺激）	閉塞隅角緑内障
	α₂受容体刺激薬	点眼	ブリモニジン[*4] アイファガン	ぶどう膜強膜流出経路促進 毛様体上皮・房水産生抑制	小児等
	α・β受容体遮断薬（ニトロ化合物）	点眼	ニプラジロール ニプラノール ハイパジール	ぶどう膜強膜流出経路促進（α₁遮断） 毛様体上皮・房水産生抑制（β遮断）	心不全・気管支喘息

*1 チモロール：ラタノプロスト，トラボプロスト，タフルプロスト，ドルゾラミド，ブリンゾラミド
ザラカム　デュオトラバ　タプコム　コソプト　アゾルガ
との配合点眼液あり

*2 カルテオロール：ラタノプロストとの配合点眼液あり
ミケルナ

*3 ジピベフリン：アドレナリンのプロドラッグ

*4 ブリモニジン：チモロールとの配合点眼薬，ブリンゾラミドとの配合懸濁性点眼薬あり
アイベータ　アイラミド

2. 白内障治療薬

白内障と白内障治療薬

原 因	トリプトファン・チロシンなどの有核アミノ酸の代謝異常によって生じるキノイド物質が，水晶体の水溶性蛋白質を変性・不溶化することによって水晶体が混濁する疾患。	
分 類	先天性白内障	風疹性白内障（妊娠早期の風疹ウイルス感染による） ガラクトース白内障（先天性ガラクトース代謝酵素異常）
	後天性白内障	老人性白内障，糖尿病性白内障，ステロイド性白内障 薬物性白内障（クロルプロマジンなど），アトピー性白内障 紫外線白内障，放射線白内障，外傷性白内障
治療薬	**ピレノキシン** カタリン，カリーユニ	キノイド物質が水晶体の水溶性蛋白質に結合するのを阻害。
	グルタチオン タチオン	SH 酵素など細胞成分を保護・活性化することによって，白内障の進行や発症を抑制する（白内障発症前に水晶体グルタチオン濃度が低下する）。
	チオプロニン チオラ	SH 基の酸化を保護。肝保護・肝機能改善薬。

3. アレルギー性結膜炎治療薬

アレルギー性結膜炎と治療薬

原 因	抗原（花粉，塵，ダニ，薬物など）によって誘発される抗原抗体反応の結果起こるアレルギー疾患。IgE が関与する即時型〈I 型〉アレルギーに分類され，ほとんどは局所感作による。			
症 状	強いそう痒感，眼瞼・結膜の充血・浮腫など			
治療薬	抗アレルギー薬（予防的に用いる）	抗 H_1 作用なし		**クロモグリク酸 Na**（インタール），**イブジラスト**（ケタス），**ペミロラスト**（アレギサール，ペミラストン）， **トラニラスト**（リザベン，トラメラス），**アシタザノラスト**（ゼペリン）
		抗 H_1 作用あり		**ケトチフェン**（ザジテン），**レボカバスチン**（リボスチン），**オロパタジン**（パタノール）， **エピナスチン**（アレジオン）
	抗炎症薬	ステロイド性	天然型	**ヒドロコルチゾン**（HC ゾロン）
			合 成	**リン酸ベタメタゾン**（リンデロン，サンベタゾン，リノロサール），**デキサメタゾン**（サンテゾーン）， **リン酸デキサメタゾン**（オルガドロン）， **メタスルホ安息香酸デキサメタゾン**（サンテゾーン）， **酢酸プレドニゾロン**（プレドニン），**フルオロメトロン**（オドメール，フルメトロン）
		非ステロイド性		**グリチルリチン酸**（ノイボルミチン），**リゾチーム**（ムコゾーム）， **アズレン**（アズラビン，アズレン，アゾテシン，AZ）
	免疫抑制薬	**タクロリムス**（タリムス），**シクロスポリン**（パピロックミニ）（春季カタル治療）		

4. その他の眼科用薬

その他の眼科用薬（その1）

	分類	薬物		適応
瞳孔調節薬	散瞳薬	抗コリン薬 （M_3拮抗）	アトロピン 日点アトロピン，リュウアト トロピカミド ミドリンM シクロペントラート サイプレジン	診断・治療を目的とする散瞳 調節麻痺
		アドレナリン作動薬 （α_1刺激）	フェニレフリン ネオシネジンコーワ	
	縮瞳薬	コリン作動薬 （M_3刺激）	ピロカルピン サンピロ	診断・治療を目的とする縮瞳 調節麻痺
		コリンエステラーゼ阻害薬 （ACh 作用増強）	ジスチグミン ウブレチド ネオスチグミン ミオピン	
抗病原微生物薬	抗生物質	アミノグリコシド系	フラジオマイシン リンデロンA，ネオメドロールEE ゲンタマイシン ゲンタマイシン ジベカシン パニマイシン トブラマイシン トブラシン	細菌性眼疾患
		クロラムフェニコール系	クロラムフェニコール クロラムフェニコール，オフサロン	
		マクロライド系	エリスロマイシン エコリシン アジスロマイシン アジマイシン	
		セフェム系	セフメノキシム ベストロン	
		グリコペプチド系	バンコマイシン バンコマイシン	
		ペプチド系	コリスチン エコリシン，オフサロン	
	抗菌薬	ニューキノロン系	オフロキサシン タリビッド ノルフロキサシン ノフロ，バクシダール レボフロキサシン クラビット ロメフロキサシン ロメフロン ガチフロキサシン ガチフロ トスフロキサシン オゼックス，トスフロ モキシフロキサシン ベガモックス	
	抗真菌薬	抗真菌性抗生物質	ピマリシン ピマリシン	角膜真菌症
	抗ウイルス薬	DNA ポリメラーゼ阻害薬	アシクロビル ゾビラックス	単純ヘルペスウイルス性角膜炎

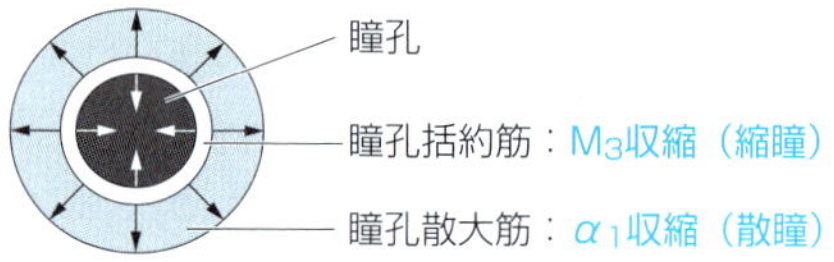

その他の眼科用薬（その2）

分類	薬物		適応
抗炎症薬	合成副腎皮質ホルモン	リン酸ベタメタゾン Na リンデロン，サンベタゾン，リノロサール デキサメタゾン サンテゾーン リン酸デキサメタゾン Na オルガドロン メタスルホ安息香酸デキサメタゾン Na サンテゾーン 酢酸プレドニゾロン プレドニン フルオロメトロン オドメール，フルメトロン	炎症性眼疾患 術中・術後合併症
	NSAIDs	プラノプロフェン ニフラン ジクロフェナク Na ジクロード ブロムフェナク Na ブロナック ネパフェナク ネバナック	
	その他	リゾチーム ムコゾーム グリチルリチン酸 ノイボルミチン アズレン アズラビン，アズレン，AZ 硫酸亜鉛 サンチンク	
局所麻酔薬	エステル型	オキシブプロカイン （分泌性流涙症に適） ベノキシール，ラクリミン	かゆみ 異物除去時の局所麻酔
	アミド型	リドカイン キシロカイン	
血管収縮薬	α受容体刺激薬	ナファゾリン プリビナ	表在性充血除去
筋弛緩薬	運動神経遮断薬	A型ボツリヌス毒素（筋注） ボトックス	眼瞼痙攣
ビタミン	ビタミンA	ヘレニエン（内服薬） （暗順応改善カロチノイド） アダプチノール	網膜色素変性症における一時的視野・暗順応改善
	ビタミン B_2	フラビンアデニンジヌクレオチド〈FAD〉（補酵素型） FAD，フラビタン	角膜組織呼吸促進（角膜炎・眼瞼炎）
	ビタミン B_{12}	シアノコバラミン サンコバ	調節性眼精疲労に伴う微動調節改善
網膜組織呼吸改善薬	ヨウ素	ヨウ素レシチン ヨウレチン	中心性網膜炎 硝子体混濁症

その他の眼科用薬（その3）

分類	薬物		適応
角膜保護薬	レバミピド ムコスタ	ムチン産生促進	ドライアイ
	ジクアホソルNa ジクアス	角結膜上皮から涙液成分・水分分泌促進	角結膜上皮障害（ドライアイ含む）
	コンドロイチン硫酸Na アイドロイチン		角膜乾燥防止
	ヒアルロン酸Na オペガン，オペリード，ヒーロン，ヒアレイン		手術時の角膜保護や角膜上皮障害
	オキシグルタチオン ビーエスエスプラス，オペガードネオキット	角膜内皮保護，手術による眼組織機能低下の軽減作用	手術時の眼洗浄・眼灌流
血管新生阻害薬	ベルテポルフィン ビスダイン	レーザー光曝露により細胞傷害性の強い一重項酸素〈$^1O_2$〉や反応性酸素ラジカルを生成して，血管新生を阻害（静注）	中心窩下脈絡膜新生血管を伴う加齢黄斑変性症
	ブロルシズマブ ベオビュ	ヒト化抗VEGFモノクローナル抗体一本鎖Fv断片（硝子体内投与）	
	ラニビズマブ ルセンティス	ヒト化抗VEGFモノクローナル抗体（Fab断片）（硝子体内投与）	中心窩下脈絡膜新生血管を伴う加齢黄斑変性症 網膜静脈閉塞症に伴う黄斑浮腫 病的近視における脈絡膜新生血管 糖尿病黄斑浮腫
	アフリベルセプト アイリーア	ヒトVEGF受容体細胞外ドメインとヒトIgG1Fcドメインとの融合糖蛋白質（遺伝子組換え）で，可溶性おとり受容体として作用（硝子体内投与）	
その他	α_2受容体刺激薬	アプラクロニジン アイオピジンUD	眼レーザー手術後の眼圧上昇防止
	ステロイド／硝子体着色薬	トリアムシノロンアセトニド マキュエイド	硝子体手術時の硝子体可視化 黄斑浮腫（糖尿病，網膜静脈閉塞症，非感染性ぶどう膜炎）
	$PGF_{2\alpha}$誘導体	ビマトプロスト グラッシュビスタ	睫毛貧毛症

Ⅱ　耳・鼻に作用する薬物

☞『医薬品一般名・商品名・構造一覧』p90

耳鼻科用薬（その1）

疾　患	分　類	投　与	薬　物	付　記
アレルギー性鼻炎 血管運動性鼻炎	副腎皮質 ホルモン	点鼻	プロピオン酸ベクロメタゾン アルデシン AQ ネーザル，リノコート プロピオン酸フルチカゾン　など フルナーゼ	全身性副作用なし
			リン酸デキサメタゾン Na　など オルガドロン	点眼薬としても使用
	抗アレルギー 薬	皮下注	オマリズマブ ゾレア	抗ヒト IgE 抗体
		点鼻	クロモグリク酸 Na インタール	H_1受容体遮断作用なし
		内服	トラニラスト リザベン ペミロラスト アレギサール，ペミラストン	
			スプラタスト アイピーディ	Th2サイトカイン阻害薬
	H_1受容体 遮断薬	点鼻·内服	ケトチフェン	眠気副作用強い
		点鼻	レボカバスチン	局所用選択的 H_1拮抗薬
		内服	ジフェンヒドラミン クロルフェニラミン　など	第一世代抗ヒスタミン薬 （鎮静性）
			セチリジン エバスチン ベポタスチン　など	第二世代抗ヒスタミン薬 （非鎮静性）
	TXA_2／PGD_2 受容体拮抗薬	内服	ラマトロバン バイナス	血管透過性亢進抑制作用 鼻腔抵抗上昇抑制作用 鼻症状発現抑制作用
	ロイコトリエン 受容体拮抗薬	内服	プランルカスト オノン モンテルカスト キプレス，シングレア	鼻腔通気抵抗上昇抑制作用 好酸球浸潤を伴う鼻粘膜浮腫の抑制作用 鼻粘膜過敏性抑制作用
鼻充血・うっ血	血管収縮薬 （α刺激薬）	点鼻	ナファゾリン プリビナ テトラヒドロゾリン コールタイジン トラマゾリン トラマゾリン	
慢性副鼻腔炎	粘液調整薬	内服	カルボシステイン ムコダイン	慢性副鼻腔炎の排膿
	抗IL-4/IL-13 受容体抗体	皮下注	デュピルマブ デュピクセント	鼻茸を伴う慢性副鼻腔炎に適用
MRSA 感染	抗菌薬	鼻腔用軟膏	ムピロシン Ca バクトロバン	蛋白合成阻害
中耳炎・外耳炎	セフェム系 抗生物質	点耳鼻	セフメノキシム ベストロン	細胞壁合成阻害 副鼻腔炎にも適応
	ニューキノロン 系抗菌薬	点耳	オフロキサシン タリビッド ロメフロキサシン ロメフロン	DNA ジャイレース阻害
	その他の 抗菌薬	点耳	ホスホマイシン Na ホスミシン S	細胞壁合成阻害
			クロラムフェニコール クロロマイセチン	蛋白合成阻害
鼓膜穿孔	FGF 製剤	鼓膜用ゼラチンスポンジ鼓膜穿孔部留置	トラフェルミン リティンパ	血管新生・上皮下結合組織増殖による鼓膜修復

Ⅲ　皮膚に作用する薬物

☞『医薬品一般名・商品名・構造一覧』p91

1. 収斂薬

機序	皮膚・粘膜の蛋白質に結合・吸着して不溶性の沈殿物・被膜を作り，外来刺激から局所を被覆保護する。
適用	皮膚表面の保護，潰瘍面・膣洗浄，創傷・熱傷など
薬物	**酸化亜鉛，硫酸亜鉛，硫酸アルミニウムカリウム〈ミョウバン〉，次没食子酸ビスマス タンニン酸**

2. 腐食薬

機序	組織を壊死させ皮膚の異常繁殖部を除去する。		
適用	イボ，ウオノメ，不良肉芽，潰瘍など		
薬物	アルカリ類（皮膚深部まで到達）	水酸化アルカリ（作用強い）	**水酸化ナトリウム，水酸化カリウム**
		炭酸アルカリ	**炭酸ナトリウム，炭酸カリウム**
		角質溶解薬	**硫化アルカリ（硫化バリウム，硫化ストロンチウム），イオウ類（昇華イオウ，沈降イオウ，精製イオウ），サリチル酸，コールタール**
	酸　類	**氷酢酸，トリクロル酢酸，乳酸**	
	金属化合物	**塩化亜鉛，硝酸銀**	

3. 刺激薬

機序	栄養状態の悪い皮膚に無菌的に軽い炎症を起こさせると，反射的な局所血管拡張が起こり皮膚局所の状態が改善される。また，関連痛に関わるヘッド帯（知覚過敏帯）の皮膚刺激によって反射的に深部の組織・臓器の血行が改善され（遠達作用），内臓の炎症・疼痛が緩和される（誘導刺激薬あるいは反対刺激薬ともよばれる）。刺激強度によって発赤薬（弱い），発泡薬（中間），化膿薬（強い）などともよばれる。	
適用	打撲・捻挫・神経痛・肩こり・筋肉痛の消炎，養毛など	
薬物	揮発性物質	**カラシ**（有効成分シニグリン：発赤薬），**メントール**，**サリチル酸メチル**
	不揮発性物質	**カンタリス**（昆虫マメハンミョウ乾燥物で有効成分カンタリジン：発泡薬） **トウガラシ**（有効成分カプサイシン），**イクモタール**（タール成分）

4. 緩和薬

機序	化学的・薬力学的に不活性な物質で，外来刺激や感染物質から皮膚・粘膜を保護することによって病巣の自然治癒力を促進する（皮膚保護薬）。		
適用	損傷，潰瘍，湿疹・肌あれなど		
薬物	粘漿薬	コロイド状物質で水分を吸収して膨張し，粘稠溶液となり皮膚を保護する。	**アラビアゴム，トラガント，デキストリン，ゼラチン，カンテン**
	吸着薬	水・組織液に不溶の粉末で，損傷面・潰瘍・湿疹の滲出液を吸着して乾燥させ痂皮（かさぶた）の形成を促進する。収斂・止血・防腐・消炎作用もある。	**タルク，カオリン，薬用炭**
	保護軟化薬	油脂性物質で，皮膚障害部を被覆保護し，また，皮膚を軟化する軟膏基剤として用いられる。	動物性油脂：**豚脂，牛脂，加水／精製ラノリン，ミツロウ** 植物性油脂：**ユーカリ油，オリーブ油，ツバキ油，ゴマ油，ナタネ油，ダイズ油，ラッカセイ油，トウモロコシ油，ヤシ油，カカオ油，ステアリン酸** その他：**グリセリン，ポリエチレングリコール**

5. 各種皮膚疾患治療薬

各種皮膚疾患治療薬（その1）

皮膚疾患	分類	薬物	内服	外用	付記
尋常性ざ瘡（ニキビ，アクネ）	レチノイン酸受容体刺激薬	アダパレン ディフェリン		●	表皮角化細胞の分化を抑制。
	活性酸素	過酸化ベンゾイル ベピオ		●	クリンダマイシン配合剤，アダパレン配合剤あり。 デュアック エピデュオ
	キノロン系抗菌薬	オゼノキサシン ゼビアックス		●	黄色ブドウ球菌（MRSA 含む），表皮ブドウ球菌，アクネ菌等に有効。
	ニューキノロン系抗菌薬	ナジフロキサシン アクアチム		●	プロピオニバクテリウム・アクネス及びブドウ球菌属に対し優れた抗菌作用。
	テトラサイクリン系抗生物質	ミノサイクリン ミノマイシン	●	●	
	リンコマイシン系抗生物質	クリンダマイシン ダラシン	●	●	
湿疹・皮膚炎	鎮痒薬	クロタミトン オイラックス		●	ヒドロコルチゾン配合剤あり。 オイラックス
	抗ヒスタミン薬	ジフェンヒドラミンなど レスタミン，ベナパスタ	●	●	☞第 5 章オータコイド「ヒスタミン H_1受容体拮抗薬」（p171）参照
	ステロイド合剤	混合死菌浮遊液ヒドロコルチゾン配合剤 エキザルベ		●	
	ビタミン B_2	リボフラビン 強力ビスラーゼ，ビタミン B_2 リン酸リボフラビン ビスラーゼ，ホスフラン FAD ナトリウム フラビタン，フラッド	●		尋常性ざ瘡や眼疾患（結膜炎・角膜炎）にも適。
		酪酸リボフラビン ハイボン	●		血中脂質改善作用（高コレステロール血症治療薬）。
	ニコチン酸	ニコチン酸 ナイクリン	●		抗ペラグラ因子。
	パントテン酸	パントテン酸 Ca パントテン酸カルシウム パンテノール パントール パンテチン パントシン	●		弛緩性便秘，術後腸管麻痺にも適。
	ビタミン B_6	ピリドキシン ビーシックス，ビタミン B_6 リン酸ピリドキサール ピドキサール	●		末梢神経炎にも適。
	ビタミン H	ビオチン ビオチン	●		尋常性ざ瘡にも適。

各種皮膚疾患治療薬（その 2）

皮膚疾患	分類	薬物	内服	外用	付記
アトピー性皮膚炎	PDE4阻害薬	ジファミラスト（モイゼルト）		●	炎症性細胞の細胞内 cAMP 濃度を高め，種々のサイトカイン・ケモカイン産生を制御することにより皮膚の炎症を抑制。
	JAK 阻害薬	アブロシチニブ（サイバインコ） ウパダシチニブ（リンヴォック）	●		ヤヌスキナーゼ〈JAK〉を介した炎症性サイトカインのシグナル伝達を抑制し，炎症を抑制。
		デルゴシチニブ（コレクチム）		●	
	免疫抑制薬	タクロリムス水和物（プロトピック）		●	免疫抑制薬の軟膏剤開発によりステロイド以外の薬物の選択が可能になった。
		シクロスポリン（ネオーラル）	●		
		デュピルマブ（デュピクセント）	皮下注		抗ヒト IL-4/13 受容体モノクローナル抗体
	抗アレルギー薬	クロモグリク酸 Na（インタール） トラニラスト（リザベン） エメダスチン（ダレン，レミカット） エピナスチン（アレジオン） スプラタスト（アイピーディ）	●		肥満細胞からのメディエーター遊離抑制。
	外用抗炎症薬	外用ステロイド		●	☞第 7 章抗炎症薬「ステロイド性抗炎症薬一覧（その 3：外用）」（p226）参照
角化症	ビタミン A	パルミチン酸レチノール（チョコラ A）	●		上皮細胞の角質化を抑制。
		エトレチナート（合成レチノイド）（チガソン）	●		乾癬・苔癬・魚鱗癬・膿疱症などにも適応。催奇形性注意。
	活性型ビタミン D_3	タカルシトール（ボンアルファ） マキサカルシトール（オキサロール）		●	表皮細胞の増殖抑制・分化誘導。
	その他	尿素（ウレパール，ケラチナミン，パスタロン）		●	表皮での水分含有量増加（乾燥性病変改善）。
日光角化症	免疫増強薬	イミキモド（ベセルナ）		●	IFN-α 産生促進。尖圭コンジローマにも適用。

各種皮膚疾患治療薬（その3）

皮膚疾患	分　類	薬　物	内服	外用	付　記
乾癬症	PDE4阻害薬	アプレミラスト オテズラ	●		炎症性細胞に作用
	活性型ビタミン D_3	タカルシトール ボンアルファ マキサカルシトール オキサロール カルシポトリオール ドボネックス		●	カルシポトリオールとジプロピオン酸ベタメタゾンとの配合剤 ドボベット，マキサカルシトールと酪酸プロピオン酸ベタメタゾンとの配合剤あり。マーデュオックス
	免疫抑制薬	外用ステロイド		●	☞第7章抗炎症薬「ステロイド性抗炎症薬一覧（その3：外用）」（p226）参照
		シクロスポリン サンディミュン，ネオーラル	●		カルシニューリン阻害
		メトトレキサート メトレート，リウマトレックス	●		葉酸代謝拮抗（ジヒドロ葉酸還元酵素阻害）
		ウステキヌマブ ステラーラ	皮下注		抗ヒトIL-12/IL-23モノクローナル抗体
		グセルクマブ トレムフィア リサンキズマブ スキリージ チルドラキズマブ イルミア	皮下注		抗ヒトIL-23p19モノクローナル抗体
	炎症性サイトカイン阻害薬	インフリキシマブ レミケード	点滴静注		抗ヒトTNFαモノクローナル抗体
		アダリムマブ ヒュミラ セルトリズマブペゴル シムジア	皮下注		
		セクキヌマブ コセンティクス イキセキズマブ トルツ	皮下注		抗ヒトIL-17Aモノクローナル抗体
		ブロダルマブ ルミセフ	皮下注		抗ヒトIL-17受容体Aモノクローナル抗体

各種皮膚疾患治療薬（その4）

皮膚疾患	分類	薬物	内服	外用	付記
皮膚潰瘍（褥瘡，熱傷・外傷性潰瘍など）	FGF製剤	トラフェルミン フィブラスト		●	線維芽細胞増殖因子（FGF）受容体に作用して，血管新生・肉芽形成促進作用を示す。
	ビタミンA-E結合体	トレチノイントコフェリル オルセノン		●	肉芽形成・血管新生促進作用をもつビタミンA-Eエステル結合体（創傷・火傷治療薬）。
	血管拡張薬 血流改善薬	アルプロスタジルアルファデクス（PGE$_1$） プロスタンディン		●	局所血流改善により肉芽・表皮形成促進。
		ブクラデシンNa （ジブチリルcAMP） アクトシン		●	
	抗炎症薬	アズレン アズノール		●	眼・皮膚・口腔・胃などの消炎（表皮欠損の場合のみ）。
		リゾチーム リフラップ ブロメライン ブロメライン		●	消炎酵素（壊死組織の分解・軟化）。
	抗菌薬	スルファジアジン テラジアパスタ スルファジアジン銀 ゲーベン		●	ブドウ球菌，大腸菌に強い抗菌力（創面感染治療）。
		ヨウ素配合カデキソマー カデックス		●	カデキソマー（高分子ポリマー）が滲出液・膿・フィブリノゲン・PGE$_2$などを吸収し，ヨウ素が抗菌作用を示す。
		精製白糖・ポビドンヨード ユーパスタ，ソアナース		●	白糖は創傷治癒促進作用，ポビドンヨードは抗菌作用を示す。
	創傷保護薬	酸化亜鉛 亜鉛華軟膏，亜鉛華単軟膏，チンク油		●	保護，収斂，消炎，防腐。
	その他	アルクロキサ アルキサ		●	アルミニウムクロロヒドロキシアラントイネート。アラントインの線維芽細胞増殖・結合織代謝・血管新生促進（肉芽形成・表皮再生促進）作用による損傷組織修復促進及び基剤による滲出液吸着。
		幼牛血液抽出物 ソルコセリル		●	ミトコンドリア呼吸促進（ATP産生促進）による細胞機能賦活，線維芽細胞増殖促進，網内系機能賦活，肉芽形成・血管再生促進。

各種皮膚疾患治療薬（その5）

皮膚疾患	分　類	薬　物	内服	外用	付　記
白癬症	抗真菌薬	各種抗真菌薬	●	●	☞第17章病原生物に作用する薬物「Ⅳ 抗真菌薬」（p510）参照
単純疱疹	抗ウイルス薬	アシクロビル ゾビラックス ビダラビン アラセナ-A		●	☞第17章病原生物に作用する薬物「抗ヘルペスウイルス薬」（p514）参照
疥癬	駆虫薬	フェノトリン スミスリン		●	ダニ神経細胞 Na^+チャネル閉塞遅延により殺虫作用を示す。
		イベルメクチン ストロメクトール	●		無脊椎動物の神経・筋細胞に存在するグルタミン酸作動性 Cl^-チャネルを選択的に開口させる。その結果，細胞膜の透過性が上昇して神経・筋細胞の過分極が生じ，寄生虫が麻痺を起こして死に至る。腸管糞線虫症にも有効。
皮膚癌	抗悪性腫瘍薬	ブレオマイシンなど ブレオ，ブレオS	●	●	☞第18章抗悪性腫瘍薬「その他の抗生物質」（p551）参照
尋常性白斑〈白なまず〉	副交感神経刺激薬	カルプロニウム フロジン		●	円形脱毛症にも適応。
	光線（紫外線）感受性増強薬	メトキサレン オクソラレン	●	●	露光部に一度メラニン沈着が起こると，効果は8～14年持続。
鶏眼〈ウオノメ〉	腐食薬	サリチル酸 サリチル酸ワセリン軟膏，スピール膏M		貼付	組織を壊死させ皮膚の異常繁殖部を除去する。
ハンセン病	抗らい菌薬	ジアフェニルスルホン レクチゾール	●		らい菌〈*M. leprae*〉増殖阻止によって類結核型・らい腫型ともに有効（静菌的）。
		クロファジミン ランプレン	●		
	抗菌薬	オフロキサシン タリビッド	●		☞第17章病原生物に作用する薬物「キノロン系・ニューキノロン系抗菌薬」（p504）参照
	抗抗酸菌薬	リファンピシン リファジン	●		☞第17章病原生物に作用する薬物「抗結核薬」（p507）参照

6．外用抗炎症薬

❶ 外用ステロイド性抗炎症薬

湿疹・皮膚炎群，皮膚そう痒症，痒疹群，虫刺され，乾癬，掌蹠膿疱症，薬疹・中毒疹，瘢痕・ケロイド，苔癬，慢性円板状エリテマトーデス，紅斑症などに適用される（☞薬物名等は「第７章 抗炎症薬 ―Ⅱ ステロイド性抗炎症薬」p226の表を参照）。

❷ 外用非ステロイド性抗炎症薬

関節炎・筋肉痛（変形性関節症，筋肉痛，肩関節周囲炎，腱鞘炎，腱周囲炎，上腕骨上顆炎），外傷後の腫脹・疼痛，湿疹・皮膚炎（急性・慢性湿疹，接触性皮膚炎，アトピー性皮膚炎，皮脂欠乏性皮膚炎，口囲皮膚炎，帯状疱疹）などに適用される（☞薬物名等は「第７章 抗炎症薬 ―Ⅲ 非ステロイド性抗炎症薬」p227を参照）。

第 16 章

内分泌・代謝系作用薬

Ⅰ　ホルモン療法薬……………………………… 416
Ⅱ　ビタミン……………………………………… 449
Ⅲ　糖尿病治療薬………………………………… 457
Ⅳ　脂質異常症治療薬…………………………… 466
Ⅴ　高尿酸血症治療薬…………………………… 474
Ⅵ　骨粗しょう症治療薬………………………… 476

I　ホルモン療法薬

☞『医薬品一般名・商品名・構造一覧』p96

ホルモンは，（1）特定の細胞で産生され，（2）その細胞から直接血中に分泌（内分泌）されて標的組織・標的細胞に作用することによって，（3）個体の維持（代謝調節）と種の保存（生殖）に決定的な役割を演じている。ホルモンには，分泌腺に作用して別のホルモンを遊離・放出させることによって間接的に作用を発揮する向腺性ホルモンと，直接に標的細胞に作用して効果を現す奏効性ホルモンとがある。ホルモンの作用や役割を理解することによって，ホルモン補充療法，ホルモン拮抗薬療法，内分泌機能異常の診断などへの応用が可能となる。

おさえるべきところ

1．ホルモンの分類とホルモン産生・分泌のフィードバック調節 ……p416
2．松果体ホルモン（メラトニン） ……p421
3．視床下部-下垂体系ホルモン ……p421
4．下垂体後葉ホルモン ……p428
5．副腎皮質ホルモン ……p429
6．性ホルモン ……p435
7．甲状腺ホルモン ……p441
8．パラトルモン（副甲状腺〈上皮小体〉ホルモン）とカルシトニン ……p443
9．膵臓ホルモン ……p444
10．消化管ホルモン ……p447
11．心臓ホルモン（ナトリウム利尿ペプチド） ……p448

1．ホルモンの分類とホルモン産生・分泌のフィードバック調節

視床下部ホルモンは，向腺性ホルモンとして働き，主に下垂体前葉ホルモンの放出を制御する。下垂体前葉ホルモンは，そのまま奏効性ホルモンとして作用を発揮するものと，向腺性ホルモンとして作用し標的臓器からホルモンを放出させるものとがある。視床下部・下垂体系によって最終的に産生された奏効性ホルモンは，視床下部・下垂体に対して負のフィードバック制御機構を働かせることによって視床下部・下垂体ホルモンの産生・分泌を抑制し，自己の血中濃度を制御する。

❶　ホルモンの分類

視床下部ホルモン （向腺性ホルモン）	下垂体前葉ホルモン （向腺性または奏効性ホルモン）		奏効性ホルモン
副腎皮質刺激ホルモン放出ホルモン 〈CRH：コルチコレリン〉	副腎皮質刺激ホルモン 〈ACTH：コルチコトロピン〉		副腎皮質ホルモン 〈鉱質・糖質コルチコイド〉[*1]
性腺刺激ホルモン放出ホルモン 〈GnRH／LH-RH：ゴナドレリン〉	性腺刺激 ホルモン 〈ゴナドトロ ピン〉	卵胞刺激ホルモン 〈FSH〉	卵胞ホルモン〈エストロゲン〉[*1]
		黄体形成ホルモン 〈LH〉 間質細胞刺激ホル モン〈ICSH〉	黄体ホルモン〈プロゲスチン〉[*1] 男性ホルモン〈アンドロゲン〉[*1]
甲状腺刺激ホルモン放出ホルモン 〈TRH：プロチレリン〉	甲状腺刺激ホルモン 〈TSH：チロトロピン〉		甲状腺ホルモン〈チロキシン， トリヨードチロニン〉[*2]
成長ホルモン放出ホルモン 〈GH-RH：ソマトレリン〉	成長ホルモン 〈GH：ソマトトロピン〉		
成長ホルモン放出抑制ホルモン 〈GH-RIH：ソマトスタチン〉			
催乳ホルモン放出ホルモン 〈PRH：プロラクトリベリン〉	催乳ホルモン 〈PRL：プロラクチン〉		
催乳ホルモン放出抑制ホルモン 〈PRIH：プロラクトスタチン ＝ドパミン〉[*3]			
メラニン細胞刺激ホルモン放出ホル モン〈MRH：メラノリベリン〉	**下垂体中葉ホルモン**		
メラニン細胞刺激ホルモン放出抑制 ホルモン〈MRIH：メラノスタチン〉	メラニン細胞刺激ホルモン 〈MSH：メラノトロピン〉		
視床上部ホルモン	**下垂体後葉ホルモン**		**奏効性ホルモン**
松果体ホルモン 〈メラトニン〉[*3]	オキシトシン バソプレシン		副甲状腺／上皮小体ホルモン 〈パラトルモン：PTH〉 カルシトニン 膵臓ホルモン 〈インスリン，グルカゴン〉 消化管ホルモン 心臓ホルモン

＊1：ステロイド　　＊2：アミノ酸　　＊3：アミン　　その他：蛋白・ペプチド性ホルモン

【視床下部ホルモン と 下垂体前葉ホルモン の名前】

　　視床下部ホルモンは，下垂体前葉ホルモンの放出を促進／抑制する向下垂体性ホルモンであり，「～放出ホルモン Releasing Hormone（～RH：～レリン）／～放出抑制ホルモン Release-Inhibiting Hormone（～RIH：～スタチン）」と名付けられる場合が多い。

　　一方，下垂体前葉ホルモンのうち，向腺性ホルモンは，「～刺激ホルモン Stimulating Hormone（～SH：～トロピン）」と名付けられる場合が多い。

　　従って，ホルモンの名前から，逆に，視床下部ホルモンであるか下垂体前葉ホルモンであるかを推定することが可能である。

❷ ホルモン産生・分泌のフィードバック調節

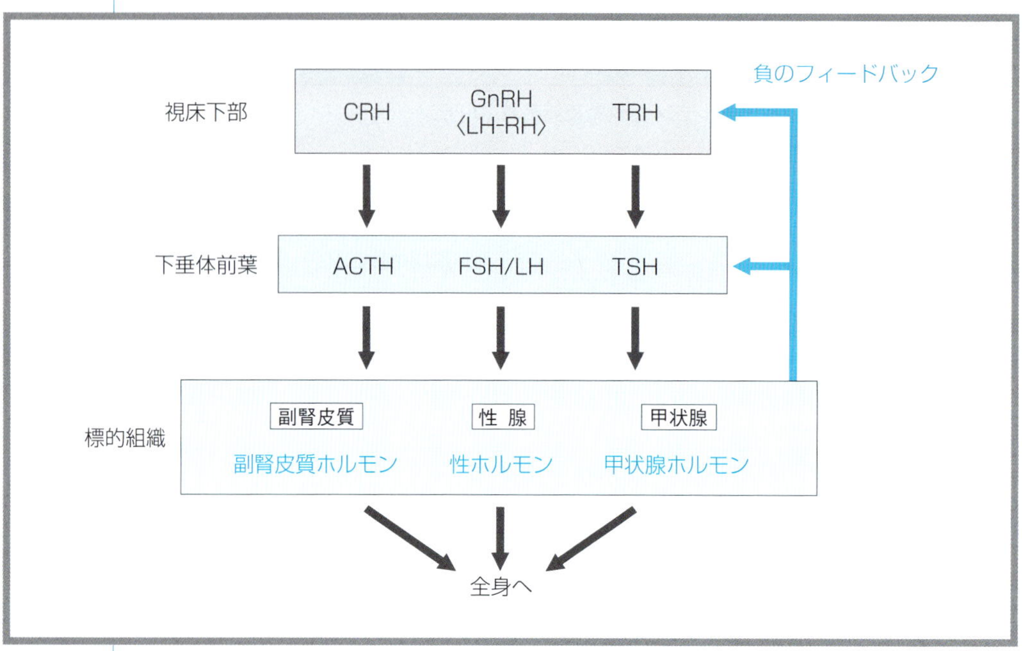

❸ ホルモン・ビタミン受容体

ホルモン・ビタミン			G蛋白質共役型			チロシンキナーゼ内在／共役型	細胞内受容体
			$G_{q/11}$	$G_{i/o}$	G_s		
松果体ホルモン		メラトニン		$MT_{1,2}$			
視床下部ホルモン		コルチコレリン〈CRH〉			$CRF_{1,2}$		
		ゴナドレリン〈GnRH〉	$GnRH_{1,2}$				
		プロチレリン〈TRH〉	$TRH_{1,2}$				
		ソマトレリン〈GH-RH〉			GHRH受容体		
		ソマトスタチン〈GH-RIH〉		$sst_{1\sim5}$			
		プロラクチン放出ペプチド〈PrRP〉	PrRP受容体				
		ドパミン		$D_{2\sim4}$	$D_{1,5}$		
下垂体前葉／中葉ホルモン		コルチコトロピン〈ACTH〉 メラノトロピン〈MSH〉			$MC_{1\sim5}$ （メラノコルチン受容体）		
		ゴナドトロピン〈FSH／LH〉			FSH受容体 LH受容体		
		チロトロピン〈TSH〉			TSH受容体		
		ソマトトロピン〈GH：成長ホルモン〉				GH受容体	
		プロラクチン〈PRL〉				プロラクチン受容体	
下垂体後葉ホルモン		オキシトシン	OT	OT			
		バソプレシン	$V_{1A,1B}$		V_2		
膵臓ホルモン		グルカゴン			グルカゴン受容体		
		インスリン				インスリン受容体	
ステロイドホルモン	副腎皮質ホルモン	糖質コルチコイド					GR
		鉱質コルチコイド					MR
	性ホルモン	エストロゲン					ERα,ERβ
		アンドロゲン					AR
		プロゲステロン					PR
甲状腺ホルモン		甲状腺ホルモン〈$T_3>T_4$〉					TRα,TRβ
副甲状腺ホルモン		パラトルモン〈PTH〉	$PTH_{1,2}$		$PTH_{1,2}$		
甲状腺傍細胞ホルモン		カルシトニン			CT		
ビタミンA		all *trans*-レチノイン酸 9-*cis*-レチノイン酸					RARα～γ （レチノイン酸受容体）
		9-*cis*-レチノイン酸					RXRα～γ （レチノイドX受容体）
ビタミンD_3		ビタミンD_3					VDR

❹ 核内受容体スーパーファミリー

脂溶性生理活性分子（ステロイドホルモン，甲状腺ホルモン，脂溶性ビタミンなど）は細胞膜を通過し，細胞質/核内に存在する受容体を刺激して遺伝子の転写を制御する。核内受容体は，以下に示すような共通構造をもち，ホモ二量体を形成する**Ⅰ型受容体**と，レチノイドＸ受容体（RXR）とのヘテロ二量体を形成する**Ⅱ型受容体**に分類される。ヒトでは，48 種類の核内受容体が知られている。

［核内受容体の共通構造］

N 末端	転写制御領域	DNA 結合領域	ヒンジ領域 （核移行シグナル）	リガンド結合領域 （転写活性化領域）	C 末端

核内受容体の分類	該当する核内受容体	説　明
Ⅰ型 （ホモ二量体）	ステロイドホルモン受容体 ［副腎皮質ホルモン受容体］ ・糖質コルチコイド受容体(GR) ・鉱質コルチコイド受容体(MR) ［性ホルモン受容体］ ・エストロゲン受容体(ER) ・アンドロゲン受容体(AR) ・プロゲステロン受容体(PR) など	Ⅰ型受容体は，**ホモ二量体**を形成して標的遺伝子の転写を制御する。 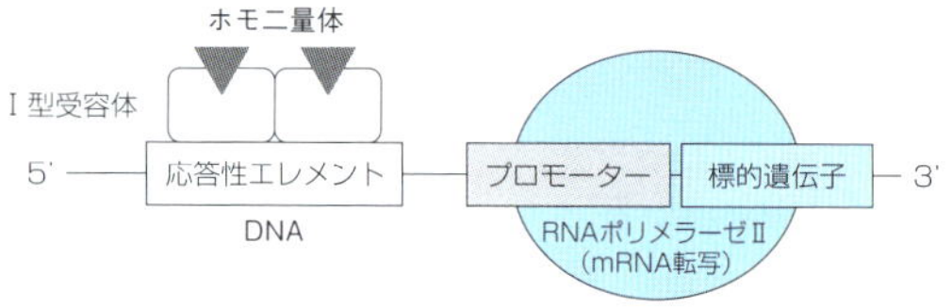
Ⅱ型 （ヘテロ二量体）	・レチノイン酸受容体（RAR） ・ビタミン D 受容体（VDR） ・甲状腺ホルモン受容体（TR） ・ペルオキシソーム増殖剤活性化受容体γ（PPARγ） など	Ⅱ型受容体は，**レチノイド X 受容体（RXR）**と**ヘテロ二量体**を形成して標的遺伝子の転写を制御する。 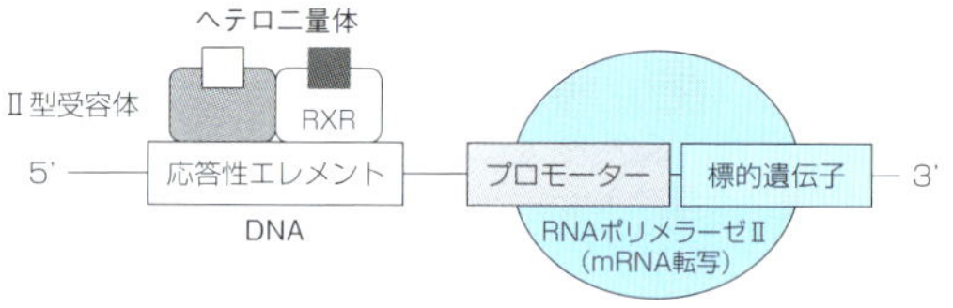

2. 松果体ホルモン（メラトニン）

松果体は，視床上部に位置する内分泌器官である。松果体には，脳セロトニンの50倍高濃度のセロトニンが分布し，セロトニン→*N*-アセチルセロトニン→メラトニン〈*N*-アセチル-5-メトキシトリプタミン〉の過程を経て合成される。松果体のメラトニン合成は日内リズムをもっており，明環境で減少，暗環境で増加する。このリズムは，交感神経除去や目隠しによって消失する。従って，メラトニン受容体（G_i共役型）刺激薬（ラメルテオンなど）は催眠薬として用いられている。また，メラトニンは，視床下部・性腺刺激ホルモン放出ホルモン〈LH-RH〉の分泌抑制を介して生殖腺の発育・機能に対して抑制的に作用する。

3. 視床下部-下垂体系ホルモン

① 視床下部-下垂体系ホルモン分泌（腺分泌及び神経分泌）概観

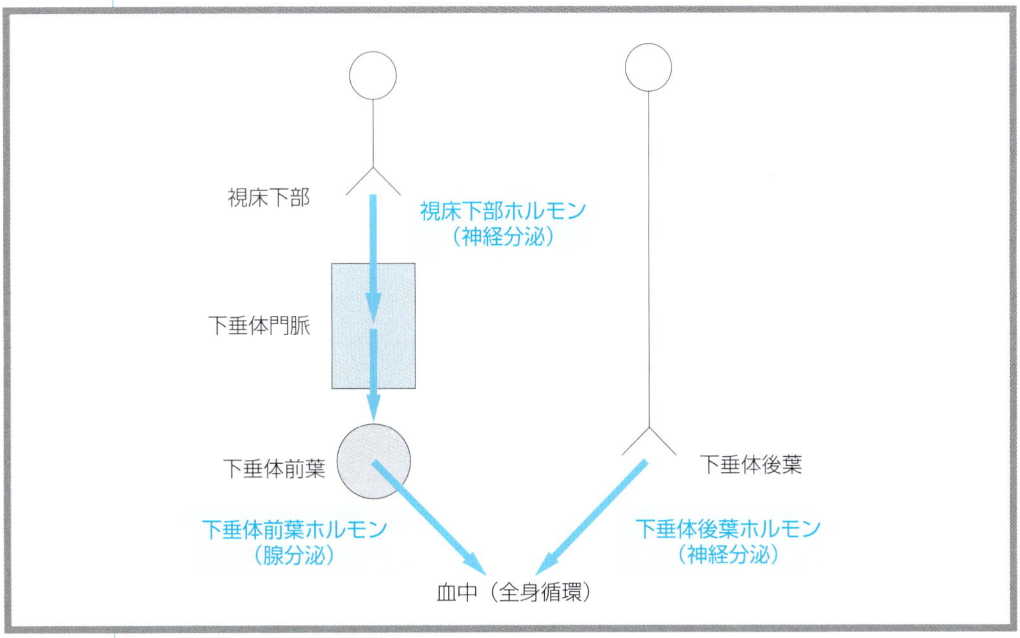

❷ 視床下部-下垂体系ホルモン 概観

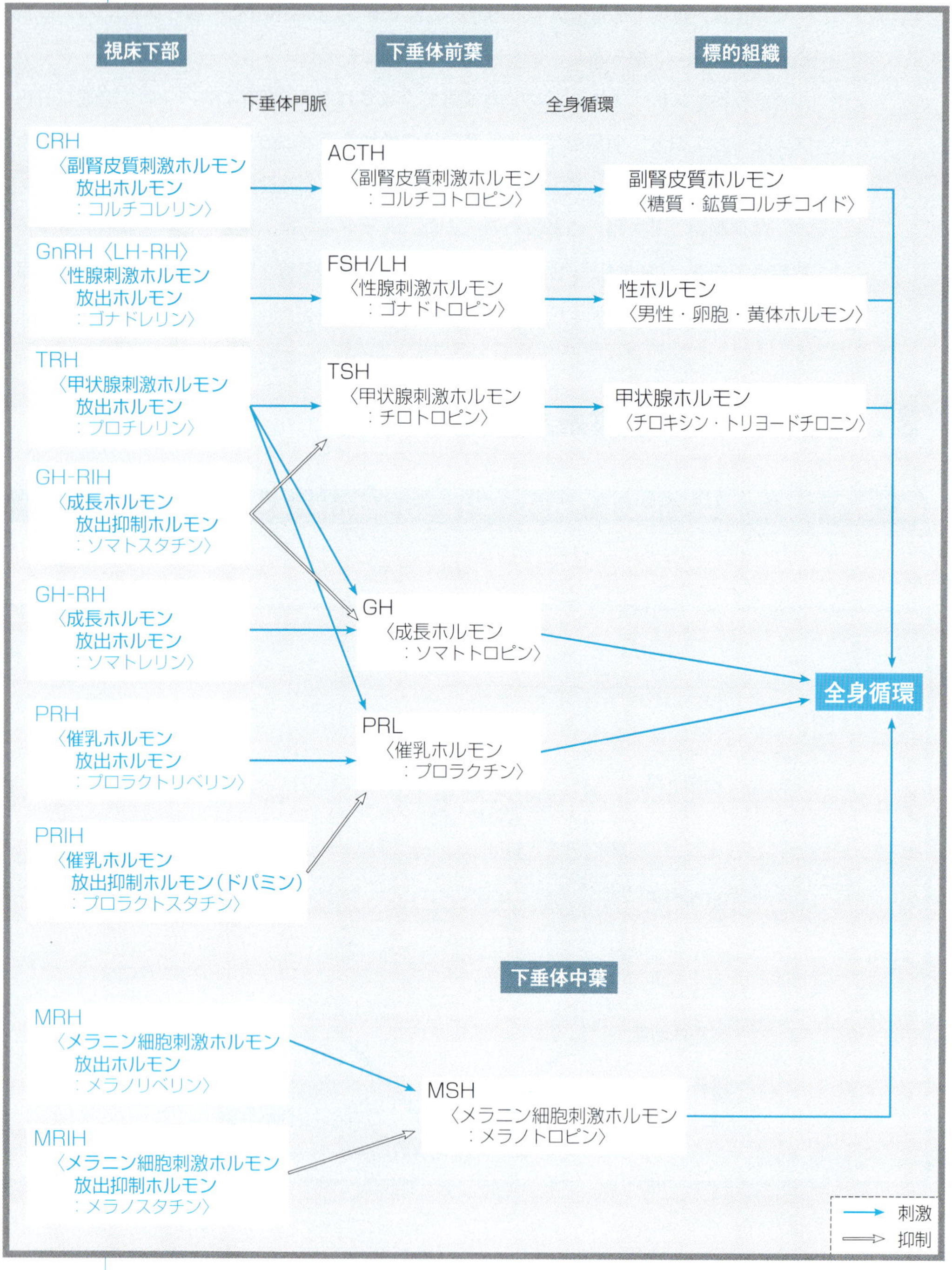
視床下部
下垂体前葉
標的組織
下垂体門脈
全身循環
CRH
〈副腎皮質刺激ホルモン
放出ホルモン
：コルチコレリン〉
ACTH
〈副腎皮質刺激ホルモン
：コルチコトロピン〉
副腎皮質ホルモン
〈糖質・鉱質コルチコイド〉
GnRH〈LH-RH〉
〈性腺刺激ホルモン
放出ホルモン
：ゴナドレリン〉
FSH/LH
〈性腺刺激ホルモン
：ゴナドトロピン〉
性ホルモン
〈男性・卵胞・黄体ホルモン〉
TRH
〈甲状腺刺激ホルモン
放出ホルモン
：プロチレリン〉
TSH
〈甲状腺刺激ホルモン
：チロトロピン〉
甲状腺ホルモン
〈チロキシン・トリヨードチロニン〉
GH-RIH
〈成長ホルモン
放出抑制ホルモン
：ソマトスタチン〉
GH-RH
〈成長ホルモン
放出ホルモン
：ソマトレリン〉
GH
〈成長ホルモン
：ソマトトロピン〉
全身循環
PRH
〈催乳ホルモン
放出ホルモン
：プロラクトリベリン〉
PRL
〈催乳ホルモン
：プロラクチン〉
PRIH
〈催乳ホルモン
放出抑制ホルモン(ドパミン)
：プロラクトスタチン〉
下垂体中葉
MRH
〈メラニン細胞刺激ホルモン
放出ホルモン
：メラノリベリン〉
MSH
〈メラニン細胞刺激ホルモン
：メラノトロピン〉
MRIH
〈メラニン細胞刺激ホルモン
放出抑制ホルモン
：メラノスタチン〉
刺激
抑制

③ 視床下部-下垂体系ホルモン 各論

a）視床下部コルチコレリン-下垂体コルチコトロピン系

<table>
<tr><td rowspan="2">視床下部ホルモン</td><td rowspan="2">副腎皮質刺激ホルモン
放出ホルモン
〈CRH：コルチコレリン〉</td><td colspan="3">脳下垂体前葉から副腎皮質刺激ホルモン〈ACTH：コルチコトロピン〉を放出 → 副腎皮質束状層から糖質コルチコイドの分泌促進。</td></tr>
<tr><td>CRH 製剤</td><td>コルチコレリン
ヒトCRH</td><td>視床下部・下垂体・副腎皮質系ホルモンの分泌機能検査</td></tr>
<tr><td rowspan="2">下垂体前葉ホルモン</td><td rowspan="2">副腎皮質刺激ホルモン
〈ACTH：コルチコトロピン〉</td><td colspan="3">1）前駆体蛋白質（プレプロオピオメラノコルチン）から産生。
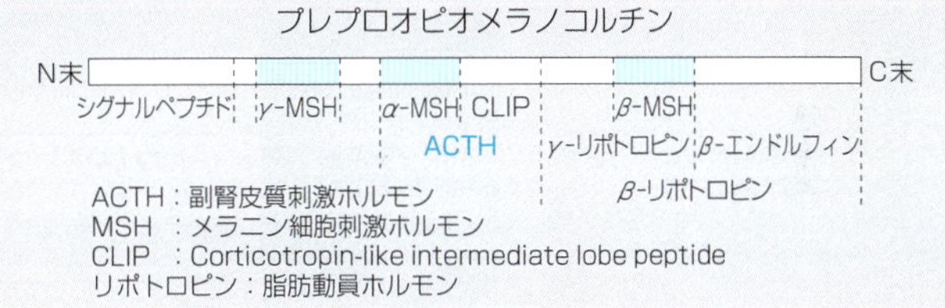

2）副腎皮質束状層から糖質コルチコイド分泌促進。
（参考：副腎皮質球状層からはアンギオテンシンⅡ刺激でアルドステロンが分泌される。）
3）ACTH 分子内に α-MSH 含むためメラニン細胞を刺激。</td></tr>
<tr><td>合成 $ACTH_{1\text{-}24}$</td><td>テトラコサクチド
コートロシン</td><td>副腎皮質機能検査
関節リウマチ治療</td></tr>
</table>

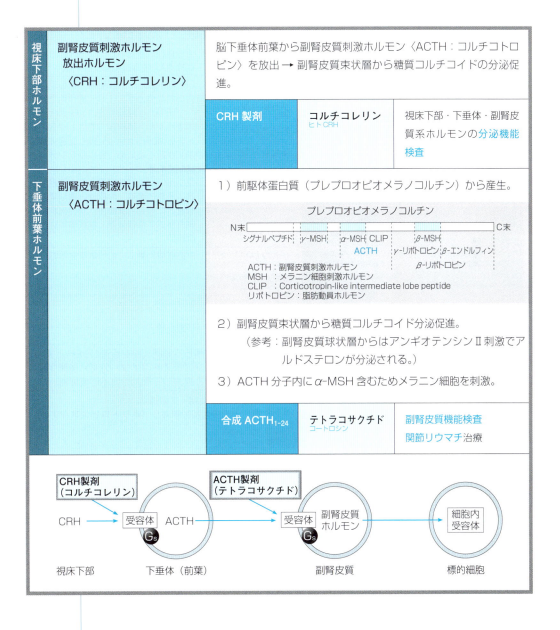

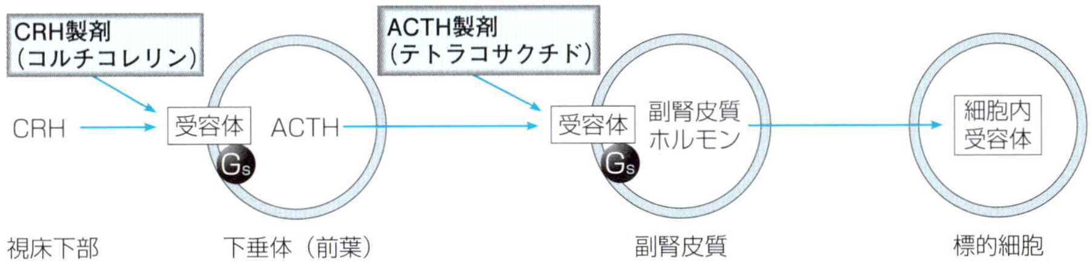

b）視床下部ゴナドレリン-下垂体ゴナドトロピン系

視床下部ホルモン	性腺刺激ホルモン放出ホルモン〈GnRH／LH-RH：ゴナドレリン〉	脳下垂体前葉から性腺刺激ホルモン〈ゴナドトロピン〉である卵胞刺激ホルモン〈FSH〉と黄体形成ホルモン〈LH〉／間質細胞刺激ホルモン〈ICSH〉を分泌 → 性ホルモンである卵胞ホルモン〈エストロゲン〉，黄体ホルモン〈プロゲスチン〉，男性ホルモン〈アンドロゲン〉の分泌を促進。		
		LH-RH 製剤	**ゴナドレリン** ヒポクライン，LH-RH	下垂体機能検査（LH，FSH の分泌機能検査），性腺機能低下症治療
		LH-RH 誘導体	**リュープロレリン** リュープリン **ブセレリン** スプレキュア **ナファレリン** ナサニール **ゴセレリン** ゾラデックス	LH-RH のアミノ酸配列を少し変えて得られた強力な LH-RH 様作用をもつペプチド。一回投与では LH-RH 様作用を示すが，連続投与では LH-RH 受容体の down regulation（受容体数減少）が起こるため，性ホルモン分泌が抑制される。 性ホルモン依存性疾患（前立腺癌，乳癌，子宮内膜症，中枢性思春期早発症など）に有効。肝障害，女性化乳房，睾丸萎縮，性欲減退，排尿障害などの副作用。
		GnRH 受容体拮抗薬	**セトロレリクス** セトロタイド **ガニレリクス** ガニレスト	調節卵巣刺激下における早発排卵の防止。
			デガレリクス ゴナックス	前立腺癌
			レルゴリクス レルミナ	子宮筋腫
下垂体前葉ホルモン	性腺刺激ホルモン〈FSH／LH：ゴナドトロピン〉	卵胞刺激ホルモン〈FSH〉	**女性**：原始卵胞に作用して卵胞成熟を促進し，LH と協力して卵胞ホルモン〈エストロゲン〉分泌／排卵促進。 **男性**：アンドロゲンと協力して睾丸の精子形成促進。	
		ヒト下垂体性性腺刺激ホルモン〈hMG〉 HMG	FSH が主。造精・排卵誘発。 遺伝子組換え型製剤あり（**ホリトロピンアルファ** ゴナールエフ）。	
		黄体形成ホルモン〈LH〉（間質細胞刺激ホルモン〈ICSH〉）	**女性**：成熟卵胞に作用し，FSH と協力して卵胞ホルモン〈エストロゲン〉分泌／排卵促進。排卵後，卵胞の黄体化を促進して黄体ホルモン〈プロゲスチン〉分泌促進。 **男性**：精巣間質細胞〈Leydig 細胞〉に作用して男性ホルモン〈アンドロゲン〉分泌促進。	
		ヒト絨毛性性腺刺激ホルモン〈hCG〉 HCG，ゴナトロピン	LH が主。妊娠初期に胎盤で多量に産生され尿中排泄（妊娠検査に応用）。排卵誘発，造精促進，黄体機能改善，切迫流産治療。 遺伝子組換え型製剤あり（**コリオゴナドトロピン アルファ** オビドレル）	

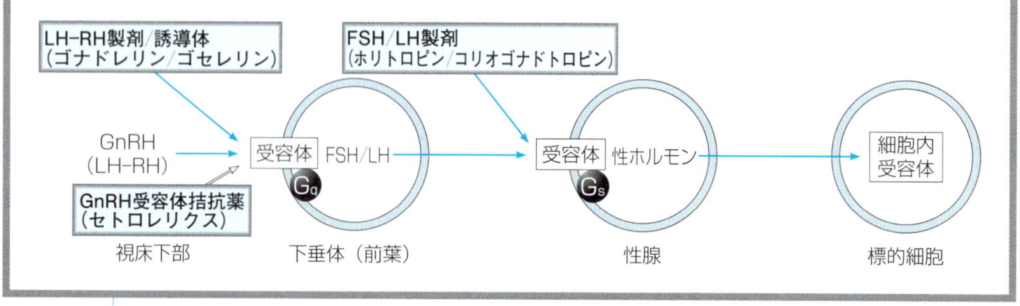
LH-RH製剤/誘導体
(ゴナドレリン/ゴセレリン)
FSH/LH製剤
(ホリトロピン/コリオゴナドトロピン)
GnRH
(LH-RH)
受容体
FSH/LH
Gq
受容体
性ホルモン
Gs
細胞内
受容体
GnRH受容体拮抗薬
(セトロレリクス)
視床下部
下垂体（前葉）
性腺
標的細胞

c）視床下部プロチレリン-下垂体チロトロピン系

分類	ホルモン	作用・分類	薬物	適応
視床下部ホルモン	甲状腺刺激ホルモン放出ホルモン〈TRH：プロチレリン〉	脳下垂体前葉から甲状腺刺激ホルモン〈TSH：チロトロピン〉と催乳ホルモン〈PRL：プロラクチン〉を分泌 → 甲状腺ホルモン〈チロキシン，トリヨードチロニン〉とプロラクチンの分泌を促進。		
		TRH 製剤	プロチレリン TRH	下垂体機能検査（TSH とプロラクチンの分泌機能検査）
			酒石酸プロチレリン ヒルトニン	下垂体機能検査，頭部外傷・くも膜下出血に伴う遷延性意識障害，脊髄小脳変性症における運動失調の改善。
		TRH 誘導体	タルチレリン水和物（経口 TRH 製剤） セレジスト	脊髄小脳変性症における運動失調の改善。
下垂体前葉ホルモン	甲状腺刺激ホルモン〈TSH：チロトロピン〉	甲状腺を刺激して甲状腺のヨウ素取込みを促進し，甲状腺ホルモン〈チロキシン，トリヨードチロニン〉の生成・分泌を促進。		
		TSH 製剤	ヒトチロトロピン アルファ タイロゲン	遺伝子組換えヒト型 TSH 製剤（甲状腺癌の診断）

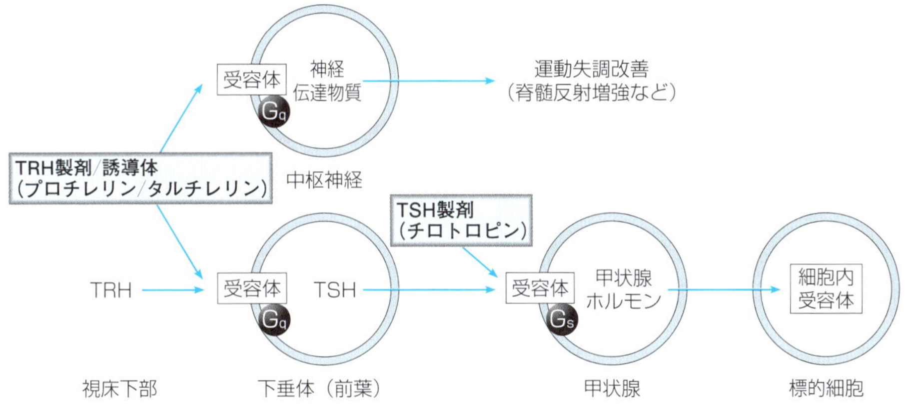

d）視床下部ソマトレリン／ソマトスタチン-下垂体ソマトトロピン系

<table>
<tr><td rowspan="2">視床下部ホルモン</td><td colspan="2">成長ホルモン放出ホルモン
〈GH-RH：ソマトレリン〉</td><td colspan="2">下垂体前葉からの成長ホルモン〈GH〉分泌促進。</td></tr>
<tr><td colspan="2"></td><td>ソマトレリン
類似薬</td><td>ソマトレリン
GRF
プラルモレリン
GHRP</td><td>下垂体機能検査（GH の分泌機能検査）</td></tr>
</table>

視床下部ホルモン	成長ホルモン放出ホルモン〈GH-RH：ソマトレリン〉		下垂体前葉からの成長ホルモン〈GH〉分泌促進。	
		ソマトレリン類似薬	ソマトレリン GRF / プラルモレリン GHRP	下垂体機能検査（GH の分泌機能検査）
	成長ホルモン放出抑制ホルモン〈GH-RIH：ソマトスタチン〉		下垂体前葉からの成長ホルモン〈GH〉分泌抑制。	
		ソマトスタチン類似薬	オクトレオチド サンドスタチン / ランレオチド ソマチュリン / パシレオチド シグニフォー	先端巨大症・下垂体性巨人症などに適用。

下垂体前葉ホルモン	成長ホルモン〈GH：ソマトトロピン〉		1）GH による直接作用　抗インスリン作用：脂肪分解促進（血中遊離脂肪酸増加），肝・糖新生促進／脂肪・筋肉の糖利用抑制（血糖値増加） 2）GH によって肝・腎臓で産生されるソマトメジン C（Insulin-like Growth Factor-1〈IGF-1〉）を介した間接作用 ・血糖低下：細胞内へのグルコース輸送促進 ・骨成長促進：骨端軟骨の蛋白同化促進，コンドロイチン硫酸合成促進 ・蛋白質同化：アミノ酸取込み・RNA 合成・蛋白合成促進，蛋白分解抑制 ・電解質貯留：リン・Ca・Na・K の体内貯留	
	過剰症		巨人症（発育中の過剰症），先端巨大症（成長後の過剰症）	
	欠乏症		小人症	
	GH 様薬物	ソマトロピン（GH 製剤）グロウジェクト，ジェノトロピン，ノルディトロピン，ヒューマトロープ	ヒト GH 遺伝子組換え製剤で，GH 分泌不全症に適用。GH は動物種特異性が高く，ヒトにはヒトの GH のみ有効。	
		メカセルミン（ソマトメジン C 製剤）ソマゾン	遺伝子組換え型ヒト・ソマトメジン C 製剤。インスリン受容体異常症などに伴う高血糖・高インスリン血症などに適用。	
	GH 拮抗薬	ペグビソマント（GH 受容体阻害薬）ソマバート	GH 受容体を選択的に阻害する PEG 化遺伝子組換え GH 誘導体。他薬で不十分な先端巨大症治療。	

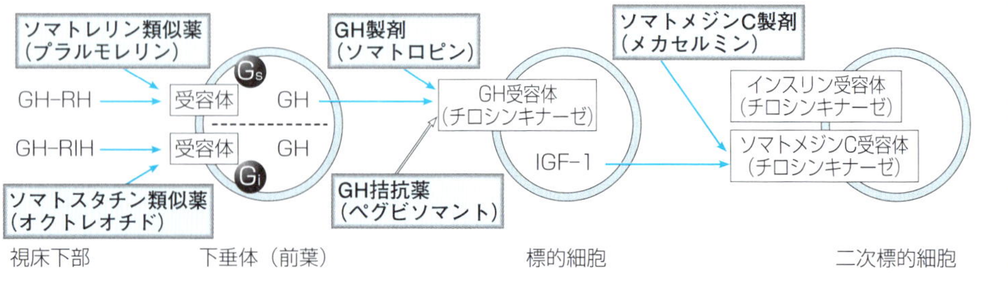

e）視床下部プロラクトリベリン／プロラクトスタチン-下垂体プロラクチン系

視床下部ホルモン	催乳ホルモン放出ホルモン〈PRH：プロラクトリベリン〉	下垂体前葉からの催乳ホルモン〈プロラクチン〉分泌促進。PRHの実体は不明であるが，プロチレリン〈TRH〉やプロラクチン放出ペプチド〈PrRP〉などが候補として挙げられている。
視床下部ホルモン	催乳ホルモン放出抑制ホルモン〈PRIH：プロラクトスタチン＝ドパミン〉	1）下垂体前葉からの催乳ホルモン〈プロラクチン〉分泌抑制。PRIHの実体はドパミンであると考えられている。 2）**レボドパ・ブロモクリプチン**などの**パーキンソン病治療薬（ドパミン作用薬）**は催乳ホルモンの分泌を抑制し，逆に**抗精神病薬（ドパミン D_2 受容体遮断薬）**は分泌を促進。
下垂体前葉ホルモン	催乳ホルモン〈PRL：プロラクチン〉	乳汁分泌の開始及び維持。

ドパミン D_2 受容体刺激薬	**ブロモクリプチン**（パーロデル） **カベルゴリン**（カバサール）	高プロラクチン血症治療 ※ブロモクリプチンは，正常者ではGH分泌を増加させるが，先端巨大症ではGH過剰分泌を抑制するため，先端巨大症・下垂体性巨人症にも適用。

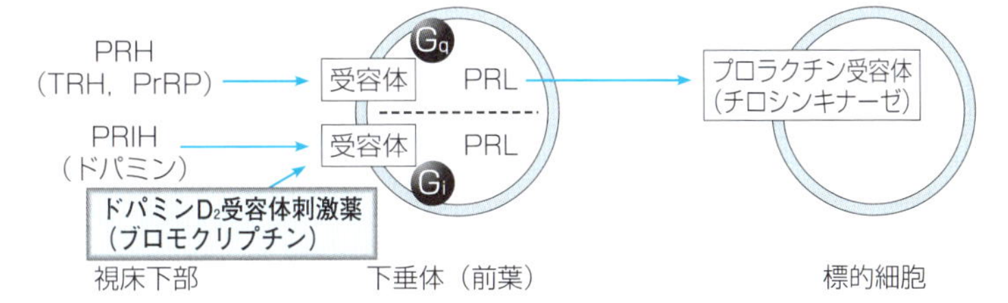

f）視床下部メラノリベリン／メラノスタチン-下垂体メラノトロピン系

視床下部ホルモン	メラニン細胞刺激ホルモン放出ホルモン〈MRH：メラノリベリン〉	下垂体中葉からのメラニン細胞刺激ホルモン〈MSH〉分泌促進。
視床下部ホルモン	メラニン細胞刺激ホルモン放出抑制ホルモン〈MRIH：メラノスタチン〉	下垂体中葉からのメラニン細胞刺激ホルモン〈MSH〉分泌抑制。
下垂体中葉ホルモン	メラニン細胞刺激ホルモン〈MSH：メラノトロピン〉	メラニン細胞刺激作用（色素沈着）があるが，ほ乳動物での役割には不明な点が多い。

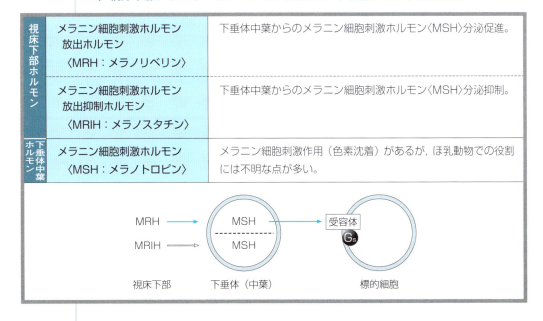

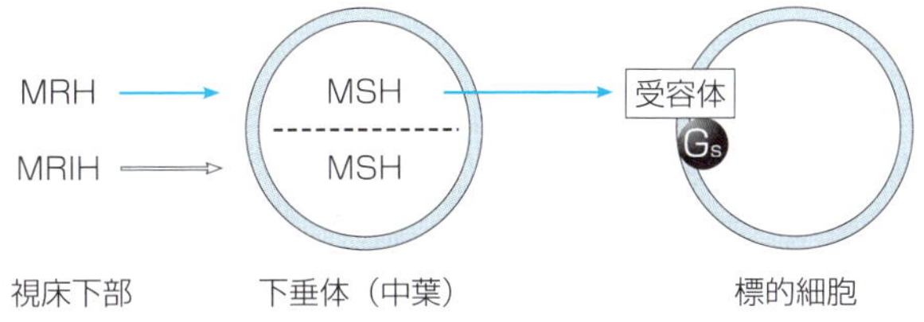

4. 下垂体後葉ホルモン

ホルモン	説明		
オキシトシン アトニン-O (☞ p354 参照)	作用	OT 受容体 (G_q/G_i共役型) を刺激する。 子宮平滑筋の律動的収縮作用，射乳作用，血管拡張 (降圧) 作用。	
	適用	人工流産，陣痛促進，分娩後出血防止，子宮復古不全	
抗利尿ホルモン 〈バソプレシン： ADH； Anti-Diuretic Hormone〉 (☞ p338 参照)	作用	血管収縮作用 (G_q共役型 V_1受容体) 及び抗利尿作用 (G_s共役型 V_2受容体) によって血圧上昇。 アルギニンバソプレシン (ヒトのバソプレシン) とリシンバソプレシンあり。	
	ADH 様薬物	バソプレシン (筋注，皮下注) ピトレシン	中枢性尿崩症，腸内ガス除去，食道静脈瘤出血の緊急処置
		デスモプレシン (1-デアミノアルギニンバソプレシン) デスモプレシン，ミニリンメルト	V_2受容体選択的刺激作用をもつ，抗利尿作用の強い合成バソプレシン。 中枢性尿崩症・夜尿症 (経口・鼻腔内投与) のほか，第Ⅷ因子・von Willebrand 因子の血中放出作用を介して血友病 A や von Willebrand 病の止血にも適用 (静注)。
	ADH 拮抗薬	モザバプタン フィズリン	V_2受容体拮抗薬 (水利尿)。 異所性 ADH 産生腫瘍による ADH 不適合分泌症候群〈SIADH〉における低 Na^+血症の改善に経口投与 (既存治療で不十分な場合に限る)。
		トルバプタン サムスカ	V_2受容体拮抗薬 (水利尿)。 ループ利尿薬等の他の利尿薬で効果不十分な心不全や肝硬変における体液貯留，SIADH における低 Na^+血症の改善などに経口投与。

5. 副腎皮質ホルモン

❶ 副腎から分泌されるホルモン

産生部位		分泌されるホルモン	分泌を誘発する主な刺激
皮質	球状層	鉱質コルチコイド〈アルドステロン〉	アンギオテンシンⅡ
	束状層	糖質コルチコイド〈コルチゾル〉	脳下垂体前葉・副腎皮質刺激ホルモン〈ACTH：コルチコトロピン〉
	網状層	副腎性男性ホルモン〈デヒドロエピアンドロステロン〉	
髄　質		アドレナリン	交感神経節前線維アセチルコリン（N_N受容体）

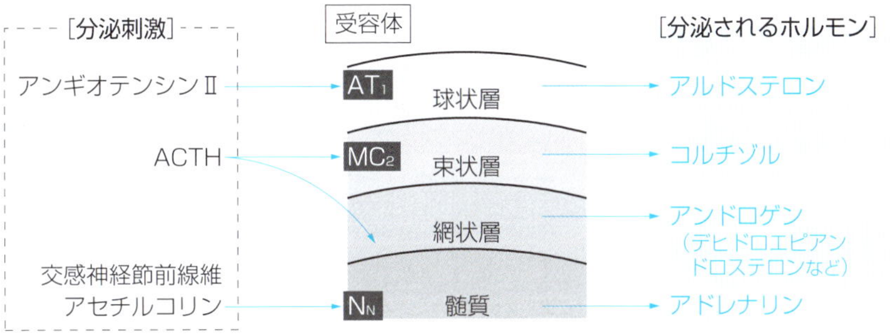
[分泌刺激]
アンギオテンシンⅡ
ACTH
交感神経節前線維
アセチルコリン
受容体
AT_1
MC_2
N_N
球状層
束状層
網状層
髄質
[分泌されるホルモン]
アルドステロン
コルチゾル
アンドロゲン
（デヒドロエピアン
ドロステロンなど）
アドレナリン

❷ ステロイド骨格をもつホルモン

分　類		ホルモン	炭素数
副腎皮質ホルモン	鉱質コルチコイド	アルドステロン	21個
	糖質コルチコイド	コルチゾル〈ヒドロコルチゾン〉 コルチゾン コルチコステロン	
性ホルモン	黄体ホルモン	プロゲステロン	21個
	男性ホルモン	テストステロン	19個
	女性ホルモン	卵　胞：エストラジオール エストロン 胎　盤：エストリオール	18個

③ ステロイドホルモン（鉱質・糖質コルチコイド，性ホルモン）の基本骨格と生合成

基本骨格

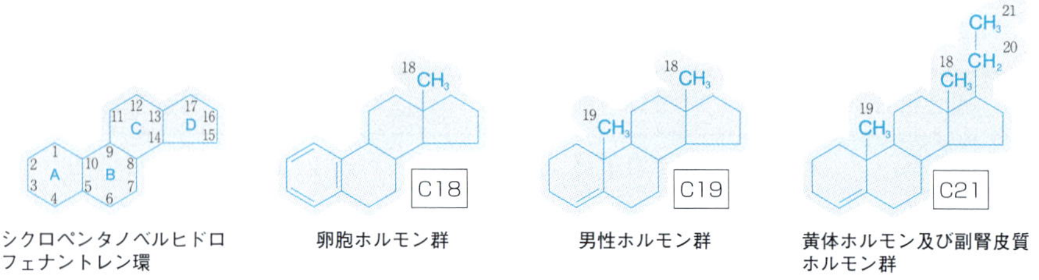

生合成

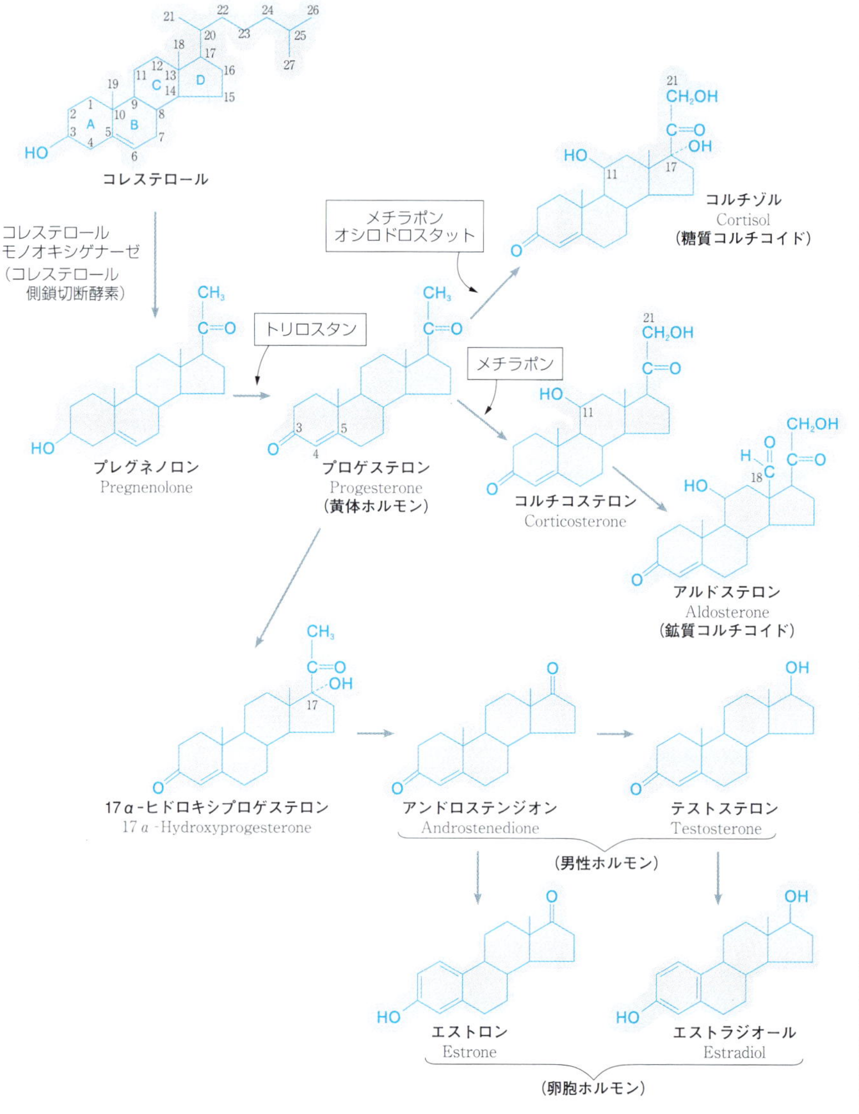

❹ 内因性鉱質・糖質コルチコイドの作用の比較

分　類	ホルモン	電解質貯留作用 （鉱質コルチコイド作用）	血糖上昇作用 （糖質コルチコイド作用）
糖質コルチコイド	コルチゾル 〈ヒドロコルチゾン〉	1	1
	コルチゾン	0.8	0.8
	コルチコステロン	15	0.3
鉱質コルチコイド	アルドステロン	3000	0.3
	デスオキシコルチコステロン	100	0

❺ 副腎皮質機能異常症

異　常	病　名	病　因	病　態
低下症	アジソン病	特発性副腎萎縮 （自己免疫疾患） 結核	皮膚色素沈着 筋無力 基礎代謝低下
亢進症	クッシング病	下垂体前葉機能亢進 （腫瘍による ACTH 過剰分泌）	異常脂肪沈着 筋無力 高血圧 骨粗しょう症
	クッシング症候群	副腎皮質機能亢進 （腫瘍による副腎皮質ホルモン過剰分泌） 副腎皮質ホルモン過剰投与	
	原発性アルドステロン症	アルドステロンの過剰分泌	高血圧，浮腫，高 Na／低 K 血症，アルカローシス
	副腎性器症候群	性ステロイドの過剰分泌	女性の男性化

❻ 鉱質コルチコイド

内因性 鉱質コルチコイド		アルドステロン デスオキシコルチコステロン デスオキシコルチゾール	
分　泌		腎虚血・β_1受容体刺激・尿細管内 Na^+Cl^-濃度低下によって腎傍糸球体装置からレニン分泌 ⟶ レニンによってアンギオテンシノーゲンからアンギオテンシンⅠ生成 ⟶ アンギオテンシン変換酵素によってアンギオテンシンⅡ生成 ⟶ アンギオテンシンⅡが副腎皮質（球状層）からアルドステロン分泌	
生理作用		鉱質コルチコイドは，腎臓の後部遠位尿管及び集合管において細胞内鉱質コルチコイド受容体〈MR〉に作用して mRNA 転写を制御する。その結果，アルドステロン誘導蛋白質〈AIP：Aldosterone-induced protein〉（尿細管腔側に存在する Na^+チャネル及び側底膜側に存在する Na^+ポンプの細胞膜発現量を増やす蛋白質）の産生を促進して，抗利尿作用を現す。Na^+保持による体液量・血圧維持や体液アルカリ化と血清 K^+放出に関与する。	
薬物	アルドステロン様作用薬	酢酸フルドロコルチゾン フロリネフ	合成アルドステロン誘導体。 コルチゾルの 9α 位にフッ素を導入して，鉱質・糖質コルチコイド作用ともに強めた薬物。 適　用：塩喪失性副腎皮質機能不全，アジソン病
薬物	アルドステロン拮抗薬	スピロノラクトン アルダクトン A カンレノ酸カリウム ソルダクトン エプレレノン セララ	アルドステロン受容体の競合的拮抗薬。 適　用：高血圧，浮腫，原発性アルドステロン症 副作用：高 K^+血症，女性化作用，代謝性アシドーシス

⑦ 糖質コルチコイド（☞詳細は「第7章 抗炎症薬 ―II ステロイド性抗炎症薬」(p218) 参照）

内因性 糖質コルチコイド		コルチゾル〈ヒドロコルチゾン〉 コルチゾン（体内でヒドロキシ化されコルチゾルに変化して作用） コルチコステロン
分　泌		視床下部から副腎皮質刺激ホルモン放出ホルモン〈CRH：コルチコレリン〉分泌 ⟶ 下垂体前葉から副腎皮質刺激ホルモン〈ACTH：コルチコトロピン〉分泌 ⟶ 副腎皮質（束状層／網状層）から糖質コルチコイド分泌
作用機序		細胞内糖質コルチコイド受容体〈GR〉に作用して mRNA 転写を制御し，抗炎症蛋白（リポコルチン）の産生促進やサイトカイン類の産生抑制などを介して作用発現。
生理作用		1）糖 代 謝：肝臓での糖新生促進によって血糖値上昇 2）蛋白代謝：筋肉での蛋白分解促進 3）脂質代謝：脂肪組織での脂肪分解促進によって，血中遊離脂肪酸増加 4）抗炎症作用 ①リソソーム膜安定化（起炎性リソソーム酵素の放出抑制） ②アラキドン酸代謝に関与する酵素系の抑制（起炎性エイコサノイドの産生阻害） ③起炎性サイトカイン発現の抑制 ④血管内皮細胞に作用して多形核白血球の接着・浸潤を抑制 5）免疫抑制作用（細胞性免疫・体液性免疫ともに抑制） ①マクロファージ機能を抑制（IL-1 産生抑制） ②T 細胞増殖因子（IL-2）産生抑制による細胞傷害性 T 細胞の機能分化阻害 ③免疫グロブリン産生低下 6）血 液 系：赤血球・好中球増加，リンパ球・単球・好酸球減少 7）中　　枢：中枢興奮，気分高揚
薬物	天然型	コルチゾル〈ヒドロコルチゾン〉，コルチゾン
	合成品	プレドニゾロン，メチルプレドニゾロン，トリアムシノロン，パラメタゾン，デキサメタゾン，ベタメタゾンなど
	皮　膚	フルオシノロンアセトニド，フルオシノニドなど （☞ p226「ステロイド性抗炎症薬一覧（その3：外用）」参照）
	吸　入	プロピオン酸フルチカゾン，プロピオン酸ベクロメタゾン，ブデソニドなど
	点　眼	フルオロメトロン，酢酸ヒドロコルチゾン，酢酸プレドニゾロン，リン酸デキサメタゾン，メタスルホ安息香酸デキサメタゾン Na，リン酸ベタメタゾン Na など
	点　鼻	プロピオン酸フルチカゾン，プロピオン酸ベクロメタゾン，リン酸デキサメタゾン Na など
	点　耳	メチルプレドニゾロン，酢酸プレドニゾロン，トリアムシノロンアセトニド，リン酸デキサメタゾン Na，メタスルホ安息香酸デキサメタゾン Na
	口　腔	トリアムシノロンアセトニド，プロピオン酸ベクロメタゾン
	ターゲット剤	パルミチン酸デキサメタゾン（静注用リポステロイド）
適　用		I 型アレルギー，血液疾患，リウマチ性疾患，腎障害，副腎機能障害，皮膚疾患，消化器疾患，神経疾患，眼疾患などに伴う各種炎症や免疫疾患
副作用		感染抵抗性低下，副腎皮質機能低下，ストレス抵抗性低下，投与中止で離脱症候群，筋障害・骨粗しょう症，糖尿病悪化，消化性潰瘍悪化，満月様顔貌，浮腫・高血圧・高カリウム血症，精神障害など

❽ 副腎皮質ホルモン合成阻害薬

メチラポン メトピロン **オシロドロスタット** イスツリサ	作用機序	11β-ヒドロキシラーゼ阻害によってコルチゾル産生を阻害する。従って，視床下部・下垂体前葉に対するコルチゾルの負のフィードバックがかからない。 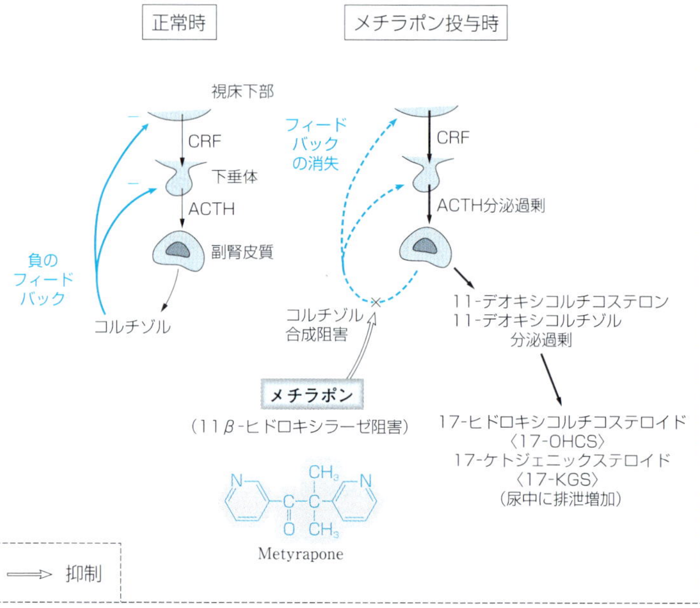正常時 メチラポン投与時 視床下部 CRF 下垂体 ACTH 副腎皮質 負の フィード バック コルチゾル フィード バック の消失 CRF ACTH分泌過剰 コルチゾル 合成阻害 メチラポン （11β-ヒドロキシラーゼ阻害） 11-デオキシコルチコステロン 11-デオキシコルチゾル 分泌過剰 17-ヒドロキシコルチコステロイド 〈17-OHCS〉 17-ケトジェニックステロイド 〈17-KGS〉 （尿中に排泄増加） Metyrapone 抑制
	適　用	1）下垂体機能（ACTH 分泌能）検査（メチラポンのみ） 2）クッシング症候群の治療
トリロスタン デソパン	作用機序	3β-ヒドロキシステロイド脱水素酵素阻害
	適　用	特発性・原発性アルドステロン症，クッシング症候群
ミトタン オペプリム	作用機序	コレステロール側鎖切断の阻害，3 位脱水素の阻害，11 位・18 位・21 位水酸化の阻害などが推定されているが，作用機序の詳細は不明。
	適　用	副腎癌，クッシング症候群

6. 性ホルモン

① 卵胞ホルモン

卵胞ホルモン	成熟卵胞：**エストロン〈E1〉，エストラジオール〈E2〉** 妊娠中胎盤：**エストリオール〈E3〉** ※前駆物質は男性ホルモンで，ステロイドA環が芳香環化されて卵胞ホルモンとなる		
分　泌	視床下部から性腺刺激ホルモン放出ホルモン〈GnRH／LH-RH：ゴナドレリン／リュープロレリン〉分泌 ⟶ 下垂体前葉から卵胞刺激ホルモン〈FSH〉分泌 ⟶ 卵胞から卵胞ホルモン〈エストロゲン〉分泌 ※血液中では性ホルモン結合グロブリン〈SHBG〉との結合型で存在		
作用機序	標的細胞（乳腺，膣，子宮など）の細胞内エストロゲン受容体〈ER〉に作用してmRNA転写を制御して蛋白合成促進。		
生理作用	1）第二次性徴発現，乳腺発育（黄体ホルモンとの共同作用） 2）雌性生殖器の発育と月経周期の発現 3）子宮内膜増殖 4）代謝作用：骨量増加，LDL減少／HDL増加，血液凝固Ⅱ・Ⅶ・Ⅸ・Ⅹ因子増加など		
卵胞ホルモン様作用薬	天然型	**エストラジオール〈E2〉** ジュリナ，エストラーナ，ル・エストロジェル，ディビゲル	更年期障害などに適用。経口薬・経皮吸収型貼付剤・ゲルあり。
		エストリオール〈E3〉 エストリール，ホーリン	更年期障害・老人性骨粗しょう症（経口），膣炎・子宮頸管炎（経口・膣錠）などに適用。
	エステル	**吉草酸エストラジオール** プロギノンデポー，ペラニンデポー	月経異常，不妊症などに適用（筋注）。テストステロンエナント酸エステルとの**両性混合ホルモン製剤**〈プリモジアン・デポー®，ダイホルモンデポー®〉あり（更年期障害，骨粗しょう症などに筋注）。
	半合成	**エチニルエストラジオール** プロセキソール	前立腺癌などに適用（経口）。
	合　成	**リン酸エストラムスチンNa** エストラサイト	前立腺癌に適用（経口）。
		結合型エストロゲン プレマリン	機能性子宮出血の止血などに適用（経口）。

卵胞ホルモン拮抗薬（抗エストロゲン薬）

分　類	薬　物	適　用	説　明
エストロゲン受容体拮抗薬	クロミフェン クロミッド シクロフェニル セキソビット	不　妊	卵胞ホルモンによる負のフィードバックを解除して下垂体ゴナドトロピン分泌を促進，排卵誘発によって不妊治療に用いる。
	タモキシフェン ノルバデックス	乳　癌	エストロゲン依存性乳癌増殖を抑制する選択的エストロゲン受容体モジュレーター〈SERM〉。 骨組織では刺激作用を示す。
	トレミフェン フェアストン	閉経後乳癌	
	メピチオスタン チオデロン	乳　癌	エリスロポエチン様作用をもち，腎性貧血にも適用。
エストロゲン合成阻害薬	アナストロゾール アリミデックス レトロゾール フェマーラ エキセメスタン アロマシン	閉経後乳癌	強力なアロマターゼ阻害によって男性ホルモンの芳香環化（エストロゲン合成）を阻害。 エキセメスタン（ステロイド系）は不可逆的に，それ以外（非ステロイド系）は可逆的にアロマターゼを阻害。

❷ 黄体ホルモン

黄体ホルモン	プロゲステロン		
分　泌	視床下部から性腺刺激ホルモン放出ホルモン〈GnRH／LH-RH：ゴナドレリン／リュープロレリン〉分泌 ⟶ 下垂体前葉から黄体形成ホルモン〈LH＝間質細胞刺激ホルモン：ICSH〉分泌 ⟶ 黄体から黄体ホルモン〈プロゲステロン〉分泌		
作用機序	標的細胞（乳腺，膣，子宮など）の細胞内プロゲステロン受容体〈PR〉に作用して mRNA 転写を制御して蛋白合成促進。		
生理作用	1）第二次性徴発現，乳腺発育（卵胞ホルモンとの共同作用） 2）子宮内膜からの分泌亢進，子宮頸管内粘液の粘稠化 3）妊娠維持 4）代謝作用：インスリン基礎レベル上昇，リポ蛋白質リパーゼ活性亢進（脂肪沈着）など 5）中枢作用：基礎体温上昇，呼吸中枢興奮，鎮静・催眠など		
黄体ホルモン様作用薬	天然型	**プロゲステロン** プロゲホルモン，ルテウム，ルティナス，ウトロゲスタン，ワンクリノン	不妊症などに適用（経口，膣内投与）
	プロゲステロン誘導体	**カプロン酸ヒドロキシプロゲステロン** プロゲデポー	不妊症などに適用（筋注）
		カプロン酸ゲストノロン デポスタット	前立腺肥大症に適用（筋注）
		酢酸クロルマジノン ルトラール，プロスタール	不妊症（女性），前立腺肥大・前立腺癌（男性）に適用（経口）
		ジドロゲステロン デュファストン **酢酸メドロキシプロゲステロン** ヒスロン，プロベラ	不妊症，月経異常，切迫・習慣性流早産などに適用（経口）
	19-ノルテストステロン誘導体	**ノルエチステロン** ノアルテン	不妊症などに適用（経口）
		レボノルゲストレル ノルレボ，ミレーナ	避妊などに適用（経口，膣内投与）
	選択的プロゲステロン受容体刺激薬	**ジエノゲスト** ディナゲスト	子宮内膜症などに適用（経口）

卵胞ホルモン・黄体ホルモンの合剤	商品名	卵胞ホルモン	黄体ホルモン	適　応
	メノエイドコンビパッチ®	エストラジオール	酢酸ノルエチステロン	更年期障害，卵巣欠落症状に伴う血管運動神経系症状（hot flush及び発汗）（下腹部貼付）
	ウェールナラ®	エストラジオール	レボノルゲストレル	閉経後骨粗鬆症（経口）
	ルテスデポー®	エストラジオール安息香酸エステル	ヒドロキシプロゲステロンカプロン酸エステル	機能性子宮出血（筋注）
	プラノバール®	エチニルエストラジオール	ノルゲストレル	機能性子宮出血，月経困難症，月経異常，子宮内膜症，卵巣機能不全（経口）
	ジェミーナ®	エチニルエストラジオール	レボノルゲストレル	月経困難症（経口）
	ルナベル®	エチニルエストラジオール	ノルエチステロン	月経困難症（経口）
	ヤーズ®	エチニルエストラジオールベータデクス	ドロスピレノン	月経困難症（経口）
	ヤーズフレックス®	エチニルエストラジオールベータデクス	ドロスピレノン	月経困難症，子宮内膜症に伴う疼痛の改善（経口）

③ 男性ホルモン

男性ホルモン	男　性：**テストステロン**（精巣間質細胞で産生） 女　性：**アンドロステンジオン**（卵巣・副腎皮質で産生）
分　泌	視床下部から性腺刺激ホルモン放出ホルモン〈GnRH／LH-RH：ゴナドレリン／リュープロレリン〉分泌 ⟶ 下垂体前葉から黄体形成ホルモン〈LH＝間質細胞刺激ホルモン：ICSH〉分泌 ⟶ 精巣間質細胞から男性ホルモン分泌 ※血液中では 98%が性ホルモン結合グロブリン〈SHBG〉との結合型で存在
作用機序	テストステロンは雄性副性器細胞中に入り，5α 還元酵素によって活性型ジヒドロテストステロンに代謝され，細胞内アンドロゲン受容体〈AR〉に作用して mRNA 転写を制御し，細胞代謝を亢進する。
生理作用	1）胎生期における中枢神経・生殖腺の男性化 2）雄性生殖器（精嚢・前立腺などの副性腺，副睾丸，輸精管，陰茎）の発達 3）第二次性徴発現（変声，体毛増加，筋・骨発達など） 4）蛋白質同化作用（筋肉増強） 5）造精作用（FSH との協力作用による精子形成促進）

男性ホルモン様作用薬	天然型	**テストステロン**	
	誘導体	**テストステロンエナント酸エステル** エナルモンデポー	男子性腺機能不全（類宦官症），男子不妊症，再生不良性貧血，腎性貧血に適用（筋注）
		ダナゾール ボンゾール	子宮内膜症，乳腺症に適用（経口）
蛋白同化ステロイド	薬　物	**メテノロン酢酸エステル** プリモボラン **メテノロンエナント酸エステル** プリモボラン・デポー	骨粗しょう症，再生不良性貧血，消耗状態（慢性腎疾患・悪性腫瘍・術後・熱傷後など）に適用（筋注）

男性ホルモン拮抗薬（抗アンドロゲン薬）

分類	薬物	適応	説明
アンドロゲン受容体拮抗	クロルマジノン酢酸エステル プロスタール	……前立腺肥大／癌	プロゲステロン類似ステロイド構造をもち，ジヒドロテストステロンと細胞質アンドロゲン受容体との複合体形成を阻害（内服）
	アリルエストレノール…… アリルエストレノール	……前立腺肥大	
	フルタミド オダイン	前立腺癌	ステロイド骨格をもたず，細胞質アンドロゲン受容体を遮断（内服）
	ビカルタミド カソデックス		
	エンザルタミド イクスタンジ		
	アパルタミド アーリーダ		
	ダロルタミド ニュベクオ		
5α-還元酵素阻害	ゲストノロンカプロン酸エステル デポスタット	前立腺肥大	ゴナドトロピン分泌抑制，テストステロンの前立腺取込み阻害，5α-還元酵素阻害（筋注）
	デュタステリド アボルブ，ザガーロ	前立腺肥大 男性型脱毛症	5α-還元酵素Ⅰ型・Ⅱ型を阻害（内服）
	フィナステリド プロペシア	男性型脱毛症	5α-還元酵素Ⅱ型を選択的に阻害して，テストステロンからジヒドロテストステロンへの変換を阻害（内服）
アンドロゲン合成酵素阻害	アビラテロン酢酸エステル ザイティガ	前立腺癌	生体内で速やかに加水分解されてアビラテロンとなり，アンドロゲン合成酵素 17α-hydroxylase/C17, 20-lyase〈CYP17〉を不可逆的かつ選択的に阻害（内服）

7. 甲状腺ホルモン

❶ 甲状腺ホルモンの合成・貯蔵・分泌

甲状腺ホルモン	チロキシン〈T_4〉 トリヨードチロニン〈T_3〉
合成と貯蔵	1）甲状腺は，血中ヨウ素イオン〈I^-〉を能動的に取り込む。 2）取り込まれたI^-は，甲状腺濾胞細胞内でペルオキシダーゼの作用によって糖蛋白質チログロブリンのチロシン残基に結合してヨウ素化し（ヨウ素の有機化），モノヨードチロシン〈MIT〉及びジヨードチロシン〈DIT〉を生成する。 3）MIT・DIT はチログロブリン分子内で縮合〈カップリング〉し，トリヨードチロニン〈T_3〉・チロキシン〈T_4〉を生成する。 4）チログロブリンはコロイドとして濾胞内腔に貯蔵される。
分　泌	視床下部から甲状腺刺激ホルモン放出ホルモン〈TRH：プロチレリン〉分泌 ⟶ 下垂体前葉から甲状腺刺激ホルモン〈TSH：チロトロピン〉分泌 ⟶ 甲状腺から甲状腺ホルモン〈チロキシン，トリヨードチロニン〉分泌 ※濾胞内腔チログロブリンは，TSH 刺激によって濾胞細胞に再吸収された後，リソソーム酵素で蛋白分解されて T_3・T_4を血中に遊離する。血中では，T_3・T_4はチロキシン結合グロブリン〈TBG〉などの血漿蛋白と結合して存在する。

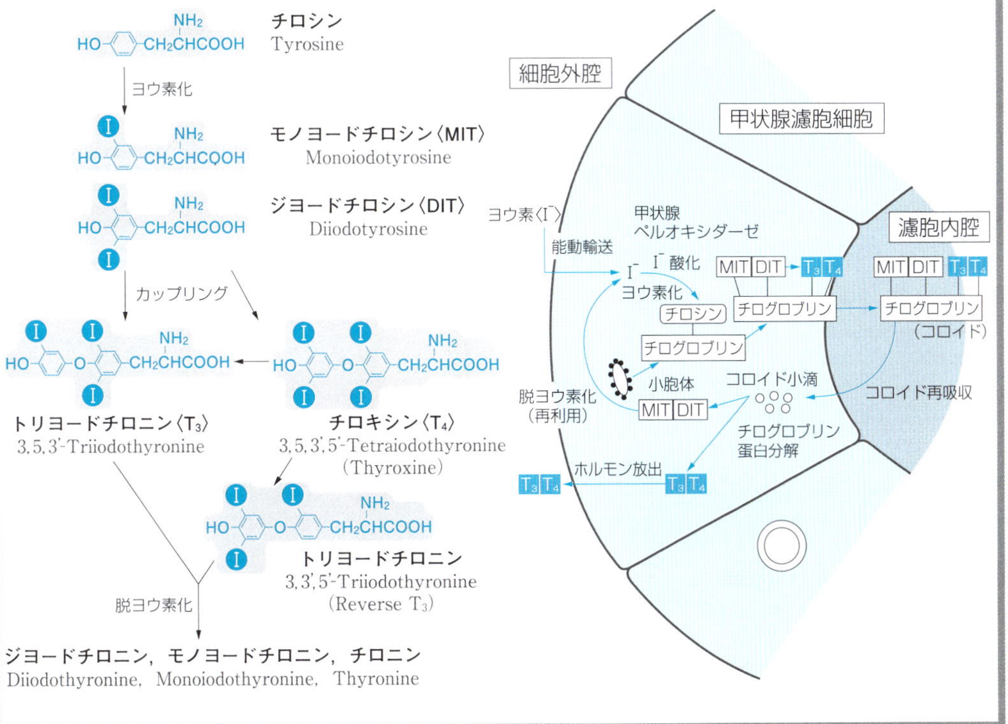

チロシン
Tyrosine
ヨウ素化
モノヨードチロシン〈MIT〉
Monoiodotyrosine
ジヨードチロシン〈DIT〉
Diiodotyrosine
カップリング
トリヨードチロニン〈T3〉
3,5,3'-Triiodothyronine
チロキシン〈T4〉
3,5,3',5'-Tetraiodothyronine
(Thyroxine)
トリヨードチロニン
3,3',5'-Triiodothyronine
(Reverse T3)
脱ヨウ素化
ジヨードチロニン，モノヨードチロニン，チロニン
Diiodothyronine, Monoiodothyronine, Thyronine
細胞外腔
甲状腺濾胞細胞
濾胞内腔
ヨウ素〈I⁻〉
能動輸送
甲状腺
ペルオキシダーゼ
I⁻ 酸化
ヨウ素化
チロシン
チログロブリン
MIT DIT T3 T4
チログロブリン
(コロイド)
小胞体
コロイド小滴
コロイド再吸収
脱ヨウ素化
(再利用)
チログロブリン
蛋白分解
ホルモン放出

❷ 甲状腺ホルモンの生理作用・甲状腺機能異常症・甲状腺ホルモン関連薬物

作用機序	標的細胞（あらゆる臓器）の細胞内に移行後，**トリヨードチロニン**〈T_3〉・**チロキシン**〈T_4〉は細胞内甲状腺ホルモン受容体〈TR〉に作用し，mRNA 転写を制御して蛋白合成を促進。なお，**チロキシン**〈T_4〉は末梢組織（肝臓など）で**トリヨードチロニン**〈T_3〉に変換されて細胞内甲状腺ホルモン受容体〈TR〉に作用する。		
生理作用	1）**成長・発育**：胎生期の細胞分化，生後の器官発育 2）**熱産生**：組織の酸素消費増加によって基礎代謝率を上昇させ，体温保持 3）**代　謝**：糖・脂質・蛋白質代謝促進（血糖↑，遊離脂肪酸↑） 4）**心血管系**：心拍数・心収縮力増加（カテコラミン感受性増加，心臓β受容体増加）		
甲状腺機能異常	**亢進症** （**バセドウ病**：甲状腺刺激性自己抗体産生による甲状腺機能亢進症）	熱不耐性・発汗増加，食欲亢進するが体重減少，脱毛，眼球突出・瞬目遅延，甲状腺腫肥大，心悸亢進・心房性不整脈（心房細動）・うっ血性心不全，下痢・排便過多，悪心・嘔吐，脛骨前粘液水腫，皮膚充血・手掌紅斑，疲労・衰弱，振戦，神経質・感情的・不眠，無月経	
	低下症 （**クレチン症**：小児 **粘液水腫**：成人）	寒不耐性・発汗減少，食欲不振，瞼の浮腫・下垂，心肥大・心音低下・徐脈・心嚢液貯留・前胸部痛，冠動脈硬化，便秘，むくみ，皮膚の乾性化・黄色化，爪の脆弱化，筋肉痛，知覚異常，うつ・眠気・感情鈍麻，高コレステロール血症，顔面浮腫・舌肥大，月経過多・月経困難	
甲状腺機能低下症・甲状腺腫治療薬	**ホルモン様作用薬**	**レボチロキシン Na**（合成 T_4） チラーヂンS **リオチロニン Na**（合成 T_3） チロナミン	1）経口可能なホルモン様作用薬 2）トリヨードチロニン〈T_3〉はチロキシン〈T_4〉に比べて速効性で短時間作用型 3）**副作用**：過剰投与で，頻脈・発汗・体重減少・心筋梗塞など
	ヨウ素製剤	**ヨウ化カリウム** ヨウ化カリウム	放射性ヨウ素による甲状腺内部被曝の予防・低減，慢性気管支炎・喘息，第三期梅毒に有効。
		ヨウ素レシチン ヨウレチン	慢性気管支炎・喘息，網膜炎に有効。
抗甲状腺薬	**ペルオキシダーゼ阻害薬** （チオアミド化合物）	**プロピルチオウラシル** チウラジール，プロパジール **チアマゾール**〈**メチマゾール**〉 メルカゾール	1）ヨウ素の有機化とカップリングを阻害する甲状腺ホルモン合成阻害薬で，甲状腺機能亢進症の治療に適用。 2）チアマゾールには抗体産生抑制作用あり。 3）**副作用**：下垂体 TSH 分泌への抑制解除による甲状腺腫悪化，顆粒球減少，低血糖発作，肝障害，アレルギー（発疹，関節炎）
	甲状腺破壊 （放射性ヨウ素）	**ヨウ化ナトリウム**〈$Na^{131}I$〉 ヨウ化ナトリウム，ラジオカップ	1）**甲状腺破壊**：β線利用（甲状腺癌・甲状腺機能亢進症の治療） 2）甲状腺シンチグラフィー：γ線利用（甲状腺機能検査，甲状腺疾患診断）

8．パラトルモン*とカルシトニン

*パラトルモン：副甲状腺〈上皮小体〉ホルモン

		パラトルモン〈PTH〉	カルシトニン
産生・分泌部位		副甲状腺〈上皮小体〉	甲状腺傍細胞〈C 細胞〉
作用	血中 Ca^{2+}濃度	増加 1）破骨細胞を増加させ，骨溶解（骨吸収）を促進し，遊離 Ca^{2+}濃度増加 2）腎・遠位尿細管で Ca^{2+}再吸収促進 3）腎において 1α ヒドロキシラーゼ活性を上昇させ，活性型 $V.D_3$〈カルシトリオール：1α,25-$(OH)_2V.D_3$〉の産生分泌を促進 ⟶ 活性型 $V.D_3$が腸管から Ca^{2+}吸収を促進	低下 1）破骨細胞を減少させ，骨溶解（骨吸収）を抑制し，遊離 Ca^{2+}濃度低下 2）腎からの Ca^{2+}排泄促進
	血中 PO_4^{2-}濃度	低下（腎における PO_4^{2-}排泄促進）	
ホルモン様作用薬	薬　物	**テリパラチド**（ヒトPTH 注：静注，皮下注） テリパラチド酢酸塩，テリボン，フォルテオ	**エルカトニン**（ウナギカルシトニン誘導体：静注，筋注） エルシトニン
	適用・副作用	**適用（静注）**：副甲状腺機能低下症の鑑別診断（尿中 PO_4^{2-}と cAMP が増加すれば突発性副甲状腺機能低下症，増加しない場合は偽性副甲状腺機能低下症） **適用（皮下注）**：骨粗しょう症（骨形成促進）	**適　用**：高カルシウム血症（静注，筋注），骨粗しょう症（鎮痛作用あり：筋注） **副作用**：顔面潮紅，熱感，動悸，ショック，食欲不振
ホルモン分泌抑制薬		[Ca 受容体作動薬] **シナカルセト，エボカルセト，** レグパラ　オルケディア **エテルカルセチド，ウパシカルセト** パーサビブ　ウパシタ 副甲状腺細胞表面 Ca 受容体を刺激して PTH 分泌を抑制。原発性及び腎透析下の二次性副甲状腺機能亢進症に有効。	

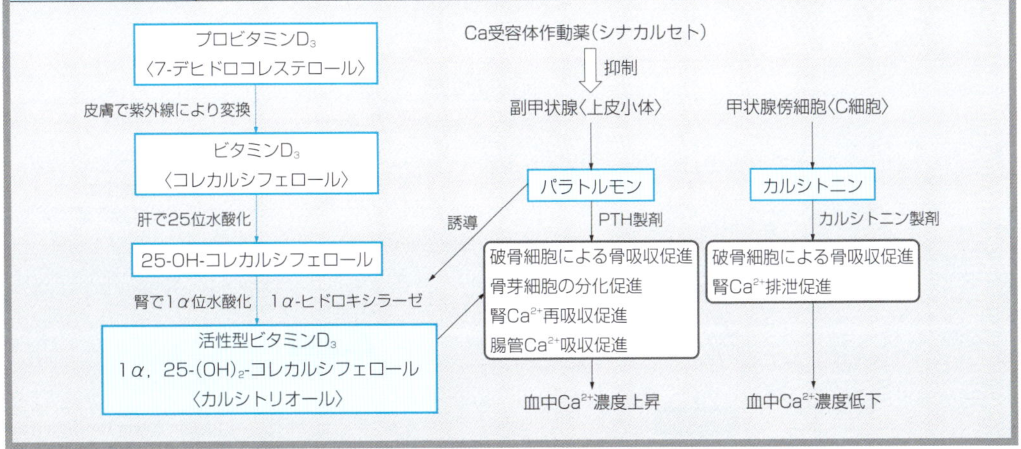
プロビタミンD_3
〈7-デヒドロコレステロール〉
皮膚で紫外線により変換
ビタミンD_3
〈コレカルシフェロール〉
肝で25位水酸化
25-OH-コレカルシフェロール
腎で1α位水酸化　1α-ヒドロキシラーゼ
活性型ビタミンD_3
1α，25-$(OH)_2$-コレカルシフェロール
〈カルシトリオール〉
Ca受容体作動薬（シナカルセト）
抑制
副甲状腺〈上皮小体〉
甲状腺傍細胞〈C細胞〉
パラトルモン
誘導
PTH製剤
カルシトニン
カルシトニン製剤
破骨細胞による骨吸収促進
骨芽細胞の分化促進
腎Ca^{2+}再吸収促進
腸管Ca^{2+}吸収促進
破骨細胞による骨吸収促進
腎Ca^{2+}排泄促進
血中Ca^{2+}濃度上昇
血中Ca^{2+}濃度低下

9. 膵臓ホルモン

❶ グルカゴンとインスリン

グルカゴンとインスリン（その1）

<table>
<tr><th></th><th>グルカゴン</th><th>インスリン</th></tr>
<tr><td>作　用</td><td>血糖値上昇</td><td>血糖値低下</td></tr>
<tr><td>産生・分泌部位</td><td>ランゲルハンス島α細胞</td><td>ランゲルハンス島β細胞</td></tr>
<tr><td>分子の特徴</td><td>単鎖ポリペプチド
（29 個アミノ酸）</td><td>A 鎖と B 鎖が 2 ヶ所の S-S 結合で結合し，分子内に亜鉛〈Zn〉を含む（51 個アミノ酸）。プロインスリンからエンドペプチダーゼによる分解で生成（残りの部分は C 鎖）。
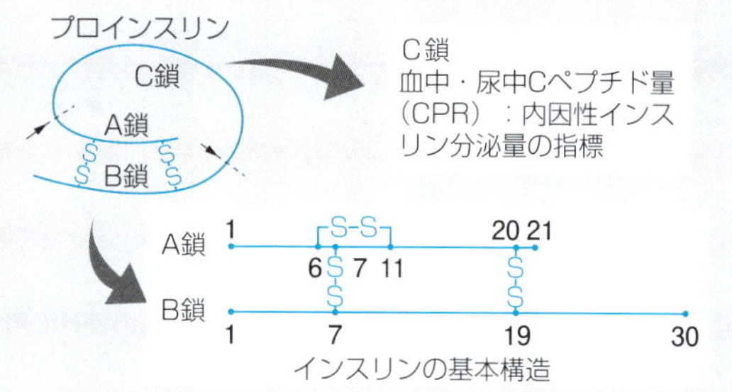
</td></tr>
<tr><td>受容体</td><td>G_s共役型受容体
（cAMP 産生促進）</td><td>チロシンキナーゼ内蔵型受容体
（α鎖とβ鎖が S-S 結合で結合し，そのα鎖β鎖複合体が，さらにα鎖どうしで S-S 結合して二量体を形成）</td></tr>
<tr><td>作用機序</td><td colspan="2">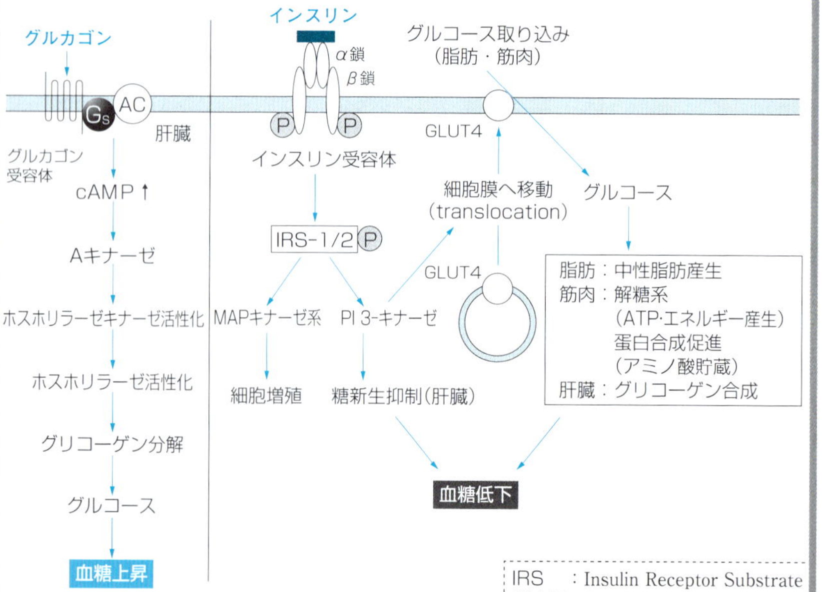

IRS　：Insulin Receptor Substrate
GLUT：Glucose Transporter</td></tr>
</table>

グルカゴンとインスリン（その2）

	グルカゴン	インスリン
適用	低血糖時の救急処置 各種診断（成長ホルモン分泌能，肝型糖原解糖能，インスリノーマ） 消化管検査の前処置（X線，内視鏡）	糖尿病
製剤	グルカゴン（注射，点鼻） グルカゴン，バクスミー	ヒト遺伝子組換え型インスリン製剤（皮下注）

❷ インスリンの分泌調節

項　目	分泌促進因子	分泌抑制因子
ホルモン等	アセチルコリン（副交感神経由来）↔ グルカゴン（膵ラ島α〈A〉細胞由来）↔ 消化管ホルモン（グルコース依存性インスリン分泌刺激ポリペプチド GIP，グルカゴン様ペプチド GLP-1 等） グルコース，ケトン体	アドレナリン（副腎髄質由来） ソマトスタチン（膵ラ島δ〈D〉細胞由来）
薬　物	**K_{ATP}チャネル抑制薬** **（スルホニル尿素誘導体）** **GLP-1 アナログ** **DPP-4 阻害薬** ↔	**K_{ATP}チャネル活性化薬** **（ジアゾキシド：高インスリン性低血糖症治療薬）**

Ca²⁺・cAMP ともにインスリン分泌促進

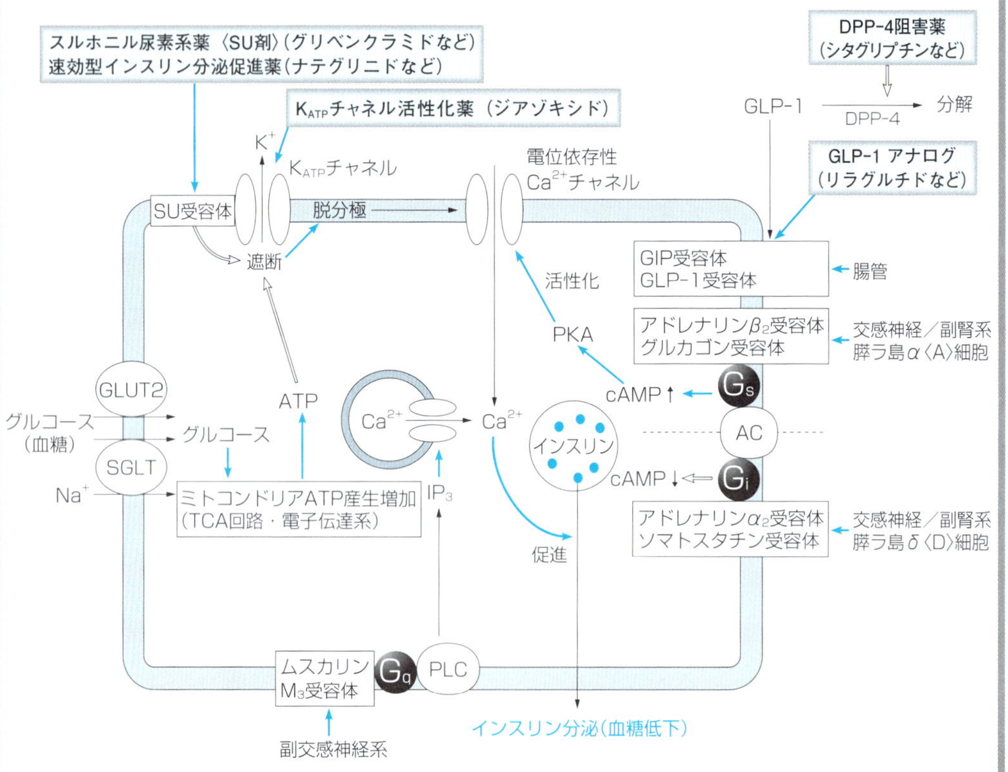

GLUT：促通拡散型糖輸送担体(グルコース濃度勾配利用)
SGLT：Na^+／グルコース共輸送担体(Na^+濃度勾配利用)
GIP：グルコース依存性インスリン分泌刺激ポリペプチド
GLP-1：グルカゴン様ペプチド-1
DPP-4：ジペプチジルペプチダーゼ-4

→ 刺激
⇒ 抑制

10. 消化管ホルモン

分類	ホルモン	項目	説明
ガストリン類	ガストリン	産生・分泌部位	胃幽門部（G 細胞）
		分泌刺激	蛋白分解産物やアルコール 前庭幽門部 pH 増加（アルカリ化） 食物摂取に伴う胃の拡張刺激
		生理作用	**胃底腺壁細胞刺激**：胃酸分泌促進 **食道下部括約筋収縮**：胃内容物の逆流防止 **胃幽門前庭部の周期的収縮促進**：消化粥を撹拌
	コレシストキニン	産生・分泌部位	十二指腸・空腸（I 細胞）
		分泌刺激	脂肪・蛋白質分解産物
		生理作用	**胆　嚢**：胆嚢収縮・Oddi 括約筋弛緩による胆汁分泌促進 **膵　臓**：膵酵素分泌促進 構造上の類似からガストリン類似作用もある。
セクレチン類	セクレチン	産生・分泌部位	十二指腸・空腸（S 細胞）
		分泌刺激	胃から送り込まれる酸性消化粥
		生理作用	**膵　臓**：炭酸水素イオン濃度の高い膵液分泌（アルカリ化） **胃幽門部**：ガストリン分泌抑制（胃壁細胞胃酸分泌抑制） **胃主細胞**：ペプシノーゲン分泌促進 構造上の類似からグルカゴン類似作用（インスリン分泌促進作用）もある。
	インクレチン（GIP, GLP-1）*	産生・分泌部位	GIP　　：十二指腸・空腸（K 細胞） GLP-1：回腸（L 細胞）
		分泌刺激	GIP　　：グルコース，脂肪酸，アミノ酸 GLP-1：摂食
		生理作用	インスリン分泌促進 胃酸分泌抑制
その他	Vasoactive Intestinal Peptide		小腸内の内容物輸送促進（腸管神経ペプチド）
	モチリン		空腹時の腸管運動促進（十二指腸 M 細胞由来）
	グレリン		摂食・消化管運動促進（胃底腺 A-like 細胞由来） ［アナモレリン（エドルミズ®）］グレリン受容体（GHS-R1a）作動薬。脳下垂体に作用して成長ホルモンの分泌を促進するとともに，視床下部に作用して食欲を亢進させる（がん悪液質に経口投与）。

＊GIP：Gastric Inhibitor Polypeptide〈消化管抑制ポリペプチド〉または Glucose-dependent Insulinotropic Polypeptide〈グルコース依存性インスリン分泌刺激ポリペプチド〉

GLP：Glucagon-like Peptide〈グルカゴン様ペプチド〉

11. 心臓ホルモン（ナトリウム利尿ペプチド）

種類	ANP	1）心房性ナトリウム利尿ペプチド〈ANP：Atrial Natriuretic Peptide〉は，28アミノ酸残基よりなり，分子内にS-S結合を1つもつ。 2）心房で合成され血中に分泌される。 3）NPR1受容体に作用して，腎臓ではナトリウム利尿，また，血管では拡張作用を誘発する。 4）ANPの血中濃度は心不全時に増加して，心負担を軽減する方向に作用する。遺伝子組換え型ANP製剤（カルペリチド）は，急性心不全の治療薬として用いられる。
	BNP	1）脳性ナトリウム利尿ペプチド〈BNP：Brain Natriuretic Peptide〉は，32アミノ酸残基よりなり，分子内にS-S結合を1つもつ。 2）脳／心室で合成され血中に分泌される。 3）ANPと同様にNPR1受容体に作用して，腎臓ではナトリウム利尿，また，血管では拡張作用を誘発する。 4）BNPの血中濃度は心不全時に増加して，心負担を軽減する方向に作用する。心不全診断に用いられる。また，BNP製剤も急性心不全治療に用いられる（本邦未承認）。
	CNP	1）C型ナトリウム利尿ペプチド〈CNP：C-type Natriuretic Peptide〉は，22アミノ酸残基よりなり，分子内にS-S結合を1つもつ。 2）脳／血管内皮細胞／動脈硬化巣マクロファージで産生される。 3）NPR2受容体に作用して，平滑筋増殖を抑制する。 4）障害細胞から遊離するTNF-αやTGF-β（☞ p194）によって内皮細胞でのCNP産生が亢進し，増殖性血管病変に対して抑制的に作用する（防御機構）。
受容体	NPR1〈GC-A〉	グアニル酸シクラーゼ内蔵型受容体（膜1回貫通型）：ANP・BNPの受容体
	NPR2〈GC-B〉	グアニル酸シクラーゼ内蔵型受容体（膜1回貫通型）：CNPの受容体
	NPR3	クリアランス型受容体（膜1回貫通型）：ANP＞CNP＞BNP

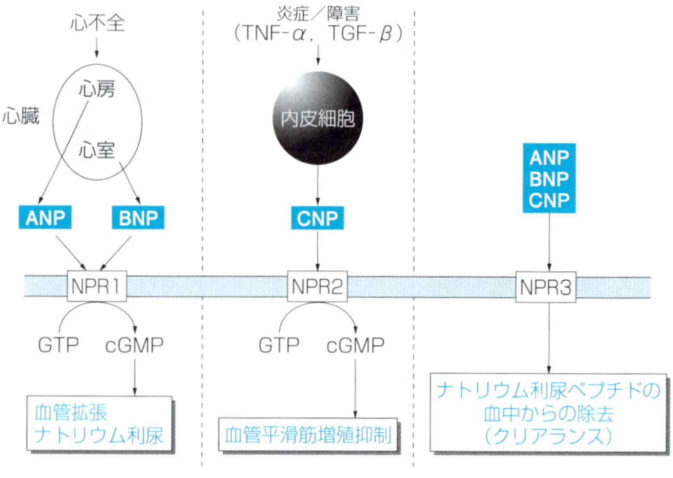

Ⅱ　ビタミン

☞『医薬品一般名・商品名・構造一覧』p102

ビタミンは，生体に必須の栄養素であるが，原則的には体内ではつくられず，食物より摂取される。ビタミンには，水溶性ビタミンと脂溶性ビタミンとがある。通常の食事ができる健常人ではビタミンは十分摂取できるが，各種疾患によるビタミン不足や妊娠・授乳などで多量のビタミンを摂取する必要がある場合には，薬物としてビタミンを投与する。

おさえるべきところ

1. 水溶性ビタミン

水溶性ビタミンは，主に各種代謝経路の補酵素として作用し，体内での貯蔵量は比較的少なく欠乏しやすいが，過剰症は起こりにくい。

水溶性ビタミン

分 類	補酵素型	作 用	欠乏症	付 記
チアミン (V. B_1)	TPP〈チアミンピロリン酸(コカルボキシラーゼ)〉	α-ケト酸の脱炭酸 (糖代謝)	**ハンセン病** **脚 気** **拍出増大性心不全** (心臓脚気) **ウェルニッケ脳症** (脳脚気) **コルサコフ症候群** **多発性神経炎**	※チアミナーゼで分解されず,腸管での吸収をよくした薬物 **フルスルチアミン** **オクトチアミン** **ビスベンチアミン** **ベンホチアミンなど**
リボフラビン (V. B_2)	FMN FAD	酸化還元系 (脂質代謝)	**口角炎, 皮膚炎** **舌 炎**	
ナイアシン (ニコチン酸,ニコチン酸アミド)	NAD NADP	酸化還元系 (抗ペラグラ因子)	**ペラグラ皮膚炎** **先天性トリプトファン尿症** **下痢, 認知症**	ヒト体内で合成可能 ペラグラや各種脳症状に適用
パントテン酸 (V. B_5)	Coenzyme A	アシル基転移	動物) **皮膚炎** **成長不良** **副腎機能低下**	ヒトでは欠乏症が起こるか否か不明だが, 副腎皮質障害, 末梢神経障害が起こる可能性あり
ピリドキシン (V. B_6)	ピリドキサールリン酸	アミノ基転移 脱炭酸 (アミノ酸代謝)	**V.B_6依存性痙攣** **シスタチオニン尿症** **皮膚疾患** **鉄芽球性貧血** **イソニアジド誘発末梢神経炎**	1) 抗結核薬イソニアジドにより V.B_6排泄促進(末梢性神経障害) 2) V.B_6により芳香族 L-アミノ酸脱炭酸酵素活性促進(レボドパからドパミンへの末梢での変換促進により薬効減弱)
シアノコバラミン (V. B_{12})	アデノシルコバラミン メチルコバラミン	異性化反応 (DNA 合成)	**悪性貧血**	肝炎, 神経性疾患, 発育障害, 精神病, 不妊などに広く適用
葉 酸	テトラヒドロ葉酸	1-炭素転移 (DNA 合成)	**巨赤芽球性貧血** **白血球減少, 舌炎** **下痢, 発育不全**	悪性貧血では, V.B_{12}と併用
L-アスコルビン酸 (V. C)		酸化還元系	**壊血病**(支持組織の合成・維持障害)	1) メトヘモグロビン血症, 出血傾向に適用 2) 還元作用によって鉄の消化管吸収促進
ビオチン (V. H)		抗卵白障害因子 炭酸固定	**脱 毛**	多発性関節炎, 神経障害, 皮膚炎, 脱毛などに適用
チオクト酸 (α-リポ酸)		α-ケト酸の脱炭酸		肝疾患に適用(肝庇護薬)
その他	B 群ビタミン:パラアミノ安息香酸, ビタミン L, イノシトール, オロチン酸(V. B_{13})			

水溶性ビタミン関連薬（その1）

分類	薬物	内服	注射	適用・特徴など	副作用
ビタミン B_1	チアミン メタボリン プロスルチアミン アリナミン		●	ビタミン B_1 欠乏症の予防・治療（ウェルニッケ脳症，脚気衝心，神経痛，筋肉痛，関節痛，末梢神経炎・神経麻痺，心筋代謝障害，便秘など）	悪心 下痢 胃部不快感 食欲不振 ショック・過敏症（注射）
	オクトチアミン ノイビタ ベンフォチアミン ベンフォチアミン セトチアミン ジセタミン ビスベンチアミン ベストン	●			
	チアミンジスルフィド チアミンジスルフィド，バイオゲン フルスルチアミン アリナミンF	●	●		
ビタミン B_2	（リボフラビン）	●		ビタミン B_2 欠乏症の予防・治療（口角炎，口唇炎，舌炎，肛門周囲びらん，急性・慢性湿疹，ペラグラ，尋常性ざ瘡，結膜炎など）	食欲不振 悪心 下痢 過敏症（注射） 刺激感（眼） など
	リン酸リボフラビン Na ビスラーゼ，ホスフラン		●		
	フラビンアデニンジヌクレオチド Na フラビタン	●	●		
	酪酸リボフラビン ハイボン	●		血中脂質代謝改善作用（高コレステロール血症治療薬）	
ナイアシン	ニコチン酸（抗ペラグラ因子） ナイクリン		●	ニコチン酸欠乏症の予防・治療（口角炎，口唇炎，接触性皮膚炎，湿疹，メニエル症候群，末梢循環障害など）	発疹 ショック 潮紅 熱感，発汗 高尿酸血症 肝障害　など
	ニコチン酸アミド ニコチン酸アミド	●			
パントテン酸（ビタミン B_5）	（パントテン酸 Ca）	●		パントテン酸欠乏症の予防・治療（接触性皮膚炎，急性・慢性湿疹，弛緩性便秘，術後腸管麻痺など）	腹痛 下痢　など
	パンテノール パントール		●		
	パンテチン パントシン	●	●	ストレプトマイシン・カナマイシンの副作用の予防・治療	
ビタミン B_6	ピリドキシン ビーシックス，ビタミン B_6 リン酸ピリドキサール ピドキサール	●	●	ビタミン B_6 欠乏症の予防・治療（口角炎，口唇炎，舌炎，湿疹，末梢神経炎，放射線障害など）	過敏症（注射） 末梢神経障害（大量長期投与）

水溶性ビタミン関連薬（その2）

分　類	薬　物	内服	注射	適　用	副作用
ビタミン B_{12}	ヒドロキソコバラミン フレスミンS メコバラミン メチコバール コバマミド ハイコバール	●	●	ビタミン B_{12} 欠乏症の予防・治療（巨赤芽球性貧血，悪性貧血，栄養性・妊娠性・胃切除性・肝障害性貧血，吸収不全症候群，末梢性神経障害，広節裂頭条虫症など）	アナフィラキシー様過敏症（注射） 胃部不快感・発疹（内服）　など
	シアノコバラミン シアノコバラミン		●		
葉　酸	葉酸 フォリアミン	●	●	葉酸欠乏症の予防・治療（巨赤芽球性貧血，悪性貧血の補助療法，吸収不全症候群など）	食欲不振 悪心 過敏症 浮腫　など
ビタミンC	アスコルビン酸 ハイシー，ビタシミン，アスコルビン酸	●	●	ビタミンC欠乏症の予防・治療（毛細管出血，薬物中毒，副腎皮質機能障害，骨折時の骨基質形成・骨癒合促進，肝斑・炎症後の色素沈着，光線過敏性皮膚炎など）	悪心・嘔吐 下痢　など （尿糖検出妨害に注意）
ビタミンH	ビオチン ビオチン	●	●	各種皮膚疾患の治療（急性・慢性湿疹，小児湿疹，接触性皮膚炎，脂漏性皮膚炎，尋常性ざ瘡など）	
チオクト酸	チオクト酸 チオクト酸		●	1）チオクト酸需要増大時（はげしい肉体労働時） 2）Leigh症候群（亜急性壊死性脳脊髄炎） 3）中毒性（ストレプトマイシン，カナマイシンによる）及び騒音性（職業性）内耳性難聴	食欲不振 悪心，下痢 発疹，頭痛 めまい 心悸亢進 など

2．脂溶性ビタミン

脂溶性ビタミンは，脂肪との同時摂取によって吸収が促進される。また，脂肪組織や肝臓に比較的大量に貯蔵されるため欠乏症になりにくく，むしろ過剰症を起こしやすい。脂溶性ビタミンのうち，ビタミンA・Dはビタミンというよりむしろホルモン様作用をもつ。

❶ ビタミンA（レチノール）

<table>
<tr><td>前駆体</td><td colspan="2">α，β，γ-カロチン，クリプトキサンチン</td></tr>
<tr><td>レチノイド</td><td colspan="2">レチノール（ビタミンA：血中ではレチノール結合蛋白との結合型として存在）
レチナール（レチノールの酸化型，全 trans 型）
レチノイン酸（レチナールから不可逆的に合成され，レチナールには変換されない）など</td></tr>
<tr><td>活性型</td><td colspan="2">11-cis-レチナール，all trans-レチノイン酸，9-cis-レチノイン酸</td></tr>
<tr><td>生理作用</td><td colspan="2">1）視覚光感受性増加作用：11-cis-レチナールは発色団として作用し，蛋白質オプシンのリジン残基に結合してロドプシンとなる。
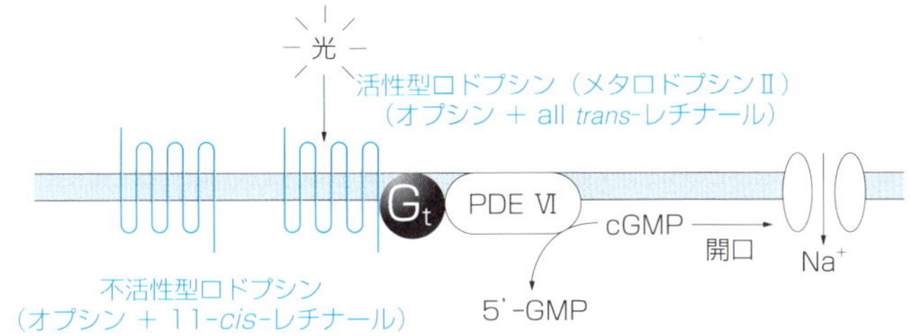

2）細胞の増殖分化誘導作用：レチノイドは，細胞・組織の分化誘導に関与して高等動物の正常な成長と機能発現に必須である。レチノイン酸受容体は遺伝子の転写を調節する細胞内受容体であり，甲状腺ホルモンやビタミンDの遺伝子発現も制御している。レチノイン酸は，形態形成因子（胚・器官としての形態を形成するための空間的制御因子）として作用する可能性が指摘されている。
3）発癌プロモーター抑制作用：皮膚癌，膀胱癌，白血病の治療薬として注目される。</td></tr>
<tr><td>欠乏症</td><td colspan="2">夜盲，眼症状（レチノイン酸ではレチナールに変換されないので代用不可）
皮膚・粘膜上皮の角化，催奇形性</td></tr>
<tr><td>過剰症</td><td colspan="2">脱毛，皮膚障害，発育障害，催奇形性
※過剰症の起こりやすいビタミンなので，とくに小児の急性・慢性中毒に注意が必要</td></tr>
<tr><td rowspan="5">ビタミンA製剤</td><td>角化症治療薬</td><td>パルミチン酸レチノール（内服・筋注）
チョコラA
エトレチナート（合成レチノイド：塗布）
チガソン</td></tr>
<tr><td>皮膚潰瘍治療薬</td><td>トレチノイントコフェリル（ビタミンA-Eエステル結合体：塗布）
オルセノン</td></tr>
<tr><td>尋常性ざ瘡</td><td>アダパレン（塗布）
ディフェリン</td></tr>
<tr><td>急性前骨髄球性白血病治療薬</td><td>トレチノイン（all trans-レチノイン酸：内服）
ベサノイド
タミバロテン
アムノレイク</td></tr>
<tr><td>網膜色素変性症における一次的な視野・暗順応改善</td><td>ヘレニエン（内服）
アダプチノール
（暗順応改善カロチノイド。網膜でエステル分解を受けキサントフィルに変換して作用）</td></tr>
</table>

❷ ビタミンD

前駆体	**植物由来**：エルゴステロール（プロビタミンD_2） **動物由来**：7-デヒドロコレステロール（プロビタミンD_3）		
ビタミンD	**エルゴカルシフェロール（ビタミンD_2）** **コレカルシフェロール（ビタミンD_3）** その他，ビタミンD_4〜D_7までの6種類が知られている。		
活性型	**1）各種プロビタミンD ⟶ ビタミンD ⟶ 活性型ビタミンDへの変換機構** ①プロビタミンDは，まず紫外線照射によってビタミンDに変換された後， ②肝臓（肝ミクロソームP450）で25位が水酸化され，次に ③腎臓（近位尿細管細胞のミトコンドリア：1α-ヒドロキシラーゼ）で1位が水酸化されて活性型となる。 **2）活性型ビタミンD_3：カルシトリオール〈1α, 25-$(OH)_2$ビタミンD_3〉** プロビタミンD_3はコレステロール生合成の中間代謝物であるが，皮膚ではコレステロールへの生合成活性が低いため皮膚にプロビタミンD_3が多く存在する。そのため，プロビタミンD_3からビタミンD_3への変換は主に皮膚で行われる。 3）副甲状腺／上皮小体ホルモン〈パラトルモン〉は，近位尿細管のパラトルモン受容体（G_s共役型）を活性化して1α-ヒドロキシラーゼを誘導し，活性型ビタミンD産生を亢進する。		
生理作用	**1）骨形成促進作用** 小腸上皮細胞：Ca^{2+}，PO_4^{2-}の吸収促進 腎 尿 細 管：Ca^{2+}，PO_4^{2-}の再吸収促進 骨：蛋白質性骨基質オステオカルシン産生促進 **2）単球系細胞の分化・増殖促進作用**：骨髄性白血病細胞を正常マクロファージに分化誘導する作用がある（単球系細胞の分化・増殖因子）。 **3）免疫調節作用**		
欠乏症	**くる病（幼児）**：O脚，X脚，歩行困難，脊柱彎曲 **骨軟化症（成人）**：歩行時の骨痛，脊柱彎曲，骨盤変形 **骨粗しょう症**		
過剰症	高カルシウム血症（脱力，嗜眠，悪心・嘔吐，多尿，尿路・腎結石） 口渇，多尿，意識混濁		
活性型ビタミンD_3製剤	**アルファカルシドール〈1α-ヒドロキシコレカルシフェロール〉**（内服） アルファロール，ワンアルファ **カルシトリオール**（内服・注射） ロカルトロール **ファレカルシトリオール**（内服） フルスタン，ホーネル **エルデカルシトール**（内服） エディロール	注射・内服	慢性腎不全 副甲状腺機能低下症 腎透析下の二次性副甲状腺機能亢進症 くる病・骨軟化症 骨粗しょう症
	マキサカルシトール（外用・注射） オキサロール **タカルシトール**（外用） ボンアルファ **カルシポトリオール**（外用） ドボネックス	外用	皮膚疾患 （乾癬，魚鱗癬，掌蹠膿疱症・角化症，毛孔性紅色粃糠疹）
ビタミンD_2製剤	**エルゴカルシフェロール**（内服） エレンタール，ビタジェクト	経口・経腸栄養剤 高カロリー輸液	

③ ビタミンE

ビタミンE	α，β，γ，δ-トコフェロールなど7種類（*d*-α-トコフェロールが最も活性強い）	
生理作用	1）生体内抗酸化因子 不飽和脂肪酸酸化抑制作用：γ-トコフェロール＞α-トコフェロール 活性酸素〈$^1O_2$：一重項酸素〉消去作用：α-トコフェロール＞γ-トコフェロール その結果，血小板粘着抑制，微小循環改善，血管透過性・血管抵抗性の維持，脂質代謝改善，抗脂質過酸化障害などの作用が現れる。 2）抗老化因子 ビタミンE欠乏時には，老化組織に蓄積されるリポフスチンや老化性変性軸索ジストロフィーが認められる。	
欠乏症	成人では明確ではない（未熟児ビタミンE欠乏性貧血，新生児皮膚硬化症などがある）。 動物では，生殖障害，栄養性筋ジストロフィーなどの著明な変化が認められる。	
過剰症	なし	
ビタミンE製剤	酢酸トコフェロール ユベラ	内服：末梢循環障害，過酸化脂質増加防止
	ニコチン酸トコフェロール ユベラN	内服：末梢循環障害，脂質異常症
	トレチノイントコフェリル オルセノン	外用：褥瘡，皮膚潰瘍 （レチノイン酸とα-トコフェロールとのエステル）

④ ビタミンK

ビタミンK	植物由来	ビタミンK_1〈フィロキノン〉：生体内ではK_2に変換されて作用
	細菌由来	ビタミンK_2〈メナキノン〉
生理作用	1）血液凝固因子の合成 ビタミンK依存性カルボキシラーゼは，プロトロンビン，Ⅶ，Ⅸ，Ⅹ，プロテインCのグルタミン酸残基〈Glu〉をカルボキシル化（炭酸固定）してγ-カルボキシルグルタミン酸〈Gla〉への変換に関与する。 2）骨形成促進 骨芽細胞による仮骨化に関与する蛋白質性骨基質オステオカルシンもGla蛋白であり，その産生にはビタミンK依存性カルボキシラーゼが関与する。なお，活性型ビタミンD_3は，細胞内受容体を刺激してmRNAの転写を制御し，その結果，骨芽細胞におけるオステオカルシンの産生を促進する。	
欠乏症	新生児：新生児メレナ（消化器の異常出血） 成　人：低プロトロンビン血症，出血性素因（健常人では欠乏することはまれ。肝疾患，胆道閉塞症，脂肪吸収不全症候群，抗生物質長期投与時に付随して起こる）	
過剰症	新生児溶血性貧血，核黄疸	
ビタミンK製剤	フィトナジオン（K_1） カチーフN，ケーワン，ビタミンK_1	ビタミンK欠乏症の予防・治療（出血，低プロトロンビン血症など）
	メナテトレノン（K_2） ケイツー，グラケー	骨粗しょう症，ビタミンK欠乏症の予防・治療

⑤ ビタミン D_3，ビタミンK，パラトルモン，カルシトニンの関連する作用 まとめ

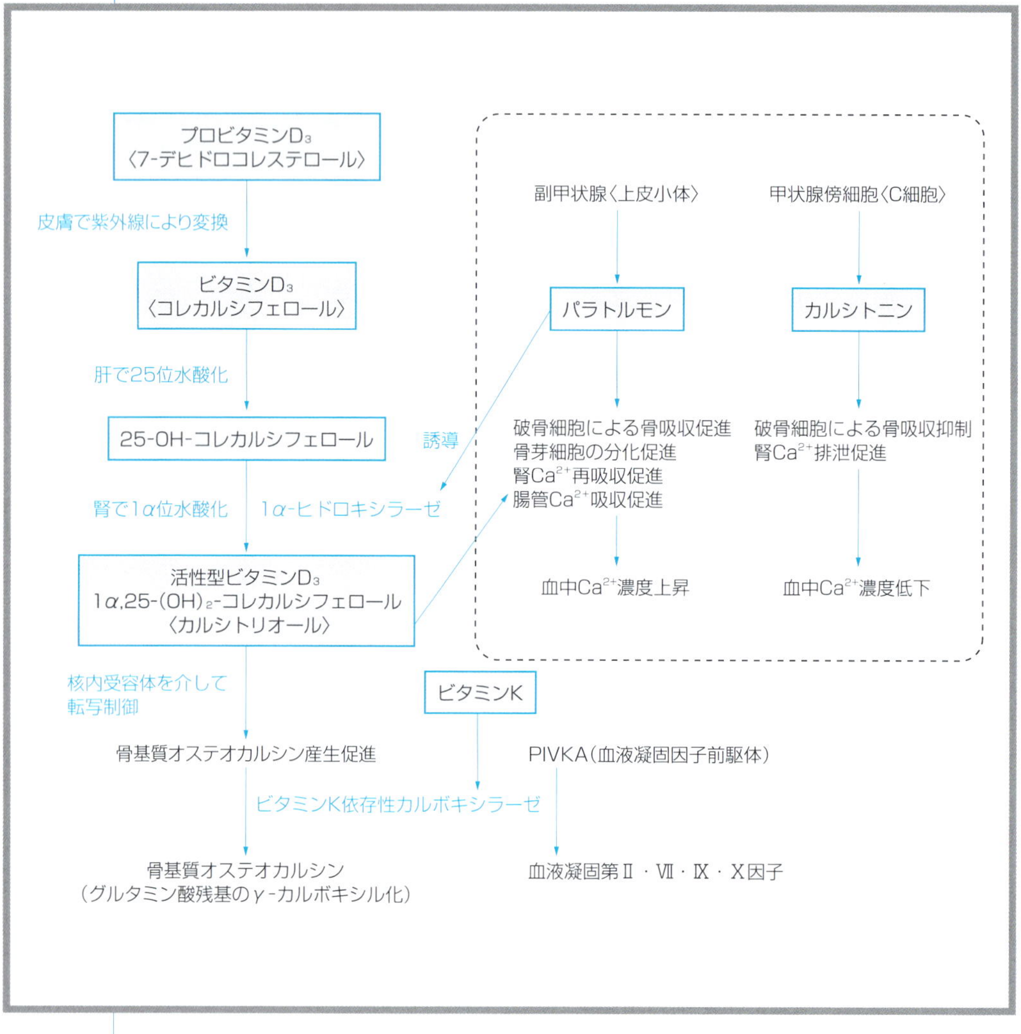
プロビタミンD3
〈7-デヒドロコレステロール〉
皮膚で紫外線により変換
ビタミンD3
〈コレカルシフェロール〉
肝で25位水酸化
25-OH-コレカルシフェロール
誘導
腎で1α位水酸化
1α-ヒドロキシラーゼ
活性型ビタミンD3
1α,25-(OH)2-コレカルシフェロール
〈カルシトリオール〉
核内受容体を介して
転写制御
骨基質オステオカルシン産生促進
骨基質オステオカルシン
（グルタミン酸残基のγ-カルボキシル化）
副甲状腺〈上皮小体〉
パラトルモン
破骨細胞による骨吸収促進
骨芽細胞の分化促進
腎Ca2+再吸収促進
腸管Ca2+吸収促進
血中Ca2+濃度上昇
甲状腺傍細胞〈C細胞〉
カルシトニン
破骨細胞による骨吸収抑制
腎Ca2+排泄促進
血中Ca2+濃度低下
ビタミンK
PIVKA（血液凝固因子前駆体）
ビタミンK依存性カルボキシラーゼ
血液凝固第Ⅱ・Ⅶ・Ⅸ・Ⅹ因子

Ⅲ　糖尿病治療薬

☞『医薬品一般名・商品名・構造一覧』p105

1．糖尿病〈Diabetes Mellitus〉概観

糖尿病

診 断	空腹時血糖	正 常 域：＜100 mg/dL（ 5.6 mM） 糖尿病域：≧126 mg/dL（ 7.0 mM）
	75 g 糖負荷試験〈OGTT〉2 時間血糖	正 常 域：＜140 mg/dL（ 7.8 mM） 糖尿病域：≧200 mg/dL（11.1 mM）
	随時血糖値	糖尿病域：≧200 mg/dL（11.1 mM）
	ヘモグロビン A1c〈HbA1c：NGSP 値〉	糖尿病域：≧6.5%（NGSP 値＝JDS 値＋0.4）
分 類	1 型糖尿病	β 細胞に機能障害が生じ，インスリン分泌能がないために生じる。
	2 型糖尿病	β 細胞にインスリン分泌能はあるが，分泌量が少ないか，または末梢標的組織でのインスリン感受性が下がっているために生じる。
症 状	高血糖，尿糖，口渇・多飲・多尿（浸透圧利尿），全身倦怠感・疲労感，大食症・体重減少，ケトーシス・アシドーシス，昏睡，感染症	
合併症	眼 障 害：網膜症，白内障 腎 障 害：腎症，ネフローゼ，アルブミン尿症（高血圧・浮腫・尿毒症） 神経障害：多発性神経障害（神経痛・しびれ），自律神経障害（起立性低血圧，インポテンツ，脳神経障害（外眼筋麻痺），体幹・四肢神経障害 感 染 症：尿路感染，皮膚・軟部組織感染，真菌症，骨髄炎，敗血症 そ の 他：脳梗塞，心筋梗塞・狭心症，末梢動脈硬化症，足の壊疽・潰瘍	
治 療	目標値	HbA1c＜6.0：血糖正常化を目指す際の目標 HbA1c＜7.0：合併症予防のための目標 HbA1c＜8.0：治療強化が困難な際の目標
	目安値	空腹時血糖＜130 mg／dL 食後 2 時間血糖＜180 mg／dL

2．糖尿病及び合併症治療薬

① インスリン製剤

インスリン製剤（ヒト遺伝子組換え：皮下注）

分類	薬物
超速効型	**インスリンリスプロ** ヒューマログ，ルムジェブ **インスリンアスパルト** ノボラピッド，フィアスプ **インスリングルリジン** アピドラ
速効型	**中性インスリン** ノボリンR，ヒューマリンR
中間型	**イソフェンインスリン水性懸濁** ノボリンN，ヒューマリンN
持続型	**インスリングラルギン**（インスリンアナログ） ランタス **インスリンデテミル**（インスリンアナログ） レベミル **インスリンデグルデク**（インスリンアナログ） トレシーバ
混合型	**生合成ヒト二相性イソフェンインスリン水性懸濁**（速効型：中間型＝3：7） ノボリン30R，ヒューマリン3/7，イノレット30R **二相性プロタミン結晶性インスリンアナログ水性懸濁** （超速効型溶解インスリンアスパルト：中間型プロタミン結晶性インスリンアスパルト＝3：7または5：5または7：3） ノボラピッド30，50，70ミックス **インスリンリスプロ** （超速効型インスリンリスプロ：中間型インスリンリスプロ＝1：1または1：3） ヒューマログミックス25，50 **インスリンアスパルト・インスリンデグルデク** （超速効型インスリンアスパルト：持続型インスリンデグルデク＝3：7）

生理的なインスリン分泌（下図）に基づき，必要に応じて超速効性製剤～持続性製剤が組み合わせて使用される。

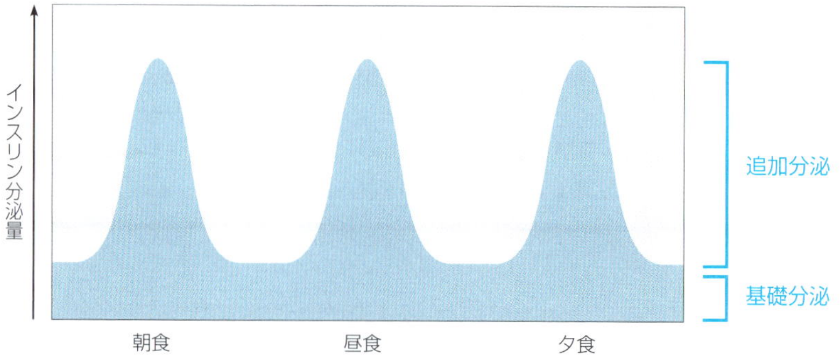

❷ スルホニル尿素系薬物〈SU 剤〉及び 関連薬（インスリン分泌促進薬）

作用機序

K_{ATP}チャネル抑制薬で，β細胞膜を脱分極させて電位依存性 Ca^{2+}チャネルを開きインスリン分泌促進（1 型糖尿病に無効）。

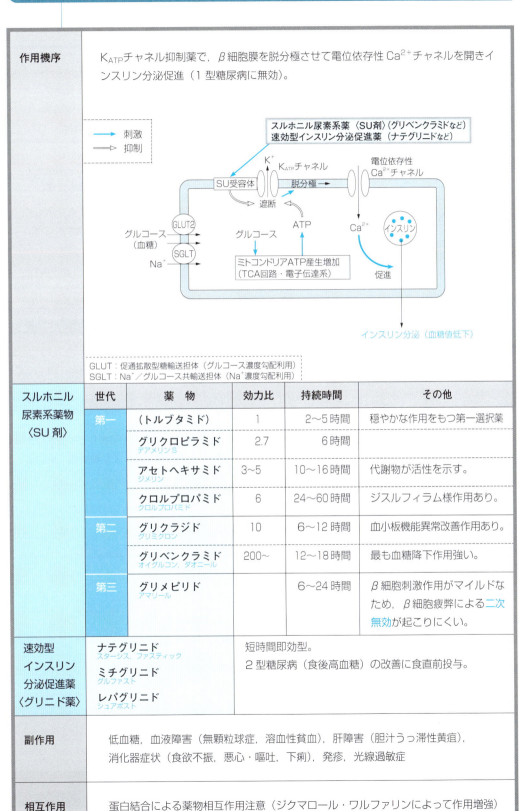

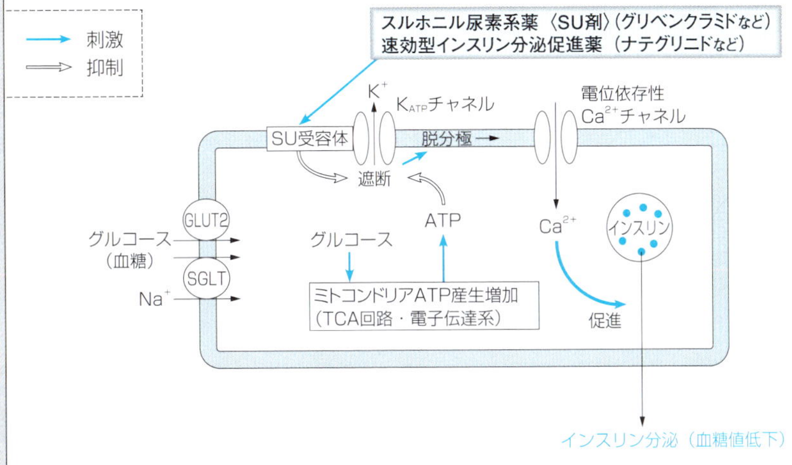

GLUT：促通拡散型糖輸送担体（グルコース濃度勾配利用）
SGLT：Na^{+}／グルコース共輸送担体（Na^{+}濃度勾配利用）

スルホニル尿素系薬物〈SU 剤〉

世代	薬　物	効力比	持続時間	その他
第一	(トルブタミド)	1	2～5 時間	穏やかな作用をもつ第一選択薬
	グリクロピラミド デアメリン S	2.7	6 時間	
	アセトヘキサミド ジメリン	3～5	10～16 時間	代謝物が活性を示す。
	クロルプロパミド クロルプロパミド	6	24～60 時間	ジスルフィラム様作用あり。
第二	グリクラジド グリミクロン	10	6～12 時間	血小板機能異常改善作用あり。
	グリベンクラミド オイグルコン，ダオニール	200～	12～18 時間	最も血糖降下作用強い。
第三	グリメピリド アマリール		6～24 時間	β細胞刺激作用がマイルドなため，β細胞疲弊による二次無効が起こりにくい。

速効型インスリン分泌促進薬〈グリニド薬〉

薬物	特徴
ナテグリニド スターシス，ファスティック ミチグリニド グルファスト レパグリニド シュアポスト	短時間即効型。 2 型糖尿病（食後高血糖）の改善に食直前投与。

副作用

低血糖，血液障害（無顆粒球症，溶血性貧血），肝障害（胆汁うっ滞性黄疸），消化器症状（食欲不振，悪心・嘔吐，下痢），発疹，光線過敏症

相互作用

蛋白結合による薬物相互作用注意（ジクマロール・ワルファリンによって作用増強）

❸ インクレチン関連薬（インスリン分泌促進薬）

分 類	薬 物	説 明
GLP-1アナログ製剤	リラグルチド ビクトーザ エキセナチド バイエッタ，ビデュリオン リキシセナチド リキスミア 持効型(週1回投与) デュラグルチド トルリシティ セマグルチド オゼンピック	1）インクレチンは，血糖値依存的にインスリン分泌を促進する消化管ホルモンの総称。インクレチンとして，GLP-1〈glucagon-like peptide 1〉やGIP〈glucose-dependent insulinotropic polypeptide〉などがある。 2）GLP-1やGIPは，グルコース恒常性維持に関与し，血糖値依存的にインスリン分泌促進・グルカゴン分泌低下作用を示す。 3）GLP-1アナログ製剤は，GLP-1受容体（G_s共役）を刺激してインスリン分泌を促進させ，血糖値を下げる。2型糖尿病に用いる（皮下注）。 4）セマグルチドには経口薬あり（リベルサス®：1日1回投与）。
(参考)GLP-2アナログ製剤	テデュグルチド レベスティブ	1）グルカゴン様ペプチド-2（GLP-2）は，腸管内分泌細胞（L細胞）から分泌され，栄養分の吸収促進及び腸管粘膜の維持・修復に寄与している。 2）短腸症候群に適用（皮下注）。
DPP-4阻害薬	シタグリプチン グラクティブ，ジャヌビア ビルダグリプチン エクア アナグリプチン スイニー アログリプチン ネシーナ リナグリプチン トラゼンタ テネリグリプチン テネリア サキサグリプチン オングリザ 持効型(週1回投与) オマリグリプチン マリゼブ トレラグリプチン ザファテック	1）ジペプチジルペプチダーゼ-4〈DPP-4〉は，インクレチン分解酵素である。 2）DPP-4阻害薬は，インクレチンの分解を阻害してインクレチンを介した血糖コントロールを改善する。2型糖尿病に用いる（内服）。

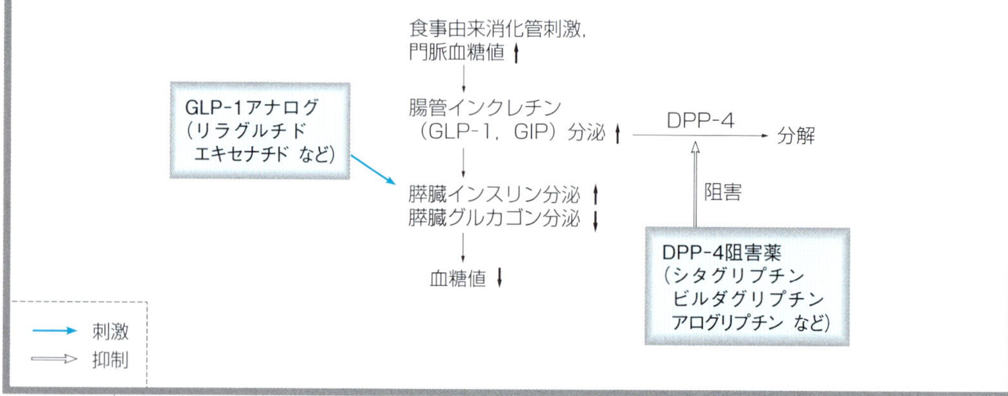

食事由来消化管刺激，
門脈血糖値↑
GLP-1アナログ
（リラグルチド
エキセナチド など）
腸管インクレチン
（GLP-1，GIP）分泌↑
DPP-4
分解
膵臓インスリン分泌↑
膵臓グルカゴン分泌↓
阻害
血糖値↓
DPP-4阻害薬
（シタグリプチン
ビルダグリプチン
アログリプチン など）
刺激
抑制

❹ ビグアナイド系 及び インスリン抵抗性改善薬（糖代謝改善薬）

分　類	薬　物	説　明
ビグアナイド系	ブホルミン ジベトス メトホルミン グリコラン，メトグルコ	**作用機序**：β細胞からのインスリン分泌作用はなく，AMPキナーゼ（AMP 活性化蛋白質リン酸化酵素）活性化を介して，肝臓の糖新生抑制，腸管からの糖吸収抑制，末梢組織の糖利用促進をもたらし，血糖値を下げる。なお，AMP キナーゼは，ほとんどの組織・細胞に分布し，ATP の加水分解により生じた AMP によって活性化される。その結果，糖・脂質・蛋白質の異化（代謝）を亢進して ATP 産生を促進することから，燃料センサーとも呼ばれる。 **副作用**：乳酸アシドーシス，低血糖 ＊乳酸アシドーシスの初期症状；胃腸症状（悪心・嘔吐，腹痛，下痢など），倦怠感，筋肉痛，過呼吸など
インスリン抵抗性改善薬（チアゾリジンジオン系）	ピオグリタゾン アクトス	**作用機序**：β細胞からのインスリン分泌作用はなく，核内受容体 PPARγ〈ペルオキシソーム増殖剤活性化受容体γ：Peroxisome Proliferator-activated Receptorγ〉に作用して脂肪細胞アディポネクチン産生を促進させ，PPARα・AMP キナーゼ活性化を介して糖・脂質代謝を改善する。 **副作用**：心不全（浮腫，体重増加），肝機能障害（黄疸，劇症肝炎）など

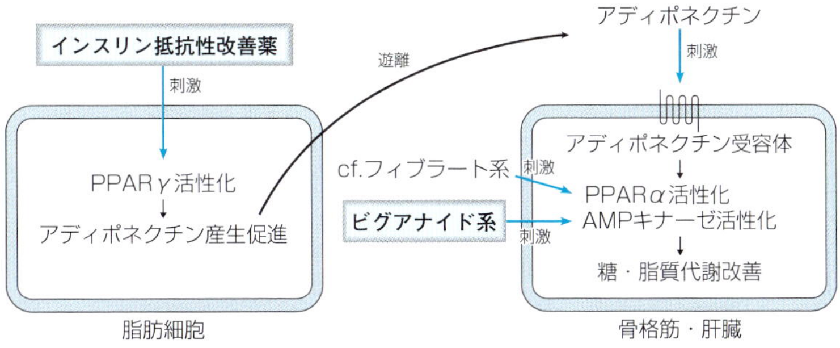

⑤ テトラヒドロトリアジン（グリミン）系薬物（ミトコンドリア機能改善薬）

薬　物	標的組織	効　果
イメグリミン ツイミーグ	膵臓	血糖依存的インスリン分泌促進
	肝臓・骨格筋	糖代謝改善（糖新生抑制・糖取込み能改善），インスリン抵抗性改善

⑥ α-グルコシダーゼ阻害薬（食後過血糖改善薬）

薬　物	説　明
アカルボース グルコバイ ボグリボース ベイスン ミグリトール セイブル	**作用機序**：α-グルコシダーゼの偽基質として作用し，腸上皮細胞における炭水化物から単糖類（ブドウ糖・果糖）への分解を阻害して吸収を阻害する。2 型糖尿病患者の食後過血糖を改善する。 **副作用**：肝障害，消化器症状（腸閉塞様症状，腹部膨満・放屁増加，軟便，腹痛，悪心・嘔吐），過敏症

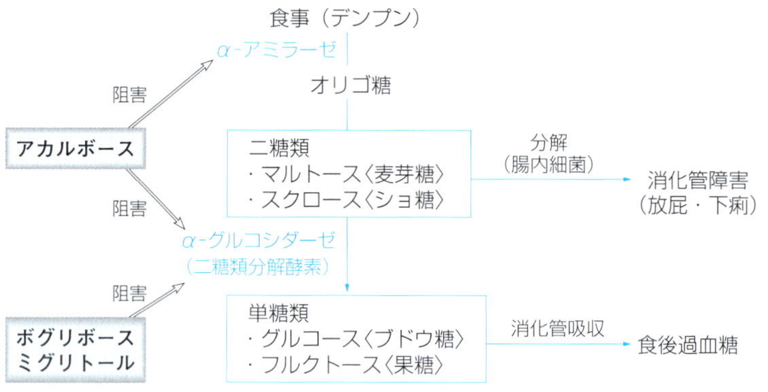

食事（デンプン）
α-アミラーゼ
オリゴ糖
阻害
アカルボース
阻害
二糖類
・マルトース〈麦芽糖〉
・スクロース〈ショ糖〉
分解
（腸内細菌）
消化管障害
（放屁・下痢）
α-グルコシダーゼ
（二糖類分解酵素）
阻害
ボグリボース
ミグリトール
単糖類
・グルコース〈ブドウ糖〉
・フルクトース〈果糖〉
消化管吸収
食後過血糖

⑦ SGLT2 阻害薬（尿糖排泄促進薬）

項　目	説　明		
グルコース輸送体	Na^+-グルコース共輸送体（SGLT*：二次性能動輸送）	SGLT1	小腸，近位尿細管
		SGLT2	近位尿細管
	グルコース輸送体（GLUT**：受動輸送）	GLUT1	各種細胞，赤血球，血液脳関門
		GLUT2	膵臓β細胞，肝細胞，腎，小腸
		GLUT3	神経細胞，胎盤
		GLUT4	横紋筋，脂肪細胞 （インスリン依存性）
SGLT2 阻害薬（フロリジン誘導体）	トホグリフロジン アプルウェイ，デベルザ ダパグリフロジン フォシーガ カナグリフロジン カナグル イプラグリフロジン スーグラ ルセオグリフロジン ルセフィ エンパグリフロジン ジャディアンス	1）近位尿細管において，グルコースの再吸収を担う SGLT2 を選択的に阻害して血中の過剰なグルコースの尿中排泄を促進し，血糖値を低下させる。 2）SGLT1 を介した尿糖再吸収には影響しにくい（低血糖誘発の副作用軽減）。 3）尿路・性器感染症，敗血症等の副作用に注意が必要。 4）1 型糖尿病，慢性心不全，慢性腎臓病への追加適応をもつ薬物あり（ダパグリフロジンなど）。	

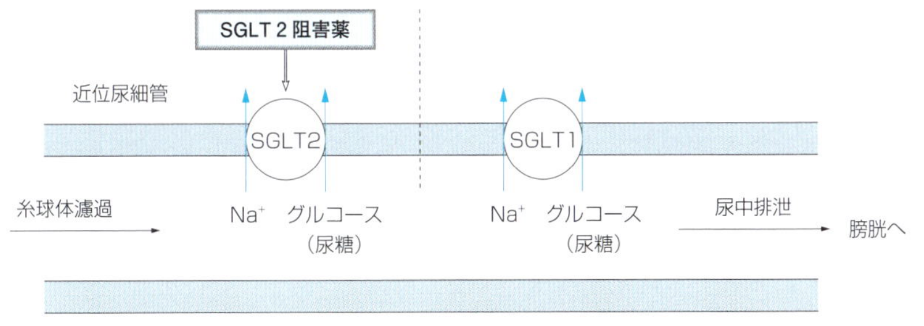

*SGLT：Sodium Glucose Co-transporter
**GLUT：Glucose Transporter

補足＜糖尿病治療薬の合剤＞

分　類	商品名	配合薬物
食後過血糖改善	グルベス®	ミチグリニド＋ボグリボース
ピオグリタゾン ＋ SU剤	ソニアス®	ピオグリタゾン＋グリメピリド
ピオグリタゾン ＋ メトホルミン	メタクト®	ピオグリタゾン＋メトホルミン
DPP-4阻害薬 ＋ ピオグリタゾン	リオベル®	アログリプチン＋ピオグリタゾン
DPP-4阻害薬 ＋ メトホルミン	メトアナ®	アナグリプチン＋メトホルミン
	エクメット®	ビルダグリプチン＋メトホルミン
	イニシンク®	アログリプチン＋メトホルミン
DPP-4阻害薬 ＋ SGLT2阻害薬	カナリア®	テネリグリプチン＋カナグリフロジン
	スージャヌ®	シタグリプチン＋イプラグリフロジン
	トラディアンス®	リナグリプチン＋エンパグリフロジン
インスリン ＋ GLP-1アナログ	ゾルトファイ®	インスリンデグルデク＋リラグルチド

❽ 糖尿病合併症治療薬

分　類	薬　物		説　明
糖尿病性末梢神経障害	神経保護薬	エパルレスタット キネダック	アルドース還元酵素阻害薬。 神経内でグルコースからソルビトールの生成・蓄積を阻害することにより，ブドウ糖毒性を和らげ，糖尿病性末梢神経障害を予防・改善する。 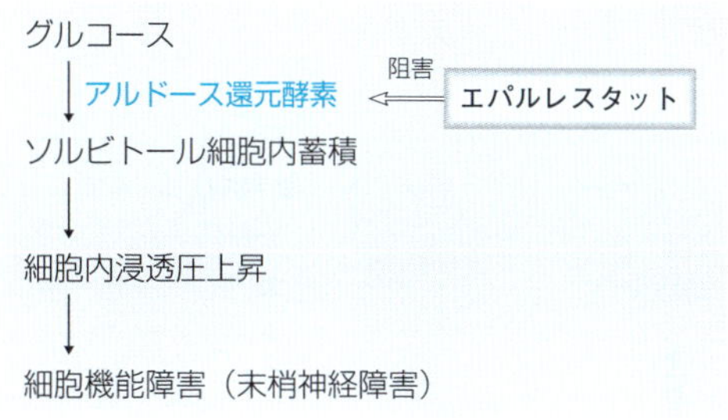 グルコース アルドース還元酵素 阻害 エパルレスタット ソルビトール細胞内蓄積 細胞内浸透圧上昇 細胞機能障害（末梢神経障害） **副作用**：過敏症，血小板減少，肝・腎機能障害，消化器障害
	鎮痛薬	メキシレチン メキシチール	Na^+チャネル遮断薬。 クラスⅠb抗不整脈薬でもあり，糖尿病性神経障害に伴う自覚症状（自発痛，しびれ感）の改善に用いられる。CYP1A2，CYP2D6 阻害作用あり。
		アミトリプチリン トリプタノール デュロキセチン サインバルタ	抗うつ薬（セロトニン・ノルアドレナリン再取込み阻害）。 下行性疼痛抑制系の神経伝達に関与するセロトニン及びノルアドレナリンの再取込みを阻害して，鎮痛効果を示す。糖尿病性神経障害に伴う疼痛に用いられる。
		プレガバリン リリカ	神経障害性疼痛治療薬。 中枢神経系において電位依存性 Ca^{2+}チャネルを抑制し，グルタミン酸等の神経伝達物質遊離を抑制して神経興奮を抑制し，鎮痛効果を示す。鎮痛効果には，下行性疼痛調節系（ノルアドレナリン経路及びセロトニン経路）に対する作用も関与。
糖尿病性腎症	臓器保護薬	イミダプリル タナトリル	アンギオテンシン変換酵素〈ACE〉阻害薬。 腎保護作用をもち，1 型糖尿病に伴う糖尿病性腎症に用いられる。
		ロサルタン ニューロタン	アンギオテンシン AT_1受容体遮断薬〈ARB〉。 高血圧及び蛋白尿を伴う 2 型糖尿病における糖尿病性腎症に用いられる。

Ⅳ　脂質異常症治療薬

☞『医薬品一般名・商品名・構造一覧』p108

1. 脂質異常症とリポ蛋白質

脂質異常症	診断基準	高トリグリセリド〈TG〉血症：血清 TG 値 ≧ 150 mg/dL 高 LDL コレステロール血症：血清 LDL 値 ≧ 140 mg/dL 低 HDL コレステロール血症：血清 HDL 値 ＜ 40 mg/dL （参考値）血清総コレステロール値≧220 mg/dL
脂質異常症	動脈硬化	血中コレステロール〈LDL〉が増加するとマクロファージがそれを貪食して血管内膜（内皮と平滑筋層の間）へ移行して泡沫化・壊死し，膠原線維の増加や中膜平滑筋細胞の遊走・増殖を引き起こす。これがアテロームとなって，内皮細胞を押し上げ血管内腔側に隆起が生じ血流を塞ぐ（アテローム性動脈硬化）。動脈硬化は種々の疾病（心筋梗塞，狭心症，脳卒中など）を誘発。
血清脂質	リポ蛋白質	遊離脂肪酸以外の血清脂質（コレステロール，トリグリセリド，リン脂質）の多くは血中でアポリポ蛋白質との複合体（リポ蛋白質）として存在。
血清脂質	比重によるリポ蛋白質の分類	**キロミクロン**（トリグリセリドが主たる構成成分） **キロミクロンレムナント**（トリグリセリドはリポ蛋白質リパーゼによって加水分解され，コレステロールに富むキロミクロンレムナントと遊離脂肪酸を産生する） VLDL〈Very Low Density Lipoprotein〉：**超低密度リポ蛋白質** IDL〈Intermediate Density Lipoprotein〉：**中間密度リポ蛋白質** LDL〈Low Density Lipoprotein〉：**低密度リポ蛋白質** HDL〈High Density Lipoprotein〉：**高密度リポ蛋白質**
血清脂質	低密度リポ蛋白質〈LDL〉	肝臓から末梢へコレステロールを転送（悪玉コレステロール）
血清脂質	高密度リポ蛋白質〈HDL〉	末梢から肝臓へコレステロールを転送（善玉コレステロール）
コレステロール	合　成	アセチル CoA ＋ アセトアセチル CoA ⟶ HMG-CoA —(HMG-CoA＊還元酵素)⟶ メバロン酸 ⟶ コレステロール（⟶ LDL ⟶ VLDL） （HMG-CoA：3-hydroxy-3-methylglutaryl-coenzyme A） ＊HMG-CoA 還元酵素による HMG-CoA ⟶ メバロン酸生成の過程が律速段階。
コレステロール	代謝・異化排泄	VLDL —(リポ蛋白質リパーゼ)⟶ LDL ⟶ コレステロール ⟶ 胆汁酸 ⟶ 胆汁排泄

2. 脂質の体内動態及び脂質異常症治療薬概観

1）**食事由来脂質**	食事由来の脂質はアポ蛋白質B48などとキロミクロンを形成し，腸管リンパ管から循環血中へ入る。キロミクロン分子内のトリグリセリド〈トリアシルグリセロール：TG〉は，**血管内皮リポ蛋白質リパーゼ**〈LPL〉によって加水分解され遊離脂肪酸を組織に供給する。残異体のキロミクロンレムナントは肝臓においてアポ蛋白質Eを認識するレムナント受容体によって取り込まれ処理される。
2）**内因性トリグリセリド**〈TG〉	内因性TGは肝臓でVLDLにまで合成されて分泌される。分泌されたVLDL分子内のTGは**リポ蛋白質リパーゼ**〈LPL〉によって加水分解され，遊離脂肪酸を組織に供給するとともにコレステロールに富むIDL〈中間密度リポ蛋白質〉・LDLを産生する。IDLからのLDL産生には，肝性トリグリセリドリパーゼ〈HTGL〉も関与する。産生されたLDLは，肝・末梢組織に存在しアポ蛋白質B100を認識するLDL受容体によって細胞内に取り込まれ処理される。また，LDLのコレステロールエステルは加水分解されて組織に遊離コレステロールを供給する。コレステロールは，**レシチン＊-コレステロールアシル基転移酵素**〈LCAT〉によって再びエステル化され細胞内に蓄積される。 ＊レシチン＝ホスファチジルコリン
3）HDL	HDLは肝臓・腸で合成される。HDLは末梢組織からコレステロールを引き抜き，肝に転送する（コレステロール逆輸送）。また，LCATによってエステル化されたHDL分子内コレステロールを，コレステロールエステル輸送体を介してLDLやVLDLに引き渡す。

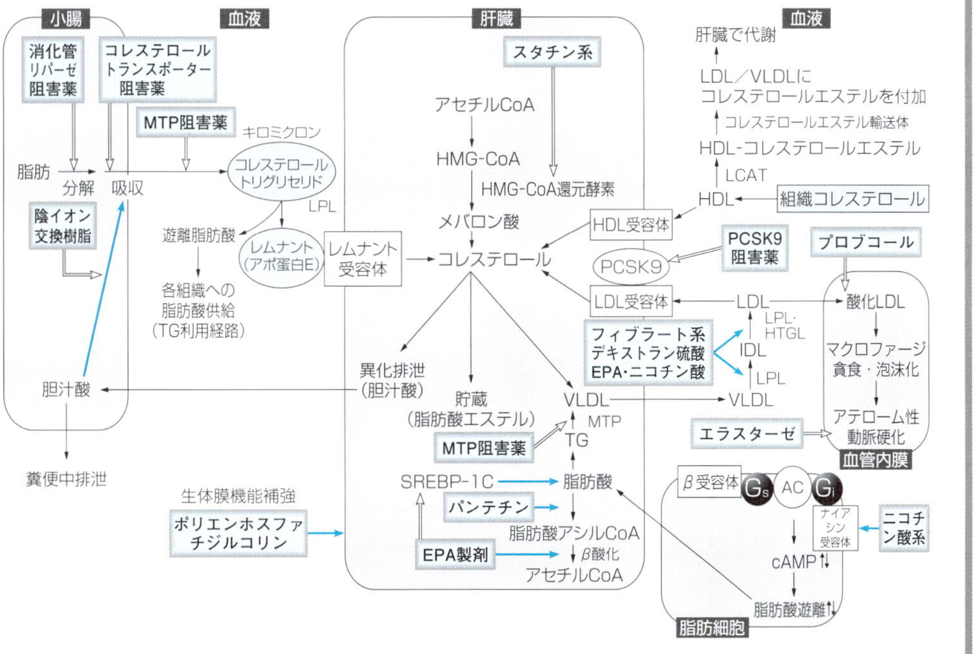

LPL：リポ蛋白質リパーゼ
（中性脂肪から脂肪酸を切り出す）
LCAT：レシチン-コレステロールアシル基転移酵素
（ホスファチジルコリンの脂肪酸をコレステロールに転移）
コレステロールエステル：コレステロールと脂肪酸とのエステル

3. 脂質異常症治療薬

❶ 主な脂質異常症治療薬 概観

主な脂質異常症治療薬 概観

後述の説明表	分 類	脂質・リポ蛋白質合成阻害	異化排泄促進	脂質吸収阻害	LDL受容体	HDL	副作用
表1 (p469)	フィブラート系 (PPARα 刺激薬)	○ TG 合成↓	○ LPL 活性化 (TG 分解↑)	○		増加	横紋筋融解症* 肝障害，胆石形成 蛋白結合強い
	スタチン系 (HMG-CoA 還元酵素阻害薬)	○ コレステロール合成↓	○		増加	増加	横紋筋融解症 肝障害 不 眠
表2 (p470)	PCSK9 阻害薬		○ LDL 分解↑		増加		注射部位反応 糖尿病
	MTP 阻害薬	○ VLDL 合成↓					肝障害 胃腸障害
表3 (p471)	塩基性陰イオン交換樹脂		○ 胆汁酸の糞便中排泄促進	○ 胆汁酸吸着により脂肪吸収阻害	増加	増加	消化器障害（便秘，腹部膨満感，食欲不振） 脂溶性ビタミン吸収障害 酸性化合物（ワルファリン，ジゴキシンなど）を吸着して吸収を阻害
	小腸コレステロールトランスポーター阻害薬			○	増加	増加	横紋筋融解症
	植物ステロール			○	増加	増加	
表4 (p472)	デキストラン硫酸ナトリウム		○ LPL 活性化 (TG 分解↑)			増加	抗凝血作用 胃腸障害 過敏症
	EPA 製剤	○ TG 合成↓	○ LPL 活性化 (TG 分解↑)				肝障害
	ニコチン酸系	○ 脂肪組織アデニル酸シクラーゼ阻害による遊離脂肪酸生成阻害 (VLDL 合成↓)	○ LPL 活性化 (TG 分解↑) コレステロールの胆汁排泄↑	○		増加	顔面潮紅（血管拡張） 発疹・そう痒感
	プロブコール	○	○ 胆汁酸生成促進・LDL 酸化変成阻害			低下	QT 延長 （心室性不整脈） 胃腸障害

＊横紋筋融解症：骨格筋細胞が破壊され，筋肉のだるさ，赤褐色尿（ミオグロビン尿），血中クレアチンキナーゼ〈CK〉上昇などが生じる。ミオグロビンや CK は，筋細胞からの逸脱蛋白／酵素である。

❷ フィブラート系薬物とスタチン系薬物 （表1：p468「概観」参照）

分　類		薬　物	作用機序・特徴
フィブラート系薬物（PPARα 刺激薬）		クロフィブラート（クロフィブラート） ベザフィブラート（ベザトール SR） フェノフィブラート（トライコア，リピディル） ペマフィブラート（パルモディア）	1）PPARα〈Peroxisome Proliferator-activated Receptor α〉のリガンドとして作用し，リポ蛋白質リパーゼ〈LPL〉を増加させるとともに，LPL 活性を抑制するアポ C-Ⅲの発現を抑制することにより，LPL による TG の加水分解を促進する。その結果，**キロミクロン・VLDL・IDL** の異化を促進する。 2）肝臓での脂肪酸合成抑制，脂肪酸の β 酸化亢進による TG の合成抑制，コレステロールの胆汁排泄増加作用などを併せもち，血清 TG・コレステロールを低下させ，HDL を上昇させる。
スタチン系薬物（HMG-CoA 還元酵素阻害薬）	スタンダード	プラバスタチン*（水）（メバロチン） シンバスタチン（脂）（リポバス） フルバスタチン（脂）（ローコール）	1）コレステロール合成の律速酵素である HMG-CoA 還元酵素を阻害することによって，HMG-CoA からメバロン酸への変換を阻害する。 2）肝細胞内コレステロール・プールを減少させるため，細胞膜 **LDL 受容体数が増加**して血清から肝への LDL 取込みを亢進させる。 ＊プラバスタチン・ロスバスタチン：肝・有機陰イオントランスポーターを介して肝細胞に選択的に取り込まれる。 （水）：水溶性，（脂）：脂溶性
	ストロング	アトルバスタチン（脂）（リピトール） ピタバスタチン（脂）（リバロ） ロスバスタチン*（水）（クレストール）	

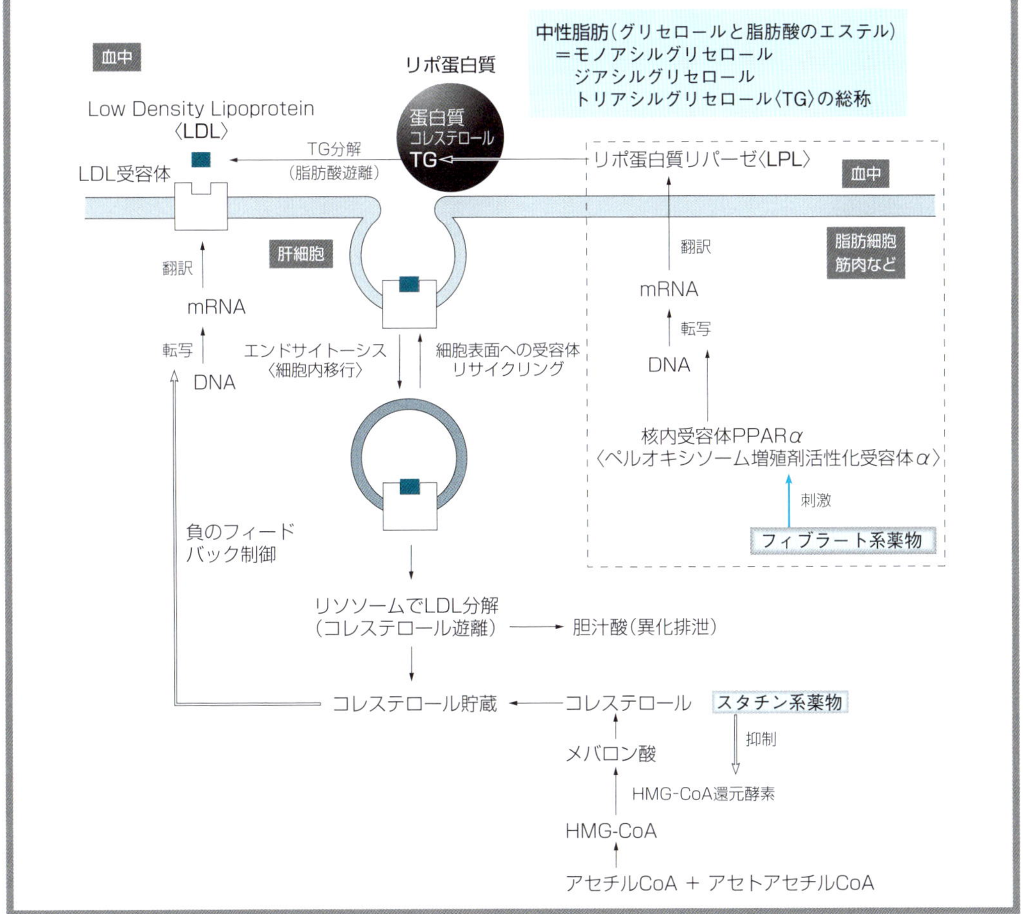

❸ PCSK9 阻害薬と MTP 阻害薬（表 2：p468「概観」参照）

分 類	薬 物	作用機序・特徴
PCSK9 阻害薬	**エボロクマブ** レパーサ **アリロクマブ** プラルエント	1）ヒト抗 PCSK9 モノクローナル抗体製剤 2）LDL 受容体分解促進蛋白質 PCSK9（Proprotein Convertase Subtilisin/Kexin type 9）と LDL 受容体との結合を阻害することによって，LDL 受容体の分解を抑制する。その結果，LDL 受容体を介した血中 LDL コレステロールの肝細胞内への取り込みが促進する。 3）家族性高コレステロール血症，高コレステロール血症に適用（心血管イベント発現リスクが高く，HMG-CoA 還元酵素阻害薬で効果不十分あるいは使用不適の場合）。

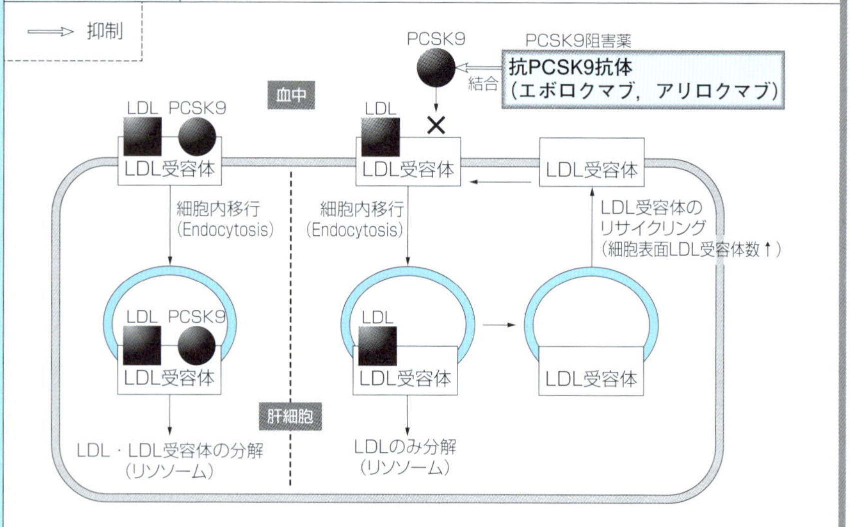

MTP 阻害薬	**ロミタピド** ジャクスタピッド	1）小胞体内腔に存在するミクロソームトリグリセリド転送蛋白質（MTP：Microsomal Triglyceride Transfer Protein）に直接結合して脂質転送を阻害する。その結果，肝細胞内及び小腸細胞内でのトリグリセリドとアポ B を含むリポ蛋白質の会合が阻害されるため，肝細胞 VLDL 及び小腸細胞キロミクロンの形成が阻害される。VLDL の形成阻害によって肝臓からの VLDL 分泌が低下するため，血中 LDL コレステロール濃度が低下する。 2）ホモ接合体家族性高コレステロール血症に適用。

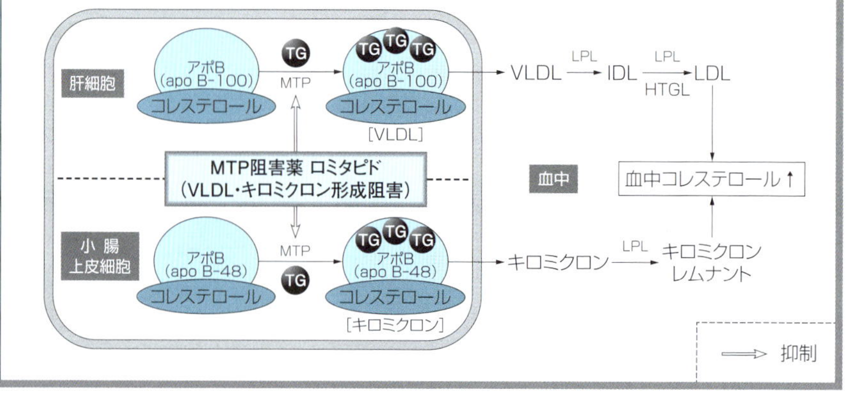

❹ 脂質吸収阻害薬 （表3：p468「概観」参照）

分　類	薬　物	作用機序・特徴
塩基性陰イオン交換樹脂	コレスチラミン クエストラン コレスチミド コレバイン	1）腸管内で胆汁酸と結合してミセル形成を阻害し脂肪吸収を抑制するとともに，胆汁酸の糞便中排泄を促進させ，コレステロールから胆汁酸への異化を促進する。 2）その結果，肝細胞内のコレステロール・プールが減少して肝細胞膜LDL受容体数が増加し，血清から肝へのLDL取込みが亢進する。
小腸コレステロールトランスポーター〈Niemann-Pick C1 Like 1〉阻害薬	エゼチミブ ゼチーア	1）小腸でのコレステロール吸収阻害により肝臓のコレステロール含量を低下させるとともに，肝細胞膜LDL受容体数を増加させる。 2）肝臓でのコレステロールの生合成が代償的に亢進するため，HMG-CoA還元酵素阻害薬との併用により血中コレステロールが相補的に低下するが，横紋筋融解症に注意を要する。 3）アトルバスタチンとの配合錠，ロスバスタチンとの配合錠あり。 ロスーゼット　　アトーゼット
植物ステロール	ガンマオリザノール ハイゼット	1）腸管でのコレステロールの吸収を抑制する。 2）LDL受容体によるLDL処理を促進する。

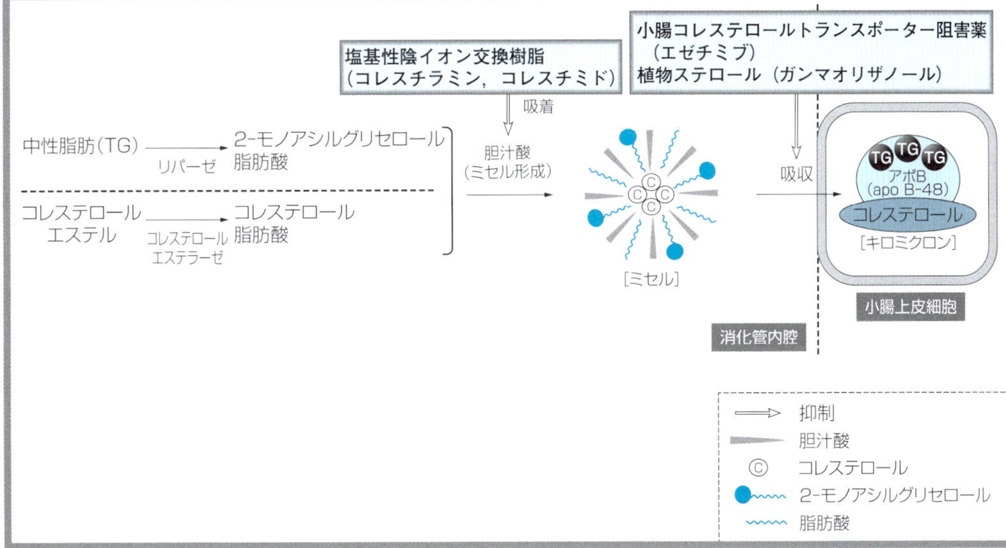

❺ その他の脂質異常症治療薬（表4：p468「概観」参照）

分類	薬物	作用機序・特徴
デキストラン硫酸ナトリウム	デキストラン硫酸ナトリウムイオウ MDS	リポ蛋白質リパーゼ及び肝性TGリパーゼを活性化，中性脂肪を低下させる。LDL値は下がりにくい（高TG血症治療薬）。
EPA製剤	イコサペント酸エチル〈EPA〉 エパデール オメガ-3脂肪酸エチル* ロトリガ	1）EPAは，脂質合成系を制御する転写因子SREBP-1c〈Sterol Regulatory Element-Binding Protein-1c〉を抑制し，肝臓での脂肪酸・TG合成を抑制する。 2）EPAはまた，PPARαのmRNA発現量を増加させ，TGの分解及び脂肪酸のβ酸化を促進する。 3）また，TXA_2産生阻害によって血流を改善する。 *オメガ-3脂肪酸エチルは，イコサペント酸エチル〈EPA〉とドコサヘキサエン酸エチル〈DHA〉との合剤。
ニコチン酸系薬物	ニセリトロール ペリシット ニコモール コレキサミン ニコチン酸トコフェロール ユベラN	1）脂肪細胞ナイアシン受容体（G_i共役型）刺激による遊離脂肪酸生成（遊離脂肪酸動員）抑制作用 2）肝でのVLDL合成抑制作用 3）リポ蛋白質リパーゼ活性上昇作用 などを併せもち，血清TGを低下させる。また，コレステロールの吸収抑制や胆汁排泄増加作用をもつ。
プロブコール	プロブコール シンレスタール，ロレルコ	1）LDLコレステロールの胆汁中への異化排泄を亢進する。 2）コレステロールエステル転送蛋白活性を亢進させ，HDLを低下させる。 3）LDL酸化変性抑制作用によって，アテローム性動脈硬化を抑制する。
血管代謝改善薬	エラスターゼ エラスチーム	1）プロテアーゼであり，脂肪酸やコレステロールが沈着した動脈壁エラスチンを分解する。 2）コレステロール異化排泄・リポ蛋白質リパーゼ活性化作用をもつ。
肝機能改善薬	ポリエンホスファチジルコリン EPL	1）生体膜機能を補強し，細胞外への酵素逸脱を是正する。その結果，肝細胞内での脂質代謝，蛋白代謝を改善し，血中リポ蛋白質分画を改善する。 2）また，コレステロールの代謝回転を調整し，コレステロールエステル比の改善，コレステロールの異化・排泄障害の正常化等の作用を有する。
パントテン酸類薬	パンテチン パントシン （コエンザイムA〈CoA〉前駆体）	1）脂質代謝（アシル基転位反応）の改善により血清脂質を低下させる。 2）大動脈，冠状動脈のアテローム変性の発生度と拡がりを抑制する。 3）肝臓内の脂肪酸のβ-酸化を促進して脂肪沈着を抑え，脂肪肝の発生を抑制する。

⑥ 脂質異常症治療薬とHDL

フィブラート系薬などによるHDL増加

1）肝臓や腸で産生されるApo A-Ⅰは，HDLを構成する主要なアポリポ蛋白質である。
脂質異常症治療薬は，このApo A-Ⅰを増加させるため，結果的にHDLを増加させる。

2）フィブラート系薬物は，PPARαを刺激してApo A-Ⅰの発現を増大させる。

3）また，スタチン系薬物も，間接的にPPARαを刺激してApo A-Ⅰの発現を増大させる。即ち，HMG-CoA還元酵素を介して産生されたメバロン酸は，ゲラニルゲラニル二リン酸<GGPP>というイソプレノイドに変換され，このGGPPは，低分子量G蛋白質RhoAを活性化することによってPPARαを抑制する。従って，HMG-CoA還元酵素を阻害するスタチン系薬物は，結果的にPPARαに対する抑制を解除することによって，Apo A-Ⅰの発現を増大させる。

4）一方，ニコチン酸系薬物は，Apo A-Ⅰの肝クリアランスを減少させることによって，Apo A-Ⅰを増大させる。

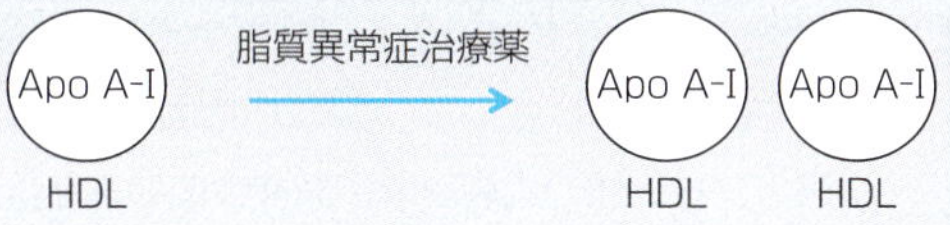

プロブコールによるHDL減少

1）プロブコールは，HDL受容体であるスカベンジャー*受容体〈SR-B1：scavenger receptor class B type 1〉の発現を増やす。SR-B1は，HDL分子内コレステロールエステルの肝細胞内への取り込みを促進する（リポ蛋白は取り込まれない）。その結果，HDLの異化が促進し，HDLが低下する。

2）従って，プロブコールによる血清コレステロール低下作用は，HDLの低下（異化）と密接に関連するため，臨床ではあまり問題とならない。

*スカベンジャー：体内の不要物質を処理する分子（清掃具）

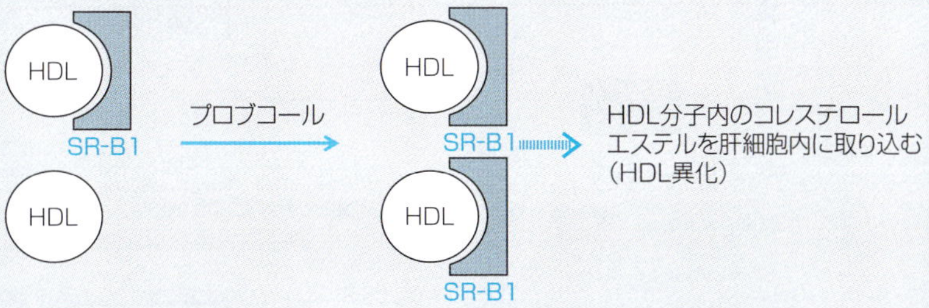

V　高尿酸血症治療薬

☞『医薬品一般名・商品名・構造一覧』p110

1. 痛風と尿酸

痛風の病態と尿酸の生合成・排泄

痛風とは	高尿酸血症と尿酸の沈着によって関節障害，腎障害，尿路結石，心血管障害を伴うプリン代謝異常症である。足指関節の激痛から始まり，男性に好発する。若年発症例では腎障害の進行が速く予後不良。
病　態	高尿酸血症（血清尿酸値＞7.0 mg/dL）を生化学的な特徴とする。痛風発作では，関節組織に尿酸が析出し，ハーゲマン因子や補体の活性化を誘発する。そこで，顆粒球は炎症部位に遊走して尿酸塩結晶を貪食して活性酸素やリソソーム酵素を放出し炎症を起こす。また，単球・マクロファージは，IL-1 などの炎症性サイトカインを放出して炎症を進行させる。さらに，関節滑膜組織や浸潤白血球での乳酸産生が亢進して pH が低下することで，尿酸の組織沈着が促進される。
尿酸の生成	ヒトでは，食事からのプリン体の摂取とプリンヌクレオチド生合成（核酸合成系）に由来。プリン体の過剰摂取，尿酸合成の亢進，尿酸排泄の低下によって起こる。 日本でも，肉中心の欧米型食事が普及し始めた 1960 年代から痛風患者が急増している。
尿酸の排泄	血漿中尿酸は腎糸球体で完全にろ過されるが，再吸収・再分泌の複雑な過程を経て尿中に排出される（近位尿細管で 99%が再吸収，次に 50%が分泌され，再度 40%が再吸収される）。結果として，約 10%の尿酸が尿中排泄される。

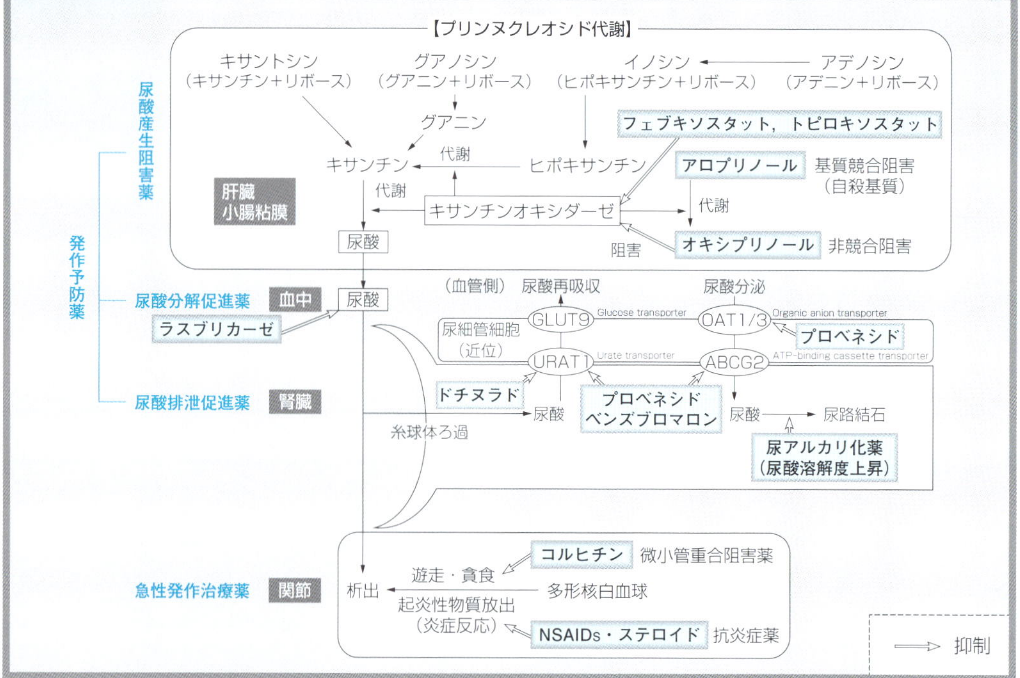
【プリンヌクレオシド代謝】
キサントシン（キサンチン＋リボース）
グアノシン（グアニン＋リボース）
イノシン（ヒポキサンチン＋リボース）
アデノシン（アデニン＋リボース）
グアニン
キサンチン
代謝
ヒポキサンチン
フェブキソスタット，トピロキソスタット
アロプリノール
基質競合阻害（自殺基質）
肝臓
小腸粘膜
代謝
キサンチンオキシダーゼ
代謝
尿酸
阻害
オキシプリノール
非競合阻害
尿酸産生阻害薬
発作予防薬
尿酸分解促進薬
血中
尿酸
ラスブリカーゼ
（血管側）
尿酸再吸収
尿酸分泌
尿細管細胞（近位）
GLUT9
Glucose transporter
OAT1/3
Organic anion transporter
プロベネシド
URAT1
Urate transporter
ABCG2
ATP-binding cassette transporter
尿酸排泄促進薬
腎臓
ドチヌラド
プロベネシド
ベンズブロマロン
尿酸
尿酸
尿路結石
糸球体ろ過
尿アルカリ化薬
（尿酸溶解度上昇）
コルヒチン
微小管重合阻害薬
遊走・貪食
急性発作治療薬
関節
析出
多形核白血球
起炎性物質放出
（炎症反応）
NSAIDs・ステロイド
抗炎症薬
抑制

2. 高尿酸血症・痛風発作治療薬

分類			薬物	特徴
急性発作治療薬	微小管重合阻害		コルヒチン コルヒチン	・イヌサフランのアルカロイドで，有糸分裂阻害とリソソーム膜安定化によって白血球の活性を抑え遊走・貪食・起炎物質放出を抑制。ヒスタミン遊離抑制。尿酸代謝に影響せず，鎮痛・抗炎症作用もない。 ・発作前兆期投与が有効で，発作発現後は，服用開始が早いほど効果的。また，尿酸値低下薬の服用開始に伴う痛風発作誘発（尿酸値の急激な変動による発作）に対する予防に短期投与されるが，長期的な予防投与は有効性と安全性との観点から推奨されない。 **副作用**：急性中毒では出血性胃腸炎，血液・腎障害，中枢神経症状，長期連用では，血液障害（再生不良性貧血，無顆粒球症），筋障害，脱毛，無精子症など
	ステロイド性／非ステロイド性抗炎症薬		ジクロフェナク インドメタシン ナプロキセン ケトプロフェン プラノプロフェン オキサプロジン 各種ステロイド	強力な抗炎症作用によって，抗痛風作用を発揮する。 発作時には，インドメタシンやジクロフェナクなどによる短期大量投与療法（パルス療法）が有効。 これらが使用不可あるいは無効の場合には，ステロイド剤を考慮する。
発作予防薬	尿酸産生阻害薬	プリン骨格	アロプリノール ザイロリック （代謝物オキシプリノールも阻害）	・アロプリノールはヒポキサンチン類似体でありキサンチンオキシダーゼで代謝される（競合阻害）。代謝物アロキサンチン（オキシプリノール）は非競合的にキサンチンオキシダーゼを阻害。抗腫瘍薬・放射線治療を始めた悪性腫瘍患者の高尿酸血症（腫瘍崩壊症候群）の改善にも適用。 ・フェブキソスタット・トピロキソスタットは，非プリン型選択的キサンチンオキシダーゼ阻害薬。
		非プリン骨格	フェブキソスタット フェブリク トピロキソスタット トピロリック・ウリアデック	**相互作用**：メルカプトプリン，アザチオプリンの代謝も阻害して作用増強（併用禁忌） **副作用**：過敏症（皮膚病変），肝・腎障害など
	尿酸排泄促進薬		尿アルカリ化（尿酸排泄促進） クエン酸K クエン酸Na ウラリット	**酸性**：尿酸析出（通常尿 pH=6） **アルカリ性**：尿酸溶解（尿 pH6.2〜6.8 に調整）
			プロベネシド ベネシッド	治療量以下では尿酸の再吸収を抑制せず，尿酸の分泌を阻害して尿酸貯留を起こす。 **相互作用**：少量のサリチル酸によって尿酸再吸収阻害作用減弱。ペニシリン・インドメタシン・アセタゾラミドなどの有機陰イオンの尿細管分泌抑制して排泄阻害 **副作用**：急性痛風発作誘発。まれに，胃腸症状（悪心・嘔吐），溶血性貧血・再生不良性貧血
			ベンズブロマロン ユリノーム，ムイロジン	近位尿細管の尿酸トランスポーター〈URAT1〉による尿酸再吸収を阻害。痛風及び高尿酸血症を伴う高血圧症に適応。 **副作用**：劇症肝炎
			ドチヌラド ユリス	近位尿細管の尿酸トランスポーター〈URAT1〉を選択的に阻害して，尿酸再吸収を阻害。
			ブコローム パラミヂン	非ステロイド性消炎鎮痛薬〈NSAIDs〉
	尿酸分解促進薬		ラスブリカーゼ ラスリテック	・尿酸を酸化し，アラントインと過酸化水素に分解する。 ・がん化学療法に伴う高尿酸血症（腫瘍崩壊症候群）に適用。 **副作用**：ショック，溶血性貧血，メトヘモグロビン血症

（尿酸再吸収阻害 の行）

Ⅵ　骨粗しょう症治療薬

☞『医薬品一般名・商品名・構造一覧』p111

1. 骨粗しょう症治療薬 概観

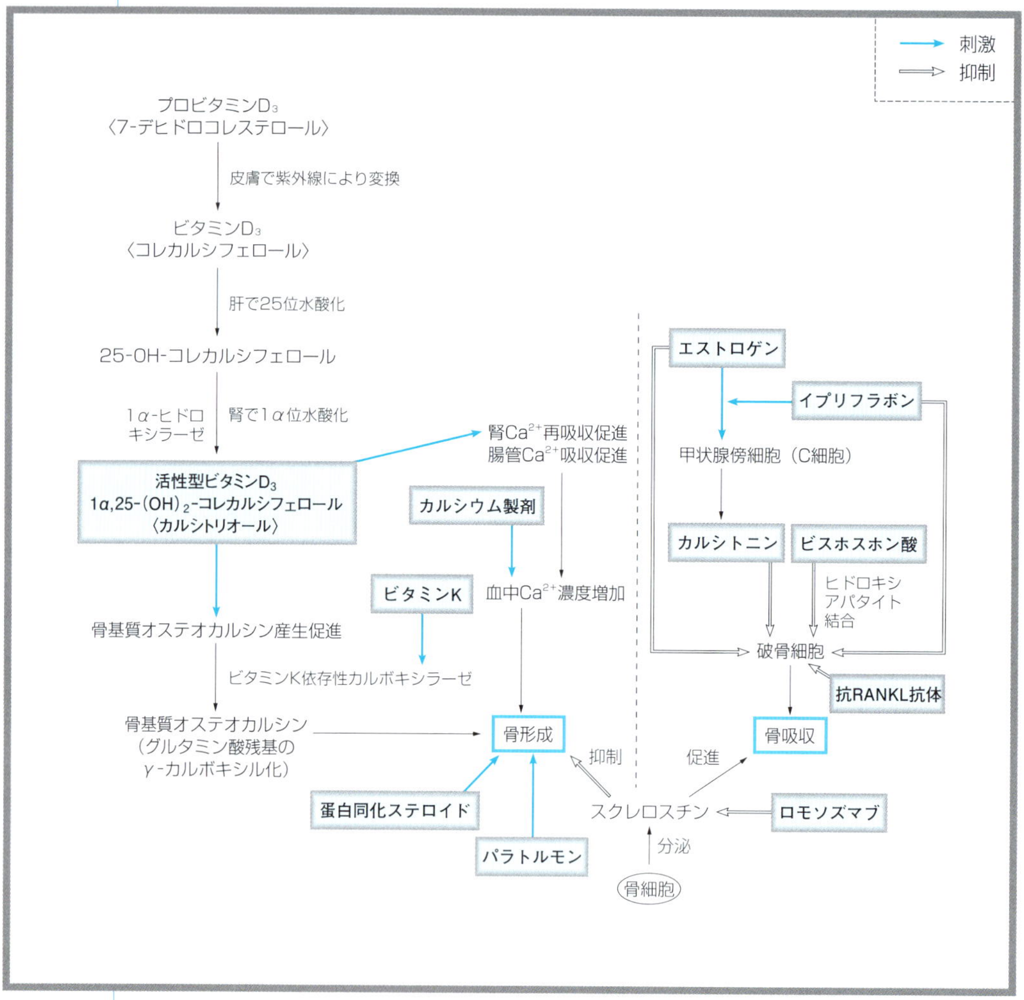

2. 骨粗しょう症治療薬

① 骨形成促進/骨吸収抑制薬

骨粗しょう症治療薬（骨形成促進/骨吸収抑制薬）

分類	薬物	説明
抗スクレロスチン抗体	ロモソズマブ イベニティ	1）スクレロスチンは，骨細胞から産生される糖蛋白質で，骨芽細胞による骨形成を抑制するとともに，破骨細胞による骨吸収を促進する（Wnt シグナル伝達の負の調節因子）。 2）ロモソズマブは，スクレロスチンに結合して阻害し，骨形成を促進するとともに骨吸収を抑制する。

② 骨形成促進薬

骨粗しょう症治療薬（骨形成促進薬）

分類		薬物		説明
ビタミン関連薬	活性型ビタミン D_3		カルシトリオール ロカルトロール アルファカルシドール アルファロール，ワンアルファ エルデカルシトール エディロール	1）腸管からの Ca^{2+} の吸収を促進。 2）核内受容体に作用して，骨形成促進作用をもつオステオカルシンの産生を誘導。
	ビタミン K_2 製剤		メナテトレノン グラケー	ビタミン K 依存性カルボキシラーゼを活性化し，オステオカルシン合成を促進して，骨芽細胞による骨石灰化を促進。
	カルシウム製剤		リン酸水素 Ca L-アスパラギン酸 Ca	妊婦・授乳婦のカルシウム補給やテタニー関連症状にも適。
			塩化 Ca，乳酸 Ca グルコン酸 Ca	主に，テタニー関連症状の改善に用いられる。
			沈降炭酸 Ca	主に，制酸剤として用いられる。
ホルモン関連薬	蛋白同化ステロイド	経口	メテノロン酢酸エステル プリモボラン	1）骨重量・体重増加作用。 2）消耗状態（慢性腎疾患，外傷・熱傷，悪性腫瘍），再生不良性貧血などにも適用。
		筋注	メテノロンエナント酸エステル プリモボラン・デポー	
	ヒト副甲状腺ホルモン〈パラトルモン〉	皮下注	テリパラチド フォルテオ テリパラチド酢酸塩 テリボン	骨芽細胞の分化促進及びアポトーシス抑制により，骨形成を促進。

③ 骨吸収抑制薬

骨粗しょう症治療薬（骨吸収抑制薬）

分類			薬物	説明
ホルモン関連薬	エストロゲン様作用薬	内服	エストラジオール ジュリナ エストリオール エストリール，ホーリン SERM ラロキシフェン エビスタ バゼドキシフェン ビビアント	1）骨エストロゲン受容体に作用して骨吸収を抑制する。また，カルシトニン分泌促進作用をもつ。閉経後骨粗しょう症治療。 2）ラロキシフェン・バゼドキシフェンは，乳腺に対しては抗エストロゲン作用を有するため，SERM〈選択的エストロゲン受容体モジュレーター〉とよばれる。
	経口エストラジオール・プロゲスチン配合剤	内服	エストラジオール レボノルゲストレル ウェールナラ	エストロゲン補充及びプロゲスチンによる子宮内膜保護。閉経後骨粗しょう症治療。
	カルシトニン製剤	筋注	エルカトニン エルシトニン	破骨細胞カルシトニン受容体（G_s共役型）に結合して破骨活性を顕著に抑制する。また，骨粗しょう症における疼痛を緩和する。
	アルファルファ由来フラボン	内服	イプリフラボン オステン	骨吸収抑制作用と腎からのCa^{2+}排泄抑制作用をもつ（直接的な骨吸収抑制作用及びエストロゲンのカルシトニン分泌促進作用の増強）。消化器系副作用に注意。
その他	ビスホスホン酸誘導体 （P-C-P 結合化合物）	内服	エチドロン酸 ダイドロネル アレンドロン酸*1 フォサマック，ボナロン リセドロン酸*1,2 アクトネル，ベネット ミノドロン酸*2 ボノテオ，リカルボン イバンドロン酸*2 ボンビバ	1）骨基質ヒドロキシアパタイトに結合した後，破骨細胞に取り込まれ，ファルネシルピロリン酸合成酵素を阻害して破骨細胞機能を抑制する（☞次頁の図参照）。骨粗しょう症，異所性骨化・高Ca^{2+}血症の治療。 2）過剰投与ではヒドロキシアパタイト結晶形成阻害（骨形成抑制）作用が現れる。 食道潰瘍・金属とのキレート形成注意。 *1　週1回大量投与療法あり。 *2　月〔4週〕1回大量投与療法あり。
		点滴静注	イバンドロン酸 ボンビバ アレンドロン酸 ボナロン	骨粗しょう症治療（月〔4週〕1回静注）
			ゾレドロン酸 リクラスト	骨粗しょう症治療（年1回点滴静注）
			パミドロン酸 パミドロン酸二Na ゾレドロン酸 ゾメタ	骨吸収抑制作用及び血中Ca^{2+}低下作用。骨粗しょう症よりはむしろ悪性腫瘍による高Ca^{2+}血症治療に用いられる。過敏症・ショックに注意。
	抗RANKL抗体	皮下注	デノスマブ プラリア	破骨細胞分化因子 RANKL〈receptor activator for nuclear factor-κB ligand：NF-κB活性化受容体リガンド〉による破骨細胞の形成・機能・生存を阻害する（☞次頁参照）。

補足 ビスホスホン酸誘導体と抗 RANKL 抗体の作用機序

ビスホスホン酸誘導体の作用機序

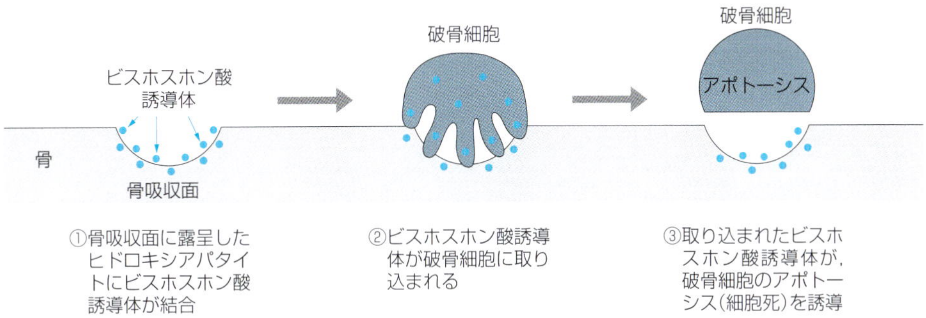

抗 RANKL 抗体の作用機序

1）破骨細胞分化因子 RANKL〈receptor activator for nuclear factor-κB ligand〉（NF-κB 活性化受容体リガンド）は，膜結合型あるいは可溶型として存在し，骨吸収を司る破骨細胞及びその前駆細胞の表面に発現する受容体 RANK〈receptor activator for nuclear factor-κB〉（NF-κB 活性化受容体）を介して転写因子 NF-κB を活性化することにより，破骨細胞の形成，機能及び生存を調節する。

2）デノスマブは，RANK/RANKL 経路を阻害し，破骨細胞の形成を抑制することにより骨吸収を抑制する。

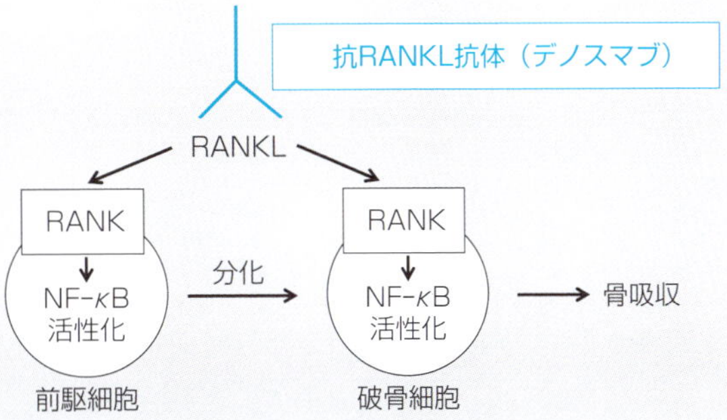

第 17 章

病原生物に作用する薬物

Ⅰ　病原生物に作用する薬物－概観－ …………………… 482
Ⅱ　抗細菌薬(抗生物質，化学療法薬)………………… 483
Ⅲ　抗抗酸菌薬……………………………………… 507
Ⅳ　抗真菌薬……………………………………… 510
Ⅴ　抗ウイルス薬…………………………………… 513
Ⅵ　抗寄生虫薬……………………………………… 524
Ⅶ　殺菌薬・消毒薬………………………………… 528

I　病原生物に作用する薬物 － 概観 －

感染症は，病原体が生体（宿主）内に侵入・増殖して生体に病的症状が現れる疾患である。抗感染症薬には，病原生物に殺菌的に作用するものと，発育・増殖を抑制して静菌的に作用するものとがある。抗感染症薬は，生体側よりも病原体に対して高い選択毒性をもつことが要求され，全身的な感染に用いるものと消毒薬・防腐薬などのように局所的に用いるものとがある。

病原生物に作用する薬物の主な区分

1．抗細菌薬	β-ラクタム系，アミノグリコシド系，マクロライド系，テトラサイクリン系，クロラムフェニコール系，ペプチド系，ニューキノロン系，スルホンアミド系（サルファ薬）など
2．抗抗酸菌薬	抗結核薬，ハンセン病治療薬
3．抗真菌薬	アゾール系，ポリエン系，アリルアミン系，キャンディン系 など
4．抗ウイルス薬	抗ヘルペスウイルス，抗インフルエンザウイルス，抗 HIV，抗肝炎ウイルス（HBV，HCV）
5．抗寄生虫薬	抗原虫薬，抗蠕虫薬
6．消毒薬	アルコール類，ハロゲン化合物，過酸化物，アルデヒド類，界面活性物質 など

Ⅱ　抗細菌薬（抗生物質，化学療法薬）

☞『医薬品一般名・商品名・構造一覧』p113

1. 抗細菌薬 概観（抗結核薬を含む）

抗細菌薬 概観 ①

分　類	標　的	抗生物質（*：化学療法薬に分類）
細胞壁合成阻害	ペニシリン結合蛋白質（トランスペプチダーゼ，カルボキシペプチダーゼ）	**β-ラクタム系（ペニシリン系，セフェム系，ペネム系）**
	UDP-*N*-アセチルグルコサミン-エノールピルビン酸エーテル合成酵素	**ホスホマイシン**
	アラニンラマーゼ D-アラニル-D-アラニン合成酵素	**サイクロセリン（抗結核薬）**
	ペプチジル-D-アラニル-D-アラニン	**グリコペプチド系**
蛋白質合成阻害	リボソーム 30S	**テトラサイクリン系** **アミノグリコシド系（ストレプトマイシン，スペクチノマイシン）**
	リボソーム 30S／リボソーム 50S	**アミノグリコシド系**（ストレプトマイシン・スペクチノマイシンを除く）
	リボソーム 50S	**クロラムフェニコール系** **マクロライド系** **リンコマイシン系** **オキサゾリジノン系（リネゾリド）**
細胞膜機能障害	細胞膜リン脂質	**ポリペプチド系** **環状リポペプチド系**
核酸合成阻害	DNA 依存性 RNA ポリメラーゼ（RNA 合成阻害）	**リファンピシン（抗結核薬）** **リファキシミン（抗腸内アンモニア産生菌）** **フィダキソマイシン（抗 *C. difficile*）**
	DNA ジャイレース（DNA 複製阻害）	**キノロン系*，ニューキノロン系***
葉酸代謝拮抗（核酸・アミノ酸生合成阻害）	ジヒドロプテリン酸合成酵素	**サルファ薬*** **パラアミノサリチル酸*（抗結核薬）**
	ジヒドロ葉酸還元酵素	**トリメトプリム***

抗細菌薬 概観 ②

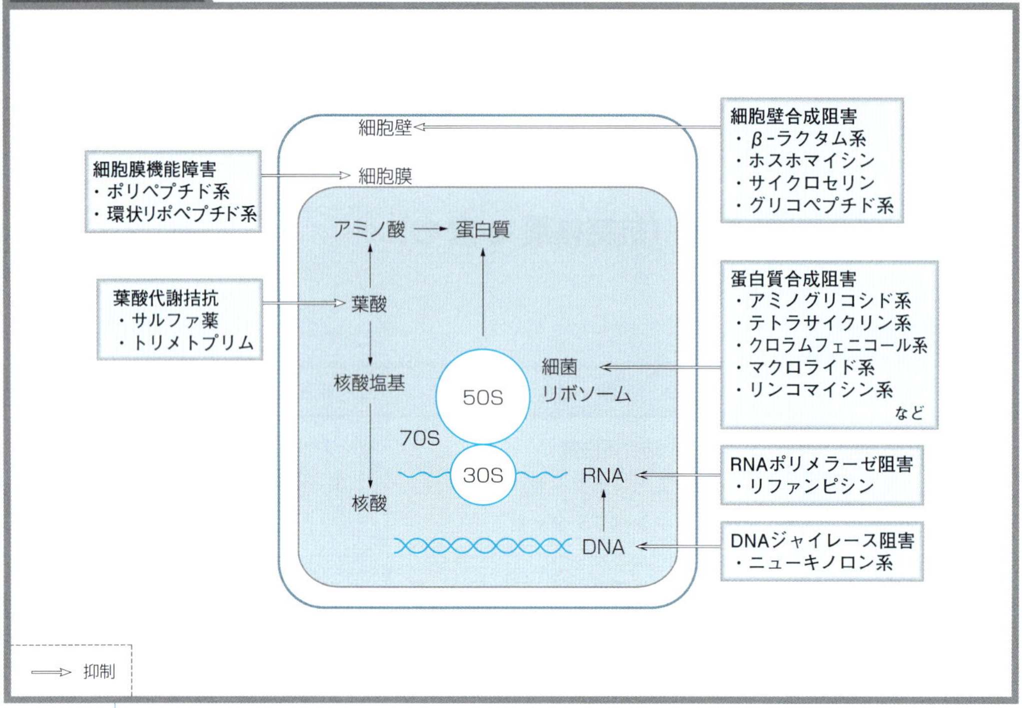
細胞膜機能障害
・ポリペプチド系
・環状リポペプチド系
葉酸代謝拮抗
・サルファ薬
・トリメトプリム
細胞壁
細胞膜
アミノ酸
蛋白質
葉酸
核酸塩基
核酸
50S
70S
30S
細菌
リボソーム
RNA
DNA
細胞壁合成阻害
・β-ラクタム系
・ホスホマイシン
・サイクロセリン
・グリコペプチド系
蛋白質合成阻害
・アミノグリコシド系
・テトラサイクリン系
・クロラムフェニコール系
・マクロライド系
・リンコマイシン系
など
RNAポリメラーゼ阻害
・リファンピシン
DNAジャイレース阻害
・ニューキノロン系
抑制

2. 抗細菌薬の特徴（抗菌スペクトルと組織移行性）

❶ 抗細菌薬の抗菌スペクトル

（■：有効適応菌種）

分類	代表的薬物	グラム陽性菌						グラム陰性菌										その他			
		球菌				桿菌		球菌		桿菌											
		MRSA	ブドウ球菌	連鎖球菌	肺炎球菌	ジフテリア菌	クロストリジウム	淋菌	髄膜炎菌	インフルエンザ菌	大腸菌	サルモネラ菌	肺炎桿菌	赤痢菌	セラチア	エンテロバクター	緑膿菌	マイコプラズマ	スピロヘータ	リケッチア	クラミジア
ペニシリン	アンピシリン		■	■	■	■	■	■	■	■	■	■	■	■					■		
セフェム	セフォペラゾン		■	■	■	■	■	■	■	■	■	■	■	■	■	■	■				
オキサセフェム	ラタモキセフ		■	■	■	■	■	■	■	■	■	■	■	■	■	■	■				
カルバペネム	イミペネム	■	■	■	■	■	■	■	■	■	■	■	■	■	■	■	■				
テトラサイクリン	ミノサイクリン	■	■	■	■	■	■	■	■	■	■	■	■	■	■	■	■	■	■	■	■
マクロライド	エリスロマイシン		■	■	■	■	■	■	■	■								■	■	■	■
アミノ配糖体	カナマイシン		■	■	■	■		■	■	■	■	■	■	■					■		
	アルベカシン	■	■	■	■	■		■	■	■	■	■	■	■	■	■	■				
ニューキノロン	オフロキサシン	■	■	■	■	■	■	■	■	■	■	■	■	■	■	■	■	■			■
サルファ薬	ST 合剤	■	■	■	■	■	■	■	■	■	■	■	■	■	■	■					
グリコペプチド	バンコマイシン	■	■	■	■	■	■														

❷ 抗細菌薬の組織移行性

ペニシリン系	一般にペニシリン系抗生物質は，髄液を含め組織移行性がよい。 アンピシリン誘導体は特に胆汁中への移行性がよい。
セフェム系	第一世代・第二世代は髄液への移行は不良だが，第三世代は良好。
グリコペプチド系	バンコマイシンは，内服では吸収されないため，クロストリジウム属細菌による偽膜性大腸炎に対して，腸内殺菌の目的で経口投与される。
テトラサイクリン系	消化管吸収や組織移行性に優れているが，髄液への移行は不良。 代謝を受けにくく未変化体として尿中・胆汁中に排泄される。 リケッチア，マイコプラズマ，クラミジア感染症の第一選択薬。
アミノグリコシド系	脳髄液にはほとんど移行せず，肺・肝などへの組織移行性もβ-ラクタムに劣る。 大部分は未変化体として腎排泄されるため，重症尿路感染症に用いられるが，腎障害が問題となる。
マクロライド系	血中からの組織移行性がよく，特に呼吸器系への移行性に優れているため，マイコプラズマ肺炎などの呼吸器感染症の第一選択薬。 また，肝臓へ高濃度に移行するため，肝障害に注意。
クロラムフェニコール系	消化管吸収・組織移行性がよく，特に，髄液移行性がよい。 ペニシリン・アレルギー患者の髄膜炎に使用可能。
ニューキノロン系	組織移行性がよく，呼吸器・尿路・腸管・胆道・性器感染症などに適用。
サルファ薬	組織移行性がよく，尿路感染，慢性気管支炎，細菌性赤痢，サルモネラ症，髄膜炎，トラコーマ，結膜炎に適用。

3. 細胞壁合成阻害薬

① 概　観

細菌の細胞壁構造と細胞壁合成阻害薬の作用点

膜構造とペプチドグリカン

細胞壁（細菌特有）の最内層は *N*-アセチルムラミン酸（細菌特有成分）と *N*-アセチルグルコサミンの交互ポリマーがペプチド鎖で架橋されたペプチドグリカンからなる。

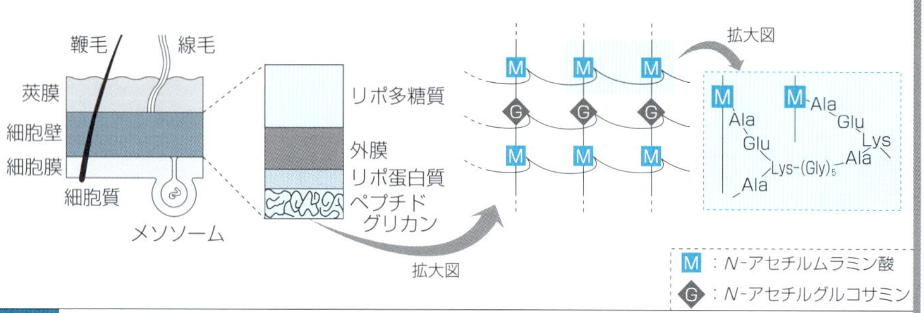

ペプチドグリカンの生合成

細胞質

第一段階：UDP-*N*-アセチルグルコサミンからUDP-*N*-アセチルムラミン酸ペンタペプチドの合成（UDP サイクル）。

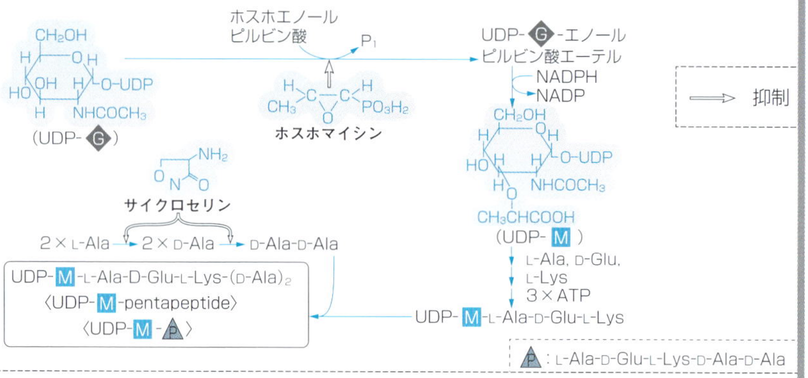

細胞膜及び細胞膜外

第二段階：UDP-*N*-アセチルムラミン酸ペンタペプチドから直鎖状ペプチドグリカンを細胞膜外に生成する（リピドサイクル）。

第三段階：トランスペプチダーゼ及びカルボキシペプチダーゼが直鎖状ペプチドグリカンに作用して，末端の D-アラニンの離脱とペプチドによる架橋を形成し，ペプチドグリカンの生合成が完了する。

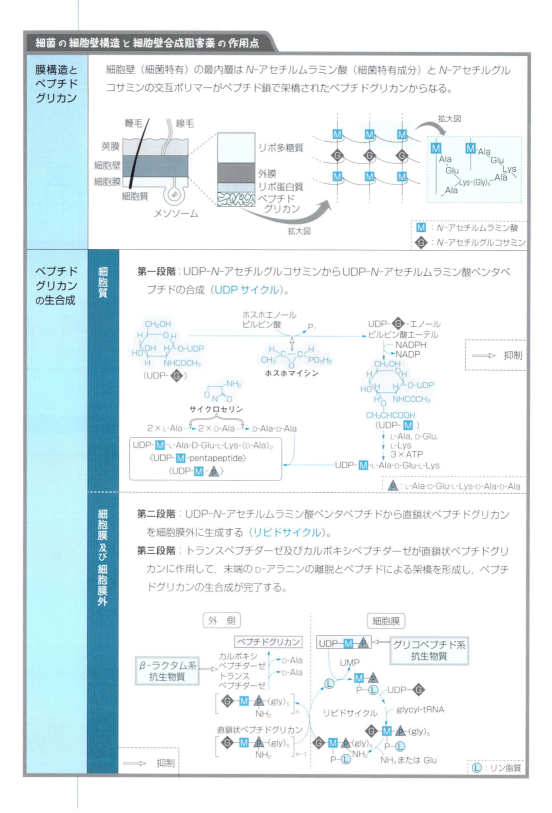

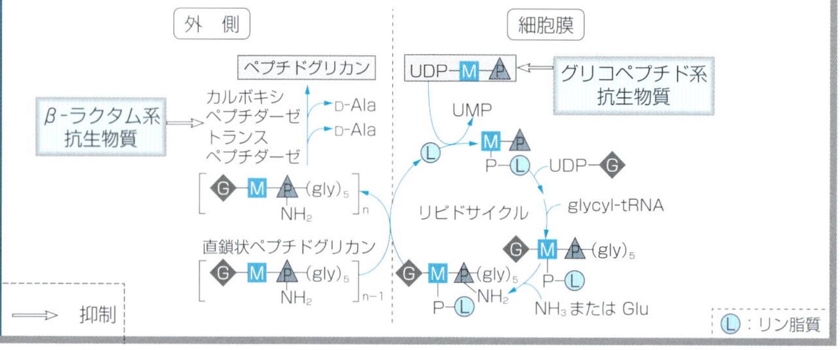

❷ β-ラクタム系抗生物質

a）β-ラクタム系抗生物質 概要

基本骨格	ペナム（ペニシリン系）	セフェム	ペネム	モノバクタム
	ペナム（Z＝S） オキサペナム（Z＝O）	セフェム（Z＝S） カルバセフェム（Z＝CH₂） オキサセフェム（Z＝O）	ペネム（Z＝S） カルバペネム（Z＝CH₂） オキサペネム（Z＝O）	

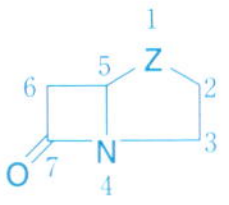

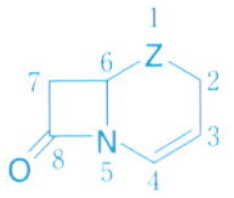

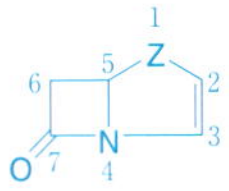

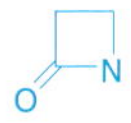

作用機序

ペプチドグリカン生合成の最終段階で作用する**ペニシリン結合蛋白質〈PBP〉**は少なくとも７種類存在し，その種類によって**トランスペプチダーゼ**及び**カルボキシペプチダーゼ**活性を示す。β-ラクタム系抗生物質はペプチドグリカンのペプチド末端にある **D-アラニル-D-アラニン**の立体構造と類似しているため，これらの酵素（とくに，トランスペプチダーゼが重要）の活性中心に結合してアシル化することにより不活性化し，細胞壁の生合成を阻害する。その結果，ペプチドグリカンの網目構造にほころびができ，高い内部浸透圧によって破裂・死滅する（殺菌的）。

選択毒性発現機構

細菌は動物細胞と異なり細胞壁をもち，この細胞壁の合成を阻害することによって高い選択毒性を示す。

耐性菌発現機構

１）薬物不活性化酵素（β-ラクタマーゼ）産生

ペニシリン系：**ペニシリナーゼ**（プラスミド ＝ 染色体外遺伝子 ＝ 支配）

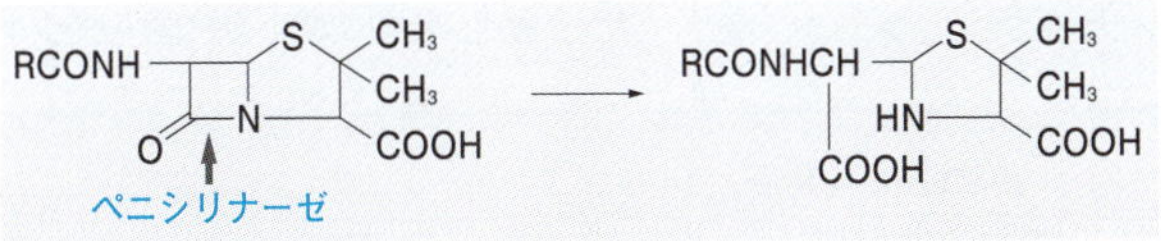

セファロスポリン系：**セファロスポリナーゼ**（染色体支配）

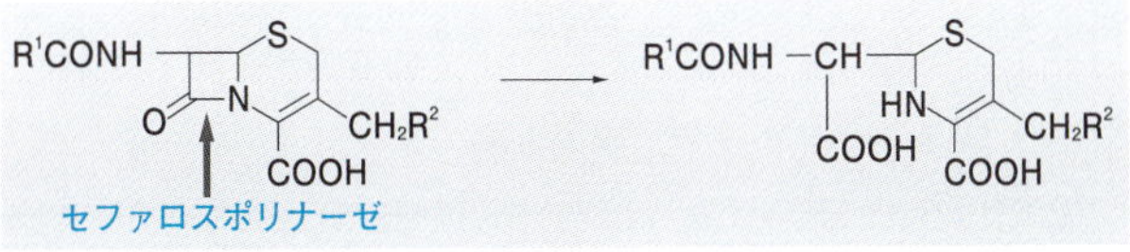

２）薬物作用点（細胞壁合成酵素）の薬物感受性低下

メチシリン耐性菌では細胞壁合成酵素（ペニシリン結合蛋白）に変異が起こっており，メチシリンの結合親和性が低下している。

b）ペニシリン系抗生物質

（＊：経口可）

基本骨格	6-アミノペニシラン酸	
	R－CONH $\begin{smallmatrix}6&5\\&\\7&\\O&N\end{smallmatrix}$ S $\begin{smallmatrix}1&2\\&\\&3\end{smallmatrix}$ CH$_3$ CH$_3$ COOH	
天然 ペニシリン	ベンジルペニシリン ペニシリンGカリウム	1）胃酸によって分解されやすく，経口不可。 2）グラム陽性球菌（ブドウ球菌，溶血性連鎖球菌，肺炎球菌）， 　グラム陰性球菌（淋菌，髄膜炎菌），スピロヘータに有効。 3）グラム陰性桿菌に無効。
耐酸性 ペニシリン	ベンジルペニシリンベンザチン＊ バイシリン	
ペニシリ ナーゼ耐性 ペニシリン	（メチシリン）	胃酸によって分解されやすく，筋注（現在は使用されていない）。 メチシリン耐性黄色ブドウ球菌〈MRSA〉にはバンコマイシン， テイコプラニン，アルベカシン，リネゾリドなどが有効。
	クロキサシリン＊ ビクシリンS	酸に安定，吸収良好。ペニシリナーゼ耐性ペニシリンはペニシリ ナーゼの可逆的阻害薬として作用するため広域ペニシリンである アンピシリンとの合剤が有効。 ビクシリンS®：アンピシリンとの合剤
広域 ペニシリン	アンピシリン＊ 〈アミノベンジル 　ペニシリン〉 ビクシリン	1）ペニシリナーゼで不活性化される。 2）抗菌スペクトルをグラム陰性桿菌（インフルエンザ菌，大腸 　菌，サルモネラ菌，赤痢菌）まで拡大。緑膿菌に無効。
	バカンピシリン＊ ペングッド アモキシシリン＊ アモリン，サワシリン パセトシン，ワイドシリン スルタミシリン＊ ユナシン	1）アンピシリンは消化管吸収がやや劣るため，吸収性に優れた 　アンピシリンのプロドラッグとして開発。吸収後，エステラー 　ゼで分解されてアンピシリンを遊離。 2）一般にペニシリン系抗生物質は組織移行性がよいが，アンピ 　シリン誘導体はとくに胆汁中への移行性がよい。 3）性病（梅毒・淋病），呼吸器感染症（肺炎球菌，溶血性連鎖球 　菌，インフルエンザ菌）の第一選択薬。
	ピペラシリン ペントシリン	グラム陰性桿菌に対する抗菌スペクトルを緑膿菌まで拡大。
副作用	1）**過敏症状（発疹，ショック）**：ペニシリン代謝物ペニシロ酸が生体内蛋白質と結合 　して抗原となるか，または，ペニシリン製剤中の不純物が抗原となり発症するといわ 　れている。セフェム系抗生物質の主たる副作用も過敏症であるが，ペニシリン系より 　軽い。 2）消化器障害（大量・長期連用），血液障害・肝・腎障害（頻度は低い） 3）V.B や V.K 欠乏症（腸内細菌の減少）	

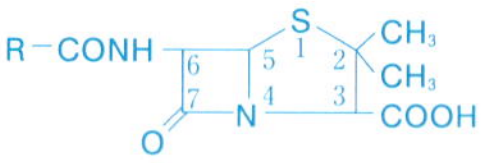

c）セフェム系抗生物質（セファロスポリン系）

セフェム系抗生物質 概観

項　目	分　類	説　明
基本骨格	セファロスポリン系	7-アミノセファロスポラン酸 R^1-CONH、S、COOH、R^2、O、N（骨格図）
	セファマイシン系	7-メトキシアミノセファロスポラン酸 CH$_3$O、R^{1}NH、S、COOH、R^2、O（骨格図）
	オキサセフェム系	オキサセフェム CH$_3$O、R^{1}NH、O、COOH、R^2（骨格図）
特　徴	第一世代	1）ペニシリナーゼに安定だがセファロスポリナーゼで不活性化される。 2）グラム陽性球菌に対する抗菌力は他世代よりも強い。 3）髄液への移行は不良。
	第二世代	1）抗菌力増強して，セファロスポリナーゼに対する安定性増加。 2）セファマイシン系は嫌気性菌に対して強い抗菌力。 3）髄液への移行は不良。
	第三世代	1）グラム陽性球菌に対する抗菌力は第一世代に劣る。 2）セファロスポリナーゼに対する安定性がさらに増加。 3）グラム陰性菌（インフルエンザ桿菌，淋菌，髄膜炎菌，大腸菌，クレブシエラ，プロテウス，セラチアなど）に対する抗菌力が増強。 4）緑膿菌には有効なもの（セフタジジムなど）と無効なものがある。 5）腸球菌には無効。 6）髄液への移行は良好（セフォタキシム，セフトリアキソン）。 7）主として院内感染症治療に用いる。

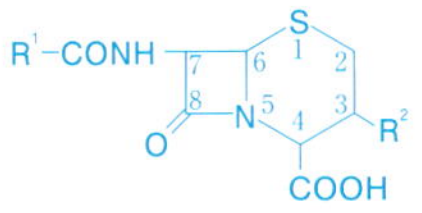

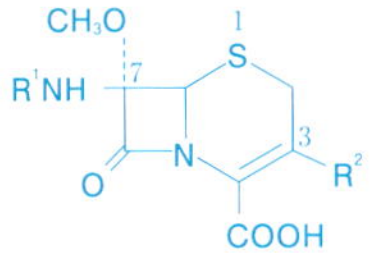

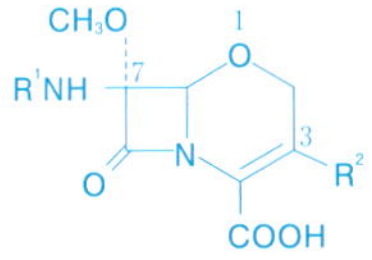

セフェム系抗生物質

分　類	注射薬		経口薬
	セファロスポリン系	セファマイシン系 オキサセフェム系	セファロスポリン系
第一世代	セファロチン Na コアキシン セファゾリン Na セファメジンα		セファレキシン L-ケフレックス，ケフレックス，ラリキシン セフロキサジン オラスポア セファクロル ケフラール，L-ケフラール
第二世代	セフォチアム パンスポリン	セフメタゾール Na※ セフメタゾン セフミノクス Na※ メイセリン フロモキセフ フルマリン	セフロキシムアキセチル オラセフ
第三世代	セフォタキシム Na クラフォラン，セフォタックス セフメノキシム※ ベストコール セフォペラゾン Na※ スルペラゾン セフトリアキソン Na ロセフィン セフタジジム モダシン セフピロム セフピロム硫酸塩 セフェピム マキシピーム セフォゾプラン ファーストシン セフトロザン ザバクサ	ラタモキセフ※ シオマリン	セフィキシム セフスパン セフジニル セフゾン セフチブテン セフテム セフカペンピボキシル フロモックス セフテラムピボキシル トミロン セフジトレンピボキシル メイアクト セフポドキシムプロキセチル バナン 〔小児用坐薬〕 セフチゾキシム Na エポセリン

※：チオメチルテトラゾール基含有（ジスルフィラム様作用，出血傾向の副作用 ☞下表参照）

【付表】セフェム3位側鎖のチオメチルテトラゾール基による副作用：ジスルフィラム様作用と出血傾向

チオメチルテトラゾール基	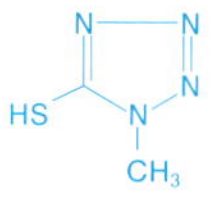
チオメチルテトラゾール基をもつセフェム系抗生物質	第二世代：セフメタゾール Na，セフミノクス Na 第三世代：セフメノキシム，セフォペラゾン Na，ラタモキセフ
ジスルフィラム様作用	薬物が胆汁中に排泄され細菌によって代謝を受けるとテトラゾールチオールが遊離され，これがアルデヒドデヒドロゲナーゼを阻害する。これらの抗生物質とアルコールとを併用すると，アセトアルデヒドが蓄積し，悪心・嘔吐，めまい，頻脈，血圧下降などの症状が起こる場合がある。
ワルファリン様出血傾向	ビタミンK依存性エポキシド還元酵素を阻害するため，ビタミンK依存性血液凝固因子の産生が抑制され出血傾向を来す。

d）オキサペネム系抗生物質

基本骨格	オキサペネム 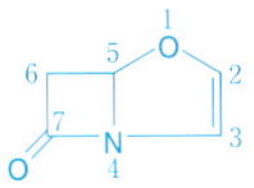		
特　徴	抗菌作用は弱いが，β-ラクタマーゼに対して不可逆的不活性化作用をもつため，β-ラクタマーゼ阻害薬として広域ペニシリン（アンピシリン・アモキシシリン）やセファロスポリン系抗生物質と併用すると，これらの抗生物質の抗菌力・抗菌スペクトルが増強・拡大される。		
薬　物	クラブラン酸	オーグメンチン® クラバモックス®	アモキシシリン（広域ペニシリン）／クラブラン酸合剤（内服）
	スルバクタム	ユナシン-S®	1）アンピシリン（広域ペニシリン）／スルバクタム合剤 2）アンピシリン耐性菌にも強い抗菌力（静注）
		スルタミシリン （ユナシン®）	1）アンピシリン（広域ペニシリン）／スルバクタムのエステル化製剤 2）胃酸に安定で，腸から吸収された後体内のエステラーゼで分解され，アンピシリンとスルバクタムを遊離（内服）
		スルペラゾン®	セフォペラゾン（第三世代セフェム）／スルバクタム合剤（静注）
	タゾバクタム	ゾシン®	ピペラシリン（広域ペニシリン）／タゾバクタム合剤（静注）
		ザバクサ®	セフトロザン（セファロスポリン系）／タゾバクタム合剤（静注）
	レレバクタム	レカルブリオ®	イミペネム（合成カルバペネム）／シラスタチン（デヒドロペプチダーゼⅠ阻害薬）／レレバクタム合剤（静注）

e）ペネム／カルバペネム系抗生物質

基本骨格		ペネム／カルバペネム 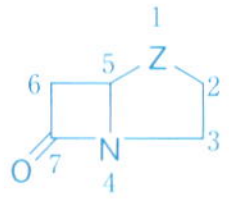	ペネム（Z=S） カルバペネム（Z=CH_2）
特　徴		外膜透過性に優れ，緑膿菌も含め抗菌スペクトルが広く，β-ラクタマーゼ（ペニシリナーゼやセファロスポリナーゼ）に安定。ペニシリン結合蛋白に高い親和性。	
天　然		チエナマイシン	放線菌の培養液から発見された最初のカルバペネム系抗生物質。 化学的にも体内でも不安定で，実用化に至らなかった。
合成カルバペネム	注射薬	イミペネム チエナム	1）チエナマイシンの安定性を改善した半合成カルバペネム。 2）グラム陽性・陰性の好気性・嫌気性菌に優れた抗菌力。 3）他のβ-ラクタム系抗生物質やアミノグリコシド系抗生物質との間に交叉耐性は認められず，各種耐性菌にも有効。 4）デヒドロペプチダーゼⅠ（腎近位尿細管腔刷子縁に局在）で分解されやすく，かつその分解産物が腎毒性を示す。 5）チエナム®：デヒドロペプチダーゼⅠ阻害薬**シラスタチン**との合剤
		パニペネム カルベニン	1）イミペネムのもつ中枢神経系への毒性を軽減。 2）カルベニン®：デヒドロペプチダーゼⅠ阻害薬**ベタミプロン**との合剤
		メロペネム メロペン ビアペネム オメガシン ドリペネム フィニバックス	腎毒性や中枢神経系毒性が低下，デヒドロペプチダーゼⅠにも安定。
	経口薬	テビペネム ピボキシル オラペネム	世界初の経口カルバペネム ペニシリン耐性肺炎球菌〈PRSP〉，マクロライド耐性肺炎球菌〈MRSP〉，アンピシリン耐性インフルエンザ菌に有効（小児用細粒）
合成ペネム	経口薬	ファロペネム ファロム	世界初の経口ペネム

f）モノバクタム系抗生物質

基本骨格	モノバクタム	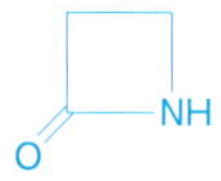
特　徴	グラム陰性菌にのみ有効。グラム陰性菌の産生する各種β-ラクタマーゼに安定な注射薬。呼吸器系・泌尿器系感染症などに適用。	
薬　物 （注射薬）	アズトレオナム アザクタム	

③ ホスホマイシン

構　造	**ホスホマイシン** ホスミシンS，ホスミシン 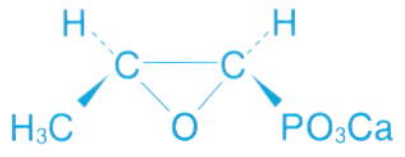
作用機序	細菌細胞壁ペプチドグリカン合成初期段階のUDPサイクルを阻害して細胞壁合成を阻害する（静菌的）。
特　徴	1）単純で特異な構造を有する抗生物質。 2）グラム陽性・陰性菌に広い抗菌スペクトルを示し，緑膿菌・変形菌・セラチアに対しても強い抗菌力。 3）他薬との交叉耐性がなく，多剤耐性ブドウ球菌や大腸菌に効果がある。 4）ホスホマイシンのCa塩は，細胞質膜の能動輸送系によって効率よく細菌内に取り込まれる。
適　用	経口：尿路感染症（体内では代謝されず未変化体として尿中排泄されるため） 静注：敗血症，呼吸器感染症
副作用	ショック，肝・腎障害，口唇部しびれ感，痙攣，胃腸障害

④ サイクロセリン（抗結核薬）

構　造	**サイクロセリン** サイクロセリン 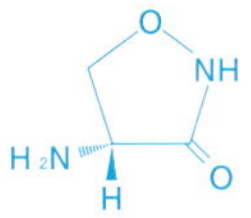
作用機序	アラニン類似構造をもつサイクロセリンはD-アラニン〈D-Ala〉と拮抗し，D-アラニル-D-アラニン〈D-Ala-D-Ala〉生合成に関与するアラニンラマーゼ及びD-Ala-D-Alaシンターゼを阻害する。その結果，細胞壁合成（UDPサイクル）を阻害する。
特　徴	広域抗生物質であり，髄液中にも移行性がよい。一次抗結核薬との間に交差耐性なし。
適　用	肺結核
副作用	幻覚・痙攣などの中枢症状（てんかんに**禁忌**）

⑤ グリコペプチド系抗生物質

バンコマイシン 塩酸バンコマイシン	作用機序	細菌の細胞壁合成前駆体（ペプチジル-D-アラニル-D-アラニン）に結合して，細胞壁合成（リピドサイクル）を阻害する（殺菌的）。
	特　徴	1）メチシリン耐性黄色ブドウ球菌〈MRSA〉，メチシリン耐性コアグラーゼ陰性ブドウ球菌〈MRCNS〉，ペニシリン耐性肺炎球菌〈PRSP〉に有効（注射） 2）クロストリジウム属細菌にも有効（内服で偽膜性大腸炎に適用） cf. リンコマイシン投与では腸内クロストリジウムの増殖を招き，この菌の出す毒素によって偽膜性大腸炎（血便・下痢）が起こる。 3）その他，グラム陽性菌（ブドウ球菌，連鎖球菌），アクチノマイセス，ラクトバチルスに抗菌力を示すが，グラム陰性菌には抗菌力弱い。
	適　用	MRSA・MRCNS・PRSP 感染，骨髄移植時の消化管内殺菌，偽膜性大腸炎
	副作用	レッドネック症候群（肥満細胞からのメディエーター遊離作用による顔面・頸部・躯幹の紅斑性充血とかゆみ。点滴速度が速いと生じやすい）
テイコプラニン タゴシッド	特　徴	細胞壁合成阻害薬。グラム陰性菌には無効。
	適　用	MRSA 感染症
	副作用	レッドネック症候群
バシトラシン バラマイシン	特　徴	細胞壁合成阻害薬。アミノグリコシド系抗生物質ネオマイシン〈フラジオマイシン〉との配合薬として，外用で感染予防に用いられる。
	適　用	溶血性連鎖球菌及びブドウ球菌による感染性口内炎，口腔外科手術後の感染予防

4. 蛋白質合成阻害薬

① 蛋白質合成

リボソームと蛋白質合成

<table>
<tr><td>リボソームの構造</td><td colspan="3">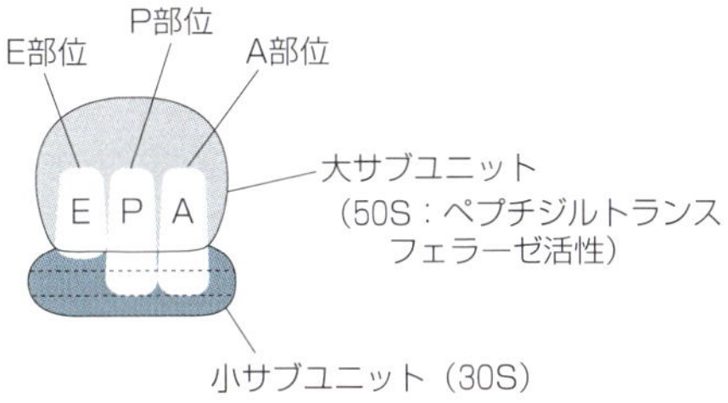
</td></tr>
<tr><td rowspan="2">蛋白質合成</td><th>第 1 段階</th><th>第 2 段階</th><th>第 3 段階</th></tr>
<tr><td>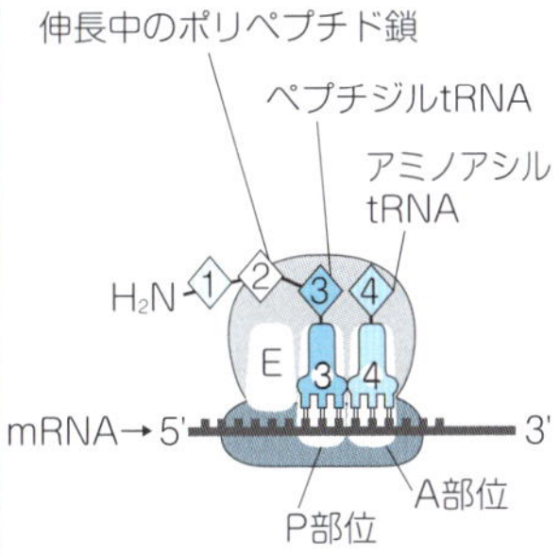

ペプチド鎖の伸長過程において，ペプチジル tRNA は細菌リボソーム 50S 上の P 部位〈ペプチジル tRNA 結合部位〉に結合している。
そして，30S リボソームと複合体を形成している mRNA の情報に従い，対応するアミノ酸を携えたアミノアシル tRNA が，mRNA・30S 複合体及びリボソーム 50S 上の A 部位〈アミノアシル tRNA 結合部位〉に結合する。</td>
<td>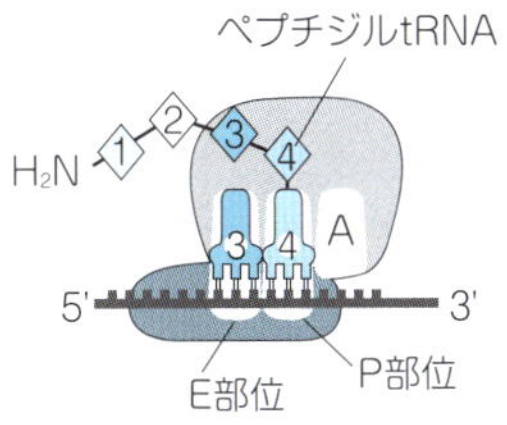

次に，ペプチジル tRNA のペプチド鎖は，ペプチジルトランスフェラーゼによってアミノアシル tRNA のアミノ酸に付加される（ペプチジル転移反応）。伸長中のペプチド鎖を受け取ったアミノアシル tRNA は，一残基ペプチド鎖を伸長したペプチジル tRNA となって A 部位から P 部位に転移する。</td>
<td>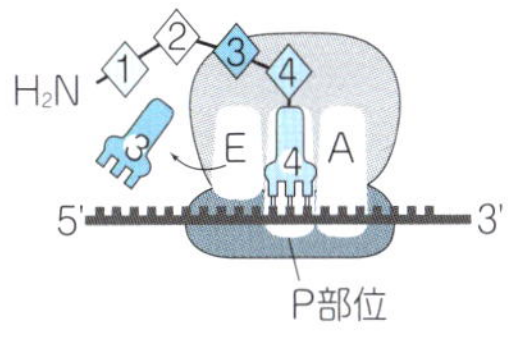

伸長中のペプチド鎖をアミノアシル tRNA に付加した tRNA は，E 部位〈Exit 部位〉でリボソームから解離する。</td></tr>
</table>

❷ テトラサイクリン系抗生物質

基本骨格	**テトラサイクリン** HO CH_3 N CH_3 ... OH $CONH_2$ OH O OH O	
作用機序	1）テトラサイクリンは細胞質膜外層で Mg^{2+} と錯塩をつくり，細菌細胞の Mg^{2+} 輸送機構によって能動的に細胞内に取り込まれた後，細胞内で Mg^{2+} と ATP が結合するとテトラサイクリンが遊離する。 2）遊離したテトラサイクリンは，細菌リボソーム 30S に結合してアミノアシル tRNA の 30S への結合を阻害することによって蛋白合成を阻害する。 3）低濃度では静菌的に，高濃度では殺菌的に作用する。	
選択毒性	以下の 2 つによって選択毒性を示す。 ・細菌細胞の Mg^{2+} 輸送機構が動物細胞にはない ・細菌特有のリボソームを標的にする	
耐性菌発現機構	1）細胞内への取込み低下：Mg^{2+} 輸送機構を抑制する細胞膜蛋白質が R プラスミド支配で産生され，テトラサイクリンの細胞内能動輸送が阻害される。 2）テトラサイクリン系薬物間やクロラムフェニコールとの間に交差耐性が認められる。	
特　徴	1）消化管吸収に優れるが，髄液への移行は不良。 2）内服によってグラム陽性・陰性菌，リケッチア，マイコプラズマ，クラミジア，原虫などによる感染症に強力な治療効果を示す広範囲抗生物質。 3）血中持続時間が長く，組織移行性にも優れている。代謝を受けにくく未変化体として尿中，胆汁中に排泄。	
適　用	リケッチア，マイコプラズマ，クラミジア感染症の第一選択薬	
副作用	消化管・粘膜障害 骨組織への沈着（歯牙着色・骨発育不全）→ 乳幼児・小児には適用注意。 母乳や胎児へも移行するため，妊婦には適用注意。	
相互作用	金属含有物（制酸薬，お茶・牛乳など）と一緒に服用するとキレート形成によって消化管吸収阻害。	
薬　物	**テトラサイクリン** アクロマイシン	放線菌から発見。広い抗菌スペクトルを有し，消化器系感染症に威力を発揮。内服・トローチ・外用。
	ミノサイクリン ミノマイシン	内服・注射
	デメチルクロルテトラサイクリン レダマイシン	内服
	ドキシサイクリン ビブラマイシン	内服
	オキシテトラサイクリン テラ・コートリル，テラマイシン	外用
	チゲサイクリン タイガシル	グリシルサイクリン系抗生物質。 30S への結合様式がテトラサイクリンと異なるため，耐性菌にも有効（点滴静注）。

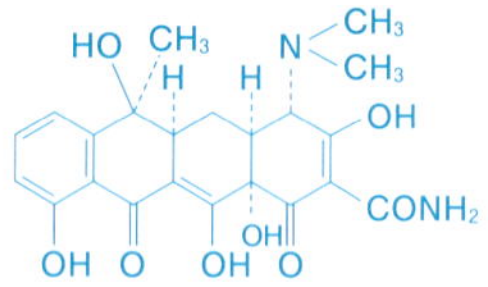

❸ アミノグリコシド系抗生物質

a）アミノグリコシド系抗生物質 概要

基本骨格	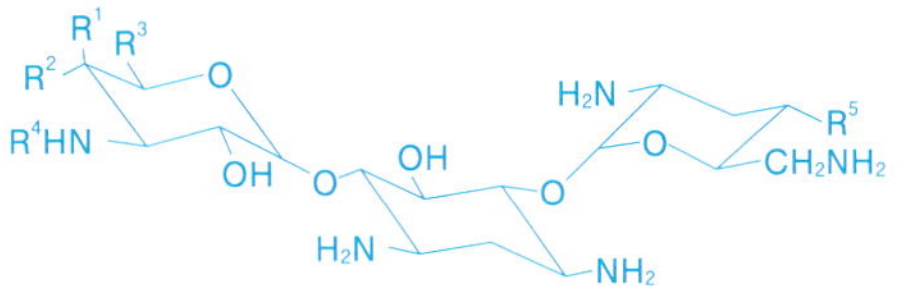
作用機序	細菌リボソーム 30S（及び 50S）に結合して蛋白合成を阻害する（殺菌的）。
選択毒性	アミノ酸は ATP によって活性化され，アミノアシル tRNA の形でリボソームに送られる。 リボソーム上では mRNA に転写された遺伝情報に従い蛋白質が合成される。細菌のリボソームは沈降定数が 70S（30S と 50S の二つのサブユニットからなる），一方，動物細胞のリボソームは沈降定数が 80S（40S と 60S の二つのサブユニットからなる）であり，構成蛋白質や RNA も細菌と動物細胞とでは異なっている。従って，細菌特有のリボソームを標的にすることで，選択毒性を示す。
耐性菌発現機構	1）薬物不活性化酵素の産生：アミノ基のアセチル化酵素や水酸基のアデニル化酵素・リン酸化酵素などの不活性化酵素を産生。 2）薬物作用点の変化：リボソーム蛋白質をメチル化する酵素が出現し，リボソーム蛋白質の構造が変化して薬物感受性が低下する。 3）薬物の細菌細胞内への取込み低下
特　徴	1）グラム陽性・陰性菌，結核菌などに有効で，抗菌力が強く抗菌スペクトルも広い。 2）副作用が強く，主として第二選択薬として使用。 3）腸管からほとんど吸収されないので，通常筋注で用いる（腸内殺菌の目的を除く）。 4）脳髄液にはほとんど移行せず，肺・肝などへの組織移行性も β-ラクタムに劣る。 5）大部分は未変化体として腎排泄されるため，腎障害が問題となる。 6）血中濃度が下がった後も抗菌効果が持続する Post-Antibiotic Effect があるため，腎毒性を軽減する目的で通常の 2～3 倍量を 1 日 1 回投与する方法がある。
適　用	緑膿菌をはじめとするグラム陰性桿菌による重症難治性感染症 重症尿路感染症・敗血症の第一選択薬 アルベカシンは MRSA の特効薬
副作用	第 8 脳神経障害（聴力低下），前庭機能障害（平衡感覚障害，めまい） 腎毒性，神経・筋ブロック（骨格筋弛緩：麻酔薬，筋弛緩薬併用注意）

b）アミノグリコシド系抗生物質

分類	薬物（無印：注射薬 ＊：外用薬）	説明
結核菌有効	ストレプトマイシン 硫酸ストレプトマイシン	戦後の結核菌撲滅に貢献。リボソーム 30S に結合。
	カナマイシン カナマイシン，硫酸カナマイシン	結核菌のみならず，グラム陽性菌や陰性菌の一部に有効。リボソーム 30S と 50S の両方に結合。
緑膿菌有効	ゲンタマイシン ゲンタシン	1）リボソーム 30S と 50S の両方に結合。 2）抗菌スペクトルが拡大し，緑膿菌を含むグラム陰性桿菌に強力な抗菌力を示し，β-ラクタム系とともにグラム陰性桿菌感染症に不可欠の抗生物質。 3）聴器・腎毒性が最も強いが，抗菌活性が優れ，グラム陰性桿菌（緑膿菌，大腸菌，肺炎桿菌，インドール陽性変形菌，エンテロバクター，セラチア）に対して強い抗菌力。ただし，グラム陽性菌（肺炎球菌，溶血性連鎖球菌）やリケッチア・真菌に対する効果なし。
	トブラマイシン トブラシン，トービイ ジベカシン パニマイシン	抗菌力はゲンタマイシンと同等だが，毒性が軽減。
	アミカシン アミカシン硫酸塩	1）1 位のアミノ基が既にアシル化されているために耐性が起きにくく，ゲンタマイシン・トブラマイシン・ジベカシン耐性菌にも効果を発揮。 2）毒性も弱く抗菌力に優れている。
	イセパマイシン エクサシン	ゲンタマイシン誘導体で繁用されている。
MRSA 有効	アルベカシン ハベカシン	MRSA 特効薬（cf．グリコペプチド系バンコマイシン）
淋菌有効	スペクチノマイシン トロビシン	細菌細胞内のリボソーム 30S に作用し蛋白合成を阻害。
緑膿菌無効 ネオマイシン〈フラジオマイシン〉類	ネオマイシン＊〈フラジオマイシン〉 ソフラチュール，デンターグル	1）抗菌スペクトルが広く，グラム陽性・陰性菌に殺菌的に作用。 2）カナマイシンと交叉耐性を認め，毒性が強く腸管からの吸収も悪い（外用で使用）。 3）単剤よりも，他の抗菌薬やステロイド性抗炎症薬との合剤の方が多い（眼，耳，鼻，口腔，皮膚，肛門用）。

④ マクロライド系抗生物質

基本骨格	大環状ラクトンに数個の糖が結合（糖がアミノ糖の場合は塩基性マクロライド，中性の場合は中性マクロライドとよび，臨床では前者が主。また，環状ラクトン中に3個以上の共役二重結合をもつものをポリエン系マクロライドとよぶ）。 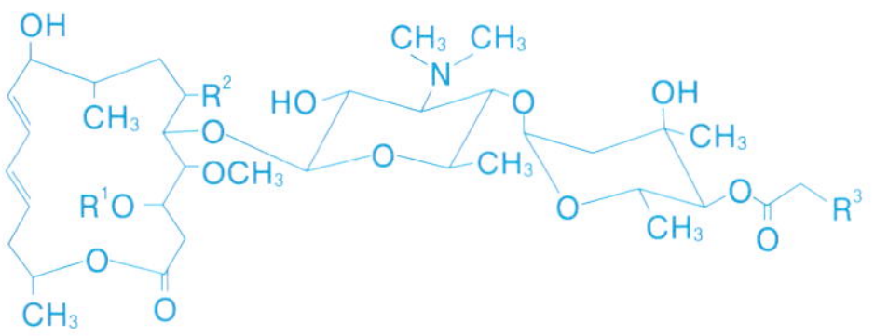	
作用機序	細菌リボソーム50Sに結合してペプチジルtRNAの受容部位から供給部位への転座を障害させることによって蛋白合成を阻害する（静菌的）。	
選択毒性	細菌特有のリボソームを標的にすることで，選択毒性を示す。	
耐性菌発現機構	細菌リボソーム50Sのアデニン残基の一つがジメチル化されて構造が変化し，この変化は細菌の蛋白合成には影響しないが，リボソーム50Sに対するマクロライド系抗生物質の結合を阻害する。	
特　徴	1）主としてグラム陽性菌に有効であるが，ペニシリン系やセフェム系では効果のみられないマイコプラズマに著効を示す。 2）一部のグラム陰性球菌・クラミジア・リケッチアにも有効だが真菌には無効。 3）血中からの組織移行性がよく，とくに呼吸器系への移行性に優れている（内服・静注可）。	
適　用	1）マイコプラズマ肺炎などの呼吸器感染の第一選択薬。 2）ヘリコバクター・ピロリ菌の除菌，耐性結核，非定型抗酸菌症にも適用。	
副作用	肝障害（肝臓へ高濃度に移行するため）	
14員環ラクトン	**エリスロマイシン** エリスロシン，エリスロマイシン	胃酸で分解されやすく，胃腸障害の原因となる。
	クラリスロマイシン クラリシッド，クラリス **ロキシスロマイシン** ルリッド	1）酸抵抗性の14員環ラクトン（ピロリ菌除菌に利用）。 2）14員環ラクトンの性質として，気道上皮細胞のムチン産生抑制・Cl^-チャネル阻害による水分泌阻害によって，気道の過剰分泌を抑制するとともに，気道粘膜への好中球の集積を抑制して抗炎症作用を示す（呼吸器系炎症に適）。 3）尿中排泄率高く，クラミジア尿道炎や子宮頸管炎にも適用。
15員環ラクトン	**アジスロマイシン** ジスロマック，アジマイシン	グラム陽性・陰性菌，嫌気性菌，クラミジア，マイコプラズマに強い抗菌力で持続性。インフルエンザ菌をはじめグラム陰性菌には既存のマクロライドよりも強い抗菌力を示す世界初の15員環ラクトンマクロライド。血中半減期が62時間と長く，1日1回3日間内服で7日間効果持続。
16員環ラクトン	**ジョサマイシン** ジョサマイシン，ジョサマイ **スピラマイシン** スピラマイシン **アセチルスピラマイシン** アセチルスピラマイシン	スピラマイシンは，胎盤組織に蓄積しやすいため，急性トキソプラズマ症妊婦から胎児への感染回避に有効（抗トキソプラズマ原虫薬）。

❺ リンコマイシン系抗生物質

基本骨格	リンコマイシン（R=OH） クリンダマイシン（R=Cl） 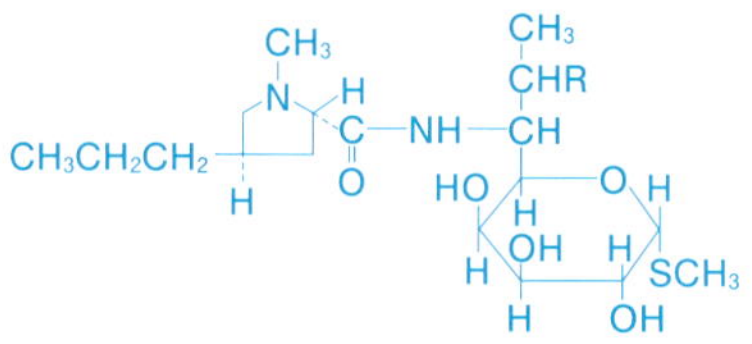
作用機序	細菌リボソーム 50S に結合してペプチジルトランスフェラーゼを阻害することによって蛋白合成を阻害する（静菌的）。
選択毒性	細菌特有のリボソームを標的にすることで，選択毒性を示す。
耐性菌発現機構	細菌リボソーム 50S のアデニン残基の一つがジメチル化されて構造が変化し，この変化は細菌の蛋白合成には影響しないが，リボソーム 50S に対するリンコマイシン系抗生物質の結合が阻害される。
特　徴	1）マクロライド系と作用類似。大型ラクトン環はないがマクロライド系と交叉耐性を示す。 2）マクロライド系よりも菌体膜通過性がよく抗菌域広い。 3）吸収は速いが吸収率はあまりよくない（25～35%）。
適　用	ブドウ球菌，肺炎球菌，溶血性連鎖球菌による急性呼吸器感染症
副作用	偽膜性大腸炎（血便・重篤な下痢：リンコマイシンは腸内クロストリジウムの増殖を招き，この菌の出す毒素によって偽膜性大腸炎を起こす）
薬　物	リンコマイシン（リンコシン），クリンダマイシン（ダラシン）

❻　クロラムフェニコール系抗生物質

基本骨格	**クロラムフェニコール**　O_2N—〈ベンゼン環〉—CH–CHCH$_2$OH　　　　OH　NHCOCHCl$_2$
作用機序	細菌リボソーム 50S に結合してペプチジルトランスフェラーゼを阻害することによって蛋白合成を阻害する（静菌的）。
選択毒性	細菌特有のリボソームを標的にすることによって選択毒性を示す。
耐性菌発現機構	１）薬物不活性化酵素の産生：R プラスミド支配でクロラムフェニコールアセチル化酵素が産生され，クロラムフェニコールが不活性化される。 ２）テトラサイクリン系薬物との間に交差耐性が認められる。
特　徴	１）放線菌から発見され，グラム陽性・陰性菌，リケッチア，クラミジア，ある種のウイルスにも作用する広範囲抗生物質。 ２）消化管吸収・組織移行性よい。 ３）髄液移行性がよく，ペニシリン・アレルギー患者の髄膜炎に使用可能。
適　用	サルモネラ感染症（腸チフス・パラチフスなど）の第一選択薬
副作用	造血機能障害（再生不良性貧血や血小板減少症：比較的高頻度で出現） 新生児グレイ〈灰白〉症候群（腹部膨満，嘔吐，下痢，虚脱，呼吸停止）：新生児では薬物代謝酵素が未熟なため，蛋白合成阻害作用が強く現れる。
薬　物	**クロラムフェニコール** クロロマイセチン，クロロマイセチンサクシネート

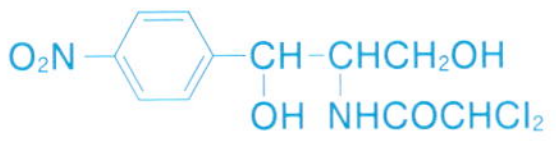

⑦ その他の蛋白質合成阻害薬

薬 物	適 応	説 明
フシジン酸 フシジンレオ	ブドウ球菌による皮膚疾患	1）ステロイド骨格をもち，蛋白合成阻害作用によってグラム陽性菌に有効。 2）消化管吸収・組織移行良好で副作用少ないが，貼付剤・軟膏が主。 3）ブドウ球菌は耐性を生じやすいため，他剤との併用で予防。
ムピロシン バクトロバン	鼻腔内 MRSA 感染	細菌の蛋白合成の初期段階において，イソロイシル-tRNA 合成酵素とイソロイシンの AMP 複合体の生成を阻害し，その結果，細菌のリボソームにおけるペプチド合成を阻害（鼻腔内軟膏）。
リネゾリド ザイボックス	・バンコマイシン耐性腸球菌〈VRE〉感染症 ・MRSA 感染症	1）オキサゾリジノン系合成抗菌薬（内服・点滴静注）。 2）細菌リボソーム 50S と結合し，翻訳過程の 70S 開始複合体の形成を妨げることによって細菌の蛋白合成を阻害。
テジゾリド シベクトロ	MRSA 感染症	
フィダキソマイシン ダフクリア	*C. difficile* 感染性腸炎（偽膜性大腸炎を含む）	1）細菌 RNA ポリメラーゼ阻害薬（*C. difficile* 選択的な 18 員環マクロライド系抗生物質）。 2）*C. difficile* をはじめとする一部のグラム陽性菌に殺菌的に作用するが，ほとんどのグラム陰性菌には抗菌活性を示さない。 3）消化管吸収されにくく，腸管内で作用する。 4）*C. difficile* 感染症の再発抑制に，抗 *C. difficile* トキシン B 抗体製剤**ベズロトクスマブ**（ジーンプラバ®：静注）あり。トキシン B による腸壁の炎症及び損傷を抑制する。

5. 細胞膜機能障害薬

❶ ポリペプチド系抗生物質

薬　物	ポリミキシンB 硫酸ポリミキシンB コリスチン コリマイシン，メタコリマイシン，オルドレブ
作用機序	細胞膜リン脂質と結合して膜構造を乱し，膜透過性を変化させる。その結果，細胞内成分が漏出して細胞機能が障害される（殺菌的）。
選択毒性	動物細胞の細胞膜リン脂質にも作用するので，選択毒性は低い。
特　徴	1）他の抗生物質と交叉耐性がなく，多剤耐性グラム陰性桿菌（とくに緑膿菌）に有効。 2）腸管から吸収されないので，経口で腸管内抗菌に用いる。
適　用	緑膿菌，赤痢菌，チフス菌，肺炎桿菌，大腸菌感染症
副作用	腎障害，聴覚・視覚・知覚障害，神経筋遮断，過敏症，胃腸症状

❷ 環状リポペプチド系抗生物質

薬　物	ダプトマイシン キュビシン
作用機序	1）Ca^{2+}依存性に菌の細胞膜に挿入された後，速やかに細胞内K^+を流出させ，膜電位を消失させる（細胞膜機能障害）。 2）DNA，RNA及び蛋白質の合成を阻害する。 これら膜電位の消失，並びにDNA，RNA及び蛋白質の合成阻害により，細菌が死滅する（殺菌的）。
適　応	メチシリン耐性黄色ブドウ球菌〈MRSA〉感染症（静注）
副作用	アナフィラキシーショック，横紋筋融解症，好酸球性肺炎，末梢性ニューロパシー，腎不全，偽膜性大腸炎 など

6. キノロン系・ニューキノロン系抗菌薬

基本骨格	**ピリドンカルボン酸** 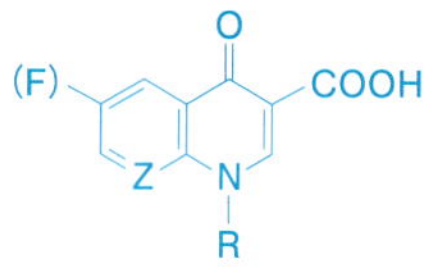 	
作用機序	DNA ジャイレース／トポイソメラーゼⅣ阻害による DNA 複製阻害（殺菌的）	
選択毒性発現機構	DNA ジャイレース／トポイソメラーゼⅣは細菌特有のトポイソメラーゼで，真核生物ではトポイソメラーゼⅡに該当する。ねじれ構造のない閉鎖環状二重鎖 DNA に作用して，鎖の切断と再結合を繰り返すことで超らせん構造の形成に関与する。	
耐性菌発現機構	1）DNA ジャイレースに変異が起こり薬物感受性が低下。 2）薬物の菌体外膜通過に関与する蛋白質（OmpF ポーリン）の欠失・減少。	
キノロン系	**ピペミド酸** ドルコール	グラム陽性菌に無効だが，グラム陰性菌（大腸菌，プロテウス，肺炎桿菌，赤痢菌）に優れた効果。緑膿菌にも有効（内服）。
	オゼノキサシン ゼビアックス	グラム陽性・陰性菌（MRSA 含む），嫌気性菌に有効（表在性皮膚感染症：外用）。
ニューキノロン系〈フルオロキノロン系〉	1）フッ素化合物で，経口抗菌薬として従来にない広い抗菌スペクトルと高い抗菌活性をもち，呼吸器・尿路・腸管・胆道・性器感染症などに適用。 2）グラム陽性菌（黄色ブドウ球菌，肺炎球菌，化膿性連鎖球菌，腸球菌）にも有効で，緑膿菌を含めグラム陰性菌に対する抗菌力がキノロン系よりも向上。インフルエンザ菌・淋菌に著効。	
	ノルフロキサシン バクシダール **オフロキサシン*** タリビッド **シプロフロキサシン** シプロキサン **（エノキサシン）**	1）肺炎球菌に対する抗菌力弱い。 2）体内動態に問題（ノルフロキサシンの血中濃度が低い，オフロキサシンの半減期が短い）。 3）中枢神経系副作用（オフロキサシンの不眠） 4）痙攣誘発（エノキサシンとフェンブフェン併用） *オフロキサシンは，抗クラミジアトラコーマティス活性が高い。
	ロメフロキサシン バレオン	ノルフロキサシン同等の効力。中枢神経系副作用弱い。
	トスフロキサシン オゼックス，トスキサシン	ノルフロキサシンより 8～16 倍強力。
	レボフロキサシン クラビット	オフロキサシンの L 体。中枢神経系に対する副作用軽減。
	ガチフロキサシン ガチフロ **パズフロキサシン** パシル，パズクロス **プルリフロキサシン** スオード **モキシフロキサシン** アベロックス **ガレノキサシン** ジェニナック **シタフロキサシン** グレースビット **ラスクフロキサシン** ラスビック	ガチフロキサシンの低血糖・高血糖副作用に要注意（この副作用のため，現在は点眼薬のみ）。
副作用	消化器障害（悪心・嘔吐，胃部不快感，下痢） 過敏症状（光線，発疹），神経症状（不眠，めまい）	
相互作用	CYP1A 阻害によるテオフィリンの代謝阻害。 酸性抗炎症薬がニューキノロン系薬物の GABA 拮抗作用を増強（痙攣）。 金属カチオンとのキレート形成による消化管吸収阻害。	

7. スルホンアミド系薬物（サルファ薬とその関連薬）

❶ サルファ薬とトリメトプリムの作用機序・選択毒性発現機構・耐性菌出現機構

作用機序	葉酸代謝拮抗による核酸塩基・アミノ酸生合成阻害（静菌的） **1）サルファ薬** パラアミノ安息香酸類似構造をもつためパラアミノ安息香酸拮抗薬として作用し，ジヒドロプテリン酸〈DHP〉シンテターゼ〈合成酵素〉を阻害。その結果，ジヒドロプテリン酸の合成が阻害されてジヒドロプテリン酸 ⟶ ジヒドロ葉酸 ⟶ テトラヒドロ葉酸への生合成が阻害される。 **2）トリメトプリム** 葉酸類似構造をもつためジヒドロ葉酸の拮抗薬として作用し，ジヒドロ葉酸〈DHF〉レダクターゼ〈還元酵素〉を阻害。その結果，ジヒドロ葉酸 ⟶ テトラヒドロ葉酸への生合成が阻害される。 ※サルファ薬とトリメトプリムの合剤〈ST 合剤〉は，これらの薬物の作用機序が異なるために併用によって抗菌力が相乗的に増強され，耐性菌にも抗菌作用を示すことが多い。 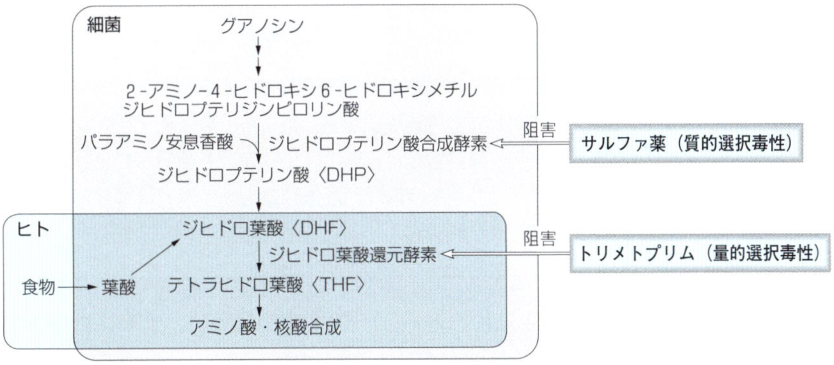
選択毒性発現機構	**1）サルファ薬** 細菌はグアノシンを原料としてジヒドロプテリン酸 ⟶ ジヒドロ葉酸 ⟶ テトラヒドロ葉酸への生合成を行う。一方，ヒトをはじめとする高等動物では葉酸はビタミンとして食物から取り入れ，葉酸を還元してテトラヒドロ葉酸を合成するためサルファ薬の作用を受けない（質的選択毒性）。 **2）トリメトプリム** 高等動物よりも細菌のジヒドロ葉酸還元酵素に対して親和性が高い（量的選択毒性）。
耐性菌出現機構	1）ジヒドロプテリン酸合成酵素やジヒドロ葉酸還元酵素の代替酵素を R プラスミド支配で産生。 2）細菌細胞膜の薬物透過性が低下。

❷ サルファ薬の適応症と副作用

基本骨格	**スルファニルアミド（スルホンアミド）**  		
サルファ薬の分類	**高溶解性短時間型** （血中半減期 2〜7時間）	**（スルフイソキサゾール）**	アセチル化抱合体も水に易溶。尿路結石はできにくい。
	中間型 （血中半減期 8〜16時間）	**スルファジアジン** テラジアパスタ	水に難溶で，尿路結石形成。（主として外用で皮膚感染症に適用）
	長時間型 （血中半減期 17〜60時間）	**スルファメトキサゾール** バクトラミン，バクタ	吸収よく排泄遅い。尿路結石はできにくい。
抗菌スペクトル	**グラム陽性菌**：ブドウ球菌，溶血性連鎖球菌，肺炎球菌 **グラム陰性菌**：赤痢菌，淋菌，サルモネラ菌，髄膜炎菌，コレラ菌		
適応症	肺炎，ニューモシスチス肺炎，膀胱炎，腎盂腎炎，感染性腸炎，腸チフス，パラチフスなど		
副作用	再生不良性・溶血性貧血，中毒性表皮壊死症，末梢神経炎，アレルギー（発熱・発疹）。まれに血液障害，肝・腎障害など。血漿アルブミンと結合してビリルビンを遊離するため（高ビリルビン血症），血液脳関門が未発達の新生児では神経細胞の核黄疸による脳性麻痺を起こすおそれがある。		
相互作用	プロカインは血中エステラーゼで分解されてパラアミノ安息香酸を遊離するためサルファ薬のパラアミノ安息香酸拮抗作用が減弱。		
禁　忌	妊婦，新生児，未熟児		

Ⅲ　抗抗酸菌薬

☞『医薬品一般名・商品名・構造一覧』p122

1. 抗結核薬

❶ 結核菌と結核治療の特徴

結核菌の特徴

1）結核菌は放線菌の一種で，らい菌とともに代表的な抗酸菌。

2）菌体がロウ状の細胞壁に包まれており，薬物が浸透しにくい特殊なグラム陰性桿菌。

3）サルファ薬や *β*-ラクタム系抗生物質などは結核菌に無効。

4）好中球による食菌に抵抗性を示す。

5）慢性の経過をたどり，肺，腸，咽頭，皮膚など全身に病巣をつくる。チーズ様変性を伴う空洞を形成するため，薬物の浸透が阻害される。

6）長期治療を要するため，薬物の副作用が問題となる。

治療の特徴

1）抗結核薬は単独で使用される場合もあるが，耐性化の抑制や抗菌力の相乗作用を期待して併用される場合が多い。

2）初回標準治療

（A 法）ピラジナミド併用による初期強化短期化学療法（計 6 ヶ月）

4 剤併用で 2 ヶ月間治療後，2 剤併用で 4 ヶ月間治療

（B 法）ピラジナミド投与不可の場合の初期強化化学療法（計 9 ヶ月）

3 剤併用で 2 ヶ月間治療後，2 剤併用で 7 ヶ月間治療

3）DOTS 療法〈Directly observed treatment, short course〉: 治療効率の上昇と耐性菌発現抑制のため，直接監視下に薬の服用を確認し，短期抗結核療法を行う推奨療法。

2 剤併用	イソニアジド ＋ リファンピシン
3 剤併用	イソニアジド ＋ リファンピシン ＋ ストレプトマイシン イソニアジド ＋ リファンピシン ＋ エタンブトール
4 剤併用	イソニアジド ＋ リファンピシン ＋ ストレプトマイシン ＋ ピラジナミド イソニアジド ＋ リファンピシン ＋ エタンブトール ＋ ピラジナミド

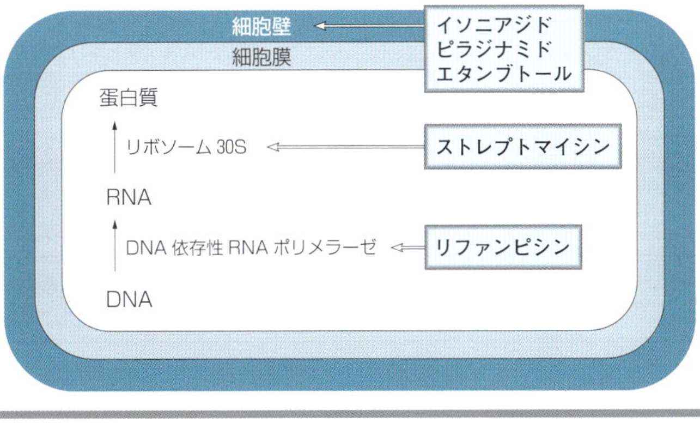

❷ 抗結核薬

分類	薬物	説明
1st-line	イソニアジド イスコチン，ヒドラ，ネオイスコチン	1）抗結核薬の中で最も抗菌力が強く，結核菌特異性も高い。 2）結核菌の細胞壁ミコール酸生合成阻害（殺菌的）。ストレプトマイシン，パラアミノサリチル酸，リファンピシンとの間に交差耐性なし。 3）アセチル化によって代謝され，遺伝的アセチルトランスフェラーゼ欠損では末梢神経炎（V. B_6欠乏による）を誘発。 4）**副作用**：少ないが，まれに肝障害
	リファンピシン リファジン リファブチン ミコブティン	1）DNA依存性RNAポリメラーゼ阻害によってRNA合成を阻害（殺菌的）。 2）抗菌作用はイソニアジドに次いで強力。らい菌にも有効。 3）腸管循環を繰り返すため持続性で，脱アセチル化代謝物も抗菌活性がある。 4）エタンブトールと併用で抗菌力増強。 5）**副作用**：肝・腎障害，血液障害，偽膜性大腸炎など 6）**相互作用**：肝薬物代謝酵素誘導に注意（特にリファンピシン）。
	ストレプトマイシン 硫酸ストレプトマイシン	1）抗結核薬として初めて見出されたアミノグリコシド系抗生物質。 2）リボソーム30Sに結合して蛋白合成を阻害する（殺菌的）。 3）消化管からの吸収不良（筋注，静注）。 4）耐性菌出現しやすい。 5）**副作用**：第8脳神経（聴覚・平衡感覚）障害，腎障害
	エタンブトール エサンブトール，エブトール	1）細胞壁合成（アラビノシル転移酵素）阻害及び核酸合成（RNA合成）阻害（静菌的）。 2）耐性菌出現しやすく，視神経障害の**副作用**。
	ピラジナミド ピラマイド	1）イソニアジドと併用して抗菌力増強（ミコール酸生合成阻害：殺菌的）。 2）**副作用**：肝・腎障害，高尿酸血症
2nd-line	パラアミノサリチル酸 ニッパスカルシウム アルミノパラアミノサリチル酸 アミノニッパスカルシウム	1）結核菌特異的に静菌的に作用し，耐性菌出現しない。 2）パラアミノ安息香酸拮抗による葉酸代謝阻害や呼吸酵素抑制作用などが関与するとされている。 3）髄液には移行しない。
	サイクロセリン サイクロセリン	1）アラニン類似構造をもつサイクロセリンはD-アラニン〈D-Ala〉と拮抗し，D-アラニル-D-アラニン〈D-Ala-D-Ala〉生合成に関与するアラニンラマーゼ及びD-Ala-D-Alaシンターゼを阻害する。その結果，細胞壁合成を阻害する（広域性抗生物質）。 2）髄液中にも移行性がよい。一次抗結核薬との間に交差耐性なし。 3）**副作用**：幻覚・痙攣などの中枢症状（てんかんに**禁忌**）
	エチオナミド ツベルミン	1）イソニアジドと類似の作用機序。抗結核作用強く髄液にも移行し，イソニアジド耐性菌にも有効。 2）**副作用**：胃粘膜刺激による胃腸障害（エチオナミドのエチル基をプロピルに変えたプロピルチオアミドは胃腸障害少ない）
	カナマイシン 硫酸カナマイシン エンビオマイシン ツベラクチン	1）アミノグリコシド系抗生物質（蛋白質合成阻害） 2）**副作用**：他薬と併用すると第8脳神経（聴覚・平衡感覚）障害，腎障害の副作用増強。
	レボフロキサシン クラビット	1）ニューキノロン系抗菌薬（DNAジャイレース／トポイソメラーゼⅣ阻害） 2）副作用：消化器症状，過敏症状，神経症状
多剤耐性菌	デラマニド デルティバ	1）結核菌の細胞壁ミコール酸生合成阻害（殺菌的）。 2）**副作用**：QT延長
	ベダキリン サチュロ	1）結核菌のATP合成酵素阻害（殺菌的）。 2）副作用：QT延長，肝機能障害

2. 非結核性（非定型）抗酸菌症治療薬

項　目	説　明
病　因	結核菌以外の抗酸菌で引き起こされる呼吸器感染症。日本では，MAC 感染症〈*Mycobacterium avium complex*：*Mycobacterium avium* 及び *Mycobacterium intracellulare*〉が80%以上，*Mycobacterium kansasii* 感染症が約 10%であり，これらの 3 菌種で 90%以上を占める。
症　状	咳，痰，血痰・喀血，全身倦怠感，発熱，呼吸困難など。
治　療	結核に準じた治療が行われる。 **リファンピシン**（あるいは**リファブチン**）：DNA 依存性 RNA ポリメラーゼ阻害 **エタンブトール**：細胞壁・核酸合成阻害 **ストレプトマイシン**：蛋白質合成阻害（30S 細菌リボソーム阻害） **クラリスロマイシン**：蛋白質合成阻害（50S 細菌リボソーム阻害）

3. ハンセン病治療薬（抗らい菌薬）

ハンセン病は，抗酸菌の一種であるらい菌〈*Mycobacterium leprae*〉によって起こる慢性特異性炎症性疾患であり，皮膚と末梢神経とが好んで侵される。ハンセン病は，菌が皮膚の創傷より侵入することにより感染すると考えられている。病型は 2 型・2 群に分けられる。ハンセン病そのものが致命的になることは少ない。

分　類	薬　物	作用機序など
ニューキノロン系	**オフロキサシン** タリビッド	DNA ジャイレース阻害
抗結核薬	**リファンピシン** リファジン	RNA ポリメラーゼ阻害
スルホン系	**ジアフェニルスルホン** プロトゲン，レクチゾール	らい菌〈*M. leprae*〉増殖阻止によって類結核型・らい腫型ともに有効（静菌的）。
その他	**クロファジミン** ランプレン	らい菌の DNA に直接結合して DNA 複製を阻害及びマクロファージのリソソーム酵素活性化。

Ⅳ　抗真菌薬

☞『医薬品一般名・商品名・構造一覧』p123

真菌には，糸状菌（カビ類：白癬など）や分芽菌（酵母類：カンジダ，モニリアなど）などがある。動・植物細胞と同じ高分子合成系をもち，染色体の構造，DNA・RNA・蛋白合成はすべて動物細胞と同じである。しかしながら，真菌表層や膜構造にわずかな違いがあり，そこが選択毒性の標的となる。なお，放線菌は細菌に分類されるが，性質は真菌に近いために，一般には細菌と区別して普通名として放線菌とよばれる場合が多い。

抗真菌薬は，消化管などの内臓に寄生する深在性真菌症に作用するもの（主に内服か注射で適用）と，皮膚・毛髪・爪などを侵す表在性真菌症に作用するもの（主に外用）とに分けられる。

1．抗真菌薬

抗真菌薬（その1）

作用機序分類	薬物分類	薬物名	適応		作用機序・特徴
			表在性	深在性	
細胞壁合成阻害	キャンディン系	ミカファンギン（ファンガード） カスポファンギン（カンサイダス）		●	真菌細胞壁構成成分である 1，3-β-D-glucan の合成阻害によって細胞壁合成を阻害。
細胞膜合成阻害 ①	アゾール系	ミコナゾール（フロリード，オラビ）	●	●	ラノステロールC-14脱メチル化酵素を阻害して真菌細胞膜エルゴステロール合成を阻害。 CYP3A4の基質・阻害薬となるため，薬物相互作用注意（テルフェナジン，ベンゾジアゼピンなど）。
		フルコナゾール（ジフルカン） イトラコナゾール（イトリゾール） ホスフルコナゾール[1]（プロジフ） ボリコナゾール（ブイフェンド） ポサコナゾール（ノクサフィル）		●	
		クロトリマゾール（エンペシド，タオン） ネチコナゾール（アトラント） イソコナゾール（アデスタン） オキシコナゾール（オキナゾール） スルコナゾール（エクセルダーム） ビホナゾール（マイコスポール） ケトコナゾール（ニゾラール） ラノコナゾール（アスタット） ルリコナゾール（ルリコン，ルコナック） エフィナコナゾール（クレナフィン） ホスラブコナゾール[2]（ネイリン）	●		

1）ホスフルコナゾール：フルコナゾールのプロドラッグ（静注）
2）ホスラブコナゾール：ラブコナゾールのプロドラッグ（内服）

抗真菌薬（その2）

作用機序分類	薬物分類	薬物名	適応 表在性	適応 深在性	作用機序・特徴
細胞膜合成阻害②	アリルアミン系	テルビナフィン（ラミシール）	●	●	スクアレンエポキシダーゼ阻害によって，真菌細胞膜エルゴステロール合成を阻害。
	ベンジルアミン系	ブテナフィン（ボレー，メンタックス）	●		
	チオカルバメート系	リラナフタート（ゼフナート） トルナフタート（ハイアラージン）	●		
	モルフォリン系	アモロルフィン（ペキロン）	●		エルゴステロール生合成経路上の2つの段階（δ14-ステロール還元酵素及びδ8-δ7イソメラーゼ）を選択的に阻害。
細胞膜透過性障害	ポリエン系	アムホテリシンB（ファンギゾン，アムビゾーム）		●	真菌細胞膜のステロール成分と結合して細胞膜に障害を与える。
紡錘糸崩壊	グリセオフルビン	（グリセオフルビン）	●		重合した微小管に作用し，紡錘糸の崩壊を引き起こして有糸分裂を阻害（静菌的）。ケラチン結合性が高く，内服で皮膚，毛髪，爪のケラチン生成細胞内に移行するため，表皮糸状菌の侵入増殖を阻止。感染糸状菌は組織新生に伴い組織とともに脱落排除される。
核酸合成阻害	5-フルオロシトシン	フルシトシン（アンコチル）		●	真菌細胞膜のシトシン透過酵素によって真菌内に選択的に取込まれた後，5-フルオロウラシルに変わりRNA合成を阻害する。

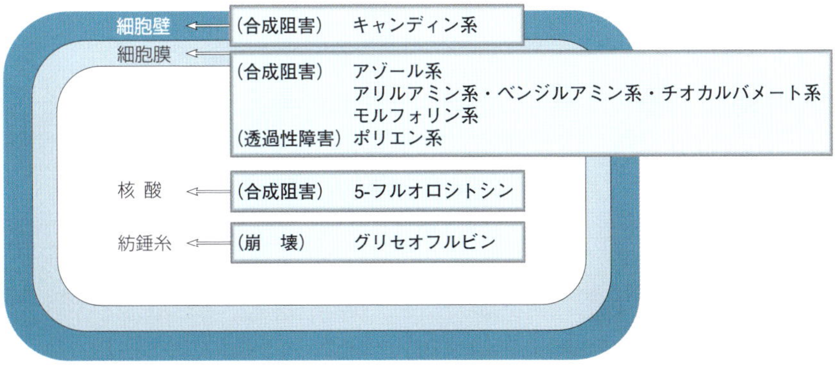

2．ニューモシスチス肺炎治療薬

ニューモシスチス肺炎は，酵母様真菌ニューモシスチス・イロベジー〈ニューモシスチス・ジロヴェチ：*Pneumocystis jiroveci*〉による肺炎である。従来，ニューモシスチス・カリニ〈*Pneumocystis carinii*〉による「カリニ肺炎」とよばれてきたが，ヒトで肺炎を起こすニューモシスチスは，イヌ由来のニューモシスチス・カリニ（カリニはイヌの意）とは異なる種類であることが判明し，名称が変更された。

ペンタミジン ベナンバックス	DNA 合成，RNA 合成，蛋白質合成，リン脂質合成，ヌクレオチド合成，グルコース代謝，ジヒドロ葉酸脱水素酵素活性を抑制する。 （**併用禁忌**：抗 HIV 薬ザルシタビンとの併用で劇症肝炎，抗サイトメガロウイルス薬ホスカルネットとの併用で腎障害・低 Ca 血症）
ST 合剤 バクトラミン，バクタ **（スルファメトキサゾールとトリメトプリムの合剤）**	葉酸代謝阻害 **スルファメトキサゾール**：パラアミノ安息香酸拮抗 **トリメトプリム**：ジヒドロ葉酸還元酵素阻害
アトバコン サムチレール	電子伝達系を阻害するユビキノン誘導体。 アトバコンは，ミトコンドリア内膜蛋白質ユビキノンが，チトクローム b に結合するのを阻害し，その結果として ATP レベルを顕著に低下させ，抗菌活性を示す。

V　抗ウイルス薬

☞『医薬品一般名・商品名・構造一覧』p126

1. ウイルスの特徴と侵入・増殖過程

特　徴	ウイルスは病原体の中で最も小さく，個々の粒子は核酸（DNA または RNA）と蛋白殻からなる。ウイルスは，細菌と異なり宿主細胞の代謝系を利用して細胞の中でのみ増殖する。ウイルス感染には予防ワクチンが有効であるが，ヘルペスウイルス，肝炎ウイルス，インフルエンザウイルス，ヒト免疫不全ウイルスなどに対しては化学療法薬が開発されている。	
ウイルスの増殖過程	❶吸着	宿主の細胞表層特異受容体にウイルス粒子が吸着
	❷侵入	宿主細胞の食作用やウイルスのエンベロープと宿主細胞形質膜との融合によるウイルス粒子の細胞内取込み
	❸脱殻（アンコーティング）	ウイルス被殻（カプシド）からの核酸の放出
	❹核酸／蛋白質合成	ウイルスの種類によって多様であるが，以下のような過程を経る。 1）ウイルス核酸から mRNA への転写によってウイルス増殖に必要な酵素の合成（初期蛋白質合成） 2）ウイルス DNA／RNA 複製 3）ウイルス構成蛋白の合成（後期蛋白質合成）
	❺粒子形成	ウイルス各構成成分の組立てによるウイルス粒子の完成
	❻出芽・放出	ウイルス粒子の細胞外への放出

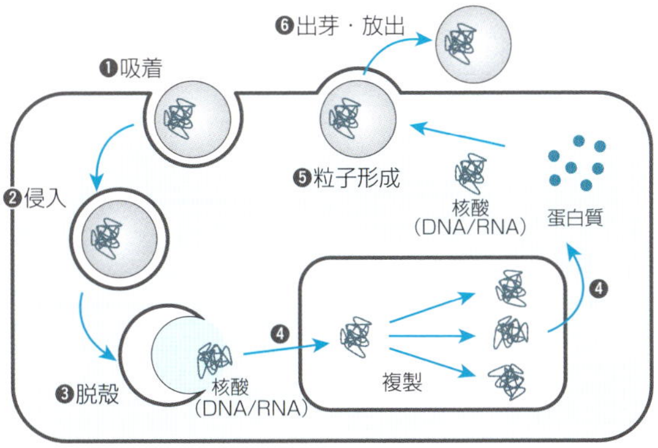

2. 抗ヘルペスウイルス薬

単純ヘルペス／水痘・帯状疱疹ウイルス（DNA ウイルス）感染症治療薬

薬　物		説　明
DNA ポリメラーゼ阻害薬	アシクロビル* ゾビラックス バラシクロビル* （アシクロビルのプロドラッグ） バルトレックス dGTP 拮抗	1）ウイルス感染細胞内でウイルス性チミジンキナーゼにより一リン酸化された後，細胞性キナーゼによりリン酸化され，アシクロビル三リン酸〈ACV-TP〉となる。ACV-TP は正常基質である dGTP と競合してウイルス DNA ポリメラーゼを阻害し，またウイルス DNA の 3' 末端に取り込まれウイルス DNA 鎖の伸長を停止させる。 2）ヘルペス性脳炎･角膜炎，水痘，単純疱疹，帯状疱疹に有効。
	ファムシクロビル* （ペンシクロビルのプロドラッグ） ファムビル dGTP 拮抗	1）活性代謝物ペンシクロビルは，ウイルス感染細胞内において，ウイルス由来チミジンキナーゼにより一リン酸化され，さらに宿主細胞由来キナーゼにより三リン酸化体（PCV-TP）となる。PCV-TP は dGTP と競合的に拮抗することにより，ウイルス DNA ポリメラーゼ阻害作用を示す。また，ウイルス DNA に取り込まれてウイルス DNA 鎖の伸長を阻害する。 2）単純疱疹，帯状疱疹に適用。
	ビダラビン〈Ara-A〉 アラセナ-A dATP 拮抗	1）アデノシンの D-リボースが D-アラビノースに置換されたヌクレオシドで（Arabinofuranosyl-adenine），感染細胞内で三リン酸化体に変換され，dATP 拮抗により DNA ポリメラーゼを阻害する。 2）単純ヘルペスウイルス，サイトメガロウイルス，アデノウイルス，ワクチニアウイルス，水痘・帯状疱疹ウイルス等の DNA ウイルスに対して強い増殖抑制作用を有するが，インフルエンザウイルス等の RNA ウイルスには無効。 3）単純ヘルペス脳炎，単純疱疹，帯状疱疹に適用。
ヘリカーゼ・プライマーゼ複合体阻害薬	アメナメビル アメナリーフ	ヘルペスウイルスのヘリカーゼ・プライマーゼ複合体の DNA 依存的 ATPase 活性，ヘリカーゼ活性およびプライマーゼ活性を阻害することにより，二本鎖 DNA の開裂および RNA プライマーの合成を阻害し，DNA 複製を阻害する。

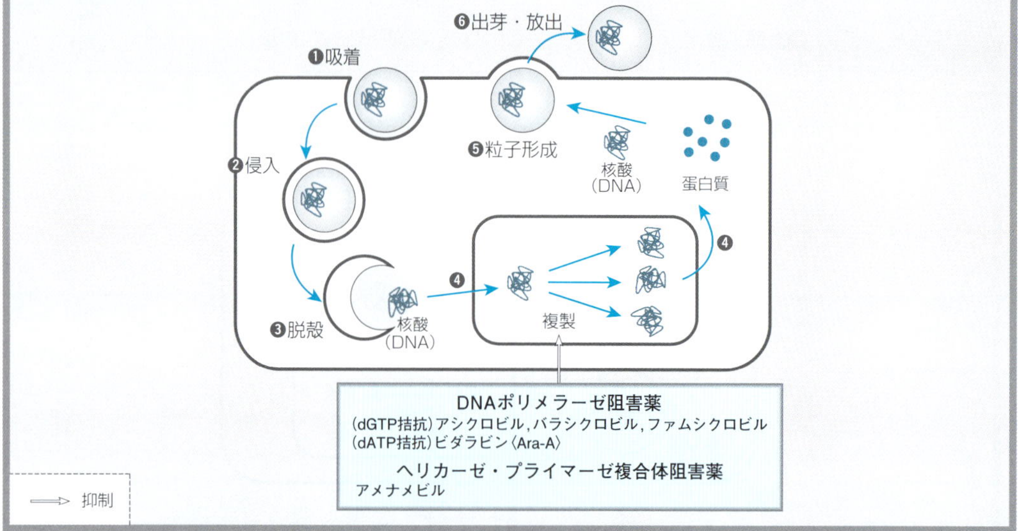
❶吸着
❷侵入
❸脱殻
核酸（DNA）
❹
複製
❹
❺粒子形成
核酸（DNA）
蛋白質
❻出芽・放出
DNAポリメラーゼ阻害薬
(dGTP拮抗)アシクロビル，バラシクロビル，ファムシクロビル
(dATP拮抗)ビダラビン〈Ara-A〉
ヘリカーゼ・プライマーゼ複合体阻害薬
アメナメビル
⟹ 抑制

サイトメガロウイルス（DNA ウイルス）感染症治療薬

薬　物		説　明
DNA ポリメラーゼ阻害薬	ガンシクロビル* デノシン バルガンシクロビル* （ガンシクロビルのプロドラッグ） バリキサ dGTP 拮抗	1）サイトメガロウイルス感染細胞のウイルスリン酸転移酵素によってリン酸化された後，細胞性キナーゼによりリン酸化されて活性代謝物ガンシクロビル三リン酸〈GCV-TP〉となる。GCV-TP は正常基質である dGTP と競合してウイルス DNA ポリメラーゼを阻害し，またウイルス DNA の 3' 末端に取り込まれてウイルス DNA 鎖の伸長を停止させる。 2）臓器移植・悪性腫瘍・後天性免疫不全症候群におけるサイトメガロウイルス感染に適用。
	ホスカルネット ホスカビル DNA ポリメラーゼ直接阻害	1）ヘルペスウイルス DNA ポリメラーゼ阻害作用とレトロウイルス逆転写酵素阻害作用をもつ。DNA ポリメラーゼのピロリン酸結合部位に直接作用する。 2）HIV 患者におけるサイトメガロウイルス網膜炎，造血幹細胞移植患者におけるサイトメガロウイルス血症・感染症，造血幹細胞移植後のヒトヘルペスウイルス 6 脳炎に適用。
DNA ターミナーゼ複合体阻害薬	レテルモビル プレバイミス	1）サイトメガロウイルスのウイルスゲノム DNA の切断及びパッケージングに必要な DNA ターミナーゼ複合体を阻害し，ウイルス粒子の形成を阻害する。 2）同種造血幹細胞移植患者におけるサイトメガロウイルス感染症の発症抑制に適用。

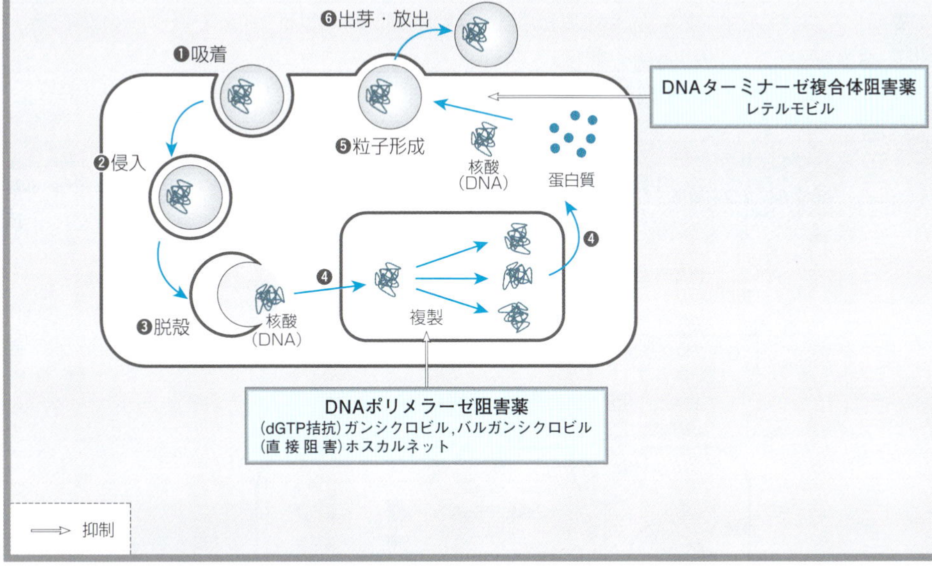
❶吸着
❷侵入
❸脱殻
❹
❺粒子形成
❻出芽・放出
核酸
（DNA）
複製
蛋白質
DNAターミナーゼ複合体阻害薬
レテルモビル
DNAポリメラーゼ阻害薬
（dGTP拮抗）ガンシクロビル，バルガンシクロビル
（直 接 阻 害）ホスカルネット
抑制

＊：経口可

3. 抗肝炎ウイルス薬

A 型肝炎は，主に食物・飲料水を介した経口感染である。慢性肝炎の原因となるのは B 型・C 型・D 型肝炎ウイルスで，日本では B 型・C 型ウイルス性肝炎以外は少ない（A・C 型肝炎ウイルス：RNA 型ウイルス，B 型肝炎ウイルス：DNA 型ウイルス）。

免疫増強薬

薬　物		説　明
インターフェロン〈IFN〉	**（筋注・皮下注）** インターフェロン α スミフェロン インターフェロン β フエロン **持続性ポリエチレングリコール〈PEG〉化製剤（皮下注）** ペグインターフェロン α-2a ペガシス ペグインターフェロン α-2b ペグイントロン	1）2',5'-オリゴアデニル酸合成酵素を誘導し，RNA 分解酵素〈リボヌクレアーゼ：RNase〉活性を増強する 2',5'-オリゴアデニル酸の産生を促進することにより，ウイルス mRNA や rRNA を分解して蛋白合成を阻害。また，マクロファージや NK 細胞を活性化して免疫賦活作用を示す。 2）B型･C型慢性活動性肝炎に有効(腎癌，慢性骨髄性白血病にも適)。 3）抗ウイルス効果：HCV2 型>HCV1 型>HBV（日本人 HCV 感染者の 7 割が 1 型，3 割が 2 型） 4）**副作用**：精神症状（躁うつ・分裂・認知症・自殺企図），自己免疫，間質性肺炎，糖尿，インフルエンザ様症状（発熱，筋肉痛，食欲不振）
肝炎ワクチン	A 型肝炎ワクチン エイムゲン	A 型肝炎の予防
	B 型肝炎ワクチン ビームゲン ヘプタバックス-Ⅱ	1）B 型肝炎の予防 2）B 型肝炎ウイルス母子感染の予防（抗 HBs 人免疫グロブリンとの併用） 3）HBs 抗原陽性でかつ HBe 抗原陽性の血液による汚染事故後の B 型肝炎発症予防（抗 HBs 人免疫グロブリンとの併用）
ゲルマニウム製剤	プロパゲルマニウム セロシオン	HBe 抗原陽性 B 型慢性肝炎におけるウイルスマーカーの改善（経口）
免疫グロブリン	人免疫グロブリン製剤 （☞p395 参照）	ウイルス性疾患（A 型肝炎，麻疹，ポリオ）の予防と症状の軽減

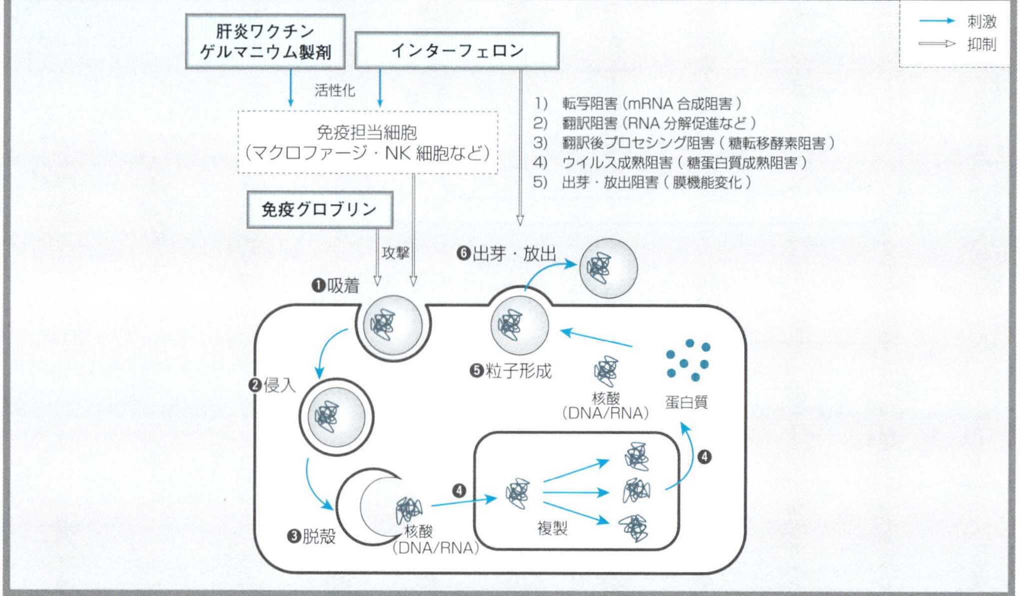

B型肝炎ウイルス〈HBV〉（DNAウイルス）感染症治療薬（経口）

薬物		説明
HBV逆転写酵素阻害薬	ラミブジン ゼフィックス dCTP拮抗	1）抗HIV薬としても用いられる逆転写酵素阻害薬（dCTP拮抗）。 2）ラミブジンは細胞内でラミブジン三リン酸となり，HBV-DNAポリメラーゼに対する競合的拮抗作用とDNA鎖伸長停止作用によって抗B型肝炎ウイルス作用を示す。
	アデホビルピボキシル ヘプセラ dCTP拮抗	1）アデホビルは細胞内でアデホビルニリン酸となり，dCTP拮抗によってHBV-DNAポリメラーゼを選択的に阻害する。また，基質としてDNAに取り込まれてDNA鎖伸長を遮断することによりHBV-DNAの複製を阻害する。 2）ラミブジン投与中に持続的なHBV再増殖を伴う肝機能異常に適用（ラミブジン併用）。
	テノホビルジソプロキシル テノゼット テノホビルアラフェナミド ベムリディ dATP拮抗	1）体内で加水分解によりテノホビルに代謝され，さらに細胞内でテノホビルニリン酸に代謝される。 2）テノホビルニリン酸は，dATPと競合的に拮抗してHBV-DNAポリメラーゼを阻害するとともに，DNAに取り込まれてDNA鎖伸長を停止する。HIVにも有効。
	エンテカビル バラクルード dGTP拮抗	エンテカビルは細胞内でエンテカビル三リン酸となり，dGTP拮抗によってHBV-DNAポリメラーゼを阻害。

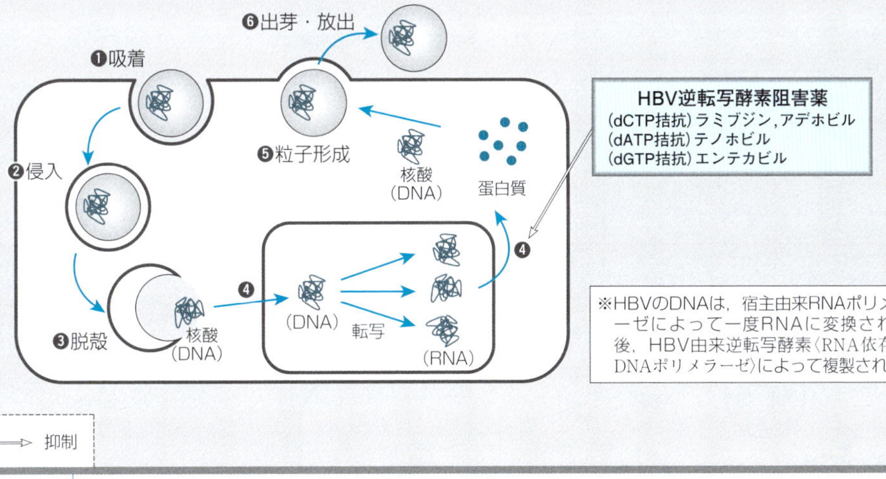
❶吸着
❷侵入
❸脱殻
核酸
(DNA)
❹
(DNA)
転写
(RNA)
❹
蛋白質
核酸
(DNA)
❺粒子形成
❻出芽・放出
HBV逆転写酵素阻害薬
(dCTP拮抗) ラミブジン，アデホビル
(dATP拮抗) テノホビル
(dGTP拮抗) エンテカビル
抑制

※HBVのDNAは，宿主由来RNAポリメラーゼによって一度RNAに変換された後，HBV由来逆転写酵素〈RNA依存性DNAポリメラーゼ〉によって複製される。

C型肝炎ウイルス〈HCV〉（RNAウイルス）感染症治療薬（経口）

薬　物		説　明
プリンヌクレオシド類似薬	リバビリン レベトール，コペガス GTP拮抗	1）細胞内でリン酸化されてリバビリン三リン酸となり，HCV由来RNA依存性RNAポリメラーゼによるGTPのRNAへの取込みを抑制するとともに，RNAに取り込まれてウイルスゲノムを不安定化する。一方，リバビリン一リン酸は，イノシン-5'-リン酸脱水素酵素を競合的に阻害してGTP合成を阻害する。また，リバビリンは，致死突然変異誘発〈Lethal mutagenesis〉とよばれるウイルスゲノムの突然変異を誘発し，ウイルスの複製を阻害する。 2）単独では効果が弱く，インターフェロンα-2a，α-2bなどと併用。 3）**副作用**：貧血など血球系異常。
NS3/4A阻害薬	グラゾプレビル グラジナ	1）HCV複製に必須のHCV非構造蛋白質3/4A〈NS3/4A〉セリンプロテアーゼを選択的に阻害する。 2）エルバスビル併用（IFN-free療法）
NS5A阻害薬	エルバスビル エレルサ	1）HCV非構造蛋白質5A〈NS5A〉複製複合体（HCVの複製及び宿主蛋白質との会合に関与する多機能蛋白）を強力かつ選択的に阻害する。 2）グラゾプレビル併用（IFN-free療法）
NS5B阻害薬	ソホスブビル ソバルディ UTP拮抗	1）肝細胞内で三リン酸型に変換され，HCV複製に必須であるHCV非構造蛋白質5B〈NS5B〉RNA依存性RNAポリメラーゼを阻害する（UTP拮抗）。 2）リバビリン併用（IFN-free療法）
配合錠（IFN-free療法）	マヴィレット®	**グレカプレビル**（NS3/4A阻害薬） **ピブレンタスビル**（NS5A阻害薬）
	ハーボニー®	**レジパスビル**（NS5A阻害薬） **ソホスブビル**（NS5B阻害薬）
	エプクルーサ®	**ベルパタスビル**（NS5A阻害薬） **ソホスブビル**（NS5B阻害薬）

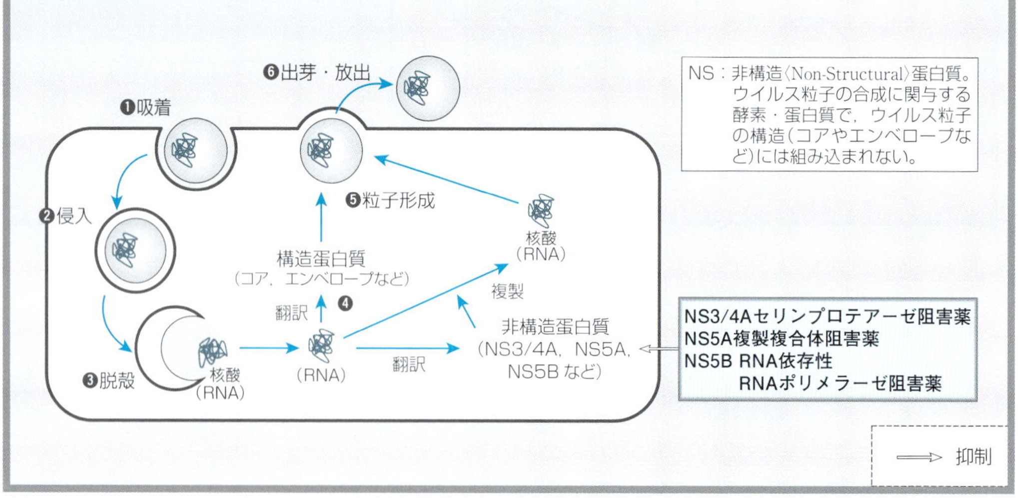

＊：経口可

4. 抗インフルエンザウイルス薬

ウイルス分類	薬　物	説　明
A 型 (RNA ウイルス)	**M_2イオンチャネル阻害薬** アマンタジン（経口） シンメトレル	1）M2 蛋白質（M_2 イオンチャネル）を介したウイルスの脱殻を阻害し，ウイルス遺伝子の核内侵入を阻害。 2）インフルエンザ B 型には無効。 3）**副作用**：中枢作用（自殺企図, 痙攣, 不眠など），催奇形性 など
A 型・B 型 (RNA ウイルス)	**ノイラミニターゼ阻害薬** ザナミビル（吸入） リレンザ ラニナミビル（吸入） イナビル オセルタミビル(経口) タミフル ペラミビル（静注） ラピアクタ	インフルエンザウイルスの宿主細胞からの出芽・放出に関与するノイラミニダーゼ（糖蛋白・糖脂質からシアル酸を切り離す酵素）の選択的阻害薬。
	キャップ依存性エンドヌクレアーゼ阻害薬 バロキサビルマルボキシル（経口） ゾフルーザ	1）インフルエンザウイルスのキャップ依存性エンドヌクレアーゼは，宿主細胞由来 mRNA 前駆体を特異的に切断することよって，ウイルス mRNA 合成に必要なプライマー（RNA 断片）を生成する酵素である。 2）バロキサビルマルボキシルは，小腸，血液，肝臓中のエステラーゼによって速やかにバロキサビル マルボキシル活性体に加水分解された後，キャップ依存性エンドヌクレアーゼ活性を選択的に阻害することによって，ウイルスmRNAの合成を阻害する。
新型・再興型	**RNA 依存性 RNAポリメラーゼ阻害薬** ファビピラビル(経口) アビガン	1）細胞内でファビピラビル三リン酸に変換され，インフルエンザウイルスの複製に関与する RNA 依存性 RNA ポリメラーゼを選択的に阻害する。 2）全てのインフルエンザウイルスに対して有効。 3）使用する必要性を国が判断した場合のみ使用（通常のインフルエンザウイルス感染症には使用しない）。 4）催奇形性があるため，妊婦または妊娠している可能性のある女性に禁忌。精液中に移行するため，男性患者に投与期間中および投与終了後 7 日間は避妊する。

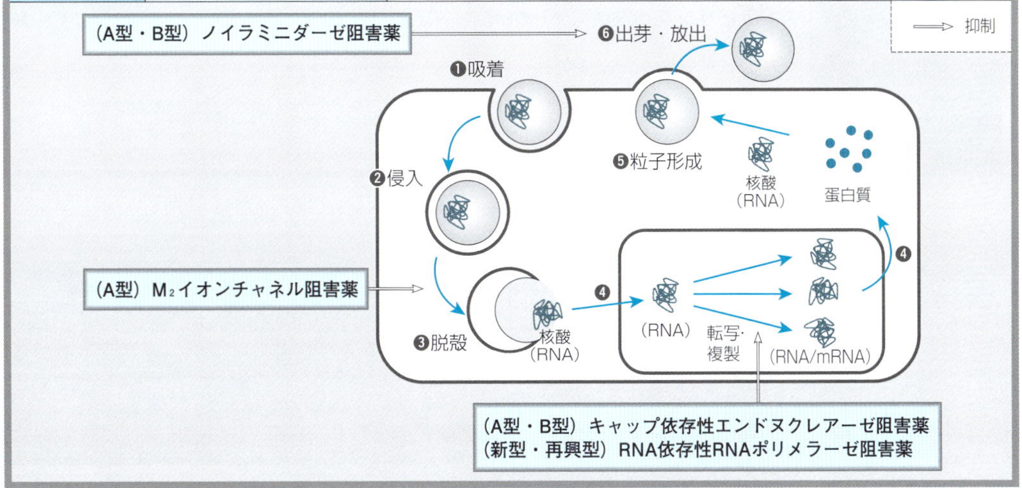

5．抗 HIV*1薬（経口抗 AIDS*2ウイルス薬）

*1 HIV：ヒト免疫不全ウイルス（human immunodeficiency virus）
*2 AIDS：後天性免疫不全症候群（acquired immune deficiency syndrome）

抗 HIV（RNA ウイルス）薬（逆転写酵素阻害薬）

分類		薬物	説明
ヌクレオシド系逆転写酵素阻害薬	アデノシン類似薬 dATP 拮抗	テノホビルジソプロキシル（ビリアード）(HIV-1)	HIV 感染細胞内で活性代謝物テノホビルニリン酸となり，dATP と拮抗して HIV の RNA 依存性 DNA ポリメラーゼ〈逆転写酵素〉を阻害し，また，ウイルス DNA に取り込まれて DNA 鎖伸長を停止する。
	グアノシン類似薬 dGTP 拮抗	アバカビル（ザイアジェン）(HIV-1)	細胞内で活性代謝物のカルボビル三リン酸となり，dGTP と競合して HIV-1 の RNA 依存性 DNA ポリメラーゼ〈逆転写酵素〉を阻害し，また，ウイルス DNA に取り込まれて DNA 鎖伸長を停止する。
	シチジン類似薬 dCTP 拮抗	ラミブジン（エピビル） エムトリシタビン（エムトリバ）(HIV-1)	HIV 感染細胞内で三リン酸化されて活性代謝物となり，dCTP と拮抗して HIV の RNA 依存性 DNA ポリメラーゼ〈逆転写酵素〉を競合的に阻害し，また，ウイルス DNA に取り込まれて DNA 鎖伸長を停止する。
	チミジン類似薬 dTTP 拮抗	ジドブジン〈アジドチミジン〉（レトロビル）	HIV 感染細胞内で活性代謝物ジドブジン三リン酸となり，dTTP と拮抗して RNA 依存性 DNA ポリメラーゼ〈逆転写酵素〉を阻害し，また，ウイルス DNA に取り込まれて DNA 鎖伸長を停止する。
非ヌクレオシド系逆転写酵素阻害薬		ネビラピン（ビラミューン）(HIV-1) エファビレンツ（ストックリン）(HIV-1) エトラビリン（インテレンス）(HIV-1) リルピビリン（エジュラント）(HIV-1) ドラビリン（ピフェルトロ）(HIV-1)	核酸とは競合せずに，HIV-1 の RNA 依存性 DNA ポリメラーゼ〈逆転写酵素〉の疎水ポケットに結合して酵素活性を阻害する。

その他の抗 HIV 薬

分　類	薬　物	説　明
ケモカイン受容体 5〈CCR5〉阻害薬	マラビロク (HIV-1) シーエルセントリ	宿主細胞膜上のCCR5とHIVエンベロープ糖蛋白質gp120との結合を阻害して，HIVの細胞内侵入を阻害。
HIV インテグラーゼ阻害薬	ラルテグラビル アイセントレス エルビテグラビル (HIV-1) スタリビルド ドルテグラビル テビケイ	1）HIV インテグラーゼを介して，HIV ゲノムが宿主細胞ゲノムに組み込まれるのを阻害し，感染性ウイルス粒子の産生を阻害。 2）**エルビテグラビル**：以下の薬物との４剤合剤として内服。 **コビシスタット**；CYP3A 選択的阻害薬（エルビテグラビルの代謝阻害薬） **エムトリシタビン**；ヌクレオシド系逆転写酵素阻害薬（dCTP 拮抗）。 **テノホビルジソプロキシル**；ヌクレオシド系逆転写酵素阻害薬（dATP 拮抗）。
HIV プロテアーゼ阻害薬	リトナビル ノービア ロピナビル カレトラ ホスアンプレナビル(HIV-1) レクシヴァ アタザナビル (HIV-1) レイアタッツ ダルナビル (HIV-1) プリジスタ	1）HIV プロテアーゼの活性部位に結合してウイルス前駆体ポリ蛋白質の切断を阻害し，感染性をもたない未成熟なウイルスにする。 2）**ロピナビル**：リトナビルとの合剤として使用(CYP3A によるロピナビルの代謝をリトナビルが阻害)。 3）**ホスアンプレナビル**：アンプレナビルのプロドラッグ。

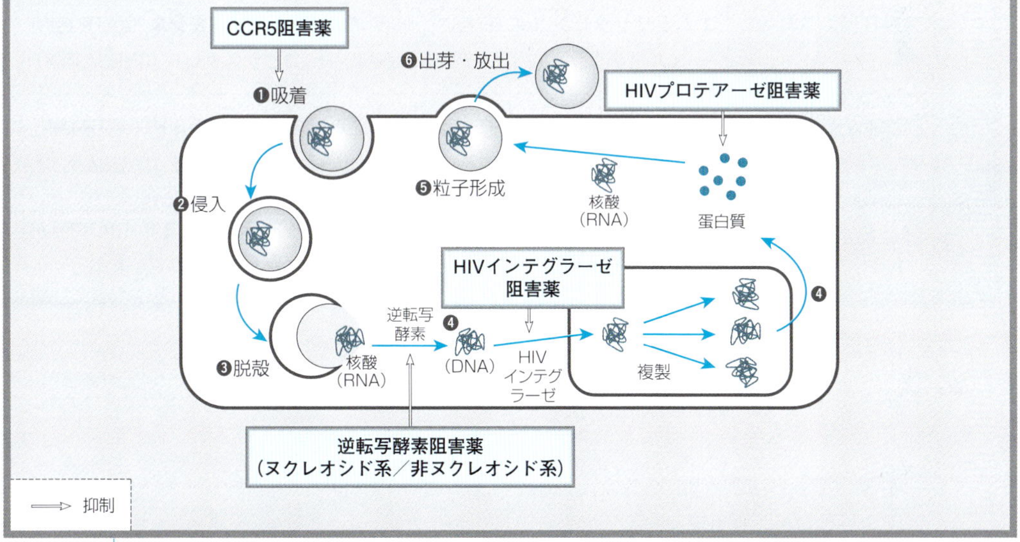
CCR5阻害薬
❶吸着
❻出芽・放出
HIVプロテアーゼ阻害薬
❷侵入
❺粒子形成
核酸
(RNA)
蛋白質
HIVインテグラーゼ
阻害薬
❹
逆転写
酵素
❹
❸脱殻
核酸
(RNA)
(DNA)
HIV
インテグ
ラーゼ
複製
逆転写酵素阻害薬
(ヌクレオシド系／非ヌクレオシド系)
抑制

抗 HIV 薬の合剤（配合錠）

商品名		配合成分
2剤	コンビビル®	ラミブジン（dCTP 拮抗）＋ ジドブジン（dTTP 拮抗）
	エプジコム®	ラミブジン（dCTP 拮抗）＋ アバカビル（dGTP 拮抗）
	ドウベイト®	ラミブジン（dCTP 拮抗）＋ ドルテグラビル（インテグラーゼ阻害）
	ツルバダ®	エムトリシタビン（dCTP 拮抗）＋ テノホビルジソプロキシル（dATP 拮抗）
	デシコビ®	エムトリシタビン（dCTP 拮抗）＋ テノホビルアラフェナミド（dATP 拮抗）
	ジャルカ®	リルピビリン（非ヌクレオシド系）＋ ドルテグラビル（インテグラーゼ阻害）
	カレトラ®	ロピナビル（プロテアーゼ阻害）＋ リトナビル（CYP3A 阻害）
	プレジコビックス®	ダルナビル（プロテアーゼ阻害）＋ コビシスタット（CYP3A 阻害）
3剤	トリーメク®	ラミブジン（dCTP 拮抗）＋ アバカビル（dGTP 拮抗） ＋ ドルテグラビル（インテグラーゼ阻害）
	オデフシィ®	エムトリシタビン（dCTP 拮抗）＋ テノホビルアラフェナミド（dATP 拮抗） ＋ リルピビリン（非ヌクレオシド系）
	ビクタルビ®	エムトリシタビン（dCTP 拮抗）＋ テノホビルアラフェナミド（dATP 拮抗） ＋ ビクテグラビル（インテグラーゼ阻害）
4剤	スタリビルド®	エムトリシタビン（dCTP 拮抗）＋ テノホビルジソプロキシル（dATP 拮抗） ＋ エルビテグラビル（インテグラーゼ阻害）＋ コビシスタット（CYP3A 阻害）
	ゲンボイヤ®	エムトリシタビン（dCTP 拮抗）＋ テノホビルアラフェナミド（dATP 拮抗） ＋ エルビテグラビル（インテグラーゼ阻害）＋ コビシスタット（CYP3A 阻害）
	シムツーザ®	エムトリシタビン（dCTP 拮抗）＋ テノホビルアラフェナミド（dATP 拮抗） ＋ ダルナビル（プロテアーゼ阻害）＋ コビシスタット（CYP3A 阻害）

6．その他の抗ウイルス薬

ウイルス分類	薬　物		説　明
亜急性硬化性全脳炎〈SSPE〉ウイルス（RNA ウイルス）	免疫賦活薬	イノシンプラノベクス イソプリノシン	1）免疫増強作用（マクロファージやヘルパー T 細胞の機能増強） 2）抗ウイルス作用（ウイルス mRNA への poly A 付加を阻害してウイルス新生を抑制） 3）亜急性硬化性全脳炎患者における生存期間の延長に適用（経口）。
ヒト・パピローマウイルス（DNA ウイルス）	トール様受容体〈TLR-7〉刺激薬	イミキモド ベセルナ	1）インターフェロンα産生促進によるウイルス増殖抑制，各種サイトカイン産生を介した細胞性免疫賦活。 2）尖圭コンジローマ（外性器，肛門周囲），日光角化症（顔面，禿頭部）に適用（外用）。
RS ウイルス〈Respiratory Syncytial Virus〉（RNA ウイルス）	抗 RS ウイルス抗体	パリビズマブ シナジス	1）RS ウイルスの F 蛋白質上の抗原部位 A 領域に対する特異的ヒト化モノクローナル抗体。 2）RS ウイルスが宿主細胞に接着・侵入する際に重要な F 蛋白質に結合してウイルスの感染性を中和し，ウイルスの複製・増殖を抑制する。 3）新生児，乳児，幼児における RS ウイルス感染による重篤な下気道疾患の発症抑制に適用（筋注）。
新型コロナウイルス〈SARS-CoV-2〉（RNA ウイルス）	RNA 依存性 RNA ポリメラーゼ阻害薬	レムデシビル ベクルリー	細胞内で活性代謝物（ATP 類似体）となり，ATP と競合して SARS-CoV-2 の RNA 依存性 RNA ポリメラーゼを介してウイルス RNA 鎖に取り込まれ，RNA 鎖伸長を停止する（点滴静注）。
	ヤヌスキナーゼ〈JAK〉阻害薬	バリシチニブ オルミエント	各種サイトカインによるヤヌスキナーゼ〈JAK〉を介した細胞内シグナル伝達を阻害し，SARS-CoV-2 による肺炎を改善する（経口）。
	中和抗体	カシリビマブ・イムデビマブ ロナプリーブ	1）SARS-CoV-2 ウイルスのスパイク蛋白質を認識し，SARS-CoV-2 の宿主細胞への侵入を阻害することにより，ウイルスの増殖を抑制する（点滴静注，皮下注）。 2）カシリビマブ及びイムデビマブは，SARS-CoV-2 のスパイク蛋白質に対して異なる部位を認識する。
		ソトロビマブ ゼビュディ	1）SARS-CoV-2 スパイク蛋白質の受容体結合ドメインにおいて，ACE2 受容体結合部位とは異なる部位に結合し，SARS-CoV-2 に対する中和作用を示す（点滴静注）。 2）SARS-CoV-2 スパイク蛋白質を発現する細胞に対して，抗体依存性細胞傷害〈ADCC〉活性及び抗体依存性細胞貪食〈ADCP〉活性を示す。 [ACE2 受容体〈アンギオテンシン変換酵素Ⅱ〉] 心臓，肺，腎臓，口腔内粘膜などに発現する細胞膜蛋白質。アンギオテンシンⅡと結合してアンギオテンシン（1-7）を生成する酵素であるが，コロナウイルスのスパイク蛋白質と結合してウイルス感染を仲介する。

Ⅵ 抗寄生虫薬

☞『医薬品一般名・商品名・構造一覧』p131

1. 抗原虫薬

原虫は，運動性単細胞微生物（動物）で，マラリア原虫，トリコモナス原虫，赤痢アメーバ，トキソプラズマ原虫，睡眠病トリパノソーマ，カラアザール（リューシュマニア原虫：発熱，脾腫，貧血，悪液質）などがある。

抗原虫薬 ①

原虫分類	薬　物	作用機序
トリコモナス	**メトロニダゾール** フラジール，アネメトロ，ロゼックス **チニダゾール** ハイシジン	1）原虫やピロリ菌内で還元されてニトロソ化合物〈R-NO〉に変換され殺菌作用を示す。 2）また，この反応の過程で生成したヒドロキシラジカルが DNA 二重鎖切断作用を示す。 3）抗細菌作用（*C. difficile* 感染性腸炎），抗アメーバ赤痢作用あり。
腸管アメーバ	**パロモマイシン** アメパロモ	1）アミノグリコシド系抗生物質 2）原虫細胞内リボソーム 30S サブユニットに結合して，蛋白合成を阻害。
トキソプラズマ	**スピラマイシン** スピラマイシン	1）マクロライド系抗生物質。 2）トキソプラズマ原虫の細胞小器官（アピコプラスト）での蛋白質合成阻害。 3）先天性トキソプラズマ症の発症抑制に適用。

抗原虫薬②

原虫分類	薬　物	作用機序
マラリア	**キニーネ** 塩酸キニーネ	1）原形質障害（DNA 変性）。マラリアの無性生殖体に対して致死的に作用するが，マラリアの有性生殖体には全く効果がない。胞子体または前赤芽球内発育期の組織型には致死作用がないので，予防効果はない。 2）抗マラリア作用のほか，心臓キニジン様作用，骨格筋クラーレ様弛緩作用，解熱作用（細胞機能抑制による熱産生抑制，中枢性解熱，末梢血管拡張などによるとされる）などをもつ。
	メフロキン メファキン	ヘムの重合阻害作用や食胞の機能阻害により，赤血球内無性型原虫に対し殺滅効果を示す。予防効果あり。
	アトバコン・プログアニル合剤 マラロン	1）**アトバコン**：ミトコンドリア電子伝達系阻害（→ジヒドロオロト酸デヒドロゲナーゼ阻害→ピリミジン *de novo* 合成阻害） 2）**プログアニル**：ジヒドロ葉酸還元酵素阻害
	アルテメテル/ルメファントリン合剤 リアメット	1）アルテメテル：アルテメテル及び活性代謝物 Dihydro-artemisinin（DHA）が有するエンドペルオキシド架橋が赤血球のヘム鉄と反応してフリーラジカルを産生し，抗マラリア作用を発揮する。 2）ルメファントリン：食胞でのヘモグロビンの分解過程で，マラリア原虫にとって有毒な中間生成体ヘムから毒性のないヘモゾインへの重合過程を阻害する。 3）両成分とも，マラリア原虫の食胞内において作用する。ヒプノゾイト（マラリア原虫の休眠体）には効果がないため，ヒプノゾイトが形成される三日熱マラリア及び卵形マラリアの治療には再発に注意し，ヒプノゾイトに対する薬物治療を考慮する。
	プリマキン プリマキン	1）ミトコンドリア電子伝達系阻害，活性酸素による酸化的損傷を引き起こし，三日熱マラリア及び卵形マラリアの休眠体を殺滅する。 2）赤血球中の原虫の殺滅に対しては，他の抗マラリア薬を使用する。

2. 抗蠕虫薬

① 蠕虫の種類と駆虫

蠕虫の種類	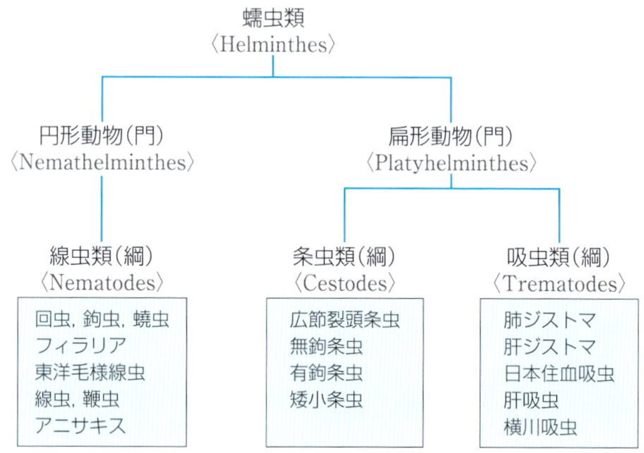
駆虫機序	**殺寄生虫作用**：虫体を殺滅 **排寄生虫作用**：虫体を麻痺させて運動性を失わせて排出を促進
駆虫療法の注意	1）消化管内を空にしておく（絶食）。 2）塩類下剤を使用して，虫体と残余薬物の排出を促進させる。 3）薬物摂取後 1～2 日間は脂溶性薬物の吸収を防ぐため脂肪食・アルコール摂取を避ける（下剤に脂溶性のヒマシ油は用いない）。

❷ 抗蠕虫薬

分　類	薬　物	説　明
線　虫	ピランテル コンバントリン	虫体の神経筋伝達を遮断して運動麻痺させ，糞便中排泄を促進（排虫作用）。食事に関係なく投与可能で，下剤も不要。線虫（回虫，蟯虫，鉤虫，東洋毛様線虫）の駆虫。
回　虫	（サントニン）	回虫のリン酸代謝，糖代謝及び生体内酸化機構を阻害する。回虫の運動性を低下させ，回虫の糞便中排泄を促進（排虫作用）。
鞭　虫	メベンダゾール メベンダゾール	虫体のグルコース取込み阻害により，グリコーゲン・ATP 合成を抑制。
糞線虫	イベルメクチン ストロメクトール	無脊椎動物の神経・筋細胞に存在するグルタミン酸作動性 Cl^- チャネルに選択的に結合し，Cl^- 透過性を高めて神経・筋細胞の過分極を誘発し，寄生虫が麻痺を起こして死に至る。疥癬（ダニ）にも有効。
フィラリア〈糸状虫〉	ジエチルカルバマジン スパトニン	フィラリア成虫の酸素消費抑制，宿主の免疫能亢進により殺虫作用を示す。
吸　虫	プラジカンテル ビルトリシド	吸虫外皮膜を不安定化して吸虫内への Ca^{2+} 流入を促進し，吸虫の筋収縮と構造的損傷（空胞化など）を誘発して致死させる。
包　虫	アルベンダゾール エスカゾール	微小管形成阻害，フマル酸還元酵素阻害により抗寄生虫活性を示す。

3．抗スピロヘータ薬

スピロヘータ	らせん型で運動性を有する水中微生物で，原虫と細菌との中間に位置づけられる。	
スピロヘータ感染性疾患	梅毒，ワイル病（出血性黄疸），鼠咬症，回帰熱など	
抗スピロヘータ薬	ペニシリン類	経口・注射薬：ベンジルペニシリンベンザチン（バイシリン，ステルイズ） 経口薬：アンピシリン（ビクシリン），アモキシシリン（アモリン，サワシリン，パセトシン，ワイドシリン）
	テトラサイクリン系	ミノサイクリン（ミノマイシン）
	マクロライド系	エリスロマイシン（エリスロマイシン） スピラマイシン酢酸エステル（アセチルスピラマイシン）

Ⅶ 殺菌薬・消毒薬

☞『医薬品一般名・商品名・構造一覧』p132

殺菌・消毒薬は，ヒトの周囲に存在する病原微生物を不活性化または殺滅するために用いる化学物質である。薬物の殺菌作用は，石炭酸を基準とした石炭酸係数〈Phenol Coefficient〉（黄色ブドウ球菌やチフス菌などを用い，一定時間に殺菌する薬品の最大希釈倍数が石炭酸の希釈倍数の何倍になるかを示す値）が指標となる。

消毒水準分類

滅　菌	いかなる形態の微生物生命も完全に排除・死滅させる。
高水準消毒	芽胞が多数存在する場合を除き，すべての微生物を死滅させる。
中水準消毒	結核菌，栄養型細菌，ほとんどのウイルス・真菌を殺滅するが，必ずしも芽胞を殺滅しない。
低水準消毒	ほとんどの栄養型細菌，いくつかのウイルス・真菌を殺滅する。

殺菌・消毒薬 適応一覧

消毒水準	分類	薬物	細菌 一般	緑膿菌 MRSA	結核菌	芽胞	真菌	ウイルス 一般・HIV	HBV HCV	皮膚	粘膜	器具 金属	器具 非金属	環境	排泄物
高	酸化剤	過酢酸	●	●	●	●	●	●	●	×	×	▲	●	×	×
	アルデヒド	グルタラール	●	●	●	●	●	●	●	×	×	●	●	×	×
		フタラール	●	●	●	●	●	●	●	×	×	●	●	×	×
中	アルコール	エタノール	●	●	●	×	●	●	●	●	×	●	●	●	×
		イソプロパノール	●	●	●	×	●	●	×	●	×	●	●	●	×
	ハロゲン	次亜塩素酸 Na	●	●	▲	▲	●	●	●	▲	▲	×	●	●	●
		ヨード製剤	●	●	●	▲	●	●	●	●	●	●	●	●	×
		ヨードチンキ	●	●	●	▲	●	●	●	●	×	●	●	●	×
	フェノール	フェノール	●	●	●	×	▲	×	×	●	×	●	●	▲	●
		クレゾール	●	●	●	×	▲	×	×	●	×	●	●	●	●
低	クロルヘキシジン	クロルヘキシジン	●	▲	×	×	▲	×	×	●	×	●	●	●	×
	界面活性剤	塩化ベンゼトニウム	●	▲	×	×	▲	×	×	●	●	●	●	●	×
		塩化ベンザルコニウム	●	▲	×	×	▲	×	×	●	●	●	●	●	×

※有効性）●：有効，▲：効果不十分の場合あり，×：無効

用　途）●：使用可能，▲：使用される場合あり，×：使用不可

殺菌薬・消毒薬

	分　類	成　分	作用機序
高水準	アルデヒド系	グルタラール グルトハイド，サイデックス，ステリゾール，ステリハイド，ステリスコープ	蛋白質変性
		フタラール ディスオーパ	
	酸化剤	過酢酸 アセサイド	
中水準	アルデヒド系	ホルマリン ホルマリン	
	塩素系	次亜塩素酸ナトリウム ヤクラックス，テキサント，次亜塩	
	ヨウ素系	ポビドンヨード イソジン，ポビヨドン，ポピラール	
		ポロクサマーヨード プレポダインソリューション，プレポダインスクラブ	
		ヨードチンキ ヨードチンキ	
		ヨウ素 PA・ヨード	
	アルコール系	消毒用エタノール 消毒用エタノール	
		イソプロパノール イソプロパノール	
	アルコール含有	イソプロパノール＋メタノール変性アルコール 消毒用ネオアルコール，ネオ消アル	
		ポビドンヨード＋エタノール イソジンパーム，イソジンフィールド，ポビヨドンフィールド	
		ポロクサマーヨード＋イソプロパノール プレポダインフィールド	
		クロルヘキシジン＋エタノール ウエルアップ，ヒビスコール，ヒビソフト，ステリクロンエタノール，ヘキザックアルコール，マスキンエタノール	
		ベンザルコニウム＋エタノール ウエルパス，オスバンラビング，ベルコム，ラビネット	
	フェノール系	フェノール 消毒用フェノール，消毒用フェノール水，フェノール水	
		クレゾール クレゾール	
	酸化剤	オキシドール〈過酸化水素水〉 オキシドール	
低水準	ビグアナイド系	クロルヘキシジングルコン酸塩 ステリクロン，ヒビテン，ヘキザック，マスキン オラネキシジングルコン酸塩 オラネジン	
	陽イオン界面活性剤	ベンザルコニウム塩化物 塩化ベンザルコニウム，オスバン，ザルコニン，ヂアミトール，逆性石ケン	細胞膜透過性変化
		ベンゼトニウム塩化物 エンゼトニン，ベゼトン，ハイアミン	
	両面界面活性剤	アルキルジアミノエチルグリシン塩酸塩 エルエイジ，サテニジン，テゴー51，ハイジール	
	色素系（アクリジン色素）	アクリノール アクリノール	DNAインターカレーション，細胞内呼吸酵素阻害

補足 主な感染症

1. 主な全数把握感染症

主な全数把握感染症（その1）

分類	感染症	原因	病態
1類感染症	エボラ出血熱	エボラウイルス	出血傾向（点状出血，躯幹部出血，消化管出血など）を伴う熱性疾患。
	クリミア・コンゴ出血熱	クリミア・コンゴウイルス	
	マールブルグ病	マールブルグウイルス	
	ラッサ熱	ラッサウイルス	西アフリカ生息野ネズミ「マストミス」から感染。インフルエンザ様症状。重症では，消化管出血，心嚢炎・胸膜炎，ショックなど。重症経過で治癒後，難聴発現の場合あり。
	痘そう	痘そうウイルス	急性発疹性疾患（地球上から根絶）。
	ペスト	ペスト菌	リンパ節炎，敗血症，高熱，意識障害などを伴う急性細菌性感染症。
2類感染症	急性灰白髄炎	ポリオウイルス	非麻痺型（髄膜炎症状など）もあるが，重症例（麻痺型）では突然四肢（多くは下肢）の随意筋の弛緩性麻痺が現れる急性運動中枢神経感染症。
	重症急性呼吸器症候群〈SARS〉	SARSコロナウイルス	急激なインフルエンザ様初期症状に続き，肺炎を呈する急性重症呼吸器疾患。（SARS：Severe Acute Respiratory Syndrome）
	ジフテリア	ジフテリア菌	感染部位（咽頭など）の偽膜性炎症，下顎部から前頸部の浮腫・リンパ節腫脹，重症例では心筋障害などにより死亡。
	鳥インフルエンザ（H5N1，H7N9）	A型インフルエンザウイルス	インフルエンザ様症状。
3類感染症	コレラ	コレラ菌	コレラ毒素による激しい水様性下痢と嘔吐，著しい脱水と電解質の流失をきたす急性感染性腸炎。
	細菌性赤痢	赤痢菌	発熱，テネスムス〈tenesmus〉（しぶり腹。便意は強いが排便困難状態），下痢・腹痛，膿・粘血便などを呈する急性感染性大腸炎。
	腸チフス	チフス菌	高熱と三主徴（バラ疹，比較的徐脈，脾腫）を呈し，腸出血，腸穿孔を起こすこともある。
	パラチフス	パラチフスA菌	腸チフスと類似（腸チフスよりも軽度）。
	腸管出血性大腸菌感染症	腸管出血性大腸菌	ベロ毒素による腹痛，水様性下痢，血便。溶血性尿毒症症候群（溶血性貧血，急性腎不全による痙攣，昏睡，脳症）により致命的となる場合あり。

全数把握感染症（その 2）

分類	感染症	原　因	病　態
4類感染症	A 型肝炎	A 型肝炎ウイルス	全身倦怠感，黄疸などを呈する急性ウイルス性肝炎。予後良好，慢性化しないが，稀に劇症化。
	E 型肝炎	E 型肝炎ウイルス	
	ウエストナイル熱（ウエストナイル脳炎含む）	ウエストナイルウイルス	蚊が媒介。高熱で発症し，発疹・リンパ節腫脹など。筋力低下，脳炎，髄膜脳炎の重症例。
	エキノコックス症	エキノコックス	単包条虫・多包条虫による肝不全症状。
	黄　熱	黄熱ウイルス	ウイルス性出血熱。
	狂犬病	狂犬病ウイルス	麻痺型（四肢・呼吸筋麻痺），狂騒型（極度に興奮し攻撃的な行動）ともに，発症すれば致命的。
	リッサウイルス感染症	リッサウイルス（狂犬病ウイルス除く）	狂犬病類似症状。
	鳥インフルエンザ（H5N1，H7N9 を除く）	A 型インフルエンザウイルス	インフルエンザ様症状。
	サル痘	サル痘ウイルス	感染動物を介した急性発疹性疾患。局所リンパ節腫脹を特徴とした痘そう類似症状。
	腎症候性出血熱〈HFRS〉	ハンタウイルス	感染ネズミを介した熱性・腎性疾患。 （HFRS：Hemorrhagic Fever with Renal Syndrome）
	ハンタウイルス肺症候群〈HPS〉	シンノンブル〈Sin Nombre〉ウイルス	ネズミが媒介（米国中心）。進行性呼吸困難を特徴とする急性呼吸器感染症。 （HPS：Hantavirus Pulmonary Syndrome）
	デング熱	デングウイルス	蚊によって媒介。M 字形の発熱パターンが特徴。再感染時には，免疫反応によって著明な出血傾向がみられるデング出血熱や，ショックを伴うデングショック症候群の病型を呈する。
	ニパウイルス感染症	ニパウイルス	感染動物が媒介。インフルエンザ様症状を示し，一部は重症の脳炎を発症。
	日本脳炎	日本脳炎ウイルス	豚で増幅，蚊が媒介。意識障害，四肢振戦などをもたらす急性脳炎。
	B ウイルス病	B ウイルス	サルが媒介。サルとの接触部位（外傷部）周囲の皮膚病変に始まり，意識障害，脳炎症状をきたす熱性・神経性疾患。
	コクシジオイデス症	*Coccidioides immitis*（真菌）	南北アメリカを中心とした風土病。舞い上った土壌中の *C. immitis* の吸入により生じる真菌感染症。
	マラリア	マラリア原虫	ハマダラカが媒介。特有の熱発作，貧血，脾腫，重症では，肺水腫や DIC 様出血傾向，血色素尿（黒水熱）などを呈する。

全数把握感染症（その3）

分類	感染症	原　因	病　態
4類感染症	**ボツリヌス症**	ボツリヌス菌	ボツリヌス毒素によるコリン作動性神経終末アセチルコリン遊離阻害によって生じる神経・筋の麻痺性疾患。
	ブルセラ症	ブルセラ属菌	人獣共通感染症で，家畜から感染。筋肉骨格系障害（倦怠感など），脾腫，リンパ節腫脹，泌尿生殖器症状などを呈する。
	野兎病	野兎病菌	マダニ類などの吸血性節足動物を介して，主にノウサギや齧歯類などの野生動物の間で維持されているグラム陰性桿菌。急性発熱性疾患。
	ライム病	ライム病ボレリア（スピロヘータ）	マダニが媒介する人獣共通スピロヘータ感染症。マダニ刺咬後に関節炎，遊走性皮膚紅斑，良性リンパ球腫，慢性萎縮性肢端皮膚炎，髄膜炎，心筋炎などを呈する。
	回帰熱	回帰熱ボレリア（スピロヘータ）	シラミやヒメダニが媒介。菌血症による発熱期，菌血症を起こしていない無熱期を繰り返す（回帰熱）。
	レプトスピラ症	病原性レプトスピラ（スピロヘータ）	ワイル病，秋やみなど，人獣共通の細菌（スピロヘータ）感染症。保菌動物（ネズミなど）の腎臓に保菌され，尿から感染。急性熱性疾患で，感冒様症状のみで軽快する軽症型から，黄疸，出血，腎障害を伴う重症型（ワイル病）まで多彩。
	つつが虫病	ツツガムシ病リケッチア	つつが虫の幼虫がヒトを刺すことによって感染。発熱で発症し，皮膚に刺口を認める。重症では循環障害と昏睡により死亡。
	Q　熱	コクシエラ・バーネティー〈Coxiella burnetii〉（リケッチア）	Q熱は「Query fever〈不明熱〉」に由来。感染源は主に家畜や愛玩動物。インフルエンザ様症状を示す。
	日本紅斑熱	紅斑熱リケッチア	マダニが媒介。発熱，斑丘疹などを呈する。
	発疹チフス	発疹チフスリケッチア	発熱，発疹，興奮症状など。腸チフスと異なり，頻脈を示す。
	オウム病	クラミジア	風邪・肺炎症状を呈する気道感染症。
	レジオネラ症	レジオネラ属菌	循環水を利用した風呂などに好んで生息。劇症型の肺炎と一過性のポンティアック熱（突然の発熱，悪寒，筋肉痛）がある。

全数把握感染症（その4）

分類	感染症	原　因	病　態
5類感染症	クロイツフェルト・ヤコブ病	プリオン蛋白	精神・神経症状から無動性無言状態となり，死に至る。
	後天性免疫不全症候群	ヒト免疫不全ウイルス〈HIV〉	CD4陽性リンパ球数が減少して免疫不全症に陥り，日和見感染症や悪性腫瘍が生じる。
	先天性風疹症候群	風疹ウイルス	風疹ウイルスの経胎盤感染によって起こる先天異常。3大症状は先天性心疾患，難聴，白内障。
	ウイルス性肝炎（E型肝炎及びA型肝炎を除く）	肝炎ウイルス	急性肝炎に伴う感冒様症状，褐色尿，黄疸などを呈する。
	急性脳炎（ウエストナイル脳炎及び日本脳炎を除く）	ウイルスなど種々の病原体	高熱，意識障害，痙攣などを伴う脳実質の感染症。
	侵襲性髄膜炎菌感染症	髄膜炎菌	ヒトからヒトへ飛沫感染し，時に流行性髄膜炎を起こす。
	劇症型溶血性レンサ球菌感染症	A群レンサ球菌	敗血症性ショック状態・多臓器不全に急激に進行する。
	破傷風	破傷風菌	破傷風毒素による強直性痙攣。重篤な患者では呼吸筋麻痺により窒息死。
	バンコマイシン耐性黄色ブドウ球菌感染症	バンコマイシン耐性黄色ブドウ球菌	グラム陽性球菌。腸炎，敗血症，肺炎などを呈する。
	バンコマイシン耐性腸球菌感染症	バンコマイシン耐性腸球菌〈VRE〉	グラム陽性球菌。術後や免疫能の低下した患者において，腹膜炎，術創感染症，肺炎，敗血症などの感染症を引き起こす。
	梅　毒	梅毒トレポネーマ（スピロヘータ）	第1期（感染部位病変），第2期（血行性全身移行による皮膚病変など），第3期（心血管病変，神経病変など）と変遷。
	アメーバ赤痢	赤痢アメーバ	腸管アメーバ症（粘血便など）と腸管外アメーバ症（肝膿瘍など）がある。
	ジアルジア症	ジアルジア原虫	消化管症状（食欲不振，下痢など）。
	クリプトスポリジウム症	クリプトスポリジウム属原虫	消化器症状（水様性下痢や粘血便など）が主。
	風疹	風疹ウイルス	発熱，発疹，リンパ節腫脹を特徴とするウイルス性発疹症。
	麻疹	麻疹ウイルス	高熱と特有の発疹。感染性高い。
	百日咳	百日咳菌	特有のけいれん性咳発作（痙咳発作）を特徴とする急性気道感染症。

2．定点把握感染症

定点とは，発生動向調査の観測用に選ばれた医療機関のことである。定点は，インフルエンザ定点，小児科定点，眼科定点，基幹定点，性感染症定点の5つに分類される。

定点把握感染症（その1）

分類	感染症	原 因	病 態
インフルエンザ定点	インフルエンザ（鳥インフルエンザ及び新型インフルエンザ等感染症を除く）	インフルエンザウイルス	上気道炎症状に加えて，突然の高熱，全身倦怠感，頭痛，筋肉痛を伴う。幼小児での急性脳症発症に注意。
小児科定点	RS ウイルス感染症	RS ウイルス〈respiratory syncytial virus〉	急性呼吸器感染症。乳児期の発症が多く，基礎疾患を有する乳幼児では重篤な症状となる可能性あり。
	咽頭結膜熱	アデノウイルス	発熱，咽頭炎，結膜炎を主とする小児の急性ウイルス性感染症。
	A 群溶血性レンサ球菌咽頭炎	A 群溶血性レンサ球菌	学童期の小児に最も多くみられる上気道炎。
	感染性胃腸炎	ウイルスなど種々の病原体	ノロウイルスやロタウイルス性のものが多い。発熱，消化器症状（下痢，悪心・嘔吐など）。
	水 痘	水痘・帯状疱疹ウイルス	全身性発疹，発熱など。成人では子供に比べて重症化しやすい。
	手足口病	エンテロウイルス（A 群コクサッキーウイルスなど）	口腔粘膜，手，足などに現れる水疱性の発疹が主症状。幼児を中心に夏季に流行。
	伝染性紅斑	ヒト・パルボウイルス B19（エリスロウイルス B19）	頬に出現する蝶翼状の紅斑が特徴。小児を中心に生じる流行性発疹性疾患。
	突発性発疹	ヒトヘルペスウイルス	0〜1歳での発症が99%。突然の高熱と解熱前後の発疹が特徴。患者の約3割が成人である。
	ヘルパンギーナ	エンテロウイルス（A 群コクサッキーウイルスなど）	発熱と口腔粘膜の水疱性発疹が特徴。夏期に小児に流行する急性ウイルス性咽頭炎。
	流行性耳下腺炎（ムンプス，おたふく風邪）	ムンプスウイルス	片側あるいは両側の唾液腺腫脹が特徴。思春期以降では，睾丸炎，卵巣炎を合併する場合があり注意。

定点把握感染症（その 2）

分類	感染症	原　因	病　態
眼科定点	急性出血性結膜炎	エンテロウイルス 70〈EV70〉 コクサッキーウイルス A24 変異株〈CA24v〉	激しい出血症状を伴う結膜炎と全身症状（頭痛，発熱，呼吸器症状など）。
	流行性角結膜炎	アデノウイルス	結膜炎症状（眼瞼浮腫，流涙，耳前リンパ節腫脹），時に出血を伴う。
基幹定点	細菌性髄膜炎（髄膜炎菌，肺炎球菌，インフルエンザ菌を原因として同定された場合を除く）	インフルエンザ菌，肺炎球菌，髄膜炎菌を除く種々の細菌	発熱，頭痛，嘔吐などを示し，進行すると意識障害，痙攣など。
	無菌性髄膜炎	エンテロウイルス ムンプスウイルス 単純ヘルペスウイルス　　など	3 主徴（発熱，頭痛，嘔吐），髄膜刺激徴候（項部硬直，Kernig 徴候など）を呈する。
	マイコプラズマ肺炎	肺炎マイコプラズマ	発熱，全身倦怠感，頭痛，長引く咳。
	クラミジア肺炎（オウム病を除く）	肺炎クラミジア トラコーマ・クラミジア	トラコーマ・クラミジアでは，クラミジア子宮頸管炎をもつ母親から分娩時に産道感染。咳嗽などの呼吸器症状。
	感染性胃腸炎（病原体がロタウイルスであるものに限る）	ロタウイルス	嘔吐，下痢，発熱など。小児では痙攣を起こす場合あり。
	ペニシリン耐性肺炎球菌感染症	ペニシリン耐性肺炎球菌〈PRSP〉	小児の中耳炎，咽頭炎，扁桃炎。免疫能低下患者の敗血症，髄膜炎，肺炎など。
	メチシリン耐性黄色ブドウ球菌感染症	メチシリン耐性黄色ブドウ球菌〈MRSA〉	易感染状態患者で，肺炎，腹膜炎，敗血症，髄膜炎などを生じる。
	薬剤耐性緑膿菌感染症	多剤耐性緑膿菌（フルオロキノロン，カルバペネム，アミノ配糖体の三系統抗菌薬に耐性）	治療抵抗性を示す敗血症や腹膜炎などを起こす。
性感染症定点	性器クラミジア感染症	トラコーマ・クラミジア	男性では尿道炎（排尿痛，痒感など）が多い。 女性では子宮頸管炎，不妊などを起こすが，自覚症状の乏しい場合が多い。妊婦では，新生児のクラミジア産道感染の原因となり，新生児肺炎や結膜炎を起こす。
	性器ヘルペスウイルス感染症	単純ヘルペスウイルス（1 型および 2 型）	性器やその周辺に水疱・潰瘍等の病変が生じる。
	尖圭コンジローマ	ヒトパピローマウイルス	生殖器とその周辺に発症する特徴的な隆起性病変（淡紅色ないし褐色）。
	淋菌感染症	淋菌	男性は淋菌性尿道炎（膿性分泌物，排尿痛），女性は子宮頸管炎を呈し骨盤炎症性疾患，卵管不妊症などの原因となる。

第 18 章

抗悪性腫瘍薬

Ⅰ 悪性腫瘍と抗悪性腫瘍薬 – 概説 – ········ 538
Ⅱ アルキル化薬 ········ 540
Ⅲ 代謝拮抗薬 ········ 541
Ⅳ 抗生物質 ········ 550
Ⅴ 白金錯体 ········ 552
Ⅵ 天然物由来物質 ········ 553
Ⅶ ホルモン療法薬 ········ 554
Ⅷ 免疫療法薬 ········ 556
Ⅸ 分子標的治療薬 ········ 558
Ⅹ その他の抗悪性腫瘍薬 ········ 569
Ⅺ 抗悪性腫瘍薬の併用療法 ········ 573
Ⅻ 抗悪性腫瘍薬の補助薬 ········ 574

I　悪性腫瘍と抗悪性腫瘍薬-概説-

☞『医薬品一般名・商品名・構造一覧』p134

悪性腫瘍と抗悪性腫瘍薬

悪性腫瘍	分　類	癌　腫	上皮性組織で発生する悪性腫瘍	扁平上皮癌	皮膚，喉頭，食道，肺，子宮頸部などで発生
				腺　癌	肺，胃腸，腎，肝，胆嚢・胆管，甲状腺，前立腺，乳腺，卵巣などで発生
		肉　腫	非上皮性組織で発生する悪性腫瘍	腸リンパ肉腫，卵巣線維肉腫，子宮筋腫（子宮体部），骨肉腫，骨髄腫，骨髄性白血病，神経線維肉腫（末梢神経），リンパ節の悪性リンパ腫（リンパ肉腫，細網肉腫，ホジキン病）など	
抗悪性腫瘍薬	作用機序	1）正常細胞の癌化を抑制する。 2）癌細胞の浸潤を抑制して他の部位への転移を阻止する。 3）癌細胞の増殖を直接的に抑制する。 4）宿主の免疫能を高めて間接的に癌細胞の増殖を抑制する。			
	問題点	1）癌細胞の種類によって抗悪性腫瘍薬に対する感受性が異なり，疾患や症状に合わせて適切な薬物を選択する必要がある。 2）正常細胞にも作用し，とくに，再生・増殖の著しい細胞（骨髄，頭髪毛根，消化管上皮細胞）への副作用が問題となる（血球減少，脱毛，消化管障害）。			
	適用法	1）外科療法，放射線療法，免疫療法との併用 2）多薬併用（効果上昇，副作用分散，薬剤耐性発現遅延） 3）局所投与（肝動脈内抗悪性腫瘍薬注入法・塞栓法）			

抗悪性腫瘍薬の作用機序概観と細胞周期

抗悪性腫瘍薬の作用機序概観

❶代謝拮抗
- プリン代謝拮抗薬
- ピリミジン代謝拮抗薬
- 葉酸代謝拮抗薬

❷DNA 障害
- アルキル化薬
- 抗腫瘍性抗生物質
- トポイソメラーゼ阻害薬

❸蛋白質合成阻害
L-アスパラギナーゼ

❹微小管障害（細胞分裂阻害）
ビンカアルカロイド，タキソイド

❺免疫賦活（BRM）
インターフェロン，IL-2 製剤など

❻増殖因子受容体阻害
分子標的治療薬など

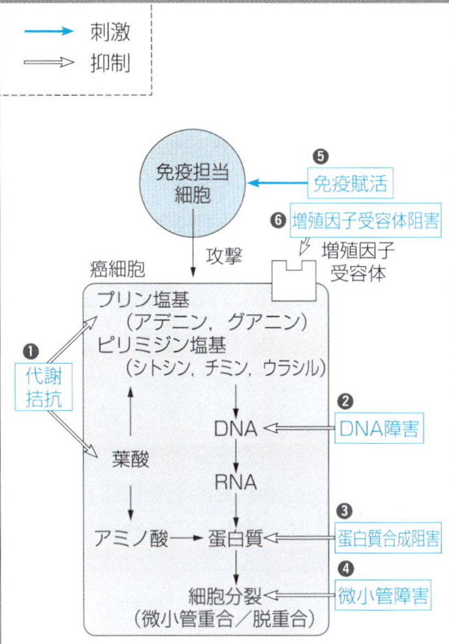

抗悪性腫瘍薬と細胞周期

細胞周期

有糸分裂によって細胞が増殖する過程は細胞周期とよばれる。

G_1期：DNA 合成前期
S 期：DNA 合成期
G_2期：DNA 合成後期
M 期：分裂期

※M 期の後再び G_1期に戻るが，一部は細胞周期を逸脱して G_0期（休止期）に入る。

細胞周期特異的抗悪性腫瘍薬

時間依存的に作用
- **代謝拮抗薬**：S 期
- **トポイソメラーゼ阻害薬**：S 期あるいは G_2期
- **ブレオマイシン**：G_2期
- **微小管作用薬**：M 期

細胞周期非特異的抗悪性腫瘍薬

濃度依存的に作用
- **アルキル化薬**など多くの抗悪性腫瘍薬

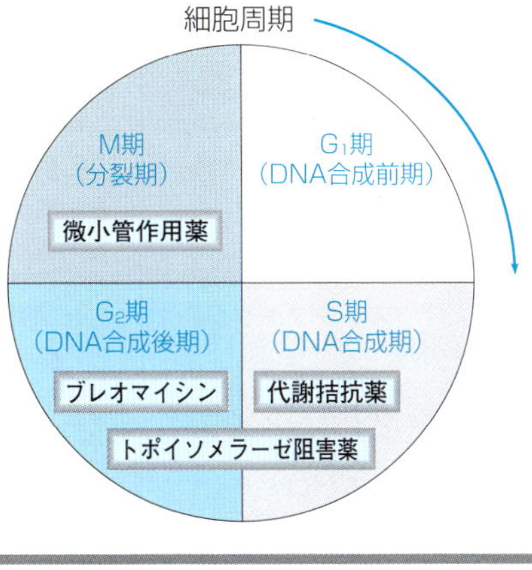

II　アルキル化薬

作用機序	1）アルキル基（$R\text{-}CH_2\text{-}$）は，細胞内の電子密度の高い有機イオン・無機イオン，第一・第二・第三級アミン類，SH 基，ヘテロ環窒素と反応する。 $R\text{-}CH_2\text{-}Y$（アルキル化薬）＋ X（高分子体）$\longrightarrow$ $R\text{-}CH_2\text{-}X$ ＋ Y 2）細胞内のアルキル化部位のうち，抗悪性腫瘍活性に重要なのは DNA・RNA の構成成分グアニン 7 位の窒素である。 3）アルキル化薬は，このグアニン 7 位の窒素をアルキル化することによって DNA 構造を変化させ，塩基の脱落や鎖の切断を起こして DNA 複製・修復を阻害する。 4）官能基を複数もつアルキル化薬は，DNA 二本鎖それぞれのグアニン 7 位の窒素と結合して二本鎖間を架橋し（cross-linking），DNA の分裂を阻止する。
適　応	褐色細胞腫，骨髄腫，急性・慢性白血病，悪性リンパ腫などの各種固形癌，造血幹細胞移植前処置，悪性神経膠腫など
副作用	骨髄障害（白血球・血小板減少），胃腸障害（悪心・嘔吐，食欲不振），脱毛

薬　物	クロロエチルアミン誘導体	（ナイトロジェンマスタード）	生体内でエチレンイミンとなり，反応性に富む陽性荷電をもつ置換アンモニウムイオンとなる。
		メルファラン*（L-PAM） アルケラン	ナイトロジェンマスタードに生体構成物質の一つ，フェニルアラニンを結合させた化合物。腫瘍に取り込まれやすくなる。
		シクロホスファミド* エンドキサン イホスファミド イホマイド	1）マスク型化合物（代謝物が作用を示す） 2）尿中代謝物アクロレインが出血性膀胱炎を誘発（解毒薬メスナ：アクロレインの二重結合に付加して無害化）。
		ベンダムスチン トレアキシン	ナイトロジェンマスタード構造を有するベンダイミダゾール誘導体。
	エチレンイミン誘導体	チオテパ リサイオ	チオテパ分子内のエチレンイミノ基による DNA アルキル化。
	スルホン酸エステル	ブスルファン* マブリン，ブスルフェクス	マスク型化合物
	ニトロソウレア系	ニムスチン ニドラン ラニムスチン サイメリン カルムスチン ギリアデル	1）DNA アルキル化（分子内クロロエチル基）と蛋白質のカルバモイル化（分子内ニトロソウレア）によって抗腫瘍活性を示す。 2）血液脳関門通過：脳腫瘍に有効（カルムスチンは脳内留置用薬）。
		ストレプトゾシン ザノサー	1）DNAアルキル化によって，DNA 鎖間架橋を形成する。 2）膵・消化管神経内分泌腫瘍に有効。
	トリアゼン類	ダカルバジン ダカルバジン	マスク型化合物（活性代謝産物：ジアゾメタン）
		テモゾロミド* テモダール	非酵素的にメチルジアゾニウムイオンとなり，グアニン 6 位をメチル化。悪性神経膠腫に有効。

*：経口可

Ⅲ　代謝拮抗薬

代謝拮抗薬は，癌細胞の発育・増殖に必要な物質の合成を阻害することによって抗腫瘍作用を示す。癌細胞では，細胞分裂が異常に亢進しており，核酸代謝も亢進している。従って，核酸の構成成分であるプリン塩基（グアニン，アデニン）やピリミジン塩基（ウラシル，シトシン，チミン），また，プリン・ピリミジン塩基の生合成に必要な一炭素化合物（メチル基，ホルミル基）の運搬・供与に関与する葉酸の需要が高まっているため，代謝拮抗薬（プリン代謝拮抗薬，ピリミジン代謝拮抗薬，葉酸代謝拮抗薬）は，癌細胞の発育・増殖を抑制することになる。核酸代謝拮抗薬は時間依存的で，休止期にはほとんど作用せず細胞の増殖が盛んであるＳ期に作用するものが多い。そのため，有効濃度を維持するような投与法が効果的である。

1．葉酸代謝拮抗薬

❶ メトトレキサート（類薬：プララトレキサート）
メソトレキセート　ジフォルタ

葉酸代謝	葉酸 →（葉酸還元酵素）→ ジヒドロ葉酸 →（ジヒドロ葉酸還元酵素）→ テトラヒドロ葉酸 テトラヒドロ葉酸は，プリン・ピリミジンやアミノ酸の生合成に必要な一炭素化合物（メチル基，ホルミル基）の運搬・供与に関与する。	
作用機序	葉酸構造類似体メトトレキサートは，ジヒドロ葉酸還元酵素と強固に結合して阻害し，テトラヒドロ葉酸の産生を阻害することによってプリン・ピリミジン・アミノ酸生合成を阻害。細胞周期のＳ期に作用する。類薬にプララトレキサート（ジフォルタ）がある。 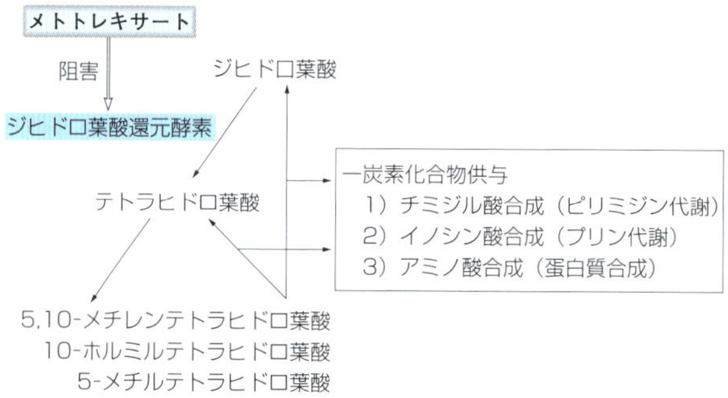 メトトレキサート 阻害 ジヒドロ葉酸還元酵素 ジヒドロ葉酸 テトラヒドロ葉酸 一炭素化合物供与 1）チミジル酸合成（ピリミジン代謝） 2）イノシン酸合成（プリン代謝） 3）アミノ酸合成（蛋白質合成） 5,10-メチレンテトラヒドロ葉酸 10-ホルミルテトラヒドロ葉酸 5-メチルテトラヒドロ葉酸	
適　応	メトトレキサート通常療法	急性白血病，慢性リンパ性白血病，慢性骨髄性白血病，絨毛性疾患（絨毛癌，破壊胞状奇胎，胞状奇胎）
	CMF 療法	乳癌に対する３剤併用療法 （シクロホスファミド・メトトレキサート・5-フルオロウラシル）
	メトトレキサート・ロイコボリン救援療法	肉腫（骨肉腫，軟部肉腫等），急性白血病の中枢神経系及び精巣への浸潤に対する緩解，悪性リンパ腫の中枢神経系への浸潤に対する緩解
	メトトレキサート・フルオロウラシル交代療法	胃癌に対するフルオロウラシルの抗腫瘍効果の増強
	M-VAC 療法	尿路上皮癌に対する４剤併用療法 （メトトレキサート，ビンブラスチン，ドキソルビシン，シスプラチン）
副作用	ショック，アナフィラキシー様症状，骨髄抑制，感染症，肝障害，腎障害，間質性肺炎，肺線維症，皮膚障害，胃腸障害・腸炎，膵炎，骨粗しょう症，痙攣，失語，片麻痺，脳症，認知症，麻痺，ギラン・バレー症候群，昏睡など	
解毒薬	ロイコボリンカルシウム〈ホリナートカルシウム〉（ロイコボリン）	1）ロイコボリン〈5-ホルミルテトラヒドロ葉酸〉は，ホルミル化テトラヒドロ葉酸であり，このホルミル基の炭素がチミジル酸，メチオニン，グリシン，セリンなどの生合成過程で炭素１個の受け渡しの役目をする。 2）メトトレキサート投与によって減少したロイコボリンを静注・補充することによって毒性を軽減する（ロイコボリン救援療法）。

❷ ペメトレキセド
アリムタ

作用機序	細胞内に取り込まれた後にポリグルタミン酸化を受け，以下の複数の葉酸代謝酵素を同時に阻害する。 1．ジヒドロ葉酸還元酵素 2．チミジル酸合成酵素 3．グリシンアミドリボヌクレオチドホルミルトランスフェラーゼ など
適　応	1）悪性胸膜中皮腫（シスプラチン併用） 2）切除不能な進行・再発の非小細胞肺癌
副作用	骨髄抑制，間質性肺炎，重度の下痢，脱水，腎不全など

2．ピリミジン代謝拮抗薬

① フッ化ピリミジン系

a）5-フルオロウラシル〈5-FU〉
5-FU

<table>
<tr><td>作用機序</td><td>
1）5-FU は生体内でフルオロデオキシウリジン一リン酸〈FdUMP〉に変換され，これがチミジル酸シンターゼ〈チミジル酸合成酵素〉を阻害してチミジンが欠乏し，DNA 合成を阻害。
2）また，5-FU は生体内でフルオロウリジン三リン酸〈FUTP〉となり，これが RNA に取り込まれて異常 RNA が産生され蛋白・核酸合成が阻害される。

</td></tr>
<tr><td>適　用</td><td>胃癌，肝癌，小腸癌，結腸・直腸癌，乳癌，膵癌，子宮頸癌，子宮体癌，卵巣癌，食道癌，肺癌，頭頸部腫瘍</td></tr>
<tr><td>副作用</td><td>脱水症状（激しい下痢），腸炎，骨髄機能抑制，白質脳症，精神神経症状，間質性肺炎，肝機能障害，消化管潰瘍，重篤な口内炎，嗅覚障害，ショック，アナフィラキシー様症状，心不全，腎障害，膵炎，肝・胆道障害，手足症候群など</td></tr>
<tr><td>5-FU・レボホリナート併用療法</td><td>
1）レボホリナート（ホリナート Ca の活性型 l 体）は活性型葉酸（5, 10-メチレンテトラヒドロ葉酸：5, 10-CH_2-THF）に変化し，FdUMP・チミジル酸合成酵素・5, 10-CH_2-THF の三者複合体形成を促進して，5-FU のチミジル酸合成酵素阻害作用を増強し，抗悪性腫瘍活性を増強。
2）適　用：胃癌，結腸・直腸癌，膵癌

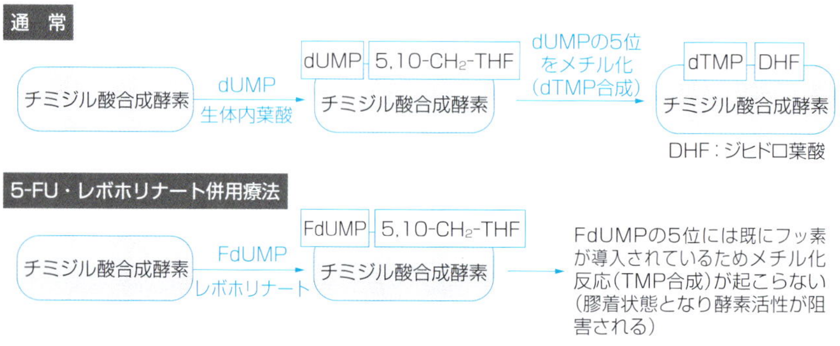

</td></tr>
</table>

b）5-FU のプロドラッグ

	薬　物	説　明
テガフール	テガフール* フトラフール	1）肝代謝によって生体内で徐々に5-FUを生成するマスク型化合物。 2）**適　用**：消化器癌（胃癌，直腸・結腸癌），乳癌，頭頸部癌
	テガフール・ウラシル* ユーエフティ	1）ウラシルはジヒドロウラシル脱水素酵素を阻害して5-FU分解を抑制し，血中・腫瘍内濃度を上昇させる。ホリナート（ロイコボリン錠）併用療法あり。 2）**適　用**：消化器癌（胃癌，直腸・結腸癌，肝癌，胆嚢・胆道癌，膵癌），肺癌，乳癌，子宮頸癌，前立腺癌，膀胱癌，頭頸部癌
	テガフール・ギメラシル・オテラシルカリウム* ティーエスワン	1）ギメラシル：5-FU分解阻害（作用増強） オテラシルカリウム：消化器毒性軽減（副作用軽減） 2）**適　用**：消化器癌（胃癌，結腸・直腸癌，膵癌，胆道癌），頭頸部癌，非小細胞肺癌，乳癌
	（カルモフール*）	1）肝代謝によらずに生体内で5-FUに変換されるマスク型化合物。 2）**適　用**：消化器癌（胃癌，直腸・結腸癌），乳癌 **副作用**：精神神経症状（言語・意識障害）
	ドキシフルリジン* フルツロン	1）腫瘍組織内で効率よく5-FUに変換されるマスク型化合物。 2）**適　用**：消化器癌（胃癌，直腸・結腸癌），乳癌，子宮頸癌，膀胱癌
	カペシタビン* ゼローダ	1）**消化器毒性低下**：消化管より未変化体のまま吸収され，肝臓でカルボキシルエステラーゼにより5'-DFCR〈5'-デオキシ-5-フルオロシチジン〉に代謝。 2）**骨髄抑制軽減**：次に主として肝臓や腫瘍組織に存在するシチジンデアミナーゼにより5'-DFUR〈ドキシフルリジン：5'-デオキシ-5-フルオロウリジン〉に変換。 3）**腫瘍選択性増加**：さらに，腫瘍組織に高レベルで存在するチミジンホスホリラーゼにより活性体である5-FUに変換され抗腫瘍効果を発揮。 4）**適　用**：乳癌，結腸・直腸癌，胃癌

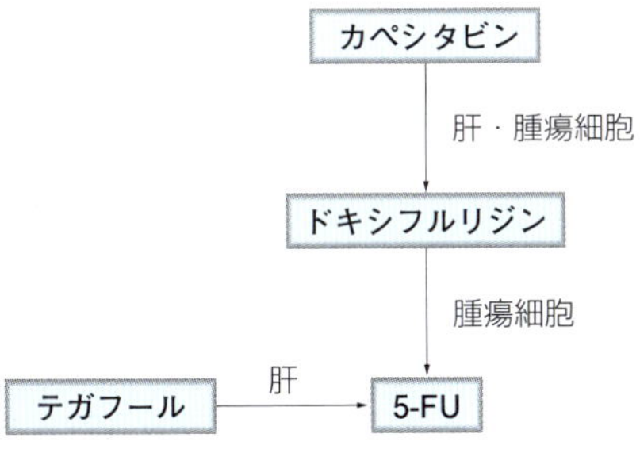

*：経口可

c）その他のフッ化ピリミジン系薬物

トリフルリジン・チピラシル* ロンサーフ	1）トリフルリジン：直接DNAに取り込まれ，DNA機能障害を起こす。 2）チピラシル：チミジンホスホリラーゼ阻害 （トリフルリジン代謝阻害による作用増強） 3）**適　用**：胃癌，結腸・直腸癌

*：経口可

❷ シトシンアラビノシド系

薬 物		説 明
dCTP 拮抗薬	シタラビン〈Ara-C〉 キロサイド	1）シタラビン〈Ara-C〉は生体内でリン酸化されてシトシンアラビノシド三リン酸〈Ara-CTP〉となり，これが，デオキシシチジン三リン酸〈dCTP〉と競合してDNA／RNA依存性DNAポリメラーゼを阻害し，DNA合成を阻害する。また，DNAへ転入して異常DNAを産生する。 2）シチジンデアミナーゼによって分解・失活。 3）**通常療法**：急性白血病（赤白血病，慢性骨髄性白血病の急性転化例を含む），消化器癌（胃癌，胆嚢癌，胆道癌，膵癌，肝癌，結腸癌，直腸癌等），肺癌，乳癌，女性性器癌（子宮癌，卵巣癌等），膀胱腫瘍 4）**大量療法**：再発または難治性の急性白血病（急性骨髄性白血病，急性リンパ性白血病），悪性リンパ腫 5）**副作用**：骨髄機能抑制に伴う血液障害，ショック，消化管障害，急性呼吸促迫症候群，間質性肺炎，急性心膜炎，心嚢液貯留など
	シタラビンオクホスファート* スタラシド	1）生体内でシタラビンに変換されるマスク化合物。 2）**適　用**：成人急性非リンパ性白血病，骨髄異形成症候群
	エノシタビン サンラビン	1）ヒトの肝，脾，腎及び白血病細胞で活性物質（シタラビン等）に徐々に変換・代謝されDNA合成阻害により抗腫瘍作用を示す。 2）**適　用**：急性白血病（慢性白血病の急性転化を含む）
	ゲムシタビン〈dFdC〉 ジェムザール	1）ゲムシタビン〈dFdC〉は細胞内で代謝されて活性型のヌクレオチドである二リン酸化物〈dFdCDP〉及び三リン酸化物〈dFdCTP〉となり，これらがDNA合成を直接的及び間接的に阻害することにより殺細胞作用を示す。 2）直接的には，dFdCTPがデオキシシチジン三リン酸〈dCTP〉と競合しながらDNAポリメラーゼによりDNA鎖に取り込まれた後，細胞死〈アポトーシス〉を誘発する。 3）また，dFdCDPはリボヌクレオチド還元酵素を阻害することにより，細胞内のdCTP濃度を低下させるため，間接的にDNA合成阻害が増強される。 4）**適　用**：非小細胞肺癌，膵癌，胆道癌，尿路上皮癌，乳癌，卵巣癌，悪性リンパ腫
CTP/dCTP 拮抗薬	アザシチジン ビダーザ	1）アザシチジンは，細胞内でリン酸化されてアザシチジン三リン酸〈Aza-CTP〉となりRNAに取り込まれ，蛋白質合成を阻害して殺細胞作用を示す。 2）また，リボヌクレオチド還元酵素によりアザデオキシシチジン三リン酸〈Aza-dCTP〉となりDNAに取り込まれ，DNAメチルトランスフェラーゼと不可逆的な複合体を形成して，DNA鎖のメチル化を阻害し，細胞の分化誘導作用や増殖抑制作用を示す。 3）**適　用**：骨髄異形成症候群，急性骨髄性白血病

＊：経口可

3. プリン代謝拮抗薬

プリン（アデニン，グアニン）代謝拮抗薬（その1）

プリン代謝	ホスホリボシル二リン酸〈PRPP〉＋ グルタミン → ホスホリボシルアミン → イノシン酸〈IMP〉 → 1）アデニロコハク酸 → アデニル酸〈AMP〉→ ATP —（リボヌクレオチド還元酵素）→ dATP → 2）キサンチル酸 → グアニル酸〈GMP〉→ GTP ——→ dGTP グアノシン ＋ デオキシリボース-1-Ⓟ ←（PNP）— dGuo → dGTP	
イノシン酸拮抗薬	メルカプトプリン〈6-MP〉* ロイケリン	1）メルカプトプリンは，生体内でイノシン酸類似物質チオイノシン酸〈TIMP〉に変換される。 2）チオイノシン酸〈TIMP〉は，イノシン酸からのAMP・GMP生合成阻害，ホスホリボシルアミン生成の疑似フィードバック阻害，プリン代謝中間体どうしの相互反応を阻害，などによってDNA・RNA合成を阻害する。 3）**適　用**：急性・慢性白血病 4）**副作用**：骨髄抑制，肝障害，腎障害，消化器障害，過敏症 など
リボヌクレオチド還元酵素阻害薬	ヒドロキシカルバミド*〈ヒドロキシウレア〉 ハイドレア	1）ヒドロキシカルバミド〈ヒドロキシウレア〉は，リボヌクレオチド還元酵素阻害薬であり，細胞内dATP・dGTP量を低下させDNA合成を阻害する。 2）**適　用**：慢性骨髄性白血病，本態性血小板症真性多血症
プリンヌクレオシドホスホリラーゼ〈PNP〉	フォロデシン* ムンデシン	1）プリンヌクレオシドホスホリラーゼ〈PNP〉は，2'-デオキシグアノシン〈dGuo〉をグアノシンとデオキシリボース-1-リン酸に変換する酵素である。 2）フォロデシンによるPNP阻害によってdGuoが蓄積し，蓄積したdGuoから2'-デオキシグアノシン三リン酸〈dGTP〉への産生が促進される。その結果，dGTPの蓄積によりアポトーシスが誘導される。 3）**適　用**：再発又は難治性の末梢性T細胞リンパ腫

*：経口可

プリン（アデニン，グアニン）代謝拮抗薬（その2）

分　類	薬　物	説　明
dATP 拮抗薬	フルダラビンリン酸エステル* フルダラ	1）フルダラビンリン酸エステル〈2F-ara-AMP〉は，血漿中で脱リン酸化されて細胞内に取り込まれた後，デオキシシチジンキナーゼによりリン酸化され，最終的に三リン酸化活性代謝物 2F-ara-ATP となる。 2）2F-ara-ATP は DNA に取り込まれ，DNA ポリメラーゼなどを阻害して DNA 合成を阻害する。また，RNA 合成に対しても阻害作用を示す。 3）**適　用**：慢性リンパ性白血病，造血幹細胞移植の前治療など
	クラドリビン〈2-クロロデオキシアデノシン〉 ロイスタチン	1）クラドリビンはアデニンヌクレオシド誘導体であり，デオキシシチジンキナーゼによってリン酸化を受け，2-chloro-2'-deoxy-β-D-adenosine monophosphate〈2-CdAMP〉となった後，さらに活性体の三リン酸化体〈2-CdATP〉にまで変換され細胞毒性を発現する。 2）デオキシシチジンキナーゼ活性が高く 5'-nucleotidase 活性の低い細胞（リンパ球，単球）に対して選択的な殺細胞効果を有する。 3）**適　用**：ヘアリーセル白血病，B 細胞性非ホジキンリンパ腫，マントル細胞リンパ腫
	クロファラビン エボルトラ	1）クロファラビンは，デオキシシチジンキナーゼ〈dCK〉によりクロファラビン三リン酸に変換され，DNA ポリメラーゼαを阻害することで，DNA の合成を阻害する。 2）また，クロファラビンは，リボヌクレオチド還元酵素を阻害することで，細胞内のデオキシリボヌクレオチド三リン酸〈dNTP〉を枯渇させ，DNA の合成を阻害する。 3）さらに，クロファラビンは，ミトコンドリアに作用し，チトクローム C 及び他のアポトーシス誘導因子を介して，アポトーシスを誘導する。 4）**適　用**：急性リンパ性白血病
dGTP 拮抗薬	ネララビン アラノンジー	1）ネララビンは，アデノシンデアミナーゼによって脱メチル化されて速やかに 9-β-D-アラビノシルグアニン〈ara-G〉に変換後，細胞内でデオキシグアノシンキナーゼ及びデオキシシチジンキナーゼによって 5'-一リン酸化体となった後 ara-GTP までリン酸化される。 2）白血病芽球内に蓄積した ara-GTP は，DNA に取り込まれて DNA 合成を阻害し，細胞死を誘導する。 3）**適　用**：再発または難治性 T 細胞急性リンパ性白血病及び T 細胞リンパ芽球性リンパ腫
アデノシンデアミナーゼ阻害薬	ペントスタチン コホリン	1）アデノシンデアミナーゼ阻害の結果としてデオキシアデノシンなどの抗腫瘍効果を有するアデノシン誘導体が出現し，これらの誘導体が抗腫瘍作用を発揮する。 2）**適　用**：成人 T 細胞白血病リンパ腫，ヘアリーセル白血病

*：経口可

Ⅳ　抗生物質

1．アントラサイクリン系抗生物質

作用機序・特徴	1）テトラサイクリン環が 2 本鎖 DNA 内部の塩基対間に入り込んで結合し（インターカレーション），DNA を鋳型とする RNA／DNA ポリメラーゼを阻害し，RNA 及び DNA 合成を阻害する。RNA の中ではリボソーム RNA が最も影響を受ける。 2）アントラサイクリンは代謝されフリーラジカルとなって活性酸素を生成し，またトポイソメラーゼⅡを阻害して，DNA 鎖切断を起こす。 3）心筋障害・心不全の副作用に注意が必要。その他，骨髄機能抑制，ショックなど。	

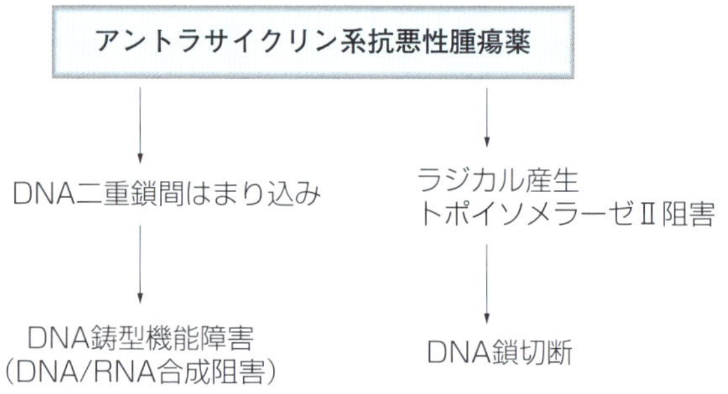

薬　物 （注射）	ドキソルビシン 〈アドリアマイシン〉 アドリアシン，ドキシル	適　用：悪性リンパ腫，肺癌，消化器癌（胃癌，胆嚢・胆管癌，膵癌，肝癌，結腸癌，直腸癌等），乳癌，卵巣癌，骨肉腫，膀胱腫瘍など
	ダウノルビシン ダウノマイシン	適　用：急性骨髄性白血病
	アクラルビシン アクラシノン	RNA 合成阻害作用が強い。 適　用：悪性リンパ腫，急性白血病，肺癌，胃癌，乳癌，卵巣癌
	ピラルビシン テラルビシン，ピノルビン	適　用：頭頸部癌，悪性リンパ腫，急性白血病，胃癌，乳癌，卵巣癌，子宮癌，尿路上皮癌
	エピルビシン ファルモルビシン	適　用：悪性リンパ腫，急性白血病，胃癌，肝癌，乳癌，卵巣癌，尿路上皮癌
	イダルビシン イダマイシン	適　用：急性骨髄性白血病
	アムルビシン カルセド	適　用：非小細胞肺癌，小細胞肺癌

2. その他の抗生物質

薬　物	説　明
マイトマイシンC マイトマイシン	**機　序**：グアニン6位（7位ではない）のアルキル化によって二本鎖DNA間に架橋形成。また細胞膜付近でフリーラジカルとなって活性酸素を生成。強力かつ広範囲の抗腫瘍活性を示す。 **適　用**：慢性リンパ性白血病，慢性骨髄性白血病，胃癌，結腸・直腸癌，肺癌，膵癌，肝癌，子宮頸癌，子宮体癌，乳癌，頭頸部腫瘍，膀胱腫瘍 **副作用**：溶血性尿毒症症候群，微小血管症性溶血性貧血，腎障害，骨髄機能抑制，間質性肺炎，肺線維症，肝・胆道障害 など
アクチノマイシンD コスメゲン	**機　序**：DNAと結合しDNA依存性RNA合成を阻害。また，肝ミクロソームで代謝されフリーラジカルとなって活性酸素を生成。 **適　用**：小児悪性腫瘍（ウィルムス腫瘍の第一選択薬），絨毛上皮腫，破壊性胞状奇胎 **副作用**：骨髄障害，消化器障害，アナフィラキシーショック など
ブレオマイシン ブレオ	**機　序**：酸素存在下でFe^{2+}キレートの形でDNAと結合した後，Fe^{2+}をFe^{3+}に酸化してDNA近くでフリーラジカルを産生し，一本鎖／二本鎖DNA切断。G_2期に作用。 **適　用**：扁平上皮癌（皮膚癌，頭頸部癌，肺癌，子宮頸癌など）に特異的効果（軟膏剤あり） **副作用**：肺線維症，間質性肺炎，消化器症状，脱毛（骨髄抑制や免疫抑制作用はほとんど認められない）
ペプロマイシン ペプレオ	ブレオマイシンの副作用を軽減した薬物。 **適　用**：皮膚癌，頭頸部悪性腫瘍（上顎癌，舌癌・その他の口腔癌，咽頭癌，喉頭癌），肺癌（扁平上皮癌），前立腺癌，悪性リンパ腫

V 白金錯体

薬 物 （注射）	シスプラチン ランダ，アイエーコール カルボプラチン パラプラチン ネダプラチン アクプラ オキサリプラチン エルプラット ミリプラチン ミリプラ	
作用機序	DNA の一本鎖内や二本鎖間に白金架橋を形成して DNA 合成を阻害し，また，癌細胞の分裂を抑制する。	
適 用	精巣腫瘍，膀胱癌，腎盂・尿管腫瘍，前立腺癌，子宮頸癌，卵巣癌，頭頸部癌，非小細胞肺癌，小細胞肺癌，神経芽細胞腫，胃癌，食道癌，骨肉腫，小腸癌，結腸・直腸癌，膵癌，肝癌，血管肉腫，胚細胞腫瘍 など	
副作用	腎不全，骨髄抑制，ショック，アナフィラキシー様症状，聴力低下・難聴，うっ血乳頭，脳梗塞，溶血性尿毒素症症候群，心筋梗塞，溶血性貧血，間質性肺炎，抗利尿ホルモン不適合分泌症候群〈SIADH〉，肝機能障害，消化管障害，膵炎，高血糖，糖尿病の悪化，横紋筋融解症など。オキサリプラチンでは，末梢神経障害（感覚異常）が出現しやすい。	
副作用の軽減	悪心・嘔吐	1）白金錯体が腸クロム親和性細胞からのセロトニン遊離を引き起こし，そのセロトニンが 5-HT_3受容体を刺激することにより，迷走神経を介して悪心・嘔吐を引き起こす。 2）選択的 5-HT_3受容体拮抗薬（**セトロン系制吐薬**）や NK_1受容体拮抗薬が有効。
	腎障害	輸液，必要に応じてマンニトール及びフロセミドなどの利尿薬投与。

Ⅵ　天然物由来物質

分類			薬物	説明
微小管作用薬	微小管重合阻害	ビンカアルカロイド	ビンクリスチン オンコビン	微小管構成蛋白チューブリンに結合して微小管重合を阻害。その結果，有糸分裂が阻害され細胞周期がM期で止まる。 **適　用**：白血病，悪性リンパ腫，小児腫瘍，多発性骨髄腫，褐色細胞腫など **副作用**：骨髄抑制，神経障害，便秘，脱毛 など
			ビンブラスチン エクザール	**適　用**：悪性リンパ腫，絨毛性疾患 など **副作用**：骨髄抑制 など
			ビンデシン フィルデシン	半合成ビンカアルカロイド。 **適　用**：急性白血病，悪性リンパ腫，肺癌，食道癌
			ビノレルビン ナベルビン	半合成ビンカアルカロイド。神経毒性低い。 **適　用**：非小細胞肺癌，手術不能または再発乳癌
		海綿動物クロイソカイメン由来Halichondrin Bの合成誘導体	エリブリン ハラヴェン	チューブリンの重合を阻害して紡錘体形成を妨げる。その結果，G_2／M期で細胞分裂が停止し，アポトーシスによる腫瘍増殖抑制作用を示す。 **適　用**：乳癌，悪性軟部腫瘍 **副作用**：高度な骨髄抑制，末梢神経障害など
	微小管重合促進	タキソイド系	ドセタキセル タキソテール，ワンタキソテール パクリタキセル タキソール，アブラキサン カバジタキセル ジェブタナ	セイヨウイチイの針葉抽出物からの半合成品。チューブリンの重合を促進して微小管形成を促進することによって微小管の安定化･過剰形成を起こし，その結果，微小管の脱重合を阻害して細胞周期がM期で止まる。 **適　用**：非小細胞肺癌，乳癌，卵巣癌，前立腺癌，胃癌，膵癌 など **副作用**：アナフィラキシー様症状，間質性肺炎，末梢神経障害，骨髄抑制 など
トポイソメラーゼ阻害薬	トポイソメラーゼⅠ阻害	カンプトテシン系	イリノテカン カンプト，トポテシン，オニバイド	中国産喜樹アルカロイド「カンプトテシン」の誘導体。 **機　序**：トポイソメラーゼⅠ阻害によってDNA合成を阻害。S期に特異的に効果発揮。 **適　用**：肺癌，乳癌，卵巣癌，子宮頸癌，胃癌，結腸･直腸癌，膵癌，悪性リンパ腫，小児悪性固形腫瘍など **副作用**：胃腸障害（強い下痢），骨髄障害，間質性肺炎または肺線維症 など
			ノギテカン ハイカムチン	**適　用**：小細胞肺癌，卵巣癌，小児悪性固形腫瘍
	トポイソメラーゼⅡ阻害	ポドフィリン系	エトポシド* ベプシド，ラステット	マンダラゲ由来成分ポドフィロトキシンから合成。 **機　序**：トポイソメラーゼⅡ阻害によってDNA鎖切断を誘発する（S期後半からG_2期に最もよく効く）。cf. トポⅡ阻害**ソブゾキサン**（G_2，M期に作用） **適　用**：悪性リンパ腫，小細胞肺癌，子宮頸癌，急性白血病，精巣腫瘍，膀胱癌，絨毛性疾患など **副作用**：骨髄抑制，胃腸障害，ショック，アナフィラキシー様症状，間質性肺炎 など

*：経口可

Ⅶ　ホルモン療法薬

ホルモン類はそれ自身抗腫瘍活性はもたないが，ホルモン依存性の性器癌に対してそのホルモンに拮抗的な作用をもつ薬物が用いられる。副作用として女性化・男性化作用などが現れる場合がある。また，造血器腫瘍に対しては，副腎皮質ホルモンが用いられる。

ホルモン療法薬（性ホルモン関連薬）

適用分類	薬物			説明
乳癌 子宮癌	抗エストロゲン薬		タモキシフェン* ノルバデックス トレミフェン* フェアストン メピチオスタン* チオデロン フルベストラント フェソロデックス	エストロゲンの競合的拮抗薬。乳癌治療。メピチオスタンはエピチオスタノールとなりエストロゲン受容体を遮断する。
	アロマターゼ阻害薬	可逆的（非ステロイド系）	アナストロゾール* アリミデックス レトロゾール* フェマーラ （ファドロゾール*）	エストロゲン合成阻害薬 閉経後乳癌治療
		不可逆的（ステロイド系）	エキセメスタン* アロマシン	
	黄体ホルモン製剤		メドロキシプロゲステロン酢酸エステル* ヒスロンH	抗エストロゲン作用・抗ゴナドトロピン作用。 乳癌・子宮体癌治療
前立腺癌	性腺刺激ホルモン放出ホルモン〈GnRH〉受容体拮抗薬		デガレリクス ゴナックス	下垂体 GnRH 受容体を可逆的に阻害し，下垂体からの黄体形成ホルモンの放出を抑制する結果，精巣からのテストステロン分泌を抑制する。
	黄体形成ホルモン放出ホルモン〈LH-RH〉誘導体		リュープロレリン リュープリン ゴセレリン ゾラデックス，ゾラデックス LA	LH-RH 受容体を強烈に刺激して受容体数を低下させる。 閉経前乳癌・子宮内膜症などにも適用。
	抗アンドロゲン薬		（ホスフェストロール*）	合成女性ホルモン（リン酸ジエチルスチルベストロール）
			クロルマジノン酢酸エステル* プロスタール フルタミド* オダイン ビカルタミド* カソデックス エンザルタミド* イクスタンジ アパルタミド アーリーダ ダロルタミド ニュベクオ	アンドロゲン受容体拮抗薬
			アビラテロン酢酸エステル* ザイティガ	アンドロゲン合成酵素（CYP17）選択的及び不可逆的阻害薬
	卵胞ホルモン製剤		エチニルエストラジオール* プロセキソール	前立腺・精嚢重量を減少させ，血中テストステロン値を低下させる。
			エストラムスチンリン酸エステル Na* エストラサイト	卵胞ホルモンのエストラジオールとアルキル化薬のナイトロジェンマスタードの結合化合物。 前立腺癌組織に特異的に存在するエストラムスチン結合蛋白質に結合し，微小管の重合を阻害して殺細胞作用を示す。

*：経口可

その他のホルモン療法薬

適用分類	薬物		説明
造血器腫瘍	副腎皮質ホルモン	**プレドニゾロン*** プレドニゾロン，プレドニン，プレドハン **デキサメタゾン*** デカドロン，レナデックス **コルチゾン酢酸エステル*** コートン	造血器腫瘍（白血病，悪性リンパ腫，多発性骨髄腫）の治療。糖利用を阻害し，癌細胞のエネルギー利用を低下させて増殖を抑制。また，リンパ球破壊作用（アポトーシス誘導）も抗造血器腫瘍作用に関与。

＊：経口可

Ⅷ　免疫療法薬

免疫療法薬〈Biological Response Modifiers：BRM〉は，生体の癌に対する抵抗性（免疫応答など）を利用して癌治療を目的とする薬物の総称である。BRM には，サイトカイン類，菌体成分やその誘導体，キノコ由来多糖類などの免疫強化薬が含まれる。また，近年では，がん免疫療法薬として，免疫チェックポイント阻害薬（分子標的薬）が開発されている。

1．サイトカイン類及び細菌・キノコ由来免疫強化薬

分類		薬物	適応	副作用
サイトカイン	インターフェロン	インターフェロンα スミフェロン	腎癌，多発性骨髄腫，ヘアリー細胞白血病，慢性骨髄性白血病	間質性肺炎 自殺企図 うつ
		インターフェロンβ フエロン	皮膚悪性黒色腫，膠芽腫，髄芽腫，星細胞腫	
		インターフェロンβ-1a アボネックス インターフェロンβ-1b ベタフェロン	多発性硬化症	
		インターフェロンγ イムノマックス-γ	腎癌，慢性肉芽腫	
	遺伝子組換え型 IL-2 製剤	テセロイキン イムネース	血管肉腫，腎癌	体液貯留 うっ血性心不全 自殺企図
細菌由来	抗生物質	ウベニメクス* ベスタチン	成人急性非リンパ球性白血病	肝障害 発疹・発赤 悪心
	溶連菌	ピシバニール ピシバニール	胃癌，肺癌（化学療法併用）	ショック 間質性肺炎 急性腎不全
	結核菌	乾燥 BCG イムノブラダー	膀胱癌（膀胱注射）	萎縮膀胱 精巣上体炎

*：経口可

2．免疫チェックポイント阻害薬

癌細胞は，免疫系による攻撃を回避するために，免疫チェックポイント分子（CTLA-4，PD-1など）を介してT細胞の活性を抑制している。そこで，がん免疫療法として，免疫チェックポイントを阻害する分子標的薬が開発されている。免疫チェックポイント阻害薬の副作用には，自己免疫疾患に類似した全身性炎症反応（irAE：immune-related Adverse Event）などがある。

免疫チェックポイント	薬　物	適　応	説　明
CTLT-4	イピリムマブ ヤーボイ	悪性黒色腫 腎細胞癌 結腸・直腸癌 非小細胞肺癌 悪性胸膜中皮腫	1）抗細胞傷害性Tリンパ球抗原-4〈CTLA-4〉抗体製剤。 2）CTLA-4とそのリガンドであるB7〈CD80／86〉の結合を阻害し，癌抗原特異的なT細胞の増殖･活性化及び細胞傷害活性の増強等により，腫瘍増殖を抑制する。 3）また，制御性T細胞〈Treg〉の機能低下及び腫瘍組織におけるTreg数の減少により腫瘍免疫反応を亢進させる。
PD-1	ニボルマブ オプジーボ	悪性黒色腫 非小細胞肺癌 腎細胞癌 古典的ホジキンリンパ腫 頭頸部癌 胃癌 食道癌 結腸・直腸癌 悪性胸膜中皮種	1）抗ヒトProgrammed Cell Death 1〈PD-1〉抗体製剤。 2）PD-1とそのリガンドであるPD-L1及びPD-L2との結合を阻害し，癌抗原特異的なT細胞の増殖・活性化及び細胞傷害活性の増強等により，腫瘍増殖を抑制する。
	ペムブロリズマブ キイトルーダ	悪性黒色腫 非小細胞肺癌 古典的ホジキンリンパ腫 腎細胞癌 頭頸部癌 食道扁平上皮癌 結腸・直腸癌 乳癌 尿路上皮癌	
PD-L1	アベルマブ バベンチオ	メルケル細胞癌 腎細胞癌 尿路上皮癌	1）抗ヒトProgrammed Cell Death-Ligand 1〈PD-L1〉抗体製剤。 2）PD-L1とその受容体であるPD-1との結合を阻害し，腫瘍抗原特異的なT細胞の細胞傷害活性を増強すること等により，腫瘍の増殖を抑制する。
	アテゾリズマブ テセントリク	非小細胞肺癌 小細胞肺癌 肝細胞癌 乳癌	
	デュルバルマブ イミフィンジ	非小細胞肺癌 小細胞肺癌	

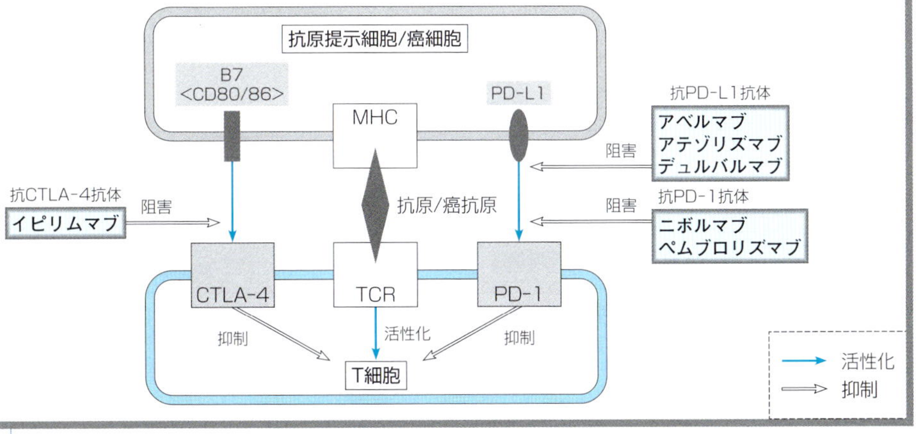

Ⅸ　分子標的治療薬

1．分子標的治療薬の作用機序概観

❶ 増殖因子とシグナル伝達（細胞内情報伝達）

チロシンキナーゼ型受容体ファミリー	受容体名
ErbB〈Epidermal Growth Factor：上皮細胞増殖因子〉受容体ファミリー	ErbB1（EGFR または HER1） ErbB2（HER2） ErbB3（HER3） ErbB4（HER4）
インスリン受容体ファミリー	インスリン受容体〈InsR〉 IGF1R IRR
PDGF〈Platelet-derived Growth Factor：血小板由来増殖因子〉受容体ファミリー	PDGFRα／β KIT〈SCF 受容体〉 CSFR FLT3
FGF〈Fibroblast Growth Factor：線維芽細胞増殖因子〉受容体ファミリー	FGFR1～4
VEGF〈Vascular Endothelial Growth Factor：血管内皮細胞増殖因子〉受容体ファミリー	VEGFR1～3
LTK〈Leukocyte Tyrosine Kinase：白血球チロシンキナーゼ〉受容体ファミリー	LTK ALK
RET〈Rearranged during Transfection〉受容体ファミリー	RET9，RET43，RET51
エフリン〈Eph〉受容体〈Erythropoietin-producing Hepatocellular Receptor：エリスロポエチン産生肝細胞受容体〉ファミリー	EPHA1～10 EPHB1～6
その他	ROS1，MET〈間葉上皮転換因子〉，AXL〈アクセル〉

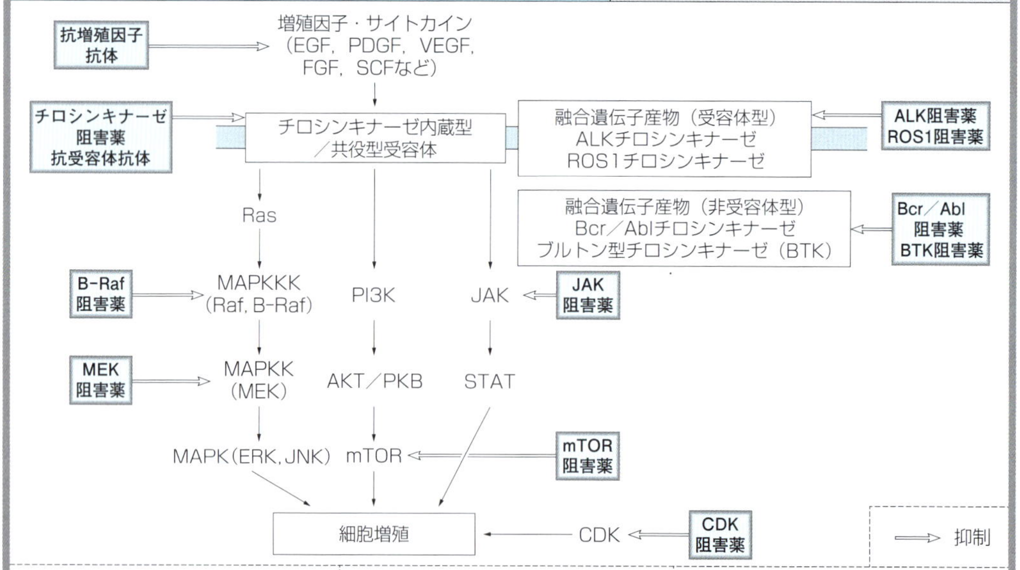
抗増殖因子抗体
増殖因子・サイトカイン（EGF，PDGF，VEGF，FGF，SCFなど）
チロシンキナーゼ阻害薬 抗受容体抗体
チロシンキナーゼ内蔵型／共役型受容体
融合遺伝子産物（受容体型） ALKチロシンキナーゼ ROS1チロシンキナーゼ
ALK阻害薬 ROS1阻害薬
融合遺伝子産物（非受容体型） Bcr／Ablチロシンキナーゼ ブルトン型チロシンキナーゼ（BTK）
Bcr／Abl阻害薬 BTK阻害薬
Ras
B-Raf阻害薬
MAPKKK（Raf，B-Raf）
PI3K
JAK
JAK阻害薬
MEK阻害薬
MAPKK（MEK）
AKT／PKB
STAT
MAPK（ERK，JNK）
mTOR
mTOR阻害薬
細胞増殖
CDK
CDK阻害薬
抑制

Ras：癌遺伝子産物（低分子量G蛋白質）
MAP：分裂促進因子活性化蛋白質〈Mitogen-activated Protein〉
MAPK：MAPキナーゼ
MAPKK：MAPKキナーゼ
MAPKKK：MAPKKキナーゼ
PI3K：ホスファチジルイノシトール3-キナーゼ
PKB：プロテインキナーゼB
mTOR：ほ乳類ラパマイシン標的蛋白質
JAK：ヤヌスキナーゼ〈Janus Kinase〉
STAT：シグナル伝達兼転写活性化因子
Bcr／Abl：フィラデルフィア染色体由来融合遺伝子産物
ALK：未分化リンパ腫キナーゼ
CDK：サイクリン依存性キナーゼ

❷ 抗体依存性細胞傷害〈ADCC〉と補体依存性細胞傷害〈CDC〉

項　目	説　明
抗体依存性細胞傷害 〈ADCC：Antibody-Dependent Cell--mediated Cytotoxicity〉	1）抗体（抗体製剤）の可変領域〈Fab〉は，標的細胞（癌細胞）の表面抗原を認識して結合する。 2）一方，抗体（抗体製剤）の定常領域<Fc>には，Fc 受容体を介してエフェクター細胞（ナチュラルキラー〈NK〉細胞，マクロファージ，好中球，好酸球など）が結合し，標的細胞（癌細胞）を破壊する。 3）エフェクター細胞が介在するこの細胞傷害作用は，抗体依存性細胞介在性細胞傷害ともよばれる。
補体依存性細胞傷害 〈CDC：Complement-Dependent Cytotoxicity〉	1）抗体（抗体製剤）の可変領域〈Fab〉は，標的細胞（癌細胞）の表面抗原を認識して結合する。 2）一方，抗体（抗体製剤）の定常領域〈Fc〉には，補体〈Complement〉が結合して活性化され，補体が標的細胞（癌細胞）を破壊する。

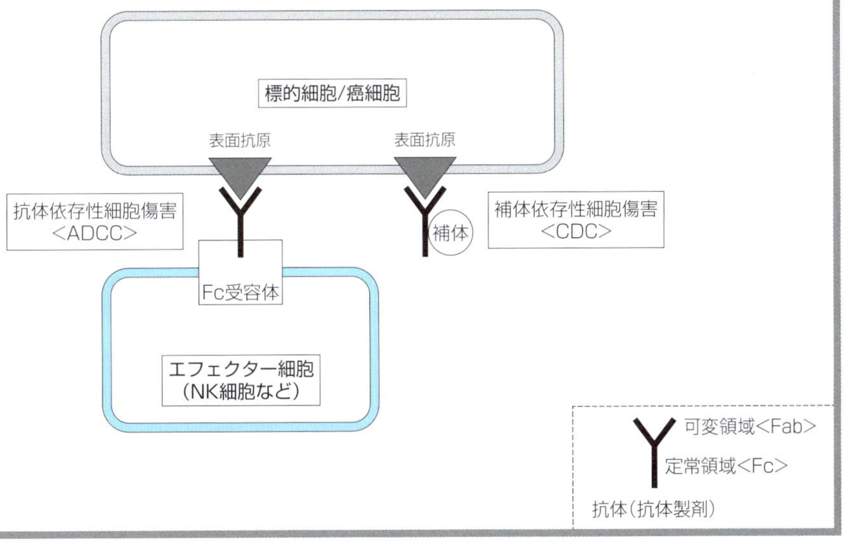
標的細胞/癌細胞
表面抗原
表面抗原
抗体依存性細胞傷害
<ADCC>
補体
補体依存性細胞傷害
<CDC>
Fc受容体
エフェクター細胞
(NK細胞など)
可変領域<Fab>
定常領域<Fc>
抗体(抗体製剤)

2．分子標的治療薬（低分子製剤）

(1) 受容体型チロシンキナーゼ阻害薬

標的分子	阻害薬	適　応	説　明
EGFR	ゲフィチニブ イレッサ	非小細胞肺癌 （EGFR 遺伝子変異陽性）	上皮増殖因子受容体〈EGFR〉チロシンキナーゼ選択的阻害
	エルロチニブ タルセバ	非小細胞肺癌 （EGFR 遺伝子変異陽性含む） 膵癌	
EGFR (T790M)	オシメルチニブ タグリッソ	非小細胞肺癌 （EGFR 遺伝子変異陽性）	活性型変異（L858R 等）及び T790M 変異 EGFR チロシンキナーゼ阻害
EGFR/HER2	ラパチニブ タイケルブ	乳癌 （HER2 過剰発現）	EGFR 及び HER2 チロシン自己リン酸化の選択的かつ可逆的阻害
EGFR/HER2/HER4	アファチニブ ジオトリフ ダコミチニブ ビジンプロ	非小細胞肺癌 （EGFR 遺伝子変異陽性）	野生型及び遺伝子変異を有する EGFR〈ErbB1〉，HER2〈ErbB2〉，HER4〈ErbB4〉チロシンキナーゼ不可逆的阻害。 ErbB 受容体ファミリー（EGFR，HER2，HER3（ErbB3）及び HER4 が形成するホモ及びヘテロダイマーの活性阻害。 ＊HER3 はキナーゼ活性なし。
ALK	クリゾチニブ ザーコリ	非小細胞肺癌 （ALK/ROS1 融合遺伝子陽性）	未分化リンパ腫キナーゼ〈ALK〉，肝細胞増殖因子受容体〈c-Met/HGFR〉，ROS1，Recepteur d'Origine Nantais〈RON〉チロシンキナーゼ阻害
	アレクチニブ アレセンサ	非小細胞肺癌及び未分化大細胞リンパ腫 （ALK 融合遺伝子陽性）	非小細胞肺癌及び未分化大細胞リンパ腫で上昇している ALK チロシンキナーゼ活性を阻害
	ロルラチニブ ローブレナ	非小細胞肺癌 （ALK 融合遺伝子陽性で ALK チロシンキナーゼ阻害薬に抵抗性・不耐容）	既存の ALK 阻害薬（クリゾチニブ，アレクチニブ及びセリチニブ）に対する耐性 ALK（L1196M，G1269A，I1171T，G1202R）チロシンキナーゼ阻害
ALK/IGF-1R	セリチニブ ジカディア	非小細胞肺癌 （ALK 融合遺伝子陽性）	ALK 選択性高いが，インスリン受容体〈INSR〉及びインスリン様成長因子 1 受容体〈IGF-1R〉チロシンキナーゼ等も阻害
FLT3	キザルチニブ ヴァンフリタ	急性骨髄性白血病 （FLT3-ITD 変異陽性）	自己活性化に関連する遺伝子内縦列重複〈ITD：Internal Tandem Duplication〉変異を有する FLT3（FLT3-ITD）チロシンキナーゼ阻害
FLT3/AXL	ギルテリチニブ ゾスパタ	急性骨髄性白血病 （FLT3 遺伝子変異陽性）	FLT3-ITD 及び FLT3 チロシンキナーゼドメイン〈TKD〉遺伝子変異を有する FLT3（FLT3-TKD〈D835Y〉）チロシンキナーゼ阻害
ROS1/TRK	エヌトレクチニブ ロズリートレク	非小細胞肺癌 （ROS1 融合遺伝子陽性）	ROS1，トロポミオシン受容体キナーゼ〈TRK〉等のチロシンキナーゼ阻害
MET	テポチニブ テプミトコ カプマチニブ タブレクタ	非小細胞肺癌 （MET 遺伝子エクソン 14 スキッピング変異陽性）	間葉上皮転換因子〈MET〉チロシンキナーゼ阻害
RET	セルペルカチニブ レットヴィモ	非小細胞肺癌 （RET 融合遺伝子陽性）	RET〈Rearranged during Transfection〉，血管内皮増殖因子受容体〈VEGFR〉，線維芽細胞増殖因子受容体〈FGFR〉等のチロシンキナーゼ阻害

(2) 非受容体型チロシンキナーゼ阻害薬

標的分子	阻害薬	適　応	標的分子の詳細及び特徴
BCR-ABL	イマチニブ グリベック	慢性骨髄性白血病 消化管間質腫瘍（KIT〈CD117〉陽性） 急性リンパ性白血病（フィラデルフィア染色体陽性） 好酸球増多症候群・慢性好酸球性白血病（FIP1L1-PDGFRα陽性）	BCR-ABL，v-ABL，c-ABL 血小板由来成長因子受容体〈PDGFR〉 幹細胞因子受容体〈KIT〉
	ダサチニブ スプリセル	慢性骨髄性白血病 急性リンパ性白血病（フィラデルフィア染色体陽性）	BCR-ABL SRC ファミリーキナーゼ（SRC，LCK，YES，FYN） 幹細胞因子受容体〈c-KIT〉 エフリン〈EPH〉A2 受容体 血小板由来成長因子受容体〈PDGFRβ〉
	ニロチニブ タシグナ	慢性骨髄性白血病	BCR-ABL 幹細胞因子受容体〈c-KIT〉 血小板由来成長因子受容体〈PDGFR〉 ＊イマチニブよりも BCR-ABL 選択的
BCR-ABL /SRC	ボスチニブ ボシュリフ	慢性骨髄性白血病	ABL，SRC
	ポナチニブ アイクルシグ	慢性骨髄性白血病 急性リンパ性白血病（フィラデルフィア染色体陽性）	野生型及び T315I 変異型 ABL，RET，FLT3，KIT，FGFR，PDGFR，VEGFR，EPH 等
BTK	イブルチニブ イムブルビカ	慢性リンパ性白血病 マントル細胞リンパ腫 慢性移植片対宿主病	ブルトン型チロシンキナーゼ〈BTK〉 ＊BTK：B 細胞性腫瘍の増殖に関与
	チラブルチニブ ベレキシブル	中枢神経系原発リンパ腫 リンパ形質細胞リンパ腫 原発性マクログロブリン血症	
JAK	ルキソリチニブ ジャカビ	骨髄線維症 真性多血症	野生型及び V617F 変異型ヤヌスキナーゼ〈JAK2〉
CDK4/6	パルボシクリブ イブランス	乳癌	サイクリン依存性キナーゼ〈CDK4/6〉・サイクリン D 複合体の活性阻害。その結果，網膜芽細胞腫〈retinoblastoma：Rb〉蛋白質のリン酸化が阻害されて細胞周期（G_1 から S 期）の進行が停止（腫瘍増殖抑制）。
	アベマシクリブ ベージニオ	乳癌（ホルモン受容体陽性かつ HER2 陰性）	

(3) セリン・スレオニンキナーゼ阻害薬

標的分子	阻害薬	適　応	説　明
mTOR	シロリムス ラパリムス	リンパ脈管筋腫症 リンパ管腫症等	細胞内イムノフィリンFKBP(FK506 binding protein) 12と複合体を形成し，ほ乳類ラパマイシン標的蛋白質〈mTOR〉を選択的に阻害する。その結果，細胞周期 G_0/G_1 からS期への移行を抑制し，細胞の増殖を抑制する。
	テムシロリムス トーリセル	腎細胞癌	
	エベロリムス アフィニトール	腎細胞癌 神経内分泌腫瘍 乳癌	
BRAF	ベムラフェニブ ゼルボラフ	悪性黒色腫 （BRAF遺伝子変異）	BRAF V600変異型（V600E，V600D，V600R，V600K，V600G，V600M）を含む活性化変異型のBRAFキナーゼ阻害により，BRAF活性化によるMEK及びERKのリン酸化を阻害し，腫瘍の増殖を抑制する。
	ダブラフェニブ タフィンラー	悪性黒色腫 非小細胞肺癌 （BRAF遺伝子変異）	BRAF V600変異型（V600E，V600K，V600D）キナーゼ阻害
	エンコラフェニブ ビラフトビ	悪性黒色腫 結腸・直腸癌 （BRAF遺伝子変異）	BRAF V600変異型（V600E）キナーゼ阻害
MEK	トラメチニブ メキニスト	悪性黒色腫 非小細胞肺癌 （BRAF遺伝子変異）	MEK1/MEK2活性化及びキナーゼ活性を阻害し，MEKの基質であるERKのリン酸化を阻害（ダブラフェニブ併用）
	ビニメチニブ メクトビ	悪性黒色腫 結腸・直腸癌 （BRAF遺伝子変異）	悪性黒色腫：エンコラフェニブ併用 結腸・直腸癌：エンコラフェニブ及びセツキシマブ併用

(4) マルチキナーゼ阻害薬

阻害薬	標的分子	適　応
ソラフェニブ ネクサバール	正常型及び変異型 B-Raf，C-Raf FMS 様チロシンキナーゼ 3〈FLT3〉 幹細胞因子受容体〈c-KIT〉 血管内皮増殖因子受容体〈VEGFR〉 血小板由来成長因子受容体〈PDGFR〉	腎細胞癌 肝細胞癌 甲状腺癌
レゴラフェニブ スチバーガ	腫瘍血管新生因子（VEGFR1～3，TIE2） 腫瘍微小環境因子（PDGFR，FGFR） 腫瘍形成因子（KIT，RET，RAF-1，BRAF） 変異型 KIT（V560G，V654A，D816H，D820Y，N822K）	結腸・直腸癌 消化管間質腫瘍 肝細胞癌
パゾパニブ ヴォトリエント	血管内皮細胞増殖因子受容体〈VEGFR1～3〉 血小板由来増殖因子受容体〈PDGFRα，PDGFRβ〉 幹細胞因子受容体〈c-Kit〉	悪性軟部腫瘍 腎細胞癌
バンデタニブ カプレルサ	血管内皮増殖因子受容体〈VEGFR-2〉 上皮増殖因子受容体〈EGFR〉 Rearranged During Transfection がん原遺伝子〈RET〉等	甲状腺髄様癌
スニチニブ スーテント	血小板由来増殖因子受容体〈PDGFRα，PDGFRβ〉 血管内皮増殖因子受容体〈VEGFR1～3〉 幹細胞因子受容体〈KIT〉 FMS 様チロシンキナーゼ 3〈FLT3〉 コロニー刺激因子-1 受容体〈CSF-1R〉 グリア細胞由来神経栄養因子受容体〈RET〉	消化管間質腫瘍（イマチニブ抵抗性） 腎細胞癌 膵神経内分泌腫瘍
アキシチニブ インライタ	血管内皮増殖因子受容体〈VEGFR1～3〉 血小板由来増殖因子受容体〈PDGFRβ〉等	腎細胞癌
レンバチニブ レンビマ	血管内皮増殖因子受容体〈VEGFR1～3〉 線維芽細胞増殖因子受容体〈FGFR1～4〉 血小板由来増殖因子受容体〈PDGFRα〉 幹細胞因子受容体〈KIT〉 Rearranged During Transfection がん原遺伝子〈RET〉等	甲状腺癌 肝細胞癌 胸腺癌
カボザンチニブ カボメティクス	血管内皮細胞増殖因子受容体 2〈VEGFR2〉 肝細胞増殖因子受容体〈MET〉 アクセル〈AXL〉等	腎細胞癌 肝細胞癌

（5）その他の低分子製剤

標的分子	阻害薬	適　応	説　明
PARP	**オラパリブ** リムパーザ	乳癌 卵巣癌 前立腺癌 膵癌 （BRCA 遺伝子変異）等	1）ポリアデノシン 5' 二リン酸リボースポリメラーゼ〈PARP〉は，DNA 一本鎖切断修復の主要酵素。 2）PARP 阻害薬（PARP-1 及び PARP-2 阻害）は，DNA の二本鎖切断修復機構（相同組換え修復）が機能していない癌細胞に選択的に作用して細胞死を導く。 3）相同組換え修復機能不全（HRD）には乳癌感受性遺伝子〈BRCA〉等の関与が知られており，乳癌，卵巣癌，前立腺癌，膵癌等の一部に BRCA 遺伝子変異が認められている。
	ニラパリブ ゼジューラ	卵巣癌 （相同組換え修復欠損）等	
プロテアソーム	**ボルテゾミブ** ベルケイド	多発性骨髄腫 マントル細胞リンパ腫 原発性マクログロブリン血症 リンパ形質細胞リンパ腫 全身性 AL アミロイドーシス	1）ユビキチン－プロテアソーム系は，基細胞内で不要になった蛋白質を分解する役割を担う。 2）腫瘍細胞のプロテアソームを阻害することにより，ユビキチン化蛋白が細胞内で蓄積して小胞体ストレスが引き起こされ，ミトコンドリアのアポトーシス誘導経路が活性化される。
	カルフィルゾミブ カイプロリス	多発性骨髄腫	
	イキサゾミブ ニンラーロ	多発性骨髄腫	
BCL2	**ベネトクラクス** ベネクレクスタ	慢性リンパ性白血病 急性骨髄性白血病	1）B 細胞性リンパ腫-2〈B-cell lymphoma-2：BCL-2〉は，ミトコンドリア外膜に局在して細胞の生存に関与する。 2）BCL-2 が阻害されると，BCL-2 からアポトーシス促進性蛋白質が遊離してアポトーシスに導く。
HDAC	**ボリノスタット** ゾリンザ	皮膚 T 細胞性リンパ腫	1）ヒストン脱アセチル化酵素〈HDAC〉は，ヒストンや転写因子のリジン残基からアセチル基を離脱させる酵素で，クロマチン構造を強固にして遺伝子転写を抑制する。 2）HDAC の抑制によりクロマチン構造が弛緩し，がん抑制遺伝子などの転写活性が促進される。その結果，細胞周期停止やアポトーシスが誘導され，腫瘍増殖が抑制される。
	ロミデプシン イストダックス	末梢性 T 細胞リンパ腫	
	ツシジノスタット ハイヤスタ	成人 T 細胞白血病リンパ腫	
DAC	**パノビノスタット** ファリーダック	多発性骨髄腫	脱アセチル化酵素〈DAC〉阻害によりヒストン及び非ヒストン蛋白質のアセチル化が促進し，細胞周期停止やアポトーシスが誘導される（ボルテゾミブ及びデキサメタゾン併用）。
EZH2	**タゼメトスタット** タズベリク	濾胞性リンパ腫 （EZH2 遺伝子変異）	ヒストン等のメチル基転移酵素〈EZH2〉の変異型（Y646F 等）を阻害することで，ヒストンのリジン残基等のメチル化を阻害し，細胞周期停止やアポトーシスが誘導される。

3．分子標的治療薬（高分子製剤）

抗増殖因子／増殖因子受容体抗体（その1）

ターゲット	薬　物	適　応	説　明
EGFR	**セツキシマブ** アービタックス	結腸・直腸癌（RAS遺伝子野性型） 頭頸部癌	1）EGFRに対するヒト/マウスキメラ型モノクローナル抗体。 2）EGFRを介した細胞増殖を抑制する。
	セツキシマブ サロタロカン アキャルックス	頭頸部癌	1）抗EGFR抗体セツキシマブと光感受性色素IR700との抗体薬物複合体。 2）腫瘍細胞の細胞膜上に発現するEGFRに結合し，波長690 nmのレーザ光照射により励起されたIR700が光化学反応を起こして腫瘍細胞の細胞膜を傷害することにより殺細胞効果を示す。
	パニツムマブ ベクティビックス	結腸・直腸癌（KRAS遺伝子野生型）	1）EGFRに対するヒト型モノクローナル抗体。 2）EGFRを介した細胞増殖を抑制する。
	ネシツムマブ ポートラーザ	扁平上皮非小細胞肺癌	
HER2	**トラスツズマブ** ハーセプチン	乳癌 胃癌	1）HER2に特異的に結合した後，NK細胞，単球を作用細胞とした抗体依存性細胞傷害作用により抗腫瘍効果を発揮する。 2）心不全等の重篤な心障害の副作用注意。
	トラスツズマブ デルクステカン エンハーツ	乳癌 胃癌	1）抗HER2抗体（トラスツズマブ）とトポイソメラーゼI阻害薬（カンプトテシン誘導体）とのリンカーを介した結合化合物。 2）腫瘍細胞の細胞膜上に発現するHER2に結合したのち細胞内に取り込まれ，リンカーが加水分解されて遊離したカンプトテシン誘導体がDNA傷害作用及びアポトーシス誘導作用を示すこと等により腫瘍増殖抑制作用を示す。
	トラスツズマブ エムタンシン カドサイラ	乳癌	抗HER2抗体（トラスツズマブ）と微小管重合阻害薬（DM1）との抗体薬物複合体〈ADC〉。
	ペルツズマブ パージェタ	乳癌	1）HER2のダイマー形成に必須な領域に特異的に結合し，HER2/HER3のダイマー形成を阻害する。その結果，リガンド刺激によるHER2のリン酸化を阻害し，細胞増殖を抑制する。 2）抗体依存性細胞傷害活性あり。

抗増殖因子／増殖因子受容体抗体（その 2）

ターゲット	薬　物	適　応	説　明
VEGF	ベバシズマブ アバスチン	結腸・直腸癌 扁平上皮癌を除く非小細胞肺癌 卵巣癌 乳癌 悪性神経膠腫	1）VEGFに対するヒト化モノクローナル抗体。 2）腫瘍組織での血管新生及び血管透過性亢進を抑制して腫瘍の増殖を阻害。
	アフリベルセプト ベータ ザルトラップ	結腸・直腸癌	1）ヒト VEGFR1 の第 2 免疫グロブリン（Ig）様 C2 ドメイン及びヒト VEGFR2 の第 3Ig 様 C2 ドメインを，ヒト IgG1Fc ドメインに融合させた組換え蛋白質。 2）VEGF-A，VEGF-B，胎盤増殖因子（PIGF）と VEGFR との結合を阻害することにより，腫瘍における血管新生を阻害。
VEGFR	ラムシルマブ サイラムザ	胃癌 結腸・直腸癌 肝細胞癌 非小細胞肺癌	1）ヒト型抗 VEGFR-2 モノクローナル抗体。 2）内皮細胞の増殖，遊走及び生存を阻害し，腫瘍血管新生を阻害する。

抗 CD 抗体

ターゲット	薬 物	適 応	説 明
CD20	**ブリナツモマブ** ビーリンサイト	B 細胞性急性リンパ性白血病	T 細胞の細胞膜上に発現する CD3 と B 細胞性腫瘍の細胞膜上に発現する CD19 に結合し，架橋することにより T 細胞を活性化し，CD19 陽性の腫瘍細胞を傷害する。
	リツキシマブ リツキサン	B 細胞性非ホジキンリンパ腫 慢性リンパ性白血病 など	1）CD20 に対するヒト／マウスのキメラ型モノクローナル抗体。 2）B リンパ球表面に発現する CD20 抗原に特異的に結合した後，補体依存性細胞傷害作用及び抗体依存性細胞介在性細胞傷害作用により抗腫瘍効果を発現する。 3）アナフィラキシー様症状，重度の肺障害，心障害等の副作用に注意。
	オビヌツズマブ ガザイバ	濾胞性リンパ腫	ヒト CD20 に結合し，抗体依存性細胞傷害（ADCC）活性及び抗体依存性細胞貪食（ADCP）活性により，腫瘍の増殖を抑制する。
	オファツムマブ アーゼラ	慢性リンパ性白血病	CD20 の細胞外小ループ及び大ループに特異的に結合し，補体依存性細胞傷害活性及び抗体依存性細胞傷害活性により B 細胞を溶解する。
	イブリツモマブ チウキセタン （^{111}In 及び^{90}Y 結合製剤） セヴァリンインジウム，セヴァリンイットリウム	B 細胞性非ホジキンリンパ腫 マントル細胞リンパ腫	1）**イブリツモマブ**は B 細胞上の CD20 抗原に結合してアポトーシスを誘発。 2）**チウキセタン**はキレート剤で，インジウム〈^{111}In〉やイットリウム〈^{90}Y〉と強力に結合し，露出したリジンアミノ基及び抗体内のアルギニンと共有結合する。^{111}In 製剤はイブリツモマブの集積部位の確認に用いる。一方，治療には^{90}Y 製剤を用い，^{90}Y からのベータ線放出により細胞傷害を誘発。
CD22	**イノツズマブ オゾガマイシン** ベスポンサ	急性リンパ性白血病	1）CD22 抗原を発現した白血病細胞に結合し細胞内に取り込まれた後に加水分解を受け，生じた *N*-アセチル-γ-カリケアマイシン ジメチルヒドラジドのジスルフィド結合が還元的に開裂され活性体となる。 2）活性体は，DNA 二本鎖を切断することにより腫瘍増殖抑制作用を示す。
CD30	**ブレンツキシマブ ベドチン** アドセトリス	ホジキンリンパ腫 未分化大細胞リンパ腫 末梢性 T 細胞性リンパ腫	抗 CD30 抗体（ブレンツキシマブ）と微小管重合阻害薬（MMAE）との抗体薬物複合体〈ADC〉。
CD33	**ゲムツズマブ オゾガマイシン** マイロターグ **イサツキシマブ** サークリサ	急性骨髄性白血病	1）遺伝子組換え型ヒト化抗 CD33 抗体（ゲムツズマブ）と抗腫瘍性抗生物質（カリケアマイシン誘導体）とが結合した抗悪性腫瘍薬。 2）CD33 抗原を発現した白血病細胞に結合して細胞内に取り込まれた後に，遊離したカリケアマイシン誘導体が抗腫瘍作用を示す。
CD38	**ダラツムマブ** ダラザレックス	多発性骨髄腫	ヒト CD38 に結合し，補体依存性細胞傷害（CDC）活性，抗体依存性細胞傷害（ADCC）活性，抗体依存性細胞貪食（ADCP）活性等により，腫瘍の増殖を抑制する。
CD52	**アレムツズマブ** マブキャンパス	慢性リンパ性白血病	慢性リンパ性白血病細胞表面の CD52 抗原に結合し，抗体依存性細胞傷害〈ADCC〉活性と補体依存性細胞傷害〈CDC〉活性を介した細胞溶解を起こす。

その他の抗体製剤

ターゲット	薬 物	適 応	説 明
CCR4	**モガムリズマブ** ポテリジオ	成人T細胞白血病リンパ腫 末梢性T細胞リンパ腫 皮膚T細胞性リンパ腫	1）ヒト化抗CCR4〈ケモカイン受容体4〉モノクローナル抗体。 2）主に抗体依存性細胞傷害活性を介して，CCR4陽性細胞を傷害する。
SLAMF7	**エロツズマブ** エムプリシティ	多発性骨髄腫	1）抗ヒトSignaling Lymphocyte Activation Molecule Family Member 7〈SLAMF7〉抗体。 2）多発性骨髄腫細胞膜上に高発現するSLAMF7に結合し，Fc受容体を介したナチュラルキラー（NK）細胞との相互作用により，抗体依存性細胞傷害（ADCC）を誘導する。 3）また，NK細胞に発現するSLAMF7との結合によりNK細胞を直接活性化する。
RANKL	**デノスマブ** ランマーク	多発性骨髄腫による骨病変及び固形癌骨転移による骨病変 骨巨細胞腫	1）ヒト型抗RANKL〈receptor activator for nuclear factor-κB ligand：NF-κB活性化受容体リガンド〉モノクローナル抗体。 2）RANK/RANKL経路を阻害し，破骨細胞の活性化を抑制することで骨吸収を抑制し，がんによる骨病変の進展を抑制する。 3）RANKL阻害薬投与に伴う副作用として低Ca^{2+}血症がある。その治療・予防に，**コレカルシフェロール/沈降炭酸カルシウム/炭酸マグネシウム合剤**が用いられる。 デノタスチュアブル
GD2	**ジヌツキシマブ** ユニツキシン	神経芽腫	1）ヒト・ジシアロガングリオシド2〈GD2〉に対する抗体。 2）神経芽腫細胞等の細胞膜上に発現するGD2に結合し，抗体依存性細胞傷害〈ADCC〉活性及び補体依存性細胞傷害〈CDC〉活性により，腫瘍増殖抑制作用を示す。
Nectin-4	**エンホルツマブ ベドチン** パドセブ	尿路上皮癌	1）抗Nectin-4抗体（エンホルツマブ）と微小管重合阻害薬（モノメチルアウリスタチンE：MMAE）とのリンカーを介した抗体薬物複合体。 2）腫瘍細胞の細胞膜上に発現するNectin-4に結合したのち細胞内に取り込まれ，プロテアーゼによりリンカーが切断されて遊離したMMAEが微小管に結合し，細胞分裂を阻害してアポトーシスを誘導すること等により，腫瘍増殖抑制作用を示す。

X　その他の抗悪性腫瘍薬

その他の抗悪性腫瘍薬（その1）

分　類	薬　物	適　応	作用機序・特徴	副作用
メチルヒドラジン化合物	プロカルバジン* 塩酸プロカルバジン	悪性リンパ腫	DNA，RNA及び蛋白合成を阻害。	痙攣発作 間質性肺炎　など
アントラキノン誘導体	ミトキサントロン ノバントロン	急性白血病 悪性リンパ腫 乳癌 肝癌	ドキソルビシンの心毒性を軽減する目的で開発（心副作用弱い）。DNAと架橋形成し，DNA・RNA合成阻害。また，トポイソメラーゼⅡ阻害により，DNA鎖切断を阻害。	うっ血性心不全 骨髄障害 胃腸障害　など
DNAトポイソメラーゼⅡ阻害薬	ソブゾキサン ペラゾリン	悪性リンパ腫 成人T細胞白血病	細胞周期のG_2/M期にある細胞に対し殺細胞作用を示す。DNA鎖の切断を伴わずにトポイソメラーゼⅡを阻害することによって染色体の凝縮異常を示し，多核細胞が出現して細胞が死滅する。	骨髄障害 胃腸障害 間質性肺炎　など
アスパラギン分解酵素	L-アスパラギナーゼ ロイナーゼ	急性白血病 悪性リンパ腫	核酸合成に必要なアスパラギンをアスパラギン酸とアンモニアに分解。白血病細胞にはL-アスパラギン合成酵素が欠損している場合があり，他組織からのL-アスパラギン供給が断たれると死滅する。	アナフィラキシーショック 血液凝固異常 膵炎，消化器症状 高アンモニア血症 肝障害　など
DNA塩基除去修復阻害薬	トラベクテジン ヨンデリス	悪性軟部腫瘍	1）DNAの副溝部分に結合し，ヌクレオチド除去修復機構を阻害すること等により細胞死及び細胞周期停止を誘導する。 2）また，転写因子の機能を阻害し，がん関連遺伝子の発現を制御する。	肝障害 骨髄抑制 横紋筋融解症 重篤な過敏症 感染症 心機能障害 など

*：経口可

その他の抗悪性腫瘍薬（その2）

分　類	薬　物	適　応	作用機序・特徴	副作用
サリドマイド関連薬	サリドマイド* サレド	多発性骨髄腫 らい性結節性紅斑	1）血管新生抑制，TNF-α・IL-6産生抑制，IL-2・IFN-γ産生亢進，NK細胞増加，T細胞増殖促進，アポトーシス誘導などにより抗癌作用を発揮。 2）鎮痛作用，催眠作用，HIV増殖抑制作用などあり。	催奇形性 （サリドマイド胎芽病にはサリドマイドのS体が関与） 深部静脈血栓 末梢神経障害 骨髄抑制　　など
	レナリドミド* レブラミド	骨髄異形成症候群 多発性骨髄腫 成人T細胞白血病 リンパ腫など	サリドマイド誘導体。	
	ポマリドミド* ポマリスト	再発または難治性の多発性骨髄腫		
レチノイド関連薬	トレチノイン 〈all trans-レチノイン酸〉* ベサノイド タミバロテン* アムノレイク	急性前骨髄球性白血病	第17染色体上のレチノイン酸受容体〈RAR-α〉遺伝子と第15染色体上のPML遺伝子は，好中球系細胞を前骨髄球から分葉好中球へと分化させる。急性前骨髄球性白血病においては染色体相互転座により形成されたPML-RAR-α融合遺伝子が両者のもつ分化誘導作用をブロックすることにより，APL細胞が前骨髄球以降に分化するのを阻止している。これらの薬物は，融合遺伝子の抑制機構を解除して前骨髄球からの分化を起こす。	レチノイン酸症候群 白血球増多 呼吸困難 肝障害 消化器障害 　　　　　　　など
	ベキサロテン* タルグレチン	皮膚T細胞性リンパ腫	レチノイドX受容体（RXRα，RXRβ及びRXRγ）に結合し，転写を活性化することにより，アポトーシス誘導及び細胞周期停止作用を示す。	脂質異常症 膵炎 下垂体性甲状腺機能低下症　　など
亜ヒ酸製剤	三酸化ヒ素 〈As_2O_3〉 トリセノックス	急性前骨髄球性白血病	ヒト前骨髄球性白血病細胞の形態学的変化，アポトーシスに特徴的なDNA断片化，融合蛋白PML-RARαの分解を引き起こす。	QT延長・心室性不整脈 APL分化症候群 白血球増多　　など
活性酸素発生薬	ポルフィマーナトリウム フォトフリン	早期肺癌 表在型早期胃癌・食道癌 子宮頸部初期癌	腫瘍細胞に選択的に取り込まれた後，レーザ光照射により励起され，腫瘍組織中の酸素と反応し，活性酸素（とくに一重項酸素）を生じさせる。この活性酸素が腫瘍細胞のミトコンドリアの酵素系を阻害し，細胞内呼吸に障害を与え，抗腫瘍効果を示す。	光線過敏症 色素沈着
	タラポルフィンナトリウム レザフィリン	早期肺癌 原発性悪性脳腫瘍 局所残存再発食道癌		

＊：経口可

その他の抗悪性腫瘍薬（その3）

分　類	薬　物	適　応	作用機序・特徴	副作用
チロシン水酸化酵素阻害薬	メチロシン* デムサー	褐色細胞腫（カテコールアミン分泌過剰状態の改善）	カテコールアミンの生合成律速酵素であるチロシン水酸化酵素を阻害することで，生体内のカテコールアミン含量を減少させる。	鎮静・傾眠 精神障害 錐体外路障害 下痢・軟便 結晶尿　　　など
ステロイド合成阻害薬	ミトタン* オペプリム	副腎癌	コレステロール側鎖切断，3位脱水素，21位水酸化，11位水酸化，18位水酸化のステロイド合成各段階を阻害。	胃潰瘍・胃腸出血 紅皮症 認知症・妄想 副腎不全 低血糖 腎障害　　　など
ソマトスタチン類似体	オクトレオチド サンドスタチン， サンドスタチンLAR	消化管ホルモン産生腫瘍（カルチノイド腫瘍，ガストリン腫瘍，VIP産生腫瘍）	持続性ソマトスタチンアナログ製剤。ホルモン産生腫瘍細胞に発現するソマトスタチン受容体を刺激して，ホルモン分泌を抑制する。	吐気 肝障害 胃部不快感 皮膚そう痒感 胆石　　　　など
	ランレオチド ソマチュリン	甲状腺刺激ホルモン産生下垂体腫瘍 膵・消化管神経内分泌腫瘍		

＊：経口可

その他の抗悪性腫瘍薬（その4）

分　類	薬　物	適　応	作用機序・特徴	副作用
放射性医薬品	ルテチウムオキソドトレオチド 〈^{117}Lu〉 ルタテラ	神経内分泌腫瘍	1）ソマトスタチン誘導体DOTA^0-Tyr^3-Octreotate と ^{177}Lu（ルテチウムの放射性同位体）の錯体。 2）ソマトスタチン受容体〈SSTR 2〉との結合を介して腫瘍細胞に集積し，^{177}Lu から放出されるベータ線により，腫瘍増殖抑制作用を示す。	骨髄抑制 腎機能障害 骨髄異形成症候群 急性骨髄性白血病 　　　　　など
	3-ヨードベンジルグアニジン 〈^{131}I〉 ライアット MIBG-I131	褐色細胞腫 パラガングリオーマ	1）ノルアドレナリン類似構造を有する 3-ヨードベンジルグアニジンのヨウ素原子を放射性同位体（^{131}I）に置換した化合物。 2）主にノルアドレナリントランスポーターを介した再摂取機構（uptake-1）により腫瘍細胞内に取り込まれ，^{131}I から放出されるベータ線により細胞を傷害し，腫瘍の増殖を抑制する。	骨髄抑制 悪心・嘔吐 高血圧，動悸 頭痛・倦怠感 　　　　　など
	塩化ラジウム 〈^{223}Ra〉 ゾーフィゴ	骨転移のある去勢抵抗性前立腺癌	^{223}Ra は，Ca に類似した性質を有しており，骨転移巣のように骨代謝が亢進している部位に集積した後，高エネルギーのアルファ線を放出することにより，近接する腫瘍細胞等に対してDNA二重鎖切断等を誘発し，腫瘍増殖抑制作用を示す。	骨髄抑制 　　　　　など
中性子線療法	ボロファラン 〈^{10}B〉 ステボロニン	頭頸部癌	1）フェニルアラニン誘導体 4-ボロノ-L-フェニルアラニンに含まれるホウ素中の ^{10}B の存在比を高めた薬物。 2）体外より中性子線を照射することで，腫瘍細胞に取り込まれた ^{10}B が中性子を捕捉し，核反応により生成されたアルファ線及びリチウム原子核を放出することにより，腫瘍増殖抑制作用を示す。	嚥下障害 脳膿瘍 皮膚障害 白内障 結晶尿 頸動脈出血 　　　　　など

＊：経口可

XI　抗悪性腫瘍薬の併用療法

抗悪性腫瘍薬の併用療法では，下記のような従来から用いられている併用療法に分子標的薬を組み合わせた新規治療法の開発も進んでいる（例：切除不能大腸癌に対するFOLFIRI ＋ セツキシマブ併用療法 など）。

悪性腫瘍	療　法	薬　物
大腸癌	FOLFIRI	レボホリナート ＋ 5-FU ＋ イリノテカン
	FOLFOX	レボホリナート ＋ 5-FU ＋ オキサリプラチン
	XELOX	カペシタビン ＋ オキサリプラチン
小細胞肺癌	IP	イリノテカン ＋ シスプラチン
	PE	シスプラチン ＋ エトポシド
非小細胞肺癌	TC	パクリタキセル ＋ カルボプラチン
	DC	ドセタキセル ＋ カルボプラチン
	GP	ゲムシタビン ＋ シスプラチン
乳　癌	AC	ドキソルビシン ＋ シクロホスファミド
	CAF	シクロホスファミド ＋ ドキソルビシン ＋ 5-FU
	TAC	ドセタキセル ＋ ドキソルビシン ＋ シクロホスファミド
	CEF	シクロホスファミド ＋ エピルビシン ＋ 5-FU
	CMF	シクロホスファミド ＋ メトトレキサート ＋ 5-FU
子宮癌・卵巣癌	TP	パクリタキセル ＋ シスプラチン
	FP	5-FU ＋ シスプラチン
	TJ	パクリタキセル ＋ カルボプラチン
	DJ	ドセタキセル ＋ カルボプラチン
	CAP	シクロホスファミド ＋ ドキソルビシン ＋ シスプラチン
	TAP	パクリタキセル ＋ ドキソルビシン ＋ シスプラチン
ホジキンリンパ腫	ABVD	ドキソルビシン ＋ ブレオマイシン ＋ ビンブラスチン ＋ ダカルバジン
	C-MOPP	シクロホスファミド ＋ ビンクリスチン ＋ プロカルバジン ＋ プレドニゾロン
非ホジキンリンパ腫	CHOP	シクロホスファミド ＋ ドキソルビシン ＋ ビンクリスチン ＋ プレドニゾロン
	R-CHOP	リツキシマブ ＋ CHOP

XII　抗悪性腫瘍薬の補助薬

分類	薬物		適応
毒性軽減	メスナ ウロミテキサン		アルキル化薬イホスファミドの泌尿器系障害（出血性膀胱炎，排尿障害など）の発現抑制
	ホリナート〈ロイコボリン〉 ロイコボリン，ユーゼル		葉酸代謝拮抗薬（メトトレキサート）の毒性軽減
	グルカルピダーゼ メグルダーゼ		メトトレキサート・ロイコボリン救援療法によるメトトレキサート排泄遅延時の解毒（メトトレキサートのカルボキシ末端のグルタミン酸残基を加水分解）
	デクスラゾキサン サビーン		トポイソメラーゼⅡに結合し，アントラサイクリン系抗悪性腫瘍薬の血管外漏出による毒性軽減
	L-リシン，L-アルギニン ライザケア		ルテチウムオキソドトレオチド（^{177}Lu）による腎被曝の低減（腎臓における ^{177}Lu の再吸収を競合的に阻害）
	結核菌熱水抽出物（丸山ワクチン），ロムルチド，セファランチン，グルタチオン，L-システイン，ビタミン B_{12}，アデニン		放射線療法による白血球減少症
	遺伝子組換え型尿酸分解酵素〈尿酸オキシターゼ〉	ラスブリカーゼ	癌化学療法に伴う高尿酸血症
	M-CSF	ミリモスチム	1）卵巣癌に対するシクロホスファミド，ドキソルビシン，シスプラチン投与時の顆粒球減少症 2）急性骨髄性白血病に対するシタラビン，エノシタビン投与時の顆粒球減少症 3）骨髄移植後の顆粒球増加促進
	G-CSF	フィルグラスチム	1）抗悪性腫瘍薬，再生不良性貧血，先天性・突発性好中球減少症による好中球減少症 2）骨髄移植時の好中球増加促進 3）骨髄異形成症候群，HIV 感染症などによる好中球減少症
		ペグフィルグラスチム	癌化学療法による発熱性好中球減少症の発症抑制
		レノグラスチム	フィルグラスチムの適応 ＋ 腎移植時の好中球増加促進
	5-HT_3拮抗薬	グラニセトロン アザセトロン オンダンセトロン ラモセトロン パロノセトロン*	抗悪性腫瘍薬（シスプラチンなど）投与に伴う悪心・嘔吐 ＊パロノセトロンやアプレピタント／ホスアプレピタントは，急性嘔吐（24 h 以内）のみならず遅発性嘔吐（24〜72 h）にも有効
	タキキニンNK_1〈ニューロキニン1〉受容体拮抗薬	アプレピタント* ホスアプレピタント*	

分　類	薬　物	適　応
作用増強	レボホリナートCa アイソボリン	ピリミジン代謝拮抗薬5-FUの胃癌，小腸癌，結腸・直腸癌・膵癌に対する抗悪性腫瘍効果増強
	フィルグラスチム グラン テセロイキン イムネース	神経芽腫に対するジヌツキシマブ（抗GD2抗体）の抗腫瘍効果の増強

第19章

診断用薬

診断用薬……578
1．診断薬及び関連薬……578
2．機能検査薬……580
3．造影剤……582
4．放射性医薬品……587

診断用薬

☞『医薬品一般名・商品名・構造一覧』p147

1. 診断薬 及び 関連薬

診断薬

診断項目	薬 物	作用・検査原理
てんかん	(ベメグリド)	皮質起源による脳波上の発作波を誘発する異常脳波賦活薬（静注）。
結 核	**精製ツベルクリン** 一般診断用精製ツベルクリン	結核菌感染によって成立するツベルクリンアレルギーを利用。結核菌培養ろ液から精製したツベルクリン抗原を皮内に注射して生じる発赤の直径から判定（我が国ではBCGが普及しているために陽性の場合でも必ずしも結核感染ではない）。
H. pylori 感染	**尿素〈^{13}C〉** ユービット，ピロニック	経口投与された^{13}C尿素は，胃内で *H. pylori* のもつウレアーゼによってアンモニアと$^{13}CO_2$に分解される。$^{13}CO_2$は血中に移行した後，呼気から排泄され，これを検出することにより *H. pylori* 感染を診断。
褐色細胞腫	**フェントラミン** レギチーン	褐色細胞腫は副腎髄質クロム親和性細胞に生じる腫瘍であり，過剰のアドレナリン・ノルアドレナリンを遊離する。フェントラミンはα遮断薬であり，過剰のアドレナリン・ノルアドレナリンによるα作用を介した血圧上昇を阻害する（静注・筋注）。
糖尿病	**デンプン部分加水分解物** トレーランG	糖負荷試験／経口糖忍容試験（負荷した糖の代謝能測定）を行う（経口）。
インスリノーマ	**グルカゴン** グルカゴン	インスリノーマでは，膵臓ランゲルハンス島β細胞からインスリンを過剰分泌させる（静注）。
甲状腺癌	**ヒトチロトロピンアルファ** タイロゲン	チロトロピン〈TSH〉は甲状腺細胞のヨウ素取込み・チログロブリン産生を亢進させるため，甲状腺摘出患者における甲状腺癌の再発・転移の診断に補助薬として用いられる。
副甲状腺機能低下症	**テリパラチド** テリパラチド酢酸塩	ヒト・副甲状腺ホルモン〈パラトルモン〉であり，腎におけるPO_4^{2-}排泄促進作用をもつ。尿中リン酸・尿中cAMP増加作用の有無から副甲状腺機能低下症を診断する。
重症筋無力症	**エドロホニウム** アンチレクス	コリンエステラーゼ阻害作用によって重症筋無力症の脱力状態を回復させる（静注）。
筋弛緩薬投与後の遷延性呼吸抑制の鑑別診断		静注によって筋弛緩状態が改善されれば非脱分極性ブロック，筋弛緩状態が増強されれば脱分極性ブロック。
眼疾患	**フルオレセイン** フルオレサイト	ぶどう膜・網膜・視神経等の疾患を眼組織への色素の浸潤から診断する（静注）。
	フルオレセインNa フローレス	角膜疾患等の診断（外用）
	インドシアニングリーン オフサグリーン	網脈絡膜血管造影（静注）
勃起障害	**アルプロスタジルアルファデクス** プロスタンディン	陰茎海綿体内投与（血管拡張）によって，勃起が起きるか否かを診断する（陰茎海綿体内投与）。

診断関連薬

検査目的	薬　物	作用・検査原理
アレルゲンの診断	**診断用アレルゲンエキス** アレルゲンスクラッチエキス	乱刺〈ブリック〉または切皮〈スクラッチ〉により皮膚面に出血しない程度に傷をつけ，本薬 1 滴を滴下し，15〜30 分後に膨疹径が対照の 2 倍以上または 5 mm 以上を陽性とする。
アレルゲンによる皮膚反応の陽性対照	**ヒスタミン** ヒスタミン二塩酸塩	ヒスタミンの皮下注射によって，膨疹等の症状が発現する。
気道過敏性検査	**メタコリン** プロボコリン，ケンブラン	メタコリンは，ムスカリン受容体を刺激して気管支平滑筋の収縮及び気管支分泌物の増加を引き起こす。喘息を有する被験者がメタコリンを含む溶液を吸入した場合，健康被験者と比べてメタコリンに対する感受性が高く，より低用量で気管支収縮が生じる（メタコリン負荷試験）。
心エコー図検査における負荷	**ドブタミン** ドブトレックス	心臓アドレナリン β_1 受容体を刺激して心臓に負荷をかける（大動脈弁狭窄症の重症度評価，心筋虚血の評価など：点滴静注）。
1）悪性神経膠腫の腫瘍摘出術中における腫瘍組織の可視化 2）経尿道的膀胱腫瘍切除術時における筋層非浸潤性膀胱癌の可視化	**アミノレブリン酸** アラグリオ，アラベル	アミノレブリン酸は，体内でプロトポルフィリン IX（PPIX）に代謝されて腫瘍組織に集積する。この PPIX が，青色光線（400〜410 nm）により励起されて赤色蛍光を発することを利用して，腫瘍組織を可視化する（経口）。

2. 機能検査薬

機能検査薬（その 1）

	検査項目	薬 物	作用・検査原理
下垂体機能	ACTH 分泌能	**メチラポン** メトピロン	11-β 水酸化酵素阻害薬であり，副腎皮質ホルモンの合成を阻害して副腎皮質ホルモンによる下垂体前葉 ACTH 分泌の負のフィードバックを解除するため，下垂体 ACTH 分泌能検査薬として用いる（内服）。
	LH 分泌能	**ゴナドレリン** LH-RH 注射液	視床下部ホルモン LH-RH 様薬であり，脳下垂体前葉を刺激して下垂体 LH／FSH 分泌能を検査する（静注・筋注）。
	TSH／プロラクチン分泌能	**プロチレリン** TRH，ヒルトニン	視床下部ホルモン TRH 様薬であり，脳下垂体を刺激して下垂体 TSH／プロラクチン分泌能を検査する（静注・筋注）。
	GH 分泌能	**L-アルギニン** アルギニン	下垂体前葉からの GH 分泌促進作用をもつ（点滴静注）。
		ソマトレリン GRF	視床下部ホルモン薬であり，下垂体前葉からの GH 分泌促進作用をもつ（静注）。
		プラルモレリン GHRP	成長ホルモン分泌促進因子〈GHS〉受容体に作用して，成長ホルモン分泌促進作用を示す。重症成長ホルモン分泌不全症の診断（静注）。
	視床下部・下垂体・副腎皮質系ホルモン分泌能	**コルチコレリン** ヒト CRH	視床下部ホルモン薬であり，下垂体前葉からの ACTH 分泌及び副腎皮質からの副腎皮質ホルモン分泌促進作用をもつ（静注）。
	成長ホルモン分泌能	**グルカゴン** グルカゴン，グルカゴン G	下垂体前葉から成長ホルモンを分泌させる（静注）。
膵分泌能	外分泌能	**ベンチロミド** 膵外分泌機能検査用 PFD	合成ペプチドで，内服後ほとんど吸収されずに膵酵素 α-キモトリプシンで容易かつ特異的に加水分解されてパラアミノ安息香酸を遊離する。
肝機能	血漿消失率 血中停滞率 肝血流量	**インドシアニングリーン** ジアグノグリーン	静注後，血清蛋白と結合して血中から選択的に肝に摂取された後，腸管循環や腎排泄なしに肝から胆汁中に排泄される。乳癌，悪性黒色腫におけるセンチネルリンパ節の同定にも利用される。

機能検査薬（その 2）

検査項目		薬　物	作用・検査原理
腎機能	腎排泄能	**インジゴカルミン** インジゴカルミン	静注によって速やかに腎臓から尿中に排泄され膀胱鏡で色素初発時間を測定する。腎機能障害があると排泄が遅延する。
		フェノールスルホンフタレイン フェノールスルホンフタレイン	静注・筋注後，体内で酸化分解を受けずに大部分が腎臓から尿中に速やかに排泄。
	有効腎血流量 尿細管排泄極量	**パラアミノ馬尿酸 Na** パラアミノ馬尿酸ソーダ	体内で分解されずに速やかに尿中排泄。血漿中・尿中濃度の測定が比較的容易。
	糸球体ろ過量〈GFR〉	**イヌリン** イヌリード	静脈内投与されたイヌリンは，糸球体毛細血管を自由に透過するが，尿細管では分泌も再吸収もされないため，糸球体ろ過量〈GFR〉測定に用いられる。
脳血流	局所脳血流量 局所脳血液分布	**キセノン** ゼノンコールド	吸入により血液を介して各組織に分布し，組織血中濃度によって X 線の透過率が変化することから，X 線 CT を用いて局所血流量を測定する（吸入）。
循環機能	心拍出量 平均循環時間 異常血流量	**インドシアニングリーン** ジアグノグリーン	指示薬希釈法による循環機能検査。血管及び組織の血流評価に用いられる。血流中に注入し，血流の他の部位で薬物濃度変化を連続的に記録することによって血流短絡の有無や短絡量等を測定し，疾患の有無・種類及び程度を知る。
肝糖原		**グルカゴン** グルカゴン，グルカゴン G	肝臓のグルカゴン受容体を刺激して肝糖原の解糖を促進し，血糖値を上げる（低血糖時の救急処置にも使用）（静注）。

3. 造 影 剤

X線撮影では，標的組織・細胞の分子中に存在する原子の原子番号や分子の濃度，組織の厚さなどの違いによって照射を受けた組織中物質のX線吸収に違いが生じ，それがX線写真上のコントラストに反映される。胸部X線写真では，心臓や空気を含んだ肺などの組織はそれぞれに応じた自然なコントラストが出るが，腹部X線写真では，臓器の組成が非常に似ているため組織のX線吸収に差が出にくく，そのため造影剤が必要となる。

❶ 造影物質／造影剤の種類

分類	説明	造影物質／造影剤			
陰性造影剤	X線吸収を低下させる低密度物質（気体）	空気 二酸化炭素	天然の造影物質として作用することで，胸部X線のコントラストに関与。		
陽性造影剤	X線吸収を増加させる原子番号の大きい原子を含む製剤	バリウム	硫酸バリウム		
		ヨウ素	油性造影剤	ヨード化ケシ油脂肪酸エチルエステル	
			水性造影剤*	イオン性	アミドトリゾ酸Naメグルミン イオトロクス酸メグルミン
				非イオン性	イオジキサノール イオパミドール イオプロミド イオヘキソール イオベルソール イオメプロール イオトロラン

＊水性ヨード造影剤は，ほとんどすべてが速やかに腎排泄されるため，とくに，糖尿病患者や腎機能低下患者では，急性腎障害の副作用に注意が必要である。
なお，水性ヨード造影剤のうち，イオン性ヨード造影剤は，注入時の熱感・疼痛の副作用があり，また，脳槽・脊髄造影に誤ってイオン性造影剤を用いた場合には，痙攣，ミオグロビン血症，播種性血管内凝固症候群〈DIC〉，腎不全などが発現し，死亡例も報告されている。
一方，非イオン性ヨード造影剤は，イオン性造影剤よりも安全性が高いとされ汎用されるが，遅発性アレルギーによるショックの副作用に注意を要する。

❷ X線造影剤（注射薬）

分類	薬物	造影部位							CT*造影の適応
		血管	尿路	膵胆管	子宮卵管	脳槽・脊髄	関節	その他	
油性	ヨード化ケシ油脂肪酸エチルエステル リピオドール				卵			リンパ管	
イオン性	アミドトリゾ酸 Na メグルミン ウログラフィン		尿	胆			関	唾液腺	
	イオトロクス酸メグルミン ビリスコピン			胆					
非イオン性	イオジキサノール ビジパーク	血	尿	胆					
	イオパミドール イオパミロン	血	尿						●
	イオプロミド プロスコープ	血	尿						●
	イオヘキソール オムニパーク	血	尿			脳			●
	イオベルソール オプチレイ	血	尿						●
	イオメプロール イオメロン	血	尿						●
	イオトロラン イソビスト				卵	脳	関		●

＊CT：コンピュータ断層撮影〈Computed tomography〉

❸ MRI／超音波造影剤（注射薬）

分類	薬物	造影部位
MRI〈核磁気共鳴コンピュータ断層撮影：Magnetic Resonance Imaging〉	ガドテル酸メグルミン マグネスコープ	脳・脊髄 躯幹部・四肢
	ガドジアミド水和物 オムニスキャン	
	ガドテリドール プロハンス	
	ガドブトロール ガドビスト	
	フェルカルボトラン リゾビスト	肝腫瘍
	ガドキセト酸 Na EOB・プリモビスト	
	塩化マンガン四水和物 ボースデル	胆道膵管
超音波〈エコー〉	ガラクトース・パルミチン酸混合物（999：1） レボビスト	心臓 子宮卵管 ドプラ検査
	ペルフルブタン ソナゾイド	肝腫瘤性病変 乳房腫瘤性病変

❹ 造影剤（経口薬）

薬物	造影方法	造影部位
硫酸バリウム（注腸可） ウムブラ MD，ネオバルギン，バリコンミール，バリコンク，バリテスター A，バリブライト，バムスター，バリトゲン，バリトップ，コロンフォート	X 線	消化管
	CT	上部消化管，大腸
アミドトリゾ酸 Na メグルミン（注腸可） ガストログラフィン	X 線	消化管
	CT	上部消化管
クエン酸鉄アンモニウム フェリセルツ	MRI	消化管 胆道膵管撮影時の消化管陰影造影

❺ 造影・内視鏡補助薬

造影補助薬（その1）

分類	薬物	適応	説明
下剤	クエン酸マグネシウム* マグコロール	大腸検査前処置における腸内容物の排除	腸壁は半透膜として作用して水は自由にこれを通過するが，マグネシウムは胃腸管から吸収されにくく，この塩類の腸内液が体液と等張になるまで水分は循環器系から腸管内に移行する。そのため腸管内の水分量が著しく増加し，腸内容物が水様化され容積を増大して大腸の運動を促進する（塩類下剤）。
	ピコスルファート/酸化マグネシウム/無水クエン酸合剤 ピコプレップ	大腸内視鏡検査及び大腸手術時の前処置における腸管内容物の排除	1）ピコスルファートは，大腸内の細菌により，活性体 BHPM に代謝され，腸管蠕動運動亢進及び水分吸収阻害によって瀉下作用を示す（大腸刺激性下剤）。 2）本剤を水に溶解した際に，酸化マグネシウムと無水クエン酸が反応してクエン酸マグネシウムが生成する。クエン酸マグネシウムは，腸管内への水分移行を促進するとともに水分の吸収を抑制して腸内容積を増大させることにより腸管の蠕動運動を亢進する（塩類下剤）。
結腸内洗浄増強	モサプリド* ガスモチン	経口腸管洗浄剤によるバリウム注腸X線造影検査前処置の補助	消化管内在神経叢に存在する5-HT_4受容体を刺激し，アセチルコリン遊離促進を介して上部及び下部消化管運動を促進させる。
便秘防止	D-ソルビトール* D-ソルビトール	消化管X線撮影時の便秘防止，X線撮影の迅速化	硫酸バリウムに緩下作用をもつソルビトールを配合すると，バリウムの胃腸管内の通過時間が短縮し，また硫酸バリウム便秘を防ぐ。
発泡剤	炭酸水素Na・酒石酸合剤* バロス	胃・十二指腸の透視・撮影における内容積増加	胃内で炭酸ガスを発生させることにより，胃及び十二指腸内壁を十分に伸展させ，硫酸バリウム造影剤を胃及び十二指腸粘膜の微細部分に均一に付着させるとともに，X線透過率の差を大きくしてコントラストを上昇させる。
消化管運動抑制	グルカゴン グルカゴン, グルカゴンG	消化管のX線及び内視鏡検査の前処置	グルカゴンは，消化管運動を抑制する（静注・筋注）。

*：経口薬

造影補助薬（その 2）

分類	薬物	適応	説明
冠血管拡張	アデノシン アデノスキャン	十分に運動負荷をかけられない患者において心筋血流シンチグラフィによる心臓疾患の診断を行う場合の負荷誘導	アデノシンは，冠動脈拡張・血流量増加作用をもつ。アデノシンは，狭搾血管支配領域の心筋組織血流量をほとんど変化させないが，正常血管の心筋組織血流量を著明に増加させることにより，正常領域と狭搾血管支配領域との間で心筋組織血流量に有意な差を生じさせる（持続静注）。
	ニトログリセリン ミリスロール	冠動脈造影時の冠攣縮寛解	血管平滑筋細胞内の可溶性グアニル酸シクラーゼを活性化し，cGMP 産生を促進して血管を拡張させる（冠動脈内投与）。
冠動脈攣縮	アセチルコリン オビソート	冠動脈造影検査時の冠攣縮薬物誘発試験における冠攣縮の誘発	血管内皮細胞が正常であれば，アセチルコリンは血管を拡張させる。一方，冠動脈に内皮障害や機能異常がある場合，アセチルコリンは冠動脈平滑筋ムスカリン受容体を直接刺激して，冠攣縮を誘発する（冠動脈内投与）。
心抑制	ランジオロール コアベータ	高心拍数時の冠動脈 CT 描出能の改善	心臓 β_1 受容体遮断による心拍数減少（静注）。

内視鏡補助薬

分類	薬物	適応	説明
消泡	ジメチコン* ガスコン	①腹部 X 線検査時における腸内ガスの駆除 ②胃内視鏡検査時における胃内有泡性粘液の除去 ③胃腸管内のガスに起因する腹部症状の改善	胃腸内ガス気泡の表面張力を低下させて破裂させ，あくび，放屁，血流への吸収を介してガスを体外に排出する。 ※造影補助薬としても用いられる。
粘液除去	プロナーゼ* ガスチーム，プロナーゼ MS	胃内視鏡検査における胃内粘液の溶解除去	蛋白分解酵素であり，胃粘液の主成分である粘液糖蛋白質ムチンのペプチド結合を切断することにより胃粘液を溶解除去する。
胃運動抑制	*l*-メントール* ミンクリア	上部消化管内視鏡時の胃蠕動運動抑制	Ca^{2+} チャネル遮断により平滑筋を弛緩させる。

＊：経口薬

4. 放射性医薬品

放射性医薬品（その1）

放射性元素	薬　物	適　応
^{18}F	フルデオキシグルコース FDG スキャン	1）悪性腫瘍の診断（肺癌，乳癌，大腸癌，頭頸部癌，脳腫瘍，膵癌，悪性リンパ腫，悪性黒色腫，原発不明癌） 2）虚血性心疾患の診断 3）難治性部分てんかんで外科切除が必要とされる場合の脳グルコース代謝異常領域の診断 4）大型血管炎の診断における炎症部位の可視化
	フルテメタモル ビザミル フロルベタピル アミヴィッド	アルツハイマー型認知症が疑われる認知機能障害を有する患者の脳内アミロイドベータプラークの可視化
^{67}Ga	クエン酸ガリウム クエン酸ガリウム-Ga67 クエン酸ガリウム（^{67}Ga）NMP	悪性腫瘍の診断 肺疾患（肺炎・塵肺，サルコイドーシス，結核，びまん性汎細気管支炎，肺線維症），腹部腫瘍，胆嚢炎，骨髄炎，関節炎などの炎症性病変の診断
^{81m}Kr	クリプトン クリプトン（^{81m}Kr）	静注による局所肺血流検査 頸動脈内注入による局所脳血流検査 吸入による局所肺換気機能検査

放射性医薬品（その 2）

放射性元素		薬物	適応
^{99m}Tc	各種臓器	**過テクネチウム酸 Na** ウルトラテクネカウ	脳腫瘍・脳血管障害，甲状腺疾患，唾液腺疾患，異所性胃粘膜疾患の診断
		人血清アルブミンジエチレントリアミン五酢酸テクネチウム プールシンチ	RI アンギオグラフィ及び血流プールシンチグラフィによる各種臓器・部位の血行動態・血管性病変の診断
	脳	**[*N*,*N*'-エチレンジ-L-システイネート（3-）]オキソテクネチウムジエチルエステル** ニューライト第一	局所脳血流シンチグラフィ
		エキサメタジムテクネチウム セレブロテック	
	心筋	**ヘキサキス（2-メトキシイソブチルイソニトリル）テクネチウム** カーディオライト	心筋血流シンチグラフィ 副甲状腺シンチグラフィ
		テトロホスミンテクネチウム マイオビュー	心筋シンチグラフィ
	肺	**テクネチウム大凝集人血清アルブミン** テクネ MAA	肺血流シンチグラフィ
	肝臓	**ガラクトシル人血清アルブミンジエチレントリアミン五酢酸テクネチウム** アシアロシンチ	肝臓シンチグラフィ
		***N*-ピリドキシル-5-メチルトリプトファンテクネチウム** ヘパティメージ	肝臓・胆道シンチグラフィ
		テクネチウムスズコロイド スズコロイド Tc-99 m	肝臓・脾臓シンチグラフィ リンパシンチグラフィ
		フィチン酸テクネチウム テクネフチン酸	
	腎臓	**メルカプトアセチルグリシルグリシルグリシンテクネチウム** MAG シンチ，テクネ MAG	腎・尿路シンチグラフィ
		ジメルカプトコハク酸テクネチウム キドニーシンチ，テクネ DMSA	腎臓シンチグラフィ
		ジエチミントリアミン五酢酸テクネチウム テクネ DTPA キット	
	骨	**ヒドロキシメチレンジホスホン酸テクネチウム** クリアボーン	骨シンチグラフィ
		ピロリン酸テクネチウム テクネピロリン酸キット	骨・心臓シンチグラフィ
		メチレンジホスホン酸テクネチウム テクネ MDP	骨・脳シンチグラフィ

放射性医薬品（その3）

放射性元素	薬物	適応
^{111}In	ジエチレントリアミン五酢酸インジウム インジウム DTPA	脳脊髄液腔シンチグラフィ
	塩化インジウム 塩化インジウム（^{111}In）	骨髄シンチグラフィ
	インジウムペンテトレオチド オクトレオスキャン	ソマトスタチン受容体シンチグラフィ（神経内分泌腫瘍の診断）
^{123}I	イオマゼニル ベンゾダイン	中枢性ベンゾジアゼピン受容体の局所脳内分布の画像化（外科的治療が考慮される部分てんかん患者におけるてんかん焦点の放射性診断）
	イオフルパン ダットスキャン	ドパミントランスポーターシンチグラフィ（パーキンソン症候群，レビー小体型認知症）
	塩酸 *N*-イソプロピル-4-ヨードアンフェタミン パーヒューザミン	局所脳血流シンチグラフィ
	ヨウ化 Na ヨードカプセル-123	甲状腺シンチグラフィ，甲状腺摂取率測定
	メタヨードベンジルグアニジン ミオ MIBG-I123	心シンチグラフィ 腫瘍シンチクラフィ（神経芽腫，褐色細胞腫）
	15-(4-ヨードフェニル)-3(*R*,*S*)-メチルペンタデカン酸 カルディオダイン	脂肪酸代謝シンチグラフィによる心疾患診断
^{131}I	ヨウ化 Na ヨウ化 Na，ラジオカップ	診断）甲状腺シンチグラフィ，甲状腺摂取率測定 甲状腺癌転移巣の発見
		治療）甲状腺機能亢進症の治療，甲状腺癌・転移巣の治療
	ヨウ化メチルノルコレステノール アドステロール－I131	副腎シンチグラフィ
^{133}Xe	キセノン キセノン-133	局所肺換気機能検査，局所脳血流検査
^{201}Tl	塩化タリウム 塩化タリウム-Tl201，塩化タリウム（^{201}Tl）	心筋シンチグラフィ 腫瘍シンチグラフィ（脳腫瘍，甲状腺腫瘍，肺腫瘍，骨・軟部腫瘍，縦隔腫瘍） 副甲状腺シンチグラフィ

第20章

非臨床試験（前臨床試験）

非臨床試験（前臨床試験）…… 592
1．非臨床試験（前臨床試験）概観 …… 592
2．薬理試験法…… 593
3．安全性（毒性）試験…… 596

非臨床試験（前臨床試験）

新規化合物をヒトに投与する前に種々の実験動物やその組織・細胞を用いて行う試験を前臨床試験（非臨床試験）とよぶ。前臨床試験では，薬物の有効性や毒性を調べる目的で，薬理試験や毒性（安全性）試験が行われる。臨床適用後の薬物を安全に利用するには，薬物のもつ依存性や副作用，薬物間の相互作用，また，急性薬物中毒の解毒薬に関する知識が必要である。

1. 非臨床試験（前臨床試験）概観

非臨床試験（前臨床試験）は，スクリーニングテストによって選別された薬物をヒトに投与する前に，実験動物とその組織・細胞を用いて行う試験であり，薬理試験，毒性試験，薬物動態試験がある。

なお，Good Laboratory Practice〈GLP〉は，医薬品の安全性に関する非臨床試験の実施基準であり，このGLPに基づいて安全性薬理試験や毒性試験が行われる。

スクリーニングテストと非臨床試験（前臨床試験）

分　類		細分類	内容など
スクリーニングテスト		ランダムスクリーニングテスト	受容体，チャネル，酵素に対する作用など様々な項目を全体的にランダムに試験して，その物質（薬物）の医薬品としての開発の可能性を幅広く見出す試験
		特定スクリーニングテスト	各種新規医薬品候補物質のなかから，目的とするものや特定の薬理活性をもつものを選別する試験
非臨床試験（前臨床試験）	薬理試験	薬効薬理試験	健常動物や各種病態モデル動物を用い，臨床的に期待される薬効を示す薬理学的特性（主作用）を明らかにし，その作用機序をも解明する試験
		一般薬理試験（安全性薬理試験）	主として健常動物を用い，主な薬理作用（治療目的）以外の各種薬理作用を調べる試験。とくに，生命維持に重要な器官系への作用を検討する安全性試験はコアバッテリー試験とよばれ，GLPに基づいて行われる。
	毒性試験	一般毒性試験	単回投与毒性試験，反復投与毒性試験
		特殊毒性試験	生殖発生毒性試験，癌原性試験，遺伝毒性〈変異原性〉試験，抗原性試験，局所刺激性試験，皮膚感作性試験，皮膚光感作性試験，光毒性試験，依存性試験など
	薬物動態試験		投与された医薬品の吸収・分布・代謝・排泄過程について解析し，各種薬物動態パラメーター（最高血中濃度，血中濃度時間曲線下面積，消失半減期など）を求める試験

2．薬理試験法

薬理試験法（その1）

分　類	薬理試験法	説　明
解熱薬	発熱法	殺菌菌体浮遊液（大腸菌，赤痢菌など）の静脈内投与，異種蛋白（ペプトンなど）や化学物質（ジニトロフェノールなど）の皮下投与による発熱を指標とする。
鎮痛薬	化学的刺激法	**酢酸ライジング法**：マウスの腹腔内に酢酸などの刺激物質を投与すると，マウスが身体をひねり腹部を伸長する特異の苦悶症状（ライジング〈writhing〉）を示す。このライジング反応を痛みの指標とする。
	機械的（圧）刺激法	**Haffner法**：マウスの尾根部などを鉗子やクレンメなどで機械的に圧迫したときに生じる反応（啼鳴，もがきなど）を痛みの指標とする。
	熱刺激法	**Tail Flick法**：マウス／ラットの尾部先端に輻射熱を照射し，尾を振り動かす反応を痛みの指標として，反応出現までに要した時間を測定する。 **熱板法〈Hot Plate法〉**：55℃に熱した金属板上にマウスを置き，足の振戦や跳躍などの反応を痛みの指標として，反応出現までに要した時間を測定する。
	電気刺激法	**尾部／歯髄試験法**：マウスの尾部やモルモットの歯髄などを電気刺激したときの反応（啼鳴または頭部の特異な動き）を痛みの指標とする。
抗炎症薬	カラゲニン浮腫法	起炎物質であるカラゲニンを足蹠に皮下注射すると，蹠部に浮腫が生じる。この浮腫の腫脹度を炎症の指標とする。
	アジュバント関節炎法	結核菌や牛酪菌をアジュバントとして足蹠皮内に注射すると，遅発性アレルギーによる関節リウマチ類似の炎症を起こす。誘発された足蹠・足首関節の浮腫の腫脹度を炎症の指標とする。
	熱傷法	ウサギ背部除毛皮膚に55℃の鉄棒を27秒間圧着，あるいはラット／モルモット後肢を45～46.5℃温湯中に30分間浸漬することによって誘発される炎症を指標とする。
	毛細血管透過性法	**テルペンチン胸膜炎法**：ラット腹腔内へのテルペン投与によって誘発される腹腔浸出液量を炎症の指標とする。 **皮内色素漏出法**：血漿アルブミンと安定化合物をつくる色素（トリパンブルー，エバンスブルー，ポンタミンスカイブルーなど）を静脈内前投与し，ラット除毛背部への起炎物質（ヒスタミン，セロトニン，ブラジキニン）の皮内投与によって誘発される色素漏出面積を炎症の指標とする。
	肉芽腫組織形成法	**Granuloma pouch法**：ラット除毛背部皮下に空気／窒素20 mLを注入してポーチをつくり，この中に化学物質（クロトン，アジュバントなど）を0.5 mL入れることで誘発される肉芽腫を炎症の指標とする。 **綿球法**：ラット除毛背部皮下に綿球あるいはホルマリン清漬ろ紙を挿入することで誘発される肉芽腫重量を炎症の指標とする。

薬理試験法（その2）

分類	薬理試験法	説明
抗精神病薬	条件回避反応試験	音や光などの刺激の後にマウスに電気刺激を与える条件付けをすると，次に音や光で刺激をした際には電気刺激を回避しようとする（条件回避反応）。この条件回避反応に対する薬物の抑制効果から抗精神病作用を調べる。
抗不安薬	葛藤〈コンフリクト〉試験	動物に報酬と罰とを同時に与えた時の葛藤を軽減する作用から，抗不安作用を調べる。
	馴化（じゅんか）試験	闘争的な動物を馴れさせる馴化作用から，抗不安作用を調べる。
抗うつ薬	レセルピン誘発眼瞼下垂試験	レセルピン投与によって上眼瞼が垂れ下がってくる現象（眼瞼下垂）をうつ状態の指標とする。
抗痙攣・抗てんかん薬	ペンテトラゾール誘発痙攣法	ペンテトラゾールは延髄興奮薬で痙攣を誘発する。このペンテトラゾール誘発痙攣に対する薬物の抑制効果から，抗痙攣作用・抗てんかん作用（小発作）を調べる。
	電撃痙攣法	電撃痙攣法では，最大電気刺激では強直間代発作（大発作）類似の痙攣を誘発し，電気刺激の条件を変えると精神運動発作類似の症状を誘発する。この電撃痙攣法は，大発作や精神運動発作に有効な抗てんかん薬のスクリーニングに用いられる。
制吐薬	硫酸銅誘発嘔吐試験	硫酸銅は末梢性催吐薬であり，咽頭部・胃小腸粘膜を刺激して嘔吐中枢を反射的に興奮させる。
	アポモルヒネ誘発嘔吐試験	アポモルヒネは中枢性催吐薬であり，CTZ を介して嘔吐中枢を興奮させる。硫酸銅などの末梢性催吐薬に対する効果と比較することで制吐薬の作用点を推定できる。
抗潰瘍薬	ラット幽門部結紮法	開腹して幽門部を結紮後に腹部を縫合し，20 時間後に胃を摘出して幽門部結紮によって生じる潰瘍を観察する。
	モルモットヒスタミン胃潰瘍法	ジフェンヒドラミン筋注によって H_1 受容体を介したショックを防止した後ヒスタミンを筋注し，20 時間後に胃を摘出してヒスタミンによって生じる潰瘍を観察する。
	ラット Clamping Cortisone 法	開腹して胃の一部を圧迫板ではさんで締めつけ（Clamping），縫合後 24 時間後に再度開腹して圧迫板を取り外し再縫合する。Clamping 施行日からコルチゾンを投与して生じる潰瘍を観察する。
	ストレス負荷法	ラットを水中に拘束したり（水浸拘束ストレス法），泳がないとおぼれる状態におくことによって（強制水泳法），生じるストレス潰瘍を観察する。
	薬物負荷法	アスピリン・インドメタシンなどの NSAIDs，エタノール，タウロコール酸などをラットに投与して生じる潰瘍を観察する。

薬理試験法（その3）

分　類	薬理試験法	説　明
利尿薬	ウサギ膀胱カテーテル法	開腹して膀胱にカニューレを装置し，利尿薬投与による利尿効果をカテーテルから排出される尿量変化から測定する。
筋弛緩薬	ヘッド・ドロップ法	骨格筋弛緩作用が呼吸筋よりも頸筋に先に現れることを利用して，ウサギ耳介静脈への薬物投与によって誘発される頸部低下反応〈Head Drop〉を筋弛緩の指標とする。
骨格筋・平滑筋作用薬	マグヌス法	骨格筋（カエル腹直筋など）や平滑筋（血管，胃腸管，気管，子宮筋など）の摘出標本をオルガンバスに懸垂して収縮／弛緩反応を測定する。
心臓作用薬	生体位心臓懸垂法	**Engelmann 法**：カエル心臓を生体にある状態で露出し，心尖部にセルフィンを付け懸垂して心運動を記録する。
	摘出心臓灌流法	**Straub-Fuhner 法**：摘出カエル心臓を湿室中に固定し，左大動脈より心室内へ挿入した Straub のカニューレによって心室内のみを灌流して心室標本の運動を記録する。 **八木式灌流法**：摘出カエル心臓の大動脈から大静脈へ八木式カニューレを介して灌流し，生体同様の循環によって心臓の運動を測定する。 **Langendorff 法**：動脈カニューレを挿入した摘出心臓を用いる温血動物冠血管灌流法で，冠動脈 → 右心房 → 右心室 → 肺動脈 → 排出の灌流経路で薬物を投与し，心臓の運動を測定する。
	ハト法	強心配糖体の毒性（心停止）による致死量を求め，毒性から効力・力価を検定する。
血圧作用薬	観血法	麻酔動物の血管を露出させて血管内腔にカニューレ／カテーテルを穿刺し，水銀マノメーター，ストレンゲージ受圧部，圧トランスジューサーなどに接続して血圧を測定する。
	非観血法	表在血管の側圧を体表面で測定する側圧測定法と血管内在部位にカフを巻いて強く圧迫する動脈圧迫法がある。

3．安全性（毒性）試験

<table>
<tr><th colspan="3">安全性（毒性）試験</th><th>観察または投与期間</th><th>付　記</th></tr>
<tr><td rowspan="2">一般毒性試験</td><td colspan="2">単回投与毒性試験
（急性毒性試験）</td><td>～2 週間</td><td>おおよその致死量範囲，または毒性徴候を現す量を求める。</td></tr>
<tr><td colspan="2">反復投与毒性試験
（亜急性，慢性毒性試験）</td><td>1，3，6 ヶ月</td><td>中毒量と無毒量を求める。</td></tr>
<tr><td rowspan="14">特殊毒性試験</td><td colspan="2" rowspan="3">生殖発生毒性試験</td><td>妊娠前～妊娠初期</td><td>受胎能への影響を調べる。</td></tr>
<tr><td>胎児器官形成期</td><td>催奇形性を検査する。</td></tr>
<tr><td>周産期～授乳期</td><td>乳児の成長への影響を調べる。</td></tr>
<tr><td rowspan="3">癌原性試験</td><td>単回投与予備試験</td><td>短期</td><td>反復投与予備試験における最高用量を決める。</td></tr>
<tr><td>反復投与予備試験</td><td>90 日</td><td>癌原性本試験における最高用量を決める。</td></tr>
<tr><td>本試験</td><td>マウス：18～24 ヶ月
ラット：24～30 ヶ月</td><td>発癌性を調べる本試験（cf．生殖発生毒性試験，遺伝毒性試験）</td></tr>
<tr><td>遺伝毒性試験
〈変異原性試験〉</td><td colspan="3">臨床使用期間が 6 ヶ月以上の医薬品や発癌性が懸念される薬物についてその遺伝子への毒性（変異原性）を調べる。（cf．癌原性試験，生殖発生毒性試験）</td></tr>
<tr><td>抗原性試験</td><td colspan="3">抗原抗体反応によるアレルギー反応（炎症，ショックなど）誘発の有無を調べる試験で，モルモット全身性能動アナフィラキシー〈ASA〉やラット受動皮膚アナフィラキシー〈PCA〉などの検査法がある。</td></tr>
<tr><td>局所刺激性試験</td><td colspan="3">局所適用による非アレルギー性炎症や組織の潰瘍・壊死などの有害事象を調べる。（cf．皮膚感作性試験）</td></tr>
<tr><td>皮膚感作性試験</td><td colspan="3">皮膚刺激によるアレルギー反応（炎症，水疱など）誘発の有無を調べる試験で，検出感度のよいフロインド完全アジュバント法〈Freund's complete adjuvant test〉などが用いられる。（cf．局所刺激性試験）</td></tr>
<tr><td>皮膚光感作性試験</td><td colspan="3">皮膚外用剤を塗布後，紫外線を照射して皮膚の光感受性（紅斑，炎症など）の変化を調べる試験で，adjuvant and strip 法などの方法がある。
（cf．光毒性試験）</td></tr>
<tr><td>光毒性試験</td><td colspan="3">経口・静脈内投与された薬物が皮膚組織内で紫外線によって毒性物質に変化し，潮紅・色素沈着などの日焼け様症状を示す毒性を調べる。
（cf．皮膚光感作性試験）</td></tr>
<tr><td>依存性試験</td><td colspan="3">医薬品を反復適用したときに生じる依存性（精神的依存性，身体的依存性）を調べる試験で，精神的依存性試験には薬物選択試験やオペラント条件付けによる自己投与試験などがあり，身体的依存性試験には退薬試験などがある。</td></tr>
</table>

第 21 章

医薬品の安全性

Ⅰ　有害事象と副作用 …… 598
Ⅱ　副作用発現に影響する因子 …… 599
Ⅲ　依存形成薬物 …… 601
Ⅳ　薬物の副作用 …… 602
Ⅴ　障害誘発薬物 …… 612
Ⅵ　薬物相互作用 …… 615
Ⅶ　急性薬物中毒とその処置及び解毒薬 …… 619
Ⅷ　緊急安全性情報
〈ドクターレター／イエローレター〉 …… 625

I　有害事象と副作用

有害事象	有害事象〈Adverse events〉とは，薬物投与期間に生じたあらゆる好ましくない事象を指す。即ち，薬理作用との関連の有無に関わらず，薬物投与期間に生じる好ましくない事象は有害事象ということになる。例えば，薬物投与期間に生じた交通事故や風邪なども有害事象に含まれる。
副作用	1）副作用〈Side effects〉とは，目的とする作用以外の薬物作用を指し，薬物との因果関係が否定できない作用を意味する。特に，薬物による好ましくない副作用は，有害作用〈Adverse effects〉とよばれる。 2）主作用と関連した副作用 例えばアスピリンは，シクロオキシゲナーゼを不可逆的に阻害することによって，解熱，鎮痛，抗炎症，抗血小板作用を現す。従って，解熱・鎮痛・抗炎症作用を期待してアスピリンを用いる場合には，抗血小板作用は出血傾向をもたらす副作用として扱われる。また，アスピリンによる消化器障害（アスピリン潰瘍），呼吸器障害（アスピリン喘息），腎障害なども，シクロオキシゲナーゼ阻害による副作用として現れることから，主作用と密接に関連した副作用である。 3）主作用と関連しない副作用 例えば薬物アレルギー（アナフィラキシー様症状，過敏症症状など）の多くは，主作用と無関係に発現する。

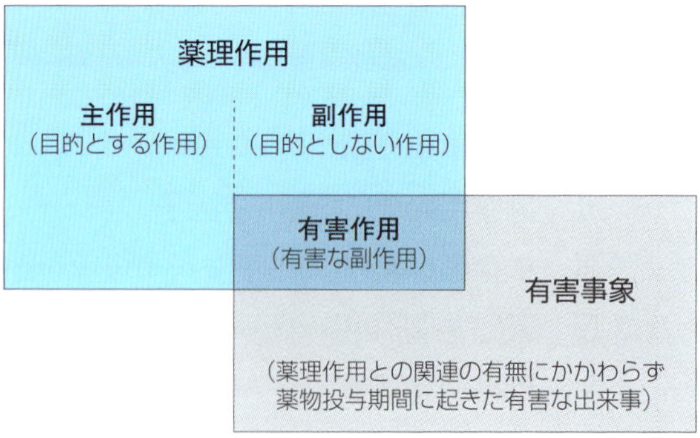

Ⅱ　副作用発現に影響する因子

副作用発現に影響する因子（その1）

分　類	細分類		説　明
生理的因子	年齢	新生児（ 4週未満） 乳　児（ 1歳未満） 幼　児（ 6歳未満） 小　児（15歳未満）	消化管吸収低い（消化管運動低いため） 血漿蛋白濃度低い（とくに，α_1-酸性糖蛋白濃度が低いため，塩基性薬物の遊離型濃度が上昇する） 体重に占める体内水分量多い（水溶性薬物濃度低下） 薬物代謝酵素活性低い 腎機能低い 血液脳関門未熟
		高齢者（65歳以上）	消化管吸収低下（消化器系血流・運動の低下による） 血漿蛋白濃度低下（とくに，血漿アルブミン濃度が低下するため，酸性薬物の遊離型濃度が上昇する） 体重に占める体内水分量低下（水溶性薬物濃度上昇） 体脂肪率増加（脂溶性薬物蓄積・作用持続） 薬物代謝酵素活性低下（肝血流量低下による） 腎機能低下（腎血流量低下による）
	性別		薬物感受性：女性＞男性 （体重差，体脂肪率の相違，薬物代謝酵素活性の性差などによる）
病的因子	肝障害		肝血流量・薬物代謝酵素活性低下（⟶肝薬物代謝低下）
	腎障害		糸球体ろ過障害（⟶ 浮腫，血中尿素増加 ⟶ 胃内pH上昇） 基底膜障害（⟶ 蛋白尿，低アルブミン血症 ⟶ 遊離型薬物濃度上昇） 尿細管障害（⟶ 電解質排泄・酸排泄低下 ⟶ 血中カリウム濃度・リン酸濃度上昇，アシドーシス） ビタミンD_3合成低下（⟶ 低カルシウム血症）
環境因子			生活環境（食生活，自然環境）や社会環境（ストレス）が健康だけでなく，薬物の作用・副作用発現にも影響を与える。
アレルギー体質			低分子薬物は不完全抗原〈ハプテン〉として作用し，体内で蛋白結合することによって完全抗原となる。また，血液製剤やワクチンなどの生物学的製剤はそのまま完全抗原として作用しうる。アレルギー体質では抗原抗体反応を誘発しやすく，アレルギー症状を起こしやすい。アレルギーを起こしやすい薬物としては，ペニシリン系抗生物質，解熱鎮痛薬，臭素含有薬物，軟膏などがある。
併用薬			薬物の併用によって，副作用が減弱あるいは増強される場合がある（☞「Ⅵ　薬物相互作用」（p615）参照）。

副作用発現に影響する因子（その 2）

分　類	細分類	人種差・頻度	説　明
遺伝的因子	血漿コリンエステラーゼ欠損	白人に多い	スキサメトニウムを分解できず，筋弛緩作用増強（呼吸筋麻痺による無呼吸）。
	グルコース-6-リン酸脱水素酵素欠損〈G6PD 欠損症〉	黒人・地中海沿岸人・東南アジア人に多い	グルコース-6-リン酸脱水素酵素の補酵素として NADP → NADPH 反応が関与する。G6PD 欠損症では，NADPH が低下するため，NADPH → NADP 反応と共役する酸化型グルタチオン → 還元型グルタチオン反応が低下する。そのため，還元型グルタチオン濃度が低下し，酸化されやすい状態となり，赤血球膜が不安定な状態に陥る。 サルファ薬，フェナセチン，プリマキンなどによって溶血・溶血性貧血を起こしやすくなる。
	N-アセチル転移酵素欠損	白　人：50% 日本人：10%	アセチル化によって代謝される薬物を投与すると薬物作用・副作用が増強される。 ・イソニアジド：ビタミン B_6 排泄促進による末梢神経炎 ・プロカインアミド・ヒドララジン：SLE 様症状
	アルデヒドデヒドロゲナーゼ欠損	白　人：まれ 日本人：40%	エタノールの代謝過程でアセトアルデヒドが蓄積するため，飲酒によって血管拡張（皮膚潮紅，血圧低下，頭痛）や悪心・嘔吐が起きやすくなる。
	CYP2C9 遺伝子多型	白　人：～ 5% 日本人：～20%	CYP2C9 によって代謝される薬物（ワルファリン，ファニトイン，トルブタミド，NSAIDs など）の作用・副作用の変動。
	CYP2C19 欠損	白　人： 3% 日本人：20%	CYP2C19 によって代謝される薬物（メフェニトイン，ジアゼパム，プロトンポンプ阻害薬など）の作用・副作用を増強。
	CYP2D6 欠損	白　人：5～7% 日本人：まれ	CYP2D6 によって代謝される薬物（β 遮断薬，三環系抗うつ薬，Ⅰc 抗不整脈薬など）の作用・副作用を増強。

Ⅲ　依存形成薬物

依存形成薬物の分類

分　類	精神的依存	身体的依存	耐性	薬　物
モルヒネ型	＋＋＋	＋＋＋	＋＋＋	モルヒネ，ヘロイン，コデイン ペチジン
バルビツレート／アルコール型	＋＋	＋＋	＋＋	バルビツレート，アルコール ベンゾジアゼピン系薬物
ニコチン型	＋＋	＋	＋＋＋	ニコチン
アンフェタミン型	＋＋＋	−	＋＋＋	アンフェタミン メタンフェタミン〈ヒロポン〉
幻覚薬型	＋＋	−	＋＋	LSD-25，メスカリン，シロシビン
コカイン型	＋＋＋	−	−	コカイン
大麻型	＋＋	−	−	テトラヒドロカンナビノール 〈大麻，マリファナ，ハシシュともよばれる〉
揮発性有機溶剤型	＋	−	？	トルエン，アセトン，シンナー エーテル

Ⅳ 薬物の副作用

1. 重大な副作用と初期症状

重大な副作用と初期症状（その1）

	副作用	説　明
脳障害	白質脳症	初発は傾眠や意識散漫などであり，進行すれば意識障害（混濁，昏睡など）となる。逆に興奮する場合もあり，痙攣を認める場合もある。
運動障害	悪性症候群	自律神経症状（高熱・発汗・頻脈など）と錐体外路症状（手足の振戦，筋強剛など）を呈し，進行すれば中枢神経・肝・腎・呼吸・循環器系の多臓器不全となる。（悪性症候群：サンドローム・マラン〈Syndrome Malin〉または Neuroleptic Malignant Syndrome）
	遅発性ジスキネジア	一般に数年以上の薬物服用で生じる錐体外路症状をよび，口周囲の不随意運動（モグモグ運動）を中心として，下顎，舌，手足，顔面筋の不随意運動も認める。
	横紋筋融解症	こわばり，手足の脱力感，全身倦怠感，筋痛，筋腫脹を呈し，そのため運動障害に至る。筋から流出したミオグロビンによって赤褐色尿を呈する。まれに呼吸筋や嚥下筋障害によって呼吸困難となる。
循環器系障害	うっ血性心不全	とくに夜間に発作性に起こる突然の呼吸困難が特徴であり，臥位(がい)では苦しいため起き上がることが多い（起坐呼吸）。
	トルサ・デ・ポアン〈Torsades de Pointes〉	心電図上で QT 時間が延長するだけでは自覚症状はない。合併する多形成心室頻拍をトルサ・デ・ポアンとよぶが，この場合には失神発作や急死に至ることがある。
呼吸障害	間質性肺炎	発熱，乾性咳，息切れを呈する。運動時，進行すると安静時にも呼吸困難を来す。
	好酸球増多性肺浸潤症候群〈PIE〉	軽度の息切れと咳のみのものから高熱と重度の気管支喘息症状を呈するものまで幅広い。（PIE：Pulmonary Infiltration with Eosinophilia Syndrome）
腎・泌尿器系障害	溶血性尿毒症症候群	悪心・嘔吐，食欲低下，腹痛，下痢，血便，皮下出血，黄疸に加えて，蛋白尿，血尿，乏尿などの急性腎不全の症状を呈する。
	間質性腎炎〈急性尿細管間質性腎炎〉	尿量の減少及び下腿さらには全身に浮腫を生じる。肺水腫を合併すると呼吸困難になる（急性腎不全に陥った場合の共通の症状）。
	偽アルドステロン症	アルドステロン分泌過剰と同様の症状があり，脱力感，易疲労感，全身倦怠感，手足のしびれと硬直，不整脈，浮腫などの症状と高血圧を合併する。
	抗利尿ホルモン不適合分泌症候群	抗利尿ホルモン過剰分泌によって生じ，全身倦怠感から始まり，意識障害（傾眠，混濁，昏睡など）を呈する。口渇・多尿・浮腫はない。
	出血性膀胱炎	主症状である血尿が急激に発症する。膀胱刺激症状がないまま多量の血尿を呈する場合もある。

重大な副作用と初期症状（その2）

	副作用	説　明
消化器障害	麻痺性イレウス	腹部膨満感，嘔吐，便通停止がある。腹痛もあるが，腸管の器質的障害が原因の機械的イレウスと比べると麻痺性イレウスでは腹痛の程度は軽い。
	偽膜性大腸炎	腹痛，発熱，下痢，血便に加え，悪心・嘔吐を伴う場合がある。重症では脱水状態やショックに至る場合もある。
血液障害	播種性血管内凝固症候群〈DIC〉	全身の微小血管に血栓が形成された状態となり，微小血栓による各種臓器の虚血が起こるとともに，血小板や各種凝固因子が消費されるために出血傾向を呈する。 （DIC：Disseminated Intravascular Coagulation）
	白血球減少症（顆粒球減少症，好中球減少症，無顆粒球症）	白血球減少のみでは自覚症状はなく，合併する感染症の症状として，急な発熱及び重症の咽頭炎や扁桃炎症状などを訴える場合が多い。敗血症を合併すれば末梢循環不全症状（ショック）を呈することもある。
	血小板減少症	Ⅱ型アレルギーに分類される。鼻出血，歯肉出血，皮下出血斑，月経出血の増加，消化管出血（黒色便），採血・注射後の止血困難などを呈し，脳出血を起こすと中枢神経系症状を呈する。
	再生不良性貧血（汎血球減少症を含む）	Ⅱ型アレルギーに分類される。血小板減少症と白血球減少症との症状に加え，貧血症状（動悸，息切れ，全身倦怠感，頭重感など）が認められる。
	溶血性貧血	Ⅱ型アレルギーに分類される。全身倦怠感，頭重感，浮腫，労作時の動悸・息切れに加えて，着色尿が認められる。眼球結膜の黄染を認めることもある。
アレルギー症状	アナフィラキシー	IgE 抗体によるⅠ型アレルギーに分類される。呼吸困難，じん麻疹，眼・口周囲腫脹などに加えて，立位困難，冷汗，頻脈，血圧下降，尿量減少などを呈する。末梢循環不全症状が顕著な際には，アナフィラキシーショックとよばれる。
	全身性エリテマトーデス〈SLE〉	IgM／IgG 抗体によるⅢ型アレルギーに分類される。全身倦怠感，発熱，関節痛，顔面の蝶形紅斑を認める。胸膜炎や心嚢炎の合併によって胸痛を訴える場合もある。薬剤誘発性の場合には突発性の場合に比べて腎症や中枢神経症状は少ない。 （SLE：Systemic Lupus Erythematosus）
	皮膚粘膜眼症候群〈Stevens-Johnson 症候群〉	感染症様の前駆症状（全身性倦怠感，発熱，食欲不振など）に続き，高熱とともに口唇，口腔内，陰部などの粘膜疹，多形（浸出性）紅斑などの皮疹を生ずる。急性結膜炎様の眼症状も認められる。
	中毒性表皮壊死症〈TEN＝Lyell 症候群〉	全身症状としての発熱などとともに皮膚の表皮が急速に傷害され，紅斑，水疱，びらんを呈する。重症の火傷に類似しており，外からの力に対しても表皮が傷害されやすい。 （TEN：Toxic Epidermal Necrolysis）
	天疱瘡様皮疹／類天疱瘡様皮疹	尋常性天疱瘡様皮疹では，皮膚，口腔粘膜の一部に初発する。直径数 cm までの水疱が出現し，全身に拡大する。突発性では種々の病型が知られている。
	紅皮症〈剥脱性皮膚炎〉	全身倦怠感，発熱とともに全身皮膚が潮紅し，多量の落屑を生じる。リンパ節の腫脹を呈する場合もある。

2. 主な薬物の副作用

副作用（その1）

分類	細分類	薬物	副作用
交感神経系作用薬（☞ p56 参照）	α_1刺激薬	ナファゾリン	局所適用時の刺激痛
	α_1遮断薬	プラゾシン	起立性低血圧
	α_2刺激薬	クロニジン	起立性低血圧
	β刺激薬	イソプレナリン	心悸亢進
	β遮断薬	プロプラノロール	心抑制（β_1遮断），喘息悪化（β_2遮断） 中性脂肪増加・HDL 低下 低血糖（β_2遮断）
	β_2刺激薬	プロカテロール サルブタモール	手指の振戦，重篤な低カリウム血症 心悸亢進
	混合型刺激薬	エフェドリン	中枢興奮・不眠，心悸亢進，血圧上昇 散瞳 速成耐性〈タキフィラキシー〉
	間接型遮断薬	レセルピン	レセルピン潰瘍 うつ症状
副交感神経系作用薬（☞ p67 参照）	コリンエステラーゼ阻害薬	ネオスチグミン ジスチグミン　など	コリン作動性クリーゼ （腹痛，下痢，発汗，唾液分泌過多，縮瞳，線維束攣縮など）
	抗ムスカリン薬	アトロピン メチルベナクチジウム	口渇，便秘 排尿困難（前立腺肥大に**禁忌**） 眼圧上昇（緑内障に**禁忌**） 遠視性視調節麻痺
	節遮断薬	ヘキサメトニウム	
体性神経系作用薬（☞ p96 参照）	競合型筋弛緩薬	ツボクラリン	アレルギー （ヒスタミン遊離作用による）
	脱分極型筋弛緩薬	スキサメトニウム	緑内障
麻酔薬（☞ p106 参照）	吸入麻酔薬	ハロタン セボフルラン	心筋カテコールアミン感受性増大（不整脈），悪性高熱症，肝障害
		エーテル	気道分泌増加，覚醒時嘔吐
		亜酸化窒素	酸素欠乏による血圧低下
	静脈麻酔薬	ケタミン	精神障害，眼内圧上昇
		プロポフォール	心室性不整脈，覚醒遅延

副作用（その2）

分　類	細分類	薬　物	副作用
催眠薬（☞ p111 参照） 向精神薬（☞ p117 参照）	バルビツレート系催眠薬	チオペンタール ペントバルビタール アモバルビタール フェノバルビタール	悪心，幻覚，興奮・錯乱，抑うつ，反跳性症状（不眠・不安・痙攣・REM 睡眠増加による悪夢），身体依存・精神依存・耐性（バルビツレート・アルコール型）
	ベンゾジアゼピン系催眠薬	エチゾラム ニトラゼパム	傾眠・ふらつき，一過性前向性健忘（短時間型に多い），身体依存・精神依存・耐性（バルビツレート・アルコール型）
	ベンゾジアゼピン系抗不安薬	オキサゾラム クロルジアゼポキシド	
	抗精神病薬	クロルプロマジン フルフェナジン ハロペリドール リスペリドン（SDA） ペロスピロン（SDA） ブロナンセリン（SDA）	錐体外路障害（パーキンソン様症状），悪性症候群，遅発性ジスキネジア，プロラクチン分泌増加（乳汁分泌亢進・女性化乳房），正常体温低下，眠気（H_1遮断），起立性低血圧・反射性頻拍（α_1遮断），口渇・排尿困難・便秘・麻痺性イレウス（抗コリン），SIADH〈抗利尿ホルモン不適合分泌症候群〉
		オランザピン（MARTA） クエチアピン（MARTA） アリピプラゾール（DSS）	血糖値上昇による糖尿病性ケトアシドーシス及び糖尿病性昏睡
	抗躁病薬	炭酸リチウム	リチウム中毒，心抑制（徐脈），振戦
	三環系抗うつ薬	アミトリプチリン イミプラミン	悪性症候群・高プロラクチン血症（D_2遮断），眠気（H_1遮断），起立性低血圧・反射性頻拍（α_1遮断），口渇・排尿困難・便秘・麻痺性イレウス（抗コリン），無顆粒血症
	四環系抗うつ薬	ミアンセリン マプロチリン	
抗てんかん薬（☞ p131 参照）	大発作・精神運動発作治療薬	フェニトイン	歯肉肥厚，運動失調，眼球振盪，催奇形性（胎児性ヒダントイン症候群），肝・腎機能障害，血液障害，過敏症（紅斑，リンパ球増多，光過敏）
		カルバマゼピン	聴覚異常
	小発作治療薬	トリメタジオン	催奇形性（胎児性トリメタジオン症候群）
パーキンソン病治療薬（☞ p138 参照）	ドパミン前駆体	レボドパ	ドーパ誘発性ジスキネジア，悪性症候群，精神障害，消化器障害（悪心・嘔吐，食欲不振），眠気，動悸
	ノルアドレナリン前駆体	ドロキシドパ	悪性症候群，幻覚・妄想など
	D_2受容体刺激薬　麦角系	ブロモクリプチンなど	消化器障害（悪心・嘔吐）
	D_2受容体刺激薬　非麦角系	タリペキソールなど	突発性睡眠

副作用（その3）

分　類	細分類	薬　物	副作用
オピオイド系鎮痛薬（☞ p147 参照）	麻薬性鎮痛薬	モルヒネ	呼吸抑制，脊髄興奮，悪心・嘔吐，縮瞳（動眼神経核興奮による），便秘，モルヒネ型依存性（身体依存・精神依存・耐性ともに最も強い）
解熱鎮痛薬（☞ p150 参照）	アニリン系	アセトアミノフェン	腎乳頭壊死，腎盂・膀胱腫瘍
	ピリン系	アンチピリン	過敏症状（ピリン疹，ショック），発癌性
脳保護薬（☞ p161 参照）	活性酸素消去	エダラボン	急性腎不全
抗炎症・抗アレルギー薬（☞ p218，236 参照）	ステロイド性	ヒドロコルチゾン プレドニゾロン	感染抵抗性低下，副腎皮質機能低下，ストレス抵抗性低下，筋障害・骨粗しょう症，糖尿病悪化，消化性潰瘍悪化，満月様顔貌，浮腫・高血圧・高カリウム血症，精神障害，緑内障・白内障誘発，投与中止で離脱症候群
	非ステロイド性	アスピリン インドメタシン	消化性潰瘍（アスピリン潰瘍），喘息悪化（アスピリン喘息），重篤な肝障害，腎障害（ネフローゼ症候群），血液障害，心不全，ショック，痙攣，ライ〈Reye〉症候群，新生児の動脈管開存症，プロスタグランジン合成阻害による胎児動脈の早期閉塞と陣痛抑制（妊娠末期に**禁忌**）
		フェンブフェン フルルビプロフェン アキセチル インドメタシン	ネフローゼ症候群
		インドメタシン	大腸炎
		メフェナム酸	新生児の動脈管開存症
		イブプロフェン	無菌性髄膜炎
		ザルソカイン	ショック
	抗アレルギー性 H_1拮抗薬	ケトチフェン	眠気
	第二世代 H_1拮抗薬	テルフェナジン	心臓血管系症状（QT 延長，心室性不整脈）
	消炎酵素剤	リゾチーム	アナフィラキシー反応

副作用（その4）

分　類	細分類	薬　物	副作用
心血管系作用薬（☞ p241 参照）	強心配糖体	ジギタリス	心室性不整脈，悪心・嘔吐，神経障害（頭痛，視覚異常，幻覚・錯乱）
	抗不整脈薬	キニジン	キニジン失神（突然の心室細動・心室頻脈），キナ中毒（聴・視神経障害，胃腸障害）
		ジソピラミド	抗コリン作用（口渇，便秘，排尿困難，緑内障注意）
		フレカイニド	重篤な催不整脈作用
		アミオダロン	抗甲状腺作用，間質性肺炎・肺線維症，致死性の催不整脈作用，房室ブロック
	カルシウム拮抗薬	ジヒドロピリジン系 ニフェジピン	肝・腎障害，血液障害，歯肉肥厚，動悸・めまい，頭痛
		ベンゾチアゼピン系 ジルチアゼム	心抑制，中毒性表皮壊死症，肝障害，胃腸障害，歯肉肥厚，めまい，頭痛
		フェニルアルキルアミン系 ベラパミル	心抑制，意識消失，肝障害，胃腸障害，歯肉肥厚，めまい
	ニトロ化合物	ニトログリセリン	血管拡張による起立性低血圧，血管性頭痛，顔面潮紅，過度の降圧による意識喪失，持続性製剤の長期使用で耐性発現
	アンギオテンシン変換酵素阻害薬	カプトプリル アラセプリル	キニンによる気道刺激増大（空咳），血管浮腫，発疹，かゆみ，高カリウム血症，血液障害，ショック，羊水過少・胎児死亡（妊婦**禁忌**）
		カプトプリル	天疱瘡様症状
	脂質異常症治療薬	クロフィブラート プラバスタチン	横紋筋融解症（血中 CPK，血中・尿中ミオグロビン上昇）
		ニコチン酸誘導体	顔面潮紅，そう痒感
泌尿器系作用薬（☞ p333 参照）	炭酸脱水酵素阻害薬	アセタゾラミド	低カリウム血症，代謝性アシドーシス（尿はアルカリ），光過敏症
	ループ利尿薬	フロセミド	再生不良性貧血，間質性肺炎，低カリウム血症，代謝性アルカローシス，高尿酸血症，高血糖，難聴，ショック
	チアジド系利尿薬	トリクロルメチアジド	再生不良性貧血，間質性肺炎・肺水腫，低カリウム血症，高カルシウム血症，代謝性アルカローシス，高尿酸血症，高血糖，光過敏症
	アルドステロン受容体拮抗薬	スピロノラクトン カンレノ酸カリウム	高カリウム血症，代謝性アシドーシス，女性化作用
	Na^+チャネル遮断性利尿薬	トリアムテレン アミロリド	高カリウム血症，代謝性アシドーシス，消化管症状
	抗利尿薬	バソプレシン	横紋筋融解症

副作用（その5）

分類	細分類	薬物	副作用
呼吸器系作用薬（☞ p288 参照）	鎮咳薬	コデイン	呼吸抑制
	抗喘息薬	プロカテロール	手指の振戦，心悸亢進
		テオフィリン	痙攣
消化器系作用薬（☞ p306 参照）	H_2遮断薬	シメチジン	抗アンドロゲン作用，骨髄・肝毒性
	プロトンポンプ阻害薬	ランソプラゾール	血小板減少
	消化管運動改善薬	ドンペリドン	ショック，アナフィラキシー様症状
	肝機能促進薬	グリチルリチン（甘草）	偽アルドステロン症，低カリウム血症
	アントラキノン系下剤	ダイオウ（センノシド）	骨盤内充血（妊婦に**禁忌**）
生殖器系作用薬（☞ p352 参照）	子宮収縮薬	オキシトシン	過強陣痛，子宮破裂，子宮頸管裂傷
		ゲメプロスト腟坐薬	子宮破裂，子宮頸管裂傷
	子宮弛緩薬	リトドリン テルブタリン	β_2刺激による心悸亢進，振戦，不安，頭痛，悪心・嘔吐，胃腸症状などの交感神経症状， 横紋筋融解症（リトドリン）
	経口避妊薬	エチニルエストラジオール ノルエチステロン デソゲストレル レボノルゲストレル	血栓症，高血圧，うつ症状
	子宮内膜症・子宮筋腫治療薬	ブセレリン ダナゾール	血栓・脳梗塞・心筋梗塞，狭心症，肝炎，間質性肺炎，うつなど
	子宮頸管熟化促進薬	プラステロン硫酸エステル Na	ショック
血液・造血器官系作用薬（☞ p364 参照）	貧血治療薬	エポエチン	高血圧性脳症，ショック
	凝血阻害薬	ワルファリン	出血，皮膚壊死（反跳性血液凝固系異常亢進によって微小血栓形成）， 催奇形性・出血による胎児死亡（妊婦に**禁忌**）
	抗血小板薬	アルプロスタジル リマプロスト	子宮収縮（流産），ショック，心不全
		ベラプロスト	間質性肺炎
		チクロピジン	血栓性血小板減少性紫斑病
		シロスタゾール	血小板減少
	血栓溶解薬	t-PA	脳出血
	輸　液	経中心静脈高カロリー輸液〈IVH，TPN〉	ビタミンB_1不足による重篤な乳酸アシドーシスやウェルニッケ脳症，微量金属（とくに銅及び亜鉛）欠乏症

副作用（その6）

分　類	細分類	薬　物	副作用
感覚器作用薬 （☞ p398 参照）	緑内障治療薬	ピロカルピン	虹彩炎
		エコチオパート ジスチグミン	胃・十二指腸潰瘍
		チモロール カルテオロール	気管支喘息悪化（β_2遮断）
		アセタゾラミド	閉塞隅角緑内障の悪化の不顕性化（不明瞭化）
		メタゾラミド	皮膚粘膜眼症候群，中毒性表皮壊死症
		イソプロピルウノプロストン	角膜障害
内分泌・代謝系作用薬 （☞ p416 参照）	性腺刺激ホルモン放出ホルモン	ゴセレリン	女性化乳房，睾丸萎縮，性欲減退，排尿障害
		リュープロレリン	間質性肺炎，アナフィラキシー様症状，うつ症状
	男性ホルモン 蛋白同化ホルモン	テストステロン メテノロン	女性・女性胎児の男性化，月経異常，前立腺癌悪化，Na^+貯留
	男性ホルモン拮抗薬	フルタミド	重篤な肝障害
	女性ホルモン	エストラジオール	血栓性静脈炎，閉経後投与で子宮癌・乳癌，妊婦に**禁忌**（女児では成人後膣腫瘍），浮腫
	甲状腺ホルモン	レボチロキシン Na リオチロニン Na	頻脈，発汗，体重減少，心筋梗塞
	抗甲状腺薬	プロピルチオウラシル	下垂体 TSH 分泌への抑制解除による甲状腺腫悪化，顆粒球減少，低血糖発作，肝障害，アレルギー（発疹，関節炎）
	糖尿病治療薬	α-グルコシダーゼ阻害薬 （アカルボース，ボグリボース）	肝障害，低血糖，腸閉塞様症状
		アルドース還元酵素阻害薬 （エパルレスタット）	肝障害
		インスリン抵抗性改善薬 （トログリタゾン）	肝障害
		インスリン抵抗性改善薬 （ピオグリタゾン）	急激な水分貯留に伴う心不全
		ビグアナイド系 （メトホルミン，ブホルミン）	乳酸アシドーシス

副作用（その7）

分類	細分類	薬物	副作用
抗菌薬 （☞ p483 参照）	ニューキノロン系	ノルフロキサシン	偽膜性大腸炎，低血糖，横紋筋融解症
		オフロキサシン	不眠
		（スパルフロキサシン）	光線過敏症
		ガチフロキサシン	低血糖・高血糖
	サルファ薬	スルファメトキサゾール	高ビリルビン血症（新生児では核黄疸）
	抗結核薬	エタンブトール	視神経障害
抗生物質 （☞ p483 参照）	ペニシリン系	ペニシリン	ペニシリンショック
	セフェム系	セフォセリス	中枢性副作用（痙攣，意識障害）
		セフメタゾール セフミノクス セフォテタン セフォキシチン	ジスルフィラム様作用，出血傾向
	ペネム系	イミペネム パニペネム	腎毒性
	グリコペプチド系	バンコマイシン テイコプラニン	レッドネック症候群（ヒスタミン遊離作用による顔面・頸部・躯幹の紅斑性充血とかゆみ），腎毒性
	アミノグリコシド系	ストレプトマイシン カナマイシン	第８脳神経障害（聴力低下），前庭機能障害（平衡感覚障害，めまい），腎毒性，神経・筋ブロック（骨格筋弛緩：麻酔薬，筋弛緩薬併用注意）
		アルベカシン	腎機能障害
	テトラサイクリン系	テトラサイクリン	骨組織への沈着（歯牙着色）
	クロラムフェニコール系	クロラムフェニコール	造血機能障害（再生不良性貧血や血小板減少症），新生児グレイ〈灰白〉症候群（腹部膨満，嘔吐，下痢，虚脱，呼吸停止）
	マクロライド系	クラリスロマイシン	肝障害
		ロキシスロマイシン	血小板減少症
	リンコマイシン系	リンコマイシン	偽膜性大腸炎（腸内クロストリジウムの増殖を招き，この菌の出す毒素によって血便・重篤な下痢を起こす）
	アンサマイシン系	リファンピシン	肝障害

副作用（その8）

分　類	細分類	薬　物	副作用
抗悪性腫瘍薬 （☞ p538 参照）	アルキル化薬	シクロホスファミド イホスファミド	出血性膀胱炎
	代謝拮抗薬	テガフール製剤	安静狭心症
		テガフール・ウラシル	膵炎
		メトトレキサート	血液障害，間質性肺炎
		6-メルカプトプリン	肝障害
	抗腫瘍性抗生物質	ドキソルビシン〈アドリアマイシン〉	心筋障害
		ブレオマイシン	肺線維症，間質性肺炎（骨髄抑制や免疫抑制作用はほとんど認められない）
	植物由来	イリノテカン	胃腸障害（強い下痢），骨髄抑制
	白金化合物	シスプラチン	急性腎不全，悪心・嘔吐，ショック
	分子標的治療薬	ゲフィチニブ	間質性肺炎
免疫調節薬 （☞ p201 参照）	免疫強化薬	インターフェロン	自己免疫現象，眼底出血，糖尿病 自殺企図，間質性肺炎，全身倦怠感 発熱
		プロパゲルマニウム	B 型慢性肝炎の急性増悪
	免疫抑制薬	シクロスポリン	腎障害
		タクロリムス	脳症，腎障害
免疫学的製剤 （☞ p212 参照）	ワクチン	麻疹ワクチン	アナフィラキシー様症状
診断用薬 （☞ p578 参照）	造影剤	イオン性造影剤	注入時の疼痛・熱感 （非イオン化によって減少）
		非イオン性造影剤	遅発性アレルギー発現によるショック
その他	失禁・頻尿治療薬	プロピベリン	緑内障発作（平滑筋直接弛緩作用及び抗コリン作用による）
	漢方薬	小柴胡湯，柴朴湯，柴苓湯，柴胡桂枝乾姜湯，辛夷清肺湯，清肺湯，大柴胡湯，半夏瀉心湯	間質性肺炎
		柴朴湯，柴苓湯，小柴胡湯，柴胡桂枝湯	膀胱炎様症状

V 障害誘発薬物

障害誘発薬物（その 1）

分 類		障害誘発薬物
肝障害		ペニシリン系・セフェム系抗生物質，テトラサイクリン系・マクロライド系抗生物質，抗悪性腫瘍薬，リファンピシン，スルホンアミド，イソニアジド，アセトアミノフェン，NSAIDs，ハロタン，シメチジン，セラトロダスト，アカルボース，ボグリボース，エパルレスタット，フルタミド，アムロジピン，ベンズブロマロン，プロピルチオウラシル
腎障害		アミノグリコシド系・ペネム系・ポリペプチド系抗生物質，サルファ薬，解熱鎮痛薬・NSAIDs，シスプラチン，シクロスポリン，タクロリムス，プロベネシド
骨格筋障害	手指振戦	β（β_2）刺激薬
	横紋筋融解症	フィブラート系薬物，HMG-CoA 還元酵素阻害薬，ノルフロキサシン，リトドリン，バソプレシン，プロポフォール
	悪性高熱症	揮発性吸入麻酔薬（ハロタン），リドカイン，スキサメトニウム
	神経筋ブロック	アミノグリコシド系抗生物質
循環器障害	心不全	コリン作動薬，β遮断薬
	心室性不整脈	強心配糖体，プロポフォール
	心筋障害	ドキソルビシン
	心筋梗塞	卵胞ホルモン，経口避妊薬，ブセレリン，ダナゾール，甲状腺ホルモン
	狭心症発作	クエン酸シルデナフィル
	起立性低血圧，過降圧に伴う失神・意識障害，ショック	α_1受容体遮断薬，ヒドララジン，グアネチジン，ロサルタン，アルプロスタジル・リマプロスト，プラステロン硫酸エステル Na，エポエチン，ドンペリドン，アンチピリン，カプトプリル，フロセミド
	毛細血管収縮による壊疽	エルゴタミン
	カテコールアミン感受性増強	揮発性吸入麻酔薬
呼吸器障害	喘息悪化	β遮断薬，アスピリンなどの NSAIDs
	延髄呼吸中枢抑制	麻薬性鎮痛薬，バルビタール系・ベンゾジアゼピン系催眠薬
	呼吸筋抑制	アミノグリコシド系抗生物質
	肺線維症，間質性肺炎	ブレオマイシン，インターフェロン，小柴胡湯，アミオダロン，ベラプロスト，ループ・チアジド系利尿薬，リュープロレリン，メトトレキサート
皮膚障害	発 疹	ペニシリン系・セフェム系抗生物質，ピリン系解熱鎮痛薬，プロカインアミド
	光過敏症	ニューキノロン系抗菌薬，チアジド系利尿薬，テトラサイクリン
	Stevens-Johnson 症候群〈皮膚粘膜眼症候群〉	サルファ薬，プロトンポンプ阻害薬，ベンゾジアゼピン系薬物
	紅斑性狼瘡	ヒドララジン，プロカインアミド
	天疱瘡様皮疹	カプトプリル
	Lyell 症候群〈中毒性表皮壊死症〉	アスピリン

障害誘発薬物（その2）

分　類		障害誘発薬物
神経障害	脳　症	エポエチン（高血圧性），IVH（ウェルニッケ脳症），タクロリムス
	幻覚・精神錯乱	覚醒剤，強心配糖体，中枢性抗コリン薬，バクロフェン，ステロイド性抗炎症薬，ケタミン，ドロキシドパ
	痙攣，意識障害	硫酸セフォセリス
	抑うつ	レセルピン，インターフェロン，経口避妊薬，リュープロレリン
	錐体外路障害	抗精神病薬
	悪性症候群	抗精神病薬，三環系抗うつ薬，抗パーキンソン病薬
	筋ジスキネジア	抗精神病薬（長期投与後の投与量減少や投与中止によるリバウンド）
	末梢神経炎	イソニアジド
視覚障害	視力障害	エタンブトール
	視調節麻痺	近視性：コリン作動薬（ピロカルピン） 遠視性：抗コリン薬（アトロピン），抗うつ薬，ジソピラミド
	白内障	ステロイド性抗炎症薬，クロルプロマジン
	緑内障悪化	抗コリン薬，抗うつ薬，ベンゾジアゼピン系薬物，抗ヒスタミン薬，ニトロ化合物，ジソピラミド，プロピベリン
	黄視症	サントニン
	網膜・角膜障害	クロロキン
	虹彩炎	ピロカルピン
	眼類天疱瘡	チモロール点眼液
聴覚障害	難聴・耳鳴り，平衡感覚障害	アミノグリコシド系抗生物質，ループ利尿薬，NSAIDs，シスプラチン，ブレオマイシン，ビンクリスチン，キニーネ，カルバマゼピン
消化器障害	便　秘	モルヒネ，抗コリン薬，節遮断薬
	下　痢	抗悪性腫瘍薬，イリノテカン
	消化性潰瘍	レセルピン，NSAIDs（アスピリン，インドメタシン），ステロイド性抗炎症薬，コリンエステラーゼ阻害薬
	悪心・嘔吐	エーテル，強心配糖体，レボドパ，麦角アルカロイド，アポモルヒネ，モルヒネ，抗悪性腫瘍薬
	偽膜性大腸炎	リンコマイシン，広域ペニシリン・セフェム系抗生物質，ニューキノロン系抗生物質
泌尿器障害	排尿障害	抗コリン薬
	出血性膀胱炎	シクロホスファミド

障害誘発薬物（その3）

分 類		障害誘発薬物
血液・造血器障害	悪性貧血	メトトレキサート
	溶血性貧血	NSAIDs，SU剤，サルファ薬，プリマキン，フェナセチン
	再生不良性貧血	NSAIDs，SU剤，サルファ薬，抗てんかん薬，クロラムフェニコール，抗悪性腫瘍薬
	メトヘモグロビン血症	アニリン系解熱鎮痛薬，ニトロ化合物
	顆粒白血球減少症	ピリン系解熱鎮痛薬，プロピルチオウラシル，フェニルブタゾン
	血小板減少症	イブジラスト，シロスタゾール，ロキシスロマイシン
	血栓性血小板減少性紫斑病	チクロピジン
	血栓症	経口避妊薬，卵胞ホルモン
	出 血	ファスジル，抗凝血薬・抗血小板薬・血栓溶解薬
発生・生殖器障害	子宮への有害作用	オキシトシン，プロスタグランジン系薬物（子宮頸管裂傷，子宮破裂），大腸性下剤（骨盤内充血）
	催奇形性	抗てんかん薬，ワクチン（おたふくかぜ，はしか，風疹），女性ホルモン薬，ビタミンA関連薬（エトレチナートなど），ヨウ化ナトリウム，放射性ヨウ素，塩化メチル水銀，サリドマイド，ワルファリン
	胎児へのその他の有害作用	麻薬性鎮痛薬（呼吸抑制） ワルファリン（出血素因） テトラサイクリン（歯牙着色） アミノグリコシド系抗生物質（難聴） クロラムフェニコール（グレイ症候群） チアジド系利尿薬・サルファ薬（ビリルビン血症，核黄疸） アンギオテンシン変換酵素阻害薬（羊水減少，胎児死亡） エルゴメトリン（胎児圧迫死） オキシトシン，プロスタグランジン系薬物（流産） プロピルチオウラシル（甲状腺機能障害） ジアゼパム（傾眠）

Ⅵ　薬物相互作用

1．薬力学的な相互作用

薬物 A	薬物 B	併用効果
スキサメトニウム	コリンエステラーゼ阻害薬	スキサメトニウムの分解阻害による筋弛緩作用増強
ツボクラリン	コリンエステラーゼ阻害薬	アセチルコリンの分解抑制によるツボクラリン競合拮抗作用減弱（筋弛緩作用減弱）
	カリウム消失性利尿薬 エーテル アミノグリコシド系抗生物質	筋弛緩作用増強
全身麻酔薬 アルコール	中枢抑制薬（クロルプロマジン，ベンゾジアゼピン系薬物，バルビツレート，モルヒネなど）	中枢抑制薬どうしの作用増強（相乗的）
レボドパ	ビタミン B_6	ビタミン B_6を補酵素とする芳香族 L-アミノ酸脱炭酸酵素によって末梢でレボドパがドパミンに変換されて中枢へ移行できないため，抗パーキンソン効果減弱・末梢副作用増大
	カルビドパ ベンセラジド	芳香族 L-アミノ酸脱炭酸酵素によって末梢でのレボドパからドパミンへの変換を阻害して抗パーキンソン効果増強・末梢副作用減少
エフェドリン 三環系抗うつ薬 パーキンソン病治療薬	MAO 阻害薬	MAO_A によるノルアドレナリン・ドパミン代謝阻害によって薬物の作用増強（血圧上昇など）
ニューキノロン系抗菌薬	酸性非ステロイド性抗炎症薬〈NSAIDs〉	ニューキノロン系抗菌薬の GABA 拮抗作用を酸性非ステロイド性抗炎症薬が増強して痙攣誘発（フェンブフェンとエノキサシン）
ワルファリン	抗生物質	ビタミン K 産生腸内細菌の死滅によって，ワルファリンの抗凝血作用増強
	ビタミン K，納豆菌	ビタミン K やビタミン K 産生納豆菌によって，ワルファリンの抗凝血作用減弱
強心配糖体	カリウム消失性利尿薬（チアジド系，ループ系，炭酸脱水酵素阻害薬）	低カリウム血症では強心配糖体のナトリウムポンプに対する結合が促進され，強心配糖体の作用・副作用が増強される
グアネチジン	三環系抗うつ薬	アミントランスポーターによるグアネチジンの神経終末への取込みを阻害して作用減弱
β 遮断薬	スルホニル尿素系経口糖尿病治療薬	過度の低血糖
	ベラパミル	過度の心抑制，重篤な徐脈性不整脈誘発
	ニフェジピン	ニフェジピンの反射性頻脈の防止によい組合せ
ACE 阻害薬	カリウム保持性利尿薬	高カリウム血症の副作用増強
ニトロ化合物	飲酒（エタノール）	血管拡張作用の増強による過度の降圧
	クエン酸シルデナフィル	血管拡張作用の増強による過度の降圧と心臓副作用（心筋虚血による狭心症発作誘発）
	ニフェジピン	重症の血管攣縮性狭心症に適応のよい組合せ
サルファ薬	プロカイン	プロカインの代謝産物パラアミノ安息香酸がサルファ薬と拮抗して抗菌作用減弱
6-メルカプトプリン〈6-MP〉	アロプリノール	キサンチンオキシダーゼによるメルカプトプリンの代謝を阻害して 6-MP の作用・副作用増強

2. 薬物動態学的な相互作用

❶ 消化管吸収における相互作用

薬物 A	薬物 B	相互作用
テトラサイクリン系 ニューキノロン系 エチドロン酸	金属（Fe, Al, Ca, Mg）含有製剤，制酸剤，食物（牛乳，お茶など）	キレート形成による相互の消化管吸収阻害
脂溶性薬物 チアジド系利尿薬 ステロイド薬	コレスチラミン	脂溶性薬物は胆汁酸ミセルに取り込まれ吸収されるが，コレスチラミンが胆汁酸に結合して脂溶性薬物の吸収を阻害し，効果を減弱させる。
サントニン	ヒマシ油	サントニンの吸収が促進され作用・副作用増強
鉄　剤	アスコルビン酸	鉄剤が還元され Fe^{2+} となり消化管吸収促進
	制酸剤	鉄剤が酸化され Fe^{3+} となり消化管吸収抑制

❷ 血漿蛋白結合における相互作用

薬物 A	薬物 B	相互作用
アスピリン フェニルブタゾン クロフィブラート	経口抗凝血薬（ワルファリン，クマリン）	抗凝血作用増強
	スルホニル尿素系経口糖尿病治療薬	血糖降下作用増強

❸ 腎排泄における相互作用

薬物 A	薬物 B	相互作用
アスピリン	プロベネシド スルフィンピラゾン	アスピリンが，プロベネシド・スルフィンピラゾンの尿酸排泄作用を減弱
プロベネシド	有機陰イオン（ペニシリン，インドメタシン，アセタゾラミドなど）	プロベネシドが，有機陰イオンの尿細管分泌を阻害して排泄を阻害し，有機陰イオンの作用を増強
弱塩基性薬物 （アンフェタミンなど）	アセタゾラミド 炭酸水素ナトリウム	尿のアルカリ化によって弱塩基性薬物の尿細管再吸収が促進され，弱塩基性薬物の作用を増強
弱酸性薬物 （フェノバルビタール，サリチル酸など）	塩化アンモニウム	尿の酸性化によって弱酸性薬物の尿細管再吸収が促進され，弱酸性薬物の作用を増強
ジゴキシン	ベラパミル，キニジン	腎臓近位尿細管刷子縁に局在するP-糖蛋白質を介したジゴキシンの排泄を阻害して作用を増強
リチウム	テオフィリン	テオフィリンはリチウムの腎尿細管再吸収を阻害して排泄を促進

④ 肝代謝における相互作用

シトクロムP-450分子種と関連薬物

P-450分子種	細分類	全CYPに対する割合（%）	基　質	阻害薬	誘導薬
CYP1	CYP1A1		ベンゾ［*a*］ピレン	ニューキノロン系抗菌薬 メトキサレン シメチジン	たばこ オメプラゾール
	CYP1A2	13	テオフィリン カフェイン フェナセチン		
CYP2	CYP2A6		クマリン		
	CYP2B6		シクロホスファミド		フェノバルビタール
	CYP2C8		トルブタミド	サルファ薬 イソニアジド シメチジン	フェノバルビタール リファンピシン フェニトイン
	CYP2C9		ワルファリン NSAIDs フェニトイン		
	CYP2C19	20	メフェニトイン エトトイン ジアゼパム ヘキソバルビタール プロトンポンプ阻害薬	オメプラゾール アミオダロン フルボキサミン シメチジン	
	CYP2D6	2	β遮断薬 Ⅰc抗不整脈薬 三環系抗うつ薬 チオリダジン コデイン デキストロメトルファン フェンホルミン	キニジン フルオキセチン パロキセチン ジルチアゼム ペルフェナジン クロルプロマジン ハロペリドール シメチジン	
	CYP2E1	7	エタノール ハロタン クロルゾキサゾン	クロルメチゾール ジエチルチオカルバメート	エタノール イソニアジド
CYP3	CYP3A4	30	ベンゾジアゼピン系薬物 ジヒドロピリジン系薬物 カルバマゼピン キニジン ジソピラミド リドカイン クエン酸シルデナフィル テルフェナジン マクロライド系抗生物質 シクロスポリン タクロリムス テストステロン	アゾール系抗真菌薬 ベラパミル ジルチアゼム エリスロマイシン エチニルエストラジオール ノルエチステロン ダナゾール ブロモクリプチン シメチジン	フェノバルビタール リファンピシン フェニトイン カルバマゼピン
CYP4	CYP4B		テストステロン		クロフィブラート

肝代謝における相互作用

薬　物	併用薬	相互作用
テルフェナジン	アゾール系抗真菌薬（イトラコナゾール，ミコナゾール） マクロライド系抗生物質（エリスロマイシン，ジョサマイシンなど）	代謝物が活性を示すテルフェナジンの代謝を阻害（CYP3A4）することによって，未変化体テルフェナジンによる心臓血管系症状（QT 延長，心室性不整脈）を増悪する。エリスロマイシンなどの代謝物は，CYP3A と複合体を形成してテルフェナジンの代謝を阻害する。
フィブラート系薬物 HMG-CoA 還元酵素阻害薬	アゾール系抗真菌薬（イトラコナゾールなど）	アゾール系抗真菌薬の CYP3A4 に対する阻害作用により，これらの薬剤の代謝が阻害され，副作用である横紋筋融解症が発現しやすくなる。
バルビツレート フェニトイン リファンピシン グリセオフルビン	ワルファリン ベンゾジアゼピン系薬物 カルシウム拮抗薬 バルプロ酸 Na など	肝代謝酵素誘導による代謝促進によって併用薬の作用減弱。
シメチジン	ジアゼパム テオフィリン ワルファリン トリアゾラムなど	シメチジンのイミダゾール環窒素が P-450 のヘム鉄に配位結合して非特異的に P-450 を阻害する（とくに CYP3A4 阻害が強い）。その結果，併用薬物の代謝が抑制されて作用・副作用が増強する。
テオフィリン	ニューキノロン系抗菌薬 シメチジン	併用薬によるテオフィリンの代謝阻害（CYP1A2）によって，テオフィリン中毒（痙攣など）。
メトプロロール	プロパフェノン	プロパフェノン（Ⅰc 抗不整脈薬）併用でメトプロロール（β 遮断薬）の代謝（CYP2D6）が阻害され作用増強。

⑤ その他の薬物相互作用

薬　物	併用薬／併用物質	相互作用
カルシウム拮抗薬	グレープフルーツジュース（フラボノイド）	グレープフルーツジュースに含まれるフラボノイドが，小腸におけるカルシウム拮抗薬の代謝（CYP3A4）を阻害して作用を増強。カルシウム拮抗薬を静注した場合には，阻害されない。
バルプロ酸	カルバペネム系抗生物質（パニペネム，ベタミプロン，メロペネム）	バルプロ酸の血中濃度低下によって，てんかん発作誘発（機序不明）
インターフェロン	小柴胡湯（肝炎治療薬）	間質性肺炎誘発（機序不明）
ワルファリン	イグラチモド（抗リウマチ薬）	ワルファリンの作用増強（機序不明）

Ⅶ　急性薬物中毒とその処置及び解毒薬

☞『医薬品一般名・商品名・構造一覧』p150

1．救急救命法

一次救命法 〈Basic Life Support：BLS〉 **（C-A-B 法）**	心肺蘇生〈CPR：Cardiopulmonary Resuscitation〉 C：胸骨圧迫心臓マッサージ〈Circulation〉 A：気道確保〈Airway〉 B：人工呼吸〈Breathing〉 D：AED による除細動〈Defibrillation〉
二次救命法 〈Advanced Cardiovascular Life Support：ACLS〉	・質の高い心肺蘇生〈CPR〉の続行 ・高度な気道確保器具の使用 ・薬物療法 ・原因の治療 ・蘇生効果のモニタリング（カプノグラフィ）など

2. 急性薬物中毒の解毒

❶ 未吸収薬物の除去法

嘔吐法	トコンシロップや機械的な咽頭部・舌根部刺激によって嘔吐を誘発し，胃内薬物を排出する方法。簡便な方法であるが，中枢神経系興奮薬を内服した場合には，嘔吐によって中枢神経系が反射性に刺激され痙攣が誘発されるおそれがあり注意が必要である。また，意識障害があるときにも避けるべきである。		
胃洗浄	可能なかぎり径の太い胃チューブを経口的・経鼻的に挿入し，胃内容物の吸引排除と微温湯・生理食塩水の胃内注入を繰り返すことによって（回収液が透明になるまで），胃内薬物を排出する方法。薬物内服後 2～5 時間以内であれば胃洗浄の効果が期待できる。意識障害のある場合には，誤嚥の危険性があるため気管内挿管を行う必要がある。		
下剤	腸管内に移行した薬物の吸収阻害・除去を目的として，胃洗浄終了時にチューブを介して塩類下剤（硫酸 Mg，クエン酸 Mg，硫酸 Na など）と約 500 mL の水とを投与する。下剤としては，ポリエチレングリコールも有効であるが，大腸刺激性下剤（アロエ，カスカラなど）は腸運動を刺激するため使用しない。また，ヒマシ油（小腸刺激性下剤）は脂溶性薬物を溶解して吸収を促進するため使用しない。		
一般的解毒薬	沈殿法	重金属	牛乳やかき混ぜた生卵は，重金属の沈殿剤として作用して胃内薬物の吸収遅延をもたらす。また，胃粘膜保護作用を有する。
		アルカロイド	濃厚な茶やタンニン酸はアルカロイドの沈殿剤として作用して胃内薬物の吸収遅延をもたらす。また，胃腸粘膜の収斂・保護作用を有する。
	吸着法	小麦粉やデンプンには吸着作用がある。また，薬用炭は強い吸着力であらゆるものを吸着するため繁用される。塩基性物質やアルカロイドの吸着にはカオリン（白陶炭），酸性物質の吸着には水酸化鉄が有用である。吸着剤は，時間とともに吸着物質を遊離するため胃洗浄や下剤によって速やかに体外に排出することが望ましい。	
	中和法	酸の中和には，白墨（硫酸カルシウム製），歯磨き粉（炭酸塩非含有製剤），酸化マグネシウムを多量の水とともに服用する。アルカリの中和には，希薄な酢，果汁，希薄なクエン酸・酢酸・酒石酸が用いられる。薬物を酸化させて無毒化するものに過マンガン酸カリウムや過酸化水素水があるが効果が不確実な場合が多い。	

❷ 吸収薬物の除去法

吸収薬物の除去法 ①

分類		説明
体外排出法	強制利尿 Forced Diuresis	1）強制利尿は，大量の電解質輸液（乳酸添加リンゲル液，生理食塩水・5%ブドウ糖等量配合液など，250～500 mL/h）を行いながら，通常の約 10 倍の尿量（300～600 mL/h，約 10 L/日）が得られるように利尿薬（フロセミド，ブメタニドなど）を投与する方法である。厳重な観察と電解質測定が必要である。 2）中毒患者の多くは脱水状態にあり（嘔吐・下痢・水分摂取不能などのため），脱水状態では尿量の減少によって薬物の腎排泄が顕著に低下するため，体液負荷による利尿の効果も大いに寄与する。薬物の腎排泄には限界があるため，これ以上の利尿を起こしても目的の薬物の排泄除去効果は期待できない。 3）腎尿細管で再吸収される薬物は非解離型であるため，尿細管でのイオン型薬物の割合を増やして非解離型薬物の割合を減らすことによって薬物の再吸収率を低下させ腎排泄を増加させる方法がある。酸性薬物（バルビツール酸系薬物，サリチル酸系薬物など）では炭酸水素ナトリウムなどで尿をアルカリ化することによって，一方，塩基性薬物（メプロバメートなどのカルバメート系薬物，アンフェタミンなどの覚醒アミン，キニーネ・キニジンなどのキノリン誘導体など）では塩化アンモニウムによって尿を酸性化することによって腎排泄が増加する。

吸収薬物の除去法 ②

分類		説明
体外循環法	血液透析 Hemodialysis	1）血液透析は体外循環法の一つで，透析膜（半透膜）内を流れる血液と透析膜外の還流液との間の濃度勾配に従って，血液内の薬物が還流液側に移動するのを利用して血中薬物を除去する方法である。腎不全の治療法として汎用される。 2）血液と還流液との濃度勾配が強いほど，分子量の小さい薬物ほど除去率は高くなるが，血漿蛋白結合率の高い薬物や血中から組織への移行率の高い薬物では除去率は低下する。
	血液吸着〈血液還流〉 Hemoperfusion	1）血液吸着〈血液還流〉は体外循環法の一つで，多孔性ビーズ活性炭，ヤシ殻活性炭などの吸着剤を充填したカラムに血液を直接通し，血液中に含まれる薬物を吸着除去する方法である。 2）血液吸着では血液が直接活性炭に接触するため，活性炭の炭粉の流出や白血球・血小板などの吸着を防ぐ目的で，活性炭にはセルロースやポリヘマなどの人工膜コーティングがなされている。 3）活性炭には電解質・水は吸着されないが分子量約 1 万以下の蛋白質は吸着されるため，蛋白結合性の薬物も吸着除去でき，また，血液と直接活性炭が接触するため低濃度の薬物でも効率よく吸着除去できるところが透析膜を使った血液透析と異なる。 4）血液吸着の応用として，血漿分離膜を通した血漿を血液吸着に適用することによって，血小板の損失を抑えることができる。
	血漿交換 Plasmapheresis	全血から大量の血漿を分離除去し，相応の置換液（新鮮凍結血漿）を補充する方法である。大分子量物質や免疫複合体なども除去できる点が特徴である。
	血液ろ過 Hemofiltration	全血から分子量約 1 万以下の毒性物質を血液の液体成分とともにろ過・除去し，相応の置換液を補充する方法である。大量の液体成分の入れ替えが可能であるが，血漿交換の発達によって特殊な場合を除いてあまり用いられなくなった。
経腹膜法	腹膜透析 Peritoneal Dialysis	1）腹膜透析は経腹膜法であり，腹腔内に挿入した腹膜カテーテルを介して 1.5～2 L の透析液を約 10 分かけて注入し，20～30 分後に排出する。これを 10～15 回繰り返して薬物を除去する方法である。 2）広い腹腔内腹膜総面積（1.7～2 m^2）を利用した方法であり，血液路を必要としないため循環器系への影響が少なく，乳幼児や重症患者にも比較的安心して行うことができ，また，外来腹膜透析も可能である。透析効率は血液透析より悪い。

❸ 急性薬物中毒の解毒薬

急性薬物中毒の解毒薬（その1）

中毒薬／中毒物質	解毒薬	解毒機序
モルヒネ	ナロキソン ナロキソン塩酸塩 レバロルファン ロルファン	オピオイド受容体拮抗による呼吸回復
ペンタゾシン	ドキサプラム ドプラム	化学受容器刺激による呼吸回復
ベンゾジアゼピン系薬物	フルマゼニル アネキセート	ベンゾジアゼピン受容体競合拮抗による呼吸回復
バルビツレート	ジモルホラミン テラプチク	呼吸中枢興奮
ピクロトキシン ストリキニーネ	バルビツレート，ジアゼパム メフェネシン	抗痙攣
ツボクラリン ステロイド系筋弛緩薬 （ロクロニウム，ベクロニウム）	ネオスチグミン・アトロピン合剤 アトワゴリバース	アセチルコリンの nAChR への作用増強及び mAChR への作用阻害
	スガマデクス ブリディオン	ステロイド系筋弛緩薬を包接
強心配糖体	塩化カリウム KCL，K.C.L.	強心配糖体の作用減弱
	リドカイン キシロカイン，リドカイン フェニトイン アレビアチン	心室性不整脈の改善
ヘパリン	プロタミン ノボ・硫酸プロタミン	酸性ヘパリンの中和
ワルファリン	ビタミンK ケイツー	ワルファリンの抗ビタミンK作用減弱
	乾燥濃縮人プロトロンビン複合体 ケイセントラ	血液凝固因子の補充
ダビガトラン	イダルシズマブ プリズバインド	ダビガトラン及びそのグルクロン酸抱合代謝物と高い親和性で特異的に結合する中和抗体（静注）
アセトアミノフェン	アセチルシステイン （グルタチオン前駆物質） アセチルシステイン	グルタチオン抱合による解毒の促進
イソニアジド	ビタミン B_6 ビーシックス，ビタミン B_6	減少したビタミン B_6 の補充
有機リン系農薬	プラリドキシム パム	失活したコリンエステラーゼの賦活
ストレプトマイシン カナマイシン	チオクト酸 チオクト酸	内耳性難聴の改善
レフルノミド	コレスチラミン クエストラン	胆汁中に排泄されたレフルノミドの活性代謝物を吸着して体外排泄を促進
各種薬物	クレメジン クレメジン	消化管内で薬物を吸着して体外排泄を促進

急性薬物中毒の解毒薬（その2）

中毒薬／中毒物質		解毒薬	解毒機序
重金属 ※慢性中毒含む	鉛	エデト酸Ca・2Na〈EDTA〉 ブライアン	重金属とのキレート形成
	銅・鉛 水銀	ペニシラミン メタルカプターゼ	
	銅	トリエンチン メタライト 酢酸亜鉛 （亜鉛が腸管細胞メタロチオネイン産生を誘導して銅吸収阻害） ノベルジン	
	鉄	デフェロキサミン（筋注・静注） デスフェラール デフェラシロクス（内服） ジャドニュ	
	鉛・銅 金・水銀 ヒ　素 クロム ビスマス アンチモン	ジメルカプロール （BAL®：British Anti-Lewisite，第二次大戦中のヒ素系毒ガスであるルイサイトの解毒薬。鉄・カドミウム中毒には不可） バル	
	水銀	チオプロニン チオラ	
シアン		チオ硫酸ナトリウム デトキソール	毒性の低いチオシアン酸形成
		ヒドロキソコバラミン シアノキット	シアノコバラミン形成
放射性セシウム〈^{137}Cs〉 タリウム〈Tl〉		ヘキサシアノ鉄（Ⅱ）酸鉄（Ⅲ） ラディオガルダーゼ	プルシアンブルー。セシウム・タリウムを吸着して糞便中に排出(内服)。
超ウラン元素 プルトニウム〈Pu〉 アメリシウム〈Am〉 キュリウム〈Cm〉		ペンテト酸亜鉛3Na アエントリペンタート ペンテト酸カルシウム3Na ジトリペンタートカル	ペンテト酸に配位したZn/Caが，超ウラン元素と配位交換して安定な水溶性錯体が形成され，超ウラン元素の体外排泄を高める（静注）。
メタノール		エタノール	メタノールの代謝阻害によるホルムアルデヒド，ギ酸の産生阻害
メタノール エチレングリコール		ホメピゾール ホメピゾール	肝臓アルコールデヒドロゲナーゼ阻害薬。エチレングリコールあるいはメタノールから生成される有害代謝物の生成を抑制する（点滴静注）。
メトヘモグロビン血症 （亜硝酸塩，アニリン誘導体，ニトロベンゼンなど）		メチルチオニニウム メチレンブルー	メトヘモグロビン〈Fe^{3+}〉をヘモグロビン〈Fe^{2+}〉に還元して酸素運搬能を回復。

Ⅷ　緊急安全性情報〈ドクターレター/イエローレター〉

緊急に安全対策上の措置をとる必要がある場合に，厚生労働省の指示により，製薬企業が「緊急安全性情報〈ドクターレター／イエローレター〉」を作成・発出する。安全性速報〈ブルーレター〉とともに，独立行政法人医薬品医療機器総合機構〈PMDA〉のホームページ（https://www.pmda.go.jp/）から入手可能である。

緊急安全性情報〈ドクターレター/イエローレター〉（2009～2002年）

報告年月日	薬　物	分　類	重大な副作用
07/03/20	**オセルタミビル** タミフル	抗インフルエンザ薬	服用後の異常行動（薬物との因果関係は不明であるが，10歳以上の未成年の患者において，転落等の事故）
04/03/05	**オプチペンプロ１（持効型溶解インスリンアナログ製剤「ランタス注カート300」専用注入器）**	手動式医薬品注入器	適切な操作によらずにカートリッジの装填が行われた場合に過量投与（低血糖）
03/09/10	**塩化ナトリウム，塩化カリウム，炭酸水素ナトリウム，無水硫酸ナトリウム配合剤** ニフレック	経口腸管洗浄剤（大腸内視鏡検査及び大腸手術時の前処置における腸管内容物の排除）	腸管穿孔，腸閉塞
03/03/07	**ガチフロキサシン** ガチフロ	ニューキノロン系抗菌薬	重篤な低血糖，高血糖
02/11/07	**クエチアピン** セロクエル	抗精神病薬	血糖値上昇による糖尿病性ケトアシドーシス，糖尿病性昏睡
02/10/28	**エダラボン** ラジカット	活性酸素消去（脳梗塞急性期に伴う神経症候，日常生活動作障害，機能障害の改善を効能・効果）	急性腎不全
02/10/15	**ゲフィチニブ** イレッサ	抗悪性腫瘍薬（手術不能または再発非小細胞肺癌）	間質性肺炎
02/07/23	**チクロピジン** パナルジン	抗血小板薬（血管手術や虚血性脳血管障害等に伴う血栓・塞栓の治療や慢性動脈閉塞症に伴う症状の改善）	血栓性血小板減少性紫斑病〈TTP〉，無顆粒球症，及び重篤な肝障害という重大な副作用の約９割が投与開始後２月以内に発現しており，本医薬品投与開始２ヶ月間，２週に１回の定期的検査（血液，肝機能）を行う。

緊急安全性情報：ドクターレター／イエローレター（2002〜1997年）

報告年月日	薬物	分類	重大な副作用
02/04/16	**オランザピン** ジプレキサ	抗精神病薬	血糖値上昇による糖尿病性ケトアシドーシス及び糖尿病性昏睡
00/11/15	**ジクロフェナク**	非ステロイド性抗炎症薬	インフルエンザの臨床経過中に発症した脳炎・脳症の重症化
00/10/05	**ピオグリタゾン** アクトス	インスリン抵抗性改善薬（糖尿病治療薬）	急激な水分貯留による心不全（循環血漿量の増加による浮腫）
00/02/23	**ベンズブロマロン** ユリノーム	痛風治療薬（尿酸排泄薬）	劇症肝炎
99/06/30	**チクロピジン** パナルジン	抗血小板薬（血管手術や虚血性脳血管障害等に伴う血栓・塞栓の治療や慢性動脈閉塞症に伴う症状の改善）	血栓性血小板減少性紫斑病（血小板減少，溶血性貧血，精神神経症状，発熱，腎機能障害の５主徴を呈する致死率の高い疾患） ※無顆粒球症及び重篤な肝障害も警告欄に記載
98/12/18	**セフォセリス** ウィンセフ	セフェム系抗生物質	中枢神経症状（痙攣，意識障害等）
98/08/07	**フルタミド** オダイン	抗アンドロゲン作用を有する前立腺癌治療薬	重篤な肝障害（劇症肝炎を含む）
97/12/01	**トログリタゾン** ノスカール	インスリン抵抗性改善薬（糖尿病治療薬）	重篤な肝障害
97/08/14	**抗菌処理カテーテル使用**	抗菌薬（クロルヘキシジン，スルファジアジン銀）	アナフィラキシー・ショック（急激な血圧低下，呼吸困難，全身発赤等）
97/08/06	**CPI 社製ペースメーカー**	人工ペースメーカー	双極モードの不具合（単極モードへの切替を推奨）
97/07/28	**イリノテカン** カンプト，トポテシン	植物由来抗悪性腫瘍薬	白血球減少，血小板減少等の重篤な骨髄機能抑制

●付　表

・薬物群理解・暗記に有用な
STEM（ステム）一覧表 628
・アミノ酸の分類・構造 631
・核　酸 632
・アミノ酸略号（一文字／三文字表記） 633
・コドン表 633
・数を示す接頭語 634
・大きさを示す接頭語 634
・ギリシャ文字 634
・各種単位および定数 634
・知っておきたい基準値 635
・薬物の基本骨格 636

薬物群理解・暗記に有用なSTEM（ステム）

ステムは，世界保健機関〈WHO〉によって定義され，その情報はWHOのWEBサイトから入手可能である（随時更新）。

分 類	STEM	薬物群名	薬物名（例）
交感神経系作用薬	-azosin	プラゾシン系降圧薬	プラ**ゾシン**，テラ**ゾシン**，ブナ**ゾシン**，ドキサ**ゾシン**
	-olol	β受容体遮断薬	プロプラノ**ロール**，ピンド**ロール**，カルテ**オロール**，アルプレノ**ロール**
			ビソプロ**ロール**，メトプロ**ロール**，セリプロ**ロール**
	-terol	気管支拡張薬（フェネチルアミン誘導体）	プロカ**テロール**，ツロブ**テロール**，フェノ**テロール**，サルメ**テロール**
副交感神経系作用薬	-trop-	アトロピン誘導体	イプラ**トロピ**ウム，オキシ**トロピ**ウム，チオ**トロピ**ウム
副交感／運動神経系作用薬	-stigmine	コリンエステラーゼ阻害薬（フィゾスチグミン類）	ネオ**スチグミン**，ジ**スチグミン**，ピリド**スチグミン**
知覚神経系作用薬	-caine	局所麻酔薬	コ**カイン**，プロ**カイン**，オキシブプロ**カイン**，テトラ**カイン**，ジブ**カイン**，リド**カイン**，メピバ**カイン**，ブピバ**カイン**，ロピバ**カイン**
運動神経系作用薬	-curonium	筋弛緩薬	ベ**クロニウム**，ロ**クロニウム**
中枢神経系作用薬	-flurane	ハロゲン化吸入麻酔薬	イソ**フルラン**，セボ**フルラン**，デス**フルラン**
	-azepam -izolam	ジアゼパム誘導体	ニト**ラゼパム**，フル**ラゼパム**，ク**アゼパム** **エチゾラム**，ブロ**チゾラム**
セロトニン関連薬	-triptan	5-HT$_1$受容体刺激薬（スマトリプタン誘導体）	スマ**トリプタン**，ゾルミ**トリプタン**，エレ**トリプタン**，リザ**トリプタン**
	-setron	5-HT$_3$受容体拮抗薬	グラニ**セトロン**，オンダン**セトロン**，アザ**セトロン**，トロピ**セトロン**
アンギオテンシン関連薬	-pril	アンギオテンシン変換酵素阻害薬	カプト**プリル**，エナラ**プリル**，リシノ**プリル**，アラセ**プリル**
	-sartan	アンギオテンシンⅡ受容体拮抗薬	ロ**サルタン**，カンデ**サルタン**，バル**サルタン**，テルミ**サルタン**
エンドセリン関連薬	-entan	エンドセリン受容体拮抗薬	ボ**センタン**，アンブリ**センタン**，マシ**テンタン**
アラキドン酸代謝物関連薬	-prost -prost-	プロスタグランジン類	アル**プロスタ**ジル，ミソ**プロスト**ール，ジノ**プロスト**ン，ジノ**プロスト**，ベラ**プロスト**，イソプロピルウノ**プロスト**ン，ラタノ**プロスト**
	-lukast	ロイコトリエン受容体拮抗薬	プラン**ルカスト**，ザフィル**ルカスト**，モンテ**ルカスト**
サイトカイン関連薬	-grastim	顆粒球コロニー刺激因子〈G-CSF〉類	フィル**グラスチム**，レノ**グラスチム**，ナルト**グラスチム**
	-leukin	インターロイキン-2類似体／誘導体	セルモ**ロイキン**，テセ**ロイキン**
強心薬	-rinone	強心薬（アムリノン誘導体）	ミル**リノン**，オルプ**リノン**
降圧薬	-dipine	Ca拮抗薬（ニフェジピン誘導体）	ニフェ**ジピン**，ニカル**ジピン**，シルニ**ジピン**，アムロ**ジピン**，アゼルニ**ジピン**
消化性潰瘍治療薬	-tidine	ヒスタミンH_2受容体拮抗薬（シメチジン誘導体）	シメ**チジン**，ラニ**チジン**，ファモ**チジン**，ニザ**チジン**，ラフ**チジン**
	-prazol	抗潰瘍薬（ベンゾイミダゾール誘導体）	オメ**プラゾール**，ランソ**プラゾール**，ラベ**プラゾール**，エソメ**プラゾール**

分類	STEM	薬物群名	薬物名（例）
利尿薬	-vaptan	バソプレシン受容体拮抗薬	モザバプタン，トルバプタン
血液系作用薬	-parin	ヘパリン誘導体，低分子量ヘパリン	ダルテパリン，パルナパリン，レビパリン
	-xaban	血液凝固 Xa 因子阻害薬	エドキサバン，リバーロキサバン，アピキサバン
	-teplase	組織プラスミノーゲンアクチベーター	アルテプラーゼ，モンテプラーゼ
視床下部ホルモン関連薬	-relin	下垂体ホルモン放出刺激ペプチド	ゴナドレリン，ソマトレリン
	-morelin	成長ホルモン放出刺激ペプチド	プラルモレリン
	-tirelin	甲状腺刺激ホルモン放出ホルモン類似体	プロチレリン，タルチレリン
	-relix	GnRH 抑制ペプチド	セトロレリクス，ガニレリクス，デガレリクス
下垂体ホルモン関連薬	som-	成長ホルモン誘導体	ソマトロピン
性ホルモン関連薬	-ifene	抗エストロゲン薬	タモキシフェン，トレミフェン，クロミフェン
	-steride	テストステロン還元酵素阻害薬	デュタステリド，フィナステリド
糖尿病治療薬	-gli-	高血糖改善薬	ボグリボース，ミグリトール
	-glitazone	PPAR-γ 刺激薬（チアゾリジンジオン誘導体）	ピオグリタゾン，（トログリタゾン）
	-gliptin	ジペプチジルペプチダーゼ-4〈DPP-4〉阻害薬	シタグリプチン，ビルダグリプチン，アログリプチン
	-gliflozin	SGLT 阻害薬（フロリジン誘導体）	トホグリフロジン，イプラグリフロジン，ダパグリフロジン，ルセオグリフロジン，カナグリフロジン，エンパグリフロジン
脂質異常症治療薬	-fibrate	クロフィブラート誘導体	クロフィブラート，ベザフィブラート，シンフィブラート，フェノフィブラート，クリノフィブラート
	-vastatin	高脂血症治療薬（HMG-CoA 還元酵素阻害薬）	プラバスタチン，シンバスタチン，フルバスタチン，アトルバスタチン，ピタバスタチン，ロスバスタチン
骨粗鬆症治療薬	-dronic acid	カルシウム代謝調節薬	エチドロン酸，アレンドロン酸，リセドロン酸，パミドロン酸
抗病原生物薬	-vir	抗ウイルス薬	テノホビル，アデホビル
	-amivir	ノイラミニダーゼ阻害薬	ザナミビル，オセルタミビル
	-ciclovir	アシクロビル系抗真菌薬	ファムシクロビル
	-buvir	NS5B 阻害薬	ソホスブビル
	-previr	HCV プロテアーゼ阻害薬	テラプレビル，シメプレビル
	-navir	HIV プロテアーゼ阻害薬	インジナビル，サキナビル，リトナビル，ネルフィナビル
	-oxacin	抗菌薬（ナリジクス酸誘導体）	ノルフロキサシン，オフロキサシン，スパルフロキサシン，ガチフロキサシン，パズフロキサシン，プルリフロキサシン
	-conazole	合成抗真菌薬（ミコナゾール誘導体）	イトラコナゾール，フルコナゾール，ミコナゾール

分　類	STEM	薬物群名	薬物名（例）
抗悪性腫瘍薬	-rubicin	抗悪性腫瘍薬（ダウノルビシン誘導体）	ドキソ**ルビシン**〈アドリアマイシン〉，ダウノ**ルビシン**，アクラ**ルビシン**，ピラ**ルビシン**，アム**ルビシン**
	-taxel	抗悪性腫瘍薬（タキサン誘導体）	パクリ**タキセル**，ドセ**タキセル**
	-tinib	チロシンキナーゼ阻害薬	イマ**チニブ**（抗 BCR-ABL），ゲフィ**チニブ**（抗 EGF 受容体）
その他	calci	ビタミン D 類似体／誘導体	マキサ**カルシ**トール，タ**カルシ**トール，ファレ**カルシ**トール
	-mab	モノクローナル抗体製剤〈<u>M</u>onoclonal <u>A</u>nti<u>b</u>ody〉（☞下図も参照）／マウス -omab	イブリツ**モマブ**（ヒト CD20）
		キメラ型 -ximab	インフリ**キシマブ**（抗 TNFα），リツ**キシマブ**（抗 CD20），セツ**キシマブ**（抗 EGFR），バシリ**キシマブ**（抗 IL-2 受容体）
		ヒト化 -zumab	トラスツ**ズマブ**（抗 HER2），トシリ**ズマブ**（抗 IL-6 受容体），ベバシ**ズマブ**（抗 VEGF）
		完全ヒト型 -umab	アダリ**ムマブ**（抗 TNFα），オファツ**ムマブ**（抗 CD20），パニツ**ムマブ**（抗 EGFR）
	-stat -stat-	酵素阻害薬	ナファモ**スタット**（蛋白質分解酵素阻害薬），フェブキソ**スタット**（キサンチンオキシダーゼ阻害薬），エパルレ**スタット**（アルドース還元酵素阻害薬），コビシ**スタット**（CYP3A 阻害薬），ボリノ**スタット**（ヒストン脱アセチル化酵素阻害薬），パノビノ**スタット**（脱アセチル化酵素阻害薬）

【モノクローナル抗体製剤の種類】

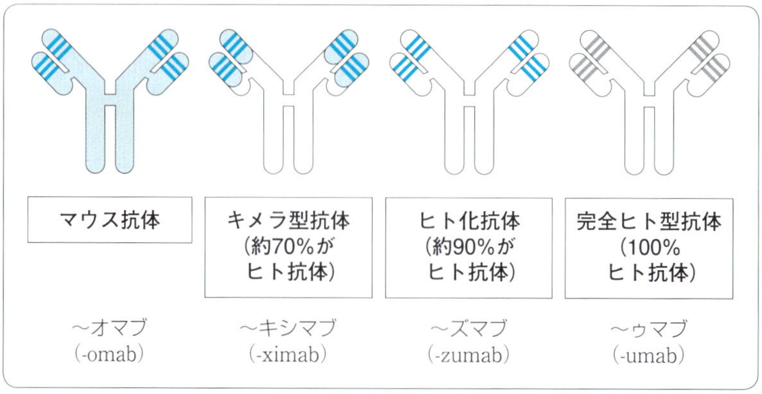

アミノ酸の分類・構造

親水性アミノ酸

塩基性

HOOC–C–CH₂–CH₂–CH₂–CH₂–NH₂ ＊
リシン〈Lys, K〉

HOOC–C–CH₂–CH₂–CH₂–NH–C〈NH〈NH₂
アルギニン〈Arg, R〉

HOOC–C–CH₂（imidazole）＊
ヒスチジン〈His, H〉

酸性

HOOC–C–CH₂–COOH
アスパラギン酸〈Asp, D〉

HOOC–C–CH₂–CH₂–COOH
グルタミン酸〈Glu, E〉

中性

HOOC–C–CH₂–OH
セリン〈Ser, S〉

HOOC–C–CH–OH/CH₃ ＊
トレオニン〈Thr, T〉

HOOC–C–CH₂–C（=O）NH₂
アスパラギン〈Asn, N〉

HOOC–C–CH₂–CH₂–C（=O）NH₂
グルタミン〈Gln, Q〉

＊必須アミノ酸

疎水性アミノ酸

脂肪族

HOOC–C–H
グリシン〈Gly, G〉

HOOC–C–CH₃
アラニン〈Ala, A〉

分岐鎖

HOOC–C–CH〈CH₃〈CH₃ ＊
バリン〈Val, V〉

HOOC–C–CH₂–CH〈CH₃〈CH₃ ＊
ロイシン〈Leu, L〉

HOOC–C–CH（CH₃）–CH₂–CH₃ ＊
イソロイシン〈Ile, I〉

芳香族

HOOC–C–CH₂–（phenyl）＊
フェニルアラニン〈Phe, F〉

HOOC–C–CH₂–（phenyl）–OH
チロシン〈Tyr, Y〉

HOOC–C–CH₂–（indole）＊
トリプトファン〈Trp, W〉

含硫

HOOC–C–CH₂–SH
システイン〈Cys, C〉

HOOC–C–CH₂–CH₂–S–CH₃ ＊
メチオニン〈Met, M〉

特殊アミノ酸

イミノ酸

HOOC–（pyrrolidine）
プロリン〈Pro, P〉

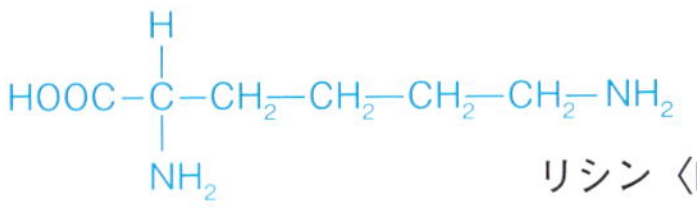

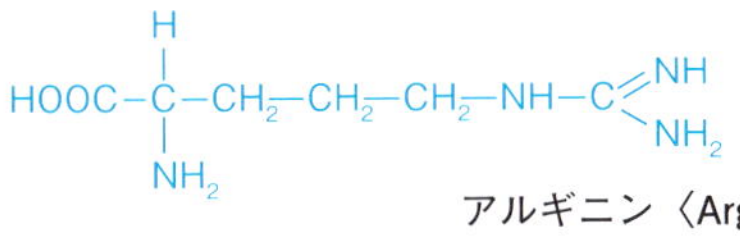

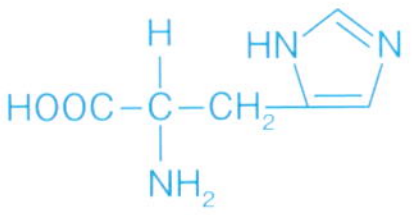

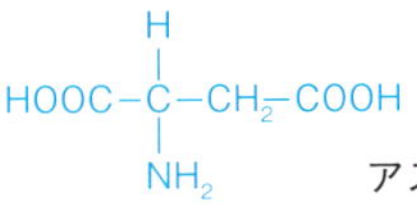

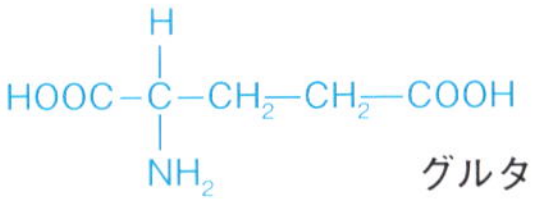

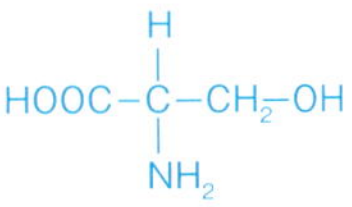

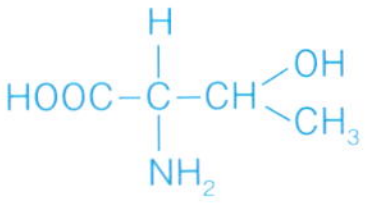

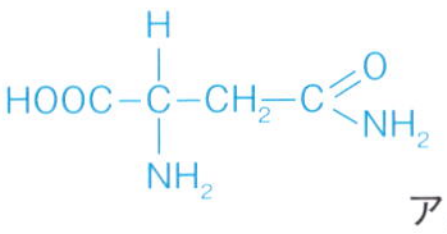

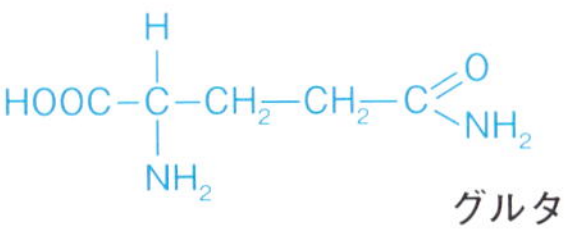

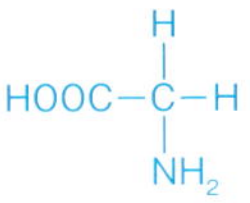

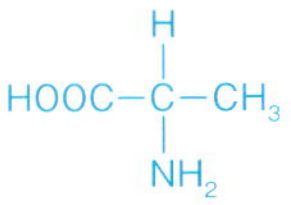

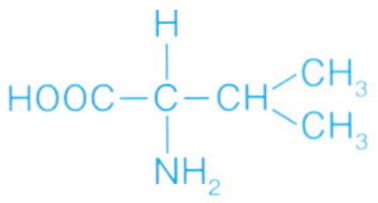

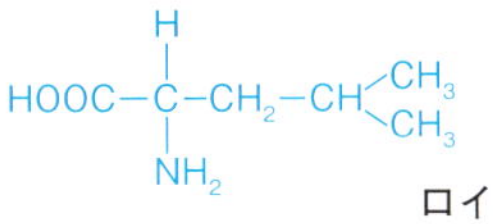

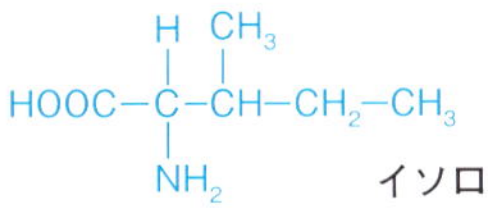

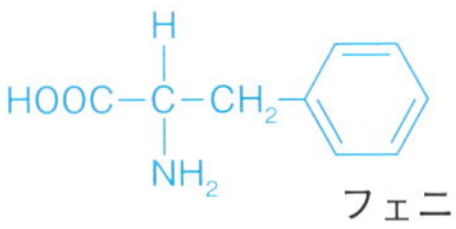

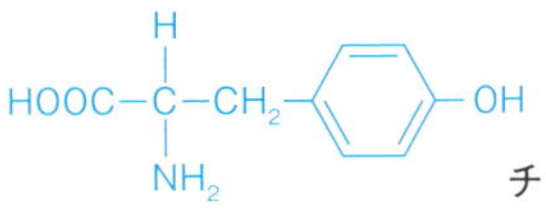

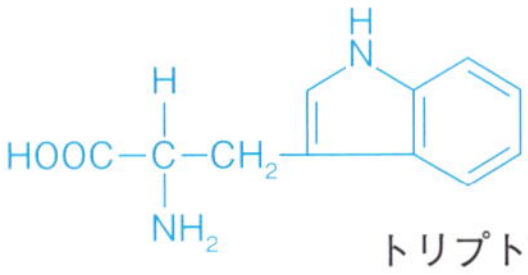

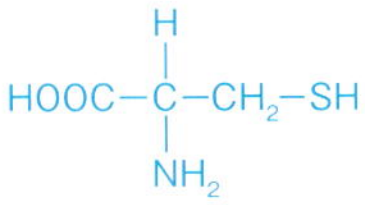

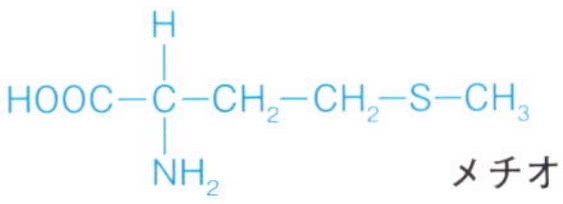

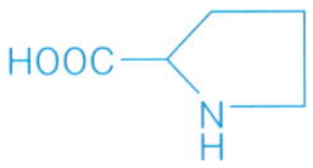

核 酸

塩 基	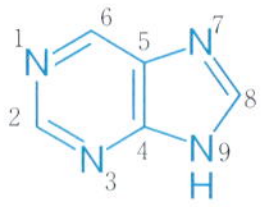 プリン環 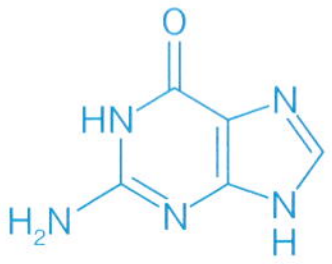 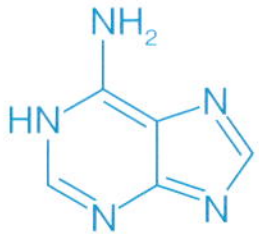 グアニン アデニン	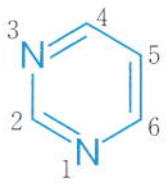 ピリミジン環 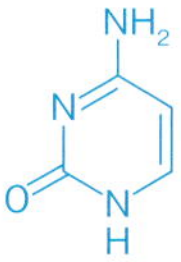 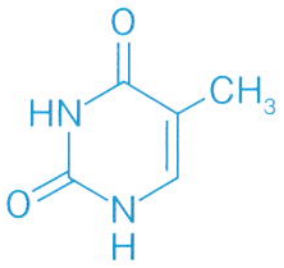 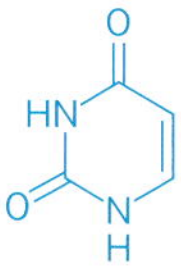 シトシン チミン ウラシル
リボース	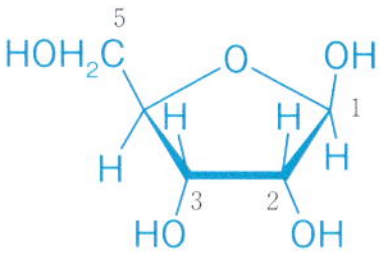 リボース	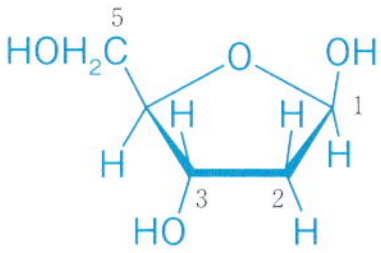 2-デオキシリボース
ヌクレオチド	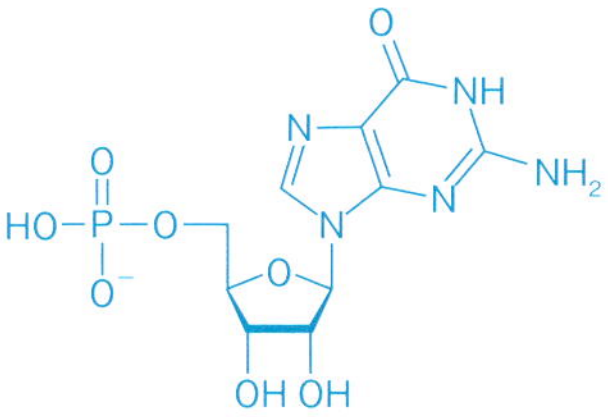 グアニル酸 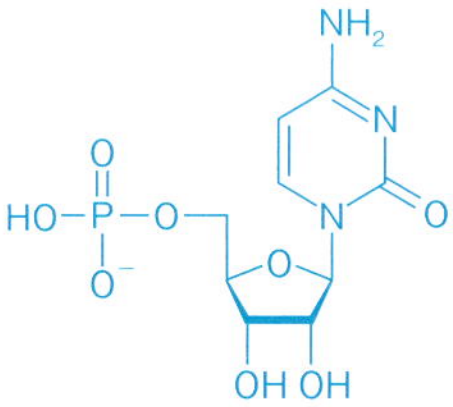 シチジル酸	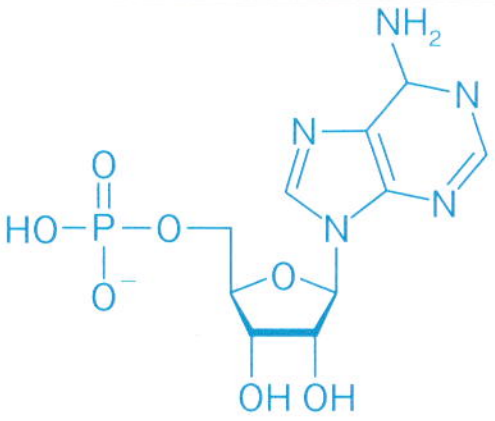 アデニル酸 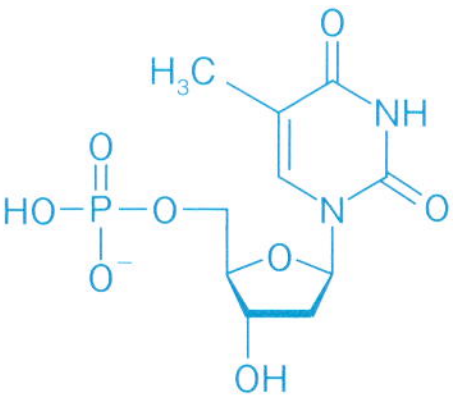 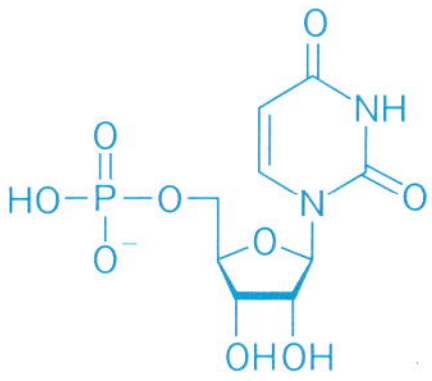 チミジル酸 ウリジル酸
DNA/RNA	G C 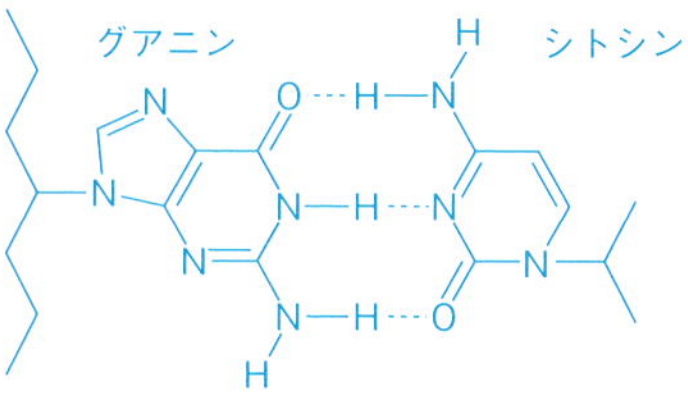 A T 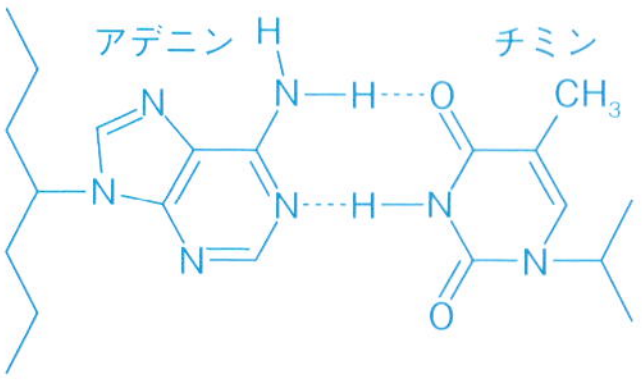 GC/AT（DNA）	 A U 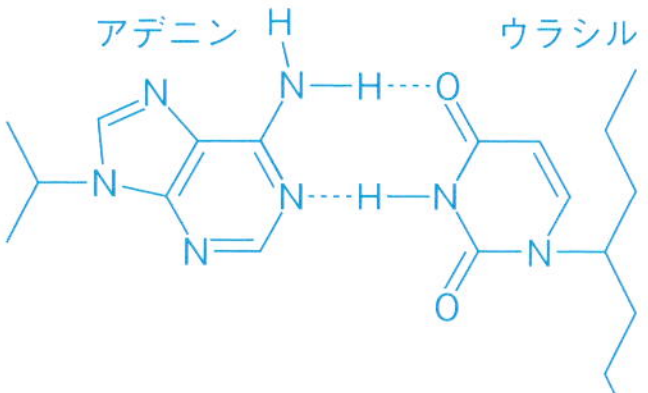 GC/AU（RNA）

アミノ酸略号（一文字／三文字表記）

A	Ala	アラニン
B	Asx	アスパラギン アスパラギン酸
C	Cys	システイン
D	Asp	アスパラギン酸
E	Glu	グルタミン酸
F	Phe	フェニルアラニン
G	Gly	グリシン
H	His	ヒスチジン
I	Ile	イソロイシン
K	Lys	リシン
L	Leu	ロイシン
M	Met	メチオニン
N	Asn	アスパラギン
P	Pro	プロリン
Q	Gln	グルタミン
R	Arg	アルギニン
S	Ser	セリン
T	Thr	スレオニン
V	Val	バリン
W	Trp	トリプトファン
Y	Tyr	チロシン
Z	Glx	グルタミン グルタミン酸
X		非同定/非標準アミノ酸

コドン表

第一塩基（5’末端側）	第二塩基 U		第二塩基 C		第二塩基 A		第二塩基 G		第三塩基（3’末端側）
U	UUU	Phe	UCU	Ser	UAU	Tyr	UGU	Cys	U
	UUC	Phe	UCC	Ser	UAC	Tyr	UGC	Cys	C
	UUA	Leu	UCA	Ser	UAA	終止	UGA	終止	A
	UUG	Leu	UCG	Ser	UAG	終止	UGG	Trp	G
C	CUU	Leu	CCU	Pro	CAU	His	CGU	Arg	U
	CUC	Leu	CCC	Pro	CAC	His	CGC	Arg	C
	CUA	Leu	CCA	Pro	CAA	Gln	CGA	Arg	A
	CUG	Leu	CCG	Pro	CAG	Gln	CGG	Arg	G
A	AUU	Ile	ACU	Thr	AAU	Asn	AGU	Ser	U
	AUC	Ile	ACC	Thr	AAC	Asn	AGC	Ser	C
	AUA	Ile	ACA	Thr	AAA	Lys	AGA	Arg	A
	AUG	Met*	ACG	Thr	AAG	Lys	AGG	Arg	G
G	GUU	Val	GCU	Ala	GAU	Asp	GGU	Gly	U
	GUC	Val	GCC	Ala	GAC	Asp	GGC	Gly	C
	GUA	Val	GCA	Ala	GAA	Glu	GGA	Gly	A
	GUG	Val	GCG	Ala	GAG	Glu	GGG	Gly	G

＊AUG は開始コドンにも内部 Met 残基のコドンにもなる。

数を示す接頭語

1	モノ	11	ウンデカ	21	ヘンエイコサ
2	ジ	12	ドデカ	22	ドコサ
3	トリ	13	トリデカ	23	トリコサ
4	テトラ	14	テトラデカ	24	トテラコサ
5	ペンタ	15	ペンタデカ	25	ペンタコサ
6	ヘキサ	16	ヘキサデカ	26	ヘキサコサ
7	ヘプタ	17	ヘプタデカ	27	ヘプタコサ
8	オクタ	18	オクタデカ	28	オクタコサ
9	ノナ	19	ノナデカ	29	ノナコサ
10	デカ	20	エイコサ	30	トリアコンタ

大きさを示す接頭語

10^{-1}	d	デシ	10	da	デカ
10^{-2}	c	センチ	10^2	h	ヘクト
10^{-3}	m	ミリ	10^3	k	キロ
10^{-6}	μ	マイクロ	10^6	M	メガ
10^{-9}	n	ナノ	10^9	G	ギガ
10^{-12}	p	ピコ	10^{12}	T	テラ
10^{-15}	f	フェムト	10^{15}	P	ペタ
10^{-18}	a	アト	10^{18}	E	エクサ
10^{-21}	z	ゼプト	10^{21}	Z	ゼタ
10^{-24}	y	ヨクト	10^{24}	Y	ヨタ

ギリシャ文字

A α	アルファ	I ι	イオタ	P ρ	ロー
B β	ベータ	K κ	カッパ	Σ σ	シグマ
Γ γ	ガンマ	Λ λ	ラムダ	T τ	タウ
Δ δ	デルタ	M μ	ミュー	Y υ	ウプシロン
E ε	イプシロン	N ν	ニュー	Φ ϕ	ファイ
Z ζ	ゼータ	Ξ ξ	グザイ	X χ	カイ
H η	イータ	O o	オミクロン	Ψ ψ	プサイ
Θ θ	シータ	Π π	パイ	Ω ω	オメガ

各種単位および定数

長 さ	オングストローム 〈Å〉	$1\,\text{Å} = 10^{-10}\,\text{m} = 0.1\,\text{nm}$
放射能	キューリー 〈Ci〉 ベクレル 〈Bq〉 壊変毎分 〈DPM〉	$1\,\text{Ci} = 37\,\text{GBq} = 2.22 \times 10^{12}\,\text{dpm}$ ＊DPM：Disintegrations per minute
吸収線量	グレイ 〈Gy〉	
線量当量	シーベルト 〈Sv〉	
温 度	セルシウス温度 〈℃〉 熱力学温度（絶対温度）〈K〉	$T_0 = 0\text{℃} = 273.15\,\text{K}$
物理定数	アボガドロ数 N_A	$N_A = 6.022 \times 10^{23}\,\text{mol}^{-1}$
	標準大気圧 P_0	$P_0 = 1.013 \times 10^5\,\text{Pa}$
	気体定数 R	$R = 8.314\,\text{J} \cdot \text{K}^{-1} \cdot \text{mol}^{-1}$
	ファラデー定数 F	$F = 9.648 \times 10^4\,\text{C} \cdot \text{mol}^{-1}$

知っておきたい基準値（成人）

★バイタルサイン	
呼吸数	15～20/分
脈　拍	60～80/分
血　圧	140/90 mmHg 未満

★尿検査	
尿　量	1,000～2,000 mL/日
pH	4.8～7.5
尿比重	1.005～1.030 前後

★血液検査	
赤血球〈RBC〉	男 450～550 万/μL 女 350～500 万/μL
ヘモグロビン〈Hb〉	男 14～17 g/dL 女 12～15 g/dL
ヘマトクリット〈Ht〉	男 40～50% 女 35～45%
白血球〈WBC〉	4,000～9,000/μL
血小板〈Plt〉	15～35 万/μL

★免疫学検査	
C 反応性蛋白〈CRP〉	0.2 mg/dL 以下

★生体機能検査	
動脈血ガス分析	$PaCO_2$ 35～45 Torr PaO_2 80～100 Torr SaO_2 94～97% pH 7.35～7.45 HCO_3^- 22～26 mEq/L

★腎機能検査	
腎血流量〈RBF〉	650～1,100 mL/分
腎血漿流量〈RPF〉	400～650 mL/分
クレアチニン・クリアランス〈Ccr〉	70～130 mL/分
推算糸球体ろ過量〈eGFR〉	100 mL/分前後

eGFR＝194×$Cr^{-1.094}$×$年齢^{-0.287}$（女性：×0.739）

★生化学検査		
電解質	ナトリウム〈Na〉	136～148 mEq/L
	カリウム〈K〉	3.6～5.0 mEq/L
	クロール〈Cl〉	96～108 mEq/L
	カルシウム〈Ca〉	8.4～10.0 mg/dL
	リン〈P〉	2.5～4.5 mg/dL
重金属	鉄〈Fe〉	男 54～200 μg/dL 女 48～154 μg/dL
含窒素成分	尿素窒素〈BUN〉	9～20 mg/dL
	クレアチニン〈Cr〉	男 0.7～1.2 mg/dL 女 0.5～0.9 mg/dL
	尿酸〈UA〉	男 3.0～7.0 mg/dL 女 2.0～5.5 mg/dL
蛋白	総蛋白〈TP〉	6.5～8.0 g/dL
	アルブミン〈Alb〉	4.5～5.5 g/dL
糖代謝	空腹時血糖	110 mg/dL 未満
	ヘモグロビン A1c〈HbA1c〉（NGSP）	6.5%未満
脂質代謝	総コレステロール	220 mg/dL 未満
	HDL コレステロール	40 mg/dL 以上
	LDL コレステロール	120 mg/dL 未満
	中性脂肪〈TG〉	150 mg/dL 未満
生体色素	総ビリルビン	1.4 mg/dL 以下
	直接ビリルビン	0.4 mg/dL 以下
	間接ビリルビン	1.1 mg/dL 以下
酵素	AST〈GOT〉	10～40 IU/L
	ALT〈GPT〉	5～45 IU/L
	アルカリホスファターゼ〈ALP〉	100～325 IU/L
	クレアチンキナーゼ〈CK〉	男 60～270 IU/L 女 40～150 IU/L
	γ-GTP	男 80 IU/L 以下 女 30 IU/L 以下

※値は，測定法の違いにより前後する場合がある。

薬物の基本骨格

aziridine

furan

oxazolidine

oxazoline

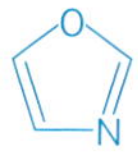
oxazole

isoxazole

thiophene
(thiofuran)

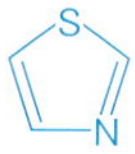
thiazole

pyrrolidine

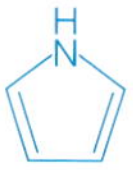
pyrrole

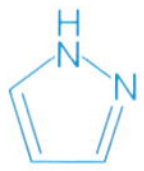
pyrazole

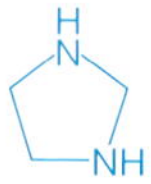
imidazolidine

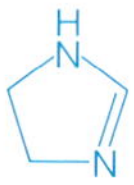
imidazoline

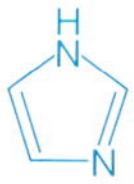
imidazole

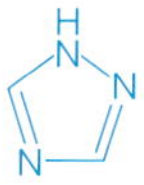
triazole

benzene

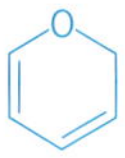
1,2-pyran

dioxane

morpholine

oxazine

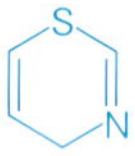
thiazine

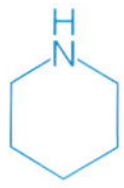
piperidine

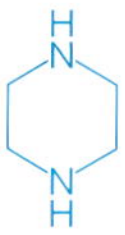
piperazine

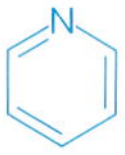
pyridine

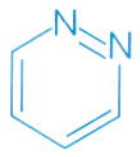
pyridazine

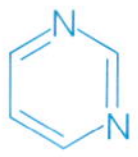
pyrimidine

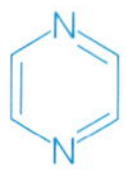
pyrazine

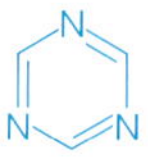
triazine

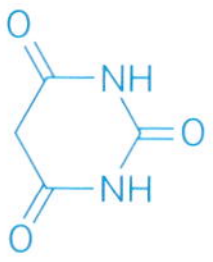
barbital

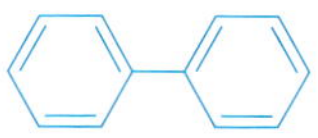
biphenyl

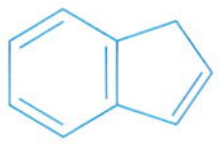

indene

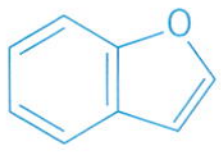

benzofuran
(coumarone)

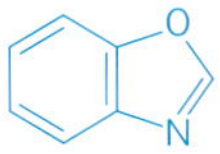

benzoxazole

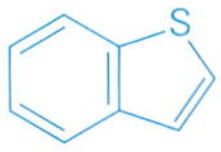

benzothiophene

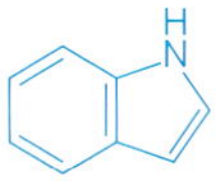

indole

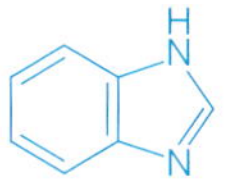

benzimidazole

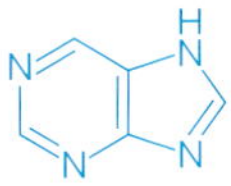

purine

xanthine

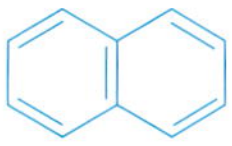

naphthalene

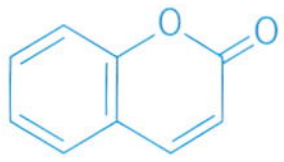

coumarin

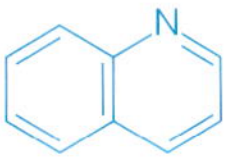

quinoline

isoquinoline

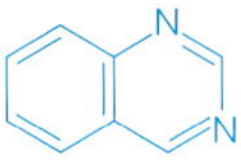

quinazoline

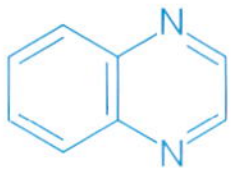

quinoxaline

phthalazine

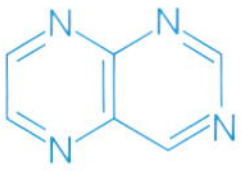

pteridine

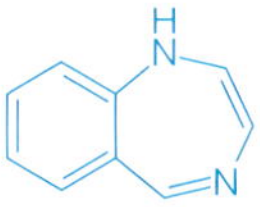

benzodiazepine

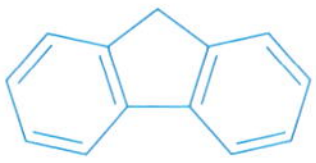

fluorene

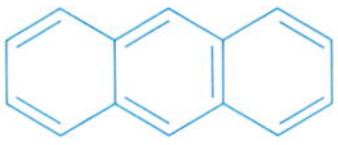

anthracene

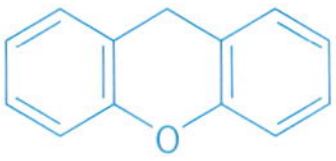

xanthene

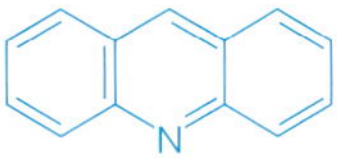

acridine

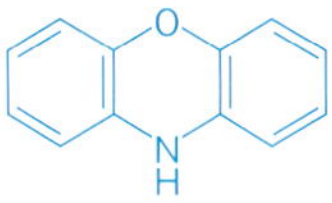

phenoxazine

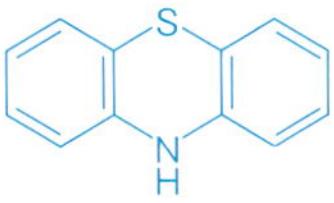

phenothiazine

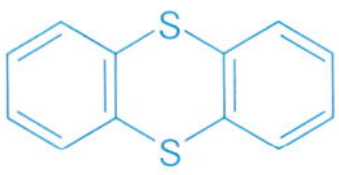

thianthrene

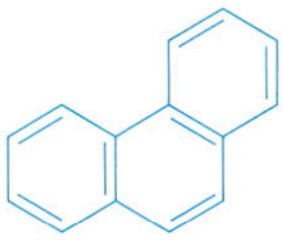

phenanthrene

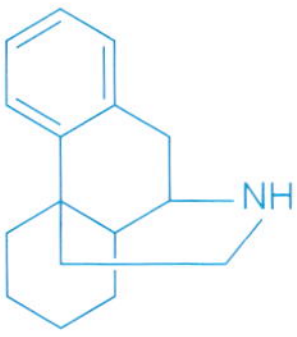

morphinan

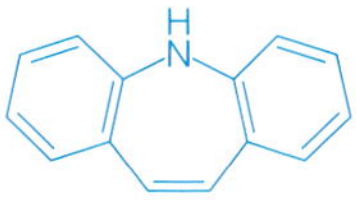

dibenzazepine
(iminostilbene)

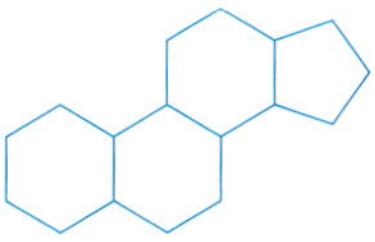

steroid

索 引

※色文字は医薬品商品名（商品名が一般名と同一の場合は一般名（黒字）として表記）
※太数字：主要ページ　色数字：別冊「医薬品一般名・商品名・構造一覧」掲載ページ

和 文

ア

アーチスト 5
アーテン 7, 21
アーノルド神経 293
アーリーダ 138
アイエーコール 136
アイオナールナトリウム 12
アイオピジン UD 1, 90
アイクルシグ 140
アイセントレス 127
アイソザイム 41
アイソボリン 146
アイドロイチン 89
アイトロール 51
アイノフロー 54
アイピーディ 29, 60, 93
アイファガン 1, 83
アエントリペンタート 151
アカルディ 49
アカルボース 462, 609, 612, 107
アカンプロサート 110
アカンプロサートカルシウム 12
アキシチニブ 563, 141
アキネトン 7, 21
アクアチム 91
アクセノン 18
アクタリット 210, 38
アクチノマイシン D 551, 136
アクチノマイセス 494
アクチン 24, 26, 28
アクトシン 49, 94
アクトス 107
アクトネル 112
アクネ 408
アクプラ 136
アクラシノン 135
アクラトニウム 70, 315, 316
アクラトニウムナパジシル酸塩 6, 65
アクラルビシン 550
アクラルビシン塩酸塩 135
アクリジニウム 71, 299
アクリジニウム臭化物 8, 60
アクリジン色素 529
アクリノール 529, 133
アグリリン 79
アクロマイシン 117
アコチアミド 73, 315, 316
アコチアミド塩酸塩水和物 9, 65
アコファイド 9, 65
アザクタム 116
アサコール 66
アザシチジン 547, 135
アザシチジン三リン酸 547
アザセトロン 178, 314, 574, 33, 64
アザセトロン塩酸塩 33, 64
アザチオプリン 202, 205, 206, 318, 369, 475, 37, 66
アザデオキシシチジン三リン酸 547
アザニン 37, 66
アザピロン系 127
アザルフィジン EN 38
アシクロビル 402, 412, 514, 87, 95, 127
アジスロマイシン 402, 499
アジスロマイシン水和物 118
アジソン病 431
アシタザノラスト 169, 238, 401
アシタザノラスト水和物 29, 84
アシドーシス 340
アジドチミジン 520
アシノン 62
アジマイシン 118
アジュバント 208
アジュバント関節炎法 593
アジルサルタン 181, 280, 281, 34
アジルバ 34
アジレクト 20
L-アスコルビン酸 450
アスコルビン酸 43, 364, 452, 616, 104
アスタット 124
アステミゾール 238
アストーマ 3, 58
アストミン 57
アズトレオナム 492, 116
アズノール 46, 63, 94
L-アスパラギナーゼ 539, 569
アスパラギン酸カリウム 346
L-アスパラギン酸 Ca 477
L-アスパラギン酸カルシウム 346
アスパラギン分解酵素 569
アスピリン 43, 119, 150, 190, 191, 227, **228**, 264, 368, 388, 594, 598, 606, 612, 613, 616, 80
アスピリン〈アセチルサリチル酸〉 229, 44
アスピリン潰瘍 191, 606
アスピリン・ジレンマ 228
アスピリン喘息 191, 606
アスプール 4, 58
アスペノン 50
アスベリン 57
アズマネックス 41, 61
アズラビン 46, 85, 88
アズレミック 46
アズレン **233**, 310, 401, 403, 411, 46, 85, 88
アズレンスルホン酸ナトリウム 233
アズレンスルホン酸ナトリウム水和物 46, 63, 85, 88
アズロキサ 63
アセサイド 132
アセタゾラミド 21, 133, 160, 292, 342, 345, 369, 398, 400, 475, 607, 609, 616, 18, 26, 57, 70, 84
アセタノール 2
N-アセチル-5-メトキシトリプタミン 421
アセチル CoA 68
アセチル化 228
N-アセチルグルコサミン 486
アセチルコリン 20, 53, 68, **68**, 69, 70, 74, 75, 81, **97**, 105, 138, 304, 446, 586
アセチルコリンエステラーゼ 73, 164
アセチルコリン塩化物 6, 149
アセチルコリン系パーキンソン病治療薬 141
アセチルコリン受容体 12, 13, **69**, 86
アセチルコリン受容体サブタイプ **68**, **85**
アセチルコリン受容体サブタイプと血圧 85
アセチルコリン受容体サブタイプの情報伝達系と細胞応答 69
アセチルコリン受容体と血圧 **85**, 86
アセチルコリン静注による血圧反応 85
アセチルコリンの生合成と代謝 68
アセチルサリチル酸 150
N-アセチルシステイン 151
アセチルシステイン 297, 623, 58, 150
アセチルスピラマイシン 499, 119, 132
N-アセチルセロトニン 174
N-アセチル転移酵素欠損 600
N-アセチルトランスフェラーゼ 174
アセチル尿素系 133
アセチルフェネトライド 133, 18
N-アセチルムラミン酸 486
アセトアミノフェン 149, 151, 606, 612, 623
アセトアミノフェン〈パラセタモール〉 23
アセトヘキサミド 368, 369, 459, 105
アセトン 601
アセナピン 121, 177
アセナピンマレイン酸塩 15
アゼプチン 31, 60
アセブトロール 61, 66, 260, 268, 278, 286
アセブトロール塩酸塩 2
アセメタシン 229, 44
アゼラスチン 171, 173, 190, 238, 300
アゼラスチン塩酸塩 31, 60
アセリオ 23
アゼルニジピン 279, 281, 283, 55
アセンヤク 322
アゾール系 482, 510, 511
アゾール系抗真菌薬 617, 618
アゾセミド 345, 70
アタザナビル 521
アタザナビル硫酸塩〈ATV〉 127
アダパレン 408, 453, 91, 104
アダプチノール 88, 104
アダラート 55
アタラックス 17, 25, 30
アタラックス P 17, 25, 30
アダリムマブ 197, 211, 318, 410
アディポネクチン 461
アデール 48
アデカット 34
アデスタン 124
アテゾリズマブ 557
アデニル酸シクラーゼ 8, 15
アデニル酸シクラーゼ活性化薬 254
アデニル酸シクラーゼ刺激薬 252, 253
アデニン 370, 574, 79
アデノウイルス 534, 535
アデノシルコバラミン 450
アデノシン 10, 258, 373, 374, 586, 149
アデノシン受容体 12, 14
アデノシン 3',5'-環状一リン酸 8, 15
アデノシン二リン酸 10

アデノシン 5'-一リン酸 15
アデノシン 5'-三リン酸 15
アデノシン三リン酸 Na 162
アデノシン三リン酸二 Na 160
アデノシン三リン酸二ナトリウム水和物 26, 27
アデノシン A_{2A}受容体遮断 141
アデノシン系パーキンソン病治療薬 141
アデノシン増強 267
アデノシン増強薬 264, 384
アデノシンデアミナーゼ阻害薬 549
アデノシン類似薬 520
アデノスキャン 149
アテノロール 61, 66, 260, 268, 278, 286, 2
アデホス 26, 27
アデホビルピボキシル 517, 128
アデムパス 54
アテレック 55
アテローム性動脈硬化 466
S・アドクノン 79
アドシルカ 54
アドセトリス 144
アドナ 79
アトニン-O 74, 98
アトバコン 512, 525, 125
アトバコン・プログアニル塩酸塩 131
アトバコン・プログアニル合剤 525
アトピー性白内障 401
アトピー性皮膚炎 200, 409
アドビオール 4
アドフィード 46
アトモキセチン 155
アトモキセチン塩酸塩 24
アトラント 124
アドリアシン 135
アドリアマイシン 550, 611
アトルバスタチン 281, 469, 471
アトルバスタチンカルシウム水和物 108
アドレナリン 42, 53, 54, 57, 59, 62, 66, 81, 82, 83, 91, 92, 93, 254, 287, 299, 304, 429, 446, 5, 48, 56, 58
アドレナリン受容体 5, 12, 13, 55, 86
アドレナリン受容体サブタイプ **58**
アドレナリン α_1受容体 7
アドレナリン α_2受容体 7
アドレナリン β_2受容体刺激薬 349
アドレナリン β_3受容体刺激薬 349
アドレナリン $\beta_1/\beta_2/\beta_3$受容体 7
アドレナリン作動性神経 53
アドレナリン作動薬 402
アドレナリン受容体サブタイプ選択的刺激薬 **59**
アドレナリン受容体（サブタイプ非選択的）刺激薬 **62**
アドレナリン受容体サブタイプ選択的阻害薬 **59**
アドレナリン受容体（サブタイプ非選択的）阻害薬 **62**
アドレナリン受容体サブタイプと血圧 82
アドレナリン受容体サブタイプの情報伝達系と細胞応答 58
アドレナリン受容体刺激薬 **59**, **83**, 400
アドレナリン受容体刺激薬と血圧・心拍数 82
アドレナリン受容体刺激薬による血圧上昇反応に対するアドレナリン受容体遮断薬の作用 83
アドレナリン受容体刺激薬の構造活性相関 59
アドレナリン受容体遮断薬 **83**
アドレナリン受容体阻害薬 **59**
アドレナリン受容体と血圧 **82**, 86
アドレナリンの生合成と代謝 **57**
アドレナリン反転 82
アドレノクロムグアニルヒドラゾン 381
アドレノクロムモノアミノグアニジン 381
アドレノクロムモノアミノグアニジンメシル酸塩水和物 79
アトロピン 71, 73, 75, 88, 109, 261, 262, 312, 314, 319, 349, 399, 402, 604, 613
アトロピン塩酸塩水和物 85
アトロピン様薬物 319
アトロピン硫酸塩 7, 51
アトロピン硫酸塩水和物 7, 51, 72
アトロベント 8, 60
アトワゴリバース 150
アナグリプチン 460, 464, 106
アナグレリド 371
アナグレリド塩酸塩水和物 79
アナストロゾール 436, 554, 100, 137
アナフィラキシー 603
アナフィラキシーショック 171
アナフィラキシー反応 236
アナフィラキシー様症状 394
アナフラニール 17, 32, 72
アナペイン 10
アナンダミド 130
アニオン〈陰イオン〉チャネル内蔵型 7
アニオンチャネル 20
アニオンチャネル内蔵型 6
アニサキス 526
アニフロルマブ 198, 203
アニュイティ 41, 61
アニリン系 **150**, 606
アニリン系解熱鎮痛薬 146, 151, 614
アニリン誘導体 624
アネキセート 57, 150
アネメトロ 131
アネレム 12
アノーロ 3, 59
アバカビル 520, 522
アバカビル硫酸塩〈ABC〉 126
アバタセプト 202, 211
アバプロ 34
アパルタミド 440, 554, 138
アビガン 130
アピキサバン 386, 82
アビラテロン酢酸エステル 440, 554, 138
アファチニブ 560
アファチニブマレイン酸塩 139
アフィニトール 141
アブシキシマブ 382
アブストラル 22
アフタゾロン 41
アフタッチ 40
アブニション 57
アブラキサン 137
アプラクロニジン 60, 88, 404
アプラクロニジン塩酸塩 1, 90
アフリベルセプト 404
アフリベルセプト ベータ 566
アプリンジン 259, 262
アプリンジン塩酸塩 50
アブルウェイ 107
アプレース 63
アプレゾリン 55
アプレピタント 314, 574, 64
アプレミラスト 15, 410, 94
アフロクァロン 137, 19
アブロシチニブ 409, 93
アプロチニン 331
アベマシクリブ 561, 140
アベルマブ 557
アベロックス 121
アヘンアルカロイド **147**
アヘンアルカロイド類 294
アヘンチンキ 322
アポ C-Ⅲ 469
アポカイン 20
アポ蛋白質 B100 467
アボビス 6, 65
アポフェリチン 364
アポモルヒネ 119, 140, 312, 313, 613
アポモルヒネ塩酸塩水和物 20
アポモルヒネ誘発嘔吐試験 594
アボルブ 71, 102
アマージ 24, 33
アマリール 106
アマンタジン 139, 140, 162, 519
アマンタジン塩酸塩 20, 27, 130
アミオダロン 20, 260, 262, 607, 612, 617
アミオダロン塩酸塩 51
アミカシン 498
アミカシン硫酸塩 117
アミサリン 50
アミティーザ 35, 67
アミド型 93, 403
アミドトリゾ酸 Na メグルミン 582, 583, 584
アミトリプチリン 129, 152, 176, 349, 399, 465, 605
アミトリプチリン塩酸塩 17, 24, 32, 72, 107
アミノアシル tRNA 495
アミノ安息香酸エチル 93
アミノ安息香酸エチル〈ベンゾカイン〉 10
アミノエチルスルホン酸 255, 330
アミノエチルスルホン酸〈タウリン〉 50, 69
ε-アミノカプロン酸 381
アミノグリコシド系 402, 482, 483, 484, 485, 610
アミノグリコシド系抗生物質 393, **497**, 508, 612, 613, 614, 615
5-アミノサリチル酸 318
5-アミノサリチル酸関連薬 318
アミノ酸 391
アミノ酸関連 370
アミノ配糖体 485
7-アミノセファロスポラン酸 489
アミノフィリン 252, 253, 254, 292, 298, 299, 341
アミノフィリン水和物 49, 57, 59, 70
βアミノプロピオフェノン誘導体 137
アミノペプチダーゼ 304
アミノベンジルペニシリン 488
5-アミノレブリン酸 366
アミノレブリン酸 579
アミノレブリン酸塩酸塩 147
α-アミラーゼ 304, 462
アミラーゼ 306
アミロイドβ蛋白質 163
アミロリド 20, 345, 607
アミロリド感受性〈上皮性〉Na^+チャネル 20
アミロリド感受性〈上皮性〉Na^+チャネル遮断薬 345
アミン枯渇 176
アミントランスポーター 93
アミンポンプ 93
アムシノニド 226, 42
アムノレイク 104, 145

アムビゾーム　125
アムホテリシンB　511, 125
アムルビシン　550
アムルビシン塩酸塩　135
アムロジピン　266, 279, 281, 283, 612
アムロジピンベシル酸塩　55
アムロジン　55
アメーバ赤痢　533
アメジニウム　64, 65, 66, 287
アメジニウムメチル硫酸塩　6, 56
アメナメビル　514, 127
アメナリーフ　127
アメパロモ　131
アメリシウム　624
アモキサピン　129, 17
アモキサン　17
アモキシシリン　311, 488, 491, 527
アモキシシリンクラブラン酸合剤　491
アモキシシリン水和物　113, 132
アモスラロール　62, 66, 278, 286
アモスラロール塩酸塩　5
アモバルビタール　115, 605, 12
アモバン　13
アモリン　113, 132
アモロルフィン　511
アモロルフィン塩酸塩　124
2-アラキドノイルグリセロール　130
アラキドン酸　184, 185, 186, 187, 191
アラキドン酸切り出し酵素　16
アラキドン酸代謝拮抗薬　383
アラキドン酸代謝阻害　190
アラキドン酸代謝物　184
アラキドン酸類　216
アラグリオ　147
アラセナ-A　95, 127
アラセプリル　181, 280, 607, 34
アラニジピン　279, 283, 55
D-アラニル-D-アラニン　487
D-アラニル-D-アラニン合成酵素　483
アラニンラマーゼ　483, 493
アラニンラマーゼ阻害　508
アラノンジー　135
アラバ　37, 39
アラビアゴム　322, 407
9-β-D-アラビノシルグアニン　549
アラビノシル転移酵素阻害　508
アラベル　147
アラミスト　41
アラントイン　475
アラントイン系薬物　309
アリクストラ　82
アリスキレン　181, 280
アリスキレンフマル酸塩　34
アリセプト　9, 28
アリナミン　103
アリナミンF　103
アリピプラゾール　117, 121, 122, 177, 605, 15
アリミデックス　100, 137
アリムタ　134
アリメジン　30
アリメマジン　172, 239
アリメマジン酒石酸塩　30
アリルアミン系　482, 511
アリルエストレノール　348, 440, 71, 102
アリロクマブ　470
アルガトロバン　270, 389
アルガトロバン水和物　82
アルカロイド　620
アルカローシス　340
アルキサ　94
L-アルギニン　574, 580
アルギニン　148
L-アルギニンL-グルタミン酸塩水和物　69
L-アルギニン塩酸塩　148
アルギニンバソプレシン　428
アルギメート　69
アルキル化薬　539, 540, 611
アルキルジアミノエチルグリシン塩酸塩　529, 133
アルギン酸Na　310, 381
アルギン酸ナトリウム　63, 79
アルクロキサ　411, 94
アルクロメタゾンプロピオン酸エステル　43
アルケラン　134
アルコール　528, 601, 615
アルコール含有　529
アルコール系　529
アルコール類　482
アルサス型アレルギー　236
アルサルミン　62
アルジオキサ　309, 62
アルダクトンA　71
アルタット　62
アルチバ　22
アルツ　39
アルツハイマー神経原線維変化　163
アルツハイマー病　105, 163
アルツハイマー病治療薬　163, 164
アルデヒド　528
アルデヒド系　529
アルデヒドデヒドロゲナーゼ　174, 490
アルデヒドデヒドロゲナーゼ欠損　600
アルデヒドデヒドロゲナーゼ阻害薬　110
アルデヒド類　482
アルテプラーゼ　390
アルテメテル/ルメファントリン合剤　525
アルテメテル＋ルメファントリン　131
アルト　79
アルドース還元酵素阻害薬　465, 609
アルドステロン　179, 220, 221, 337, 429, 430, 431, 432
アルドステロン拮抗薬　432
アルドステロン受容体拮抗作用　345
アルドステロン受容体拮抗薬　20, 277, 279, 340, 342, 343, 345, 607
アルドステロン受容体刺激薬　20
アルドステロン受容体遮断薬　337
アルドステロン誘導蛋白質　337, 432
アルドステロン様作用薬　432
アルドメット　1
アルピニー　23
アルファカルシドール　346, 454, 477, 105, 111
アルファデクス　189
アルファルファ由来フラボン　478
アルファロール　105, 111
アルブトレペノナコグアルファ　380
アルブミン製剤　394, 395
アルプラゾラム　125, 126, 16
アルプロスタジル　189, 271, 382, 384, 608, 35, 53, 80
アルプロスタジル アルファデクス　53, 56, 80, 94, 147
アルプロスタジルアルファデクス　271, 280, 384, 411, 578, 35
アルプロスタジル・リマプロスト　612
アルベカシン　485, 488, 498, 610
アルベカシン硫酸塩　118
アルベンダゾール　527, 132
アルボ　45
アルミノニッパスカルシウム　122
アルミノパラアミノサリチル酸　508
アルミノパラアミノサリチル酸カルシウム水和物　122
アルメタ　43
アルロイドG　63
アレギサール　29, 60, 84
アレクチニブ　560
アレクチニブ塩酸塩　139
アレグラ　31
アレジオン　31, 60, 84, 93
アレセンサ　139
アレビアチン　18, 50, 150
アレベール　58
アレムツズマブ　567
アレルギー性結膜炎治療薬　401
アレルギー性鼻炎　171, 405
アレルギー体質　599
アレルギン　30
アレルゲンによる皮膚反応の陽性対照　579
アレルゲンの診断　579
アレロック　31
アレンドロン酸　346, 478
アレンドロン酸ナトリウム水和物　112
アロエ　620
アロキサンチン　475
アロキシ　33, 64
アログリプチン　460, 464
アログリプチン安息香酸塩　106
アロステリック作用薬　34
アロステリック増強リガンド　164
アロチノロール　62, 66, 260, 268, 278, 286, 5
アロチノロール塩酸塩　5
アロフト　19
アロプリノール　474, 475, 615, 110
アロマシン　100, 137
アロマターゼ阻害　436
アロマターゼ阻害薬　554
アンカロン　51
アンギオテンシナーゼA　180
アンギオテンシナーゼB・C　180
アンギオテンシノーゲン　179, 180
アンギオテンシン　179, 180
アンギオテンシン AT_1受容体　7
アンギオテンシン AT_1受容体遮断薬　281, 465
アンギオテンシンⅠ　180, 432
アンギオテンシンⅡ　179, 180, 181, 429, 432
アンギオテンシンⅡ AT_1受容体遮断薬　256
アンギオテンシンⅡ産生酵素　180
アンギオテンシンⅡ受容体　12, 14
アンギオテンシンⅡ受容体遮断薬　250
アンギオテンシンⅡ受容体阻害薬　249, 277, 280
アンギオテンシンⅢ　180
アンギオテンシン関連薬　250
アンギオテンシン関連薬物　181
アンギオテンシン系末梢性降圧薬　280
アンギオテンシン受容体ネプリライシン阻害薬　250, 256, 280
アンギオテンシン変換酵素　179, 180
アンギオテンシン変換酵素阻害薬　250, 277, 280, 465, 607, 614
アンコーティング　513
アンコチル　125
アンサマイシン系　610

アンジュ 74
アンチトロンビンⅢ 372, 373, 375, 385
アンチトロンビンⅢ製剤 396
アンチトロンビンガンマ 389
アンチトロンビン製剤 389
アンチピリン 151, 606, 612, 23
アンチポーター 17
アンチレクス 9, 147
アンテベート 41, 42
アントラキノン系 325
アントラキノン系下剤 608
アントラキノン誘導体 569
アントラサイクリン系抗悪性腫瘍薬 574
アントラサイクリン系抗生物質 **550**
アントラニル酸 230
アンドロゲン 417, 419, 424
アンドロゲン合成酵素阻害 440
アンドロゲン合成酵素阻害薬 554
アンドロゲン受容体 420
アンドロゲン受容体拮抗 440
アンドロゲン受容体遮断 348
アンドロステンジオン 430, 439
アンナカ 24
アンピシリン 322, 485, 488, 491, 527
アンピシリン水和物 113, 132
アンピシリンスルバクタム合剤 491
アンピシリンスルバクタムのエステル化製剤 491
アンピシリン耐性インフルエンザ菌 492
アンヒバ 23
アンピロキシカム 230, 45
アンフェタミン 21, 64, 65, 66, 117, 155, 601, 616, 621, 6, 24
アンフェタミン型 601
アンフェタミンのプロドラッグ 155
アンフェタミン類 117
アンプラーグ 33, 80
アンブリセンタン 183, 274, 35, 54
アンプリット 17
アンブロキソール 296
アンブロキソール塩酸塩 58
アンペック 22
アンベノニウム 73
アンベノニウム塩化物 9
アンモニアウイキョウ精 296
アンモニウム塩 296
アンレキサノクス 190
亜鉛華単軟膏 94
亜鉛華軟膏 94
亜急性硬化性全脳炎ウイルス 523
亜急性試験 596
亜酸化窒素 108, 604
亜酸化窒素〈笑気ガス〉 12
亜硝酸アミル 265, 51
亜硝酸塩 624
亜硝酸・硝酸化合物 255, 264, **265**
亜ヒ酸製剤 570
秋やみ病 212
悪性高熱症 108, 612
悪性黒色腫 557
悪性腫瘍 **538**
悪性症候群 119, 602, 613
悪性神経膠腫 579
悪性貧血 363, 365, 450, 452, 614
悪性貧血治療薬 365
圧受容器反射 246, 291
安静狭心症 244, **263**, 268
安全性試験 **596**
安全性速報 625
安全性薬理試験 592
安息香酸エストラジオール 359
安息香酸ナトリウムカフェイン 24
安定因子 372
安定化フィブリン 375, 387

イ

Ⅰa（フィブリン） 372
Ⅰc 抗不整脈薬 600, 617
Ⅰ型アレルギー 222, 236, 603
Ⅰ型アレルギー治療薬・予防薬 **237**
Ⅰ型アレルギー誘発機序 **237**
Ⅰ型インターフェロン 1 受容体 198
Ⅰ型受容体 420
Ⅰ細胞 447
1 型・2 型 5α-還元酵素阻害 348
1 型糖尿病 457
1 号液 392
1 類感染症 530
1,2-ジヒドロキシベンゼン 57
1, 3-β-D-glucan 510
1α, 25-$(OH)_2V.D_3$ 443
1α, 25-$(OH)_2$-コレカルシフェロール 339, 443, 456, 476
1α, 25-$(OH)_2$ビタミン D_3 454
1α-ヒドロキシコレカルシフェロール 454
1α-ヒドロキシラーゼ 454, 476
1-デアミノアルギニンバソプレシン 428
1-メチル-4-フェニル-1,2,3,6-テトラヒドロピリジン 138
イーケプラ 19
イーシー・ドパール 20
イーフェン 22
イエローレター **625**
イオウ類 406
イオジキサノール 582, 583
イオトロクス酸メグルミン 582, 583
イオトロラン 582, 583
イオパミドール 582, 583
イオフルパン 589
イオプロミド 582, 583
イオヘキソール 582, 583
イオベルソール 582, 583
イオマゼニル 589
イオメプロール 582, 583
イオン **19**, 21
イオン交換樹脂 346
イオン性造影剤 611
イオン性ヨード造影剤 582
イオンチャネル 17, 20
イオンチャネル内蔵型受容体 4, 5, **6**, **7**, 12
イオンポンプ 21
イカチバント酢酸塩 34
イキサゾミブ 564
イキサゾミブクエン酸エステル 142
イキセキズマブ 197, 410
イグザレルト 82
イクスタンジ 102, 138
イクセロン 9
イクセロンパッチ 28
イクモタール 407
イグラチモド 210, 386, 388, 618, 39
イコサペント酸エチル 190, 191, 271, 382, 383, 472, 36, 53, 80, 109
イサツキシマブ 567
イスコチン 122
イストダックス 142
イストラデフィリン 141, 21
イセパマイシン 498
イセパマイシン硫酸塩 117
イソキノリン骨格 294
イソクスプリン 62, 66, 271, 353, 355
イソクスプリン塩酸塩 4, 53, 74
イソコナゾール 510
イソコナゾール硝酸塩 124
イソジン 133
イソゾール 12
イソソルビド 160, 341, 400, 26, 70, 83
イソニアジド 366, 450, 507, 508, 600, 612, 613, 617, 623, 122
イソニアジドメタンスルホン酸ナトリウム水和物 122
イソニアジド誘発末梢神経炎 450
イソバイド 26, 70, 83
イソフェンインスリン水性懸濁 458
イソプリノシン 130
イソフルラン 108, 12
イソプレナリン 59, 62, 66, 82, 83, 160, 254, 261, 299, 604
イソプレナリン〈イソプロテレノール〉塩酸塩 4, 26, 48, 51, 58
イソプロパノール 528, 529, 132
イソプロピルアンチピリン 151, 23
イソプロピルウノプロストン 20, 189, 400, 609, 35, 83
イソミタール 12
イソメニール 4, 26
イソロイシル-tRNA 合成酵素 502
イダマイシン 135
イダルシズマブ 623
イダルビシン 550
イダルビシン塩酸塩 135
イトプリド 316
イトプリド塩酸塩 65
イドメシン 46
イトラコナゾール 510, 618, 123
イトリゾール 123
イナビル 130
イヌリード 149
イヌリン 581, 149
イノシトール 450
イノシトール 1,4,5-三リン酸 8
イノシトール 1,4,5-三リン酸受容体 8
イノシトールリン脂質代謝回転阻害 122
イノシン酸拮抗 205
イノシン酸拮抗薬 548
イノシン酸脱水素酵素阻害 205, 206
イノシンプラノベクス 208, 523, 130
イノツズマブ オゾガマイシン 567, 143
イノバン 2, 48, 56
イノベロン 19
イノリン 3, 58
イバブラジン 256
イバブラジン塩酸塩 49
イバンドロン酸 478
イバンドロン酸ナトリウム水和物 112
イピリムマブ 557
イフェクサー 17, 32
イフェンプロジル 160, 162
イフェンプロジル酒石酸塩 25, 27
イブジラスト 160, 162, 169, 238, 300, 401, 614, 25, 27, 29, 60, 84
イブプロフェン 230, 368, 369, 606, 45
イブプロフェン L-リシン 45
イブプロフェンピコノール 231, 46
イプラグリフロジン 463, 464
イプラグリフロジン L-プロリン 107

イプラトロピウム 71, 75, 298, 299
イプラトロピウム臭化物水和物 8, 60
イプランス 140
イプリーフ 45
イプリツモマブチウキセタン 567
イプリフラボン 476, 478, 112
イブルチニブ 561, 140
イベルメクチン 412, 527, 95, 131
イホスファミド 540, 574, 611, 134
イホマイド 134
イマチニブ 201, 561
イマチニブメシル酸塩 140
イミキモド 208, 409, 523, 93, 130
イミグラン 24, 33
イミダゾール *N*-メチルトランスフェラーゼ 167
イミダゾリル酢酸 167
イミダゾリル酢酸リボシド 167
イミダゾリル酢酸リボシルトランスフェラーゼ 167
イミダゾリン誘導体 137
イミダフェナシン 71, 75, 349, 8, 72
イミダプリル 181, 280, 465
イミダプリル塩酸塩 34, 107
イミドール 17, 32, 72
イミノジベンジル系 120
イミノスチルベン系 133
イミプラミン 117, 123, 126, 129, 176, 349, 399, 605
イミプラミン塩酸塩 17, 32, 72
イミペネム 485, 492, 610
イミペネムシラスタチンレレバクタム合剤 491
イミペネム水和物 115
イムノフィリン 202, 203
イムブルビカ 140
イムラン 37, 66
イメグリミン塩酸塩 107
イメグリミン 462
イメンド 64
イリノテカン 553, 573, 611, 613, 626
イリノテカン塩酸塩水和物 137
イリボー 66
イルソグラジン 310
イルソグラジンマレイン酸塩 63
イルベサルタン 181, 280, 281, 34
イルベタン 34
イレッサ 139
イロプロスト 189, 274, 384, 36, 54, 80
インヴェガ 15
インクレチン 447
インクレチン関連薬 **460**
インクレミン 77
インサイド 46
インジウムペンテトレオチド 589
インジゴカルミン 581, 148
インスリノーマ 578
インスリン 21, 391, 417, 419, **444**, 445, **446**, 464
インスリンアスパルト 458
インスリングラルギン 458
インスリングルリジン 458
インスリン受容体 5, 419
インスリン受容体異常症 426
インスリン受容体ファミリー 558
インスリン抵抗性改善薬 461, **461**, 609
インスリンデグルデク 458, 464
インスリンデテミル 458
インスリン分泌促進 447
インスリン分泌促進薬 **459**, **460**
インスリン様増殖因子 193
インスリンリスプロ 458
インターカレーション 550
インターフェロン 193, 196, 207, 516, 539, 611, 612, 613, 618
インターフェロン α 516, 523, 556
インターフェロン β 516, 556
インターフェロン β-1a 556
インターフェロン β-1b 556
インターフェロン γ 556
インターフェロンアルファ 196, 207
インターフェロンガンマ 196, 207
インターフェロンベータ 196, 207
インターフェロンベータ-1a 196, 207
インターフェロンベータ-1b 196, 207
インタール 29, 60, 84, 93
インターロイキン 192, 193
インターロイキン-2 196, 207
インダカテロール 61, 299, 301
インダカテロールマレイン酸塩 3, 59
インダシン 44
インダパミド 279, 345, 70
インチュニブ 24
インテバン 44, 46
インデラル 4, 24
インテレンス 126
インドール系抗精神病薬 120
インドール酢酸 229
インドール酢酸系 231
インドシアニングリーン 578, 580, 581, 147, 148, 149
インドメタシン 43, 190, 229, 231, 368, 369, 388, 475, 594, 606, 613, 616, 44, 46
インドメタシンナトリウム 44
インドメタシンファルネシル 229, 44
インヒベース 34
インフリー 44
インフリキシマブ 197, 211, 318, 410
インフルエンザ 212, 213, 534
インフルエンザ桿菌 489
インフルエンザ菌 485, 488, 535
インフルエンザ定点 534
インプロメン 14
インライタ 141
胃運動促進薬 307, **315**, 316
胃運動抑制薬 586
胃酸 54
胃酸分泌促進 447
胃洗浄 620
胃腸 54
胃腸運動促進薬 309
胃腸機能改善薬 **315**
胃腸平滑筋 77
胃内容物排出速度 40
胃粘膜微小循環改善作用 309
胃粘膜被覆保護薬 310
胃平滑筋 54
胃壁細胞プロトンポンプ阻害 308
胃幽門洞 G 細胞 304, 307
胃幽門部 447
異型安静狭心症 244
異常運動 175
異常血流量検査 581
異常姿勢 175
維持液 392
意識減損焦点発作 131
意識障害 612
意識保持焦点発作 131
移植片対宿主病 200
依存形成薬物 **601**
依存性試験 592, 596
遺伝子組換え型 ANP 製剤 448
遺伝子組換え型 FSH 製剤 359
遺伝子組換え型 hCG 製剤 359
遺伝子組換え型 IL-2 製剤 556
遺伝子組換え型 von Willebrand 因子製剤 380
遺伝子組換え型活性型第Ⅶ因子製剤 380
遺伝子組換え型第Ⅸ因子製剤 380
遺伝子組換え型第Ⅷ因子製剤 380
遺伝子組換え型第ⅩⅢ因子製剤 380
遺伝子組換え型デオキシリボヌクレアーゼ 297
遺伝子組み換え型尿酸オキシダーゼ製剤 475
遺伝子組換え型尿酸分解酵素 574
遺伝子組換え製剤 370, 371
遺伝子組換えヒト IL-2 207
遺伝子組換えヒト型 TSH 製剤 425
遺伝性球状赤血球症 369
遺伝的因子 600
遺伝毒性試験 592, 596
遺尿症 349
医薬品医療機器総合機構 625
痛み **144**
一次救命法 619
一次血栓形成 362
一次止血 **374**, 377
一次性能動輸送 17
一硝酸イソソルビド 265, 51
一過性虚血発作 161
一過性不眠 111
一酸化窒素 55, 183, 217, 274, 373, 374, 54
一酸化窒素合成酵素 216
一般的解毒薬 620
一般毒性試験 592, 596
一般薬理試験 592
陰イオン交換樹脂 467
陰性症状 118
陰性造影剤 582
咽喉発声筋 48
咽頭結膜熱 534

ウ

うつ **127**, **128**
うっ血 405
うっ血性心不全 248, 251, 602
うつ病 105
ヴァンフリタ 139
ウイキョウ 306
ウイルス **513**
ウイルス性肝炎(E 型肝炎及び A 型肝炎を除く) 533
ウインタミン 14, 65
ウェールナラ 111
ウエストナイル熱 (ウエストナイル脳炎含む) 531
ウェルニッケ脳症 393, 450, 451, 613
ヴォトリエント 141
ウオノメ 412
ヴォリブリス 35, 54
ウサギ膀胱カテーテル法 595
ウステキヌマブ 197, 318, 410
ウテメリン 3, 74
ウトロゲスタン 101
ウナギカルシトニン 443
ウパシカルセト 443
ウパシカルセトナトリウム水和物 99

ウパシタ 99
ウパダシチニブ 210, 409
ウパダシチニブ水和物 39, 93
ウバダマ 130
ウフェナマート 231, 46
ウプトラビ 54, 80
ウプレチド 9, 72, 83, 86
ウベニメクス 207, 556, 38
ウメクリジニウム 71, 299, 301
ウメクリジニウム臭化物 8, 60
ウラピジル 60, 66, 278, 348, 1, 71
ウラリット 110
ウリアデック 110
ウリトス 8, 72
ウリナスタチン 331
ウルグート 63
ウルソ 68, 69
ウルソデオキシコール酸 328, 329, 330, 68, 69
ウレアーゼ活性 311
ウレパール 93
ウロキナーゼ 270, 390
ウロキナーゼ型プラスミノゲンアクチベーター 373, 390
ウロミテキサン 146
ウワバイン 250
右心室不全 273
右心房 246
植込錠 42
運動神経 47, 50
運動神経系 90
運動神経系作用薬 **94**
運動神経遮断薬 403
運動調節中枢 104

エ

エイコサテトラエン酸 185, 191
エイコサトリエン酸 185
エイコサノイド 185, **186**, 236
エイコサノイド受容体 14
エイコサノイド前駆体 **184**, 185
エイコサノイド阻害薬 **190**, 191
エイコサノイドの生理作用 **188**
エイコサノイドの分類 **184**
エイコサペンタエン酸 185
エイコサペンタエン酸製剤 191
エイコサポリエン酸 184, 185
エイゾプト 84
エイベリス 83
エースコール 34
エーテル 108, 601, 604, 613, 615, 12
エカベトNa 310
エカベトナトリウム水和物 63
エキサメタジムテクネチウム 588
エキザルベ 40, 92
エキセナチド 460, 106
エキセメスタン 436, 554, 100, 137
エキノコックス症 531
エクア 106
エグアレンNa 310
エグアレンナトリウム水和物 63
エクザール 136
エクサシン 117
エクセグラン 19
エクセルダーム 124
エクフィナ 20
エクラー 42
エクリズマブ 369
エクリラ 8, 60
エコー 584
エコチオパート 88, 400, 609, 83
エコリシン 86, 118, 120
エサキセレノン 279, 345, 71
エサンブトール 122
エジュラント 126
エスカゾール 132
エスクレ 13
エスシタロプラム 128, 129, 176
エスシタロプラムシュウ酸塩 17, 32
エスゾピクロン 115, 13
エスタゾラム 115, 125, 13
エステラーゼ 256
エステル型 93, 403
エステル型懸濁剤 223
エストラーナ 100
エストラサイト 100, 138
エストラジオール 358, 359, 429, 430, 435, 438, 478, 609, 100, 111
エストラジオール＋レボノルゲストレル 111
エストラジオール安息香酸エステル 438
エストラジオール吉草酸エステル 100
エストラムスチンリン酸エステルNa 554
エストラムスチンリン酸エステルナトリウム水和物 100, 138
エストリール 100, 111
エストリオール 429, 435, 478, 100, 111
エストロゲン 352, 356, 357, 358, 417, 419, 424, 435, 476
エストロゲン合成阻害薬 436
エストロゲン受容体 420
エストロゲン受容体拮抗薬 359, 436
エストロゲン様作用薬 478
エストロン 429, 430, 435
エスフルルビプロフェン 231
エスフルルビプロフェン/ハッカ油 46
エスモロール 61, 66, 109, 260, 286
エスモロール塩酸塩 2
エスラックス 11
エゼチミブ 471, 109
エソメプラゾール 308
エソメプラゾールマグネシウム水和物 62
エタネルセプト 197, 211
エタノール **110**, 528, 529, 594, 615, 617, 624, 151
エタノールアミン 172
エタノールアミン誘導体 239
エダラボン 162, 606, 625, 27
エタンブトール 507, 508, 610, 613
エタンブトール塩酸塩 122
エチオナミド 508, 122
エチゾラム 115, 125, 126, 137, 605, 13, 16, 19
エチドロン酸 478, 616
エチドロン酸二ナトリウム 112
エチニルエストジオール 359
エチニルエストラジオール 356, 359, 435, 438, 554, 608, 617, 100, 138
エチニルエストラジオール＋デソゲストレル 74
エチニルエストラジオール＋ノルエチステロン 74
エチニルエストラジオール＋レボノルゲストレル 74
エチニルエストラジオールベータデクス 359, 438
エチルシステイン 297
エチレフリン 62, 287
エチレフリン塩酸塩 5, 56
エチレンイミン誘導体 540
エチレンジアミン 172, 254
エディロール 105, 111
エデト酸Ca・2Na 624
エデト酸カルシウムニナトリウム水和物 151
エテルカルセチド 443
エテルカルセチド塩酸塩 99
エドキサバン 386
エドキサバントシル酸塩水和物 82
エトキシスクレロール 80
エトスクシミド 132, 133, 368, 18
エトトイン 133, 617, 18
エトドラク 229, 231, 44
エトポシド 553, 573, 137
エトラビリン 520, 126
エトレチナート 453, 614, 93, 104
エトレチナート（合成レチノイド） 409
エドロホニウム 73, 100, 578
エドロホニウム塩化物 9, 147
エドロホニウム・テスト 96
エナラート 34
エナラプリル 181, 255, 280
エナラプリルマレイン酸塩 34
エナルモンデポー 101
エナロイ 78
エナロデュスタット 367, 78
エナント酸テストステロン 359
エヌトレクチニブ 560, 140
エノキサシン 504
エノキサシン水和物 121
エノキサパリン 386
エノキサパリンナトリウム 82
エノシタビン 547, 574, 135
エバスチン 173, 238, 405, 31
エバステル 31
エパデール 36, 53, 80, 109
エバミール 13
エパルレスタット 465, 609, 612, 107
エビスタ 111
エピナスチン 171, 173, 238, 298, 300, 401, 409
エピナスチン塩酸塩 31, 60, 84, 93
エピビル 126
エピペン 5, 56, 58
エビリファイ 15
エピルビシン 550, 573
エピルビシン塩酸塩 135
エピレオプチマル 18
エファビレンツ 520
エファビレンツ〈EFV〉 126
エフィエント 81
エフィナコナゾール 510, 124
エフェクター細胞 559
エフェドリン 64, 65, 66, 299, 604, 615, 6, 59
エフェドリン塩酸塩 6, 59
エフオーワイ 69, 82
エプクルーサ 129
エプタコグアルファ 380
エプタゾシン 149
エプタゾシン臭化水素酸塩 22
エプチフィバチド 382
エブトール 122
エフトレノナコグアルファ 380
エフピー 20
エプラジノン 294
エプラジノン塩酸塩 57
エフラロクトコグアルファ 380

エブランチル 1, 71
エフリン〈Eph〉受容体 558
エプレレノン 255, 279, 345, 432, 71
エペリゾン 137, 160
エペリゾン塩酸塩 19, 26
エベレンゾ 78
エベロリムス 202, 203, 562, 37, 141
エポエチン 608, 612, 613
エポエチンアルファ 196, 366
エポエチンベータ 196, 366
エポエチンベータペゴル 196, 366
エボカルセト 443, 99
エポザック 6
エポセリン 115
エホチール 5, 56
エホニジピン 266, 279, 283
エホニジピン塩酸塩エタノール付加物 55
エポプロステノール 189, 274, 382, 384
エポプロステノールナトリウム 36, 54, 80
エボラウイルス 212
エボラ出血熱 530
エボルトラ 135
エボロクマブ 470
エミシズマブ 380
エミレース 15
エムトリシタビン 520, 521, 522
エムトリシタビン〈FTC〉 126
エムトリバ 126
エムラ 10
エメダスチン 173, 238, 409
エメダスチンフマル酸塩 31, 93
エメチン 296, 312, 313
エラスターゼ 467, 472, 109
エラスチーム 109
エラスチン 472
エラスポール 61
エリキュース 82
エリザス 41
エリスパン 16
エリスロウイルス B19 534
エリスロシン 118
エリスロポエチン 193, 196, 366
エリスロポエチン産生肝細胞受容体ファミリー 558
エリスロポエチン産生細胞 367
エリスロポエチン製剤 366, 367
エリスロポエチン様薬 366
エリスロマイシン 388, 402, 485, 499, 527, 617, 618, 132
エリスロマイシンエチルコハク酸エステル 118
エリスロマイシンステアリン酸塩 118
エリスロマイシンラクトビオン酸塩 118
エリブリン 553
エリブリンメシル酸塩 136
エリル 27
エルエイジ 133
エルカトニン 346, 443, 478, 99, 112
エルゴカルシフェロール 454, 105
エルゴステロール 454
エルゴタミン 63, 612
エルゴタミン/カフェイン合剤 152
エルゴタミン酒石酸塩 5
エルゴタミン酒石酸塩＋無水カフェイン＋イソプロピルアンチピリン 23
エルゴメトリン 63, 354, 614
エルゴメトリンマレイン酸塩 5, 74
エルシトニン 99, 112
エルデカルシトール 454, 477, 105, 111
エルトロンボパグ 196, 368, 371
エルトロンボパグオラミン 79
エルバスビル 518, 128
エルビテグラビル 521, 127
エルプラット 136
エルロチニブ 560
エルロチニブ塩酸塩 139
エレトリプタン 152, 177
エレトリプタン臭化水素酸塩 24, 33
エレヌマブ 152
エレルサ 128
エレンタール 105
エロツズマブ 568
エロビキシバット 326
エロビキシバット水和物 68
エンクラッセ 8, 60
エンケファリン 146
エンコラフェニブ 562, 141
エンザルタミド 440, 554, 102, 138
エンゼトニン 133
エンタカポン 139, 140, 20
エンテカビル 517
エンテカビル水和物 128
エンテロウイルス 534
エンテロウイルス 70 535
エンテロキナーゼ 304
エンテロクロマフィン様細胞 168, 307
エンテロバクター 485
エンドキサン 37, 134
エンドセリン 25, **183**, 373
エンドセリン受容体 12, 14
エンドセリン受容体拮抗薬 183, 273, 274
エンドルフィン 146
エンハーツ 143
エンパグリフロジン 256, 463, 464, 107
エンビオマイシン 508
エンビオマイシン硫酸塩 122
エンフルラン 108, 12
エンペシド 124
エンホルツマブ ベドチン 143
エンホルツマブベドチン 568
エンレスト 49
永久血栓 375, 376
栄養輸液 **391**
液化亜酸化窒素 12
遠位尿細管 334, **344**
遠位尿細管集合管 335
遠心性神経 47, 49
遠達作用 407
塩化 Ca, 乳酸 Ca 477
塩化亜鉛 406
塩化アンモニウム 616
塩化インジウム 589
塩化カリウム 346, 623, 625, 150
塩化カルシウム 346
塩化タリウム 589
塩化ナトリウム 324, 625
塩化ベンザルコニウム 528, 133
塩化ベンゼトニウム 528
塩化マンガン四水和物 584
塩化メチル水銀 614
塩化ラジウム 572
塩化ラジウム (^{223}Ra) 146
塩基性陰イオン交換樹脂 468, 471
塩基性抗炎症薬 **232**
塩基性線維芽細胞増殖因子 196
塩基性蛋白質 192
塩基性薬物 621
塩酸 *N*-イソプロピル-4-ヨードアンフェタミン 589
塩酸キニーネ 131
塩酸バンコマイシン 116
塩酸プロカルバジン 144
塩酸メピバカイン 10
塩喪失性副腎皮質機能不全 224, 432
塩素系 529
塩排泄利尿 342
塩類去痰薬 296
塩類下剤 620
塩類・浸透圧性下剤 323, **324**
円形動物 526
炎症 **216**, **217**
炎症性サイトカイン 219, 302
炎症性サイトカイン阻害薬 410
炎症性脱髄疾患 214
炎症性疼痛 153
炎症におけるサイトカインの作用 **194**
炎症の 4 主徴 216
延髄 86, 104, 291
延髄興奮薬 158
延髄呼吸中枢抑制 612
延髄麻痺期 107
延髄網様体 291

オ

おたふくかぜ 212, 614
おたふく風邪 213
お茶 616
おとり受容体 197
オイグルコン 106
オイラゾン 41, 43
オイラックス 92
オイラックスH 40
オウバク 306, 322
オウム病 532
オウレン 306
オーキシス 3, 59
オーグメンチン 115
オークル 38
オータコイド **166**
オーラノフィン 210, 365, 368, 38
オキサセフェム 485, 487, 489
オキサセフェム系 489, 490
オキサゾラム 125, 126, 399, 605, 16
オキサゾリジノン系 483, 502
オキサゾリジン系 133
オキサトミド 171, 173, 190, 238, 300, 31, 60
オキサプロジン 230, 475, 45
オキサペナム 487
オキサペネム 487, 491
オキサペネム系抗生物質 **491**
オキサリプラチン 552, 573, 136
オキサロール 93, 105
オキシカム 230
オキシカム系 231
オキシグルタチオン 404, 89
オキシコドン 149
オキシコドン塩酸塩水和物 22
オキシコナゾール 510
オキシコナゾール硝酸塩 124
オキシコンチン 22
オキシテトラサイクリン 496
オキシテトラサイクリン塩酸塩 117
オキシドール 529, 133

オキシトシン 352, 353, 354, 417, 419, 428, 608, 614, 74, 98
オキシトシン感受性 352
オキシトシン受容体 12, 14
オキシブチニン 71, 75, 349
オキシブチニン塩酸塩 7, 72
オキシブプロカイン 93, 403
オキシブプロカイン塩酸塩 10, 88
オキシプリノール 474, 475
オキシペルチン 120, 15
オキシメテバノール 294, 57
オキセサゼイン 93, 312, 314, 10, 64
オキソテクネチウムジエチルエステル 588
オキソトレモリン 70, 6
オキナゾール 124
オキノーム 22
オキファスト 22
オキリコン 27, 36, 80
オクソラレン 95
オクトコグベータ 380
オクトチアミン 450, 451, 102
オクトレオチド 426, 571
オクトレオチド酢酸塩 98, 145
オザグレル 298, 300, 382
オザグレル Na 162, 383
オザグレル塩酸塩 190, 239
オザグレル塩酸塩水和物 36, 61
オザグレルナトリウム 190, 239, 27, 36, 80
オシメルチニブ 560
オシメルチニブメシル酸塩 139
オシロドロスタット 430, 434
オステオカルシン 455, 476, 477
オステラック 44
オステン 112
オスバン 133
オスポロット 18
オゼックス 87, 121
オゼノキサシン 408, 504, 91, 120
オセルタミビル 519, 625
オセルタミビルリン酸塩 130
オゼンピック 106
オダイン 102, 138
オテズラ 94
オテラシルカリウム 545
オドメール 41, 85, 87
オドリック 34
オニバイド 137
オノアクト 2
オノン 36, 61, 90
オパイリン 45
オパルモン 35, 53, 80
オピオイド受容体 5, 12, 13, **146**, 148
オピオイド $\mu/\delta/\kappa$ 受容体 7
オピオイド関連薬 322
オピオイド μ 受容体拮抗 292
オピオイド μ 受容体刺激薬 317
オピオイド系鎮痛薬 **147**, **149**, 606
オピカポン 140, 20
オビソート 6, 149
オビヌツズマブ 567
オファツムマブ 567
オフェブ 61
オフサグリーン 147
オフサロン 86, 120
オプスミット 35, 54
オプソ 22
オプチペンプロ1 625
オフロキサシン 402, 405, 412, 485, 504, 509, 610, 87, 91, 95, 121, 123
オペガードネオキット 89
オペガン 89
オペプリム 145
オペリード 89
オマリグリプチン 460, 106
オマリズマブ 169, 171, 238, 298, 300, 405
オミデネパグイソプロピル 400, 83
オメガ-3 脂肪酸エチル 472, 109
オメガシン 115
オメプラール 62
オメプラゾール 21, 41, 307, 308, 617, 62
オメプラゾン 62
オラスポア 113
オラセフ 114
オラネキシジングルコン酸塩 529, 133
オラネジン 133
オラパリブ 564, 142
オラビ 123
オラペネム 115
オランザピン 117, 121, 122, 177, 314, 605, 626, 15
オリーブ油 407
オリゴデンドロサイト 51
オリベス 50, 150
オルガドロン 41, 85, 87, 90, 139
オルガラン 81
オルケディア 99
オルセノン 94, 104, 105
オルダミン 80
オルテクサー 40
オルドレブ 120
オルプリノン 252, 253, 254
オルプリノン塩酸塩水和物 49
オルベスコ 41, 61
オルミエント 39
オルメサルタンメドキソミル 181, 280, 281, 34
オルメテック 34
オレイン酸モノエタノールアミン 381
オレキシン受容体遮断薬 116
オロダテロール 61, 299, 301
オロダテロール塩酸塩 3, 59
オロチン酸 450
オロパタジン 173, 238, 401
オロパタジン塩酸塩 31, 84
オングリザ 106
オンコビン 136
オンジ 296
オンジェンティス 20
オンダンセトロン 178, 314, 574, 33, 64
オンダンセトロン塩酸塩水和物 33, 64
オンブレス 3, 59
悪心・嘔吐 613
横行小管 29
横紋筋 23
横紋筋融解症 330, 468, 602, 612
黄視症 613
黄色ブドウ球菌 408
黄体ホルモン 352, 355, 356, 359, 417, 422, 424, 429, 430, **437**
黄体ホルモン及び副腎皮質ホルモン群 430
黄体ホルモン製剤 554
黄体ホルモン様作用薬 437
黄体形成ホルモン 417, 424, 437, 439
黄体形成ホルモン放出ホルモン誘導体 554
黄疸 327
黄熱 212, 531
嘔吐 **312**
嘔吐中枢 312
嘔吐法 620
応答性エレメント 420
桜皮〈オウヒ〉エキス 296

カ

カイトリル 33, 64
カイプロリス 142
カイメース 180
カイロック 62
カオリン 407, 620
カカオ油 407
カコージン 2, 48, 56
カサンスラノール 323
ガジュツ 306
カシリビマブ・イムデビマブ 523
ガス壊疽 212
カスカラ 620
カスカラサクラダ 306
ガスコン 149
ガスター 62
ガスチーム 149
ガストリン 304, 308, 447
ガストリン産生細胞 307
ガストリン産生性内分泌腫瘍 305
ガストリン分泌抑制薬 307
ガストローム 63
ガストロゼピン 7, 62
カスポファンギン 510
カスポファンギン酢酸塩 123
ガスモチン 33, 65, 149
ガスロン N 63
カソデックス 102, 138
カタクロット 27, 36, 80
カタプレス 1
カタリン 84
カチーフ N 79, 105
カチオンチャネル 20
カチオンチャネル内蔵型 6, 95
カチオン〈陽イオン〉チャネル内蔵型 7
ガチフロ 87, 121
ガチフロキサシン 402, 504, 610, 625
ガチフロキサシン水和物 87, 121
カデキソマー 411
カテコール-*O*-メチルトランスフェラーゼ 57
カテコール-*O*-メチルトランスフェラーゼ阻害 328
カテコールアミン感受性増強 612
カテコール骨格 57
カデックス 94
ガドキセト酸 Na 584
カドサイラ 143
ガドジアミド水和物 584
ガドテリドール 584
ガドテル酸メグルミン 584
ガドブトロール 584
カトリデカコグ 380
カトレップ 46
カナキヌマブ 197
カナグリフロジン 463, 464
カナグリフロジン水和物 107
カナグル 107
ガナトン 65
カナマイシン 451, 485, 498, 508, 610, 623, 117
カナマイシン硫酸塩 117, 122
ガニレスト 75, 97
ガニレリクス 359, 424
ガニレリクス酢酸塩 75, 97

カバサール 20, 98
カバジタキセル 553
カバジタキセルアセトン付加物 137
ガバペン 19
ガバペンチン 132, 133, 134, 19
ガバペンチン エナカルビル 143
ガバペンチンエナカルビル 21
カビステン 45
カフェイン 152, 155, 292, 617, 24
カプサイシン 407
カプシド 513
カプトプリル 181, 280, 607, 612, 34
カプトリル 34
カプマチニブ 560
カプマチニブ塩酸塩水和物 140
カプレルサ 141
カプロン酸ゲストノロン 437
カプロン酸ヒドロキシプロゲステロン 359, 437
ガベキサート 331, 389
ガベキサートメシル酸塩 69, 82
カペシタビン 545, 573, 134
カベルゴリン 139, 140, 427, 20, 98
カボザンチニブ 563
カボザンチニブリンゴ酸塩 141
カボメティクス 141
カミツレ 306
カモスタット 331
カモスタットメシル酸塩 69
カラアザール 524
ガラクトース白内障 401
ガラクトース・パルミチン酸混合物 584
ガラクトシル人血清アルブミンジエチレントリアミン五酢酸テクネチウム 588
カラゲニン浮腫法 593
カラシ 306, 407
ガランタミン 73, 78, 164
ガランタミン臭化水素酸塩 9, 28
カリウム 144
カリウム剤 251, 346
カリウム消失性利尿薬 615
カリウムの平衡電位 18
カリウム保持性利尿薬 615
カリクレイン 182, 372, 373
カリクレイン・キニン降圧系 339
カリクレイン製剤 270, 271
カリジノゲナーゼ 160, 271, 26
カリジン 182
ガルカネズマブ 152
カルグート 2, 48
カルシウム拮抗薬 20, 264, **266**, 277, 279, **283**, 284, 607, 618
カルシウム剤 346
カルシウム製剤 476, 477
カルシウム遊離抑制薬 277
カルシトニン 339, 417, 419, **443**, **456**, 476
カルシトニン遺伝子関連ペプチド 152
カルシトニン受容体 478
カルシトニン製剤 346, 478
カルシトリオール 339, 346, 443, 454, 456, 476, 477, 105, 111
カルシニューリン 203
カルシニューリン阻害薬 202, 210, 318, 368
カルシポトリオール 410, 454, 93, 105
カルスロット 55
カルセド 135
カルチノイド症候群 **175**, 177
カルテオロール 62, 66, 88, 260, 268, 278, 286, 400, 609
カルテオロール塩酸塩 4, 84
カルデナリン 1
カルナクリン 26
カルバコール 70, 75, 6
カルバセフェム 487
カルバゾクロム 281
カルバゾクロムスルホン酸 Na 381
カルバゾクロムスルホン酸ナトリウム水和物 79
カルバペネム 485, 487, 492, 535
カルバペネム系抗生物質 **492**, 618
カルバマゼピン 117, 122, 132, 133, 368, 605, 613, 617, 18
カルバメート系薬物 621
カルバン 5
カルビスケン 4
カルビドパ 140, 369, 615
カルビドパ水和物 20
カルフィルゾミブ 564, 142
カルフェニール 38
カルブロック 55
カルプロニウム 412
カルプロニウム塩化物 95
カルベジロール 62, 66, 249, 255, 260, 268, 278, 286, 5
カルベニン 115
カルペリチド 255, 338, 345, 448, 49
カルボカイン 10
カルボキシペプチダーゼ 304, 306, 483, 487
カルボキシマルトース第二鉄 364, 77
カルボキシメチルセルロース 323
γ-カルボキシルグルタミン酸 455
カルボシステイン 297, 405, 58, 91
カルボプラチン 552, 573, 136
カルムスチン 540, 134
カルメロース 323
カルモジュリン 23, 24
カルモフール 545, 134
カレトラ 126
ガレノキサシン 504
ガレノキサシンメシル酸塩水和物 121
カロチノイド 453
カロチン 453
カロナール 23
カンサイダス 123
ガンシクロビル 515, 128
カンジダ 510
カンタリジン 407
カンタリス 407
カンデサルタンシレキセチル 181, 255, 280, 281, 34
カンテン 407
カンナビノイド受容体 130
カンプト 137
カンプトテシン系 553
ガンマ-アミノ酪酸〈GABA〉 27
ガンマオリザノール 471, 109
ガンマロン 27
カンレノ酸カリウム 345, 432, 607, 71
化学受容器反射 246, 291
化学受容器引金帯 119, 312
化学処理製剤 394
化学的刺激法 593
化学的受容器 293
化学伝達物質 **217**
化学療法薬 **483**
化膿薬 407
過活動膀胱 349
過感受性 **38**
過降圧に伴う失神 612
過酢酸 528, 529, 132
過酸化水素水 529
過酸化物 482
過酸化ベンゾイル 408, 91
過テクネチウム酸 Na 588
過分極 19
過分極活性化環状ヌクレオチド依存性カチオンチャネル〈HCN チャネル〉遮断薬 256
過分極活性化環状ヌクレオチド依存性カチオンチャネル遮断薬 250
可逆的経口直接トロンビン阻害薬 386
可溶性 TNFα/LTα レセプター製剤 197
可溶性グアニル酸シクラーゼ活性化薬 250, 255, 274
架橋阻害 382
下顎神経節 52
下行性抑制性ニューロマン 146
下垂体 104
下垂体機能検査 424, 425, 426, 580
下垂体後葉ホルモン 352, 354, 417, 419, 421, **428**
下垂体性巨人症 426, 427
下垂体前葉 422
下垂体前葉/中葉ホルモン 419
下垂体前葉ホルモン 416, 417, 421, 423, 424, 425, 426, 427
下垂体中葉ホルモン 417
下腸間膜神経節 52
加水/精製ラノリン 407
加熱人血漿蛋白 395
加齢黄斑変性症 404
家族性高コレステロール血症 470
果糖 391, 400
花粉症 171
仮面様顔貌 138
顆粒球 195, 362
顆粒球減少症 196, 603
顆粒球コロニー刺激因子 193, 196
顆粒球マクロファージコロニー刺激因子 193
顆粒性白血球 195
顆粒白血球減少症 614
芽胞 528
回帰熱 532
回虫 526, 527
回腸胆汁酸トランスポーター阻害薬 326
壊血病 450
介在ニューロン 136
開口分泌阻害 99
開始液 392
疥癬 412
海馬 104
海綿動物クロイソカイメン由来 Halichondrin B の合成誘導体 553
界面活性剤 528
界面活性物質 482
界面活性薬 297
潰瘍性大腸炎治療薬 318
解離型 123
解離型ヒステリー 123
解離定数 **35**
外呼吸 290
外耳炎 405
外耳感覚 48
外傷後ストレス障害 129
外傷性潰瘍 411
外傷性白内障 401
外転神経 48
外尿動括約筋 347

外分泌能検査 580
外用抗炎症薬 409, **413**
外用ステロイド 409, 410
外用ステロイド性抗炎症薬 **413**
外用非ステロイド性抗炎症薬 **413**
咳反射 293
鏡現象 163
核黄疸 614
核酸・アミノ酸生合成阻害薬 483
核酸合成阻害 508
核酸合成阻害薬 483
核酸分解酵素 **232**
核磁気共鳴コンピュータ断層撮影 584
核内受容体 420
核内受容体 PPARα 469
角化症 409
角化症治療薬 453
角質溶解薬 406
角膜 87
角膜保護薬 404
覚醒 111
覚醒アミン 155, 621
覚醒剤 155, 613
覚醒剤取締法 117
覚醒神経核オレキシン OX$_1$/OX$_2$受容体遮断 116
覚醒/睡眠リズム 111
顎下神経節 52
脚気 450
滑車神経 48
褐色細胞腫 571, 578
褐色脂肪細胞 54
活性型 V.D$_3$ 443
活性型ビタミン D$_3$ 339, 409, 410, 454, 456, 476, 477
活性型ビタミン D$_3$合成 339
活性型ビタミン D$_3$製剤 346, 454
活性型変異 560
活性化部分トロンボプラスチン時間 387
活性化プロテイン C 製剤 396
活性酸素 217, 408
活性酸素消去 606
活性酸素発生薬 570
活性代謝物 41
活性薬 **32**
活動電位持続時間 258
葛藤軽減作用 125
葛藤試験 594
空咳 181, 607
枯草熱 171
肝炎ウイルス 533
肝炎治療薬 **330**
肝炎ワクチン 516
肝核酸合成 330
肝カタラーゼ活性 328
肝機能改善薬 **327**, 330, 472
肝機能検査 580
肝機能促進薬 608
肝吸虫 526
肝血流量検査 580
肝細胞膜機能保持 330
肝ジストマ 526
肝障害 612
肝初回通過効果 41, **41**, 42
肝臓 54
肝臓アルコールデヒドロゲナーゼ阻害薬 624
肝代謝における相互作用 **617**
肝中心静脈閉塞症 390
肝糖原検査 581
肝庇護薬 330
肝不全用 391
肝ヘム合成 330
肝ミクロソームエタノール酸化系 110
肝ミクロソーム薬物代謝酵素 43
肝類洞閉塞症候群 390
感覚器作用薬 609
感覚中枢 104
感染症 **530**
感染性胃腸炎 534, 535
環境因子 599
環状 GABA 誘導体 134
環状リポペプチド系 483, 484
環状リポペプチド系抗生物質 **503**
冠血管 54, 263
冠血管拡張 586
冠血管拡張薬 264, **267**, 384
冠状血管 263
冠動脈攣縮 586
観血法 595
観念失行 163
幹細胞因子 193
間質細胞刺激ホルモン 417, 424, 437, 439
間質性腎炎 602
間質性肺炎 602, 612
間接型及び混合型交感神経作用薬 64
間接型交感神経興奮薬・抑制薬 **64**
間接型交感神経遮断薬 277, 278
間接型遮断薬 604
間接型副交感神経興奮薬 **72**
間接的作用 2
間代性痙攣誘発 154
間脳 52, 104, 111
間葉上皮転換因子 560
関節リウマチ 200, 209, 318
関節リウマチ治療薬 **209**, **210**, 211
汗腺 54, 77
完全活性薬 31, **31**
(完全)拮抗薬 31
完全経静脈高栄養法 393
完全ヒト型 TNFα/LTα レセプター製剤 211
乾癬症 410
乾燥 BCG 208, 556
乾燥イオン交換樹脂処理人免疫グロブリン 395
乾燥抗 D〈Rho〉人免疫グロブリン 395
乾燥水酸化アルミニウムゲル 307, 309
乾燥スルホ化人免疫グロブリン 395
乾燥濃縮人アンチトロンビンⅢ 389, 396
乾燥濃縮人活性化プロテイン C 389, 396
乾燥濃縮人血液凝固第Ⅸ因子 396
乾燥濃縮人血液凝固第Ⅷ因子 396
乾燥濃縮人血液凝固第Ⅹ因子加活性化第Ⅶ因子 396
乾燥濃縮人プロトロンビン複合体 396, 623
乾燥人血液凝固因子抗体迂回活性複合体 396
乾燥人血液凝固第Ⅸ因子複合体 396
乾燥人フィブリノゲン 396
乾燥ペプシン処理人免疫グロブリン 395
甘草 233
緩和薬 **407**
眼圧 87, 88, 399
眼炎用ステロイド 225
眼科定点 534, 535
眼科用薬 **402**, 403, 404
眼球運動 48
眼瞼下垂 594
眼疾患 578
眼平滑筋 54, 77
眼房水 398
眼房水産生 88, 400
眼房水流出 87, 88, 398, 400
眼類天疱瘡 613
眼レーザー手術後の眼圧上昇防止 88
癌遺伝子産物 558
癌原性試験 592, 596
癌腫 538
含糖酸化鉄 364, 77
含糖ペプシン 306
顔面神経 48, 52
顔面表情筋 48
漢方薬 611

キ

Ⅸ 455
Ⅸa 372
9-*cis*-レチノイン酸 419
9-β-D-アラビノシルグアニン 549
キキョウ 296
キサラタン 35, 83
キザルチニブ 560
キザルチニブ塩酸塩 139
キサンチン 29
キサンチンオキシダーゼ 475
キサンチンオキシダーゼ阻害 475
キサンチン誘導体 155, 341
キサンチン類 25, 155, 252, 253, 254
キサントフィル 453
キサンボン 27, 36, 80
キサンボン S 27, 36, 80
キジツ 306
キシリトール 391
キシロカイン 10, 50, 88, 150
キセノン 581, 589, 149
キナーゼ 8
キナゾリノン誘導体 137
キナ中毒 607
キナプリル 181, 280
キナプリル塩酸塩 34
キニーネ 525, 613, 621
キニーネ塩酸塩水和物 131
キニジン 259, 262, 369, 607, 616, 617, 621
キニジン失神 259
キニジン様作用 20
キニジン硫酸塩 50
キニジン硫酸塩水和物 50
キニナーゼⅡ 179, 180
キニナーゼⅡ阻害薬 277, 280
キニノーゲン 182
キニン 182, 339
キニン産生酵素 182
キニン受容体 182
キネダック 107
キノイド物質 401
キノコ由来免疫強化薬 **556**
キノリン誘導体 621
キノロン系 483
キノロン系抗菌薬 408, **504**
キプレス 36, 61, 90
キマーゼ 168, 179, 180
ギメラシル 545
キモシン 304
キモトリプシン 304, 306
キャッスルマン病 211
キャップ依存性エンドヌクレアーゼ阻害薬 519
ギャップ・ジャンクション補強 310

ギャバロン　19
キャベジンU　63, 69
キャリア　17
キャンディン系　482, 510, 511
キュバール　41, 61
キュビシン　120
キュリウム　624
キョウチクトウ科　250
キョウベリン　67
キョーフィリン　49, 59, 70
キラーT細胞　194, 200
ギラン・バレー症候群　395
ギリアデル　134
ギルテリチニブ　560
ギルテリチニブフマル酸塩　139
キレート剤　567
キロサイド　135
キロミクロン　466, 467
キロミクロンレムナント　466, 467
キンダベート　43
機械的（圧）刺激法　593
機械的イレウス　603
機械的受容器　293
機能検査薬　**580**, 581
機能性胃腸症　316
機能性ディスペプシア　316
機能性便秘　323
気管支　54
気管支拡張薬　65, 293, 299
気管支腺　295
気管支喘息　171, 200, 298
気管支喘息治療薬　**298**
気管支平滑筋　54, 77
気管支平滑筋弛緩/拡張　298
気管支平滑筋収縮　298
気道過敏性検査　579
気道クリアランス不全　295
気道粘液潤滑薬　296
気道分泌液　295
気道分泌細胞正常化薬　297
気道分泌促進薬　**296**
気分安定薬　**122**
基幹定点　534, 535
喜樹アルカロイド　553
器質性便秘　323
規則性下行性麻痺　107
揮発性吸入麻酔薬　612
揮発性薬物　43
揮発性有機溶剤型　601
起立性低血圧　287, 612
偽アルドステロン症　233, 330, 602
偽性コリンエステラーゼ　73, 79
偽膜性大腸炎　494, 500, 603, 613
拮抗的〈相反的〉二重支配　52
拮抗的二重支配　47, 76
吉草酸エストラジオール　359, 435
吉草酸酢酸プレドニゾロン　224, 226
吉草酸ジフルコルトロン　226
吉草酸デキサメタゾン　225, 226
吉草酸ベタメタゾン　225, 226
逆作動薬　**34**
逆性石ケン　133
逆転写酵素阻害薬　521
逆輸送　17
吸収　**40**, 41
吸収薬物の除去法　**621**
吸息筋　290
吸息中枢　291
吸着法　620
吸着薬　322, 407
吸虫　527
吸虫類　526
吸入/口腔/鼻炎用ステロイド　225
吸入/鼻炎用ステロイド　225
吸入ステロイド　298
吸入麻酔薬　43, **107**, **108**, 604
嗅覚　48
嗅神経　48
救急救命法　**619**
球状層　429
求心性・遠心性神経　104
求心性神経　47, 49
急性灰白髄炎　530
急性散在性脳脊髄炎　214
急性出血性結膜炎　535
急性心不全　248, 249
急性心不全治療薬　250
急性膵炎　331
急性前骨髄球性白血病治療薬　453
急性耐性　38
急性毒性試験　596
急性尿細管間質性腎炎　602
急性脳炎（ウエストナイル脳炎及び日本脳炎を除く）　533
急性肺障害治療薬　302
急性肺塞栓症　390
急性白血病　547
急性不安発作　128
急性便秘　323
急性発作治療薬　474
急性薬物中毒　**619**
急性薬物中毒の解毒薬　**623**, 624
牛脂　407
牛乳　616
巨核球　195
巨人症　426
巨赤芽球性貧血　363, **365**, 450, 452
虚血細胞由来因子　382
虚脱期　107
去痰障害　295
去痰薬　293, **295**, **296**
橋　104, 291
狭隅角　398
狭心症　**263**
狭心症治療薬　27, **263**, **264**, 265, 266, 267, 268
狭心症発作　612
狂犬病　212, 531
競合型筋弛緩薬　100, 604
競合的拮抗薬　**31**, 95, **96**
競合的拮抗薬（血圧下降）　95
競合的拮抗薬（骨格筋弛緩）　95
競合的拮抗薬の効力の指標　32
胸鎖乳突筋　48
胸神経　49
胸髄　52
胸部X線写真　582
強心配糖体　26, 250, **250**, **251**, 252, 341, 607, 612, 613, 615, 623
強心薬　**248**, 249
強心利尿薬　341
強制水泳法　594
強制利尿　621
強直間代発作　131, 134
強直性痙攣誘発　154
強迫神経症　123, 128
強迫性障害　123
強膜　87, 398
強力ネオミノファーゲンシー　46, 68
強力ビスラーゼ　92
強力レスタミンコーチゾンコーワ　40
杏仁〈キョウニン〉水　296
恐怖神経症　123
共輸送　17, 344
凝血阻害薬　608
凝固因子産生促進薬　379
凝固因子放出薬　379
蟯虫　526
局所効果　42
局所刺激性試験　592, 596
局所止血薬　381
局所脳血液分布検査　581
局所脳血流量検査　581
局所麻酔作用　20
局所麻酔薬　42, 90, **91**, **92**, **93**, 312, 314
筋萎縮性側索硬化症　162
筋強剛　138, 140, 175
筋細胞　91
筋弛緩薬　**100**, 578, 595
筋ジスキネジア　613
筋収縮調節機構　**23**
筋小胞体貯蔵 Ca^{2+}　23
筋性血管　242
筋層非浸潤性膀胱癌の可視化　579
筋注　42
筋肉　**23**
筋肉内注射　41, 42
筋紡錘　50, 136
近位尿細管　334, 335
緊急安全性情報　**625**
緊張性頭痛　151
金製剤　210
金属塩　322
金属含有製剤　616
金チオリンゴ酸 Na　210, 368
金チオリンゴ酸ナトリウム　38

ク

くも膜下出血　161
くる病　454
グアイフェネシン　294, 57
クアゼパム　113, 115, 125, 13
グアナベンズ　60, 66, 276
グアナベンズ酢酸塩　1
グアニル酸合成酵素阻害　205
グアニル酸シクラーゼ　5, 8, 15
グアニル酸シクラーゼC受容体アゴニスト　326
グアニル酸シクラーゼC受容体刺激薬　317
グアニル酸シクラーゼ内蔵型受容体　338, 345, 448
グアネチジン　64, 65, 66, 129, 278, 612, 615, 6
グアノシン3′,5′-環状一リン酸　8, 15
グアノシン5′-一リン酸　15
グアノシン5′-三リン酸　9, 15
グアノシン5′-二リン酸　9
グアノシン類似薬　520
グアンファシン　155
グアンファシン塩酸塩　24
グーフィス　68
クエストラン　109, 150
クエチアピン　117, 121, 177, 605, 625
クエチアピンフマル酸塩　15
クエン酸　620
クエン酸K　475

クエン酸Mg　620
クエン酸Na　475
クエン酸ガリウム　587
クエン酸カリウム＋クエン酸ナトリウム　110
クエン酸シルデナフィル　612, 615, 617
クエン酸第一鉄Na　364
クエン酸第一鉄ナトリウム　77
クエン酸第二鉄　364
クエン酸第二鉄水和物　77
クエン酸鉄アンモニウム　584
クエン酸ナトリウム　389
クエン酸ナトリウム水和物　82
クエン酸マグネシウム　324, 585
クエン酸マグネシウム水和物　149
クジン　306
グスペリムス　202, 203
グスペリムス塩酸塩　37
グセルクマブ　197, 410
クッシング症候群　431, 434
クッシング病　431
クマリン　616, 617
クマリン誘導体　385
グラクティブ　106
グラケー　79, 105, 111
グラジナ　128
クラスⅠ抗不整脈薬　27, 257, 258, **259**
クラスⅠa抗不整脈薬　258, 259
クラスⅠb抗不整脈薬　251
クラスⅠb抗不整脈薬　258, 259, 465
クラスⅠc抗不整脈薬　258, 259
クラスⅡ抗不整脈　27
クラスⅡ抗不整脈薬　257, 258, **260**
クラスⅢ抗不整脈薬　27, 257, 258, **260**
クラスⅣ抗不整脈薬　27, 257, 258, **261**
グラセプター　37
グラゾプレビル　518
グラゾプレビル水和物　128
グラッシュビスタ　90
クラドリビン　549, 135
グラナテック　83
グラニセトロン　178, 314, 574
グラニセトロン塩酸塩　33, 64
クラバモックス　115
クラビット　87, 121, 122
クラフォラン　114
クラブラン酸　491
クラブラン酸カリウム　115
グラマリール　27
クラミジア　485, 496, 532
クラミジア肺炎　535
グラム陰性桿菌　488
グラム陰性菌　485, 489, 506
グラム陽性球菌　489
グラム陽性菌　485, 506
クラリシッド　118
クラリス　118
クラリスロマイシン　311, 499, 610, 118
クラリチン　31
グランダキシン　16, 25
グランツマン血小板無力症　380
クランポール　18
グリア細胞　51, 91
クリアナール　58
クリアミン　5, 23
クリアランス型受容体　448
グリクラジド　459, 106
グリクロピラミド　459, 105
グリコピロニウム　71, 299, 301
グリコピロニウム臭化物　8, 60
グリコペプチド　485
グリコペプチド系　402, 483, 484, 485, 610
グリコペプチド系抗生物質　486, **494**
グリコペプチド系バンコマイシン　498
グリコラン　107
グリシルサイクリン系抗生物質　496
グリシン　41
グリシンアミドリボヌクレオチドホルミルトランスフェラーゼ　543
グリシン受容体　5, 7, 12, 13, 20
クリスマス因子　372
グリセオール　70, 83
グリセオフルビン　388, 511, 618, 125
グリセリン　325, 400, 407, 70, 83
グリセリン・果糖　341
クリゾチニブ　560, 139
グリチルリチン　**233**, 608
グリチルリチン酸　233, 330, 401, 403
グリチルリチン酸二カリウム　46, 85
グリチルリチン酸モノアンモニウム　46, 68
グリチルレチン酸　233, 46
グリチロン　46, 68
グリニド薬　459
クリノリル　44
クリプトキサンチン　453
クリプトスポリジウム症　533
クリプトン　587
グリベック　140
グリベンクラミド　446, 459, 106
クリミア・コンゴ出血熱　530
グリミクロン　106
グリミン　462
グリメピリド　459, 464, 106
クリンダマイシン　408, 500
クリンダマイシン塩酸塩　91, 119
クリンダマイシンリン酸エステル　91, 119
グルカゴン　388, 417, 419, **444**, 445, 446, 578, 580, 581, 585, 147, 148, 149
グルカゴンG　148, 149
グルカゴンG注射用　149
グルカゴン受容体　419
グルカゴン注射用　149
グルカゴン様ペプチド　447
グルカゴン様ペプチド-1　446
グルカゴン様ペプチド-2　460
グルカゴン様ペプチドGLP-1　446
グルカルピダーゼ　574
グルクロン酸　41
グルクロン酸抱合　43
グルクロン酸抱合体　43
グルコース　43, 446
グルコース-6-リン酸脱水素酵素欠損　600
グルコース依存性インスリン分泌刺激ポリペプチド　446, 447
グルコース依存性インスリン分泌刺激ポリペプチドGIP　446
グルコース・インスリン　346
グルコーストランスポーター　21
グルコース輸送体　463
α-グルコシダーゼ　462
α-グルコシダーゼ阻害薬　**462**, 609
グルコバイ　107
グルコン酸Ca　477
グルコン酸カリウム　346
グルコン酸カルシウム　346
グルタチオン　41, 330, 370, 401, 574, 69, 79, 84
グルタチオン抱合　623
L-グルタミン　310, 63
グルタミン酸　105
グルタミン酸NMDA受容体遮断　109, 164
グルタミン酸アルギニン　330
グルタミン酸受容体　12, 13, 106
グルタラール　528, 529, 132
グルトハイド　132
グルファスト　106
グレイ症候群　610, 614
グレースビット　121
グレープフルーツジュース　618
グレカプレビル　518
グレカプレビル水和物＋ピブレンタスビル　129
クレキサン　82
クレストール　108
クレゾール　528, 529, 133
クレチン症　442
クレナフィン　124
クレブシエラ　489
クレマスチン　172, 239
クレマスチンフマル酸塩　29
クレミン　15
クレメジン　623
グレリン　447
クレンブテロール　61, 66, 299, 349
クレンブテロール塩酸塩　3, 59, 73
クロイツフェルト・ヤコブ病　533
クロール　392
クローン病治療薬　318
クロカプラミン　120
クロカプラミン塩酸塩水和物　15
クロキサシリン　488
クロキサシリンナトリウム水和物　113
クロキサゾラム　126, 16
クロザピン　121, 15
クロザリル　15
クロストリジウム　485
クロストリジウム属細菌　485, 494
クロタミトン　408, 92
クロダミン　30
クロチアゼパム　126, 160, 16, 25
クロトリマゾール　510, 124
クロナゼパム　125, 133, 18
クロニジン　60, 66, 276, 604
クロニジン塩酸塩　1
クロバザム　113, 125, 133, 134, 19
クロピドグレル　382
クロピドグレル　162, 384
クロピドグレル配合錠　383
クロピドグレル硫酸塩　27, 81
クロファジミン　412, 509, 95, 123
クロファラビン　549, 135
クロフィブラート　388, 469, 607, 616, 617, 108
クロフェクトン　15
クロフェダノール　294
クロフェダノール塩酸塩　57
クロベタゾールプロピオン酸エステル　42
クロベタゾン酪酸エステル　43
クロペラスチン　294
クロペラスチン塩酸塩　57
クロベンプロピット　170
クロミッド　100
クロミフェン　359, 436
クロミフェンクエン酸塩　100
クロミプラミン　117, 123, 129, 176, 349
クロミプラミン塩酸塩　17, 32, 72
クロム親和性細胞　54
クロモグリク酸　171

クロモグリク酸 Na　238, 300, 401, 405, 409
クロモグリク酸ナトリウム　169, 298, 29, 60, 84, 93
クロラゼプ酸二カリウム　126, 16
クロラムフェニコール　322, 368, 402, 405, 501, 610, 614, 86, 91, 119
クロラムフェニコール系　402, 482, 483, 484, 610
クロラムフェニコール系抗生物質　**501**
クロラムフェニコールコハク酸エステル　119
クロルジアゼポキシド　126, 605, 16
クロルゾキサゾン　617
8-クロルテオフィリン　160, 172, 239
クロルフェニラミン　171, 172, 239, 368, 399, 405
クロルフェニラミンマレイン酸塩（*dl* 体）　30
クロルフェニラミンマレイン酸塩（*d* 体）　30
クロルフェネシン　137
クロルフェネシンカルバミン酸エステル　19
クロルプロパミド　459, 105
クロルプロマジン　43, 109, 117, 119, 120, 122, 314, 368, 605, 613, 615, 617
クロルプロマジン塩酸塩　14, 65
クロルヘキシジン　528, 529
クロルヘキシジングルコン酸塩　529, 133
クロルマジノン酢酸エステル　348, 440, 554, 71, 101, 102, 138
クロルメチゾール　617
クロレラ　388
クロロエチルアミン誘導体　540
クロロキン　613
2-クロロデオキシアデノシン　549
クロロマイセチン　91, 119
クロロマイセチンサクシネート　119
駆虫　**526**
駆虫薬　412
空腹時血糖　457
隅角　87, 398
隅角開放性　398
隅角閉塞性　398
群発頭痛　151

ケ

けいれん性咳発作　533
ケアラム　39
ケアロード　36, 54, 80
ケイ酸アルミニウム　309, 322
ケイ酸マグネシウム　322
ケイツー　79, 105, 150
ケイヒ　306
ゲーベン　94
ケーワン　79, 105
ゲストノロンカプロン酸エステル　348, 440, 71, 101, 102
ケタス　25, 27, 29, 60, 84
ケタミン　109, 604, 613
ケタミン塩酸塩　12
ケタラール　12
ケトコナゾール　510, 124
ケトチフェン　171, 173, 238, 298, 300, 401, 405, 606
ケトチフェンフマル酸塩　31, 60, 84
ケトプロフェン　230, 231, 475, 45, 46
ケトン体　446
ケナコルト-A　40
ケノデオキシコール酸　329, 68
ゲフィチニブ　560, 611, 625, 139
L-ケフラール　113
ケフラール　113
L-ケフレックス　113
ケフレックス　113
ケミカルメディエーター　216, **217**
ケミカルメディエーター遊離　168
ケミカルメディエーター遊離抑制薬　**238**
ゲムシタビン　547, 573
ゲムシタビン塩酸塩　135
ゲムツズマブ　201
ゲムツズマブオゾガマイシン　567, 144
ゲメプロスト　189, 353, 354, 35, 74
ゲメプロスト腟坐薬　608
ケモカイン　192
ケモカイン受容体　193, 200
ケモカイン受容体 4　568
ケモカイン受容体 5〈CCR5〉阻害薬　521
ケラチナミン　93
ゲラニルゲラニル二リン酸　473
ゲルマニウム製剤　516
ケルロング　2
ゲンタシン　117
ゲンタマイシン　402, 498, 86
ゲンタマイシン硫酸塩　86, 117
ゲンチアナ　306
ゲンノショウコ　322
ケンブラン　147
下剤　**323**, 585, 620
下痢　321, 613
下痢型過敏性腸症候群　317
解毒薬　73, 322, **619**
解熱鎮痛薬　606, 612
解熱薬　593
鶏眼　412
経口 Xa 因子阻害薬　386
経口エストラジオール・プロゲスチン配合剤　478
経口抗 AIDS ウイルス薬　**520**
経口抗凝血薬　616
経口糖尿病治療薬　368, 369
経口糖忍容試験　578
経口投与　41, 42
経口バソプレシン V_2受容体遮断薬　255
経口避妊薬　356, **356**, 388, 608, 612, 613, 614
経口末梢性オピオイド μ 受容体拮抗薬　326
経中心静脈高カロリー輸液　391, **393**, 608
経尿道的膀胱腫瘍切除術　579
経皮吸収　42
経腹膜法　622
形質細胞　200
頸神経　49
頸性めまい　160
頸動脈小体　246, 291
頸動脈洞　246
頸部低下反応　595
痙咳発作　533
痙性麻痺　135
痙攣，意識障害　613
痙攣性排便反射異常　323
痙攣薬　156
傾眠　614
劇症型溶血性レンサ球菌感染症　533
血圧作用薬　595
血圧上昇　154
血液　242
血液/ガス分配係数　**108**
血液関門　40
血液還流　622
血液吸着　622
血液凝固　**372**
血液凝固因子　**372**
血液凝固因子抗体迂回活性複合体製剤　396
血液凝固因子産生促進薬放出薬　**379**
血液凝固因子製剤　394, 396
血液凝固因子製剤及び類薬　**380**
血液凝固因子放出薬　**379**
血液凝固機構　**374**, 375
血液凝固制御因子　**372**, **373**
血液凝固能検査　**387**
血液凝固抑制因子製剤　396
血液凝固抑制薬　**382**
血液製剤　**394**, 395
血液成分製剤　394
血液・造血器官系作用薬　608
血液・造血器障害誘発薬物　614
血液代用薬　**391**
血液透析　622
血液の循環　**242**
血液ろ過　622
血管　77, 86, **242**
血管運動性鼻炎　405
血管運動中枢　86
血管拡張薬　249, 250, 255, **255**, 411
血管強化薬　381
血管収縮因子　374
血管収縮薬　91, 92, 405
血管新生阻害薬　404
血管性頭痛　151
血管代謝改善薬　472
血管直接弛緩薬　276
血管透過性亢進期　217
血管内皮細胞　25
血管内皮細胞 M_3受容体刺激　247
血管内皮細胞増殖因子　193
血管内皮細胞増殖因子受容体　302
血管内皮細胞増殖因子受容体ファミリー　558
血管内皮細胞由来因子　382
血管平滑筋　25, 54, 253
血管平滑筋 α/β_2受容体刺激　247
血球成分　**362**
血漿カリクレイン　182
血漿交換　622
血漿コリンエステラーゼ欠損　600
血漿消失率検査　580
血漿浸透圧　340
血漿浸透圧上昇薬　400
血漿製剤　394, 395
血漿増量薬　**393**
血漿蛋白結合　40
血漿蛋白結合型薬物　43
血漿蛋白結合における相互作用　**616**
血漿トロンボプラスチン前駆物質　372
血小板　195, 362
血小板 cAMP 増加薬　384
血小板活性化因子　173, 217, 373
血小板カルシウム動態抑制薬　383
血小板凝集因子　374
血小板凝集因子トロンボキサン A_2　228
血小板凝集経路　382
血小板凝集抑制因子プロスタグランジン I_2　228
血小板凝集抑制経路　382
血小板減少症　196, 371, 501, 603, 614
血小板減少症/増多症治療薬　**371**
血小板減少症治療薬　**364**
血小板細胞膜上糖蛋白質 GP I b　374
血小板製剤　394
血小板増多症　371

血小板増多症治療薬 **364**
血小板第3因子 372, 373
血小板由来因子 382
血小板由来増殖因子 193
血小板由来増殖因子受容体 302
血小板由来増殖因子受容体ファミリー 558
血漿分画製剤 394
血清鉄 364
血栓因子 373
血栓形成 **372**
血栓形成薬 381
血栓症 382, 614
血栓性血小板減少性紫斑病 614, 625
血栓性微小血管障害 369
血栓線溶系 376
血栓溶解 **372**
血栓溶解機構 **376**
血栓溶解薬 270, **382**, **390**, 608, 614
血中化学物質 312
血中停滞率検査 580
血友病 394
血友病A 380, 396
血友病B 380, 396
血流改善薬 160, 411
結核 212, 578
結核菌 498, **507**, 528, 556
結核菌製剤 370
結核菌熱水抽出物 370, 574
結核治療 **507**
結核予防法 213
結合型エストロゲン 359, 435
結合型エストロゲン（エストロン硫酸エステルNa＋エクイリン硫酸エステルNa＋17α-ジヒドロエクイリン硫酸エステルNa） 100
結腸内洗浄増強薬 585
結膜炎 171, 485
欠神発作 131, 134
月経 356
健胃消化薬 **306**
健胃薬 306
嫌酒薬 110
腱紡錘 50
眩暈 **159**
幻覚・精神錯乱 613
幻覚薬 117, **130**
幻覚薬型 601
言語中枢 104
現実心身症 123
原虫 524
原発性アルドステロン症 431, 432
原発性開放隅角〈単性〉緑内障 398
原発性肺高血圧症治療薬 **273**, 274
原発性閉塞隅角〈うっ血性〉緑内障 398

コ

Ⅴa 372
50%致死濃度 30
50%致死量 30
50%有効濃度 30
50%有効量 30
5′-AMP 15
5′-DFCR 545
5′-DFUR 545
5′-GMP 15
5-FU **544**, **545**, 573, 134
5-FU・レボホリナート併用療法 544
5-HIAA 174
5-HPETE 187
5-HT 174
5-HT受容体 12, 13
5-HT_1 316
5-HT_{1A}刺激薬 124
5-HT_{1A}部分活性薬 127, 177
5-$HT_{1B/1D}$刺激薬 152, 177
5-HT_2 316
5-HT_2遮断薬 177
5-HT_3 316
5-HT_3拮抗薬 574
5-HT_3遮断薬 312
5-HT_3受容体 312
5-HT_3受容体遮断薬 178
5-HT_4 316
5-HT_4刺激薬 316
5-HT4刺激薬 315
5-HT_4受容体刺激薬 178
5-HTP 174
5, 10-CH_2-THF 544
5-アミノサリチル酸 318
5-アミノサリチル酸関連薬 318
5-アミノレブリン酸 366
5′-デオキシ-5-フルオロウリジン 545
5′-デオキシ-5-フルオロシチジン 545
5-ヒドロキシインドールアセトアルデヒド 174
5-ヒドロキシインドール酢酸 174
5-ヒドロキシトリプタミン 174
5-ヒドロキシトリプトファン 174
5-ヒドロキシメチルトルテロジン 349
5-ヒドロペルオキシエイコサテトラエン酸 187
5-フルオロウラシル **544**
5-フルオロシトシン 511
5, 10-メチレンテトラヒドロ葉酸 544
5-リポキシゲナーゼ 184, 185, 186, 187
5-リポキシゲナーゼ阻害 173, 238
5α-還元酵素阻害 440
5類感染症 533
コアキシン 113
コアテック 49
コアバッテリー試験 592
コアベータ 2, 149
コウブシ 306
コウボク 306
コエンザイムA〈CoA〉前駆体 472
コエンザイムQ_{10} 255
コートリル 40
コートロシン 38, 98
コートロシンZ 38
コートン 40, 139
コール酸 327
コールタール 406
コールタイジン 2, 90
コカイン 21, 64, 65, 66, 93, 601
コカイン塩酸塩 6, 10
コカイン型 601
コキシブ系 230, 231
コクサッキーウイルスA24変異株 535
コクシエラ・バーネティー 532
コクシジオイデス症 531
コショウ 306
コスパノン 67, 68
コスメゲン 136
ゴセレリン 358, 424, 554, 609
ゴセレリン酢酸塩 75, 96, 138
コデイン 41, 147, 149, 294, 322, 601, 608, 617
コデインリン酸塩 22, 57
コデインリン酸塩水和物 22, 57
ゴナックス 97, 138
ゴナドトロピン 417, 419, 422, 424
ゴナドレリン 417, 419, 422, 424, 580
ゴナドレリン/リュープロレリン 435, 437, 439
ゴナドレリン酢酸塩 96, 148
コナン 34
コニール 55
コハク酸ヒドロコルチゾンNa 223, 224
コハク酸プレドニゾロン 223
コハク酸プレドニゾロンNa 224
コハク酸メチルプレドニゾロンNa 223, 224
コバシル 34
コバマミド 365, 370, 452, 77, 104
コビシスタット 521, 522
コペガス 128
コホリン 135
ゴマノハグサ科 250
ゴマ油 407
コムタン 20
コメリアン 52, 80
コラーゲン 373
コララン 49
コランチル 7
コリオゴナドトロピン アルファ 424
コリオゴナドトロピンアルファ 359
コリオパン 8
コリスチン 402, 503
コリスチンメタンスルホン酸ナトリウム 86, 120
コリマイシンS 120
ゴリムマブ 197, 211, 318
コリン 68
コリンアセチラーゼ 72, 75
コリンアセチルトランスフェラーゼ 68, 72, 75
コリンエステラーゼ 67, 68, 72, 75, 164
コリンエステラーゼ感受性 70
コリンエステラーゼ阻害薬 **72**, **73**, 96, 348, 400, 402, 604, 613
コリンエステラーゼによる基質の分解過程 74
コリン作動性クリーゼ 72, 604
コリン作動性神経 53
コリン作動性神経/副交感神経支配 76
コリン作動薬 347, 399, 402, 612, 613
コリンホール 7
コルサコフ症候群 450
コルチコステロン 220, 221, 429, 430, 431, 433
コルチコトロピン 417, 419, 422, 423, 429, 433
コルチコレリン 417, 419, 422, 423, 433, 580, 96, 148
コルチゾル 204, 220, 237, **429**, 430, 431, 433
コルチゾン 204, 220, 221, 224, 237, 431, 433, 594
コルチゾン酢酸エステル 555, 40, 139
コルドリン 57
コルヒチン 368, 474, 475, 110
コルホルシンダロパート 252, 253, 254
コルホルシンダロパート塩酸塩 48
コレアジン 21
コレカルシフェロール 339, 443, 454, 456, 476
コレキサミン 53, 108
コレクチム 93
コレシストキニン 304, 327, 447

コレスチミド 388, 471
コレスチミド〈コレスチラン〉 109
コレスチラミン 388, 471, 616, 623, 109, 150
コレステロール 430, 466
コレステロールエステル 467
コレステロール逆輸送 467
コレステロール側鎖切断酵素 430
コレステロール胆石 329
コレステロール胆石溶解薬 329
コレステロールトランスポーター阻害薬 467
コレステロールモノオキシゲナーゼ 430
コレバイン 109
コレミナール 16
コレラ 212, 530
コレラ菌 506
コレラ毒素 **10**
コロネル 66
コロンボ 306
コンサータ 24
コンスタン 16
コンズランゴ 306
コントール 16
コントミン 14, 65
コンドロイチン硫酸 Na 404
コンドロイチン硫酸エステルナトリウム 89
コンバントリン 131
コンピュータ断層撮影 583
コンフリクト試験 594
コンベック 46
呼気中排泄 41, 43
呼吸 **290**, **291**
呼吸器系作用薬 **302**, 608
呼吸器障害 612
呼吸筋抑制 612
呼吸興奮 154
呼吸興奮薬 114, 156, **292**
呼吸性アシドーシス 392
呼吸中枢 291
呼吸調節中枢 104, 291
呼吸麻痺 92
呼吸抑制 614
呼息筋 290
呼息中枢 291
小刻み歩行 138
小人症 426
古典的抗ヒスタミン薬 170, 172
固形製剤 41
固有受容器反射 291
固有心筋 242, 243
固有心室筋 243
鼓膜穿孔 405
抗 BLyS 抗体 202
抗 CD 抗体 567
抗 CD20 抗体 202, 369
抗 *C. difficile* 483
抗 D 人免疫グロブリン製剤 395
抗 HBs 人免疫グロブリン 395
抗 HBs 人免疫グロブリン製剤 395
抗 HIV 482
抗 HIV 薬 **520**, 521
抗 IgE モノクローナル抗体 171
抗 IL-2 受容体 α 鎖〈CD25〉抗体 202
抗 IL-4/IL-13 受容体抗体 405
抗 IL-4/IL-13 薬 300
抗 IL-5 受容体 α サブユニット抗体 300
抗 IL-5 薬 300
抗 IL-6 受容体抗体 211
抗 IL-12/IL-23 p40 抗体 318
抗 MRSA グリコペプチド系抗生物質 169
抗 PAF 173
抗 PCSK9 抗体 470
抗 RANKL 568
抗 RANKL 抗体 211, 476, 478, 479, **479**
抗 RS ウイルス抗体 523
抗 TNFα 抗体 318
抗 TNFα 薬 211
抗 $\alpha_4\beta_7$ インテグリン抗体 318
抗悪性腫瘍薬 312, 365, 412, **538**, 539, **569**, 570, 571, 572, 611, 612, 613, 614
抗悪性腫瘍薬の併用療法 **573**
抗悪性腫瘍薬の補助薬 **574**
抗アルドステロン薬 250, 255
抗アレルギー性 H_1 拮抗薬 170, 606
抗アレルギー性抗ヒスタミン薬 171, 173
抗アレルギー性抗不安薬 127
抗アレルギー薬 169, 170, 171, 190, **236**, 300, 401, 405, 409
抗アレルギー薬の作用段階 **237**
抗アンドロゲン薬 348, 440, 554
抗インフルエンザウイルス 482
抗インフルエンザウイルス薬 **519**
抗ウイルス薬 330, 402, 412, 482, **513**, **523**
抗うつ薬 117, 123, **127**, 594, 613
抗エストロゲン薬 356, 366, 436, 554
抗炎症・抗アレルギー薬 606
抗炎症性サイトカイン 302
抗炎症蛋白 433
抗炎症薬 210, 300, 314, 401, 403, 411, 593
抗オータコイド薬 237, **239**
抗潰瘍薬 368, 594
抗ガストリン薬 308
抗肝炎ウイルス 482
抗肝炎ウイルス薬 **516**
抗感染症薬 482
抗寄生虫薬 482, **524**
抗凝血薬 270, **382**, **385**, **389**, 614
抗菌処理カテーテル使用 626
抗菌スペクトル **485**
抗菌薬 365, 368, 369, 402, 405, 411, 412, 610
抗痙攣・抗てんかん薬 594
抗結核薬 482, 483, **483**, **493**, **507**, **508**, 509, 610
抗血小板薬 270, **382**, 383, 384, 608, 614
抗血栓因子 373
抗血栓薬 382
抗血友病因子 372
抗原性試験 592, 596
抗原虫薬 311, 482, **524**, 525
抗原提示細胞 200
抗抗酸菌薬 412, 482, **507**
抗甲状腺薬 442, 609
抗ゴナドトロピン作用 358
抗コリン作用 119
抗コリン薬 **70**, 73, 76, 77, 347, 399, 402, 613
抗細菌薬 482, **483**, **485**
抗サイトカイン抗体 197
抗サイトカイン受容体抗体 198
抗細胞傷害性 T リンパ球抗原-4〈CTLA-4〉抗体製剤 557
抗腫瘍性抗生物質 539, 611
抗真菌性抗生物質 402
抗真菌薬 402, 412, 482, **510**
抗スクレロスチン抗体 477
抗スピロヘータ薬 **527**
抗精神病薬 117, **118**, 368, 427, 594, 605, 613
抗生物質 402, **483**, **550**, **551**, 556, 610, 615
抗喘息薬 293, 608
抗蠕虫薬 482, **526**, **527**
抗線溶薬 381
抗増殖因子/増殖因子受容体抗体 566
抗増殖因子抗体 558
抗躁病薬 605
抗躁薬 117, **122**
抗体 200
抗体依存性細胞傷害 **559**
抗体依存性細胞傷害活性 523
抗体依存性細胞貪食活性 523
抗体依存性細胞媒介反応 236
抗体産生抑制薬 237, **237**
抗体製剤 368, 568
抗腸内アンモニア産生菌 483
抗痛風薬 368, 369
抗てんかん薬 122, **131**, **132**, **133**, 143, 365, 368, 605, 614
抗てんかん薬のスクリーニング法 **134**
抗トキソプラズマ原虫薬 499
抗毒素 **212**
抗トロンビン因子 373
抗トロンビン薬 389
抗トロンボキサン薬 239
抗パーキンソン病薬 613
抗破傷風人免疫グロブリン 395
抗破傷風人免疫グロブリン製剤 395
抗ヒスタミン 312
抗ヒスタミン作用 119
抗ヒスタミン薬 171, **172**, 239, 368, 399, 408, 613
抗ヒスタミン薬誘導体 294
抗ヒト B リンパ球刺激因子モノクローナル抗体 203
抗ヒト CD20 モノクローナル抗体 203
抗ヒト IL-2 受容体 α 鎖モノクローナル抗体 203
抗ヒト Programmed Cell Death 1〈PD-1〉抗体製剤 557
抗ヒト Programmed Cell Death-Ligand 1〈PD-L1〉抗体製剤 557
抗ヒト胸腺細胞ウサギ免疫グロブリン 203, 368
抗病原微生物薬 402
抗不安薬 117, 123, **123**, **124**, 125, **127**, 160, 177, 594
抗不整脈薬 257, **257**, 258, **262**, 369, 607
抗プラスミン薬 381
抗ペプシン薬 307, 309
抗ペラグラ因子 408, 451
抗ヘルペスウイルス 482
抗ヘルペスウイルス薬 **514**
抗補体（C5）ヒト化モノクローナル抗体製剤 369
抗ムスカリン薬 355, 604
抗めまい薬 159
抗らい菌薬 412, **509**
抗リウマチ薬 365, 368, 369
抗利尿ホルモン 20, **338**, 428
抗利尿ホルモン不適合分泌症候群 121, 602
抗利尿薬 607
抗ロイコトリエン薬 239
抗労作性狭心症 27
高 Ca^{2+} 血症 343
高 Ca 血症 346
高 K^+ 血症 343

高K血症 346
高LDLコレステロール血症 466
高アンモニア血症治療薬 330
高インスリン性低血糖症治療薬 446
高カルシウム血症 443
高カロリー輸液法 393
高血圧治療薬 **275**
高コレステロール血症 470
高浸透圧性非ケトン性糖尿病性昏睡 393
高水準消毒 528
高値血圧 275
高トリグリセリド血症 466
高尿酸血症 343
高尿酸血症治療薬 **474**, **475**
高ビリルビン血症 610
高プロラクチン血症 105, 427
高分子キニノーゲン 182, 372
高分子製剤 **565**
高密度リポ蛋白質 466
高用量アスピリン 382
降圧条件のまとめ **86**
降圧薬 276, 281, **282**, 369
広域ペニシリン 311, 488, 491, 613
広隅角 398
広節裂頭条虫 526
効果器 2, **54**
光線（紫外線）感受性増強薬 412
硬化療法薬 381
硬膜外麻酔 92
口角炎 450
口腔内崩壊錠 41
口腔用ステロイド 224
交換血管 242
交感神経 47, 50, 76, 77
交感神経幹 52
交感神経系 81
交感神経系作用薬 **56**, **66**, 604
交感神経興奮薬・抑制薬 65
交感神経遮断薬 250, 277, 278
交感神経節 53
交感神経節後線維 50, 52, 56
交感神経節前線維 50, 52
交感神経節前線維アセチルコリン 429
交感神経節ニコチン N_N受容体刺激 79
向筋肉性鎮痙薬 319, 320
向神経性鎮痙薬 319, 320
向精神薬 **117**, 605
向腺性ホルモン 416, 417
攻撃因子抑制薬 307, **308**, 309
後根 92
後天性白内障 401
後天性免疫不全症候群 520, 533
後負荷 242
虹彩 87, 398
虹彩炎 613
好塩基球 195, 362
好酸球 195, 362
好酸球走化因子 236
好酸球増多性肺浸潤症候群 602
好中球 195, 362
好中球減少症 196, 603
好中球前駆細胞 370
鉱質コルチコイド 218, 221, **337**, 419, 429, 430, **430**, **432**
鉱質コルチコイド受容体 337, 420
鉱質・糖質コルチコイド 417
膠質浸透圧 393
膠質輸液 **393**
甲状腺癌 578
甲状腺機能異常症 **442**
甲状腺機能亢進症 442
甲状腺機能障害 614
甲状腺機能低下症 442
甲状腺刺激ホルモン 417, 422, 425, 441
甲状腺刺激ホルモン放出ホルモン 417, 422, 425, 441
甲状腺腫治療薬 442
甲状腺破壊 442
甲状腺傍細胞 443
甲状腺傍細胞ホルモン 419
甲状腺ホルモン 360, 388, 417, 418, 419, 420, 422, 425, **441**, **442**, 609, 612
甲状腺ホルモン関連薬物 **442**
甲状腺ホルモン受容体 420
甲状腺濾胞細胞 441
構成型シクロオキシゲナーゼ 227
酵素 2
酵素活性内蔵型受容体 4, 5
酵素の反応速度曲線 39
酵素反応 **39**
鉤虫 526
紅斑性狼瘡 612
紅斑熱リケッチア 532
紅皮症 603
興奮収縮連関 245
興奮性グルタミン酸作動性神経 132
興奮伝導異常 257
興奮伝導遮断 99
興奮の伝達 50
合成 $ACTH_{1-24}$ 423
合成 T_3 442
合成 T_4 442
合成Xa因子阻害薬 386
合成オピオイド化合物 294
合成カルバペネム 492
合成局所麻酔薬 91, 93
合成コルチコイド 221
合成女性ホルモン 554
合成ステロイド 220
合成セリンプロテアーゼ阻害薬 389
合成糖質コルチコイド 218
合成バソプレシン 98
合成副腎皮質ホルモン 403
合成麻薬性鎮痛薬 149
合成レチノイド 453
黒質-線条体 119
黒質-線条体ドパミン作動性神経経路 138
骨格筋 23, **97**
骨格筋血管 54
骨格筋作用薬 399
骨格筋収縮 **100**
骨格筋障害 612
骨格筋ニコチン N_M受容体刺激 79
骨格筋の収縮機構 **28**
骨格筋・平滑筋作用薬 595
骨吸収抑制薬 **477**, 478
骨形成促進薬 **477**
骨髄系幹細胞 195
骨髄腫 538
骨髄性白血病 538
骨粗しょう症 443, 454
骨粗しょう症治療薬 **476**, **477**
骨軟化症 454
骨肉腫 538
骨盤神経 52
骨盤内充血 614
混合型交感神経興奮薬・抑制薬 **64**
混合型刺激薬 604
混合死菌浮遊液（大腸菌, ブドウ球菌, レンサ球菌, 緑膿菌）＋ヒドロコルチゾン 92
混合死菌浮遊液ヒドロコルチゾン配合剤 408, 92

サ

Ⅲ 372
Ⅲ型アレルギー 236, 603
3,3',5'-Triiodothyronine 441
3,4-ジヒドロキシマンデル酸 57
3,5,3',5'-Tetraiodothyronine 441
3,5,3'-Triiodothyronine 441
3',5'-cAMP 15
3',5'-cGMP 15
3-hydroxy-3-methylglutaryl-coenzyme A 466
3β-ヒドロキシステロイド脱水素酵素阻害 434
3号液 392
3-ヨードベンジルグアニジン 572
3-ヨードベンジルグアニジン（^{131}I） 146
3類感染症 530
ザーコリ 139
サージセル・アブソーバブル・ヘモスタット 79
サーティカン 37
サーファクタント 296, 57
サーファクテン 57
サアミオン 27
ザイアジェン 126
サイクリックAMP 8
サイクリックGMP 8
サイクリン依存性キナーゼ 558
サイクロセリン 366, 483, 484, 486, **493**, 508, 116, 122
ザイザル 31
ザイティガ 138
サイデックス 132
サイトカイン 362
サイトカイン関連薬 368
サイトカイン関連薬物 **196**
サイトカイン産生調節薬 197
サイトカイン産生抑制薬 197
サイトカイン受容体ファミリー 193
サイトカイン製剤・類似薬 196
サイトカイン・増殖因子産生調節薬 302
サイトカインの作用 **194**
サイトカイン類 **192**, **556**
サイトテック 35, 63
サイトメガロウイルス感染症治療薬 515
サイバインコ 93
サイビスク 39
サイプレジン 7, 85
ザイボックス 120
サイメリン 134
サイレース 13
ザイロリック 110
サインバルタ 17, 32, 107
ザガーロ 102
サキサグリプチン 460
サキサグリプチン水和物 106
サクシニルコリン 79
サクビトララート 256
サクビトリル 256
サクビトリル・バルサルタン 280
サクビトリルバルサルタンナトリウム水和物 49
ザジテン 31, 60, 84

サチュロ 122
サテニジン 133
サナクターゼ 306
ザナミビル 519
ザナミビル水和物 130
ザノサー 134
サノレックス 25
ザバクサ 114
サビーン 146
ザファテック 106
サフィナミド 140
サフィナミドメシル酸塩 20
サブスタンスP 144, 169
サブスタンスP受容体 14
サブスタンスP受容体拮抗薬 314
サブタイプ選択的刺激薬 60, 61
サブタイプ選択的阻害薬 60, 61
サフラジン 65
サプリル 19
サプレスタ 55
サポニン 296
サムスカ 71, 99
サムチレール 125
サラジェン 6
サラゾスルファピリジン 210, 318
サラゾスルファピリジン〈スルファサラジン〉 38, 66
サラゾピリン 66
サリグレン 6
サリチルアミド 229, 44
サリチル酸 229, 406, 412, 616, 95
サリチル酸Na 229, 44
サリチル酸系 231
サリチル酸系薬物 621
サリチル酸中毒 228
サリチル酸ナトリウム 44
サリチル酸メチル 231, 407, 46
サリチル酸ワセリン軟膏 95
サリドマイド 570, 614, 145
サリドマイド関連薬 570
サリドマイド胎芽病 570
サリルマブ 198, 211
サリン 73, 74, 9
サルコート 41
ザルコニン 133
ザルシタビン 512
ザルソカイン 606
サルタノール 3, 59
ザルティア 71
サル痘 531
ザルトプロフェン 230, 45
サルファ薬 365, 368, 369, 482, 483, 484, 485, **505**, **506**, 507, 600, 610, 612, 614, 615, 617
サルファ薬・トリメトプリム合剤 505
サルブタモール 61, 66, 299, 604
サルブタモール硫酸塩 3, 59
サルポグレラート 177, 270, 382, 383
サルポグレラート塩酸塩 33, 80
サルメテロール 61, 298, 299, 301
サルメテロールキシナホ酸塩 3, 59
サルモネラ感染症 501
サルモネラ菌 485, 488, 506
サレド 145
ザロンチン 18
サワシリン 113, 132
サンコバ 88
サンショウ 306
ザンタック 62
サンチンク 88
サンディミュン 37, 94
サンテゾーン 41, 85, 87
サンドスタチン 98, 145
サントニン 527, 613, 616, 131
サンドローム・マラン 602
サンピロ 6, 83, 86
サンベタゾン 85, 87
サンラビン 135
サンリズム 50
作動薬 **34**
坐薬 41
催奇形性 614
催胆薬 328
催吐性去痰薬 296
催吐薬 **312**, **313**
催乳ホルモン 417, 422, 425, 427
催乳ホルモン放出ホルモン 417, 422, 427
催乳ホルモン放出抑制ホルモン 417, 422, 427
催眠薬 **111**, **115**, 116, 605
細菌RNAポリメラーゼ阻害薬 502
細菌性髄膜炎 535
細菌性赤痢 530
細菌免疫強化薬 **556**
細胞応答 11
細胞外シグナル分子 3
細胞外ドメイン製剤 197
細胞質性炭酸脱水酵素 336
細胞周期 539
細胞周期特異的抗悪性腫瘍薬 539
細胞周期非特異的抗悪性腫瘍薬 539
細胞障害型アレルギー 236
細胞傷害性T細胞 200
細胞傷害性Tリンパ球 203
細胞傷害性Tリンパ球抗原 202
細胞性免疫 194, 200, 362
細胞性免疫反応 236
細胞増殖因子受容体 5
細胞体 50
細胞内ATP産生促進 255
細胞内Ca^{2+}チャネル 20
細胞内cAMP増加薬 250
細胞内アンドロゲン受容体 439
細胞内イオン濃度変化 19
細胞内鉱質コルチコイド受容体 432
細胞内甲状腺ホルモン受容体 442
細胞内受容体 3
細胞内情報伝達 **558**
細胞内情報伝達機構 **9**
細胞内情報伝達系 4
細胞内情報伝達物質 3
細胞内情報伝達分子 **22**
細胞内貯蔵Ca^{2+}の遊離阻害 99
細胞内糖質コルチコイド受容体 433
細胞内プロゲステロン受容体 437
細胞分裂阻害 539
細胞壁合成阻害 508
細胞壁合成阻害薬 483, 484, **486**
細胞壁構造 486
細胞壁ミコール酸生合成阻害 508
細胞膜1回貫通型受容体 5
細胞膜4回貫通型受容体 5
細胞膜7回貫通型受容体 5
細胞膜機能障害 503
細胞膜機能障害薬 483, 484, **503**
細胞膜受容体 3, **4**, **5**
細胞膜電位変化 **18**, **97**
細胞膜の興奮 18
細胞膜リン脂質 483
細網肉腫 538
柴胡桂枝乾姜湯 611
柴朴湯 611
柴苓湯 611
最小肺胞濃度（MAC） **108**
再生不良性貧血 363, **368**, 501, 603, 614
再生不良性貧血治療薬 368
酢酸 68, 620
酢酸Na 392
酢酸亜鉛 624
酢酸亜鉛水和物 151
酢酸クロルマジノン 359, 437
酢酸コルチゾン 224
酢酸ジフロラゾン 226
酢酸トコフェロール 455
酢酸ナファレリン 75, 96
酢酸ノルエチステロン 438
酢酸ヒドロコルチゾン 223, 224, 433
酢酸フルドロコルチゾン 224, 432
酢酸プレドニゾロン 223, 224, 401, 403, 433
酢酸メチルプレドニゾロン 223, 224
酢酸メドロキシプロゲステロン 359, 437
酢酸ライジング法 593
酢酸リンゲル液 392
殺寄生虫作用 526
殺菌薬 **528**
殺菌薬・消毒薬 529
酸化亜鉛 406, 411
酸化亜鉛〈チンク〉 94
酸化剤 528, 529
酸化セルロース 381, 79
酸化マグネシウム 324, 620
酸性抗炎症薬 **227**, 229, 230, **231**
酸性非ステロイド性抗炎症薬 190, 615
酸性ムコ多糖 295
酸性薬物 621
三環系 117, 128
三環系抗うつ薬 21, 64, 65, 66, 119, 129, 176, 349, 399, 600, 605, 613, 615, 617
三級アミン 71, 73, 78
三級スルホニウム塩（S^+） 78
三叉神経 48
三叉神経痛 92
三酸化ヒ素 570
三酸化ヒ素〈亜ヒ酸〉 145
散瞳薬 88, 402

シ

X 455
Xa 372
XIa 372
XIIa 372
XIIIa 372
11-β水酸化酵素阻害薬 580
11β-水酸化ステロイド脱水素酵素 233
11β-ヒドロキシラーゼ阻害 434
14員環ラクトン 499
15-(4-ヨードフェニル)-3 (*R,S*)-メチルペンタデカン酸 589
15員環ラクトン 499
16員環ラクトン 499
17α-Hydroxyprogesterone 430
17α-ヒドロキシプロゲステロン 430
19-ノルテストステロン誘導体 437
じん麻疹 171
ジアグノグリーン 148, 149
ジアシルグリセロール 8, 469
ジアスターゼ 306

ジアセチルコリン 79
ジアセチルモルヒネ 149
ジアセチルモルヒネ〈ヘロイン〉 22
ジアゼパム 41, 91, 109, 110, 117, 125, 126, 133, 137, 399, 600, 614, 617, 618, 623, 16, 18, 19
ジアゾキシド 446
シアナマイド 12
シアナミド 110, 12
シアノコバラミン 365, 370, 403, 450, 452, 77, 88, 104
ジアフェニルスルホン 412, 509, 95, 123
ジアミンオキシターゼ 167
シアリス 76
シアル酸依存性接着分子 201
ジアルジア症 533
シアロムチン 297
シアン 624
シーエルセントリ 127
ジイソプロピルフルオロホスフェート 73, 9
シーブリ 8, 60
ジェイゾロフト 17, 32
ジエチミントリアミン五酢酸テクネチウム 588
ジエチルカルバマジン 527
ジエチルカルバマジンクエン酸塩 132
ジエチルチオカルバメート 617
ジエチレントリアミン五酢酸インジウム 589
ジェニナック 121
ジエノゲスト 358, 359, 437, 75, 101
ジェブタナ 137
ジェムザール 135
ジオール 91
ジオクチルスルホコハク酸 Na 323
ジオクチルソジウムスルホサクシネート 323
シオゾール 38
ジオトリフ 139
シオマリン 114
ジカディア 139
ジギタリス 21, 257, 258, 312, 313, 341, 607
ジギタリス中毒 251
ジギタリス類 250
ジギトキシン 250, 48
ジギラノゲン 48
ジクアス 89
ジクアホソル Na 404
ジクアホソルナトリウム 89
シグナル伝達 **558**
シグナル伝達兼転写活性化因子 202, 558
シグニフォー 98
シグマート 51
ジクマロール 459
シグモイド型〈S 字型〉曲線 30
シクレスト 15
シクレソニド 225, 300, 41, 61
シクロオキシゲナーゼ 185, 186, 187, 216, 383
シクロオキシゲナーゼ〈COX〉阻害 227
シクロオキシゲナーゼ〈COX〉不可逆的阻害 228
シクロオキシゲナーゼ阻害 190
シクロオキシゲナーゼ阻害薬 191, **227**, **231**
シクロオキシゲナーゼ代謝産物 185
シクロオクタアミロース 272
ジクロード 88
シクロスポリン 197, 202, 203, 368, 401, 409, 410, 611, 612, 617, 37, 85, 92, 94
シクロデキストリン 272
シクロフィリン 203
ジクロフェナク 229, 231, 368, 475, 626
ジクロフェナク Na 403
ジクロフェナクナトリウム 44, 46, 88
シクロフェニル 359, 436, 100
シクロヘキサアミロース 272
シクロヘプタアミロース 272
シクロペンタノペルヒドロフェナントレン環 430
シクロペントラート 71, 75, 88, 402
シクロペントラート塩酸塩 7, 85
シクロホスファミド 202, 205, 206, 369, 540, 573, 574, 611, 613, 617
シクロホスファミド水和物 37, 134
ジクロロ酢酸ジイソプロピルアミン 330, 69
ジゴキシン 43, 249, 250, 262, 468, 616, 48
ジゴシン 48
ジサイクロミン 71, 308, 320
ジサイクロミン〈ジシクロベリン〉塩酸塩 7
シシリアン・ガンビット分類 **262**
ジスキネジア 142
シスタチオニン尿症 450
ジスチグミン 72, 73, 75, 88, 348, 400, 402, 604, 609
ジスチグミン臭化物 9, 72, 83, 86
L-システイン 370, 574, 79
システイン誘導体 297
シスプラチン 312, 314, 552, 573, 574, 611, 612, 613, 136
ジスルフィラム 110, 12
ジスルフィラム様作用 490
ジスロマック 118
ジセタミン 102
ジセレカ 39
ジソピラミド 259, 262, 399, 607, 613, 617, 50
ジソピラミドリン酸塩 50
ジソペイン 44
シタグリプチン 446, 460, 464
シタグリプチンリン酸塩水和物 106
シタネスト-オクタプレシン 10
シタフロキサシン 504
シタフロキサシン水和物 121
シタラビン 365, 547, 574, 135
シタラビンオクホスファート 547
シタラビンオクホスファート水和物 135
シチコリン 162, 27
シチジン類似薬 520
シトクロム 364
シトシンアラビノシド系 **547**
シトシンアラビノシド三リン酸 547
ジドブジン 520, 522
ジドブジン〈アジドチミジン；AZT〉 126
ジトリペンタートカル 151
ジドロゲステロン 359, 437, 101
シナカルセト 443
シナカルセト塩酸塩 99
シナプス 50
シナプティックノイズ 164
シニグリン 407
ジヌツキシマブ 568
ジノプロスト 189, 353, 354, 35, 74
ジノプロストン 189, 353, 354, 358, 35, 74, 75
ジヒドロウラシル脱水素酵素 545
ジヒドロエルゴタミン 63
ジヒドロエルゴタミンメシル酸塩 5
ジヒドロエルゴトキシン 63
ジヒドロエルゴトキシンメシル酸塩 5
ジヒドロオロト酸脱水素酵素 205
ジヒドロオロト酸脱水素酵素阻害 206
1,2-ジヒドロキシベンゼン 57
3,4-ジヒドロキシマンデル酸 57
ジヒドロコデイン 149, 294
ジヒドロコデインリン酸塩 22, 57
ジヒドロピリジン系 264, 266, 283, 607
ジヒドロピリジン系 Ca^{2+} 拮抗薬 25
ジヒドロピリジン系 Ca 拮抗薬 261, 279
ジヒドロピリジン系薬物 285, 617
ジヒドロピリジン誘導体 284
ジヒドロプテリン酸合成酵素 483
ジヒドロプテリン酸シンテターゼ 505
ジヒドロ葉酸還元酵素 483, 542, 543
ジヒドロ葉酸還元酵素阻害 205, 206
ジヒドロ葉酸レダクターゼ 505
ジピベフリン 88, 398, 400
ジピベフリン塩酸塩 84
ジピリダモール 267, 382, 384, 52, 80
ジファミラスト 15, 409, 92
ジフェニドール 160
ジフェニドール塩酸塩 26
ジフェニルアルキルアミン系 261, 283
ジフェニルメタン系 127, 325
ジフェノール系 325
ジフェノール体 325
ジフェンヒドラミン 160, 171, 172, 239, 399, 405, 408, 594, 29
ジフェンヒドラミン塩酸塩 29
ジフェンヒドラミンラウリル硫酸塩 29
ジフォルタ 134
ジブカイン 93
ジブカイン塩酸塩 10
ジブチリル cAMP 411
ジフテリア 212, 213, 530
ジフテリア菌 485
ジフラール 42
ジフルカン 123
ジフルコルトロン吉草酸エステル 42
ジフルプレドナート 226, 42
ジプレキサ 15
シプロキサン 121
ジプロピオン酸ベタメタゾン 225, 226, 410
ジプロフィリン 252, 253, 254, 299, 341, 49, 59, 70
シプロフロキサシン 504, 121
シプロヘプタジン 157, 172, 177, 239
シプロヘプタジン塩酸塩水和物 25, 30, 33
ジフロラゾン酢酸エステル 42
ジベカシン 402, 498
ジベカシン硫酸塩 86, 117
シベクトロ 120
シペシル酸デキサメタゾン 225
ジベトス 107
シベノール 50
ジペプチジルペプチダーゼ-4 446, 460
ジペプチダーゼ 304
シベレスタット Na 302
シベレスタットナトリウム水和物 61
シベンゾリン 259, 262
シベンゾリンコハク酸塩 50
シマロン 42
ジメチコン 586, 149
シメチジン 170, 308, 368, 388, 608, 612, 617, 618, 62
ジメチルイソプロピルアズレン 233, 46, 94
ジメチルフェニルピペラジニウム 78, 9
ジメトチアジン 152, 177
ジメトチアジンメシル酸塩 24, 33

ジメモルファン 294
ジメモルファンリン酸塩 57
ジメリン 105
ジメルカプトコハク酸テクネチウム 588
ジメルカプロール 624, 151
ジメンヒドリナート 160, 172, 239, 314, 26, 29, 64
シモクトコグアルファ 380
ジモルホラミン 114, 156, 290, 292, 623, 25, 57, 150
ジャカビ 140
ジャクスタピッド 109
ジャクソン発作 131
ジャディアンス 107
ジャドニュ 151
ジャヌビア 106
シュアポスト 106
シュクシャ 306
ジュリナ 100, 111
シュレム 87
シュレム管 87, 398
シュレム管開口 87, 400
シュワン細胞 51
ショウキョウ 306
ジヨードチロシン 441
ジョサマイ 119
ジョサマイシン 499, 618, 119
ジョサマイシンプロピオン酸エステル 119
ショック 248, 612
シラザプリル 181, 280
シラザプリル水和物 34
シラスタチン 492
ジラゼプ 382
ジラゼプ 267, 384
ジラゼプ塩酸塩水和物 52, 80
シラミ 532
ジルダザック 46
ジルチアゼム 261, 262, 264, 266, 279, 283, 284, 285, 607, 617
ジルチアゼム塩酸塩 51
ジルテック 31
シルデナフィル 15, 24, 25, 274, 360
シルデナフィルクエン酸塩 54, 76
シルド・プロット **37**
シルニジピン 279, 281, 283, 55
シロシビン 117, 130, 601, 18
シロスタゾール 15, 162, 270, 384, 608, 614, 27, 81
シロスレット 27, 81
シロドシン 60, 66, 348, 1, 71
シロリムス 562
シロリムス〈ラパマイシン〉 141
シングレア 36, 61, 90
シンナー 601
シンノンブル〈Sin Nombre〉ウイルス 531
シンバスタチン 469, 108
シンビット 51
シンフェーズ 74
シンポーター 17, 344
シンメトレル 20, 27, 130
シンレスタール 109
歯牙着色 614
歯髄試験法 593
歯肉増殖 134
紫外線白内障 401
視覚 48
視覚障害誘発薬物 613
視空間失認 163
視床 104
視床下部 52, 104, 422
視床下部-下垂体系ホルモン **421**, **422**, **423**
視床下部・下垂体・副腎皮質系ホルモン分泌能検査 580
視床下部ゴナドレリン-下垂体ゴナドトロピン系 **424**
視床下部コルチコレリン-下垂体コルチコトロピン系 **423**
視床下部・性腺刺激ホルモン放出ホルモン 421
視床下部ソマトレリン/ソマトスタチン-下垂体ソマトトロピン系 **426**
視床下部・体温調節中枢 119
視床下部プロチレリン-下垂体チロトロピン系 **425**
視床下部プロラクトリベリン/プロラクトスタチン-下垂体プロラクチン系 **427**
視床下部ホルモン 416, 417, 419, 421, 423, 424, 425, 426, 427
視床下部ホルモン薬 580
視床下部メラノリベリン/メラノスタチン-下垂体メラノトロピン系 **427**
視床上部ホルモン 417
視神経 48
視調節麻痺 613
視力障害 613
弛緩性子宮出血 354
弛緩性排便反射異常 323
子宮 357
子宮癌 554, 573
子宮筋腫 424, 538
子宮頸管 357
子宮頸管熟化促進薬 357, 358, 608
子宮頸管熟化不全 357
子宮頸管裂傷 614
子宮弛緩薬 **353**, **355**, 608
子宮疾患治療薬 **357**, 358
子宮収縮 **352**
子宮収縮薬 **353**, **354**, 608
子宮鎮痙薬 **353**, **355**
子宮内膜症 357
子宮内膜症・子宮筋腫治療薬 608
子宮内膜症治療薬 357, 358
子宮破裂 614
子宮復古不全 354
子宮平滑筋 352
子宮平滑筋 β_2受容体 355
子宮平滑筋ムスカリン受容体 355
子宮への有害作用 614
糸球体 334, 335
糸球体性利尿薬 340, **341**
糸球体ろ過 43
糸球体ろ過率 334
糸球体ろ過量 334, 341, 581
糸状菌 510
糸状虫 527
刺激感受性変化 **38**
刺激性去痰薬 296
刺激性下剤 323, **325**
刺激伝導系 54, 242, 243
刺激発生異常 257
刺激薬 **407**
刺痛 145
止血 362
止血薬 **381**
止瀉薬 **321**, 322
脂質 391
脂質異常症 **466**
脂質異常症治療薬 **466**, **467**, **468**, **472**, **473**, 607
脂質吸収阻害薬 **471**
脂質の体内動態 **467**
脂肪細胞 54
脂肪族 120
脂肪動員ホルモン 146, 423
脂肪乳剤 391, 393
脂肪分解酵素 306
脂溶性生理活性分子 420
脂溶性ビタミン 3, 420, 449, **452**
脂溶性薬物 616
次亜塩 133
次亜塩素酸 Na 528
次亜塩素酸ナトリウム 529, 133
次硝酸ビスマス 322
次没食子酸ビスマス 406
自己血貯血 366
自己抗体 101
自己免疫疾患 369
自己免疫性溶血 369
自動症 131
自律神経 48
自律神経系 **46**, 47, **52**, **53**, 81, **247**
自律神経系作用薬と瞳孔・焦点・眼圧の変化 **88**
自律神経系と眼 **87**, **88**
自律神経系と血圧 **80**
自律神経系と瞳孔・焦点・眼圧の調節 **87**
自律神経系反応 **54**
自律神経支配の優位性 **76**
自律神経節 86
自律神経節作用薬 **76**
自律神経節刺激薬 **78**
自律神経節遮断の効果 **76**
自律神経節遮断薬 77, **78**, 277, 278
自律神経調整薬 127
持効型溶解インスリンアナログ製剤 625
持続型インスリンデグルデク 458
持続性ポリエチレングリコール化製剤 516
持続点滴静注 42
耳神経節 52
耳鼻科用薬 **405**
色素系 529
軸索 50
膝蓋腱反射 136
失外套症候群 163
失禁・頻尿治療薬 611
失見当識 163
失語 163
失行 163
失認 163
疾患修飾性抗リウマチ薬 210
疾患修飾性遅効性抗リウマチ薬 206
湿疹 408
質量作用の法則 **30**
瀉下薬 **321**, **323**, **326**
灼熱痛 145
弱塩基性薬物 616
弱酸性薬物 616
弱毒生ワクチン 212
主作用 598
主要組織適合性抗原複合体クラスⅡ抗原 200
主要組織適合性抗原複合体クラスⅠ抗原 200
手指振戦 612
手術期 107
酒石酸 620
酒石酸プロチレリン 425
腫脹 216

腫瘍壊死因子 193
腫瘍組織の可視化 579
腫瘍崩壊症候群 475
樹状突起 50
受動輸送 17, 19, 463
受容体 2, **3**
受容体サブタイプ選択的薬物 59
受容体のサブタイプ **11**
臭化カリウム 116, 14
臭化ブチルスコポラミン 307
臭素 116
臭素供与体 116
集合管 334, **344**
収縮期高血圧 275
収斂薬 322, **406**
就眠障害 111, 125
重金属 620, 624
重症急性呼吸器症候群〈SARS〉 530
重症筋無力症 **101**, 578
重症妊娠高血圧症候群 355
重曹 26, 58
縮瞳薬 88, 402
熟眠障害 111, 125
出血 614
出血性膀胱炎 574, 602, 613
出血素因 614
術後回復液 392
春季カタル治療 401
馴化作用 125
馴化試験 594
潤滑薬 211
循環器障害 612
循環機能検査 581
循環血液量 393
初期症状 **602**
女性化乳房 119
女性ホルモン 429, 609
女性ホルモン薬 614
徐放製剤 42
徐放性製剤 41
徐脈性抗不整脈薬 258
徐脈性不整脈 268
徐脈性不整脈治療薬 257, **261**
消炎酵素剤 606
消炎酵素薬 **232**
消化管運動改善薬 608
消化管運動抑制薬 585
消化管吸収における相互作用 **616**
消化管ホルモン **304**, 417, 446, **447**
消化管抑制ポリペプチド 447
消化管リパーゼ阻害薬 467
消化器系 **304**
消化器系作用薬 608
消化器系に作用する鎮痙薬 320
消化器疾患 **305**
消化器障害誘発薬物 613
消化酵素 **304**
消化酵素製剤 306
消化性潰瘍 613
消化性潰瘍治療薬 170, **307**, 308, 309
消化腺分泌亢進薬物 306
消化薬 306
消毒薬 482, **528**
消毒用エタノール 529, 132
消泡薬 586
昇華イオウ 406
松果体ホルモン 417, 419, **421**
障害誘発薬物 **612**
笑気 108
症候性頭痛 151
症候性低血圧 287
症候性便秘 323
小柴胡湯 330, 611, 612, 618
小細胞肺癌 573
小サブユニット 495
小循環 242
小帯線維 87, 398
小腸コレステロールトランスポーター阻害薬 468, 471
小腸刺激性下剤 620
小内臓神経 52
小児科定点 534
小児てんかん 134
小脳 104
小脳毒性 134
小発作 134
小発作治療薬 605
硝酸イソソルビド 264
硝酸銀 406
焦点 87, 88
少量アセチルコリン 85
少量ニコチン 78
上頸神経節 52
上行性痛覚伝導路 146
上行性網様体賦活系 104, 111
上腸間膜神経節 52
上皮下受容器 293
上皮細胞増殖因子 193
上皮細胞増殖因子受容体ファミリー 558
上皮小体ホルモン 443
上皮増殖因子受容体 560
条件回避反応試験 594
条件回避反応抑制作用 125
条虫類 526
常習性便秘 323
静注 42
静注ステロイド 300
静脈系 242
静脈血栓 382
静脈内注射 41, 42
静脈麻酔薬 **109**, 604
静脈瘤 381
情緒中枢 104
情報伝達 **4**
食後過血糖改善 464
食後過血糖改善薬 **462**
食事由来脂質 467
食道アカラシア 305
食物 616
食欲増進薬 157
食欲抑制薬 157
植物アルカロイド 73
植物ステロール 468, 471
植物性油脂 407
植物由来 611
褥瘡 411
白なまず 412
辛夷清肺湯 611
心因性めまい 160
心エコー図検査 579
心気神経症 123
心筋 23, **242**
心筋間質の線維化 248
心筋梗塞 244, 263, 390, 612
心筋細胞 55
心筋障害 612
心筋代謝改善薬 255
心筋の収縮機構 **26**
心筋の収縮特性 **245**
心筋の電気的活動 243
心血管系 **247**
心血管系作用薬 607
心原性ショック 248
心室筋 54, 243
心室性不整脈 244, 259, 612
心身症 **123**
心臓 54, 77, 86
心臓 M_2受容体刺激 247
心臓 β_1受容体刺激 247
心臓 β_1選択的刺激薬 254
心臓脚気 450
心臓作用薬 595
心臓の機能 **243**
心臓の反射性調節 **246**
心臓ホルモン 417, **448**
心臓ポンプ機能亢進 250
心電図 **244**
心肺蘇生 619
心拍出量検査 581
心肥大 248
心不全 612
心不全治療薬 **248**, **249**, 254, **255**
心負担減少 250
心房性ナトリウム利尿ペプチド 255, 448
心房性ナトリウム利尿ペプチド製剤 250
心房性不整脈 258
心抑制 586
侵害受容器 144
侵害受容器を刺激（発痛）/感作する化学伝達物質 144
侵害受容性疼痛 153
侵襲性髄膜炎菌感染症 533
真菌 510
真性コリンエステラーゼ 73, 164
神経因性膀胱 348, 349
神経筋接合部 94
神経筋接合部遮断薬 94
神経筋ブロック 612
神経系 **46**, **47**
神経細胞 50, 91
神経細胞増殖因子 193
神経遮断性麻酔 109
神経遮断性無痛 109
神経症 **123**
神経障害性疼痛 153
神経障害性疼痛治療薬 **153**, 465
神経障害誘発薬物 613
神経線維肉腫 538
神経伝達物質 166
神経伝達物質受容体拮抗薬 319
神経保護薬 465
深在性真菌症 510
深部痛 145
浸潤性下剤 **323**
浸潤麻酔 92
浸透圧性利尿薬 341
親水性シグナル分子 3
新型コロナウイルス 212, 523
新生児グレイ〈灰白〉症候群 501, 610
新生児呼吸窮迫症候群 292
新生児メレナ 379, 455
新生児溶血症 395
新鮮液状血漿 395
新鮮凍結血漿 395
振戦 138, 141, 175
診断関連薬 579
診断薬 156, **578**

診断用アレルゲンエキス 579
診断用薬 **578**, 611
伸展受容器 293
伸展受容器反射 246, 291
腎機能 **334**
腎機能検査 581
腎機能に関与するホルモン・酵素 **336**
腎血漿流量 334
腎血流量 334
腎障害 612
腎症候性出血熱〈HFRS〉 531
腎性貧血 196, 363, **366**
腎性貧血治療薬 366, 367
腎臓 54, 334
腎臓における活性型ビタミンD_3合成 **339**
腎臓の内分泌機能 **339**
腎毒性増強 393
腎排泄 41, 43
腎排泄における相互作用 **616**
腎排泄能検査 581
腎不全用 391
腎傍糸球体細胞 339
腎傍糸球体装置 86, 180, 339
人工妊娠中絶 354
人工ペースメーカー 261
尋常性ざ瘡 408, 453
尋常性白斑 412
陣痛促進 354

ス

すくみ足 141
スイニー 106
スインプロイク 23, 68
スーグラ 107
スーテント 141
スープレン 12
スオード 121
スカベンジャー受容体 473
スガマデクス 623
スガマデクスナトリウム 11, 150
スキサメトニウム 29, 79, 95, **96**, **98**, 99, 100, 108, 109, 399, 600, 604, 612, 615, 11
スキサメトニウム塩化物 11
スキャッチャード・プロット **36**
スクアレンエポキシダーゼ 511
スクシミド系 133
スクラーゼ 304
スクラルファート 307, 309
スクラルファート水和物 62
スクリーニングテスト 592
スクリーニング法 134
スコポラミン 71, 75, 109, 314, 399
スコポラミン臭化水素酸塩水和物 7
スターシス 106
スターリングの心臓の法則 245, 249
スタチン系 467, 468
スタチン系脂質異常症改善薬 281
スタチン系薬物 **469**, 473
スタデルム 46
スタラシド 135
スタリビルド 127
スタレボ 20
スチール現象 270
スチバーガ 141
スチュアート因子 372
スチリペントール 134, 19
ステアリン酸 407
ステーブラ 8, 72
ステボロニン 146
ステリクロン 133
ステリスコープ 132
ステリゾール 132
ステリハイド 132
ステルイズ 132
ステロイド 146, 191, 202, 204, 210, 219, 223, 300, 301, 314, 474
ステロイド/硝子体着色薬 404
ステロイド系筋弛緩薬 623
ステロイド合剤 408
ステロイド合成阻害薬 571
ステロイド性 606
ステロイド性/非ステロイド性抗炎症薬 475
ステロイド性抗炎症薬 197, **218**, **220**, **222**, **223**, 224, 225, 226, 298, 318, 613
ステロイド性白内障 401
ステロイドホルモン 3, 419, 420, **430**
ステロイドホルモン受容体 420
ステロイド薬 616
ステロネマ 41, 66
ストックリン 126
ストラウブの挙尾反応 148
ストラテラ 24
ストリキニーネ 20, 158, 623, 25
ストリキニーネ中毒 137
ストレス負荷法 594
ストレプトゾシン 540, 134
ストレプトマイシン 483, 498, 507, 508, 610, 623
ストレプトマイシン・スペクチノマイシン 483
ストレプトマイシン硫酸塩 117, 122
ストロカイン 10, 64
G-ストロファンチン 250
ストロファンツス類 250
ストロメクトール 95, 131
スナイリン 67
スニチニブ 563
スニチニブリンゴ酸塩 141
スパイクタンパク質 523
スパカール 67, 68
スパトニン 132
スパニジン 37
スパルフロキサシン 610
スピール膏M 95
スピオルト 3, 59
スピペロン 120, 14
スピラマイシン 499, 524, 119, 131
スピラマイシン酢酸エステル 527, 119, 132
スピリーバ 8, 60
スピロノラクトン 249, 255, 279, 345, 432, 607, 71
スピロピタン 14
スピロヘータ 485, 527
スピロヘータ感染性疾患 527
スピロペント 3, 59, 73
ズファジラン 4, 53, 74
スプラタスク 298
スプラタスト 169, 197, 238, 300, 405, 409
スプラタストトシル酸塩 29, 60, 93
スプリセル 140
スプレキュア 75, 96
スプレキュアMP 75
スプレンジール 55
スプロフェン 231, 46
スペクチノマイシン 483, 498
スペクチノマイシン塩酸塩水和物 118
スペニール 39
スペリア 58
スボレキサント 116, 13
スマイラフ 39
スマトリプタン 152, 177
スマトリプタンコハク酸塩 24, 33
スミスリン 95
スリンダク 229, 44
スルカイン 10, 64
スルガム 45
スルコナゾール 510
スルコナゾール硝酸塩 124
スルタミシリン 488
スルタミシリントシル酸塩水和物 113, 115
スルチアム 133, 18
スルトプリド 120, 122
スルトプリド塩酸塩 15
スルバクタム 491
スルバクタムナトリウム 115
スルピリド 120, 162, 307, 309, 314, 316, 15, 27, 63, 65
スルピリン 151, 23
スルピリン水和物 23
スルファサラジン 210
スルファジアジン 411, 506, 94, 121
スルファジアジン銀 411, 94
スルファニルアミド 506
スルファメトキサゾール 365, 368, 369, 506, 610
スルファメトキサゾール・トリメトプリム〈ST合剤〉 121, 125
スルファメトキサゾールトリメトプリムの合剤 512
スルフイソキサゾール 506, 121
スルフィンピラゾン 388, 616
スルプロチン 46
スルペラゾン 114, 115
スルホニル尿素系経口糖尿病治療薬 20, 615, 616
スルホニル尿素系薬 446
スルホニル尿素系薬物 **459**
スルホニル尿素誘導体 446
スルホンアミド 506, 612
スルホンアミド系 133, 482
スルホンアミド系薬物 **505**
スルホン系 509
スルホン酸エステル 540
スルホンミド系 345
スルモンチール 17
スレンダム 46
スロンノンHI 82
頭蓋内圧亢進症状 161
頭部外傷 161
膵液分泌 447
膵炎治療薬 **331**
膵外分泌機能検査用PFD 148
膵外分泌促進薬 331
膵外分泌抑制薬 331
膵活性化蛋白質 10
膵酵素阻害薬 331
膵酵素分泌促進 447
膵臓機能改善薬 **327**
膵臓ホルモン 417, 419, **444**
膵臓ラ島（β） 54
膵分泌能検査 580
膵ラ島α〈A〉細胞由来 446
水酸化アルカリ 406
水酸化カリウム 406
11-β水酸化酵素阻害薬 580

11β-水酸化ステロイド脱水素酵素 233
水酸化鉄 620
水酸化ナトリウム 406
水酸化マグネシウム 309, 324
水晶体レンズ肥厚 87
水浸拘束ストレス法 594
水性懸濁液 42
水性造影剤 582
水性ヨード造影剤 582
水痘 212, 213, 534
水痘・帯状疱疹ウイルス 534
水痘・帯状疱疹ウイルス感染症治療薬 514
水分吸収薬 317
水溶性ハイドロコートン 40
水溶性ビタミン **449**, 450
水溶性ビタミン関連薬 451, 452
水溶性プレドニン 40
水利胆薬 328
水利尿 342
水利尿薬 346
錐体外路障害 119, 613
錐体外路症状 138
睡眠 111
睡眠時無呼吸症 292
睡眠中枢 104
睡眠中枢アデノシン A_{2A}受容体 155
睡眠病トリパノソーマ 524
睡眠発作 128
随意運動 104
随意筋 23
随時血糖値 457
髄鞘 **51**, 91
髄膜炎菌 485, 489, 506

セ

セイブル 107
セイヨウイチイの針 553
セカンド・メッセンジャー 3
セキソビット 100
セクキヌマブ 197, 410
セクター 46
セクレチン 304, 307, 447
セコバルビタール 115
セコバルビタールナトリウム 12
ゼジューラ 142
セスデン 8
ゼストリル 34
ゼスラン 31, 60
セタプリル 34
セダペイン 22
ゼチーア 109
セチプチリン 117, 128, 129
セチプチリンマレイン酸塩 17
セチリジン 173, 238, 405
セチリジン塩酸塩 31
セツキシマブ 565
セツキシマブサロタロカン 565
セディール 16, 33
セトチアミン 451
セトチアミン〈ジセチアミン〉塩酸塩水和物 102
セトラキサート 307, 310
セトラキサート塩酸塩 63
セトロタイド 75, 96
セトロレリクス 359, 424
セトロレリクス酢酸塩 75, 96
セトロン系制吐薬 178, 312, 314, 552
セネガ 296
ゼノンコールド 149
セパゾン 16
セパミット 55
ゼビアックス 91, 120
セビメリン 70
セビメリン塩酸塩水和物 6
セファクロル 490, 113
セファゾリンNa 490
セファゾリンナトリウム 113
セファドール 26
セファマイシン系 489, 490
セファメジンα 113
セファランチン 370, 574, 79
セファレキシン 490, 113
セファロスポリナーゼ 487, 489, 492
セファロスポリン系 487, 489, **489**, 490
セファロスポリン系抗生物質 491
セファロチンNa 490
セファロチンナトリウム 113
セフィキシム 490, 114
ゼフィックス 128
セフェピム 490
セフェピム塩酸塩水和物 114
セフェム 487
セフェム3位側鎖 490
セフェム系 369, 402, 483, 485, 610
セフェム系抗生物質 405, **489**, 490, **490**, 612, 613
セフォキシチン 610
セフォセリス 610, 626
セフォゾプラン 490
セフォゾプラン塩酸塩 114
セフォタキシム 489
セフォタキシムNa 490
セフォタキシムナトリウム 114
セフォタックス 114
セフォチアム 490
セフォチアム塩酸塩 114
セフォテタン 610
セフォペラゾン 485
セフォペラゾンNa 490
セフォペラゾンスルバクタム合剤 491
セフォペラゾンナトリウム 114
セフカペンピボキシル 490
セフカペンピボキシル塩酸塩水和物 114
セフジトレンピボキシル 490, 115
セフジニル 490, 114
セフスパン 114
セフゾン 114
セフタジジム 490
セフタジジム水和物 114
セフチゾキシムNa 490
セフチゾキシムナトリウム 115
セフチブテン 490
セフチブテン水和物 114
セフテム 114
セフテラムピボキシル 490, 115
セフトリアキソン 489
セフトリアキソンNa 490
セフトリアキソンナトリウム水和物 114
セフトロザン 490
セフトロザンタゾバクタム合剤 491
セフトロザン硫酸塩 114
ゼフナート 124
セフピロム 490
セフピロム硫酸塩 114
セフポドキシムプロキセチル 490, 115
セフミノクス 610
セフミノクスNa 490
セフミノクスナトリウム水和物 114
セフメタゾール 610
セフメタゾールNa 490
セフメタゾールナトリウム 114
セフメタゾン 114
セフメノキシム 402, 405, 490
セフメノキシム塩酸塩 86, 91, 114
ゼプリオン 15
セフロキサジン 490
セフロキサジン水和物 113
セフロキシムアキセチル 490, 114
ゼペリン 29, 84
セボフルラン 108, 604, 12
セボフレン 12
セマグルチド 460, 106
セラチア 485, 489
ゼラチン 381, 407
セラトロダスト 190, 239, 298, 300, 612, 36, 61
セララ 71
セリチニブ 560, 139
セリプロロール 61, 66, 268, 278, 286
セリプロロール塩酸塩 2
セリンクロ 12
セリン残基 228
セリン・スレオニンキナーゼ 5
セリン・スレオニンキナーゼ阻害薬 562
セリンプロテアーゼ **377**
セルシン 16, 18, 19
セルセプト 37
セルタッチ 46
セルトラリン 117, 128, 129, 176
セルトラリン塩酸塩 17, 32
セルトリズマブペゴル 197, 211, 410
セルベックス 63
セルペルカチニブ 560, 140
ゼルボラフ 141
ゼルヤンツ 39, 66
セレキシパグ 274, 384, 54, 80
セレキノン 66
セレギリン 139, 140
セレギリン塩酸塩 20
セレクトール 2
セレコキシブ 230, 231, 45
セレコックス 45
セレジスト 97
セレナール 16
セレニカR 18, 24
セレネース 14
セレベント 3, 59
ゼローダ 134
セロクエル 15
セロクラール 25, 27
セロケン 2
セロシオン 129
セロトニン 105, 118, 144, 166, **174**, 217, 236, 312, 373, 374
セロトニン5-HT_1受容体 7
セロトニン5-$HT_{1/2/4}$受容体 5
セロトニン5-HT_2受容体 7
セロトニン5-HT_2受容体拮抗薬 383
セロトニン5-HT_2受容体遮断作用 118
セロトニン5-HT_3受容体 5, 7
セロトニン5-HT_3受容体拮抗薬 314, 317
セロトニン5-HT_4受容体 7
セロトニン再取込み/セロトニン受容モデュレーター 128
セロトニン再取込阻害 129, 176

セロトニン再取り込み阻害作用及びセロトニン受容体調節作用 129
セロトニン作動性神経 **176**
セロトニン受容体 12, 13
セロトニン受容体と生理反応 177
セロトニン症候群 175
セロトニン・ドパミン・アンタゴニスト 121, 177
セロトニントランスポーター 21
セロトニンの生合成と代謝過程 174
セロトニンの分布と作用 175
セロトニン・ノルアドレナリン再取込阻害 129
セロトニン・ノルアドレナリン再取込み阻害薬 128
セロトニン分解阻害 176
セロトニン遊離促進 176
ゼンタコート 41, 66
センノサイド 67
センノシド 325, 67
センブリ 306
性格心身症 123
性感染症定点 534, 535
性器クラミジア感染症 535
性機能不全治療薬 **359**, 360
性器ヘルペスウイルス感染症 535
性腺機能低下症 424
性腺刺激ホルモン 359, 417, 422, 424
性腺刺激ホルモン放出ホルモン 359, 417, 422, 424, 435, 437, 439, 609
性腺刺激ホルモン放出ホルモン受容体拮抗薬 554
性ホルモン 3, 418, 419, 422, 424, 429, **430**, **435**
性ホルモン依存性疾患 424
性ホルモン及び関連薬 359
性ホルモン結合グロブリン 435
性ホルモン受容体 420
制御性T細胞 557
制酸剤 616
制酸薬 297, 307, 309, 364
制吐薬 **312**, **314**, 594
生合成ヒト二相性イソフェンインスリン水性懸濁 458
生殖器系作用薬 608
生殖発生毒性試験 592, 596
生体位心臓懸垂法 595
生体内ステロイド 220
生体内利用率 41, **41**
生体膜透過性 40
生物学的製剤 211
生理活性物質受容体 **13**, **14**
生理食塩水 392
生理的因子 599
静止膜電位 18
静的アロディニア 153
正常眼圧緑内障 398
正常血圧 275
正常高値血圧 275
正赤芽球 363
正の変力作用 251
精神異常発現薬 117
精神運動発作 134
精神治療薬 117
精神賦活薬 117, 127
精神抑制薬 117
精製イオウ 406
精製ツベルクリン 578
精製白糖・ポビドンヨード 411
精製白糖・ポビドンヨード配合剤 94
精巣間質細胞 424
成長ホルモン 417, 419, 422, 426
成長ホルモン分泌能検査 580
成長ホルモン放出ホルモン 417, 422, 426
成長ホルモン放出抑制ホルモン 417, 422, 426
成分輸血 394
清肺湯 611
青斑核ノルアドレナリン系 138
咳中枢 293
赤芽球 195
赤芽球系前駆細胞 195
赤芽球合成促進 363
赤芽球コロニー形成細胞 366
赤褐色尿 330, 468
赤痢アメーバ 524, 533
赤痢菌 485, 488, 503, 506
赤血球 195, 362, **363**
赤血球製剤 394
赤血球前駆細胞 363
脊髄 52, 104
脊髄腔内注射 42
脊髄後根 50
脊髄興奮薬 154, 158, **158**
脊髄-視床-大脳皮質 145
脊髄視床路 145
脊髄小脳変性症 425
脊髄神経 48, 49, 52
脊髄多シナプス反射抑制 125
脊髄-中脳網様体・中脳水道周囲灰白質 145
脊髄中脳路 145
脊髄-脳幹網様体-視床-大脳皮質 145
脊髄反射 **136**
脊髄麻酔 92
脊髄網様体路 145
脊椎麻酔 92
石炭酸係数 528
節遮断薬 76, 276, 604, 613
摂食・飲水中枢 104
接触性アロディニア 153
切迫早流産防止 355
舌咽神経 48, 52
舌炎 450
舌下錠 41
舌下神経 48
舌筋 48
絶対不応期 245
線維芽細胞増殖因子 193
線維芽細胞増殖因子（FGF）受容体 411
線維芽細胞増殖因子受容体 302
線維芽細胞増殖因子受容体ファミリー 558
線維芽細胞増殖期 217
線維素溶解 **376**
線維柱帯 398, 400
線条体 138
線虫 526
線虫類 526
線毛運動 295
線溶機構 **376**
遷延性呼吸抑制鑑別診断 578
腺癌 538
腺性カリクレイン 182
腺分泌 54
尖圭コンジローマ 535
仙骨神経 49
仙髄 52
選択的 5-HT_3受容体拮抗薬 552
選択的 5-HT_4受容体刺激薬 316
選択的 ET_A拮抗薬 183
選択的 NA 再取込み阻害 155
選択的 α_{2A}受容体刺激 155
選択的 β_1遮断薬 260, 268
選択的エストロゲン受容体モジュレーター 436, 478
選択的セロトニン再取込阻害 129
選択的セロトニン再取込み阻害薬 128
選択的プロゲステロン受容体刺激薬 358, 437
選択毒性発現機構 505
先端巨大症 426, 427
先天性第XIII因子 A サブユニット欠乏 380
先天性トリプトファン尿症 450
先天性白内障 401
先天性風疹症候群 533
先天性緑内障〈牛眼〉 398
全か無かの法則 245
全血製剤 394
全受容体数 **35**
全静脈麻酔 109
全身性エリテマトーデス 200, 603
全身性炎症反応 557
全身性炎症反応症候群 302
全身麻酔薬 **106**, 107, 615
全数把握感染症 **530**, 531, 532
全般発作 131
前屈姿勢 138
前赤芽球 363
前負荷 242
前立腺癌 424, 554
前立腺肥大 348
前立腺平滑筋 54, 347
前臨床試験 **592**
喘息悪化 612
蟯虫 **526**

ソ

そう痒症治療薬 149
そしゃく・嚥下運動 48
ソアナース 94
ゾーフィゴ 146
ゾーミッグ 24, 33
ゾシン 115
ゾスパタ 139
ソセゴン 22
ソタコール 51
ソタロール 260, 262
ソタロール塩酸塩 51
ゾテピン 121, 15
ソトロビマブ 523
ゾニサミド 132, 133, 134, 139, 140, 19, 20
ソバルディ 129
ゾピクロン 115, 13
ゾビラックス 87, 95, 127
ソファルコン 310, 63
ソブゾキサン 553, 569, 144
ソフラチュール 118
ゾフルーザ 130
ソホスブビル 518, 129
ソマチュリン 98, 145
ソマトスタチン 417, 419, 422, **426**, 446
ソマトスタチン類似体 571
ソマトスタチン類似薬 426
ソマトトロピン 417, 419, 422, **426**
ソマトメジン C 426
ソマトメジン C 製剤 426
ソマトレリン 417, 419, 422, 426, **426**, 580
ソマトレリン酢酸塩 97, 148
ソマトレリン類似薬 426

ゾメタ 112
ゾメリン 13
ゾラデックス 75，96，138
ゾラデックスLA 138
ソラナックス 16
ソラフェニブ 563
ソラフェニブトシル酸塩 141
ソランタール 45
ソリフェナシン 71，75，349
ソリフェナシンコハク酸塩 8，72
ゾリンザ 142
ゾリンジャー・エリソン症候群 305
ソル・コーテフ 40
ソルダクトン 71
ゾルピデム 113，115
ゾルピデム酒石酸塩 13
D-ソルビトール 585，149
ソルビトール 391
ゾルミトリプタン 152，177，24，33
ソル・メドロール 40
ゾレドロン酸 346，478
ゾレドロン酸水和物 112
ソレトン 45
ソロン 63
組織移行性 **485**
組織因子（Ⅲ） 375
組織因子TF 373
組織因子経路インヒビター 373，375
組織カリクレイン 182
組織呼吸 290
組織修復促進薬 **310**
組織鉄 364
組織トロンボプラスチン 372，373，375，387
組織プラスミノゲンアクチベーター 373，376，390
奏効性ホルモン 416，417
総合ビタミン剤 393
創傷保護薬 411
相対不応期 245
相反的二重支配 47
僧帽筋 48
造影剤 **582**，**584**，611
造影補助薬 **585**，586
造血因子 193
造血幹細胞 195，363
造血器腫瘍 555
造血系におけるサイトカインの作用 **195**
造血刺激薬 368
臓器選択的 42
臓器保護薬 465
増殖因子 193，**558**
増殖因子型受容体 193
増殖因子受容体阻害 539
増殖性血管病変 448
即時型（Ⅰ型）アレルギー 168，170
即時型〈Ⅰ型〉アレルギー性疾患 171
即時型アレルギー 236，362
即時型喘息発作 298
束状層 429
促進拡散 17，19
促通拡散型糖輸送担体 446，459
速成耐性 38
速効型インスリン分泌促進薬 446，459
塞栓症 382
側頭葉てんかんの精神運動発作 131
続発性緑内障 398

タ

ターゲット療法 223
ターゲット療法用静注リポステロイド 225
ダーブロック 78
タール 407
ダイアート 70
ダイアコート 42
ダイアップ 18，19
ダイアモックス 18，26，57，70，84
ダイアルミネート配合錠 383
ダイオウ 306，608
タイガシル 117
タイケルブ 139
ダイズ油 407
ダイドロネル 112
ダイノルフィン 146
ダイノルフィンA 146
ダイノルフィンB 146
ダイピン 8
ダイベナミン 62，4
ダウノマイシン 135
ダウノルビシン 550
ダウノルビシン塩酸塩 135
タウリン 255，330，50，69
タウロコール酸 594
ダオニール 106
タオン 124
タカヂアスターゼ 306
タガメット 62
タカルシトール 409，410，454
タカルシトール水和物 93，105
ダカルバジン 540，573，134
タキキニン NK_1受容体拮抗薬 314，574
タキキニン受容体 12
タキソイド 539
タキソイド系 553
タキソール 137
タキソテール 137
タキフィラキシー 38，604
ダクチラン 7，74
ダクチル 7，74
タグリッソ 139
タクロリムス 197，202，203，210，318，401，611，612，613，617
タクロリムス水和物 409，37，38，66，85，92
タケキャブ 62
タケプロン 62
タゴシッド 116
ダコミチニブ 560
ダコミチニブ水和物 139
ダサチニブ 561
ダサチニブ水和物 140
タシグナ 140
タズベリク 142
タスモリン 7
タゼメトスタット 564
タゼメトスタット臭化水素酸塩 142
タゾバクタム 491，115
タダラフィル 15，274，348，360，54，71，76
タチオン 69，79，84
ダナゾール 358，439，608，612，617，75，101
タナドーパ 2，48
タナトリル 34，107
ダナパロイド 386
ダナパロイドナトリウム 81
ダパグリフロジン 256，463
ダパグリフロジンプロピレングリコール水和物 107
ダビガトラン 623
ダビガトランエテキシラート 386
ダビガトランエテキシラートメタンスルホン酸塩 82
タフィンラー 141
ダフクリア 120
ダプトマイシン 503，120
ダブラフェニブ 562
ダブラフェニブメシル酸塩 141
タフルプロスト 189，400，35，83
タブレクタ 140
タプロス 35，83
ダプロデュスタット 367，78
タベジール 29
タペンタ 22
タペンタドール 149
タペンタドール塩酸塩 22
タマサキツヅラフジ抽出アルカロイド 370
タミバロテン 453，570，104，145
タミフル 130
タムスロシン 60，66，348
タムスロシン塩酸塩 1，71
タモキシフェン 436，554
タモキシフェンクエン酸塩 100，137
ダモクトコグアルファペゴル 380
ダラシン 91，119
ダラツムマブ 567
タラポルフィンナトリウム 570，145
タリージェ 24
タリウム 624
タリオン 31
タリビッド 87，91，95，121，123
タリペキソール 140，605
タリペキソール塩酸塩 20
タリムス 85
タルク 407
タルグレチン 145
タルセバ 139
タルチレリン 97
タルチレリン水和物 425
ダルテパリン 386
ダルテパリンナトリウム 81
ダルナビル 521，522
ダルナビルエタノール付加物 127
ダルベポエチンアルファ 196，366
ダルメート 13
ダレン 31，93
ダロルタミド 440，554，138
タンドスピロン 123，127，177
タンドスピロンクエン酸塩 16，33
ダントリウム 11
ダントロレン 20，29，99，100，108，119
ダントロレンナトリウム水和物 11
タンニン酸 406，620
タンニン酸アルブミン 322
ダンピング症候群 **175**，177
タンボコール 50
多元（作用型）受容体標的化抗精神病薬 121
多元作用型受容体標的化抗精神病薬 177
多元受容体遮断薬 314
多孔性ビーズ活性炭 622
多剤耐性緑膿菌 535
多作用性去痰薬 296
多シナプス反射 136
多シナプス反射経路 135
多能性幹細胞 195
多発性硬化症 137

多発性神経炎 450
唾液腺 54, 77
唾液分泌 48
体液性免疫 194, 200, 362
体液貯留 **282**
体温調節中枢 104
体外循環法 622
体外排出法 621
体循環 242
体性運動神経 50
体性神経 48
体性神経系 46, 47, 90
体性神経系作用薬 604
耐酸性ペニシリン 488
耐性菌出現機構 505
胎児圧迫死 614
胎児死亡 614
胎児性トリメタジオン症候群 134, 605
胎児性ヒダントイン症候群 134
胎児への有害作用 614
代謝 **40**, 41
代謝改善薬 160
代謝型グルタミン酸受容体 5
代謝拮抗薬 539, **541**, 611
代謝性アシドーシス 343, 344, 392
代謝性アルカローシス 343
帯状疱疹後神経痛 153
大柴胡湯 611
大サブユニット 495
大循環 242
大静脈洞 246
大腸癌 573
大腸菌 485, 488, 489
大腸菌感染症 503
大腸刺激性下剤 620
大腸疾患治療薬 **317**
大腸性下剤 614
大動脈弓 246
大動脈小体 246, 291
大内臓神経 52
大脳 104
大脳皮質 104
大脳皮質興奮薬 154, **155**
大脳辺縁系 104
大発作 131, 134
大発作・精神運動発作治療薬 605
大麻 117, 601
大麻型 601
大量アセチルコリン 85
大量ニコチン 78
第1相反応 41
第2相反応 41
第8脳神経障害 497, 610
第Ⅰ因子 374, 390
第Ⅰ脳神経 48
第Ⅱ因子複合体製剤 396
第Ⅱ脳神経 48
第Ⅲ因子 373, 375
第Ⅲ脳神経 48
第Ⅳ脳神経 48
第Ⅴ脳神経 48
第Ⅵ脳神経 48
第Ⅶ脳神経 48
第Ⅶa因子製剤 396
第Ⅷ因子製剤 396
第Ⅷ因子代替製剤 380
第Ⅷ脳神経 48
第Ⅸ因子製剤 396
第Ⅸ脳神経 48
第Ⅹ因子（Xa） 375
第Ⅹ脳神経 48
第Ⅺ脳神経 48
第Ⅻ脳神経 48
第ⅩⅢ因子製剤 396
第一相遮断 98
第二世代 H_1拮抗薬 606
第二相遮断 98
脱アセチル化酵素 564
脱殻 513
脱顆粒 168
脱感作 **38**
脱感受性 38
脱共役型筋弛緩薬 100
脱水補給液 392
脱ブラジキニン高分子キニノーゲン 372
脱分極 18, 19
脱分極/Ca^{2+}経路 26, 27, 28, 29
脱分極型筋弛緩薬 100, 604
脱分極性拮抗薬 95, **96**
脱分極性拮抗薬（骨格筋弛緩） 95
脱分極性遮断 98
脱毛 450
脱力発作 131
脱リン酸化酵素 8
痰 295
単一電解質輸液 392
単回投与毒性試験 592, 596
単回投与予備試験 596
単球 195, 362
単球系前駆細胞 370
単シナプス反射 136
単純部分発作 131
単純ヘルペスウイルス 535
単純ヘルペスウイルス性角膜炎 402
単純ヘルペス感染症治療薬 514
単純疱疹 412
単輸送 17
胆機能改善薬 **327**
胆汁 **327**
胆汁合成酵素活性化 328
胆汁酸 327, 471
胆汁色素 327
胆汁成分分泌薬 328
胆汁排泄 41, 43
胆汁分泌促進 447
胆石 329
胆石溶解薬 328, 329, **329**
胆道ジスキネジー 305, 316
胆嚢 **327**
短期不眠 111
短時間型 β_1遮断薬 286
短腸症候群 460
炭酸アルカリ 406
炭酸カリウム 406
炭酸水素Na・酒石酸合剤 585
炭酸水素ナトリウム 160, 297, 307, 309, 324, 616, 621, 625, 26, 58
炭酸水素ナトリウム・酒石酸合剤 149
炭酸脱水酵素 **336**
炭酸脱水酵素阻害 345
炭酸脱水酵素阻害薬 340, 342, 343, 345, 369, 399, 400, 607, 615
炭酸ナトリウム 406
炭酸リチウム 122, 605, 15
蛋白質合成 495, **495**
蛋白質合成阻害 539
蛋白質合成阻害薬 483, 484, **495**, **502**
蛋白質脱リン酸化酵素 8
蛋白質分解酵素 **232**, 306, 377
蛋白質分解酵素阻害薬 389
蛋白質リン酸化酵素 8
蛋白同化ステロイド 439, 476, 477
蛋白同化ホルモン 368, 388
段階型ピル 356
段階現象 245
弾性血管 242
男性ホルモン 359, 366, 368, 417, 422, 424, 429, 430, **439**
男性ホルモン拮抗薬 440, 609
男性ホルモン蛋白同化ホルモン 609
男性ホルモン誘導体 358
男性ホルモン様作用薬 439

チ

チアジド系 368, 615
チアジド系利尿薬 21, 250, 255, 277, 279, 340, 342, 343, 345, 607, 614, 616
チアジド類似薬 277, 279, 345
チアゾリジンジオン系 461
チアトン 8
チアプリド 162
チアプリド塩酸塩 27
チアプロフェン酸 230, 45
チアマゾール 442
チアマゾール〈MMI〉 99
チアミトール 133
チアミラール 109
チアミラールナトリウム 12
チアミン 450, 451
チアミン塩化物塩酸塩 102
チアミンジスルフィド 451, 102
チアミンジスルフィド〈チアミノジスルフィド硝酸塩〉 102
チアミンピロリン酸（コカルボキシラーゼ） 450
チアラミド 232
チアラミド塩酸塩 45
チーズ反応 65
チーズ様変性 507
チウラジール 99
チェーン・ストークス型呼吸 148, 291
チエナマイシン 492
チエナム 115
チエノジアゼピン系 125, 126
チオアミド化合物 442
6-チオイノシン酸 206
チオイノシン酸 548
チオカルバメート系 511
チオクト酸 450, 452, 623, 104, 150
チオテパ 540, 134
チオデロン 100, 137
チオトロピウム 71, 75, 299, 301
チオトロピウム臭化物水和物 8, 60
チオプロニン 330, 401, 624, 69, 84, 151
チオペラミド 170
チオペンタール 109, 605
チオペンタールナトリウム 12
チオメチルテトラゾール基 490
チオラ 69, 84, 151
チオリダジン 617
チオ硫酸ナトリウム 624
チオ硫酸ナトリウム水和物 151
チカグレロル 384, 81
チガソン 93, 104
チキジウム 71, 308, 320
チキジウム臭化物 8

チクロピシン 382
チクロピジン 162, 270, 384, 608, 614, 625, 626
チクロピジン塩酸塩 81
チゲサイクリン 496, 117
チザニジン 137
チザニジン塩酸塩 19
チスタニン 58
チトクロム P-450 41
チトゾール 12
チトラミン 82
チニダゾール 524, 131
チノ 68
チバセン 34
チピラシル 546
チフス菌 503
チペピジン 294
チペピジンヒベンズ酸塩 57
チミジル酸合成酵素 543, 544
チミジル酸シンターゼ 544
チミジン類似薬 520
チミペロン 120, 122, 14
チメピジウム 71, 308, 320, 331
チメピジウム臭化物水和物 8
チモプトール 84
チモロール 66, 88, 260, 286, 400, 609
チモロール点眼液 613
チモロールマレイン酸塩 84
チャネル 2, **17**, **19**, **20**
チャネル型（AMPA/カイニン酸型）グルタミン酸受容体 132
チャネル型グルタミン酸受容体 5, 7
チョウジ 306
チョコラ A 93, 104
チラーヂン S 99
チラブルチニブ 561
チラブルチニブ塩酸塩 140
チラミン 64, 65, 66, 6
チラミン様作用 65
チルドラキズマブ 197, 410
チロキサポール 297, 58
チロキシン 417, 422, 425, 441, 442
チロキシン結合グロブリン 441
チログロブリン 441
チロシン 57, 441
チロシンキナーゼ 5, 201, 560
チロシンキナーゼ型受容体ファミリー 558
チロシンキナーゼ活性やグアニル酸シクラーゼ活性 4
チロシンキナーゼ阻害薬 302
チロシンキナーゼ阻害薬抗受容体抗体 558
チロシン水酸化酵素 57
チロシン水酸化酵素阻害薬 571
チロトロピン 417, 419, 422, 425, **425**, 441
チロナミン 99
チロニン 441
チロフィバン 382
チンク油 94
チンピ 306
遅延型アレルギー 236
遅延整流 K^+チャネル 20
遅発型喘息発作 298
遅発性ジスキネジア 119, 602
知覚神経 47, 50
知覚神経系 90
知覚神経系作用薬 **90**
知覚領 104
治療係数 30
蓄尿障害治療薬 **347**, 348, 349
膣坐薬 354
着衣失行 163
注意欠陥/多動性障害 154
注射投与 42
注射麻酔 92, 93
中間型インスリンリスプロ 458
中間密度リポ蛋白質 466, 467
中間型プロタミン結晶性インスリンアスパルト 458
中頸神経節 52
中耳炎 405
中水準消毒 528
中枢型ベンゾジアゼピン受容体 113
中枢興奮薬 117, **154**
中枢神経系 46, 47, **104**
中枢神経系の主な神経伝達物質 **105**
中枢性筋弛緩作用 125
中枢性筋弛緩薬 **135**, 136, **137**, 160
中枢性降圧薬 **276**
中枢性抗コリン薬 613
中枢性呼吸興奮薬 290
中枢性催吐薬 594
中枢性酸分泌抑制薬 309
中枢性鎮咳薬 294
中枢性鎮痛作用 150
中枢性尿崩症 428
中枢性めまい 160
中枢副作用 91
中枢抑制薬 119, 615
中性インスリン 458
中性エンドペプチダーゼ 256
中性子線療法 572
中性脂肪 469
中断症候群 268
中毒性表皮壊死症 228, 395, 603, 612
中脳 104
中和抗体 523
中和法 620
貯蔵鉄 364
貯留時間 40
超ウラン元素 624
超音波造影剤 **584**
超速効型インスリンアスパルト 458
超速効型インスリンリスプロ 458
超速効型溶解インスリンアスパルト 458
超低密度リポ蛋白質 466
腸運動抑制薬 322
腸管アメーバ 524
腸管アメーバ症 533
腸管外アメーバ症 533
腸管出血性大腸菌感染症 530
腸肝循環 43, 327
腸管平滑筋 54
腸クロム親和性細胞 175
腸チフス 501, 530
腸内殺菌薬 322
腸溶錠 41
腸溶製剤 42
腸リンパ肉腫 538
聴覚 48
聴覚障害誘発薬物 613
聴覚領 104
長期不眠 111
長時間型 β_2刺激薬 301
長時間型吸入薬 299
長時間型抗コリン薬 301
蝶形口蓋神経節 52
直接型交感神経作用薬 **59**
直接型副交感神経作用 **70**
直接的作用 2
直接的レニン阻害薬 181, 280
直腸性排便反射異常 323
鎮暈薬 **159**, **160**
鎮咳薬 **293**, **294**, 608
鎮痙薬 **319**, 322
鎮静性抗アレルギー性抗ヒスタミン薬 173
鎮静薬 **111**, **115**, 116, 312, 314
鎮痛薬 **144**, 146, **150**, 331, 465, 593
鎮痒薬 408
沈降イオウ 406
沈降炭酸 Ca 477
沈降炭酸カルシウム 309
沈殿法 620

ツ

つつが虫病 532
ツイミーグ 107
ツートラム 22
ツシジノスタット 564, 142
ツバキ油 407
ツベラクチン 122
ツベルクリン反応 214
ツベルミン 122
ツボクラリン 20, 29, 95, **96**, **98**, 99, 100, 169, 604, 615, 623
ツロクトコグアルファ 380
ツロクトコグアルファペゴル 380
ツロブテロール 61, 299, 3, 59
ツロブテロール塩酸塩 3, 59
痛覚伝導路 **144**, 145, 146
痛風 **474**
痛風発作治療薬 **475**

テ

てんかん 578
てんかん重積症 131
てんかん発作 **131**
1-デアミノアルギニンバソプレシン 428
デアメリン S 105
ディアコミット 19
ティーエスワン 134
ディオバン 34
テイコプラニン 169, 488, 494, 610, 116
ディスオーパ 132
ディナゲスト 75, 101
ディビゲル 100
ディフェリン 91, 104
ディプリバン 12
デエビゴ 13
5′-デオキシ-5-フルオロウリジン 545
5′-デオキシ-5-フルオロシチジン 545
デオキシシチジン三リン酸 547
テオドール 29, 59
テオフィリン 28, 41, 155, 169, 252, 253, 254, 298, 299, 608, 616, 617, 618, 29, 59
テオブロミン 155
デカドロン 41, 139
テガフール 545, 134
テガフール・ウラシル 545, 611, 134
テガフール・ギメラシル・オテラシルカリウム 545, 134
テガフール製剤 611
デカメトニウム 79, 95, 99, 11
デガレリクス 359, 424, 554
デガレリクス酢酸塩 97, 138
デキサメサゾン 41, 43

デキサメタゾン 204, 220, 221, 225, 226, 237, 368, 369, 401, 403, 433, 555, 41, 43, 85, 87, 139
デキサメタゾンエステル 223
デキサメタゾン吉草酸エステル 41, 42
デキサメタゾンシペシル酸エステル 41
デキサメタゾンパルミチン酸エステル 41
デキサメタゾンプロピオン酸エステル 41, 42
デキサメタゾンメタスルホ安息香酸エステルナトリウム 41, 85, 87
デキサメタゾンリン酸エステルナトリウム 41, 85, 87, 90, 139
テキサント 133
デキストラン 40 393
デキストラン硫酸 467
デキストラン硫酸ナトリウム 468, 472
デキストラン硫酸ナトリウムイオウ 472, 108
デキストリン 407
デキストロメトルファン 294, 617
デキストロメトルファン臭化水素酸塩水和物 57
デクスメデトミジン 116
デクスメデトミジン塩酸塩 1, 14
テクスメテン 42
デクスラゾキサン 574, 146
テクネチウム 588
テクネチウムスズコロイド 588
テクネチウム大凝集人血清アルブミン 588
テグレトール 18
テゴー51 133
デザレックス 31
テジゾリド 502
テジゾリドリン酸エステル 120
テシプール 17
デジレル 17, 32
デスオキシコルチコステロン 431, 432
デスオキシコルチゾール 432
テストステロン 429, 430, 439, 609, 617
テストステロンエナント酸エステル 366, 368, 439, 101
デスパコーワ 40
デスフェラール 151
デスフルラン 108, 12
デスモプレシン 338, 349, 379, 428, 73, 99
デスモプレシン酢酸塩水和物 73, 99
デスラノシド 250, 48
デスロラタジン 173, 238, 31
テセロイキン 196, 207, 556, 575
デソゲストレル 356, 608
デタントール 1, 83
テデュグルチド 460
テトカイン 10
デトキソール 151
テトラエチルピロホスフェート 73, 9
テトラカイン 93
テトラカイン塩酸塩 10
テトラカイン誘導体 294
テトラコサクチド 210, 423
テトラコサクチド酢酸塩 38, 98
テトラコサクチド酢酸塩（亜鉛懸濁液） 38
テトラサイクリン 322, 496, 610, 614
テトラサイクリン塩酸塩 117
テトラサイクリン環 550
テトラサイクリン系 482, 483, 484, 485, 527, 610, 616
テトラサイクリン系抗生物質 364, 408, **496**, 612
テトラサイクリン系薬物 501
テトラゾールチオール 490
テトラヒドロカンナビノール 117, 130, 601, 18
テトラヒドロゾリン 60, 405
テトラヒドロゾリン塩酸塩 2, 90
テトラヒドロトリアジン系薬物 **462**
テトラヒドロ葉酸 450
テトラベナジン 143, 21
テトラミド 17
デトルシトール 7, 72
テトロドトキシン 99, 11
テトロホスミンテクネチウム 588
テネスムス 530
テネリア 106
テネリグリプチン 460, 464
テネリグリプチン臭化水素酸塩水和物 106
テノーミン 2
デノシン 128
デノスマブ 211, 478, 479, 568
テノゼット 128
デノパミン 61, 66, 252, 254, 2, 48
テノホビル アラフェナミドフマル酸塩 128
テノホビル ジソプロキシルフマル酸塩〈TDF〉 126, 128
テノホビルアラフェナミド 517, 522
テノホビルジソプロキシル 517, 520, 521, 522
デパケン 18, 24
デパス 13, 16, 19
テビケイ 127
デヒドラーゼ 187
デヒドロエピアンドロステロン **429**
デヒドロエピアンドロステロン・サルフェート〈DHEA-S〉製剤 358
デヒドロコール酸 328, 68
7-デヒドロコレステロール 339, 443, 454, 456, 476
デヒドロペプチダーゼ I 492
テビペネムピボキシル 492, 115
デフィブロチド 390
デフェラシロクス 364, 624, 151
デフェロキサミン 364, 624
デフェロキサミンメシル酸塩 151
テプミトコ 140
テプレノン 310, 63
デプロドンプロピオン酸エステル 42
デプロメール 17, 32
デベルザ 107
デポスタット 71, 101, 102
テポチニブ 560
テポチニブ塩酸塩水和物 140
デポ・メドロール 40
デムサー 145
テムシロリムス 562, 141
デメチルクロルテトラサイクリン 496
デメチルクロルテトラサイクリン塩酸塩 117
テモカプリル 181, 280
テモカプリル塩酸塩 34
テモゾロミド 540, 134
テモダール 134
デュアック 91
デュオドーパ 20
デュタステリド 348, 440, 71, 102
デュピルマブ 198, 300, 405, 409
デュファストン 101
デュラグルチド 460
デュルバルマブ 557
デュロキセチン 117, 128, 129, 176, 465
デュロキセチン塩酸塩 17, 32, 107
デュロテップ MT パッチ 22
テラ・コートリル 40, 117
テラジアパスタ 94, 121
テラゾシン 60, 66, 278, 348
テラゾシン塩酸塩水和物 1, 71
テラプチク 25, 57, 150
デラプリル 181, 280
デラプリル塩酸塩 34
テラマイシン 117
デラマニド 508, 122
テラルビシン 135
テリパラチド 443, 477, 578, 99, 111
テリパラチド酢酸塩 477, 99, 111, 147
テリボン 99, 111
テルギン G 29
デルクステカン 143
デルゴシチニブ 409, 93
デルティバ 122
テルネリン 19
テルビナフィン 511
テルビナフィン塩酸塩 124
テルフェナジン 173, 238, 510, 606, 617, 618, 31
テルブタリン 61, 299, 608
テルブタリン硫酸塩 3, 58
テルペンチン胸膜炎法 593
デルマクリン 46
テルミサルタン 181, 280, 281, 34
デルモベート 42
テレミンソフト 67
デング熱 531
デンターグル 118
デンプン 322
デンプン部分加水分解物 578, 147
デンプン分解酵素 306
手足口病 534
低 Ca^{2+} 血症 343
低 Ca 血症 346
低 HDL コレステロール血症 466
低 K^{+} 血症 343
低 K 血症 346, 392
低エストロゲン症状 358
低緊張性膀胱 348
低クロール性アルカローシス 392
低血圧治療薬 **287**
低酸素誘導因子 367
低酸素誘導因子 α 367
低酸素誘導因子 β 367
低酸素誘導因子-プロリン水酸化酵素（HIF-PH）阻害薬 367
低水準消毒 528
低張 392
低張複合電解質輸液 392
低プロトロンビン血症 455
低分子キニノーゲン 182
低分子製剤 371, **560**, 564
低分子ヘパリン/ヘパリノイド 386
低分子量 G 蛋白質 6, 558
低密度リポ蛋白質 466
低用量アスピリン 382, 383
低用量ピル 356
低用量ヘパリン療法 385
抵抗血管 242
定型抗精神病薬 117, 118, **120**, 121
定点 534
定点把握感染症 **534**, 535
摘出心臓灌流法 595
鉄 **363**, 364
鉄芽球性貧血 363, **366**, 450
鉄芽球性貧血治療薬 366

鉄欠乏性貧血 363, **364**
鉄剤 616
転換型 123
転換型ヒステリー 123
転写 420
転写因子 219
転写因子 Nuclear Factor κB 阻害 210
点頭てんかん 131, 134
天然コルチコイド 221
天然物由来物質 **553**
天然ペニシリン 488
天疱瘡様皮疹 612
天疱瘡様皮疹/類天疱瘡様皮疹 603
電位依存性 Ca^{2+} チャネル 20, 285
電位依存性 Cl^- チャネル 20
電位依存性 Cl^- チャネル活性化薬 326
電位依存性 L 型 Ca^{2+} チャネル 26, 28
電位依存性 Na^+ チャネル 20, 97
電位依存性 Na^+ チャネル遮断 99
電位依存性 Na^+ チャネルの不活性化 98
電解質平衡異常治療薬 **346**
電解質補正液 392
電解質輸液 **392**
電気刺激法 593
電撃痙攣法 134, 594
伝性血管神経性浮腫 396
伝染性紅斑 534
伝達麻酔 92
伝導麻酔 92

ト

トウガラシ 306, 407
トウヒ 306
トウモロコシ油 407
トービイ 117
トーリセル 141
トール様受容体〈TLR-7〉刺激薬 523
トール様受容体 7 型 208
ドカルパミン 61, 66, 252, 254, 2, 48
ドキサゾシン 60, 66, 278, 348
ドキサゾシンメシル酸塩 1
ドキサプラム 149, 156, 290, 292, 623
ドキサプラム塩酸塩水和物 25, 57, 150
ドキシサイクリン 496
ドキシサイクリン塩酸塩水和物 117
ドキシフルリジン 545, 134
ドキシル 135
トキソイド **212**
トキソプラズマ 524
トキソプラズマ原虫 524
ドキソルビシン 550, 569, 573, 574, 611, 612
ドキソルビシン〈アドリアマイシン〉塩酸塩 135
ドクターレター **625**
ドグマチール 15, 27, 63, 65
ドコサヘキサエン酸エチル 472
トコフェロール 455
トコフェロール酢酸エステル 105
トコフェロールニコチン酸エステル〈ニコチン酸 *dl*-α-トコフェロール〉 53, 105, 108
トコン 313, 64
トコン（有効成分エメチン, セファエリン） 64
トコンアルカロイド 296, 313
トコンシロップ 620
トシリズマブ 198, 211
トスキサシン 121
トスフロ 87
トスフロキサシン 402, 504
トスフロキサシントシル酸塩水和物 87, 121
ドスレピン 129
ドスレピン塩酸塩 17
ドセタキセル 553, 573
ドセタキセル水和物 137
ドチヌラド 475, 110
ドネペジル 73, 164
ドネペジル塩酸塩 9, 28
ドパ 57
ドパストン 20
ドパゾール 20
ドパミン 57, 61, 66, 105, 118, 129, 138, 252, 254, 287, 312, 313, 417, 419, 422
ドパミン D_1 受容体 7
ドパミン D_2 受容体 7
ドパミン D_2 受容体拮抗薬 314, 316
ドパミン D_2 受容体刺激薬 427
ドパミン D_2 受容体遮断作用 118
ドパミン D_2 受容体遮断薬 **119**, **120**, 427
ドパミン β-水酸化酵素 57
ドパミン塩酸塩 2, 48, 56
ドパミン系パーキンソン病治療薬 140
ドパミン作用薬 427
ドパミン・システム・スタビライザー 121, 177
ドパミン受容体 5, 12, 13
ドパミン受容体刺激 140
ドパミン受容体刺激薬 143
ドパミン前駆体 140, 605
ドパミントランスポーター 21
ドパミントランスポーターシンチグラフィ 589
ドパミン・ノルアドレナリン枯渇作用 120
ドパミン分解酵素阻害 140
ドパミン遊離促進 140
ドパミン遊離促進再取込み阻害 155
トパルジック 46
トピエース 7, 72
トピナ 19, 24
トピラマート 132, 133, 134, 152, 19, 24
トピロキソスタット 474, 475, 110
トピロリック 110
トファシチニブ 210, 318
トファシチニブクエン酸塩 39, 66
トフィソパム 127, 160, 16, 25
トブシム 42
ドブス 6, 21, 56
ドブタミン 61, 66, 252, 254, 287, 579
ドブタミン塩酸塩 2, 48, 56
ドブトレックス 2, 48, 56
ドブポン 2, 48, 56
トブラシン 86, 117
トフラニール 17, 32, 72
トブラマイシン 402, 498, 86, 117
ドプラム 25, 57, 150
トポイソメラーゼ阻害薬 539, 553
トホグリフロジン 463
トホグリフロジン水和物 107
トポテシン 137
ドボネックス 93, 105
トミロン 115
ドミン 20
ドメナン 36, 61
ドラール 13
トライコア 108
トラガント 407
トラクリア 35, 54
トラコーマ 485
トラコーマ・クラミジア 535
トラスツズマブ 565
トラスツズマブ エムタンシン 143
トラスツズマブエムタンシン 565
トラスツズマブデルクステカン 565
トラセミド 345, 70
トラゼンタ 106
トラゾドン 129, 176
トラゾドン塩酸塩 17, 32
トラゾリン 62, 271
トラゾリン塩酸塩 4, 53
トラニラスト 169, 171, 238, 298, 300, 401, 405, 409, 29, 60, 84, 93
トラネキサム酸 381, 79
トラバタンズ 35, 83
トラピジル 267, 52
ドラビリン 520, 126
トラフェルミン 196, 405, 411
トラベクテジン 569, 144
ドラベ症候群 134
トラベルミン 26
トラボプロスト 189, 400, 35, 83
トラマール 22
トラマゾリン 60, 405, 2, 90
トラマゾリン塩酸塩 2, 90
トラマドール 149
トラマドール塩酸塩 22
ドラマミン 26, 29, 64
トラメチニブ 562
トラメチニブ ジメチルスルホキシド付加物 141
トラメラス 84
トランコロン 8, 66
トランサミン 79
トランスフェリン 364
トランスフォーミング増殖因子 193
トランスペプチダーゼ 483, 487
トランスポーター 2, **17**, **21**
トランデート 5
トランドラプリル 181, 280, 34
トリアシルグリセロール 467, 469
トリアゼン類 540
トリアゾラム 115, 125, 618, 13
トリアムシノロン 204, 220, 221, 224, 237, 433, 40
トリアムシノロンアセトニド 223, 224, 226, 404, 433, 40, 43, 90
トリアムテレン 20, 279, 342, 345, 365, 607, 71
トリエンチン 624
トリエンチン塩酸塩 151
トリキュラー 74
トリグリセリド 467
トリグリセリドリパーゼ 467
トリクロホス 116
トリクロホスナトリウム 13
トリクロリール 13
トリクロル酢酸 406
トリクロルメチアジド 255, 279, 281, 345, 607, 70
トリクロロエタノール前駆体 116
トリコモナス 524
トリコモナス原虫 524
トリシノロン 43
トリセノックス 145
トリテレン 71
トリノシン 26, 27
トリパミド 279, 345, 70
トリプシン 304, 306, 331

トリプタノール 17, 24, 32, 72, 107
トリプタン系片頭痛治療 177
トリプトファン 174
トリプトファン 5-ヒドロキシラーゼ 174
トリフルリジン 546
トリフルリジン＋チピラシル塩酸塩 134
トリフルリジン・チピラシル 546
トリヘキシフェニジル 71, 75, 139, 141
トリヘキシフェニジル塩酸塩 7, 21
ドリペネム 492
ドリペネム水和物 115
トリミプラミン 129
トリミプラミンマレイン酸塩 17
トリメタジオン 132, 133, 368, 605, 18
トリメタジジン 267
トリメタジジン塩酸塩 52
トリメタファン 78, 95, 278, 9
トリメトキノール 61, 299
トリメトキノール塩酸塩水和物 3, 58
トリメトプリム 365, 368, 369, 483, 484, 505
トリメブチン 317
トリメブチンマレイン酸塩 66
トリモール 7, 21
トリヨードチロニン 417, 422, 425, 441, 442
トリラホン 14, 26, 65
トリロスタン 430, 434
トリンテリックス 17, 32
トルエン 601
ドルコール 120
トルサ・デ・ポアン 602
トルソプト 84
ドルゾラミド 400
ドルゾラミド塩酸塩 84
ドルテグラビル 521, 522
ドルテグラビルナトリウム 127
トルテロジン 71, 75, 349
トルテロジン酒石酸塩 7, 72
ドルナー 36, 53, 54, 80
ドルナーゼアルファ 232, 297
トルナフタート 511, 124
トルバプタン 255, 338, 346, 428, 71, 99
トルブタミド 114, 369, 388, 459, 600, 617, 105
ドルミカム 12, 13
トレアキシン 134
トレーラン G 147
トレチノイン 453, 570, 104, 145
トレチノイントコフェリル 411, 453, 455
トレチノイントコフェリル〈トコレチナート〉 94, 104, 105
トレドミン 17, 32
ドレニゾン 41
トレピプトン 320, 328, 331, 67, 68
トレプトマイシン 451
トレプロスチニル 189, 274, 382, 384, 36, 54, 80
トレプロスト 36, 54, 80
トレミフェン 436, 554
トレミフェンクエン酸塩 100, 137
トレミン 7
トレラグリプチン 460
トレラグリプチンコハク酸塩 106
トレリーフ 20
ドロキシドパ 64, 65, 66, 141, 287, 605, 613, 6, 21, 56
トロキシピド 310, 63
トログリタゾン 609, 626
ドロスピレノン 359, 438, 101
トロピカミド 71, 75, 88, 402, 7, 85
トロビシン 118
トロフェロールニコチン酸エステル 271
ドロペリドール 109, 149, 12
トロペロン 14
トロポニン 23, 26, 28
トロポミオシン受容体キナーゼ 560
ドロレプタン 12
トロンビン 375, **377**, **378**, 380, 387
トロンビン・トロンボモデュリン複合体 378
トロンボキサン 184
トロンボキサン A_2 373
トロンボキサン合成酵素 186
トロンボキサン合成酵素阻害 190
トロンボキサン合成酵素阻害薬 239, 383
トロンボキサン受容体拮抗 190
トロンボキサン類 185
トロンボスポンジン 373
トロンボポエチン 193, 196
トロンボポエチン受容体作動薬 368, 371
トロンボモデュリン 373, 375, **378**
トロンボモデュリンアルファ 389
トロンボモデュリン製剤 389
ドンペリドン 314, 315, 316, 608, 612, 65
盗血現象 270
統合失調症 105, 118
統合失調症治療薬 122
糖質 391
糖質・鉱質コルチコイド 422
糖質コルチコイド **204**, **218**, **221**, 368, 369, 419, 429, 430, **430**, 433, **433**
糖質コルチコイド（ステロイド性抗炎症薬） 219
糖質コルチコイド受容体 219, 420
糖質コルチコイドの構造活性相関 221
糖質コルチコイド類 197
糖代謝改善薬 **461**
糖蛋白質複合体 GPⅡb/Ⅲa 374
糖尿病 **457**, 578
糖尿病合併症治療薬 **465**
糖尿病性腎症 465
糖尿病性白内障 401
糖尿病性末梢神経障害 465
糖尿病治療薬 **457**, **458**, **464**, 609
糖負荷試験 578
75 g 糖負荷試験 457
痘そう 530
等張 392
等張複合電解質輸液 392
疼痛 153, 216
投与方法 **42**
東洋毛様線虫 526
動眼神経 48, 52
動的アロディニア 153
動物実験 42
動物性油脂 407
動脈系 242
動脈血 pH 変動 340
動脈血栓 382
動脈内注射 42
動揺病 105, 171
動揺病性めまい 160
瞳孔 87, 88
瞳孔括約筋 48, 54, 88
瞳孔散大筋 54, 88
瞳孔調節薬 402
洞房結節 54, 243
特異的免疫抑制薬 **203**
特殊心筋 242, 243
特殊毒性試験 592, 596
特定スクリーニングテスト 592
特発性肺線維症 197
特発性肺線維症治療薬 302
毒性試験 592, **596**
突発性難聴 390
突発性発疹 534
鳥インフルエンザ（H5N1, H7N9） 530
鳥インフルエンザ（H5N1, H7N9 を除く） 531
豚脂 407

ナ

Ⅶ 455
Ⅶa 372
75 g 糖負荷試験 457
7-アミノセファロスポラン酸 489
7-デヒドロコレステロール 339, 443, 454, 456, 476
7-メトキシアミノセファロスポラン酸 489
ナイアシン 271, 450, 451
ナイーブ T 細胞 200
ナイキサン 24, 45
ナイクリン 26, 53, 92, 103
ナイトロジェンマスタード 540, 134
ナウゼリン 65
ナサニール 75, 96
ナジフロキサシン 408, 91
ナゼア 33, 64
ナゾネックス 41
ナタネ油 407
ナディック 4
ナテグリニド 446, 459, 106
ナトリウム利尿 342
ナトリウム利尿ペプチド **338**, **448**
ナトリウム利尿ペプチド（ANP/BNP）受容体 5
ナトリックス 70
ナドロール 62, 260, 262, 268, 278, 286, 4
ナパゲルン 46
ナファゾリン 62, 66, 91, 92, 403, 405, 604
ナファゾリン硝酸塩 4, 88, 90
ナファモスタット 331, 389
ナファモスタットメシル酸塩 69, 82
ナファレリン 358, 424
ナフトピジル 60, 66, 348, 1, 71
ナブメトン 229, 44
ナプロキセン 152, 230, 368, 369, 475, 24, 45
ナベルビン 136
ナボール 46
ナボール SR 44
ナラトリプタン 152, 177
ナラトリプタン塩酸塩 24, 33
ナリジクス酸 369
ナルコレプシー 128, 154
ナルコレプシー治療薬 156
ナルサス 22
ナルデメジン 149, 326
ナルデメジントシル酸塩 23, 68
ナルフラフィン 149
ナルフラフィン塩酸塩 23
ナルベイン 22
ナルメフェン塩酸塩水和物 12
ナルラピド 22
ナロキソン 148, 149, 292, 623
ナロキソン塩酸塩 23, 57, 150
ナロルフィン 149
内因性 PG 増加薬 307

内因性 PG 誘導体 310
内因性 TG 467
内因性オピオイド **146**
内因性交感神経刺激作用 59，286
内因性鉱質コルチコイド **431**，432
内因性糖質コルチコイド **431**，433
内因性トリグリセリド 467
内因性マリファナ 130
内因性リガンド 34
内活性 **31**
内呼吸 290
内視鏡補助薬 **585**，586
内耳障害性めまい 160
内耳神経 48
内臓感覚神経 47
内臓痛 145
内尿動括約筋 347
内尿道括約筋 54
内皮由来血管過分極因子 183
内皮由来血管弛緩因子 183
内皮由来血管弛緩因子 NO 24
内皮由来血管収縮因子 183
内分泌腺細胞 175
内分泌・代謝系作用薬 609
生ポリオ 213
納豆菌 388，615
難吸収性リファマイシン系抗菌薬 330
難治性呼吸器疾患 273
難聴 613，614

ニ

Ⅱa（トロンビン） 372
Ⅱ型アレルギー 236，603
Ⅱ型受容体 420
2 型糖尿病 457
2 号液 392
2 類感染症 530
2-CdAMP 549
2-CdATP 549
2 F-ara-AMP 549
2 F-ara-ATP 549
2-アラキドノイルグリセロール 130
2-クロロデオキシアデノシン 549
2-メチルヒスタミン 170
2-メトキシイソブチルイソニトリル 588
25-OH-コレカルシフェロール 339，443，456，476
ニガキ 306
ニカルジピン 279，283
ニカルジピン塩酸塩 55
ニキビ 408
ニクズク 306
ニコチネル TTS 9
ニコチン **78**，601，9
ニコチン N_M受容体 20，53，69，79，95，97，100，101
ニコチン N_M受容体拮抗様式 96
ニコチン N_N/N_M受容体 7
ニコチン N_N遮断薬 77
ニコチン N_N受容体 20，53，69，76，79
ニコチン N_N受容体サブタイプ 95
ニコチン N_N受容体刺激薬 **78**
ニコチン N_N受容体遮断薬 76
ニコチン N_N受容体阻害薬 **78**
ニコチンアミド・アデニン・ジヌクレオチド 10
ニコチン型 601
ニコチン酸 160，271，408，450，451，26，53，92，103
ニコチン酸アミド 160，271，450，451，26，53，103
ニコチン酸系 467，468
ニコチン酸系薬物 472
ニコチン酸トコフェロール 455，472
ニコチン酸誘導体 270，607
ニコチン酸類 271
ニコチン受容体 5，13，68，85，86
ニコチン受容体アロステリック増強 164
ニコチン受容体サブタイプ 79
ニコチン受容体サブタイプの情報伝達系と細胞応答 79
ニコチン受容体のサブタイプ **95**
ニコチン様作用 85
ニコモール 271，472，53，108
ニコランジル 20，25，255，264，265，399，51
ニコリン 27
ニザチジン 170，308，62
ニセリトロール 271，472，53，108
ニセルゴリン 162，27
ニゾラール 124
ニッパスカルシウム 122
ニトプロ 56
ニトラゼパム 115，125，133，605，13，18
ニドラン 134
ニトレンジピン 266，279，283，55
ニトロール 51
ニトロ化合物 24，250，255，264，**265**，277，280，399，400，607，613，614，615
ニトログリセリン 255，264，265，399，586，607，51，149
ニトロソウレア系 540
ニトロダーム 51
ニトロプルシド 109，255，280
ニトロプルシドナトリウム水和物 56
ニトロペン 51
ニトロベンゼン 624
ニパウイルス感染症 531
ニバジール 55
ニフェカラント 260，262
ニフェカラント塩酸塩 51
ニフェジピン 264，266，279，283，284，607，615，55
ニプラジロール 62，66，88，268，278，286，400，5，83
ニプラノール 5，83
ニフラン 45，88
ニポラジン 31，60
ニボルマブ 557
ニムスチン 540
ニムスチン塩酸塩 134
ニューキノロン系 402，482，483，484，485，509，610，616
ニューキノロン系抗菌薬 405，408，**504**，508，612，615，617，618
ニューキノロン系抗生物質 613
ニュープロパッチ 20，21
ニューモシスチス・イロベジー 512
ニューモシスチス・カリニ 512
ニューモシスチス・ジロヴェチ 512
ニューモシスチス肺炎 512
ニューモシスチス肺炎治療薬 **512**
ニューレプチル 14
ニューロキニン 1 受容体拮抗薬 574
ニューロタン 34，107
ニューロン **50**，**51**
ニュベクオ 138
ニラパリブ 564
ニラパリブトシル酸塩水和物 142
ニルバジピン 279，283，55
ニロチニブ 561
ニロチニブ塩酸塩水和物 140
ニンテダニブエタンスルホン酸塩 61
ニンラーロ 142
二酸化炭素 582
二次救命法 619
二次血栓 375，376，387
二次止血 **375**，377
二次性高血圧 275
二次性全般化発作 131
二次性低血圧 287
二次性能動輸送 17，463
二次性副甲状腺機能亢進症 339，443
二硝酸イソソルビド 255，265，51
二相性プロタミン結晶性インスリンアナログ水性懸濁 458
二糖類分解酵素 462
日内変動 140
日内リズム 421
日光角化症 409
日点アトロピン 7，85
日本紅斑熱 532
日本住血吸虫 526
日本脳炎 212，213，531
日本脳炎ワクチン 214
肉芽腫組織形成法 593
肉腫 538
乳癌 554，573
乳剤 42
乳酸 406
乳酸 Na 392
乳酸アシドーシス 393，461
乳酸カルシウム 346
乳酸リンゲル液 392
乳汁中排泄 41，43
乳汁分泌亢進 119
入眠障害 111
尿アルカリ化 475
尿アルカリ化薬 474
尿細管再吸収 43
尿細管性利尿薬 340，**342**，345，346
尿細管排泄極量検査 581
尿細管分泌 43
尿酸 43，**474**
尿酸オキシターゼ 574
尿酸再吸収阻害 475
尿酸産生阻害薬 474，475
尿酸排泄促進 475
尿酸排泄促進薬 474，475
尿酸分解促進薬 474
尿失禁治療薬 348，349
尿浸透圧 340
尿生成 **335**
尿素 409，578，93
尿素〈^{13}C〉 147
尿中排泄 41，43
尿道括約筋 347
尿糖排泄促進薬 **463**
尿路 347
任意の予防接種 213
妊婦尿由来製剤 359

ヌ

ヌクレアーゼ 304

ヌクレオシダーゼ 304
ヌクレオシド系逆転写酵素阻害薬 520, 521
ヌクレオチダーゼ 304

ネ

ネイリン 124
ネオイスコチン 122
α-ネオエンドルフィン 146
β-ネオエンドルフィン 146
ネオーラル 37, 92, 94
ネオキシテープ 7, 72
ネオシネジン 56
ネオシネジンコーワ 1, 85
ネオスチグミン 72, 73, 74, 75, 100, 348, 402, 604
ネオスチグミン・アトロピン合剤 623
ネオスチグミン臭化物 9, 72
ネオスチグミンメチル硫酸塩 9, 72
ネオスチグミンメチル硫酸塩・アトロピン硫酸塩水和物 150
ネオスチグミンメチル硫酸塩・無機塩類配合剤液 86
ネオドパストン 20
ネオドパゾール 20
ネオビタカイン 10
ネオファーゲン 46, 68
ネオフィリン 49, 59, 70
ネオペリドール 14
ネオマイシン 494, 498
ネオメドロールEE 40, 86
ネオレスタミン 30
ネキシウム 62
ネクサバール 141
ネシーナ 106
ネシツムマブ 565
ネダプラチン 552, 136
ネチコナゾール 510
ネチコナゾール塩酸塩 124
ネバナック 44, 88
ネパフェナク 229, 403, 44, 88
ネビラピン 520, 126
ネプリライシン 256
ネプリライシン阻害薬 256
ネフロン **335**
ネモナプリド 120, 15
ネララビン 549, 135
ネリゾナ 42
ネルボン 13, 18
熱刺激法 593
熱傷 411
熱傷法 593
熱ショック蛋白質 219
熱板法 593
粘液修復薬 297, **297**
粘液除去薬 586
粘液水腫 442
粘液線毛輸送系 295
粘液調整薬 405
粘液溶解薬 **297**
粘滑・浸潤性下剤 323
粘滑性下剤 **323**
粘滑薬 322
粘漿薬 407
粘性コロイド液 323
粘膜血管 54
粘膜細胞間結合増強 310
粘膜組織 42
粘膜適用 42
粘膜被覆保護薬 322
粘膜保護修復促進薬 **310**

ノ

ノアルテン 101
ノイエル 63
ノイキノン 50
ノイビタ 102
ノイボルミチン 46, 85
ノイラミニターゼ阻害薬 519
ノイロトロピン 153, 24
ノウリアスト 21
ノービア 126
ノーベルバール 18
ノーペルバール 13
ノギテカン 553
ノギテカン塩酸塩 137
ノクサフィル 124
ノスカピン 147, 294, 57
ノズレン 46
ノックビン 12
ノナコグアルファ 380
ノナコグガンマ 380
ノナコグベータペゴル 380
ノバスタンHI 82
ノバミン 14, 65
ノバントロン 144
ノフロ 87
ノベルジン 151
ノボ・硫酸プロタミン 150
ノリトレン 17
ノルアドレナリン 53, 57, 59, 62, 66, 81, 82, 83, 93, 105, 109, 129, 254, 287, 304, 5, 48, 56
ノルアドレナリン系パーキンソン病治療薬 141
ノルアドレナリン再取込阻害 129
ノルアドレナリン作動性・特異的セロトニン作動性抗うつ薬 128
ノルアドレナリン・セロトニン遊離促進 129
ノルアドレナリン前駆体 141, 605
ノルアドレナリントランスポーター 21
ノルアドレナリンの生合成と代謝 **57**
ノルエチステロン 356, 359, 437, 608, 617, 101
ノルエピネフリン 53
ノルゲストレル 359, 438
ノルスパンテープ 22
19-ノルテストステロン誘導体 437
ノルトリプチリン 129
ノルトリプチリン塩酸塩 17
ノルバスク 55
ノルバデックス 100, 137
ノルフロキサシン 402, 504, 610, 612, 87, 121
ノルメタネフリン 57
ノルモナール 70
ノルレボ 101
脳下垂体前葉・副腎皮質刺激ホルモン 429
脳脚気 450
脳幹興奮薬 154, **156**
脳血管 54
脳血管障害 **161**
脳血管障害後遺症 161
脳血管性認知症 161
脳血管性めまい 160
脳血栓症 161
脳血栓塞栓症 390
脳血流検査 581
脳梗塞 161, 390
脳腫瘍 161
脳循環改善薬 162
脳循環代謝改善薬 160, **161**, 162
脳症 613
脳神経 48, 52
脳性ナトリウム利尿ペプチド 448
脳・脊髄神経系 46, 47, **48**
脳塞栓症 161
脳代謝改善薬 162
脳内出血 161
脳内生理活性物質 162
脳保護薬 162, 606
脳梁 104
能動輸送 17
嚢胞性線維症 297
嚢胞性線維症膜貫通調節因子 326

ハ

Ⅷa 372
8-クロルテオフィリン 160, 172, 239
はしか 212, 614
パーキン 7
パーキンソン症候群 **138**
パーキンソン病 105, **138**, 171
パーキンソン病治療薬 **138**, **139**, **140**, 143, 369, 427, 605, 615
パーキンソン様症状 119
ハーゲマン因子 372
ハーゲマン因子（Ⅻ） 375
パーサビブ 99
バージャー病 160, 269, 270
ハーボニー 129
パーロデル 20, 98
バイアグラ 76
バイアスピリン 80
ハイアミン 133
ハイアラージン 124
バイエッタ 106
バイオゲン 102
ハイカムチン 137
バイカロン 70
ハイコバール 77, 104
ハイシー 104
ハイジール 133
ハイシジン 131
バイシリン 113, 132
ハイスコ 7
ハイゼット 109
ハイチオール 79
ハイデルマート 46
ハイトラシン 1, 71
ハイドレア 135
バイナス 36, 90
ハイパジール 5, 83
ハイペン 44
ハイボン 92, 103
ハイヤスタ 142
バイロテンシン 55
バカンピシリン 488
バカンピシリン塩酸塩 113
パキシル 17, 32
パキソ 45, 46
バクシダール 87, 121
バクタ 121, 125
バクトラミン 121, 125
バクトロバン 91, 119

パクリタキセル 553, 573, 137
バクロフェン 112, 137, 613, 19
パシーフ 22
ハシシュ 117, 130, 601
バシトラシン 494, 116
バシリキシマブ 198, 201, 202, 203
バシル 121
バシルス属培養上清由来スペルグアリン 203
パシレオチド 426
パシレオチドパモ酸塩 98
パズクロス 121
バスタレルF 52
パスタロン 93
パズフロキサシン 504
パズフロキサシンメシル酸塩 121
バゼドキシフェン 478
バゼドキシフェン酢酸塩 111
パセトシン 113, 132
パゾパニブ 563
パゾパニブ塩酸塩 141
バソプレシン 20, 338, 417, 419, 428, 607, 612
バソプレシン〈ADH〉V_2受容体阻害薬 346
バソプレシンV_2受容体刺激薬 349
バソプレシンV_2受容体遮断薬 250, 342
バソプレシン受容体 12, 14
バソメット 1, 71
バソレーター 51
バダデュスタット 367, 78
パタノール 31, 84
ハチアズレ 46
ハチ毒 169
ハッカ油 306
バップフォー 7, 72
パドセブ 143
ハト法 595
バトロキソビン 270, 390
パナルジン 81
バナン 115
パニック障害 123
パニック発作 123, 128
パニツムマブ 565
パニペネム 492, 610, 618, 115
パニマイシン 86, 117
パノビノスタット 564
パノビノスタット乳酸塩 142
パパベリン 25, 147, 319, 320, 328
パパベリン塩酸塩 67, 68
パピロックミニ 85
バファリン配合錠A81 80
パフセオ 78
ハプテン 599
ハブ毒 212
ハプトグロビン製剤 396
ハベカシン 118
パミドロン酸 346, 478
パミドロン酸二Na 112
パミドロン酸二ナトリウム水和物 112
パム 150
パラアミノ安息香酸 450, 615
パラアミノ安息香酸拮抗 508
パラアミノサリチル酸 483, 508
パラアミノサリチル酸カルシウム水和物 122
パラアミノ馬尿酸Na 581
パラアミノ馬尿酸ソーダ 148
パラアミノ馬尿酸ナトリウム水和物 148
パラアミノフェノール誘導体 150, 151
ハラヴェン 136
バラクルード 128
バラシクロビル 514
バラシクロビル塩酸塩 127
パラチオン 73, 9
パラチフス 501, 530
パラトルモン 339, 417, 419, **443**, 454, **456**, 476, 477, 578
パラブチルアミノ安息香酸ジエチルアミノエチル 93
パラプラチン 136
パラマイシン 116
パラミヂン 45, 110
パラメタゾン 220, 237, 433
バランス 16
バリウム 582, 585
バリエット 62
バリキサ 128
ハリケイン 10
パリシチニブ 210, 523, 39
パリビズマブ 523
パリペリドン 117, 121, 15
パリペリドンパルミチン酸エステル 121, 15
バル 151
バルガンシクロビル 515
バルガンシクロビル塩酸塩 128
バルクス 35, 53, 80
バルサルタン 181, 256, 280, 281, 34
ハルシオン 13
パルス療法 475
バルタンM 5, 74
バルデナフィル 15, 360
バルデナフィル塩酸塩水和物 76
ハルトマン液 392
バルトレックス 127
ハルナール 1, 71
パルナパリン 386
パルナパリンナトリウム 81
バルニジピン 279, 283
バルニジピン塩酸塩 55
パルネチール 15
バルビタール系 133
バルビタール系催眠薬 612
バルビツール酸系薬物 621
バルビツレート 20, 109, 132, 158, 312, 314, 388, 601, 615, 618, 623
バルビツレート/アルコール型 601
バルビツレート系 115
バルビツレート系催眠薬 605
バルビツレート系薬物 112, **114**
バルプロ酸 122, 132, 133, 152
バルプロ酸Na 618
バルプロ酸ナトリウム 18, 24
バルプロ酸やフェノバルビタール 134
パルボシクリブ 561, 140
パルミコート 41, 61
パルミチン酸デキサメタゾン 223, 225, 433
パルミチン酸レチノール 409, 453
パルモディア 108
ハルロピ 20
バレオン 121
バレニクリン 78
ハロキサゾラム 115, 125, 13
バロキサビル マルボキシル 130
バロキサビルマルボキシル 519
パロキセチン 117, 123, 128, 129, 176, 617
パロキセチン塩酸塩水和物 17, 32
ハロゲン 528
ハロゲン化合物 482
バロス 149
ハロタン 108, 604, 612, 617, 12
パロノセトロン 178, 314, 574
パロノセトロン塩酸塩 33, 64
ハロペリドール 117, 120, 122, 605, 617, 14
ハロペリドールデカン酸エステル 120, 14
ハロマンス 14
パロモマイシン 524
パロモマイシン硫酸塩 131
パンクレアチン 306
パンクレリパーゼ 306
バンコマイシン 169, 322, 402, 485, 488, 494, 610, 86
バンコマイシン塩酸塩 86, 116
バンコマイシン耐性黄色ブドウ球菌感染症 533
バンコマイシン耐性腸球菌感染症 533
パンスポリン 114
ハンセン病 412, 509
ハンセン病治療薬 482, **509**
ハンタウイルス 531
ハンタウイルス肺症候群〈HPS〉 531
ハンチントン病 **143**
ハンチントン病治療薬 **143**
ハンチントン舞踏病 105
バンデタニブ 563, 141
パンテチン 408, 451, 467, 472, 92, 103, 109
パンテノール 408, 451, 92, 103
パンデル 40, 42
パントール 92, 103
パントシン 92, 103, 109
パントテン酸 408, 450, 451
パントテン酸Ca 408, 451
パントテン酸カルシウム 92, 103
パントテン酸類薬 472
パンヌス 209
ハンプ 49
破骨細胞分化因子RANKL 478, 479
破傷風 212, 213, 533
配合錠 518
播種性血管内凝固症候群 395, 396, 603
肺炎桿菌 485, 503
肺炎球菌 212, 485, 506, 535
肺炎クラミジア 535
肺炎マイコプラズマ 535
肺血管 54
肺呼吸 290
肺サーファクタント製剤 292
肺ジストマ 526
肺循環 242
肺線維症 612
肺動脈血栓 390
肺動脈性肺高血圧症治療薬 **273**, 274
肺胞 291
肺胞伸展受容器 293
排寄生虫作用 526
排泄 **40**, 41
排泄経路 **43**
排胆薬 328
排尿筋 54
排尿障害 613
排尿障害治療薬 **347**, 348
排卵誘発薬 356
杯細胞 295, 297
梅毒 533
白質脳症 602
白色脂肪細胞 54
白癬症 412
白内障 613
白内障治療薬 **401**

白墨 620
白金化合物 611
白金錯体 **552**
白血球 362
白血球減少 450
白血球減少症 603
白血球減少症治療薬 **364**, **370**
白血球チロシンキナーゼ受容体ファミリー 558
白血球の遊走・浸潤・活性化 217
拍出増大性心不全 450
剥脱性皮膚炎 603
麦門冬湯 294
麦角アルカロイド **63**, 312, 313, 354, 613
麦角アルカロイド製剤 152
麦角系 140
橋本病 236
発疹チフス 532
発生・生殖器障害誘発薬物 614
発熱 216
発熱法 593
発泡剤 585
発泡薬 407
発揚期 107
半夏瀉心湯 611
半合成ビンカアルカロイド 553
汎血球減少症 363, 368, 603
反射性気道分泌促進薬 296
反射性徐脈 82
反跳性血液凝固系異常亢進 608
反復投与毒性試験 592, 596
反復投与予備試験 596

ヒ

ビアペネム 492, 115
ヒアルロニダーゼ 42
ヒアルロン酸 Na 404
ヒアルロン酸ナトリウム 211, 39, 89
ヒアレイン 89
PA・ヨード 133
ビーエスエスプラス 89
ビーシックス 78, 92, 103, 150
ビーゼットシー 14, 26, 65
ビーゾカイン 10
ヒーロン 89
ピオグリタゾン 461, 464, 609, 626
ピオグリタゾン塩酸塩 107
ビオチアスターゼ 306
ビオチン 408, 450, 452, 92, 104
ビオチン〈ビタミン H〉 92, 104
ビガバトリン 132, 134, 19
ビカルタミド 440, 554, 102, 138
ビグアナイド系 461, **461**, 529, 609
ピクロリン 112, 156, 292, 25
ビクシリン 113, 132
ビクシリンS 113
ピクトーザ 106
ピクロトキシン 20, 112, 156, 158, 623, 25
ピコスルファート 325
ピコスルファート/酸化マグネシウム/無水クエン酸合剤 585
ピコスルファートナトリウム水和物 67
ピコダルム 67
ビサコジル 325, 67
ビシバニール 207, 556
ビ・シフロール 20, 21
ビジュアリン 41
ビジンプロ 139
ヒス束 243
ビスダーム 42
ヒスダイン 89
ヒスタミナーゼ 167
ヒスタミン 105, 144, 166, **167**, **168**, 217, 236, 579
ヒスタミン H_1受容体 7
ヒスタミン H_1受容体拮抗薬 171, 314
ヒスタミン H_2受容体 7
ヒスタミン H_2受容体刺激薬 169
ヒスタミン受容体 5, 12, 13, **170**
ヒスタミン受容体拮抗薬 170
ヒスタミン受容体刺激薬 170
ヒスタミン二塩酸塩 147
L-ヒスチジン 167
L-ヒスチジンデカルボキシラーゼ 167
ヒステリー性神経症 123
ヒストン脱アセチル化酵素 564
ビスベンチアミン 450, 451, 102
ビスホスホン酸 476
ビスホスホン酸誘導体 346, 478, **479**
ビスラーゼ 92, 103
ヒスロン 101
ヒスロン H 137
ビソノテープ 2
ビソプロロール 61, 66, 249, 255, 260, 268, 278, 286, 2
ビソプロロールフマル酸塩 2
ビソルボン 58
ビダーザ 135
ビタジェクト 105
ビタシミン 104
ピタバスタチン 469
ピタバスタチンカルシウム 108
ビタミン **449**
ビタミン A 403, 409, 419, **453**
ビタミン A-E エステル結合体 453
ビタミン A-E 結合体 411
ビタミン A 関連薬 614
ビタミン A 製剤 453
ビタミン B 43
ビタミン B_1 393, 451
ビタミン B_2 403, 408, 451, 92
ビタミン B_5 451
ビタミン B_6 **363**, 366, 408, 451, 615, 623, 78, 92, 103, 150
ビタミン B_6欠乏症状 366
ビタミン B_{12} **363**, 365, 370, 403, 452, 574
ビタミン B_{12}欠乏性貧血治療薬 365
ビタミン C 452
ビタミン D **454**
ビタミン D 受容体 420
ビタミン D_2 454
ビタミン D_2製剤 454
ビタミン D_3 339, 419, 443, 454, 456, **456**, 476
ビタミン D_3依存性 Ca^{2+}再吸収 343
ビタミン E **455**
ビタミン H 408, 452
ビタミン K 385, 386, **455**, **456**, 476, 615, 623, 150
ビタミン K 依存性 372
ビタミン K 依存性エポキシド還元酵素 490
ビタミン K 依存性カルボキシラーゼ 456, 477
ビタミン K エポキシド還元酵素複合体 1 388
ビタミン K 欠乏時産生蛋白 385
ビタミン K 欠乏症 379
ビタミン K 製剤 379, 455
ビタミン K_1 79, 105
ビタミン K_2製剤 477
ビタミン L 450
ビタミン U 310
ビタミン受容体 **419**
ビダラビン 412, 95, 127
ビダラビン〈Ara-A〉 514
ヒダントイン系 133
ヒダントール 18, 50
ビデュリオン 106
ヒト CRH 96, 148
ヒト PTH 注 443
ヒト遺伝子組換え型インスリン製剤 445
ヒト化抗ヒト IgE モノクローナル抗体 169, 238
ヒト化抗ヒト IL-6 受容体モノクローナル抗体 211
ヒト下垂体性性腺刺激ホルモン 359, 424
ヒト型抗ヒト TNFα モノクローナル抗体 211
ピドキサール 78, 92, 103
ヒト血漿由来乾燥血液凝固第XIII因子 396
ヒト絨毛性性腺刺激ホルモン 359, 424
ヒトチロトロピン アルファ 425, 578
ヒト・動物由来第Ⅱa 因子製剤 380
ヒト尿由来 370
ヒト白血球分化抗原 201
ヒトパピローマ 213
ヒト・パピローマウイルス 212, 523, 535
ヒト・パルボウイルス B19 534
ヒト・副甲状腺ホルモン 578
ヒト副甲状腺ホルモン 477
ヒトヘルペスウイルス 534
ヒト/マウスキメラ型抗ヒト TNFα モノクローナル抗体 211
ヒト免疫不全ウイルス 520, 533
ヒドラ 122
ヒドララジン 279, 282, 600, 612, 55
ピトレシン 98
4-ヒドロキシ-3-メトキシマンデル酸 57
ヒドロキシアパタイト 478, 479
ヒドロキシインドール *O*-メチルトランスフェラーゼ 174
5-ヒドロキシインドールアセトアルデヒド 174
5-ヒドロキシインドール酢酸 174
ヒドロキシウレア 548
ヒドロキシエチルデンプン 393
ヒドロキシカルバミド 548, 135
1α-ヒドロキシコレカルシフェロール 454
ヒドロキシジン 127, 160, 172, 239
ヒドロキシジン塩酸塩 17, 25, 30
ヒドロキシジンパモ酸塩 17, 25, 30
3β-ヒドロキシステロイド脱水素酵素阻害 434
5-ヒドロキシトリプタミン 174
5-ヒドロキシトリプトファン 174
17α-ヒドロキシプロゲステロン 430
ヒドロキシプロゲステロンカプロン酸エステル 438, 101
5-ヒドロキシメチルトルテロジン 349
ヒドロキシメチレンジホスホン酸テクネチウム 588
1α-ヒドロキシラーゼ 454, 476
11β-ヒドロキシラーゼ阻害 434
ヒドロキソコバラミン 365, 370, 452, 624
ヒドロキソコバラミン酢酸塩 77, 104
ヒドロクロロチアジド 255, 279, 281, 345, 70

ヒドロコルチゾン 190, 204, 220, 221, 224, 237, 399, 401, 408, 429, 431, 433, 606, 40
ヒドロコルチゾン酢酸エステル 40
ヒドロコルチゾン酪酸エステル 40, 43
ヒドロコルチゾン酪酸プロピオン酸エステル 40, 42
ヒドロコルチゾンリン酸エステルナトリウム 40
5-ヒドロペルオキシエイコサテトラエン酸 187
ヒドロペルオキシダーゼ 186
ヒドロモルフォン 149
ヒドロモルフォン塩酸塩 22
ビニメチニブ 562, 141
ピノルビン 135
ビノレルビン 553
ビノレルビン酒石酸塩 136
ピバレフリン 84
ビバンセ 24
ビビアント 111
ヒビテン 133
ビフェルトロ 126
ビブラマイシン 117
ビブレンタスビル 518
ビベグロン 61, 349, 4, 72
ピペミド酸 504
ピペミド酸水和物 120
ピペラシリン 488
ピペラシリンタゾバクタム合剤 491
ピペラシリンナトリウム 113
ピペラジン 172
ピペラジン系 120
ピペラジン誘導体 239, 314
ピペリジノアセチルアミノ安息香酸エチル 93, 314, 10, 64
ピペリジン 172
ピペリジン誘導体 239
ピペリデン 71, 75, 139, 141
ピペリデン塩酸塩 7, 21
ピペリドレート 71, 308, 320, 353, 355
ピペリドレート塩酸塩 7, 74
ヒベルナ 21, 26, 30, 64
ヒポカ 55
ヒポクライン 96
ビホナゾール 510, 124
ヒマシ油 325, 616, 620
ビマトプロスト 189, 400, 404, 35, 83, 90
ピマリシン 402, 87
ビムパット 19
ヒメダニ 532
ピメノール 50
ピモベンダン 250, 252, 254, 49
ビュルガー病 160, 269
d,l-ヒヨスチアミン 71
l-ヒヨスチン 71
ピラジナミド 507, 508, 122
ピラスチン 173, 238, 31
ピラセタム 134
ピラゾロン誘導体 150, 151
ビラノア 31
ビラフトビ 141
ピラマイド 122
ビラミューン 126
ピラルビシン 550, 135
ピランテル 527
ピランテルパモ酸塩 131
ビランテロール 61, 299, 301
ビランテロールトリフェニル酢酸塩 3, 59
ビリアード 126
ピリドキサールリン酸 450
ピリドキサールリン酸エステル 366
ピリドキサールリン酸エステル水和物 78, 92, 103
N-ピリドキシル-5-メチルトリプトファンテクネチウム 588
ピリドキシン 366, 408, 450, 451
ピリドキシン塩酸塩 78, 92, 103
ピリドスチグミン 73
ピリドスチグミン臭化物 9
ピリドンカルボン酸 504
ビリベルジン 327
ピリミジン塩基 541
ピリミジン系 230
ピリミジン代謝拮抗薬 205, 206, 539, 541, 544
ピリミジン代謝阻害薬 210
ピリラミン 172
ビリルビン 327
ビリルビン血症 614
ビリルビン胆石 329
ピリン系 150, 150, 606
ピリン系解熱鎮痛薬 146, 150, 151, 612, 614
ピリン疹 150
ピル 356
ピルシカイニド 259, 262
ピルシカイニド塩酸塩水和物 50
ビルダグリプチン 460, 464, 106
ヒルトニン 27, 97, 148
ビルトリシド 132
ヒルナミン 14
ピルフェニドン 197, 302, 61
ヒル・プロット 36
ピルメノール 259, 262
ピルメノール塩酸塩水和物 50
ビレスパ 61
ピレチア 21, 26, 30, 64
ピレノキシン 401, 84
ピレンゼピン 71, 75, 307, 308
ピレンゼピン塩酸塩水和物 7, 62
ピロカルピン 70, 75, 88, 400, 402, 609, 613
ピロカルピン塩酸塩 6, 83, 86
ピロキシカム 230, 231, 45, 46
ピロニック 147
ピロヘプチン 71, 141
ピロヘプチン塩酸塩 7, 21
ヒロポン 601, 24
ピロリン酸テクネチウム 588
ビンカアルカロイド 539, 553
ビンクリスチン 553, 573, 613
ビンクリスチン硫酸塩 136
ビンデシン 553
ビンデシン硫酸塩 136
ピンドロール 62, 66, 260, 268, 278, 286, 4
ビンブラスチン 553, 573
ビンブラスチン硫酸塩 136
ビンポセチン 15
非L型 285
非T型〈non-T type〉Ca^{2+}チャネル 132
非イオン性造影剤 611
非イオン性ヨード造影剤 582
非観血法 595
非競合型拮抗薬（骨格筋弛緩） 95
非競合的拮抗薬の効力の指標 33
非経口Xa因子選択的阻害薬 386
非結核性抗酸菌症治療薬 509
非構造蛋白質 518
非サポニン配糖体 296
非受容体型チロシンキナーゼ阻害薬 561
非小細胞肺癌 573
非心原性ショック 248
非ステロイド性 606
非ステロイド性抗炎症薬 227
非選択性β刺激薬 355
非選択性遮断薬 278
非選択的PDE阻害薬 252
非選択的β刺激薬 254
非選択的β遮断薬 260, 268
非選択的ムスカリン受容体遮断薬 307
非注射投与 42
非鎮静性抗アレルギー性抗ヒスタミン薬 173
非定型抗酸菌症治療薬 509
非定型抗精神病薬 117, 118, 121
非典型溶血性尿毒症症候群 369
非ヌクレオシド系逆転写酵素阻害薬 520, 521
非麦角系 140
非必須アミノ酸 391
非ホジキンリンパ腫 573
非臨床試験 592
皮下注射 41, 42
皮内色素漏出法 593
皮膚炎 408, 450
皮膚潰瘍 411
皮膚潰瘍治療薬 453
皮膚癌 412
皮膚感作性試験 592, 596
皮膚血管 54
皮膚疾患治療薬 408, 409, 410, 411, 412
皮膚障害 612
皮膚掻痒 171
皮膚適用 42
皮膚に作用する薬物 406
皮膚粘膜眼症候群 395, 603, 612
皮膚光感作性試験 592, 596
皮膚保護薬 407
被核 138
鼻充血 405
泌尿器系作用薬 607
泌尿器障害誘発薬物 613
肥満細胞 168, 169, 195
肥満細胞からのヒスタミン遊離 168
肥満細胞膜Fcε受容体 169
尾骨神経 49
尾状核 138
尾部試験法 593
微小管 511
微小管作用薬 539, 553
微小管重合阻害 475
微小管重合阻害薬 553
微小管重合促進薬 553
微小管障害 539
微量元素製剤 393
光過敏症 612
光毒性試験 592, 596
必須アミノ酸 391
人C1-インアクチベーター 396
人血清アルブミン 395
人血清アルブミンジエチレントリアミン五酢酸テクネチウム 588
人ハプトグロビン 396
人免疫グロブリン 395
人免疫グロブリン製剤 395, 516
百日咳 212, 213, 533
百日咳毒素 10
表在性真菌症 510

表在痛 145
表面麻酔 92, 93
氷酢酸 406
標準（未分画）ヘパリンの効果判定 387
病原生物 **482**
病原性レプトスピラ 532
病的因子 599
貧血 **363**
貧血治療薬 **364**, 608
頻度依存性遮断 284
頻尿治療薬 348, 349
頻脈 **282**
頻脈性抗不整脈薬 258
頻脈性心房性不整脈 251

フ

ぶどう膜 87
ぶどう膜強膜 399, 400
ぶどう膜強膜流出路 87, 88
ファーストシン 114
ファーストメッセンジャー 9
ファースト・メッセンジャー 3
ファスジル 162, 614
ファスジル塩酸塩水和物 27
ファスティック 106
ファドロゾール 554, 137
ファニトイン 600
ファビピラビル 519, 130
ファボワール 74
ファムシクロビル 514, 127
ファムビル 127
ファモチジン 109, 170, 307, 308, 62
ファリーダック 142
ファルネシルピロリン酸合成酵素 478
ファルモルビシン 135
ファレカルシトリオール 346, 454, 105
ファロペネム 492
ファロペネムナトリウム水和物 115
ファロム 115
ファンガード 123
ファンギゾン 125
フィードバック調節 416, 418
フィコンパ 19
フィズリン 71, 99
フィゾスチグミン 72, 73, 75, 9
フィダキソマイシン 483, 502, 120
フィチン酸テクネチウム 588
フィッツジェラルド因子 372
フィトナジオン 379, 388, 455, 79, 105
フィナステリド 440, 102
フィニバックス 115
ブイフェンド 124
フィブラート系 467, 468
フィブラート系薬 473
フィブラート系薬物 329, **469**, 612, 618
フィブリノゲル 387
フィブリノゲン 372, 374, 375, 382, 390
フィブリノゲン血症 396
フィブリノゲン製剤 396
フィブリノゲン配合剤 396
フィブリン 375
フィブリン安定化因子 372
フィブリン血栓 375, 376
フィラジル 34
フィラデルフィア染色体由来融合遺伝子産物 558
フィラメント 24
フィラリア 526, 527
フィルグラスチム 196, 368, 370, 574, 575
フィルゴチニブ 210, 39
フィルデシン 136
フィロキノン 455
フェアストン 100, 137
フェインジェクト 77
フェキソフェナジン 171, 173, 238
フェキソフェナジン塩酸塩 31
フェジン 77
フェソテロジン 71, 349
フェソテロジンフマル酸塩 7, 72
フェソロデックス 137
フェナセチン 151, 600, 614, 617, 23
フェナセミド系 133
フエナゾール 46
フェナントレン骨格 294
フェナントレン誘導体 147
フェニトイン 114, 132, 133, 134, 251, 259, 365, 368, 388, 605, 617, 618, 623, 18, 50
フェニトインナトリウム 150
フェニルアルキルアミン系 266, 607
フェニルアルキルアミン誘導体 284
フェニルエタノールアミン *N*-メチルトランスフェラーゼ 57
フェニル酢酸 229
フェニル酢酸系 231
フェニルブタゾン 43, 368, 388, 614, 616
フェニレフリン 59, 60, 66, 88, 91, 92, 109, 287, 402
フェニレフリン塩酸塩 1, 56, 85
フェノール 528, 529, 133
フェノール系 529
フェノールスルホンフタレイン 581, 148
フェノキシベンザミン 62, 66, 4
フェノチアジン 172
フェノチアジン系 120
フェノチアジン誘導体 239, 314
フェノテロール 61, 66, 299
フェノテロール臭化水素酸塩 3, 59
フェノトリン 412, 95
フェノバール 13, 18
フェノバルビタール 43, 115, 133, 134, 365, 605, 616, 617, 13, 18
フェノバルビタールナトリウム 13, 18
フェノフィブラート 469, 108
フェブキソスタット 474, 475, 110
フェブリク 110
フェマーラ 100, 137
フェリチン 364
フェルカルボトラン 584
フェルデン 46
フェルビナク 231, 46
フェルム 77
フェロ・グラデュメット 77
フェロジピン 279, 283, 55
フェロミア 77
フェンシクリジン 117, 130, 18
フェンシクリジン誘導体 109
フェンタニル 109, 149, 22
フェンタニルクエン酸塩 22
フェントステープ 22
フェントラミン 62, 66, 278, 578
フェントラミンメシル酸塩 4, 147
フェンブフェン 229, 606, 44
フェンホルミン 617
フオイパン 69
フォサマック 112
フォシーガ 107
フォトフリン 145
フォリアミン 77, 104
フォルスコリン 252, 253
フォルテオ 99, 111
フォロデシン 548
フォロデシン塩酸塩 135
フォンダパリヌクス 386
フォンダパリヌクスナトリウム 82
ブクラデシン Na 252, 253, 254, 411
ブクラデシンナトリウム 49, 94
フコムチン 297
ブコラム 18
ブコローム 230, 475, 45, 110
フサン 69, 82
フシジン酸 502
フシジン酸ナトリウム 119
フシジンレオ 119
ブシラミン 210, 38
ブスコパン 8
フスタゾール 57
フストジル 57
ブスルファン 540, 134
ブスルフェクス 134
ブセレリン 358, 424, 608, 612
ブセレリン酢酸塩 75, 96
ブソイドエフェドリン 238
フタラール 528, 529, 132
ブチアリン 304
ブチリルコリンエステラーゼ 73
ブチルスコポラミン 71, 75, 308, 320, 322
ブチルスコポラミン臭化物 8
ブチロフェノン系 120
フッ化ピリミジン系 **544**
フッ化ピリミジン系薬物 **546**
ブデソニド 223, 225, 298, 300, 301, 318, 433, 41, 61, 66
ブテナフィン 511
ブテナフィン塩酸塩 124
ブドウ球菌 485, 506
ブドウ糖 391
ブトキサミン 61, 3
フドステイン 297, 58
フトラフール 134
ブトロピウム 71, 308, 320
ブトロピウム臭化物 8
ブナゾシン 60, 66, 88, 278, 348, 400
ブナゾシン塩酸塩 1, 83
ブピバカイン 93
ブピバカイン塩酸塩水和物 10
ブフェトロール 62, 260, 268, 278, 286
ブフェトロール塩酸塩 4
ブプレノルフィン 149, 22
ブプレノルフィン塩酸塩 22
ブホルミン 461, 609
ブホルミン塩酸塩 107
フマル酸第一鉄 364, 77
ブメタニド 345, 621, 70
ブライアン 151
フラグミン 81
ブラザキサ 82
フラジール 131
フラジオマイシン 402, 494, 498
フラジオマイシン硫酸塩 86, 118
ブラジカンテル 527, 132
ブラジキニン 144, 182, 217, 227
ブラジキニン受容体 12, 14
プラスグレル 382, 384
プラスグレル塩酸塩 81
プラステロン硫酸エステル Na 358, 608, 612

プラステロン硫酸エステルナトリウム水和物 75
プラスミノゲンアクチベーターインヒビター1 376
プラスミノゲン活性化因子インヒビター1 373
プラスミノゲン・プラスミン系 376
α_2プラスミンインヒビター 373
プラゾシン 60, 66, 278, 348, 604
プラゾシン塩酸塩 1, 71
プラダロン 72
フラッド 92
プラノプロフェン 230, 403, 475, 45, 88
プラバスタチン 469, 607
プラバスタチンナトリウム 108
フラビタン 88, 92, 103
プラビックス 27, 81
フラビンアデニンジヌクレオチド 403
フラビンアデニンジヌクレオチドNa 451
フラビンアデニンジヌクレオチドナトリウム 88, 92, 103
フラベリック 57
フラボキサート 349
フラボキサート塩酸塩 72
フラボノイド 618
プラミペキソール 140, 143
プラミペキソール塩酸塩水和物 20, 21
プララトレキサート **542**, 134
プラリドキシム 73, 74, 623
プラリドキシムヨウ化物 150
プラルモレリン 426, 580
プラルモレリン塩酸塩 97, 148
フランカルボン酸フルチカゾン 225
フランカルボン酸モメタゾン 225, 226
フランドル 51
プランルカスト 190, 239, 300, 405
プランルカスト水和物 36, 61, 90
プランルンスト 298
フリーラジカル・スカベンジャー 162
プリオン蛋白 533
プリカニール 3, 58
プリジスタ 127
プリジノール 137
プリジノールメシル酸塩 19
プリディオン 11, 150
プリナツモマブ 567
フリバス 1, 71
プリビナ 4, 88, 90
プリマキン 525, 600, 614, 131
プリマキンリン酸塩 131
プリミドン 133, 365, 368, 18
プリモニジン 60, 88, 400
プリモニジン酒石酸塩 1, 83
プリモボラン 101, 111
プリモボラン・デポー 101, 111
プリリンタ 81
プリン塩基 370, 541
プリンゾラミド 400, 84
プリン代謝 548
プリン代謝拮抗薬 205, 206, 210, 318, 369, 539, 541, **548**, 549
プリンヌクレオシド代謝 474
プリンヌクレオシドホスホリラーゼ 548
プリンヌクレオシド類似薬 518
プリンペラン 63, 65
フルイトラン 70
ブルーレター 625
フルオキセチン 617
フルオシノニド 221, 226, 433, 42
フルオシノロンアセトニド 226, 433, 42
フルオレサイト 147
フルオレセイン 578, 147
フルオレセインNa 578
フルオレセインナトリウム 147
5-フルオロウラシル **544**
フルオロウラシル 365, 134
フルオロキノロン 535
フルオロキノロン系 504
5-フルオロシトシン 511
フルオロプラゼパム 126
フルオロメトロン 223, 225, 401, 403, 433, 41, 85, 87
フルカム 45
プルキンエ線維 243
フルコート 42
フルコナゾール 388, 510, 123
フルジアゼパム 126, 16
プルシアンブルー 624
フルシトシン 511, 125
フルスタン 105
フルスルチアミン 450, 451
フルスルチアミン（塩酸塩） 103
プルゼニド 67
ブルセラ症 532
フルタイド 41, 61
フルタゾラム 126, 16
フルタミド 440, 554, 609, 612, 626, 102, 138
フルダラ 135
フルダラビンリン酸エステル 549, 135
フルチカゾンフランカルボン酸エステル 300, 301, 41, 61
フルチカゾンプロピオン酸エステル 300, 301, 41, 61, 90
フルツロン 134
フルデオキシグルコース 587
フルデカシン 14
フルテメタモル 587
プルトニウム 624
フルトプラゼパム 126, 16
フルドロキシコルチド 225, 41
フルドロコルチゾン酢酸エステル 40
ブルトン型チロシンキナーゼ（BTK） 558
フルナーゼ 41, 90
フルニトラゼパム 115, 13
フルバスタチン 469
フルバスタチンナトリウム 108
フルフェナジン 120, 605
フルフェナジンデカン酸エステル 120, 14
フルフェナジンマレイン酸塩 14
フルフェナム酸 230, 369
フルフェナム酸アルミニウム 45
ブルフェン 45
フルベストラント 554, 137
フルボキサミン 117, 123, 128, 129, 176, 617
フルボキサミンマレイン酸塩 17, 32
フルマゼニル 112, 114, 125, 292, 623, 57, 150
フルマリン 114
フルメジン 14
フルメタ 41, 42
フルメトロン 41, 85, 87
フルラゼパム 115, 125
フルラゼパム塩酸塩 13
プルリフロキサシン 504, 121
フルルビプロフェン 230, 231, 45, 46
フルルビプロフェンアキセチル 230, 606, 45
プレオ 95, 136
プレオS 95
ブレオマイシン 412, 539, 551, 573, 611, 612, 613
ブレオマイシン塩酸塩 95, 136
ブレオマイシン硫酸塩 95
フレカイニド 259, 262, 607
フレカイニド酢酸塩 50
プレガバリン 153, 465, 24, 107
プレカリクレイン 372
ブレクスピプラゾール 121, 177, 15
プレグナンジオール 91
プレグネノロン 430
プレグランディン 35, 74
フレスミンS 77, 104
プレセデックス 1, 14
プレタール 27, 81
フレッチャー因子 372
プレディニン 37, 39
プレドニゾロン 204, 220, 221, 223, 224, 226, 237, 318, 368, 369, 399, 433, 555, 573, 606, 40, 43, 66, 139
プレドニゾロン吉草酸酢酸エステル 40, 43
プレドニゾロンコハク酸エステルナトリウム 40
プレドニゾロン酢酸エステル 40, 85, 87
プレドニゾロンリン酸エステルナトリウム 40, 66
プレドニゾン 220, 237
プレドニン 40, 66, 85, 87, 139
プレドネマ 40, 66
プレバイミス 128
プレビブロック 2
プレプロオピオメラノコルチン 423
プレペノン 22
プレポダイン 133
フレマネズマブ 152
プレマリン 100
ブレンツキシマブ ベドチン 144
ブレンツキシマブベドチン 567
プロイメンド 64
フロインド完全アジュバント法 596
プロウペス 35, 75
プロエンケファリンA 146
プロエンケファリンB 146
プロオピオメラノコルチン 146
フローラン 36, 54, 80
フローレス 147
プロカイン 93, 615
プロカインアミド 259, 262, 600, 612
プロカインアミド塩酸塩 50
プロカイン塩酸塩 10
プロカテロール 61, 66, 298, 299, 604, 608
プロカテロール塩酸塩水和物 3, 59
プロカニン 10
プロカルバジン 569, 573
プロカルバジン塩酸塩 144
プロキシフィリン 252, 253, 254, 299, 341, 49, 59, 70
プロギノンデポー 100
プログアニル 525
プログラフ 37, 38, 66
プロクリンL 4
プログルミド 307, 308, 62
プログルメタシン 229
プログルメタシンマレイン酸塩 44
プロクロルペラジン 120, 314
プロクロルペラジンマレイン酸塩 14
プロクロルペラジンメシル酸塩 14, 65

プロゲスチン 417, 424
プロゲステロン 352, 355, 356, 357, 359, 419, 429, 430, 437, 74, 101
プロゲステロン受容体 420
プロゲステロン誘導体 437
プロゲデポー 101
プロゲホルモン 74, 101
プロサイリン 36, 53, 54, 80
プロジフ 124
フロジン 95
プロスタール 71, 102, 138
プロスタグランジン 144, 184, 227, 339, 352, 384
プロスタグランジン E_2 227, 35, 74
プロスタグランジン関連薬 271, 307, 310
プロスタグランジン系薬物 614
プロスタグランジン産生抑制 227
プロスタグランジン受容体 12
プロスタグランジン製剤及び誘導体 **189**
プロスタグランジン類 185, 354
プロスタサイクリン 183, 373, 374
プロスタサイクリン合成酵素 186
プロスタノイド 184, 185, 187, 188
プロスタノイドの生合成 **186**
プロスタルモン・F 35, 74
プロスタンディン 35, 53, 56, 80, 94, 147
プロスト系 189, 400
プロストン系 189, 400
プロスルチアミン 451, 103
プロセキソール 100, 138
フロセミド 249, 255, 279, 345, 552, 607, 612, 621, 70
プロダイノルフィン 146
プロタノールL 4, 48, 51
プロタノールS 4, 51
プロタミン 623
プロタミン硫酸塩 150
プロダルマブ 198, 410
プロチアデン 17
プロチゾラム 115, 125, 13
プロチレリン 162, 417, 419, 422, **425**, 427, 441, 580, 97, 148
プロチレリン酒石酸塩水和物 27, 97, 148
ブロッコリー 388
プロテアーゼ類 306
プロテアソーム 564
プロテインC 373, 376, 389, 455
プロテインC製剤 389
プロテインS 373
プロテインキナーゼ 8
プロテインキナーゼA 8, 24, 26, 28, 252, 253
プロテインキナーゼB 558
プロテインキナーゼC 8
プロテインキナーゼG 8, 24
プロテインホスファターゼ 8
プロテウス 489
プロテカジン 62
プロトゲン 123
プロトピック 92
プロトポルト 69
プロトポルフィリン2Na 330
プロトポルフィリンIX 579
プロトポルフィリン二ナトリウム 69
プロドラッグ 41, 229
プロトロンビン 372, 375, 455
プロトロンビン時間 387
プロトンポンプ阻害薬 307, 308, 311, 600, 608, 612, 617
プロナーゼ 586, 149
プロナーゼMS 149
プロナック 88
プロナンセリン 117, 121, 177, 605, 15
プロニカ 36, 61
プロネスパスタアロマ 10
プロノン 50
プロパゲルマニウム 516, 611, 129
プロパジール 99
プロパノールアミン誘導体 239
プロパフェノン 259, 262, 618
プロパフェノン塩酸塩 50
プロパリン 13
プロ・バンサイン 8, 72
プロパンジオール誘導体 137
プロパンテリン 71, 75, 308, 320, 331, 349
プロパンテリン臭化物 8, 72
プロピオニバクテリウム・アクネス 408
プロピオン酸 230
プロピオン酸アルクロメタゾン 226
プロピオン酸クロベタゾール 226
プロピオン酸系 231
プロピオン酸系NSAIDs 152
プロピオン酸デキサメタゾン 225, 226
プロピオン酸デプロドン 226
プロピオン酸フルチカゾン 223, 225, 298, 405, 433
プロピオン酸ベクロメタゾン 223, 225, 298, 405, 433
プロビタミンD 454
プロビタミン D_2 454
プロビタミン D_3 339, 443, 454, 456, 476
プロピトカイン 93, 10
プロピベリン 71, 75, 349, 611, 613
プロピベリン塩酸塩 7, 72
プロピルアミン 172
プロピルアミン誘導体 239
プロピルチオウラシル 442, 609, 612, 614
プロピルチオウラシル〈PTU〉 99
プロフェナミン 71
プロフェナミン塩酸塩 7
プロフェナミンヒベンズ酸塩 7
プロブコール 467, 468, 472, 473, 109
プロプラノロール 62, 66, 109, 152, 260, 262, 268, 278, 286, 604
プロプラノロール塩酸塩 4, 24
プロプレス 34
フロプロピオン 319, 320, 328, 331, 67, 68
プロベシア 102
プロベネシド 43, 369, 474, 475, 612, 616, 110
プロベラ 101
プロペリシアジン 120, 14
フロベン 45
プロボコリン 147
プロポフォール 109, 604, 612, 12
プロマゼパム 126, 16
プロマック 63
プロムフェナクNa 403
プロムフェナクナトリウム水和物 88
プロムヘキシン 296
プロムヘキシン塩酸塩 58
プロムペリドール 120, 14
プロムワレリル尿素 13
プロメタジン 141, 160, 172, 239, 314
プロメタジン塩酸塩 21, 26, 30, 64
プロメライン 232, 411
フロモキセフ 490
フロモキセフナトリウム 114
プロモクリプチン 108, 119, 139, 140, 427, 605, 617
プロモクリプチンメシル酸塩 20, 98
フロモックス 114
プロモバレリル尿素 116, 13
プロラクチン 119, 417, 419, 422, 425, 427
プロラクチン受容体 419
プロラクチン放出ペプチド 419, 427
プロラクトスタチン 417, 422, **427**
プロラクトリベリン 417, 422, **427**
フロリード 123
フロリジン誘導体 463
フロリネフ 40
プロルシズマブ 404
フロルベタピル 587
プロレナール 35, 53, 80
α-ブンガロトキシン 95
不安神経症 105, 123
不安定因子 372
不安の神経回路 **124**
不安発作 123
不応期 245
不活化ポリオ 213
不活化ワクチン 212
不活性化 98
不活性代謝物 41
不完全抗原 599
不規則性下行性麻痺 107
不随意運動 138
不随意筋 23
不整脈治療薬 **257**
不眠 111
不明熱 532
腐食薬 **406**, 412
負のフィードバック 418
負のフィードバック制御機構 416
負の変時・変伝導作用 251
部分活性薬 31, **31**
部分トロンボプラスチン時間 387
部分発作 131
風疹 212, 213, 533, 614
風疹ウイルス 533
風疹性白内障 401
腹圧性尿失禁 349
腹腔神経節 52
腹腔内注射 42
腹腔内投与 41
腹部X線写真 582
腹部内臓血管 54
腹膜透析 622
副交感神経 47, 77
副交感神経系 81
副交感神経系作用薬 **67**, **75**, 604
副交感神経刺激薬 412
副交感神経節 53
副交感神経節後線維 52
副交感神経節前線維 52
副交感神経節ニコチン N_N 受容体刺激 79
副交感神経由来 446
副甲状腺/上皮小体ホルモン 417, 454
副甲状腺機能低下症 578
副甲状腺機能低下症の鑑別診断 443
副甲状腺ホルモン 419, 443
副作用 **598**, **602**
副作用発現に影響する因子 **599**
副腎 **429**
副腎機能障害 222
副腎クロマフィン細胞 86
副神経 48

副腎髄質 54
副腎髄質クロム親和性細胞 53, 56, 68
副腎髄質クロム親和性細胞ニコチン N_N受容体刺激 79
副腎性器症候群 431
副腎性男性ホルモン 429
副腎性内因性ステロイドホルモン 358
副腎皮質機能異常症 **431**
副腎皮質刺激ホルモン 146, 417, 422, 423, 433
副腎皮質刺激ホルモン放出ホルモン 417, 422, 423, 433
副腎皮質ステロイド 371, 388
副腎皮質ホルモン 3, 360, 399, 405, 417, 418, 419, 422, **429**, 555
副腎皮質ホルモン合成阻害薬 **434**
副腎皮質ホルモン受容体 420
複合電解質輸液 392
複雑部分発作 131
物質輸送 **17**
糞線虫 527
糞中排泄 41, 43
分芽菌 510
分岐鎖アミノ酸 391
分岐脂肪酸系 133
分極 18
分子標的治療薬 539, **558**, **560**, **565**, 611
分泌細胞 2, 55
分布 **40**
分裂促進因子活性化蛋白質 558

へ

ベイスン 107
ベインブリッジ反射 246
ベージニオ 140
ペースメーカー 626
ヘーリング・ブロイエル反射 291
ベオーバ 4, 72
ベオン 45
ペガプタニブ 404
ペガモックス 87
ヘキサキス 588
ヘキサシアノ鉄（Ⅱ）酸鉄（Ⅲ） 624
ヘキサシアノ鉄（Ⅱ）酸鉄（Ⅲ）水和物 151
ヘキザック 133
ヘキサメトニウム 20, 79, 95, 278, 604, 9
ヘキサメトニウム〈C_6〉 78
ベキサロテン 570, 145
ヘキソバルビタール 617
ベキロン 124
ペグインターフェロンアルファ-2a 196, 207
ペグインターフェロンアルファ-2b 196, 207
ペグビソマント 426
ペグヒト化抗ヒト TNFα モノクローナル抗体 Fab' 断片製剤 211
ペグフィルグラスチム 196, 370, 574
ベクルリー 130
ベクロニウム 95, 96, 99, 109, 623, 11
ベクロニウム臭化物 11
ベクロメタゾン 190
ベクロメタゾンプロピオン酸エステル 300, 41, 61, 90
ベサコリン 6, 65, 72
ベザトール SR 108
ベサノイド 104, 145
ベザフィブラート 469, 108
ベシカム 46
ベシケア 8, 72
ベスタチン 38
ペスト 530
ベストコール 114
ベストロン 86, 91
ベストン 102
ベスポンサ 143
ベゼトン 133
ベセルナ 93, 130
ベタキソロール 61, 66, 88, 268, 278, 286, 400
ベタキソロール塩酸塩 2, 84
ベダキリン 508
ベダキリンフマル酸塩 122
ベタナミン 24
ベタニス 4, 72
ベタネコール 70, 75, 315, 316, 348
ベタネコール塩化物 6, 65, 72
ベタヒスチン 160
ベタヒスチンメシル酸塩 26
ベタミプロン 618
ベタメタゾン 204, 220, 223, 225, 237, 318, 433, 41, 66
ベタメタゾン吉草酸エステル 41, 42
ベタメタゾンジプロピオン酸エステル 41, 42
ベタメタゾン酪酸エステルプロピオン酸エステル 41, 42
ベタメタゾンリン酸エステルナトリウム 41, 66, 85, 87
ペチジン 109, 149, 601
ペチジン塩酸塩 22
ベック 55
ヘッド・ドロップ法 595
ヘテロダイマー 112
ヘテロ二量体 420
ベトネベート 41, 42
ベトプティック 84
ベドリズマブ 318
ベナゼプリル 181, 280
ベナゼプリル塩酸塩 34
ベナパスタ 29
ペナム 487
ベナンバックス 125
ベニジピン 266, 279, 283
ベニジピン塩酸塩 55
ペニシラミン 210, 368, 369, 624
ペニシラミン〈D-ペニシラミン〉 38, 151
ペニシリナーゼ 488, 489, 492
ペニシリナーゼ耐性ペニシリン 488
ペニシリン 43, 475, 610, 616
ペニシリン G カリウム 113
ペニシリン系 369, 483, 485, 487, 610
ペニシリン系抗生物質 **488**, 612
ペニシリン結合蛋白質 483, 487
ペニシリン耐性肺炎球菌 492, 494
ペニシリン耐性肺炎球菌感染症 535
ペニシリン類 527
ベネキサート塩酸塩ベータデクス 63
ベネキサートベータデクス 310
ベネクレクスタ 142
ベネシッド 110
ベネット 112
ベネトクラクス 564, 142
ベネトリン 3, 59
ペネム 487, 492
ペネム系 483, 610
ペネム系抗生物質 **492**, 612
ベノキシール 10, 88
ベバシズマブ 566
ヘパフラッシュ 81
ヘパラン硫酸プロテオグリカン 373
ヘパリナーゼ 386
ヘパリン 168, 373, 375, **385**, 386, 623
ヘパリン Ca 81
ヘパリン Na ロック用 81
ヘパリン加新鮮血液 394
ヘパリンカルシウム 81
ヘパリン起因性血小板減少症 386
ヘパリンナトリウム 81
ベバントロール 62, 66, 278, 286
ベバントロール塩酸塩 5
ベピオ 91
ヘビ毒由来製剤 380
ペフィシチニブ 210
ペフィシチニブ臭化水素酸塩 39
ペプシド 137
ペプシノーゲン 447
ペプシン 304, 306
ペプシン処理製剤 394
ヘプセラ 128
ペプチジル-D-アラニル-D-アラニン 483, 494
ペプチジル tRNA 495
ペプチジル転移反応 495
ペプチジルトランスフェラーゼ 495
ペプチドグリカン 486
ペプチド系 402, 482
ベプリコール 51
ベプリジル 261, 262, 266, 283
ベプリジル塩酸塩水和物 51
ベプレオ 136
ヘプロニカート 271, 53
ペプロマイシン 551
ペプロマイシン硫酸塩 136
ベポタスチン 173, 238, 405
ベポタスチンベシル酸塩 31
ペマフィブラート 469, 108
ペミラストン 29, 60, 84
ペミロラスト 169, 238, 300, 401, 405
ペミロラストカリウム 29, 60, 84
ペムブロリズマブ 557
ベムラフェニブ 562, 141
ベムリディ 128
ペメグリド 156, 578, 25, 147
ペメトレキセドナトリウム水和物 134
ヘモグロビン 362, **363**, 364
ヘモグロビン A1c 457
ヘモコアグラーゼ 380
ヘモジデリン 364
ペモリン 155, 24
ペラグラ皮膚炎 450
ベラサス 36, 54, 80
ペラゾリン 144
ペラチン 3, 59
ペラニンデポー 100
ベラパミル 261, 262, 264, 266, 283, 284, 285, 607, 615, 616, 617
ベラパミル塩酸塩 51
ベラプロスト 189, 271, 274, 382, 384, 608, 612
ベラプロストナトリウム 36, 53, 54, 80
ペラミビル 519
ペラミビル水和物 130
ペランパネル 132, 133
ペランパネル水和物 19
ペリアクチン 25, 30, 33
ヘリカーゼ・プライマーゼ複合体阻害薬 514
ペリキューボ 49
ヘリコバクター・ピロリ 311, 499
ヘリコバクター・ピロリ除菌薬 307, **311**

ペリシット 53, 108
ペリムマブ 202, 203
ペリンドプリルエルブミン 181, 280, 34
ペルイシグアト 255, 49
ペルオキシソーム増殖剤活性化受容体 α 469
ペルオキシソーム増殖剤活性化受容体 γ 420, 461
ペルオキシダーゼ 441
ペルオキシダーゼ阻害薬 442
ペルケイド 142
ペルゴリド 140
ペルゴリドメシル酸塩 20
ペルサンチン 52, 80
ペルサンチン-L 52
ペルジピン 55
ペルソムラ 13
ペルツズマブ 565
ペルテポルフィン 404, 89
ヘルパーT細胞 200
ヘルパーT細胞 IL-2 産生 210
ベルパタスビル 518, 129
ヘルパンギーナ 534
ペルフェナジン 120, 160, 314, 617, 14, 26, 65
ペルフェナジン塩酸塩 14, 26, 65
ペルフェナジンフェンジゾ酸塩 14, 26, 65
ペルフェナジンマレイン酸塩 14, 26, 65
ペルフルブタン 584
ヘルベッサー 51, 55
ベルベリン 322
ベルベリン塩化物水和物 67
ベル・マジャンディーの法則 49
ベルマックス 20
ベレキシブル 140
ヘレニエン 403, 453, 88, 104
ヘロイン 149, 601
ペロスピロン 117, 121, 177, 605
ペロスピロン塩酸塩水和物 15
ベロテック 3, 59
ベングッド 113
ベンザリン 13, 18
ベンザルコニウム 529
ベンザルコニウム塩化物 529, 133
ベンジルアミン系 511
ベンジルイソキノリン誘導体 147
ベンジルペニシリン 488
ベンジルペニシリンカリウム 113
ベンジルペニシリンベンザチン 488, 527
ベンジルペニシリンベンザチン水和物 113, 132
ベンズアミド系 120
ベンズイソキサゾール系 133
ベンズブロマロン 474, 475, 612, 626, 110
ベンゼトニウム塩化物 529, 133
ベンセラジド 140, 369, 615
ベンセラジド塩酸塩 20
ベンゾ［a］ピレン 617
ベンゾジアゼピン 20, 109, 132, 158, 312, 314, 510
ベンゾジアゼピン受容体 **112**, **113**
ベンゾジアゼピン受容体作動薬 115
ベンゾジアゼピン ω_1受容体 113
ベンゾジアゼピン ω_2受容体 113
ベンゾジアゼピン拮抗 292
ベンゾジアゼピン拮抗薬 114, 125
ベンゾジアゼピン系 117, 133
ベンゾジアゼピン系抗不安薬 **125**, 126, 605
ベンゾジアゼピン系催眠薬 605, 612
ベンゾジアゼピン系薬物 112, **114**, 119, 123, 124, 125, 309, 399, 601, 612, 613, 615, 617, 618, 623
ベンゾジアゼピン誘導体 137
ベンゾチアゼピン系 261, 266, 283, 607
ベンゾチアゼピン系 Ca 拮抗薬 279
ベンゾナテート 294
ペンタサ 66
ペンタザック 231, 46
ペンタゾシン 149, 331, 623, 22
ペンタゾシン塩酸塩 22
ペンタミジン 512
ペンタミジンイセチオン酸塩 125
ベンダムスチン 540
ベンダムスチン塩酸塩 134
ベンチルヒドロクロロチアジド 279, 345, 70
ペンチレンテトラゾール 112, 134, 156
ペンチレンテトラゾール〈ペンテトラゾール〉 25
ベンチロミド 580, 148
ペンテイビス 36, 54, 80
ペンテト酸亜鉛 3Na 624
ペンテト酸亜鉛三ナトリウム 151
ペンテト酸カルシウム 3Na 624
ペンテト酸カルシウム三ナトリウム 151
ペンテトラゾール 156
ペンテトラゾール誘発痙攣法 134, 594
ペントキシベリン 294
ペントキシベリンクエン酸塩 57
ペントシリン 113
ペントスタチン 549, 135
ペントナ 7, 21
ペントバルビタール 115, 605
ペントバルビタールカルシウム 12
ベンフォチアミン 451, 102
ベンプロペリン 294
ベンプロペリンリン酸塩 57
ベンホチアミン 450
ベンラファキシン 128, 129, 176
ベンラファキシン塩酸塩 17, 32
ベンラリズマブ 198, 300
ヘンレ係蹄 334, 335, 339
ペンレステープ 10
ヘンレループ 340
ヘンレループ上行脚 **344**
平滑筋 23, 54
平滑筋細胞 55
平滑筋弛緩薬 319
平滑筋内受容器 293
平滑筋の収縮機構 **24**
平均循環時間検査 581
平衡感覚 48
平衡感覚障害 613
閉経期婦人尿由来製剤 359
閉塞性血栓性血管炎 160, 269
閉塞性動脈硬化症 269, 270
併用薬 599
壁細胞 54
変異原性試験 592, 596
変閾 243
変時 243
変伝導 243
変力 243
扁形動物 526
扁平上皮癌 538
片頭痛 151
片頭痛治療薬 **151**, 152
鞭虫 526, 527
便秘 323, 613
便秘防止薬 585

ホ

ほ乳類ラパマイシン標的蛋白質 202, 203, 558, 562
ボアラ 41, 42
ホーネル 105
ボーマン嚢 334, 335
ホーリット 15
ホーリン 100, 111
ホクナリン 3, 59
ボグリボース 462, 464, 609, 612, 107
ホサコナゾール 510, 124
ホジキン病 538
ホジキンリンパ腫 573
ボシュリフ 140
ホスアプレピタント 314, 574
ホスアプレピタントメグルミン 64
ホスアンプレナビル 521
ホスアンプレナビルカルシウム水和物〈FPV〉 127
ホスカビル 128
ホスカルネット 512, 515
ホスカルネットナトリウム水和物 128
ボスチニブ 561
ボスチニブ水和物 140
ホストイン 18
ホスファターゼ 8
ホスファチジルイノシトール 3-キナーゼ 558
ホスファチジルイノシトール 4, 5-二リン酸 8, 16
ホスファチジルイノシトール代謝回転 122
ホスファチジルコリン 327, 467
ホスフェストロール 554, 138
ホスフェニトイン 133
ホスフェニトインナトリウム水和物 18
ホスフラン 92, 103
ホスフルコナゾール 510, 124
ホスホジエステラーゼ 8, 15, **15**
ホスホジエステラーゼ阻害 267
ホスホジエステラーゼ阻害薬 299
ホスホジエステラーゼⅢ阻害薬 384
ホスホマイシン 483, 484, 486, **493**
ホスホマイシン Na 405
ホスホマイシンカルシウム水和物 116
ホスホマイシンナトリウム 91, 116
ホスホリパーゼ **15**, **16**
ホスホリパーゼ A_1 16
ホスホリパーゼ A_2 16, 186, 187, 216
ホスホリパーゼ A_2阻害 190
ホスホリパーゼ B 16
ホスホリパーゼ C 8, 16
ホスホリパーゼ D 16
ホスホリボシルピロリン酸 167
ホスミシン 116
ホスミシン S 91
ホスミシン S 静注/バッグ 116
ボスミン 5, 48, 56, 58
ホスラブコナゾール 510
ホスラブコナゾール L-リシンエタノール付加物 124
ボセンタン 183, 274
ボセンタン水和物 35, 54
ボツリヌス 212
ボツリヌス症 532
ボツリヌス毒素 99
ポドフィリン系 553
ポドフィロトキシン 553

ボナチニブ 561
ボナチニブ塩酸塩 140
ボナロン 112
ボニコグアルファ 380
ボノテオ 112
ボノプラザン 308
ボノプラザン配合錠 383
ボノプラザンフマル酸塩 62
ポビドンヨード 529, 133
ポピヨドン 133
ポピラール 133
ポプスカイン 10
ポマリスト 145
ポマリドミド 570, 145
ホミカ 306
ホミノベン 293, 294, 57
ホメピゾール 624, 151
ホモクロルシクリジン 172, 239
ホモクロルシクリジン塩酸塩 30
ホモ二量体 420
ポラキス 7, 72
ポラプレジンク 310, 63
ポララミン 30
ポリアデノシン5'二リン酸リボースポリメラーゼ 564
ポリエチレングリコール 407, 620
ポリエチレングリコール処理抗 HBs 人免疫グロブリン 395
ポリエチレングリコール処理抗破傷風人免疫グロブリン 395
ポリエチレングリコール処理人免疫グロブリン 395
ポリエン系 482, 511
ポリエンホスファチジルコリン 330, 467, 472, 69, 109
ポリオ 212
ポリカルボフィル Ca 317
ポリカルボフィルカルシウム 66
ポリコナゾール 510, 124
ポリスチレンスルホン酸 Na（Ca） 346
ホリゾン 16, 18, 19
ポリドカスクレロール 80
ポリドカノール 381, 80
ホリトロピンアルファ 359, 424
ホリトロピンデルタ 359
ホリナート 574
ホリナート（ロイコボリン錠）併用療法 545
ホリナートカルシウム 542
ホリナートカルシウム〈ロイコボリンカルシウム〉 146
ボリノスタット 564, 142
ポリフル 66
ポリペプチド系 483, 484
ポリペプチド系抗生物質 **503**, 612
ポリペプチド類 **179**
ポリミキシン 169
ポリミキシン B 503
ポリミキシン B 硫酸塩 120
ボルタレン 44, 46
ボルチオキセチン 128, 129, 176
ボルチオキセチン臭化水素酸塩 17, 32
ボルテゾミブ 564, 142
ボルトラック 69
ボルフィマーナトリウム 570, 145
ホルマリン 529, 132
ホルミル化テトラヒドロ葉酸 542
ホルモテロール 61, 299, 301
ホルモテロールフマル酸塩水和物 3, 59
ホルモン 166, **416**
ホルモン応答配列 202, 219
ホルモン受容体 **419**
ホルモン療法薬 **416**, **554**
ボレー 124
ポロクサマーヨード 529
ボロファラン 572
ボロファラン（^{10}B） 146
ボンアルファ 93, 105
ボンゾール 75, 101
ボンタール 45
ボンティアック熱 532
ボンビバ 112
ポンプ 17
保護軟化薬 407
保存血液 394
補体 217, 559
補体依存性細胞傷害 **559**
芳香族$_L$-アミノ酸脱炭酸酵素 57
芳香族 L-アミノ酸脱炭酸酵素 174
芳香族 L-アミノ酸脱炭酸酵素阻害 140
放射性医薬品 572, **587**, 588, 589
放射性セシウム 624
放射性ヨウ素 442, 614
放射性ヨウ素（ヨウ化ナトリウム） 99
放射線白内障 401
放線菌 207, 510
抱水クロラール 116, 13
包接化合物 272
包虫 527
縫線核セロトニン系 138
飽和曲線 **35**
防御因子増強薬 307, **310**
膀胱括約筋 54, 347
膀胱平滑筋 54, 77, 347
膀胱平滑筋直接作用薬 349
傍糸球体細胞 180
傍糸球体装置 54
房室結節 243
房室ブロック 244
房水産生 399
房水静脈 87
膨張性下剤 323, **323**
発作性夜間ヘモグロビン尿症 369
発作予防 298
発作予防・発作時頓用 298
発疹 612
発赤 216
発赤薬 407
勃起障害 578
本態性血小板血症 371
本態性高血圧 275
本態性低血圧 287
本態性パーキンソン病 138

マ

マーカイン 10
マーベロン 74
マールブルグ病 530
マイコスポール 124
マイコプラズマ 485, 496
マイコプラズマ肺炎 499, 535
マイザー 42
マイスタン 19
マイスリー 13
マイテラーゼ 9
マイトマイシン 136
マイトマイシン C 551, 136
マイナー・トランキライザー **123**
マイロターグ 144
マヴィレット 129
マキサカルシトール 409, 410, 454, 93, 105
マキシピーム 114
マキュエイド 90
マグコロール 149
マクサルト 24, 33
マグセント 74
マグヌス法 595
マグネゾール 74
α_2マクログロブリン 373
α_2-マクログロブリン 375
マクロゴール 4000 324
マクロファージ 168, 194, 195, 362
マクロファージコロニー刺激因子 193, 196
マクロライド系 402, 482, 483, 484, 485, 500, 527, 610
マクロライド系抗生物質 311, **499**, 612, 617, 618
マクロライド耐性肺炎球菌 492
マザチコール 71, 141
マザチコール塩酸塩水和物 7, 21
マシテンタン 183, 274, 35, 54
マジンドール 157, 25
マスーレッド 78
マスキン 133
マストミス 530
マズレニン G 46
マダニ 532
マドパー 20
マニジピン 279, 283
マニジピン塩酸塩 55
マブリン 134
マプロチリン 117, 128, 129, 605
マプロチリン塩酸塩 17
マムシ毒 212
マメハンミョウ 407
マラビロク 521, 127
マラリア 525, 531
マラリア原虫 524
マラロン 131
マリゼブ 106
マリファナ 117, 130, 601
マリファナ受容体 130
マルターゼ 304
マルチキナーゼ阻害薬 563
マルトース 391
マンダラゲ由来 553
マンニットT 70, 83
マンニットール 70, 83
マンニトール 341, 400, 552
D-マンニトール 70
$_D$-マンニトール 83
麻疹 212, 213, 533
麻疹ワクチン 611
麻酔 **107**
麻酔補助薬 **109**
麻酔薬 604
麻痺性イレウス 603
麻薬 130
麻薬及び向精神薬取締法 117
麻薬拮抗性鎮痛薬 149
麻薬拮抗薬 149
麻薬性鎮痛薬 606, 612, 614
膜1回貫通型 448
膜安定化作用 286
膜結合型炭酸脱水酵素 336
膜電位依存性解離 284
膜電位変化 19

膜リン脂質 187
末梢 COMT 阻害 140
末梢細動脈 54
末梢循環改善薬 **269**, **270**, 271
末梢循環障害 **269**, 390
末梢神経炎 613
末梢神経系 46, 47, **48**
末梢神経終末アセチルコリン放出阻害薬 349
末梢神経線維 **50**
末梢性気道分泌促進薬 296
末梢性降圧薬 **277**, **278**, 279, 280
末梢性呼吸興奮薬 290
末梢性骨格筋弛緩薬 94, **99**
末梢性催吐薬 594
末梢性酸分泌抑制薬 308
末梢性鎮咳薬 **294**
末梢性鎮痛作用 150
末梢性めまい 160
末梢動・静脈閉塞症 390
末梢用 391
丸山ワクチン 574
満月様顔貌 222
慢性心不全 249
慢性心不全治療薬 250
慢性膵炎 331
慢性鉄過剰症 364
慢性動脈閉塞症 269
慢性毒性試験 596
慢性特発性血小板減少性紫斑病 371
慢性副鼻腔炎 405
慢性閉塞性肺疾患 298
慢性閉塞性肺疾患治療薬 **298**
慢性便秘 323

ミ

ミアンセリン 117, 128, 129, 605
ミアンセリン塩酸塩 17
ミエリン鞘 **51**
ミオクローヌス 134
ミオクロニー発作 131
ミオグロビン尿 468
ミオコール 51
ミオシン 24, 26, 28
ミオシン軽鎖キナーゼ 24, 55
ミオシン軽鎖脱リン酸化酵素 24
ミオシン軽鎖ホスファターゼ 24
ミオナール 19, 26
ミオピン 86
ミカエリス定数 39
ミカエリス・メンテン式 **39**
ミカファンギン 510
ミカファンギンナトリウム 123
ミカルディス 34
ミグシス 24
ミグリステン 24, 33
ミグリトール 462, 107
ミクロソームトリグリセリド転送タンパク質 470
ミケラン 4, 84
ミコール酸生合成阻害 508
ミコナゾール 510, 618, 123
ミコフェノール酸 202, 205
ミコフェノール酸モフェチル 206, 37
ミコブティン 122
ミセル形成 471
ミソプロストール 189, 307, 310, 35, 63
ミゾリビン 202, 205, 206, 210, 37, 39
ミダゾラム 109, 115, 125, 133, 12, 13, 18
ミダフレッサ 18
ミチグリニド 459, 464
ミチグリニドカルシウム水和物 106
ミツロウ 407
ミトキサントロン 569
ミトキサントロン塩酸塩 144
ミトコンドリア機能改善薬 **462**
ミトタン 434, 571, 145
ミドドリン 60, 66, 287
ミドドリン塩酸塩 1, 56
ミドリン M 7, 85
ミニプレス 1, 71
ミニリンメルト 73, 99
ミネブロ 71
ミノアレ 18
ミノサイクリン 408, 485, 496, 527
ミノサイクリン塩酸塩 91, 117, 132
ミノドロン酸 478
ミノドロン酸水和物 112
ミノマイシン 91, 117, 132
ミョウバン 406
ミラベグロン 61, 349, 4, 72
ミラペックス 20
ミリステープ 51
ミリスロール 51, 149
ミリダシン 44
ミリプラ 136
ミリプラチン 552
ミリプラチン水和物 136
ミリモスチム 196, 370, 574
ミルタザピン 117, 128, 129, 176, 17, 32
ミルタックス 46
ミルナシプラン 117, 128, 129, 176
ミルナシプラン塩酸塩 17, 32
ミルリーラ 49
ミルリノン 15, 252, 253, 254, 49
ミレーナ 101
ミロガバリン 153
ミロガバリンベシル酸塩 24
ミンクリア 149
味覚 48
未吸収薬物の除去法 **620**
未熟児無呼吸発作 292
未分化リンパ腫キナーゼ 558, 560
水再吸収 336
水チャネル 17, 20, 335
密集斑 180, 339
耳鳴り 613
脈絡膜 87, 398
脈絡膜動脈 87

ム

ムイロジン 110
ムコサール 58
ムコスタ 63, 89
ムコゾーム 85
ムコソルバン 58
ムコダイン 58, 91
ムコ多糖分解酵素 **232**
ムコ蛋白 295
ムコ蛋白質分解薬 297
ムコフィリン 58
ムスカリン 70, 6
ムスカリン M_1受容体 69
ムスカリン M_1/M_3受容体 7
ムスカリン M_2受容体 7, 20, 69
ムスカリン M_3受容体 69
ムスカリン受容体 5, 13, 53, 55, 68, 85, 86
ムスカリン受容体拮抗薬 261, 299, 308, 314, 317
ムスカリン受容体刺激薬 **70**, 75, 315, 316, 348, 400
ムスカリン受容体遮断 141
ムスカリン受容体遮断薬 75, 76, 77, 307, 312, 349
ムスカリン受容体遮断薬の作用 85
ムスカリン受容体阻害薬 **70**
ムスカリン様作用 85
ムピロシン 502
ムピロシン Ca 405
ムピロシンカルシウム水和物 91, 119
ムラミルジペプチド 208
ムルプレタ 79
ムンデシン 135
ムンプスウイルス 534, 535
無顆粒球 195, 362
無顆粒球症 603
無顆粒性白血球 195
無菌性髄膜炎 535
無鉤条虫 526
無髄 C 線維 145
無水カフェイン 57, 24
無水硫酸ナトリウム配合剤 625
無動 138, 140
無動性無言症 163

メ

めまい **159**, **160**
めまい治療薬 **159**
メイアクト 115
メイセリン 114
メイラックス 16
メイロン 26
メインテート 2
メカセルミン 426
メキサゾラム 126, 16
メキシチール 50, 107
メキシレチン 259, 262, 465
メキシレチン塩酸塩 50, 107
メキタジン 173, 238, 300, 31, 60
メキニスト 141
メクトビ 141
メクリジン 314
メクロフェノキサート 160, 162
メクロフェノキサート塩酸塩 25, 27
メコバラミン 365, 452, 77, 104
メサデルム 41, 42
メサドン 149
メサドン塩酸塩 22
メサドン代替療法 148, 149
メサペイン 22
メサラジン 318, 66
メジコン 57
メジャー・トランキライザー **118**
メスカリン 117, 130, 601, 18
メスチノン 9
メスナ 540, 574, 146
メソトレキセート 134
メタケイ酸アルミン酸マグネシウム 309
メタコリマイシン 120
メタコリン 70, 75, 579, 6
メタコリン塩化物 147
メタコリン負荷試験 579
メタスルホ安息香酸デキサメタゾン 223, 401
メタスルホ安息香酸デキサメタゾン Na 225, 403, 433

メダゼパム 126, 16
メタゾラミド 609
メタネフリン 57
メタノール 624
メタノールエチレングリコール 624
メタノール変性アルコール 529
メタボリン 102
メタヨードベンジルグアニジン 589
メタライト 151
メタルカプターゼ 38, 151
メタロドプシンⅡ 453
メタンフェタミン 117, 155, 601
メタンフェタミン塩酸塩 24
メチエフ 6, 59
メチオニン-エンケファリン 146
メチオニンリジルブラジキニン 182
メチキセン 71
メチキセン塩酸塩 7
メチコバール 77, 104
メチシリン 488, 113
メチシリン耐性黄色ブドウ球菌 488, 494, 503
メチシリン耐性黄色ブドウ球菌感染症 535
メチシリン耐性菌 487
メチシリン耐性コアグラーゼ陰性ブドウ球菌 494
メチマゾール 442
メチラポン 430, 434, 580, 148
1-メチル-4-フェニル-1,2,3,6-テトラヒドロピリジン 138
N^{τ}-メチルイミダゾリル酢酸 167
メチルエフェドリン 65, 299
メチルエルゴメトリン 63, 354
メチルエルゴメトリンマレイン酸塩 5, 74
メチル基転移酵素 564
メチルコバラミン 450
メチルジゴキシン 250, 48
メチルチオニニウム 624
メチルチオニニウム塩化物水和物 151
α-メチルドパ 60, 66
α メチルドパ 276
メチルドパ 369
メチルドパ水和物 1
2-メチルヒスタミン 170
4-メチルヒスタミン 170
N^{τ}-メチルヒスタミン 167
(R)-α-メチルヒスタミン 170
メチルヒドラジン化合物 569
メチルフェニデート 155
メチルフェニデート塩酸塩 24
メチルプレドニゾロン 204, 224, 433, 40
メチルプレドニゾロンコハク酸エステルナトリウム 40
メチルプレドニゾロン酢酸エステル 40
メチルプレドニゾン 220, 237
メチルベナクチジウム 308, 604
メチルメチオニンスルホニウム 310, 330
メチルメチオニンスルホニウムクロリド 63, 69
メチレンジホスホン酸テクネチウム 588
5, 10-メチレンテトラヒドロ葉酸 544
メチレンブルー 151
メチロシン 571, 145
メディエーター合成または受容体阻害薬 300
メディエーター産生・遊離抑制薬 237
メディエーター遊離阻害薬 300
メディエーター遊離抑制作用をもつ H_1拮抗薬 173
メテノロン 609
メテノロンエナント酸エステル 368, 439, 477, 101, 111
メテノロン酢酸エステル 368, 439, 477, 101, 111
メテバニール 57
メトカルバモール 137, 19
メトキサミン 60, 287
メトキサミン塩酸塩 1, 56
メトキサレン 412, 617, 95
7-メトキシアミノセファロスポラン酸 489
2-メトキシイソブチルイソニトリル 588
メトキシフェナミン 61, 299
メトキシフェナミン塩酸塩 3, 58
メトグルコ 107
メトクロプラミド 109, 309, 312, 314, 316, 63, 65
メトトレキサート 202, 205, 206, 210, 365, 410, 542, 542, 573, 574, 611, 612, 614
メトトレキサート〈MTX〉 37, 39, 134
メトトレキサート通常療法 542
メトトレキサート・フルオロウラシル交代療法 542
メトニウム化合物 79
メトニウム化合物の構造活性相関 79
メトピロン 148
メトプロロール 61, 66, 249, 255, 260, 268, 278, 286, 618
メトプロロール酒石酸塩 2
メトヘモグロビン血症 450, 614, 624
メトホルミン 461, 464, 609
メトホルミン塩酸塩 107
メトリジン 1, 56
メトレート 37, 39
メドロール 40
メドロキシプロゲステロン酢酸エステル 554, 101, 137
メトロニダゾール 311, 322, 388, 524, 131
メナキノン 455
メナテトレノン 379, 386, 388, 455, 477, 79, 105, 111
メニエル症候群 159, 160, 171
メニレット 26, 70, 83
メネシット 20
メバロチン 108
メピチオスタン 366, 367, 436, 554, 100, 137
メピバカイン 93
メピバカイン塩酸塩 10
メピラミン 172
メピラミン〈ピリラミン〉 30
メファキン 131
メフェナム酸 230, 606, 45
メフェニトイン 600, 617
メフェネシン 137, 158, 623, 19
メブチン 3, 59
メフルシド 279, 345, 70
メフロキン 525
メフロキン塩酸塩 131
メプロバメート 621
メペンゾラート 71, 75, 317, 320
メペンゾラート臭化物 8, 66
メベンダゾール 527, 131
メポリズマブ 197, 300
メマリー 28
メマンチン 164
メマンチン塩酸塩 28
メラトニン 116, 174, 417, 419, 421, 13
メラトニン受容体作動薬 116
メラトベル 13
メラニン細胞刺激ホルモン 146, 417, 422, 427
メラニン細胞刺激ホルモン放出ホルモン 417, 422, 427
メラニン細胞刺激ホルモン放出抑制ホルモン 417, 422, 427
メラノコルチン受容体 419
メラノスタチン 417, 422, 427
メラノトロピン 417, 419, 422, 427
メラノリベリン 417, 422, 427
メリスロン 26
メルカゾール 99
メルカプトアセチルグリシルグリシルグリシンテクネチウム 588
6-メルカプトプリン 611, 615
メルカプトプリン 318, 365, 475, 548
メルカプトプリン水和物 66, 135
メルケル細胞癌 557
メルファラン 540, 134
メレックス 16
メレナ 379
メロキシカム 230, 231, 45
メロペネム 492, 618
メロペネム水和物 115
メロペン 115
メンタックス 124
l-メントール 586, 149
メントール 407
メンドン 16
迷走神経 48, 52
迷走神経耳介枝 293
迷走神経終末 ACh 遊離促進 178
迷走神経内 A 線維 293
迷走神経内 C 線維 293
滅菌 528
免疫学的製剤 212, 611
免疫機構 200
免疫強化薬 207, 611
免疫グロブリン 208, 516
免疫グロブリン製剤 394, 395
免疫系におけるサイトカインの作用 194
免疫増強薬 409
免疫担当細胞 201
免疫チェックポイント阻害薬 557
免疫チェックポイント分子 557
免疫調節薬 210, 611
免疫賦活 539
免疫賦活作用 516
免疫賦活薬 523
免疫複合体反応 236
免疫抑制薬 197, 201, 204, 210, 368, 369, 371, 401, 409, 410, 611
免疫療法薬 556
綿球法 593

モ

モイゼルト 92
モーバー 38
モービック 45
モーラス 46
モガムリズマブ 568
モキシフロキサシン 402, 504
モキシフロキサシン塩酸塩 87, 121
モクロベミド 64, 65, 66, 176
モザバプタン 346, 428
モザバプタン塩酸塩 71, 99
モサプラミン 120
モサプラミン塩酸塩 15

モサプリド　178, 315, 316, 585
モサプリドクエン酸塩水和物　33, 65, 149
モダシン　114
モダフィニル　156, 25
モチリン　447
モディオダール　25
モニラック　69
モニリア　510
モノアシルグリセロール　469
モノアミンオキシダーゼ　57, 174, 175
モノアミン欠乏仮説　128
モノアミン小胞トランスポーター 2 選択的阻害薬　143
モノアミントランスポーター　21
モノエタノールアミンオレイン酸塩　80
モノカイン　192
モノバクタム　487, 492
モノバクタム系抗生物質　**492**
モノフィリン　49, 59, 70
モノヨードチロシン　441
モフェゾラク　229, 44
モメタゾンフランカルボン酸エステル　300, 301, 41, 42, 61
モリデュスタット　367, 78
モルヒナン骨格　147
モルヒネ　43, 107, 109, 147, **148**, 149, 169, 312, 313, 322, 331, 601, 606, 613, 615, 623
モルヒネ塩酸塩　22
モルヒネ塩酸塩水和物　22
モルヒネ型　601
モルヒネ系鎮痛薬　149
モルヒネ硫酸塩水和物　22
モルフォリン系　511
モルモット全身性能動アナフィラキシー　596
モルモットヒスタミン胃潰瘍法　594
モンテプラーゼ　390
モンテルカスト　190, 239, 300, 405, 36, 61, 90
毛細血管収縮による壊疽　612
毛細血管透過性法　593
毛様体　87
毛様体筋　54, 87, 88, 398
毛様体筋収縮　400
毛様体上皮　399
毛様体上皮細胞　88, 400
毛様体神経節　52
毛様突起　87, 398
網状赤血球　363
網状層　429
網膜・角膜障害　613
網膜色素変性症　453

ヤ

ヤーズ　101
ヤーズフレックス　101
ヤクラックス　133
ヤシ殻活性炭　622
ヤシ油　407
ヤヌスキナーゼ　202, 558
ヤヌスキナーゼ〈JAK〉　523
ヤヌスキナーゼ〈JAK〉阻害薬　523
ヤヌスキナーゼ阻害薬　210, 318
野兎病　532
夜尿症　349
夜盲　453
薬剤耐性緑膿菌感染症　535
薬物アレルギー　598
薬物結合型受容体濃度［AR］　30
薬物性白内障　401
薬物相互作用　**615**
薬物動態学的相互作用　**616**
薬物動態試験　592
薬物の体内動態　**40**
薬物排出機構　40
薬物負荷法　594
薬用活性炭　322
薬用炭　407
薬力学的相互作用　**615**
薬理試験　592
薬理試験法　**593**, 594
薬効薬理試験　592

ユ

ユーエフティ　134
ユーカリ油　407
ユーゼル　146
ユーパスタ　94
ユービット　147
ユーロジン　13
ユナシン　113, 115
ユナシン-S　115
ユニフィル LA　29, 59
ユニポーター　17
ユビキチン-プロテアソーム系　564
ユビキノン誘導体　512
ユビデカレノン　255, 50
ユベラ　105
ユベラ N　53, 105, 108
ユリーフ　1, 71
ユリス　110
ユリノーム　110
輸液　608
油性懸濁剤　42
油性造影剤　582
有害作用　598
有害事象　**598**
有機アニオントランスポーター　342
有機陰イオン　43, 616
有機陰イオントランスポーター　343
有機塩基トランスポーター　43
有機酸トランスポーター　43
有機酸輸送系　343
有機陽イオン　43
有機リン系化合物　72, 73, 75
有機リン系農薬　623
有鉤条虫　526
有効腎血流量検査　581
有効性　31
有髄 Aδ 線維　145
有痛性痙縮　135
誘導型シクロオキシゲナーゼ　227
誘導期　107
幽門　54
遊離コレステロール　467

ヨ

Ⅳ　372
Ⅳ型アレルギー　236
4 号液　392
4 類感染症　531, 532
4-ヒドロキシ-3-メトキシマンデル酸　57
4-メチルヒスタミン　170
ヨウ化 Na　589
ヨウ化カリウム　296, 442, 99
ヨウ化ナトリウム　442, 614, 99
ヨウ化メチルノルコレステノール　589
ヨウ素　403, 441, 529, 582, 133
ヨウ素系　529
ヨウ素製剤　442
ヨウ素配合カデキソマー　411, 94
ヨウ素レシチン　403, 442, 89, 99
ヨウレチン　89, 99
ヨード塩　296
ヨード化ケシ油脂肪酸エチルエステル　582, 583
ヨード製剤　528
ヨードチンキ　528, 529, 133
15-（4-ヨードフェニル）-3（*R,S*）-メチルペンタデカン酸　589
3-ヨードベンジルグアニジン　572
3-ヨードベンジルグアニジン（^{131}I）　146
ヨンデリス　144
予測性悪心・嘔吐　314
予防接種　**214**
予防接種法　213
予防接種薬　**212**
陽イオン界面活性剤　529
陽性症状　118
陽性造影剤　582
幼牛血液抽出物　411
溶血性尿毒症症候群　530, 602
溶血性貧血　363, **369**, 603, 614
溶血性貧血治療薬　369
溶血性連鎖球菌　506
溶性ピロリン酸第二鉄　364, 77
溶連菌　207, 556
葉酸　**363**, 365, 450, 452, 505, 541, 77, 104
葉酸還元酵素　542
葉酸欠乏性貧血治療薬　365
葉酸代謝　542
葉酸代謝拮抗薬　205, 206, 210, 483, 484, 539, 541, **542**, 574
葉酸代謝阻害　512
腰神経　49
腰髄　52
羊水減少　614
容量血管　242
用量反応曲線　30
抑うつ　613
抑うつ神経症　123
横川吸虫　526
四環系　117, 128
四環系抗うつ薬　129, 605
四級アンモニウム化合物　78
四級アンモニウム誘導体　71, 73
四種混合　213

ラ

らい菌　412, 509
ライアット MIBG-I131　146
ライ症候群　228
ライジング　593
ライム病　532
ラインウィーバー-バークプロット　**39**
ラキソベロン　67
ラクターゼ　304
ラクチトール　330
ラクチトール水和物　69
ラクツロース　324, 330, 69
ラクトバチルス　494
ラクトン　499
ラグノス　69

ラクリミン 10, 88
ラコサミド 132, 133, 19
ラサギリン 140
ラサギリンメシル酸塩 20
ラジカット 27
ラシックス 70
ラジレス 34
ラスクフロキサシン 504
ラスクフロキサシン塩酸塩 121
ラステット 137
ラスビック 121
ラスブリカーゼ 474, 475, 574
ラタノプロスト 189, 400, 35, 83
ラタモキセフ 485, 490
ラタモキセフナトリウム 114
ラツーダ 15
ラッカセイ油 407
ラッサ熱 530
ラット Clamping Cortisone 法 594
ラット受動皮膚アナフィラキシー 596
ラット幽門部結紮法 594
ラディオガルダーゼ 151
ラナトシド C 250
ラニチジン 109, 170, 308
ラニチジン塩酸塩 62
ラニナミビル 519
ラニナミビルオクタン酸エステル水和物 130
ラニビズマブ 404
ラニムスチン 540, 134
ラニラピッド 48
ラノコナゾール 510, 124
ラノステロール C-14 脱メチル化酵素 510
ラパチニブ 560
ラパチニブトシル酸塩水和物 139
ラパリムス 141
ラピアクタ 130
ラフチジン 170, 308, 62
ラブリズマブ 369
ラベタロール 62, 66, 278, 286
ラベタロール塩酸塩 5
ラベプラゾール 308
ラベプラゾールナトリウム 62
ラベルフィーユ 74
ラボナ 12
ラボナール 12
ラマトロバン 190, 239, 300, 405, 36, 90
ラミクタール 19
ラミシール 124
ラミブジン 517, 520, 522
ラミブジン〈3TC〉 126, 128
ラムシルマブ 566
ラメルテオン 116, 421, 13
ラモセトロン 178, 314, 317, 574
ラモセトロン塩酸塩 33, 64, 66
ラモトリギン 122, 132, 133, 134, 19
ラリキシン 113
ラルテグラビル 521
ラルテグラビルカリウム 127
ラロキシフェン 478
ラロキシフェン塩酸塩 111
ランゲルハンス島 α 細胞 444
ランゲルハンス島 β 細胞 444
ランジオロール 61, 66, 109, 260, 286, 586
ランジオロール塩酸塩 2, 149
ランソプラゾール 308, 608, 62
ランソプラゾール配合錠 383
ランダ 136
ランタス注カート 300 625
ランダムスクリーニングテスト 592
ランツジール 44
ランデル 55
ランドセン 18
ランプレン 95, 123
ランレオチド 426, 571
ランレオチド酢酸塩 98, 145
酪酸クロベタゾン 226
酪酸ヒドロコルチゾン 224, 226
酪酸プロピオン酸ヒドロコルチゾン 224, 226
酪酸プロピオン酸ベタメタゾン 225, 226, 410
酪酸リボフラビン 408, 451
卵巣 357
卵巣癌 573
卵巣線維肉腫 538
卵胞刺激ホルモン 417, 424, 435
卵胞ホルモン 352, 356, 359, 417, 422, 424, 430, 435, **435**, 612, 614
卵胞ホルモン・黄体ホルモンの合剤 438
卵胞ホルモン拮抗薬 436
卵胞ホルモン製剤 554
卵胞ホルモン様作用薬 435
卵膜外注入点滴 354

リ

リアノジン受容体 8, 12, 20
リアノジン受容体遮断 99
リアメット 131
リアルダ 66
リーゼ 16, 25
リーマス 15
リウマチ性疾患 222
リウマトレックス 37, 39
リエントリー 257
リオシグアト 274, 54
リオチロニン Na 442, 609
リオチロニンナトリウム〈T_3-Na〉 99
リオナ 77
リオレサール 19
リカルボン 112
リガンド濃度 35
リキシセナチド 460, 106
リキスミア 106
リクシアナ 82
リケッチア 485, 496
リサイオ 134
リザトリプタン 152, 177
リザトリプタン安息香酸塩 24, 33
リザベン 29, 60, 84, 93
リサンキズマブ 197, 410
リシノール酸 325
リシノプリル 181, 255, 280
リシノプリル水和物 34
リシンバソプレシン 428
リスデキサンフェタミン 155
リスデキサンフェタミンメシル酸塩 24
リスパダール 15
リスペリドン 117, 121, 177, 605, 15
リスミー 13
リズミック 6, 56
リスモダン 50
リスモダン P 50
リスモダン R 50
リセドロン酸 478
リセドロン酸ナトリウム水和物 112
リゼルグ酸ジエチルアミド 130
リゼルグ酸ジエチルアミド〈LSD-25〉 18
リソソーム酵素 217
リソソーム様顆粒分泌 296
リゾチーム 232, 401, 403, 411, 606
リゾチーム塩酸塩 85
リタリン 24
リチウム 117, 122, 616
リツキシマブ 201, 202, 203, 369, 371, 567, 573
リッサウイルス感染症 531
リドカイン 93, 108, 251, 259, 262, 403, 612, 617, 623, 10, 50, 150
リドカイン塩酸塩 10, 50, 88, 150
リトドリン 61, 66, 353, 355, 608, 612
リトドリン塩酸塩 3, 74
リトナビル 521, 522
リトナビル〈rtv〉 126
リドメックスコーワ 40, 43
リナグリプチン 460, 464, 106
リナクロチド 317, 326, 66, 67
リネゾリド 483, 488, 502, 120
リノコート 41, 90
リノロサール 85, 87
リパーゼ 304, 306
リバーロキサバン 386, 82
リバオール 69
リパスジル 400
リパスジル塩酸塩水和物 83
リバスタッチ 9
リバスタッチパッチ 28
リバスチグミン 73, 164, 9, 28
リバビリン 518, 128
リバロ 108
リピディル 108
リピトール 108
リピドサイクル 486, 494
リファキシミン 330, 483, 69
リファジン 95, 122, 123
リファブチン 508, 122
リファンピシン 388, 412, 483, 484, 507, 508, 509, 610, 612, 617, 618, 95, 122, 123
リフキシマ 69
リプル 35, 53, 80
リフレックス 17, 32
リベルサス 106
5-リポキシゲナーゼ 184, 185, 186, 187
5-リポキシゲナーゼ阻害 173, 238
リポキシゲナーゼ阻害 190
リポキシゲナーゼ代謝産物 185
リポコルチン 191, 433
リポスチン 31, 84
リポステロイド 223
リポ製剤 42
リボソーム 495
リボソーム 30S 483
リボソーム 50S 483
リポ蛋白質 **466**
リポ蛋白質リパーゼ 466, 467
リボトリール 18
リポトロピン 423
リボヌクレオチド還元酵素阻害薬 548
リポバス 108
リボフラビン 408, 450, 451, 92, 103
リボフラビン酪酸エステル 92, 103
リボフラビンリン酸エステルナトリウム 92, 103
リマチル 38
リマプロスト 382, 608
リマプロストアルファデクス 189, 271, 384, 35, 53, 80
リムパーザ 142

リメタゾン　41
リュウアト　7, 85
リューシュマニア　524
リュウタン　306
リュープリン　75, 96, 138
リュープロレリン　358, 424, 554, 609, 612, 613
リュープロレリン酢酸塩　75, 96, 138
リラグルチド　446, 460, 464, 106
リラナフタート　511, 124
リリカ　24, 107
リルピビリン　520, 522
リルピビリン塩酸塩　126
リルマザホン　115
リルマザホン塩酸塩水和物　13
リレンザ　130
リンヴォック　39, 93
リンゲル液　392
リンコシン　119
リンコマイシン　494, 500, 610, 613
リンコマイシン塩酸塩水和物　119
リンコマイシン系　483, 484, 610
リンコマイシン系抗生物質　408, **500**
リン酸エストラムスチン Na　435
リン酸化酵素　8
リン酸ジエチルスチルベストロール　554
リン酸水素 Ca　477
リン酸水素カルシウム　346
リン酸デキサメタゾン　223, 401, 433
リン酸デキサメタゾン Na　225, 403, 405, 433
リン酸ヒドロコルチゾン Na　224
リン酸ピリドキサール　408, 451
リン酸プレドニゾロン Na　223, 224, 318
リン酸ベタメタゾン　223, 401
リン酸ベタメタゾン Na　225, 318, 403, 433
リン酸ベタメタゾンナトリウム　360
リン酸リボフラビン　408
リン酸リボフラビン Na　451
リンゼス　66, 67
リンデロン　41, 66, 85, 87
リンデロン A　86
リンデロン DP　41, 42
リンデロン V　41, 42
リンパ球　362
リンパ系幹細胞　195
リンパ節の悪性リンパ腫　538
リンパ肉腫　538
リンホカイン　192
リンラキサー　19
離人恐怖症　123
離脱症候群　222
利胆薬　**327**, **328**
利尿作用　251
利尿薬　160, 249, 250, 255, **255**, 276, 277, 279, 281, 282, **334**, **340**, 365, 368, 595, 621
力価　126
律動的子宮収縮　352
硫化アルカリ　406
硫化ストロンチウム　406
硫化バリウム　406
硫酸　41
硫酸 Mg　620
硫酸 Na　620
硫酸亜鉛　312, 313, 403, 406, 88
硫酸アトロピン　7, 51, 72
硫酸アルミニウムカリウム　406
硫酸カナマイシン　117, 122
硫酸カリウム　324
硫酸カルシウム製　620
硫酸ストレプトマイシン　117, 122
硫酸セフォセリス　613
硫酸鉄　364, 77
硫酸銅　312, 313
硫酸銅誘発嘔吐試験　594
硫酸ナトリウム　324
硫酸バリウム　582, 584, 585
硫酸プロタミン　386
硫酸抱合　43
硫酸ポリミキシン B　120
硫酸マグネシウム　319, 320, 324, 328, 355
硫酸マグネシウム〈硫苦, 硫麻〉　67, 68
硫酸マグネシウム水和物　67, 68, 74
流行性角結膜炎　535
流行性耳下腺炎（ムンプス, おたふく風邪）　534
流産　614
両性混合ホルモン製剤　435
両面界面活性剤　529
緑内障　96, **398**
緑内障悪化　613
緑内障禁忌　88
緑内障治療　88, 286
緑内障治療薬　**398**, **399**, 400, 609
緑膿菌　485, 498, 503, 528
淋菌　485, 489, 498, 506
淋菌感染症　535
輪卵管　357

ル

ループ系　615
ループ・チアジド系利尿薬　612
ループ利尿薬　21, 250, 255, 277, 279, 340, 342, 343, 344, 345, 607, 613
ルーラン　15
ル・エストロジェル　100
ルキソリチニブ　561
ルキソリチニブリン酸塩　140
ルコナック　124
ルジオミール　17
ルシドリール　25, 27
ルストロンボパグ　196, 371, 79
ルセオグリフロジン　463
ルセオグリフロジン水和物　107
ルセフィ　107
ルタテラ　146
ルティナス　101
ルテウム　101
ルテチウムオキソドトレオチド　572
ルテチウムオキソドトレオチド（^{177}Lu）　146
ルトラール　101
ルネスタ　13
ルネトロン　70
ルパタジン　173, 238
ルパタジンフマル酸塩　31
ルパフィン　31
ルピアール　13, 18
ルビプロストン　20, 189, 326, 35, 67
ルフィナミド　134, 19
ルプラック　70
ルボックス　17, 32
ルミガン　35, 83
ルラシドン　121
ルラシドン塩酸塩　15
ルリオクトコグアルファ　380
ルリオクトコグアルファペゴル　380
ルリコナゾール　510, 124
ルリコン　124
ルリッド　118
涙液分泌　48

レ

レイアタッツ　127
レイノー病　269, 270
レイン・アンスロン　325
レカルブリオ　115
レキサルティ　15
レキソタン　16
レギチーン　4, 147
レキップ　20
レクサプロ　17, 32
レクシヴァ　127
レクタブル　41, 66
レクチゾール　95, 123
レグテクト　12
レグナイト　21
レグパラ　99
レゴラフェニブ　563
レゴラフェニブ水和物　141
レザフィリン　145
レジオネラ症　532
レシチン　327
レシチン-コレステロールアシル基転移酵素　467
レジパスビル　518
レジパスビルアセトン付加物　129
レスキュラ　35, 83
レスタス　16
レスタミン　29
レストレスレッグス症候群　**143**
レストレスレッグス症候群治療薬　**143**
レスピア　24, 57
レスプレン　57
レスミット　16
レスリン　17, 32
レセルピン　64, 65, 66, 120, 138, 176, 278, 281, 604, 613, 6
レセルピン誘発眼瞼下垂試験　594
レダコート　40, 43
レダマイシン　117
レチナール　453
レチノイド　453
レチノイド X 受容体　419, 420, 570
レチノイド関連薬　570
レチノイン酸　453
レチノイン酸受容体　419, 420, 453
レチノイン酸受容体刺激薬　408
レチノール　**453**
レチノールパルミチン酸エステル　93, 104
レットヴィモ　140
レッドネック症候群　169, 494, 610
レテルモビル　515, 128
レトロゾール　436, 554, 100, 137
レトロビル　126
レナデックス　139
レナリドミド　570
レナリドミド水和物　145
レニベース　34
レニン　179, 339
レニン・アンギオテンシン・アルドステロン系　**179**
レニン・アンギオテンシン・アルドステロン系阻害薬　255
レニン・アンギオテンシン・アルドステロン昇圧系　339

レニン阻害薬 181, 276, 277, 282, 337
レニン分泌 180
レノグラスチム 196, 368, 370, 574
レパグリニド 459, 106
レバチオ 54
レバミピド 310, 404, 63, 89
レバロルファン 149, 292, 623
レバロルファン酒石酸塩 23, 57, 150
レビー小体型認知症 105, 164
レビトラ 76
レプトスピラ症 532
レブラミド 145
レフルノミド 202, 205, 206, 210, 623, 37, 39
レペタン 22
レベチラセタム 132, 133, 134, 19
レベトール 128
レボカバスチン 173, 238, 401, 405
レボカバスチン塩酸塩 31, 84
レボスパ 75
レボセチリジン 173, 238
レボセチリジン塩酸塩 31
レボチロキシン 360
レボチロキシン Na 442, 609
レボチロキシンナトリウム水和物〈T_4-Na〉 99
レボドパ 139, 140, 313, 369, 427, 605, 613, 615, 20
レボドパ・カルビドパ（ベンセラジド）併用療法 140
レボドパ・カルビドパ・エンタカポン 3 剤配合錠 140
レボトミン 14
レボノルゲストレル 356, 359, 437, 438, 478, 608, 101
レボブノロール 88, 286, 400
レボブノロール塩酸塩 84
レボブピバカイン 93
レボブピバカイン塩酸塩 10
レボフロキサシン 402, 504, 508
レボフロキサシン水和物 87, 121, 122
レボホリナート 573
レボホリナート Ca 575
レボホリナートカルシウム 146
レボメプロマジン 120, 122
レボメプロマジン塩酸塩 14
レボメプロマジンマレイン酸塩 14
レボレード 79
レミカット 31, 93
レミッチ 23
レミニール 9, 28
レミフェンタニル 109, 149
レミフェンタニル塩酸塩 22
レミマゾラム 109
レミマゾラムベシル酸塩 12
レムデシビル 523, 130
レムナント受容体 467
レメロン 17, 32
レラキシン 11
レリフェン 44
レルゴリクス 424, 97
レルパックス 24, 33
レルベア 3, 59
レルミナ 97
レレバクタム 491
レレバクタム水和物 115
レンドルミン 13
レンノックス・ガストー症候群 134
レンバチニブ 563
レンバチニブメシル酸塩 141
レンビマ 141
レンボレキサント 116, 13
連合中枢 104
連鎖球菌 485

ロ

6-MP 548, 615
6-チオイノシン酸 206
6-メルカプトプリン 611, 615
ロイケリン 66, 135
ロイコトリエン 144, 184, 186, **187**, 188
ロイコトリエン受容体拮抗 190
ロイコトリエン受容体拮抗薬 405
ロイコトリエン類 185
ロイコボリン 574, 146
ロイコボリンカルシウム 542
ロイコボリン救援療法 542
ロイコン 79
ロイシン-エンケファリン 146
ロイスタチン 135
ローガン 5
ローコール 108
ローザグッド 26
ロートエキス 322, 399
ロープレナ 139
ローヘパ 81
ロカイン 10
ロカルトロール 105, 111
ロキサチジン 170
ロキサチジン酢酸エステル 308
ロキサチジン酢酸エステル塩酸塩 62
ロキサデュスタット 367, 78
ロキシーン 19
ロキシスロマイシン 499, 610, 614, 118
ロキソニン 45, 46
ロキソプロフェン 230, 231
ロキソプロフェンナトリウム水和物 45, 46
ロキナーゼ型プラスミノゲンアクチベーター 376
ロクロニウム 95, 96, 99, 109, 623
ロクロニウム臭化物 11
ロコア 46
ロコイド 40, 43
ロコルナール 52
ロサルタン 181, 280, 281, 465, 612
ロサルタンカリウム 34, 107
ロスバスタチン 469
ロスバスタチンカルシウム 108
ロズリートレク 140
ロゼックス 131
ロセフィン 114
ロゼレム 13
ロタウイルス 212, 213, 535
ロチゴチン 140, 143, 20, 21
ロドピン 15
ロドプシン 453
ロトリガ 109
ロナセン 15
ロノクトコグアルファ 380
ロバキシン 19
ロビオン 45
ロピナビル 521, 522
ロピナビル〈LPV〉 126
ロピニロール 140
ロピニロール塩酸塩 20
ロピバカイン 93
ロピバカイン塩酸塩水和物 10
ロフェプラミン 129
ロフェプラミン塩酸塩 17
ロフラゼプ酸エチル 126, 16
ロプレソール 2
ロペミン 67
ロペラミド 322
ロペラミド塩酸塩 67
ロベンザリット 210
ロベンザリット二ナトリウム 38
ロミタピド 470
ロミタピドメシル酸塩 109
ロミデプシン 564, 142
ロミプロスチム 196, 368, 371
ロムルチド 574
ロメバクト 121
ロメフロキサシン 402, 405, 504
ロメフロキサシン塩酸塩 87, 91, 121
ロメフロン 87, 91
ロメリジン 152
ロメリジン塩酸塩 24
ロモソズマブ 476, 477
ロラゼパム 109, 125, 126, 133, 16, 18
ロラタジン 173, 238, 31
ロラピタ 16, 18
ロラメット 13
ロルカム 45
ロルノキシカム 230, 45
ロルファン 23, 57, 150
ロルメタゼパム 115, 125, 13
ロルラチニブ 560, 139
ロレルコ 109
ロンゲス 34
ロンサーフ 134
老人性白内障 401
老人斑 163
労作性狭心症 244, **263**
濾胞内腔 441
濾胞内腔チログロブリン 441

ワ

ワーファリン 82
ワイテンス 1
ワイドシリン 113, 132
ワイパックス 16
ワイル病 212, 532
ワクシニアウイルス接種家兎 153
ワクチン **212**, 611
ワゴスチグミン 9, 72
ワコビタール 13, 18
ワソラン 51
ワルファリン 41, 43, 114, 379, **385**, 386, **388**, 459, 468, 600, 608, 614, 615, 616, 617, 618, 623
ワルファリンカリウム 82
ワルファリンの効果判定 387
ワルファリン様出血傾向 490
ワンアルファ 105, 111
ワンクリノン 101
ワンタキソテール 137
ワンデュロパッチ 22
ワントラム 22
矮小条虫 526

欧 文

A

A 型肝炎 212, 213, 516, 531

A 型肝炎ワクチン 516
A 型ボツリヌス毒素 349, 403
A キナーゼ 8, 252, 253
A 群コクサッキーウイルス 534
A 群溶血性レンサ球菌咽頭炎 534
A 群レンサ球菌 533
A 受容体 12, 14
A 部位 495
AADC 57
AADC 阻害 140
Absorption 40
ABVD 療法 573
AC 8
ACE 180
ACE 阻害薬 181, 250, 255, 276, 277, 282, 337, 465, 615
ACE 阻害薬誘発空咳 294
AChE 164
AChE 阻害薬 315, 316
ACh 分解酵素 67
ACh 遊離阻害 99
ACh 遊離促進薬 316
ACLS 619
acquired immune deficiency syndrome 520
ACTH 146, 417, 418, 419, 422, 423, 429, 433
ACTH 製剤 423
ACTH 分泌能検査 580
Action Potential Duration 258
AC 刺激薬（強心） 27
AC 療法 573
Ad 57
AD/HD 154
Adams-Stokes 発作 261
ADCC **559**
ADCC 活性 523
ADCP 活性 523
ADEM 214
ADH 20, **338**, 428
ADH 拮抗薬 428
ADH 受容体 338
ADH 不適合分泌症候群 338, 342, 428
ADH 様薬物 428
adjuvant and strip 596
ADP 10, 373, 374
ADP 拮抗薬 384
ADP 受容体 12, 14
ADP 受容体 $P2Y_{12}$ 384
ADP リボーズ 10
ADP リボシル化毒素 **10**
adrenocorticotropin 146
Advanced Cardiovascular Life Support 619
Adverse effects 598
Adverse events 598
Agonist 34
AIDS 520
AIP 337, 432
Aldosterone 430
Aldosterone-induced Protein 337
Aldosterone-induced protein 432
A-like 細胞由来 447
ALK 558, 560
ALK/IGF-1R 560
ALK 阻害薬 558
ALK チロシンキナーゼ 558
all *trans*-レチノイン酸 419, 570
Allosteric Potentiating Ligand 164
ALS 162
Al 含有製剤 616
Am 624
AMPA 型グルタミン酸受容体 132
AMPA 受容体 12
AMP 活性化蛋白質リン酸化酵素 461
AMP キナーゼ 461
Androstenedione 430
angina pectoris 263
Angiotensin Converting Enzyme 180
ANP 255, 338, 448
ANP 製剤 250, 340, 345
Antibody-Dependent Cell--mediated Cytotoxicity 559
Anti-Diuretic Hormone 428
Antidiuretic Hormone 338
APD 258
APL 164
Apo A-Ⅰ 473
APTT 387
AR 420, 439
Ara-C 547
Ara-CTP 547
ara-G 549
ARB 281, 465
ARNI 250, 256
Arterioscrelosis obliterans 269
AR 受容体 419
As_2O_3 570
ASA 596
ASO 269
AT_1遮断薬 276
AT_1受容体 181
AT_1受容体拮抗薬 181
AT_1受容体遮断薬 250, 255
AT_1受容体阻害薬 277, 280
AT_1阻害薬 282
AT_2受容体 181
ATⅢ 385
ATP 15, 262, 26, 27
ATP 感受性 K^+チャネル開口薬 265
ATP 合成酵素阻害 508
ATP 受容体 12
Atrial Natriuretic Peptide 338, 448
Attention Deficit Hyperactivity Disorder 154
AT 受容体 12, 14
AZ 46, 85, 88
Aza-CTP 547
Aza-dCTP 547

B

^{10}B 572
B ウイルス病 531
B 型肝炎 212, 213, 516
B 型肝炎ウイルス 214
B 型肝炎ウイルス感染症治療薬 517
B 型肝炎ワクチン 516
B 細胞 200
B 細胞性リンパ腫-2 564
B 受容体 12, 14
B リンパ球 194, 195, 203, 362
B リンパ球抗原 201
B_1受容体 182
B_1受容体刺激因子 182
B_2受容体 182
B_2受容体遮断薬 182
B7 557
Bacille Calmette-Guerin 208
Basic Life Support 619
B-cell lymphoma-2 564
BCG 208, 212, 213, 214
BCL2 564
Bcr/Abl 558
Bcr/Abl 阻害薬 558
Bcr/Abl チロシンキナーゼ 558
BCR-ABL 561
BCR-ABL/SRC 561
bFGF 196
b-FGF 302
Bioavailability 41
BK チャネル 20
BK チャネル活性化薬 399, 400
BLS 619
BLT 受容体 12, 14
BLyS モノクローナル抗体 203
B_{max}値 **35**
BNP 338, 448
BNP 製剤 448
BRAF 562
B-Raf 阻害薬 558
Brain Natriuretic Peptide 338, 448
British Anti-Lewisite 624
BRM 539
BTK 561
BTK 阻害薬 558

C

^{13}C 578
C 型肝炎 516
C 型肝炎ウイルス感染症治療薬 518
C 型ナトリウム利尿ペプチド 448
C キナーゼ 8
C 細胞 443
C 線維末端受容器 293
C1-インアクチベーター製剤 396
C3a 217
C5a 217
CA **336**
Ca^{2+} **22**, 372
Ca^{2+}, H^+-ATPase 21
Ca^{2+}/カルモジュリン 15
Ca^{2+}活性化 K^+チャネル 20
Ca^{2+}・カルモジュリン依存性脱リン酸化酵素 203
Ca^{2+}感受性増強薬 250
Ca^{2+}キレート薬 389
Ca^{2+}経路 22, 24, 25
Ca^{2+}再吸収 339, **339**, **344**
Ca^{2+}スパイク 243
Ca^{2+}チャネル 19, 20
Ca^{2+}チャネル遮断薬 143, 258, **261**
Ca^{2+}動員型 7
Ca^{2+}ポンプ 21
Ca^{2+}モジュレーター 255
CA24v 535
C-A-B 法 619
CAF 療法 573
Calcitonin Gene-Related Peptide 152
cAMP 8, 15, **22**, **26**, **28**
cAMP・A キナーゼ 55
cAMP アナログ 250, 252, 254
cAMP アナログ（強心） 27
cAMP 関連心不全治療薬 **252**
cAMP 関連薬 169, 254
cAMP 産生経路 22, 24, 25, 26, 27, 28, 29
cAMP 産生促進型 7
cAMP 産生促進薬 250, 254
cAMP 産生抑制型 7

cAMP 産生抑制経路 22, 25, 26, 27
cAMP 増加薬 299
cAMP による収縮抑制機構 24
cAMP 分解酵素阻害薬 299
cAMP 分解阻害薬 250, 254
CAP 療法 573
Carbonic Anhydrase 336
Cardiopulmonary Resuscitation 619
Cation Gap 391
Ca 感受性増強薬 252
Ca 感受性増強薬（強心） 27
Ca 含有製剤 616
Ca 拮抗薬 276, 281, 282
CCK$_2$受容体遮断薬 307
CCR4 568
CCR5 200
CD2 201
CD3 201
CD4 201
CD4 抗原陽性 200
CD8 201
CD8 抗原陽性 200
CD19 201
CD20 201, 567
CD22 567
CD25 198, 201
CD25 モノクローナル抗体 203
CD30 567
CD33 201, 567
CD38 567
CD52 567
CD117 201
CD122 201
2-CdAMP 549
2-CdATP 549
CDC **559**
C. difficile 502
C. difficile 感染性腸炎 524
Clostridioides (*Clostridium*) *difficile* トキシン B 212
CDK 558
CDK4/6 561
CDK 阻害薬 558
CD 抗原 201
CEF 療法 573
Cestodes 526
CFTR 297, 326
cGMP 8, 15, **22**
cGMP 産生経路 24, 25
cGMP 増加薬 273, 274
cGMP による収縮抑制機構 24
cGMP 分解阻害薬 360
CGRP 151, 152
5, 10-CH_2-THF 544
ChE 67, 72, 164
Chemoreceptor Trigger Zone 312
ChE 阻害薬 101
ChE 賦活薬 73
CHOP 療法 573
Chronic Obstructive Pulmonary Disease 298
ClC-2 20
c-KIT 受容体 201
Cl^-/HCO_3^-逆輸送体 336
Cl^-チャネル 13, 19, 20
Cl^-チャネル内蔵型受容体 112
ClC-2 活性化薬 326
Closed Channel Block 284
CLTA4-Ig 製剤 202
Cluster of Differentiation Antigen 201
Cm 624
CMF 療法 542, 573
C-MOPP 療法 573
CNP 338, 448
Coccidioides immitis 531
Coenzyme A 450
Colony Stimulating Factor 193
Complement 559
Complement-Dependent Cytotoxicity 559
Computed tomography 583
COMT 57, 65
COMT 阻害 328
Concentration Ratio 37
COPD 298
CoQ$_{10}$ 255
Corticosterone 430
Cortisol 430
COX 383
COX-1 227
COX-2 216, 227
COX-2 選択的阻害薬 231
Coxiella burnetii 532
COX 阻害薬 383
CPI 社製ペースメーカー 626
CPR 619
CR 37
CRF$_{1,2}$受容体 419
CRH 417, 418, 419, 422, 423, 433
CRH 製剤 423
cross-linking 540
^{137}Cs 624
CSFR 558
CSFs 194
CT 583
CTLA 202
CTLA-4 211
CTLA4-Ig 製剤 211
CTLT-4 557
CTP/dCTP 拮抗薬 547
C-type Natriuretic Peptide 338, 448
CTZ 119, 312
CT 受容体 419
CXCR4 200
cyclodextrin 272
CYP 41
CYP1 617
CYP1A1 617
CYP1A2 41, 617, 618
CYP2 617
CYP2A6 617
CYP2B6 617
CYP2C8 617
CYP2C9 41, 386, 617
CYP2C9 遺伝子多型 600
CYP2C19 41, 617
CYP2C19 欠損 600
CYP2D6 41, 617, 618
CYP2D6 欠損 600
CYP2E1 617
CYP3 617
CYP3A4 41, 173, 617, 618
CYP4 617
CYP4B 617
CYP17 阻害薬 554
CYP アイソザイム 41
CysLT 受容体 12, 14
Cystic Fibrosis Transmembrane Conductance Regulator 297, 326
Cytotoxic T-lymphocyte antigen 202
Cytotoxic T-Lymphocyte Antigen 211

D

D-アラニル-D-アラニン 487
D-アラニル-D-アラニン合成酵素 483
D-ソルビトール 585, 149
d-ツボクラリン 11
D-マンニトール 70
D-マンニトール 83
D 受容体 12, 13
D$_{1,5}$受容体 419
D$_{2\sim4}$受容体 419
D$_2$遮断薬 117, 307, 312, 315
D$_2$受容体 312
D$_2$受容体刺激薬 605
D$_2$受容体遮断薬 160
DA 57
DAC 564
D-Ala-D-Ala シンターゼ 493
D-Ala-D-Ala シンターゼ阻害 508
dATP 拮抗薬 549
dCTP 547
dCTP 拮抗薬 547
DC 療法 573
des-Arg^{10}-カリジン 182
des-Arg^{9}-ブラジキニン 182
5'-DFCR 545
dFdC 547
dFdCDP 547
dFdCTP 547
DFP 73
5'-DFUR 545
DG 8
dGTP 拮抗薬 549
DHA 472
DHF レダクターゼ 505
DHP シンテターゼ 505
Diabetes Mellitus 457
DIC 395, 396, 603
Diiodotyrosine 441
Directly observed treatment, short course 507
Disseminated Intravascular Coagulation 603
Distribution 40
DIT 441
DJ 療法 573
d,l-ヒヨスチアミン 71
dl-メチルエフェドリン塩酸塩 6, 59
DMARDs 206, 210
DMPP 78
DNA **363**
DNA アフルキル化薬 205
DNA アルキル化薬 204, 206, 369
DNA 依存性 RNA ポリメラーゼ 483
DNA 依存性 RNA ポリメラーゼ阻害 508
DNA 塩基除去修復阻害薬 569
DNA ジャイレース 483
DNA ジャイレース/トポイソメラーゼⅣ阻害 504, 508
DNA ジャイレース阻害薬 484
DNA ターミナーゼ複合体阻害薬 515
DNA 代謝拮抗薬 204, 206
DNA トポイソメラーゼⅡ阻害薬 569
DNA 複製阻害 483
DNA ポリメラーゼ阻害作用 515
DNA ポリメラーゼ阻害薬 402, 514, 515
Dopamine System Stabilizer 121
DOTS 療法 507

down regulation 424
down-regulation 101
DPP-4 446
DPP-4 阻害薬 446, 460, 464
DP 受容体 12
Dravet 症候群 134
D〈Rho〉陽性胎児 395
DSS 117, 121, 177, 323, 605

E

E 型肝炎 531
E 部位 495
E ロゼット受容体 201
E1 435
E2 435
E3 435
EC_{50}値 30, 31
ECF-A 236
ECL 細胞 168, 307
ED_{50}値 30
EDCF 183
EDHF 183
EDRF 183
EDTA 624
EGF 193
EGFR 558, 560, 565
EGFR/HER2 560
EGFR/HER2/HER4 560
Endothelium-DerivedContracting Factor 183
Endothelium-DerivedRelaxing Factor 183
Engelmann 法 595
Enz 487
EP_3受容体 354
EPA 190, 191, 472
EPA 製剤 270, 271, 467, 468, 472
Epidermal Growth Factor 193, 558
EPL 69, 109
EPO 193, 195, 196
EP 受容体 12, 14, 188
ER 420
ErbB 受容体ファミリー 558
Erythropoietin 193
Erythropoietin-producing Hepatocellular Receptor 558
ERα,ERβ 受容体 419
Estradiol 430
Estrone 430
ET-1 183
ET-2 183
ET-3 183
ET_A/ET_B拮抗薬 183, 274
ET_A受容体 183
ET_A選択的拮抗薬 274
ET_B受容体 183
ET 受容体 12, 14
EV70 535
Excretion 40
Exit 部位 495
EZH2 564

F

^{18}F 587
FAD 403, 450, 88
FAD ナトリウム 408
2 F-ara-AMP 549
2 F-ara-ATP 549
FdUMP 544
Fe^{3+}キレート剤 364
Fe 含有製剤 616
FF 334
FGF 193, 217
FGF 受容体 302
FGF 受容体ファミリー 558
FGF 製剤 405, 411
Fibroblast Growth Factor 193, 558
FK506-binding protein 202
FK506 結合蛋白質 202, 203
FKBP 202
FKBP12 202, 203
FLT 558
FLT3 560
FLT3/AXL 560
FMN 450
FOLFIRI 療法 573
FOLFOX 療法 573
Forced Diuresis 621
FP 受容体 12, 14, 354
FP 療法 573
Freund's complete adjuvant test 596
FSH 417, 424, 435
FSH 受容体 419
FSH〈卵胞刺激ホルモン〉 359
FSH/LH 418, 419, 422, 424
5-FU **544**, **545**, 573, 134
5-FU・レボホリナート併用療法 544
FUMP 544
FUTP 544

G

G キナーゼ 8
G-ストロファンチン 250
G 細胞 304, 447
G 蛋白質活性化 9
G 蛋白質共役型受容体 4, 5, **6**, **7**, **9**, 12
G 蛋白質サブタイプ 6
G 蛋白質不活性化 9
G_1期 539
G_2期 539
G6PD 欠損症 600
^{67}Ga 587
GABA 105, 156, 158, 162
$GABA_A$受容体 5, 7, 20, 106, 112, 113
$GABA_A$受容体刺激薬 137
$GABA_{B1}$ 112
$GABA_{B2}$ 112
$GABA_B$受容体 7, 112
$GABA_B$受容体（ダイマー） 5
$GABA_B$受容体刺激薬 137
GABA 作動性神経（MSN） 141
GABA 受容体 12, 13, **112**
GABA トランスアミナーゼ阻害 132
GABA トランスポーター 21
GABA 誘導体 133
Gastric Inhibitor Polypeptide 447
GC 8
GC-A 448
GC-B 448
GC-C 受容体アゴニスト 326
G-CSF 193, 196, 574
G-CSF 製剤 368, 370
GD2 568
GDP 9
GDP/GTP 交換反応 9
GFR 334, 341, 581
GGPP 473
GH 417, 419, 422, 426
GH-RH 417, 419, 422, 426
GHRH 受容体 419
GH-RIH 417, 419, 422, 426
GHRP 97, 148
GH 拮抗薬 426
GH 受容体 419
GH 受容体阻害薬 426
GH 製剤 426
GH 分泌能検査 580
GH 分泌不全症 426
GH 様薬物 426
$G_{i/o}$共役型 60
$G_{i/o}$共役型受容体 55, 58
GIP 446, 447, 460
Gla 455
GLP 592
GLP-1 446, 447
GLP-1 アナログ 446, 464
GLP-1 アナログ製剤 460
GLP-2 460
GLP-2 アナログ製剤 460
Glucagon-like Peptide 447
glucagon-like peptide 460
Glucose Transporter 444, 463
Glucose-dependent Insulinotropic Polypeptide 447
glucose-dependent insulinotropic polypeptide 460
GLUT 21, 444, 446, 459, 463
GM-CSF 193, 195
GnRH 418, 419, 422
$GnRH_{1,2}$受容体 419
〈GnRH〉拮抗薬 359
GnRH 受容体拮抗薬 424, 554
GnRH 受容体の Down-regulation 358
GnRH 誘導体 358
GnRH/LH-RH 417, 424, 435, 437, 439
Good Laboratory Practice 592
Goodpasture 症候群 236
G protein signaling **9**, **10**
GP 療法 573
$G_{q/11}$共役型 60
$G_{q/11}$共役型受容体 55, 58
$G_{q/11}$蛋白質共役型 54
GR 219, 420, 433
Granulocyte Macrophage-Colony Stimulating Factor 193
Granulocyte-Colony Stimulating Factor 193
Granuloma pouch 法 593
GRF 97, 148
Growth Factor 193
GR 受容体 419
G_s共役型 61
G_s共役型受容体 55, 58
G_s共役刺激薬 316
G_s蛋白質共役型 54
G_S蛋白質共役型アデノシン A_{2A}受容体 141
G_s蛋白質共役型胆汁酸受容体 326
GTP 9, 15
GTPase 9
GTP 加水分解酵素 9
GTP 加水分解反応 9
GVHD 200

H

H^+, K^+-ATPase 21
H^+, K^+-ATPase 阻害 308

H^+ポンプ 21
H 受容体 12, 13
H_1 170
H_1受容体 312
H_1受容体拮抗作用 238
H_1受容体拮抗薬 171, 239
H_1受容体遮断薬 160, 405
H_2 170
H_2遮断薬 307, 608
H_2受容体拮抗薬 308
H_2受容体遮断 308
H_3 170
H_4 170
Haffner 法 593
HANE 396
hangover 115
Hatavirus Pulmonary Syndrome 531
HbA1c 457
HBe 214
HBe 抗原 214
HBe 抗体 214
HBs 214
HBs 抗体 214
HBV 482, 528
HBV 感染症治療薬 517
HBV 逆転写酵素阻害薬 517
hCG 424
HCN チャネル 256
HCN チャネル遮断薬 250
HCO_3^- 392
HCV 482, 528
HDAC 564
HDL 466, 467, **473**
Head Drop 595
Hemodialysis 622
Hemofiltration 622
Hemoperfusion 622
Hemorrhagic Fever with Renal Syndrome 531
Henderson-Hasselbalch の式 40, 91
Heparin-induced thrombocytopenia 386
HER 558
HER2 565
HFRS 531
5-HIAA 174
HIF 367
HIF-PH 367
HIF-プロリン水酸化酵素 367
High Density Lipoprotein 466
Hill 係数 36
HIT 386
HIV 520, 528, 533
HIV インテグラーゼ阻害薬 521
HIV 受容体 201
HIV プロテアーゼ阻害薬 521
hMG 424
HMG-CoA 還元酵素 466
HMG-CoA 還元酵素阻害薬 468, **469**, 612, 618
Hormone response element 202
Hot Plate 593
5-HPETE 187
HPS 531
H. Pylori 311
H. pylori 578
H. pylori 感染 578
HRE 202, 219
HSP 219
5-HT 174
5-HT_1 316
5-HT_{1A}刺激薬 124
5-HT_{1A}部分活性薬 127, 177
5-$HT_{1B/1D}$刺激薬 152, 177
5-HT_2 316
5-HT_2遮断薬 177
5-HT_3 316
5-HT_3拮抗薬 574
5-HT_3遮断薬 312
5-HT_3受容体 312
5-HT_3受容体遮断薬 178
5-HT_4 316
5-HT_4刺激薬 316
5-HT4 刺激薬 315
5-HT_4受容体刺激薬 178
HTGL 467
5-HTP 174
human immunodeficiency virus 520
3-hydroxy-3-methylglutaryl-coenzyme A 466
17α-Hydroxyprogesterone 430
hypoxia inducible factor 367

I

^{123}I 589
^{131}I 572, 589
IAP 10
Ia 型抗不整脈薬 399
IBAT 阻害薬 326
ICSH 417, 424, 437, 439
IDL 466, 467
IFN 196, 207, 516
IFN-free 療法 518
IFN-α 193, 196, 207
IFN-β 193, 196, 207
IFN-γ 193, 194, 196, 200, 207
IFN 受容体ファミリー 193
IGF 193, 558
IGF-1 426
IL-1 194, 195, 217, 219, 302
IL-1α 193
IL-1β 168, 193, 197
IL-1 受容体ファミリー 193
IL-2 193, 194, 195, 196, 200, 207
IL-2 受容体α鎖 198, 201
IL-2 受容体β鎖 201
IL-2 製剤 539
IL-3 194, 195
IL-4 168, 194, 200
IL-4/IL-13 受容体αサブユニット 198
IL-5 194, 195, 197, 200
IL-5 受容体αサブユニット 198
IL-6 194, 302
IL-6 受容体 198
IL-7 195
IL-8 192, 194, 217
IL-10 302
IL-12 200
IL-12/IL-23 197
IL-17 A 197
IL-17 受容体 A 198
IL-23p19 197
IL-33 193
Ileal Bile Acid Transporter 326
immune-related Adverse Event 557
^{111}In 589
iNOS 216
Insulin Receptor Substrate 444
Insulin-like Growth Factor 193
Insulin-like Growth Factor-1 426
Interferon 193
Interleukin 193
Intermediate Density Lipoprotein 466
Intravenous Hyperalimentation 393
Intrinsic Sympathomimetic Activity 260, 286
Inverse agonist 34
IP 受容体 12, 14
IP_3受容体 12, 20
IP_3 8
IP_3R 8
IP_3R 受容体 12
IP 受容体選択的作動薬 274, 384
IP 療法 573
irAE 557
IRR 558
IRS 444
ISA 59, 260, 286
Islet-Activating Protein 10
IVH 391, 393, 608, 613
IVH 基本液 393
IVH 用 391

J

JAK 202, 558, 561
JAK 阻害薬 202, 210, 318, 409, 558
Janus Kinase 558
Janus kinase 202

K

K 細胞 447
K^+, H^+分泌 **344**
K^+競合型アシッドブロッカー 308
K^+チャネル 19, 20
K^+チャネル開口経路 27
K^+チャネル開口薬 25
K^+チャネル遮断薬 258, **260**
K^+保持性利尿薬 344
K^+流出経路 24, 25
K_{ACh}チャネル 20
Kainate 受容体 12
K_{ATP}チャネル 20, 24
K_{ATP}チャネル開口薬 264
K_{ATP}チャネル活性化薬 446
K_{ATP}チャネル抑制薬 446, 459
K. C. L. 150
KCL 150
K_d値 **35**
K_Gチャネル 20
KIT 558
^{81m}Kr 587

L

L 型 285
L 型 Ca^{2+}チャネル 284
L 細胞 447
L-アスコルビン酸 450
L-アスパラギナーゼ 539, 569
L-アスパラギン酸 Ca 477
L-アスパラギン酸カルシウム 346
L-アルギニン 574, 580
L-アルギニン L-グルタミン酸塩水和物 69
L-アルギニン塩酸塩 148
L-エチルシステイン塩酸塩 58
L-グルタミン 310, 63

L-ケフラール 113
L-ケフレックス 113
L-システイン 370, 574, 79
L-ヒスチジン 167
L-ヒスチジンデカルボキシラーゼ 167
l-ヒヨスチン 71
l-メントール 586, 149
L-リシン 574
L858R 560
LABA 299
LC_{50}値 30
LCAT 467
LD_{50}値 30
LD_{50}値（LC_{50}値）÷ ED_{50}値（EC_{50}値） 30
LDL 466, 467, 469
LDL 酸化変性抑制作用 472
LDL 受容体 467
LDL 受容体分解促進蛋白質 PCSK9 470
Lennox-Gastaut 症候群 134
Leukocyte Tyrosine Kinase 558
Leydig 細胞 424
LH 417, 424, 437, 439
LH〈黄体形成ホルモン〉 359
LH-RH 418, 421, 422, 96, 148
LH-RH 製剤 424
LH-RH 誘導体 424, 554
LH-RH 様薬 580
LH 受容体 419
LH 分泌能検査 580
Li_2CO_3 122
Lineweaver-Burk Plot 39
Long-acting β_2 Agonist 299
Low Density Lipoprotein 466
L-PAM 540
LPL 467
LSD 117
LSD-25 130, 601
LT 193
LTA_4 187
LTB_4 187, 188, 217
LTB_4受容体 12
LTB 合成酵素 187
LTC_4 168, 187, 188, 217
LTC_4・D_4受容体 12
LTC_4/LTD_4受容体拮抗薬 239
LTC 合成酵素 187
LTD_4 168, 187, 188, 217
LTE_4 187
LTF_4 187
LTK 受容体ファミリー 558
^{117}Lu 572
Lyell 症候群 228, 395, 612

M

M 期 539
M 細胞由来 447
M 受容体 12, 13
M_1遮断薬 307
M_1受容体 55, 68, 312
M_2イオンチャネル阻害薬 519
M_2受容体 55, 68
M2 蛋白質 519
M_3受容体 55, 68
Macrophage-Colony Stimulating Factor 193
MAC 感染症 509
Magnetic Resonance Imaging 584
Major Histcompatibility Complex 200
Mammalian Target of Rapamycin 203
Mammalian target of rapamycin 202
MAO 57, 175
MAO_A 174
MAO_A/MAO_B共通 65
MAO_A阻害 176
MAO_A特異的 65
MAO_B阻害 140
MAO_B特異的 65
MAO 阻害 287
MAO 阻害薬 615
MAP 558
MAPK 558
MAPKK 558
MAPKKK 558
MAPKK キナーゼ 558
MAPK キナーゼ 558
MAP キナーゼ 558
MARTA 117, 121, 177, 314, 605
$MC_{1\sim5}$受容体 419
M-CSF 193, 195, 196, 574
M-CSF 製剤 370
MDS 108
MEK 562
MEK 阻害薬 558
Membrane-stabilizing Action 286
MEOS 110
MET 560
Metabolism 40
mGlu 受容体 12
Mg 含有製剤 616
MHC 200
MHC クラスⅠ 201
MHC クラスⅡ 201
Michaelis-Menten 39
Microsomal Ethanol Oxidizing System 110
Microsomal Triglyceride Transfer Protein 470
Minimum Alveolar Concentration 108
MIT 441
Mitogen-activated Protein 558
M. leprae 412
Monoiodotyrosine 441
6-MP 548, 615
MPTP 138
MR 420, 432
MRCNS 494
MRH 417, 422, 427
MRI **584**
MRIH 417, 422, 427
MRSA 485, 488, 494, 498, 503, 528, 535
MRSA 感染 405
MRSP 492
MR 受容体 419
MSA 286
MSH 417, 419, 422, 427
MS 温シップ 46
MS コンチン 22
MS 冷シップ 46
$MT_{1,2}$受容体 419
mTOR 202, 203, 558, 562
mTOR 阻害薬 558
MTP 470
MTP 阻害薬 467, 468, **470**
Multi-Acting Receptor-Targeted Antipsychotics 121
M-VAC 療法 542
Mycobacterium avium complex 509
Mycobacterium avium 及び *Mycobacterium intracellulare* 509
Mycobacterium kansasii 509
Mycobacterium leprae 509

N

N^{τ}-メチルイミダゾリル酢酸 167
N^{τ}-メチルヒスタミン 167
N-アセチル-5-メトキシトリプタミン 421
N-アセチルグルコサミン 486
N-アセチルシステイン 151
N-アセチルセロトニン 174
N-アセチル転移酵素欠損 600
N-アセチルトランスフェラーゼ 174
N-アセチルムラミン酸 486
N-ピリドキシル-5-メチルトリプトファンテクネチウム 588
N-メチルスコポラミン 71, 308, 320
N-メチルスコポラミンメチル硫酸塩 8
N,N'-エチレンジ-L-システイネート（3-） 588
N_2O 108
NA 57
N_M 95
N_M受容体 12, 13, 68
N_M受容体刺激 99
N_M受容体自身の脱感受性 98
N_M受容体阻害 99
N_N 95
N_N受容体 12, 13, 68, 429
N_N受容体遮断薬 277, 278
N 型 285
Na^+スパイク 243
Na^+チャネル 19, 20
Na^+チャネル遮断作用 345
Na^+チャネル遮断性利尿薬 607
Na^+チャネル遮断薬 90, 258, **259**, 277, 279, 337, 340, 342, 343, 465
Na^+チャネル内蔵型受容体 20
Na^+ポンプ 21
Na^+ポンプ遮断 26
Na^+ポンプ阻害薬（強心） 27
Na^+利尿 342
Na^+利尿薬 345
NA^+/$3HCO_3^-$共輸送体 336
Na^+, Ca^{2+}アンチポーター 21
Na^+-Cl^-共輸送 345
NA^+-Cl^-共輸送系 340
Na^+-Cl^-共輸送系 335
Na^+, Cl^-シンポーター 21
Na^+・Cl^-センサー 339
Na^+, H^+アンチポーター 21
Na^+/H^+逆輸送 336
Na^+/H^+交換 345
Na^+/H^+交換系 335
Na^+-H^+交換系 340
Na^+-K^+-$2Cl^-$共輸送 345
Na^+-K^+-$2Cl^-$共輸送系 335, 340
Na^+, K^+, $2Cl^-$シンポーター 21
Na^+, K^+-ATPase 21
Na^+, K^+-ATPase（Na^+ポンプ） 336
Na^+, K^+-ATPase 阻害薬 250
Na^+/K^+交換系 335, 343
Na^+-K^+交換系 340
NA^+/グルコース共輸送担体 446, 459
Na^+-グルコース共輸送体 463
Na^+-グルコース共輸送体 2〈SGLT2〉阻害薬 256
Na^+-グルコース共輸送体 2 阻害薬 250
$Na^{131}I$ 442
NAD 10, 450

NADP 450
NaSSA 117, 128, 129, 176
Natriuretic Peptide 338
NA 枯渇薬 276
NA 再取込阻害 287
NA 前駆体 287
NA 分解阻害 287
NA 遊離抑制薬 276
Nectin-4 568
Nemathelminthes 526
Nematodes 526
Nernst の式 18
Nerve Growth Factor 193
Neuroleptanalgesia 109
Neuroleptanesthesia 109
NF-AT 202
NF-ATc 203
NF-κB 219, 479
NF-κB 活性化受容体 479
NF-κB 活性化受容体リガンド 478, 479
NFκB 阻害 210
NFκB 阻害薬 210
NGF 193
NGF/TNF 受容体ファミリー 193
NGSP 値 457
Niemann-Pick C1 Like 1 阻害薬 471
NK_1受容体 312
NK_1受容体拮抗薬 552
NK 受容体 12, 14
NMDA 受容体 12
NO 55, 183, 217, 274, 373, 374
Non-Steroidal Anti-Inflammatory Drugs 227
Noradrenergic and Specific Serotonergic Antidepressant 128
NPR1 338, 448
NPR1 受容体 448
NPR2 448
NPR2 受容体 448
NPR3 448
NS 518
NS3/4 A 阻害薬 518
NS5A 阻害薬 518
NS5B 阻害薬 518
NSAIDs 146, 191, 210, **227**, **233**, 314, 368, 369, 403, 474, 600, 612, 613, 614, 615, 617
Nuclear factor of activated T cell 202

O

O_2^- 217
Oddi 括約筋 327
Oddi 括約筋弛緩薬 331
OGTT 457
On-off 現象 **142**
Open Channel Block 284
Orthosteric site 34
OT 受容体 12, 14, 419, 428

P

P 244
P 型 285
P 部位 495
P2X 受容体 12
P2Y 受容体 12, 14
P-450 分子種 617
pA_2値 **32**
PAF 168, 217, 373
PAI-1 373, 376
PAI-2 376
PAM 73, 74
PAR 377
PARP 564
PA・ヨード 133
PBP 487
PCA 596
P-CAB 308
P-C-P 結合化合物 478
PCSK9 470
PCSK9 阻害薬 467, 468, **470**
pD'_2値 **32**, 33
PD-1 557
pD_2値 **31**
PDE 8, **15**
PDE 阻害 267
PDE 阻害薬 25, 29
PDEⅢ選択的阻害薬 254
PDEⅢ阻害薬 384
PDEⅢ阻害薬（強心） 27
PDE4 阻害薬 409, 410
PDEⅤ阻害薬 24, 25, 274, 347, 348, 360
PDFⅢ選択的阻害薬 252, 253
PDGF 193, 217, 302
PDGF 受容体 302
PDGF 受容体ファミリー 558
PD-L1 557
PEG 化製剤 516
Peritoneal Dialysis 622
Peroxisome Proliferator-activated Receptorα 469
Peroxisome Proliferator-activated Receptorγ 461
PE 療法 573
PGD_2 168, 186, 188
PGD 合成酵素 186
PGE 合成酵素 186
PGE_1 189, 353, 382, 411
PGE_1製剤 271, 280, 384
PGE_1誘導体 271, 310, 354, 384
$PGE_{1/2}$ 270
PGE_2 186, 188, 189, 217, 227, 228, 339, 352, 353
PGE_2受容体〈EP_2〉刺激薬 399, 400
PGE_2製剤 354
PGF 合成酵素 186
$PGF_{2\alpha}$ 186, 188, 189, 339, 352, 353
$PGF_{2\alpha}$受容体〈FP〉刺激薬 399, 400
$PGF_{2\alpha}$製剤 354
$PGF_{2\alpha}$誘導体 400, 404
PGG_2 186
PGI_2 183, 186, 188, 189, 217, 228, 270, 339, 373, 374, 382
PGI_2関連薬 273, 274
PGI_2受容体 274
PGI_2製剤 274, 384
PGI_2誘導体 271, 274, 384
PG 誘導体 307
pH4 処理酸性人免疫グロブリン 395
Phenol Coefficient 528
pH 補正液 392
α_2-PI 373
PI3K 558
PIE 602
PIP_2 8, 16
PIVKA 385
PKA 8, 252, 253
PKB 558
PKC 8
PKG 8
PL 44
PLA_1 16
PLA_2 16
Plasmapheresis 622
Platelet-Derived Growth Factor 193
Platelet-derived Growth Factor 558
Platyhelminthes 526
PLB 16
PLC 8, 16
PLD 16
PMDA 625
PML-RAR-α融合遺伝子 570
Pneumocystis carinii 512
Pneumocystis jiroveci 512
PNP 548
Post-Antibiotic Effect 497
Post-traumatic stress disorder 129
PPARα 469
PPARα刺激薬 468
PPARγ 420, 461
PPIX 579
PQ 244
PR 244, 420, 437
Pregnenolone 430
PRH 417, 422, 427
PRIH 417, 422, 427
PRL 417, 419, 422
Progesterone 430
Proprotein Convertase Subtilisin/Kexin type 9 470
Protein Induced by V.K Absence 385
proteinase 377
Proteinase-activated Receptor 377
PrRP 419, 427
PrRP 受容体 419
PRSP 492, 494, 535
PR 受容体 419
PTH 339, 417, 419, 443
$PTH_{1,2}$受容体 419
PT-INR 387
PTSD 129
Pu 624
Pulmonary Infiltration with Eosinophilia Syndrome 602

Q

Q 型 285
Q 熱 532
QRS 244
QT 244
Query fever 532

R

R 型 285
(*R*)-α-メチルヒスタミン 170
^{223}Ra 572
RA 209
Rab ファミリー 6
RANK 479
RANKL 568
RANKL 経路 479
Ran ファミリー 6
RAR 420
Ras 558
Ras ファミリー 6

R-CHOP 療法 573
Rearranged during Transfection 558, 560
receptor activator for nuclear factor-κB 479
receptor activator for nuclear factor-κB ligand 478, 479
Release-Inhibiting Hormone 417
Releasing Hormone 417
REM 睡眠 114
Respiratory Syncytial Virus 523
respiratory syncytial virus 534
Rest-less Legs Syndrome 143
RET 560
RET 受容体ファミリー 558
Reverse T_3 441
Reye 症候群 228
Rheumatoid Arthritis 209
Rho キナーゼ 24
Rho キナーゼ阻害薬 25, 399, 400
Rho ファミリー 6
RLS 143
RNA 依存性 RNA ポリメラーゼ 523
RNA 依存性 RNA ポリメラーゼ阻害薬 519, 523
RNA 合成阻害 483, 508
RNA ポリメラーゼ阻害薬 484
ROS1/TRK 560
ROS1 阻害薬 558
ROS1 チロシンキナーゼ 558
RPF 334
RS ウイルス 212, 523
RS ウイルス感染症 534
RXR 420
RXR 受容体 419
RyR 8
RyR 受容体 12

S

S 期 539
S 細胞 447
S・アドクノン 79
Sar/Arf ファミリー 6
SARS-CoV-2 212, 523
Saturation curve 35
Scatchard plot 36
scavenger receptor class B type 1 473
SCF 193
SCF 受容体 558
Schild plot 37
SDA 117, 121, 177, 605
Selective Serotonin Reuptake Inhibitor 128
SERM 436, 478
Serotonin Noradrenaline Reuptake Inhibitor 128
Serotonin-Dopamine Antagonist 121
Severe Acute Respiratory Syndrome 530
SG 23
sGC 274
SGLT 21, 446, 459, 463
SGLT2 阻害薬 250, 463, **463**, 464
SGLT 阻害薬 21
SHBG 435
SH 化合物 210
SIADH 121, 338, 342, 428
Sicilian Gambit 分類 **262**
Side effects 598
Signal transducer and activator of transcription 202
SIRS 302
SLAMF7 568
SLE 603
SNRI 117, 128, 129, 176
SNX-482 285
Sodium Glucose Co-transporter 463
SR-B1 473
SREBP-1c 472
S-RIM 128, 129, 176
SSPE ウイルス 523
SSRI 117, 128, 129, 176
$sst_{1\sim5}$受容体 419
ST 244
STAT 202, 558
Stem Cell Factor 193
Sterol Regulatory Element-Binding Protein-1c 472
Stevens-Johnson 症候群 395, 603, 612
ST 合剤 485, 505, 512
SU 剤 446, **459**, 464, 614
SV2A 結合 132
Syndrome Malin 602
Syndrome of Inappropriate secretion of ADH 338
Systemic Inflammatory Response Syndrome 302
Systemic Lupus Erythematosus 603

T

T 244
T 型 285
T 細胞 200
T リンパ球 194, 195, 362
T 細胞活性化因子 202
T 細胞受容体 200, 202
T 細胞受容体〈TCR〉複合体形成 201
T_3 441, 442
T_4 441, 442
T790M 560
TAC 療法 573
Tail Flick 法 593
TAP 療法 573
TBG 441
^{99m}Tc 588
T cell receptor 202
TCR 200, 202
TC 療法 573
TEN＝Lyell 症候群 603
tenesmus 530
TEPP 73
Testosterone 430
3,5,3′,5′-Tetraiodothyronine 441
TG 467, 469
TGF-α 193
TGF-β 193, 217
TGF-β1 302
TGF-β 受容体 5
TGF-β 受容体ファミリー 193
TGR5 326
TG 血症 466
Th0 細胞 200
Th1 細胞 200
Th1 病 200
Th2 サイトカイン阻害薬 169, 197
Th2 細胞 200
Thrombopoietin 193
Thyronine 441
Thyroxine 441
TIA 161
TIMP 548
TIVA 109
TJ 療法 573
^{201}Tl 589
Tl 624
TNF 194
TNFα 197
TNF-α 193, 194, 217, 219, 302
TNFα/LTα 197
TNF-β 193, 200
Torsades de Pointes 602
Total Intravenous Anesthesia 109
Total Parenteral Nutrition 393
Toxic Epidermal Necrolysis 603
t-PA 373, 376, 390, 608
TPN 393, 608
TPO 193, 195, 196
TPP 450
TP 受容体 12, 14
TP 療法 573
TR 420, 442
Transforming Growth Factor 193
Treg 557
Trematodes 526
TRH 417, 418, 419, 422, 425, 427, 441, 97, 148
$TRH_{1,2}$受容体 419
TRH 製剤 425
TRH 誘導体 425
TRH 様薬 580
3,5,3′-Triiodothyronine 441
TRα,TRβ 受容体 419
TSH 417, 418, 419, 422, 425, 441
TSH/プロラクチン分泌能検査 580
TSH 受容体 419
TTP 625
Tumor Necrosis Factor 193
TXA_2 186, 188, 228, 373, 374
TXA_2/PGD_2受容体拮抗薬 405
TXA_2産生阻害 190, 191
TXA_2産生阻害薬 383
TXA_2受容体拮抗薬 239
Tyrosine 441

U

UDP-*N*-アセチルグルコサミン-エノールピルビン酸エーテル合成酵素 483
UDP サイクル 486, 493
u-PA 373, 376, 390
UTP 受容体 12

V

V. B_5 450
V. B_6 363, 450
V. B_6依存性痙攣 450
V. B_{12} 363, 450
V. B_{13} 450
V. C 450
VDR 420
VEGF 193, 217, 566
VEGFR 558, 566
VEGF 受容体 302
VEGF 受容体ファミリー 558
Very Low Density Lipoprotein 466
V. H 450
vitamin K epoxide reductase complex subunit 1 388
VKORC1 388
V.K 依存性凝固因子 388
VLDL 466, 467
VMAT2 選択的阻害薬 143
von Willebrand 因子 373, 374
VRE 533
vWF 373, 374

W

wearing-off 140, 141
Wearing-off 現象 **142**
writhing 593

X

X 線撮影 582
X 線造影剤 **583**
^{133}Xe 589
XELOX 療法 573

Z

Zollinger-Ellison 症候群 305

α

α-アミラーゼ 304, 462
α 運動ニューロン 136
α-グルコシダーゼ 462
α-グルコシダーゼ阻害薬 **462**, 609
α-ネオエンドルフィン 146
α-ブンガロトキシン 95
α-メチルドパ 60, 66
α メチルドパ 276
α-リポ酸 450
α 型ヒト心房性ナトリウム利尿ペプチド〈ANP〉製剤 338
α 刺激薬 405
α 遮断 282
α 遮断薬 **83**, 270, 271, 276
α 遮断薬と β 遮断薬による降圧 83
α 遮断薬による頻脈 **84**
α 受容体 12, 13, 58, 86
α 受容体刺激薬 403
α 受容体遮断薬 278
α1 アイソフォーム 113
α1 以外のアイソフォーム 113
$α_1$ 60
$α_1$刺激薬 604
$α_1$遮断薬 347, 399, 604
$α_1$受容体 55, 58
$α_1$受容体サブタイプ 54
$α_1$受容体刺激薬 287
$α_1$受容体遮断作用 119
$α_1$受容体遮断薬 277, 400, 612
$α_1$受容体阻害薬 348
$α_2$ 60
$α_2$-PI 373
$α_2$・$β_2$刺激薬 399
$α_2$刺激薬 116, 276, 282, 399, 604
$α_2$受容体 55, 58
$α_2$受容体刺激薬 276, 400, 404
$α_2$プラスミンインヒビター 373
$α_2$マクログロブリン 373
$α_2$-マクログロブリン 375
αβ ブロッカー 249
α・β 遮断薬 255, 260, 268, 276, 286
α・β 受容体刺激薬 287
α・β 受容体遮断薬 277, 278, 400
α・β 受容体阻害薬 250
αβγ 三量体型 G 蛋白質 4

β

β 353
β アミノプロピオフェノン誘導体 137
β エンドルフィン 146
β-ネオエンドルフィン 146
β-ラクタマーゼ 487, 492
β-ラクタマーゼ阻害薬 491
β-ラクタム系 482, 483, 484
β-ラクタム系抗生物質 486, **487**, 507
β-lipotropin 146
β-LPH 146
β 受容体 13, 58, 86
β 受容体作用薬 61
β 受容体刺激薬 169, 261, 299
β 受容体遮断薬 **260**, 264, **268**, 278, 400
β 受容体非選択的遮断薬 286
β 刺激薬 160, 270, 271, 355, 604, 612
β 遮断 282
β 遮断薬 **83**, 255, 258, 276, 286, 399, 600, 604, 612, 615, 617
β 遮断薬による血管緊張増加 **84**
β（$β_1$）受容体遮断薬 277
$β_1$ 61
$β_1$受容体 55, 58
$β_1$受容体刺激薬 287
$β_1$受容体遮断薬 400
$β_1$受容体阻害薬 250
$β_1$刺激約 252
$β_1$刺激薬（強心） 27
$β_1$遮断薬 27, 255
$β_1$ブロッカー 249
$β_1$選択性遮断薬 278
$β_1$選択的遮断薬 286
$β_2$ 61, 353
$β_2$受容体 55, 58
$β_2$受容体サブタイプ 54
$β_2$受容体刺激薬 28
$β_2$刺激薬 29, 168, 347, 604, 612
$β_2$選択的刺激薬 355
$β_3$受容体 55, 58
$β_3$刺激薬 347

γ

γ-グルタミルトランスペプチダーゼ 187
γ-MSH 146
γ 運動ニューロン 50, 136
γ-カルボキシルグルタミン酸 455
γ 環 136
γ-melanocyte-stimulating hormone 146

δ

δ8-δ7 イソメラーゼ 511
δ14-ステロール還元酵素 511
δ-アミノレブリン酸 366
δ 受容体 12, 13

ε

ε-アミノカプロン酸 381

κ

κ 受容体 12, 13
κB 219
κB 阻害因子 219

μ

ω

著者紹介

菱沼　滋

現　　職：明治薬科大学教授（薬学博士，薬剤師）

専　　門：受容体薬理学

研究分野：受容体機能の生理的・病理的・薬理的変動機構の解明と創薬・薬物治療への応用

所属学会：日本薬理学会（学術評議員），日本薬学会，日本生化学会，日本ヒスタミン学会（幹事）　など

新 図解表説 薬理学・薬物治療学

2016年3月17日　第1版第1刷発行
2019年3月22日　第2版第1刷発行
2022年3月11日　第3版第1刷発行

著　　者　菱沼　滋
発　　行　エムスリーエデュケーション株式会社
〒108-0014　東京都港区芝 5-33-1
森永プラザビル本館 15F
（営業）TEL　03-6879-3002
FAX　050-3153-1427
（編集）TEL　03-6879-3004
URL https://www.m3e.jp/books/
印 刷 所　三報社印刷株式会社

ISBN 978-4-86399-515-4 C3047

1 薬物の作用機序
2 自律神経系に作用する薬物
3 体性神経系に作用する薬物
4 中枢神経系に作用する薬物
5 オータコイド
6 免疫系作用薬
7 抗炎症薬
8 抗アレルギー薬
9 心臓・血管系に作用する薬物
10 呼吸器系に作用する薬物
11 消化器系に作用する薬物
12 泌尿器系に作用する薬物
13 生殖器系に作用する薬物
14 血液・造血器官系に作用する薬物
15 感覚器に作用する薬物
16 内分泌・代謝系作用薬
17 病原生物に作用する薬物
18 抗悪性腫瘍薬
19 診断用薬
20 非臨床試験（前臨床試験）
21 医薬品の安全性

新 図解表説
薬理学・薬物治療学

第3版

菱沼　滋 著

医薬品一般名・商品名・構造一覧

TECOM

エムスリーエデュケーション株式会社

製剤の特徴を表す略名

分類	略名	意味	例
腸溶製剤	E，EN	Enteric	ユーエフティ E 配合顆粒 （テガフール・ウラシル） アザルフィジン EN 錠 （サラゾスルファピリジン）
持続性製剤	L，LA	Long-acting	アダラート L 錠 （ニフェジピン） ゾラデックス LA デポ （ゴセレリン）
	R	Retard	デパケン R 錠 （バルプロ酸ナトリウム）
	CR	Controlled Release	アダラート CR 錠 （ニフェジピン）
	SR	Slow Release	ベザトール SR 錠 （ベザフィブラート）
	ST	Sustained release Tablet	アズノール ST 錠口腔用 （アズレンスルホン酸ナトリウム）
経皮吸収型製剤	TTS	Transdermal Therapeutic System	ニトロダーム TTS （ニトログリセリン）
口腔内崩壊錠	OD，D	Oral Disintegration	ナゼア OD 錠 （ラモセトロン） アリセプト D 錠 （ドネペジル）
口腔内速溶錠	RM	Rapidly Melt	ゾーミッグ RM 錠 （ゾルミトリプタン）

新図解表説 薬理学・薬物治療学 別冊

医薬品一般名・商品名・構造一覧

CONTENTS

〈本冊〉第 2 章　自律神経系に作用する薬物　1

第 3 章　体性神経系に作用する薬物　10

第 4 章　中枢神経系に作用する薬物　12

第 5 章　オータコイド　29

第 6 章　免疫系作用薬　37

第 7 章　抗炎症薬　40

第 8 章　抗アレルギー薬　47

第 9 章　心臓・血管系に作用する薬物　48

第 10 章　呼吸器系に作用する薬物　57

第 11 章　消化器系に作用する薬物　62

第 12 章　泌尿器系に作用する薬物　70

第 13 章　生殖器系に作用する薬物　74

第 14 章　血液・造血器官系に作用する薬物　77

第 15 章　感覚器に作用する薬物　83

第 16 章　内分泌・代謝系作用薬　96

第 17 章　病原生物に作用する薬物　113

第 18 章　抗悪性腫瘍薬　134

第 19 章　診断用薬　147

第 21 章　医薬品の安全性　150

第 2 章　自律神経系に作用する薬物

交感神経系作用薬 ☞本文 p56

選択的 α1 受容体作用薬

選択的 α_1 受容体刺激薬

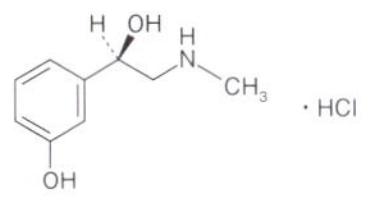

フェニレフリン塩酸塩
（**ネオシネジンコーワ**注/点眼液）

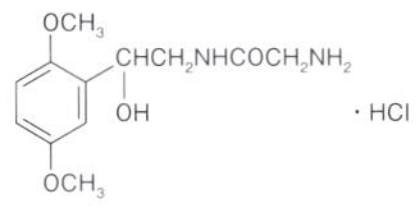

ミドドリン塩酸塩
（**メトリジン**錠/D 錠（口腔内崩壊錠））

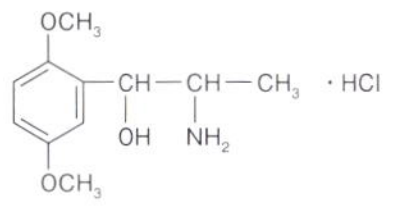

メトキサミン塩酸塩

選択的 α_1 受容体阻害薬

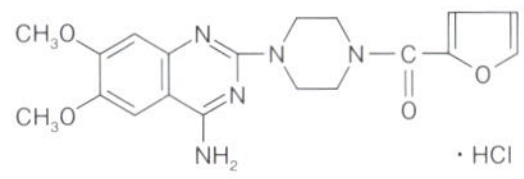

プラゾシン塩酸塩
（**ミニプレス**錠）

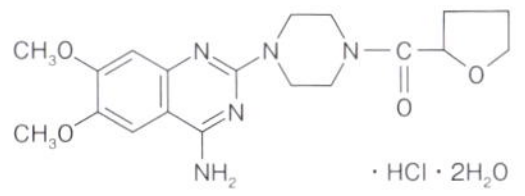

テラゾシン塩酸塩水和物
（**ハイトラシン**錠，**バソメット**錠）

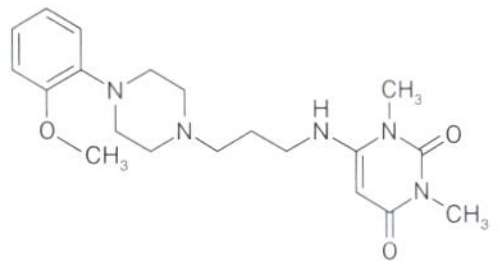

ウラピジル
（**エブランチル**カ）

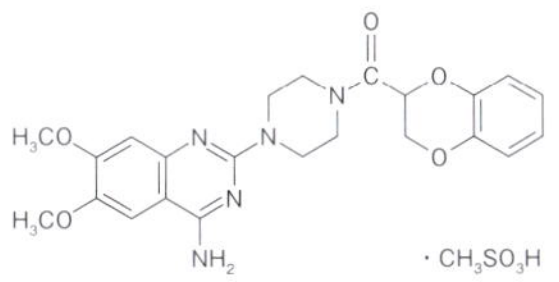

ドキサゾシンメシル酸塩
（**カルデナリン**錠/OD 錠）

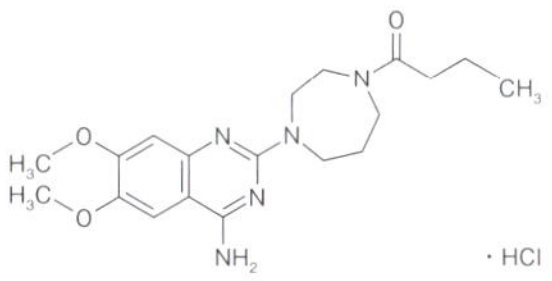

ブナゾシン塩酸塩
（**デタントール**錠/R 徐放錠/点眼液）

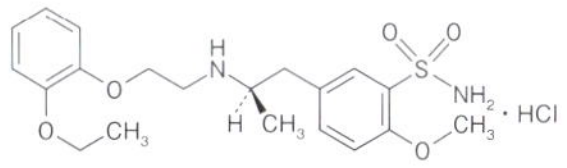

タムスロシン塩酸塩
（**ハルナール** D 錠）

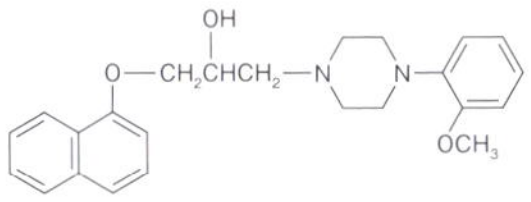

ナフトピジル
（**フリバス**錠/OD 錠）

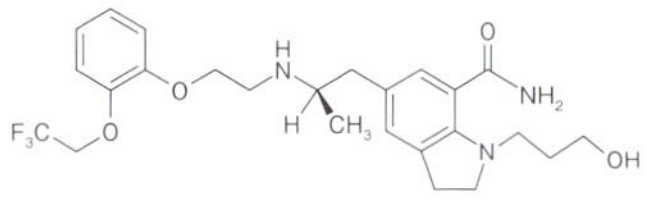

シロドシン
（**ユリーフ**錠/OD 錠）

選択的 α2 受容体作用薬

選択的 α_2 受容体刺激薬

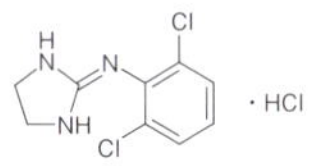

クロニジン塩酸塩
（**カタプレス**錠）

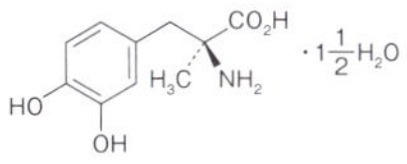

メチルドパ水和物
（**アルドメット**錠）

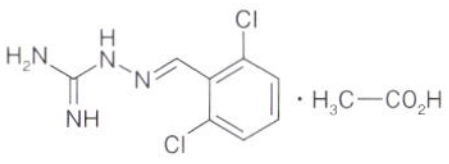

グアナベンズ酢酸塩
（**ワイテンス**錠）

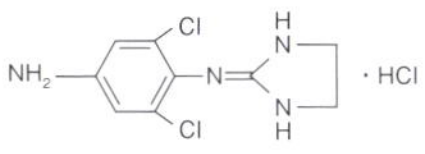

アプラクロニジン塩酸塩
（**アイオピジン UD** 点眼液）

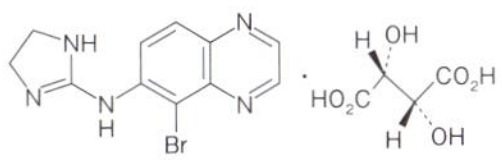

ブリモニジン酒石酸塩
（**アイファガン**点眼液）

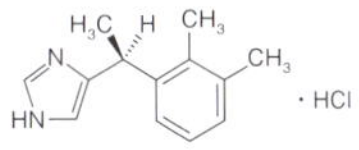

デクスメデトミジン塩酸塩
（**プレセデックス**静注液/シリンジ）

選択的α₂受容体作用薬

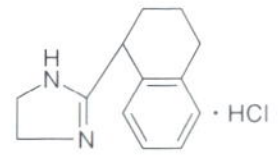

テトラヒドロゾリン塩酸塩
（プレドニゾロンとの合剤：**コールタイジン**点鼻液）

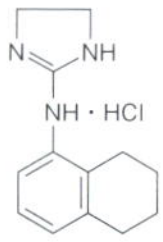

トラマゾリン塩酸塩
（**トラマゾリン**点鼻液）

選択的β₁受容体刺激薬

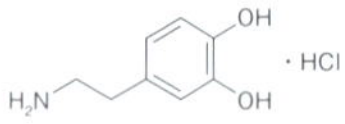

ドパミン塩酸塩
（**イノバン**注/シリンジ，**カコージン**注/D注）

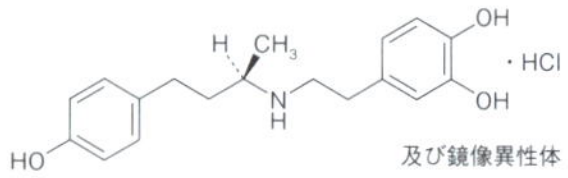

ドブタミン塩酸塩
（**ドブトレックス**注/キット点滴注，**ドブポン**シリンジ）

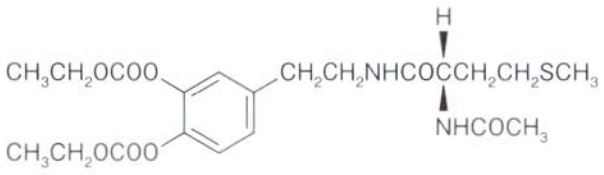

ドカルパミン
（**タナドーパ**顆）

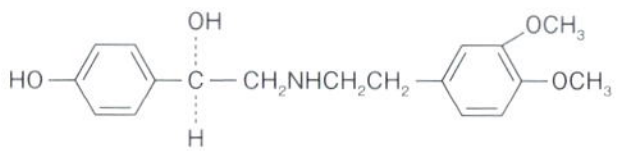

デノパミン
（**カルグート**錠/細）

選択的β₁受容体阻害薬

アテノロール
（**テノーミン**錠）

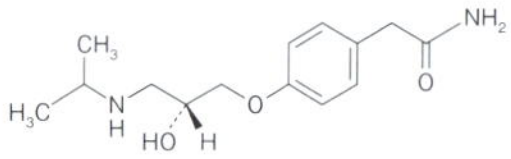

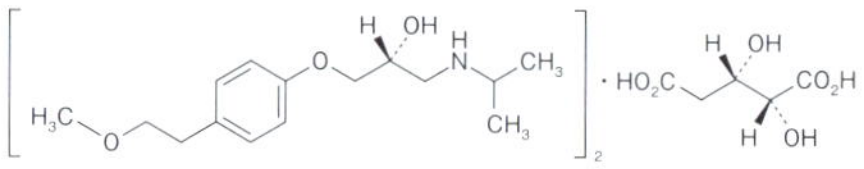

メトプロロール酒石酸塩
（**セロケン**錠/L徐放錠，**ロプレソール**錠/SR徐放錠）

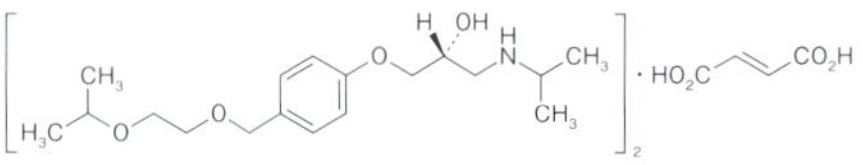

ビソプロロールフマル酸塩
（**メインテート**錠）

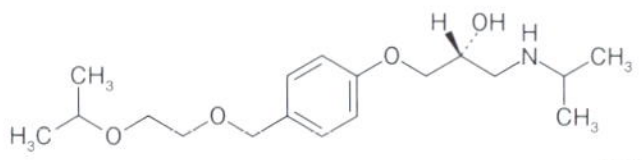

ビソプロロール
（**ビソノテープ**貼）

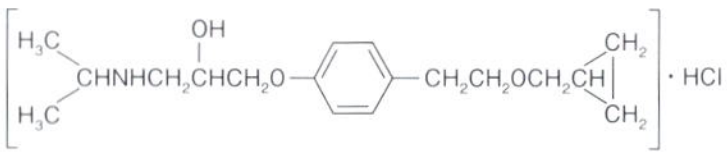

ベタキソロール塩酸塩
（**ケルロング**錠）

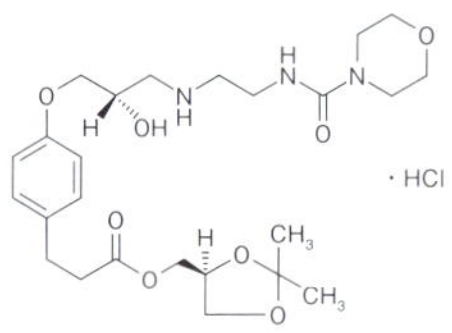

ランジオロール塩酸塩
（**オノアクト**点滴静注，**コアベータ**静注用）

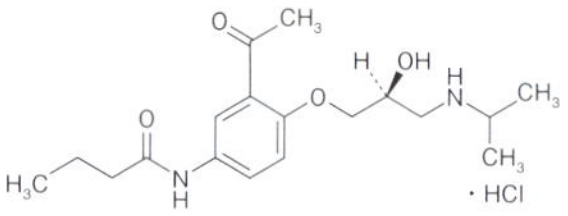

アセブトロール塩酸塩
（**アセタノール**カ）

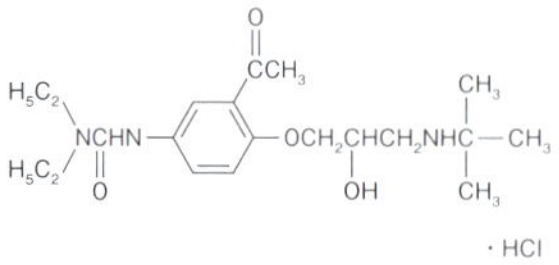

セリプロロール塩酸塩
（**セレクトール**錠）

エスモロール塩酸塩
（**ブレビブロック**注）

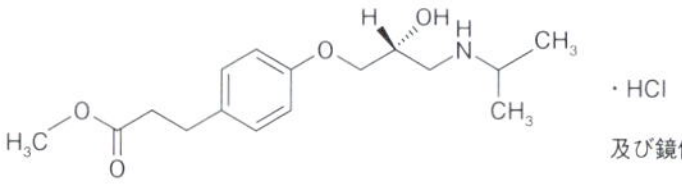

自律神経系に作用する薬物

選択的 β_2 受容体作用薬

選択的 β_2 受容体刺激薬

第一世代

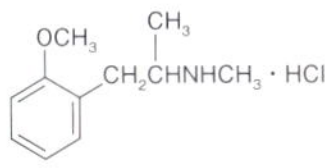

メトキシフェナミン塩酸塩
（ジプロフィリン，ノスカピン，クロルフェニラミンマレイン酸塩との合剤：**アストーマ配合力**）

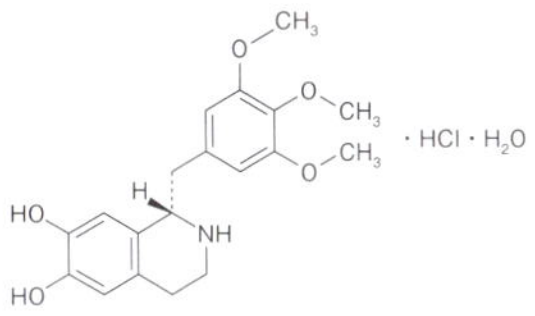

トリメトキノール塩酸塩水和物
（**イノリン**錠/散/シ/吸入液）

第二世代

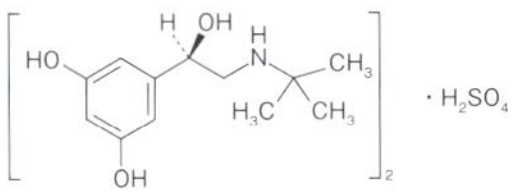

テルブタリン硫酸塩
（**ブリカニール**錠/シ/皮下注）

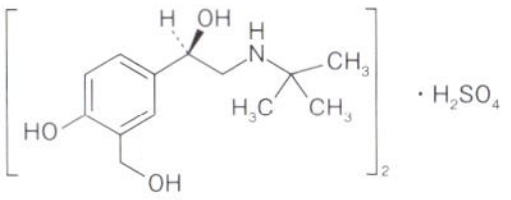

サルブタモール硫酸塩
（**サルタノール**インヘラー，**ベネトリン**錠/シ/吸入液）

第三世代

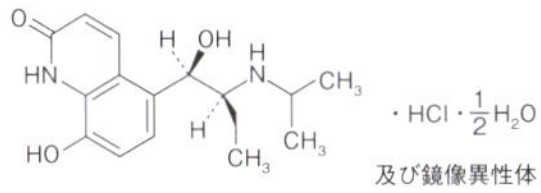

プロカテロール塩酸塩水和物
（**メプチン**錠/ミニ錠/顆/シ/ドシ/吸入液/キッドエアー/エアー/スイングヘラー）

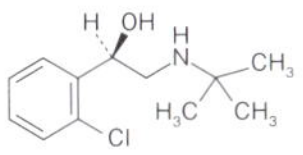

ツロブテロール
（**ホクナリン**テープ）

ツロブテロール塩酸塩
（**ベラチン**錠/ドシ，**ホクナリン**錠/ドシ）

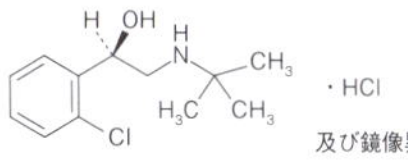

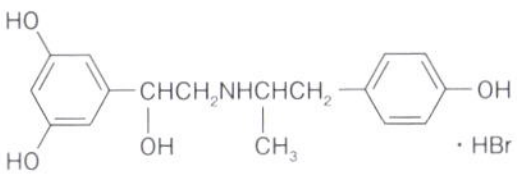

フェノテロール臭化水素酸塩
（**ベロテック**シ/エロゾル）

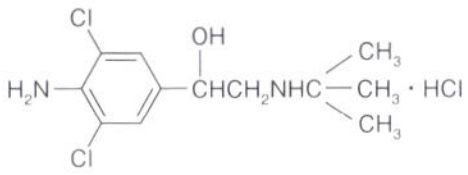

クレンブテロール塩酸塩
（**スピロペント**錠）

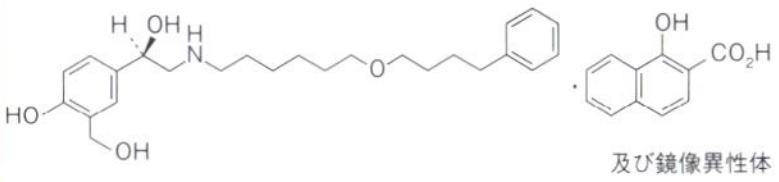

サルメテロールキシナホ酸塩
（**セレベント**ロタディスク/ディスカス）

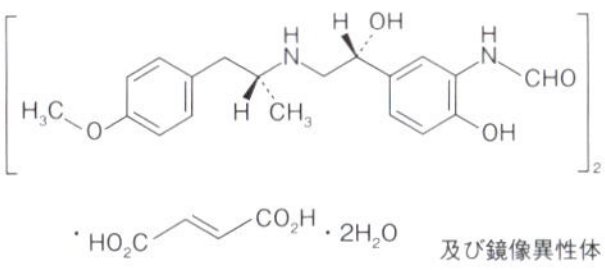

ホルモテロールフマル酸塩水和物
（**オーキシス**タービュヘイラー）

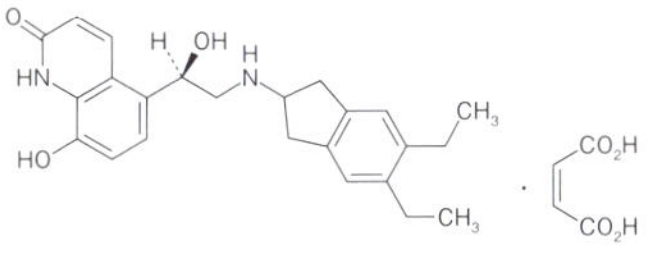

インダカテロールマレイン酸塩
（**オンブレス**吸入用力）

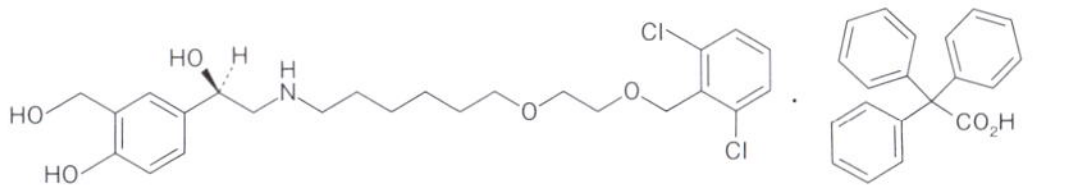

ビランテロールトリフェニル酢酸塩
（フルチカゾンフランカルボン酸エステルとの合剤：**レルベア**エリプタ
ウメグリジニウム臭化物との合剤：**アノーロ**エリプタ）

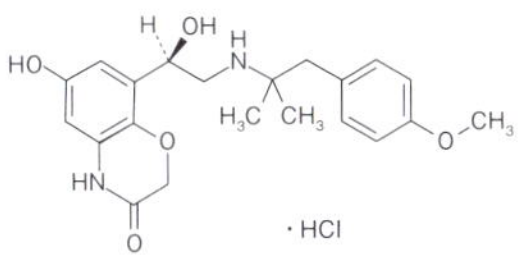

オロダテロール塩酸塩
（チオトロピウム臭化物水和物との合剤：**スピオルト**レスピマット）

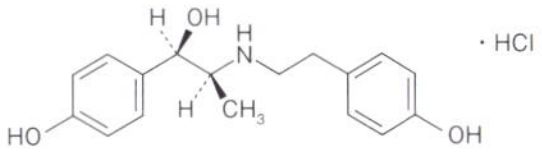

リトドリン塩酸塩
（**ウテメリン**錠/注）

選択的 β_2 受容体阻害薬

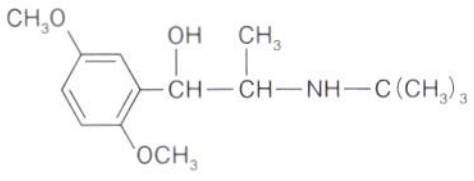

ブトキサミン

自律神経系に作用する薬物

選択的 β_3 受容体刺激薬

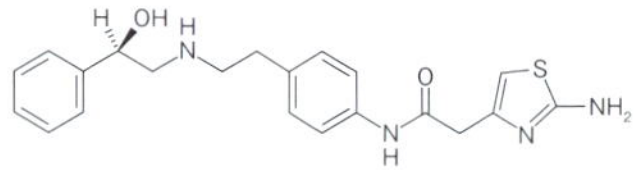

ミラベグロン
（**ベタニス**錠）

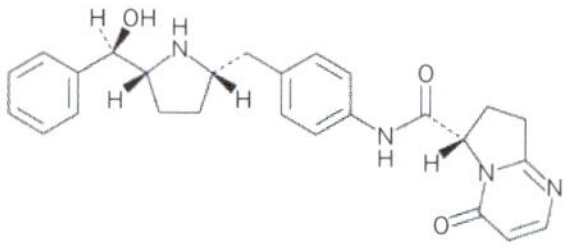

ビベグロン
（**ベオーバ**錠）

非選択的 α 受容体刺激薬

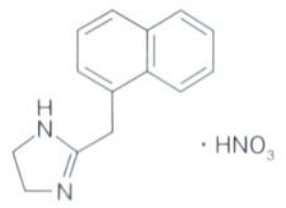

ナファゾリン硝酸塩
（**プリビナ**液/点眼液）

·HNO₃

非選択的 α 受容体阻害薬

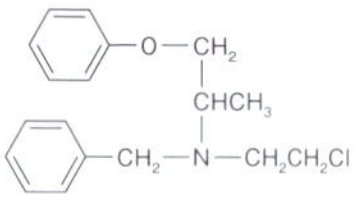

フェノキシベンザミン

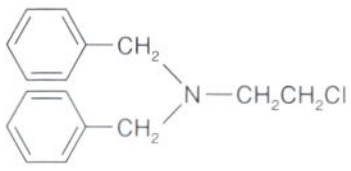

ダイベナミン

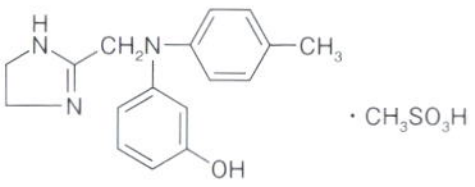

フェントラミンメシル酸塩
（**レギチーン**注）

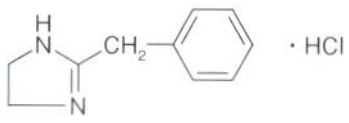

·CH₃SO₃H

トラゾリン塩酸塩

·HCl

非選択的 β 受容体刺激薬

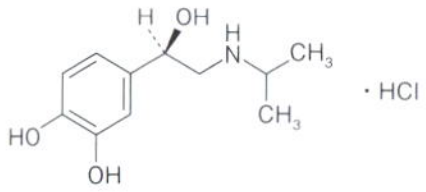

イソプレナリン〈イソプロテレノール〉塩酸塩
（**イソメニール**カ，**アスプール**吸入液（*dl* 体），
プロタノール S 錠（*dl* 体：徐放），**プロタノール L** 注（*l* 体））

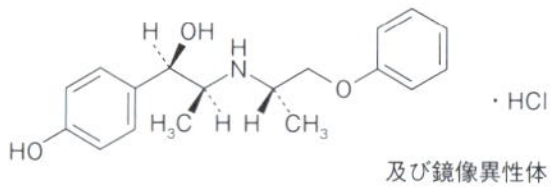

·HCl

イソクスプリン塩酸塩
（**ズファジラン**錠/筋注）

·HCl

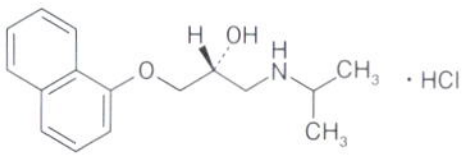

及び鏡像異性体

プロプラノロール塩酸塩
（**インデラル**錠/注）

·HCl

及び鏡像異性体

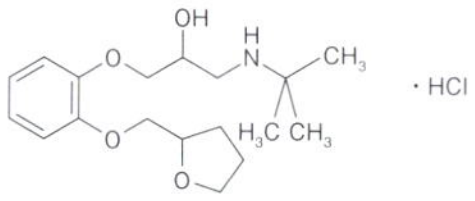

ブフェトロール塩酸塩
（**アドビオール**錠）

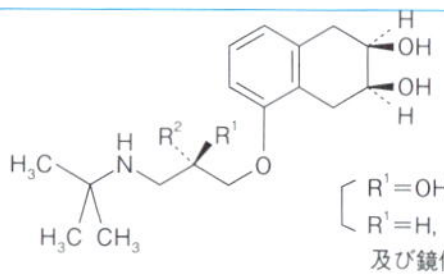

·HCl

及び鏡像異性体

ナドロール
（**ナディック**錠）

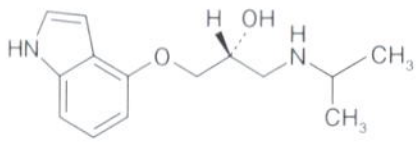

R¹=OH，R²=H
R¹=H，R²=OH
及び鏡像異性体

ピンドロール
（**カルビスケン**錠，**ブロクリン L** 徐放カ）

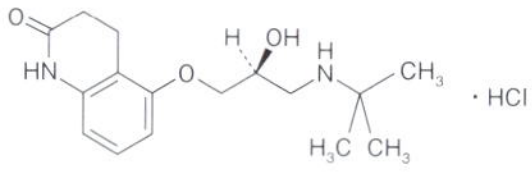

及び鏡像異性体

カルテオロール塩酸塩
（**ミケラン**錠/細/LA 徐放カ/小児用細/点眼液/LA 点眼液）

·HCl

及び鏡像異性体

自律神経系に作用する薬物

α・β受容体作用薬

α・β受容体刺激薬

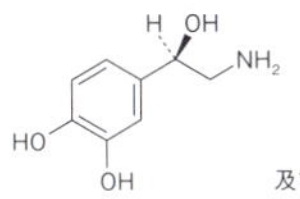

ノルアドレナリン
（**ノルアドレナリン**注）

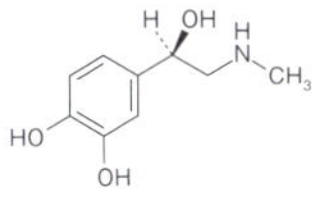

アドレナリン
（**ボスミン**注/外用液，**アドレナリン**注シリンジ，
エピペン注）

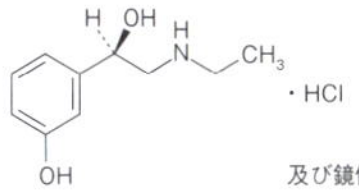

エチレフリン塩酸塩
（**エホチール**錠/注）

α・β受容体阻害薬

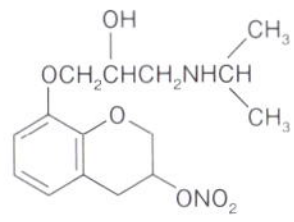

ニプラジロール
（**ニプラノール**点眼液，**ハイパジール**錠/点眼液）

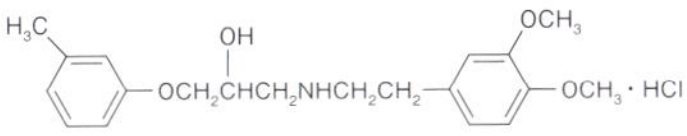

ベバントロール塩酸塩
（**カルバン**錠）

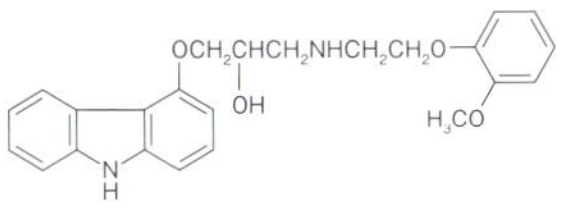

カルベジロール
（**アーチスト**錠）

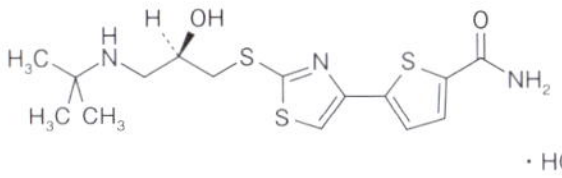

アロチノロール塩酸塩
（**アロチノロール**錠）

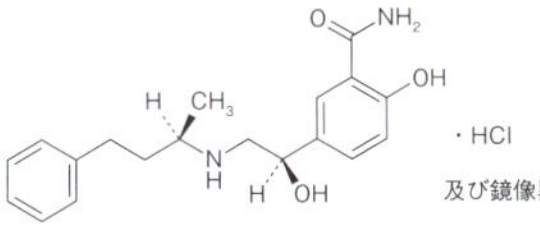

ラベタロール塩酸塩
（**トランデート**錠）

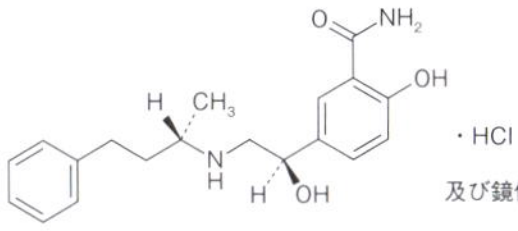

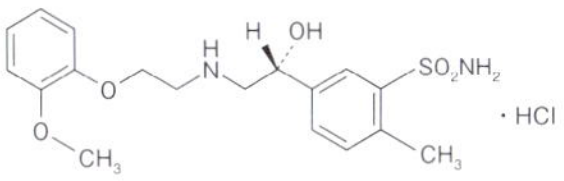

アモスラロール塩酸塩
（**ローガン**錠）

麦角アルカロイド

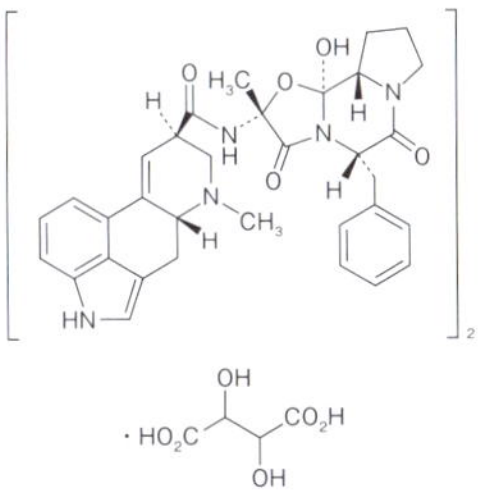

エルゴタミン酒石酸塩
（イソプロピルアンチピリン，
無水カフェインとの合剤：
クリアミン配合錠）

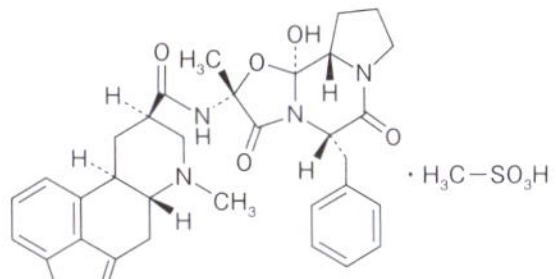

ジヒドロエルゴタミンメシル酸塩

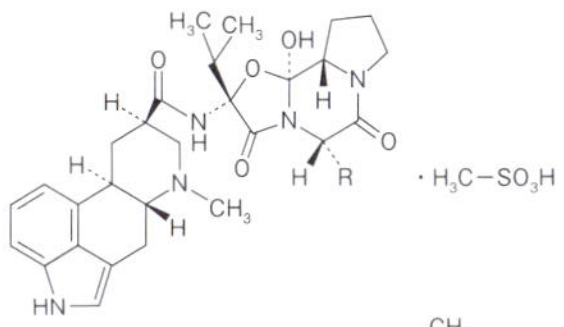

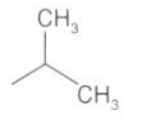

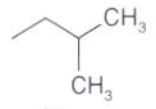

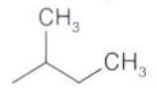

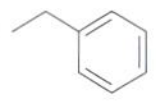

ジヒドロエルゴトキシンメシル酸塩

メシル酸ジヒドロエルゴコルニン： R＝

メシル酸ジヒドロ-α-エルゴクリプチン：R＝

メシル酸ジヒドロ-β-エルゴクリプチン：R＝

メシル酸ジヒドロエルゴクリスチン： R＝

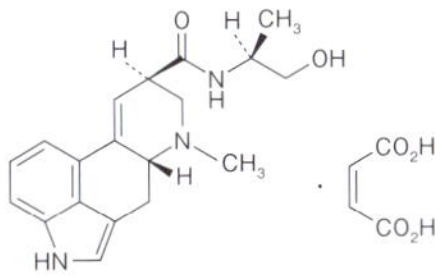

エルゴメトリンマレイン酸塩
（**エルゴメトリンマレイン酸塩**注）

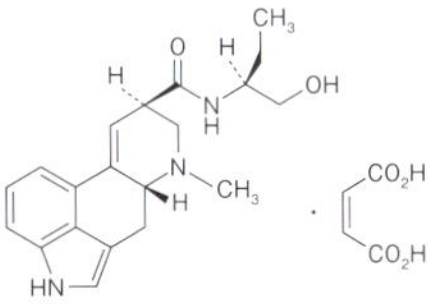

メチルエルゴメトリンマレイン酸塩
（**パルタン M** 錠/注）

自律神経系に作用する薬物

間接型交感神経興奮薬

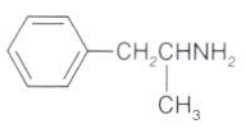

アンフェタミン

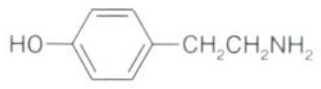

チラミン

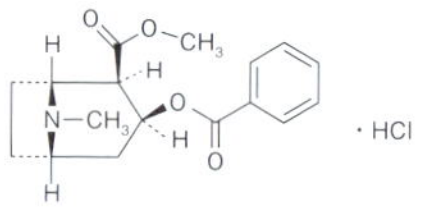

コカイン塩酸塩
（**コカイン塩酸塩**末）

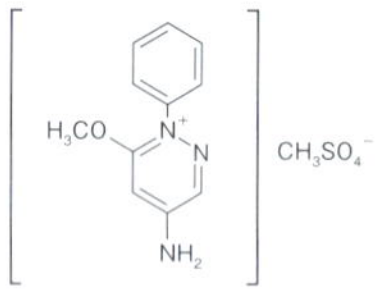

アメジニウムメチル硫酸塩
（**リズミック**錠）

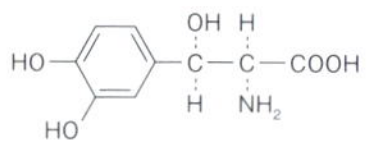

ドロキシドパ
（**ドプス** OD 錠/細）

間接型交感神経抑制薬

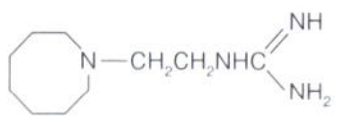

グアネチジン

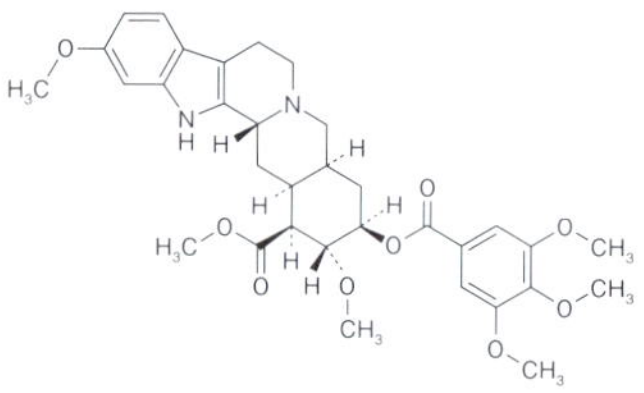

レセルピン

混合型交感神経興奮薬

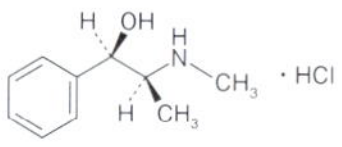

エフェドリン塩酸塩
（**エフェドリン**錠/散/注）

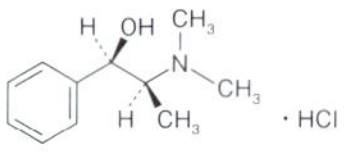

dl-メチルエフェドリン塩酸塩
及び鏡像異性体
（**メチエフ**(dl 体)散/注）

（左帯）間接型交感神経作用薬 ／ 混合型交感神経作用薬

● 副交感神経系作用薬　☞本文 p67

ムスカリン受容体刺激薬

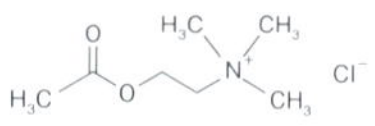

アセチルコリン塩化物
（**オビソート**注）

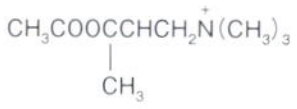

メタコリン

カルバコール

ベタネコール塩化物
及び鏡像異性体
（**ベサコリン**散）

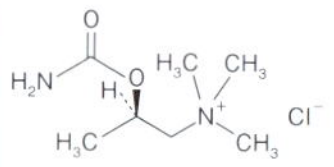

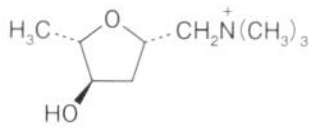

ムスカリン

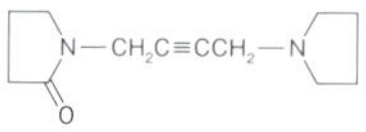

オキソトレモリン

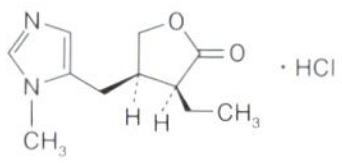

ピロカルピン塩酸塩
（**サンピロ**点眼液，**サラジェン**錠/顆）

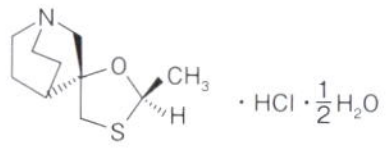

セビメリン塩酸塩水和物
及び鏡像異性体
（**エボザック**カ，**サリグレン**カ）

アクラトニウムナパジシル酸塩
（**アボビス**カ）

（左帯）ムスカリン受容体刺激薬

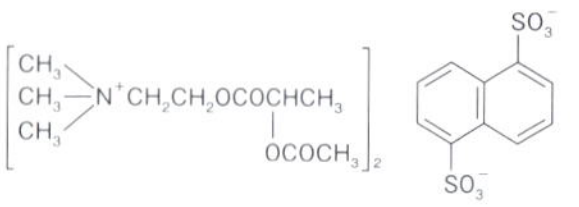

ムスカリン受容体阻害薬

ムスカリン受容体阻害薬

三級アミン

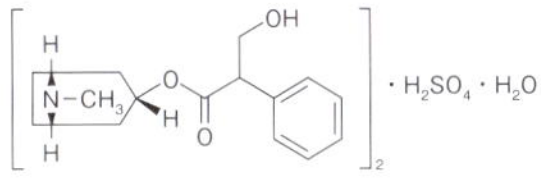

アトロピン硫酸塩水和物
（**硫酸アトロピン**末，
アトロピン硫酸塩注，
日点アトロピン点眼液，
リュウアト眼軟膏）

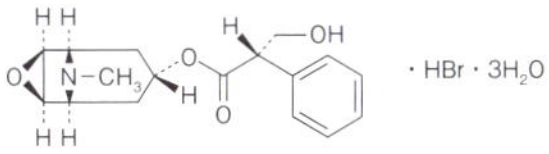

スコポラミン臭化水素酸塩水和物
（**ハイスコ**皮下注）

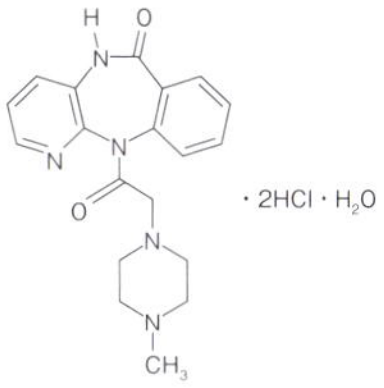

ピレンゼピン塩酸塩水和物
（**ガストロゼピン**錠）

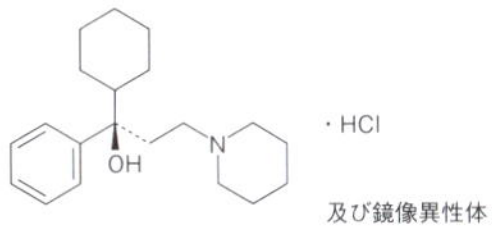

トリヘキシフェニジル塩酸塩
（**アーテン**錠/散，
トレミン錠/散）

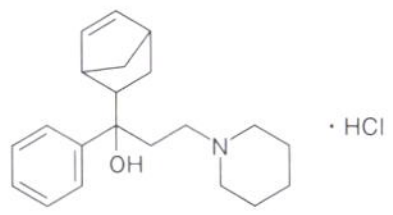

ビペリデン塩酸塩
（**アキネトン**錠/細/注，
タスモリン錠/細/注）

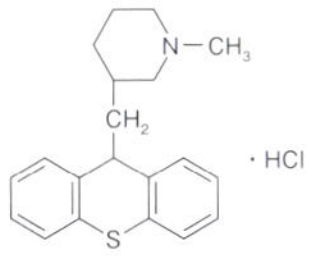

メチキセン塩酸塩
（**コリンホール**錠/散）

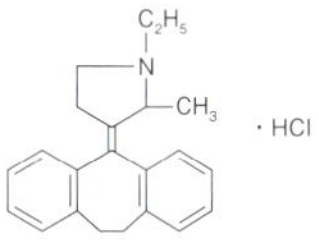

ピロヘプチン塩酸塩
（**トリモール**錠/細）

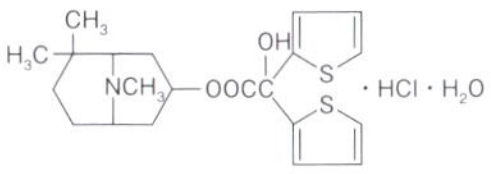

マザチコール塩酸塩水和物
（**ペントナ**錠/散）

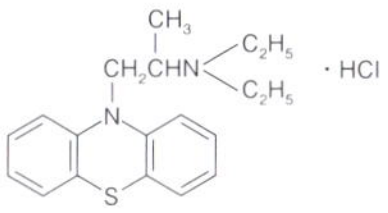

プロフェナミン塩酸塩
（**パーキン**錠）

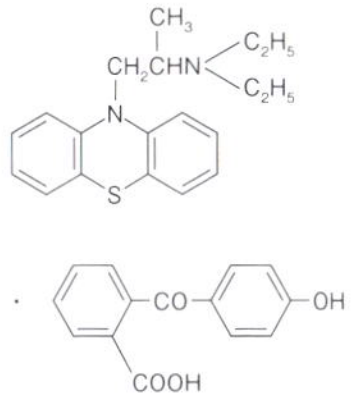

プロフェナミンヒベンズ酸塩
（**パーキン**散）

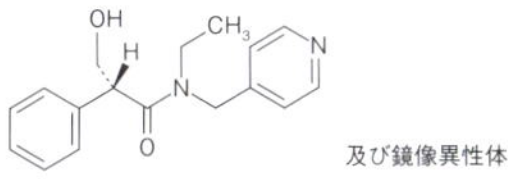

トロピカミド
（**ミドリンM**点眼液）

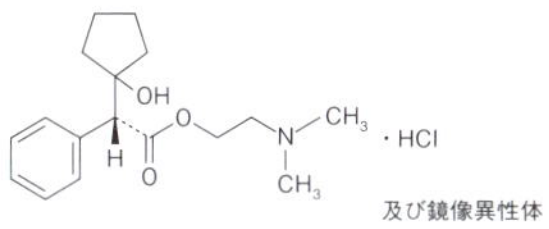

シクロペントラート塩酸塩
（**サイプレジン**点眼液）

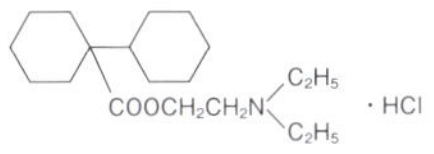

ジサイクロミン〈ジシクロベリン〉塩酸塩
（**コランチル**配合顆）

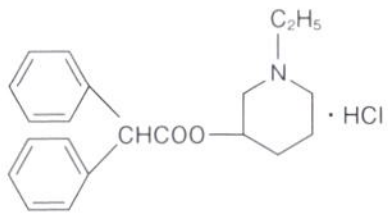

ピペリドレート塩酸塩
（**ダクチラン**錠，**ダクチル**錠）

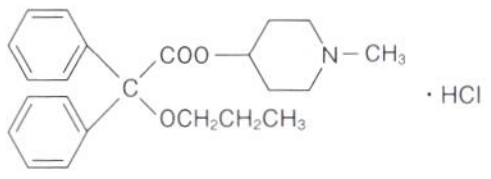

プロピベリン塩酸塩
（**バップフォー**錠/細）

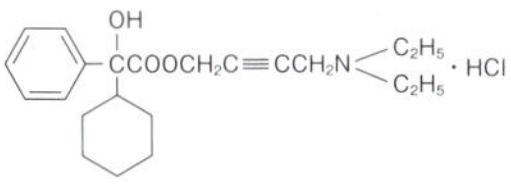

オキシブチニン塩酸塩
（**ポラキス**錠，**ネオキシテープ**貼）

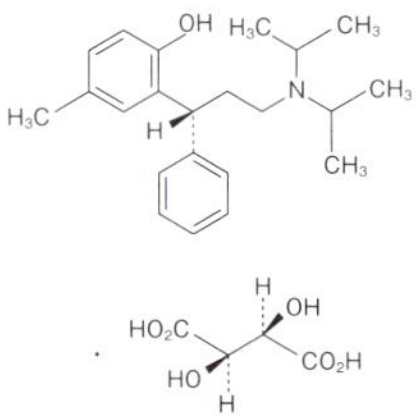

トルテロジン酒石酸塩
（**デトルシトール**カ）

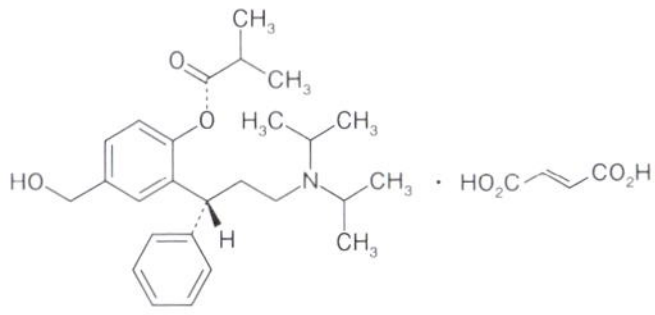

フェソテロジンフマル酸塩
（**トビエース**錠）

自律神経系に作用する薬物

ムスカリン受容体阻害薬

三級アミン

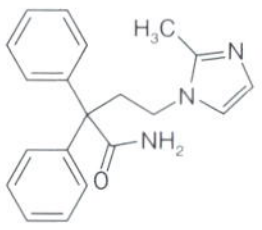

イミダフェナシン
（**ウリトス**錠/OD錠, **ステーブラ**錠/OD錠）

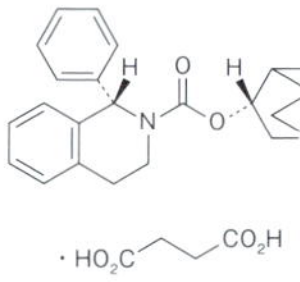

ソリフェナシンコハク酸塩
（**ベシケア**錠/OD錠）

四級アンモニウム誘導体

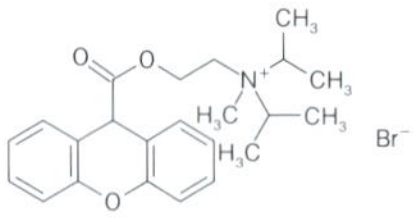

プロパンテリン臭化物
（**プロ・バンサイン**錠）

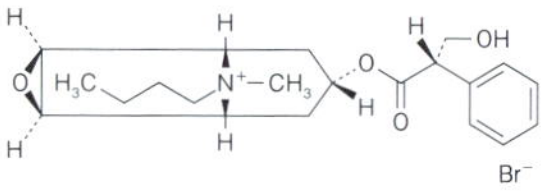

ブチルスコポラミン臭化物
（**ブスコパン**錠/注）

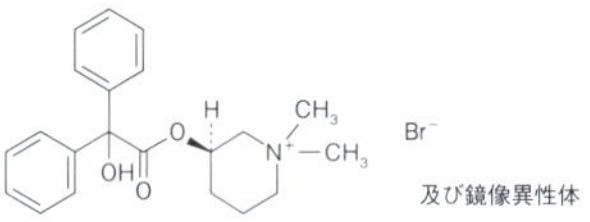

メペンゾラート臭化物
（**トランコロン**錠）

及び鏡像異性体

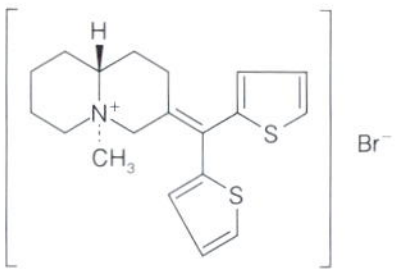

チキジウム臭化物
（**チアトン**カ）

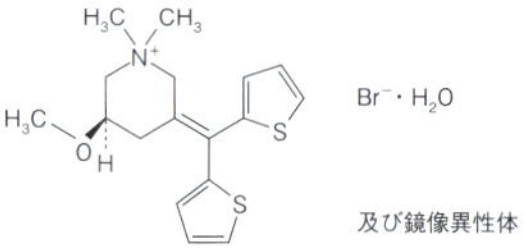

チメピジウム臭化物水和物
（**セスデン**注/カ）

及び鏡像異性体

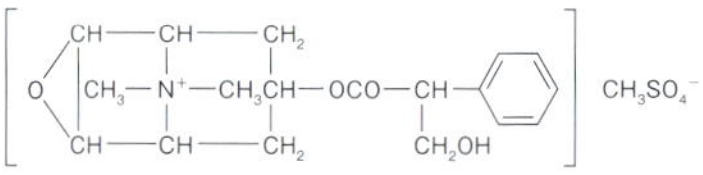

N-メチルスコポラミンメチル硫酸塩
（**ダイピン**錠）

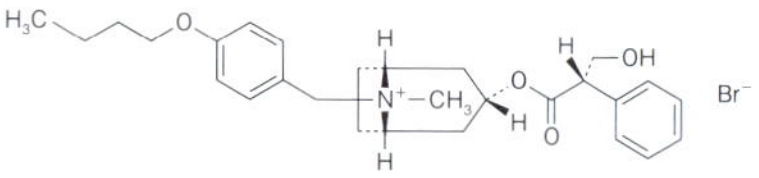

ブトロピウム臭化物
（**コリオパン**錠/顆/カ）

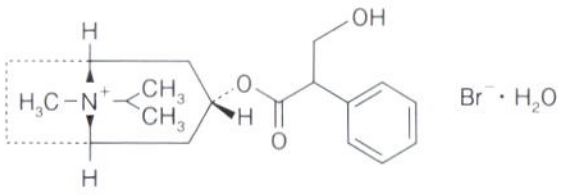

イプラトロピウム臭化物水和物
（**アトロベント**エロゾル）

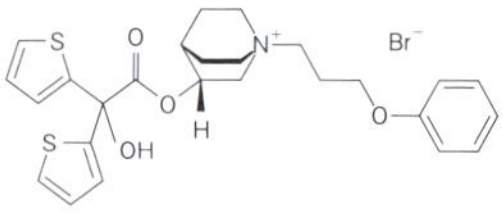

アクリジニウム臭化物
（**エクリラ** 400μg ジェヌエア 30 吸入用）

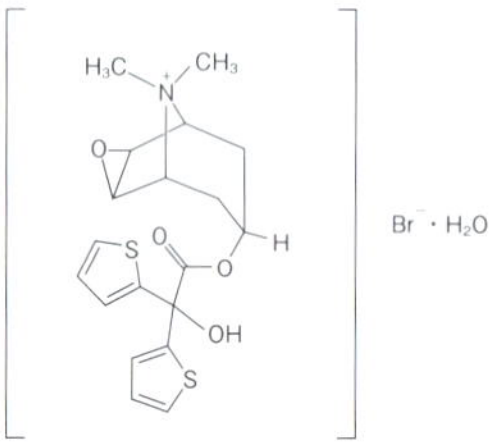

チオトロピウム臭化物水和物
（**スピリーバ**吸入用カ/レスピマット）

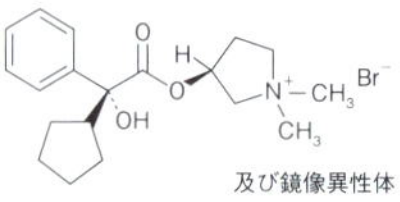

グリコピロニウム臭化物
（**シーブリ**吸入用カ）

及び鏡像異性体

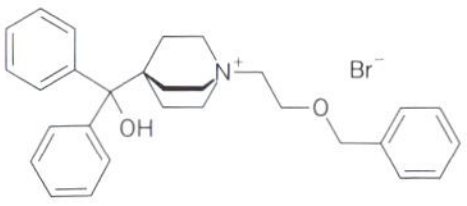

ウメクリジニウム臭化物
（**エンクラッセ**エリプタ）

間接型副交感神経作用薬

間接型副交感神経興奮薬（コリンエステラーゼ阻害薬）

可逆的阻害薬

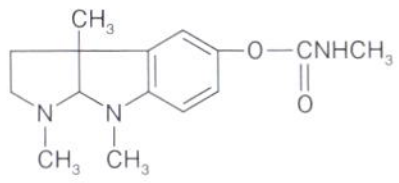
フィゾスチグミン

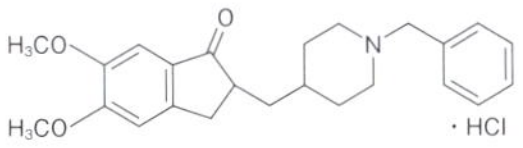
ドネペジル塩酸塩
（**アリセプト**錠/D錠/細/内服ゼリー/ドシ）

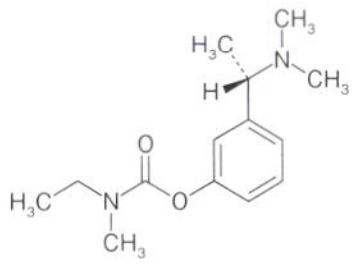
リバスチグミン
（**イクセロン**パッチ，**リバスタッチ**パッチ）

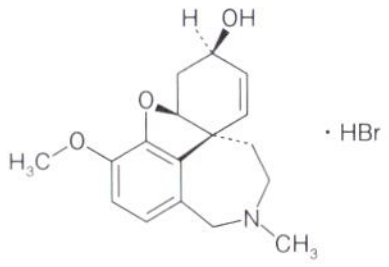
ガランタミン臭化水素酸塩
（**レミニール**錠/OD錠/内用液）

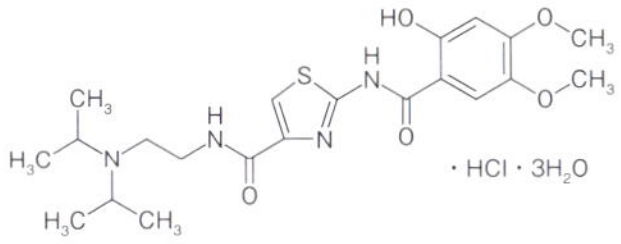
アコチアミド塩酸塩水和物
（**アコファイド**錠）

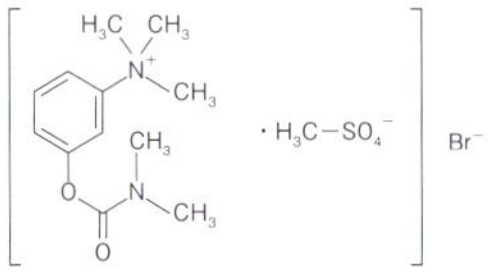
ネオスチグミン臭化物
（**ワゴスチグミン**散）

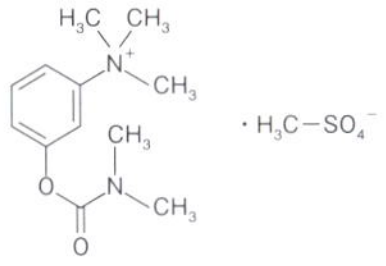
ネオスチグミンメチル硫酸塩
（**ワゴスチグミン**注）

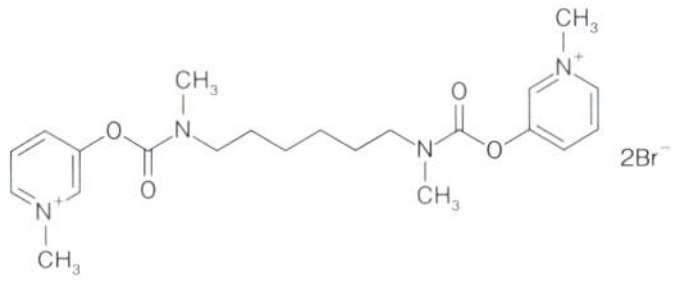
ジスチグミン臭化物
（**ウブレチド**錠/点眼液）

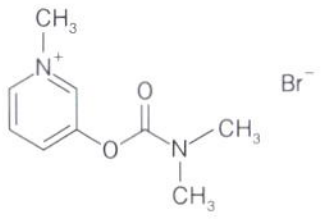
ピリドスチグミン臭化物
（**メスチノン**錠）

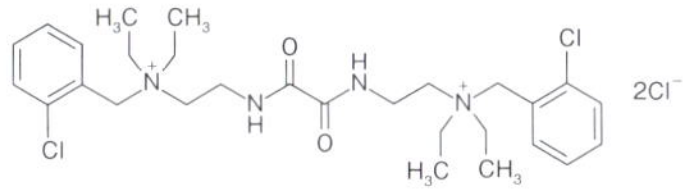
アンベノニウム塩化物
（**マイテラーゼ**錠）

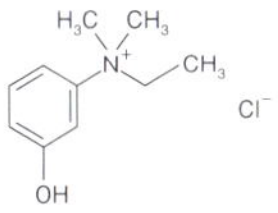
エドロホニウム塩化物
（**アンチレクス**静注）

不可逆的阻害薬（有機リン系）

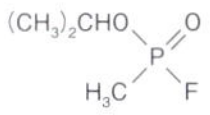
サリン

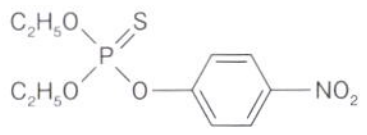
パラチオン

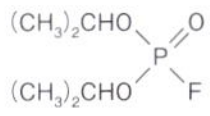
ジイソプロピル
フルオロホスフェート

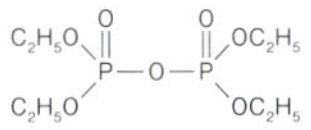
テトラエチル
ピロホスフェート

自律神経節作用薬

☞本文 p76

ニコチンNN受容体刺激薬

中枢移行性

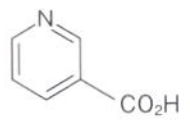
ニコチン
（**ニコチネル TTS** 貼）

末梢性

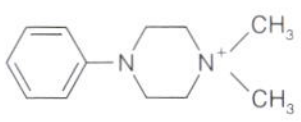
ジメチルフェニルピペラジニウム

ニコチンNN受容体阻害薬

末梢性

$(CH_3)_3N^+—(CH_2)_6—N^+(CH_3)_3$

ヘキサメトニウム

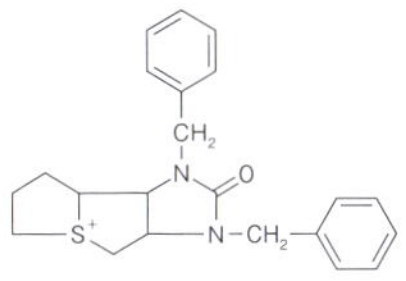
トリメタファン

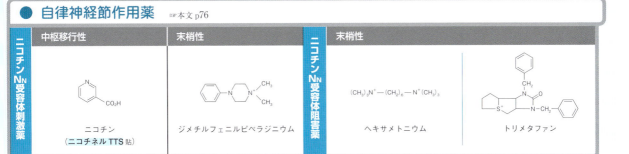

第3章　体性神経系に作用する薬物

知覚神経系作用薬

☞本文 p90

局所麻酔薬

エステル型

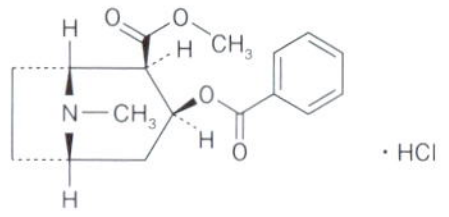

コカイン塩酸塩
（**コカイン塩酸塩**末）

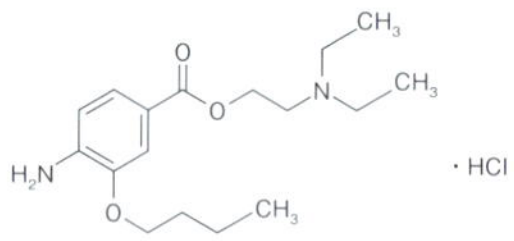

オキシブプロカイン塩酸塩
（**ベノキシール**点眼液，
ラクリミン点眼液）

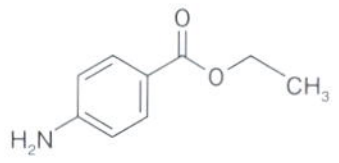

アミノ安息香酸エチル
〈ベンゾカイン〉
（**ビーゾカイン**歯科用ゼリー，
ハリケイン歯科用リキッドゲル）

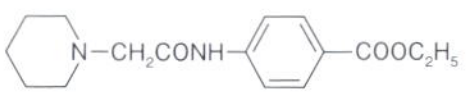

ピペリジノアセチルアミノ安息香酸エチル
（**スルカイン**錠）

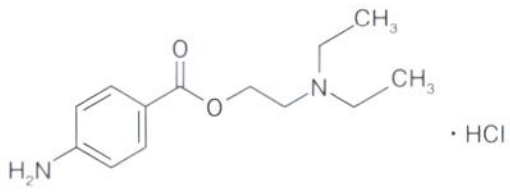

プロカイン塩酸塩
（**プロカイン塩酸塩**末/注，
プロカニン注，
ロカイン注）

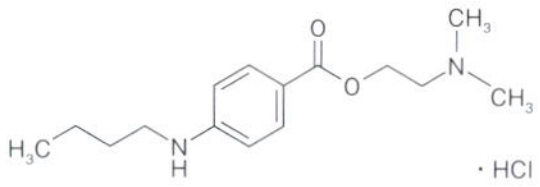

テトラカイン塩酸塩
（**テトカイン**注）

アミド型

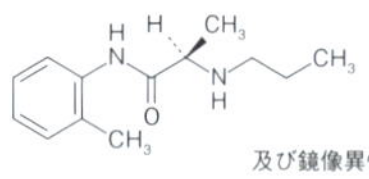

及び鏡像異性体

プロピトカイン
（リドカインとの合剤：**エムラ**クリーム/パッチ，
フェリプレシンとの合剤：**シタネスト-オクタプレシン**歯科用カートリッジ注）

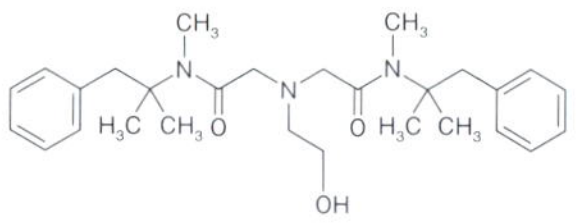

オキセサゼイン
（**ストロカイン**錠/顆）

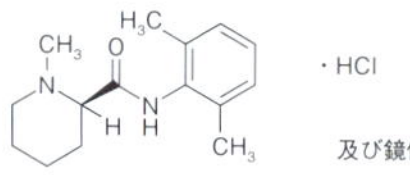

及び鏡像異性体

メピバカイン塩酸塩
（**カルボカイン**アンプル，
塩酸メピバカイン注シリンジ）

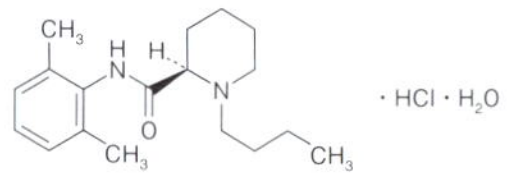

及び鏡像異性体

ブピバカイン塩酸塩水和物
（**マーカイン**注/注脊椎用）

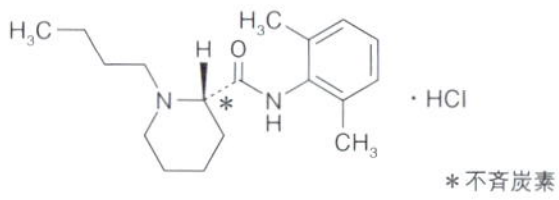

＊不斉炭素

レボブピバカイン塩酸塩
（**ポプスカイン**注）

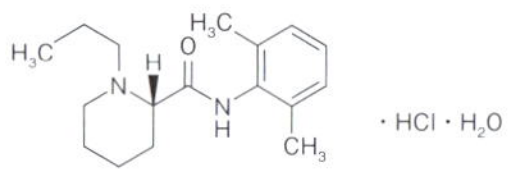

ロピバカイン塩酸塩水和物
（**アナペイン**注）

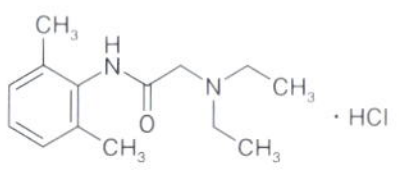

リドカイン塩酸塩
（**キシロカイン**注/筋注用/液/ゼリー/スプレー/ビスカス/点眼液）

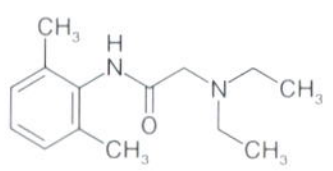

リドカイン
（**ペンレステープ**貼）

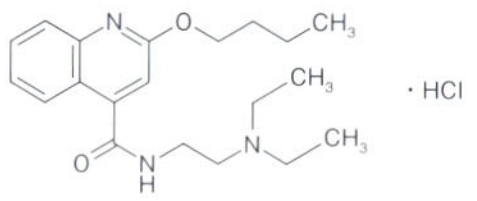

ジブカイン塩酸塩
（サリチル酸ナトリウム，臭化カルシウムとの合剤：**ネオビタカイン**注シリンジ
アミノ安息香酸エチル，テトラカイン塩酸塩，ホモスルファミンとの合剤：**プロネスパスタアロマ**軟）

運動神経系作用薬

☞本文 p94

末梢性骨格筋弛緩薬

運動神経作用薬

Na^{+}チャネル遮断

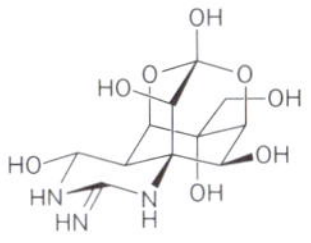

テトロドトキシン

ニコチン N_M 受容体阻害薬

競合型

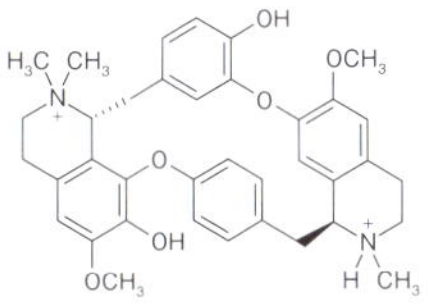

d-ツボクラリン

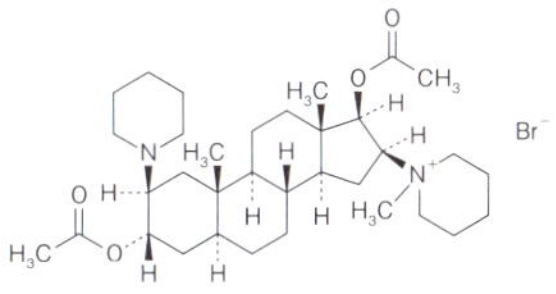

ベクロニウム臭化物
（**ベクロニウム**静注）

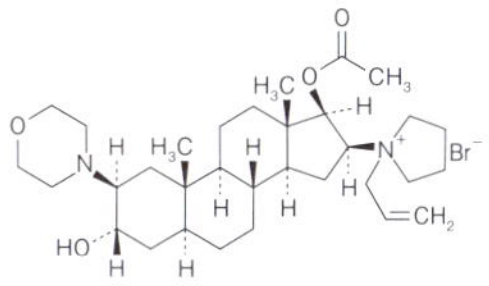

ロクロニウム臭化物
（**エスラックス**静注）

脱分極型

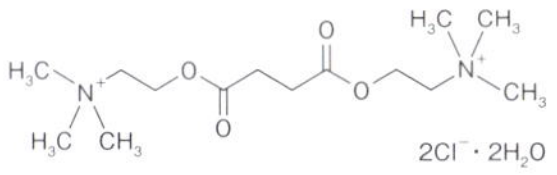

スキサメトニウム塩化物
（**スキサメトニウム**注，**レラキシン**注）

$(CH_3)_3N^{+}—(CH_2)_{10}—N^{+}(CH_3)_3$

デカメトニウム

リアノジン受容体遮断薬

脱共役型

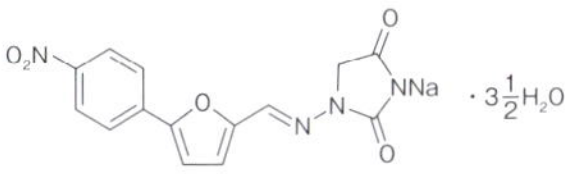

ダントロレンナトリウム水和物
（**ダントリウム**カ/静注）

解毒薬

ステロイド系筋弛緩薬の包接

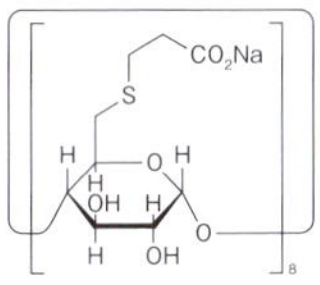

スガマデクスナトリウム
（**ブリディオン**静注）

第4章 中枢神経系に作用する薬物

● 全身麻酔薬 ☞本文 p106

吸入麻酔薬

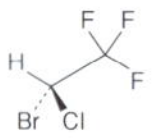

ハロタン	イソフルラン (**イソフルラン**吸入麻酔液)	エンフルラン	セボフルラン (**セボフレン**液)

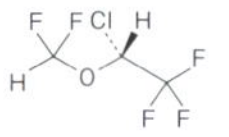

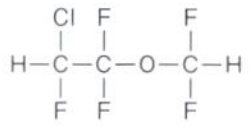

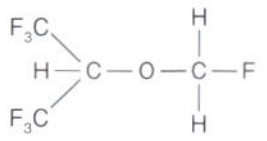

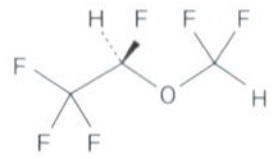

デスフルラン (**スープレン**吸入麻酔液)	エーテル	亜酸化窒素〈笑気ガス〉(**液化亜酸化窒素**)

静脈麻酔薬

バルビツレート系

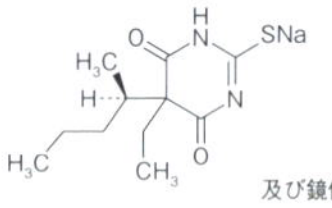

チオペンタールナトリウム (**ラボナール**注)	チアミラールナトリウム (**イソゾール**注・**チトゾール**注)

ベンゾジアゼピン系

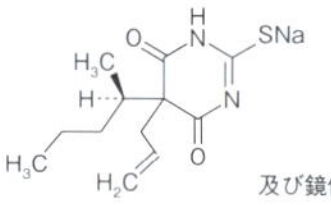

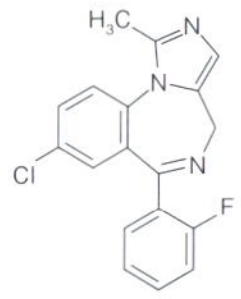

ミダゾラム (**ドルミカム**注)	レミマゾラムベシル酸塩 (**アネレム**静注用)

イソプロピルフェノール誘導体	フェンシクリジン誘導体	麻酔用神経遮断薬
プロポフォール (**ディプリバン**注／キット)	ケタミン塩酸塩 (**ケタラール**静注用／筋注用)	ドロペリドール (**ドロレプタン**注)

● エタノール ☞本文 p110

嫌酒薬

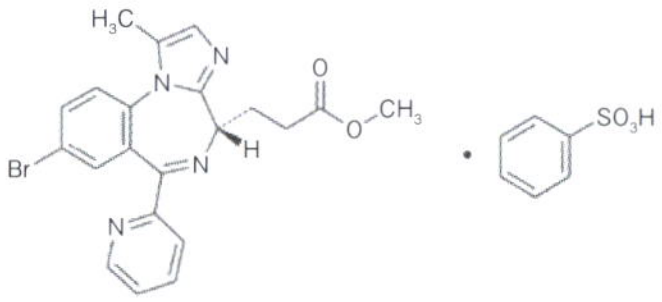

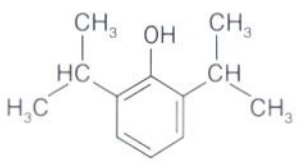

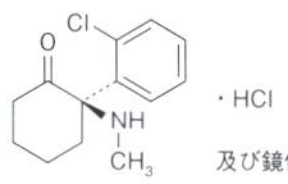

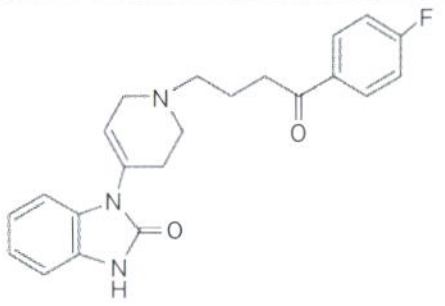

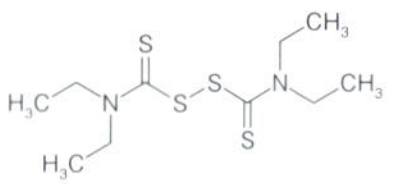

ジスルフィラム (**ノックビン**原末)

CH_2N_2
シアナミド (**シアナマイド**内用液)

断酒維持補助薬

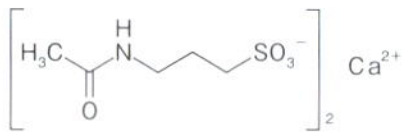

アカンプロサートカルシウム (**レグテクト**錠)

飲酒量低減薬

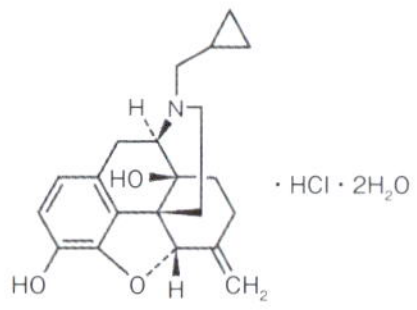

ナルメフェン塩酸塩水和物 (**セリンクロ**錠)

● 催眠・鎮静薬 ☞本文 p111

バルビツレート系催眠・鎮静薬

中間型

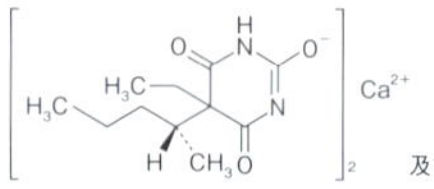

ペントバルビタールカルシウム (**ラボナ**錠)	セコバルビタールナトリウム (**アイオナール・ナトリウム**注)	アモバルビタール (**イソミタール**末)

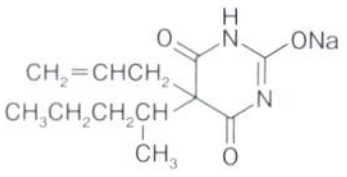

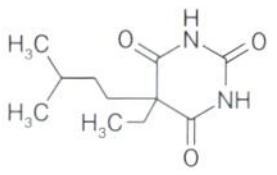

バルビツレート系催眠・鎮静薬

長時間型

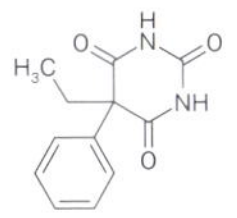

フェノバルビタール
（**フェノバール**散/末/錠/注/エリキシル，**フェノバルビタール**散/末）

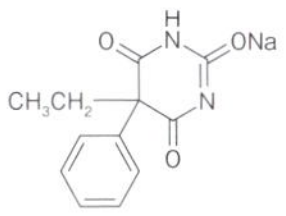

フェノバルビタールナトリウム
（**ノーベルバール**静注用，**ルピアール**坐，**ワコビタール**坐）

ベンゾジアゼピン受容体作動薬

超短時間型

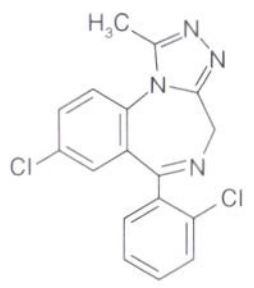

トリアゾラム
（**ハルシオン**錠）

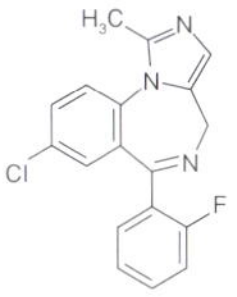

ミダゾラム
（**ドルミカム**注）

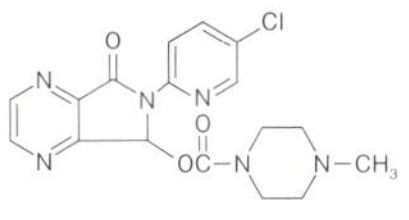

ゾピクロン
（**アモバン**錠）

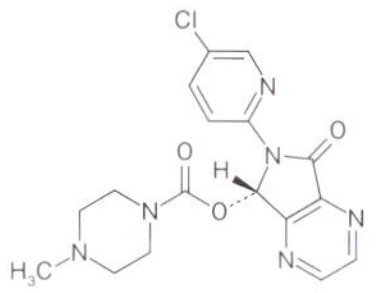

エスゾピクロン
（**ルネスタ**錠）

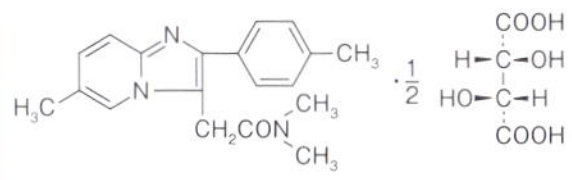

ゾルピデム酒石酸塩
（**マイスリー**錠）

短時間型

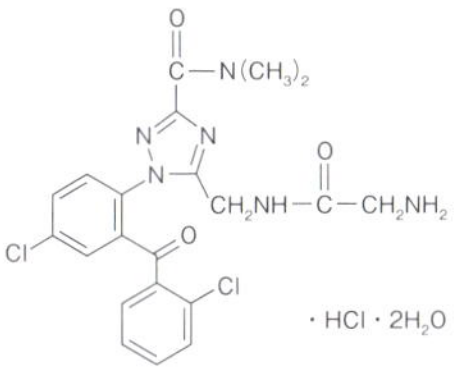

リルマザホン塩酸塩水和物
（**リスミー**錠）

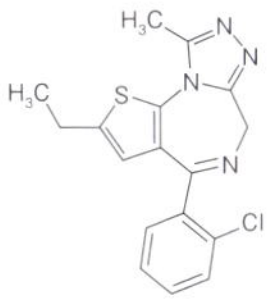

エチゾラム
（**デパス**錠/細）

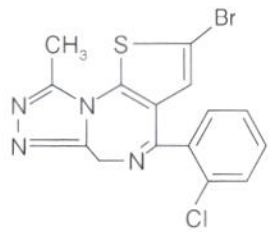

ブロチゾラム
（**レンドルミン**錠/D錠）

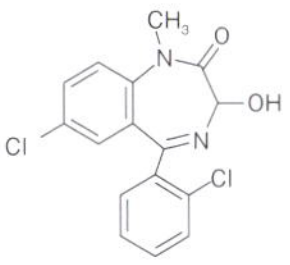

ロルメタゼパム
（**エバミール**錠，
ロラメット錠）

中間型

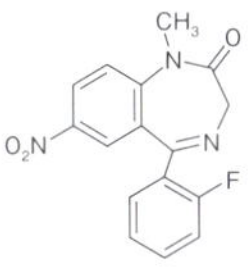

フルニトラゼパム
（**サイレース**錠/注）

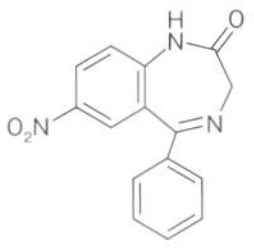

ニトラゼパム
（**ネルボン**錠/散，
ベンザリン錠/細）

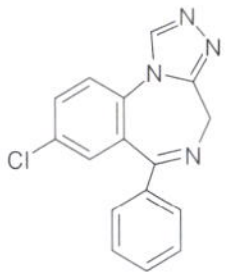

エスタゾラム
（**ユーロジン**錠/散）

クアゼパム
（**ドラール**錠）

長時間型

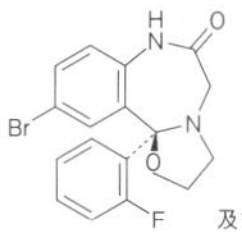

及び鏡像異性体

ハロキサゾラム
（**ソメリン**錠/細）

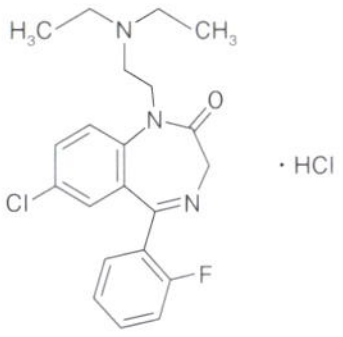

フルラゼパム塩酸塩
（**ダルメート**カ）

メラトニン受容体作動薬

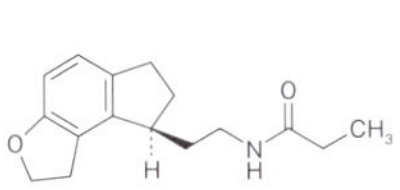

ラメルテオン
（**ロゼレム**錠）

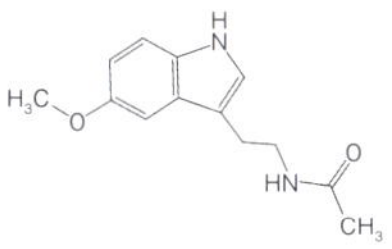

メラトニン
（**メラトベル**小児用顆）

トリクロロエタノール前駆体

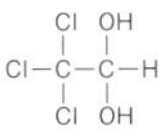

抱水クロラール
（**エスクレ**坐/注腸キット）

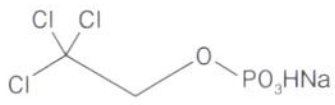

トリクロホスナトリウム
（**トリクロリール**シ）

オレキシン受容体遮断薬

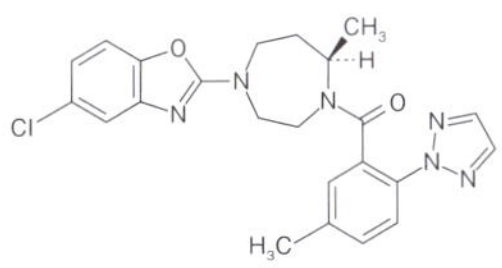

スボレキサント
（**ベルソムラ**錠）

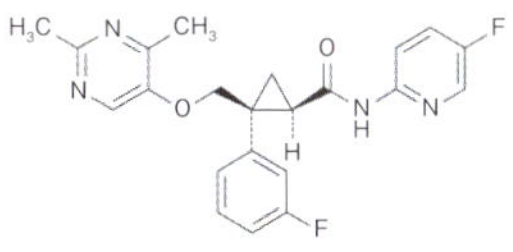

レンボレキサント
（**デエビゴ**錠）

臭素供与体

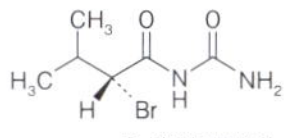

及び鏡像異性体

ブロモバレリル尿素
（**ブロバリン**末，
ブロムワレリル尿素末）

鎮静薬

臭素

KBr

臭化カリウム
（**臭化カリウム**末）

$α_2$受容体刺激薬

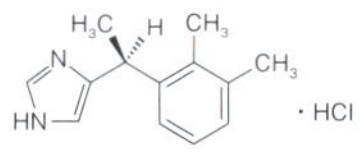

デクスメデトミジン塩酸塩
（**プレセデックス**静注液/シリンジ）

● 向精神薬

☞本文 p117

抗精神病薬（メジャー・トランキライザー）

定型抗精神病薬（ドパミン D_2受容体遮断薬）

フェノチアジン系

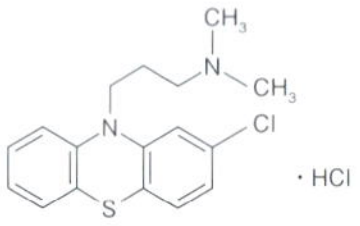

クロルプロマジン塩酸塩
（**ウインタミン**錠/細，**コントミン**糖衣錠/筋注）

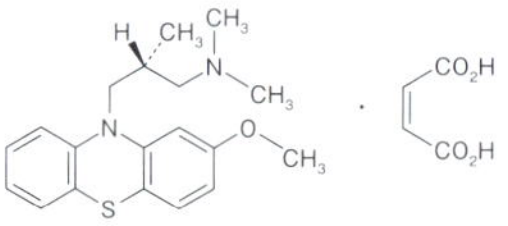

レボメプロマジンマレイン酸塩
（**ヒルナミン**錠/細/散/筋注，**レボトミン**錠/散/顆）

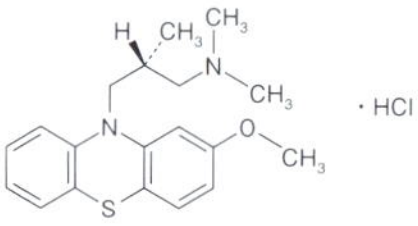

レボメプロマジン塩酸塩
（**レボトミン**筋注）

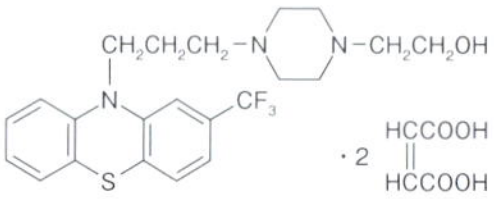

フルフェナジンマレイン酸塩
（**フルメジン**糖衣錠/散）

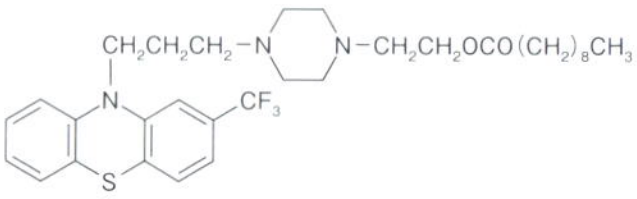

フルフェナジンデカン酸エステル
（**フルデカシン**筋注）

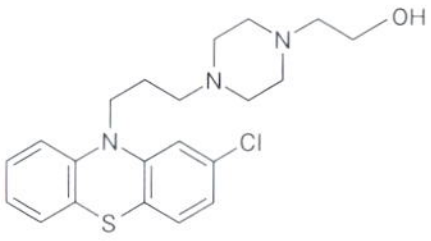

ペルフェナジン
（**トリラホン**錠/散）

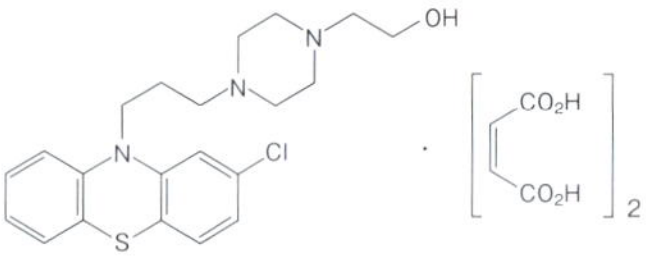

ペルフェナジンマレイン酸塩
（**ピーゼットシー**糖衣錠）

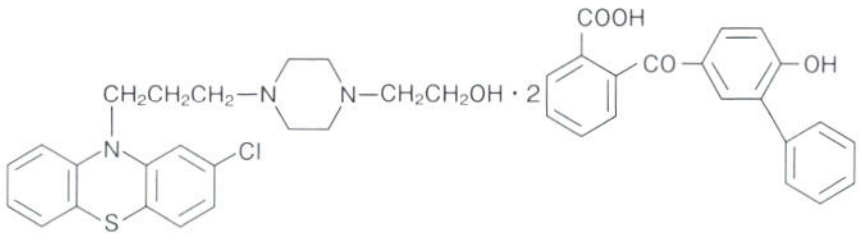

ペルフェナジンフェンジゾ酸塩
（**ピーゼットシー**散）

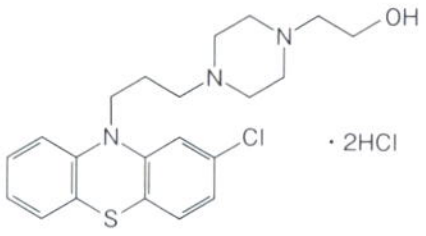

ペルフェナジン塩酸塩
（**ピーゼットシー**筋注）

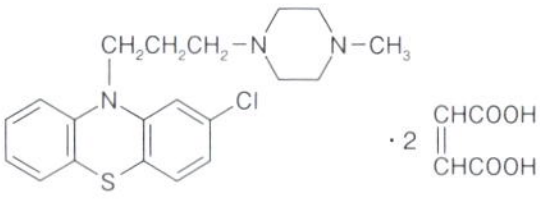

プロクロルペラジンマレイン酸塩
（**ノバミン**錠）

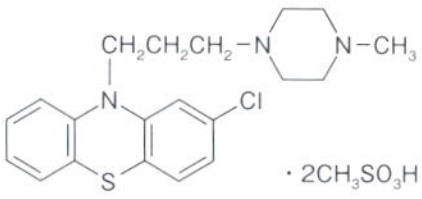

プロクロルペラジンメシル酸塩
（**ノバミン**筋注）

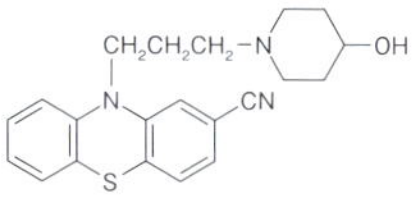

プロペリシアジン
（**ニューレプチル**錠/細/内服液）

ブチロフェノン系

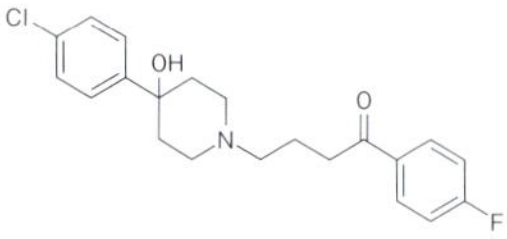

ハロペリドール
（**セレネース**錠/細/内服液/注）

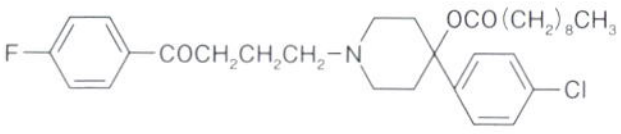

ハロペリドールデカン酸エステル
（**ネオペリドール**注，**ハロマンス**注）

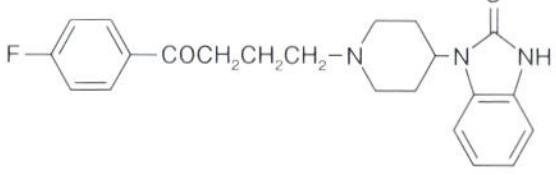

チミペロン
（**トロペロン**錠/細/注）

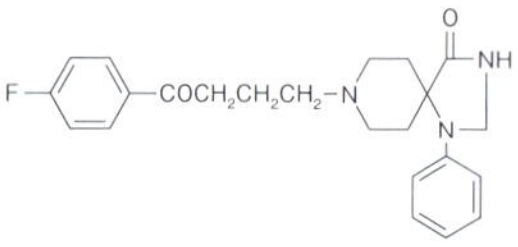

スピペロン
（**スピロピタン**錠）

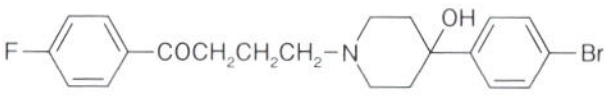

ブロムペリドール
（**インプロメン**錠/細）

抗精神病薬（メジャー・トランキライザー）

ベンズアミド系

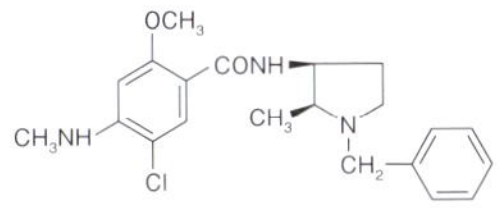

ネモナプリド
（**エミレース**錠）

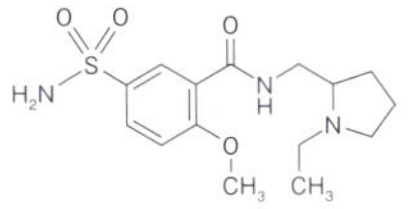

スルピリド
（**ドグマチール**錠/カ/細/筋注）

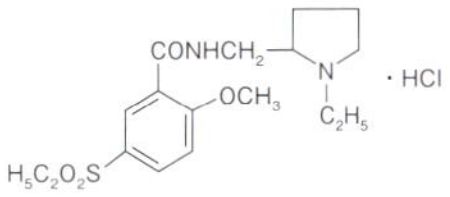

スルトプリド塩酸塩
（**バルネチール**錠/細）

イミノジベンジル系

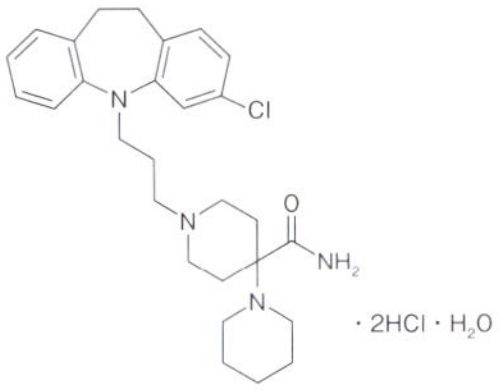

クロカプラミン塩酸塩水和物
（**クロフェクトン**錠/顆）

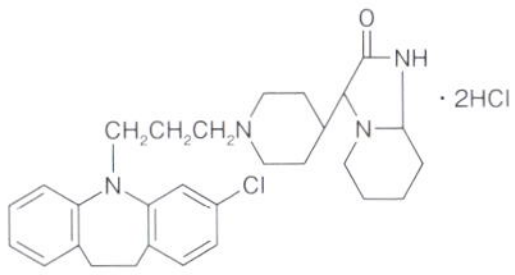

モサプラミン塩酸塩
（**クレミン**錠/顆）

インドール系

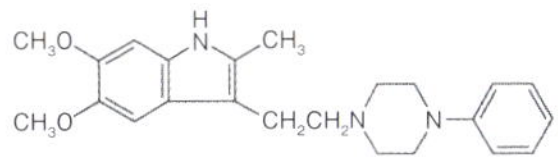

オキシペルチン
（**ホーリット**錠/散）

非定型抗精神病薬

SDA

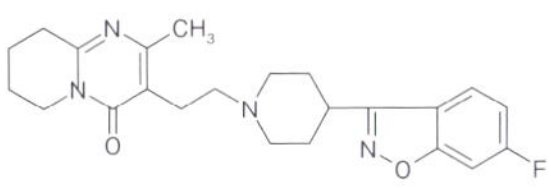

リスペリドン
（**リスパダール**錠/OD 錠/細/内用液/コンスタ筋注）

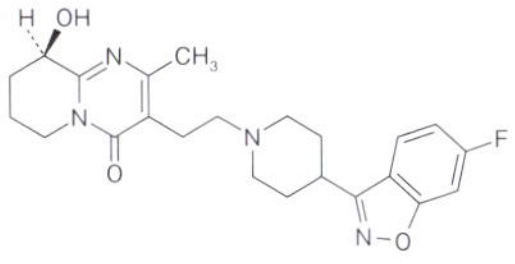

及び鏡像異性体

パリペリドン
（**インヴェガ**錠）

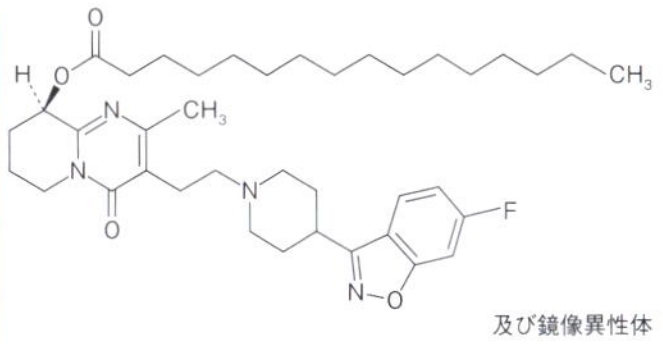

及び鏡像異性体

パリペリドンパルミチン酸エステル
（**ゼプリオン**水懸筋注）

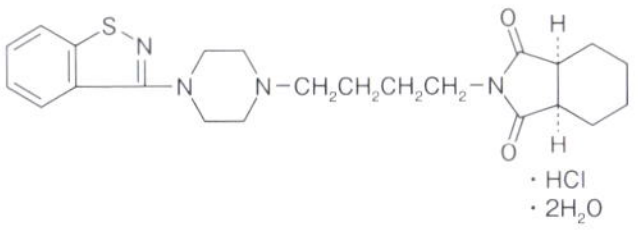

ペロスピロン塩酸塩水和物
（**ルーラン**錠）

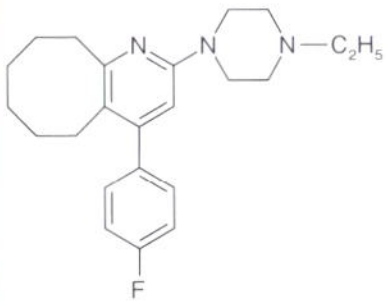

ブロナンセリン
（**ロナセン**錠/散/テープ）

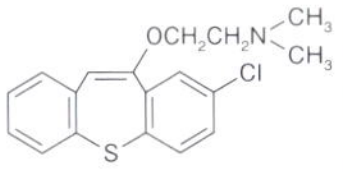

ゾテピン
（**ロドピン**錠/細）

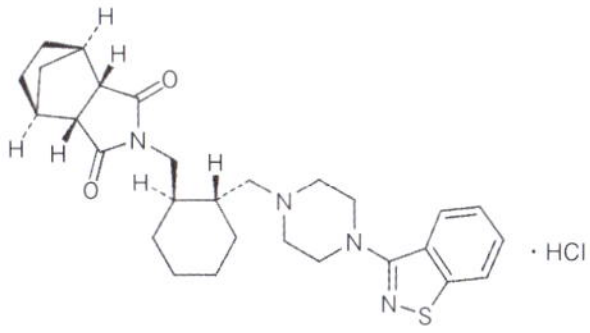

ルラシドン塩酸塩
（**ラツーダ**錠）

MARTA

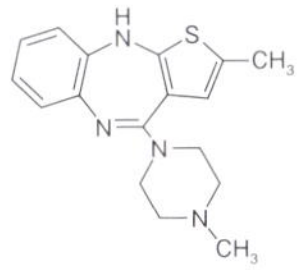

オランザピン
（**ジプレキサ**錠/ザイディス錠/細/筋注）

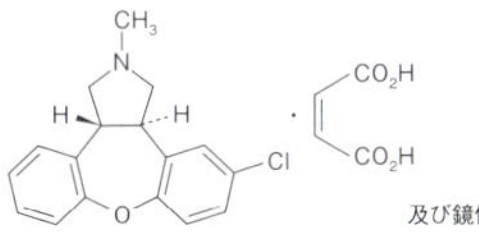

及び鏡像異性体

アセナピンマレイン酸塩
（**シクレスト**舌下錠）

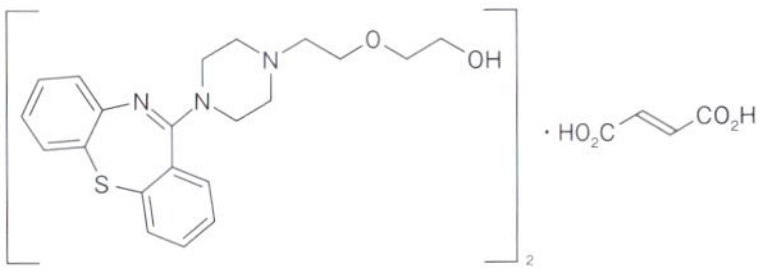

クエチアピンフマル酸塩
（**セロクエル**錠/細）

DSS

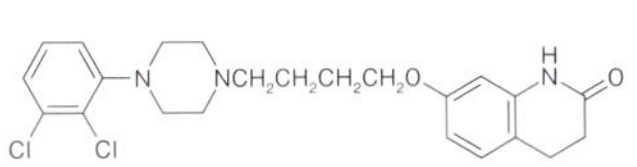

アリピプラゾール
（**エビリファイ**錠/OD錠/散/内用液/持続性水懸筋注）

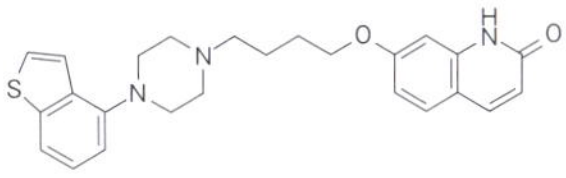

ブレクスピプラゾール
（**レキサルティ**錠）

その他

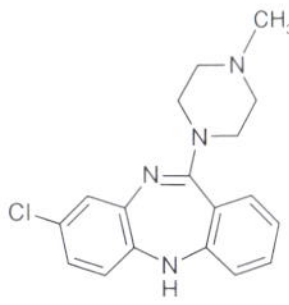

クロザピン
（**クロザリル**錠）

抗躁薬（気分安定薬）

Li_2CO_3　炭酸リチウム
（**リーマス**錠）

抗不安薬（マイナー・トランキライザー）

ベンゾジアゼピン系抗不安薬

短時間型

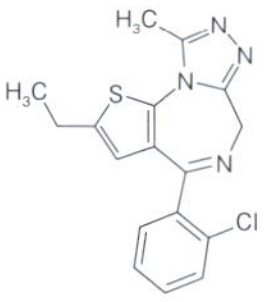

エチゾラム
（**デパス**錠/細）

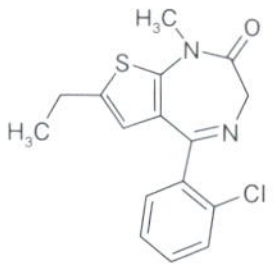

クロチアゼパム
（**リーゼ**錠/顆）

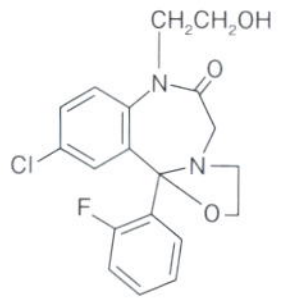

フルタゾラム
（**コレミナール**錠/細）

中間型

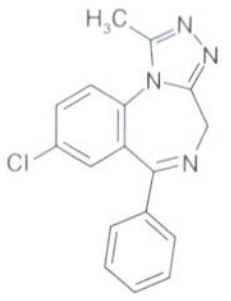

アルプラゾラム
（**コンスタン**錠，
ソラナックス錠）

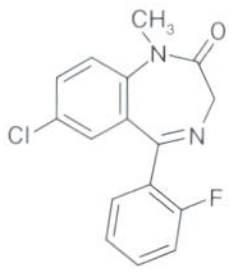

フルジアゼパム
（**エリスパン**錠）

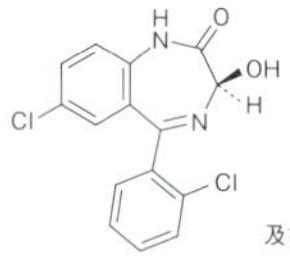

及び鏡像異性体

ロラゼパム
（**ワイパックス**錠，**ロラピタ**静注）

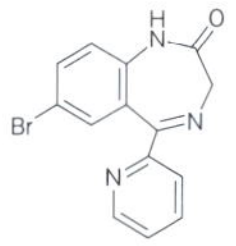

ブロマゼパム
（**ブロマゼパム**錠/細/坐，
レキソタン錠/細）

長時間型

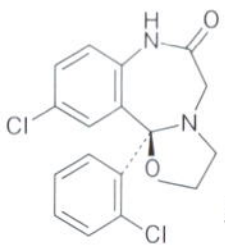

及び鏡像異性体

クロキサゾラム
（**セパゾン**錠/散）

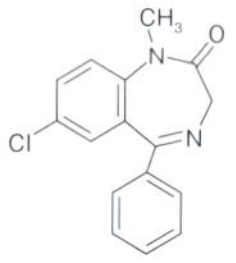

ジアゼパム
（**セルシン**錠/散/シ/注，
ホリゾン錠/散/注）

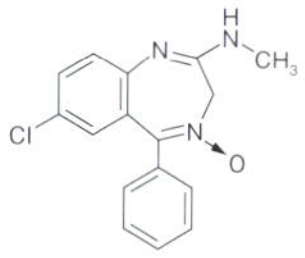

クロルジアゼポキシド
（**コントール**錠/散，
バランス錠/散）

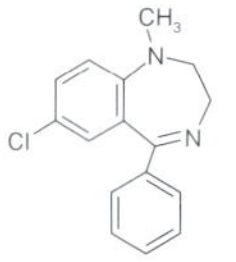

メダゼパム
（**レスミット**錠）

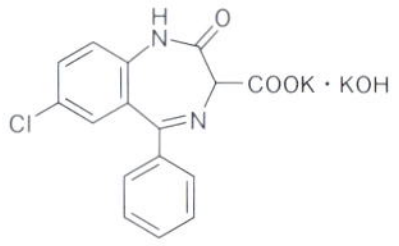

クロラゼプ酸二カリウム
（**メンドン**カ）

超長時間型

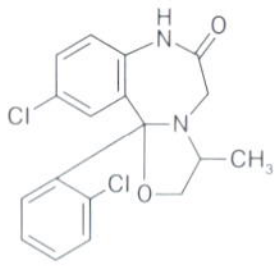

メキサゾラム
（**メレックス**錠/細）

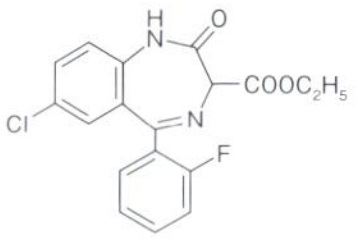

ロフラゼプ酸エチル
（**メイラックス**錠/細）

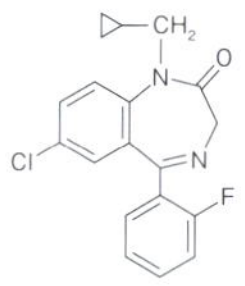

フルトプラゼパム
（**レスタス**錠）

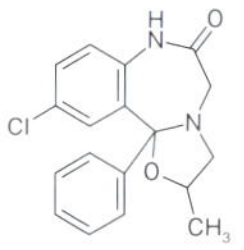

オキサゾラム
（**セレナール**錠/散）

その他の抗不安薬

5-HT1A部分活性薬

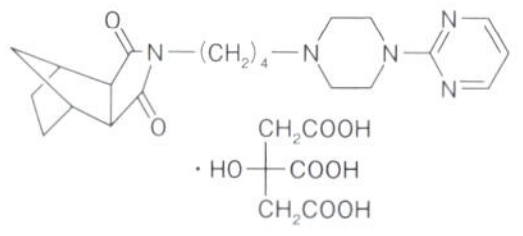

タンドスピロンクエン酸塩
（**セディール**錠）

自律神経調整薬

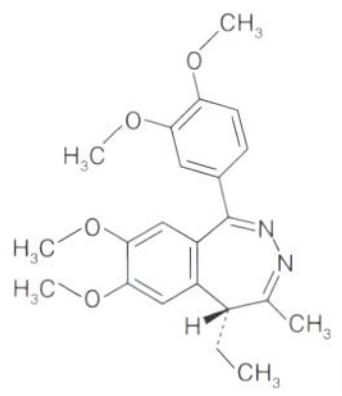

及び鏡像異性体

トフィソパム
（**グランダキシン**錠/細）

抗不安薬（マイナー・トランキライザー）

ジフェニルメタン系薬

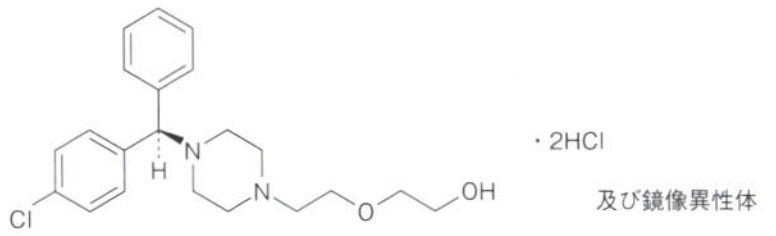

ヒドロキシジン塩酸塩
（**アタラックス**錠/P注）

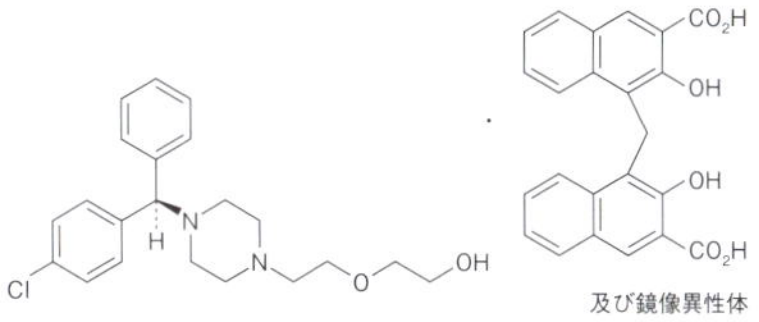

ヒドロキシジンパモ酸塩
（**アタラックスP** カ/散/ドシ/シ）

抗うつ薬

第一世代抗うつ薬

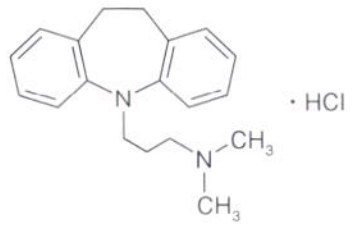

イミプラミン塩酸塩
（**イミドール**錠，**トフラニール**錠）

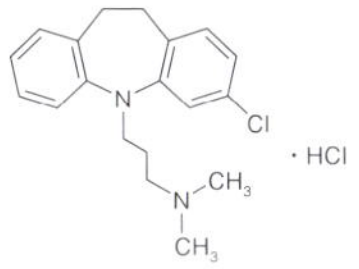

クロミプラミン塩酸塩
（**アナフラニール**錠/点滴静注）

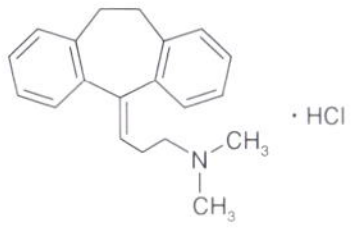

アミトリプチリン塩酸塩
（**トリプタノール**錠）

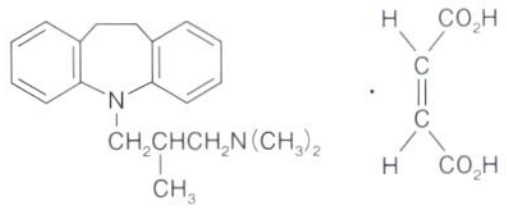

トリミプラミンマレイン酸塩
（**スルモンチール**錠/散）

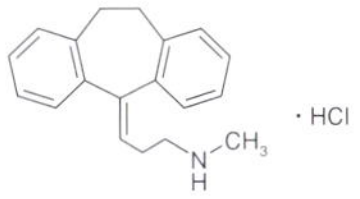

ノルトリプチリン塩酸塩
（**ノリトレン**錠）

第二世代抗うつ薬

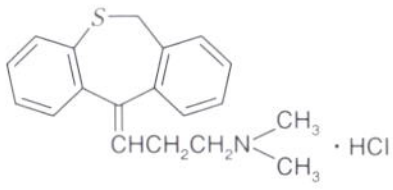

ドスレピン塩酸塩
（**プロチアデン**錠）

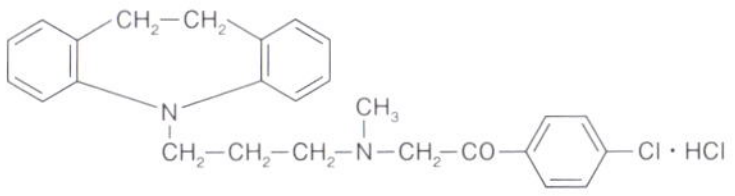

ロフェプラミン塩酸塩
（**アンプリット**錠）

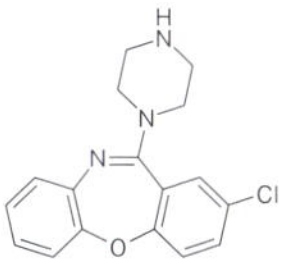

アモキサピン
（**アモキサン**細/カ）

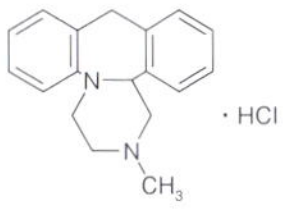

ミアンセリン塩酸塩
（**テトラミド**錠）

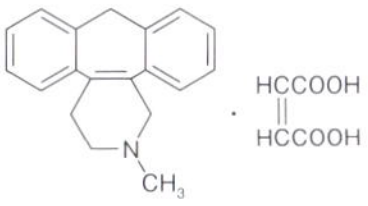

セチプチリンマレイン酸塩
（**テシプール**錠）

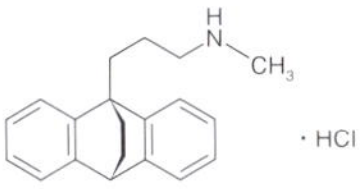

マプロチリン塩酸塩
（**ルジオミール**錠）

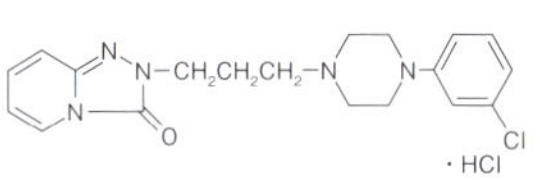

トラゾドン塩酸塩
（**デジレル**錠，**レスリン**錠）

第三世代抗うつ薬（SSRI）

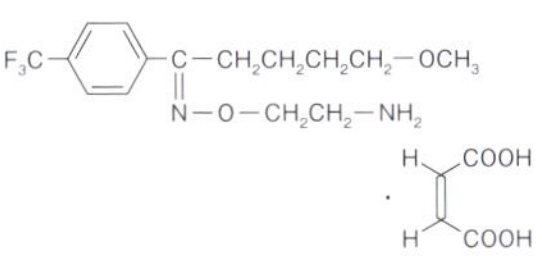

フルボキサミンマレイン酸塩
（**デプロメール**錠，**ルボックス**錠）

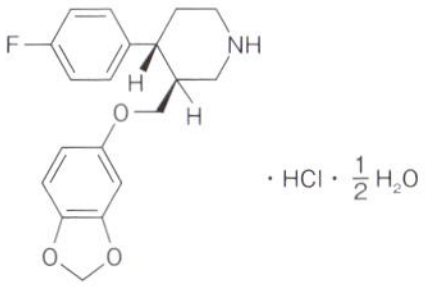

パロキセチン塩酸塩水和物
（**パキシル**錠/CR錠）

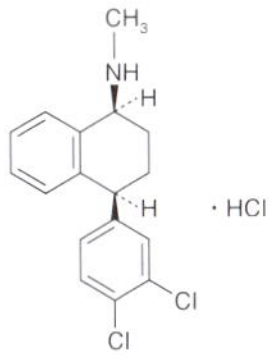

セルトラリン塩酸塩
（**ジェイゾロフト**錠/OD錠）

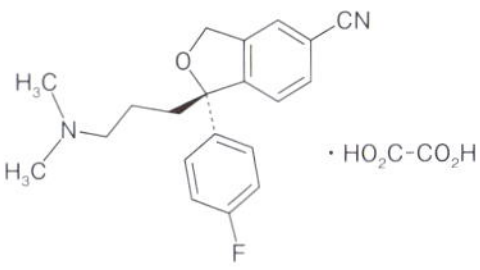

エスシタロプラムシュウ酸塩
（**レクサプロ**錠）

第四世代抗うつ薬（SNRI）

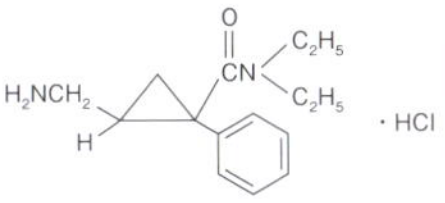

ミルナシプラン塩酸塩
（**トレドミン**錠）

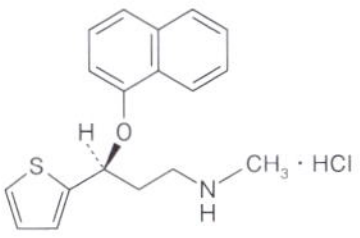

デュロキセチン塩酸塩
（**サインバルタ**カ）

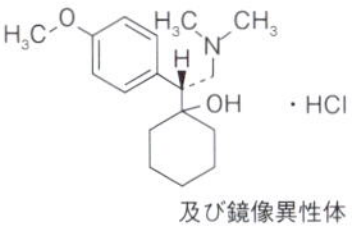

ベンラファキシン塩酸塩
（**イフェクサー** SRカ）

第五世代抗うつ薬（NaSSA）

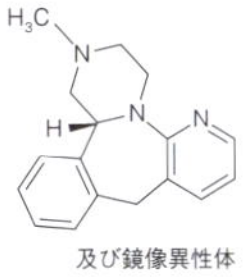

ミルタザピン
（**リフレックス**錠，**レメロン**錠）

第六世代抗うつ薬（S-RIM）

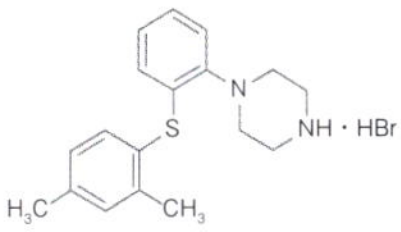

ボルチオキセチン臭化水素酸塩
（**トリンテリックス**錠）

幻覚薬

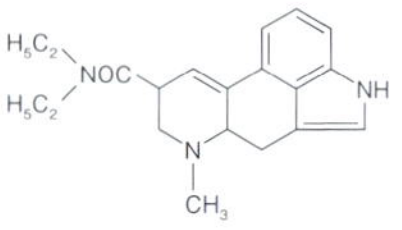
リゼルグ酸ジエチルアミド
〈LSD-25〉

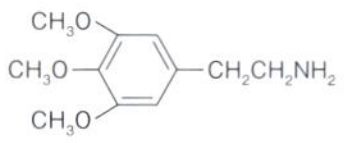
メスカリン

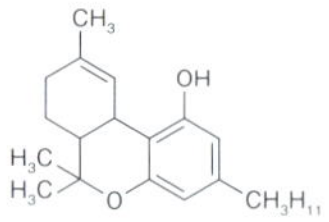
テトラヒドロカンナビノール

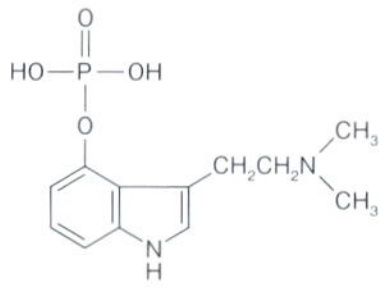
シロシビン

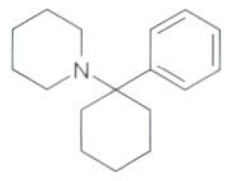
フェンシクリジン

抗てんかん薬

☞本文 p131

欠神発作のみ適応の抗てんかん薬

スクシミド系

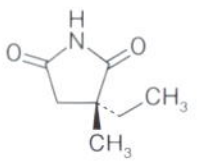
及び鏡像異性体

エトスクシミド
（**エピレオプチマル**散，**ザロンチン**シ）

オキサゾリジン系

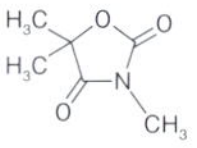
トリメタジオン
（**ミノアレ**散）

欠神発作無効型抗てんかん薬

ヒダントイン系

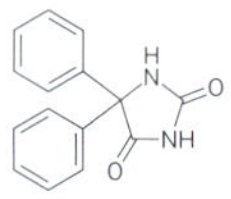
フェニトイン
（**アレビアチン**錠/散/注，**ヒダントール**錠/散）

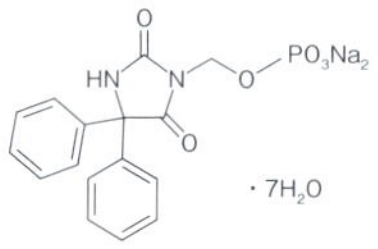
ホスフェニトインナトリウム水和物
（**ホストイン**静注）

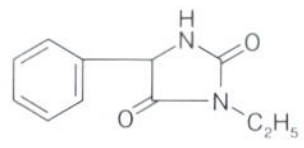
エトトイン
（**アクセノン**末）

バルビタール系

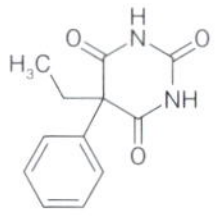
フェノバルビタール
（**フェノバール**散/末/錠/注/エリキシル，**フェノバルビタール**散/末）

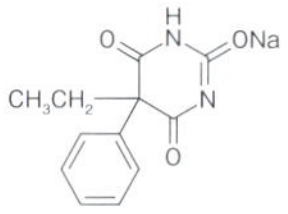
フェノバルビタールナトリウム
（**ノーベルバール**静注用，**ルピアール**坐，**ワコビタール**坐）

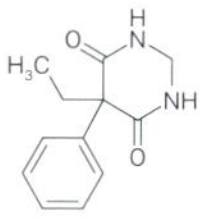
プリミドン
（**プリミドン**錠/細）

イミノスチルベン系

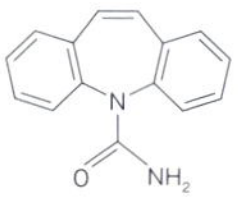
カルバマゼピン
（**テグレトール**錠/細）

全般型抗てんかん薬

分岐脂肪酸系

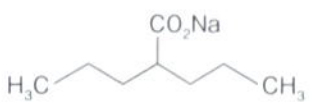
バルプロ酸ナトリウム
（**セレニカR**徐放錠/徐放顆，**デパケン**錠/R錠/細/シ）

スルホンアミド系

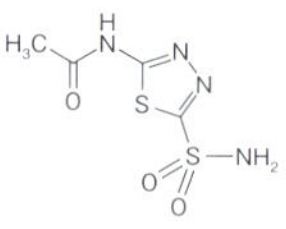
アセタゾラミド
（**ダイアモックス**錠/末/注）

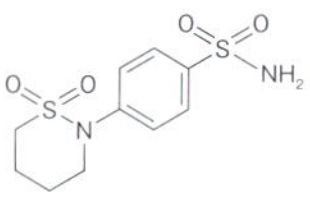
スルチアム
（**オスポロット**錠）

アセチル尿素系

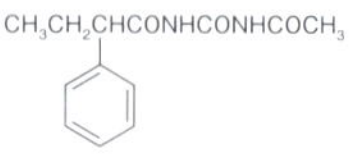
アセチルフェネトライド
（**クランポール**錠/末）

ベンゾジアゼピン系

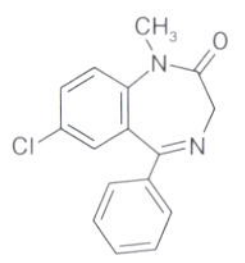
ジアゼパム
（**セルシン**錠/散/シ/注，**ホリゾン**錠/散/注，**ダイアップ**坐）

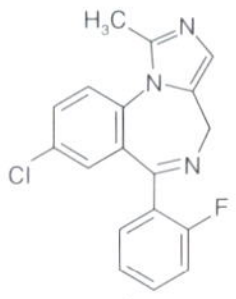
ミダゾラム
（**ミダフレッサ**静注，**ブコラム**口腔用液）

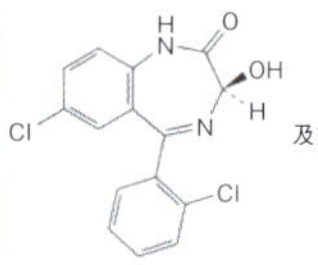
及び鏡像異性体

ロラゼパム
（**ロラピタ**静注）

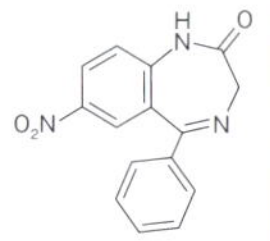
ニトラゼパム
（**ネルボン**錠/散，**ベンザリン**錠/細）

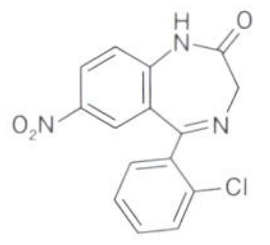
クロナゼパム
（**ランドセン**錠/細，**リボトリール**錠/細）

抗てんかん薬併用薬

GABA誘導体

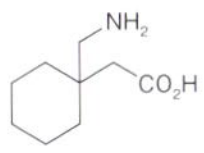

ガバペンチン
（**ガバペン**錠/シ）

ベンゾジアゼピン系

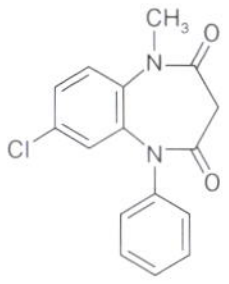

クロバザム
（**マイスタン**錠/細）

ベンズイソキサゾール系

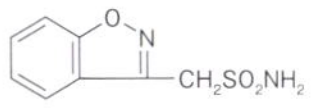

ゾニサミド
（**エクセグラン**錠/散）

その他

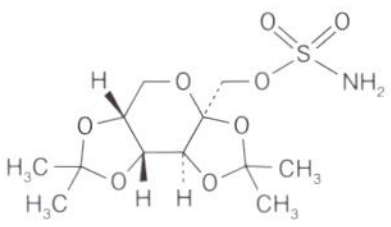

トピラマート
（**トピナ**錠/細）

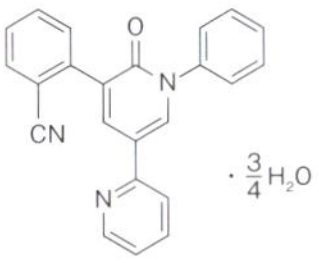

ペランパネル水和物
（**フィコンパ**錠/細）

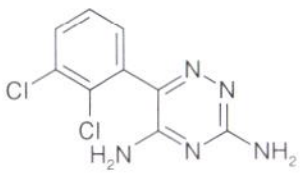

ラモトリギン
（**ラミクタール**錠小児用/錠）

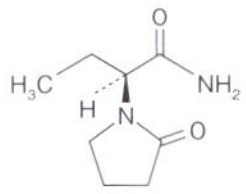

レベチラセタム
（**イーケプラ**錠/ドシ/点滴静注）

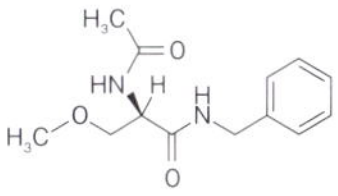

ラコサミド
（**ビムパット**錠/ドシ）

その他の抗てんかん薬

Dravet症候群治療薬

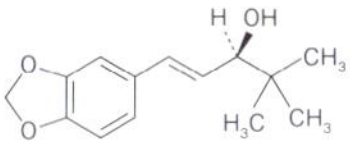

及び鏡像異性体

スチリペントール
（**ディアコミット**カ/ドシ）

Lennox-Gastaut症候群治療薬

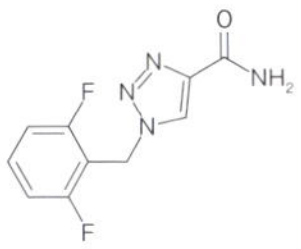

ルフィナミド
（**イノベロン**錠）

点頭てんかん治療薬

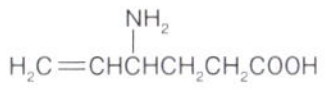

ビガバトリン
（**サブリル**散）

中枢性筋弛緩薬

☞本文 p135

プロパンジオール誘導体

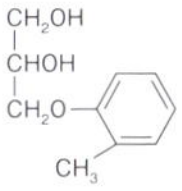

メフェネシン

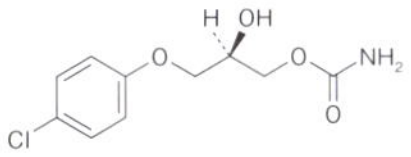

クロルフェネシン
カルバミン酸エステル
（**リンラキサー**錠）

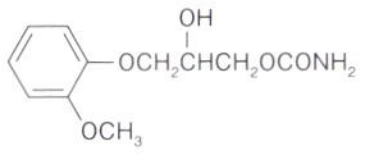

メトカルバモール
（**ロバキシン**顆）

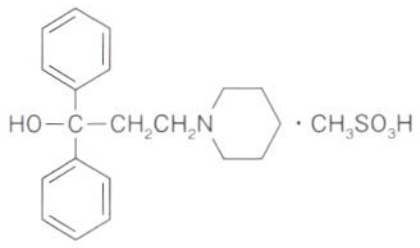

プリジノールメシル酸塩
（**ロキシーン**錠/注）

イミダゾリン誘導体

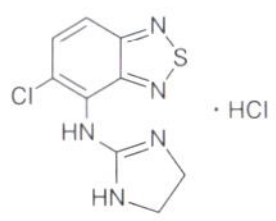

チザニジン塩酸塩
（**テルネリン**錠/顆）

βアミノプロピオフェノン誘導体

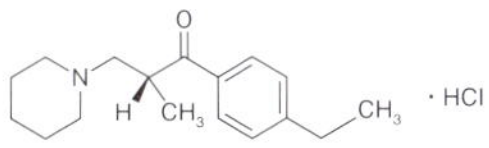

及び鏡像異性体

エペリゾン塩酸塩
（**ミオナール**錠/顆）

キナゾリノン誘導体

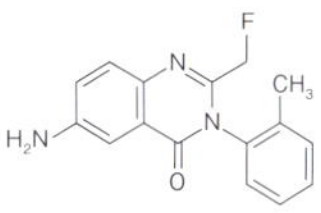

アフロクァロン
（**アロフト**錠）

ベンゾジアゼピン誘導体

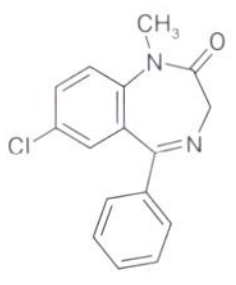

ジアゼパム
（**セルシン**錠/散/シ/注,
ホリゾン錠/散/注, **ダイアップ**坐）

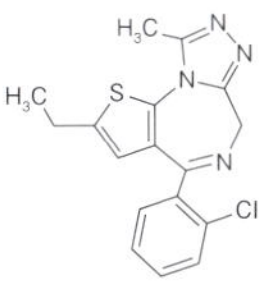

エチゾラム
（**デパス**錠/細）

$GABA_B$受容体刺激薬

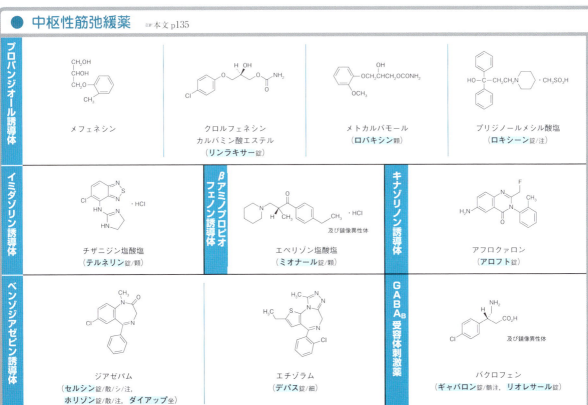

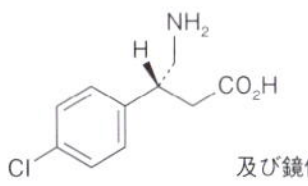

及び鏡像異性体

バクロフェン
（**ギャバロン**錠/髄注, **リオレサール**錠）

中枢神経系に作用する薬物

20

（左縦帯）ドパミン系パーキンソン病治療薬

● パーキンソン病治療薬　☞本文 p138

ドパミン前駆体	芳香族 L-アミノ酸脱炭酸酵素〈AADC〉阻害薬	末梢 COMT 阻害薬

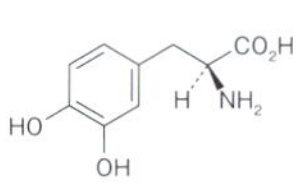

レボドパ
（**ドパストン**散/カ/静注, **ドパゾール**錠）

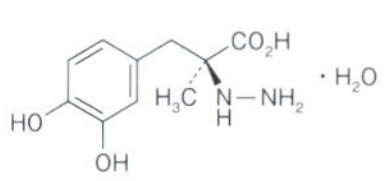

カルビドパ水和物
（レボドパとの合剤：
ネオドパストン配合錠,
メネシット配合錠,
デュオドーパ配合経腸用液）

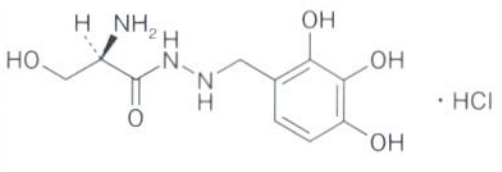

・H₂O

ベンセラジド塩酸塩
及び鏡像異性体 ・HCl
（レボドパとの合剤：
イーシー・ドパール配合錠,
マドパー配合錠,
ネオドパゾール配合錠）

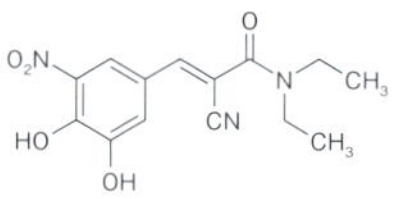

エンタカポン
（**コムタン**錠）
レボドパ・カルビドパとの合剤：
スタレボ配合錠）

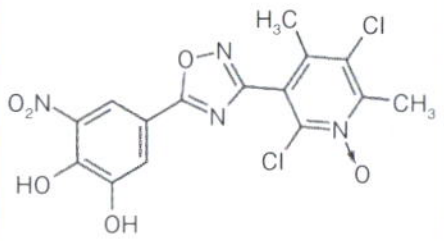

オピカポン
（**オンジェンティス**錠）

ドパミン遊離促進薬	ドパミン分解酵素（MAO_B）阻害薬

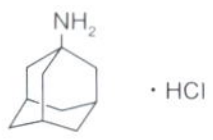

アマンタジン塩酸塩
（**シンメトレル**錠/細）
・HCl

セレギリン塩酸塩
（**エフピー** OD 錠）
・HCl

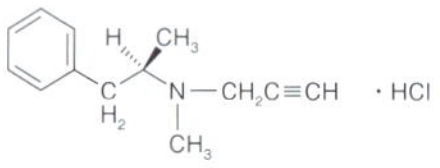

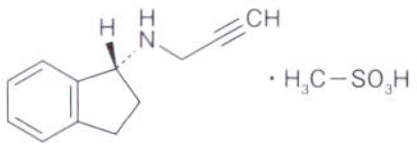

ラサギリンメシル酸塩
（**アジレクト**錠）
・H₃C-SO₃H

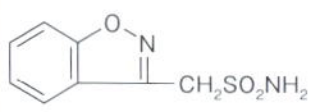

ゾニサミド
（**トレリーフ**錠/OD 錠）

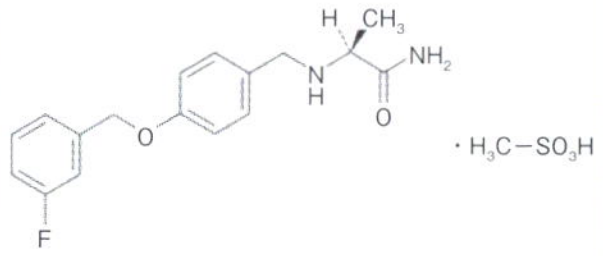

サフィナミドメシル酸塩
（**エクフィナ**錠）
・H₃C-SO₃H

ドパミン D₂ 受容体刺激薬

（麦角系）

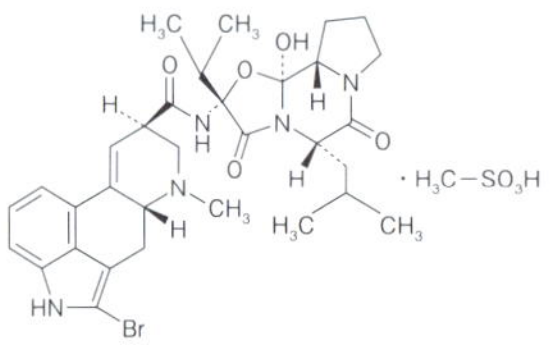

ブロモクリプチンメシル酸塩
（**パーロデル**錠）
・H₃C-SO₃H

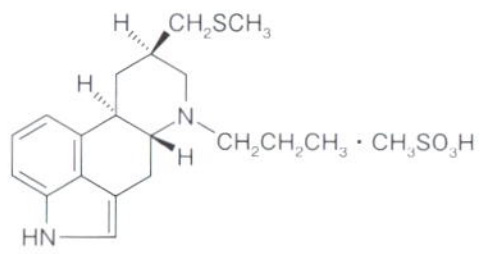

ペルゴリドメシル酸塩
（**ペルマックス**錠）
・CH₃SO₃H

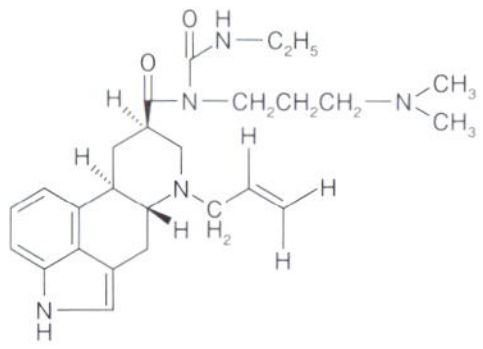

カベルゴリン
（**カバサール**錠）

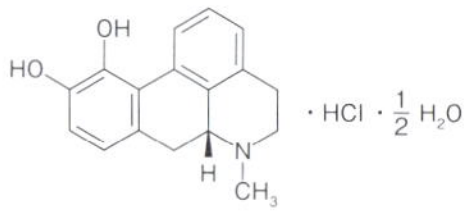

アポモルヒネ塩酸塩水和物
（**アポカイン**皮下注）
・HCl・½H₂O

（非麦角系）

タリペキソール塩酸塩
（**ドミン**錠）
・2HCl

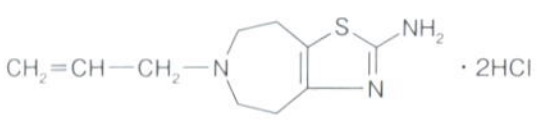

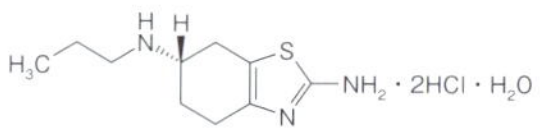

プラミペキソール塩酸塩水和物
（**ビ・シフロール**錠, **ミラペックス** LA 錠）
・2HCl・H₂O

ロピニロール塩酸塩
（**レキップ**錠/CR 錠, **ハルロピ**テープ）
・HCl

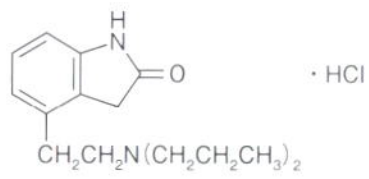

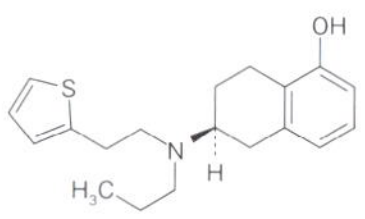

ロチゴチン
（**ニュープロパッチ**貼）

アセチルコリン系パーキンソン病治療薬

ムスカリン受容体遮断薬

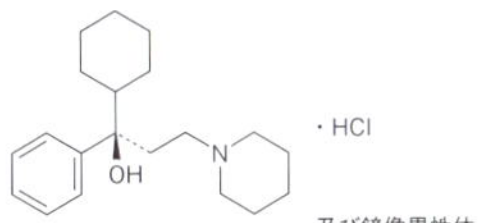

トリヘキシフェニジル塩酸塩
（**アーテン**錠/散）

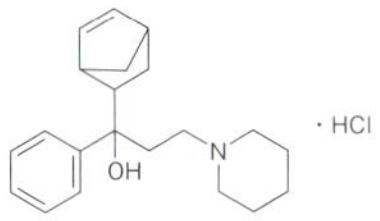

ビペリデン塩酸塩
（**アキネトン**錠/細/注）

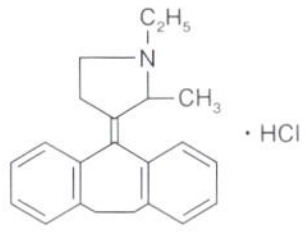

ピロヘプチン塩酸塩
（**トリモール**錠/細）

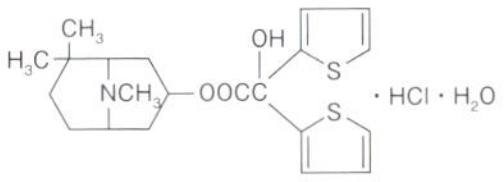

マザチコール塩酸塩水和物
（**ペントナ**錠/散）

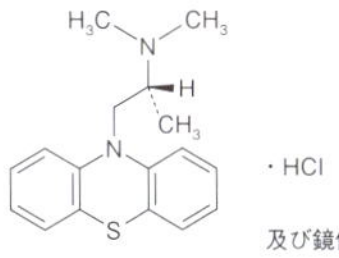

プロメタジン塩酸塩
（**ヒベルナ**糖衣錠/散/注，**ピレチア**錠/細）

ノルアドレナリン系パーキンソン病治療薬

ノルアドレナリン前駆体

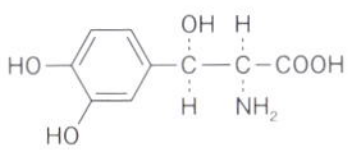

ドロキシドパ
（**ドプス** OD錠/細）

アデノシン系パーキンソン病治療薬

アデノシン A$_{2A}$ 受容体遮断薬

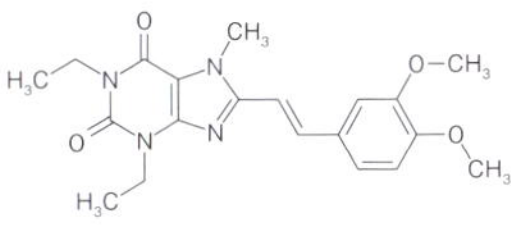

イストラデフィリン
（**ノウリアスト**錠）

● **ハンチントン病治療薬** ☞本文p143

ハンチントン病治療薬

ドパミン枯渇薬

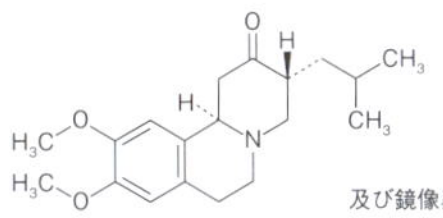

テトラベナジン
（**コレアジン**錠）

● **レストレスレッグス症候群治療薬** ☞本文p143

レストレスレッグス症候群治療薬

ドパミン D$_2$ 受容体刺激薬

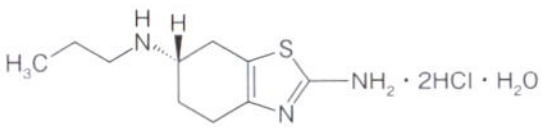

プラミペキソール塩酸塩水和物
（**ビ・シフロール**錠）

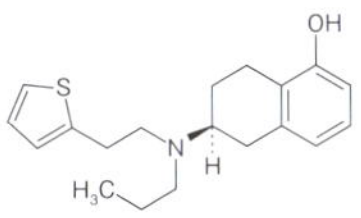

ロチゴチン
（**ニュープロパッチ**貼）

ガバペンチンプロドラッグ

ガバペンチンエナカルビル
（**レグナイト**錠）

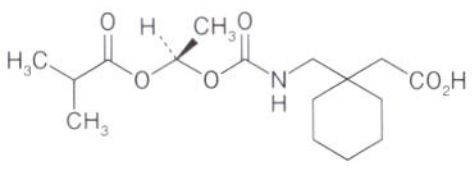

● オピオイド系鎮痛薬 　☞本文 p147

モルヒネ系鎮痛薬（麻薬）

・HCl・3H₂O

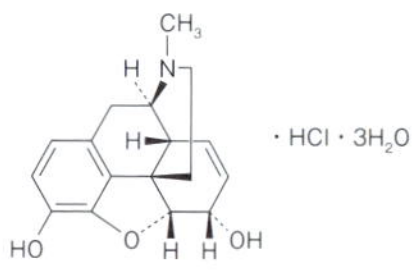

モルヒネ塩酸塩水和物
（**モルヒネ塩酸塩**錠/末/注，
オプソ内服液，**パシーフ**徐放カ，
アンペック注/坐，**プレペノン**注）

・H₂SO₄・5H₂O

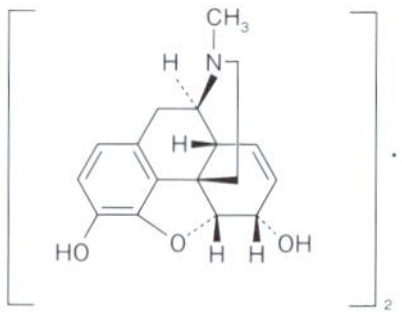

モルヒネ硫酸塩水和物
（**MS コンチン**徐放錠）

・H₃PO₄・½H₂O

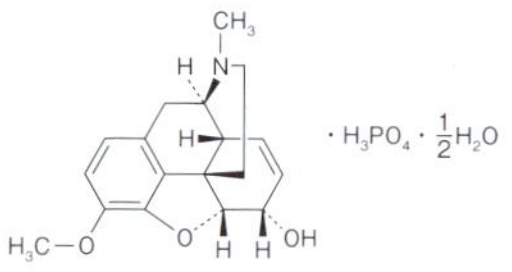

コデインリン酸塩水和物
（**コデインリン酸塩**錠/末/散）

・H₃PO₄

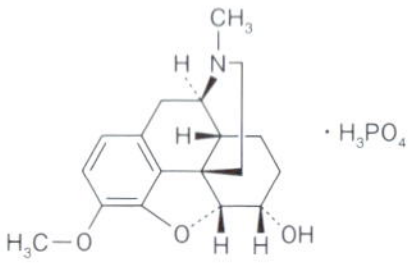

ジヒドロコデインリン酸塩
（**ジヒドロコデインリン酸塩**末/散）

・HCl・3H₂O

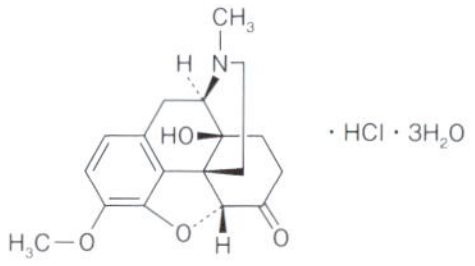

オキシコドン塩酸塩水和物
（**オキシコンチン**徐放錠，**オキノーム**散，
オキファスト注）

・HCl

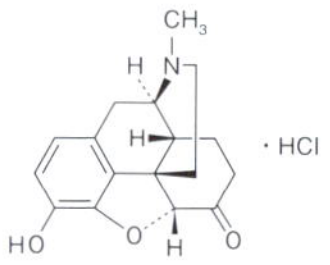

ヒドロモルフォン塩酸塩
（**ナルサス**徐放錠，**ナルラピド**錠，
ナルベイン注）

（参考）

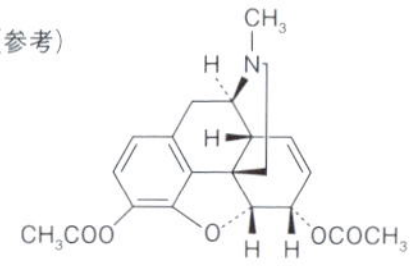

ジアセチルモルヒネ〈ヘロイン〉

合成麻薬性鎮痛薬

・HCl

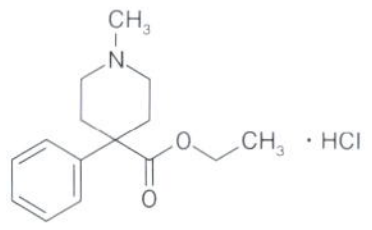

ペチジン塩酸塩
（**ペチジン塩酸塩**注）

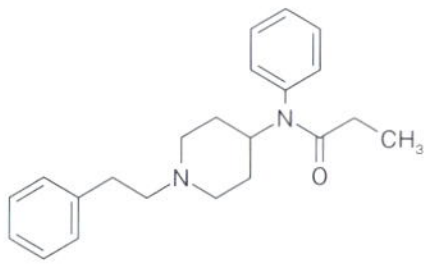

フェンタニル
（**デュロテップ MT パッチ**貼，
ワンデュロパッチ貼）

HO₂C　HO　CO₂H

CO₂H

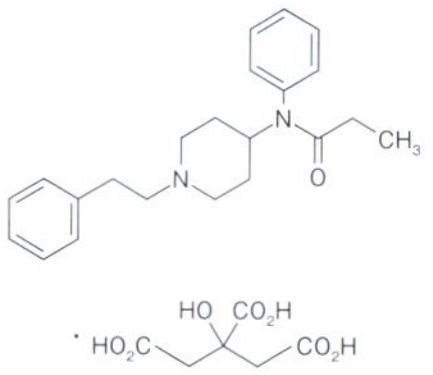

フェンタニルクエン酸塩
（**フェンタニル**注，**フェントステープ**貼，
イーフェンバッカル錠，**アブストラル**舌下錠）

・HCl

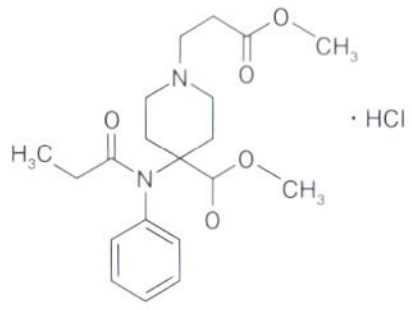

レミフェンタニル塩酸塩
（**アルチバ**静注用）

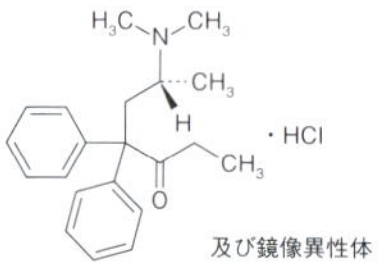

及び鏡像異性体
・HCl

メサドン塩酸塩
（**メサペイン**錠）

・HCl

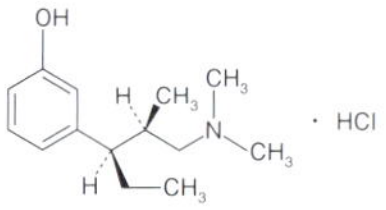

タペンタドール塩酸塩
（**タペンタ**錠）

麻薬拮抗性鎮痛薬（μ受容体部分活性薬）

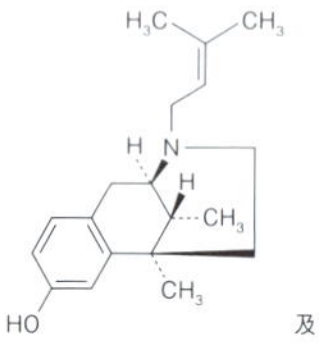

及び鏡像異性体

ペンタゾシン
（**ソセゴン**注）

・HCl

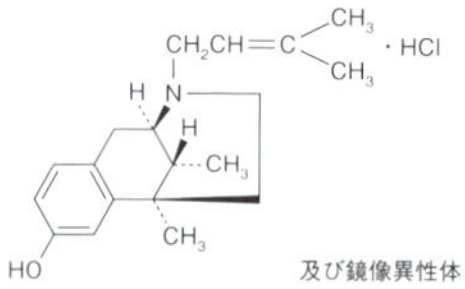

及び鏡像異性体

ペンタゾシン塩酸塩
（**ソセゴン**錠）

N−CH₃・HBr

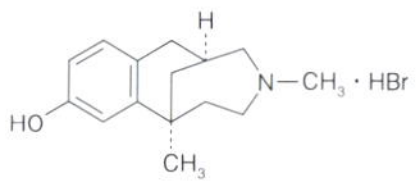

エプタゾシン臭化水素酸塩
（**セダペイン**注）

C(CH₃)₃・HCl

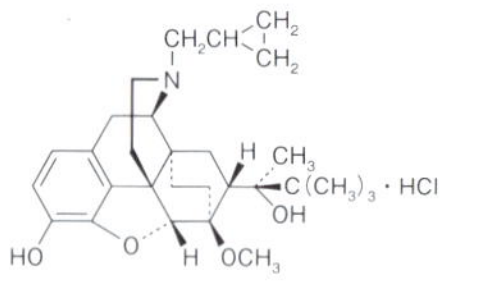

ブプレノルフィン塩酸塩
（**レペタン**注/坐）

C(CH₃)₃

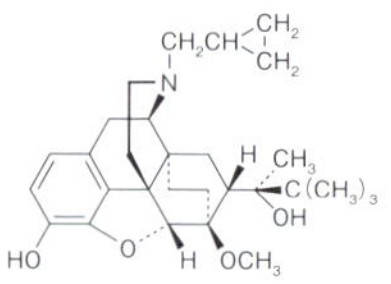

ブプレノルフィン
（**ノルスパンテープ**貼）

・HCl

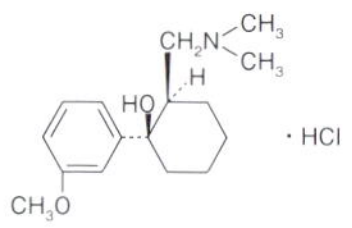

トラマドール塩酸塩
（**トラマール** OD 錠/注，**ワントラム**錠，**ツートラム**錠）

掻痒症治療薬

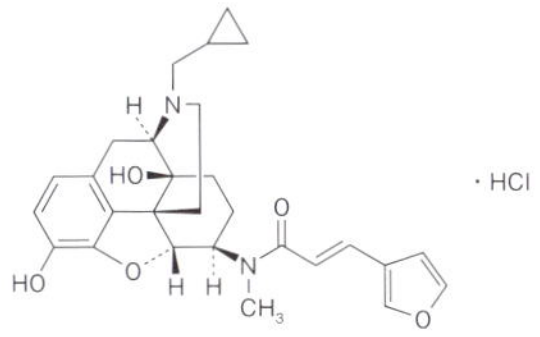

ナルフラフィン塩酸塩
（**レミッチ**カ/OD錠）

麻薬拮抗薬

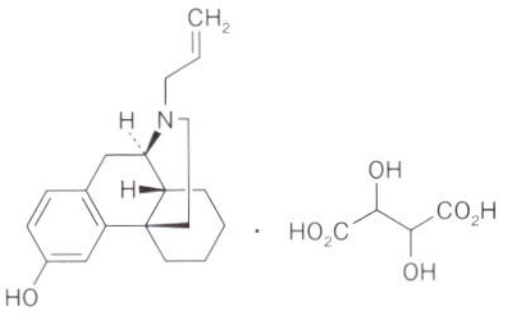

レバロルファン酒石酸塩
（**ロルファン**注）

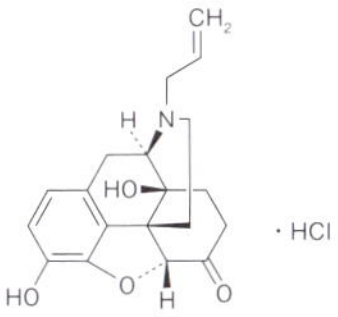

ナロキソン塩酸塩
（**ナロキソン塩酸塩**静注）

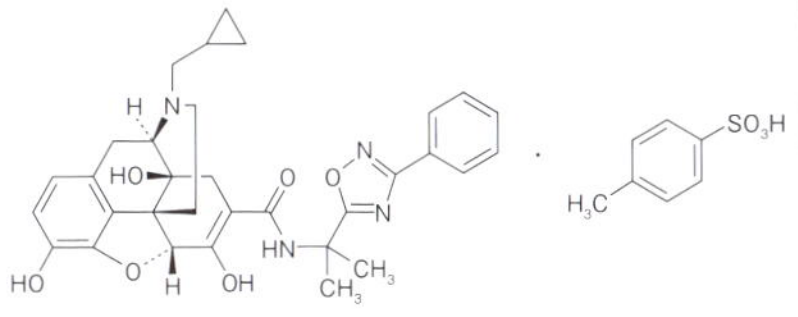

ナルデメジントシル酸塩
（**スインプロイク**錠）

その他の鎮痛薬

☞本文 p150

アニリン系及びピリン系解熱鎮痛薬

アニリン系（パラアミノフェノール誘導体）

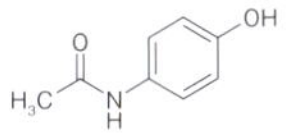

アセトアミノフェン〈パラセタモール〉
（**カロナール**錠/細/シ/末/坐/小児坐，**アンヒバ**小児坐，**アルピニー**小児坐，**アセリオ**静注液）

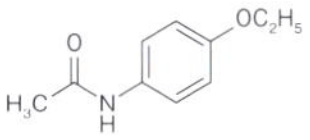

フェナセチン

ピリン系（ピラゾロン誘導体）

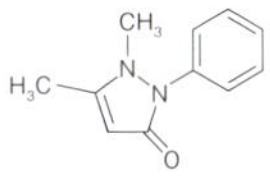

アンチピリン

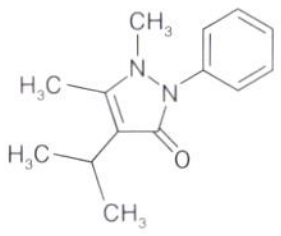

イソプロピルアンチピリン
（アセトアミノフェン，
アリルイソプロピルアセチル尿素，
無水カフェインとの合剤：**SG**配合顆）

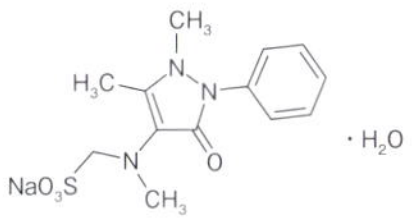

スルピリン水和物
（**スルピリン**注）

片頭痛治療薬

麦角アルカロイド製剤

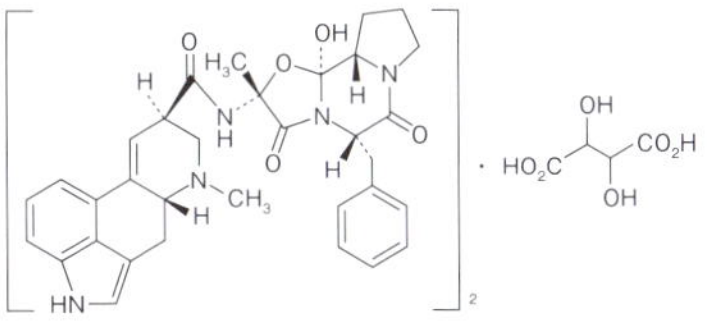

エルゴタミン酒石酸塩

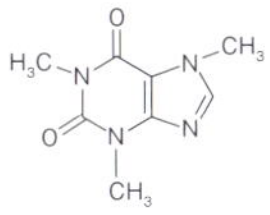

無水カフェイン

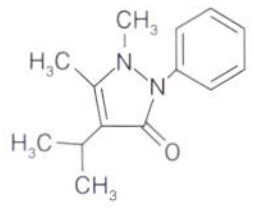

イソプロピルアンチピリン

エルゴタミン酒石酸塩 ＋ 無水カフェイン ＋ イソプロピルアンチピリン
（**クリアミン**配合錠）

片頭痛治療薬

セロトニン 5-HT$_{1B/1D}$ 刺激薬

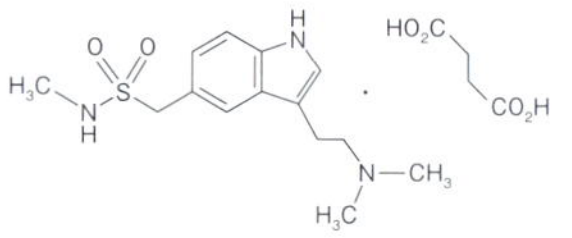

スマトリプタンコハク酸塩 （イミグラン注/キット/錠/点鼻液）	ゾルミトリプタン （ゾーミッグ錠/RM錠（口腔内速溶錠））	エレトリプタン臭化水素酸塩 （レルパックス錠）
リザトリプタン安息香酸塩 （マクサルト錠/RPD錠（口腔内崩壊錠））		ナラトリプタン塩酸塩 （アマージ錠）

プロピオン酸系 NSAIDs	カルシウム拮抗薬	アドレナリンβ受容体遮断薬	セニトロン拮抗薬
ナプロキセン （ナイキサン錠）	ロメリジン塩酸塩 （ミグシス錠）	プロプラノロール塩酸塩 及び鏡像異性体 （インデラル錠/注）	ジメトチアジンメシル酸塩 （ミグリステン錠）

抗てんかん薬		三環系抗うつ薬
バルプロ酸ナトリウム （セレニカR徐放錠/徐放顆/デパケン錠/R錠/細/シ）	トピラマート （トピナ錠）	アミトリプチリン塩酸塩 （トリプタノール錠）

神経障害性疼痛治療薬

Ca^{2+}チャネル阻害薬		ワクシニアウイルス接種家兎炎症皮膚抽出液
プレガバリン （リリカカ/OD錠）	ミロガバリンベシル酸塩 （タリージェ錠）	ノイロトロピン （ノイロトロピン錠/注）

中枢興奮薬　☞本文p154

大脳皮質興奮薬

キサンチン誘導体	覚醒剤		覚醒剤原料
カフェイン （カフェイン末, 無水カフェイン末, レスピア静注・経口液） 安息香酸ナトリウムとの合剤： 安息香酸ナトリウムカフェイン末, アンナカ注	アンフェタミン	メタンフェタミン塩酸塩 （ヒロポン錠/末）	リスデキサンフェタミンメシル酸塩 （ビバンセカ）

覚醒アミンなど			
メチルフェニデート塩酸塩 （リタリン錠, コンサータ錠）	ペモリン （ベタナミン錠）	アトモキセチン塩酸塩 （ストラテラカ/内用液）	グアンファシン塩酸塩 （インチュニブ錠）

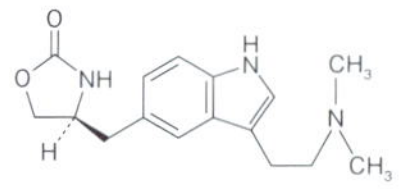

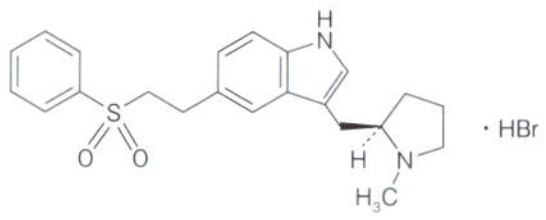

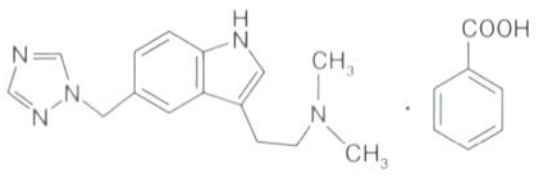

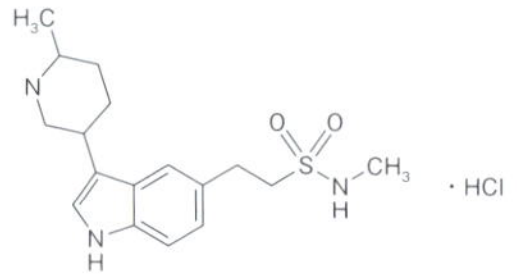

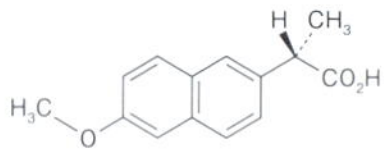

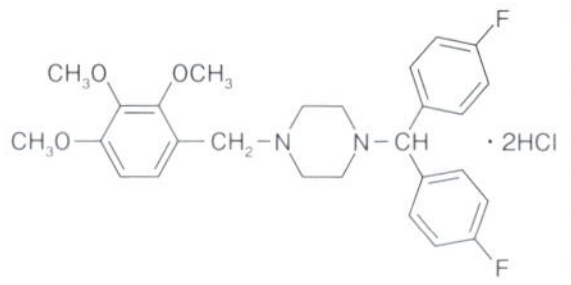

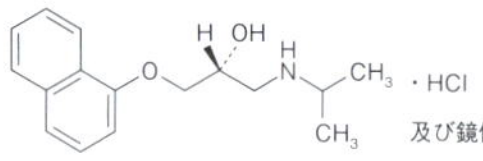

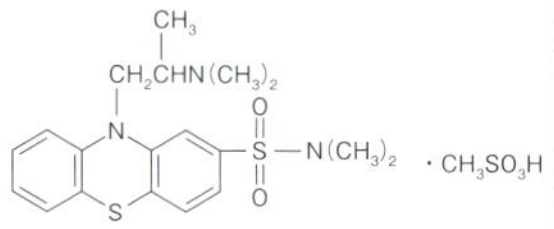

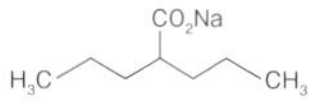

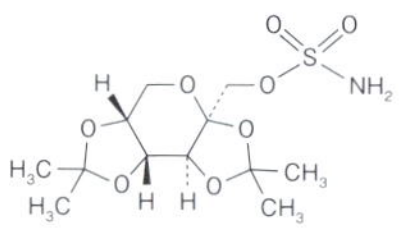

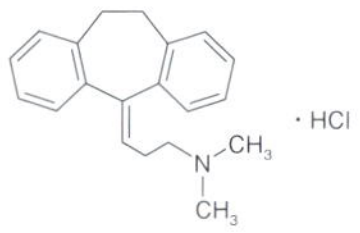

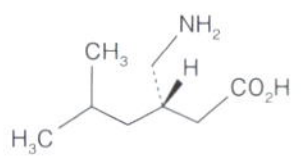

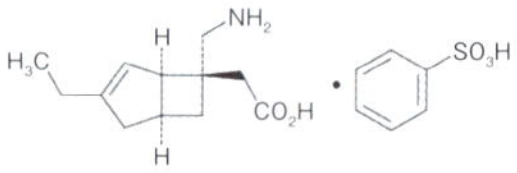

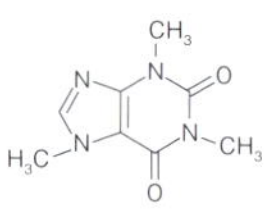

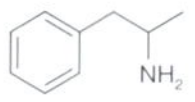

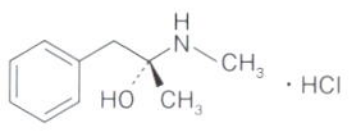

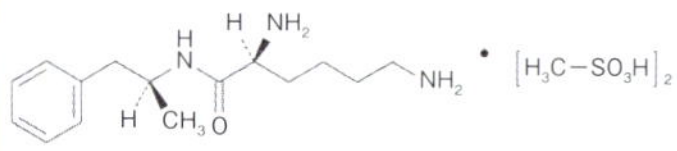

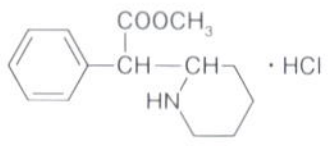

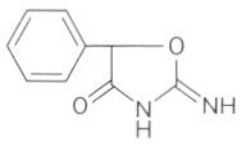

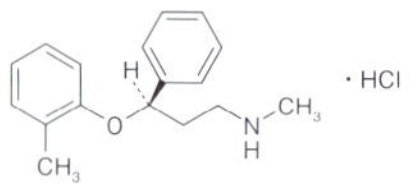

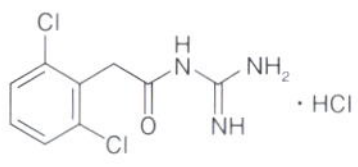

脳幹興奮薬

食欲抑制薬

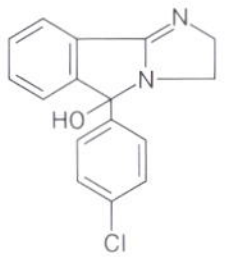

マジンドール
（**サノレックス**錠）

食欲増進薬

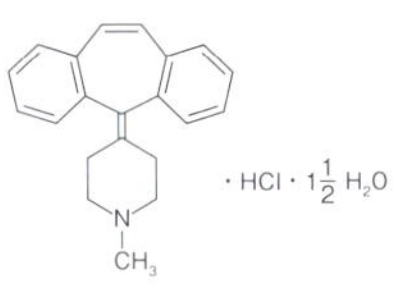

シプロヘプタジン塩酸塩水和物
（**ペリアクチン**錠/散/シ）

痙攣薬

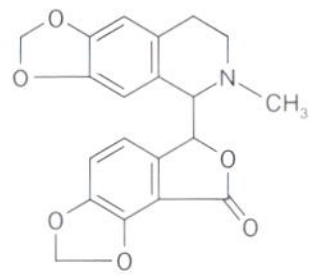

ビククリン

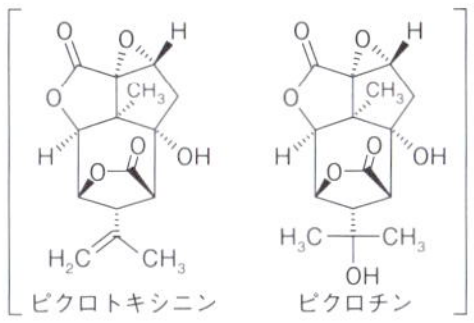

ピクロトキシン
（ピクロトキシニン，
ピクロチンからなる）

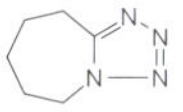

ペンチレンテトラゾール
〈ペンテトラゾール〉

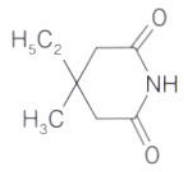

ベメグリド

呼吸興奮薬

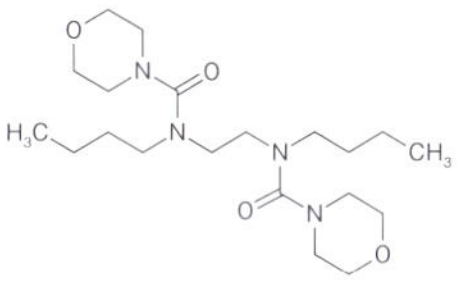

ジモルホラミン
（**テラプチク**注）

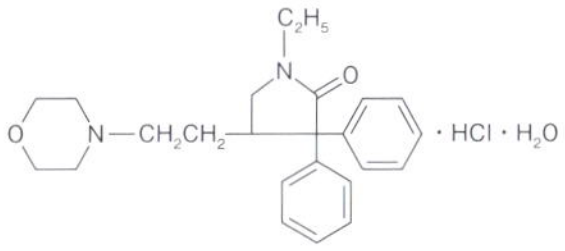

ドキサプラム塩酸塩水和物
（**ドプラム**注）

ナルコレプシー治療薬

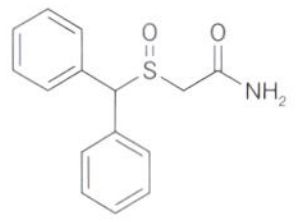

モダフィニル
（**モディオダール**錠）

脊髄興奮薬

痙攣薬

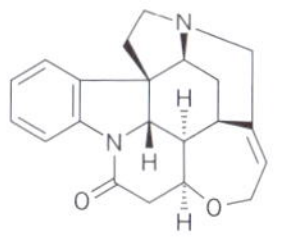

ストリキニーネ

めまい治療薬〈鎮暈薬〉

☞本文 p159

中枢性めまい治療薬

脳血管性めまい治療薬

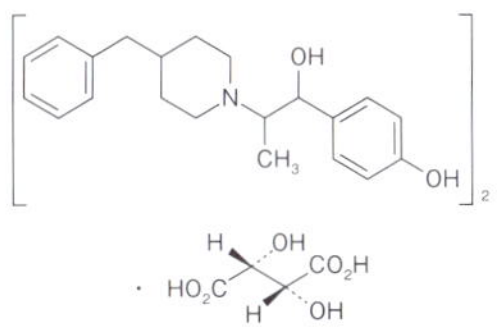

イフェンプロジル酒石酸塩
（**セロクラール**錠/細）

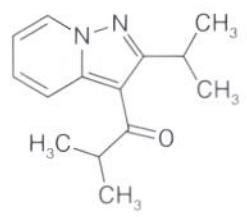

イブジラスト
（**ケタス**カ）

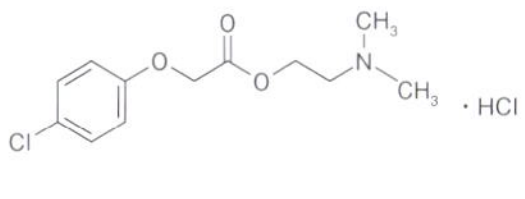

メクロフェノキサート塩酸塩
（**ルシドリール**錠）

心因性めまい治療薬

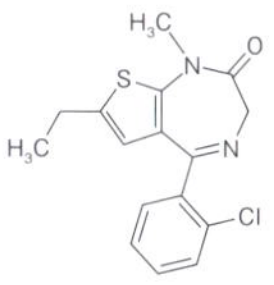

クロチアゼパム
（**リーゼ**錠/顆）

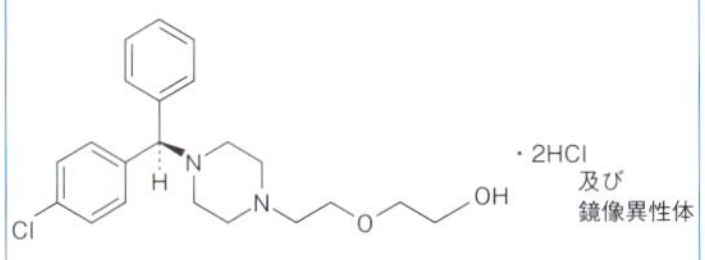

ヒドロキシジン塩酸塩
（**アタラックス**錠/P 注）

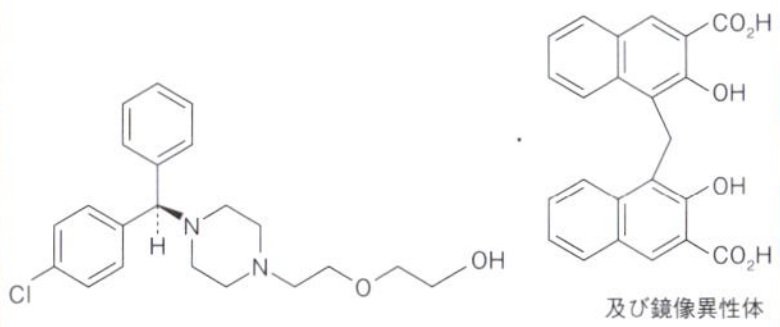

ヒドロキシジンパモ酸塩
（**アタラックスP**カ/散/ドシ/シ）

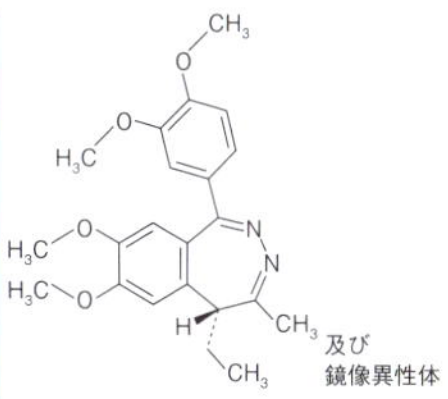

トフィソパム
（**グランダキシン**錠/細）

末梢性めまい治療薬

メニエル症候群治療薬

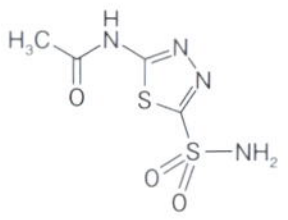

アセタゾラミド
（**ダイアモックス**錠/末/注）

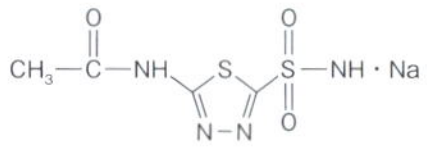

イソソルビド
（**イソバイド**シ，**メニレット**ゼリー）

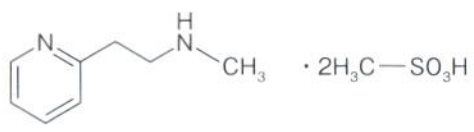

ベタヒスチンメシル酸塩
（**メリスロン**錠）

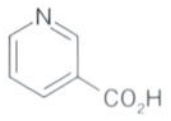

ニコチン酸
（**ナイクリン**注）

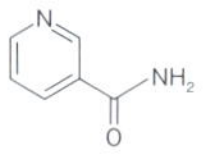

ニコチン酸アミド
（**ニコチン酸アミド**散）

（酵素製剤）

カリジノゲナーゼ
（**カルナクリン**錠/カ，**ローザグッド**錠）

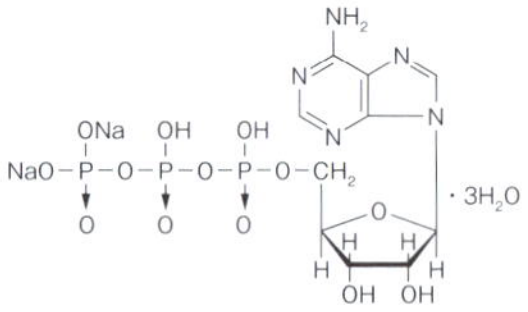

アデノシン三リン酸二ナトリウム水和物
（**アデホス**腸溶錠/顆/L 注，**ATP** 腸溶錠，
トリノシン腸溶錠/顆/S 注）

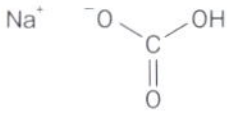

炭酸水素ナトリウム
（**炭酸水素ナトリウム**末/注，**重曹**末/注/錠，
メイロン静注）

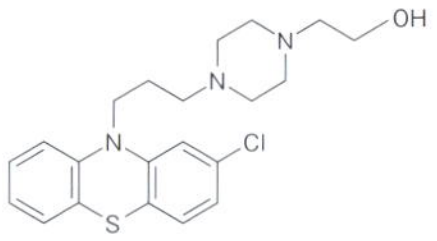

ペルフェナジン
（**トリラホン**錠/散）

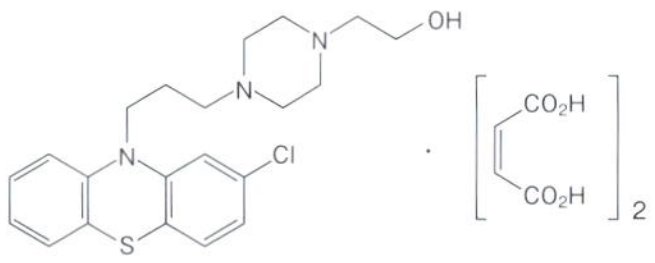

ペルフェナジンマレイン酸塩
（**ピーゼットシー**糖衣錠）

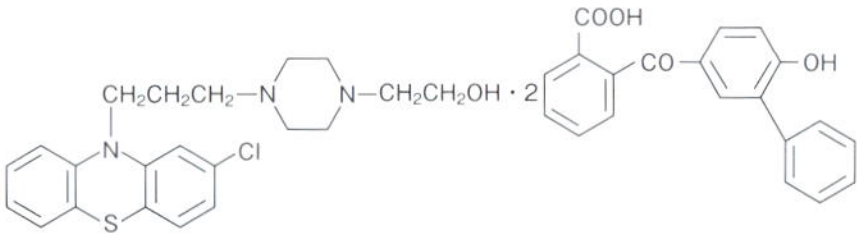

ペルフェナジンフェンジゾ酸塩
（**ピーゼットシー**散）

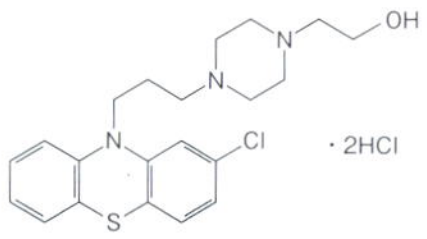

ペルフェナジン塩酸塩
（**ピーゼットシー**筋注）

動揺病性めまい治療薬

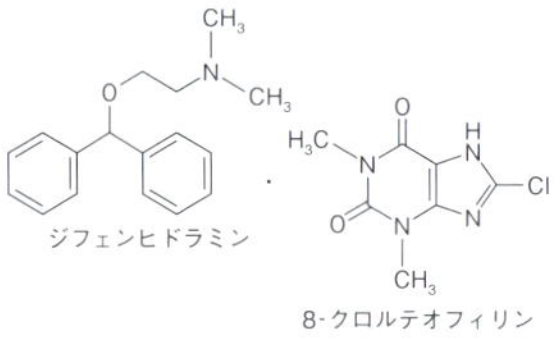

ジメンヒドリナート
（**ドラマミン**錠，ジプロフィリンとの合剤：**トラベルミン**配合錠/注）

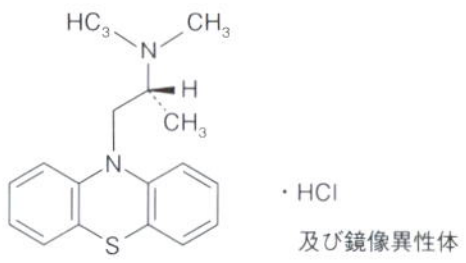

プロメタジン塩酸塩
（**ヒベルナ**糖衣錠/散/注，**ピレチア**錠/細）

内耳障害性めまい治療薬

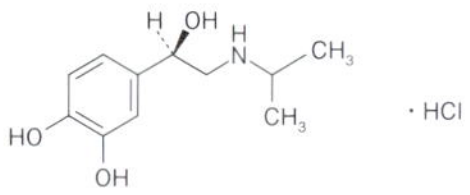

イソプレナリン〈イソプロテレノール〉塩酸塩
（**イソメニール**カ）

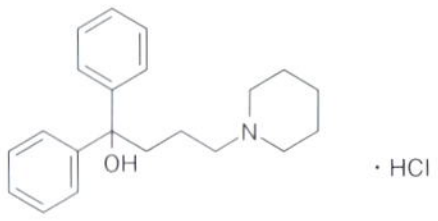

ジフェニドール塩酸塩
（**セファドール**錠/顆）

頸性めまい治療薬

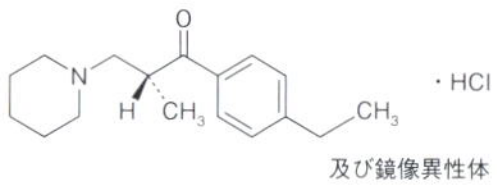

エペリゾン塩酸塩
（**ミオナール**錠/顆）

脳循環代謝改善薬

☞本文 p161

脳循環改善薬

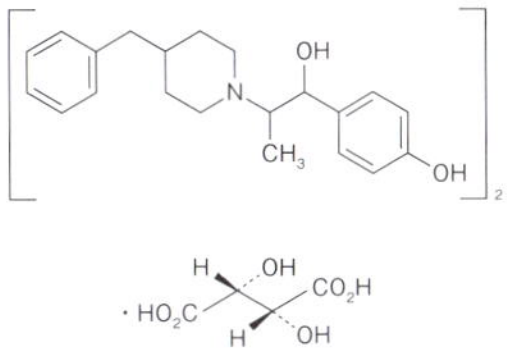

イフェンプロジル酒石酸塩
（**セロクラール**錠/細）

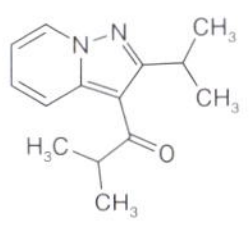

イブジラスト
（**ケタス**カ）

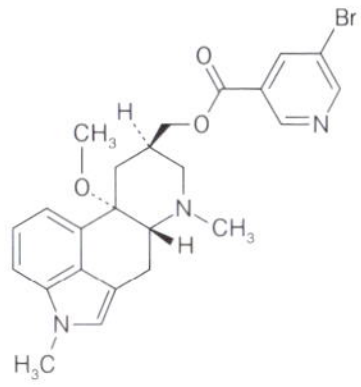

ニセルゴリン
（**サアミオン**錠/散）

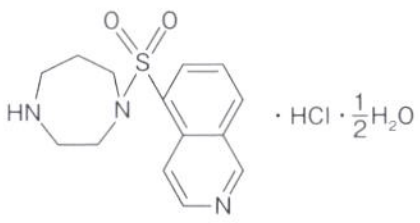

ファスジル塩酸塩水和物
（**エリル**点滴静注）

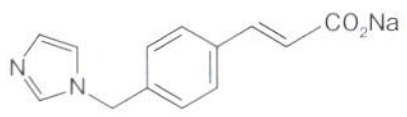

オザグレルナトリウム
（**カタクロット**注，**キサンボン**注，
キサンボンＳ注，**オキリコン**注シリンジ）

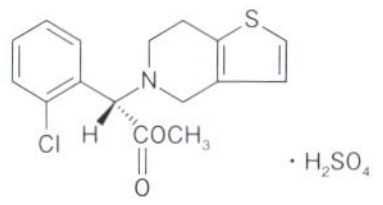

クロピドグレル硫酸塩
（**プラビックス**錠）

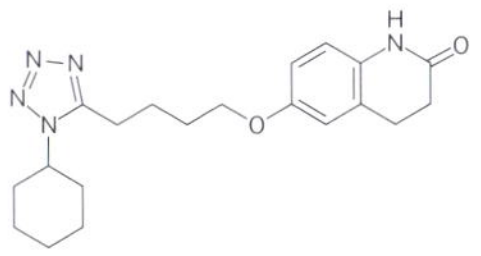

シロスタゾール
（**プレタール**OD錠/散，**シロスレット**内服ゼリー）

脳代謝改善薬

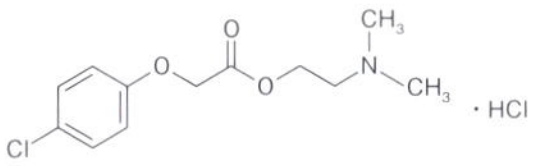

メクロフェノキサート塩酸塩
（**ルシドリール**錠）

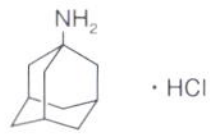

アマンタジン塩酸塩
（**シンメトレル**錠/細）

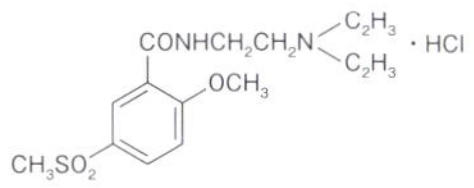

チアプリド塩酸塩
（**グラマリール**錠/細）

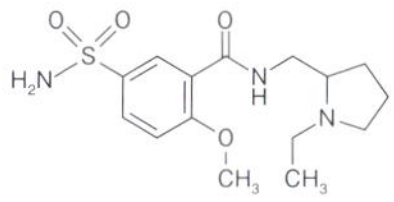

スルピリド
（**ドグマチール**錠/カ/細/筋注）

脳内生理活性物質

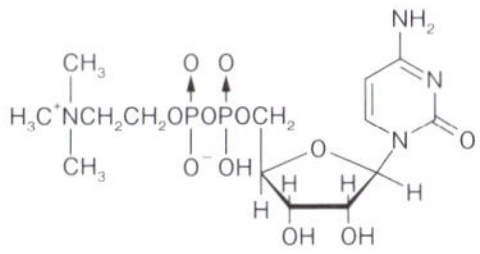

シチコリン
（**ニコリン**注/H注）

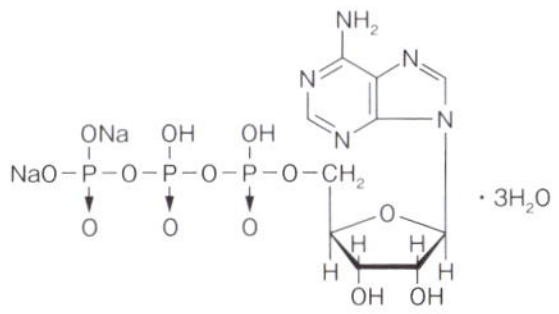

アデノシン三リン酸二ナトリウム水和物
（**アデホス**腸溶錠/顆/L注，**ATP**腸溶錠，
トリノシン腸溶錠/顆/S注）

$H_2NCH_2CH_2CH_2COOH$

ガンマ-アミノ酪酸〈GABA〉
（**ガンマロン**錠）

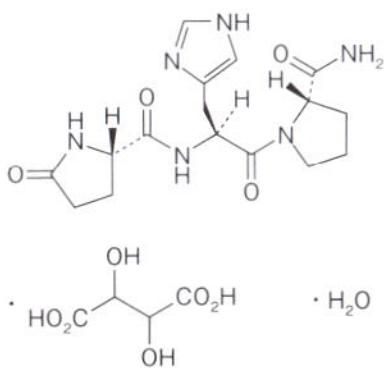

プロチレリン酒石酸塩水和物
（**ヒルトニン**注）

脳保護薬

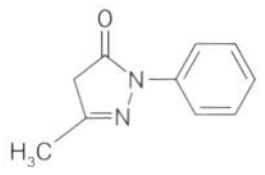

エダラボン
（**ラジカット**注/バッグ）

アルツハイマー病治療薬

☞本文 p163

アセチルコリンエステラーゼ阻害薬

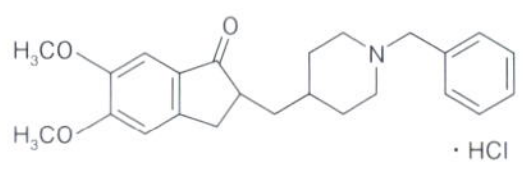

ドネペジル塩酸塩
（**アリセプト**錠/D 錠/細/内服ゼリー/ドシ）

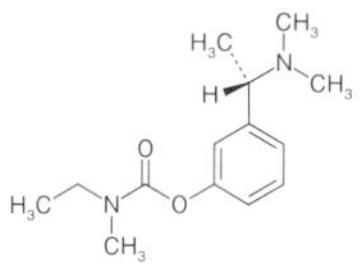

リバスチグミン
（**イクセロンパッチ**貼，
リバスタッチパッチ貼）

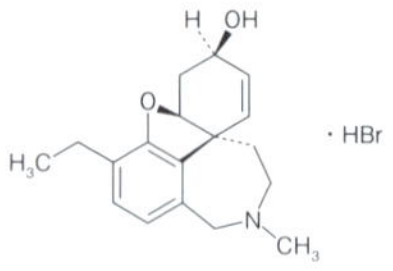

ガランタミン臭化水素酸塩
（**レミニール**錠/OD 錠/内用液）

NMDA受容体遮断薬

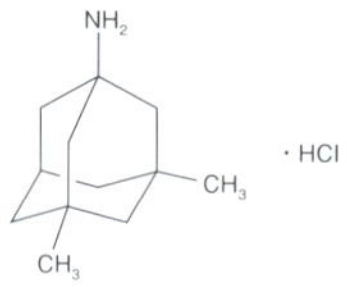

メマンチン塩酸塩
（**メマリー**錠/OD 錠/ドシ）

第5章　オータコイド

● ヒスタミン関連薬物　☞本文 p167

ヒスタミン遊離抑制薬

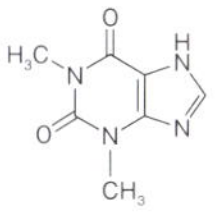

テオフィリン
（**テオドール**徐放錠/徐放顆/ドシ/シ, **ユニフィル LA** 徐放錠）

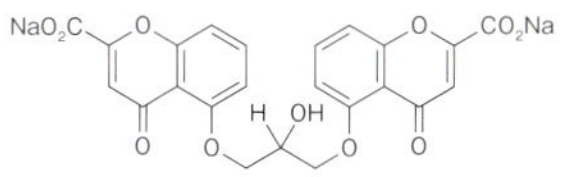

クロモグリク酸ナトリウム
（**インタール**細/吸入液/エアロゾル/点眼液）

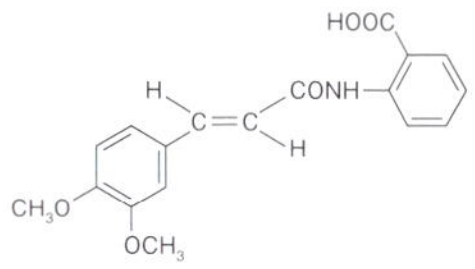

トラニラスト
（**リザベン**カ/細/ドシ/点眼液）

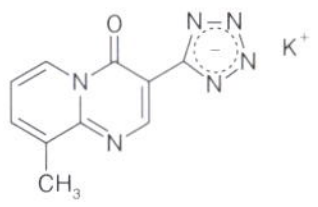

ペミロラストカリウム
（**アレギサール**錠/ドシ/点眼液,
ペミラストン錠/ドシ/点眼液）

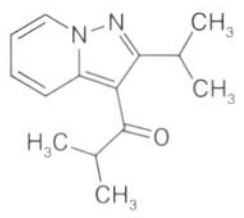

イブジラスト
（**ケタス**カ/点眼液）

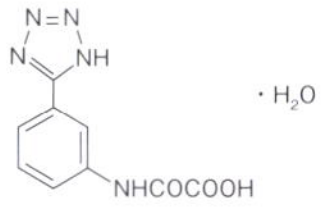

アシタザノラスト水和物
（**ゼペリン**点眼液）

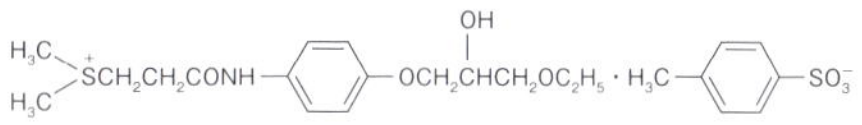

スプラタストトシル酸塩
（**アイピーディ**カ/ドシ）

抗ヒスタミン薬

ヒスタミン H1 受容体拮抗薬

エタノールアミン

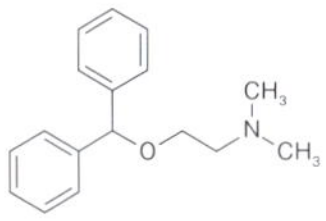

ジフェンヒドラミン
（**レスタミン**ク）

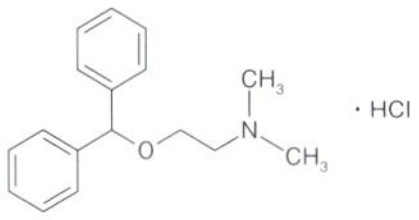

ジフェンヒドラミン塩酸塩
（**レスタミン**錠, **ジフェンヒドラミン塩酸塩**注）

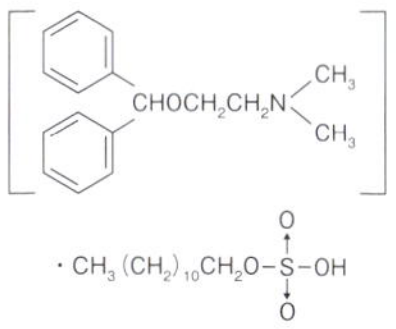

ジフェンヒドラミンラウリル硫酸塩
（**ベナパスタ**軟）

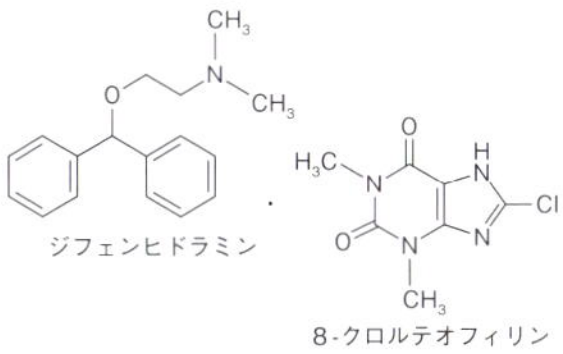

ジメンヒドリナート
（**ドラマミン**錠）

ジフェンヒドラミン・8-クロルテオフィリン

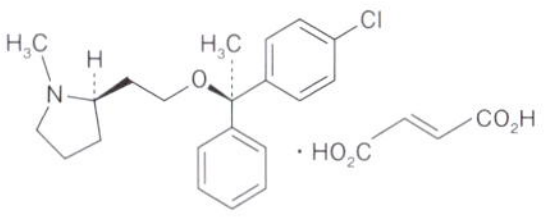

クレマスチンフマル酸塩
（**タベジール**錠/散/シ, **テルギン G** 錠/ドシ）

ヒスタミンH1受容体拮抗薬

プロピルアミン

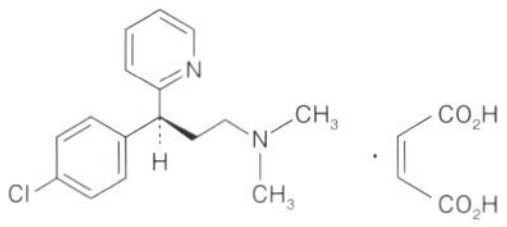

及び鏡像異性体

クロルフェニラミンマレイン酸塩(*dl* 体)
(**アレルギン**散，**ネオレスタミン**散，**クロダミン**シ/注)

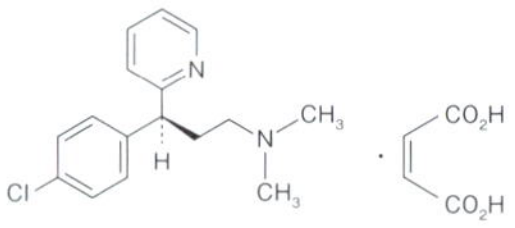

クロルフェニラミンマレイン酸塩(*d* 体)
(**ポララミン**錠/散/ドシ/シ/注)

フェノチアジン

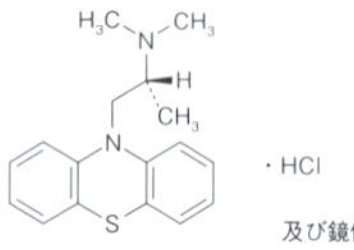

及び鏡像異性体

プロメタジン塩酸塩
(**ヒベルナ**糖衣錠/散/注，**ピレチア**錠/細)

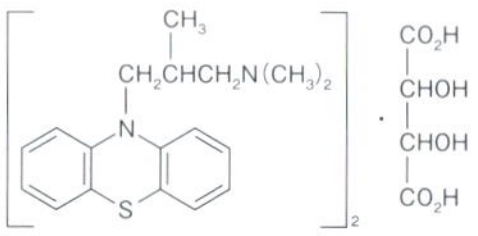

アリメマジン酒石酸塩
(**アリメジン**シ)

ピペラジン

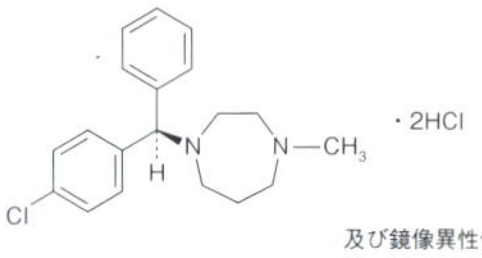

及び鏡像異性体

ホモクロルシクリジン塩酸塩
(**ホモクロルシクリジン塩酸塩**錠)

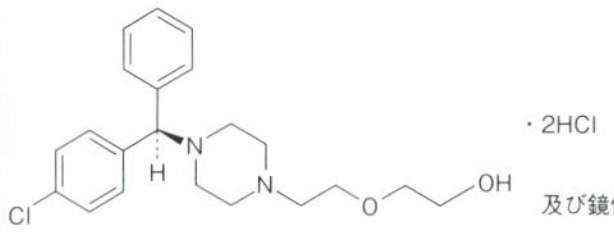

及び鏡像異性体

ヒドロキシジン塩酸塩
(**アタラックス**錠/P 注)

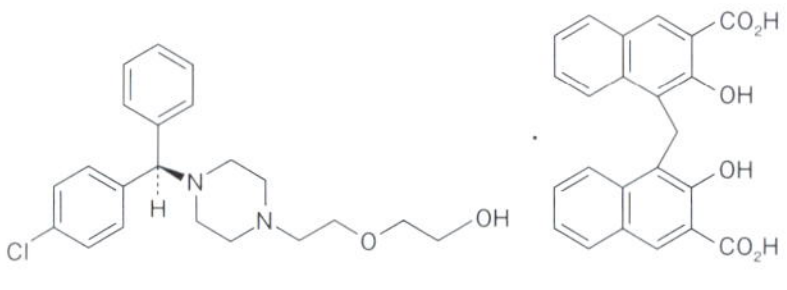

及び鏡像異性体

ヒドロキシジンパモ酸塩
(**アタラックスP** カ/散/ドシ/シ)

エチレンジアミン

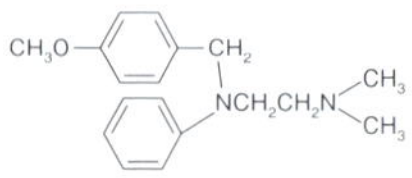

メピラミン〈ピリラミン〉

ピペリジン

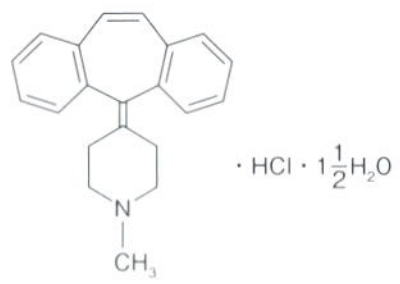

シプロヘプタジン塩酸塩水和物
(**ペリアクチン**錠/散/シ)

抗アレルギー性 H₁ 拮抗薬

ヒスタミン H₁ 受容体拮抗薬

鎮静性 H₁ 拮抗薬

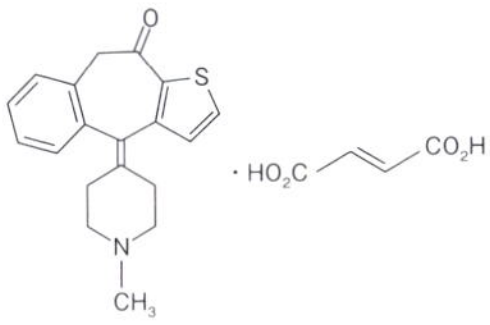

ケトチフェンフマル酸塩
(**ザジテン**点眼液/点鼻液/カ/シ/ドシ)

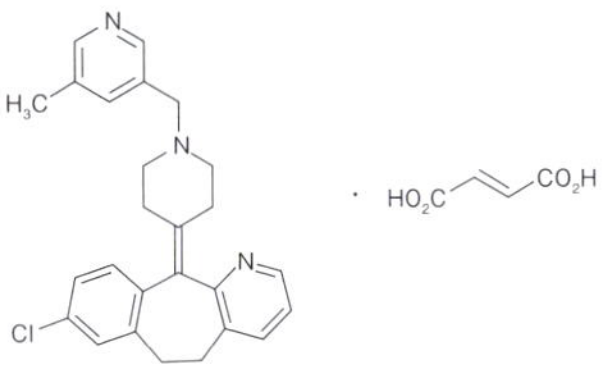

ルパタジンフマル酸塩
(**ルパフィン**錠)

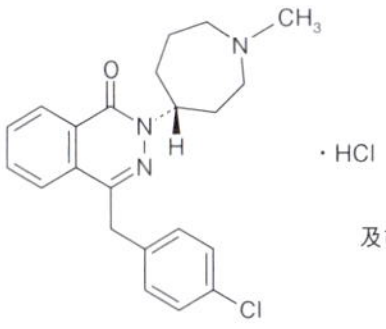

アゼラスチン塩酸塩
(**アゼプチン**錠)

及び鏡像異性体

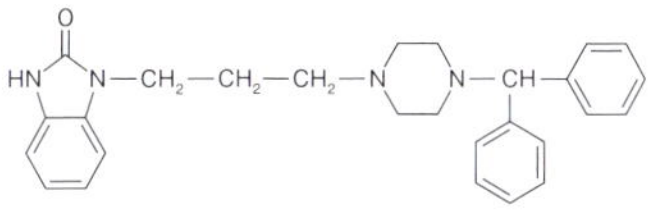

オキサトミド
(**オキサトミド**錠/小児用ドシ)

非鎮静性 H₁ 拮抗薬

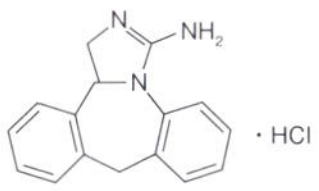

エピナスチン塩酸塩
(**アレジオン**錠/ドシ/点眼液)

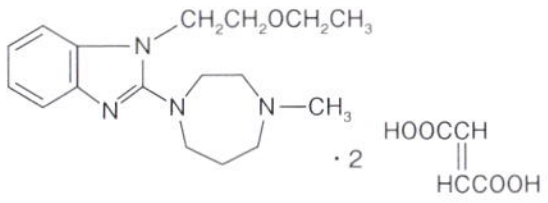

エメダスチンフマル酸塩
(**ダレン**カ,
レミカットカ)

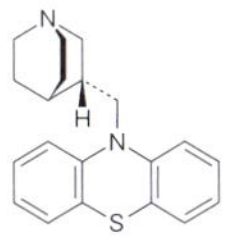

メキタジン
(**ゼスラン**錠/小児用シ/小児用細,
ニポラジン錠/小児用シ/小児用細)

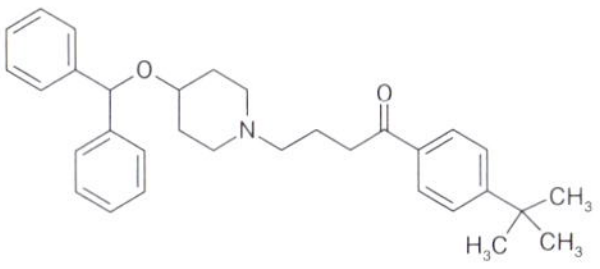

及び鏡像異性体

エバスチン
(**エバステル**錠/OD錠)

セチリジン塩酸塩
(**ジルテック**錠/ドシ)

及び鏡像異性体

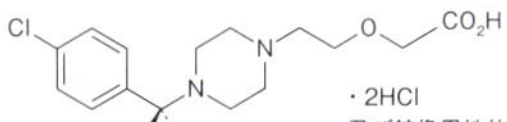

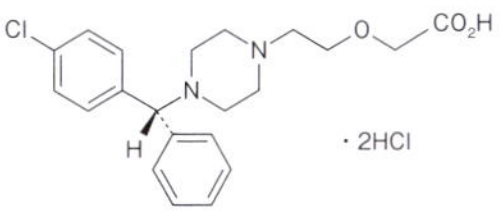

レボセチリジン塩酸塩
(**ザイザル**錠/OD錠/シ)

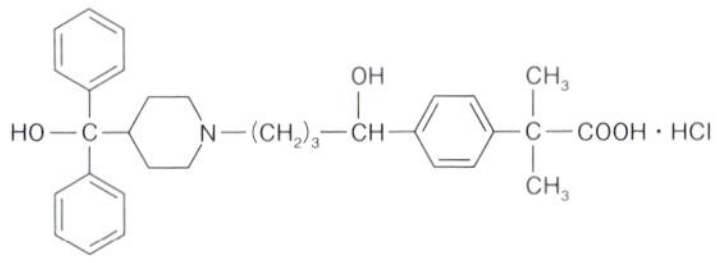

フェキソフェナジン塩酸塩
(**アレグラ**錠/OD錠/ドシ)

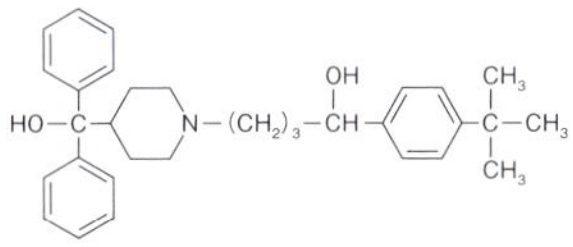

テルフェナジン

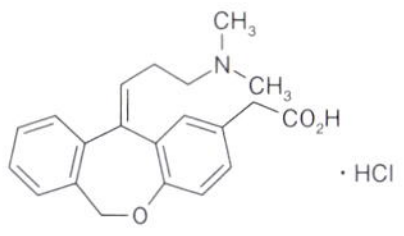

オロパタジン塩酸塩
(**アレロック**錠/OD錠/顆, **パタノール**点眼液)

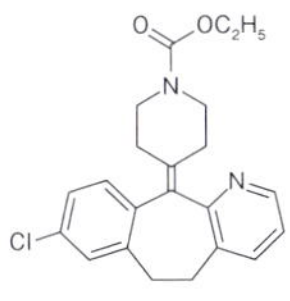

ロラタジン
(**クラリチン**錠/レディタブ錠/ドシ)

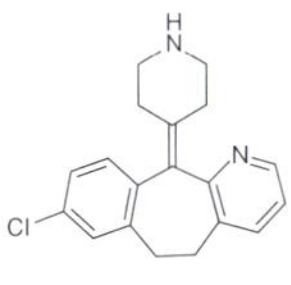

デスロラタジン
(**デザレックス**錠)

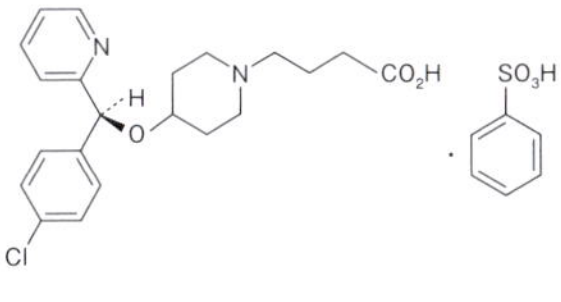

ベポタスチンベシル酸塩
(**タリオン**錠/OD錠)

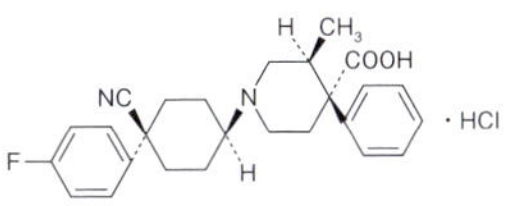

レボカバスチン塩酸塩
(**リボスチン**点鼻液/点眼液)

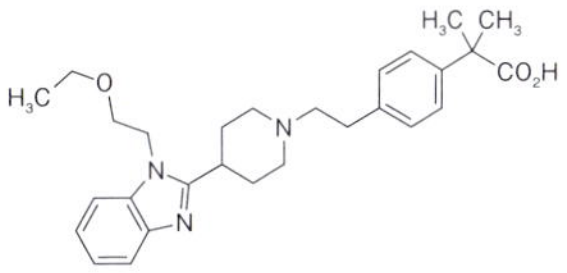

ビラスチン
(**ビラノア**錠)

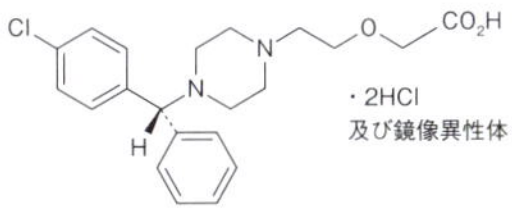

オータコイド

● セロトニン関連薬物　☞本文 p174

セロトニン神経作用薬

セロトニン神経興奮薬			

セロトニン遊離促進薬

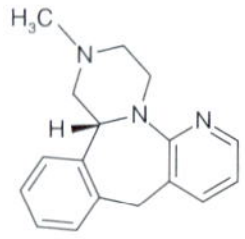

ミルタザピン
（**リフレックス**錠，**レメロン**錠）

及び鏡像異性体

選択的セロトニン再取込阻害薬

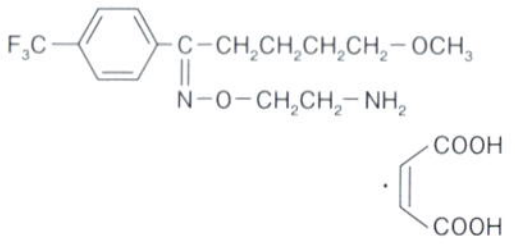

フルボキサミンマレイン酸塩
（**デプロメール**錠，**ルボックス**錠）

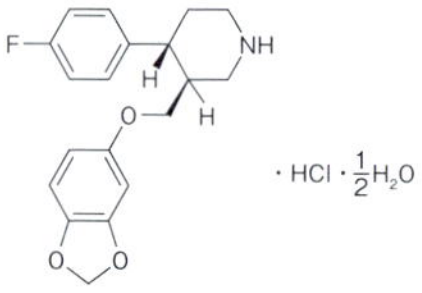

パロキセチン塩酸塩水和物
（**パキシル**錠/CR 錠）

・HCl・½H₂O

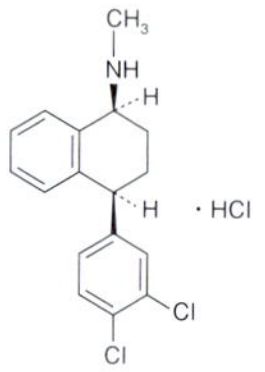

セルトラリン塩酸塩
（**ジェイゾロフト**錠/OD 錠）

・HCl

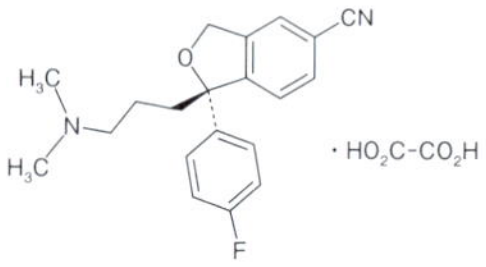

エスシタロプラムシュウ酸塩
（**レクサプロ**錠）

・HO₂C-CO₂H

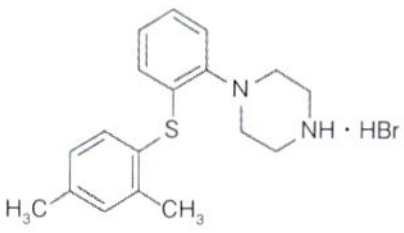

ボルチオキセチン臭化水素酸塩
（**トリンテリックス**錠）

・HBr

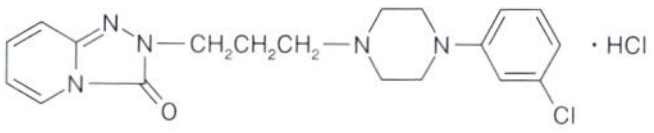

トラゾドン塩酸塩
（**デジレル**錠，**レスリン**錠）

・HCl

非選択的セロトニン再取込阻害薬

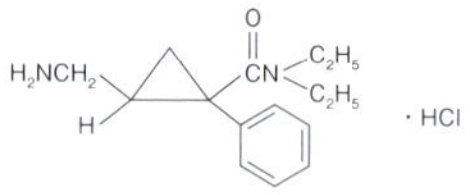

ミルナシプラン塩酸塩
（**トレドミン**錠）

・HCl

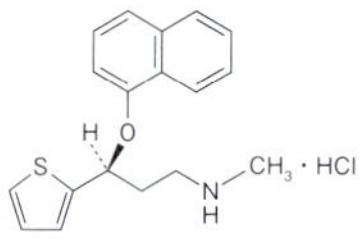

デュロキセチン塩酸塩
（**サインバルタ**カ）

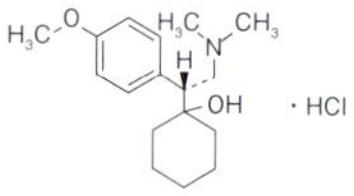

・HCl

ベンラファキシン塩酸塩
（**イフェクサー**SR カ）

・HCl

及び鏡像異性体

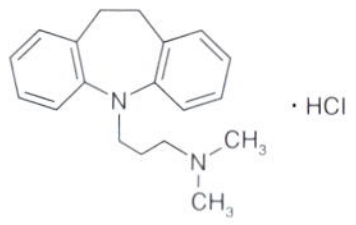

イミプラミン塩酸塩
（**イミドール**錠，**トフラニール**錠）

・HCl

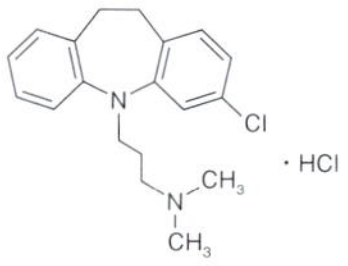

クロミプラミン塩酸塩
（**アナフラニール**錠/点滴静注）

・HCl

アミトリプチリン塩酸塩
（**トリプタノール**錠）

・HCl

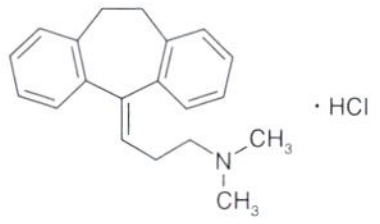

セロトニン受容体作用薬

5-HT_1 受容体刺激薬

5-HT_{1A} 受容体刺激薬

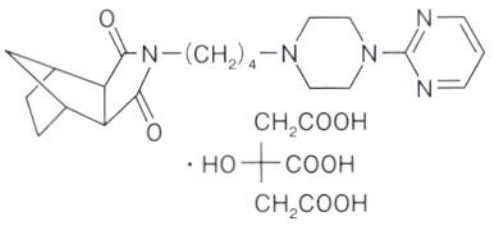

タンドスピロンクエン酸塩
（**セディール**錠）

5-$HT_{1B/1D}$ 受容体刺激薬

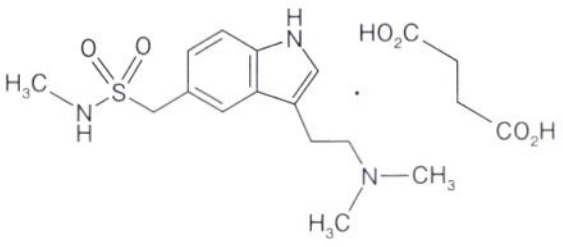

スマトリプタンコハク酸塩
（**イミグラン**注/キット/錠/点鼻液）

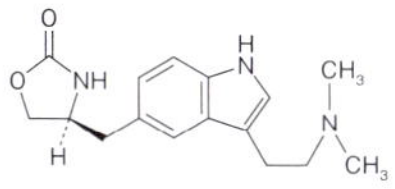

ゾルミトリプタン
（**ゾーミッグ**錠/RM 錠（口腔内速溶錠））

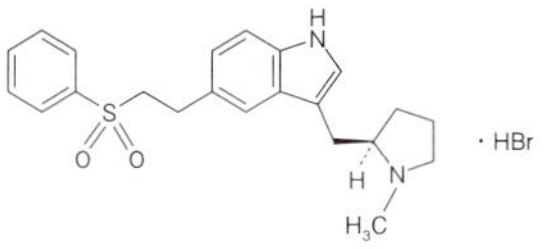

エレトリプタン臭化水素酸塩
（**レルパックス**錠）

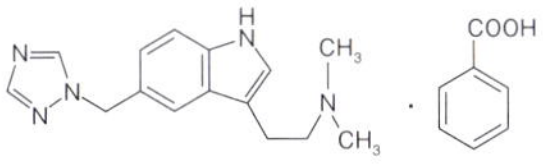

リザトリプタン安息香酸塩
（**マクサルト**錠/RPD 錠（口腔内崩壊錠））

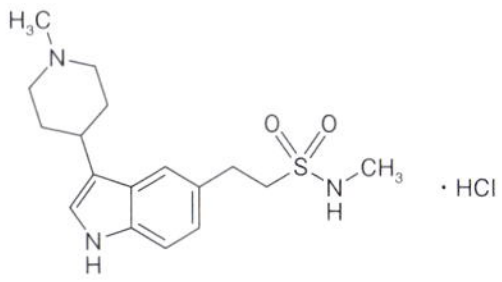

ナラトリプタン塩酸塩
（**アマージ**錠）

5-HT_2 受容体拮抗薬

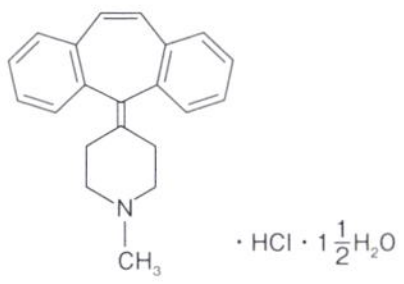

シプロヘプタジン塩酸塩水和物
（**ペリアクチン**錠/散/シ）

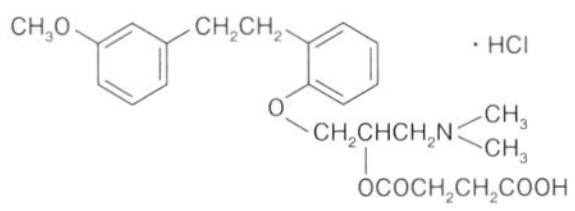

サルポグレラート塩酸塩
（**アンプラーグ**錠/細）

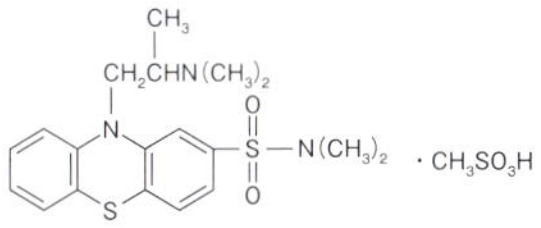

ジメトチアジンメシル酸塩
（**ミグリステン**錠）

5-HT_3 受容体拮抗薬

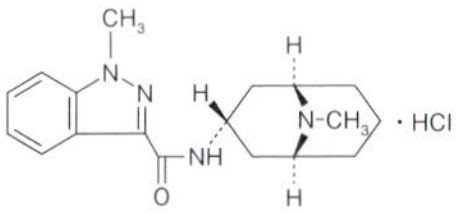

グラニセトロン塩酸塩
（**カイトリル**錠/細/注/バッグ）

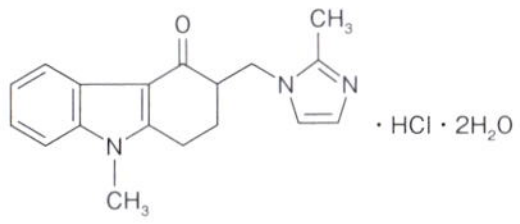

オンダンセトロン塩酸塩水和物
（**オンダンセトロン** OD フィルム/注）

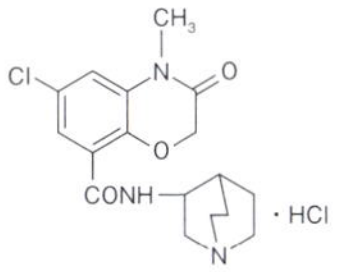

アザセトロン塩酸塩
（**アザセトロン**静注液）

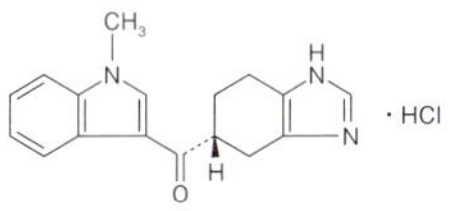

ラモセトロン塩酸塩
（**ナゼア**注/OD 錠）

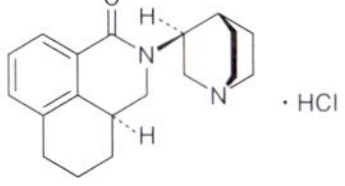

パロノセトロン塩酸塩
（**アロキシ**静注）

5-HT_4 受容体刺激薬

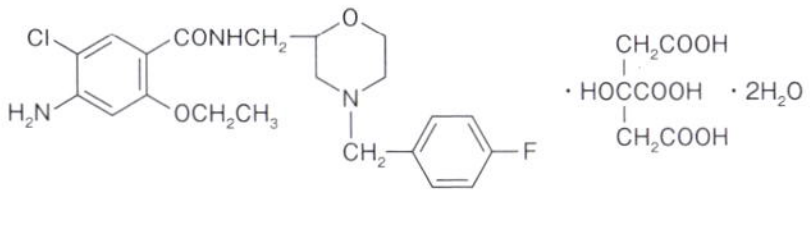

モサプリドクエン酸塩水和物
（**ガスモチン**錠/散）

アンギオテンシン関連薬物

● ポリペプチド類関連薬物 ☞本文 p179

直接的レニン阻害薬

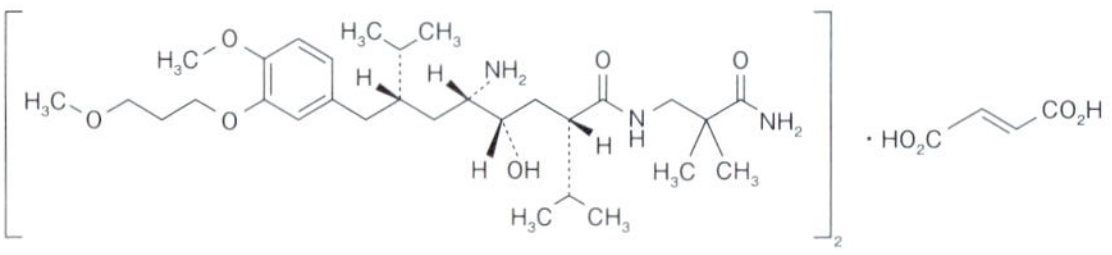

アリスキレンフマル酸塩
（**ラジレス**錠）

ACE 阻害薬

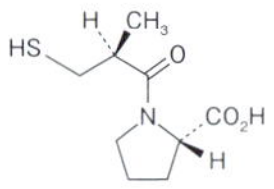

カプトプリル
（**カプトリル**錠/細/R 徐放力）

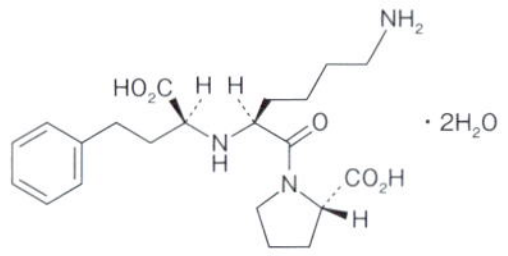

リシノプリル水和物
（**ゼストリル**錠，**ロンゲス**錠）

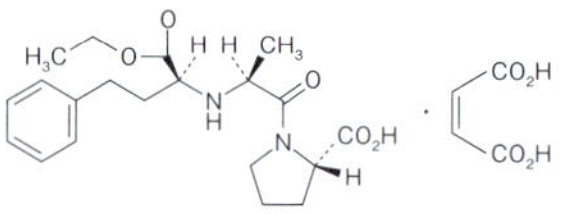

エナラプリルマレイン酸塩
（**レニベース**錠，**エナラート**錠/細）

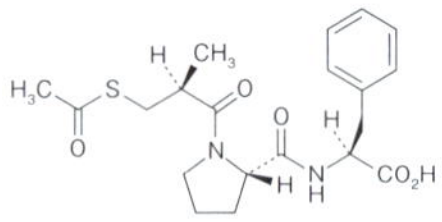

アラセプリル
（**セタプリル**錠）

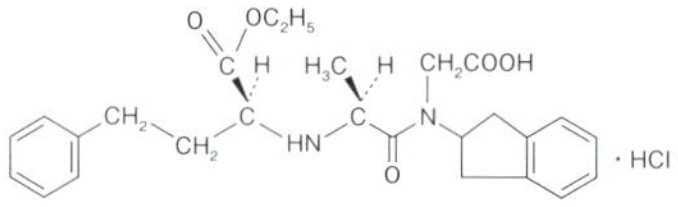

デラプリル塩酸塩
（**アデカット**錠）

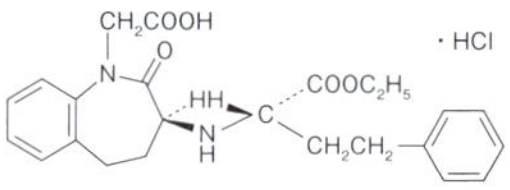

ベナゼプリル塩酸塩
（**チバセン**錠）

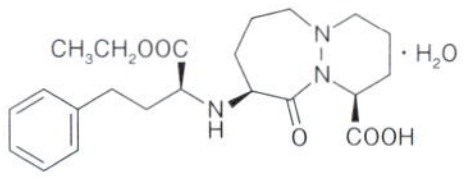

シラザプリル水和物
（**インヒベース**錠）

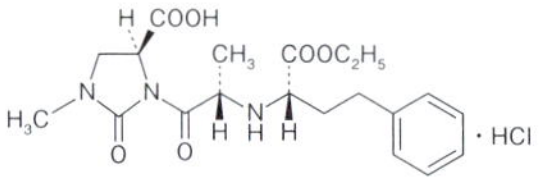

イミダプリル塩酸塩
（**タナトリル**錠）

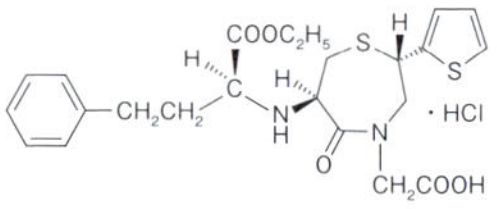

テモカプリル塩酸塩
（**エースコール**錠）

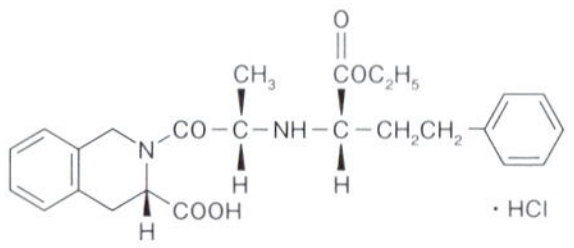

キナプリル塩酸塩
（**コナン**錠）

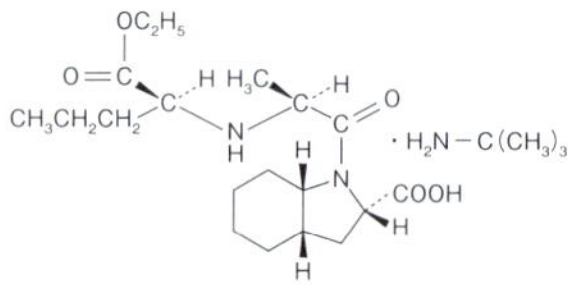

ペリンドプリルエルブミン
（**コバシル**錠）

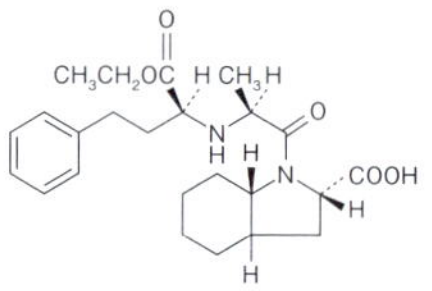

トランドラプリル
（**オドリック**錠）

AT₁ 受容体拮抗薬

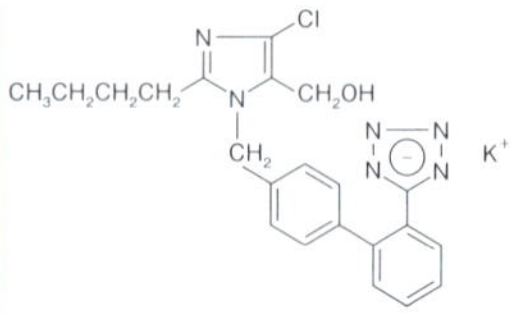

ロサルタンカリウム
（**ニューロタン**錠）

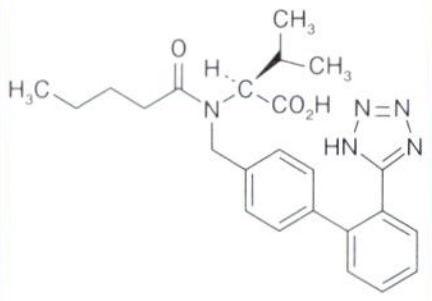

バルサルタン
（**ディオバン**錠/OD錠）

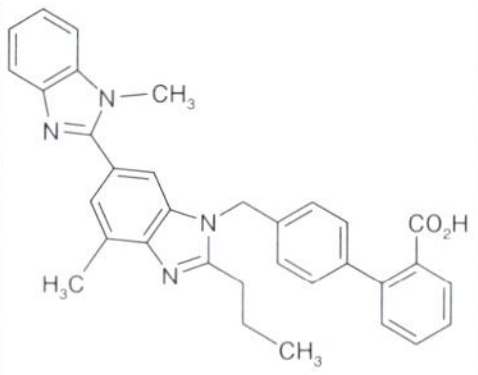

テルミサルタン
（**ミカルディス**錠）

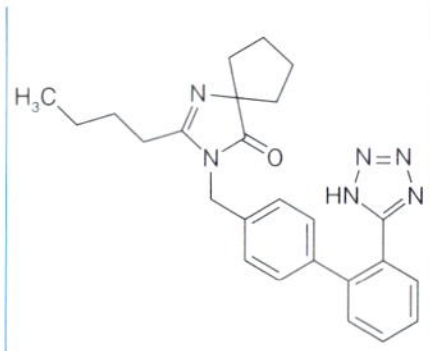

イルベサルタン
（**アバプロ**錠，**イルベタン**錠）

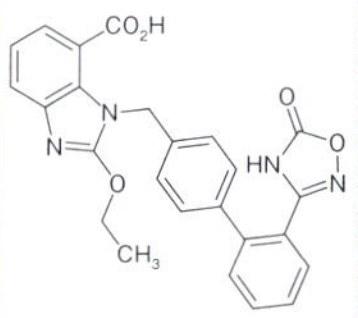

アジルサルタン
（**アジルバ**錠）

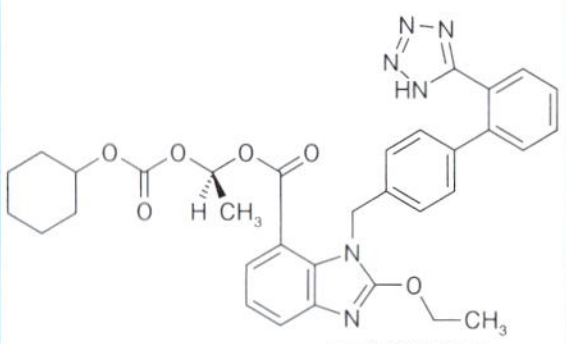

カンデサルタンシレキセチル
及び鏡像異性体
（**ブロプレス**錠）

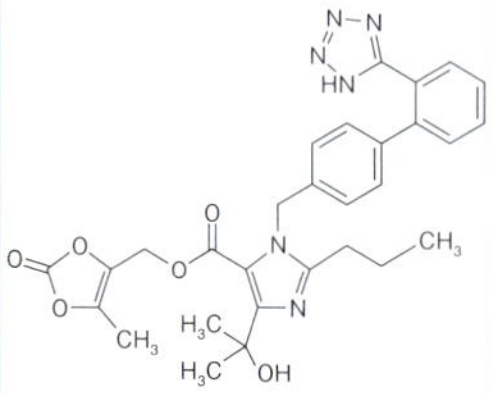

オルメサルタンメドキソミル
（**オルメテック**OD錠）

ブラジキニン B₂ 受容体遮断薬

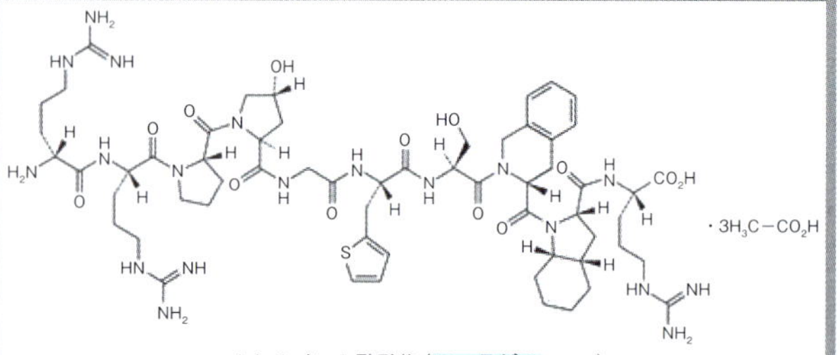

イカチバント酢酸塩（**フィラジル**皮下注）

エンドセリン受容体拮抗薬

非選択的 $ET_{A/B}$ 受容体阻害薬

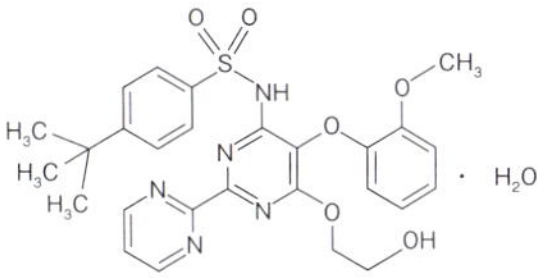

ボセンタン水和物
（**トラクリア**錠）

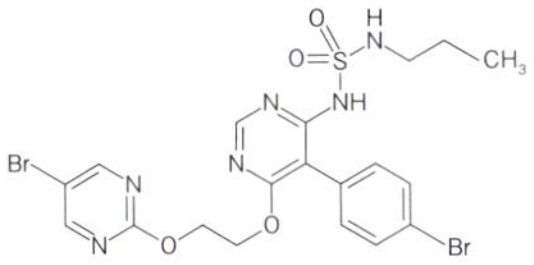

マシテンタン
（**オプスミット**錠）

選択的 ET_A 受容体阻害薬

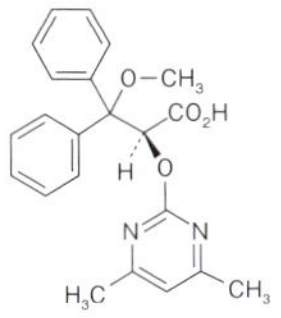

アンブリセンタン
（**ヴォリブリス**錠）

アラキドン酸代謝物関連薬物

☞本文 p184

プロスタグランジン製剤・誘導体

PGE_1 製剤・誘導体

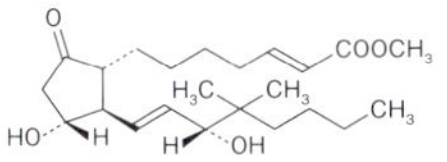

ゲメプロスト
（**プレグランディン**腟坐）

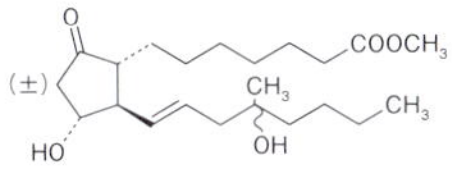

ミソプロストール
（**サイトテック**錠）

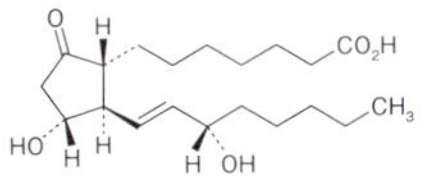

アルプロスタジル
（**パルクス**注/ディスポ,
リプル注/キット）

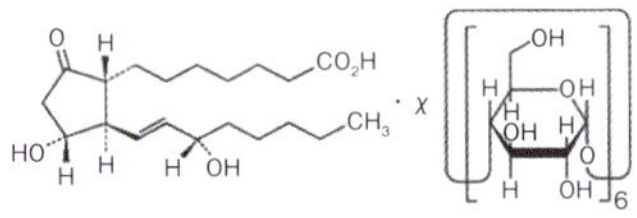

アルプロスタジルアルファデクス
（**プロスタンディン**注射用）

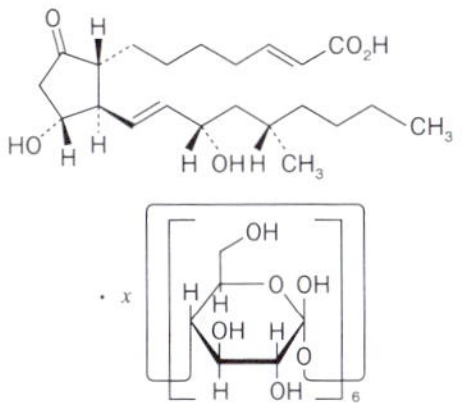

リマプロストアルファデクス
（**オパルモン**錠，**プロレナール**錠）

PGE_2 製剤・誘導体

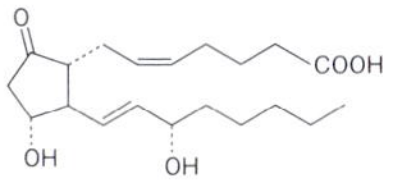

ジノプロストン
（**プロスタグランジン E_2**錠，**プロウペス**腟用）

$PGF_{2\alpha}$ 製剤・誘導体

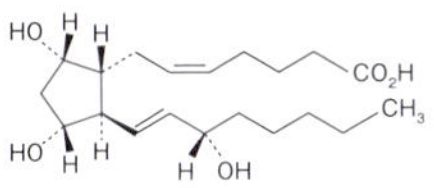

ジノプロスト
（**プロスタルモン・F** 注）

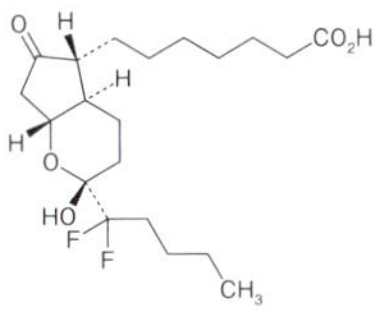

ルビプロストン
（**アミティーザ**カ）

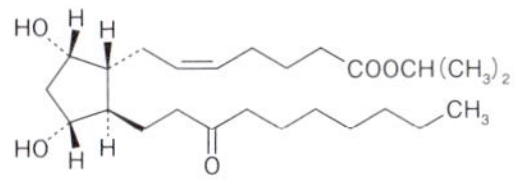

イソプロピルウノプロストン
（**レスキュラ**点眼液）

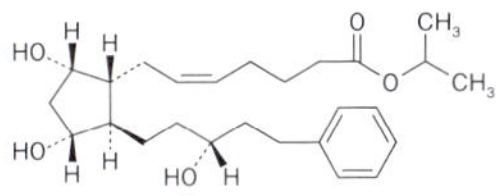

ラタノプロスト
（**キサラタン**点眼液）

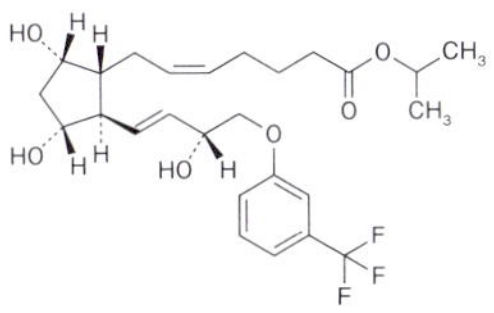

トラボプロスト
（**トラバタンズ**点眼液）

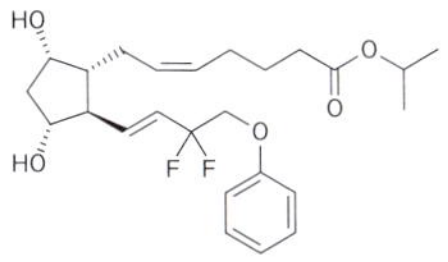

タフルプロスト
（**タプロス**点眼液）

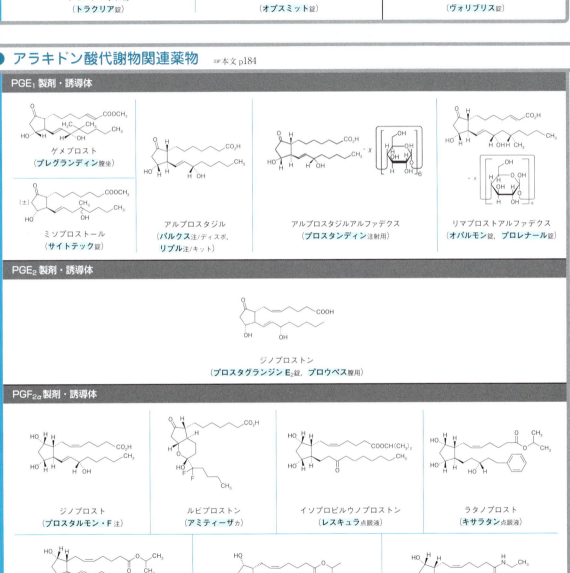

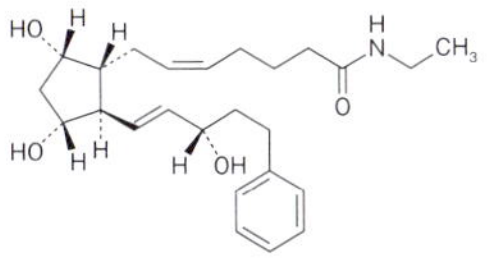

ビマトプロスト
（**ルミガン**点眼液）

プロスタグランジン製剤・誘導体

エイコサノイド阻害薬

PGI₂製剤・誘導体

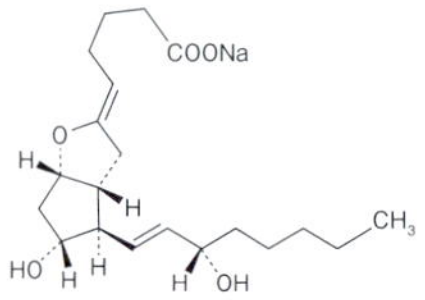

エポプロステノールナトリウム
（**フローラン**静注用）

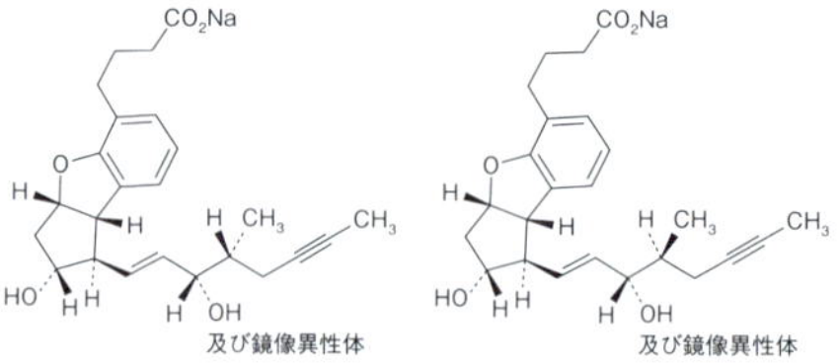

ベラプロストナトリウム
（**ドルナー**錠，**プロサイリン**錠，**ケアロード** LA 錠，**ベラサス** LA 錠）

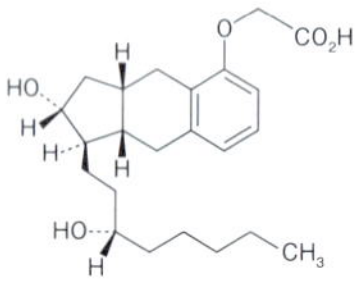

及び鏡像異性体　　及び鏡像異性体

トレプロスチニル
（**トレプロスト**注）

イロプロスト
（**ベンテイビス**吸入液）

及びC*位エピマー

トロンボキサン合成酵素阻害薬

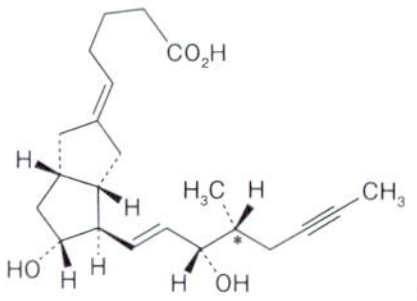

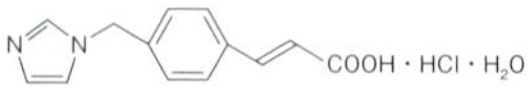

オザグレル塩酸塩水和物
（**ドメナン**錠）

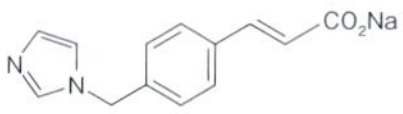

オザグレルナトリウム
（**カタクロット**注，**キサンボン**注，
キサンボン S 注，**オキリコン**注シリンジ）

アラキドン酸代謝阻害薬

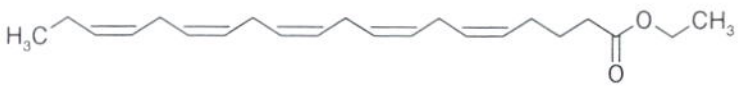

イコサペント酸エチル
（**エパデール**カ/S カ，
イコサペント酸エチル顆粒状カ）

トロンボキサン A₂ 受容体拮抗薬

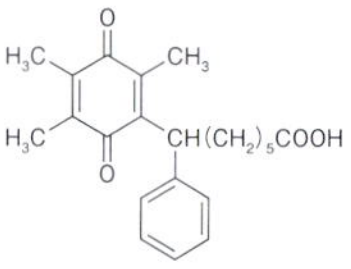

セラトロダスト
（**ブロニカ**錠/顆）

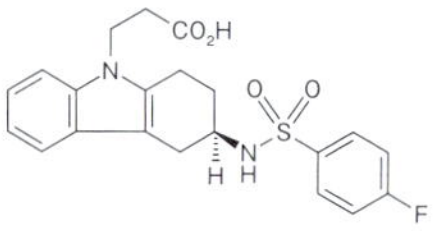

ラマトロバン
（**バイナス**錠）

ロイコトリエン C₄・D₄ 受容体拮抗薬

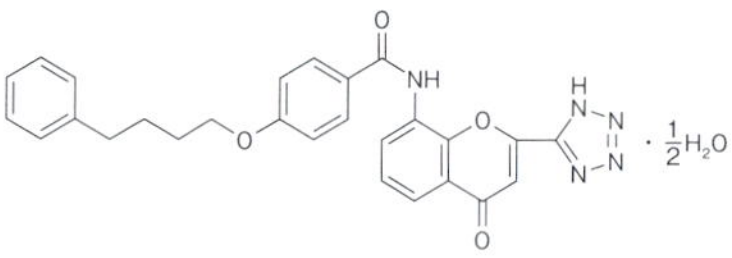

プランルカスト水和物
（**オノン**カ/ドシ）

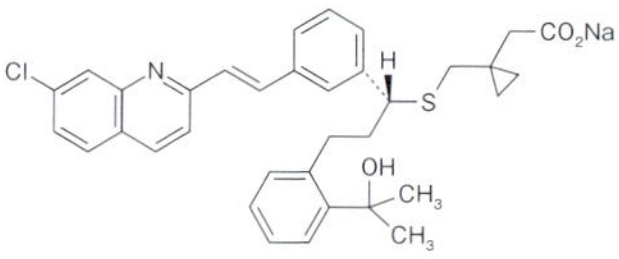

モンテルカスト
（**キプレス**錠/OD錠/チュアブル錠/細，**シングレア**錠/OD錠/チュアブル錠/細）

第6章　免疫系作用薬

● 免疫抑制薬　☞本文p201

特異的免疫抑制薬（非抗体）

Ala—D-Ala—MeLeu—MeLeu—MeVal—N ... Abu—MeGly—MeLeu—Val—MeLeu

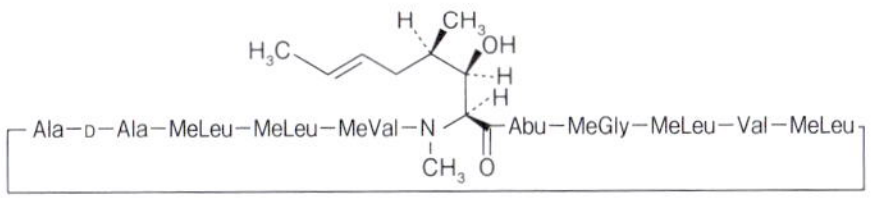

Abu= (2S)-2-アミノ酪酸
MeGly= N-メチルグリシン
MeLeu= N-メチルロイシン
MeVal= N-メチルバリン

シクロスポリン
（**サンディミュン**静注/内用液，**ネオーラル**内用液/カ）

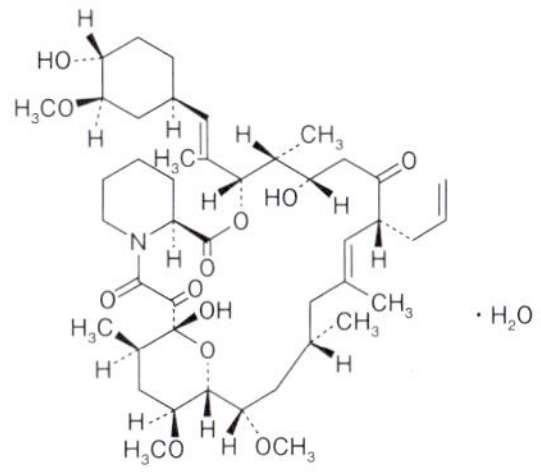

タクロリムス水和物
（**プログラフ**注/カ/顆，**グラセプター**カ）

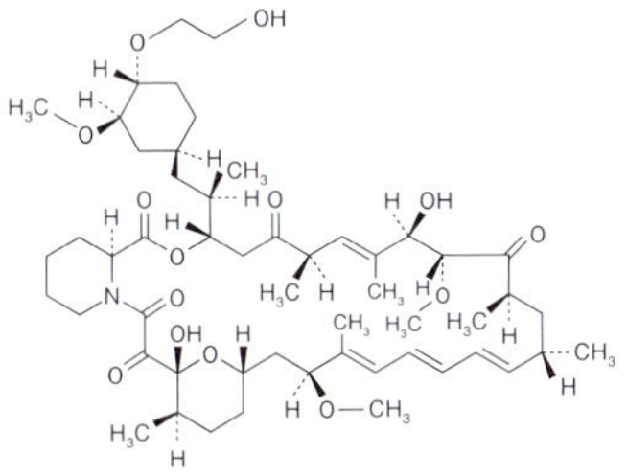

エベロリムス
（**サーティカン**錠）

H₂NCNH(CH₂)₆CONHCHCONH(CH₂)₄NH(CH₂)₃NH₂・3HCl

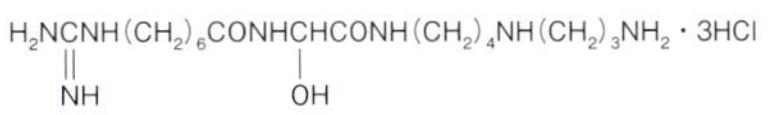

グスペリムス塩酸塩
（**スパニジン**点滴静注）

その他の免疫抑制薬

糖質コルチコイド

☞薬物名及び構造は「ステロイド性抗炎症薬」（p40〜43）参照

DNA アルキル化薬

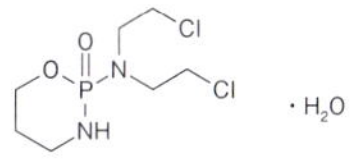

シクロホスファミド水和物
（**エンドキサン**錠/注）

プリン代謝拮抗薬

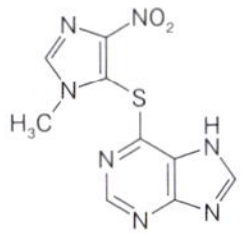

アザチオプリン
（**アザニン**錠，**イムラン**錠）

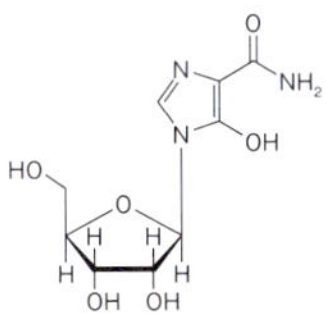

ミゾリビン
（**ブレディニン**錠）

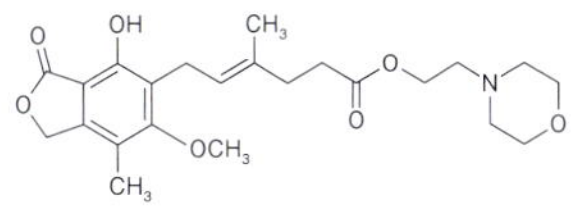

ミコフェノール酸モフェチル
（**セルセプト**カ）

ピリミジン代謝拮抗薬

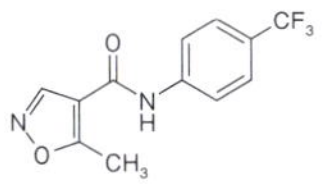

レフルノミド
（**アラバ**錠）

葉酸代謝拮抗薬

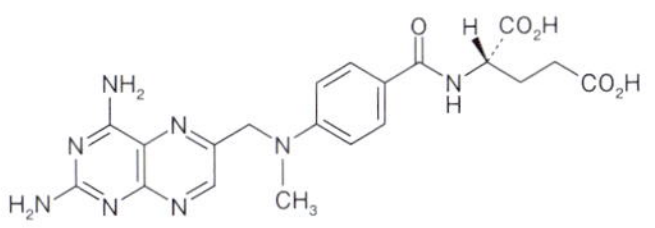

メトトレキサート〈MTX〉
（**リウマトレックス**カ，**メトレート**錠）

免疫強化薬 ☞本文 p207

菌体成分

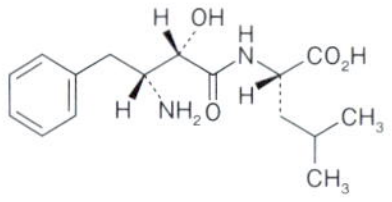

ウベニメクス
（**ベスタチン**カ）

関節リウマチ治療薬 ☞本文 p209

抗炎症薬（合成ACTH製剤）

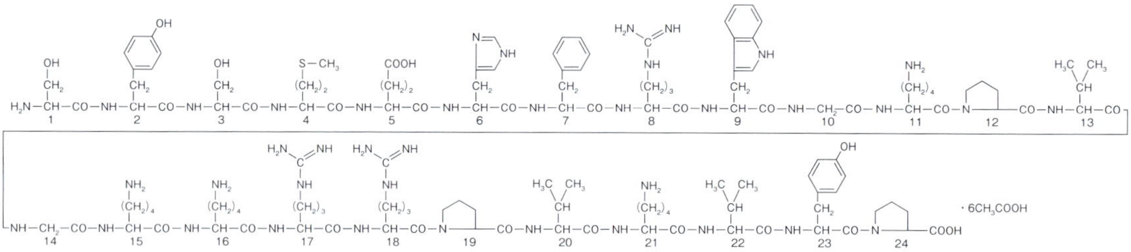

テトラコサクチド酢酸塩
（**コートロシン**注）

テトラコサクチド酢酸塩（亜鉛懸濁液）
（**コートロシンZ**注）

疾患修飾性抗リウマチ薬（DMARDs）

及び鏡像異性体

金チオリンゴ酸ナトリウム
（**シオゾール**注）

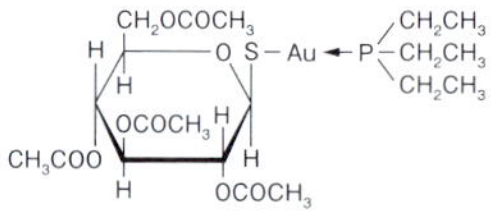

オーラノフィン
（**オーラノフィン**錠）

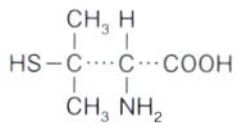

ペニシラミン〈D-ペニシラミン〉
（**メタルカプターゼ**カ）

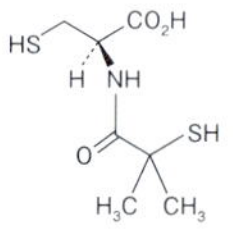

ブシラミン
（**リマチル**錠）

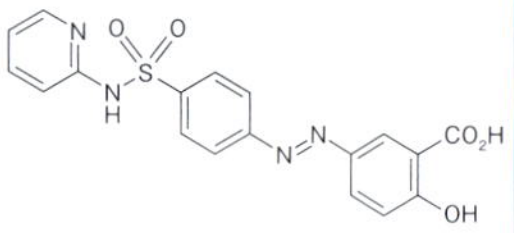

サラゾスルファピリジン
〈スルファサラジン〉
（**アザルフィジンEN**腸溶錠）

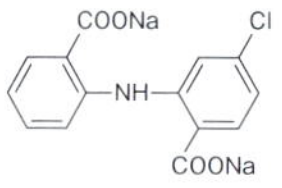

ロベンザリット二ナトリウム
（**カルフェニール**錠）

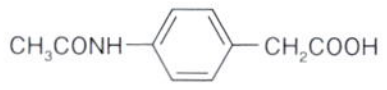

アクタリット
（**オークル**錠，
モーバー錠）

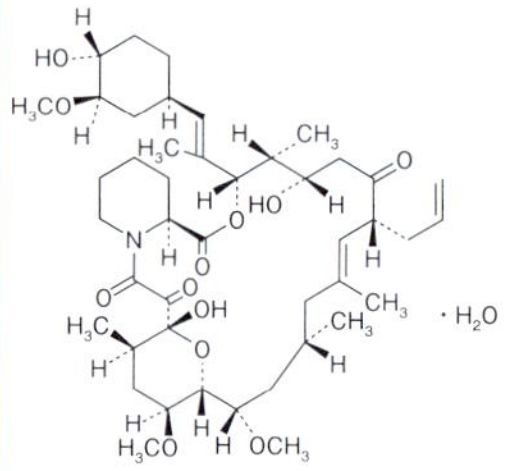

タクロリムス水和物
（**プログラフ**カ）

疾患修飾性抗リウマチ薬〈DMARDs〉

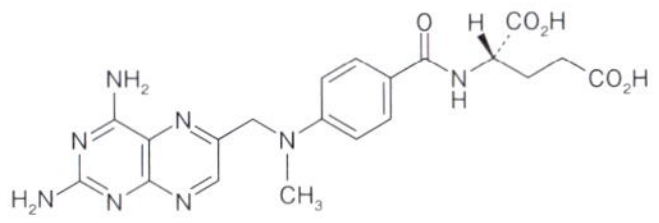

メトトレキサート〈MTX〉
（**リウマトレックス**カ，**メトトレート**錠）

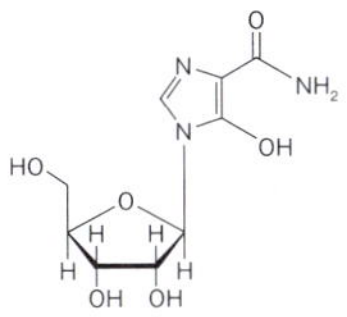

ミゾリビン
（**ブレディニン**錠）

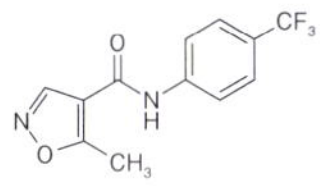

レフルノミド
（**アラバ**錠）

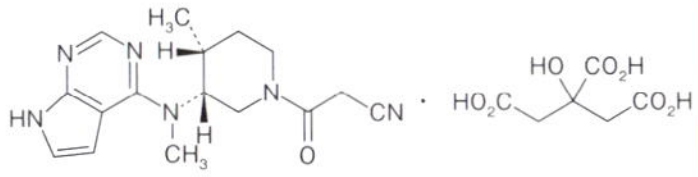

トファシチニブクエン酸塩
（**ゼルヤンツ**錠）

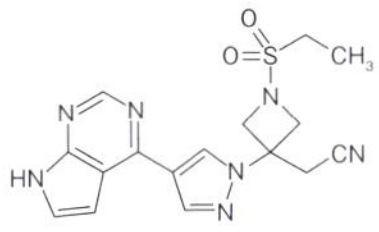

バリシチニブ
（**オルミエント**錠）

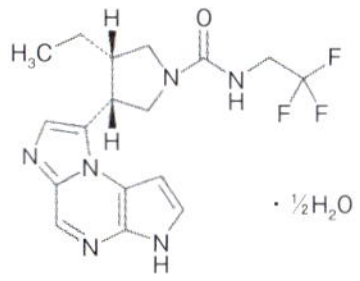

ウパダシチニブ水和物
（**リンヴォック**錠）

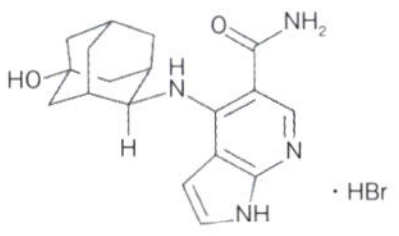

ペフィシチニブ臭化水素酸塩
（**スマイラフ**錠）

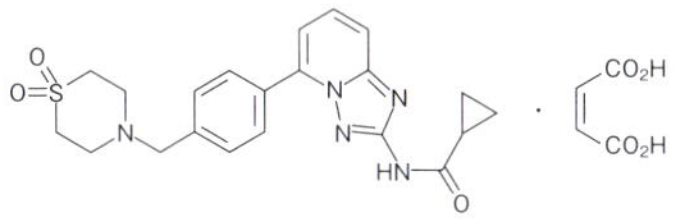

フィルゴチニブ
（**ジセレカ**錠）

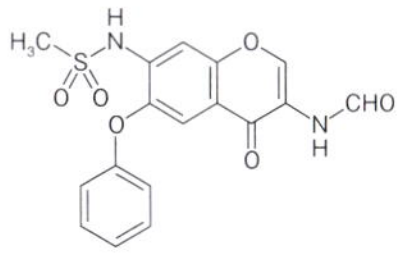

イグラチモド
（**ケアラム**錠）

潤滑薬

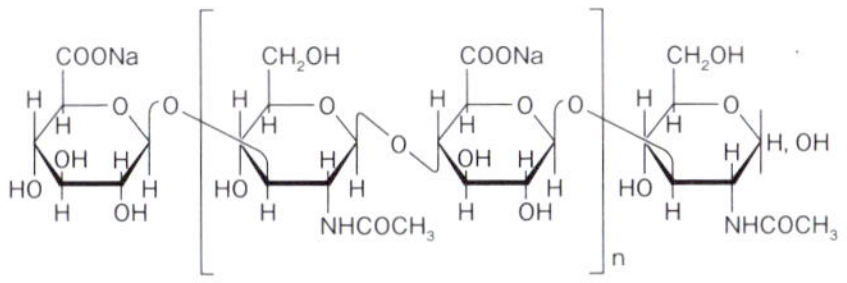

ヒアルロン酸ナトリウム
（**アルツ**関節注/ディスポ，**スベニール**関節注/ディスポ，**サイビスク**関節注）

第7章　抗炎症薬

ステロイド性抗炎症薬 ☞本文 p218

コルチゾン

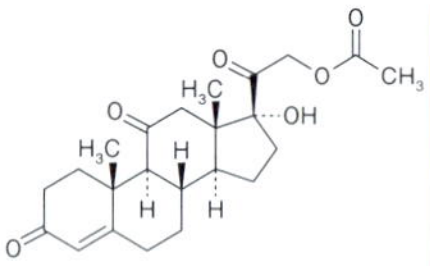

コルチゾン酢酸エステル
（**コートン**錠）

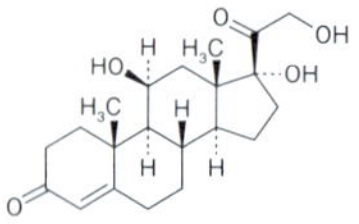

ヒドロコルチゾン
（**コートリル**錠，**オイラックスH**ク，**エキザルベ**軟，オキシテトラサイクリン塩酸塩との合剤：**テラ・コートリル**軟）

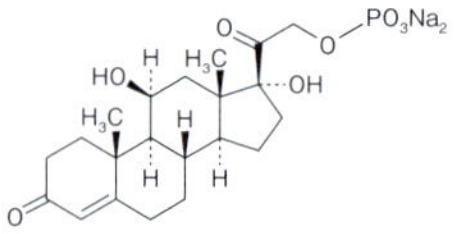

ヒドロコルチゾンリン酸エステルナトリウム
（**水溶性ハイドロコートン**注）

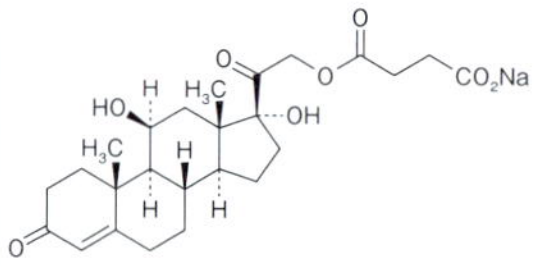

ヒドロコルチゾンコハク酸エステルナトリウム
（**ソル・コーテフ**注/静注）

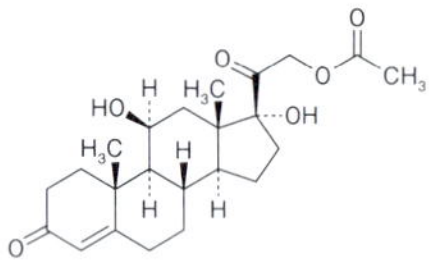

ヒドロコルチゾン酢酸エステル
（**デスパコーワ**口腔用ク，**強力レスタミンコーチゾンコーワ**軟）

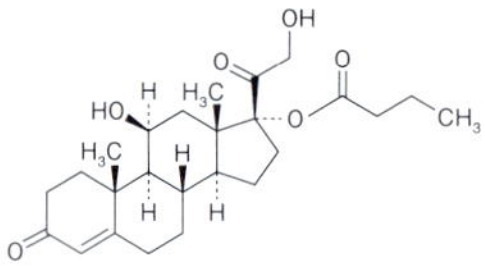

ヒドロコルチゾン酪酸エステル
（**ロコイド**軟/ク）

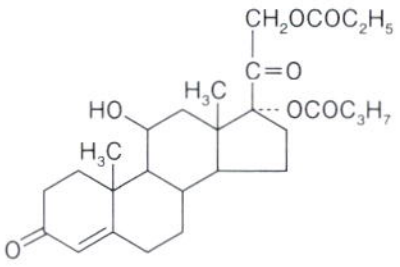

ヒドロコルチゾン酪酸プロピオン酸エステル
（**パンデル**軟/ク/ロ）

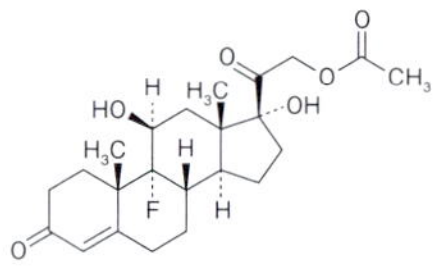

フルドロコルチゾン酢酸エステル
（**フロリネフ**錠）

プレドニゾロン

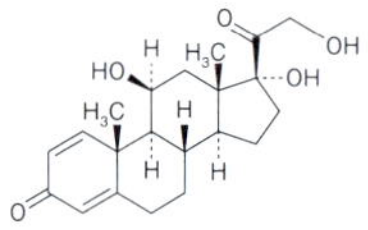

プレドニゾロン
（**プレドニゾロン**錠/散/軟，**プレドニン**錠）

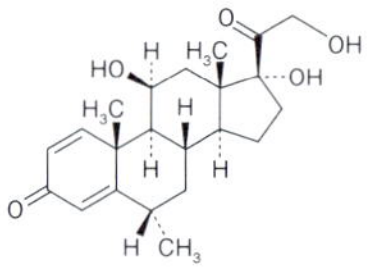

メチルプレドニゾロン
（**メドロール**錠，**ネオメドロールEE**軟）

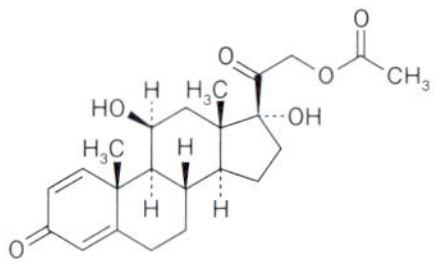

プレドニゾロン酢酸エステル
（**プレドニン**眼軟膏）

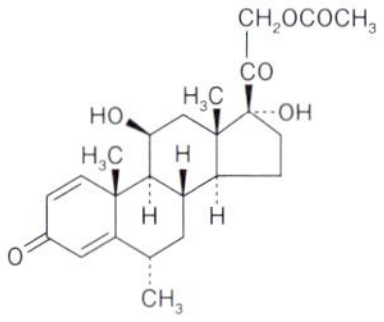

メチルプレドニゾロン酢酸エステル
（**デポ・メドロール**注）

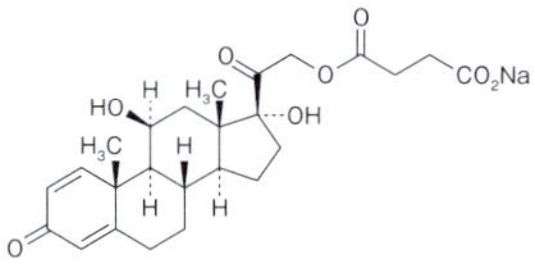

プレドニゾロンコハク酸エステルナトリウム
（**水溶性プレドニン**注）

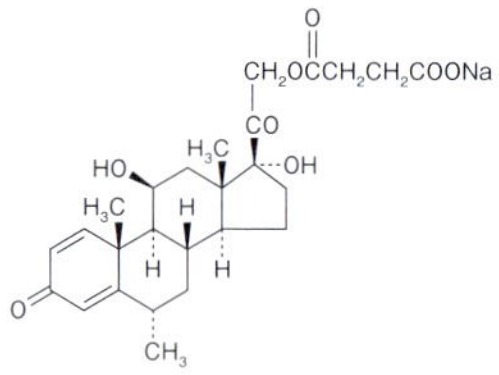

メチルプレドニゾロンコハク酸エステルナトリウム
（**ソル・メドロール**静注）

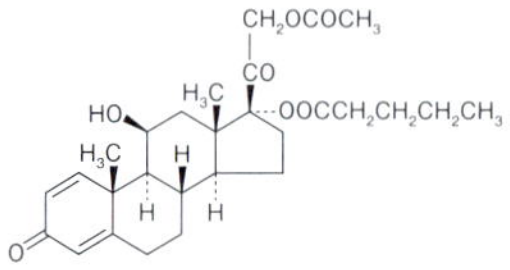

プレドニゾロン吉草酸酢酸エステル
（**リドメックスコーワ**軟/ク/ロ）

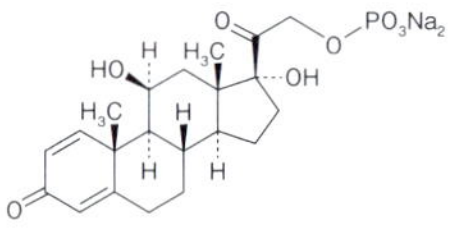

プレドニゾロンリン酸エステルナトリウム
（**プレドネマ**注腸）

トリアムシノロン

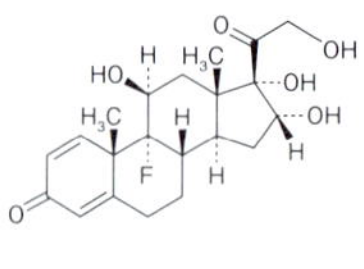

トリアムシノロン
（**レダコート**錠）

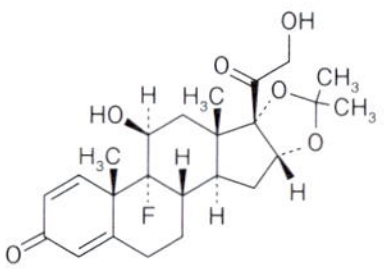

トリアムシノロンアセトニド
（**ケナコルト-A** 筋注用/皮内用，**アフタッチ**貼付錠，**オルテクサー**口腔用軟膏，**レダコート**軟）

デキサメタゾン

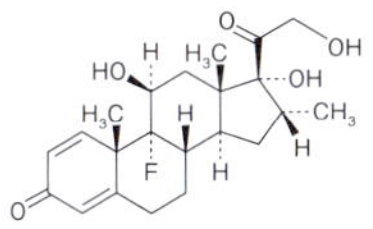

デキサメタゾン
（**デカドロン**錠/エリキシル，**オイラゾン**ク，
デキサメサゾン軟/ロ/ク，**サンテゾーン**眼軟膏，
アフタゾロン口腔用軟膏）

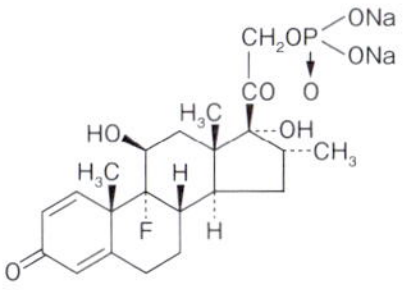

デキサメタゾンリン酸エステルナトリウム
（**オルガドロン**注/点眼・点耳・点鼻液，
デカドロン注）

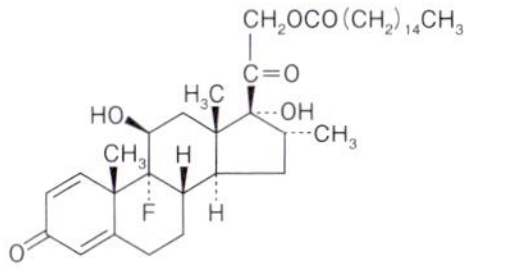

デキサメタゾンパルミチン酸エステル
（**リメタゾン**静注）

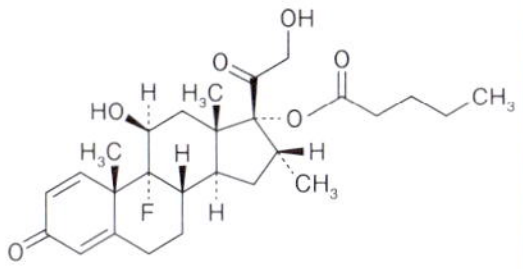

デキサメタゾン吉草酸エステル
（**ボアラ**軟/ク）

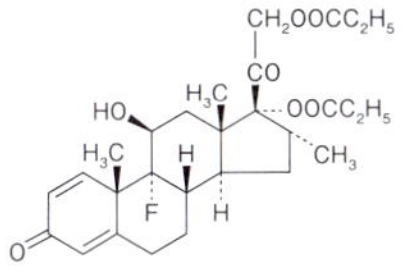

デキサメタゾンプロピオン酸
エステル
（**メサデルム**軟/ク/ロ）

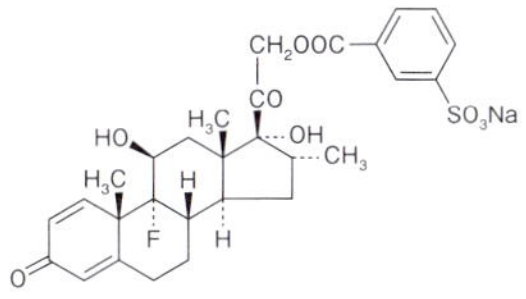

デキサメタゾンメタスルホ安息香酸
エステルナトリウム
（**ビジュアリン**点眼液/眼科耳鼻科用液，
サンテゾーン点眼液）

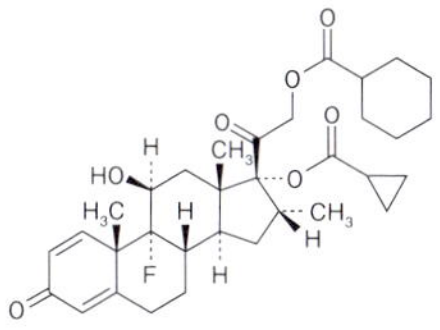

デキサメタゾンシペシル酸エステル
（**エリザス**カ（外用）/点鼻粉末）

ベタメタゾン

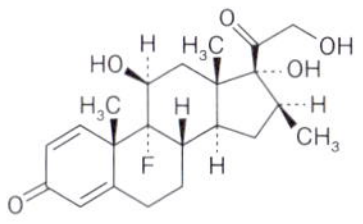

ベタメタゾン
（**リンデロン**坐）

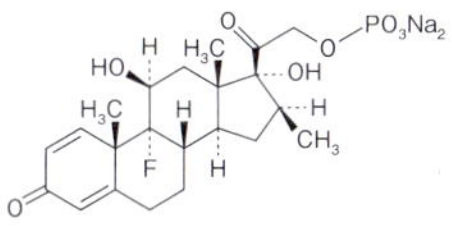

ベタメタゾンリン酸エステルナトリウム
（**リンデロン**散/錠/シ/注/点眼・点耳・点鼻液，
ステロネマ注腸）

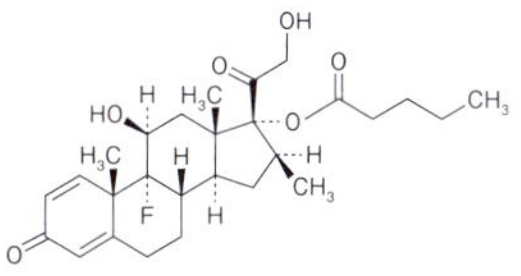

ベタメタゾン吉草酸エステル
（**ベトネベート**軟/ク，**リンデロンＶ**軟/ク/ロ）

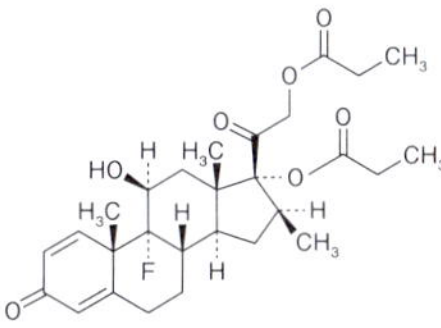

ベタメタゾンジプロピオン酸エステル
（**リンデロンDP**軟/ク/ゾル）

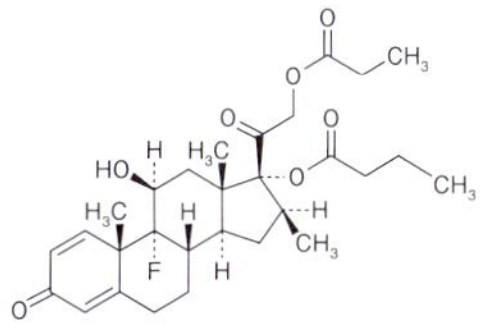

ベタメタゾン酪酸エステルプロピオン酸エステル
（**アンテベート**軟/ク/ロ）

その他のステロイド

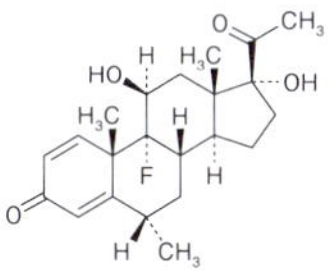

フルオロメトロン
（**オドメール**点眼液，
フルメトロン点眼液）

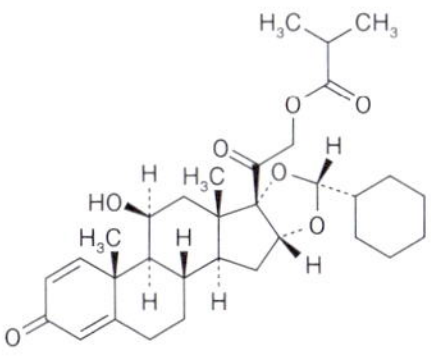

シクレソニド
（**オルベスコ**インヘラー）

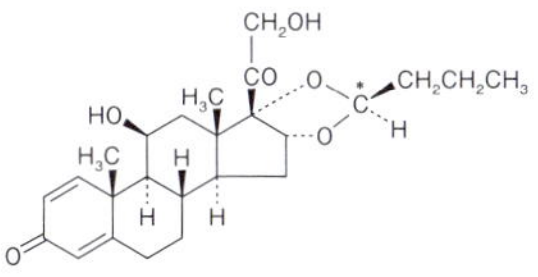

*：本品は22位の不斉炭素原子におけるエピマーの混合物である。

ブデソニド
（**パルミコート**吸入液/タービュヘイラー，
ゼンタコートカ，**レクタブル**注腸）

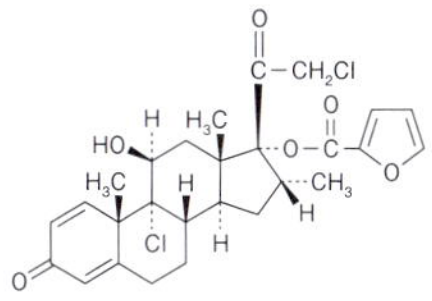

モメタゾンフランカルボン酸エステル
（**アズマネックス**ツイストヘラー，
ナゾネックス点鼻液，
フルメタ軟/ク/ロ）

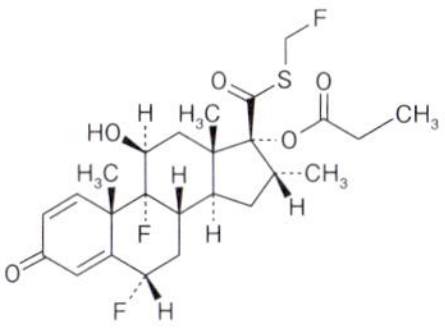

フルチカゾンプロピオン酸エステル
（**フルタイド**エアゾール/
ディスカス/ロタディスク，
フルナーゼ点鼻液）

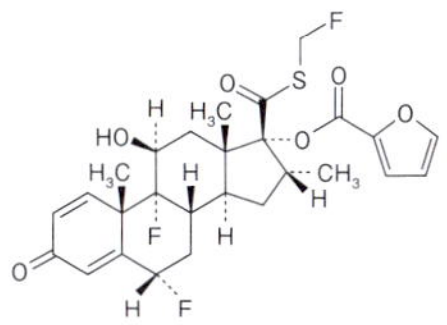

フルチカゾンフランカルボン酸エステル
（**アニュイティ**エリプタ，
アラミスト点鼻液）

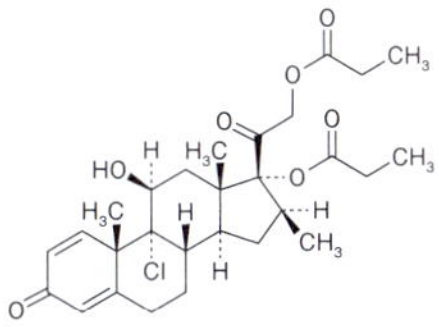

ベクロメタゾンプロピオン酸エステル
（**キュバール**エアゾール，
リノコート鼻用パウダースプレー，
サルコート口腔噴霧カ）

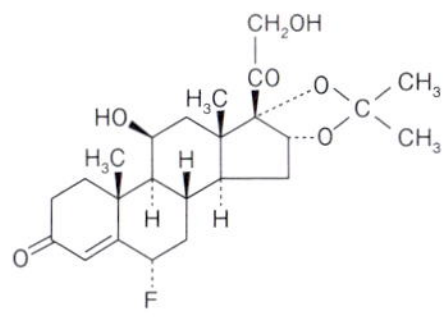

フルドロキシコルチド
（**ドレニゾン**テープ）

外用ステロイド

最強

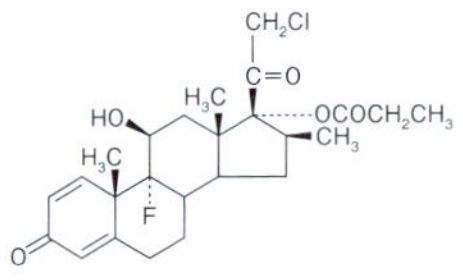

クロベタゾールプロピオン酸エステル
（**デルモベート**軟/ク/スカルプ）

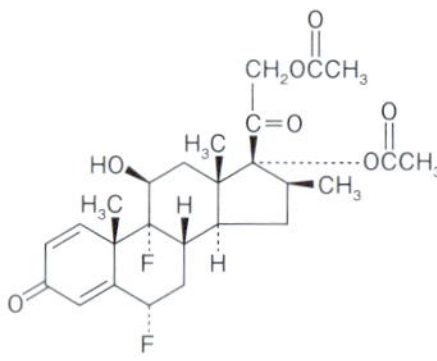

ジフロラゾン酢酸エステル
（**ジフラール**軟/ク，**ダイアコート**軟/ク）

かなり強力

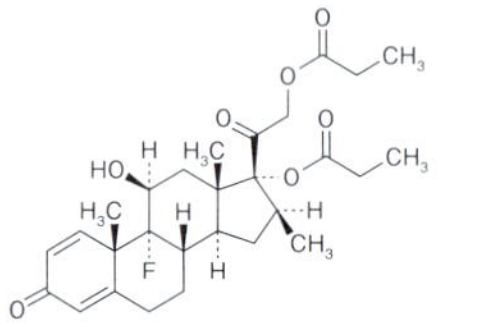

ベタメタゾンジプロピオン酸エステル
（**リンデロン DP** 軟/ク/ゾル）

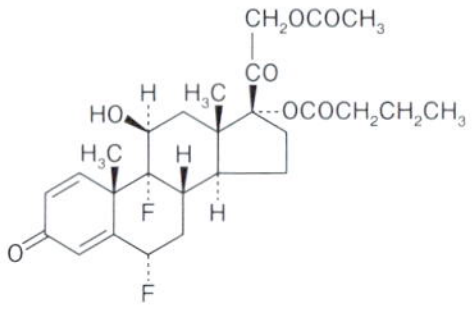

ジフルプレドナート
（**マイザー**軟/ク）

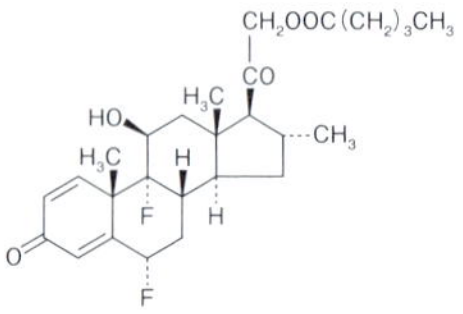

ジフルコルトロン吉草酸エステル
（**ネリゾナ**軟/ク/ユニバーサルクリーム/ソリューション，**テクスメテン**軟/ユニバーサルクリーム）

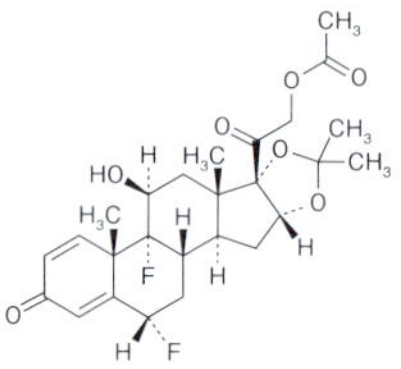

フルオシノニド
（**シマロン**軟/ク/ゲル，**トプシム**軟/ク/E ク/ロ/ス）

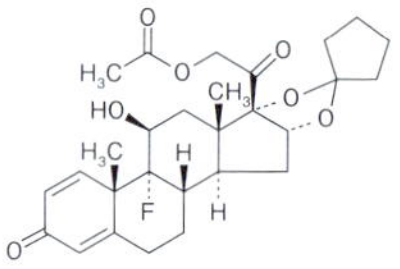

アムシノニド
（**ビスダーム**軟/ク）

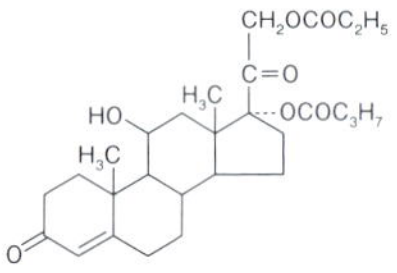

ヒドロコルチゾン酪酸プロピオン酸エステル
（**パンデル**軟/ク/ロ）

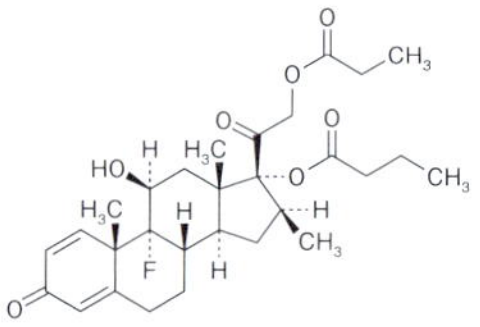

ベタメタゾン酪酸エステルプロピオン酸エステル
（**アンテベート**軟/ク/ロ）

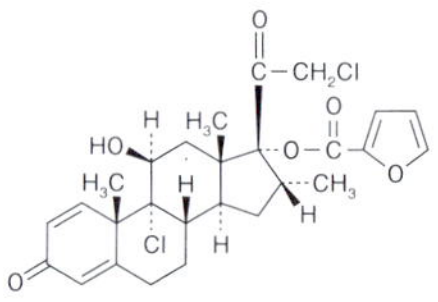

モメタゾンフランカルボン酸エステル
（**フルメタ**軟/ク/ロ）

強力

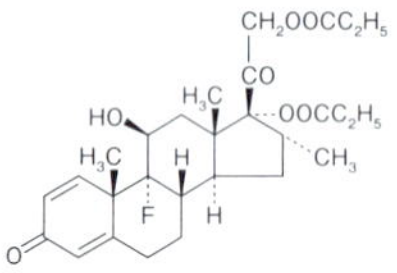

デキサメタゾンプロピオン酸エステル
（**メサデルム**軟/ク/ロ）

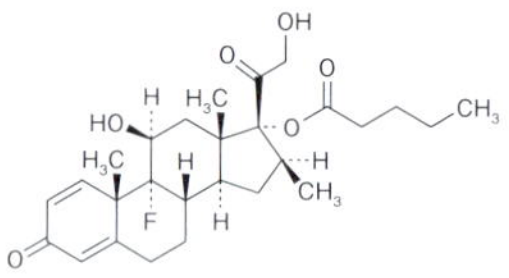

ベタメタゾン吉草酸エステル
（**ベトネベート**軟/ク，**リンデロン V** 軟/ク/ロ）

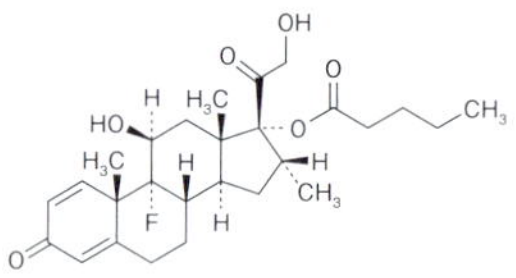

デキサメタゾン吉草酸エステル
（**ボアラ**軟/ク）

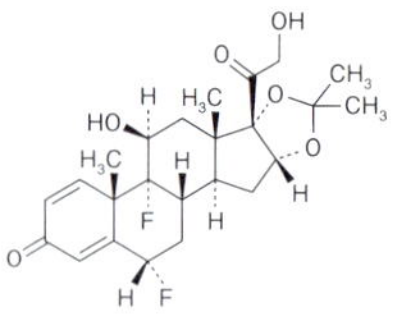

フルオシノロンアセトニド
（**フルコート**軟/ク/外用液/ス）

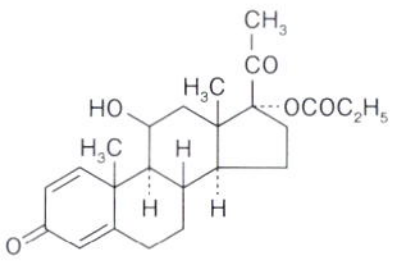

デプロドンプロピオン酸エステル
（**エクラー**軟/ク/ロ/プラスター）

外用ステロイド

中等度

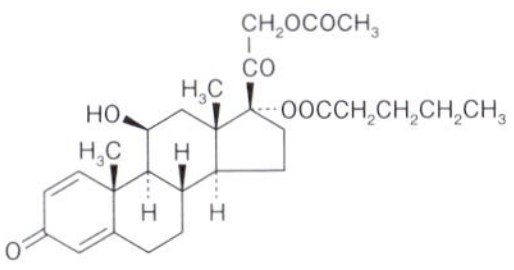

プレドニゾロン吉草酸酢酸エステル
（**リドメックスコーワ**軟/ク/ロ）

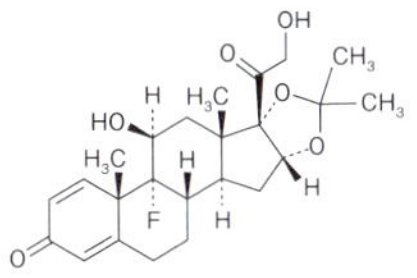

トリアムシノロンアセトニド
（**トリシノロン**ゲル/ク，**レダコート**軟/ク）

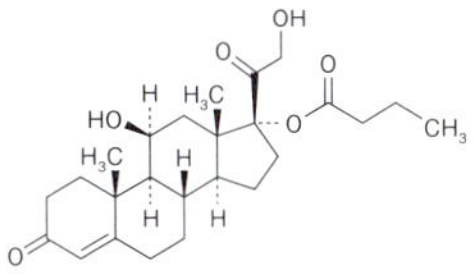

ヒドロコルチゾン酪酸エステル
（**ロコイド**軟/ク）

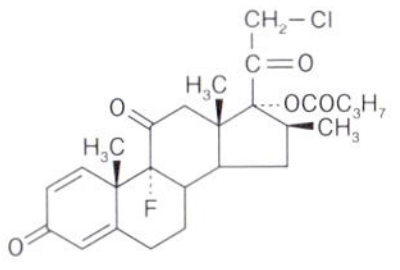

クロベタゾン酪酸エステル
（**キンダベート**軟）

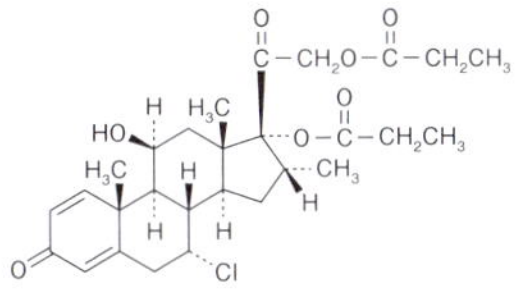

アルクロメタゾンプロピオン酸エステル
（**アルメタ**軟）

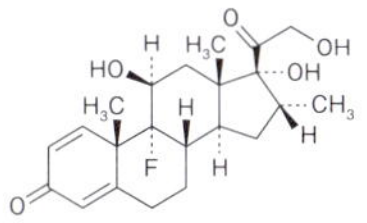

デキサメタゾン
（**オイラゾン**ク，**デキサメサゾン**軟/ロ/ク）

弱い

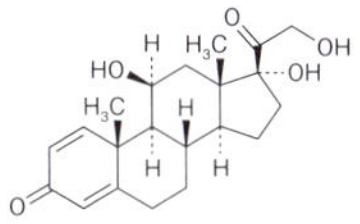

プレドニゾロン
（**プレドニゾロン**軟/ク）

非ステロイド性抗炎症薬〈NSAIDs〉

☞本文 p227

酸性抗炎症薬（シクロオキシゲナーゼ阻害薬）

サリチル酸

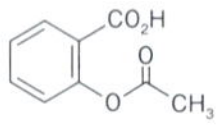

アスピリン〈アセチルサリチル酸〉
（**アスピリン**末）

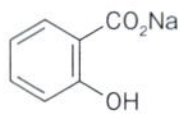

サリチル酸ナトリウム
（**サリチル酸 Na** 静注）

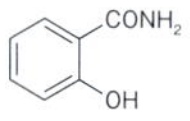

サリチルアミド
（**PL** 配合顆）

インドール酢酸

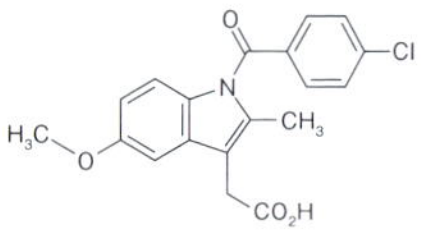

インドメタシン
（**インテバン**坐）

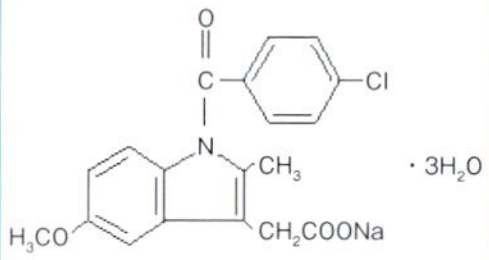

インドメタシンナトリウム
（**インダシン**静注用）

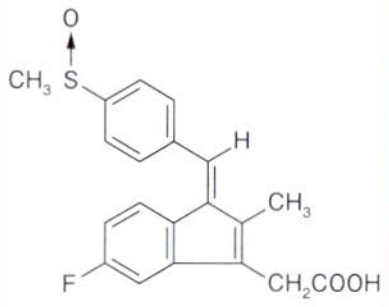

スリンダク
（**クリノリル**錠）

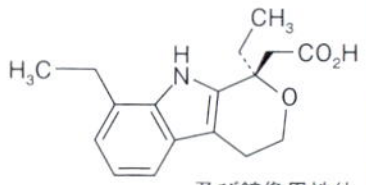

及び鏡像異性体

エトドラク
（**オステラック**錠，
ハイペン錠）

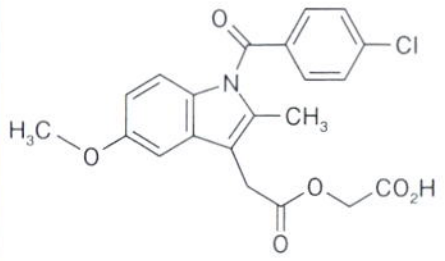

アセメタシン
（**ランツジール**錠）

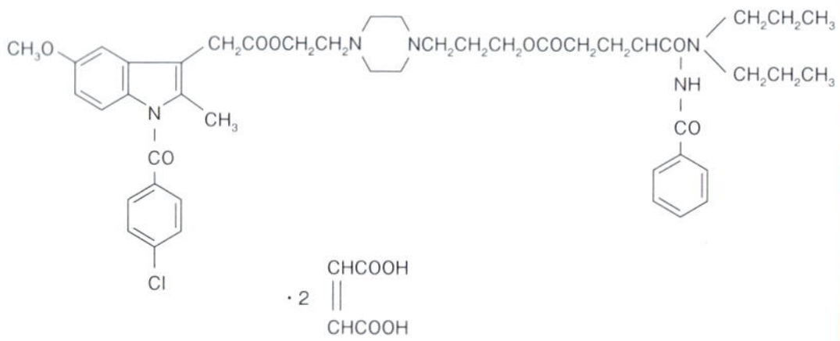

プログルメタシンマレイン酸塩
（**ミリダシン**錠）

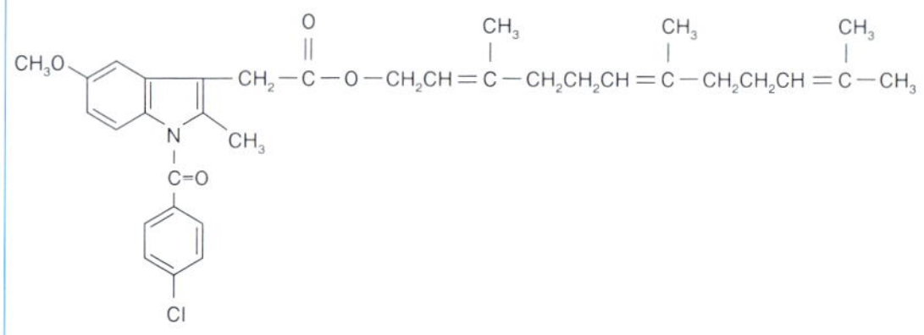

インドメタシンファルネシル
（**インフリー**カ/S カ）

フェニル酢酸

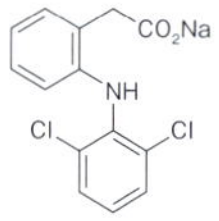

ジクロフェナクナトリウム
（**ナボール SR** カ（徐放），**ボルタレン**錠/SR カ（徐放）/坐）

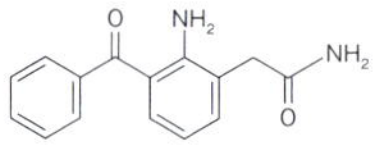

ネパフェナク
（**ネバナック**点眼液）

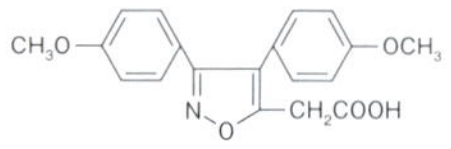

モフェゾラク
（**ジソペイン**錠）

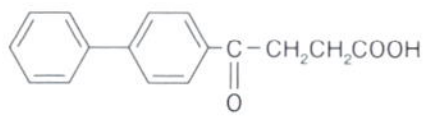

フェンブフェン

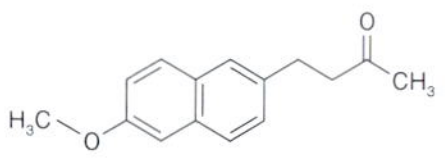

ナブメトン
（**レリフェン**錠）

酸性抗炎症薬（シクロオキシゲナーゼ阻害薬）

プロピオン酸

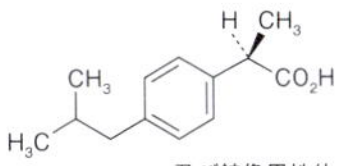

及び鏡像異性体

イブプロフェン
（**ブルフェン**錠/顆）

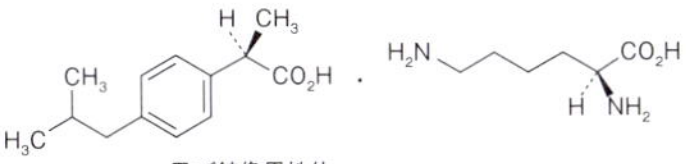

及び鏡像異性体

イブプロフェン　L-リシン
（**イブリーフ**静注）

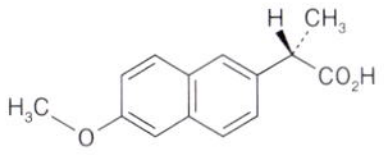

ナプロキセン
（**ナイキサン**錠）

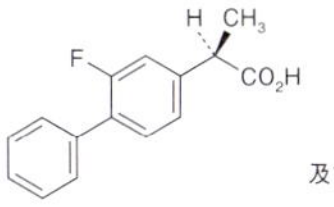

及び鏡像異性体

フルルビプロフェン
（**フロベン**錠/顆）

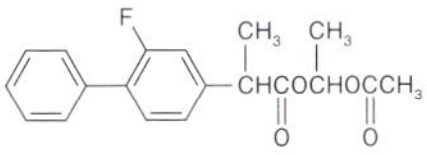

フルルビプロフェンアキセチル
（**ロピオン**静注）

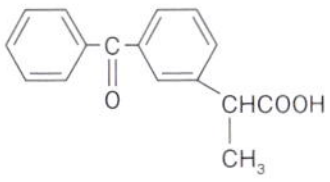

ケトプロフェン
（**カビステン**筋注，**ケトプロフェン**坐）

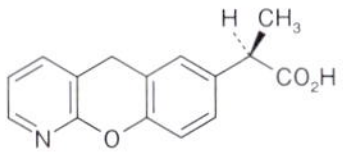

及び鏡像異性体

プラノプロフェン
（**ニフラン**錠/点眼薬）

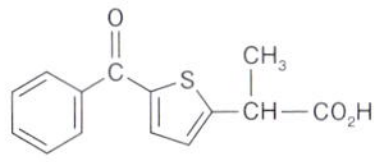

チアプロフェン酸
（**スルガム**錠）

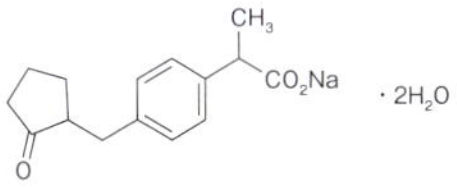

ロキソプロフェンナトリウム水和物
（**ロキソニン**錠/細）

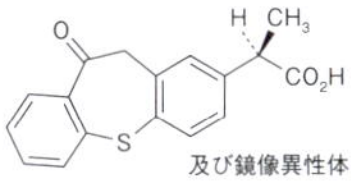

及び鏡像異性体

ザルトプロフェン
（**ソレトン**錠，**ペオン**錠）

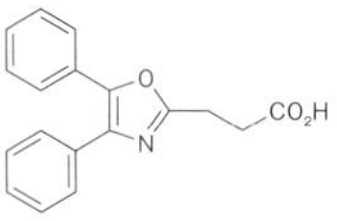

オキサプロジン
（**アルボ**錠）

ピリミジン系

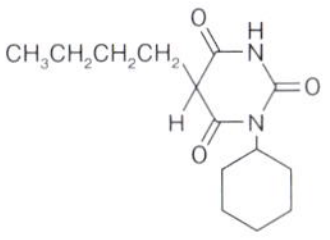

ブコローム
（**パラミヂン**カ）

アントラニル酸

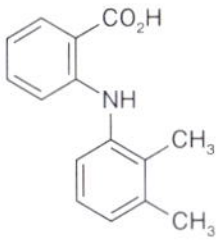

メフェナム酸
（**ポンタール**カ/散/細/シ）

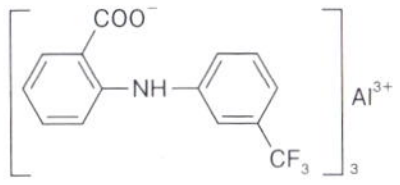

フルフェナム酸アルミニウム
（**オパイリン**錠）

コキシブ系

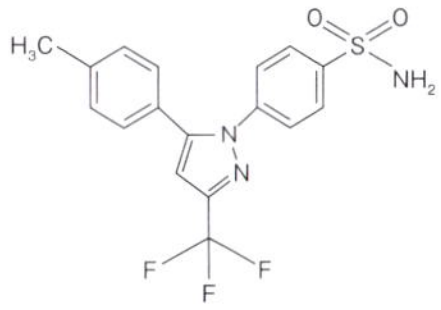

セレコキシブ
（**セレコックス**錠）

オキシカム

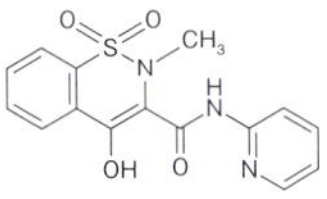

ピロキシカム
（**バキソ**カ/坐）

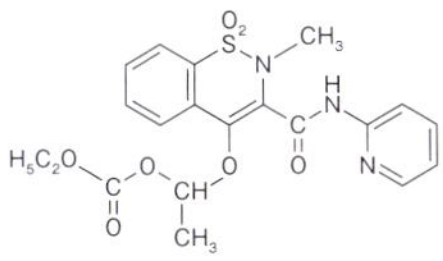

アンピロキシカム
（**フルカム**カ）

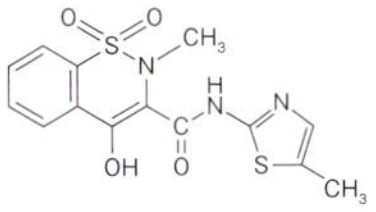

メロキシカム
（**モービック**錠）

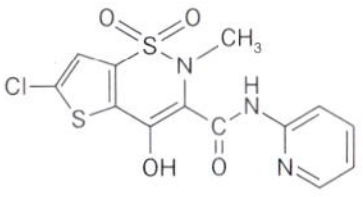

ロルノキシカム
（**ロルカム**錠）

塩基性抗炎症薬

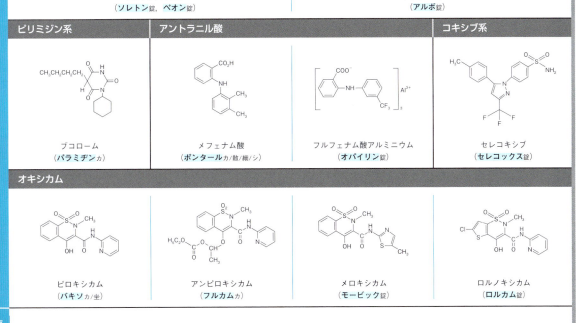

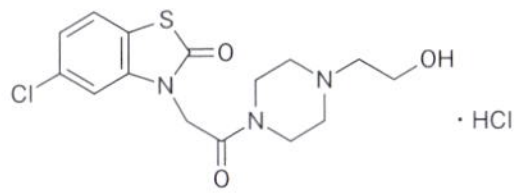

チアラミド塩酸塩
（**ソランタール**錠）

外用NSAIDs

関節炎治療薬

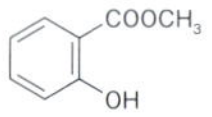

サリチル酸メチル
（MS冷シップパップ，
MS温シップパップ）

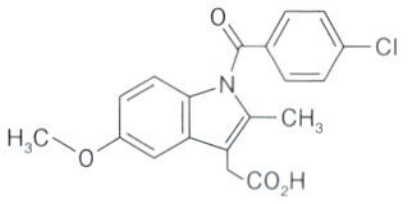

インドメタシン
（インテバン軟/ク/液，
イドメシンゲル/ク/ゾル/パップ，
インサイドパップ，
カトレップパップ/テープ）

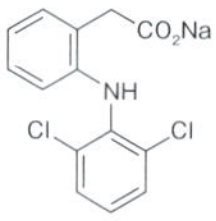

ジクロフェナクナトリウム
（ボルタレンゲル/ロ/テープ，
ナボールゲル/テープ/パップ）

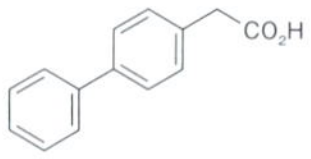

フェルビナク
（ナパゲルン軟/ロ/ク，
セルタッチパップ/テープ）

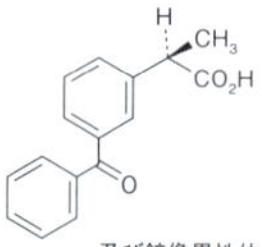

及び鏡像異性体

ケトプロフェン
（セクターゲル/ク/ロ，
ミルタックスパップ，
モーラスパップ/テープ）

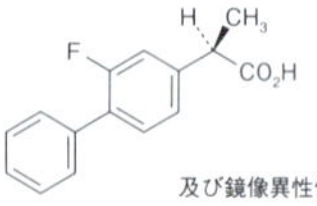

及び鏡像異性体

フルルビプロフェン
（アドフィードパップ）

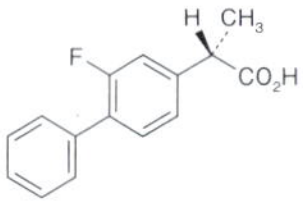

エスフルルビプロフェン/ハッカ油
（ロコアテープ）

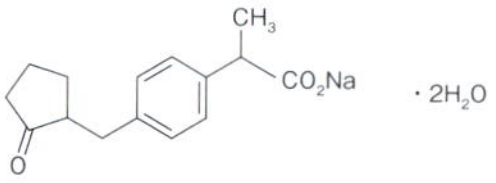

ロキソプロフェンナトリウム水和物
（ロキソニンパップ/テープ/ゲル）

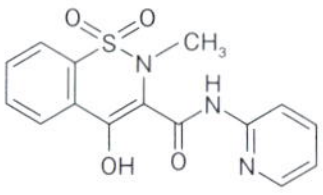

ピロキシカム
（バキソ軟，フェルデン軟）

皮膚炎治療薬

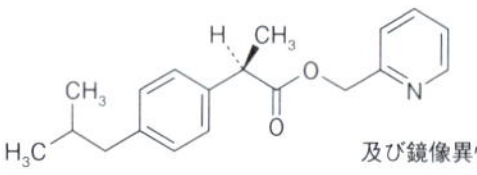

及び鏡像異性体

イブプロフェンピコノール
（スタデルム軟/ク，ベシカム軟/ク）

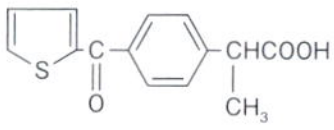

スプロフェン
（スルプロチン軟/ク，スレンダム軟/ク，
トパルジック軟/ク）

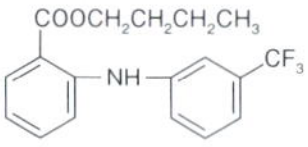

ウフェナマート
（コンベック軟/ク，フエナゾール軟/ク）

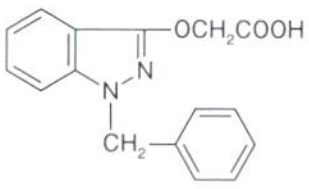

ベンダザック
（ジルダザック軟）

その他のNSAIDs

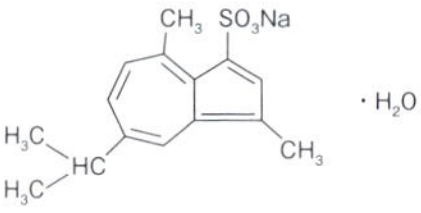

アズレンスルホン酸ナトリウム水和物
（アズノール錠/細/ガーグル顆/うがい液/ST錠口腔用，ノズレン細，
マズレニンG含嗽用散，ハチアズレ含嗽用顆，アズレミック錠口腔用，
アズラビン点眼液，アズレン点眼液，AZ点眼液）

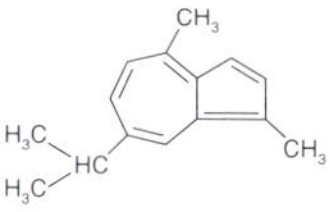

ジメチルイソプロピルアズレン
（アズノール軟）

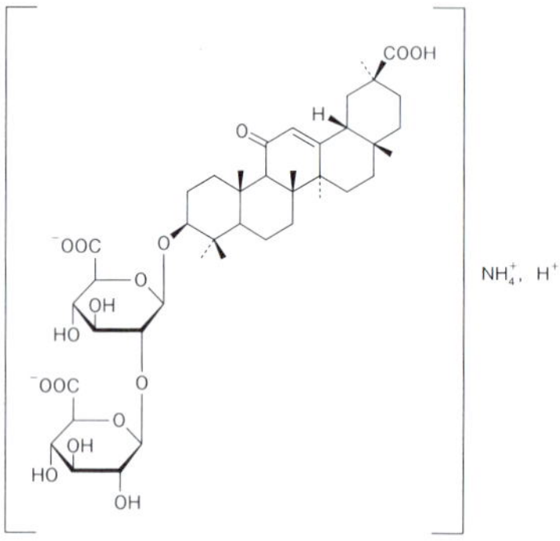

グリチルリチン酸モノアンモニウム
（強力ネオミノファーゲンシー静注，
ネオファーゲン静注，グリチロン錠/皮下注）

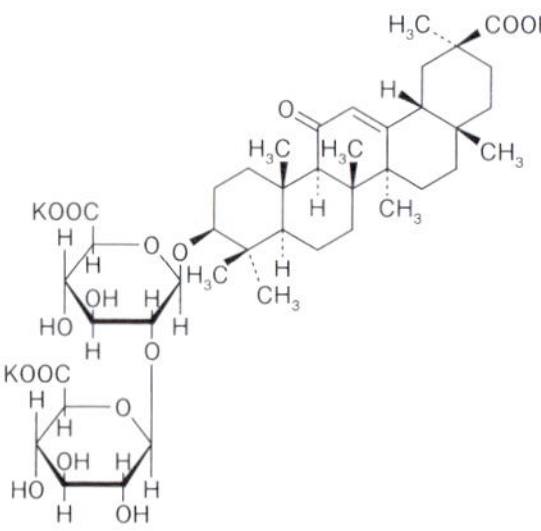

グリチルリチン酸二カリウム
（ノイボルミチン点眼液）

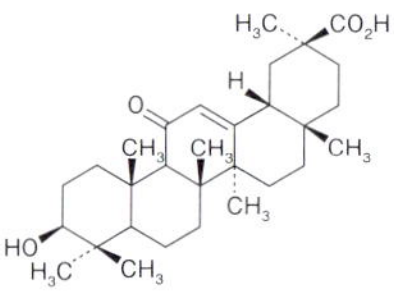

グリチルレチン酸
（デルマクリンA軟/ク，
ハイデルマートク）

第8章　抗アレルギー薬

● 抗アレルギー薬　☞本文 p236

	H₁受容体拮抗作用なし	H₁受容体拮抗作用あり	
遊離抑制薬 ケミカルメディエーター	☞薬物名及び構造は「ヒスタミン関連薬物」（p29）参照	☞薬物名及び構造は「ヒスタミン関連薬物」（p30）参照	

	抗ヒスタミン薬（H₁受容体拮抗薬）	抗トロンボキサン薬	抗ロイコトリエン薬
抗オータコイド薬	☞薬物名及び構造は「ヒスタミン関連薬物」（p29, 30）参照	☞薬物名及び構造は「アラキドン酸代謝物関連薬物」（p35）参照	☞薬物名及び構造は「アラキドン酸代謝物関連薬物」（p35）参照

第9章 心臓・血管系に作用する薬物

● 強心薬・心不全治療薬　☞本文 p248

強心配糖体

ジギタリス類

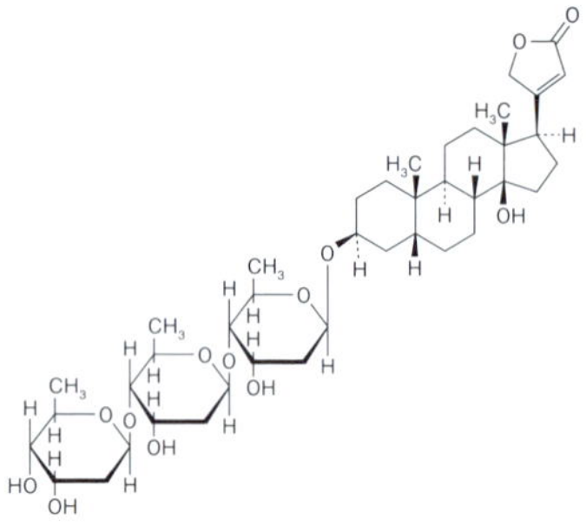

ジギトキシン

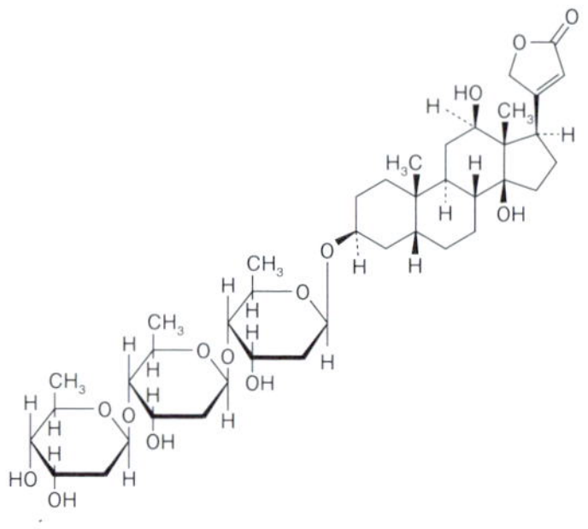

ジゴキシン
（**ジゴシン**錠/散/エリキシル/注）

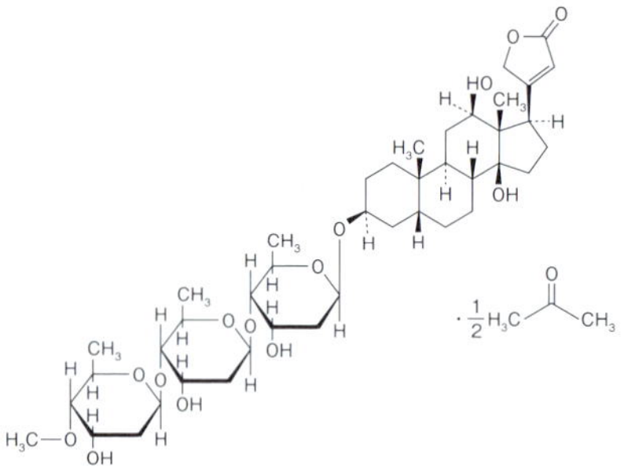

メチルジゴキシン
（**ラニラピッド**錠）

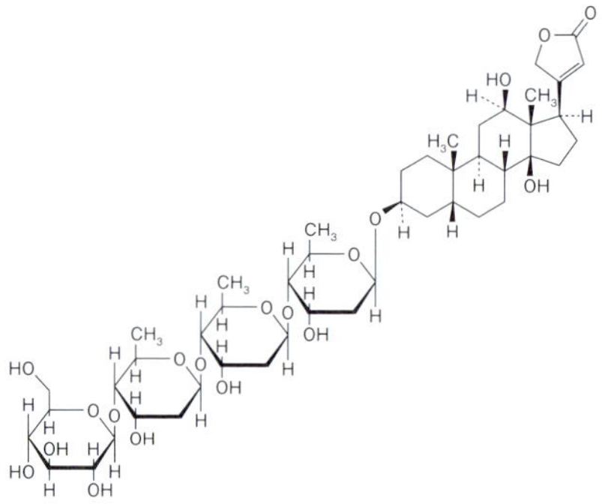

デスラノシド
（**ジギラノゲン**注）

cAMP関連心不全治療薬

cAMP産生促進薬

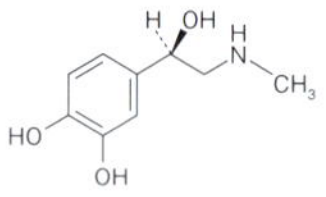

アドレナリン
（**ボスミン**注，**アドレナリン**注シリンジ）

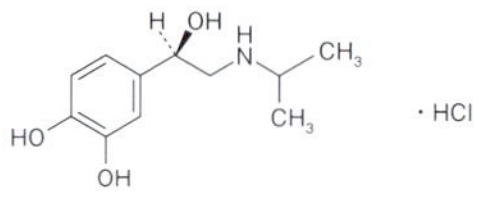

イソプレナリン〈イソプロテレノール〉塩酸塩
（**プロタノールL**注(l体)）

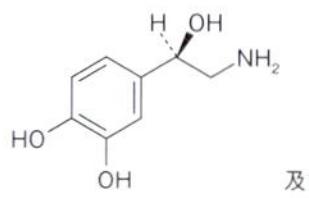

ノルアドレナリン
（**ノルアドレナリン**注）

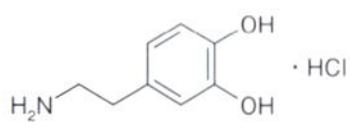

ドパミン塩酸塩
（**イノバン**注/シリンジ，**カコージン**注/D注）

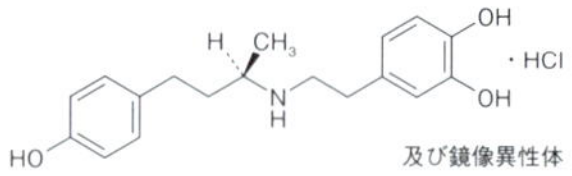

ドブタミン塩酸塩
（**ドブトレックス**注/キット点滴注，**ドブポン**シリンジ）

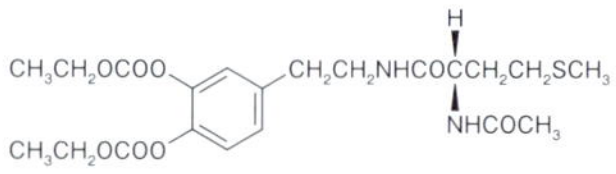

ドカルパミン
（**タナドーパ**顆）

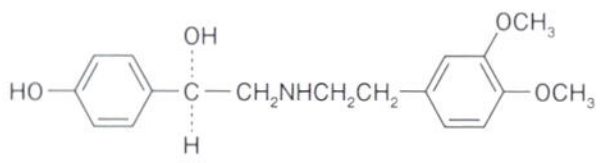

デノパミン
（**カルグート**錠/細）

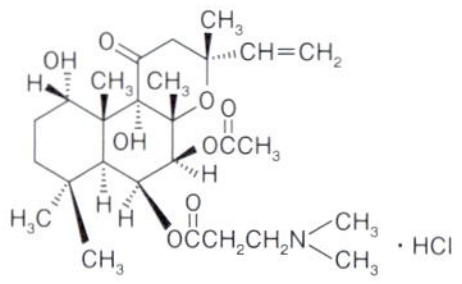

コルホルシンダロパート塩酸塩
（**アデール**点滴静注用）

cAMP関連心不全治療薬

cAMP 分解阻害薬

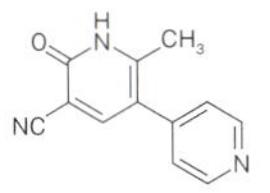

ミルリノン
（**ミルリーラ**注/K 注）

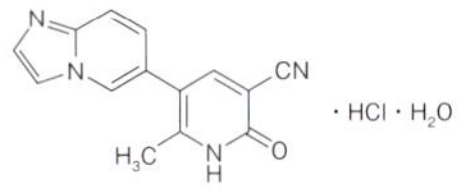

オルプリノン塩酸塩水和物
（**コアテック**注/SB 注）

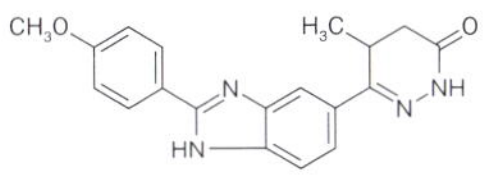

ピモベンダン
（**アカルディ**カ）

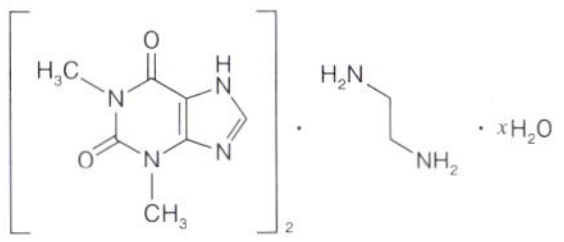

アミノフィリン水和物
（**キョーフィリン**注, **ネオフィリン**錠/末/注）

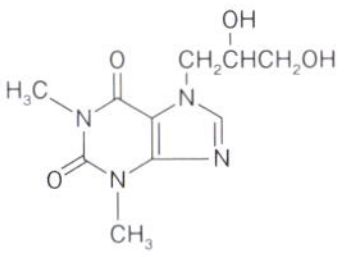

ジプロフィリン
（**ジプロフィリン**注）

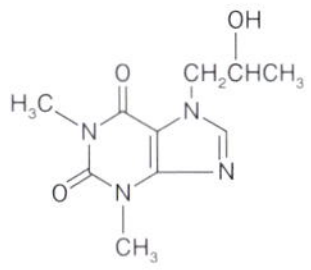

プロキシフィリン
（**モノフィリン**錠/末/注）

cAMP アナログ

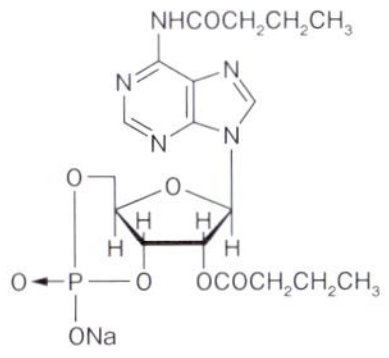

ブクラデシンナトリウム
（**アクトシン**注）

その他の心不全治療薬

ANP 製剤

H−Ser−Leu−Arg−Arg−Ser−Ser−Cys−Phe−Gly−Gly−Arg−Met−Asp−Arg−
S−S
Ile−Gly−Ala−Gln−Ser−Gly−Leu−Gly−Cys−Asn−Ser−Phe−Arg−Tyr−OH

28個のアミノ酸残基からなるペプチド

カルペリチド
（**ハンプ**注）

可溶性グアニル酸シクラーゼ活性化薬

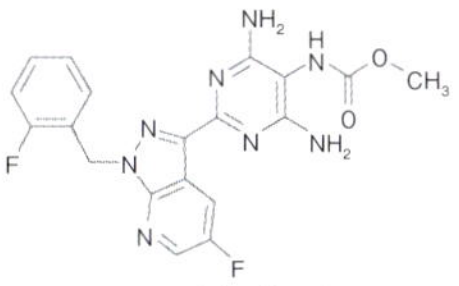

ベルイシグアト
（**ベリキューボ**錠）

HCN チャネル遮断薬

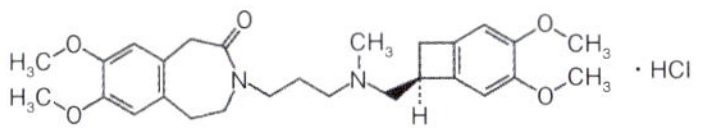

イバブラジン塩酸塩
（**コララン**錠）

ARNI

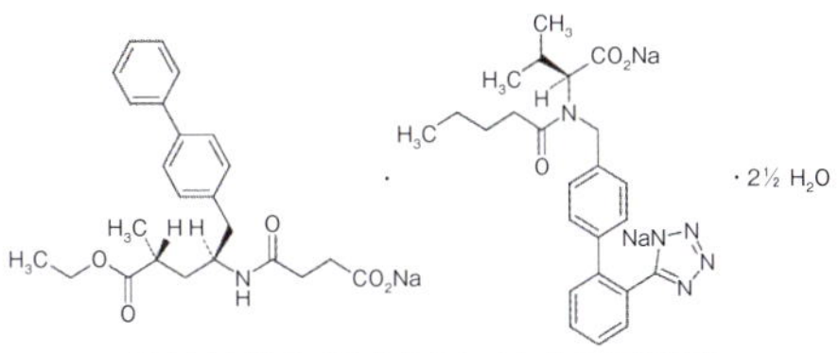

サクビトリルバルサルタンナトリウム水和物
（**エンレスト**錠）

その他の心不全治療薬

心筋代謝改善薬

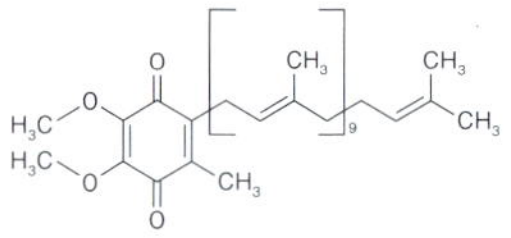

ユビデカレノン
（**ノイキノン**錠/糖衣錠/顆）

$H_2N—CH_2CH_2—SO_3H$

アミノエチルスルホン酸〈タウリン〉
（**タウリン**散）

不整脈治療薬

☞本文 p257

頻脈性不整脈治療薬

クラスⅠ抗不整脈薬（Na^+チャネル遮断薬）

クラスIa

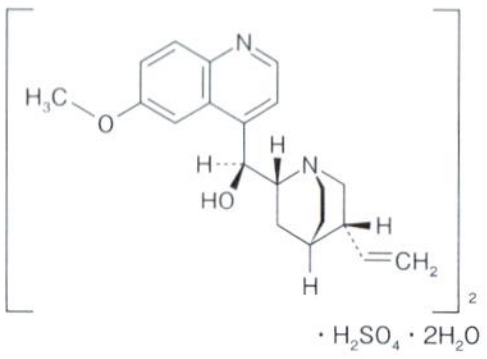

キニジン硫酸塩水和物
（**キニジン硫酸塩**錠/末）

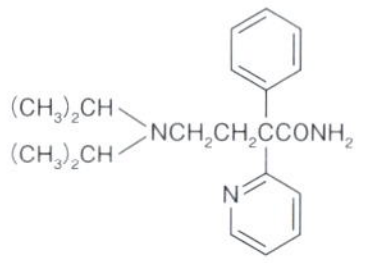

ジソピラミド
（**リスモダン**カ）

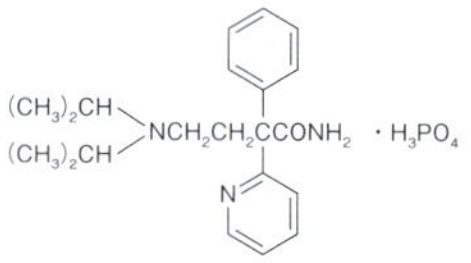

ジソピラミドリン酸塩
（**リスモダンR**徐放錠,
リスモダンP静注）

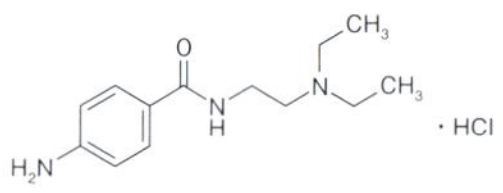

プロカインアミド塩酸塩
（**アミサリン**錠/注）

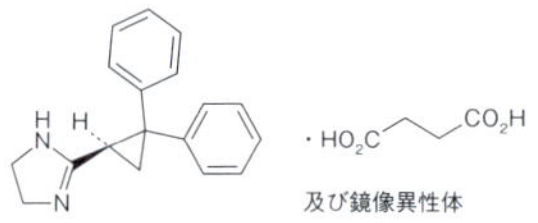

シベンゾリンコハク酸塩
（**シベノール**錠/静注）

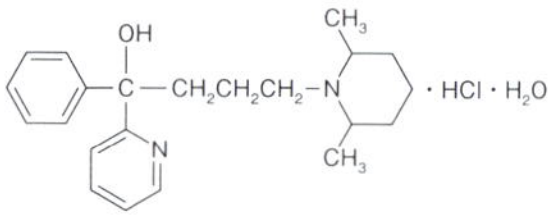

ピルメノール塩酸塩水和物
（**ピメノール**カ）

クラスIb

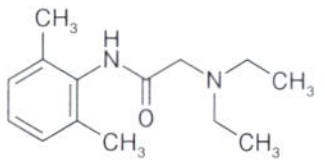

リドカイン塩酸塩
（**キシロカイン**静注用,
オリベス静注/点滴,
リドカイン静注用シリンジ）

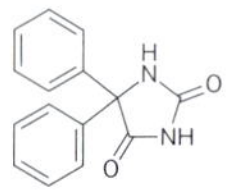

フェニトイン
（**アレビアチン**錠/散/注,
ヒダントール錠/散）

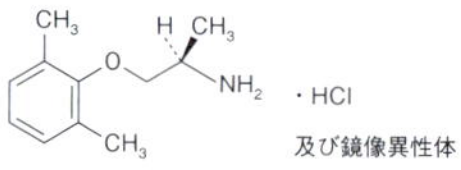

メキシレチン塩酸塩
（**メキシチール**点滴静注/カ）

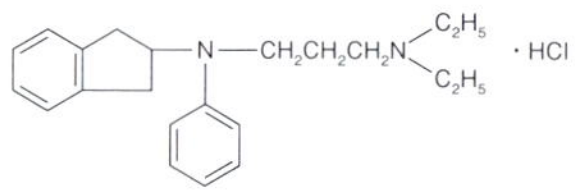

アプリンジン塩酸塩
（**アスペノン**静注/カ）

クラスIc

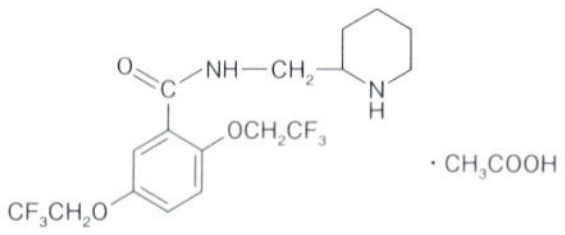

フレカイニド酢酸塩
（**タンボコール**錠/細/静注）

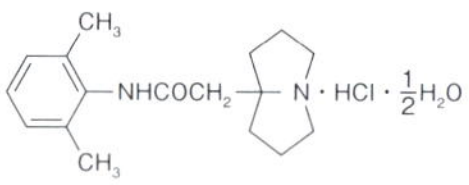

ピルシカイニド塩酸塩水和物
（**サンリズム**カ/注）

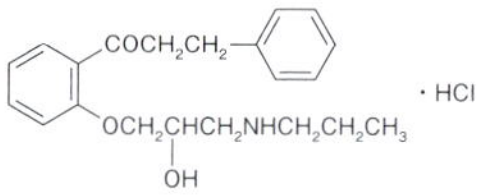

プロパフェノン塩酸塩
（**プロノン**錠）

頻脈性不整脈治療薬

クラスⅢ抗不整脈薬（K⁺チャネル遮断薬）

K⁺チャネル遮断薬

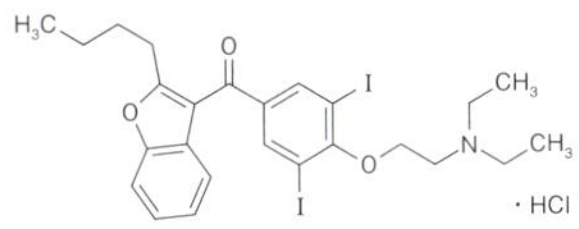

アミオダロン塩酸塩
（**アンカロン**錠/注）

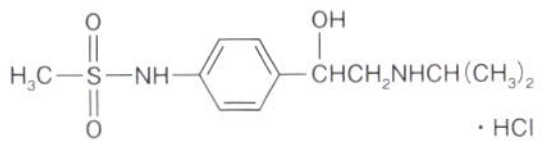

ソタロール塩酸塩
（**ソタコール**錠）

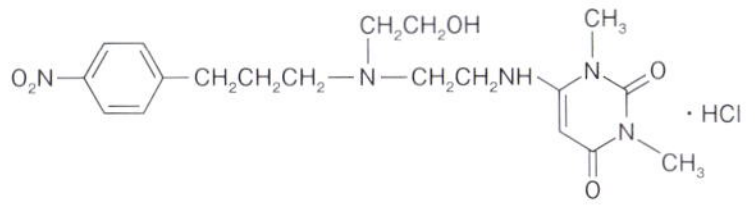

ニフェカラント塩酸塩
（**シンビット**静注）

クラスⅣ抗不整脈薬（Ca^{2+}チャネル遮断薬）

ジフェニルアルキルアミン誘導体

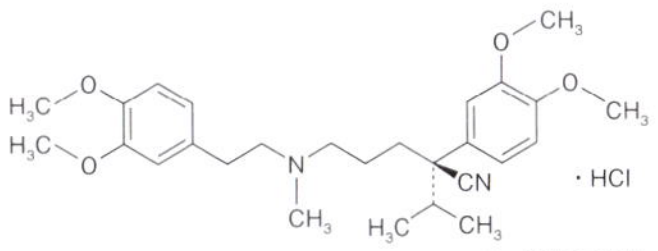

及び鏡像異性体

ベラパミル塩酸塩
（**ワソラン**錠/静注）

ベンゾチアゼピン誘導体

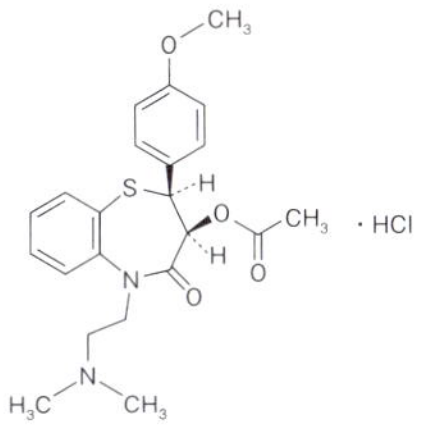

ジルチアゼム塩酸塩
（**ヘルベッサー**錠/R 徐放カ/注）

その他

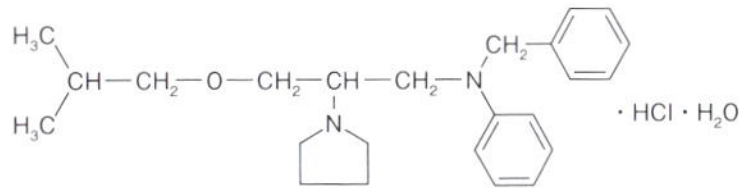

ベプリジル塩酸塩水和物
（**ベプリコール**錠）

徐脈性不整脈治療薬

β刺激薬

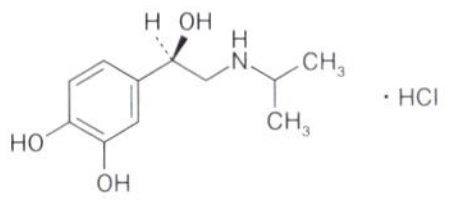

イソプレナリン〈イソプロテレノール〉塩酸塩
（**プロタノール S** 錠（*dl* 体：徐放），**プロタノール L** 注（*l* 体））

ムスカリン受容体遮断薬

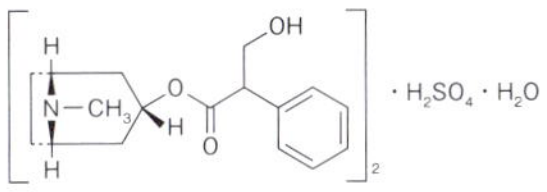

アトロピン硫酸塩水和物
（**硫酸アトロピン**末，**アトロピン硫酸塩**注）

狭心症治療薬 ☞本文 p263

亜硝酸・硝酸化合物（ニトロ化合物）

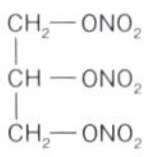

ニトログリセリン
（**ニトロペン**舌下錠，
ミオコールス，
バソレーター注/テープ，
ミリスロール注，
ニトロダーム TTS 貼，
ミリステープ貼，）

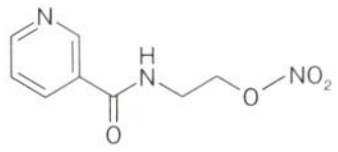

ニコランジル
（**シグマート**錠/注）

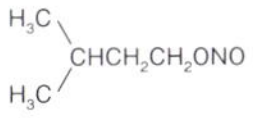

亜硝酸アミル
（**亜硝酸アミル**吸入液）

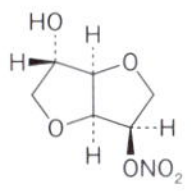

一硝酸イソソルビド
（**アイトロール**錠）

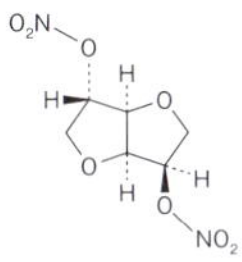

二硝酸イソソルビド
（**ニトロール**錠/R カ/注/バッグ/シリンジ/ス，
フランドル錠/テープ）

カルシウム拮抗薬

ジヒドロピリジン系	ベンゾチアゼピン系	フェニルアルキルアミン系	その他
☞薬物名及び構造は「高血圧治療薬」(p55) 参照	☞薬物名及び構造は「不整脈治療薬」(p51) 参照	☞薬物名及び構造は「不整脈治療薬」(p51) 参照	☞薬物名及び構造は「不整脈治療薬」(p51) 参照

冠血管拡張薬

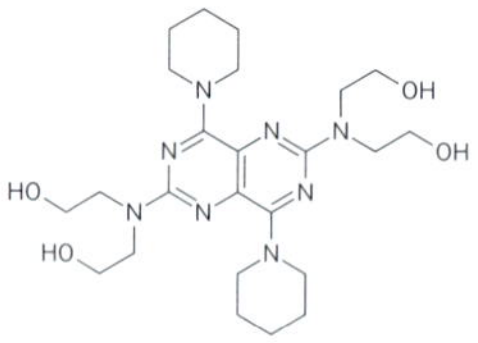

ジピリダモール
(**ペルサンチン**錠/静注, **ペルサンチン-L** カ, **ジピリダモール**静注)

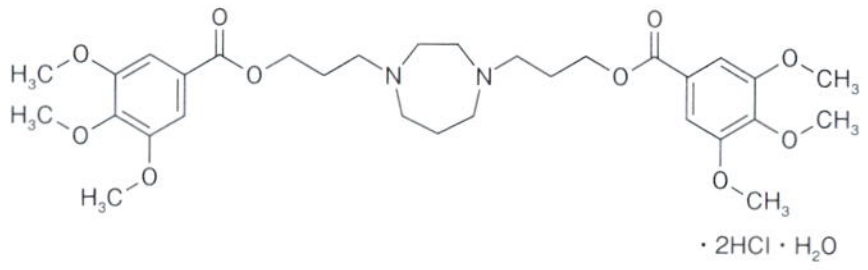

ジラゼプ塩酸塩水和物
(**コメリアン**錠)

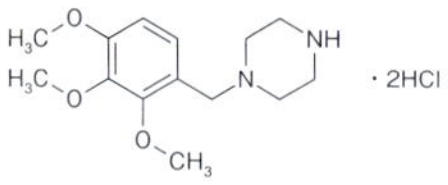

トリメタジジン塩酸塩
(**バスタレルF** 錠)

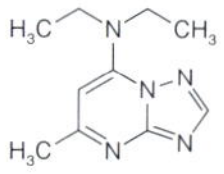

トラピジル
(**ロコルナール**錠/細)

β受容体遮断薬

非選択的β受容体遮断薬	選択的β_1受容体遮断薬	α・β受容体遮断薬
☞薬物名及び構造は「交感神経系作用薬」(p5) 参照	☞薬物名及び構造は「交感神経系作用薬」(p2) 参照	☞薬物名及び構造は「交感神経系作用薬」(p5) 参照

末梢循環改善薬

☞本文 p269

α受容体遮断薬

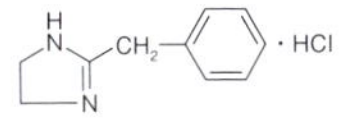

トラゾリン塩酸塩

β受容体刺激薬

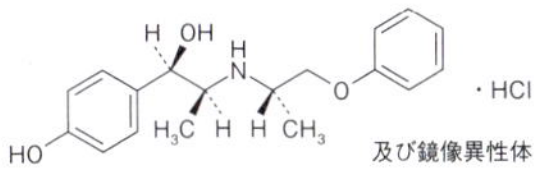

及び鏡像異性体

イソクスプリン塩酸塩
（**ズファジラン**錠/筋注）

プロスタグランジン関連薬

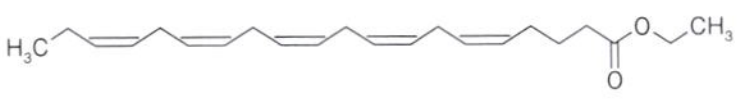

イコサペント酸エチル
（**エパデール**カ/S カ，**イコサペント酸エチル**顆粒状カ）

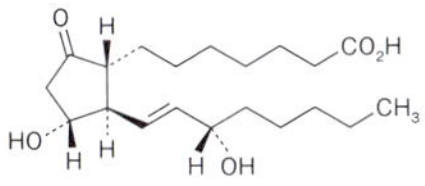

アルプロスタジル
（**パルクス**注/ディスポ，**リプル**注/キット）

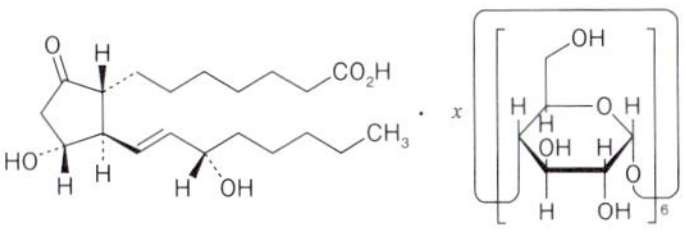

アルプロスタジル アルファデクス
（**プロスタンディン**点滴静注用）

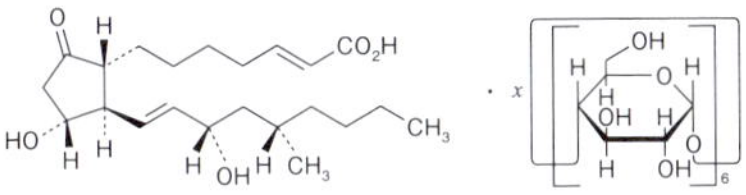

リマプロストアルファデクス
（**オパルモン**錠，**プロレナール**錠）

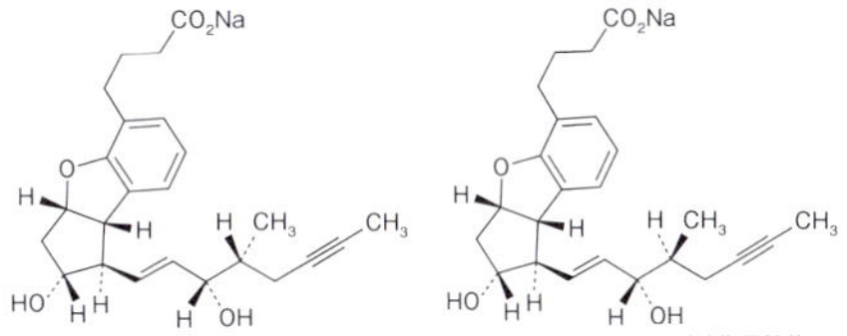

及び鏡像異性体　　及び鏡像異性体

ベラプロストナトリウム
（**ドルナー**錠，**プロサイリン**錠）

ニコチン酸誘導体

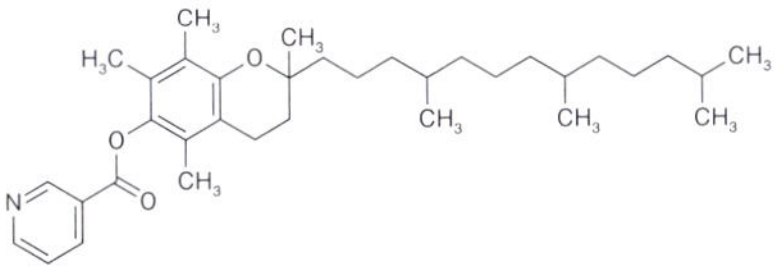

トコフェロールニコチン酸エステル
〈ニコチン酸 *dl*-*α*-トコフェロール〉
（**ユベラ N** カ/ソフトカ/細）

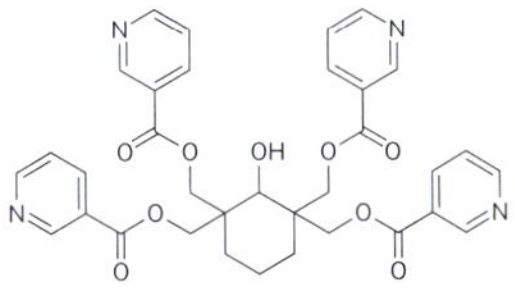

ニコモール
（**コレキサミン**錠）

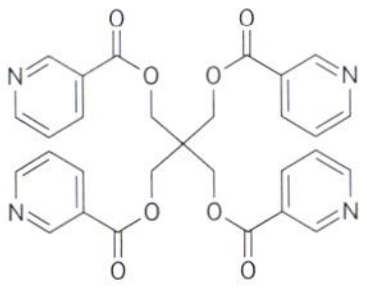

ニセリトロール
（**ペリシット**錠）

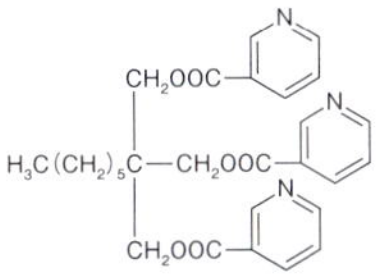

ヘプロニカート
（**ヘプロニカート**錠）

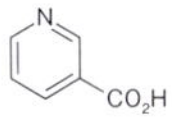

ニコチン酸
（**ナイクリン**注）

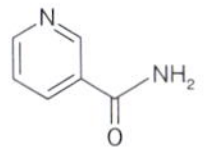

ニコチン酸アミド
（**ニコチン酸アミド**散）

心臓・血管系に作用する薬物

● 原発性〈肺動脈性〉肺高血圧症治療薬　☞本文 p273

エンドセリン受容体拮抗薬

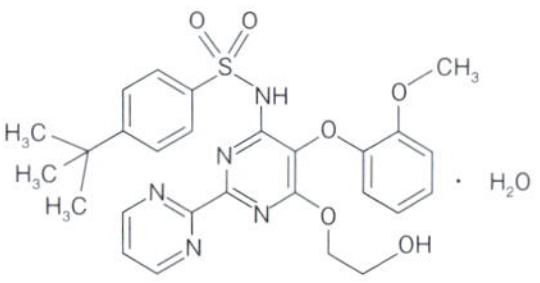

ボセンタン水和物
（**トラクリア**錠）

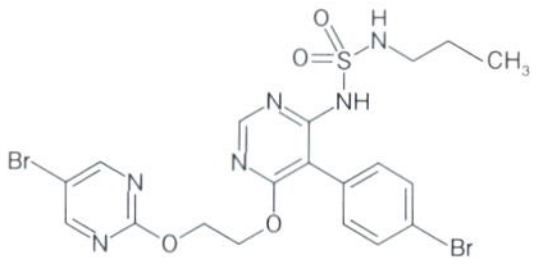

マシテンタン
（**オプスミット**錠）

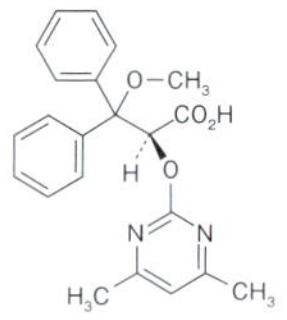

アンブリセンタン
（**ヴォリブリス**錠）

PGI₂関連薬

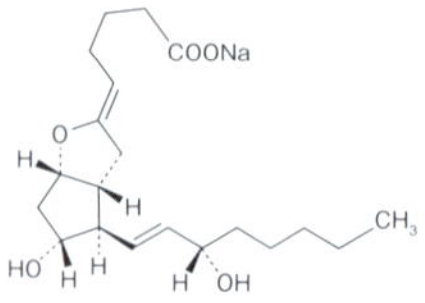

エポプロステノールナトリウム
（**フローラン**静注用）

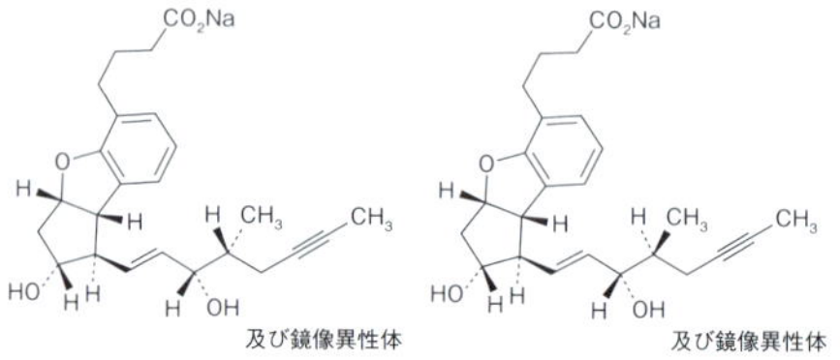

ベラプロストナトリウム
（**ドルナー**錠，**プロサイリン**錠，**ケアロード** LA 錠，**ベラサス** LA 錠）

及び鏡像異性体

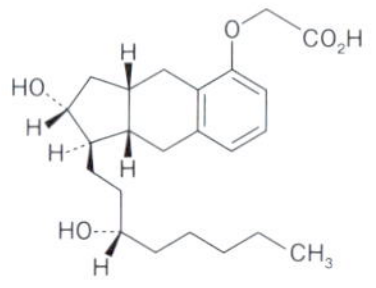

トレプロスチニル
（**トレプロスト**注）

イロプロスト
（**ベンテイビス**吸入液）

及びC*位エピマー

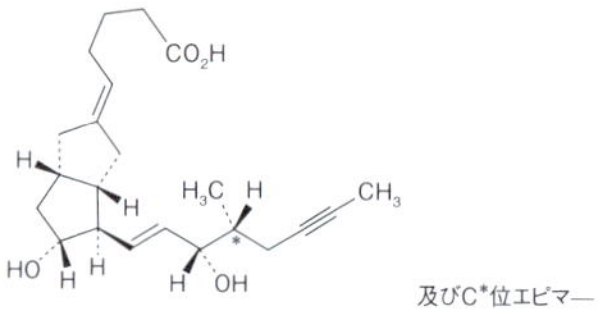

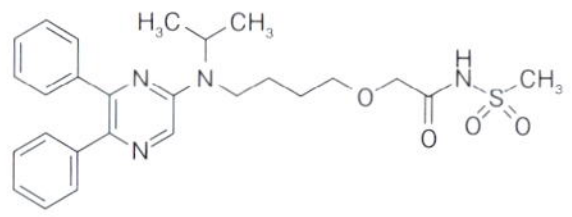

セレキシパグ
（**ウプトラビ**錠）

cGMP増加薬

:N̈≡Ö:

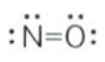

一酸化窒素
（**アイノフロー**吸入用）

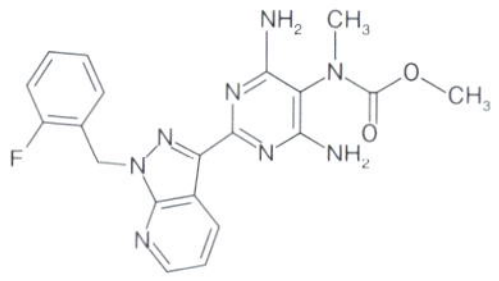

リオシグアト
（**アデムパス**錠）

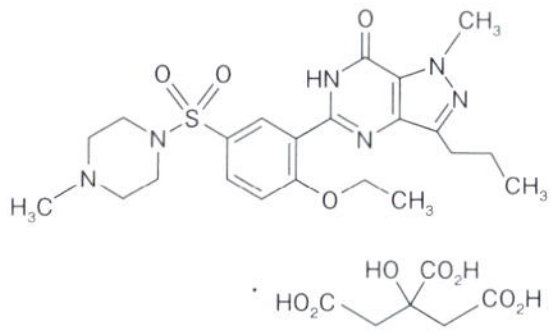

シルデナフィルクエン酸塩
（**レバチオ**錠/ODフィルム/懸濁用ドシ）

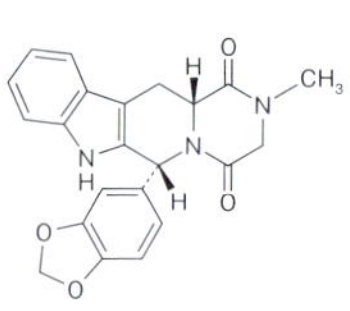

タダラフィル
（**アドシルカ**錠）

● 高血圧治療薬　☞本文 p275

中枢性降圧薬

α₂受容体刺激薬

☞薬物名及び構造は「交感神経系作用薬」（p1）参照

末梢性降圧薬

交感神経遮断薬

☞薬物名及び構造は「交感神経系作用薬」（p1 ～ 6，9）参照

心臓・血管系に作用する薬物

末梢性降圧薬

カルシウム拮抗薬

ジヒドロピリジン系

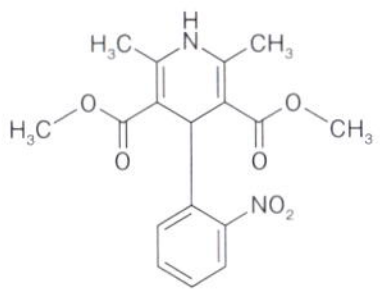

ニフェジピン
（**アダラート**L徐放錠/カ/CR徐放錠,
セパミット細/R徐放カ/R徐放細）

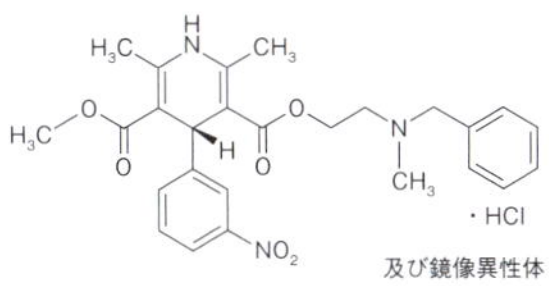

ニカルジピン塩酸塩
（**ペルジピン**錠/散/LA徐放カ/注）

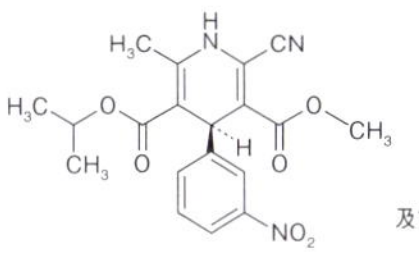

ニルバジピン
（**ニバジール**錠）

ベニジピン塩酸塩
（**コニール**錠）

ニトレンジピン
（**バイロテンシン**錠）

マニジピン塩酸塩
（**カルスロット**錠）

バルニジピン塩酸塩
（**ヒポカ**徐放カ）

エホニジピン塩酸塩エタノール付加物
（**ランデル**錠）

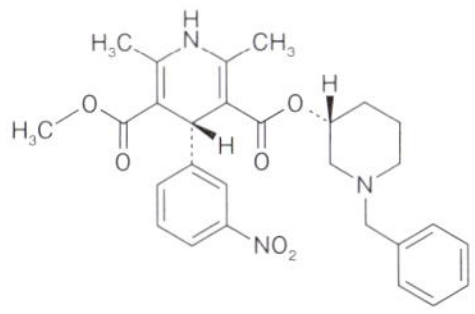

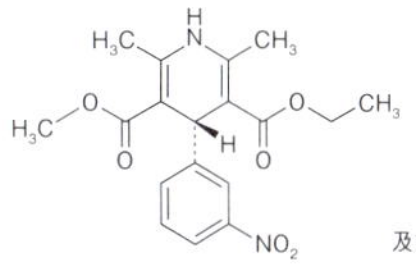

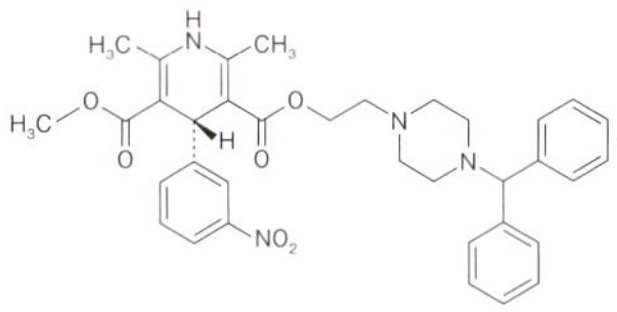

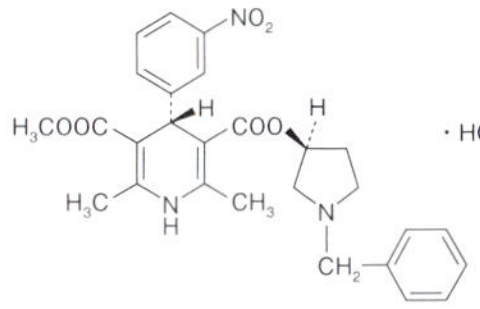

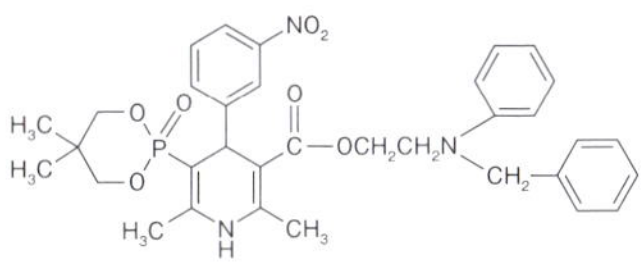

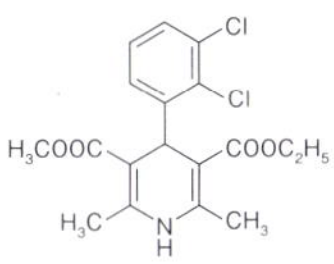

フェロジピン
（**スプレンジール**錠）

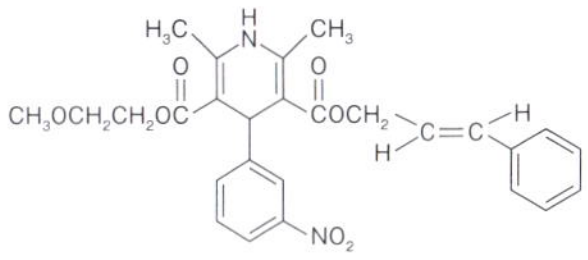

シルニジピン
（**アテレック**錠）

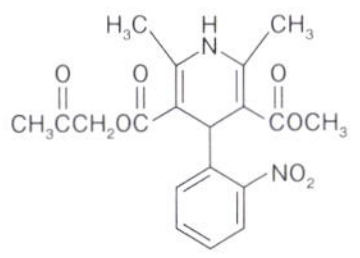

アラニジピン
（**サプレスタ**顆/カ，**ベック**顆/カ）

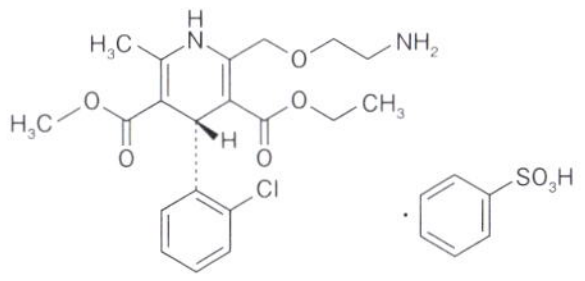

アムロジピンベシル酸塩
（**アムロジン**錠/OD錠，**ノルバスク**錠/OD錠）

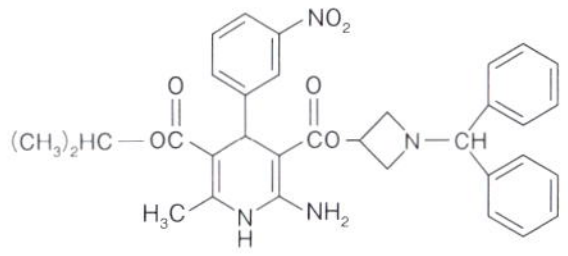

アゼルニジピン
（**カルブロック**錠）

ベンゾチアゼピン系

☞構造は「不整脈治療薬」（p51）参照

ジルチアゼム塩酸塩
（**ヘルベッサー**錠/R徐放カ/注）

Ca²⁺遊離抑制薬？

ヒドララジン
（**アプレゾリン**錠/散/注）

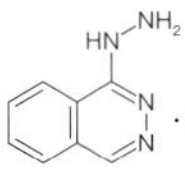

末梢性降圧薬

利尿薬（K^+排泄性）

☞薬物名及び構造は「利尿薬」（p70）参照

利尿薬（K^+保持性）

☞薬物名及び構造は「利尿薬」（p71）参照

アンギオテンシン系

☞薬物名及び構造は「ポリペプチド類関連薬物」（p34）参照

その他

$Na_2[Fe(CN)_5NO]\cdot 2H_2O$

ニトロプルシドナトリウム水和物
（**ニトプロ**持続静注）

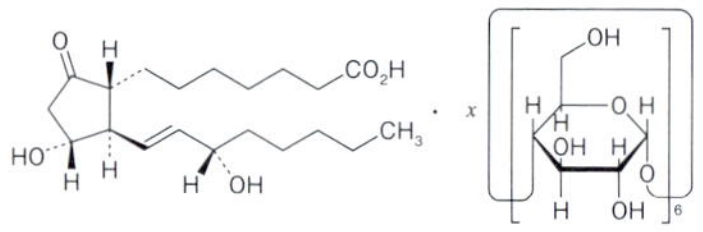

アルプロスタジル アルファデクス
（**プロスタンディン**点滴静注用）

● 低血圧治療薬 ☞本文 p287

本態性低血圧（経口薬）

α_1受容体刺激薬

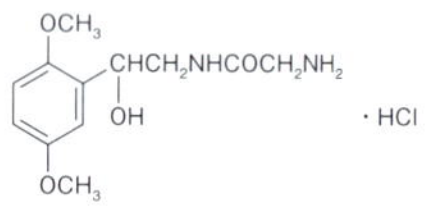

ミドドリン塩酸塩
（**メトリジン**錠/D 錠（口腔内崩壊錠））

α・β受容体刺激薬

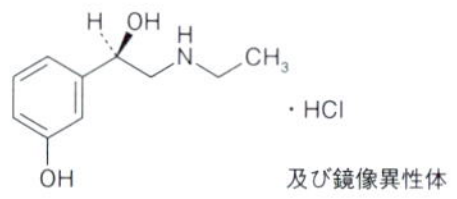

エチレフリン塩酸塩
（**エホチール**錠）

NA 再取込阻害・MAO 阻害薬

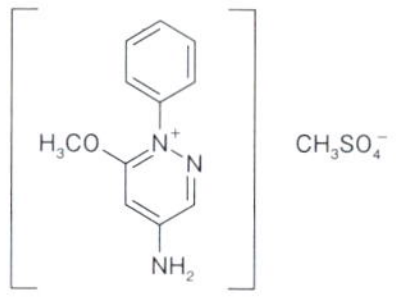

アメジニウムメチル硫酸塩
（**リズミック**錠）

NA 前駆体

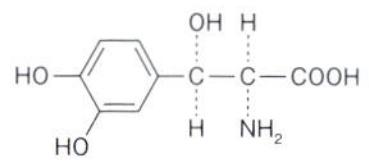

ドロキシドパ
（**ドプス** OD 錠/細）

急性ショック（静注）

α・β受容体刺激薬

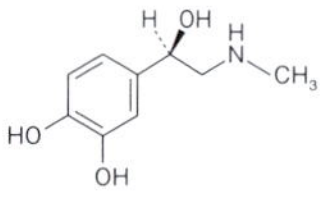

アドレナリン
（**ボスミン**注，**アドレナリン**注シリンジ，**エピペン**注）

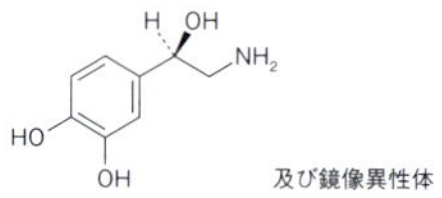

ノルアドレナリン
（**ノルアドレナリン**注）

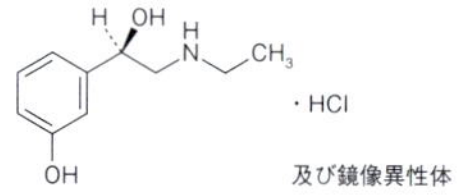

エチレフリン塩酸塩
（**エホチール**注）

α_1受容体刺激薬

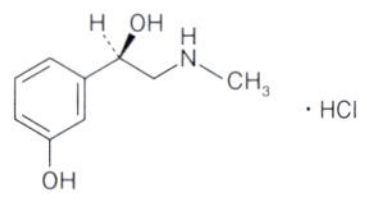

フェニレフリン塩酸塩
（**ネオシネジン**注）

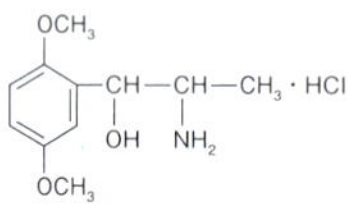

メトキサミン塩酸塩

β_1受容体刺激薬（心原性ショック）

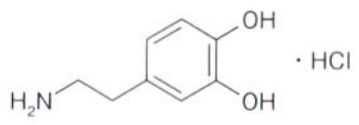

ドパミン塩酸塩
（**イノバン**注/シリンジ，**カコージン**注/D 注）

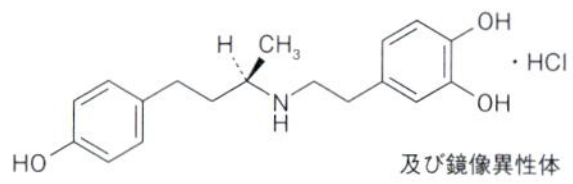

ドブタミン塩酸塩
（**ドブトレックス**注/キット点滴注，**ドブポン**シリンジ）

第10章　呼吸器系に作用する薬物

呼吸興奮薬 ☞本文 p292

中枢性呼吸興奮薬

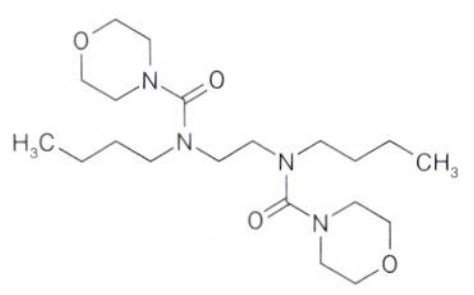
ジモルホラミン
(**テラプチク**注)

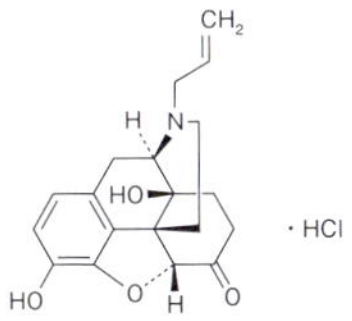
ナロキソン塩酸塩
(**ナロキソン塩酸塩**静注)

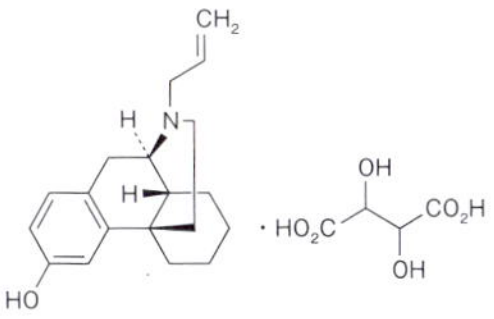
レバロルファン酒石酸塩
(**ロルファン**注)

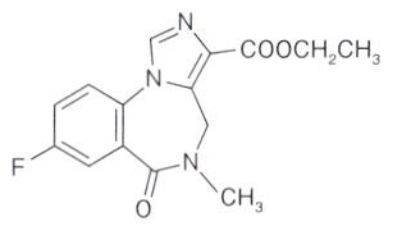
フルマゼニル
(**アネキセート**注)

末梢性呼吸興奮薬（反射性）

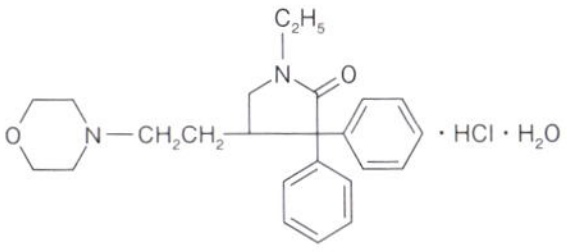
ドキサプラム塩酸塩水和物
(**ドプラム**注)

その他

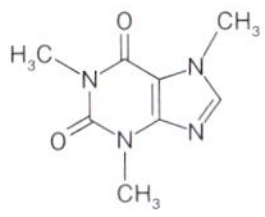
無水カフェイン
(**レスピア**静注・経口液)

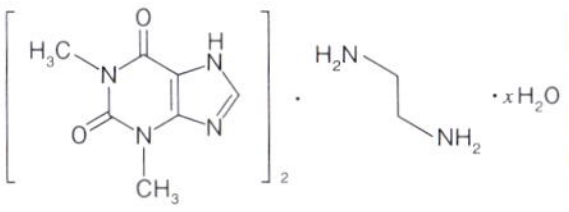
アミノフィリン水和物
(**アプニション**静注)

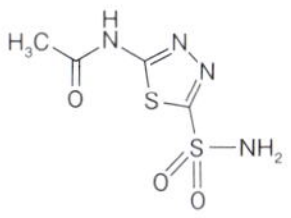
アセタゾラミド
(**ダイアモックス**錠)

健康なウシ肺抽出物で，一定比率のリン脂質，遊離脂肪酸，トリグリセライドを有する。

サーファクタント
(**サーファクテン**気管注入用)

鎮咳薬 ☞本文 p293

中枢性鎮咳薬

麻薬性

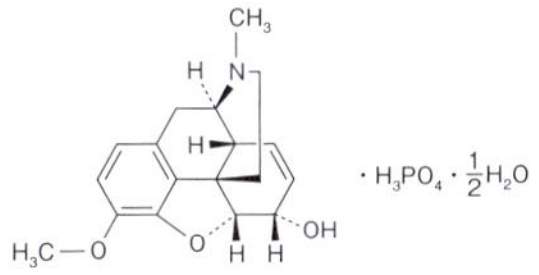
コデインリン酸塩水和物
(**コデインリン酸塩**錠/末/散)

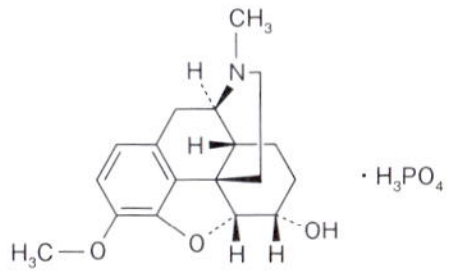
ジヒドロコデインリン酸塩
(**ジヒドロコデインリン酸塩**末/散)

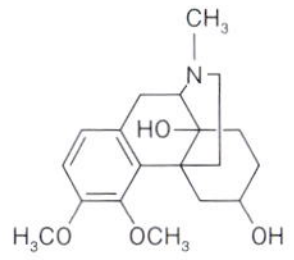
オキシメテバノール
(**メテバニール**錠)

非麻薬性

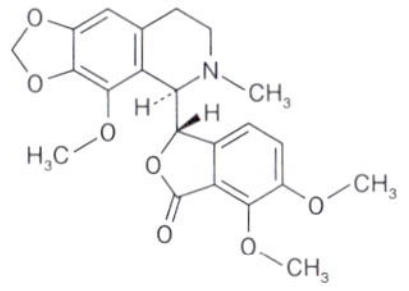
ノスカピン
(**ノスカピン**末)

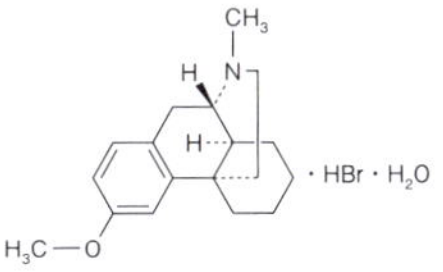
デキストロメトルファン
臭化水素酸塩水和物
(**メジコン**錠/散/配合シ)

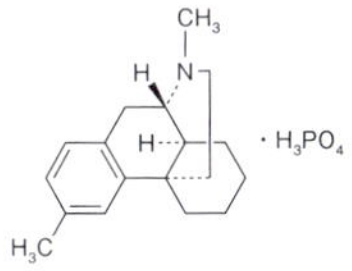
ジメモルファンリン酸塩
(**アストミン**錠/散/シ)

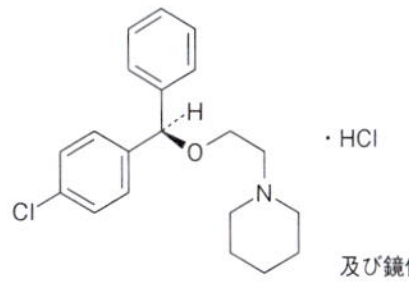
及び鏡像異性体
クロペラスチン塩酸塩
(**フスタゾール**糖衣錠/錠(小児用)/散/シ)

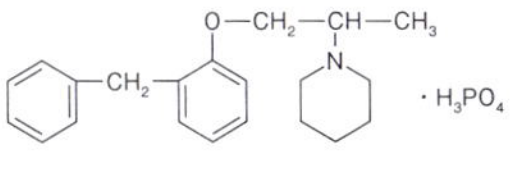
ベンプロペリンリン酸塩
(**フラベリック**錠)

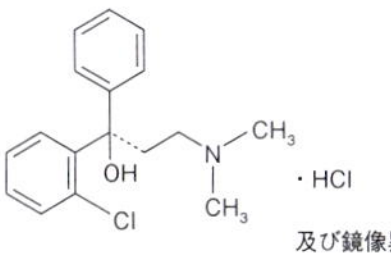
及び鏡像異性体
クロフェダノール塩酸塩
(**コルドリン**錠/顆)

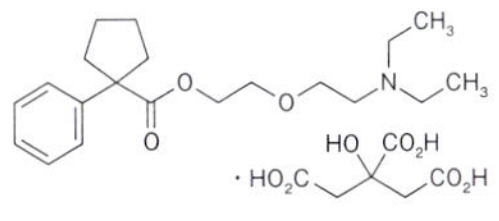
ペントキシベリンクエン酸塩
(**ペントキシベリンクエン酸塩**錠)

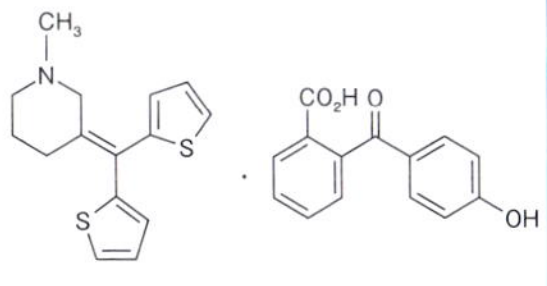
チペピジンヒベンズ酸塩
(**アスベリン**錠/散/ドシ/シ/調剤用シ)

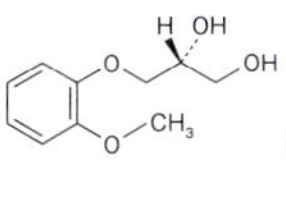
及び鏡像異性体
グアイフェネシン
(**フストジル**注)

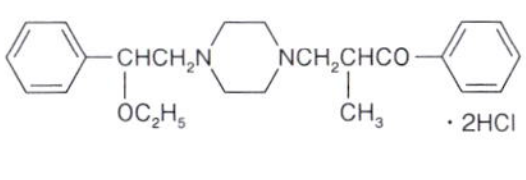
エプラジノン塩酸塩
(**レスプレン**錠)

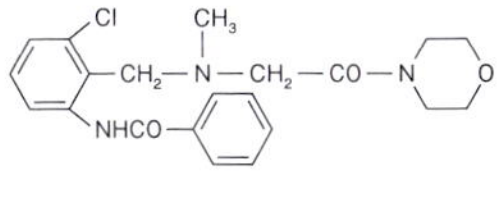
ホミノベン

去痰薬 ☞本文 p295

末梢性気道分泌促進薬

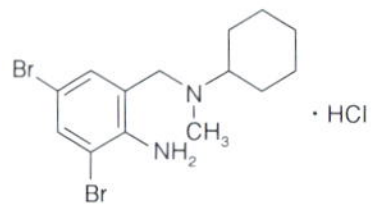

ブロムヘキシン塩酸塩
（**ビソルボン**錠/細/吸入液/注）

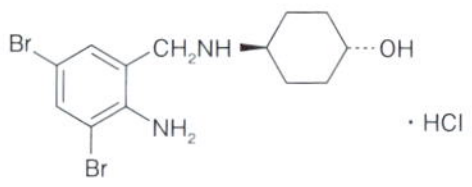

アンブロキソール塩酸塩
（**ムコソルバン**錠/内用液/小児用シ/小児用ドシ/L錠/ドシ，**ムコサール**錠/ドシ/Lカ）

粘液溶解薬／粘液修復薬

システイン誘導体

ムコ蛋白質分解薬

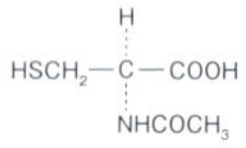

アセチルシステイン
（**ムコフィリン**吸入液）

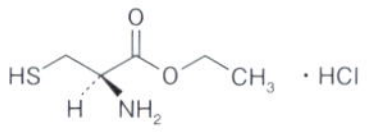

L-エチルシステイン塩酸塩
（**チスタニン**糖衣錠）

粘液修復薬

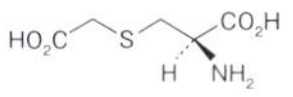

カルボシステイン
（**ムコダイン**錠/シ/ドシ）

気道分泌細胞正常化薬

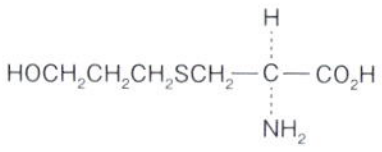

フドステイン
（**クリアナール**錠/内用液，**スペリア**錠/内用液）

界面活性薬

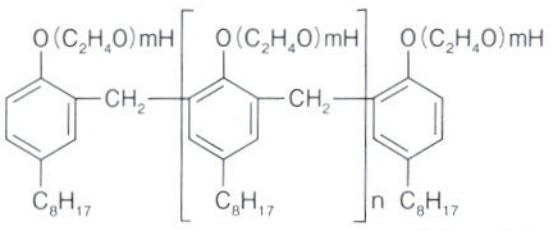

m：8≦ m ≦10
n：1≦ n ≦ 5

チロキサポール
（**アレベール**吸入液）

制酸薬

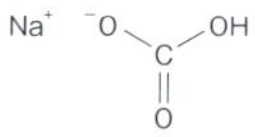

炭酸水素ナトリウム
（**炭酸水素ナトリウム**末，**重曹**末）

気管支喘息・慢性閉塞性肺疾患治療薬 ☞本文 p298

気管支拡張薬

cAMP 増加薬

β受容体刺激薬

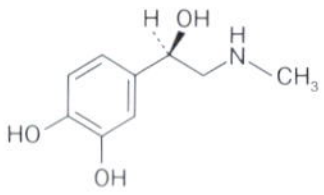

アドレナリン
（**ボスミン**注/外用液，**アドレナリン**注シリンジ，**エピペン**注）

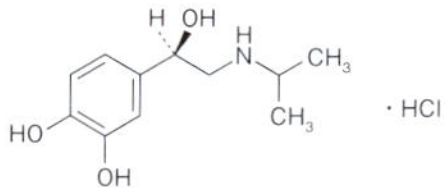

イソプレナリン〈イソプロテレノール〉塩酸塩
（**アスプール**吸入液（*dl* 体））

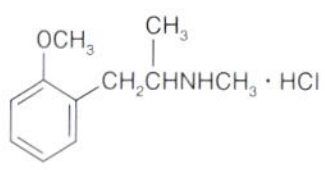

メトキシフェナミン塩酸塩
（ジプロフィリン，ノスカピン，
クロルフェニラミンマイレン酸塩との合剤：
アストーマ配合カ）

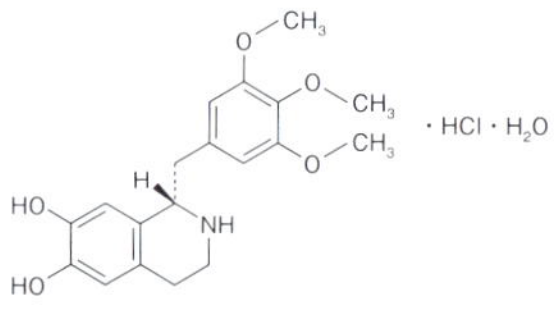

トリメトキノール塩酸塩水和物
（**イノリン**錠/散/シ/吸入液）

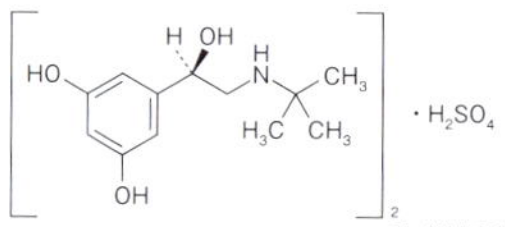

及び鏡像異性体

テルブタリン硫酸塩
（**ブリカニール**錠/シ/皮下注）

気管支拡張薬

β受容体刺激薬

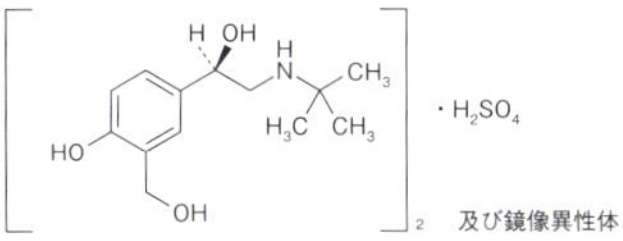

サルブタモール硫酸塩
（**サルタノール**インヘラー，
ベネトリン錠/シ/吸入液）

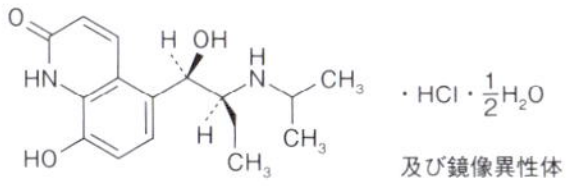

プロカテロール塩酸塩水和物
（**メプチン**錠/ミニ錠/顆/シ/ドシ/吸入液/キッドエアー/エアー/スイングヘラー）

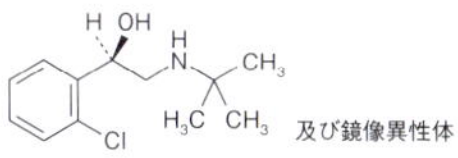

ツロブテロール
（**ホクナリン**テープ）

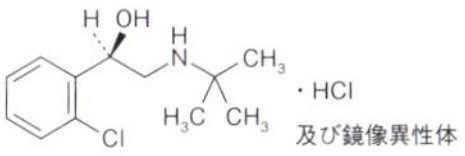

ツロブテロール塩酸塩
（**ベラチン**錠/ドシ，**ホクナリン**錠/ドシ）

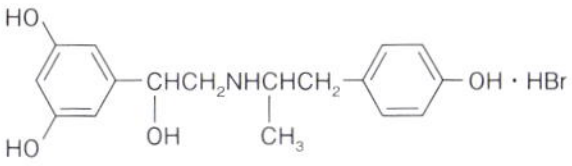

フェノテロール臭化水素酸塩
（**ベロテック**シ/エロゾル）

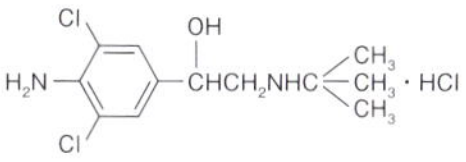

クレンブテロール塩酸塩
（**スピロペント**錠）

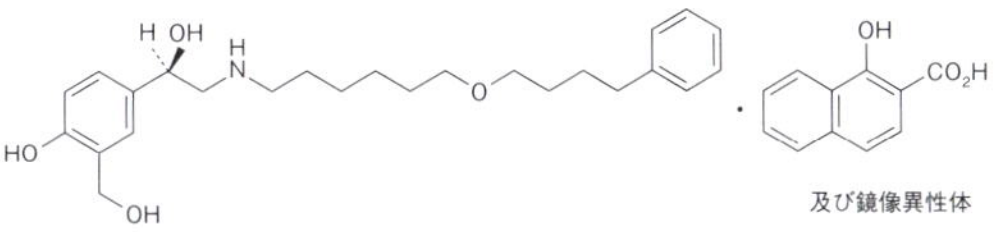

サルメテロールキシナホ酸塩
（**セレベント**ロタディスク/ディスカス）

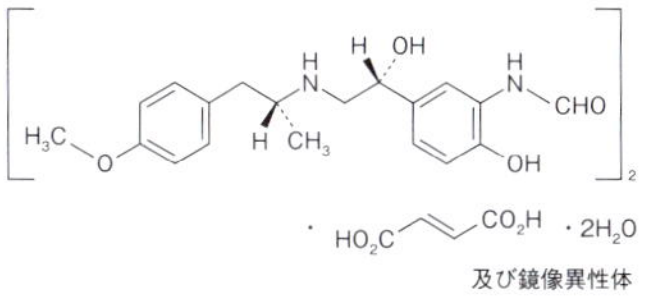

ホルモテロールフマル酸塩水和物
（**オーキシス**タービュヘイラー）

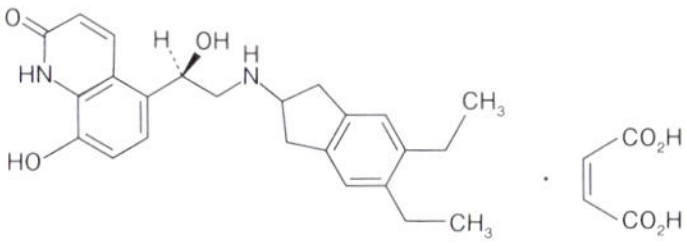

インダカテロールマレイン酸塩
（**オンブレス**吸入用カ）

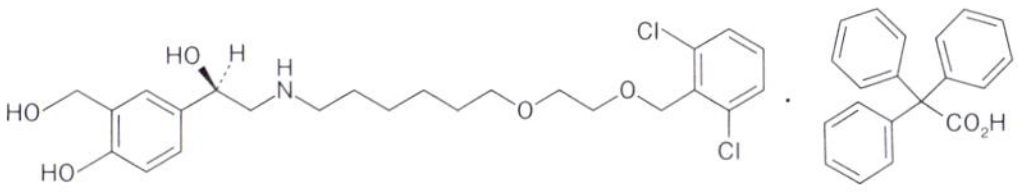

ビランテロールトリフェニル酢酸塩
（フルチカゾンフランカルボン酸エステルとの合剤：**レルベア**エリプタ
ウメクリジニウム臭化物との合剤：**アノーロ**エリプタ）

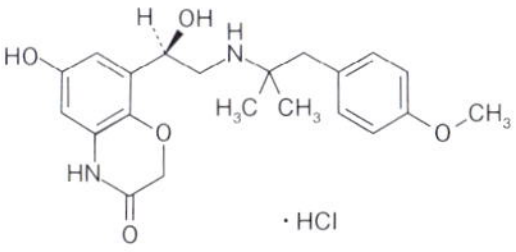

オロダテロール塩酸塩
（チオトロピウム臭化物水和物との合剤：**スピオルト**レスピマット）

混合型（NA遊離と受容体刺激）

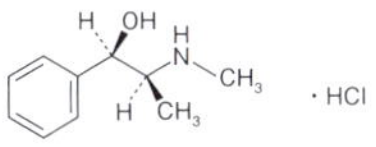

エフェドリン塩酸塩
（**エフェドリン**錠/注）

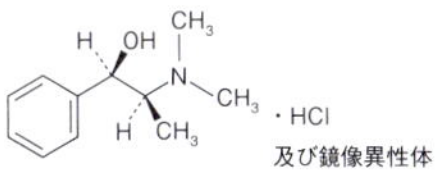

dl-メチルエフェドリン塩酸塩
（**メチエフ**（*dl* 体）散/注）

ホスホジエステラーゼ（cAMP分解酵素）阻害薬

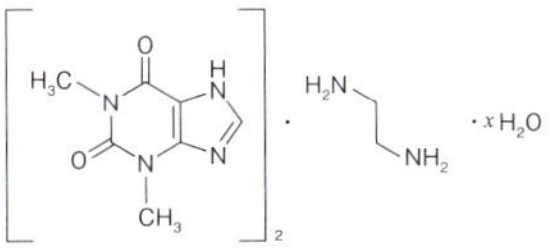

アミノフィリン水和物
（**キョーフィリン**静注，
ネオフィリン錠/末/注/PL注/点滴用バック）

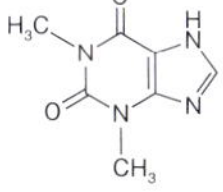

テオフィリン
（**テオドール**徐放錠/徐放顆/ドシ/シ，
ユニフィル LA 徐放錠）

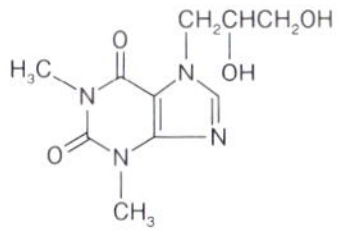

ジプロフィリン
（**ジプロフィリン**注）

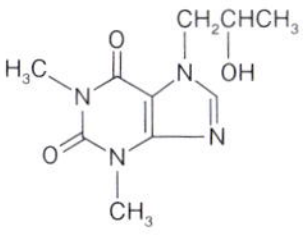

プロキシフィリン
（**モノフィリン**錠/末/注）

気管支拡張薬

ムスカリン受容体拮抗薬

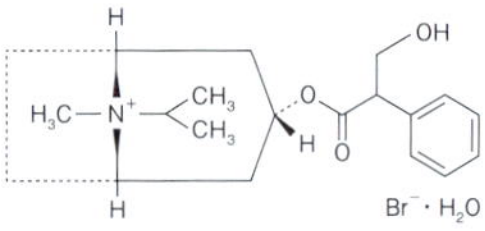

イプラトロピウム臭化物水和物
（**アトロベント**エロゾル）

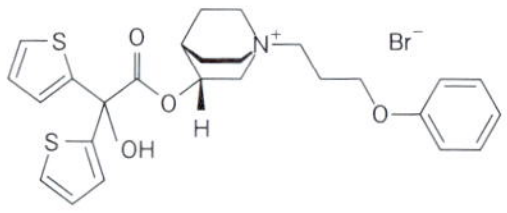

アクリジニウム臭化物
（**エクリラ** 400 μg ジェヌエア 30 吸入用）

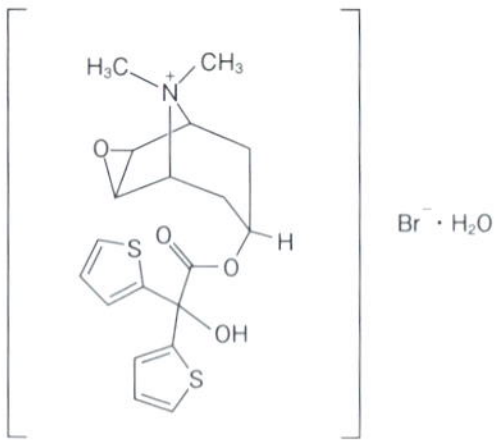

チオトロピウム臭化物水和物
（**スピリーバ**吸入用カ/レスピマット）

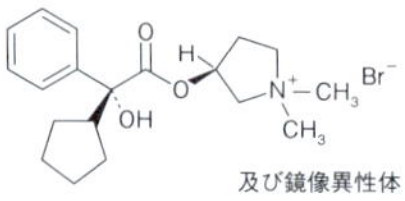

及び鏡像異性体

グリコピロニウム臭化物
（**シーブリ**吸入用カ）

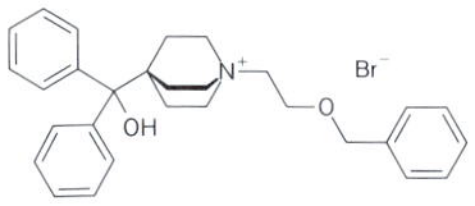

ウメクリジニウム臭化物
（**エンクラッセ**エリプタ）

抗アレルギー薬・抗炎症薬

メディエーター遊離阻害薬

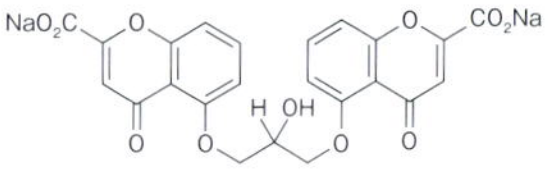

クロモグリク酸ナトリウム
（**インタール**細/吸入薬/エアロゾル）

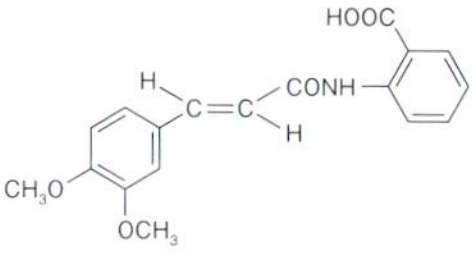

トラニラスト
（**リザベン**カ/細/ドシ）

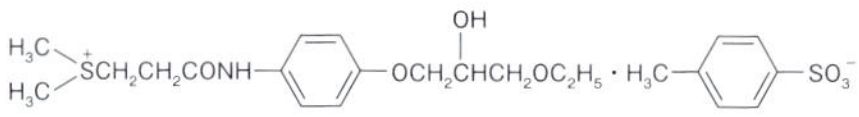

スプラタストトシル酸塩
（**アイピーディ**カ/ドシ）

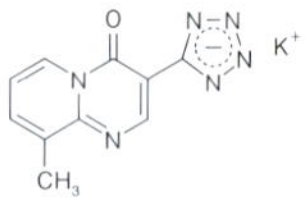

ペミロラストカリウム
（**アレギサール**錠/ドシ,
ペミラストン錠/ドシ）

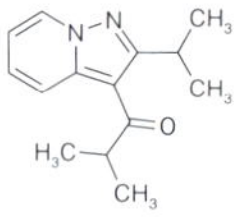

イブジラスト
（**ケタス**カ）

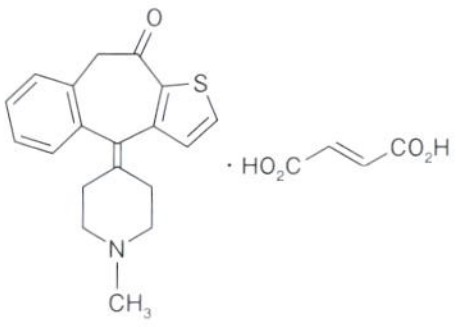

ケトチフェンフマル酸塩
（**ザジテン**カ/シ/ドシ）

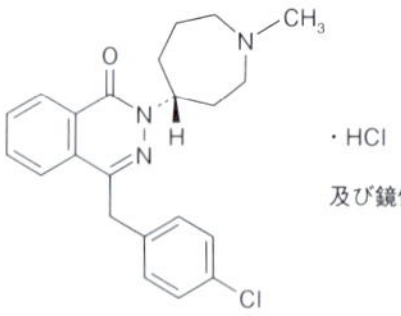

及び鏡像異性体

アゼラスチン塩酸塩
（**アゼプチン**錠）

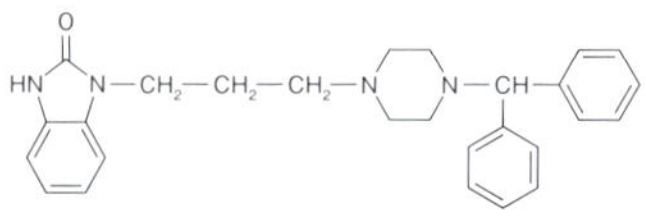

オキサトミド
（**オキサトミド**錠/小児用ドシ）

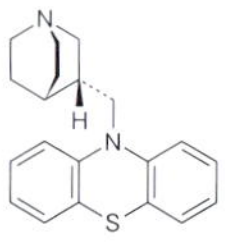

及び鏡像異性体

メキタジン
（**ゼスラン**錠/小児用シ/小児用細,
ニポラジン錠/小児用シ/小児用細）

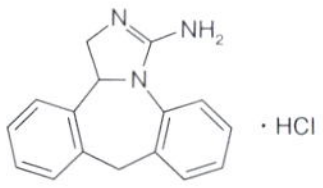

エピナスチン塩酸塩
（**アレジオン**錠/ドシ）

抗アレルギー薬・抗炎症薬

メディエーター合成 または 受容体阻害薬

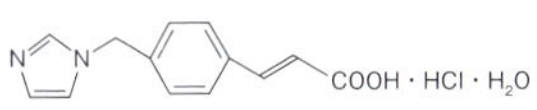

オザグレル塩酸塩水和物
（**ドメナン**錠）

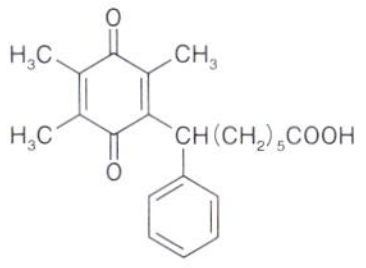

セラトロダスト
（**ブロニカ**錠/顆）

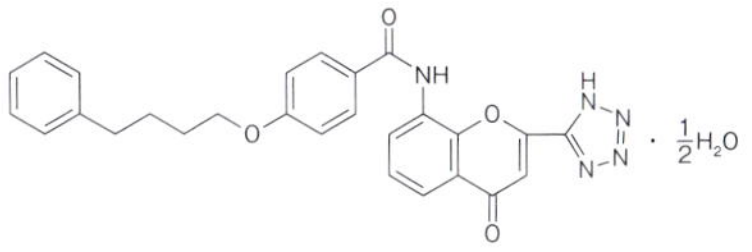

プランルカスト水和物
（**オノン**カ/ドシ）

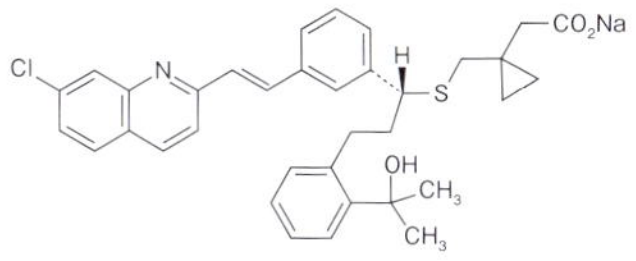

モンテルカスト
（**キプレス**錠/OD錠/チュアブル錠/細，**シングレア**錠/OD錠/チュアブル錠/細）

吸入ステロイド

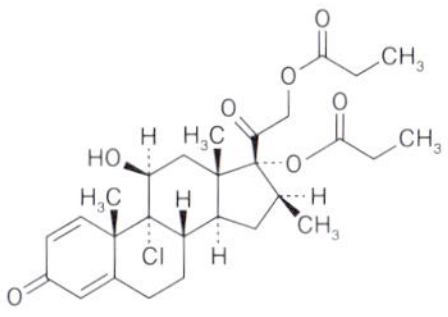

ベクロメタゾンプロピオン酸エステル
（**キュバール**エアゾール）

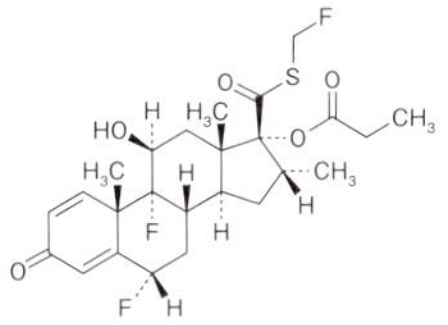

フルチカゾンプロピオン酸エステル
（**フルタイド**エアゾール/ディスカス/ロタディスク）

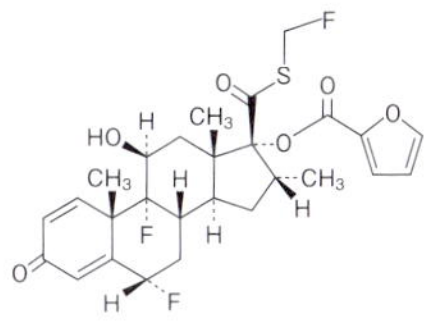

フルチカゾンフランカルボン酸エステル
（**アニュイティ**エリプタ）

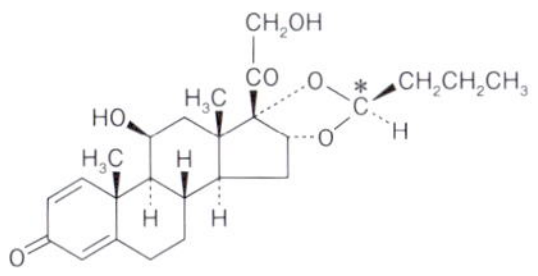

*：本品は22位の不斉炭素原子におけるエピマーの混合物である。

ブデソニド
（**パルミコート**吸入液/タービュヘイラー）

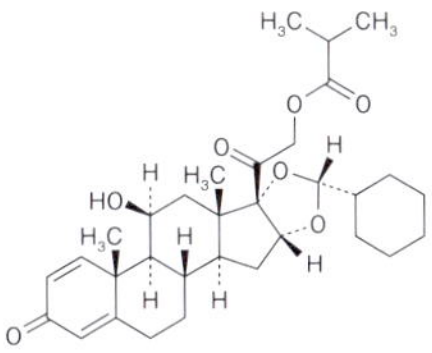

シクレソニド
（**オルベスコ**インヘラー）

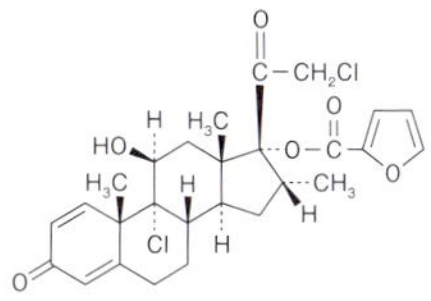

モメタゾンフランカルボン酸エステル
（**アズマネックス**ツイストヘラー）

● その他の呼吸器系作用薬 ☞本文 p302

SIRS治療薬

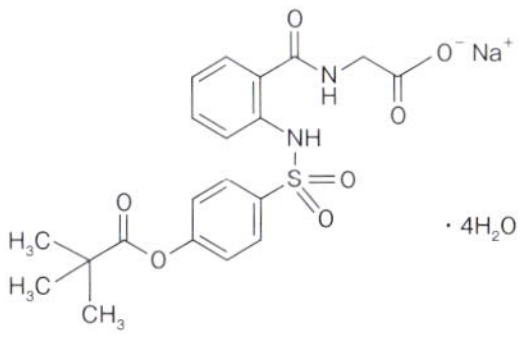

シベレスタットナトリウム水和物
（**エラスポール**注）

肺線維症治療薬

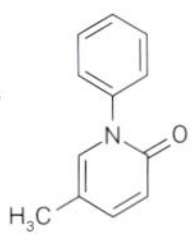

ピルフェニドン
（**ピレスパ**錠）

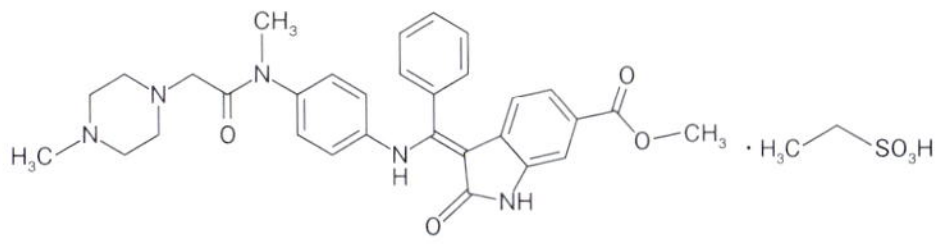

ニンテダニブエタンスルホン酸塩
（**オフェブ**カ）

第11章　消化器系に作用する薬物

消化性潰瘍治療薬

☞本文 p307

攻撃因子抑制薬

末梢性酸分泌抑制薬

プロトンポンプ阻害薬

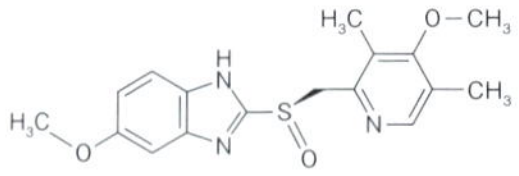

及び鏡像異性体

オメプラゾール
（**オメプラゾン**腸溶錠，
オメプラール腸溶錠/注（Na 塩））

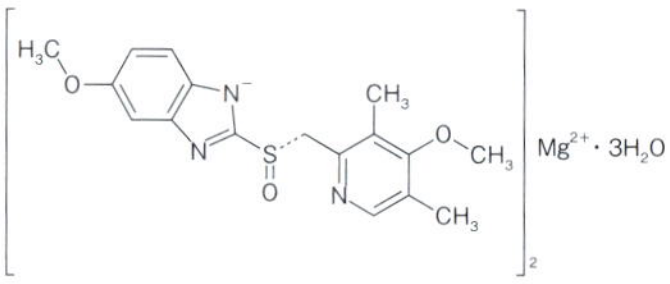

エソメプラゾールマグネシウム水和物
（**ネキシウム**カ/懸濁用顆）

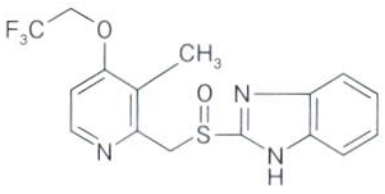

ランソプラゾール
（**タケプロン** OD 錠/カ/静注）

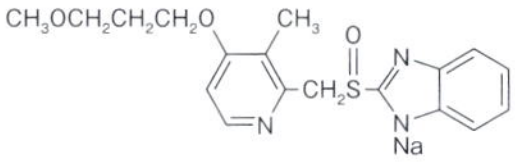

ラベプラゾールナトリウム
（**パリエット**錠）

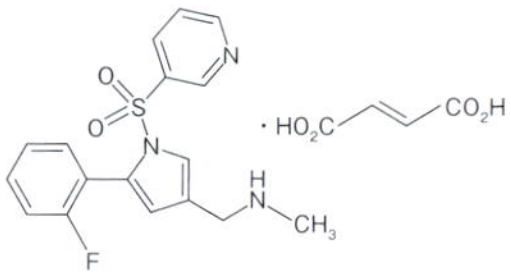

ボノプラザンフマル酸塩
（**タケキャブ**錠）

ヒスタミン H_2 受容体拮抗薬

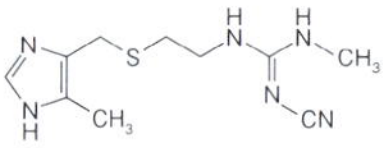

シメチジン
（**カイロック**錠/細，**タガメット**錠/細/注）

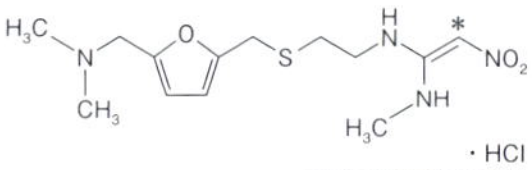

及び C*位幾何異性体

ラニチジン塩酸塩
（**ザンタック**錠/注）

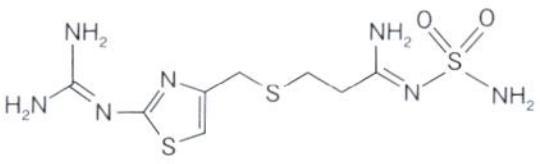

ファモチジン
（**ガスター**錠/散/注/D 錠）

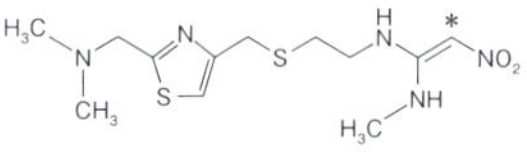

及び C*位幾何異性体

ニザチジン
（**アシノン**錠）

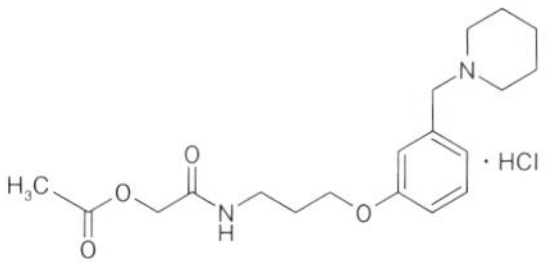

ロキサチジン酢酸エステル塩酸塩
（**アルタット**カ/細/静注）

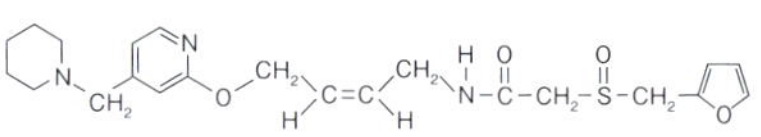

ラフチジン
（**プロテカジン**錠/OD錠）

ムスカリン M_1 受容体遮断薬

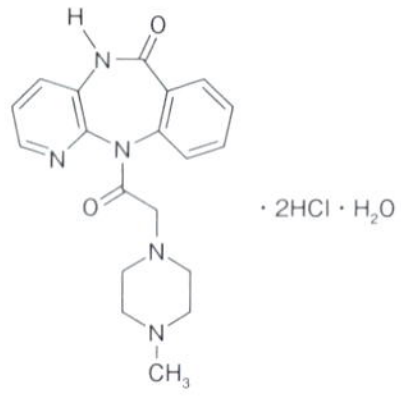

ピレンゼピン塩酸塩水和物
（**ガストロゼピン**錠）

抗ガストリン薬

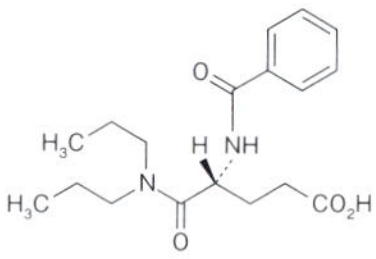

及び鏡像異性体

プログルミド

抗ペプシン薬

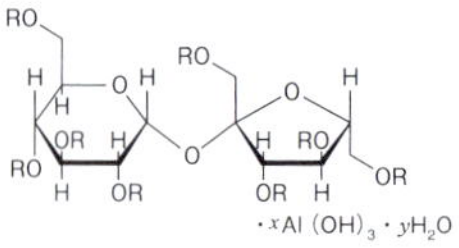

R＝$SO_3Al(OH)_2$

スクラルファート水和物
（**アルサルミン**細/液）

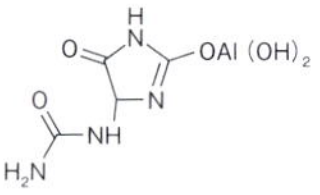

アルジオキサ
（**アルジオキサ**錠/顆）

攻撃因子抑制薬

胃腸運動促進薬（ドパミン D_2受容体拮抗薬）

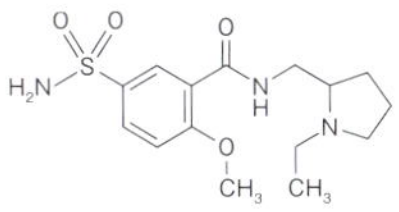

スルピリド
（**ドグマチール**錠/カ/細/筋注）

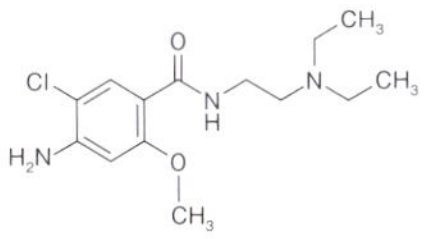

メトクロプラミド
（**プリンペラン**錠/細/シ/注）

防御因子増強薬（粘膜保護・組織修復促進薬）

プロスタグランジン関連薬

PGE_1誘導体

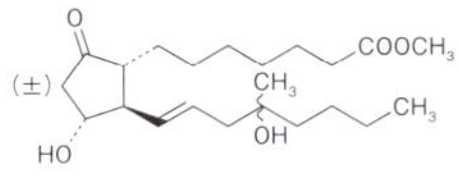

ミソプロストール
（**サイトテック**錠）

内因性PG増加薬

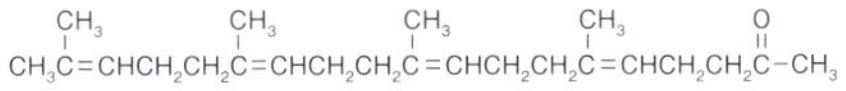

テプレノン
（**セルベックス**細/カ）

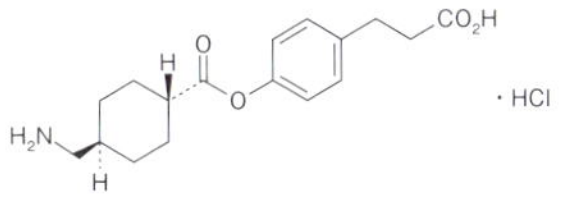

セトラキサート塩酸塩
（**ノイエル**細/カ）

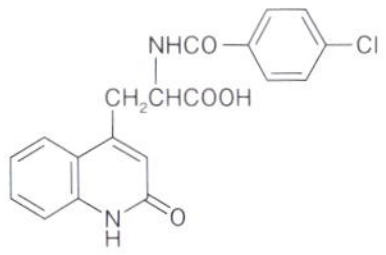

レバミピド
（**ムコスタ**錠/顆）

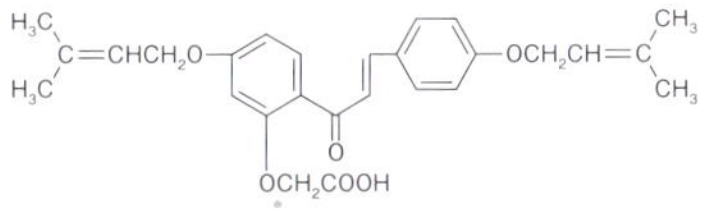

ソファルコン
（**ソロン**細/錠/カ）

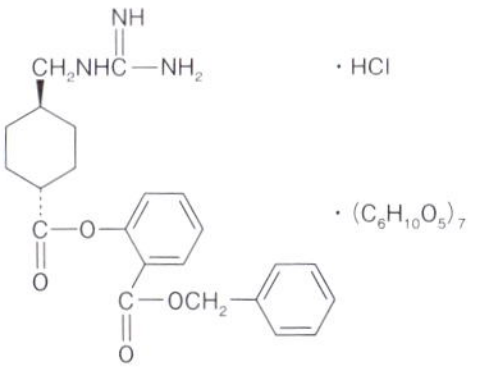

ベネキサート塩酸塩ベータデクス
（**ウルグート**カ）

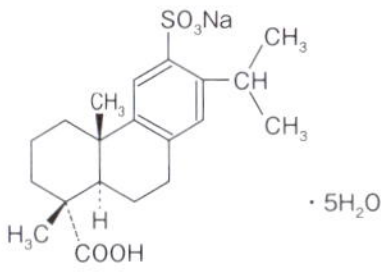

エカベトナトリウム水和物
（**ガストローム**顆）

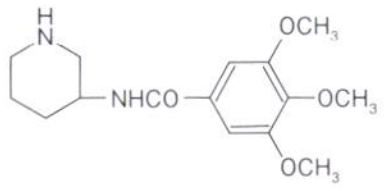

トロキシピド
（**アプレース**錠/細）

その他

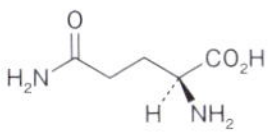

L-グルタミン
（**L-グルタミン**顆）

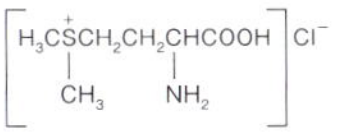

メチルメチオニンスルホニウムクロリド
（**キャベジン U** 錠/配合散）

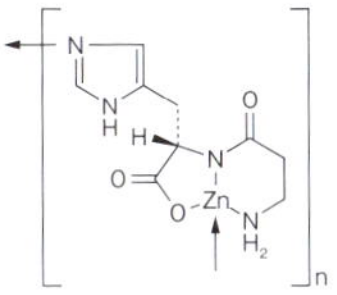

ポラプレジンク
（**プロマック** D 錠/顆）

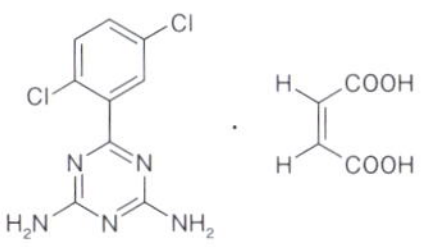

イルソグラジンマレイン酸塩
（**ガスロン N** 錠/細/OD 錠）

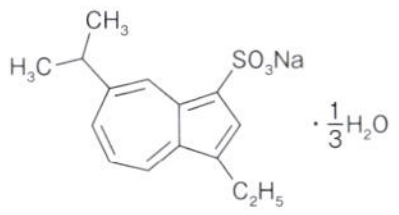

エグアレンナトリウム水和物
（**アズロキサ**顆）

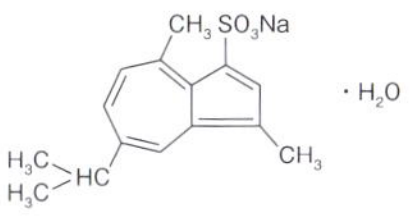

アズレンスルホン酸ナトリウム水和物
（**アズノール**錠）

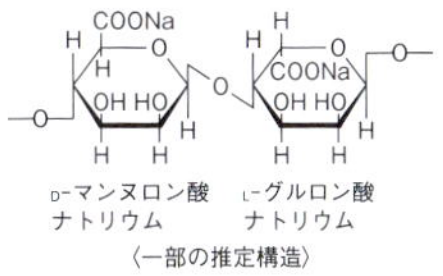

D-マンヌロン酸ナトリウム　L-グルロン酸ナトリウム
〈一部の推定構造〉

アルギン酸ナトリウム
（**アルロイド G** 内用液/顆粒溶解用）

催吐薬・制吐薬 ☞本文 p312

催吐薬

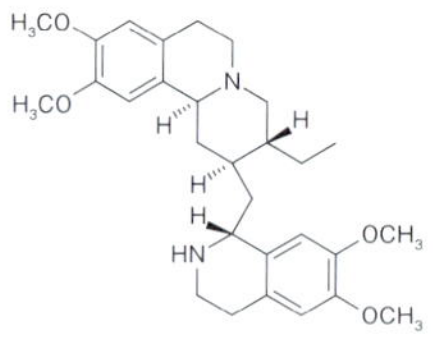
エメチン

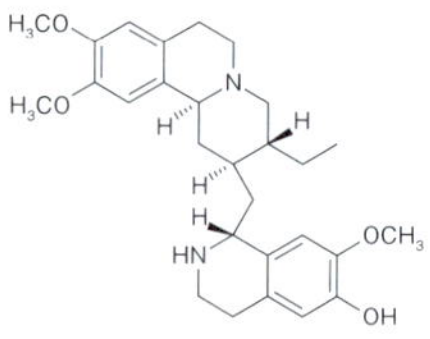
セファエリン

トコン(有効成分エメチン，セファエリン)
(**トコン**シ)

制吐薬

ヒスタミン H_1 受容体拮抗薬

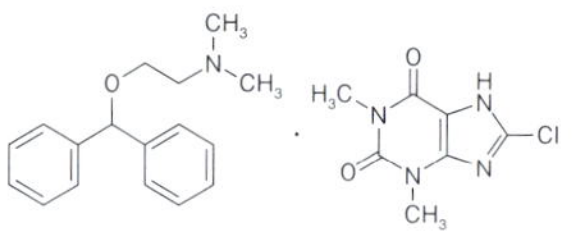
ジフェンヒドラミン　8-クロルテオフィリン

ジメンヒドリナート
(**ドラマミン**錠)

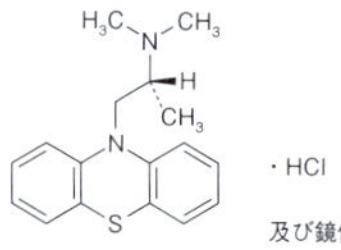
及び鏡像異性体

プロメタジン塩酸塩
(**ヒベルナ**糖衣錠/散/注，**ピレチア**錠/細)

タキキニン NK_1 受容体拮抗薬

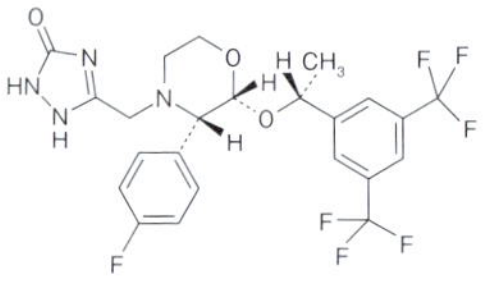
アプレピタント
(**イメンド**カ)

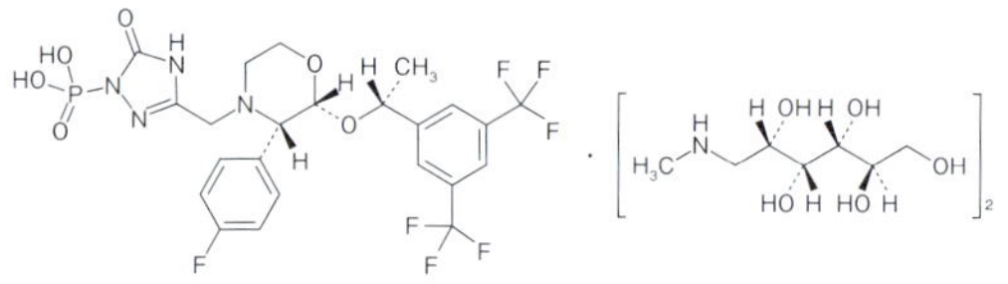
ホスアプレピタントメグルミン
(**プロイメンド**点滴静注用)

局所麻酔薬

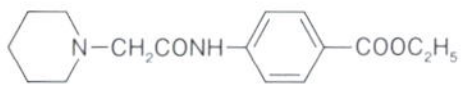
ピペリジノアセチルアミノ安息香酸エチル
(**スルカイン**錠)

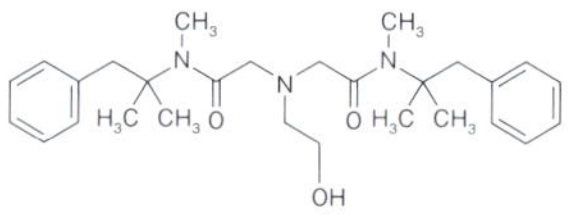
オキセサゼイン
(**ストロカイン**錠/顆)

セロトニン 5-HT_3 受容体拮抗薬

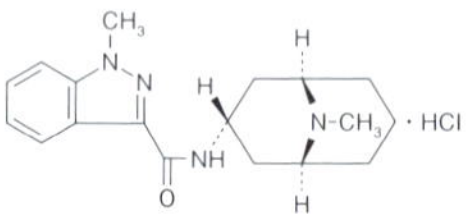
グラニセトロン塩酸塩
(**カイトリル**錠/細/注/バッグ)

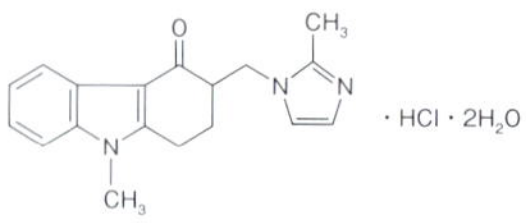
オンダンセトロン塩酸塩水和物
(**オンダンセトロン** OD フィルム/注)

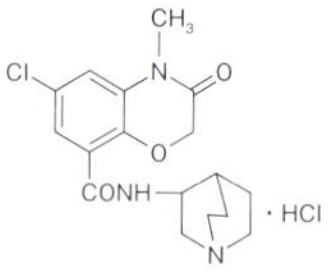
アザセトロン塩酸塩
(**アザセトロン**静注液)

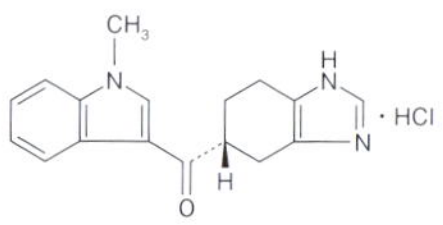
ラモセトロン塩酸塩
(**ナゼア**注/OD 錠)

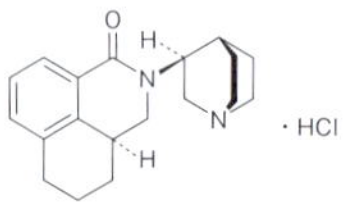
パロノセトロン塩酸塩
(**アロキシ**静注/バッグ)

制吐薬

ドパミン D_2受容体拮抗薬

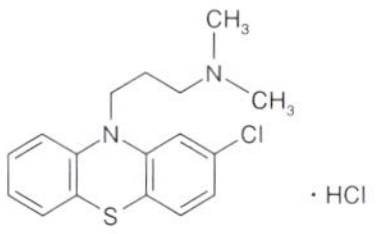

クロルプロマジン塩酸塩
（ウインタミン錠/細，コントミン糖衣錠/筋注）

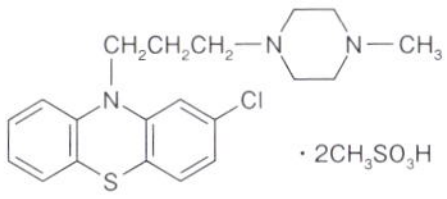

プロクロルペラジンメシル酸塩
（ノバミン錠/筋注）

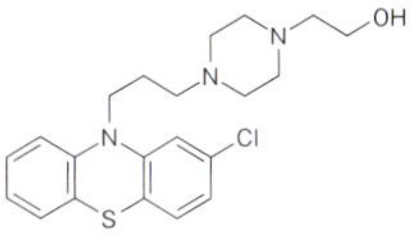

ペルフェナジン
（トリラホン錠/散）

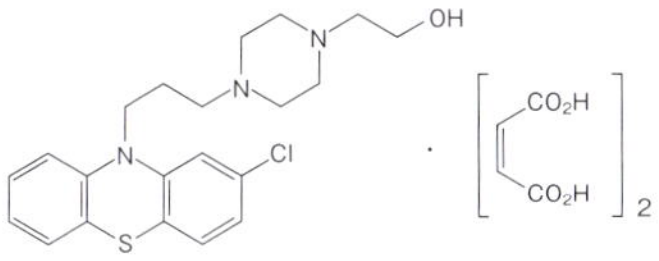

ペルフェナジンマレイン酸塩
（ピーゼットシー糖衣錠）

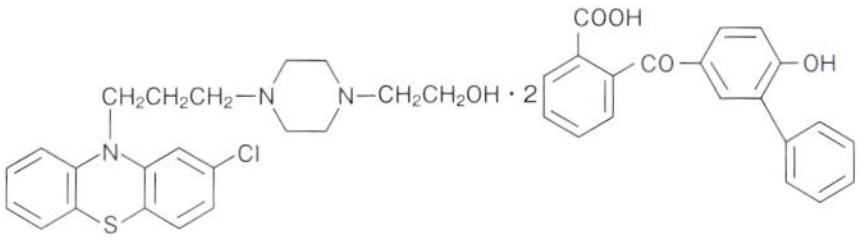

ペルフェナジンフェンジゾ酸塩
（ピーゼットシー散）

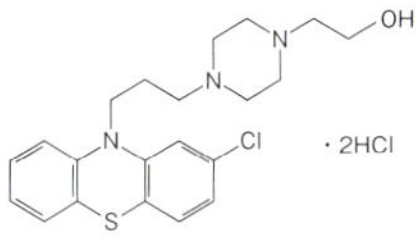

ペルフェナジン塩酸塩
（ピーゼットシー筋注）

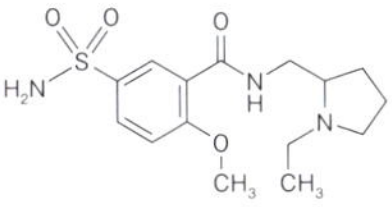

スルピリド
（ドグマチール錠/カ/細/注）

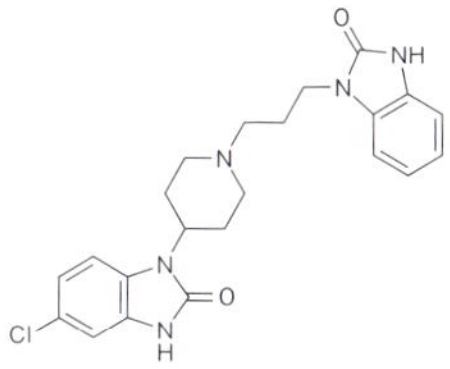

ドンペリドン
（ナウゼリン錠/OD錠/細/ドシ/坐）

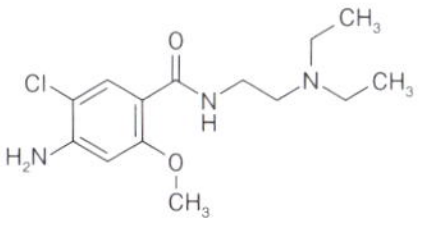

メトクロプラミド
（プリンペラン錠/細/シ/注）

胃腸機能改善薬

☞本文 p315

胃運動促進薬

ドパミン D_2受容体拮抗薬

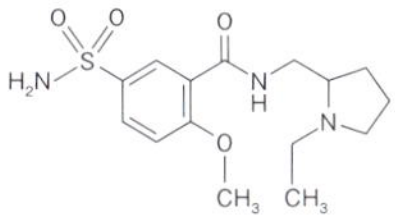

スルピリド
（ドグマチール錠/カ/細/筋注）

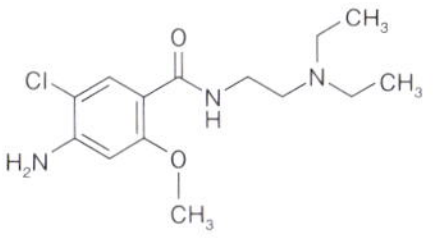

メトクロプラミド
（プリンペラン錠/細/シ/注）

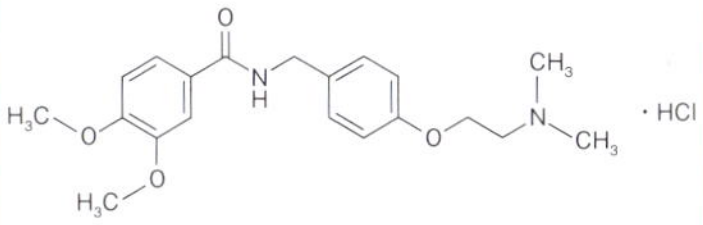

イトプリド塩酸塩
（ガナトン錠）

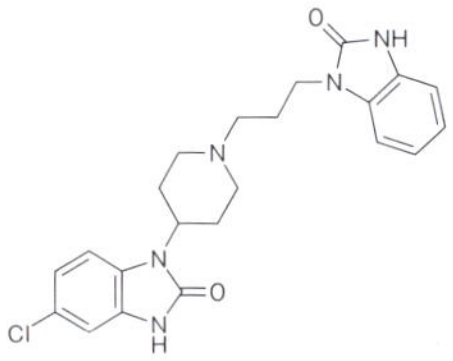

ドンペリドン
（ナウゼリン錠/OD錠/細/ドシ/坐）

セロトニン 5-HT_4受容体刺激薬

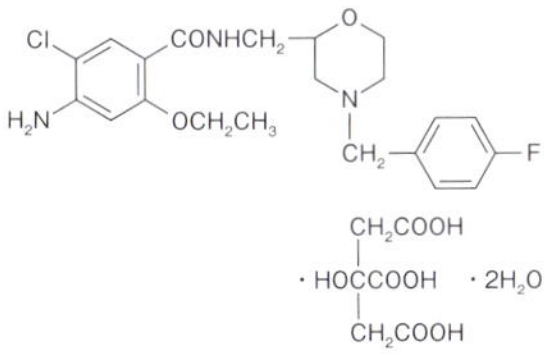

モサプリドクエン酸塩水和物
（ガスモチン錠/散）

コリンエステラーゼ阻害薬

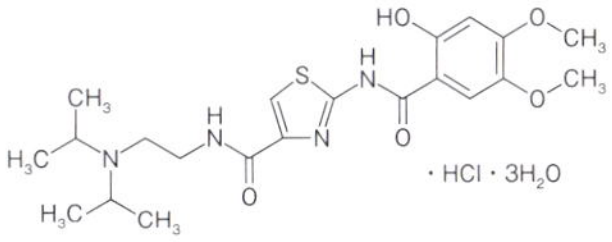

アコチアミド塩酸塩水和物
（アコファイド錠）

ムスカリン受容体刺激薬

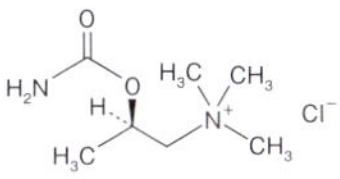

及び鏡像異性体

ベタネコール塩化物
（ベサコリン散）

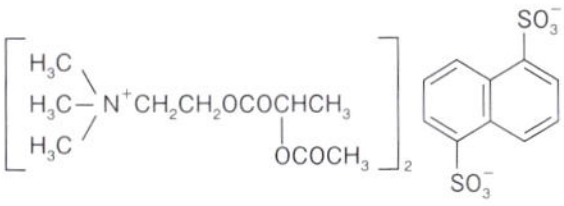

アクラトニウムナパジシル酸塩
（アボビスカ）

大腸疾患治療薬

過敏性腸症候群治療薬

ムスカリン受容体拮抗薬

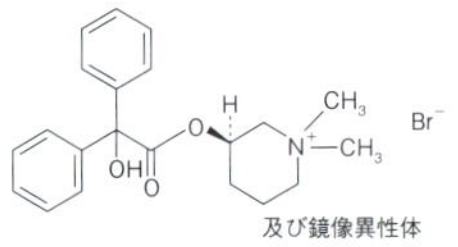

メペンゾラート臭化物
（**トランコロン**錠）

オピオイドμ受容体刺激薬

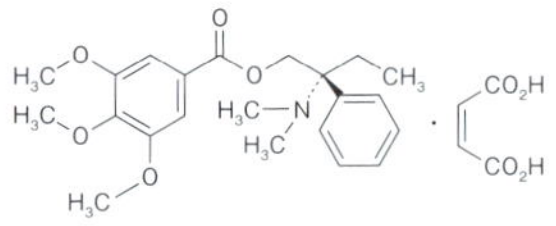

トリメブチンマレイン酸塩
（**セレキノン**錠）

セロトニン5-HT3受容体拮抗薬

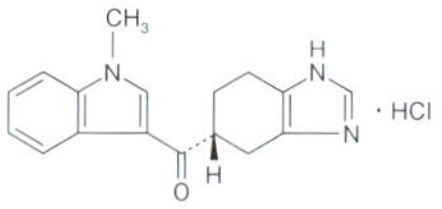

ラモセトロン塩酸塩
（**イリボー**錠/OD錠）

グアニル酸シクラーゼC受容体刺激薬

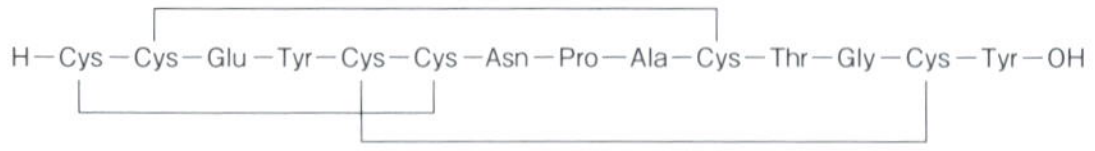

リナクロチド
リンゼス錠

水分吸収薬

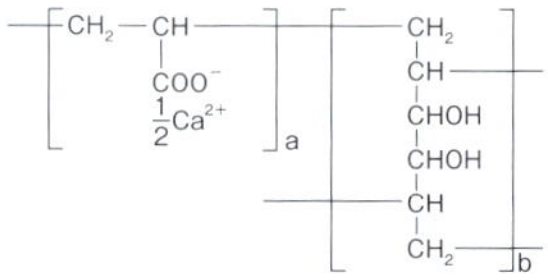

ポリカルボフィルカルシウム
（**コロネル**錠/細，**ポリフル**錠/細）

潰瘍性大腸炎・クローン病治療薬

5-アミノサリチル酸関連薬

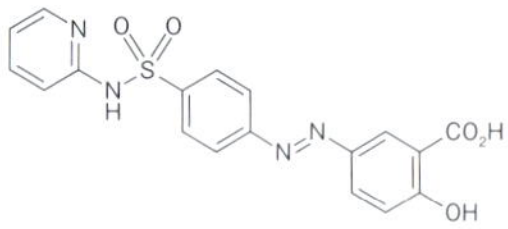

サラゾスルファピリジン
〈スルファサラジン〉
（**サラゾピリン**錠/坐）

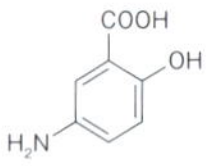

メサラジン
（**ペンタサ**錠/顆/注腸/坐，
アサコール錠，**リアルダ**錠）

カルシニューリン阻害薬

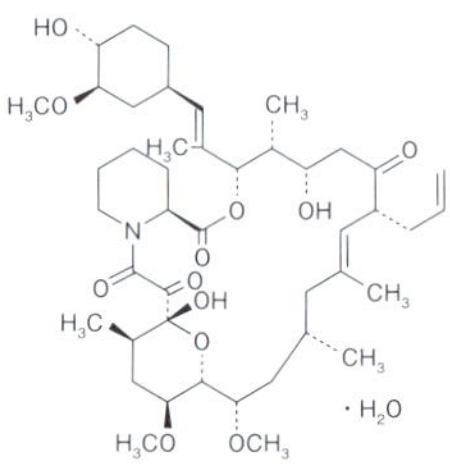

タクロリムス水和物
（**プログラフ**カ）

ヤヌスキナーゼ阻害薬

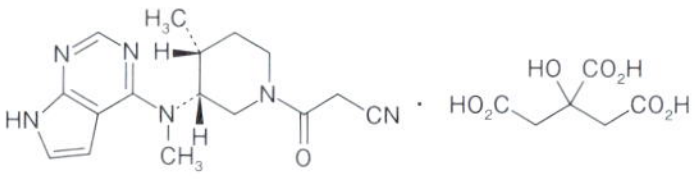

トファシチニブクエン酸塩
（**ゼルヤンツ**錠）

ステロイド性抗炎症薬

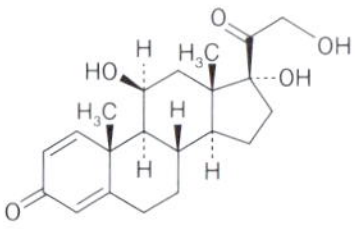

プレドニゾロン
（**プレドニン**錠）

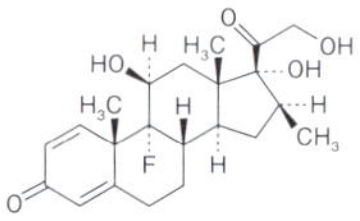

ベタメタゾン
（**リンデロン**坐）

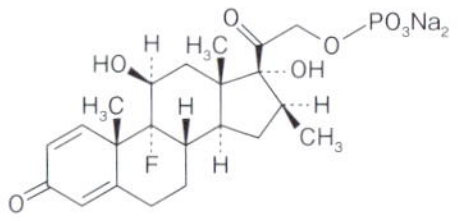

ベタメタゾンリン酸エステルナトリウム
（**ステロネマ**注腸）

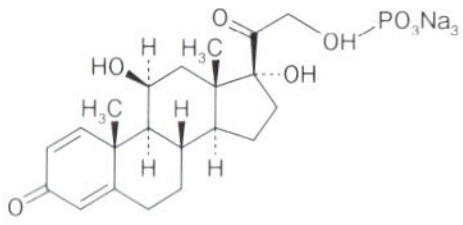

プレドニゾロンリン酸エステルナトリウム
（**プレドネマ**注腸）

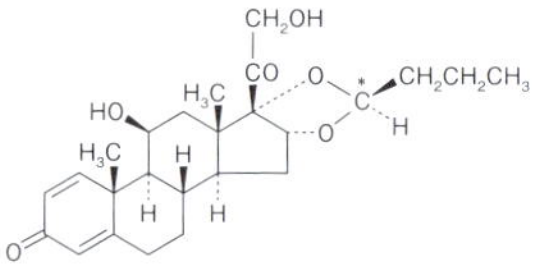

＊：本品は22位の不斉炭素原子におけるエピマーの混合物である。

ブデソニド
（**レクタブル**注腸，**ゼンタコート**カ）

プリン代謝拮抗薬

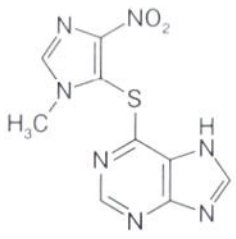

アザチオプリン
（**アザニン**錠，**イムラン**錠）

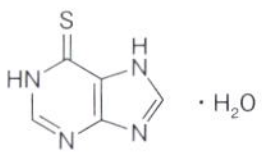

メルカプトプリン水和物
（**ロイケリン**散）

鎮痙薬 ☞本文 p319

向神経性鎮痙薬

COMT 阻害薬

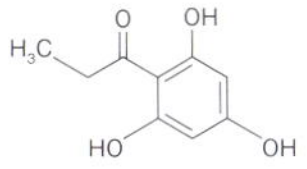

フロプロピオン
（**コスパノン**錠/カ）

向筋肉性鎮痙薬

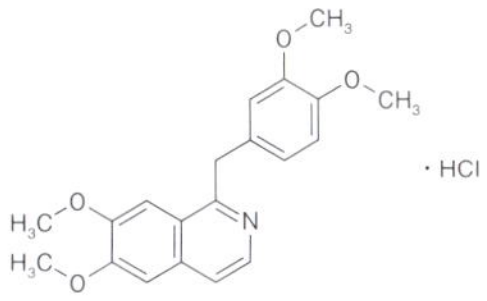

パパベリン塩酸塩
（**パパベリン塩酸塩**末/散/注）

$MgSO_4 \cdot 7H_2O$

硫酸マグネシウム〈硫苦，硫麻〉
（**硫酸マグネシウム水和物**末）

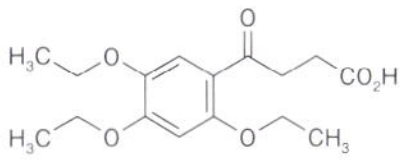

トレピブトン
（**スパカール**錠/細）

瀉下薬・止瀉薬 ☞本文 p321

止瀉薬

腸運動抑制薬

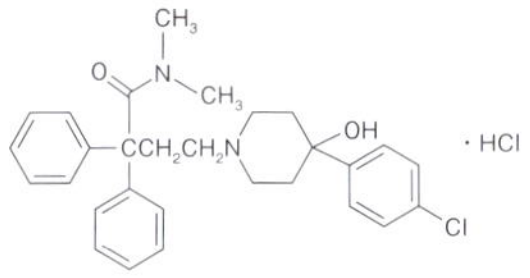

ロペラミド塩酸塩
（**ロペミン**細/カ/小児用細）

腸内殺菌薬

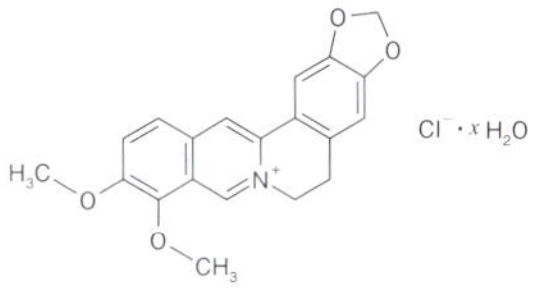

ベルベリン塩化物水和物
（**キョウベリン**錠）

瀉下薬

刺激性下剤

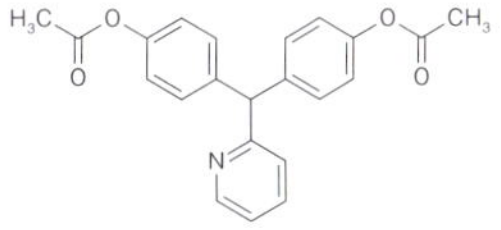

ビサコジル
（**テレミンソフト**坐）

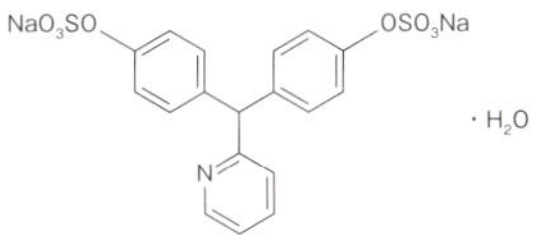

ピコスルファートナトリウム水和物
（**ラキソベロン**錠/内用液，**ピコダルム**顆，
スナイリンドシ）

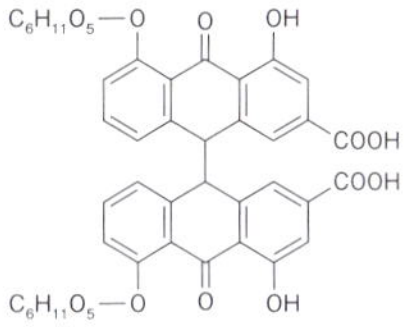

センノシドA・B
（互いに立体異性体）

センノシド
（**プルゼニド**錠，**センノサイド**顆）

その他

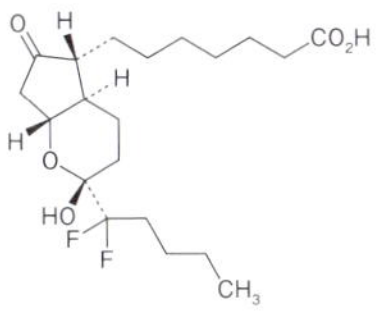

ルビプロストン
（**アミティーザ**カ）

H－Cys－Cys－Glu－Tyr－Cys－Cys－Asn－Pro－Ala－Cys－Thr－Gly－Cys－Tyr－OH

リナクロチド
（**リンゼス**錠）

瀉下薬

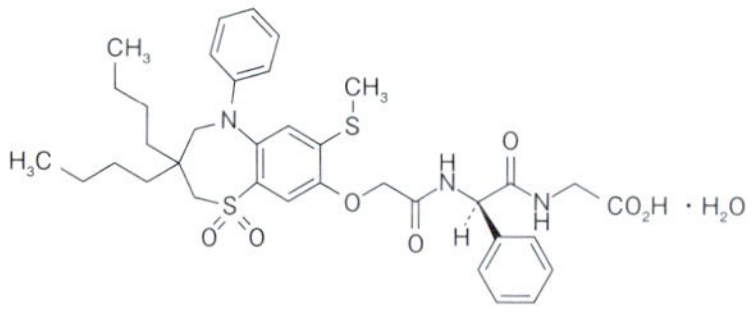

エロビキシバット水和物
(**グーフィス**錠)

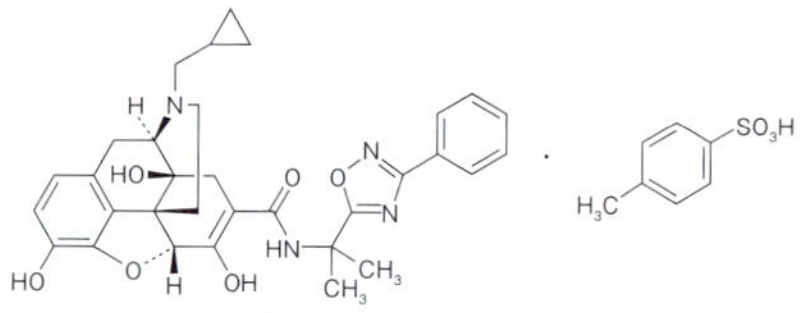

ナルデメジントシル酸塩
(**スインプロイク**錠)

肝・胆・膵臓機能改善薬 ☞本文 p327

利胆薬

催胆薬

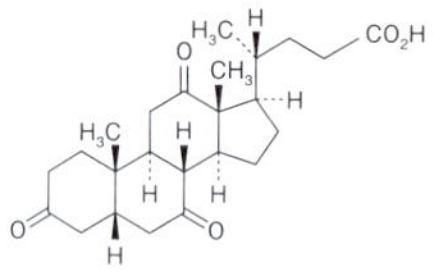

デヒドロコール酸
(**デヒドロコール酸**注)

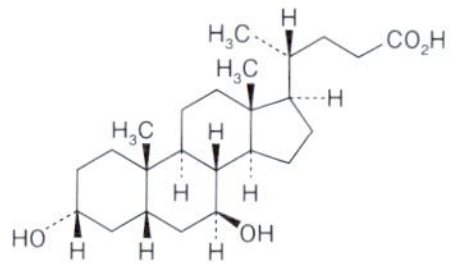

ウルソデオキシコール酸
(**ウルソ**錠/顆)

排胆薬

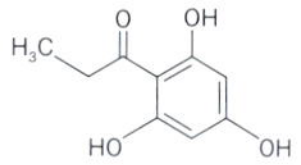

フロプロピオン
(**コスパノン**錠/カ)

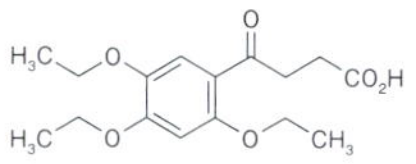

トレピブトン
(**スパカール**錠/細)

$MgSO_4 \cdot 7H_2O$

硫酸マグネシウム〈硫苦，硫麻〉
(**硫酸マグネシウム水和物**末)

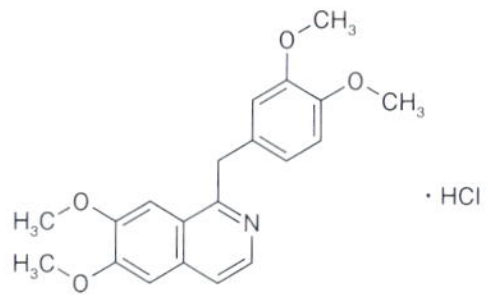

パパベリン塩酸塩
(**パパベリン塩酸塩**注)

胆石溶解薬

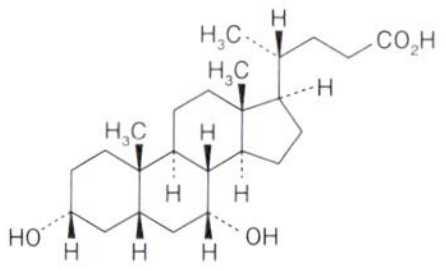

ケノデオキシコール酸
(**チノ**カ)

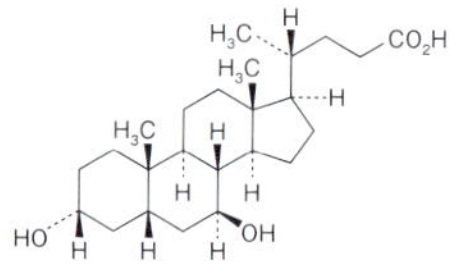

ウルソデオキシコール酸
(**ウルソ**錠/顆)

肝炎治療薬

肝庇護薬

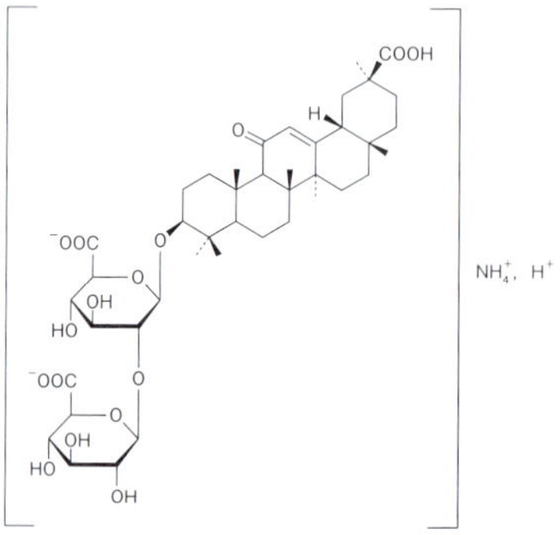

グリチルリチン酸モノアンモニウム
(**強力ネオミノファーゲンシー**静注,
ネオファーゲン静注,
グリチロン錠/皮下注)

肝炎治療薬

肝機能改善薬

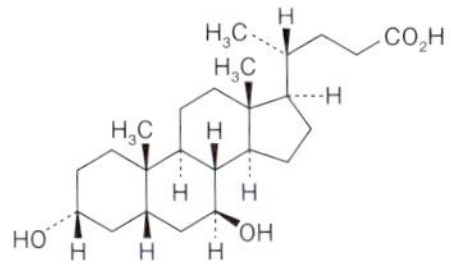

ウルソデオキシコール酸
（**ウルソ**錠/顆）

$H_2N-CH_2CH_2-SO_3H$

アミノエチルスルホン酸〈タウリン〉
（**タウリン**散）

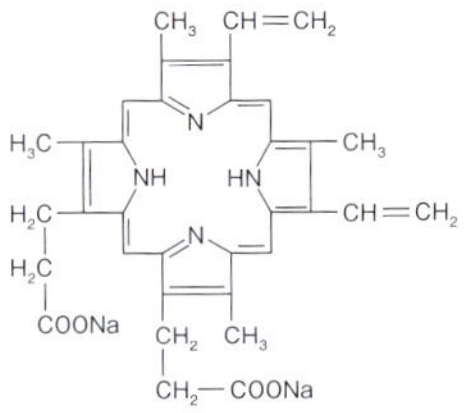

プロトポルフィリンニナトリウム
（**プロトポルト**錠）

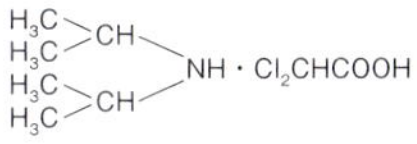

ジクロロ酢酸ジイソプロピルアミン
（**リバオール**錠/散）

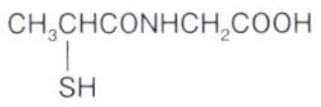

チオプロニン
（**チオラ**錠）

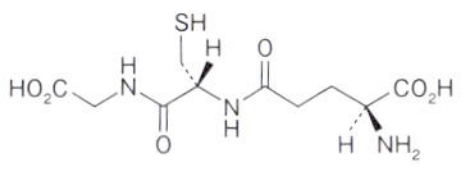

グルタチオン
（**タチオン**錠/散/注）

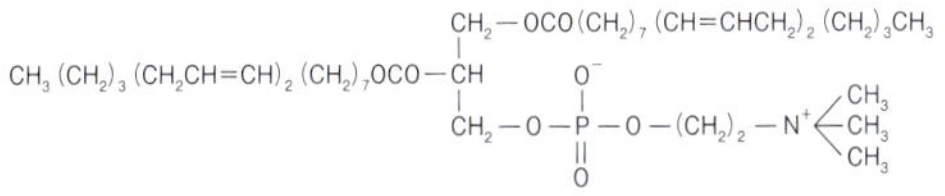

ポリエンホスファチジルコリン
（**EPL**カ）

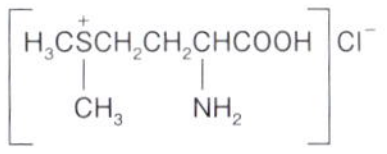

メチルメチオニンスルホニウムクロリド
（**キャベジンU**錠/顆/配合散）

高アンモニア血症治療薬

L-アルギニンL-グルタミン酸塩水和物
（**アルギメート**点滴静注）

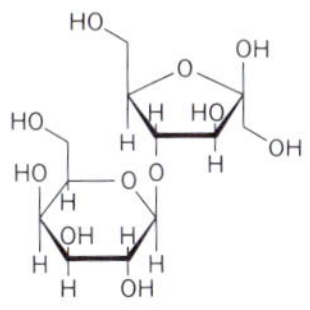

ラクツロース
（**モニラック**末/シ,
ラグノスゼリー）

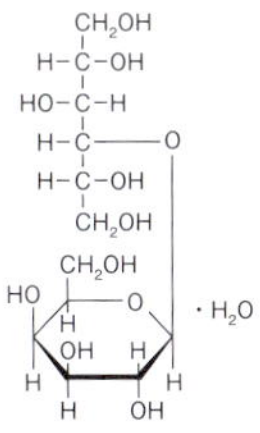

ラクチトール水和物
（**ポルトラック**末）

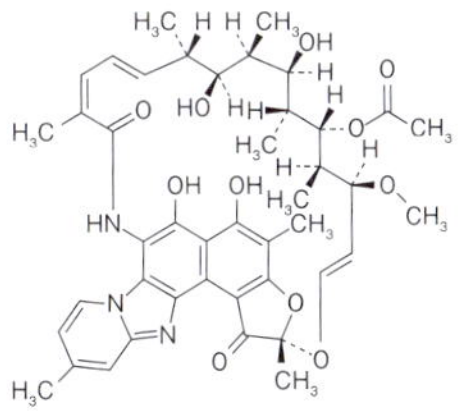

リファキシミン
（**リフキシマ**錠）

膵炎治療薬

急性膵炎治療薬

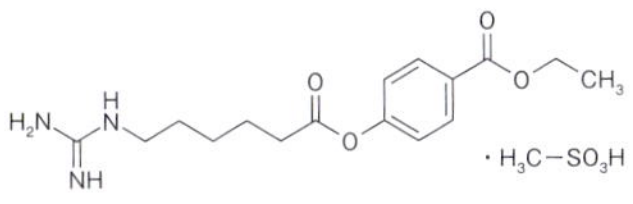

ガベキサートメシル酸塩
（**エフオーワイ**注）

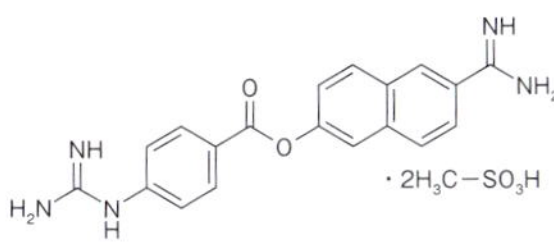

ナファモスタットメシル酸塩
（**フサン**注）

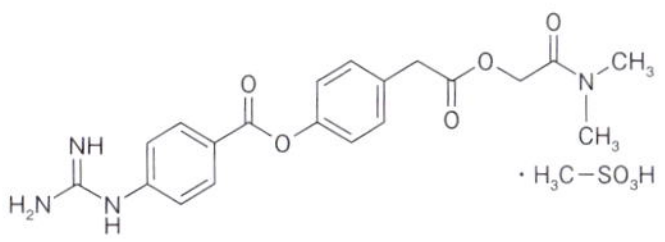

カモスタットメシル酸塩
（**フオイパン**錠）

第12章　泌尿器系に作用する薬物

利尿薬 ☞本文 p334

糸球体性利尿薬

強心利尿薬

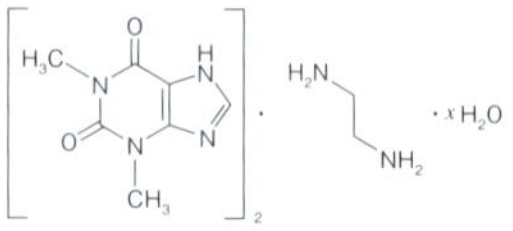

アミノフィリン水和物
（**キョーフィリン**注，
ネオフィリン錠/末/注）

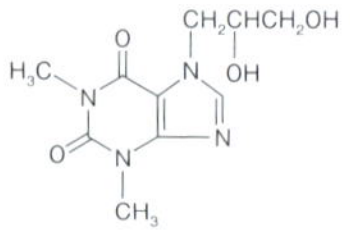

ジプロフィリン
（**ジプロフィリン**注）

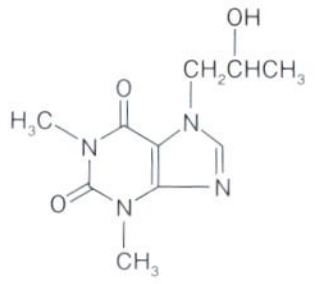

プロキシフィリン
（**モノフィリン**錠/末/注）

浸透圧性利尿薬

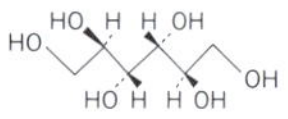

D-マンニトール
（**マンニットール**注，**マンニットT**注）

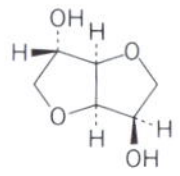

イソソルビド
（**イソバイド**シ，**メニレット**ゼリー）

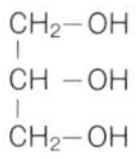

グリセリン
（果糖，NaCl との合剤：**グリセオール**注）

尿細管性利尿薬

K$^+$排泄性利尿薬

炭酸脱水酵素阻害薬

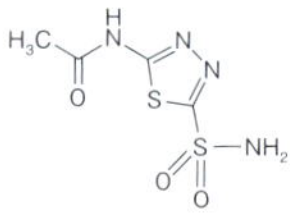

アセタゾラミド
（**ダイアモックス**錠/末/注）

ループ利尿薬

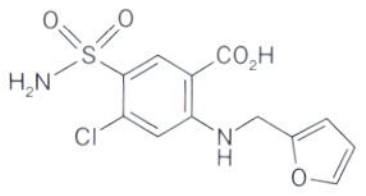

フロセミド
（**ラシックス**錠/細/注）

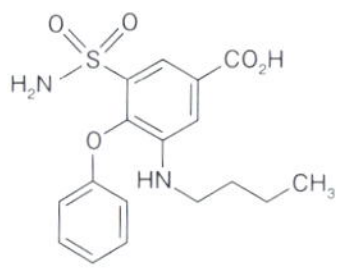

ブメタニド
（**ルネトロン**錠/注）

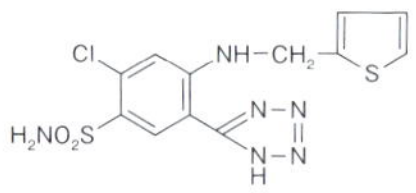

アゾセミド
（**ダイアート**錠）

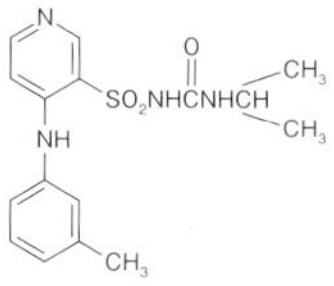

トラセミド
（**ルプラック**錠）

チアジド系利尿薬

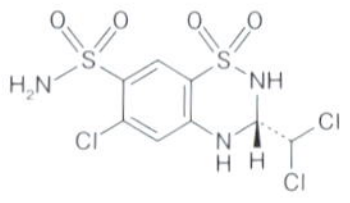

及び鏡像異性体

トリクロルメチアジド
（**フルイトラン**錠）

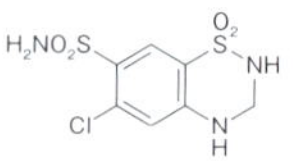

ヒドロクロロチアジド
（**ヒドロクロロチアジド**錠/OD錠）

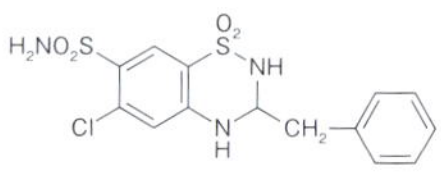

ベンチルヒドロクロロチアジド
（**ベハイド**錠）

チアジド類似薬（スルホンアミド系）

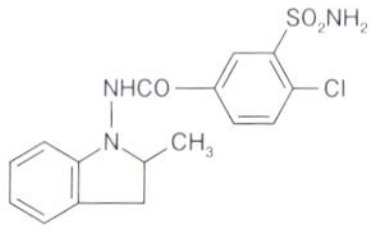

インダパミド
（**ナトリックス**錠）

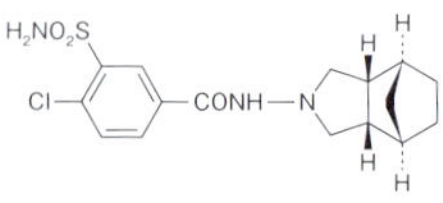

トリパミド
（**ノルモナール**錠）

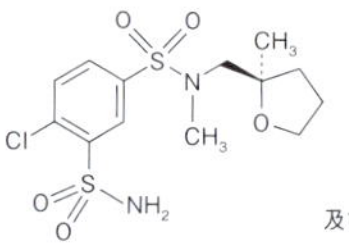

及び鏡像異性体

メフルシド
（**バイカロン**錠）

尿細管性利尿薬

K⁺保持性利尿薬

アルドステロン受容体拮抗薬

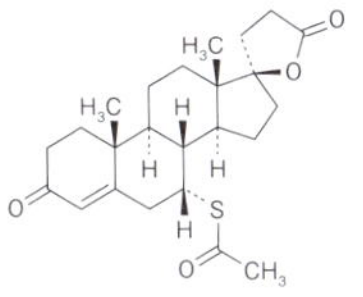

スピロノラクトン
（**アルダクトンA** 錠/細）

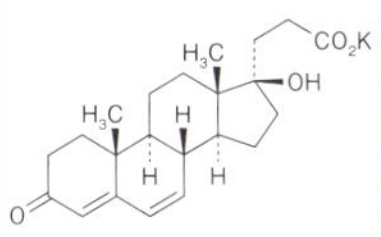

カンレノ酸カリウム
（**ソルダクトン**静注）

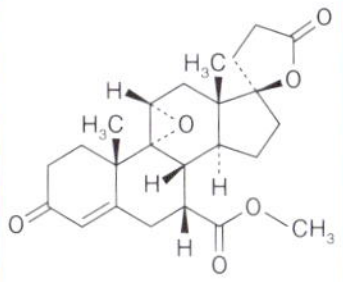

エプレレノン
（**セララ**錠）

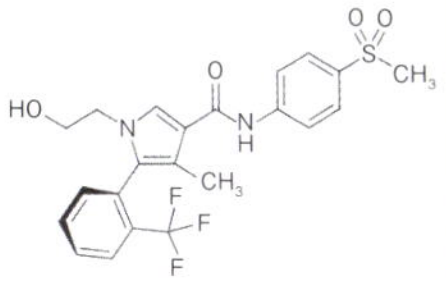

エサキセレノン
（**ミネブロ**錠）

Na⁺チャネル遮断薬

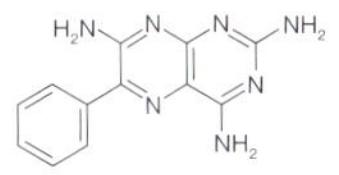

トリアムテレン
（**トリテレン**カ）

水利尿薬

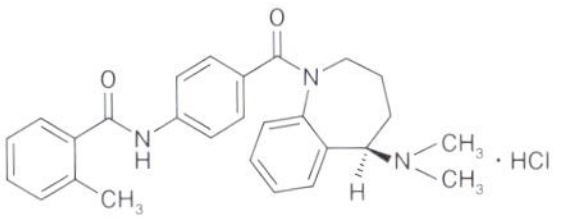

及び鏡像異性体

モザバプタン塩酸塩
（**フィズリン**錠）

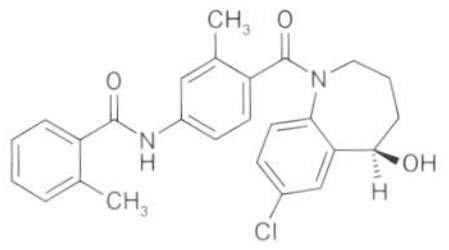

及び鏡像異性体

トルバプタン
（**サムスカ**顆/OD 錠）

排尿障害・蓄尿障害治療薬

☞本文 p347

排尿障害治療薬

前立腺肥大による排尿困難治療薬

α1受容体阻害薬

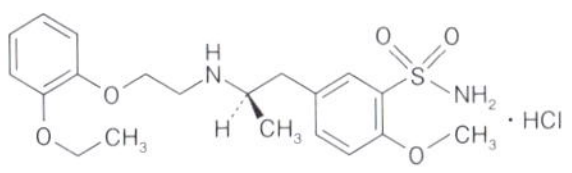

タムスロシン塩酸塩
（**ハルナール** D 錠）

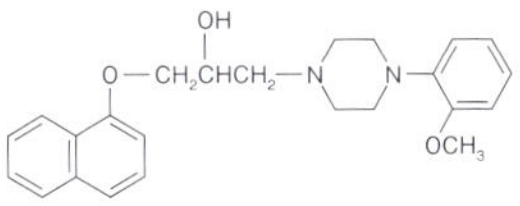

ナフトピジル
（**フリバス**錠/OD 錠）

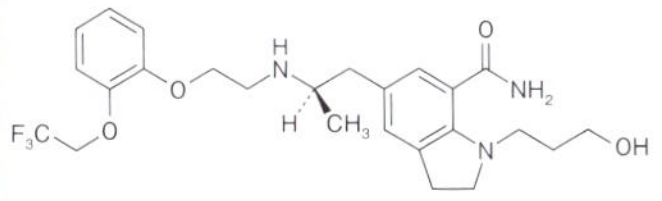

シロドシン
（**ユリーフ**錠/OD 錠）

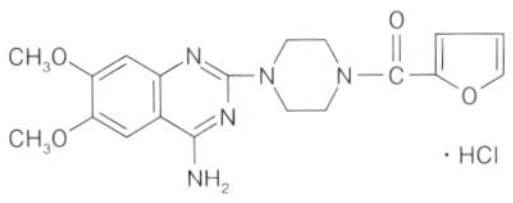

プラゾシン塩酸塩
（**ミニプレス**錠）

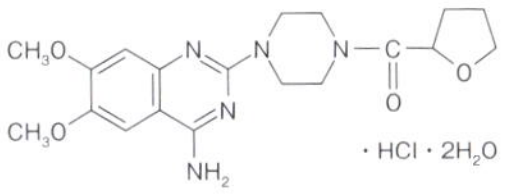

テラゾシン塩酸塩水和物
（**ハイトラシン**錠，**バソメット**錠）

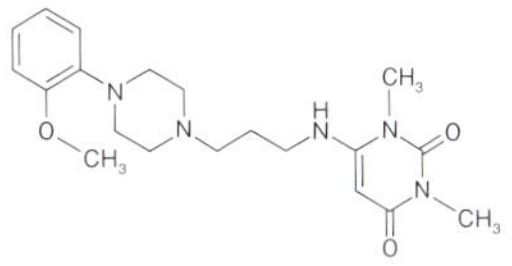

ウラピジル
（**エブランチル**カ）

抗アンドロゲン薬（受容体遮断）

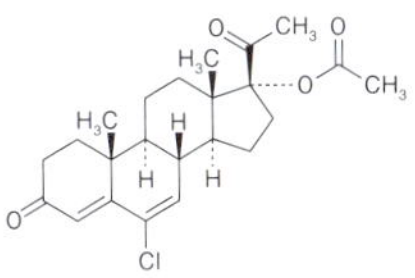

クロルマジノン酢酸エステル
（**プロスタール**錠/L 錠(徐放)）

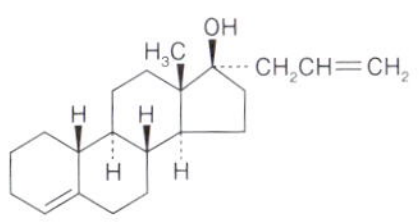

アリルエストレノール
（**アリルエストレノール**錠）

PDEV阻害薬

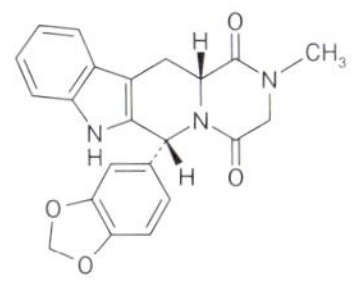

タダラフィル
（**ザルティア**錠）

抗アンドロゲン薬（5α-還元酵素阻害）

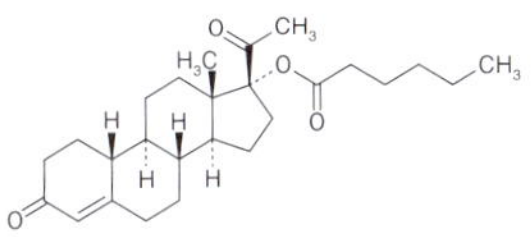

ゲストノロンカプロン酸エステル
（**デポスタット**筋注）

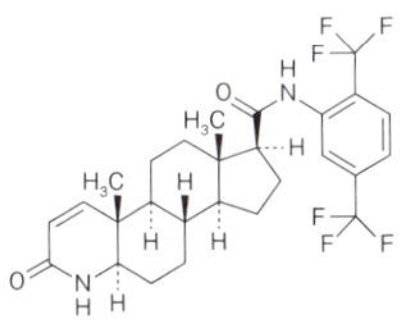

デュタステリド
（**アボルブ**カ）

排尿障害治療薬

低緊張性膀胱治療薬

ムスカリン受容体刺激薬

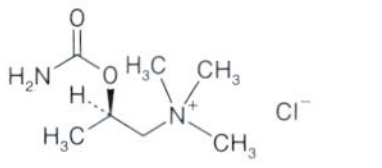
及び鏡像異性体

ベタネコール塩化物
（**ベサコリン**散）

コリンエステラーゼ阻害薬

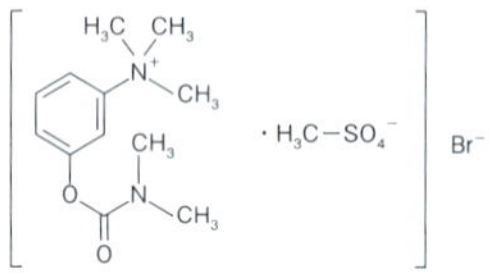

ネオスチグミン臭化物
（**ワゴスチグミン**散）

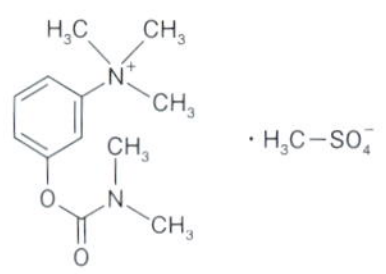

ネオスチグミンメチル硫酸塩
（**ワゴスチグミン**注）

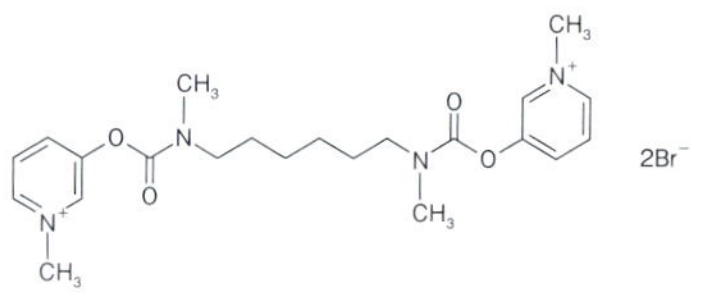

ジスチグミン臭化物
（**ウブレチド**錠）

蓄尿障害（頻尿・尿失禁）治療薬

緊張性膀胱・過活動膀胱治療薬

ムスカリン受容体遮断薬

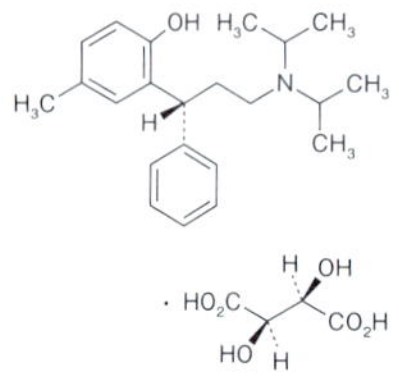

トルテロジン酒石酸塩
（**デトルシトール**カ）

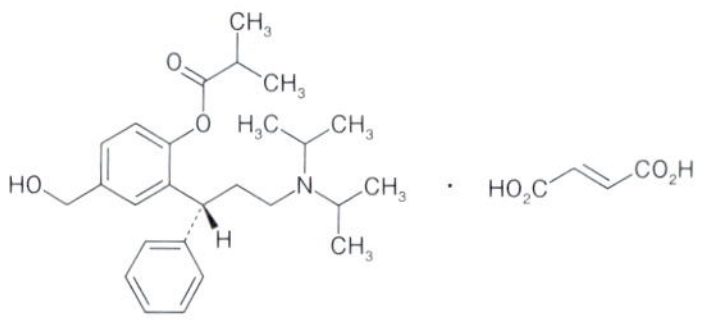

フェソテロジンフマル酸塩
（**トビエース**錠）

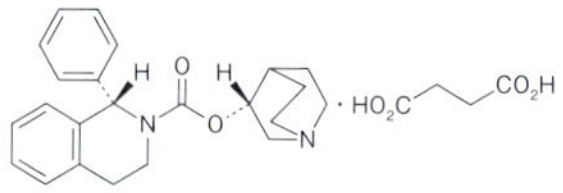

ソリフェナシンコハク酸塩
（**ベシケア**錠/OD 錠）

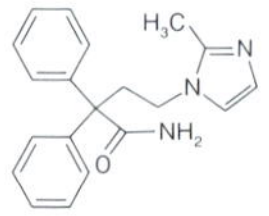

イミダフェナシン
（**ウリトス**錠/OD 錠，**ステーブラ**錠/OD 錠）

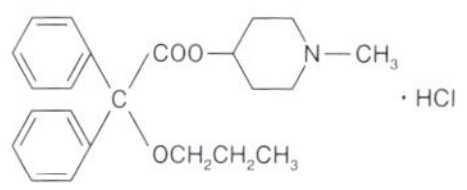

プロピベリン塩酸塩
（**バップフォー**錠/細）

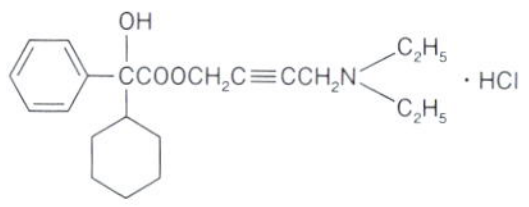

オキシブチニン塩酸塩
（**ポラキス**錠，**ネオキシテープ**貼）

β_3受容体刺激薬

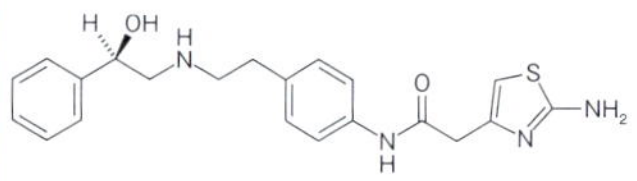

ミラベグロン
（**ベタニス**錠）

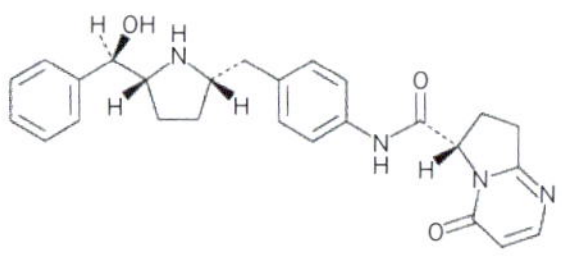

ビベグロン
（**ベオーバ**錠）

膀胱平滑筋直接作用薬

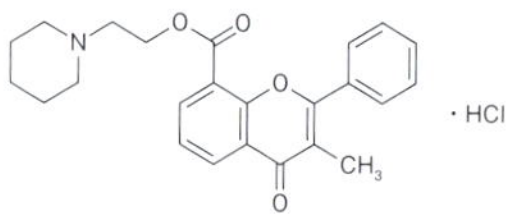

フラボキサート塩酸塩
（**ブラダロン**錠）

遺尿症/夜尿症治療薬

ムスカリン受容体遮断薬

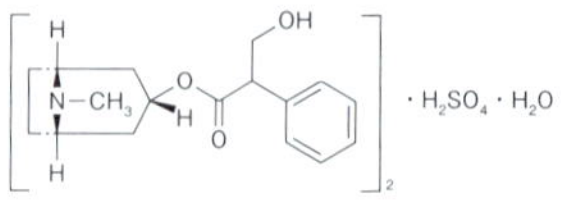

アトロピン硫酸塩水和物
（**硫酸アトロピン**末）

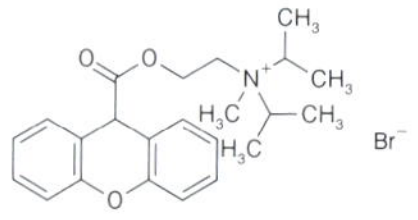

プロパンテリン臭化物
（**プロ・バンサイン**錠）

三環系抗うつ薬（抗コリン作用）

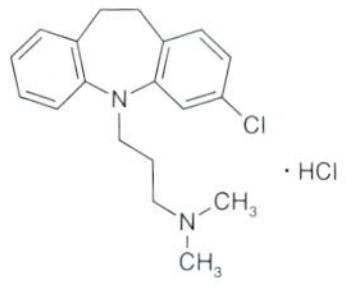

クロミプラミン塩酸塩
（**アナフラニール**錠）

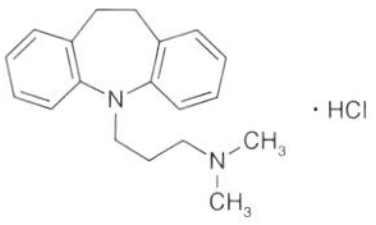

イミプラミン塩酸塩
（**イミドール**錠，**トフラニール**錠）

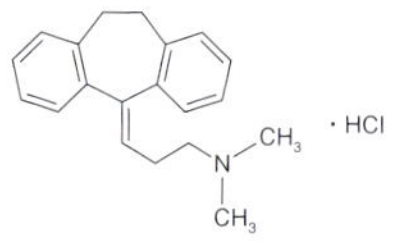

アミトリプチリン塩酸塩
（**トリプタノール**錠）

蓄尿障害（頻尿・尿失禁）治療薬

バソプレシンV₂受容体刺激薬

S—[構造式] —Tyr−Phe−Gln−Asn−Cys Pro−D−Arg−Gly−NH₂・H₃C−CO₂H・3H₂O

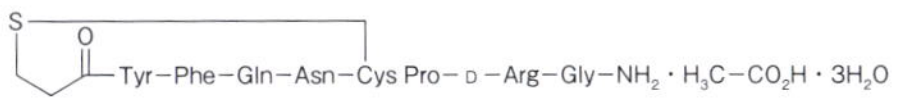

デスモプレシン酢酸塩水和物
（**デスモプレシンス**, **ミニリンメルト** OD錠）

腹圧性尿失禁治療薬

アドレナリンB₂受容体刺激薬

[構造式：Cl, H₂N, Cl, OH, CHCH₂NHC(CH₃)(CH₃)(CH₃)・HCl]

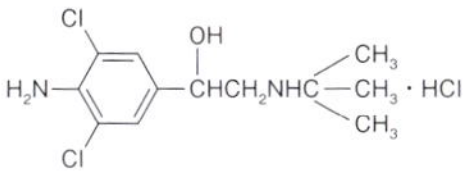

クレンブテロール塩酸塩
（**スピロペント**錠）

第13章　生殖器系に作用する薬物

生殖器系 に作用する薬物 ☞本文 p352

子宮収縮薬

オキシトシン

Cys−Tyr−Ile−Gln−Asn−Cys−Pro−Leu−Gly−NH_2

オキシトシン
（アトニン-O 注）

麦角アルカロイド

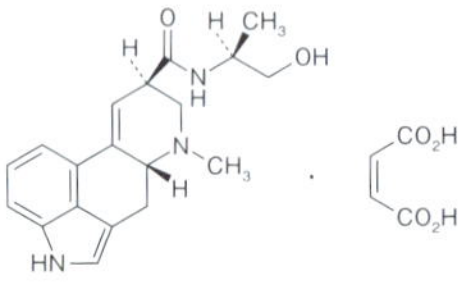

エルゴメトリンマレイン酸塩
（エルゴメトリンマレイン酸塩注）

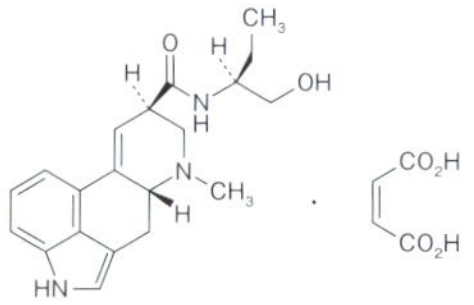

メチルエルゴメトリンマレイン酸塩
（パルタン M 錠/注）

プロスタグランジン類

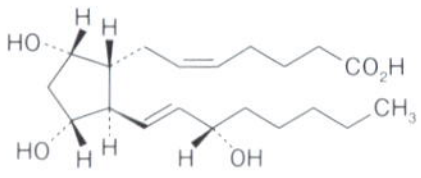

ジノプロスト
（プロスタルモン・F 注）

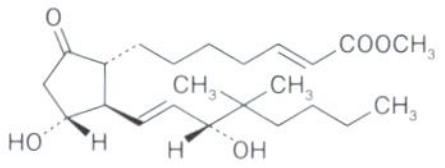

ゲメプロスト
（プレグランディン腟坐）

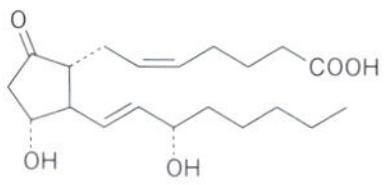

ジノプロストン
（プロスタグランジン E_2 錠）

子宮弛緩薬（子宮鎮痙薬）

β受容体刺激薬

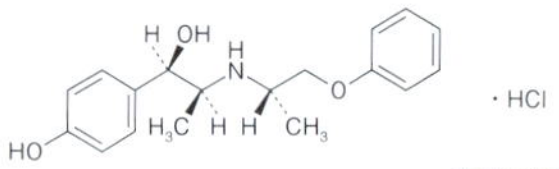

及び鏡像異性体

イソクスプリン塩酸塩
（ズファジラン錠/筋注）

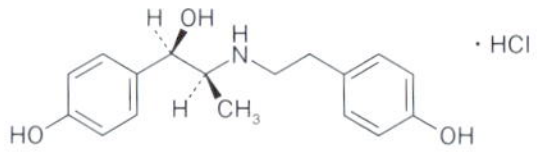

及び鏡像異性体

リトドリン塩酸塩
（ウテメリン錠/注）

抗ムスカリン薬

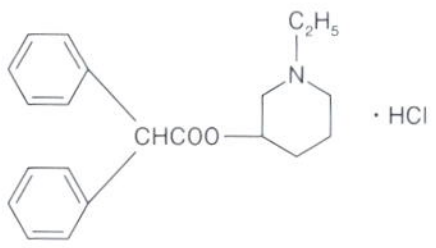

ピペリドレート塩酸塩
（ダクチラン錠，ダクチル錠）

黄体ホルモン

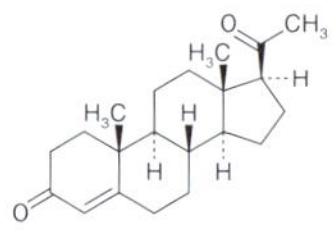

プロゲステロン
（プロゲホルモン筋注）

その他

$MgSO_4 \cdot 7H_2O$

硫酸マグネシウム水和物
（マグセント注/注シリンジ，マグネゾール静注）

経口避妊薬

低用量ピル

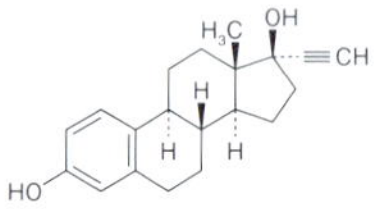

エチニルエストラジオール

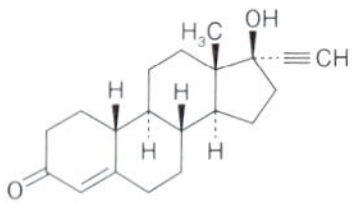

ノルエチステロン

エチニルエストラジオール
＋
ノルエチステロン
（シンフェーズ錠）

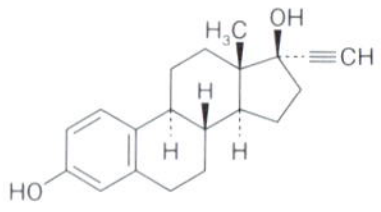

エチニルエストラジオール

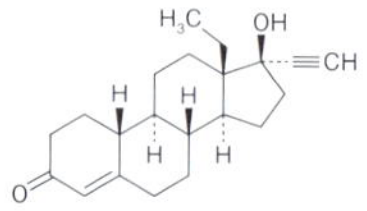

レボノルゲストレル

エチニルエストラジオール
＋
レボノルゲストレル
（トリキュラー錠，アンジュ錠，ラベルフィーユ錠）

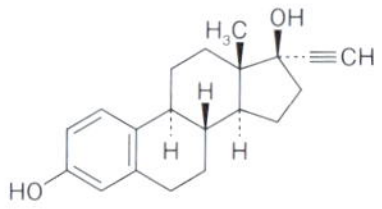

エチニルエストラジオール

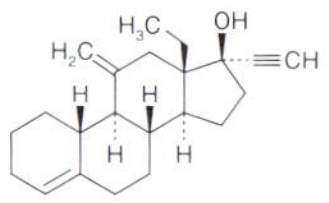

デソゲストレル

エチニルエストラジオール
＋
デソゲストレル
（マーベロン錠，ファボワール錠）

子宮疾患治療薬

GnRH誘導体

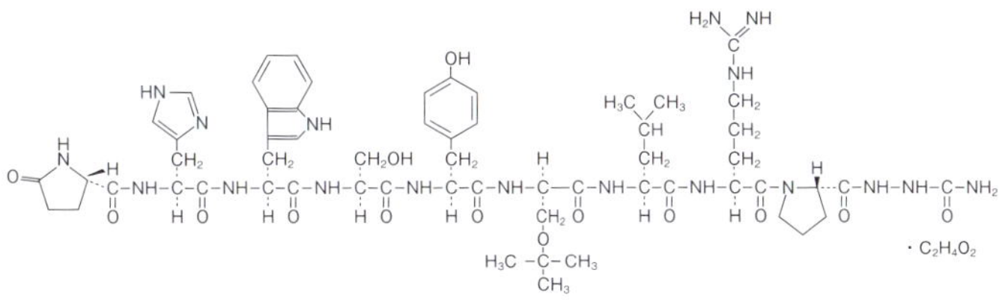

ゴセレリン酢酸塩
（ゾラデックスデポ）

H-5-oxo-Pro-His-Trp-Ser-Tyr-D-Ser(t-C₄H₉)-Leu-Arg-Pro-NHC₂H₅・CH₃COOH

ブセレリン酢酸塩
（スプレキュアMP皮下注、スプレキュア点鼻液）

pGlu-His-Trp-Ser-Tyr-D-Ala(C₁₀H₇)-Leu-Arg-Pro-Gly-NH₂・xCH₃COOH・yH₂O
（1≦x≦2, 2≦y≦8）

酢酸ナファレリン
（ナサニール点鼻液）

5-oxo-Pro-His-Trp-Ser-Tyr-D-Leu-Leu-Arg-Pro-NH-CH₂-CH₃・CH₃COOH

リュープロレリン酢酸塩
（リュープリン注/PRO注射用キット/SR注射用キット）

男性ホルモン誘導体

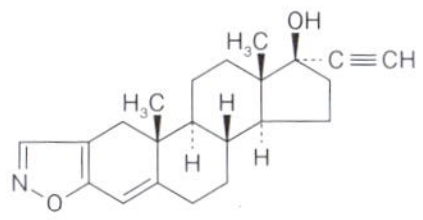

ダナゾール
（ボンゾール錠）

選択的プロゲステロン受容体刺激薬

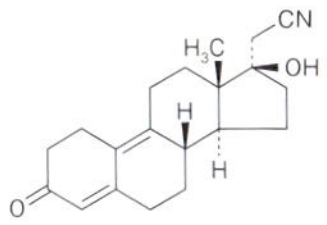

ジエノゲスト
（ディナゲスト錠/OD錠）

子宮頸管熟化促進薬

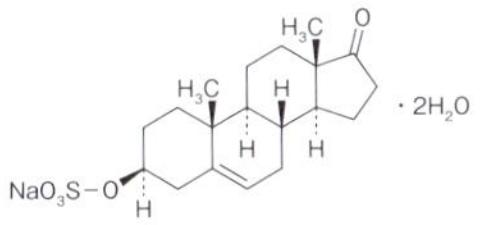

プラステロン硫酸エステルナトリウム水和物
（レボスパ静注）

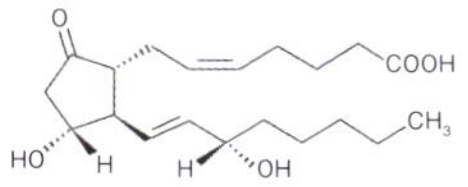

ジノプロストン
（プロウペス腟用）

性機能不全治療薬

GnRH拮抗薬

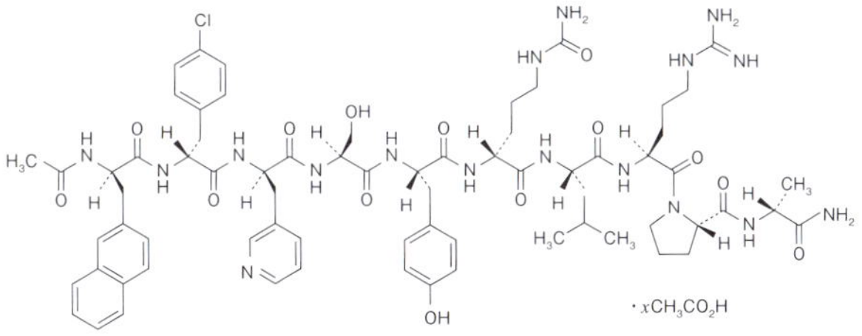

セトロレリクス酢酸塩
（セトロタイド注）

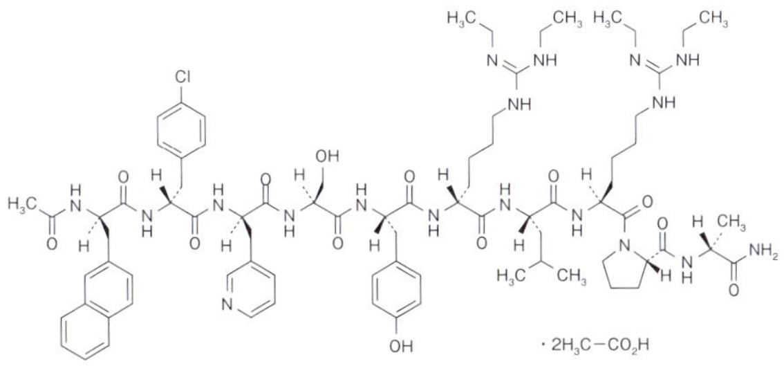

ガニレリクス酢酸塩
（ガニレスト皮下注）

性機能不全治療薬

卵胞ホルモン

☞薬物名及び構造は「ホルモン療法薬」（p100）参照

黄体ホルモン

☞薬物名及び構造は「ホルモン療法薬」（p101）参照

卵胞ホルモン ＋ 黄体ホルモン

☞薬物名及び構造は「ホルモン療法薬」（p100～101）参照

エストロゲン受容体拮抗薬

☞薬物名及び構造は「ホルモン療法薬」（p100）参照

男性ホルモン

☞薬物名及び構造は「ホルモン療法薬」（p101）参照

PDE V阻害薬

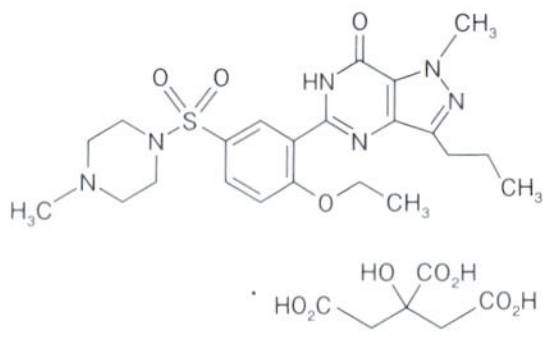

シルデナフィルクエン酸塩
（**バイアグラ**錠）

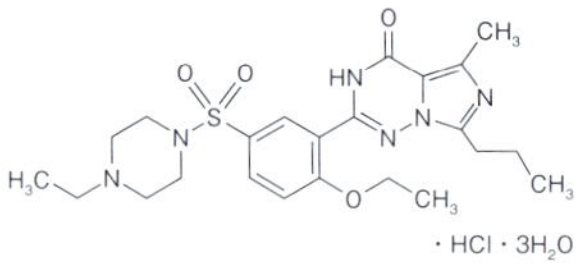

バルデナフィル塩酸塩水和物
（**レビトラ**錠）

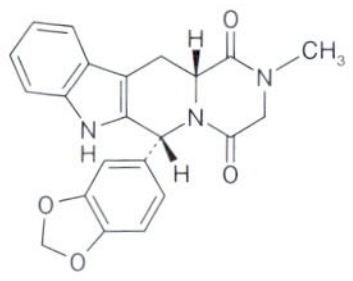

タダラフィル
（**シアリス**錠）

第14章　血液・造血器官系に作用する薬物

貧血・白血球減少症・血小板減少症/増多症治療薬 ☞本文 p364

貧血治療薬

鉄欠乏性貧血治療薬

経口

$FeSO_4 \cdot xH_2O$

硫酸鉄
（**フェロ・グラデュメット**錠）

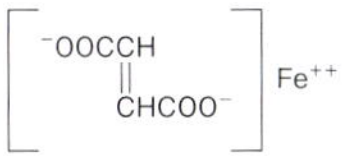

フマル酸第一鉄
（**フェルム**徐カ）

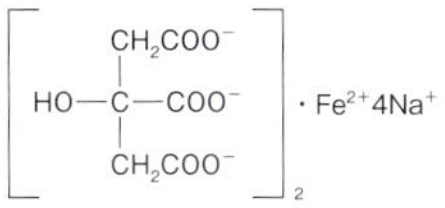

クエン酸第一鉄ナトリウム
（**フェロミア**錠/顆）

$C_6H_8O_7 \cdot {}_xFe \cdot {}_yH_2O$

クエン酸第二鉄水和物
（**リオナ**錠）

$Fe_4(P_2O_7)_3 \cdot 4Na_3C_6H_5O_7$

溶性ピロリン酸第二鉄
（**インクレミン**シ）

静注

$[Fe(OH)_3]_m[C_{12}H_{22}O_{11}]_n$

含糖酸化鉄
（**フェジン**静注）

$Fe_w([C_6H_{10}O_5]_aC_6H_{11}O_7)_x(OH)_yO_z \cdot nH_2O$

カルボキシマルトース第二鉄
（**フェインジェクト**静注）

巨赤芽球性貧血治療薬

ビタミンB_{12}

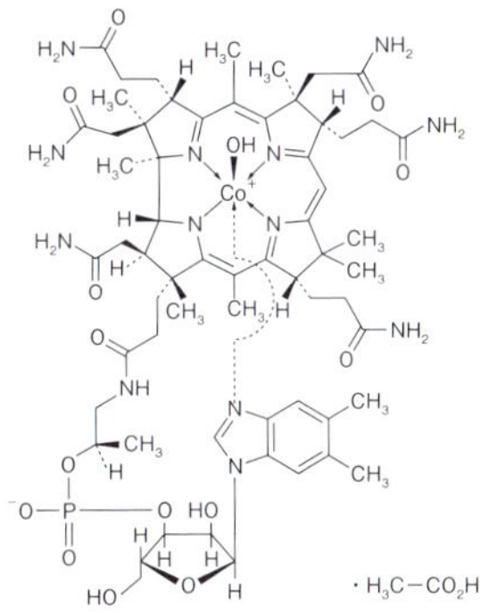

ヒドロキソコバラミン酢酸塩
（**フレスミンS**注）

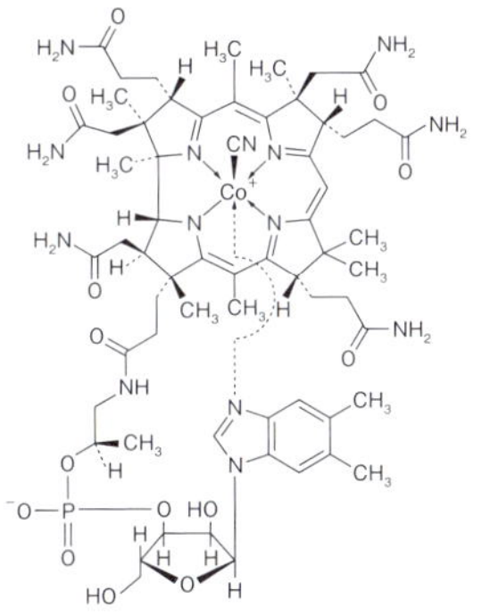

シアノコバラミン
（**シアノコバラミン**注）

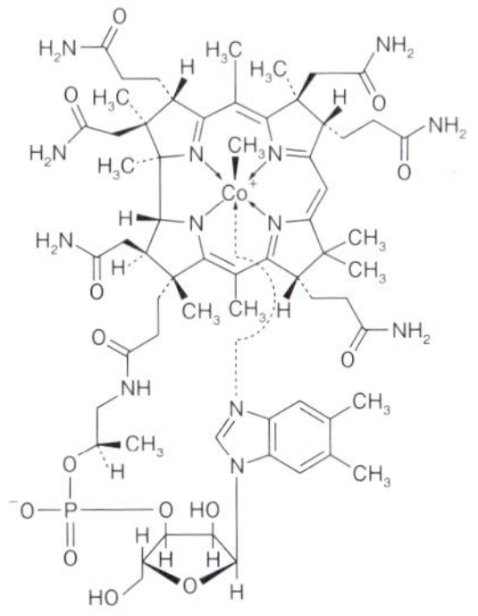

メコバラミン
（**メチコバール**錠/細/注）

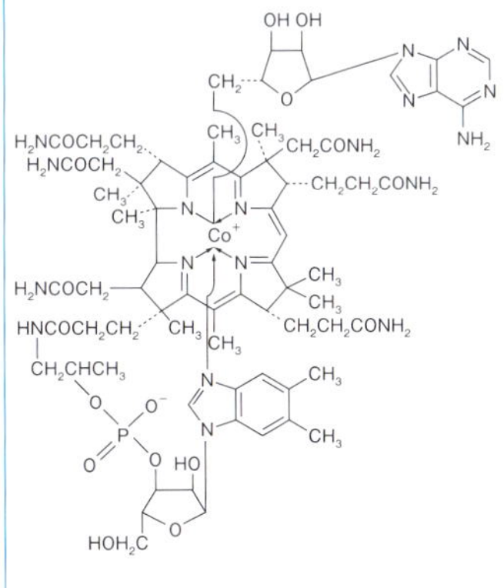

コバマミド
（**ハイコバール**カ）

葉酸

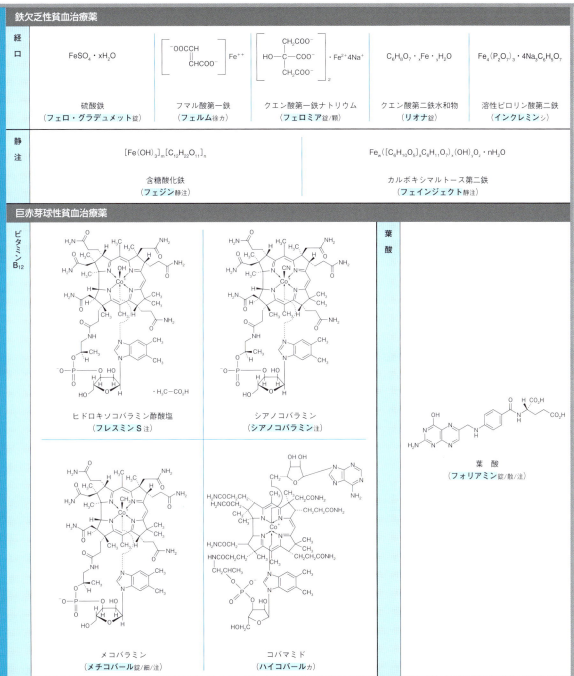

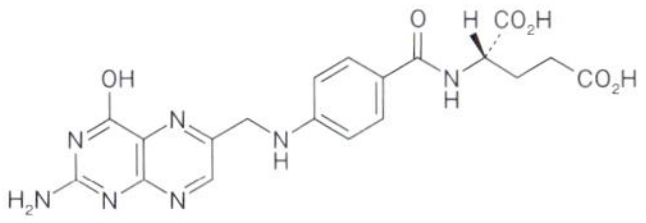

葉　酸
（**フォリアミン**錠/散/注）

貧血治療薬

腎性貧血治療薬

HIF-PH阻害薬

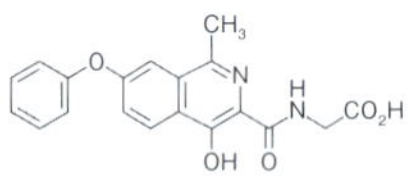

ロキサデュスタット
（**エベレンゾ**錠）

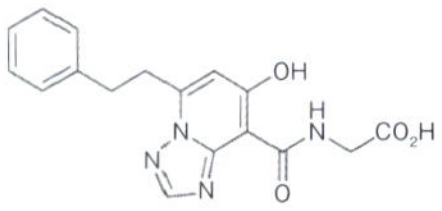

エナロデュスタット
（**エナロイ**錠）

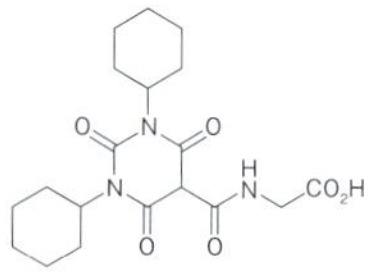

ダプロデュスタット
（**ダーブロック**錠）

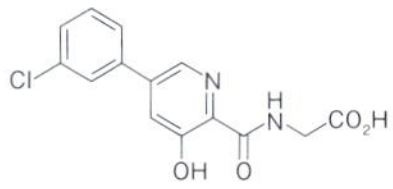

バダデュスタット
（**バフセオ**錠）

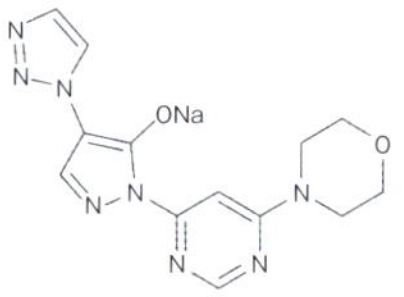

モリデュスタット
（**マスーレッド**錠）

鉄芽球性貧血治療薬

ビタミンB_6

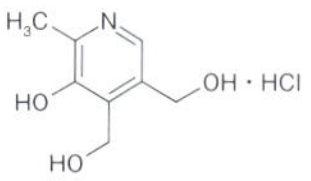

ピリドキシン塩酸塩
（**ビーシックス**注，**ビタミンB_6**散/錠）

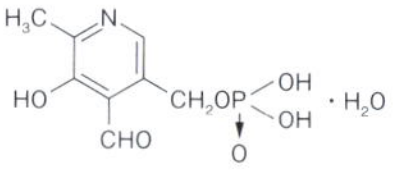

ピリドキサールリン酸エステル水和物
（**ピドキサール**錠/注）

白血球減少症治療薬

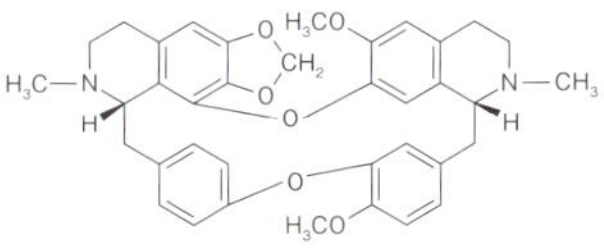

セファランチン
（**セファランチン**錠/末/注）

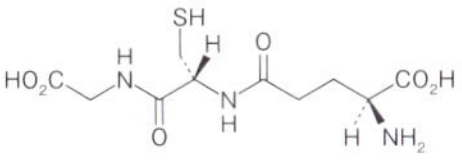

グルタチオン
（**タチオン**注）

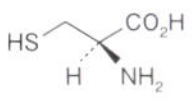

L-システイン
（**ハイチオール**錠/散）

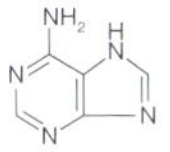

アデニン
（**ロイコン**錠/注）

血小板減少症治療薬

トロンボポエチン受容体作動薬

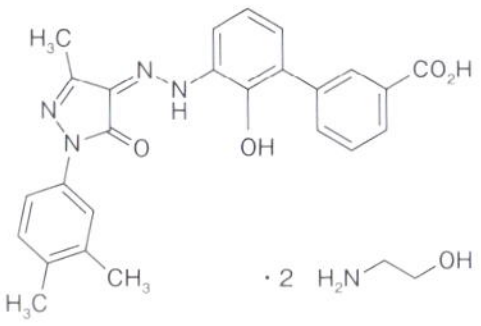

エルトロンボパグオラミン
（**レボレード**錠）

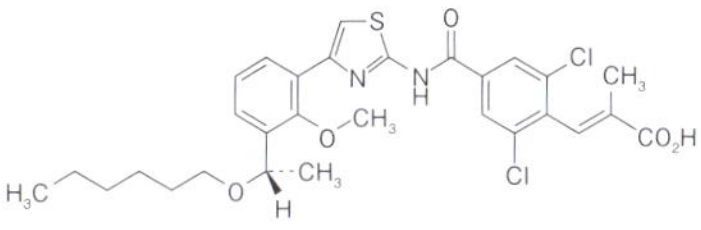

ルストロンボパグ
（**ムルプレタ**錠）

血小板増多症治療薬

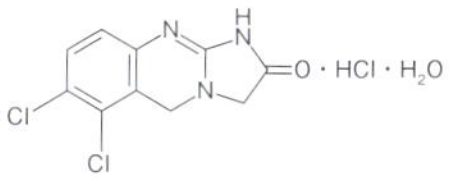

アナグレリド塩酸塩水和物
（**アグリリン**カ）

止 血 薬 ☞本文 p379

血液凝固促進薬

ビタミンK製剤

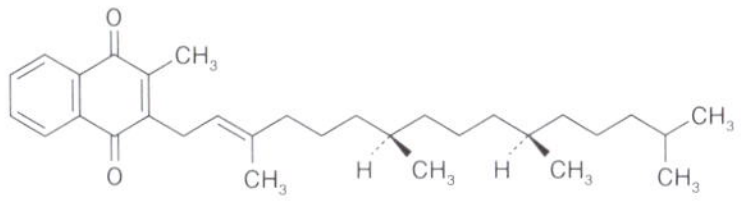

フィトナジオン
（**カチーフN**錠/散，**ケーワン**錠，**ビタミンK1**注）

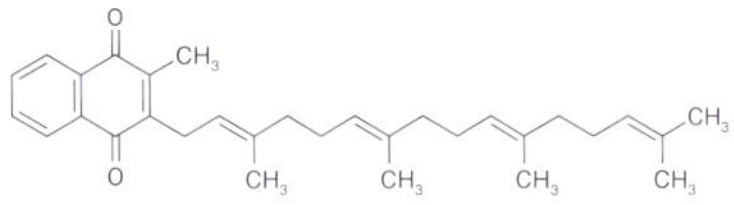

メナテトレノン
（**ケイツーN**静注/カ/シ，**グラケー**カ）

抗線溶薬（抗プラスミン薬）

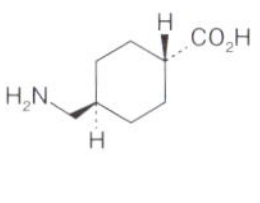

トラネキサム酸
（**トランサミン**錠/カ/散/シ/注）

血管強化薬

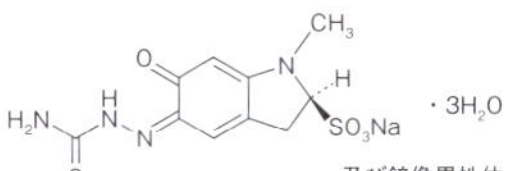

及び鏡像異性体

カルバゾクロムスルホン酸ナトリウム
水和物
（**アドナ**錠/散/注）

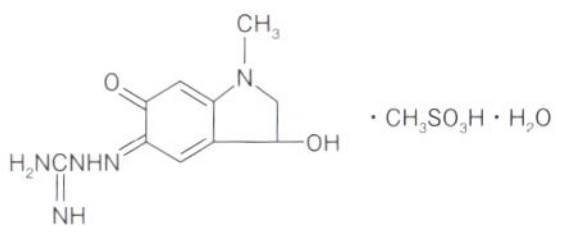

アドレノクロムモノアミノグアニジン
メシル酸塩水和物
（**S・アドクノン**錠）

局所止血薬

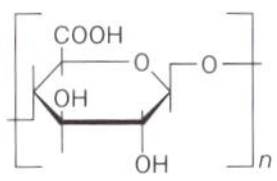

酸化セルロース
（**サージセル・アブソーバブル・ヘモスタット**
綿型シート/ガーゼ型/ニューニット）

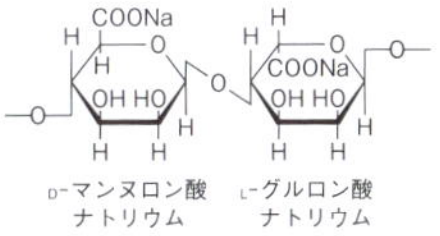

〈一部の推定構造〉

アルギン酸ナトリウム
（**アルト**原末）

硬化療法薬

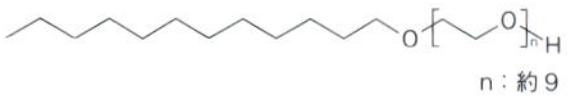

ポリドカノール
（**エトキシスクレロール**注，
ポリドカスクレロール注）

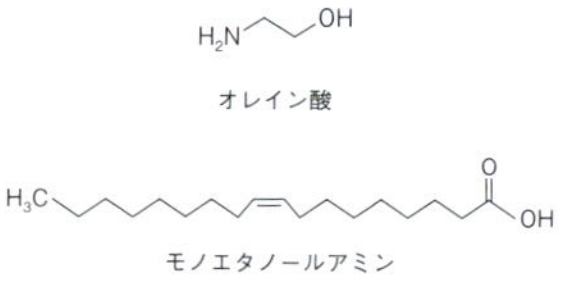

モノエタノールアミンオレイン酸塩
（**オルダミン**注）

血液凝固抑制薬（抗血小板薬，抗凝血薬）と血栓溶解薬

☞本文 p382

抗血小板薬

血小板カルシウム動態抑制薬

セロトニン5-HT2受容体拮抗薬

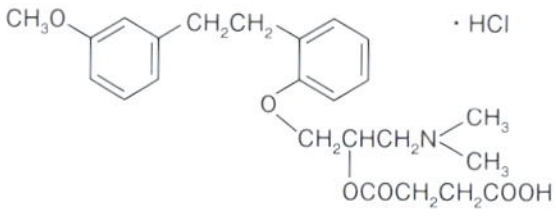

サルポグレラート塩酸塩
（**アンプラーグ**錠/細）

TXA2産生阻害薬

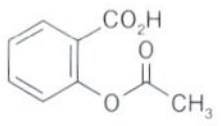

COX 阻害薬

アスピリン
（**バファリン**配合錠 A81 錠，
バイアスピリン腸溶錠）

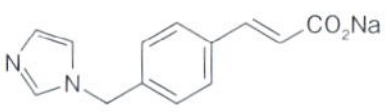

トロンボキサン合成酵素阻害薬

オザグレルナトリウム
（**カタクロット**注，**キサンボン**注，
キサンボン S 注，**オキリコン**注シリンジ）

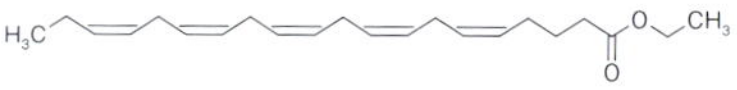

アラキドン酸代謝拮抗薬

イコサペント酸エチル
（**エパデール**カ/S カ，**イコサペント酸エチル**顆粒状カ）

血小板 cAMP 増加薬

PGE1製剤・誘導体

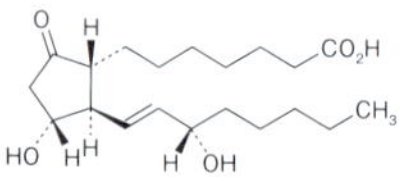

アルプロスタジル
（**パルクス**注/ディスポ，**リプル**注/キット）

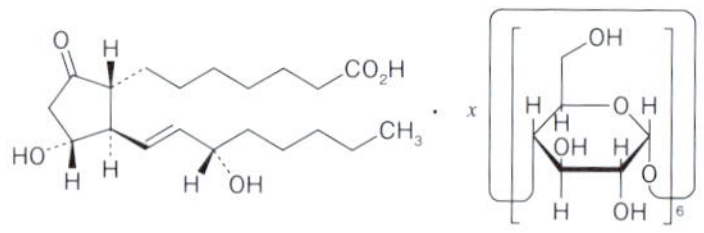

アルプロスタジル アルファデクス
（**プロスタンディン**点滴静注用）

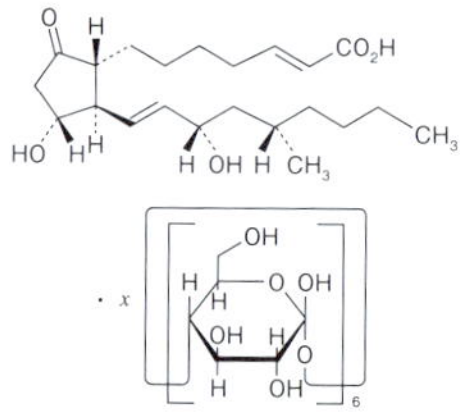

リマプロストアルファデクス
（**オパルモン**錠，**プロレナール**錠）

PGI2製剤・誘導体

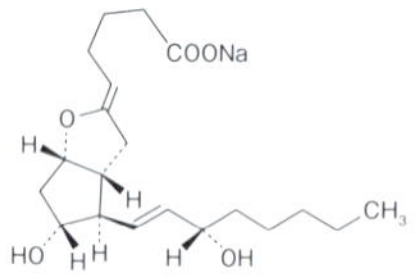

エポプロステノールナトリウム
（**フローラン**静注用）

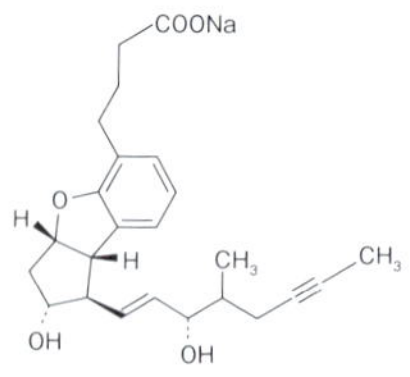

ベラプロストナトリウム
（**ドルナー**錠，**プロサイリン**錠，
ケアロード LA 錠，**ベラサス** LA 錠）

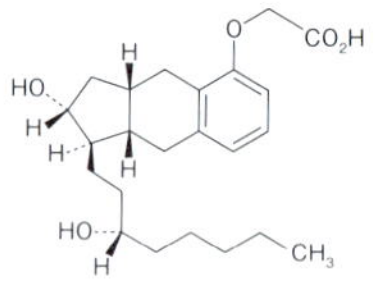

トレプロスチニル
（**トレプロスト**注）

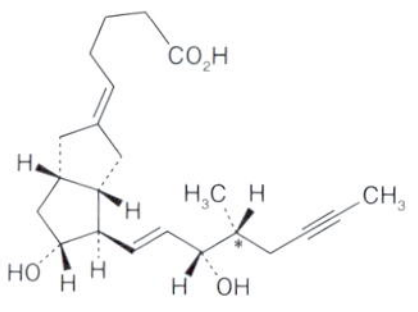

及びC*位エピマー

イロプロスト
（**ベンテイビス**吸入液）

選択的IP受容体作動薬

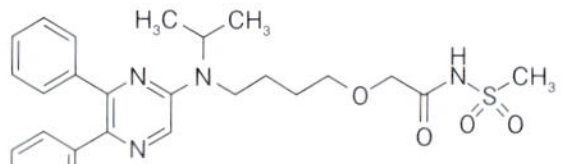

セレキシパグ
（**ウプトラビ**錠）

アデノシン増強薬

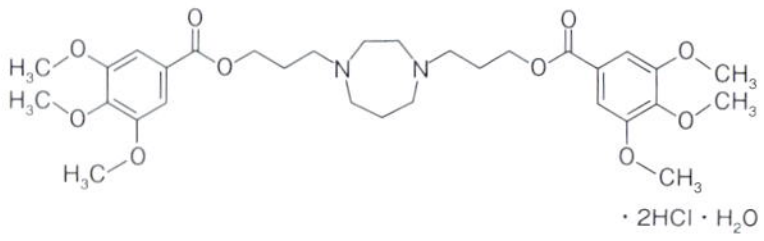

ジラゼプ塩酸塩水和物
（**コメリアン**錠）

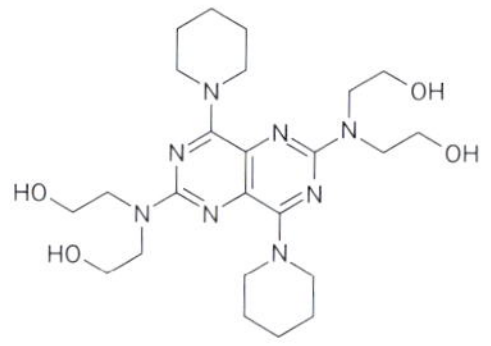

ジピリダモール
（**ペルサンチン**錠/静注，**ジピリダモール**静注）

抗血小板薬

ADP拮抗薬

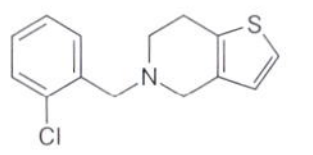

チクロピジン塩酸塩
（**パナルジン**錠/細）

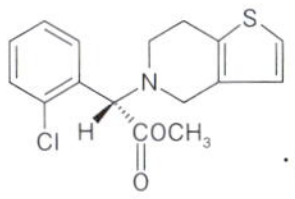

クロピドグレル硫酸塩
（**プラビックス**錠）

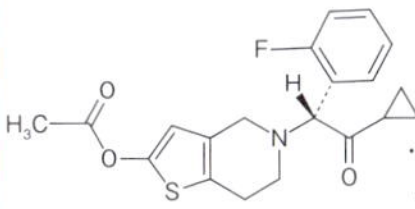

プラスグレル塩酸塩
（**エフィエント**錠）

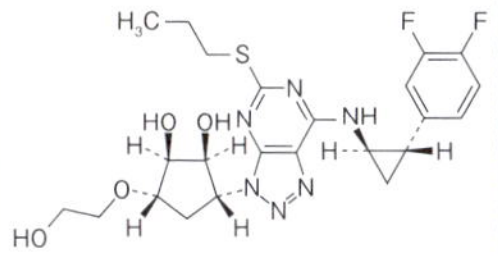

チカグレロル
（**ブリリンタ**錠）

ホスホジエステラーゼⅢ〈PDEⅢ〉阻害薬

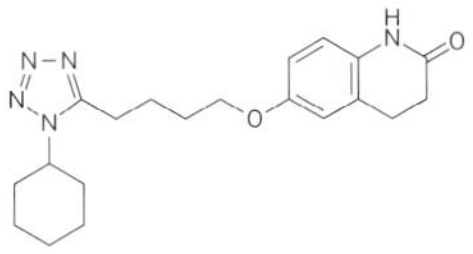

シロスタゾール
（**プレタール** OD 錠/散，
シロスレット内服ゼリー）

抗凝血薬

ヘパリン

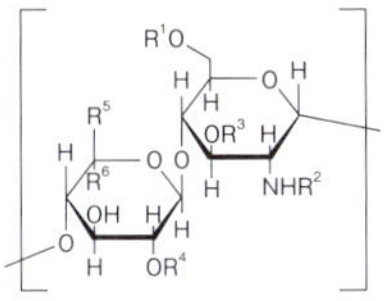

ヘパリンカルシウム
（**ヘパリン Ca** 皮下注/注，**ヘパリンカルシウム**注）

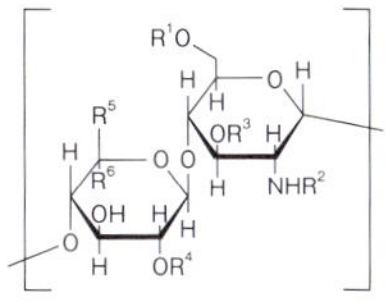

ヘパリンナトリウム
（**ヘパリンナトリウム**注，**ヘパリン Na ロック用**シリンジ注，
ヘパフラッシュシリンジ注）

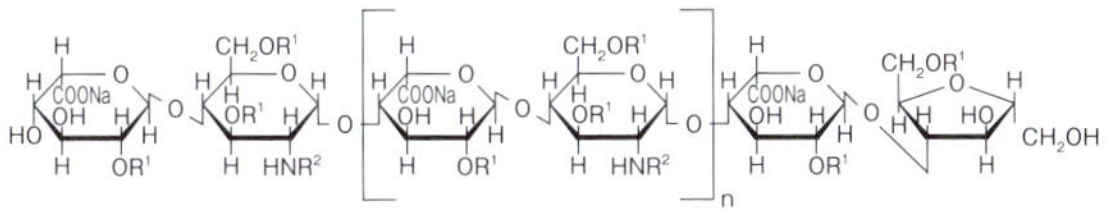

R^1=H or SO_3Na
R^2=$COCH_3$ or SO_3Na
n=2～19

ダルテパリンナトリウム
（**フラグミン**静注）

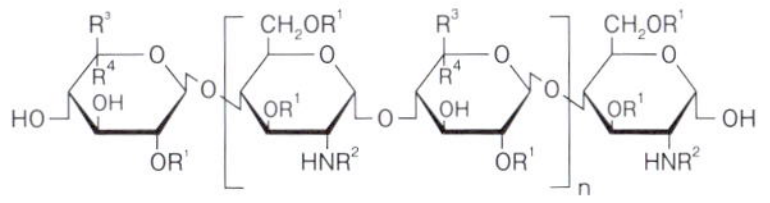

R^1=SO_3Na or H
R^2=SO_3Na or $COCH_3$
(R^3=H, R^4=COONa) or (R^3=COONa, R^4=H)
n=3～20

パルナパリンナトリウム
（**ローヘパ**バイアル注/シリンジ注）

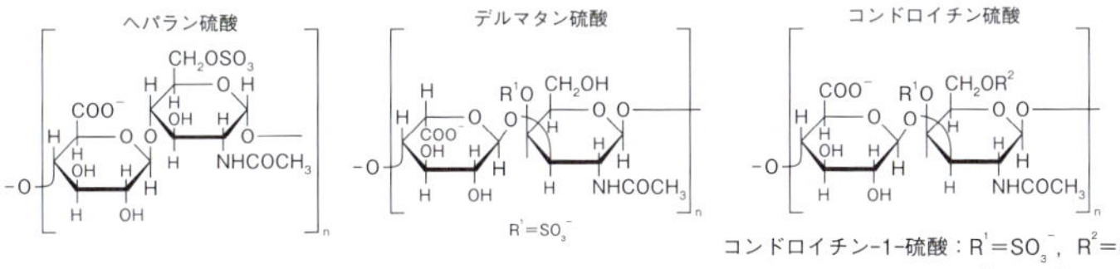

コンドロイチン-1-硫酸：R^1=SO_3^-，R^2=H
コンドロイチン-6-硫酸：R^1=H，R^2=SO_3^-

ダナパロイドナトリウム
（**オルガラン**静注）

血液・造血器官系に作用する薬物

抗凝血薬

R¹, R³, R⁴=SO₃Na 又は H
R²=SO₃Na 又は COCH₃
R⁵=CO₂Na, R⁶=H 又は R⁵=H, R⁶=CO₂Na
R⁷=H, R⁸=OH 又は R⁷=OH, R⁸=H
R⁹=H, R¹⁰=NHSO₃Na 又は R⁹=NHSO₃Na, R¹⁰=H

n=0〜20

エノキサパリンナトリウム
（**クレキサン**皮下注キット）

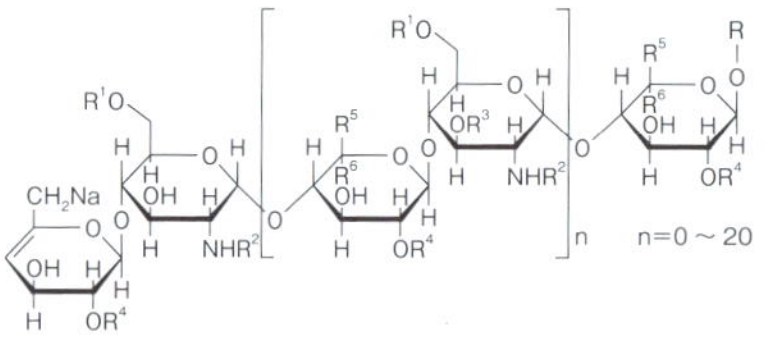

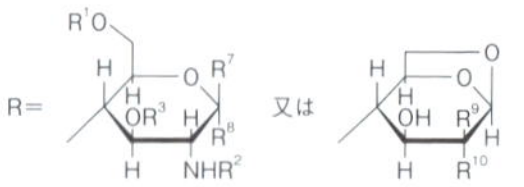

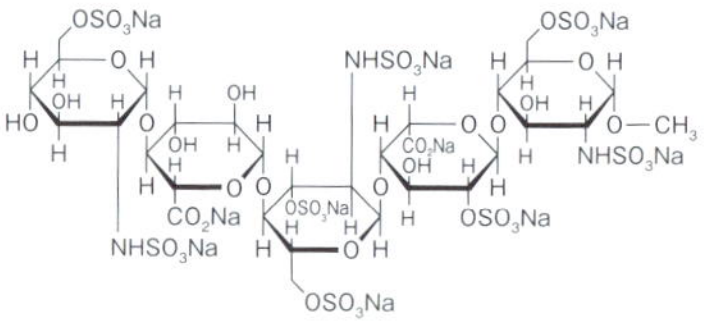

フォンダパリヌクスナトリウム
（**アリクストラ**皮下注）

ワルファリン

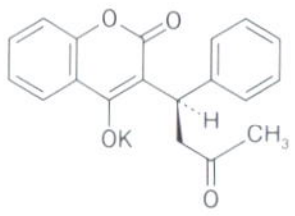

及び鏡像異性体

ワルファリンカリウム
（**ワーファリン**錠）

可逆的経口直接トロンビン阻害薬

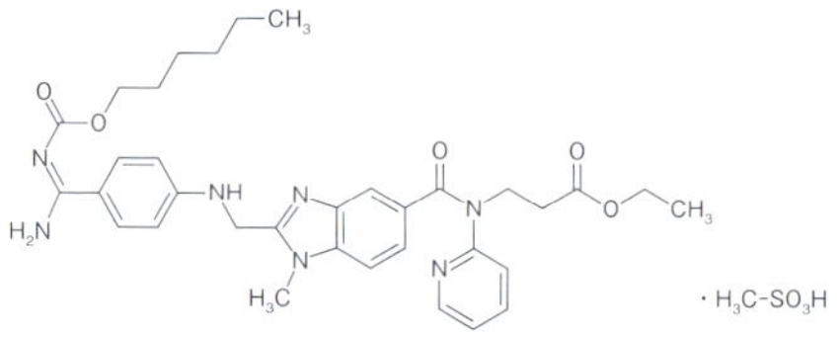

ダビガトランエテキシラートメタンスルホン酸塩
（**プラザキサ**カ）

経口 Xa 因子阻害薬

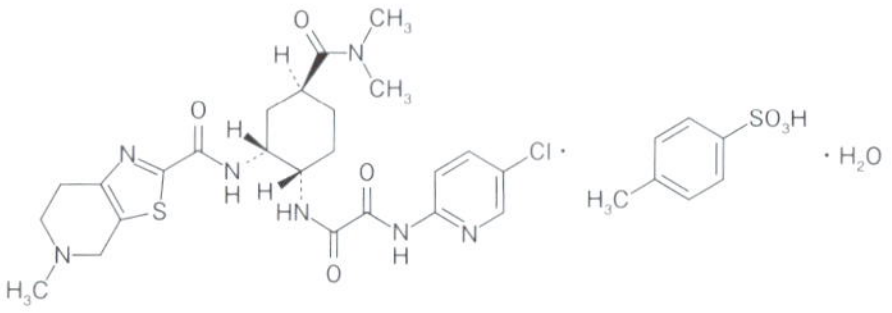

エドキサバントシル酸塩水和物
（**リクシアナ**錠/OD 錠）

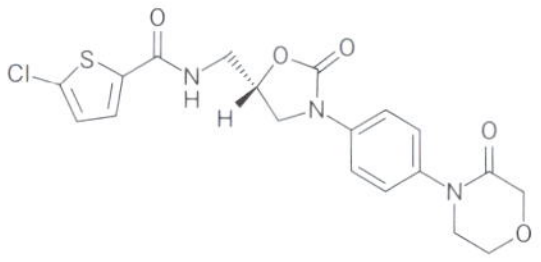

リバーロキサバン
（**イグザレルト**錠/細）

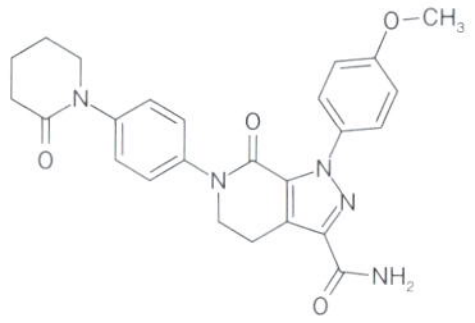

アピキサバン
（**エリキュース**錠）

その他

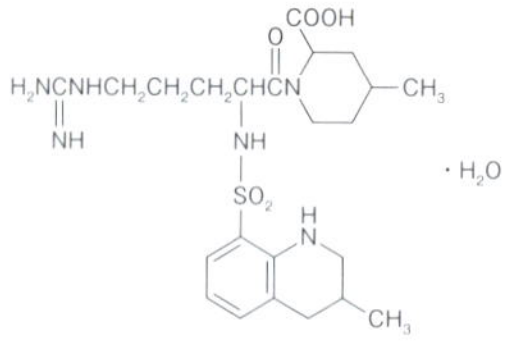

アルガトロバン水和物
（**スロンノン**HI 注，**ノバスタン**HI 注）

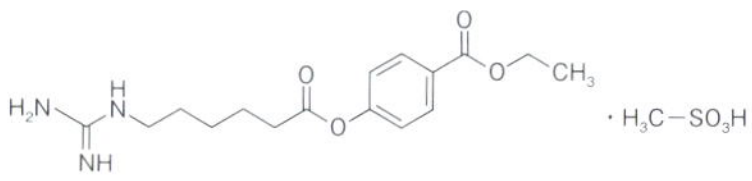

ガベキサートメシル酸塩
（**エフオーワイ**注）

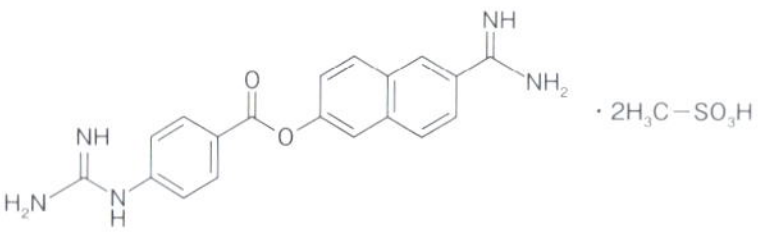

ナファモスタットメシル酸塩
（**フサン**注）

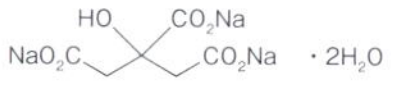

クエン酸ナトリウム水和物
（**チトラミン**輸血用液）

第15章　感覚器に作用する薬物

眼に作用する薬物 ☞本文 p398

☞本文 p398

緑内障治療薬

ムスカリン受容体刺激薬

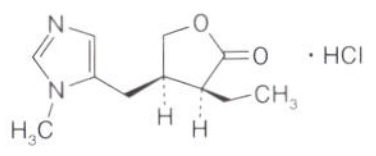

ピロカルピン塩酸塩
（**サンピロ**点眼液）

コリンエステラーゼ阻害薬

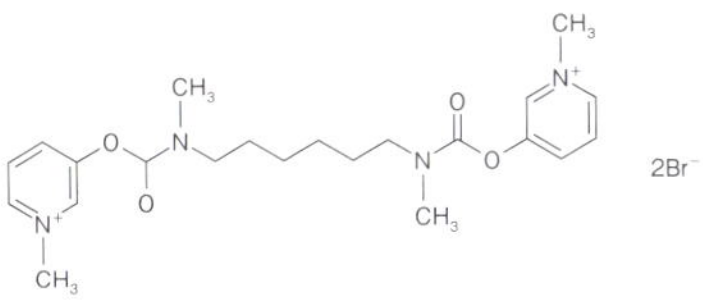

ジスチグミン臭化物
（**ウブレチド**点眼液）

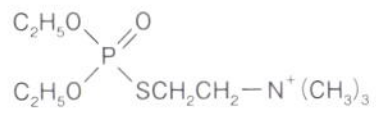

エコチオパート

Rho キナーゼ阻害薬

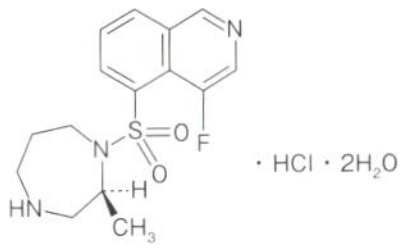

リパスジル塩酸塩水和物
（**グラナテック**点眼液）

$PGF_{2\alpha}$ 誘導体

BKチャネル活性化薬

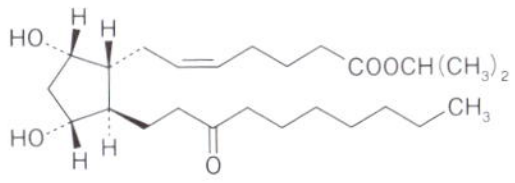

イソプロピルウノプロストン
（**レスキュラ**点眼液）

$PGF_{2\alpha}$ 受容体刺激薬

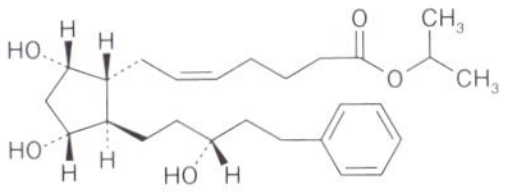

ラタノプロスト
（**キサラタン**点眼液）

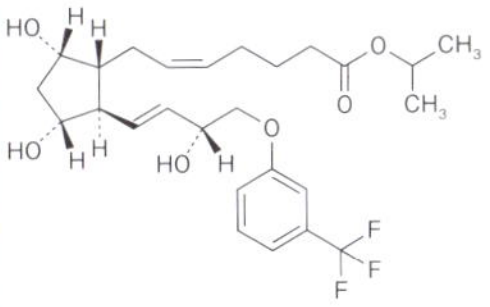

トラボプロスト
（**トラバタンズ**点眼液）

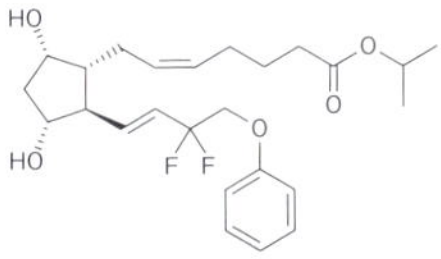

タフルプロスト
（**タプロス**点眼液/ミニ点眼液）

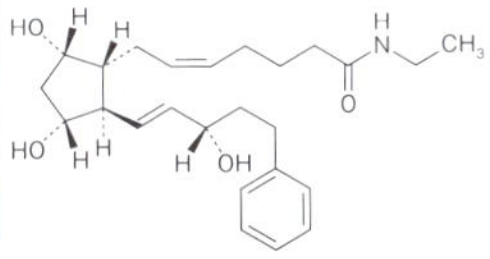

ビマトプロスト
（**ルミガン**点眼液）

EP_2 受容体刺激薬

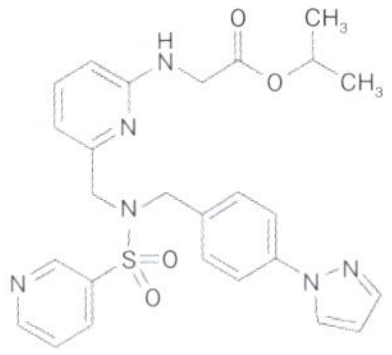

オミデネパグイソプロピル
（**エイベリス**点眼液）

α_1 受容体遮断薬

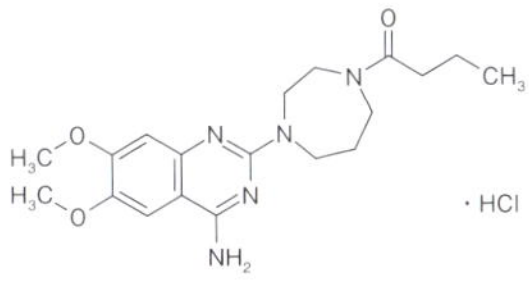

ブナゾシン塩酸塩
（**デタントール**点眼液）

血漿浸透圧上昇薬

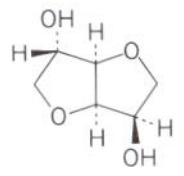

イソソルビド
（**イソバイド**シ,
メニレットゼリー）

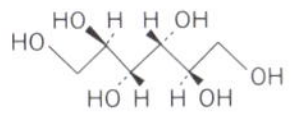

D-マンニトール
（**マンニットール**注,
マンニットT注）

CH₂–OH
|
CH –OH
|
CH₂–OH

グリセリン
（果糖，NaCl との合剤：
グリセオール注）

α_2 受容体刺激薬

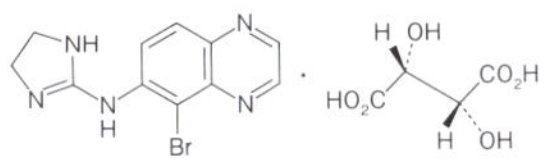

ブリモニジン酒石酸塩
（**アイファガン**点眼液）

α・β 受容体遮断薬

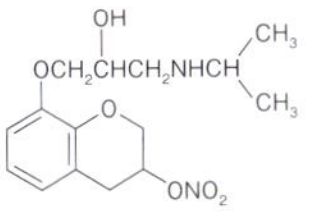

ニプラジロール
（**ニプラノール**点眼液，**ハイパジール**点眼液）

緑内障治療薬

β受容体遮断薬

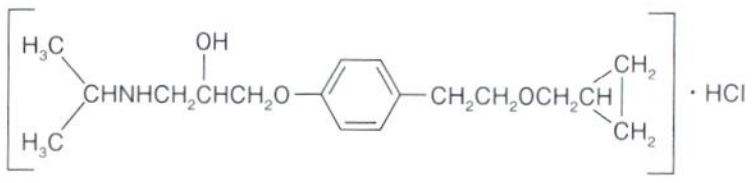

ベタキソロール塩酸塩
（**ベトプティック**点眼液/エス懸濁性点眼液）

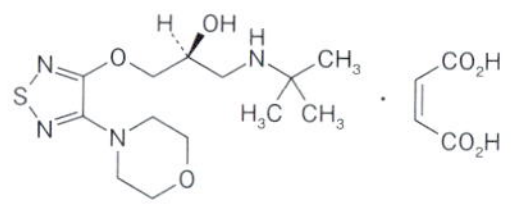

チモロールマレイン酸塩
（**チモプトール**点眼液/XE 点眼液）

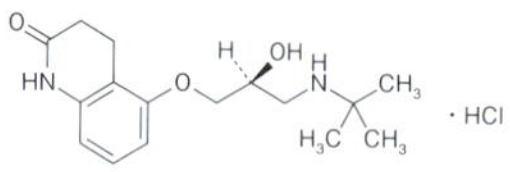

及び鏡像異性体

カルテオロール塩酸塩
（**ミケラン**点眼液/LA 点眼液）

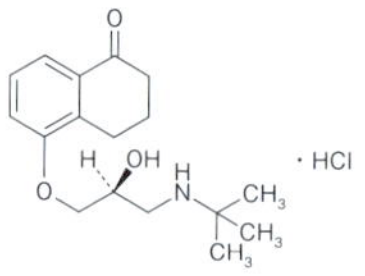

レボブノロール塩酸塩
（**レボブノロール塩酸塩**点眼液/PF 点眼液）

炭酸脱水酵素阻害薬

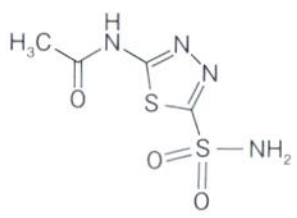

アセタゾラミド
（**ダイアモックス**錠/末/注）

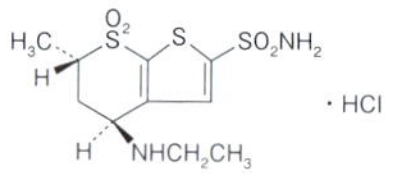

ドルゾラミド塩酸塩
（**トルソプト**点眼液）

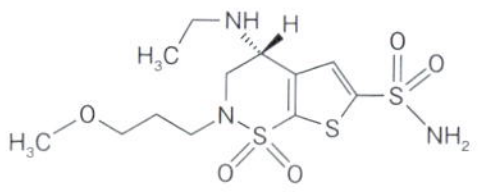

ブリンゾラミド
（**エイゾプト**点眼液）

アドレナリンプロドラッグ

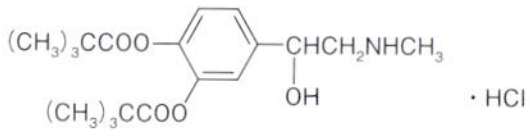

ジピベフリン塩酸塩
（**ピバレフリン**点眼液）

白内障治療薬

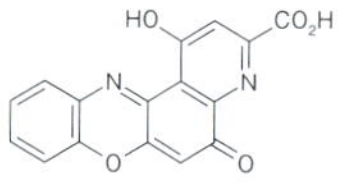

ピレノキシン
（**カタリン**点眼用（錠）/K 点眼用（顆），
ピレノキシン懸濁性点眼液）

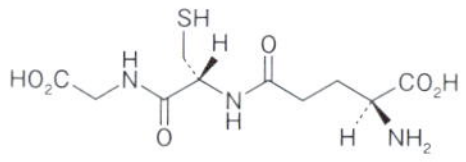

グルタチオン
（**タチオン**点眼用液）

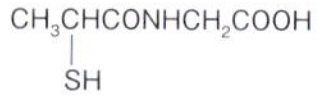

チオプロニン
（**チオラ**錠）

アレルギー性結膜炎治療薬

抗アレルギー薬

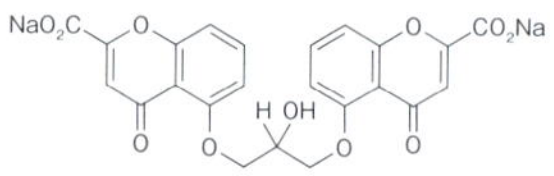

クロモグリク酸ナトリウム
（**インタール**点眼液）

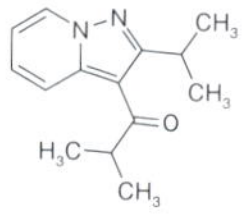

イブジラスト
（**ケタス**点眼液）

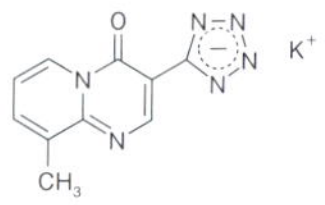

ペミロラストカリウム
（**アレギサール**点眼液，**ペミラストン**点眼液）

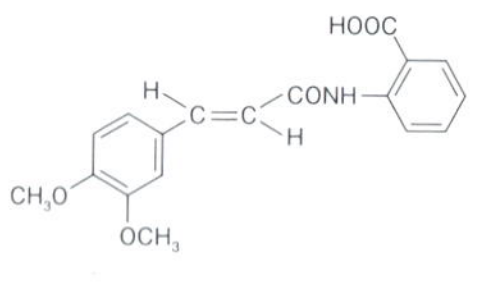

トラニラスト
（**リザベン**点眼液，**トラメラス**点眼液/PF 点眼液）

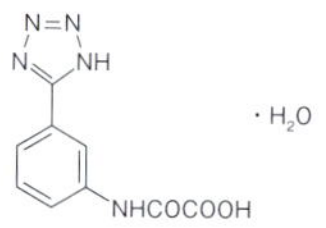

アシタザノラスト水和物
（**ゼペリン**点眼液）

抗アレルギー性抗ヒスタミン薬

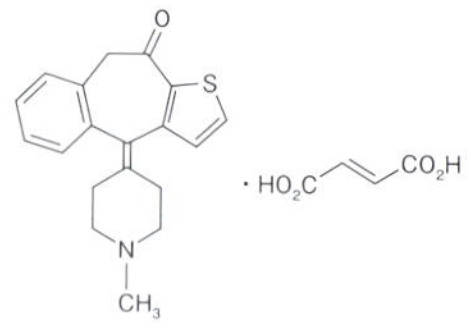

ケトチフェンフマル酸塩
（**ザジテン**点眼液）

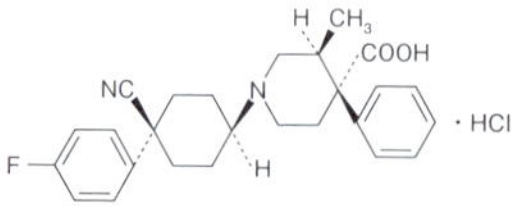

レボカバスチン塩酸塩
（**リボスチン**点眼液）

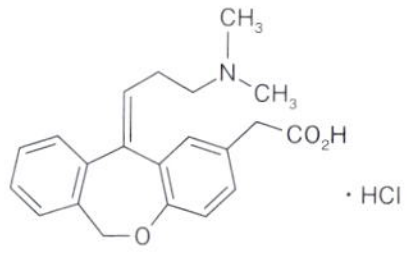

オロパタジン塩酸塩
（**パタノール**点眼液）

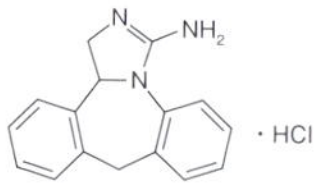

エピナスチン塩酸塩
（**アレジオン**点眼液/LX 点眼液）

アレルギー性結膜炎治療薬

ステロイド性抗炎症薬

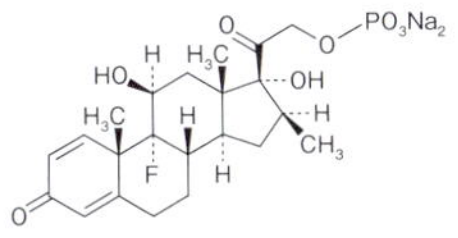

ベタメタゾンリン酸エステルナトリウム
（リンデロン点眼・点耳・点鼻液, サンベタゾン眼耳鼻科用液, リノロサール眼耳鼻科用液）

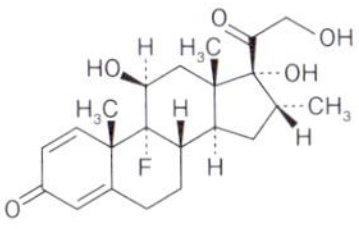

デキサメタゾン
（サンテゾーン眼軟膏）

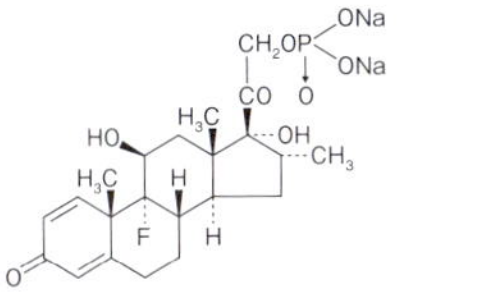

デキサメタゾンリン酸エステルナトリウム
（オルガドロン点眼・点耳・点鼻液）

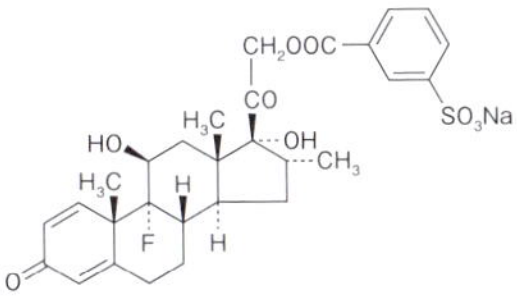

デキサメタゾンメタスルホ安息香酸エステルナトリウム
（サンテゾーン点眼液）

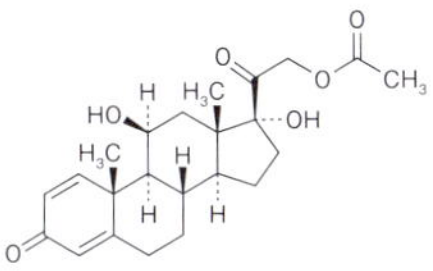

プレドニゾロン酢酸エステル
（プレドニン眼軟膏）

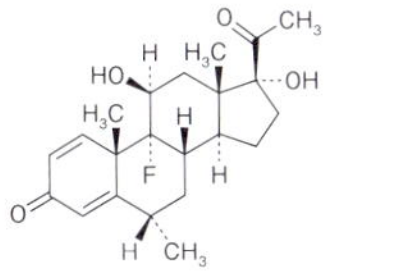

フルオロメトロン
（オドメール点眼液, フルメトロン点眼液）

非ステロイド性抗炎症薬

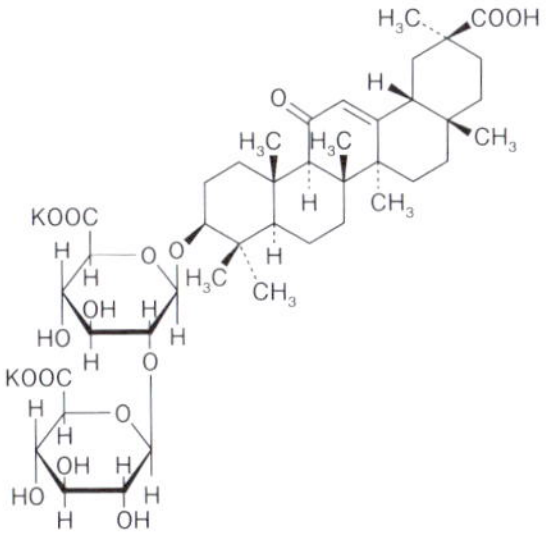

グリチルリチン酸二カリウム
（ノイボルミチン点眼液）

リゾチーム塩酸塩
（ムコゾーム点眼液）

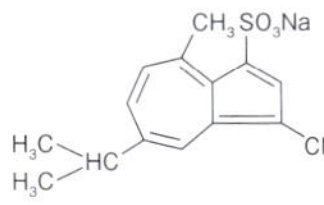

アズレンスルホン酸ナトリウム水和物
（アズラビン点眼液, アズレン点眼液, AZ点眼液）

免疫抑制薬

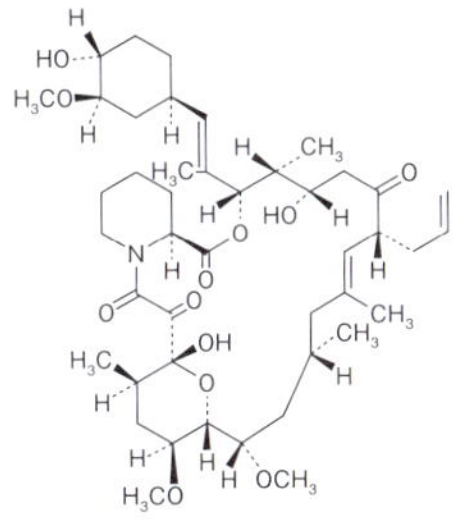

タクロリムス水和物
（タリムス点眼液）

シクロスポリン
（パピロックミニ点眼液）

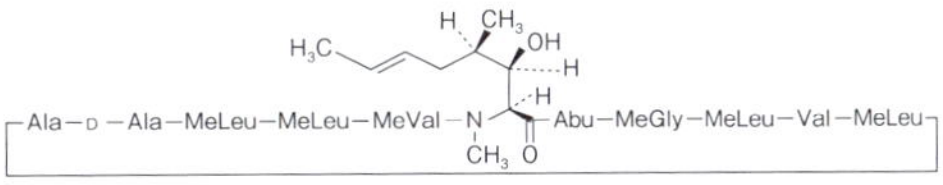

Abu＝(2S)-2-アミノ酪酸
MeGly＝N-メチルグリシン
MeLeu＝N-メチルロイシン
MeVal＝N-メチルバリン

瞳孔調節薬

散瞳薬

アトロピン塩酸塩水和物
（日点アトロピン点眼液, リュウアト眼軟膏）

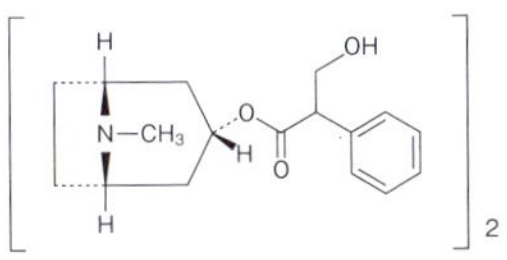

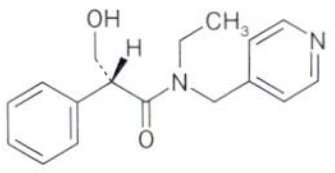

トロピカミド
（ミドリンM点眼液）

シクロペントラート塩酸塩
（サイプレジン点眼液）

フェニレフリン塩酸塩
（ネオシネジンコーワ点眼液）

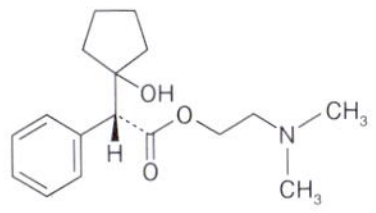

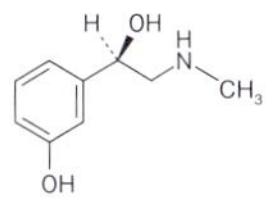

瞳孔調節薬

縮瞳薬

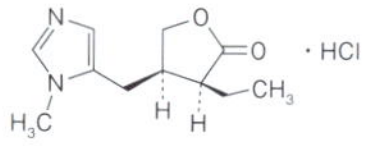

ピロカルピン塩酸塩
(**サンピロ**点眼液)

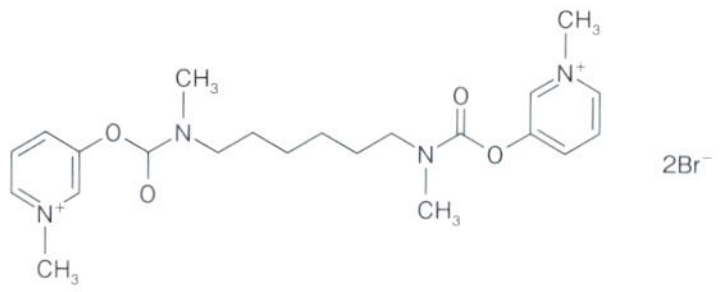

ジスチグミン臭化物
(**ウブレチド**点眼液)

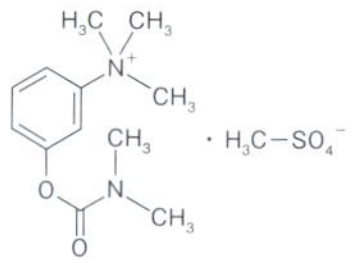

ネオスチグミンメチル硫酸塩
ネオスチグミンメチル硫酸塩・無機塩類配合剤液
(**ミオピン**点眼液)

抗病原微生物薬

抗生物質

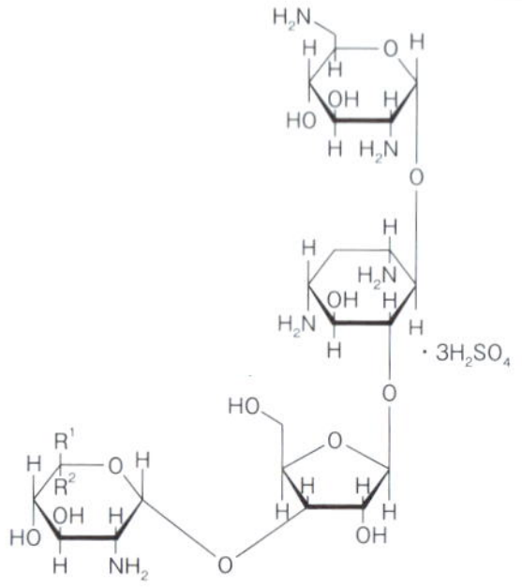

フラジオマイシン B：R¹=H　R²=CH₂NH₂
フラジオマイシン C：R¹=CH₂NH₂　R²=H
フラジオマイシン硫酸塩
（ベタメタゾンとの合剤：
リンデロン A点眼・点鼻液/眼・耳科用軟膏,
メチルプレドニゾロンとの合剤：
ネオメドロール EE軟）

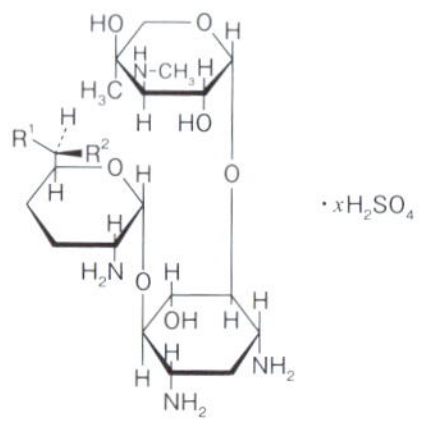

ゲンタマイシン C₁硫酸塩　：R¹=CH₃　R²=NHCH₃
ゲンタマイシン C₂硫酸塩　：R¹=CH₃　R²=NH₂
ゲンタマイシン C₁ₐ硫酸塩：R¹=H　R²=NH₂
ゲンタマイシン硫酸塩
(**ゲンタマイシン**点眼薬)

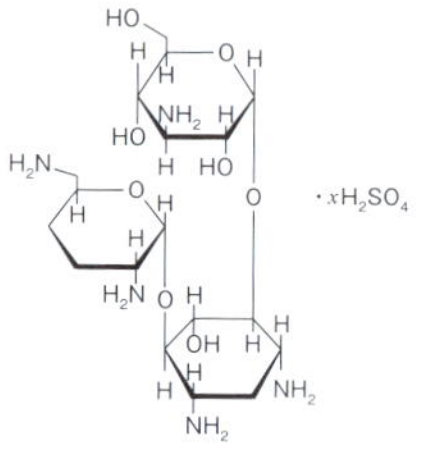

ジベカシン硫酸塩
(**パニマイシン**点眼液)

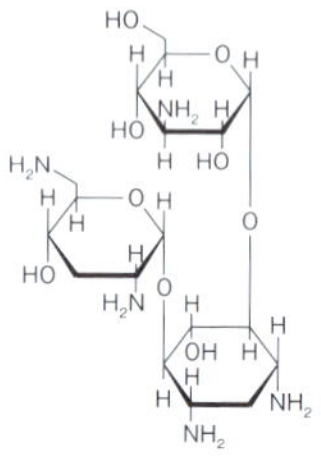

トブラマイシン
(**トブラシン**点眼液)

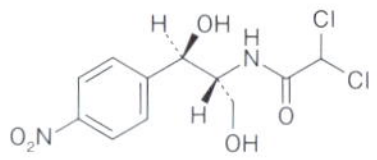

クロラムフェニコール
(**クロラムフェニコール**点眼液)

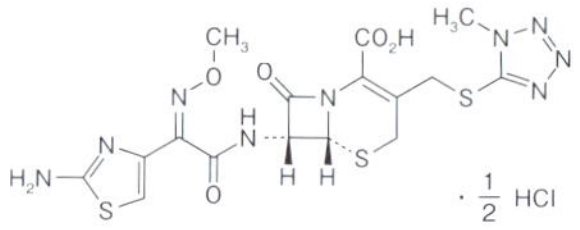

セフメノキシム塩酸塩
(**ベストロン**点眼液)

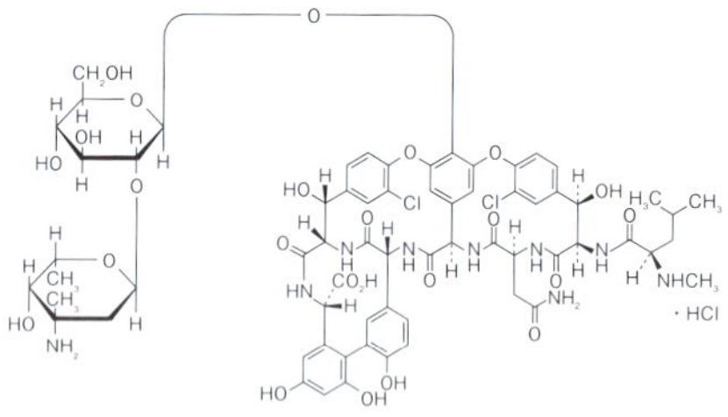

バンコマイシン塩酸塩
(**バンコマイシン**眼軟膏)

R—Dbu—Thr—Dbu—Dbu—D-Leu—Leu—Dbu—Dbu—Thr
　　N'—R'　　N'—R'　N'—R'　　　　　　　N'—R'　N'—R'

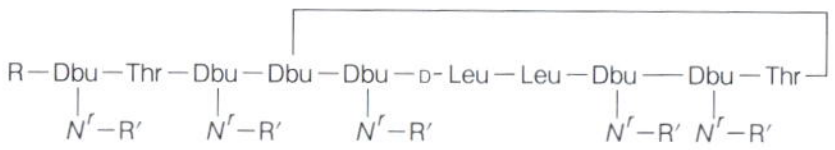

コリスチン A メタンスルホン酸ナトリウム：R=6-メチルオクタン酸
　Dbu=L-α,γ-ジアミノ酪酸
　R'=　　　SO₃Na

コリスチン B メタンスルホン酸ナトリウム：R=6-メチルヘプタン酸
　Dbu=L-α,γ-ジアミノ酪酸
　R'=　　　SO₃Na

コリスチンメタンスルホン酸ナトリウム
（クロラムフェニコールとの合剤：**オフサロン**点眼液,
エリスロマイシンとの合剤：**エコリシン**眼軟膏）

抗病原微生物薬

抗菌薬

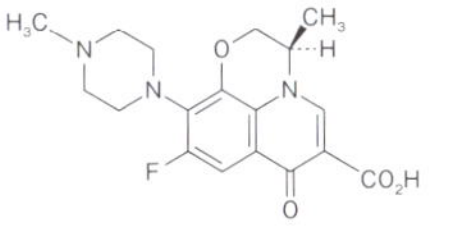

及び鏡像異性体

オフロキサシン
（**タリビッド**点眼液/眼軟膏）

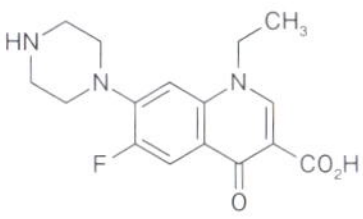

ノルフロキサシン
（**ノフロ**点眼液，
バクシダール点眼液）

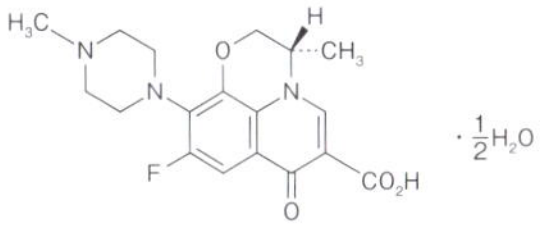

レボフロキサシン水和物
（**クラビット**点眼液）

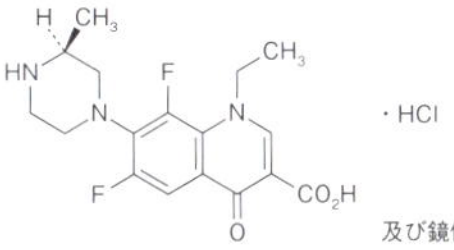

及び鏡像異性体

ロメフロキサシン塩酸塩
（**ロメフロン**点眼液/ミニムス眼科耳科用液）

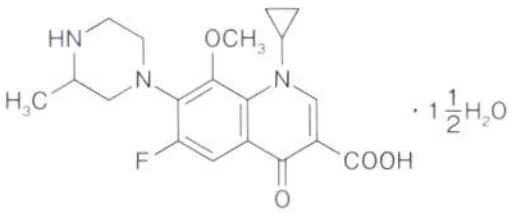

ガチフロキサシン水和物
（**ガチフロ**点眼液）

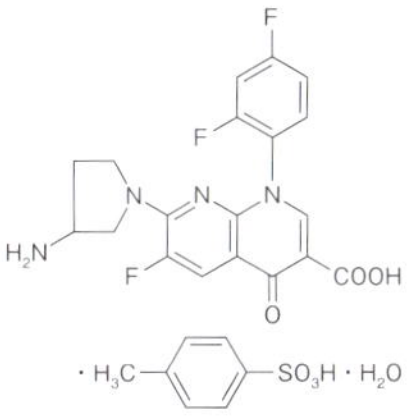

トスフロキサシントシル酸塩
水和物
（**オゼックス**点眼液，
トスフロ点眼液）

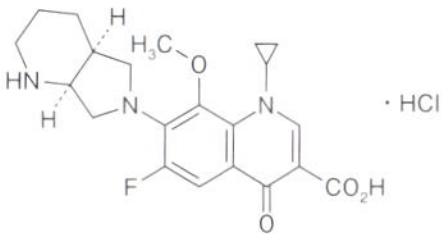

モキシフロキサシン塩酸塩
（**ベガモックス**点眼液）

抗真菌薬

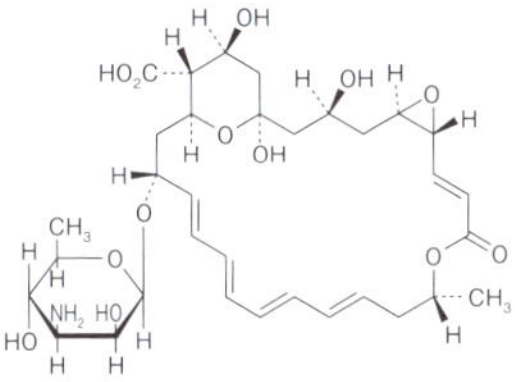

ピマリシン
（**ピマリシン**点眼液/眼軟膏）

抗ウイルス薬

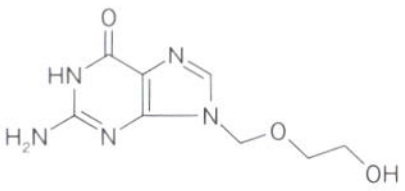

アシクロビル
（**ゾビラックス**眼軟膏）

抗炎症薬

合成副腎皮質ホルモン

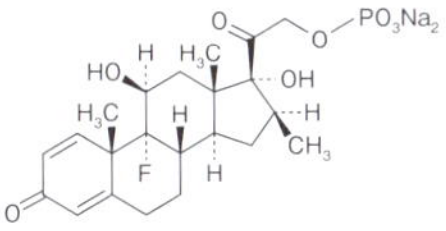

ベタメタゾンリン酸エステル
ナトリウム
（**リンデロン**点眼・点耳・点鼻液，
サンベタゾン眼耳鼻科用液，
リノロサール眼耳鼻科用液）

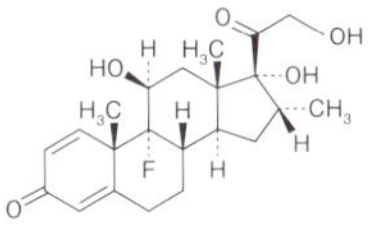

デキサメタゾン
（**サンテゾーン**眼軟膏）

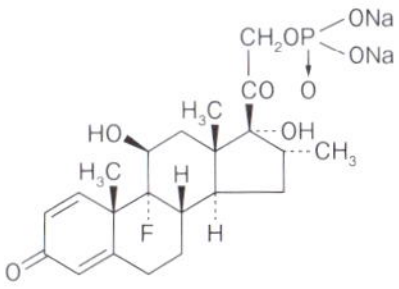

デキサメタゾンリン酸エステル
ナトリウム
（**オルガドロン**点眼・点耳・点鼻液）

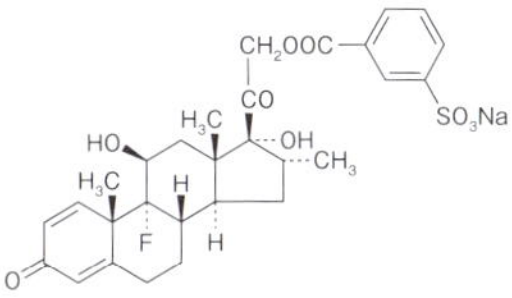

デキサメタゾンメタスルホ安息香酸
エステルナトリウム
（**サンテゾーン**点眼液）

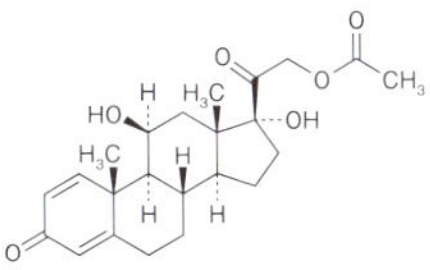

プレドニゾロン酢酸エステル
（**プレドニン**眼軟膏）

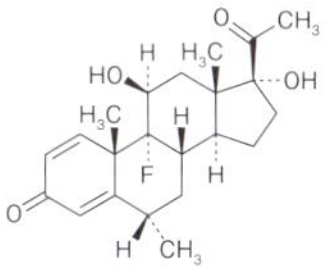

フルオロメトロン
（**オドメール**点眼液，**フルメトロン**点眼液）

抗炎症薬

NSAIDs

H CH_3 CO_2H N O

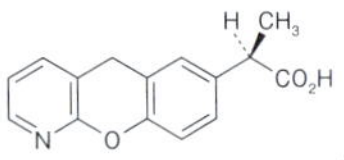

及び鏡像異性体

プラノプロフェン
（**ニフラン**点眼液）

CO_2Na NH Cl Cl

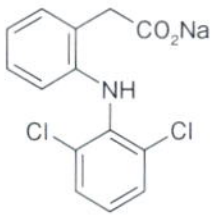

ジクロフェナクナトリウム
（**ジクロード**点眼液）

Br O C H_2N $CH_2CO_2Na \cdot 1\frac{1}{2}H_2O$

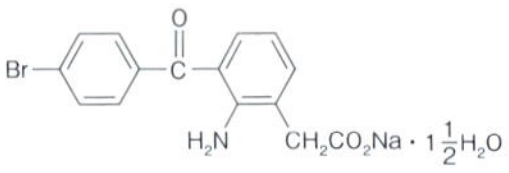

ブロムフェナクナトリウム水和物
（**ブロナック**点眼液）

O NH_2 NH_2 O

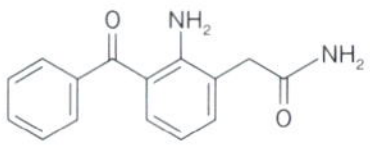

ネパフェナク
（**ネバナック**点眼液）

その他

CH_3 SO_3Na H_3C HC H_3C CH_3 $\cdot \frac{1}{2}H_2O$ 又は H_2O

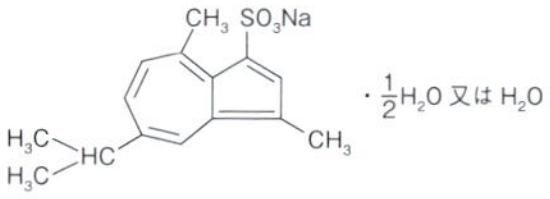

アズレンスルホン酸ナトリウム水和物
（**アズラビン**点眼液，**アズレン**点眼液，**AZ** 点眼液）

$ZnSO_4 \cdot 7H_2O$

硫酸亜鉛
（**サンチンク**点眼液）

局所麻酔薬

O O N CH_3 CH_3 H_2N O CH_3 · HCl

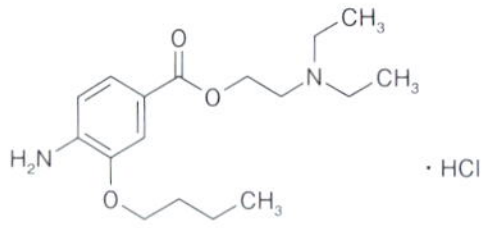

オキシブプロカイン塩酸塩
（**ベノキシール**点眼液，**ラクリミン**点眼液）

CH_3 H N O N CH_3 CH_3 CH_3 · HCl

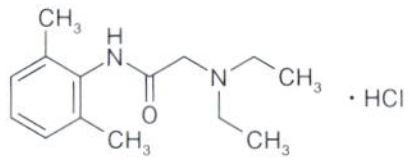

リドカイン塩酸塩
（**キシロカイン**点眼液）

血管収縮薬

α_2受容体刺激薬

H N N $\cdot HNO_3$

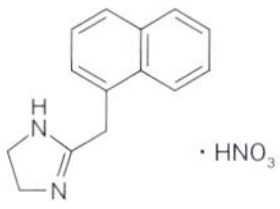

ナファゾリン硝酸塩
（**プリビナ**点眼液）

ビタミン

ビタミン A

CH_3 CH_3 CH_3 CH_3 O C O HC H_2C C C CH CH CH CH C CH CH CH CH C CH CH CH CH C CH CH CH CH C CH CH CH HC C CH_2 CH_2 CH_3 $(CH_2)_{14}$ CH_3 CH_3 CH_3 CH_3 CH_3 C CH CH O C O $(CH_2)_{14}$ CH_3

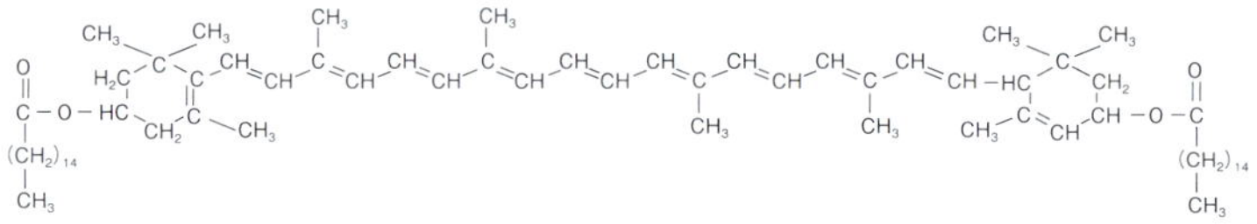

ヘレニエン
（**アダプチノール**錠）

ビタミン B_2

NH_2 N N N N H OH H HO O P O P O O H OH NaO O O ONa H H H H OH OH H_3C H_3C N N N O NH O

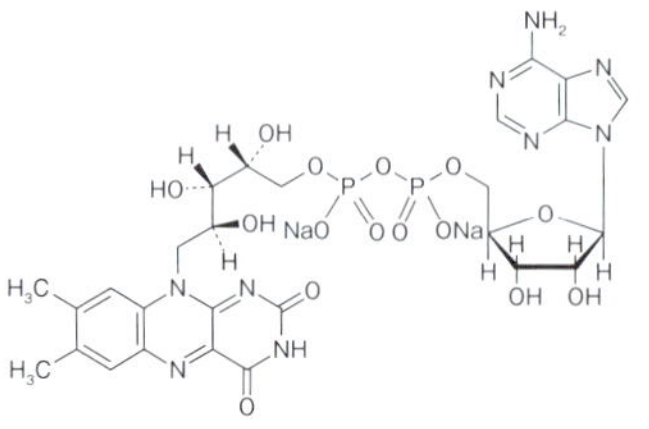

フラビンアデニンジヌクレオチドナトリウム
（**FAD** 点眼液，**フラビタン**眼軟膏/点眼液）

ビタミン B_{12}

H_2N O H H_3C H_3C NH_2 O O H_3C H_2N NH_2 O N CN N Co^+ H_3C H N N CH_3 CH_3 H_2N O H CH_3 CH_3 H O NH_2 O NH N CH_3 CH_3 H CH_3 O N ^-O P O O HO O H H H H HO O H

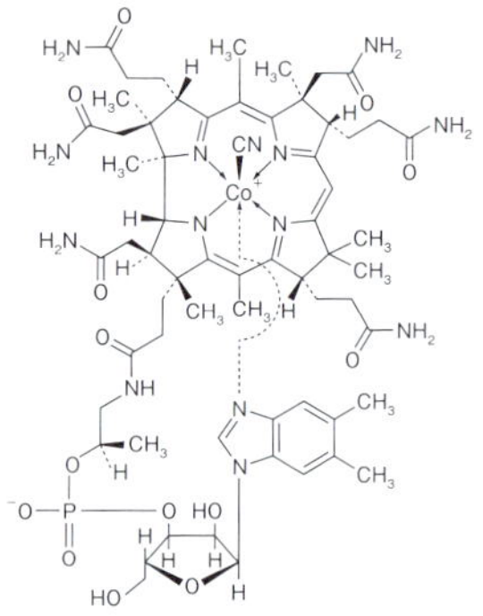

シアノコバラミン
（**サンコバ**点眼液）

網膜組織呼吸改善薬

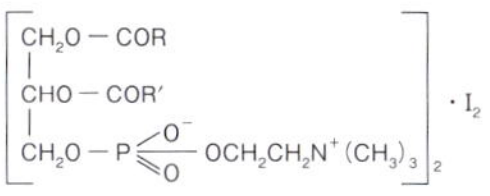

ヨウ素レシチン
(**ヨウレチン**錠/散)

角膜保護薬

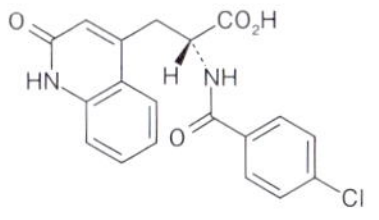

レバミピド
(**ムコスタ**点眼液)

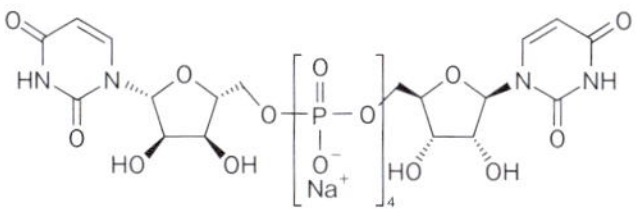

ジクアホソルナトリウム
(**ジクアス**点眼液)

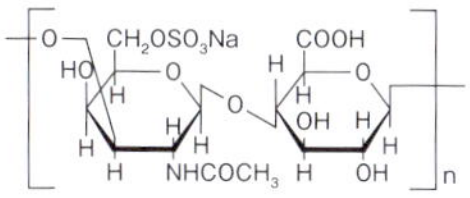

コンドロイチン硫酸エステルナトリウム
(**アイドロイチン**点眼液)

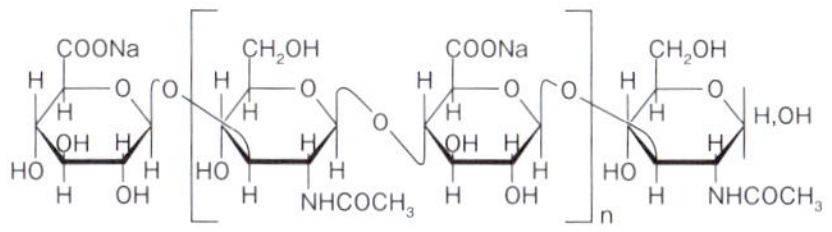

ヒアルロン酸ナトリウム
(**オペガン**液/ハイ液, **オペリード**液/HV液, **ヒーロン**眼粘弾液, **ヒアレイン**点眼液/ミニ点眼液)

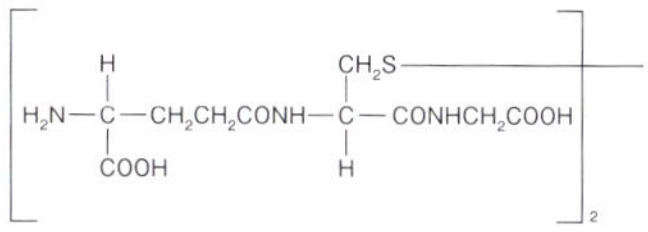

オキシグルタチオン
(**ビーエスエスプラス**眼灌流液, **オペガードネオキット**眼灌流液)

加齢黄斑変性症治療薬

血管新生阻害薬

ベルテポルフィン
(**ビスダイン**静注用)

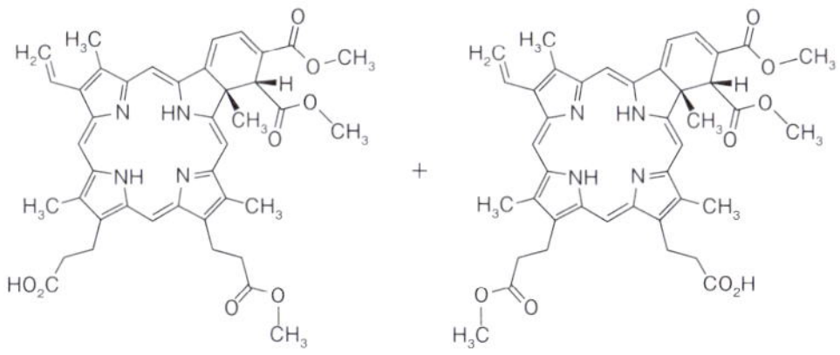

眼レーザー手術後の眼圧上昇防止

α_2受容体刺激薬

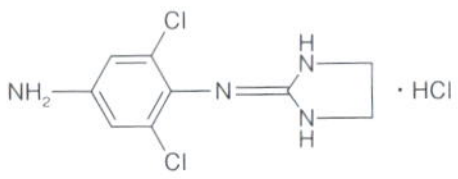

アプラクロニジン塩酸塩
（**アイオピジン UD** 点眼液）

硝子体着色薬

ステロイド

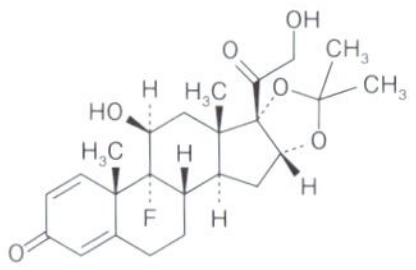

トリアムシノロンアセトニド
（**マキュエイド**硝子体内注用）

睫毛貧毛症治療薬

$PGF_{2\alpha}$誘導体

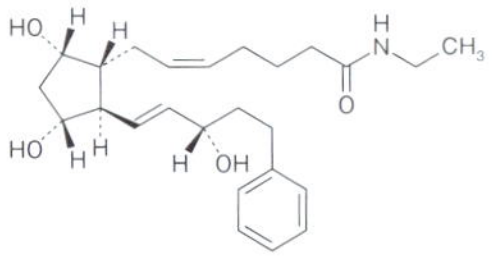

ビマトプロスト
（**グラッシュビスタ**外用液）

耳・鼻に作用する薬物 ☞本文 p405

アレルギー性鼻炎／血管運動性鼻炎治療薬

副腎皮質ホルモン

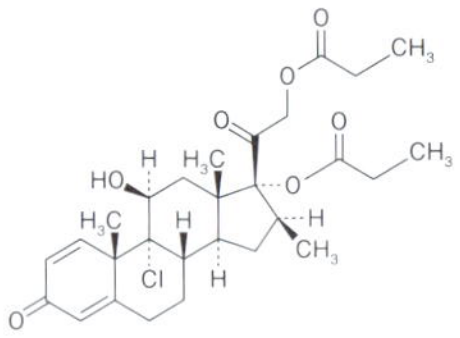

ベクロメタゾンプロピオン酸エステル
（**リノコート**鼻用吸入カ/パウダースプレー鼻用）

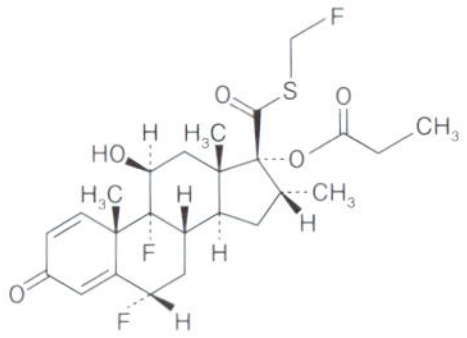

フルチカゾンプロピオン酸エステル
（**フルナーゼ**点鼻液）

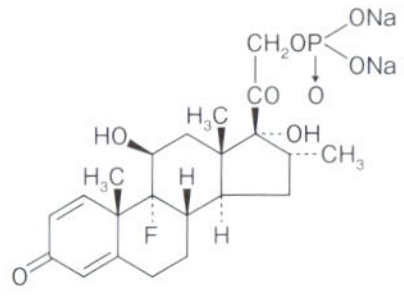

デキサメタゾンリン酸エステルナトリウム
（**オルガドロン**点眼・点耳・点鼻液）

抗アレルギー薬

☞薬物名及び構造は「ヒスタミン関連薬物」（p29）参照

TXA_2／PGD_2受容体拮抗薬

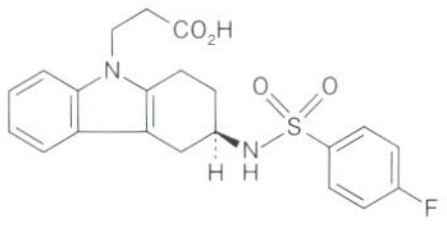

ラマトロバン
（**バイナス**錠）

ロイコトリエン受容体拮抗薬

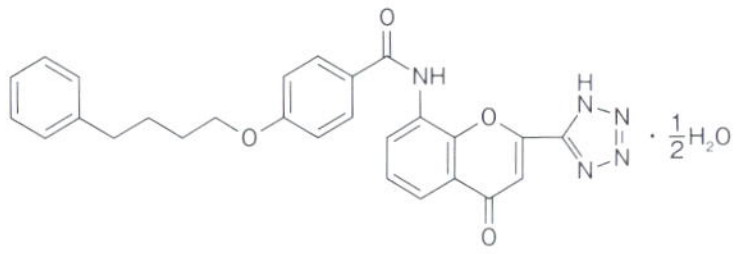

プランルカスト水和物
（**オノン**カ/ドシ）

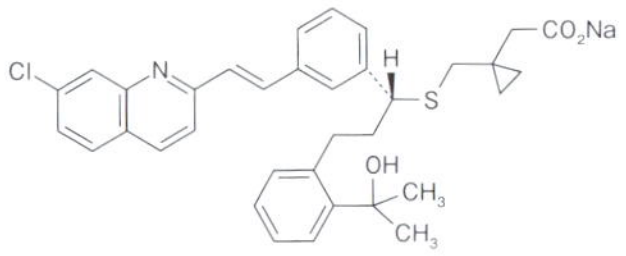

モンテルカスト
（**キプレス**錠/OD錠/チュアブル錠/細，**シングレア**錠/OD錠/チュアブル錠/細）

鼻充血・うっ血治療薬

α受容体刺激薬

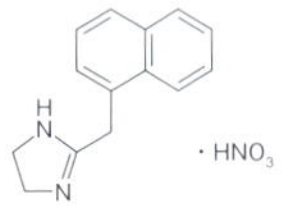

ナファゾリン硝酸塩
（**プリビナ**液）

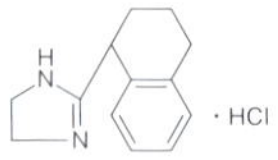

テトラヒドロゾリン塩酸塩
（プレドニゾロンとの合剤：**コールタイジン**点鼻液）

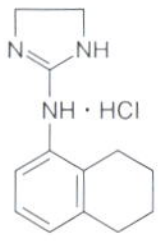

トラマゾリン塩酸塩
（**トラマゾリン**点鼻液）

慢性副鼻腔炎治療薬

粘液調整薬

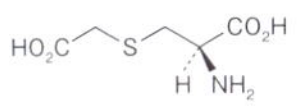

カルボシステイン
（**ムコダイン**錠/細/シ/ドシ）

MRSA感染症治療薬

抗菌薬

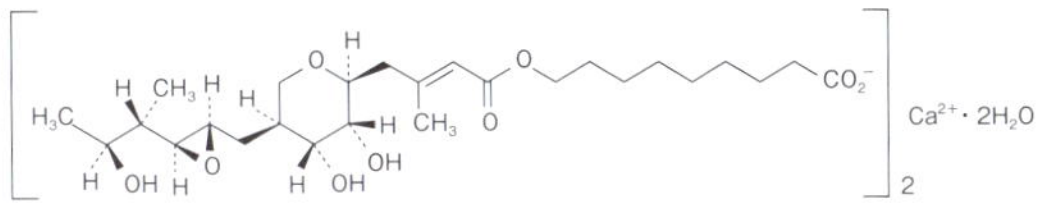

ムピロシンカルシウム水和物
（**バクトロバン**鼻腔用軟）

中耳炎・外耳炎治療薬

セフェム系抗生物質

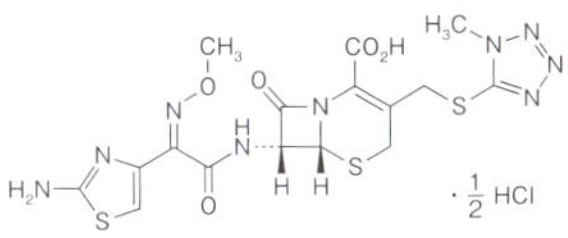

セフメノキシム塩酸塩
（**ベストロン**耳科用液）

ニューキノロン系抗菌薬

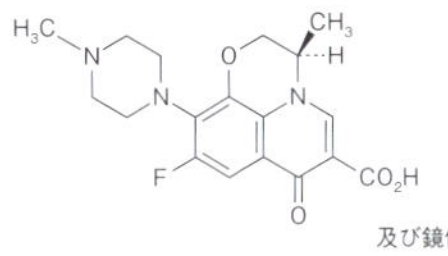

及び鏡像異性体

オフロキサシン
（**タリビッド**耳科用液）

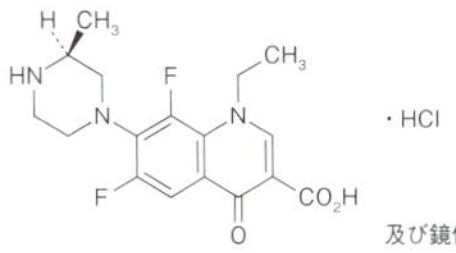

及び鏡像異性体

ロメフロキサシン塩酸塩
（**ロメフロン**耳科用液/ミニムス眼科耳科用液）

その他の抗菌薬

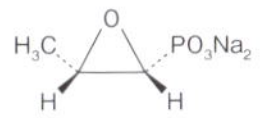

ホスホマイシンナトリウム
（**ホスミシンS**点耳液）

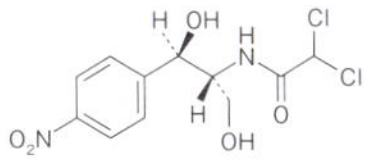

クロラムフェニコール
（**クロロマイセチン**耳科用液）

皮膚に作用する薬物

☞本文 p406

尋常性ざ瘡（ニキビ、アクネ）治療薬

レチノイン酸受容体刺激薬

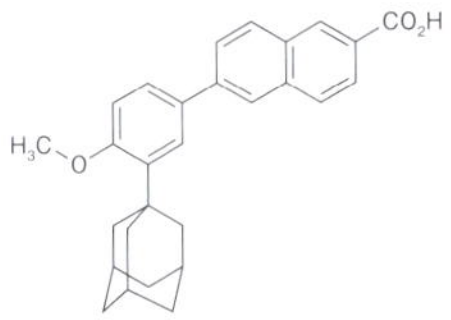

アダパレン
（**ディフェリン**ゲル）

黄体ホルモン代謝物

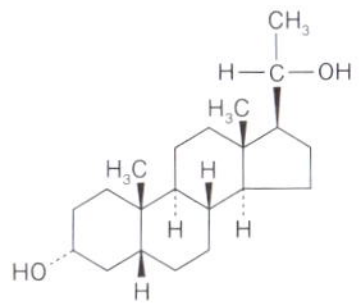

プレグナンジオール
（**ジオール**錠）

ニューキノロン系抗菌薬

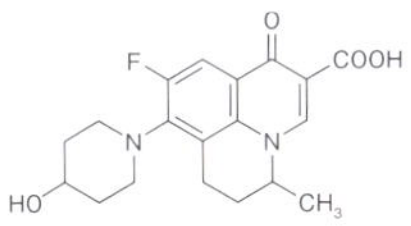

ナジフロキサシン
（**アクアチム**軟/ク/ロ）

キノロン系抗菌薬

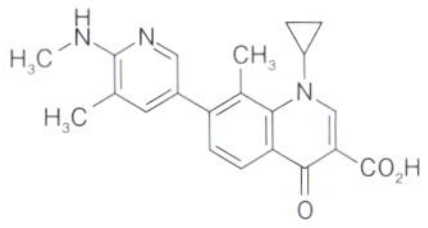

オゼノキサシン
（**ゼビアックス**ローション）

テトラサイクリン系抗生物質

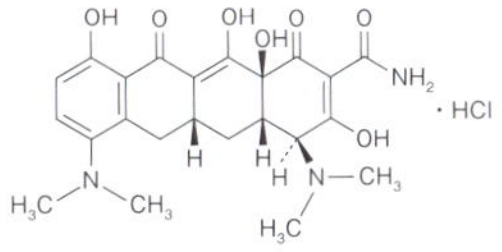

ミノサイクリン塩酸塩
（**ミノマイシン**錠/カ/顆/点滴静注）

リンコマイシン系抗生物質

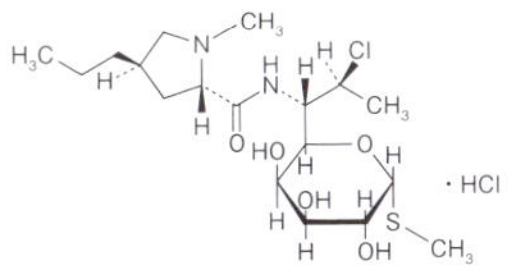

クリンダマイシン塩酸塩
（**ダラシン**カ）

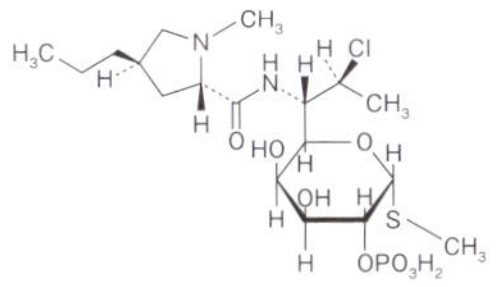

クリンダマイシンリン酸エステル
（**ダラシン**Tゲル/Tロ）

活性酸素

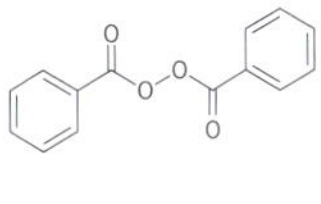

過酸化ベンゾイル
（**ベピオ**ゲル,
クリンダマイシンリン酸エステル水和物との合剤：
デュアック配合ゲル）

湿疹・皮膚炎治療薬

鎮痒薬

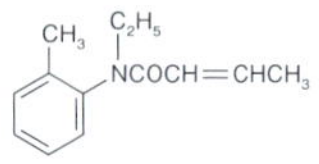

クロタミトン
（**オイラックス**ク）

抗ヒスタミン薬

☞薬物名及び構造は「ヒスタミン関連薬物」（p29～31）参照

ステロイド合剤

混合死菌浮遊液（大腸菌,ブドウ球菌,レンサ球菌,緑膿菌）
＋
ヒドロコルチゾン

混合死菌浮遊液ヒドロコルチゾン配合剤
（**エキザルベ**軟）

ビタミン B_2

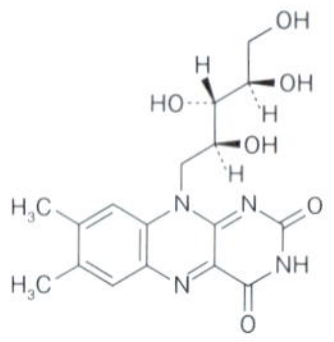

リボフラビン
（**強力ビスラーゼ**末，**ビタミン B_2** 散）

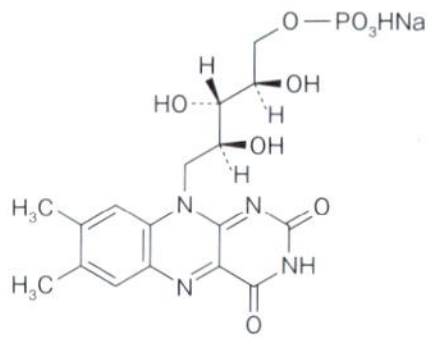

リボフラビンリン酸エステルナトリウム
（**ビスラーゼ**注，**ホスフラン**注）

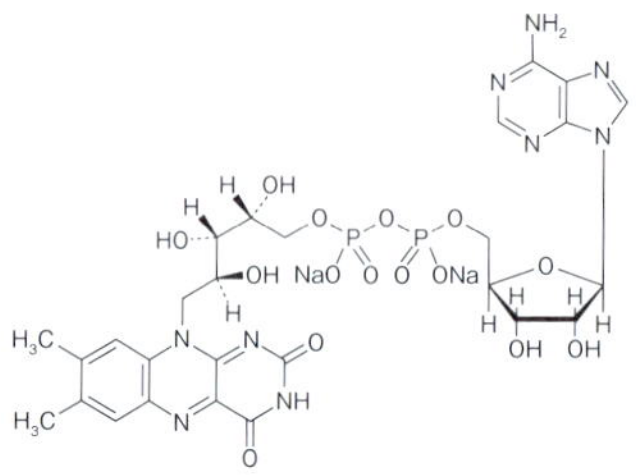

フラビンアデニンジヌクレオチドナトリウム
（**フラビタン**錠/シ/注，**フラッド**注）

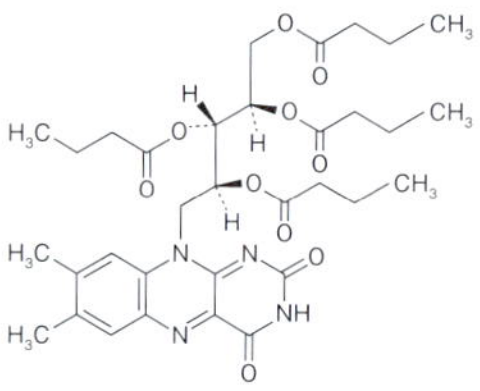

リボフラビン酪酸エステル
（**ハイボン**錠/細）

ニコチン酸

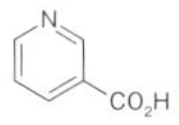

ニコチン酸
（**ナイクリン**注）

パントテン酸

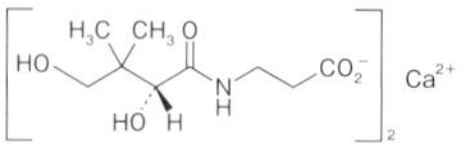

パントテン酸カルシウム
（**パントテン酸カルシウム**散）

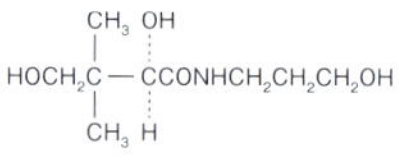

パンテノール
（**パントール**注）

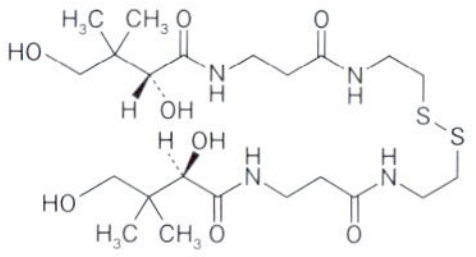

パンテチン
（**パントシン**錠/散/細/注）

ビタミン B_6

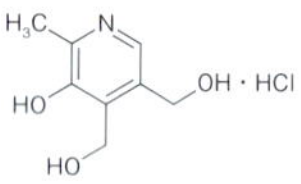

ピリドキシン塩酸塩
（**ビーシックス**注，**ビタミン B_6** 散/錠）

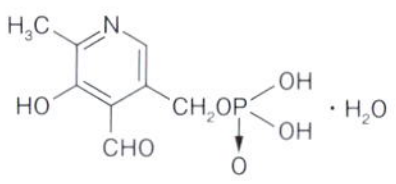

ピリドキサールリン酸エステル水和物
（**ピドキサール**錠/注）

ビタミンH

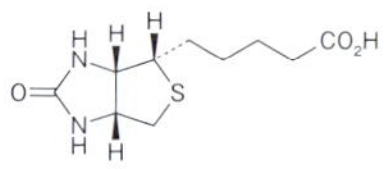

ビオチン〈ビタミンH〉
（**ビオチン**散/ドシ/注）

アトピー性皮膚炎治療薬

PDE4 阻害薬

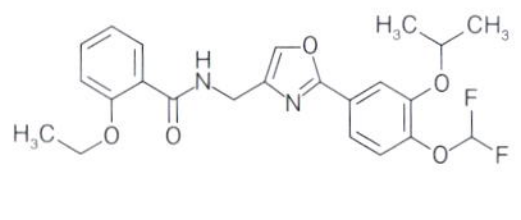

ジファミラスト
（**モイゼルト**軟）

免疫抑制薬

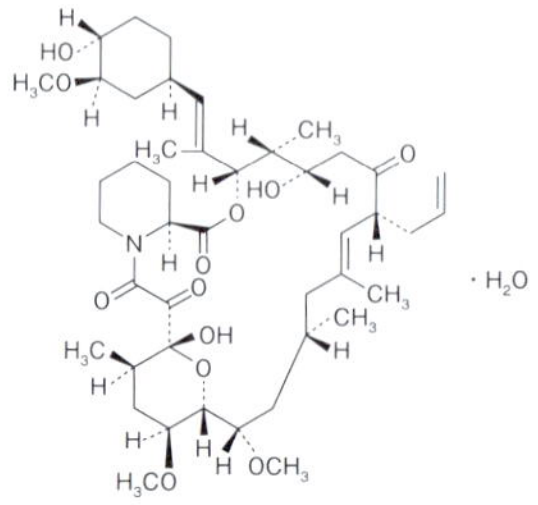

タクロリムス水和物
（**プロトピック**軟）

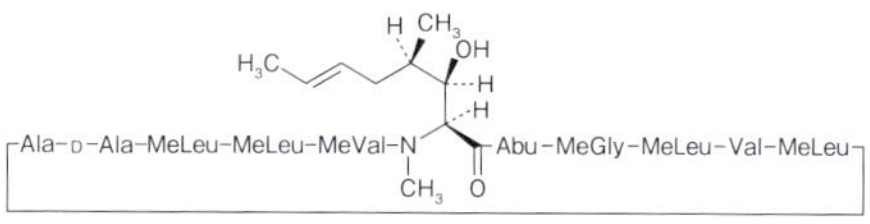

Abu＝(2*S*)-2-アミノ酪酸
MeGly＝*N*-メチルグリシン
MeLeu＝*N*-メチルロイシン
MeVal＝*N*-メチルバリン

シクロスポリン
（**ネオーラル**内用液/カ）

アトピー性皮膚炎治療薬

JAK 阻害薬

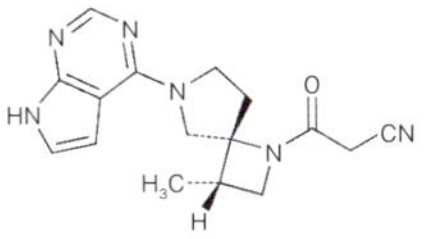

デルゴシチニブ
(**コレクチム**軟)

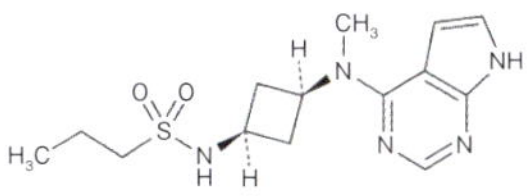

アブロシチニブ
(**サイバインコ**錠)

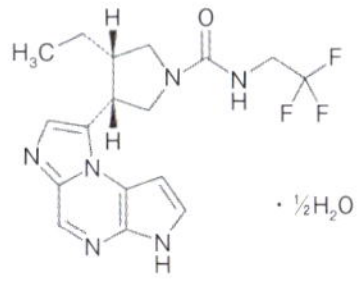

ウパダシチニブ水和物
(**リンヴォック**錠)

外用ステロイド性抗炎症薬

☞薬物名及び構造は「ステロイド性抗炎症薬―外用ステロイド」(p42, 43) 参照

抗アレルギー薬

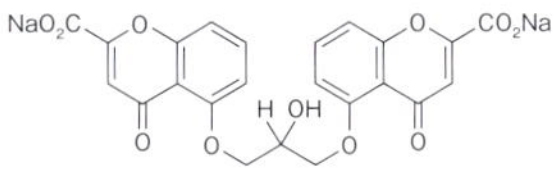

クロモグリク酸ナトリウム
(**インタール**細)

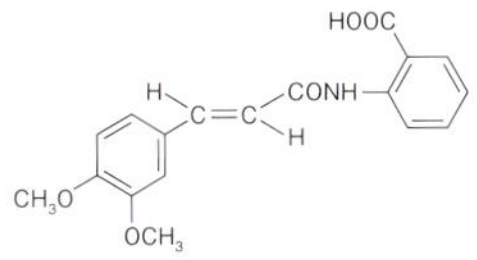

トラニラスト
(**リザベン**カ/細/ドシ)

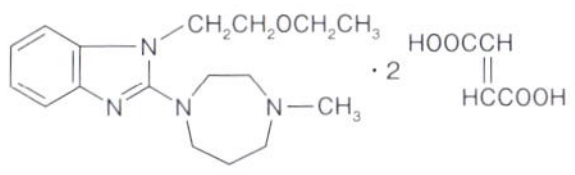

エメダスチンフマル酸塩
(**ダレン**カ, **レミカット**カ)

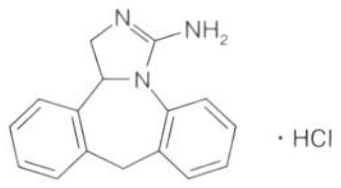

エピナスチン塩酸塩
(**アレジオン**錠/ドシ)

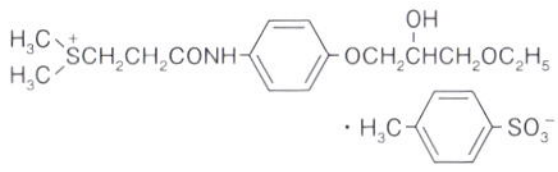

スプラタストトシル酸塩
(**アイピーディ**カ/ドシ)

角化症治療薬

ビタミン A

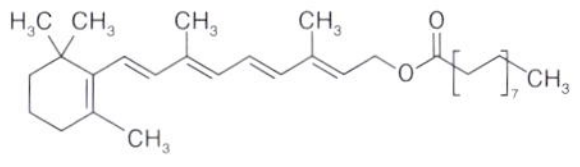

レチノールパルミチン酸エステル
(**チョコラ A** 錠/末/滴/筋注)

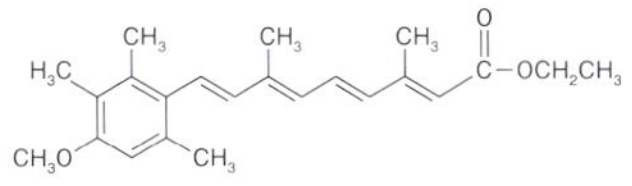

エトレチナート
(**チガソン**カ)

保湿薬

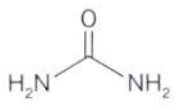

尿 素
(**ウレパール**ク/ロ, **ケラチナミン**ク, **パスタロン**ソフト軟/ク/ロ)

日光角化症治療薬

イミキモド
(**ベセルナ**ク)

乾癬症治療薬

活性型ビタミン D_3

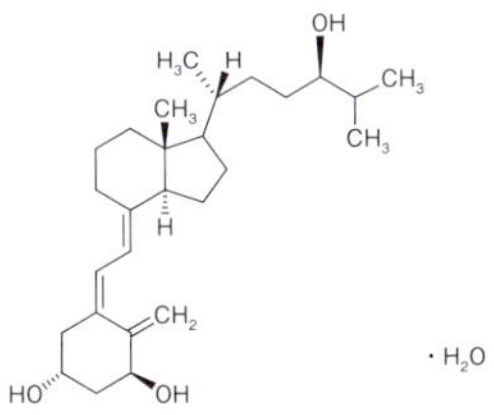

タカルシトール水和物
(**ボンアルファ**軟/ク/ロ)

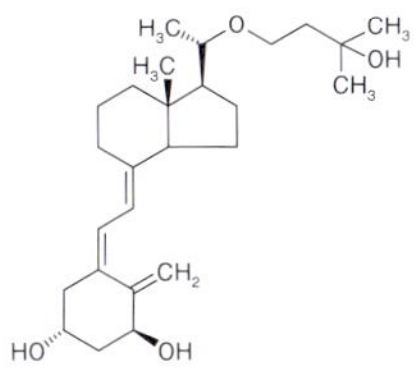

マキサカルシトール
(**オキサロール**軟/ロ)

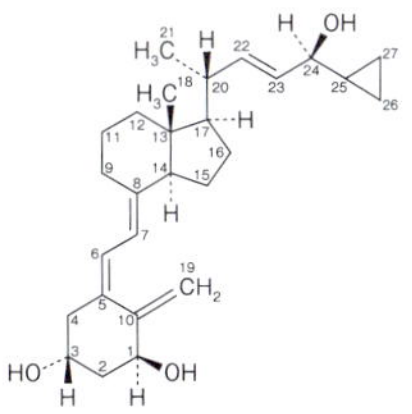

カルシポトリオール
(**ドボネックス**軟)

乾癬症治療薬

PDE4 阻害薬

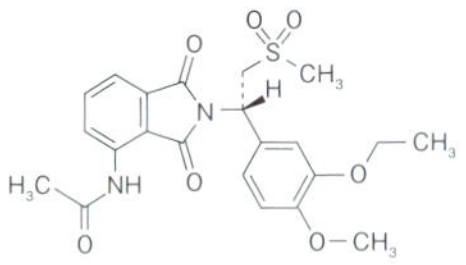

アプレミラスト
（**オテズラ**錠）

免疫抑制薬

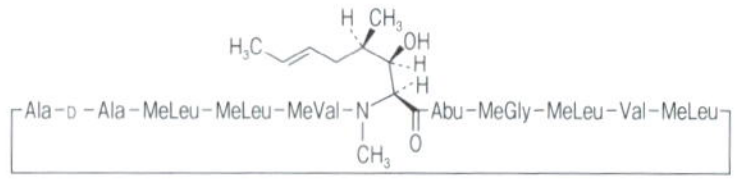

Abu＝(2*S*)-2-アミノ酪酸
MeGly＝*N*-メチルグリシン
MeLeu＝*N*-メチルロイシン
MeVal＝*N*-メチルバリン

シクロスポリン
（**サンディミュン**静注/内用液，**ネオーラル**内用液/カ）

皮膚潰瘍（褥瘡、熱傷・外傷性潰瘍など）治療薬

ビタミン A-E 結合体

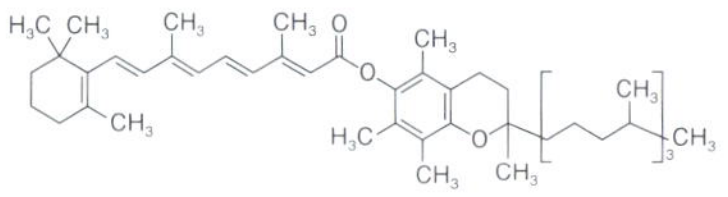

トレチノイントコフェリル
〈トコレチナート〉
（**オルセノン**軟）

抗炎症薬

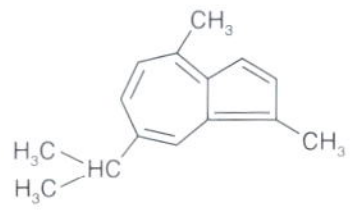

ジメチルイソプロピルアズレン
（**アズノール**軟）

血管拡張薬／血流改善薬

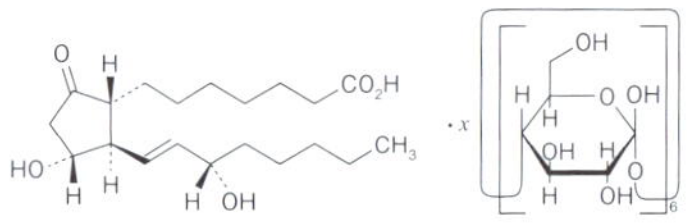

アルプロスタジル アルファデクス
（**プロスタンディン**軟）

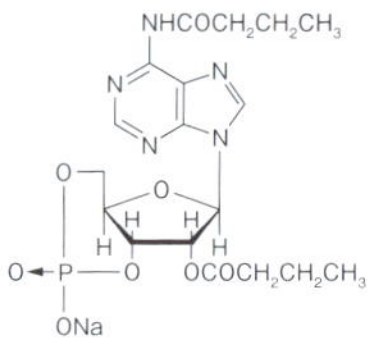

ブクラデシンナトリウム
（**アクトシン**軟）

抗菌薬

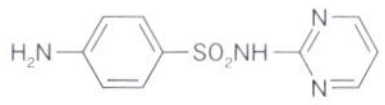

スルファジアジン
（**テラジアパスタ**軟）

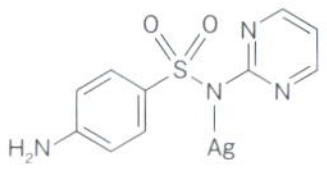

スルファジアジン銀
（**ゲーベン**ク）

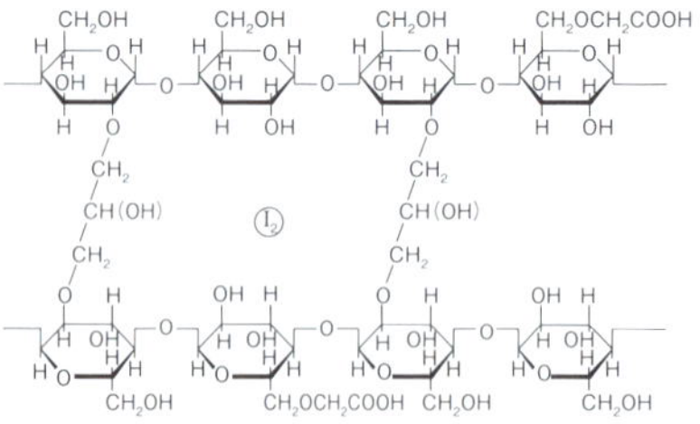

ヨウ素配合カデキソマー
（**カデックス**外用散/軟/軟分包）

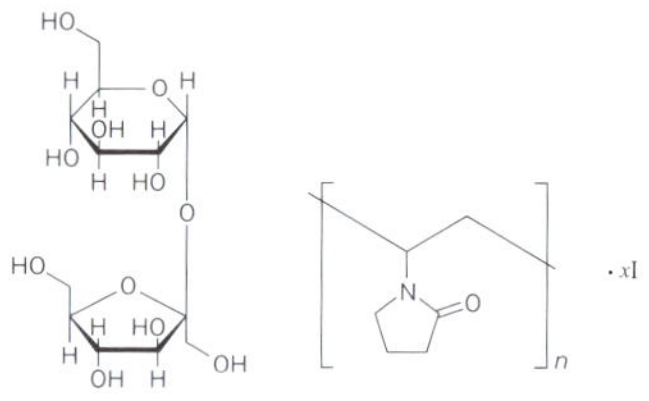

精製白糖　　ポビドンヨード

精製白糖・ポビドンヨード配合剤
（**ユーパスタ**軟/軟分包，**ソアナース**軟/軟分包）

創傷保護薬

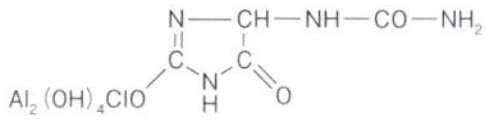

アルクロキサ
（**アルキサ**軟）

ZnO

酸化亜鉛〈チンク〉
（**亜鉛華軟膏**，**亜鉛華単軟膏**，**チンク油**懸濁剤）

感覚器に作用する薬物

95

白癬症治療薬	抗真菌薬	単純疱疹治療薬	抗ウイルス薬

抗真菌薬

☞薬物名及び構造は「抗真
菌薬」(p123〜125)参照

抗ウイルス薬

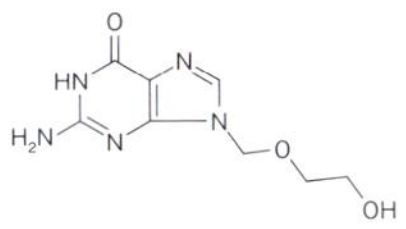

アシクロビル
(ゾビラックス軟/ク)

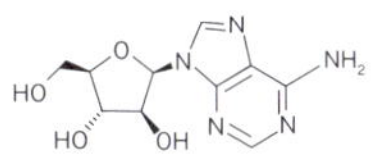

ビダラビン
(アラセナ-A軟/ク)

駆虫薬 （疥癬治療薬）

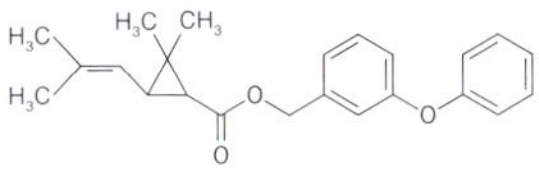

フェノトリン
(スミスリンロ)

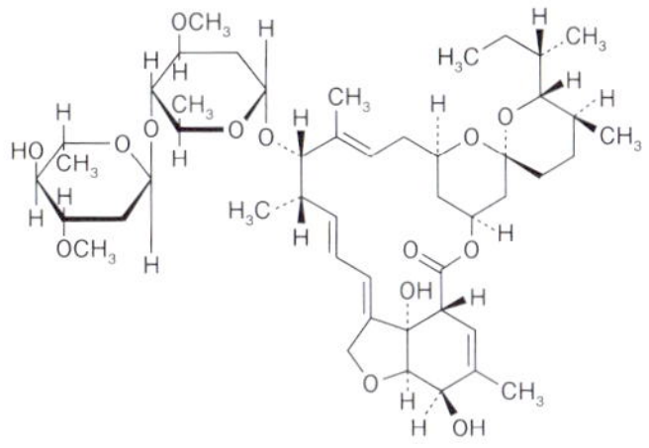

イベルメクチン
(ストロメクトール錠)

抗悪性腫瘍薬 （皮膚癌治療薬）

·xHCl

主成分ブレオマイシン A₂:

$$R= -N_H^{...}S^+_{CH_3}^{CH_3} \cdot X^-$$

ブレオマイシン塩酸塩
(ブレオ注)

·xH₂SO₄

主成分ブレオマイシン A₂:

$$R= -N_H^{...}S^+_{CH_3}^{CH_3} \cdot X^-$$

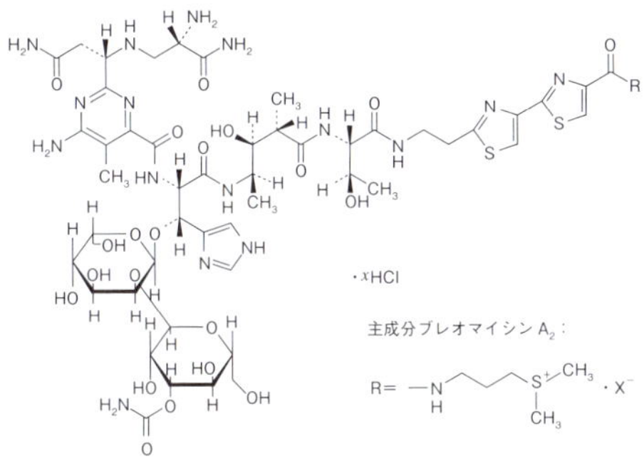

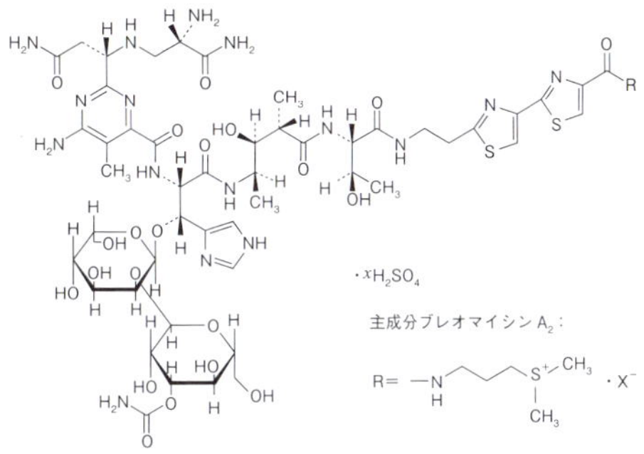

ブレオマイシン硫酸塩
(ブレオ S軟)

尋常性白斑（白なまず）治療薬

副交感神経刺激薬	光線（紫外線）感受性増強薬	鶏眼（ウオノメ）治療薬	腐食薬

副交感神経刺激薬

$$[H_3C{\overset{CH_3}{\underset{CH_3}{N}}}CH_2CH_2COOCH_3]\ Cl^-$$

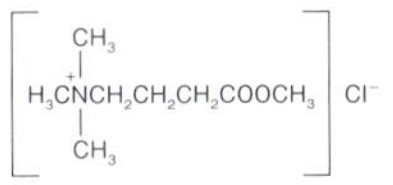

カルプロニウム塩化物
(フロジン外用液)

光線（紫外線）感受性増強薬

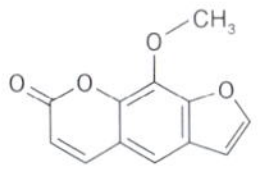

メトキサレン
(オクソラレン錠/軟/ロ)

腐食薬

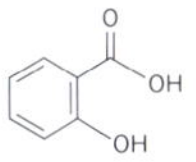

サリチル酸
(サリチル酸ワセリン軟膏軟膏,
スピール膏 M絆創膏)

ハンセン病治療薬

抗らい菌薬

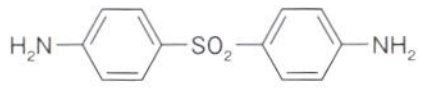

ジアフェニルスルホン
(レクチゾール錠)

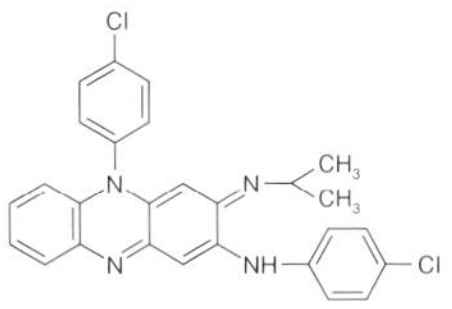

クロファジミン
(ランプレンカ)

抗菌薬

オフロキサシン
(タリビッド錠)

及び鏡像異性体

抗抗酸菌薬

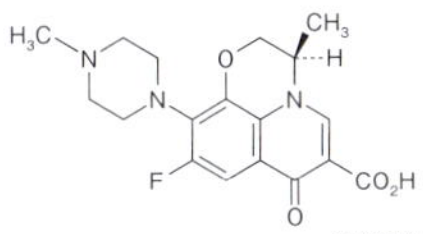

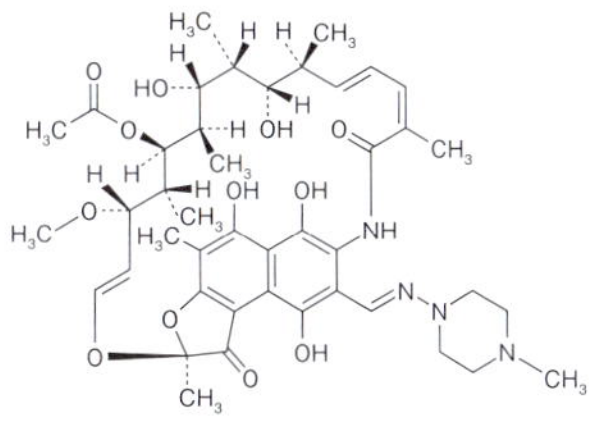

リファンピシン
(リファジンカ)

第16章　内分泌・代謝系作用薬

ホルモン療法薬 ☞本文 p416

視床下部向下垂体ホルモン関連薬

CRH 製剤

Ser-Glu-Glu--Pro-Pro-Ile-Ser-Leu-Asp-Leu-Thr-Phe-His-Leu-Leu-Arg-Glu-Val-Leu-Glu-Met-
Ala-Arg-Ala-Glu-Gln-Leu-Ala-Gln-Gln-Ala-His-Ser-Asn-Arg-Lys-Leu-Met-Glu-Ile-Ile-NH_2

コルチコレリン
（**ヒト CRH** 静注用）

LH-RH 製剤／誘導体

ゴナドレリン酢酸塩
（**LH-RH** 注，**ヒポクライン** 注）

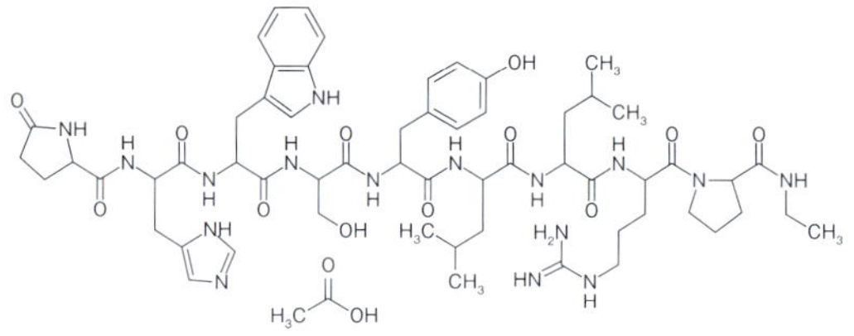

リュープロレリン酢酸塩
（**リュープリン** 注/PRO 注射用キット/SR 注射用キット）

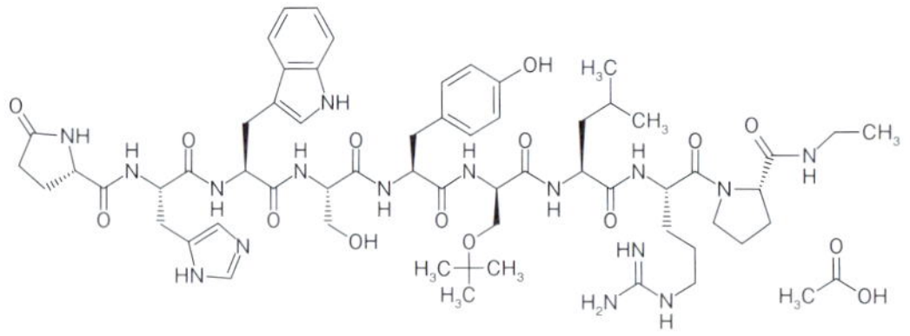

ブセレリン酢酸塩
（**スプレキュア** 点鼻液/MP 皮下注用）

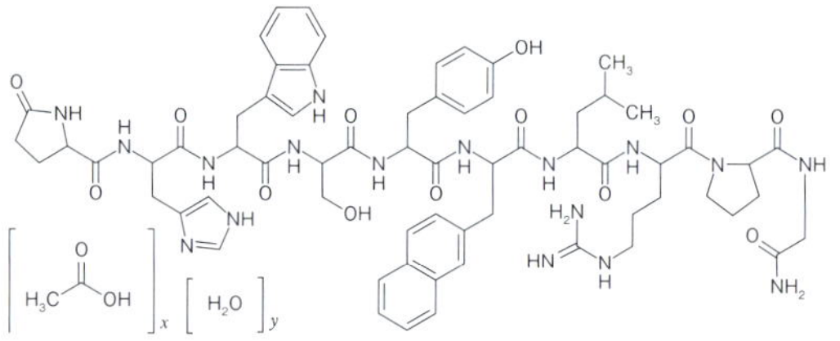

酢酸ナファレリン
（**ナサニール** 点鼻液）

GnRH 受容体拮抗薬

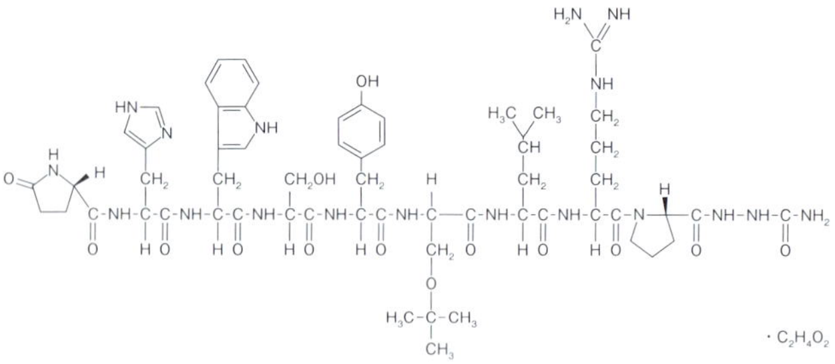

ゴセレリン酢酸塩
（**ゾラデックス** デポ注/LA デポ注）

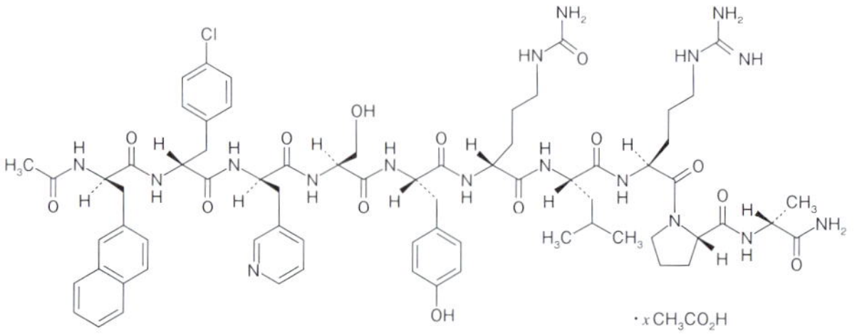

セトロレリクス酢酸塩
（**セトロタイド** 注）

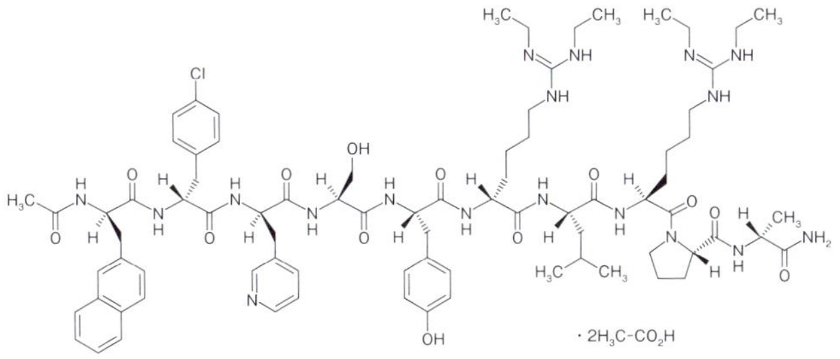

ガニレリクス酢酸塩
（**ガニレスト**皮下注）

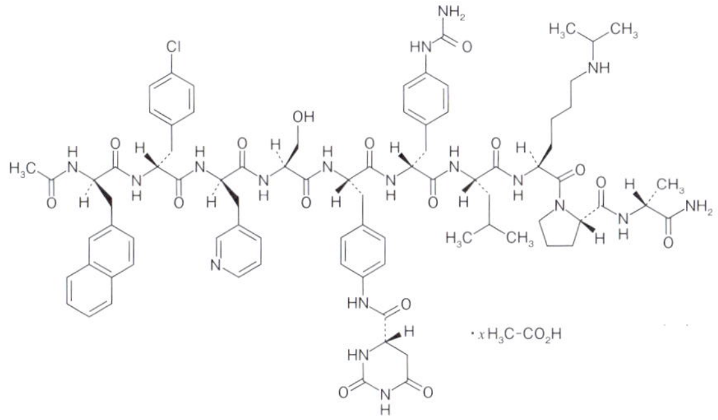

デガレリクス酢酸塩
（**ゴナックス**皮下注用）

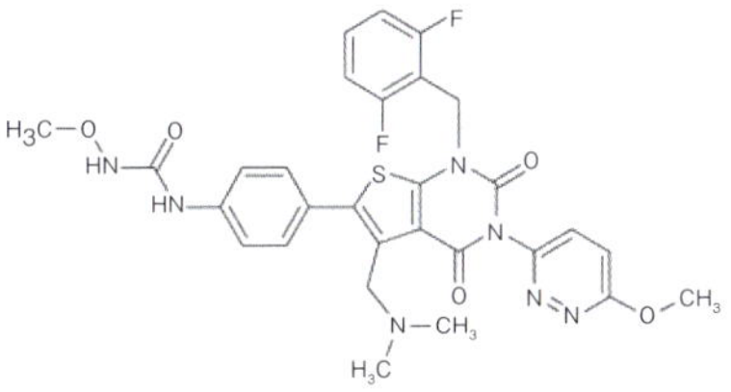

レルゴリクス
（**レルミナ**錠）

TRH 製剤／誘導体

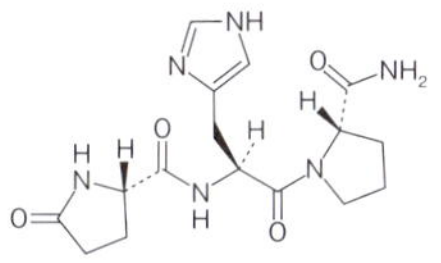

プロチレリン
（**TRH** 注）

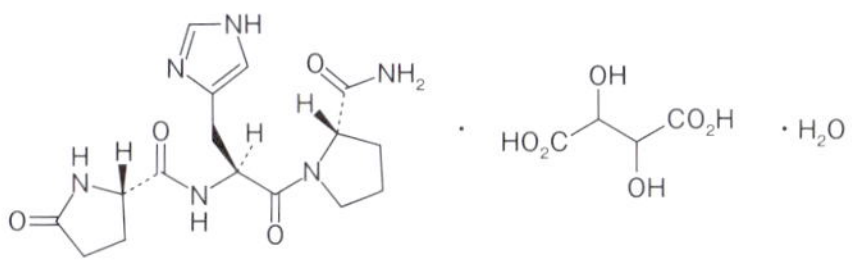

プロチレリン酒石酸塩水和物
（**ヒルトニン**注）

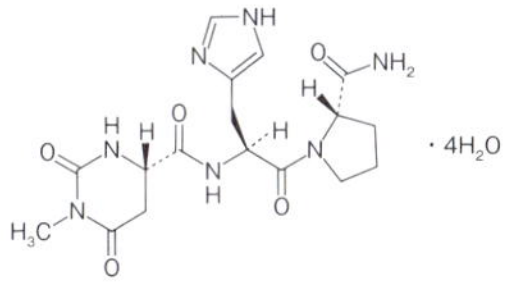

タルチレリン
（**セレジスト**錠/OD 錠）

ソマトレリン類似薬

^{1}Tyr-Ala-Asp-Ala-^{5}Ile-Phe-Thr-Asn-Ser-^{10}Tyr-Arg-Lys-Val-Leu-^{15}Gly-Gln-
-Leu-Ser-Ala-^{20}Arg-Lys-Leu-Leu-Gln-^{25}Asp-Ile-Met-Ser-Arg-^{30}Gln-Gln-Gly-
-Glu-Ser-^{35}Asn-Gln-Glu-Arg-Gly-^{40}Ala-Arg-Ala-Arg-Leu-NH_2・$6CH_3COOH$

ソマトレリン酢酸塩
（**GRF** 注）

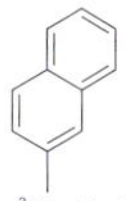

D-Ala-D-^{3}Ala-Ala-Trp-D-Phe-Lys-NH_2・2HCl

プラルモレリン塩酸塩
（**GHRP** 注）

視床下部向下垂体ホルモン関連薬

ソマトスタチン類似薬

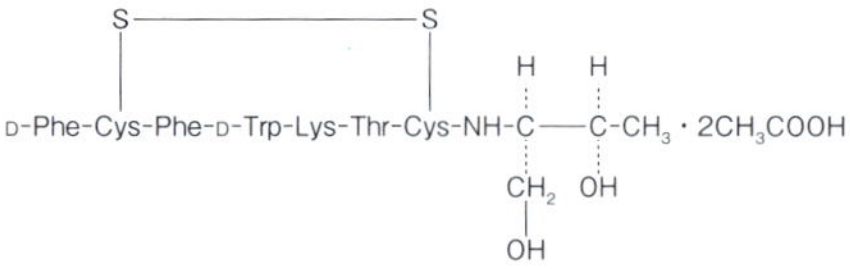

オクトレオチド酢酸塩
（**サンドスタチン**皮下注用/LAR 筋注用）

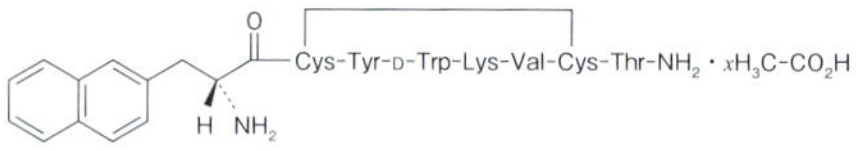

ランレオチド酢酸塩
（**ソマチュリン**皮下注）

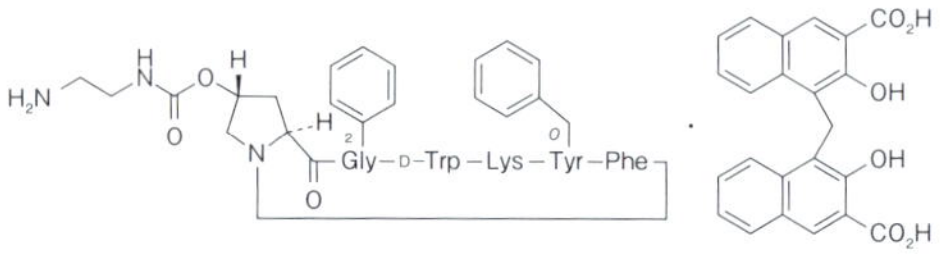

パシレオチドパモ酸塩
（**シグニフォー** LAR 筋注用キット）

脳下垂体ホルモン関連薬

催乳ホルモン分泌抑制薬（ドパミン D_2 受容体刺激薬）

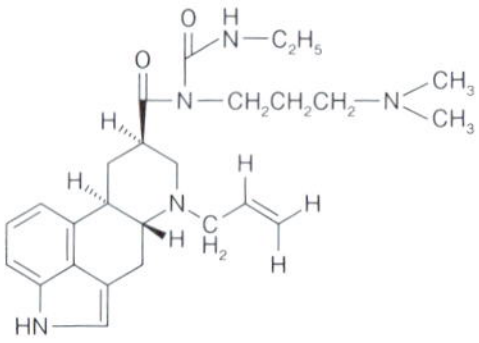

カベルゴリン
（**カバサール**錠）

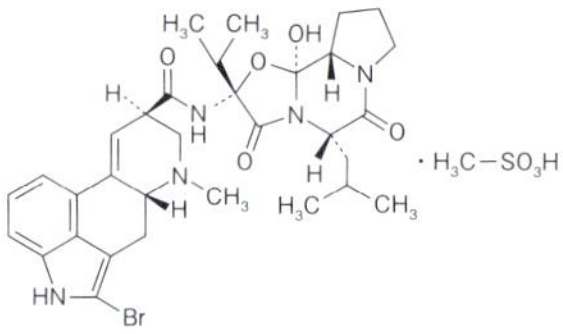

ブロモクリプチンメシル酸塩
（**パーロデル**錠）

合成 ACTH 製剤

Ser-Tyr-Ser-Met-Glu-His-Phe-Arg-Trp-Gly-Lys-Pro-Val-Gly-Lys-
Lys-Arg-Arg-Pro-Val-Lys-Val-Tyr-Pro・6CH_3COOH

テトラコサクチド酢酸塩
（**コートロシン**注/Z 注）

後葉ホルモン関連薬

Cys—Tyr—Ile—Gln—Asn—Cys—Pro—Leu—Gly—NH_2

オキシトシン
（**アトニン-O** 注）

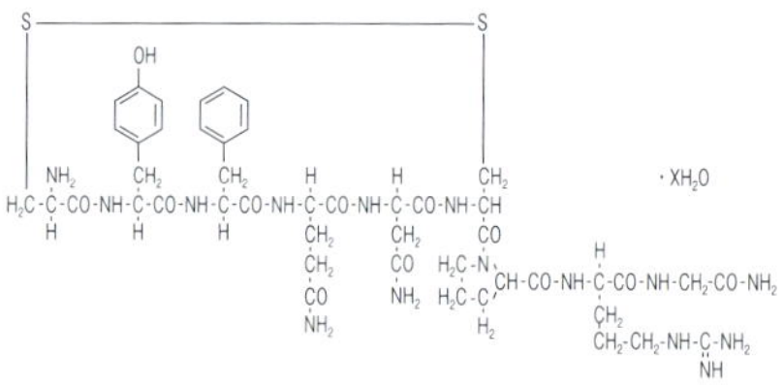

(Cys—Tyr—Phe—Gln—Asn—Cys—Pro—Arg—GlyNH_2)

合成バソプレシン
（**ピトレシン**注）

脳下垂体ホルモン関連薬

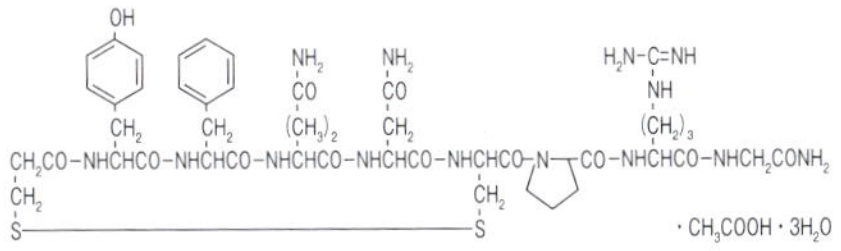

デスモプレシン酢酸塩水和物
（**デスモプレシン**点鼻液/ス/注，**ミニリンメルト** OD 錠）

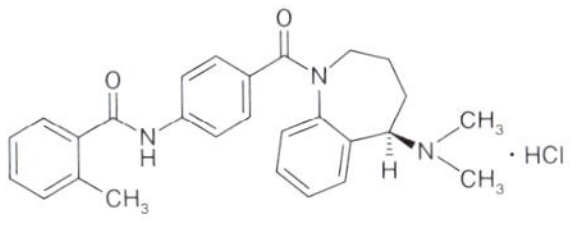

及び鏡像異性体

モザバプタン塩酸塩
（**フィズリン**錠）

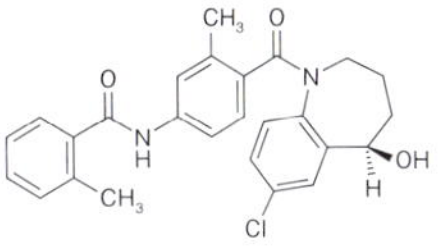

及び鏡像異性体

トルバプタン
（**サムスカ**錠/OD錠/顆）

パラトルモン関連薬

テリパラチド
（**フォルテオ**皮下注キット）

H-Ser-Val-Ser-Glu-Ile-Gln-Leu-Met-His-Asn-Leu-Gly-Lys-His-Leu-Asn-Ser-Met-Glu-Arg-Val-Glu-Trp-Leu-Arg-Lys-Lys-Leu-Gln-Asp-Val-His-Asn-Phe-OH・$5CH_3COOH$

テリパラチド酢酸塩
（**テリボン**皮下注用/皮下注オートインジェクター，**テリパラチド酢酸塩**静注用）

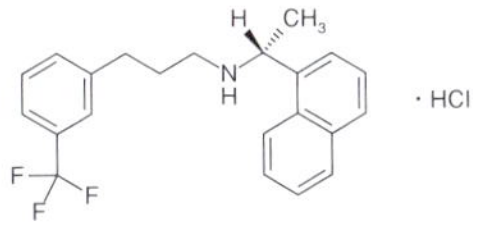

シナカルセト塩酸塩
（**レグパラ**錠）

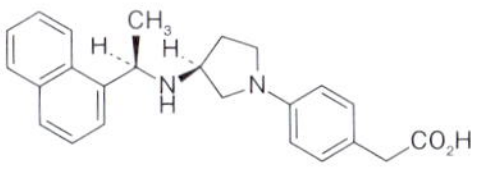

エボカルセト
（**オルケディア**錠）

エテルカルセチド塩酸塩
（**パーサビブ**静注透析用）

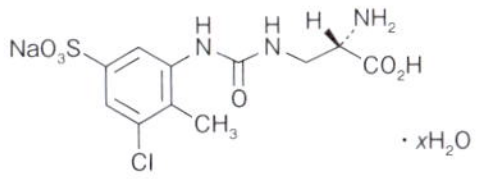

ウパシカルセトナトリウム水和物
（**ウパシタ**静注透析用）

カルシトニン関連薬

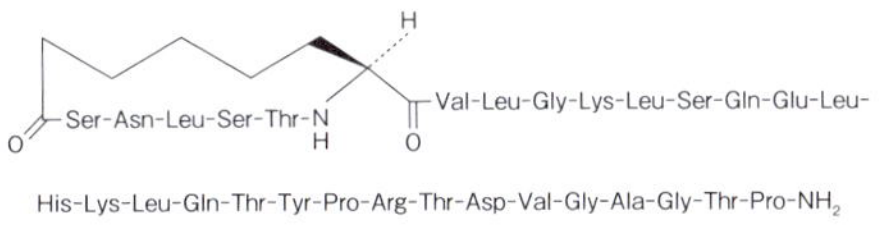

エルカトニン
（**エルシトニン**注）

甲状腺ホルモン関連薬

ホルモン様作用薬

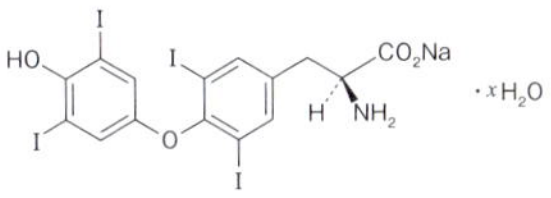

レボチロキシンナトリウム水和物
〈T_4-Na〉
（**チラーヂン S** 錠/散/注）

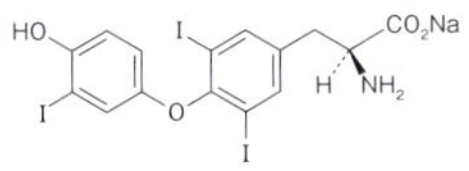

リオチロニンナトリウム
〈T_3-Na〉
（**チロナミン**錠）

ヨウ素製剤

KI

ヨウ化カリウム
（**ヨウ化カリウム**末/丸）

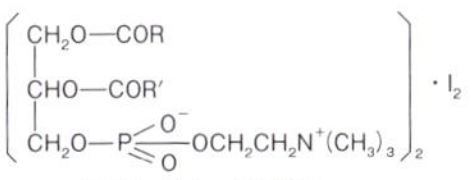

COR：リノール酸残基
COR′：ステアリン酸残基

ヨウ素レシチン
（**ヨウレチン**錠）

抗甲状腺薬

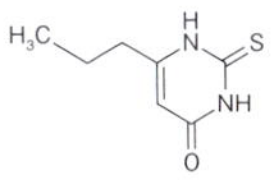

プロピルチオウラシル〈PTU〉
（**チウラジール**錠，**プロパジール**錠）

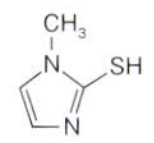

チアマゾール〈MMI〉
（**メルカゾール**錠/注）

$Na^{131}I$

放射性ヨウ素（ヨウ化ナトリウム）
（**ヨウ化ナトリウム**カ）

内分泌・代謝系作用薬

性ホルモン関連薬

卵胞ホルモン様作用薬

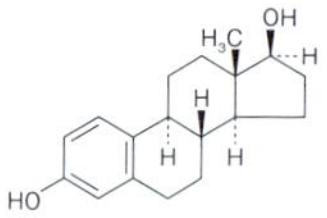

エストラジオール
（ジュリナ錠, エストラーナテープ, ル・エストロジェルゲル, ディビゲルゲル）

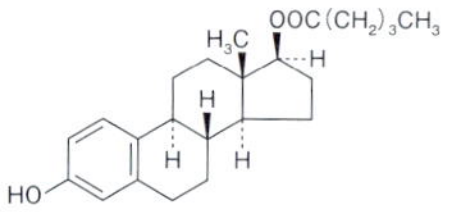

エストラジオール吉草酸エステル
（プロギノンデポー筋注, ペラニンデポー筋注）

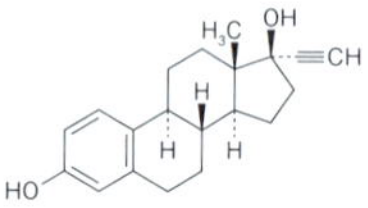

エチニルエストラジオール
（プロセキソール錠）

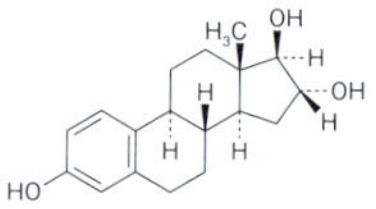

エストリオール
（エストリール錠/膣錠, ホーリン錠/膣錠）

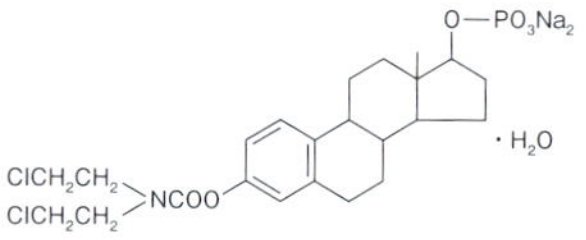

エストラムスチンリン酸エステルナトリウム水和物
（エストラサイトカ）

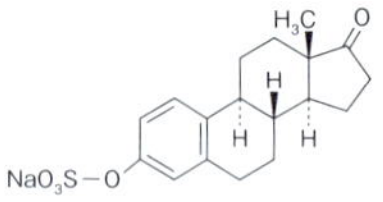

エストロン硫酸エステルナトリウム

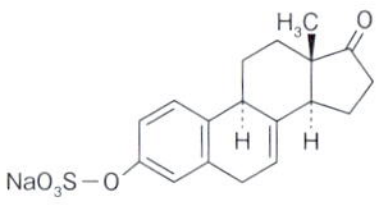

エクイリン硫酸エステルナトリウム

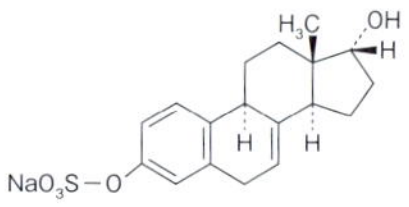

17α−ジヒドロエクイリン硫酸エステルナトリウム

結合型エストロゲン
（エストロン硫酸エステル Na ＋ エクイリン硫酸エステル Na ＋ 17α−ジヒドロエクイリン硫酸エステル Na）
（プレマリン錠）

卵胞ホルモン拮抗薬

エストロゲン受容体拮抗薬

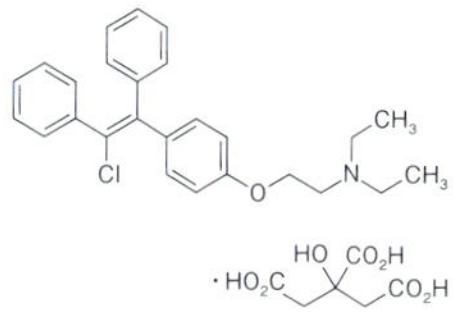

クロミフェンクエン酸塩
（クロミッド錠）

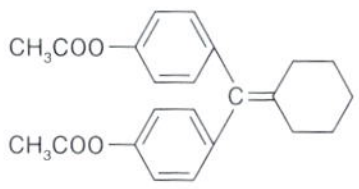

シクロフェニル
（セキソビット錠）

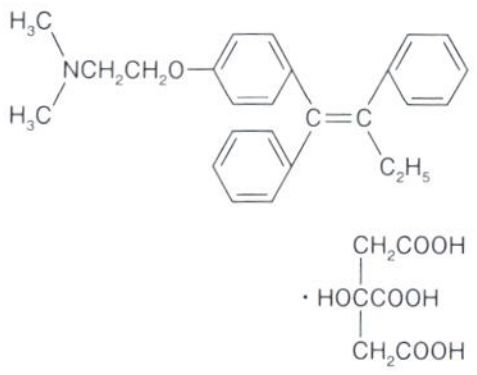

タモキシフェンクエン酸塩
（ノルバデックス錠）

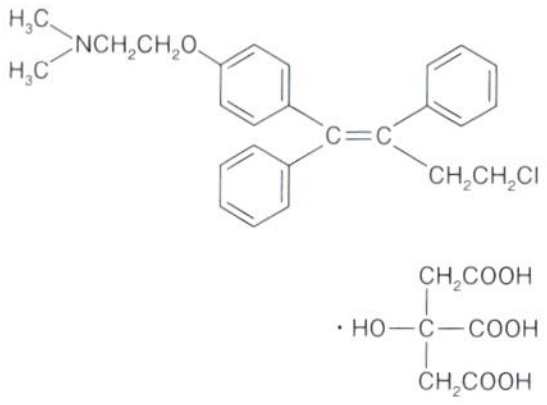

トレミフェンクエン酸塩
（フェアストン錠）

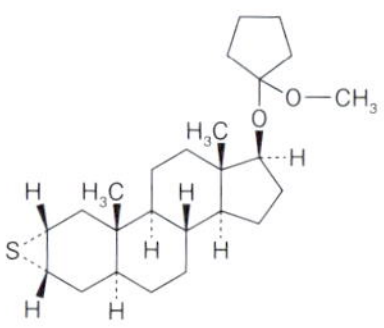

メピチオスタン
（チオデロンカ）

エストロゲン合成阻害薬

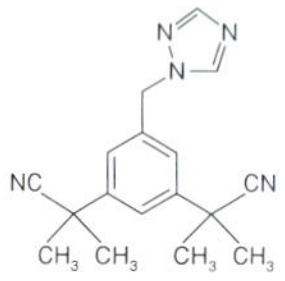

アナストロゾール
（アリミデックス錠）

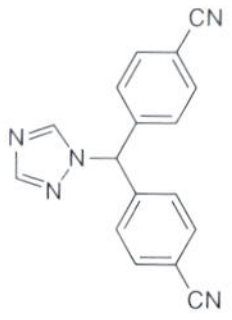

レトロゾール
（フェマーラ錠）

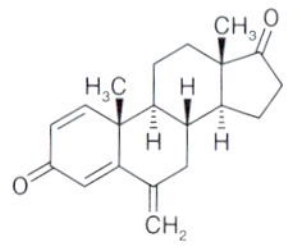

エキセメスタン
（アロマシン錠）

性ホルモン関連薬

黄体ホルモン様作用薬

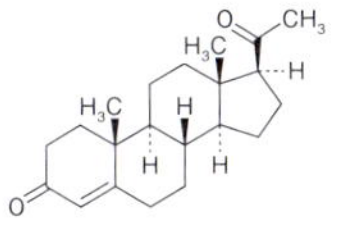

プロゲステロン
（**プロゲホルモン**筋注，**ルテウム**腟錠，
ルティナス腟錠，**ウトロゲスタン**腟カ，
ワンクリノン腟ゲル）

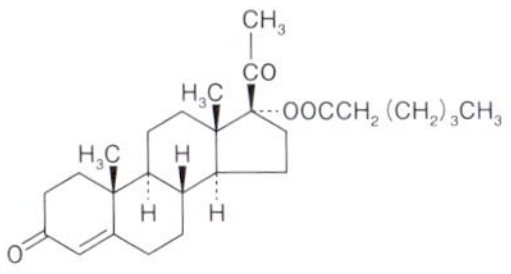

ヒドロキシプロゲステロンカプロン酸エステル
（**プロゲデポー**筋注）

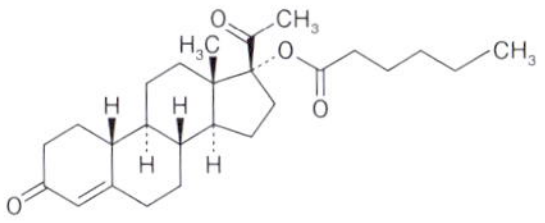

ゲストノロンカプロン酸エステル
（**デポスタット**筋注）

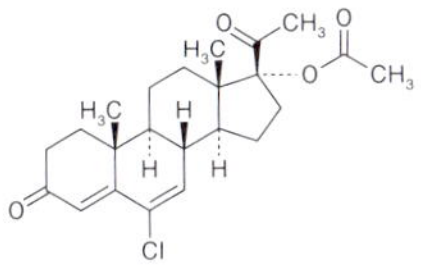

クロルマジノン酢酸エステル
（**ルトラール**錠）

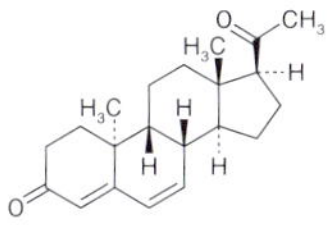

ジドロゲステロン
（**デュファストン**錠）

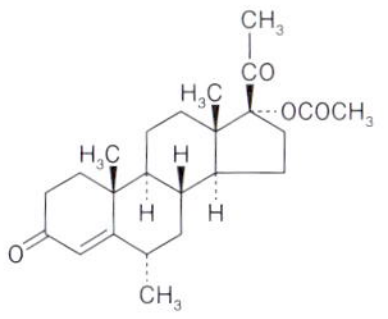

メドロキシプロゲステロン酢酸エステル
（**ヒスロン**錠，**プロベラ**錠）

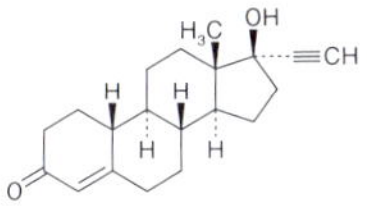

ノルエチステロン
（**ノアルテン**錠）

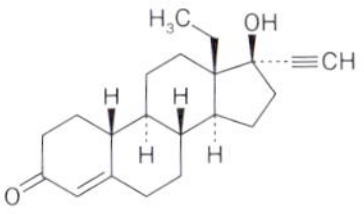

レボノルゲストレル
（**ノルレボ**錠，**ミレーナ**腟内装着）

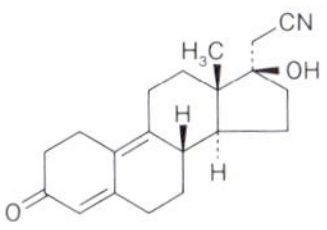

ジエノゲスト
（**ディナゲスト**錠）

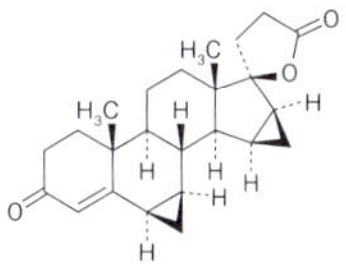

ドロスピレノン
（エチニルエストラジオールベータデクスとの合剤：**ヤーズ**配合錠，
ヤーズフレックス配合錠）

男性ホルモン様作用薬

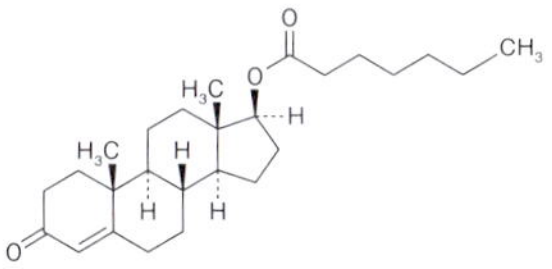

テストステロンエナント酸エステル
（**エナルモンデポー**筋注）

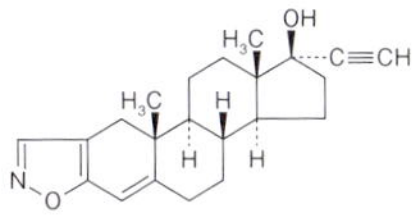

ダナゾール
（**ボンゾール**錠）

蛋白同化ステロイド

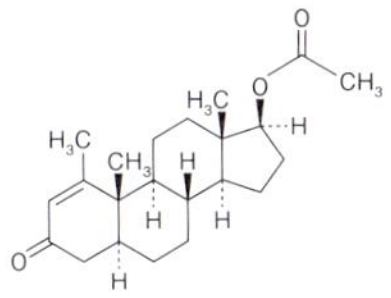

メテノロン酢酸エステル
（**プリモボラン**錠）

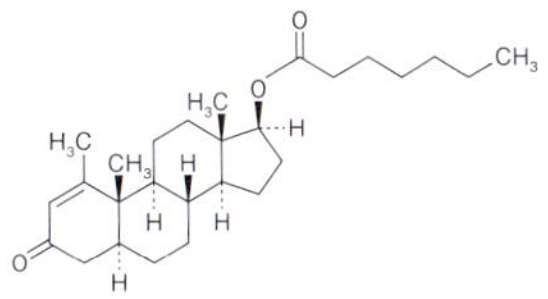

メテノロンエナント酸エステル
（**プリモボラン・デポー**筋注）

性ホルモン関連薬

抗アンドロゲン薬

アンドロゲン受容体遮断薬

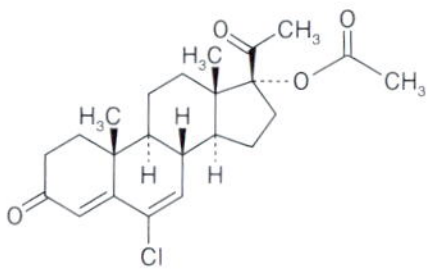

クロルマジノン酢酸エステル
（**プロスタール**錠/L錠（徐放））

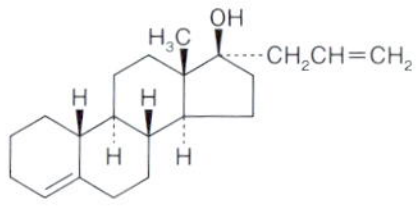

アリルエストレノール
（**アリルエストレノール**錠）

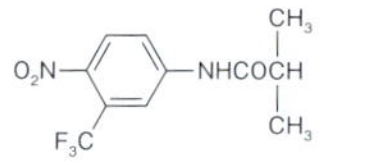

フルタミド
（**オダイン**錠）

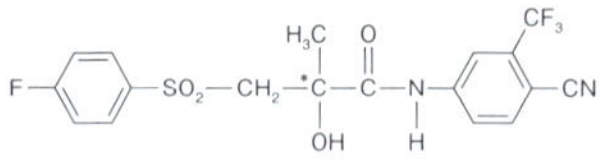

ビカルタミド
（**カソデックス**錠）

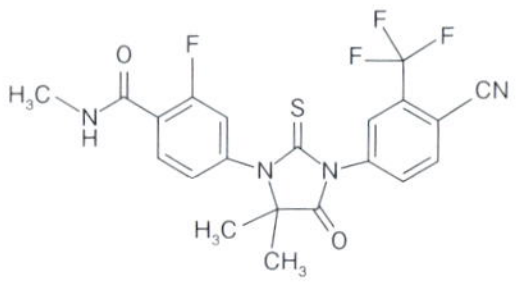

エンザルタミド
（**イクスタンジ**錠）

5α-還元酵素阻害薬

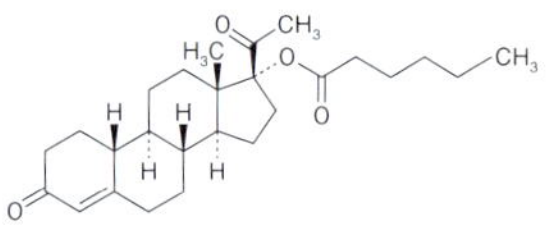

ゲストノロンカプロン酸エステル
（**デポスタット**筋注）

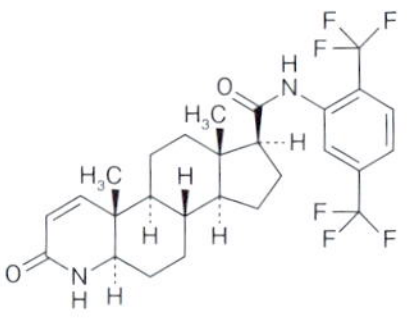

デュタステリド
（**アボルブ**カ，**ザガーロ**カ）

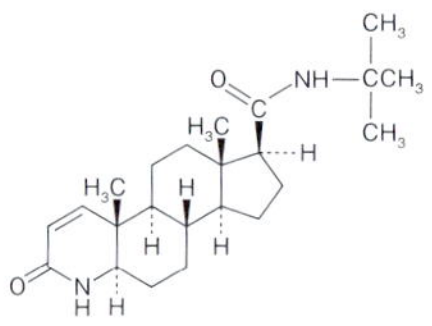

フィナステリド
（**プロペシア**錠）

ビタミン関連薬

☞本文 p449

水溶性ビタミン関連薬

ビタミン B_1 製剤

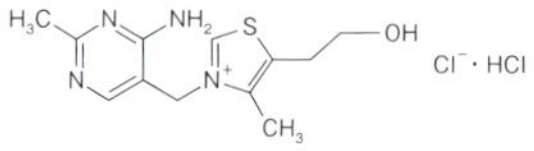

チアミン塩化物塩酸塩
（**メタボリン**注/G注）

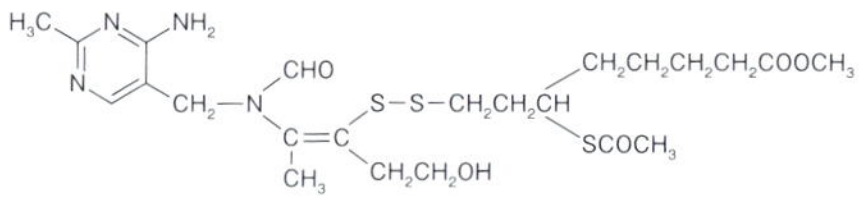

オクトチアミン
（**ノイビタ**錠）

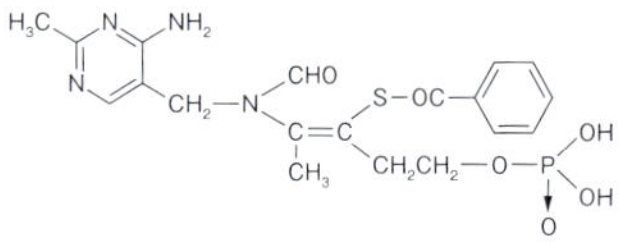

ベンフォチアミン
（**ベンフォチアミン**錠）

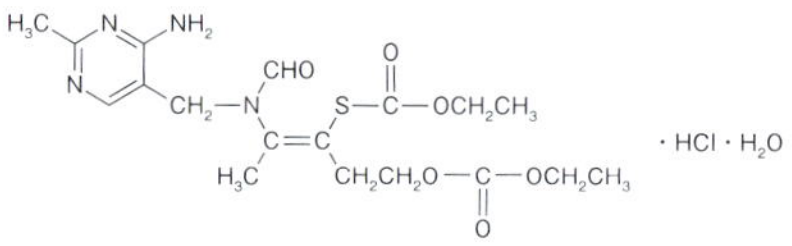

セトチアミン〈ジセチアミン〉塩酸塩水和物
（**ジセタミン**錠）

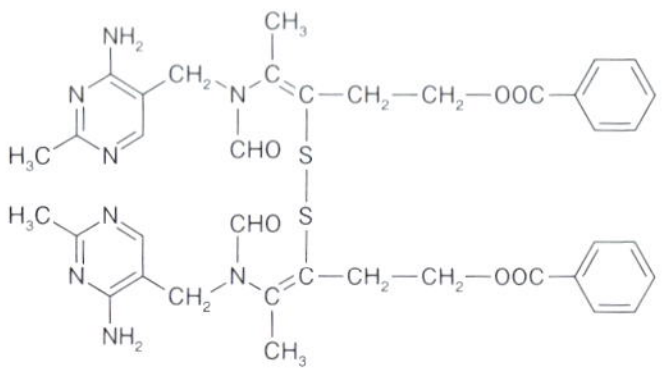

ビスベンチアミン
（**ベストン**糖衣錠）

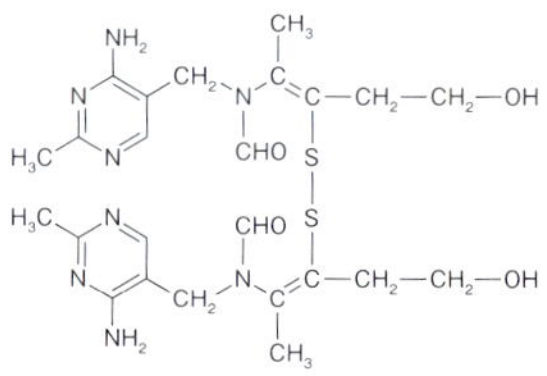

チアミンジスルフィド
〈チアミノジスルフィド硝酸塩〉
（**チアミンジスルフィド**錠，**バイオゲン**静注）

水溶性ビタミン関連薬

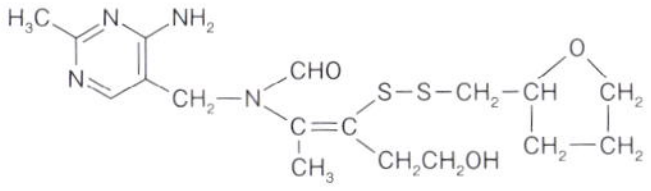

フルスルチアミン（塩酸塩）
（**アリナミンF**糖衣錠/注）

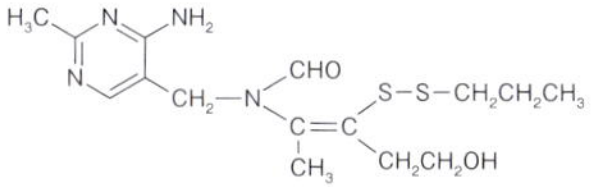

プロスルチアミン
（**アリナミン**注）

ビタミン B_2 製剤

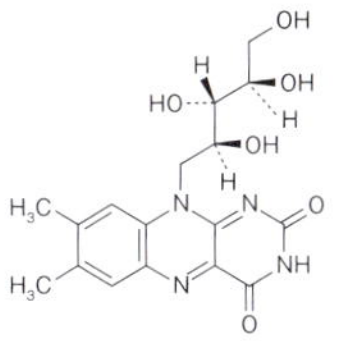

リボフラビン

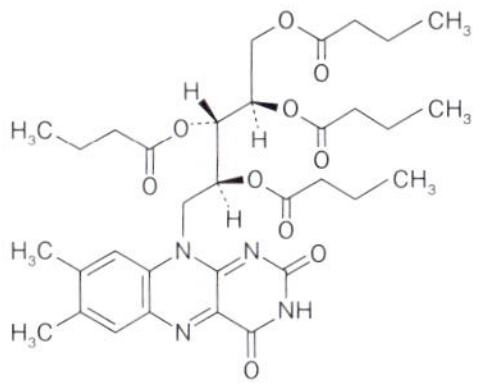

リボフラビン酪酸エステル
（**ハイボン**錠/細）

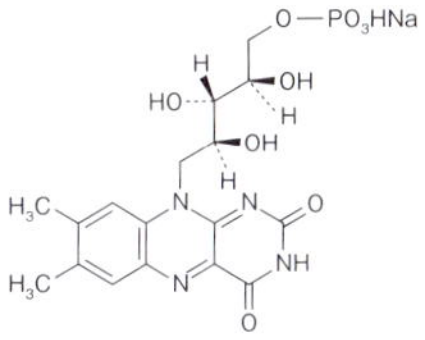

リボフラビンリン酸エステルナトリウム
（**ビスラーゼ**注，**ホスフラン**注）

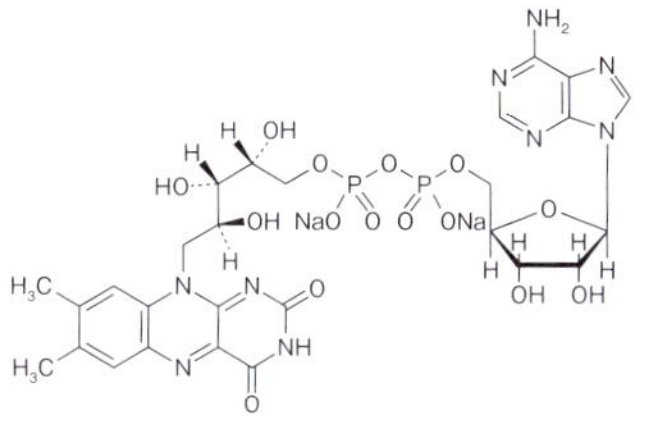

フラビンアデニンジヌクレオチドナトリウム
（**フラビタン**錠/シ/注）

ナイアシン

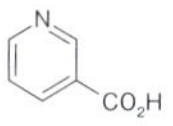

ニコチン酸
（**ナイクリン**注）

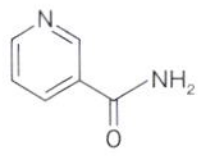

ニコチン酸アミド
（**ニコチン酸アミド**散）

パントテン酸（ビタミン B_5 製剤）

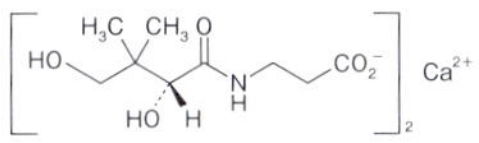

パントテン酸カルシウム

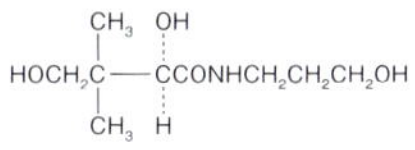

パンテノール
（**パントール**注）

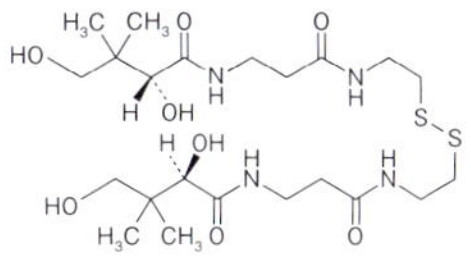

パンテチン
（**パントシン**錠/散/細/注）

ビタミン B_6 製剤

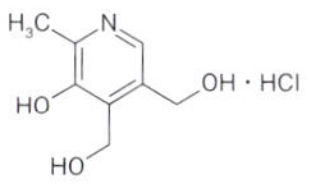

ピリドキシン塩酸塩
（**ビーシックス**注，**ビタミン B_6** 散/錠）

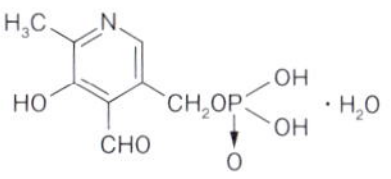

ピリドキサールリン酸エステル水和物
（**ピドキサール**錠/注）

水溶性ビタミン関連薬

ビタミン B₁₂ 製剤

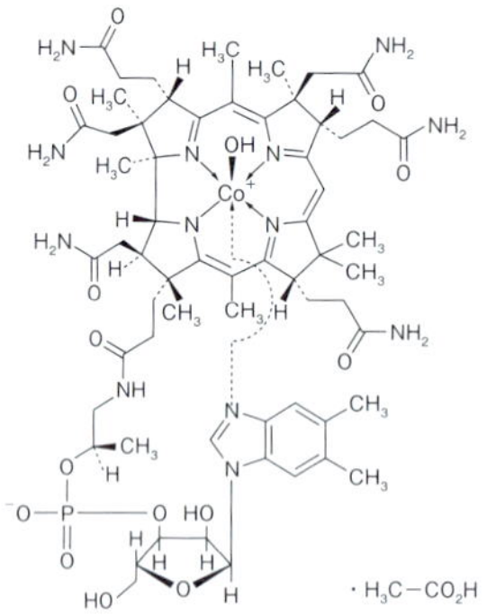

- ヒドロキソコバラミン酢酸塩（フレスミン S 注）
- メコバラミン（メチコバール 錠/細/注）
- コバマミド（ハイコバール ヵ）
- シアノコバラミン（シアノコバラミン 注）

葉酸	ビタミン C 製剤	ビタミン H 製剤	チオクト酸
葉酸（フォリアミン 錠/散/注）	アスコルビン酸（ハイシー 顆, ビタシミン 注, アスコルビン酸 末）	ビオチン〈ビタミン H〉（ビオチン 散/ドシ/注）	チオクト酸（チオクト酸 注）

脂溶性ビタミン関連薬

ビタミン A 製剤

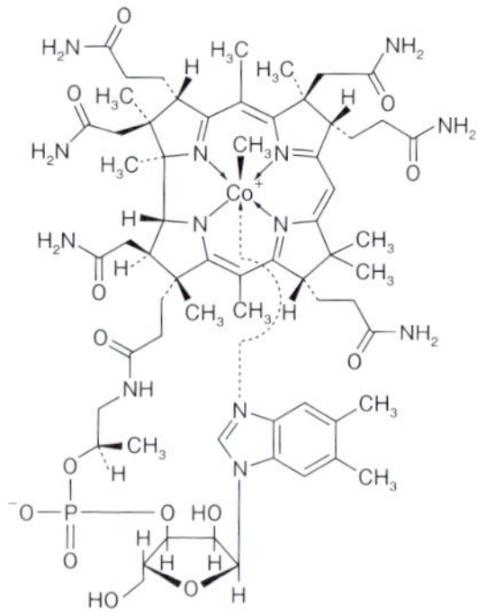

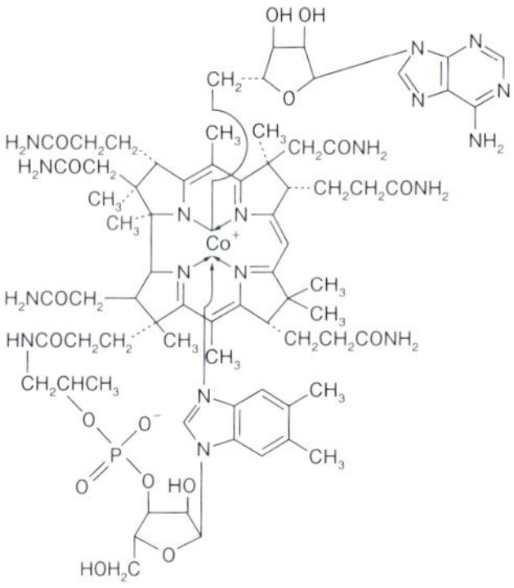

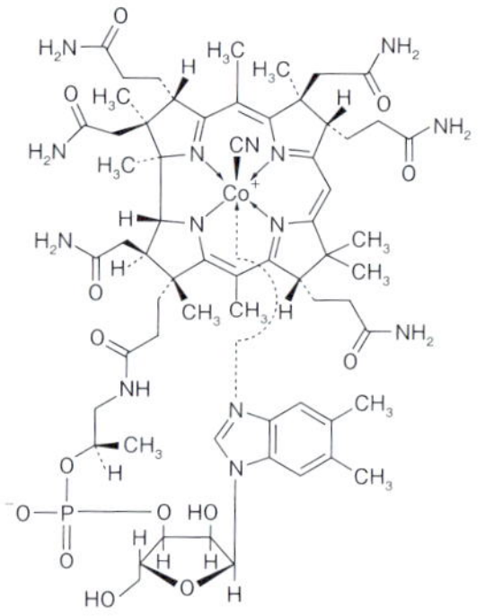

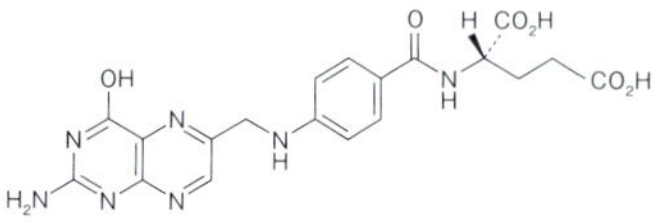

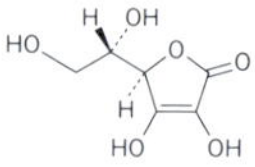

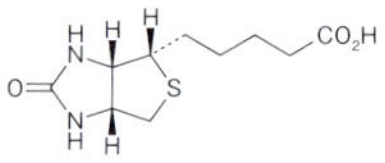

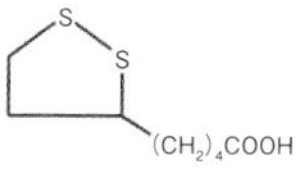

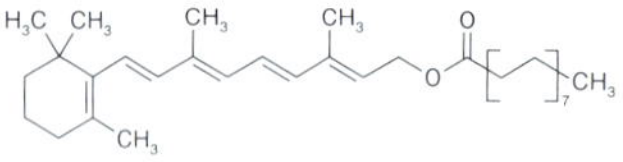

- レチノールパルミチン酸エステル（チョコラ A 錠/末/滴/筋注）
- エトレチナート（チガソン ヵ）
- トレチノイントコフェリル〈トコレチナート〉（オルセノン 軟）
- アダパレン（ディフェリン ゲル）
- トレチノイン（ベサノイド ヵ）
- タミバロテン（アムノレイク 錠）
- ヘレニエン（アダプチノール 錠）

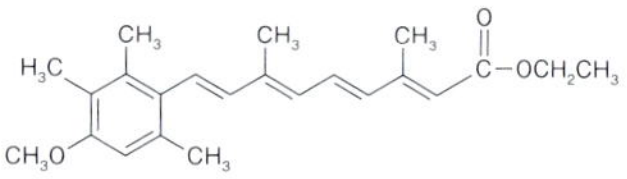

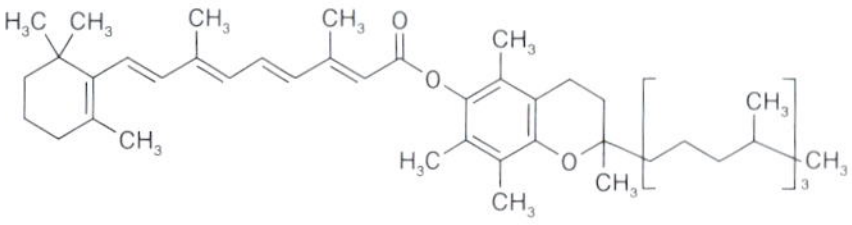

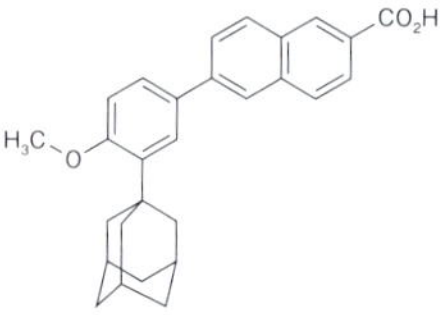

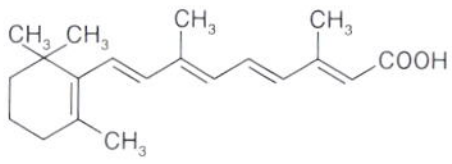

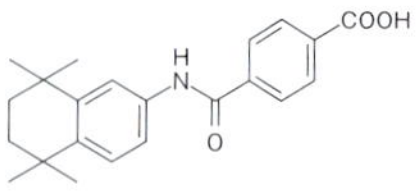

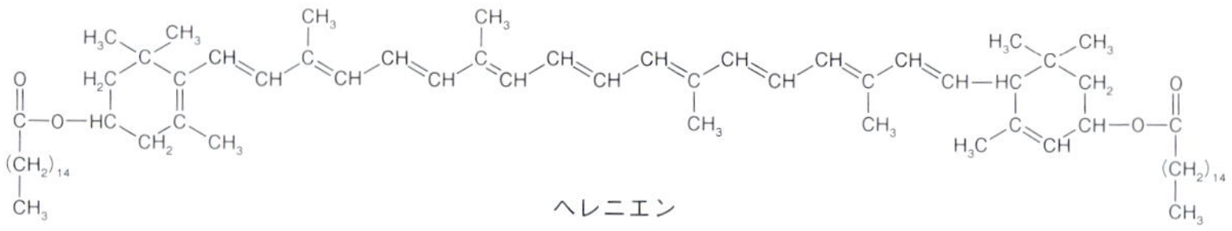

脂溶性ビタミン関連薬

ビタミンD製剤

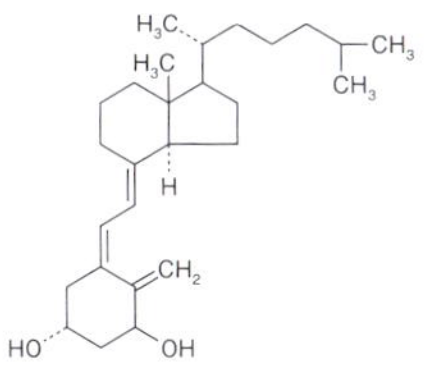

アルファカルシドール
（**アルファロール**散/カ/内用液，**ワンアルファ**錠）

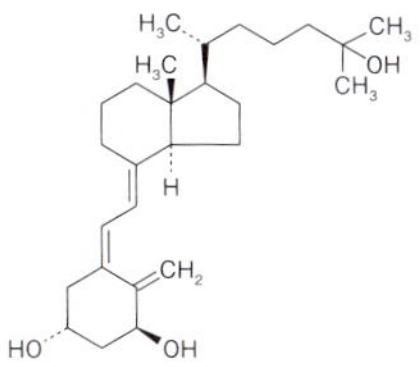

カルシトリオール
（**ロカルトロール**カ/注）

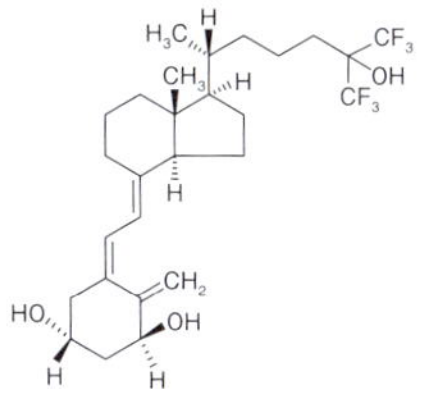

ファレカルシトリオール
（**フルスタン**錠，**ホーネル**錠）

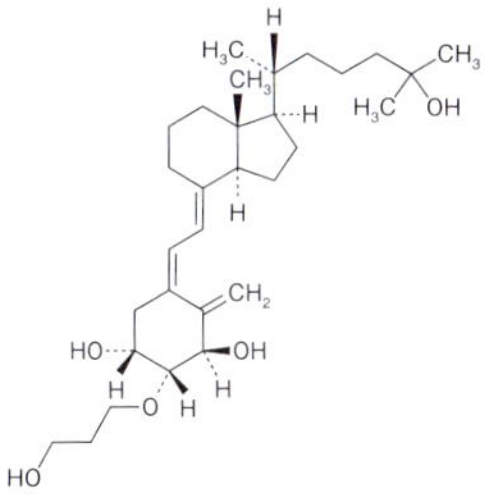

エルデカルシトール
（**エディロール**カ）

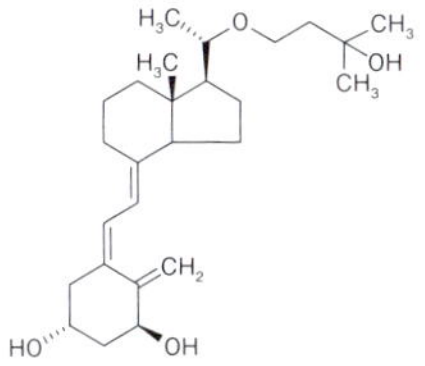

マキサカルシトール
（**オキサロール**軟/ロ/注）

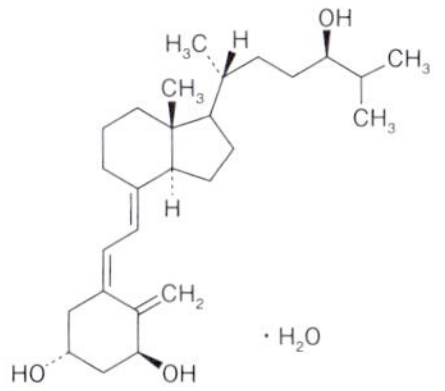

タカルシトール水和物
（**ボンアルファ**軟/ク/ロ）

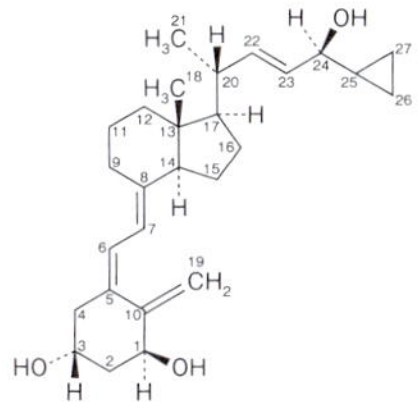

カルシポトリオール
（**ドボネックス**軟）

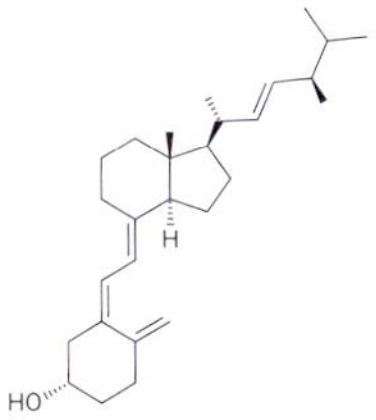

エルゴカルシフェロール
（**エレンタール**内用剤，**ビタジェクト**注キット）

ビタミンE製剤

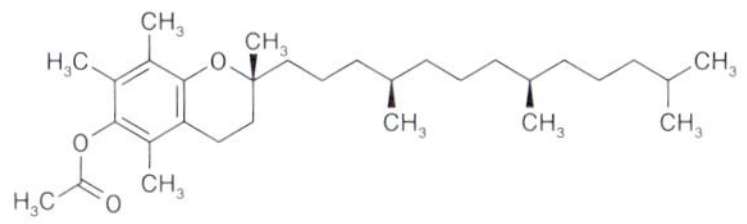

トコフェロール酢酸エステル
（**ユベラ**錠/顆）

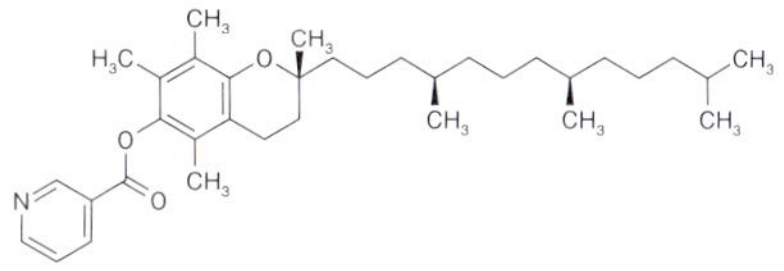

トコフェロールニコチン酸エステル〈ニコチン酸 *dl*-*α*-トコフェロール〉
（**ユベラN**カ/ソフトカ）

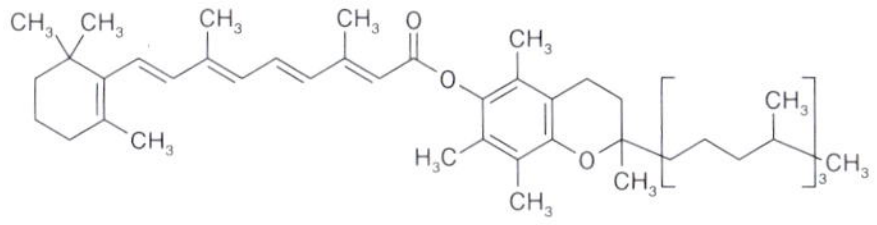

トレチノイントコフェリル〈トコレチナート〉
（**オルセノン**軟）

ビタミンK製剤

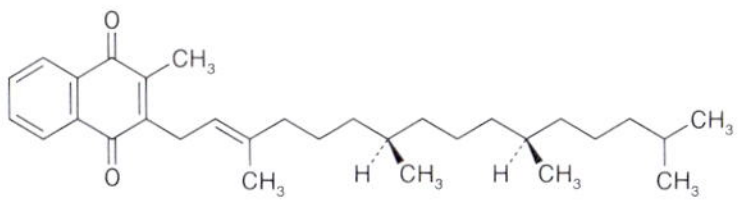

フィトナジオン
（**カチーフN**錠/散，**ケーワン**錠，**ビタミンK_1**注）

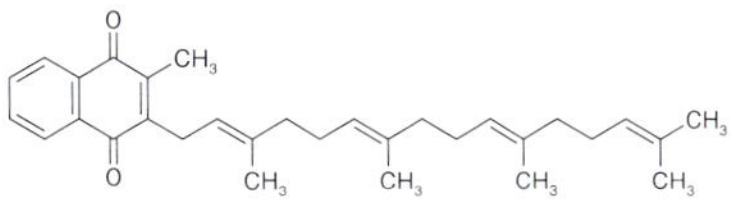

メナテトレノン
（**ケイツーN**静注/カ/シ，**グラケー**カ）

糖尿病治療薬

☞本文 p457

スルホニル尿素系薬物（SU薬）

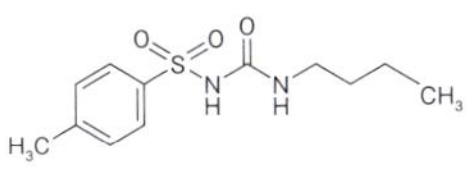

トルブタミド

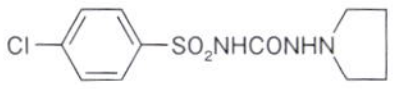

グリクロピラミド
（**デアメリンS**錠）

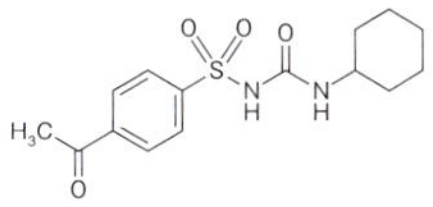

アセトヘキサミド
（**ジメリン**錠）

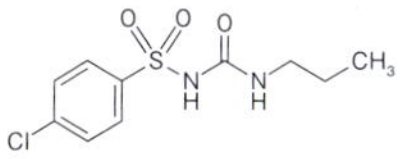

クロルプロパミド
（**クロルプロパミド**錠）

スルホニル尿素系薬物（SU薬）

グリクラジド
（**グリミクロン** HA錠/錠）

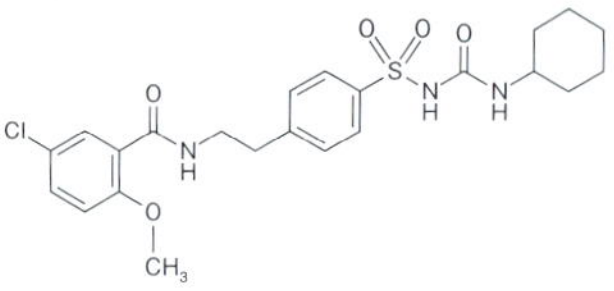

グリベンクラミド
（**オイグルコン**錠，**ダオニール**錠）

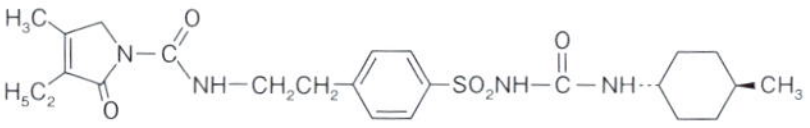

グリメピリド
（**アマリール**錠/OD錠）

スルホンアミド系

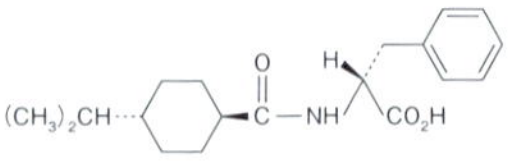

ナテグリニド
（**スターシス**錠，**ファスティック**錠）

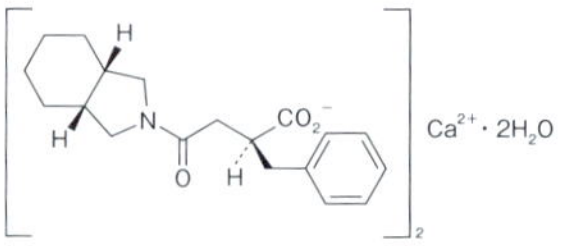

ミチグリニドカルシウム水和物
（**グルファスト**錠/OD錠）

$Ca^{2+} \cdot 2H_2O$

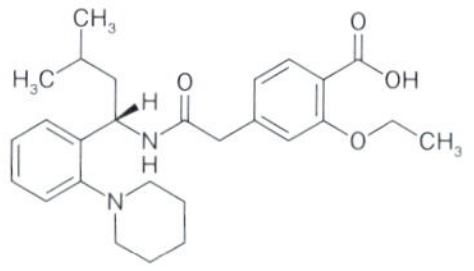

レパグリニド
（**シュアポスト**錠）

インクレチン関連薬（インスリン分泌促進薬）

His–Ala–Glu–Gly–Thr–Phe–Thr–Ser–Asp–Val–Ser–Ser–Tyr–Leu
Glu
Gly
Gln
Gly–Arg–Gly–Arg–Val–Leu–Trp–Ala–Ile–Phe–Glu–Lys–Ala–Ala

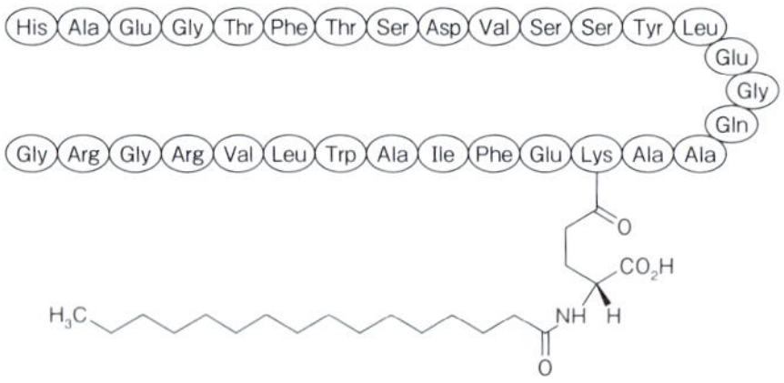

リラグルチド
（**ビクトーザ**皮下注）

H-His-Gly-Glu-Gly-Thr-Phe-Thr-Ser-Asp-Leu-Ser-Lys-Gln-
1   5   10
Met-Glu-Glu-Glu-Ala-Val-Arg-Leu-Phe-Ile-Glu-Trp-Leu-Lys
15   20   25
-Asn-Gly-Gly-Pro-Ser-Ser-Gly-Ala-Pro-Pro-Pro-Ser-NH$_2$
30   35   39

エキセナチド
（**バイエッタ**皮下注，**ビデュリオン**皮下注用）

His-Gly-Glu-Gly-Thr-Phe-Thr-Ser-Asp-Leu-Ser-Lys-
Gln-Met-Glu-Glu-Glu-Ala-Val-Arg-Leu-Phe-Ile-Glu-
Trp-Leu-Asn-Gly-Gly-Pro-Ser-Ser-Gly-Ala-Pro-
Pro-Ser-Lys-Lys-Lys-Lys-Lys-Lys-NH$_2$

リキシセナチド
（**リキスミア**皮下注）

His-NH
Glu-Gly-Thr-Phe-Thr-Ser-Asp-Val-Ser-
Glu
NH
N$^{\epsilon}$
Ser-Tyr-Leu-Leu-Gly-Gln-Ala-Ala-Lys-Glu-Phe-
Ile-Ala-Trp-Leu-Val-Arg-Gly-Arg-Gly

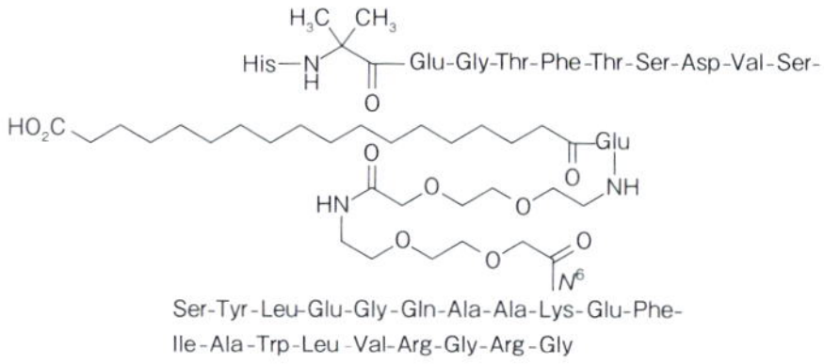

セマグルチド（遺伝子組換え）
（**オゼンピック**皮下注，**リベルサス**錠）

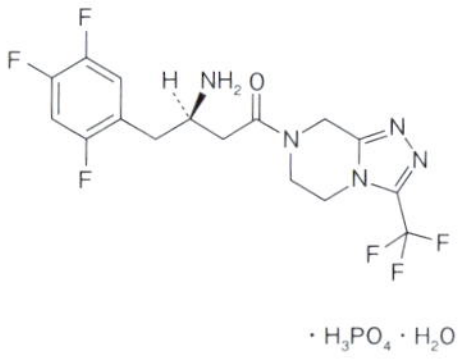

シタグリプチンリン酸塩水和物
（**グラクティブ**錠，**ジャヌビア**錠）
$\cdot H_3PO_4 \cdot H_2O$

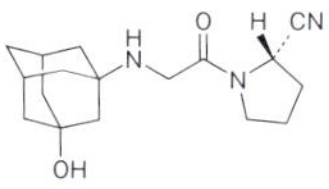

ビルダグリプチン
（**エクア**錠）

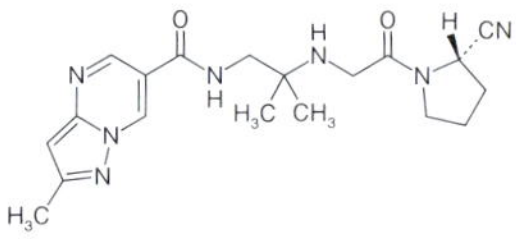

アナグリプチン
（**スイニー**錠）

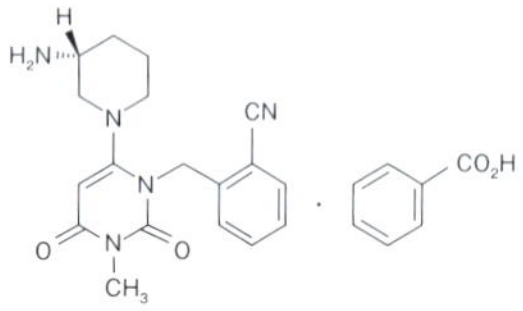

アログリプチン安息香酸塩
（**ネシーナ**錠）

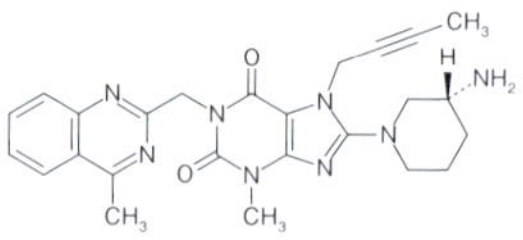

リナグリプチン
（**トラゼンタ**錠）

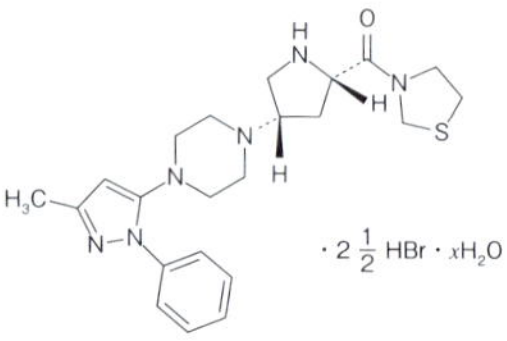

テネリグリプチン臭化水素酸塩水和物
（**テネリア**錠）
$\cdot 2\frac{1}{2} HBr \cdot xH_2O$

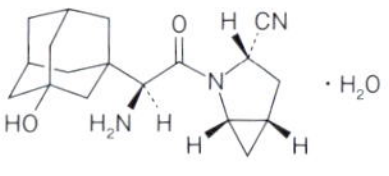

サキサグリプチン水和物
（**オングリザ**錠）
$\cdot H_2O$

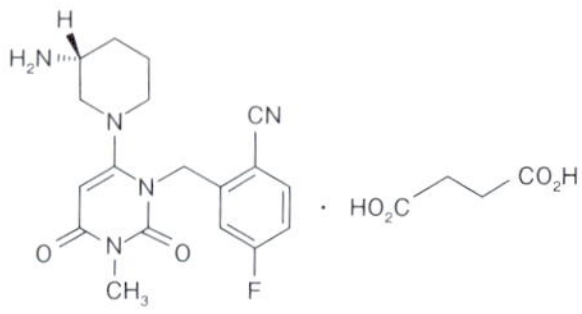

トレラグリプチンコハク酸塩
（**ザファテック**錠）

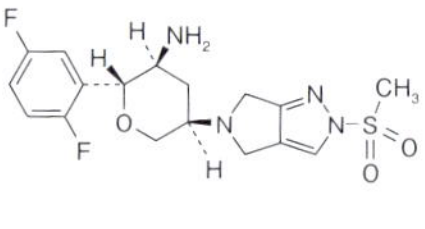

オマリグリプチン
（**マリゼブ**錠）

ビグアナイド系薬物		グリミン系薬物	インスリン抵抗性改善薬（チアゾリジンジオン系）

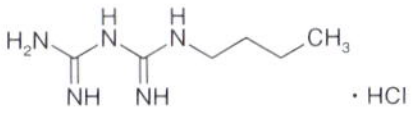

ブホルミン塩酸塩（ジベトス錠）

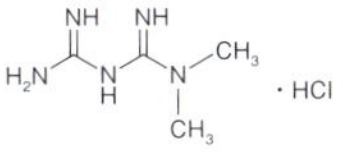

メトホルミン塩酸塩（グリコラン錠, メトグルコ錠）

イメグリミン塩酸塩（ツイミーグ錠）

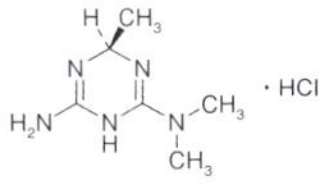

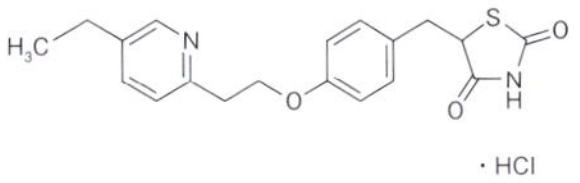

ピオグリタゾン塩酸塩（アクトス錠/OD錠）

α-グルコシダーゼ阻害薬（食後過血糖改善薬）

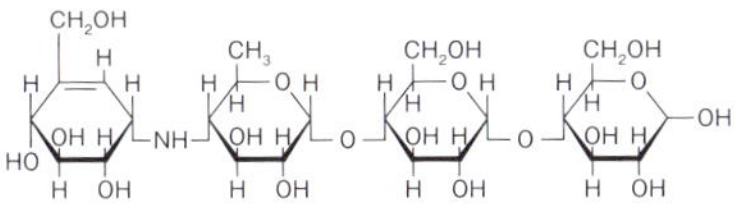

アカルボース（グルコバイ錠/OD錠）

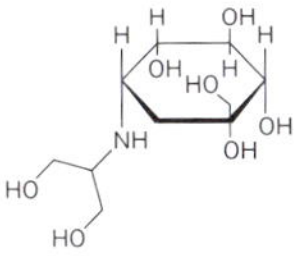

ボグリボース（ベイスン錠/OD錠）

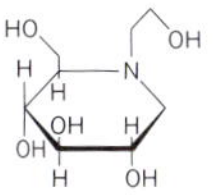

ミグリトール（セイブル錠/OD錠）

SGLT2阻害薬（尿糖排泄促進薬）

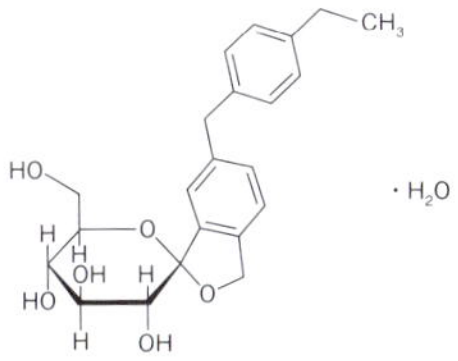

トホグリフロジン水和物（デベルザ錠, アプルウェイ錠）

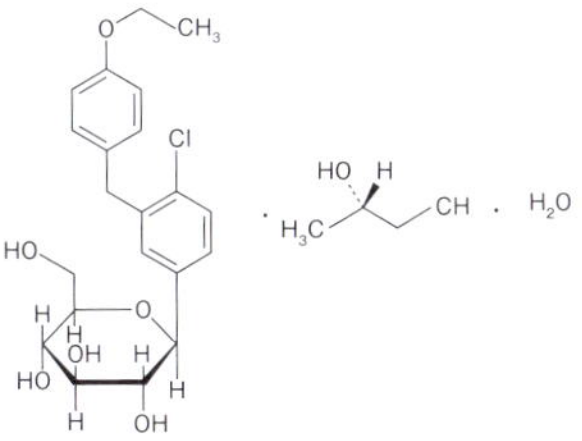

ダパグリフロジンプロピレングリコール水和物（フォシーガ錠）

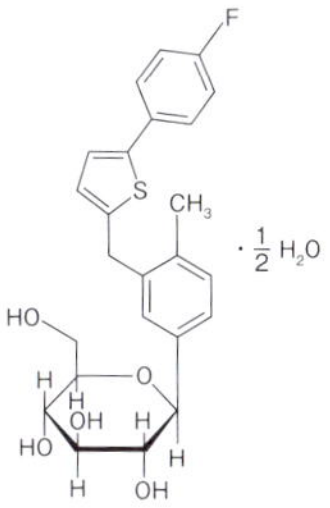

カナグリフロジン水和物（カナグル錠）

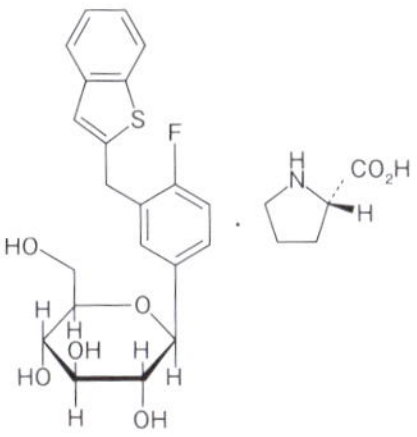

イプラグリフロジン L-プロリン（スーグラ錠）

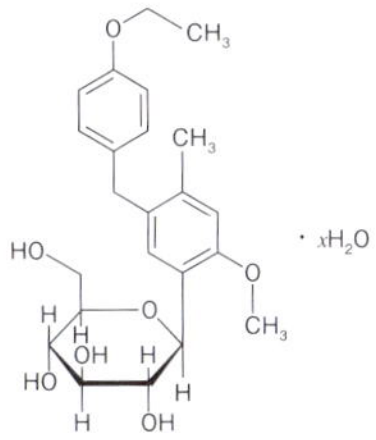

ルセオグリフロジン水和物（ルセフィ錠）

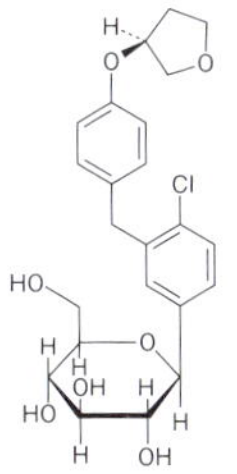

エンパグリフロジン（ジャディアンス錠）

糖尿病合併症治療薬

糖尿病性末梢神経障害治療薬

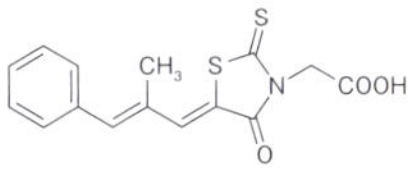

エパルレスタット（キネダック錠）

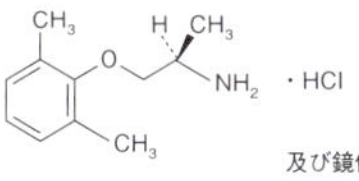

メキシレチン塩酸塩（メキシチール点滴静注/カ）　及び鏡像異性体

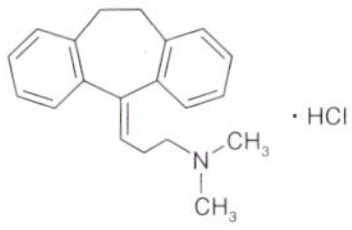

アミトリプチリン塩酸塩（トリプタノール錠）

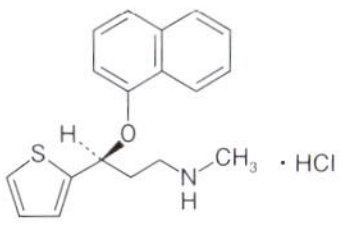

デュロキセチン塩酸塩（サインバルタカ）

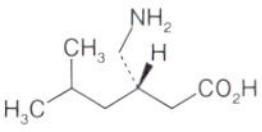

プレガバリン（リリカカ/OD錠）

糖尿病性腎症治療薬

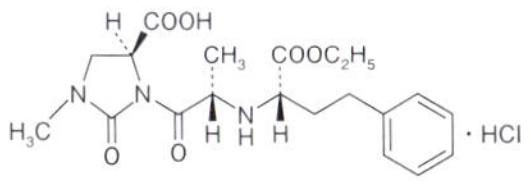

イミダプリル塩酸塩（タナトリル錠）

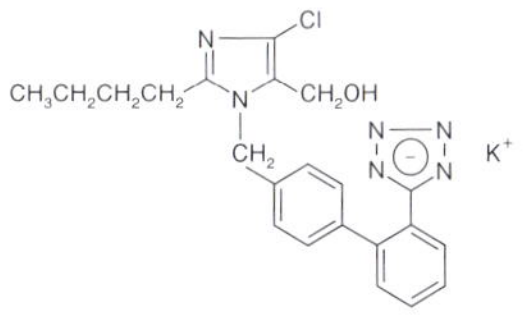

ロサルタンカリウム（ニューロタン錠）

内分泌・代謝系作用薬

脂質異常症治療薬 ☞本文 p466

脂質異常症治療薬

フィブラート系薬物

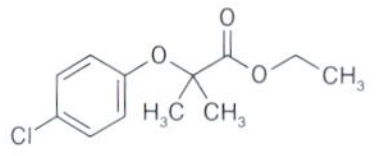

クロフィブラート
（**クロフィブラート**カ）

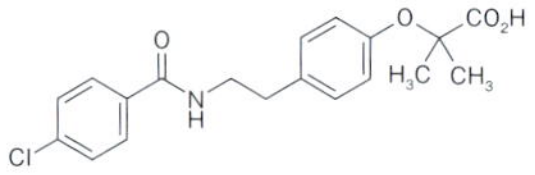

ベザフィブラート
（**ベザトール SR**徐放錠）

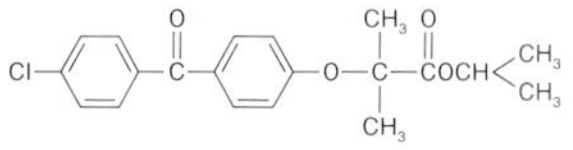

フェノフィブラート
（**トライコア**カ，**リピディル**カ）

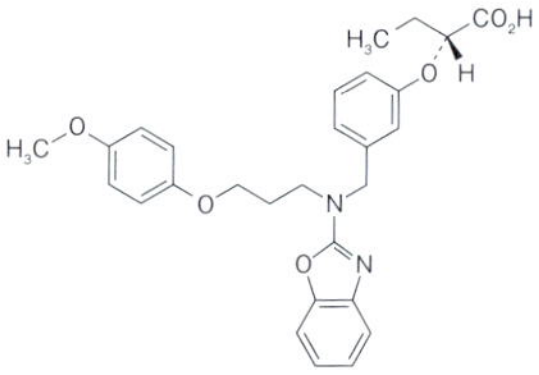

ペマフィブラート
（**パルモディア**錠）

デキストラン硫酸ナトリウム

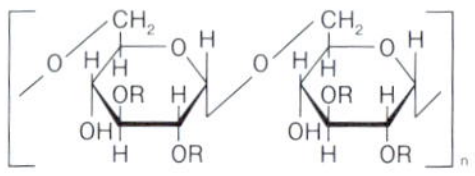

R＝SO$_3$Na 又は H

デキストラン硫酸ナトリウムイオウ
（**MDS**錠）

ニコチン酸系薬物

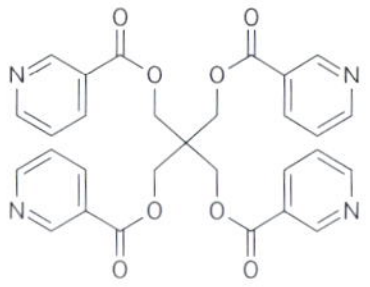

ニセリトロール
（**ペリシット**錠）

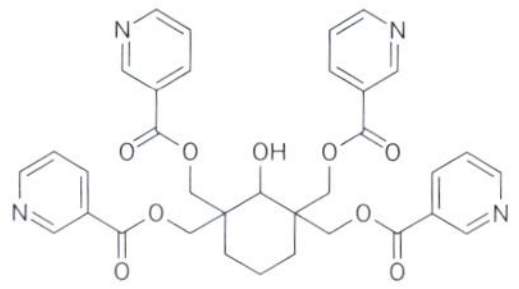

ニコモール
（**コレキサミン**錠）

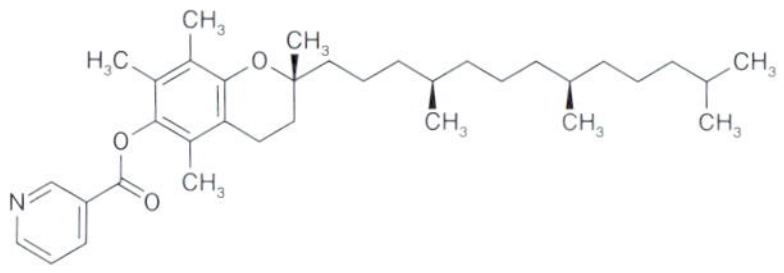

トコフェロールニコチン酸エステル
〈ニコチン酸 dl-α-トコフェロール〉
（**ユベラ N**カ/ソフトカ/細）

HMG-CoA 還元酵素阻害薬（スタチン系薬物）

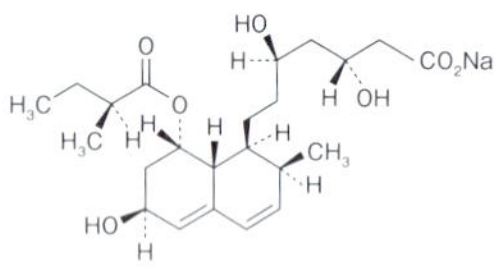

プラバスタチンナトリウム
（**メバロチン**錠/細）

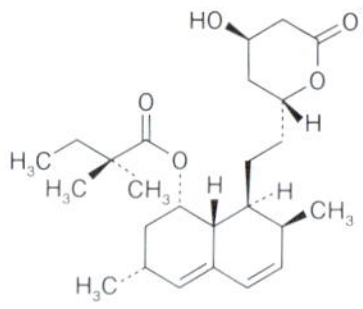

シンバスタチン
（**リポバス**錠）

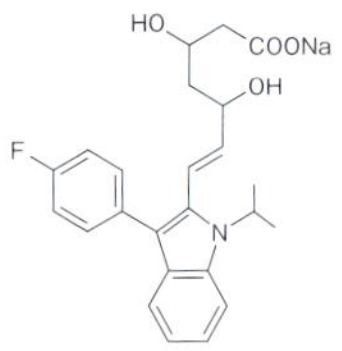

フルバスタチンナトリウム
（**ローコール**錠）

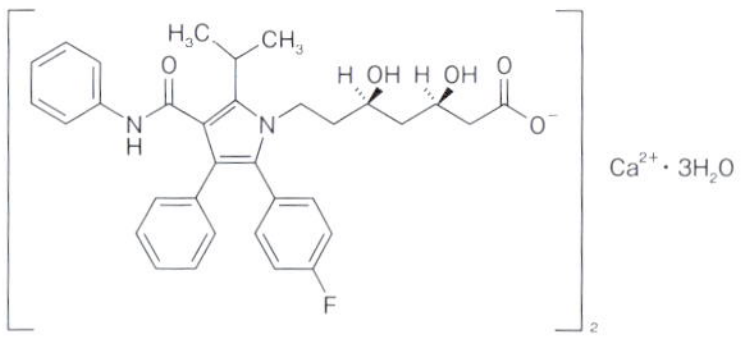

アトルバスタチンカルシウム水和物
（**リピトール**錠）

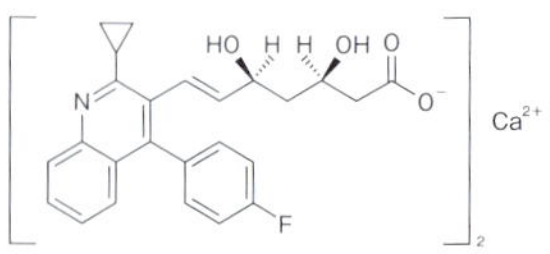

ピタバスタチンカルシウム
（**リバロ**錠/OD錠）

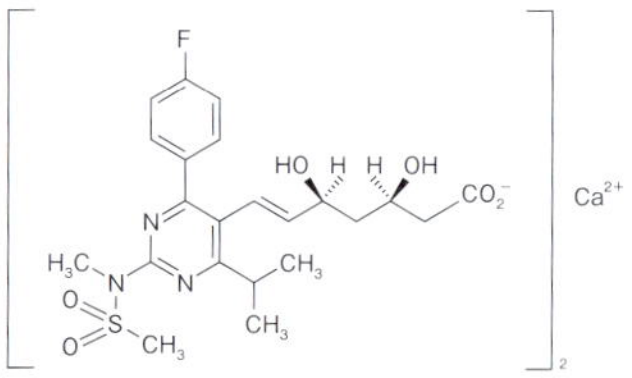

ロスバスタチンカルシウム
（**クレストール**錠/OD錠）

内分泌・代謝系作用薬

109

脂質異常症治療薬

塩基性陰イオン交換樹脂

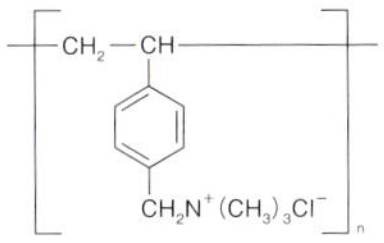

コレスチラミン
（**クエストラン**粉末）

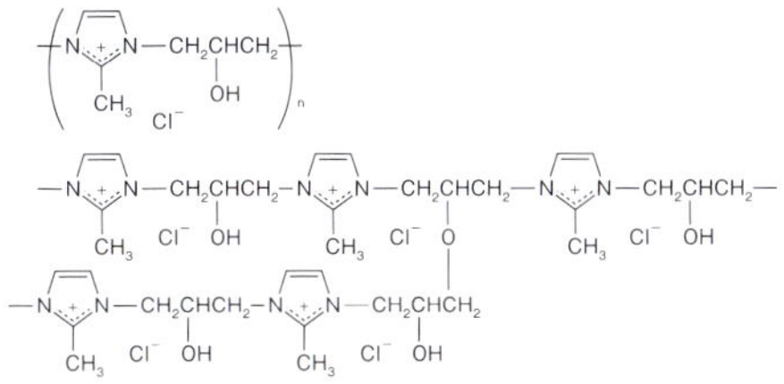

コレスチミド〈コレスチラン〉
（**コレバイン**錠）

小腸コレステロールトランスポーター阻害薬

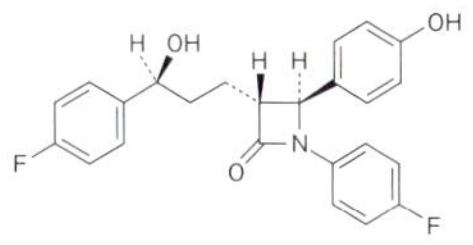

エゼチミブ
（**ゼチーア**錠）

植物ステロール

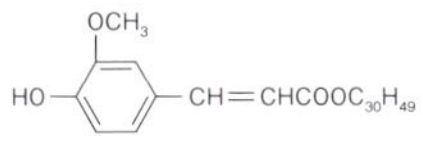

ガンマオリザノール
（**ハイゼット**錠/細）

プロブコール

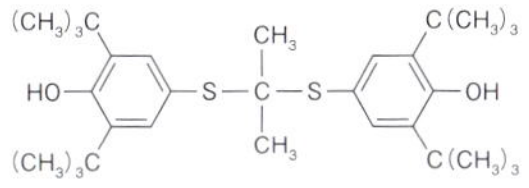

プロブコール
（**シンレスタール**錠/細，**ロレルコ**錠）

血管代謝改善薬

（ブタ膵臓由来酵素製剤）

エラスターゼ
（**エラスチーム**錠）

血流改善薬

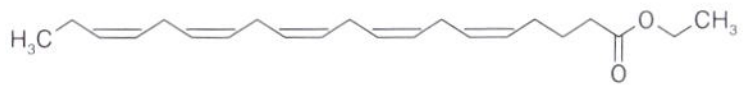

イコサペント酸エチル
（**エパデール**カ/S カ，**イコサペント酸エチル**顆粒状カ）

イコサペント酸エチル

ドコサヘキサエン酸エチル

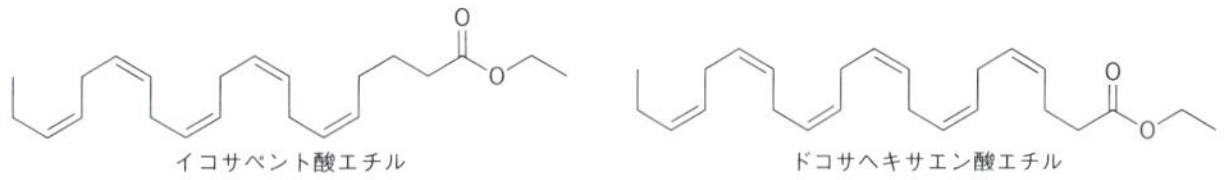

オメガ-3脂肪酸エチル
（**ロトリガ**粒状カ）

肝機能改善薬

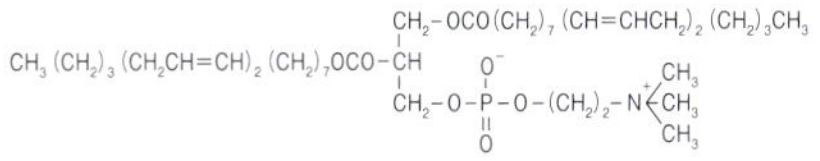

ポリエンホスファチジルコリン
（**EPL** カ）

パントテン酸補充

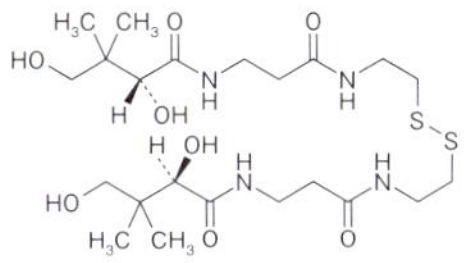

パンテチン
（**パントシン**錠/散/細/注）

MTP阻害薬

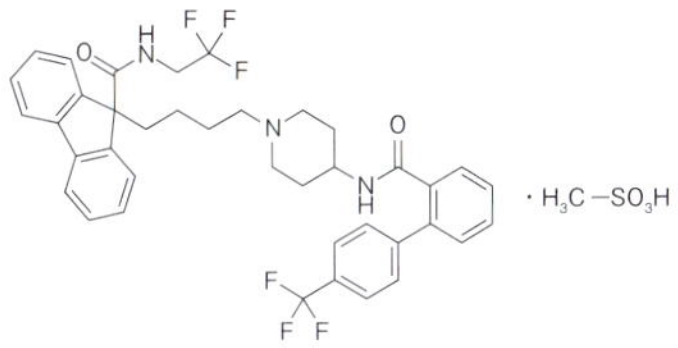

ロミタピドメシル酸塩
（**ジャクスタピッド**カ）

高尿酸血症治療薬 ☞本文 p474

急性発作治療薬

微小管重合阻害薬

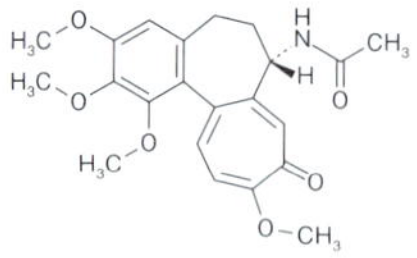

コルヒチン
（**コルヒチン**錠）

発作予防薬

尿酸産生阻害薬

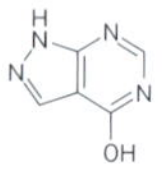

アロプリノール
（**ザイロリック**錠）

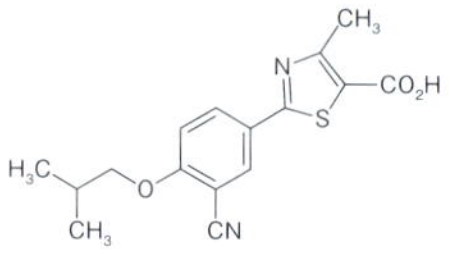

フェブキソスタット
（**フェブリク**錠）

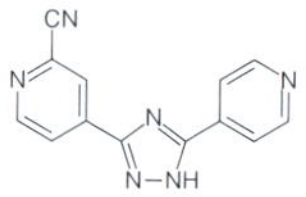

トピロキソスタット
（**トピロリック**錠，**ウリアデック**錠）

尿酸排泄促進薬

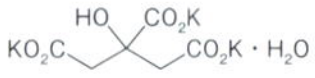

クエン酸カリウム水和物

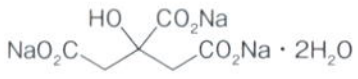

クエン酸ナトリウム水和物

クエン酸カリウム　＋　クエン酸ナトリウム
（**ウラリット**配合錠/U 配合散）

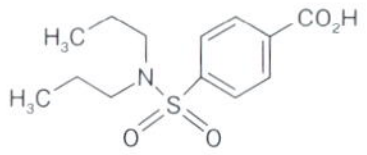

プロベネシド
（**ベネシッド**錠）

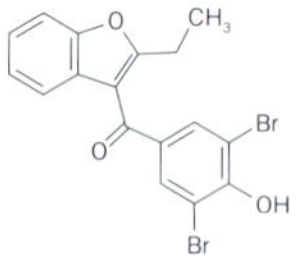

ベンズブロマロン
（**ユリノーム**錠，**ムイロジン**細）

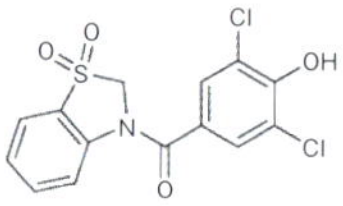

ドチヌラド
（**ユリス**錠）

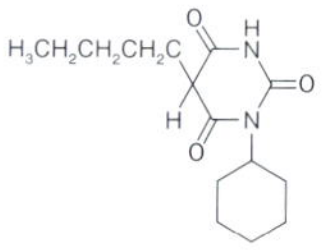

ブコローム
（**パラミヂン**カ）

骨粗しょう症治療薬

☞本文 p476

骨形成促進薬

活性型ビタミン D3製剤

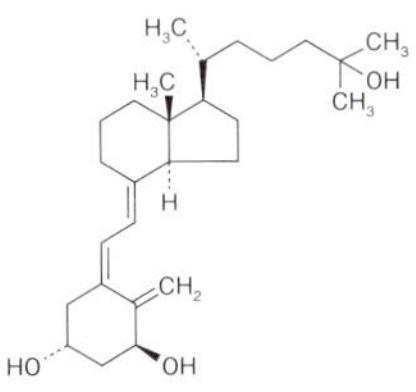

カルシトリオール
（**ロカルトロール**カ）

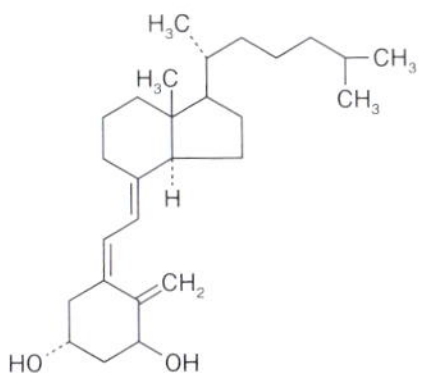

アルファカルシドール
（**アルファロール**散/カ/内用液，**ワンアルファ**錠）

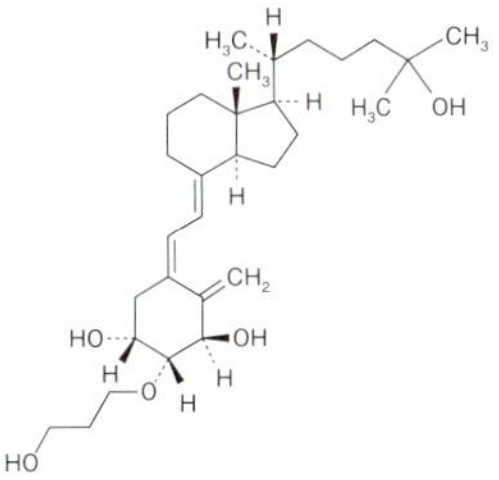

エルデカルシトール
（**エディロール**カ）

ビタミン K2製剤

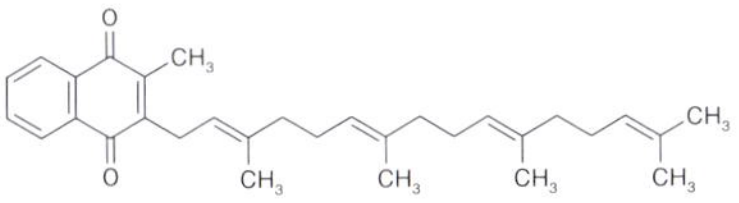

メナテトレノン
（**グラケー**カ）

蛋白同化ステロイド

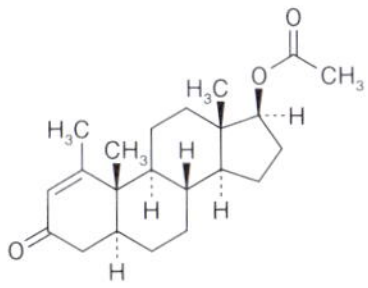

メテノロン酢酸エステル
（**プリモボラン**錠）

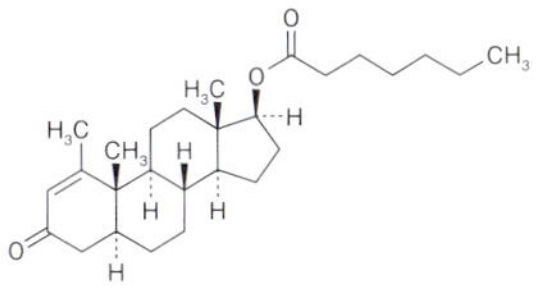

メテノロンエナント酸エステル
（**プリモボラン・デポー**筋注）

ヒト副甲状腺ホルモン

テリパラチド
（**フォルテオ**皮下注キット）

H-Ser-Val-Ser-Glu-Ile-Gln-Leu-Met-His-Asn-Leu-Gly-Lys-His-Leu-Asn-Ser-Met-Glu-Arg-Val-Glu-Trp-Leu-Arg-Lys-Lys-Leu-Gln-Asp-Val-His-Asn-Phe-OH・$5CH_3COOH$

テリパラチド酢酸塩
（**テリボン**皮下注用/皮下注オートインジェクター）

骨吸収抑制薬

エストロゲン様作用薬

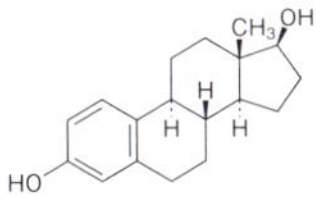

エストラジオール
（**ジュリナ**錠）

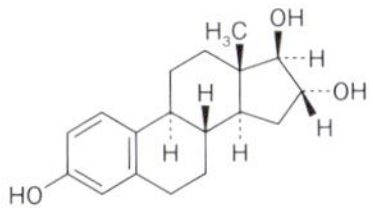

エストリオール
（**エストリール**錠，**ホーリン**錠）

SERM

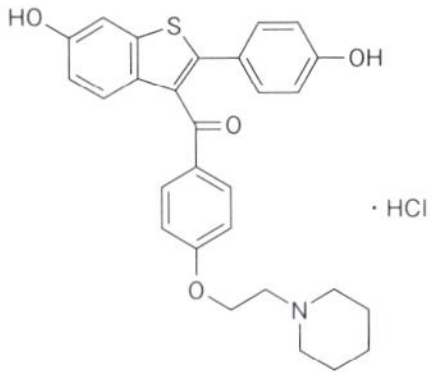

ラロキシフェン塩酸塩
（**エビスタ**錠）

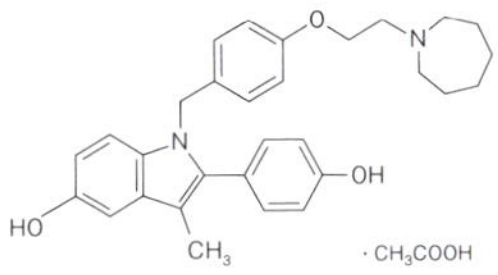

バゼドキシフェン酢酸塩
（**ビビアント**錠）

経口エストラジオール・プロゲスチン配合剤

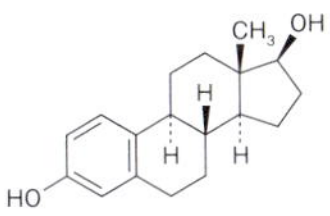

エストラジオール

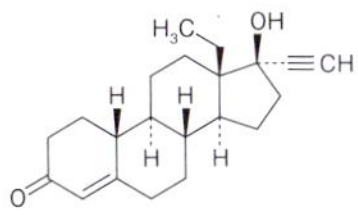

レボノルゲストレル

エストラジオール ＋ レボノルゲストレル
（**ウェールナラ**配合錠）

骨吸収抑制薬

カルシトニン製剤

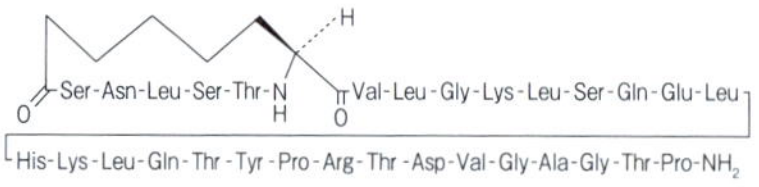

エルカトニン
（**エルシトニン**注）

フラボン

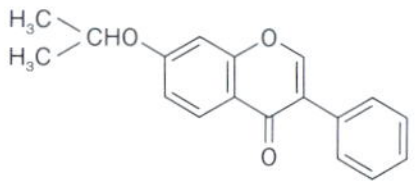

イプリフラボン
（**オステン**錠）

ビスホスホン酸誘導体

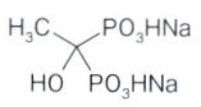

エチドロン酸二ナトリウム
（**ダイドロネル**錠）

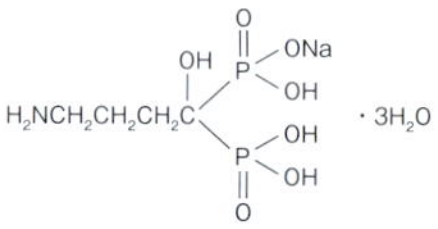

アレンドロン酸ナトリウム水和物
（**フォサマック**錠，
ボナロン錠/経口ゼリー/点滴静注）

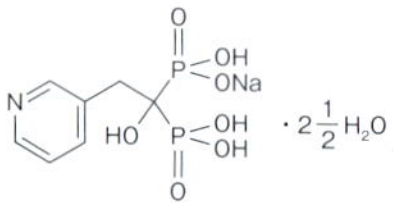

リセドロン酸ナトリウム水和物
（**アクトネル**錠，**ベネット**錠）

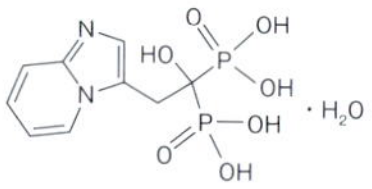

ミノドロン酸水和物
（**ボノテオ**錠，**リカルボン**錠）

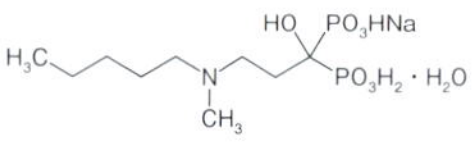

イバンドロン酸ナトリウム水和物
（**ボンビバ**錠/静注）

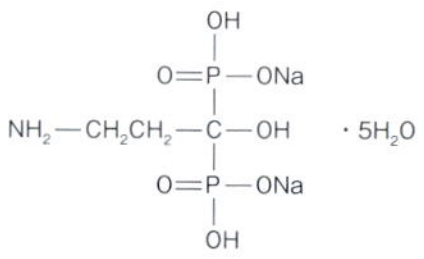

パミドロン酸二ナトリウム水和物
（**パミドロン酸二Na**点滴静注用）

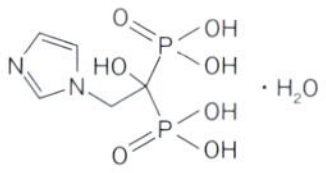

ゾレドロン酸水和物
（**ゾメタ**点滴静注）

病原生物に作用する薬物

第17章　病原生物に作用する薬物

● 抗細菌薬（抗生物質，化学療法薬） ☞本文 p483

細胞壁合成阻害薬（β-ラクタム系抗生物質）

ペニシリン系抗生物質

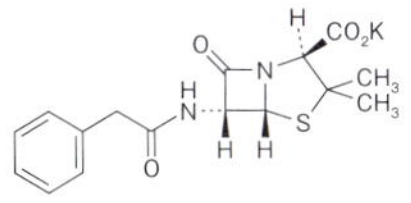

ベンジルペニシリンカリウム
（**ペニシリンGカリウム**注）

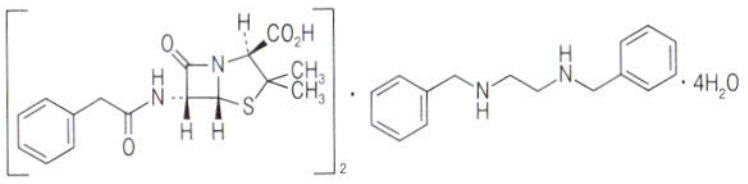

ベンジルペニシリンベンザチン水和物
（**バイシリン**G顆）

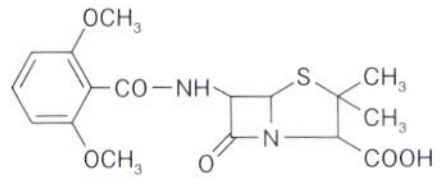

メチシリン

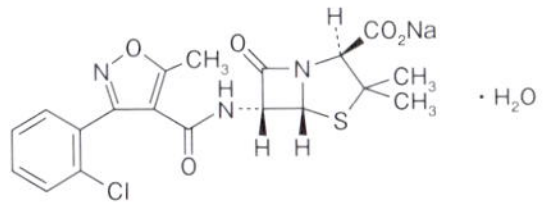

クロキサシリンナトリウム水和物
（アンピシリン水和物との合剤：
ビクシリンS配合錠/注）

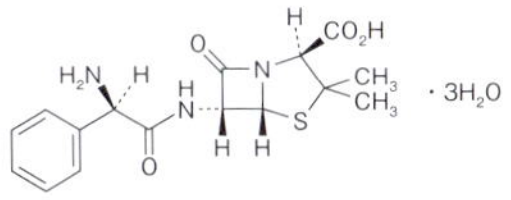

アンピシリン水和物
（**ビクシリン**注/ドシ/カ）

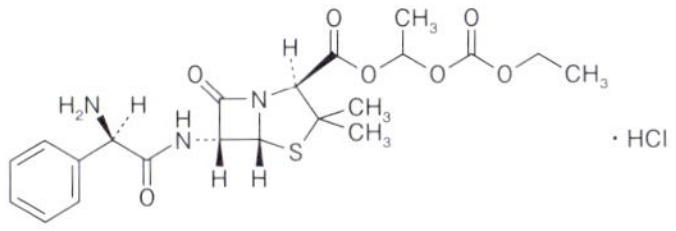

バカンピシリン塩酸塩
（**ペングッド**錠）

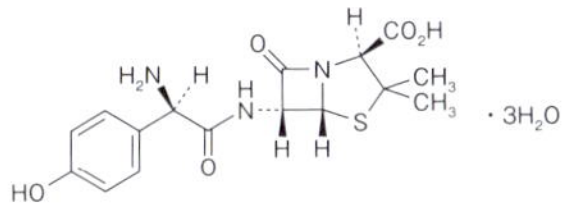

アモキシシリン水和物
（**アモリン**細/カ，**サワシリン**錠/カ/細，
パセトシン錠/カ/細，**ワイドシリン**細）

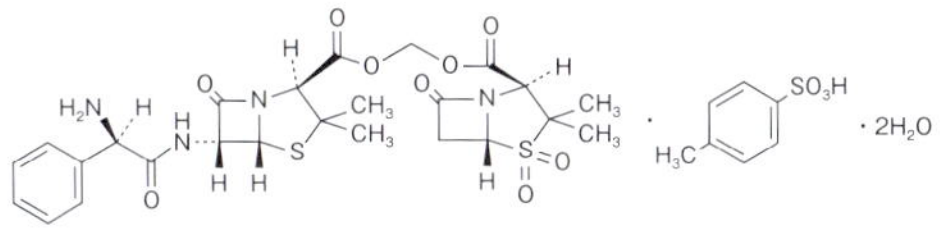

スルタミシリントシル酸塩水和物
（アンピシリンとスルバクタムとのエステル化製剤：
ユナシン錠/細(小児用)）

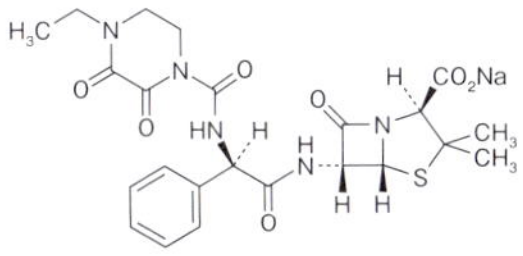

ピペラシリンナトリウム
（**ペントシリン**注/バッグ）

セフェム系抗生物質（第一世代）

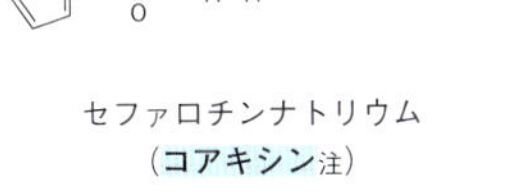

セファロチンナトリウム
（**コアキシン**注）

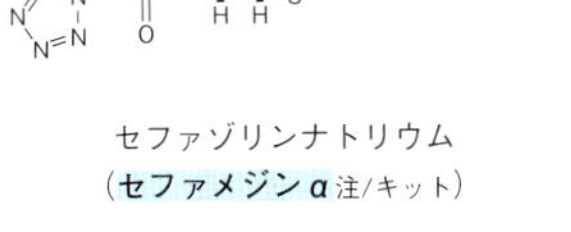

セファゾリンナトリウム
（**セファメジンα**注/キット）

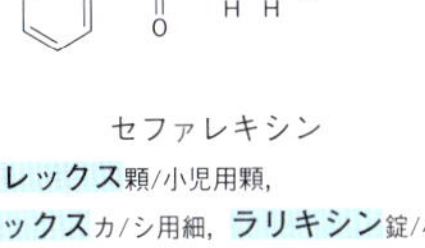

セファレキシン
（**L-ケフレックス**顆/小児用顆，
ケフレックスカ/シ用細，**ラリキシン**錠/小児用ドシ）

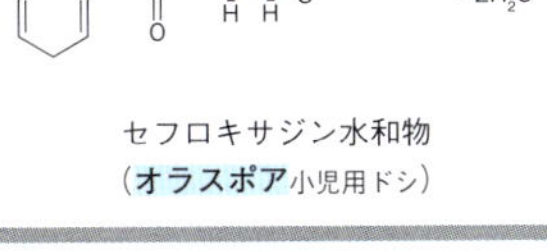

セフロキサジン水和物
（**オラスポア**小児用ドシ）

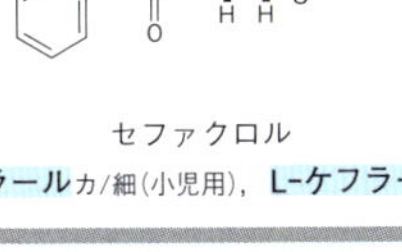

セファクロル
（**ケフラール**カ/細(小児用)，**L-ケフラール**顆）

セフェム系抗生物質（第二世代）

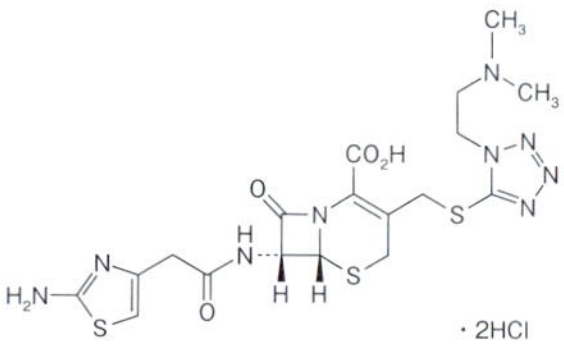

セフォチアム塩酸塩
（**パンスポリン**筋注/静注）

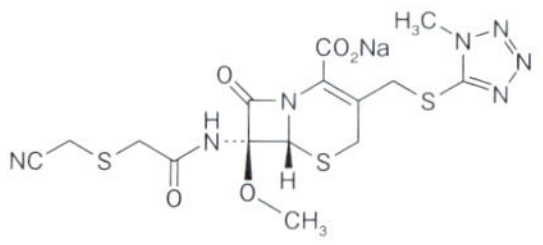

セフメタゾールナトリウム
（**セフメタゾン**静注用/筋注用）

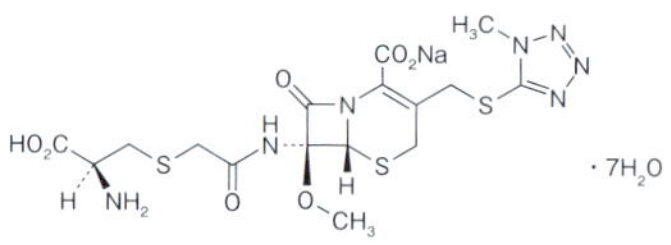

セフミノクスナトリウム水和物
（**メイセリン**静注）

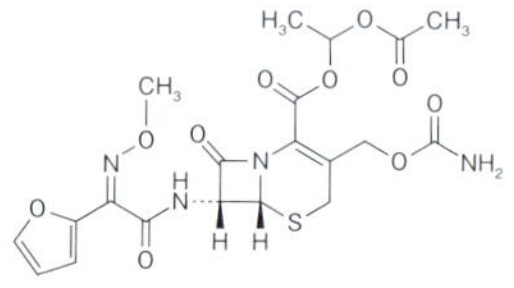

セフロキシムアキセチル
（**オラセフ**錠）

セフェム系抗生物質（第三世代）

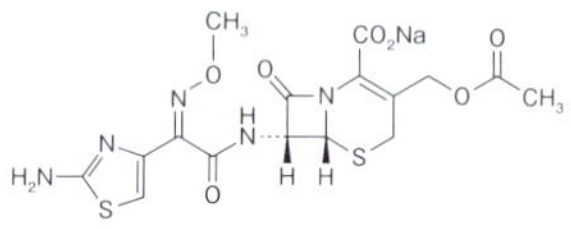

セフォタキシムナトリウム
（**クラフォラン**注，**セフォタックス**注）

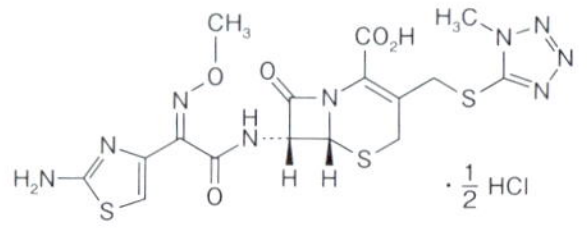

セフメノキシム塩酸塩
（**ベストコール**筋注/静注）

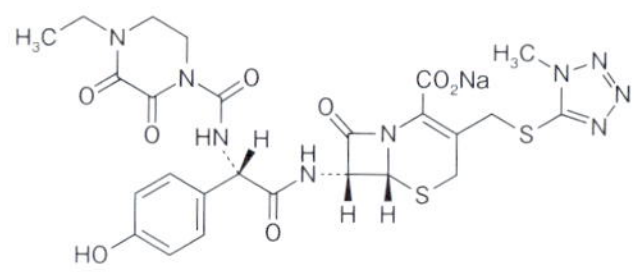

セフォペラゾンナトリウム
（スルバクタムとの合剤：**スルペラゾン**静注用/キット）

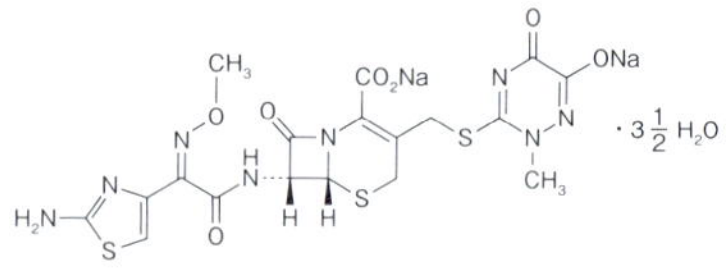

セフトリアキソンナトリウム水和物
（**ロセフィン**静注/キット）

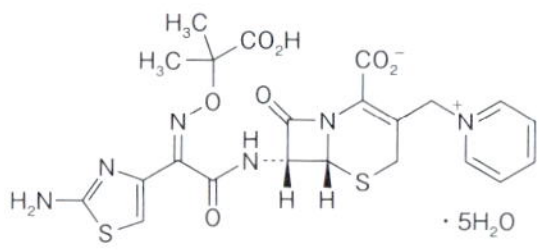

セフタジジム水和物
（**モダシン**静注）

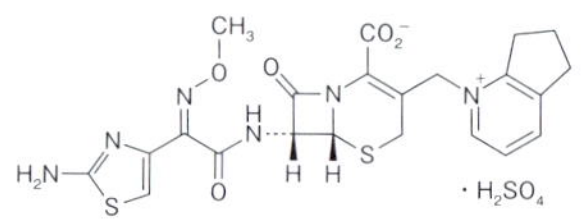

セフピロム硫酸塩
（**セフピロム硫酸塩**静注）

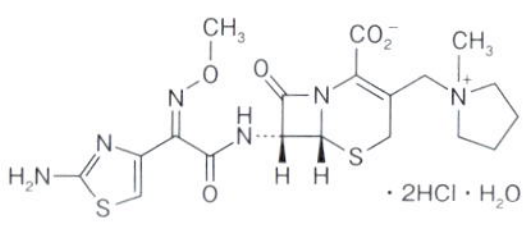

セフェピム塩酸塩水和物
（**マキシピーム**注）

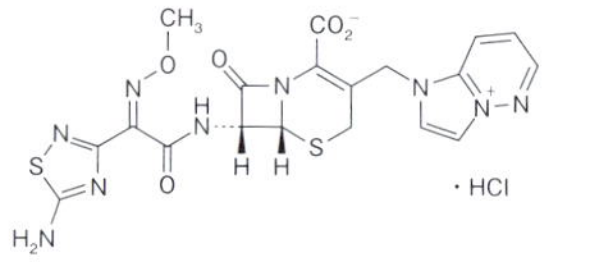

セフォゾプラン塩酸塩
（**ファーストシン**静注/バッグ S/バッグ G）

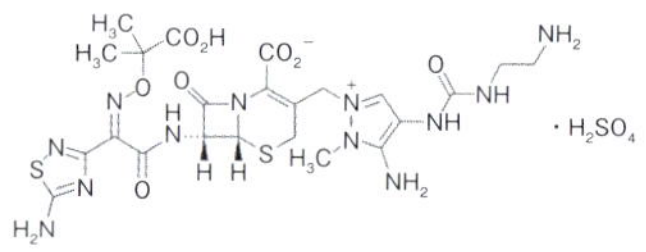

セフトロザン硫酸塩
（タゾバクタムナトリウムとの合剤：
ザバクサ配合点滴静注用）

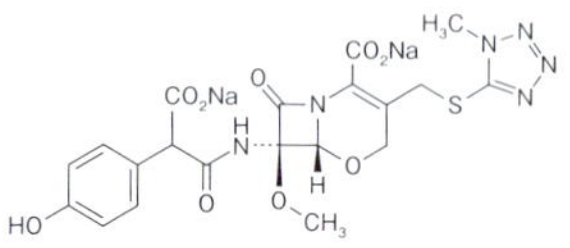

ラタモキセフナトリウム
（**シオマリン**静注）

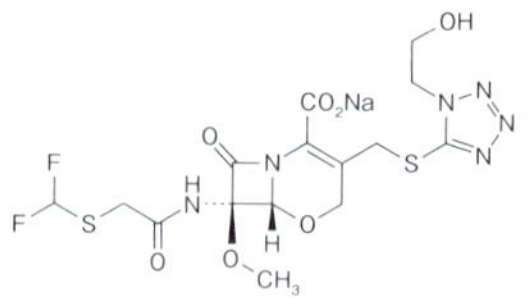

フロモキセフナトリウム
（**フルマリン**静注/キット）

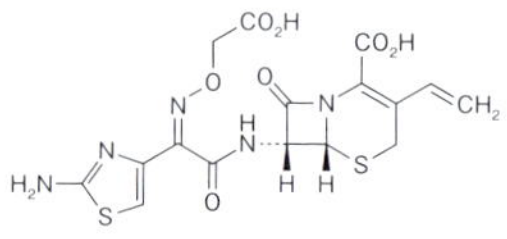

セフィキシム
（**セフスパン**細/カ）

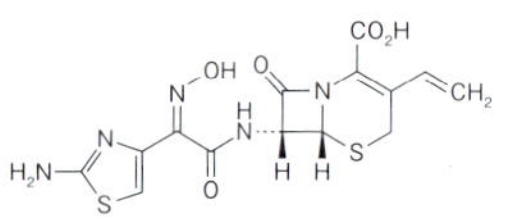

セフジニル
（**セフゾン**細(小児用)/カ）

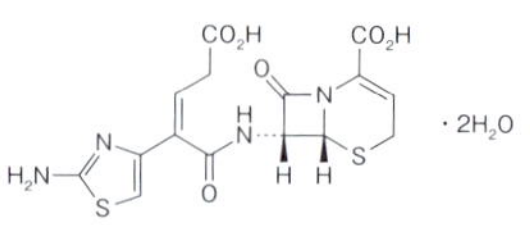

セフチブテン水和物
（**セフテム**カ）

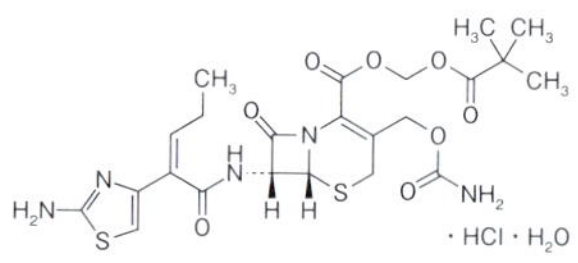

セフカペンピボキシル塩酸塩水和物
（**フロモックス**錠/小児用細）

細胞壁合成阻害薬（β-ラクタム系抗生物質）

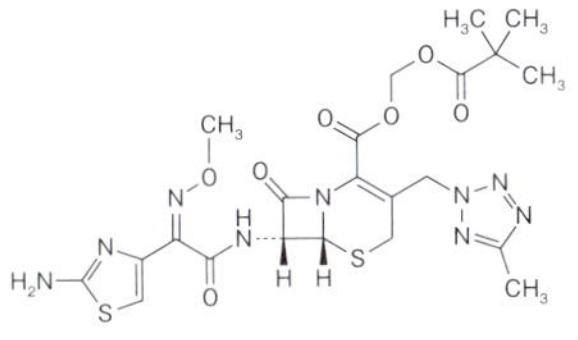

セフテラムピボキシル
（**トミロン**錠/細（小児用））

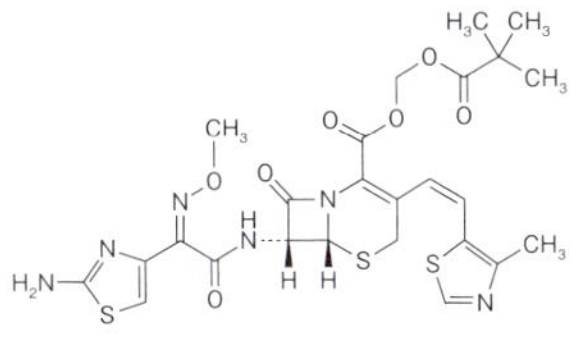

セフジトレンピボキシル
（**メイアクト** MS 錠/MS 小児用細）

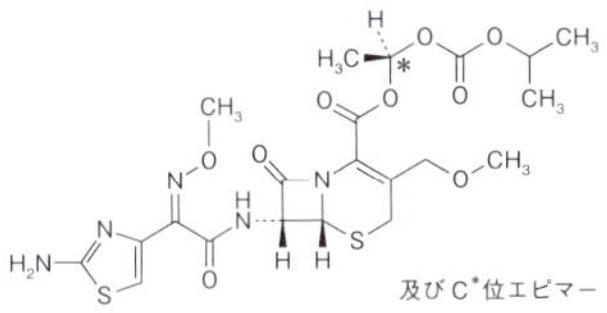

及び C*位エピマー

セフポドキシムプロキセチル
（**バナン**錠/ドシ）

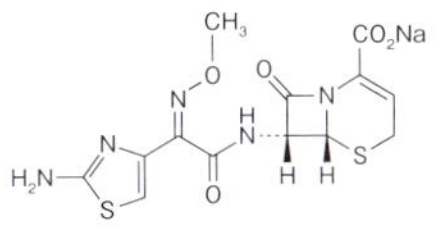

セフチゾキシムナトリウム
（**エポセリン**坐）

オキサペネム系抗生物質

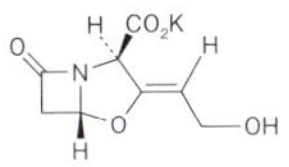

クラブラン酸カリウム
（アモキシシリンとの合剤：**オーグメンチン**配合錠，
クラバモックス小児用配合ドシ）

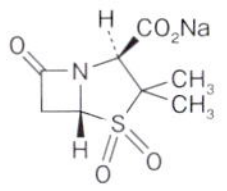

スルバクタムナトリウム
（アンピシリンナトリウムとの合剤：**ユナシン-S** 静注/キット，
セフォペラゾンナトリウムとの合剤：**スルペラゾン**静注キット）

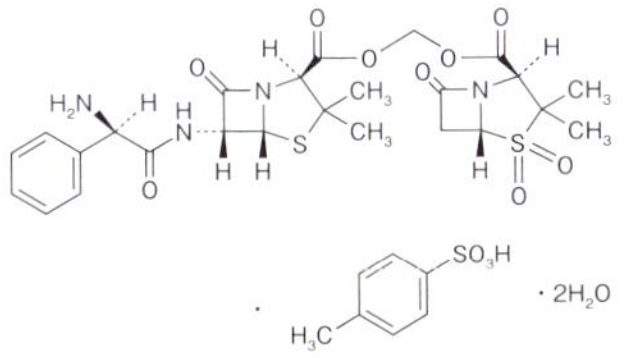

スルタミシリントシル酸塩水和物
（アンピシリンとスルバクタムとのエステル化製剤：
ユナシン錠/細（小児用））

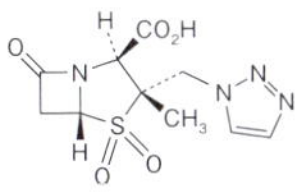

タゾバクタム
（ピペラシリン水和物との合剤：
ゾシン静注）

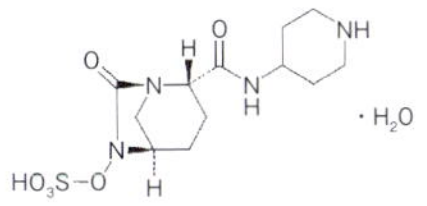

レレバクタム水和物
（イミペネム水和物/シラスタチンナトリウムとの合剤：
レカルブリオ配合点滴静注用）

ペネム／カルバペネム系抗生物質

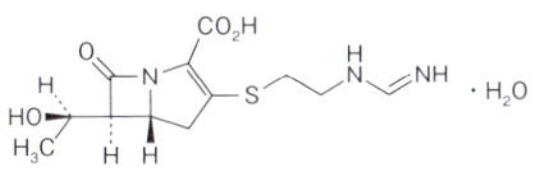

イミペネム水和物
（シラスタチンナトリウムとの合剤：
チエナム点滴静注用/キット/筋注用）

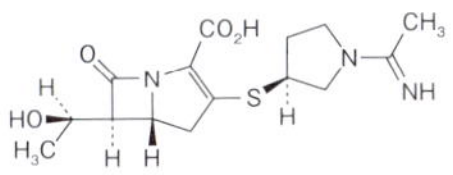

パニペネム
（ベタミプロンとの合剤：
カルベニン点滴用）

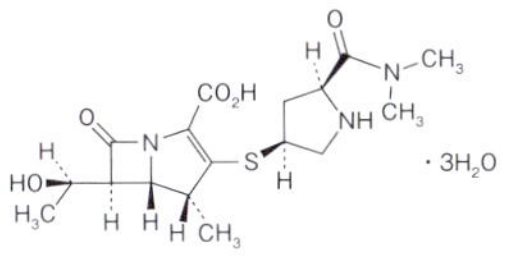

メロペネム水和物
（**メロペン**点滴用/キット）

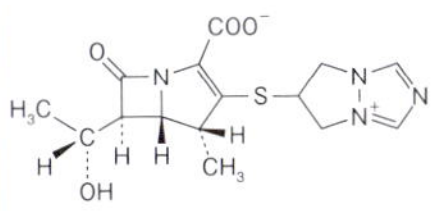

ビアペネム
（**オメガシン**点滴用/バッグ）

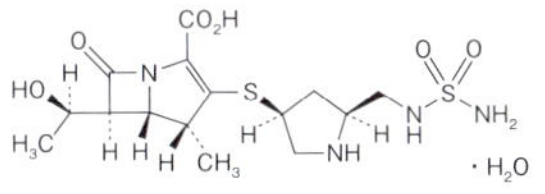

ドリペネム水和物
（**フィニバックス**点滴静注用/キット）

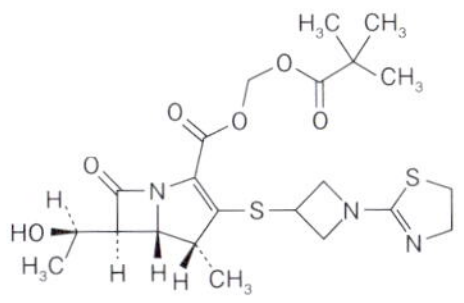

テビペネムピボキシル
（**オラペネム**小児用細）

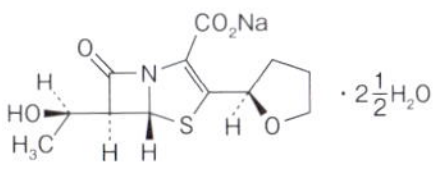

ファロペネムナトリウム水和物
（**ファロム**錠/ドシ小児用）

病原生物に作用する薬物

細胞壁合成阻害薬（β-ラクタム系抗生物質）

モノバクタム系抗生物質

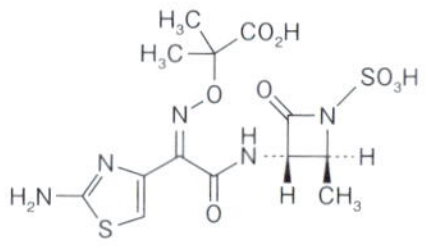

アズトレオナム
（**アザクタム**注）

細胞壁合成阻害薬（その他）

ホスホマイシン

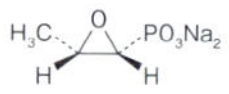

ホスホマイシンナトリウム
（**ホスミシンS**静注/バッグ）

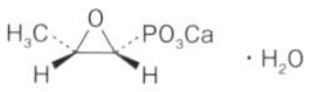

ホスホマイシンカルシウム水和物
（**ホスミシン**錠/ドシ）

サイクロセリン（抗結核薬）

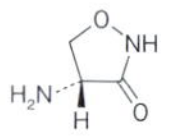

サイクロセリン
（**サイクロセリン**カ）

グリコペプチド系抗生物質

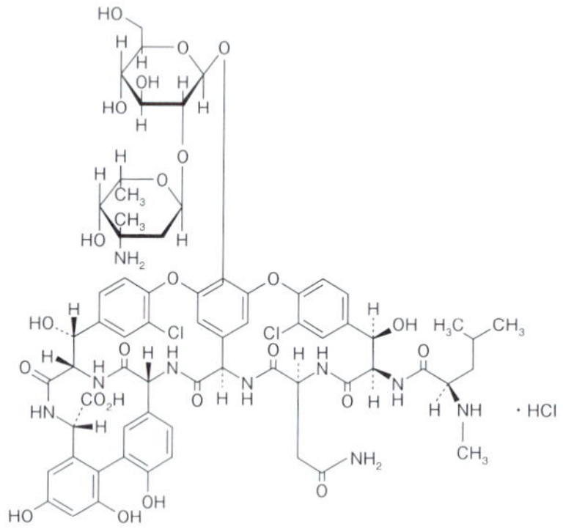

バンコマイシン塩酸塩
（**塩酸バンコマイシン**点滴静注/散）

バシトラシン A

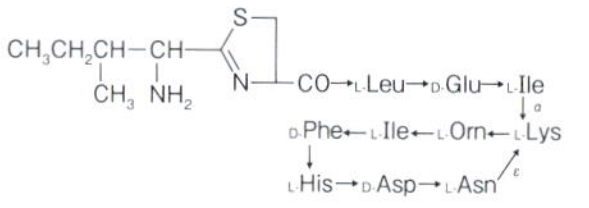

バシトラシン A を主成分とするペプチド系化合物の混合物

バシトラシン
（フラジオマイシン硫酸塩との合剤：**バラマイシン**軟）

$R^1 =$

テイコプラニン A_2 群：$R^2 =$

テイコプラニン A_{2-1}：$R^3 =$

テイコプラニン A_{2-2}：$R^3 =$

テイコプラニン A_{2-3}：$R^3 =$

テイコプラニン A_{2-4}：$R^3 =$

テイコプラニン A_{2-5}：$R^3 =$

テイコプラニン A_{3-1}：$R^2 =$H

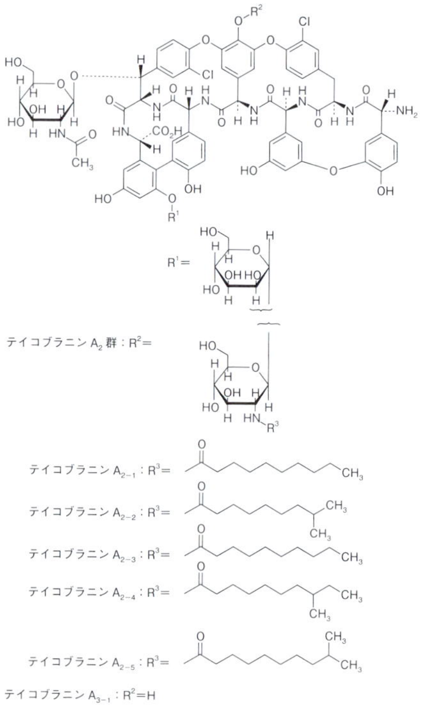

テイコプラニン
（**タゴシッド**注）

蛋白質合成阻害薬（テトラサイクリン系抗生物質）

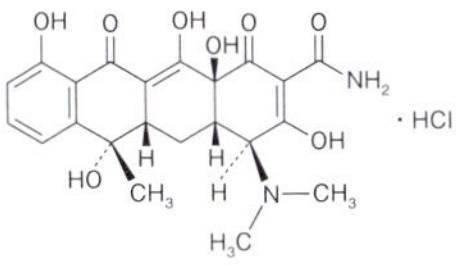

テトラサイクリン塩酸塩
（**アクロマイシン** Vカ/末/軟/トローチ）

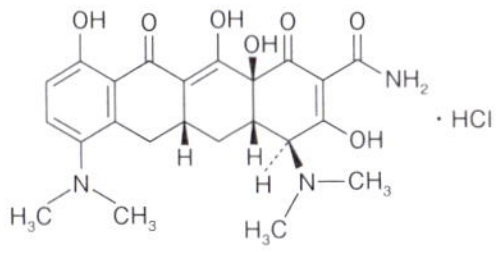

ミノサイクリン塩酸塩
（**ミノマイシン**錠/カ/顆/点滴静注）

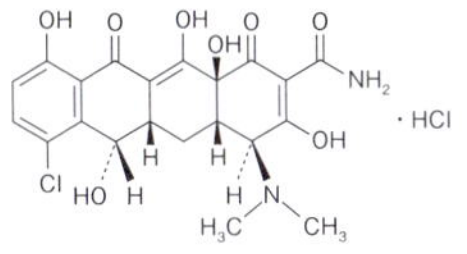

デメチルクロルテトラサイクリン塩酸塩
（**レダマイシン**カ）

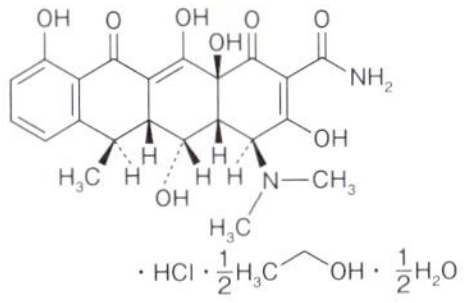

ドキシサイクリン塩酸塩水和物
（**ビブラマイシン**錠）

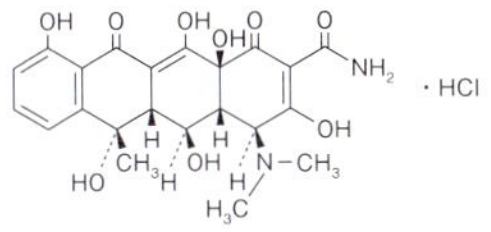

オキシテトラサイクリン塩酸塩
（ヒドロコルチゾンとの合剤：**テラ・コートリル**軟，
ポリミキシンＢとの合剤：**テラマイシン**軟）

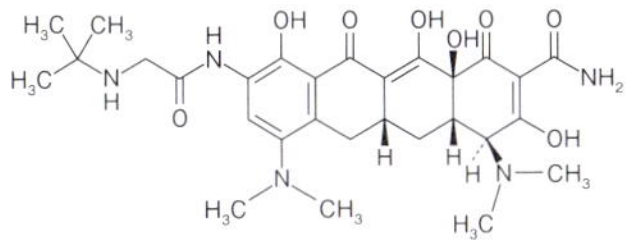

チゲサイクリン
（**タイガシル**点滴静注用）

蛋白質合成阻害薬（アミノグリコシド系抗生物質）

結核菌有効

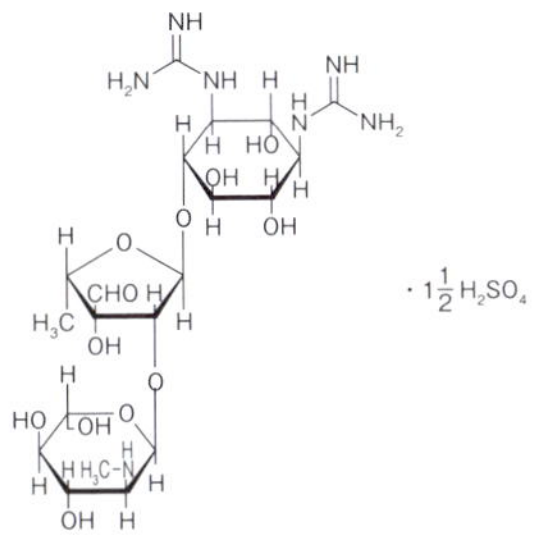

ストレプトマイシン硫酸塩
（**硫酸ストレプトマイシン**注）

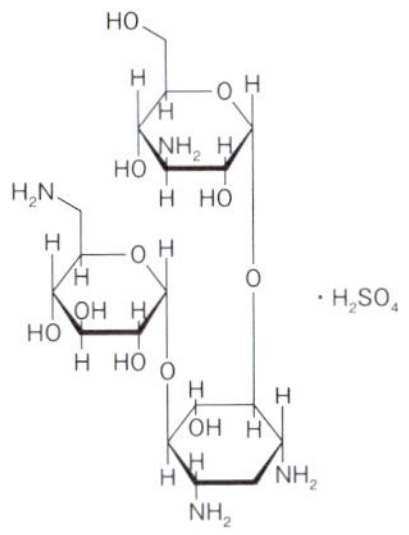

カナマイシン硫酸塩
（**カナマイシン**カ/シ，**硫酸カナマイシン**カ/注）

緑膿菌有効

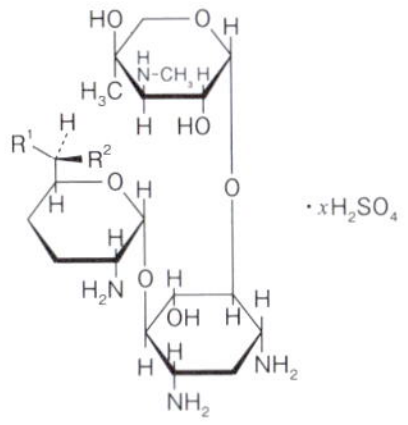

ゲンタマイシン C_1 硫酸塩：$R^1=CH_3$　$R^2=NHCH_3$
ゲンタマイシン C_2 硫酸塩：$R^1=CH_3$　$R^2=NH_2$
ゲンタマイシン C_{1a} 硫酸塩：$R^1=H$　$R^2=NH_2$

ゲンタマイシン硫酸塩
（**ゲンタシン**注）

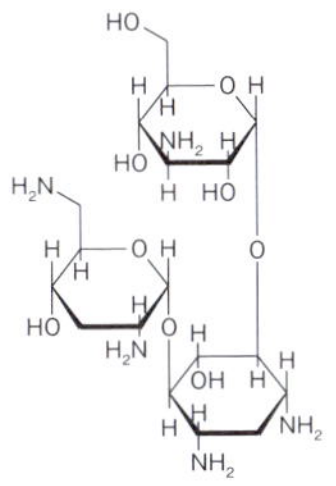

トブラマイシン
（**トブラシン**注，**トービイ**吸入液）

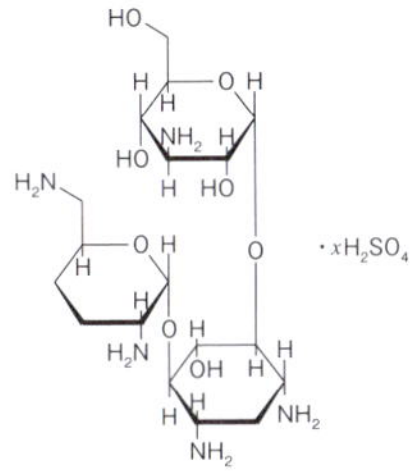

ジベカシン硫酸塩
（**パニマイシン**注/点眼液）

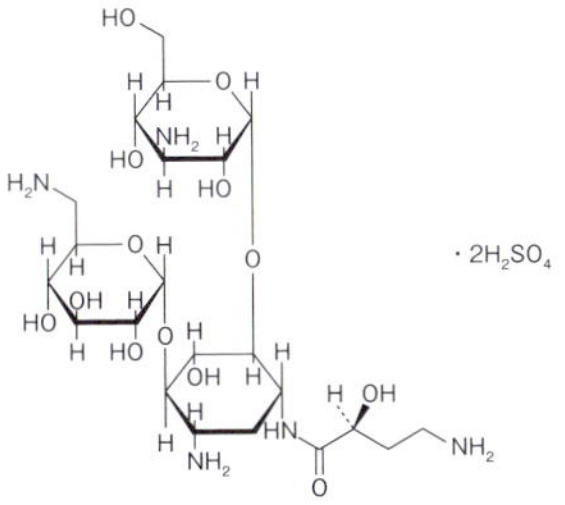

アミカシン硫酸塩
（**アミカシン硫酸塩**注）

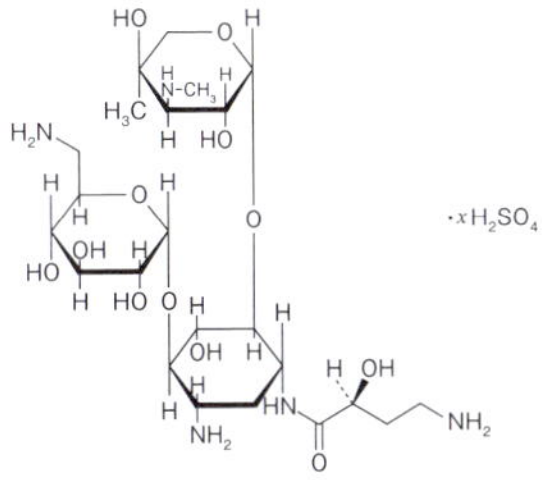

イセパマイシン硫酸塩
（**エクサシン**注）

蛋白質合成阻害薬（アミノグリコシド系抗生物質）

MRSA 有効

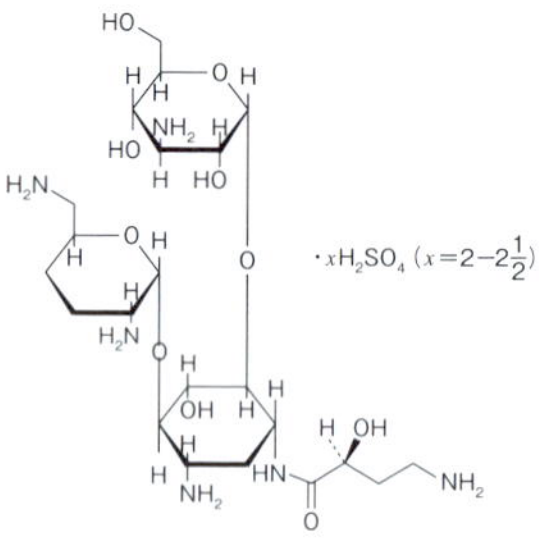

アルベカシン硫酸塩
（ハベカシン注）

淋菌有効

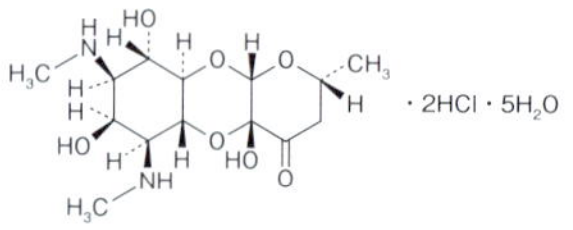

スペクチノマイシン塩酸塩水和物
（トロビシン筋注）

緑膿菌無効ネオマイシン類

フラジオマイシン硫酸塩
（ソフラチュール貼, デンターグル含嗽用散）

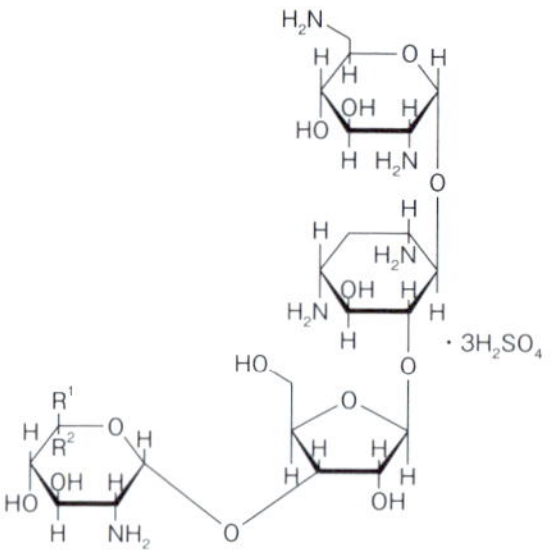

フラジオマイシン B：R^1=H　R^2=CH$_2$NH$_2$
フラジオマイシン C：R^1=CH$_2$NH$_2$　R^2=H

蛋白質合成阻害薬（マクロライド系抗生物質）

14員環ラクトン

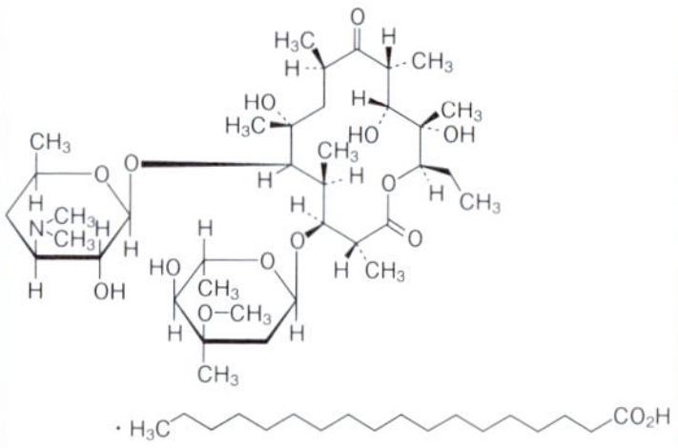

エリスロマイシンステアリン酸塩
（エリスロシン錠）

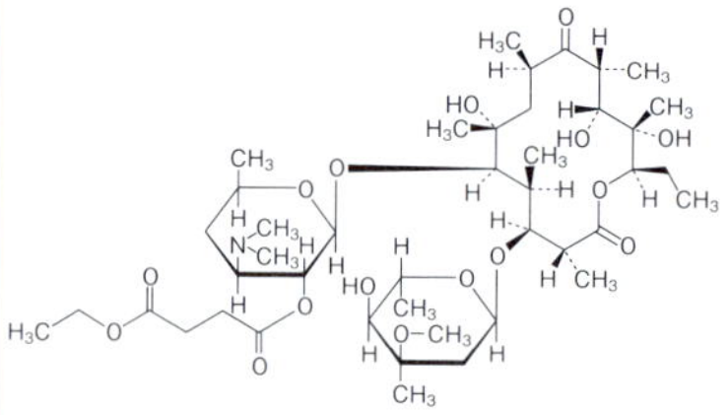

エリスロマイシンエチルコハク酸エステル
（エリスロシンドシ/ドシ W/W顆）

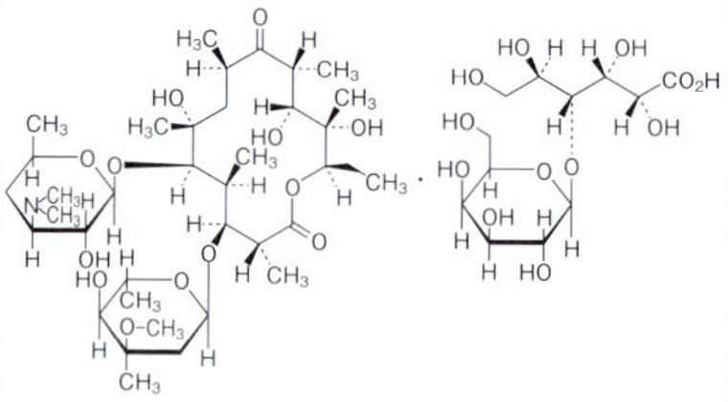

エリスロマイシンラクトビオン酸塩
（エリスロシン点滴静注用, エコリシン眼軟膏）

14員環ラクトン

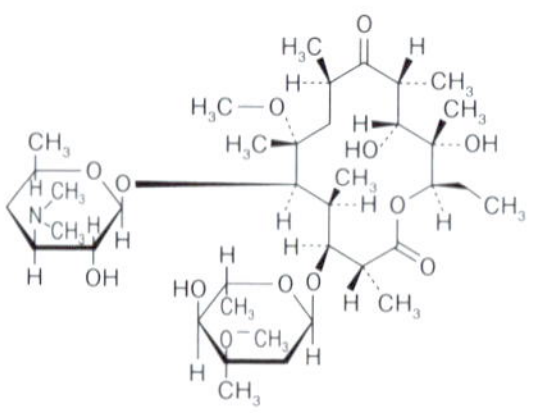

クラリスロマイシン
（クラリシッド錠/ドシ(小児用),
クラリス錠/ドシ(小児用)）

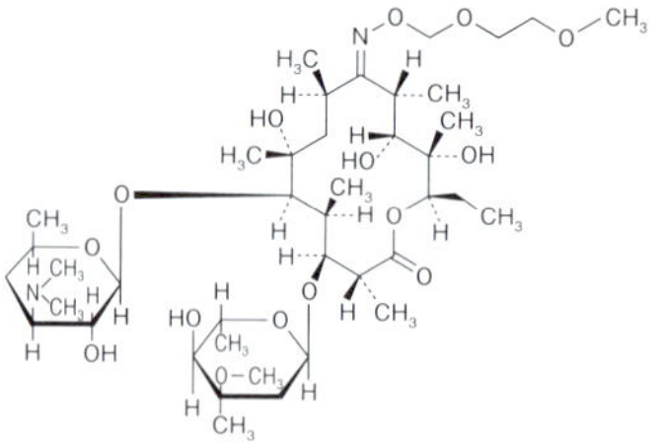

ロキシスロマイシン
（ルリッド錠）

15員環ラクトン

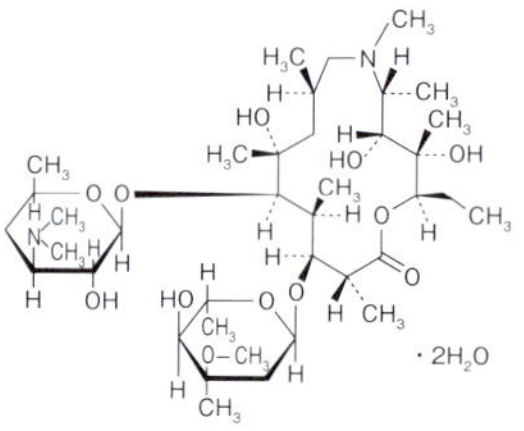

アジスロマイシン水和物
（ジスロマック錠/点/小児用細/小児用カ,
アジマイシン点眼液）

蛋白質合成阻害薬（マクロライド系抗生物質）

16員環ラクトン

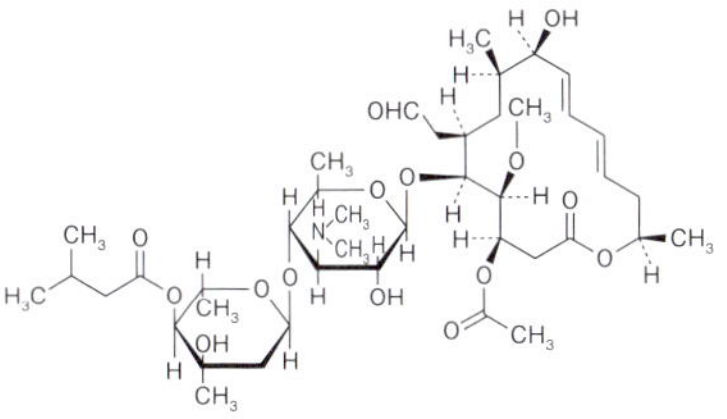

ジョサマイシン
（**ジョサマイシン**錠）

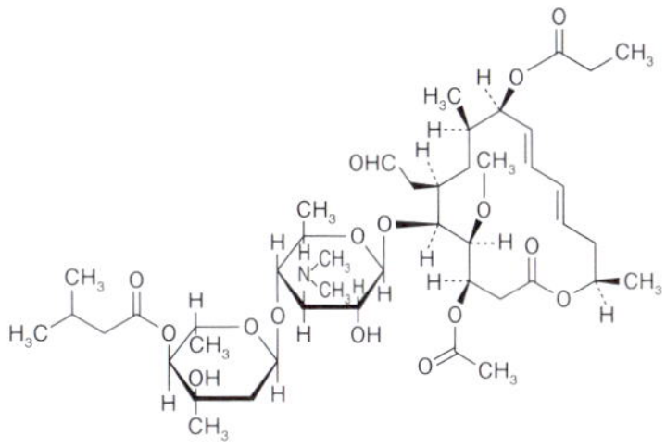

ジョサマイシンプロピオン酸エステル
（**ジョサマイ**シ/ドシ）

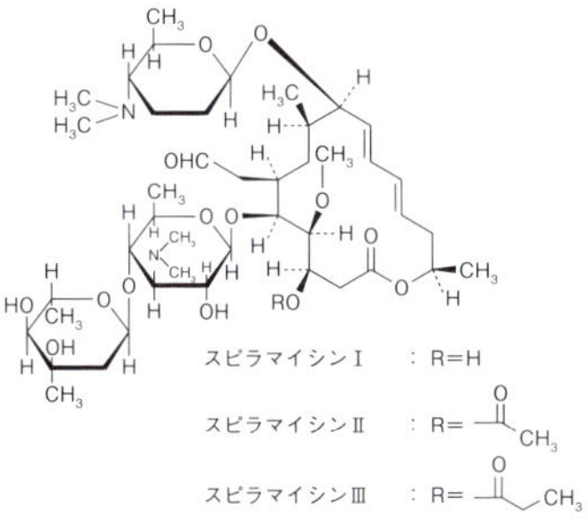
スピラマイシンⅠ　：R=H
スピラマイシンⅡ　：R=
スピラマイシンⅢ　：R=

スピラマイシン
（**スピラマイシン**錠）

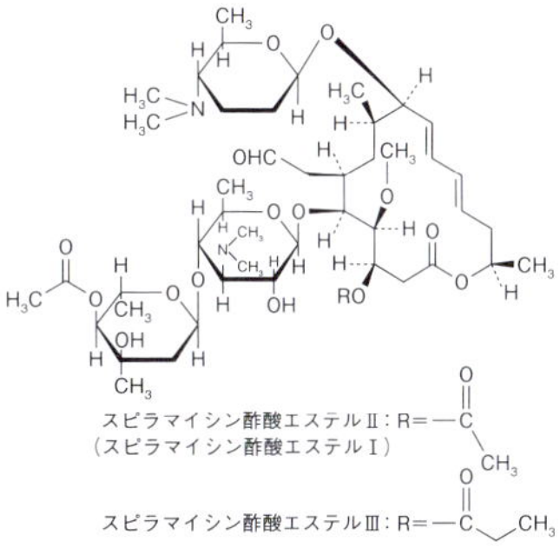
スピラマイシン酢酸エステルⅡ：R=
（スピラマイシン酢酸エステルⅠ）
スピラマイシン酢酸エステルⅢ：R=

スピラマイシン酢酸エステル
（**アセチルスピラマイシン**錠）

蛋白合成阻害薬（リンコマイシン系抗生物質）

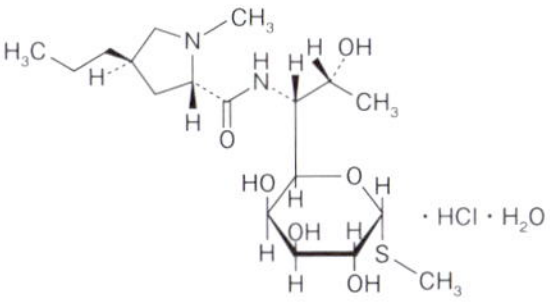

リンコマイシン塩酸塩水和物
（**リンコシン**注/カ）

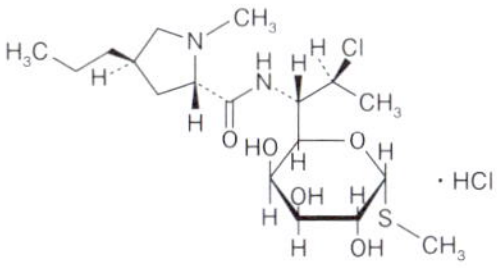

クリンダマイシン塩酸塩
（**ダラシン**カ）

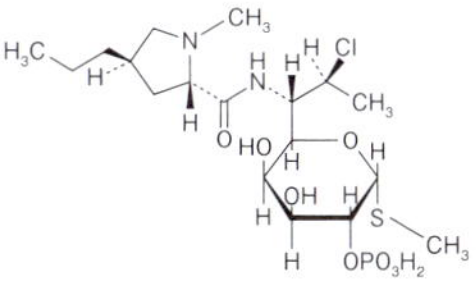

クリンダマイシンリン酸エステル
（**ダラシン**S注/Tゲル/Tロ）

蛋白合成阻害薬（クロラムフェニコール系抗生物質）

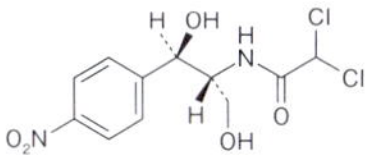

クロラムフェニコール
（**クロロマイセチン**錠/軟/局所用液/耳科用液）

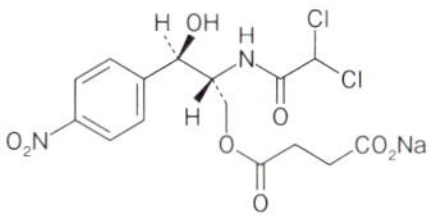

クロラムフェニコールコハク酸エステル
（**クロロマイセチンサクシネート**静注用）

蛋白質合成阻害薬（その他）

ブドウ球菌による皮膚疾患治療薬

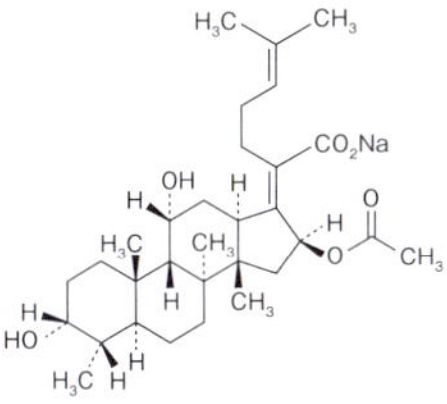

フシジン酸ナトリウム
（**フシジンレオ**軟）

鼻腔内MRSA感染症治療薬

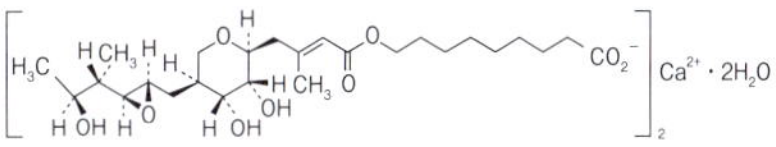

ムピロシンカルシウム水和物
（**バクトロバン**鼻腔用軟）

病原生物に作用する薬物

蛋白質合成阻害薬（その他）

MRSA感染症，バンコマイシン耐性腸球菌（VRE）感染症治療薬

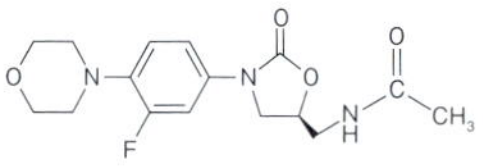

リネゾリド
（**ザイボックス**錠/注）

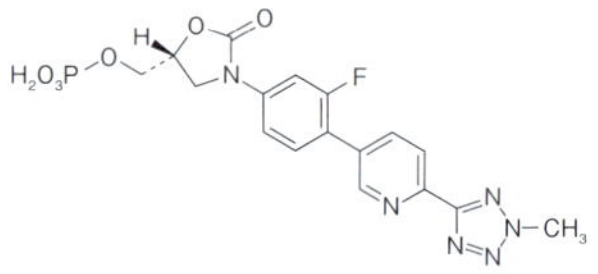

テジゾリドリン酸エステル
（**シベクトロ**錠/点滴静注用）

C. difficile 感染性腸炎治療薬

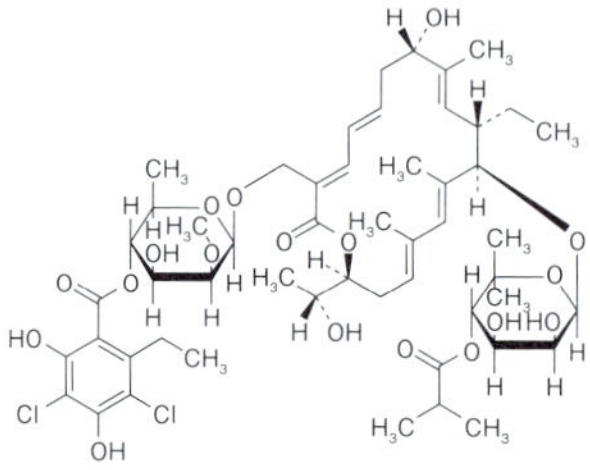

フィダキソマイシン
（**ダフクリア**錠）

細胞膜機能障害薬

ポリペプチド系抗生物質

R — Dbu — Thr — Dbu — Dbu — D-Phe — Leu — Dbu — Dbu — Thr ・x H₂SO₄

ポリミキシンB₁: R=6-メチルオクタン酸
　Dbu=L-α, γ-ジアミノ酪酸
ポリミキシンB₂: R=6-メチルヘプタン酸
　Dbu=L-α, γ-ジアミノ酪酸

ポリミキシンB硫酸塩
（**硫酸ポリミキシンB**錠/散）

R — Dbu — Thr — Dbu — Dbu — D-Leu — Leu — Dbu — Dbu — Thr
　　　　　　　N'-R'　　N'-R'　　　　　　　　N'-R'　　N'-R'

コリスチンAメタンスルホン酸ナトリウム: R=6-メチルオクタン酸
　Dbu=L-α, γ-ジアミノ酪酸
　R'=～SO₃Na
コリスチンBメタンスルホン酸ナトリウム: R=6-メチルヘプタン酸
　Dbu=L-α, γ-ジアミノ酪酸
　R'=～SO₃Na

コリスチンメタンスルホン酸ナトリウム
（**コリマイシン**散，**メタコリマイシン**顆/カ，**オルドレブ**点滴静注）
クロラムフェニコールとの合剤：**オフサロン**点眼液，
エリスロマイシンとの合剤：**エコリシン**眼軟膏

環状リポペプチド系抗生物質

L-Trp—D-Asn—L-Asp—L-Thr—Gly—L-Orn—L-Asp—D-Ala—L-Asp—Gly—D-Ser

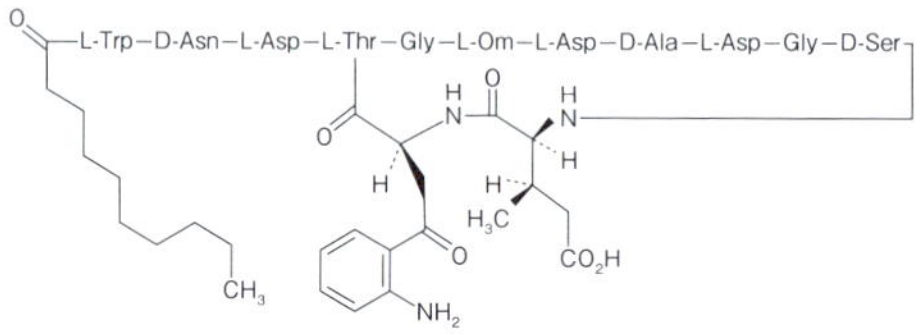

ダプトマイシン
（**キュビシン**静注用）

キノロン系・ニューキノロン系抗菌薬

キノロン系抗菌薬

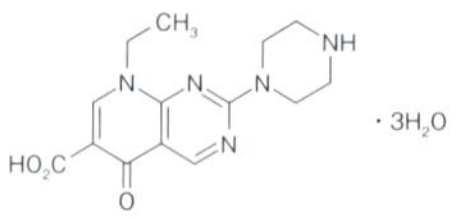

ピペミド酸水和物
（**ドルコール**錠）

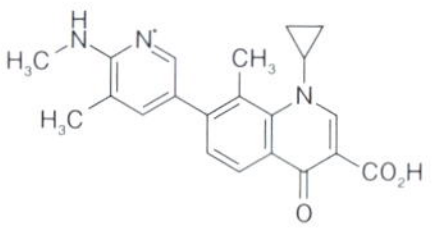

オゼノキサシン
（**ゼビアックス**ロ）

キノロン系・ニューキノロン系抗菌薬（縦書き見出し）

ニューキノロン系（フルオロキノロン系）抗菌薬

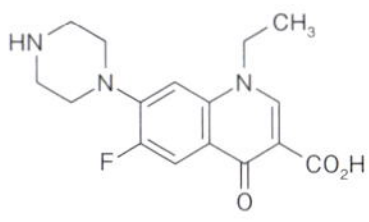

ノルフロキサシン
（**バクシダール**錠）

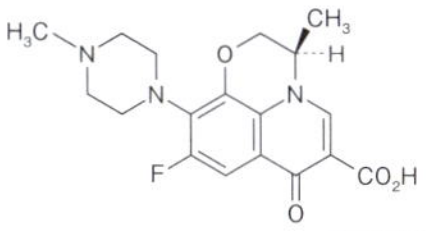

オフロキサシン
（**タリビッド**錠）
及び鏡像異性体

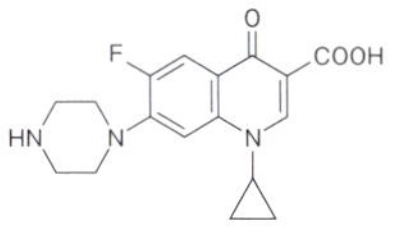

シプロフロキサシン
（**シプロキサン**錠/注）

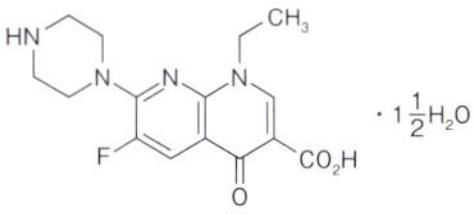

エノキサシン水和物
・1 1/2 H₂O

ロメフロキサシン塩酸塩
（**バレオン**錠/カ，**ロメバクト**カ）
・HCl
及び鏡像異性体

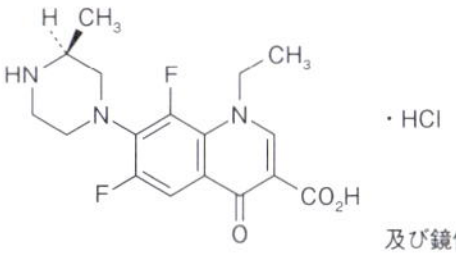

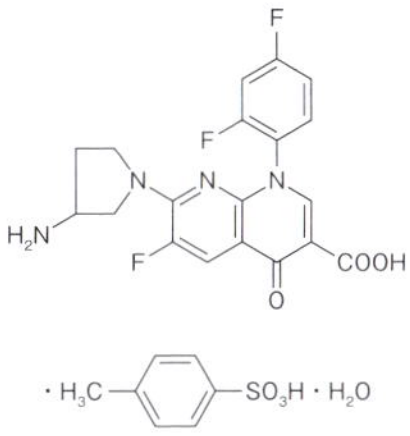

トスフロキサシントシル酸塩水和物
（**オゼックス**錠/錠（小児用）/細粒小児用，**トスキサシン**錠）
・H₃C－〇－SO₃H・H₂O

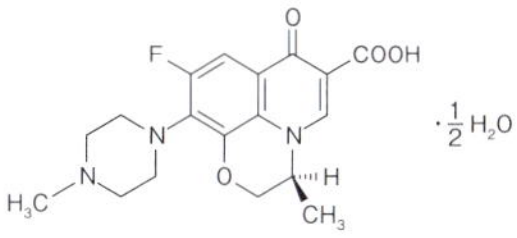

レボフロキサシン水和物
（**クラビット**錠/細/点滴静注）
・1/2 H₂O

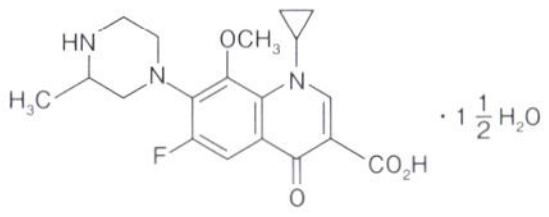

ガチフロキサシン水和物
（**ガチフロ**点眼液）
・1 1/2 H₂O

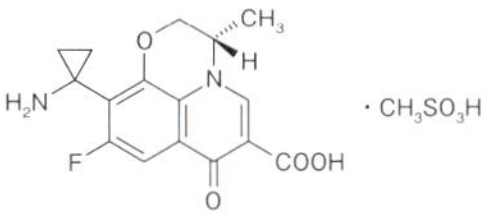

パズフロキサシンメシル酸塩
（**パシル**点滴静注，**パズクロス**点滴静注）
・CH₃SO₃H

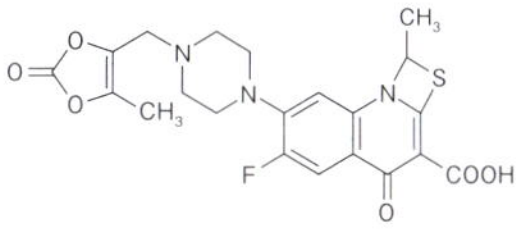

プルリフロキサシン
（**スオード**錠）

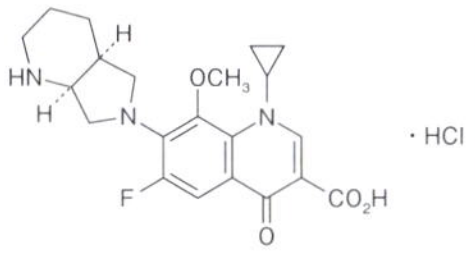

モキシフロキサシン塩酸塩
（**アベロックス**錠）
・HCl

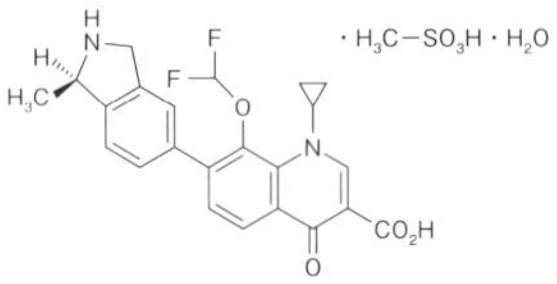

ガレノキサシンメシル酸塩水和物
（**ジェニナック**錠）
・H₃C－〇－SO₃H・H₂O

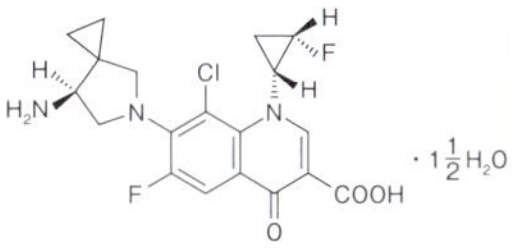

シタフロキサシン水和物
（**グレースビット**錠/細）
・1 1/2 H₂O

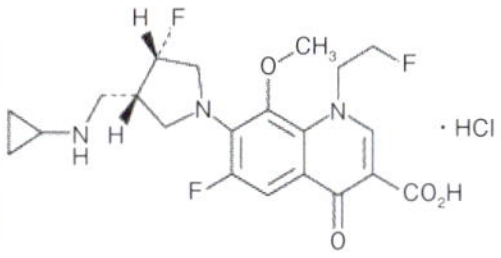

ラスクフロキサシン塩酸塩
（**ラスビック**錠/点滴静注キット）
・HCl

スルホンアミド系薬物（縦書き見出し）

サルファ薬

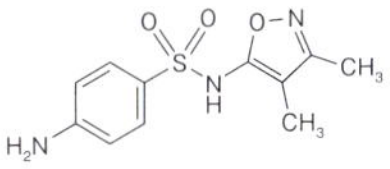

スルフイソキサゾール

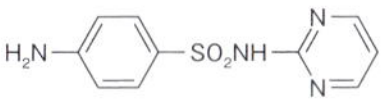

スルファジアジン
（**テラジアパスタ**軟）

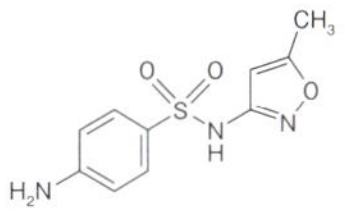

スルファメトキサゾール

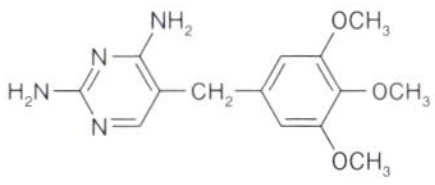

トリメトプリム

スルファメトキサゾール・トリメトプリム
〈ST合剤〉
（**バクトラミン**配合錠/配合顆/注，**バクタ**配合錠/配合顆）

病原生物に作用する薬物

抗結核薬（縦書き左側）

● 抗抗酸菌薬　☞本文 p507

1st-line

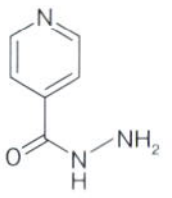

イソニアジド
（**イスコチン**錠/末/注，**ヒドラ**錠）

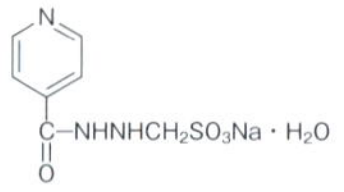

イソニアジドメタンスルホン酸
ナトリウム水和物
（**ネオイスコチン**錠/末）

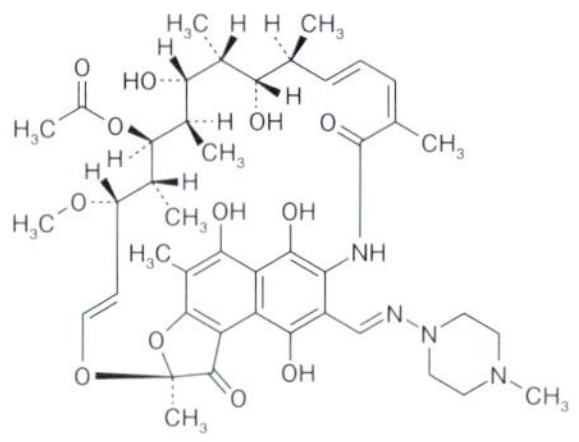

リファンピシン
（**リファジン**カ）

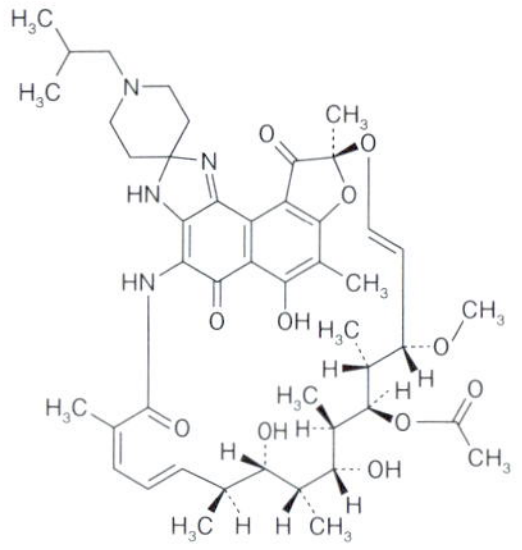

リファブチン
（**ミコブティン**カ）

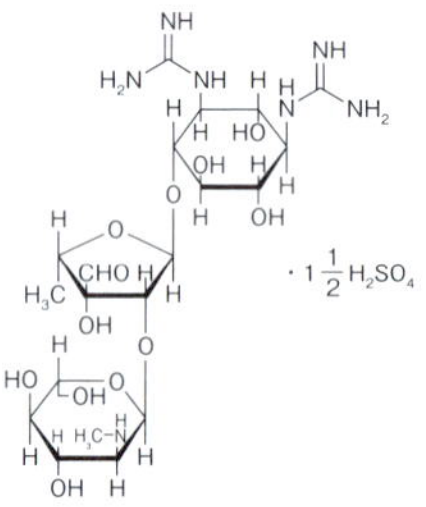

ストレプトマイシン硫酸塩
（**硫酸ストレプトマイシン**注）

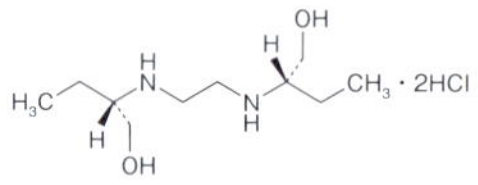

エタンブトール塩酸塩
（**エサンブトール**錠，**エブトール**錠）

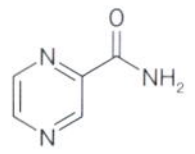

ピラジナミド
（**ピラマイド**末）

2nd-line

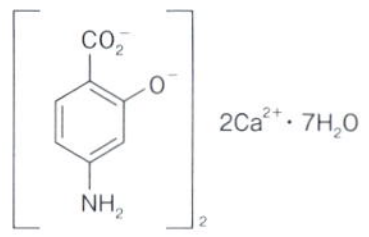

パラアミノサリチル酸カルシウム水和物
（**ニッパスカルシウム**顆）

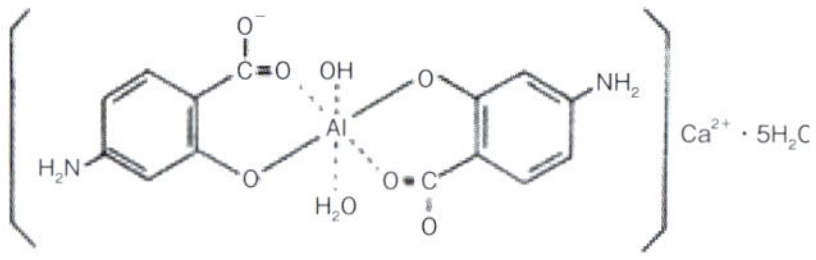

アルミノパラアミノサリチル酸カルシウム水和物
（**アルミノニッパスカルシウム**顆）

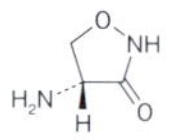

サイクロセリン
（**サイクロセリン**カ）

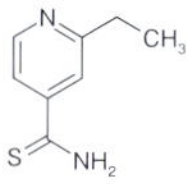

エチオナミド
（**ツベルミン**錠）

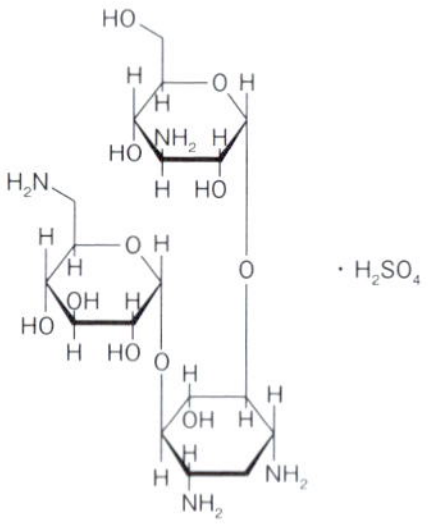

カナマイシン硫酸塩
（**硫酸カナマイシン**注）

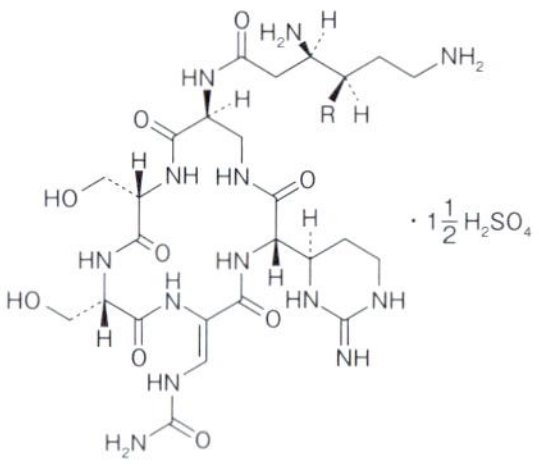

ツベラクチノマイシン N：R=OH
ツベラクチノマイシン O：R=H

エンビオマイシン硫酸塩
（**ツベラクチン**筋注）

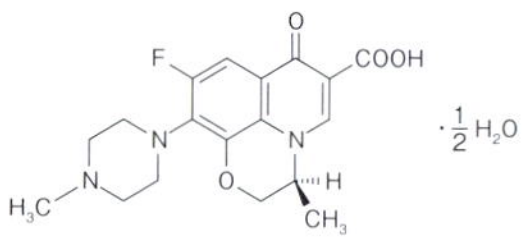

レボフロキサシン水和物
（**クラビット**錠/細）

多剤耐性菌

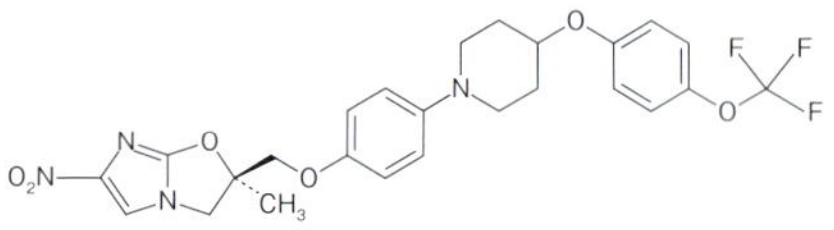

デラマニド
（**デルティバ**錠）

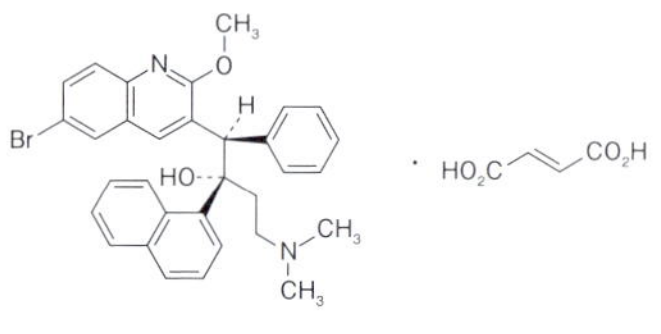

ベダキリンフマル酸塩
（**サチュロ**錠）

ハンセン病治療薬（抗らい菌薬）

ニューキノロン系薬物

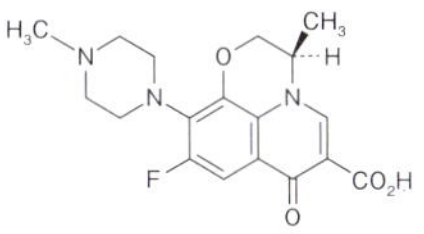

及び鏡像異性体

オフロキサシン
（**タリビッド**錠）

抗結核薬

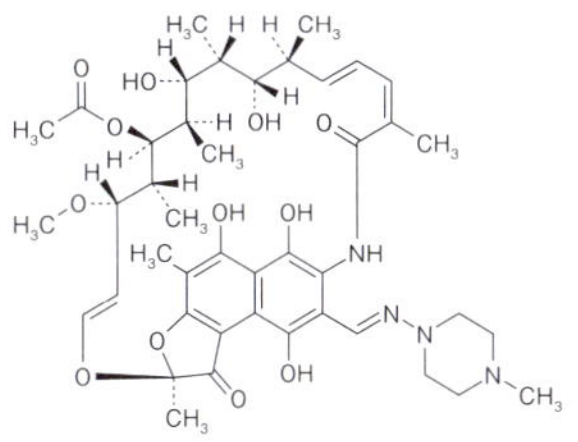

リファンピシン
（**リファジン**カ）

スルホン系薬物

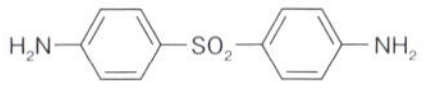

ジアフェニルスルホン
（**プロトゲン**錠，**レクチゾール**錠）

その他

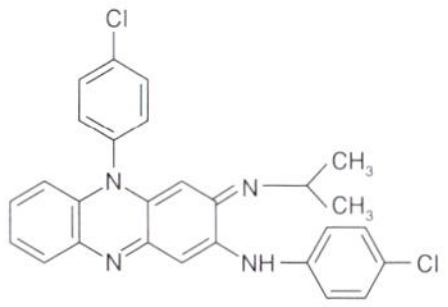

クロファジミン
（**ランプレン**カ）

抗真菌薬

☞本文 p510

真菌細胞壁合成阻害薬

キャンディン系抗真菌薬

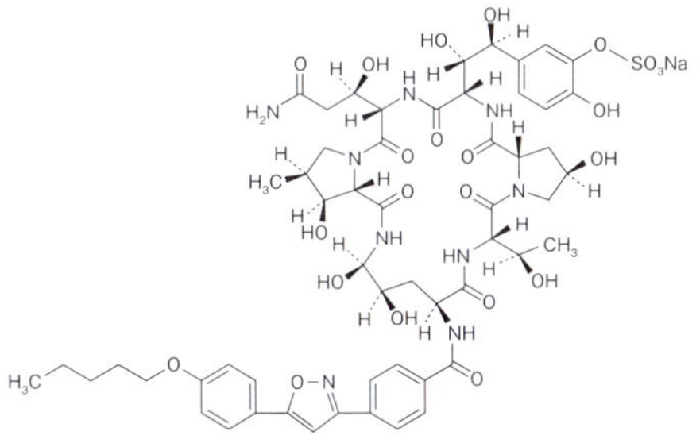

ミカファンギンナトリウム
（**ファンガード**点滴用）

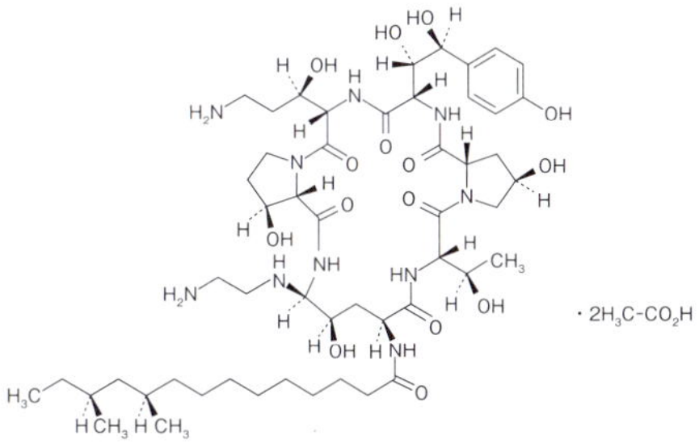

カスポファンギン酢酸塩
（**カンサイダス**点滴静注用）

真菌細胞膜合成阻害薬

アゾール系抗真菌薬

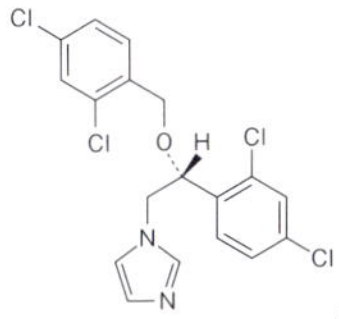

及び鏡像異性体

ミコナゾール
（**フロリード**F注/経口用ゲル/Dク/腟坐，
オラビ口腔用錠）

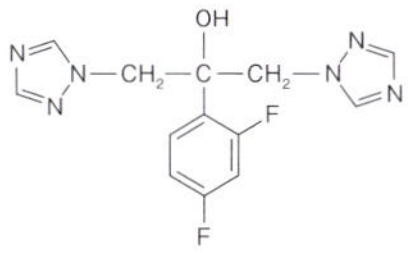

フルコナゾール
（**ジフルカン**静注/カ/ドシ）

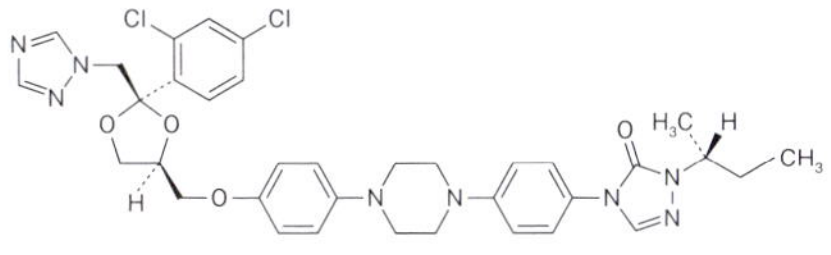

及び鏡像異性体

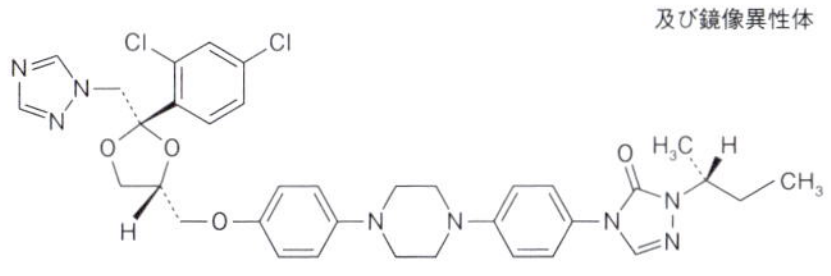

及び鏡像異性体

イトラコナゾール
（**イトリゾール**カ/内用液/注）

真菌細胞膜合成阻害薬

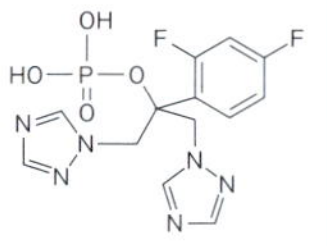

ホスフルコナゾール
（**プロジフ**静注）

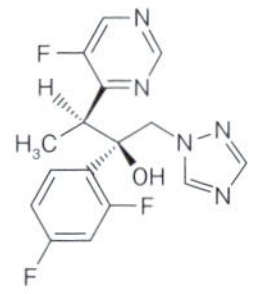

ボリコナゾール
（**ブイフェンド**錠/ドシ/静注用）

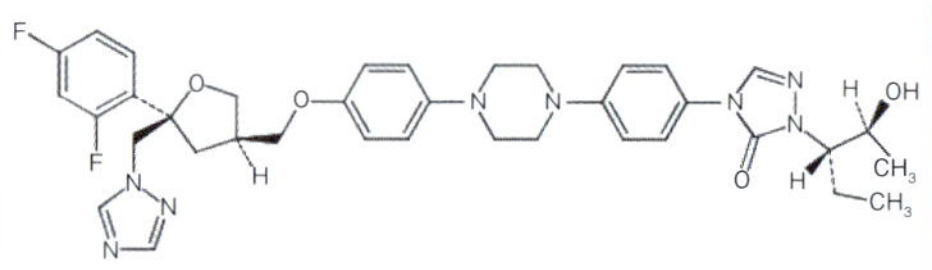

ポサコナゾール
（**ノクサフィル**錠/点滴静注）

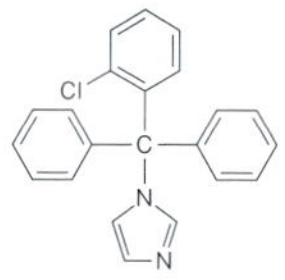

クロトリマゾール
（**エンペシド**膣錠/トローチ/ク/液，**タオン**ク/ゲル/液）

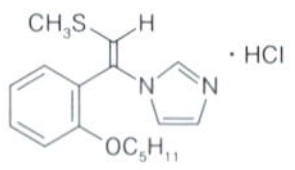

ネチコナゾール塩酸塩
（**アトラント**軟/ク/液）

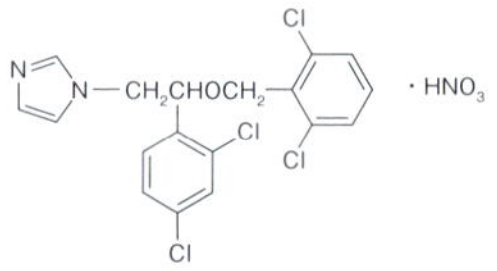

イソコナゾール硝酸塩
（**アデスタン**ク）

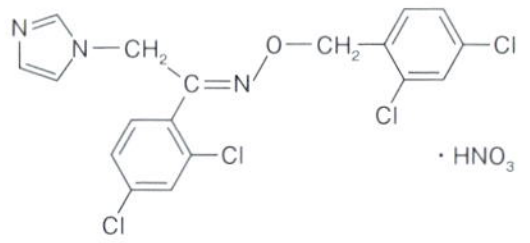

オキシコナゾール硝酸塩
（**オキナゾール**膣錠/ク/液）

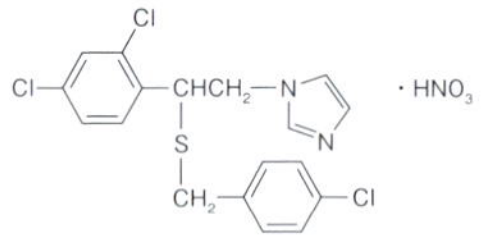

スルコナゾール硝酸塩
（**エクセルダーム**ク/液）

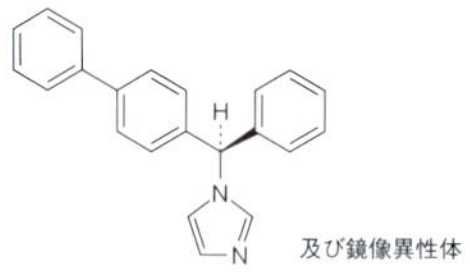

ビホナゾール
（**マイコスポール**外用液/ク）

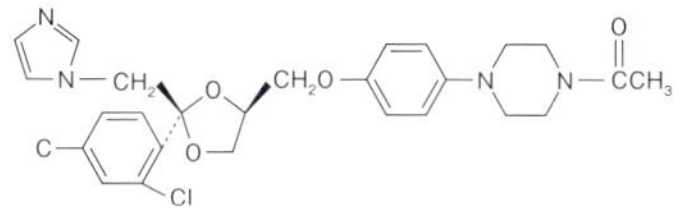

ケトコナゾール
（**ニゾラール**ク/ロ）

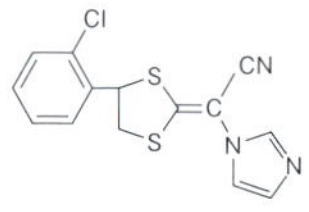

ラノコナゾール
（**アスタット**軟/ク/液）

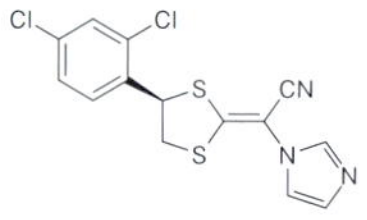

ルリコナゾール
（**ルリコン**ク/液/軟，**ルコナック**爪外用液）

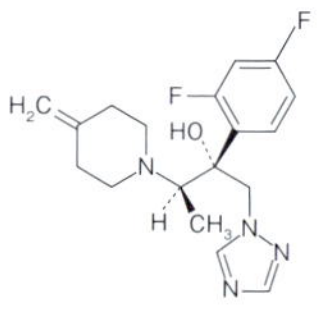

エフィナコナゾール
（**クレナフィン**爪外用液）

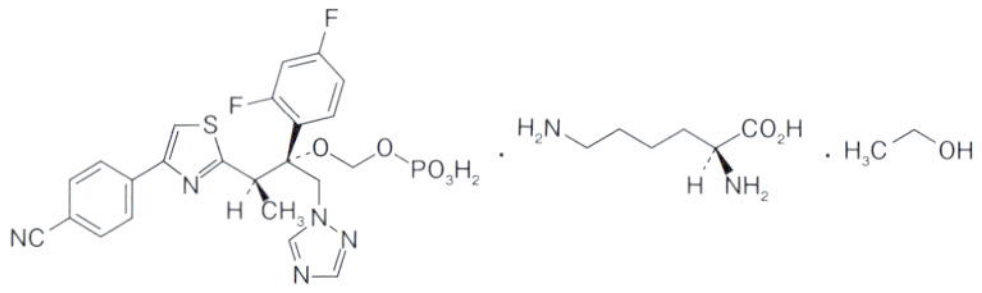

ホスラブコナゾール L-リシンエタノール付加物
（**ネイリン**カ）

アリルアミン系抗真菌薬

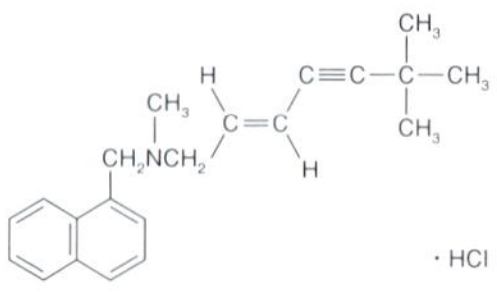

テルビナフィン塩酸塩
（**ラミシール**錠/ク/外用液/外用ス）

ベンジルアミン系抗真菌薬

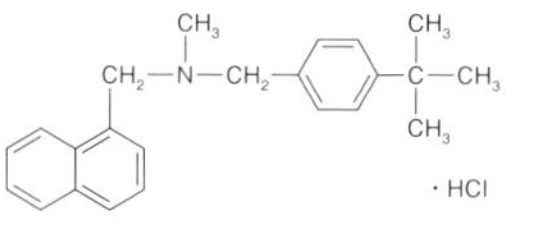

ブテナフィン塩酸塩
（**ボレー**外用液/ク/ス，**メンタックス**外用液/ク/ス）

チオカルバメート系抗真菌薬

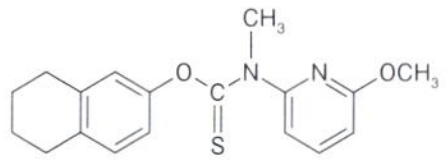

リラナフタート
（**ゼフナート**ク/外用液）

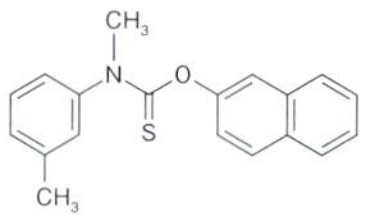

トルナフタート
（**ハイアラージン**軟/外用液）

モルフォリン系抗真菌薬

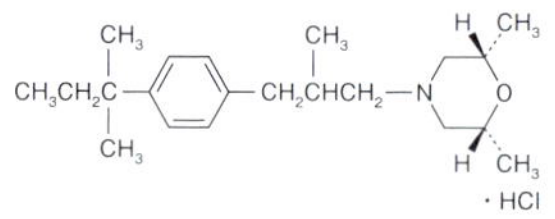

アモロルフィン塩酸塩
（**ペキロン**ク）

真菌細胞膜透過性障害誘発薬

ポリエン系抗真菌薬

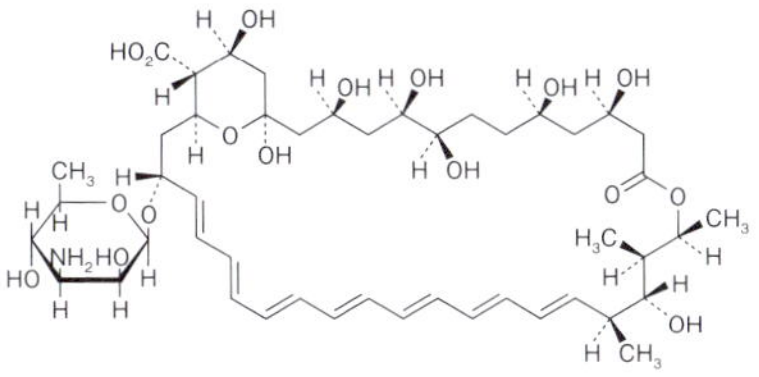

アムホテリシンB
（**ファンギゾン**シ/注，**アムビゾーム**点滴静注用）

微小管作用薬

グリセオフルビン

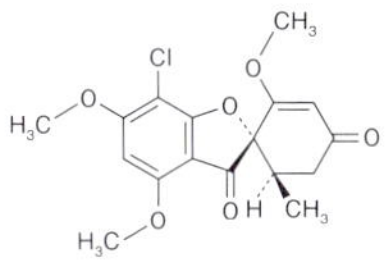

グリセオフルビン

核酸合成阻害薬

5-フルオロシトシン

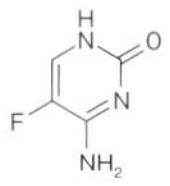

フルシトシン
（**アンコチル**錠）

ニューモシスチス肺炎治療薬

ペンタミジン

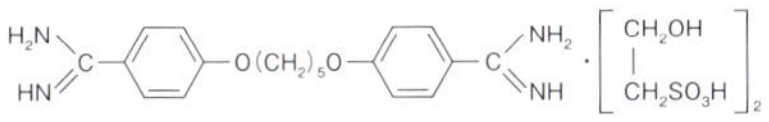

ペンタミジンイセチオン酸塩
（**ベナンバックス**注）

ST合剤

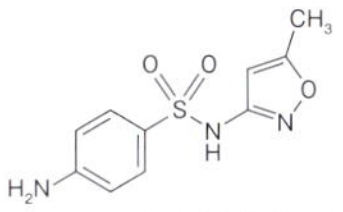

スルファメトキサゾール

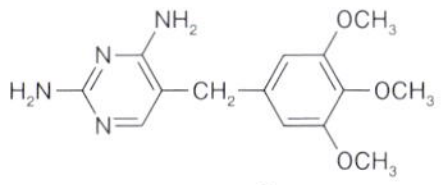

トリメトプリム

スルファメトキサゾール・トリメトプリム〈ST合剤〉
（**バクトラミン**配合錠/配合顆/注，**バクタ**配合錠/配合顆）

ユビキノン誘導体

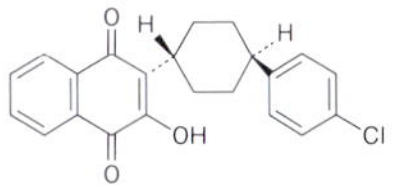

アトバコン
（**サムチレール**内用懸濁液）

抗ウイルス薬

☞本文 p513

抗HIV薬（抗AIDSウイルス薬）

逆転写酵素阻害薬

ヌクレオシド系

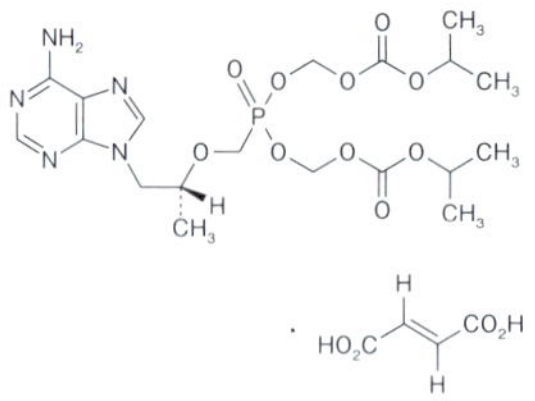

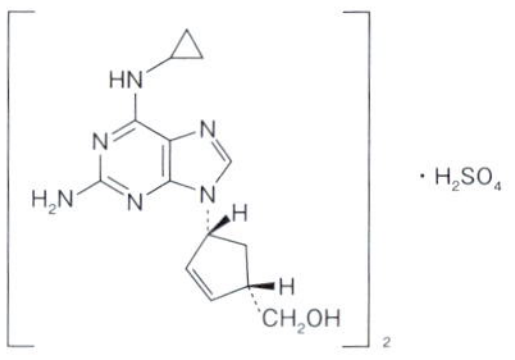

アデノシン類似薬

テノホビル ジソプロキシルフマル酸塩〈TDF〉
（**ビリアード**錠）

グアノシン類似薬

アバカビル硫酸塩〈ABC〉
（**ザイアジェン**錠）

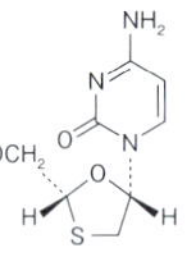

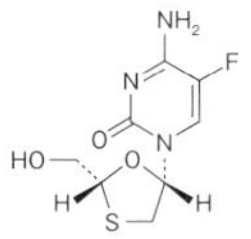

シチジン類似薬

ラミブジン〈3TC〉
（**エピビル**錠）

エムトリシタビン〈FTC〉
（**エムトリバ**カ）

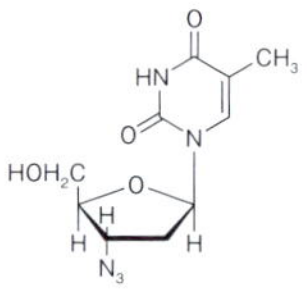

チミジン類似薬

ジドブジン〈アジドチミジン；AZT〉
（**レトロビル**カ）

非ヌクレオシド系

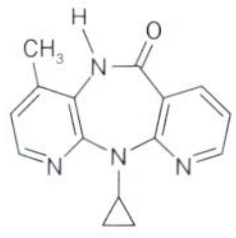

ネビラピン
（**ビラミューン**錠）

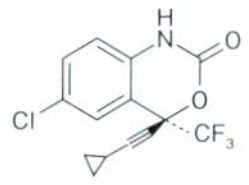

エファビレンツ〈EFV〉
（**ストックリン**錠）

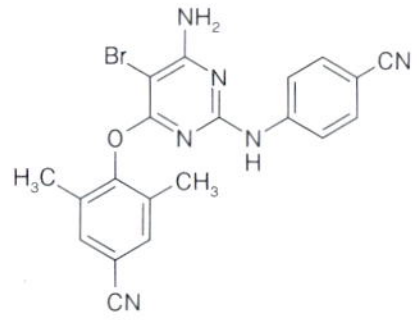

エトラビリン
（**インテレンス**錠）

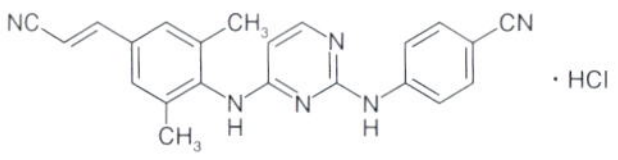

リルピビリン塩酸塩
（**エジュラント**錠）

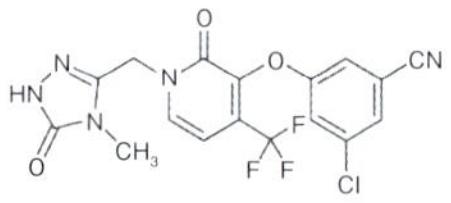

ドラビリン
（**ピフェルトロ**錠）

HIV プロテアーゼ阻害薬

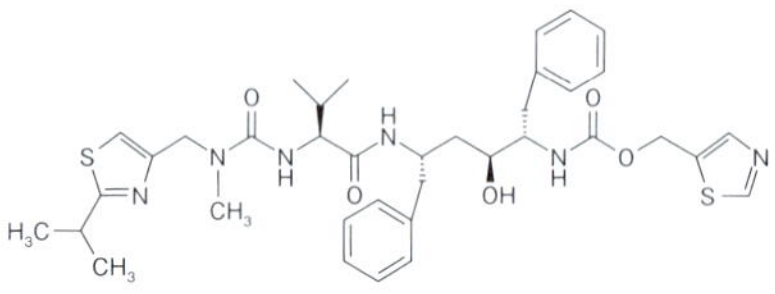

リトナビル〈rtv〉
（**ノービア**錠）

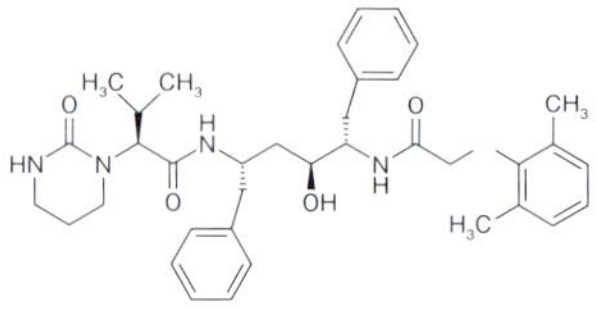

ロピナビル〈LPV〉
（リトナビルとの合剤：**カレトラ**配合錠/配合内用液）

抗HIV薬（抗AIDSウイルス薬）

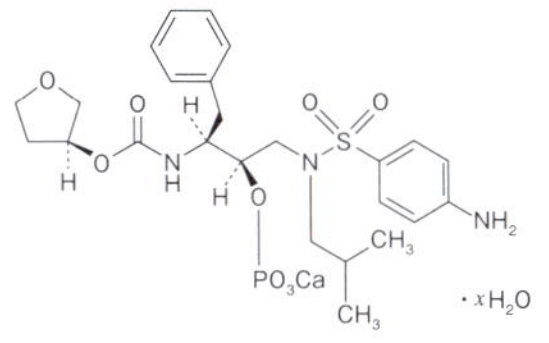

ホスアンプレナビルカルシウム水和物〈FPV〉
（**レクシヴァ**錠）

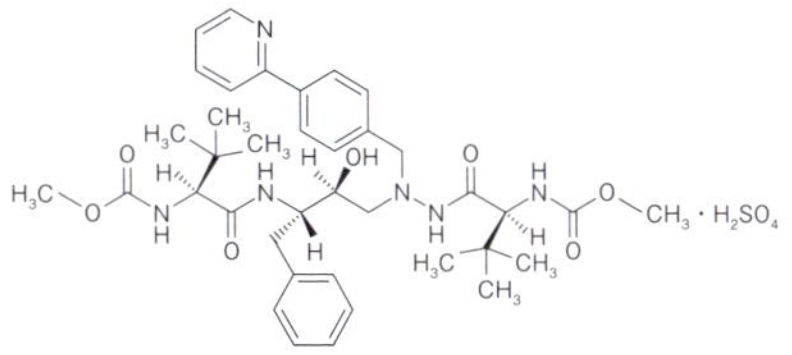

アタザナビル硫酸塩〈ATV〉
（**レイアタッツ**カ）

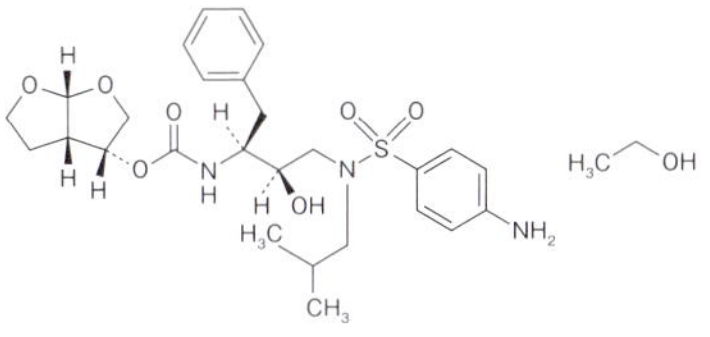

ダルナビルエタノール付加物
（**プリジスタ**錠/ナイーブ錠）

HIV インテグラーゼ阻害薬

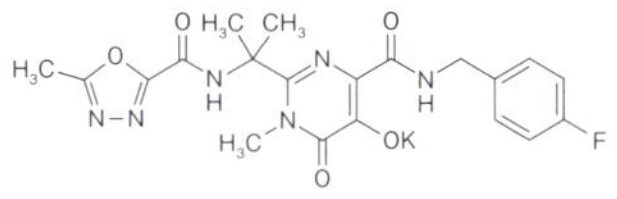

ラルテグラビルカリウム
（**アイセントレス**錠）

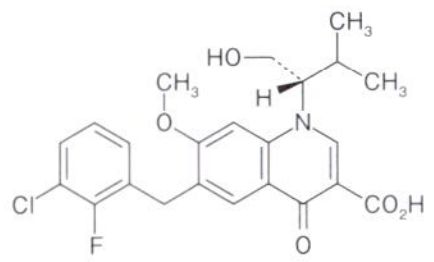

エルビテグラビル
（コビシスタット，エムトリシタビン，
テノホビル ジソプロキシルフマル酸塩との合剤：
スタリビルド配合錠）

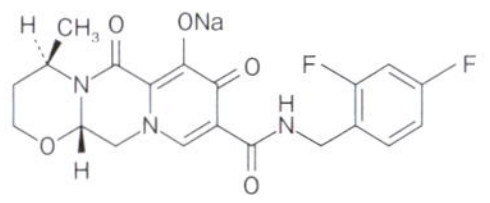

ドルテグラビルナトリウム
（**テビケイ**錠）

ケモカイン受容体５（CCR５）阻害薬

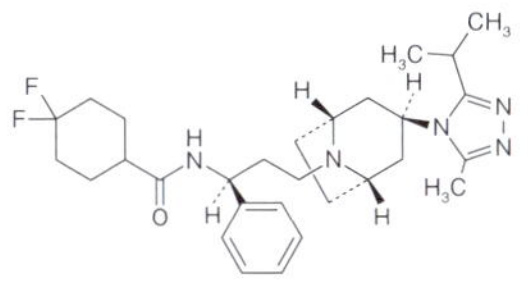

マラビロク
（**シーエルセントリ**錠）

抗ヘルペスウイルス薬

単純ヘルペス／水痘・帯状疱疹ウイルス感染症治療薬

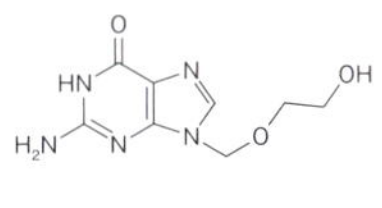

アシクロビル
（**ゾビラックス**錠/顆/点滴静注）

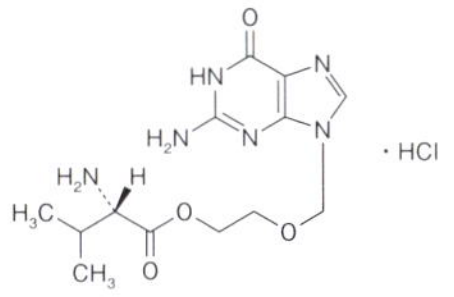

バラシクロビル塩酸塩
（**バルトレックス**錠/顆）

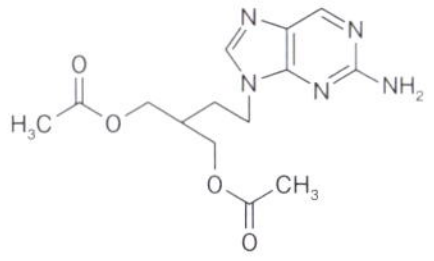

ファムシクロビル
（**ファムビル**錠）

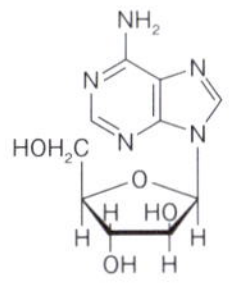

ビダラビン
（**アラセナ-A** 点滴静注/軟/ク）

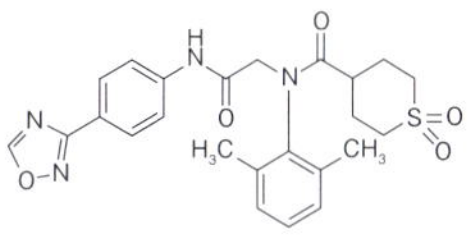

アメナメビル
（**アメナリーフ**錠）

抗ヘルペスウイルス薬

サイトメガロウイルス感染症治療薬

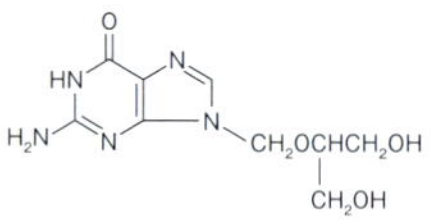

ガンシクロビル
（**デノシン**点滴静注）

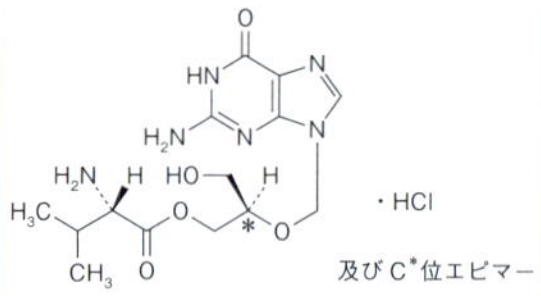

バルガンシクロビル塩酸塩
（**バリキサ**錠/ドシ）

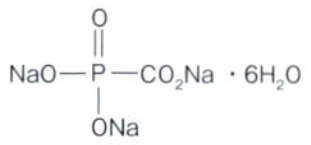

ホスカルネットナトリウム水和物
（**ホスカビル**点滴静注）

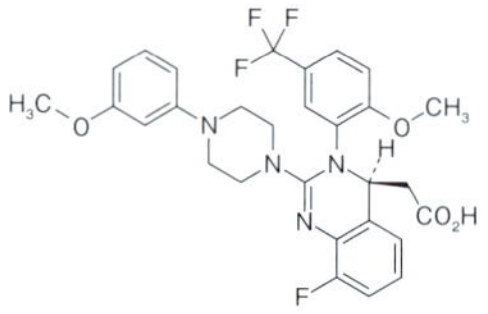

レテルモビル
（**プレバイミス**錠/点滴静注）

抗肝炎ウイルス薬

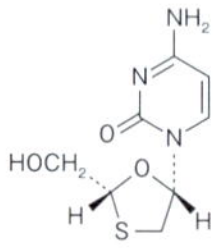

ラミブジン〈3TC〉
（**ゼフィックス**錠）

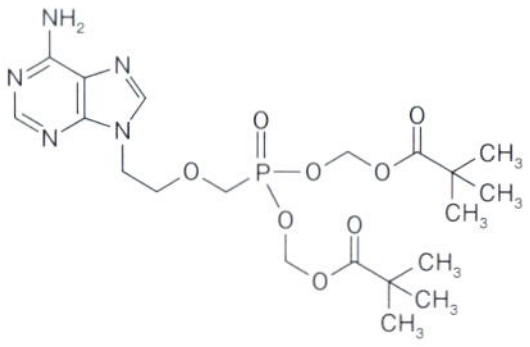

アデホビルピボキシル
（**ヘプセラ**錠）

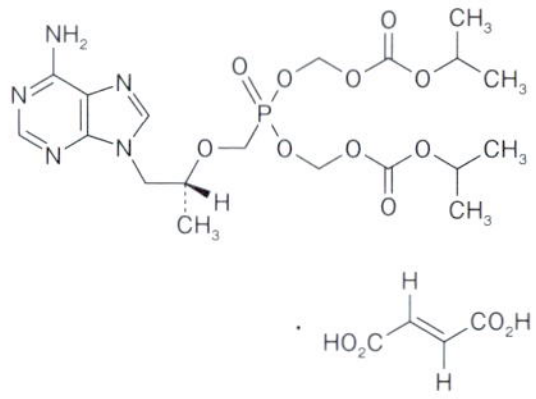

テノホビル ジソプロキシルフマル酸塩〈TDF〉
（**テノゼット**錠）

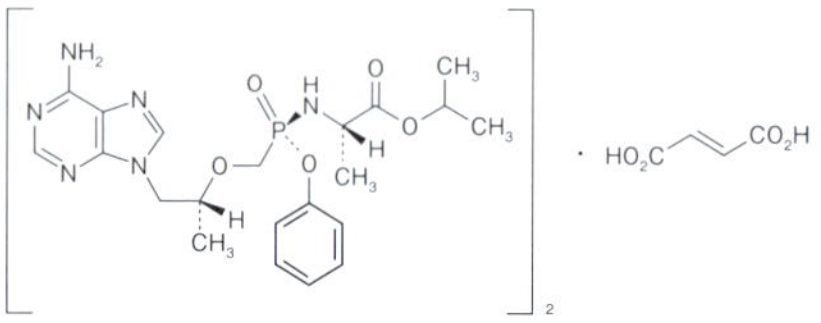

テノホビル アラフェナミドフマル酸塩
（**ベムリディ**錠）

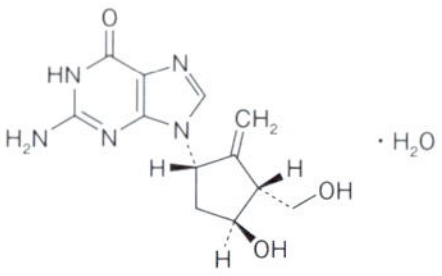

エンテカビル水和物
（**バラクルード**錠）

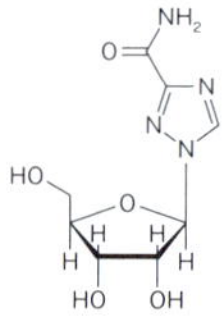

リバビリン
（**レベトール**カ，**コペガス**錠）

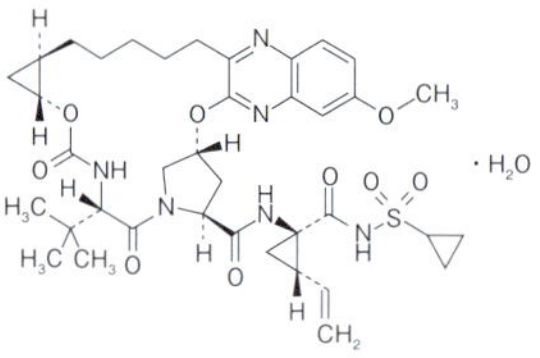

グラゾプレビル水和物
（**グラジナ**錠）

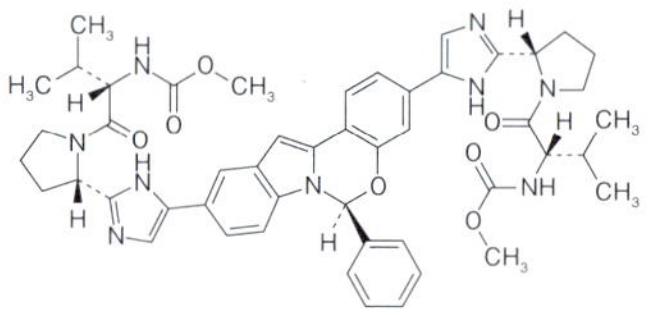

エルバスビル
（**エレルサ**錠）

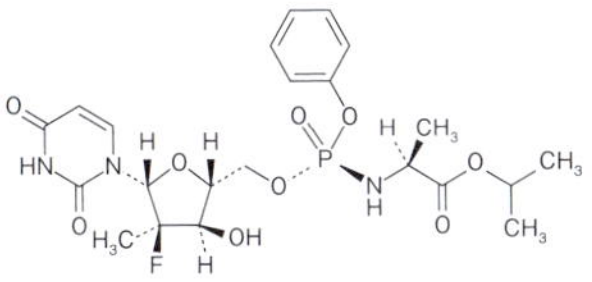

ソホスブビル
（**ソバルディ**錠）

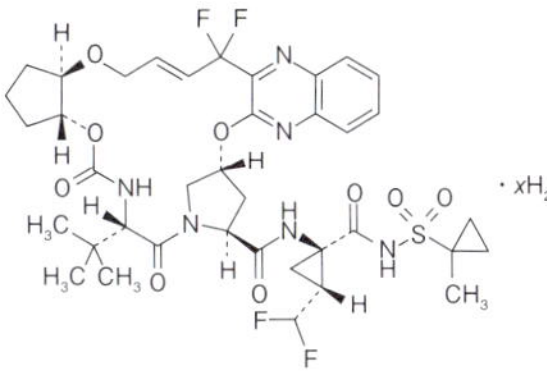

グレカプレビル水和物

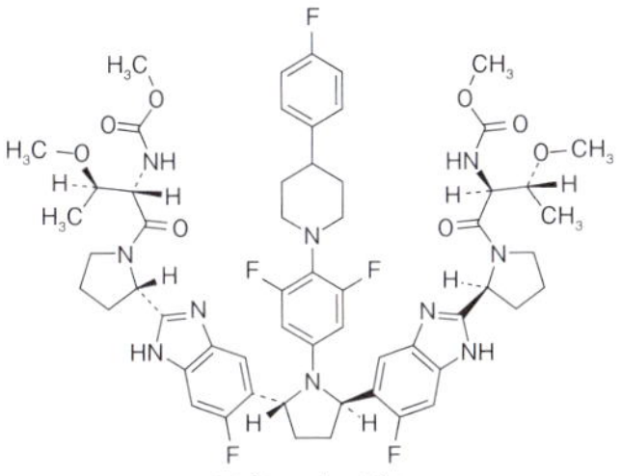

ピブレンタスビル

グレカプレビル水和物 ＋ ピブレンタスビル
（**マヴィレット**配合錠）

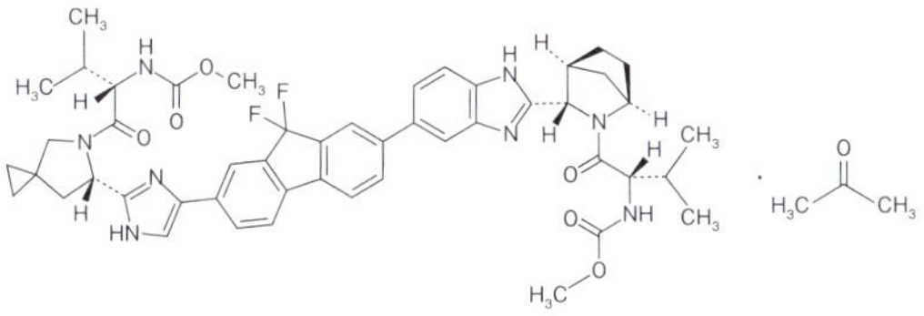

レジパスビルアセトン付加物
（ソホスブビルとの合剤：**ハーボニー**配合錠）

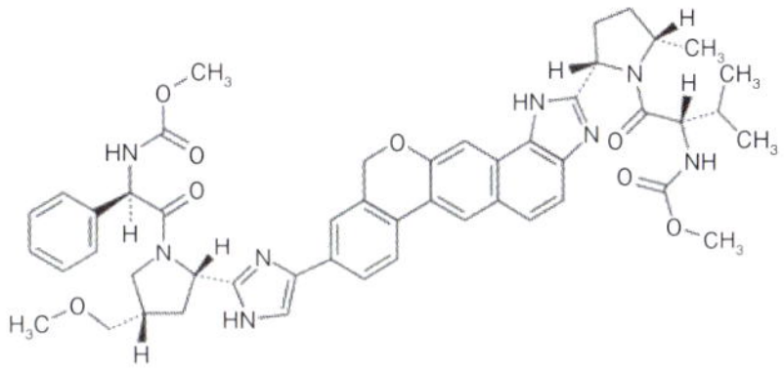

ベルパタスビル
（ソホスブビルとの合剤：**エプクルーサ**配合錠）

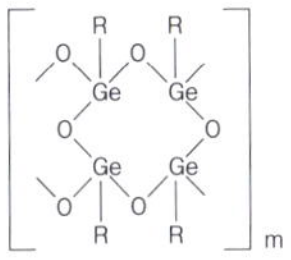

$R=CH_2CH_2COOH$

プロパゲルマニウム
（**セロシオン**カ）

病原生物に作用する薬物

抗インフルエンザウイルス薬

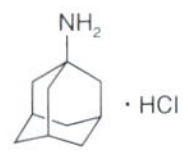

アマンタジン塩酸塩
（**シンメトレル**錠/細）

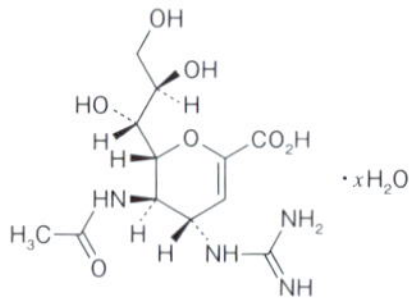

ザナミビル水和物
（**リレンザ**ブリスター）

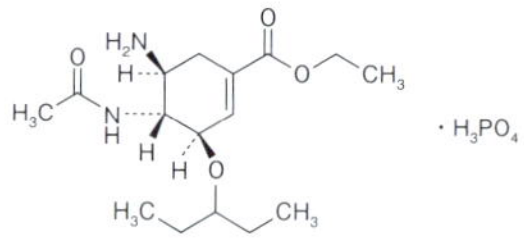

オセルタミビルリン酸塩
（**タミフル**カ/ドシ）

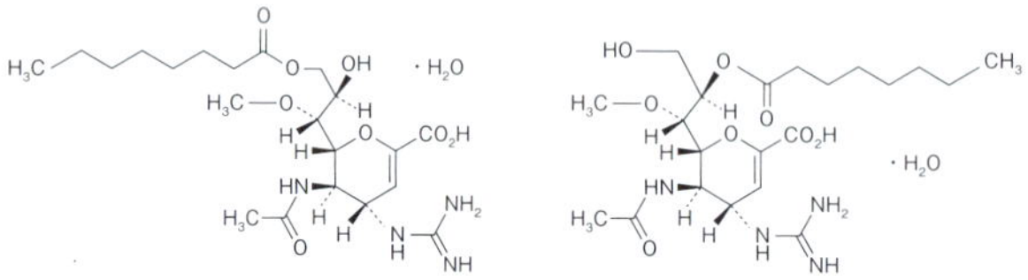

ラニナミビルオクタン酸エステル水和物
（**イナビル**吸入粉末/吸入懸濁用）

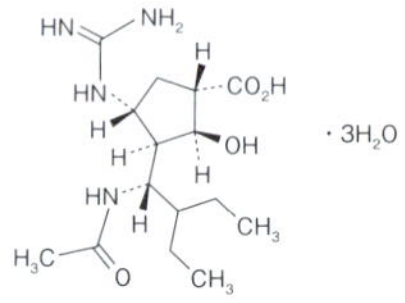

ペラミビル水和物
（**ラピアクタ**点滴用バッグ/点滴用バイアル）

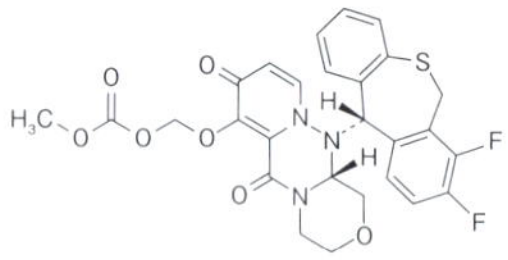

バロキサビル マルボキシル
（**ゾフルーザ**錠/顆）

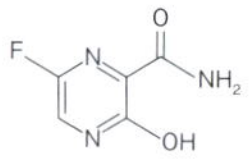

ファビピラビル
（**アビガン**錠）

その他の抗ウイルス薬

抗亜急性硬化性全脳炎ウイルス薬	抗ヒト・パピローマウイルス薬	抗 SARS-CoV-2 薬

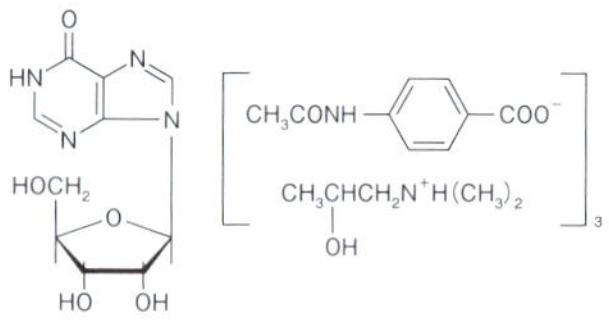

イノシンプラノベクス
（**イソプリノシン**錠/顆）

イミキモド
（**ベセルナ**ク）

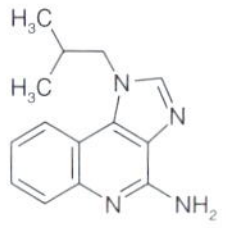

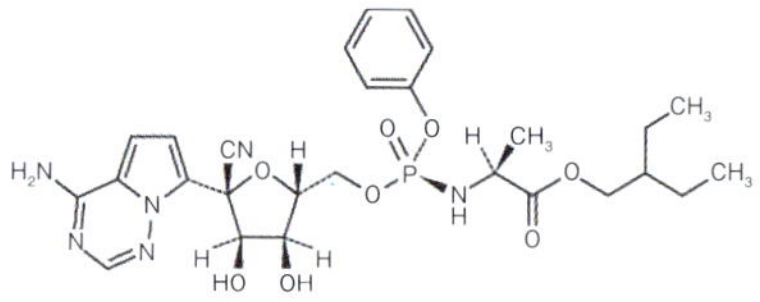

レムデシビル
（**ベクルリー**点滴静注用）

抗寄生虫薬

☞本文 p524

抗原虫薬

マラリア

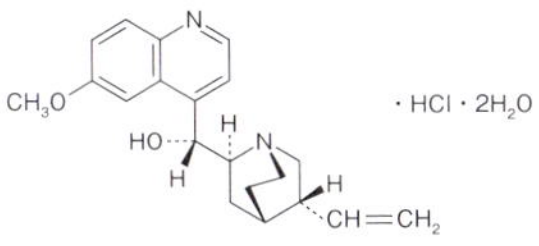

キニーネ塩酸塩水和物
（**塩酸キニーネ**末）

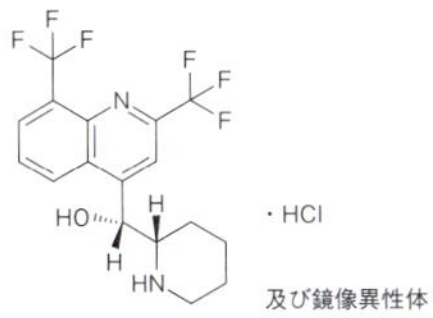

メフロキン塩酸塩
（**メファキン**錠）

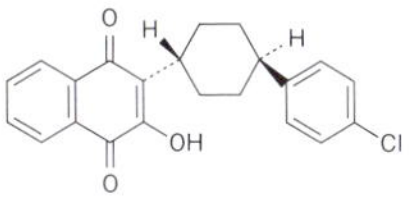

アトバコン

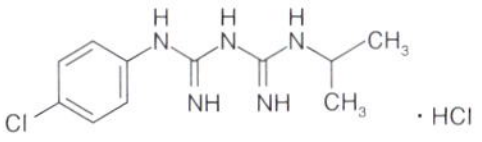

プログアニル塩酸塩

アトバコン・プログアニル塩酸塩
（**マラロン**配合錠）

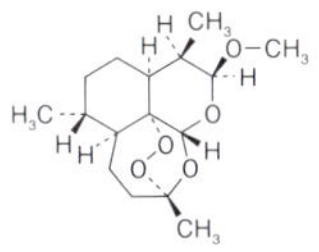

アルテメテル

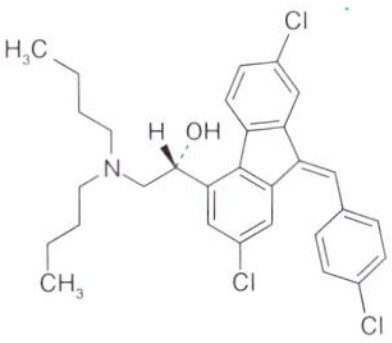

及び鏡像異性体

ルメファントリン

アルテメテル ＋ ルメファントリン
（**リアメット**配合錠）

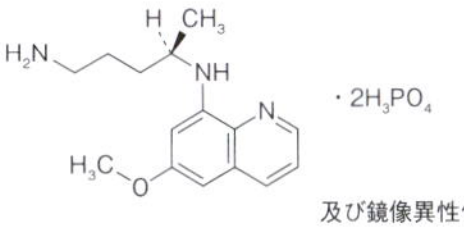

及び鏡像異性体

プリマキンリン酸塩
（**プリマキン**錠）

トリコモナス

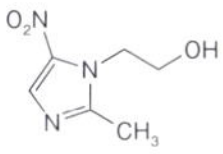

メトロニダゾール
（**フラジール**内服液/膣錠,
アネメトロ点滴静注, **ロゼックス**ゲル）

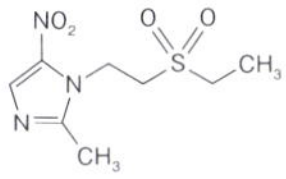

チニダゾール
（**ハイシジン**錠/膣錠）

腸管アメーバ

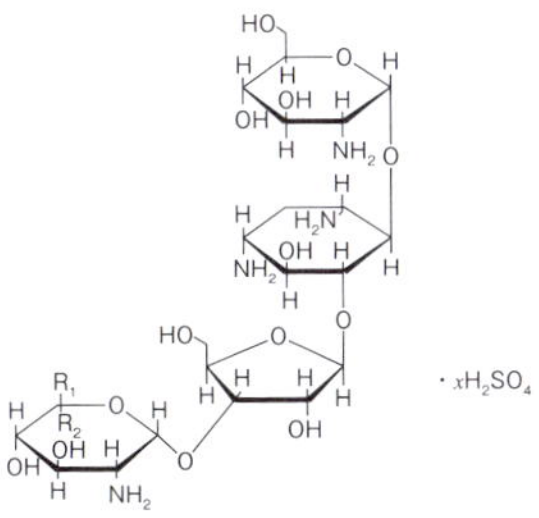

パロモマイシン A 硫酸塩：R_1=H, R_2=CH_2NH_2
パロモマイシン B 硫酸塩：R_1=CH_2NH_2, R_2=H

パロモマイシン硫酸塩
（**アメパロモ**カ）

トキソプラズマ

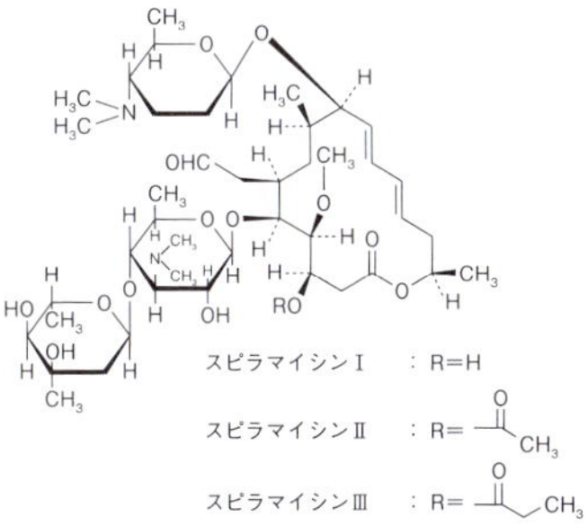

スピラマイシン
（**スピラマイシン**錠）

抗蠕虫薬

線 虫

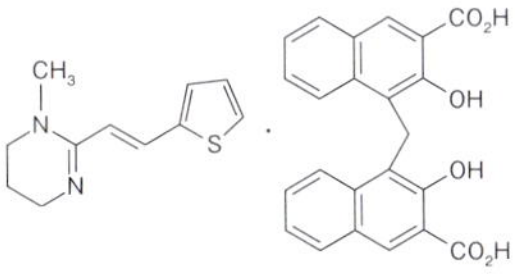

ピランテルパモ酸塩
（**コンバントリン**錠/ドシ）

回 虫

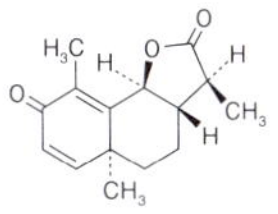

サントニン

鞭 虫

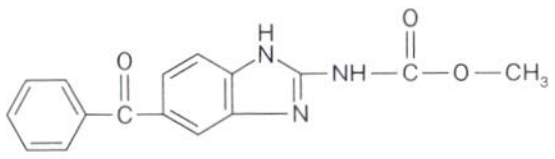

メベンダゾール
（**メベンダゾール**錠）

糞線虫

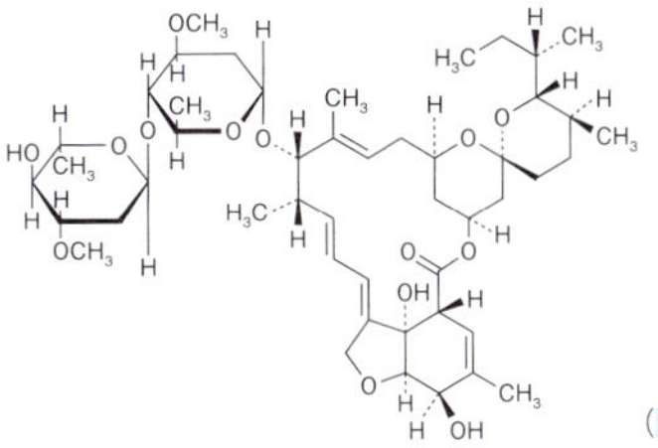

イベルメクチン
（**ストロメクトール**錠）

抗蠕虫薬

フィラリア（糸状虫）

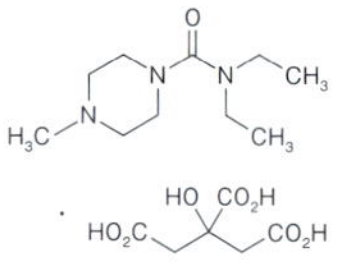

ジエチルカルバマジンクエン酸塩
（**スパトニン**錠）

吸虫

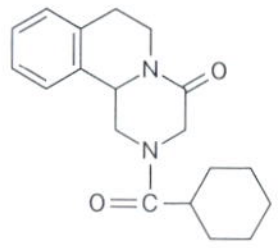

プラジカンテル
（**ビルトリシド**錠）

包虫

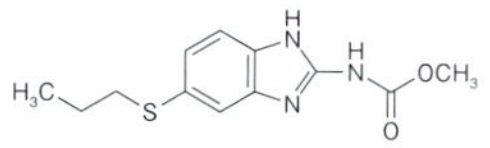

アルベンダゾール
（**エスカゾール**錠）

抗スピロヘータ薬

ペニシリン類

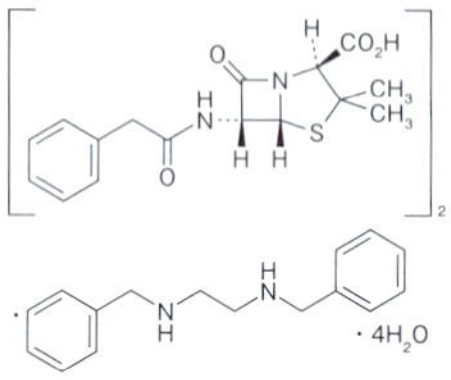

ベンジルペニシリン
ベンザチン水和物
（**バイシリン**G顆，**ステルイズ**水性懸濁筋注）

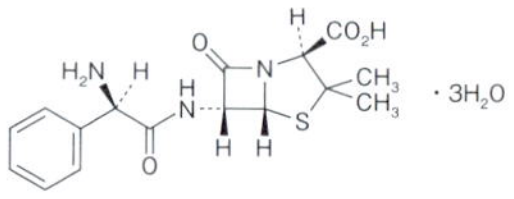

アンピシリン水和物
（**ビクシリン**注/ドシ/カ）

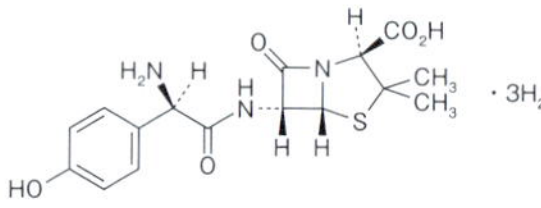

アモキシシリン水和物
（**アモリン**細/カ，**サワシリン**錠/カ/細，
パセトシン錠/カ/細，**ワイドシリン**細）

テトラサイクリン系薬物

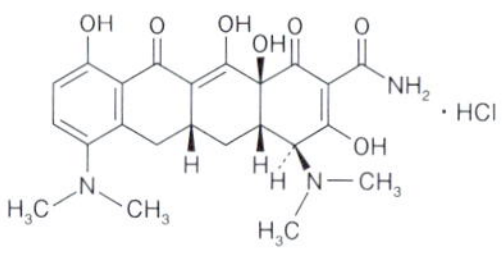

ミノサイクリン塩酸塩
（**ミノマイシン**錠/カ/顆/点滴静注）

マクロライド系薬物

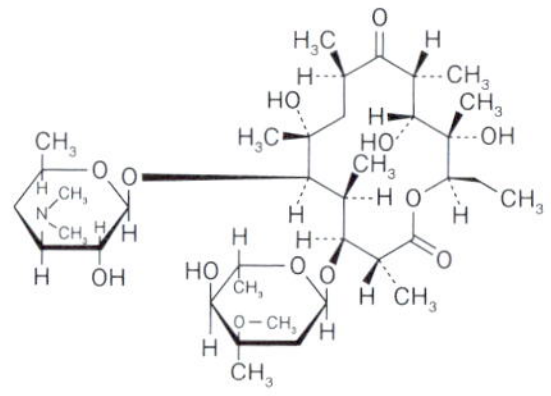

エリスロマイシン
（**エリスロマイシン**錠）

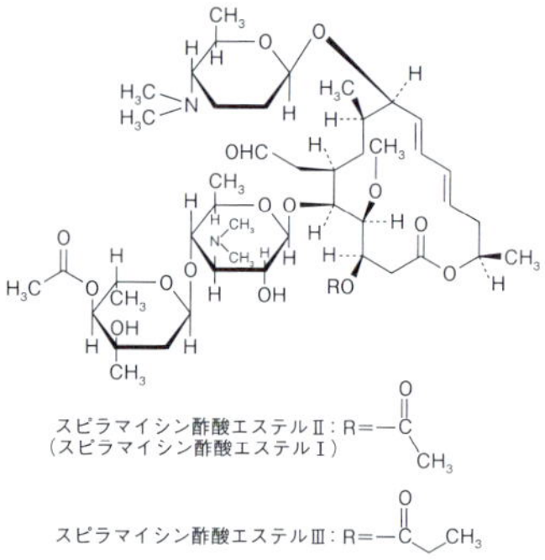

スピラマイシン酢酸エステル
（**アセチルスピラマイシン**錠）

殺菌薬・消毒薬

☞本文 p528

酸

CH_3COOOH

過酢酸
（**アセサイド**消毒液）

アルデヒド

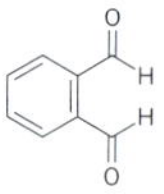

フタラール
（**ディスオーパ**消毒液）

$OHC-CH_2-CH_2-CH_2-CHO$

グルタラール
（**グルトハイド**液，**サイデックス**液，
ステリゾール液，**ステリハイド**液，
ステリスコープ液）

HCHO

ホルマリン
（**ホルマリン**液）

アルコール

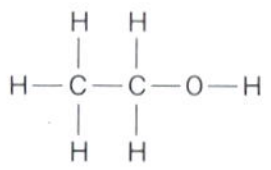

消毒用エタノール
（**消毒用エタノール**）

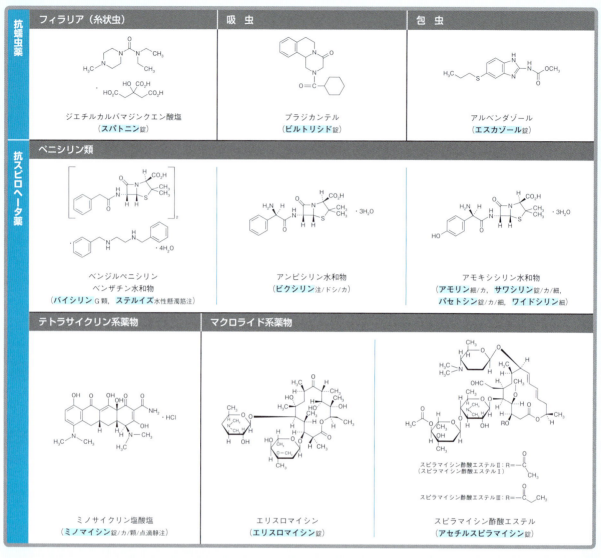

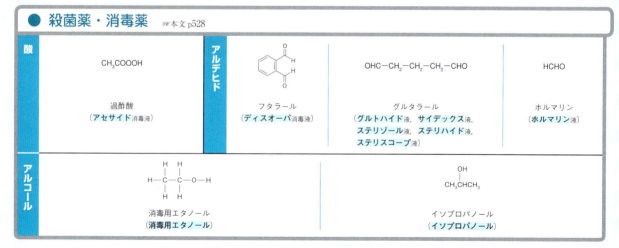

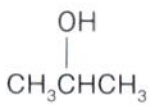

イソプロパノール
（**イソプロパノール**）

ハロゲン

NaClO

次亜塩素酸ナトリウム
（**ヤクラックス**消毒液，**テキサント**消毒液，**次亜塩**液）

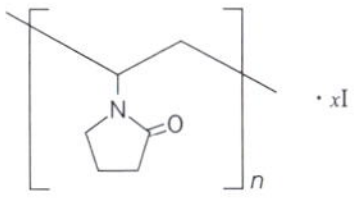

ポビドンヨード
（**イソジン**液/スクラブ液/ガーグル液/ゲル/産婦人科用ク，**ポピヨドン**液/スクラブ液/ガーグル液/ゲル，**ポピラール**液/ガーグル液）

I

ヨウ素
（**プレポダイン**スクラブ/ソリューション/フィールド，**ヨードチンキ**液，**PA・ヨード**点眼・洗眼液）

フェノール

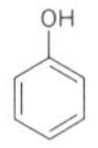

フェノール
（**フェノール**水）

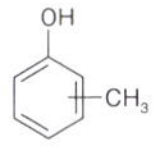

クレゾール
（**クレゾール**石ケン液）

H_2O_2

オキシドール
（**オキシドール**液）

クロルヘキシジン

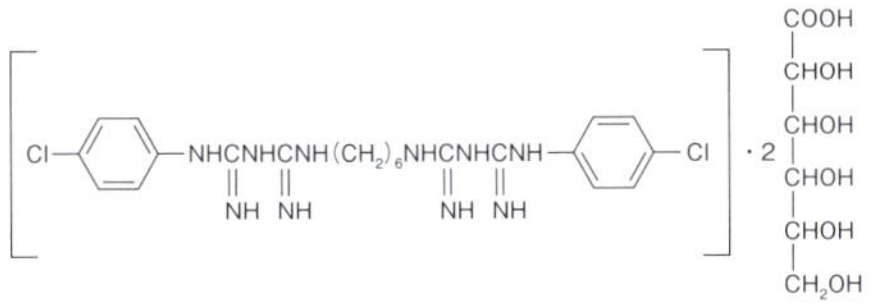

クロルヘキシジングルコン酸塩
（**ステリクロン**液/スクラブ液，**ヒビテン**液，**ヘキザック**水，**マスキン**液/スクラブ液）

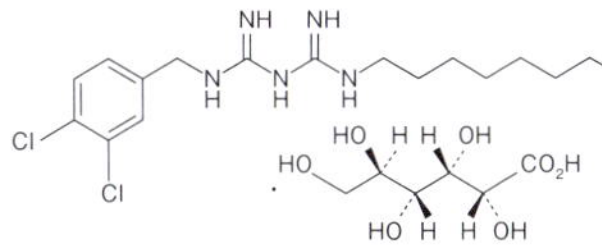

オラネキシジングルコン酸塩
（**オラネジン**消毒液）

界面活性剤

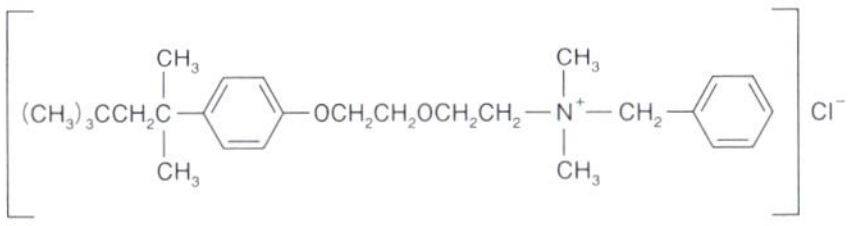

ベンゼトニウム塩化物
（**エンゼトニン**液，**ベゼトン**液，**ハイアミン**液）

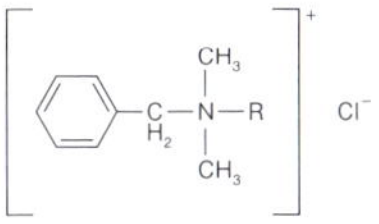

ベンザルコニウム塩化物
（**塩化ベンザルコニウム**液，**オスバン**消毒液，**ザルコニン**液，**ヂアミトール**水，**逆性石ケン**液）

$[RNHCH_2CH_2NHCH_2CH_2NHCH_2COOH]\cdot HCl$

アルキルジアミノエチルグリシン塩酸塩
（**エルエイジ**液，**サテニジン**液，**テゴー 51** 消毒液，**ハイジール**水）

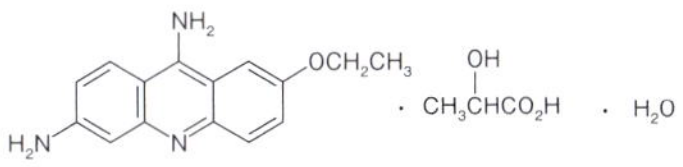

アクリノール
（**アクリノール**末/液）

第18章　抗悪性腫瘍薬

抗悪性腫瘍薬 ☞本文 p538

アルキル化薬

クロロエチルアミン誘導体

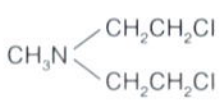

ナイトロジェン マスタード	メルファラン （**アルケラン**錠/静注用）	シクロホスファミド水和物 （**エンドキサン**錠/末/注）	イホスファミド （**イホマイド**注）	ベンダムスチン塩酸塩 （**トレアキシン**点滴静注）

ニトロソウレア系薬物

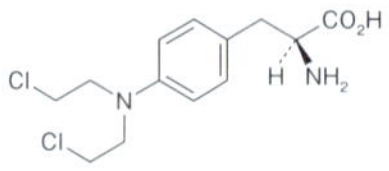

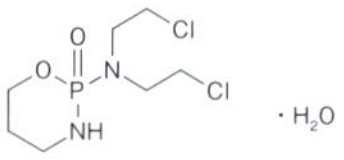

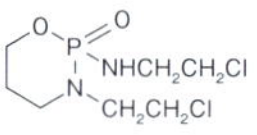

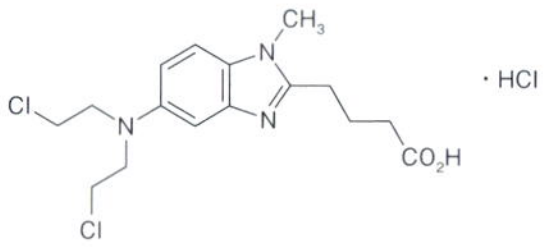

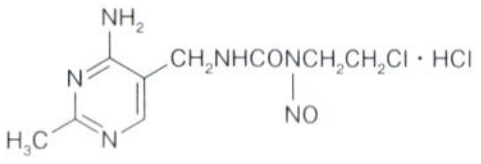

ニムスチン塩酸塩 （**ニドラン**注）	ラニムスチン （**サイメリン**注）	カルムスチン （**ギリアデル**脳内留置用）	ストレプトゾシン 及び C*位 エピマー （**ザノサー**点滴静注用）

エチレンイミン誘導体 / スルホン酸エステル / トリアゼン類

チオテパ （**リサイオ**点滴静注）	ブスルファン （**マブリン**散， **ブスルフェクス**点滴静注）	ダカルバジン （**ダカルバジン**注）	テモゾロミド （**テモダール**点滴静注/カ）

代謝拮抗薬

葉酸代謝拮抗薬

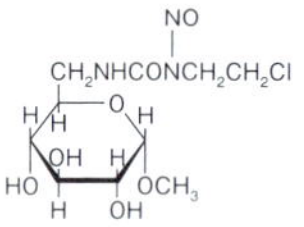

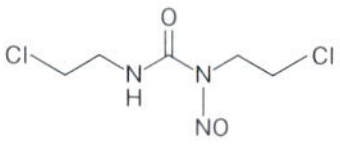

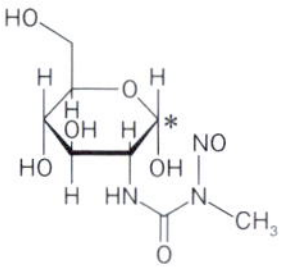

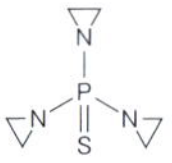

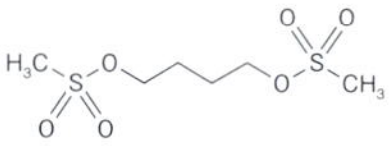

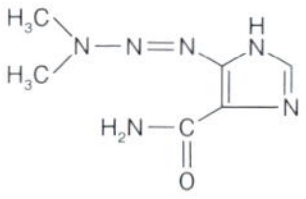

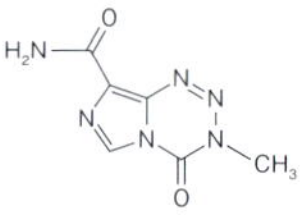

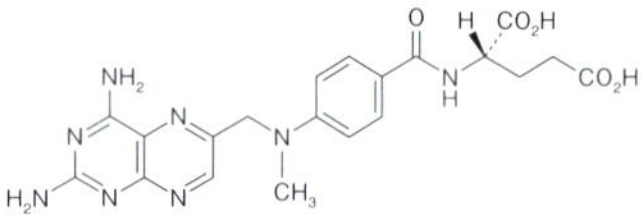

メトトレキサート〈MTX〉 （**メソトレキセート**錠/注/点滴静注）	プララトレキサート 及びC*位エピマー （**ジフォルタ**注射液）	ペメトレキセドナトリウム水和物 （**アリムタ**注）

ピリミジン代謝拮抗薬

5-FU及びプロドラッグ

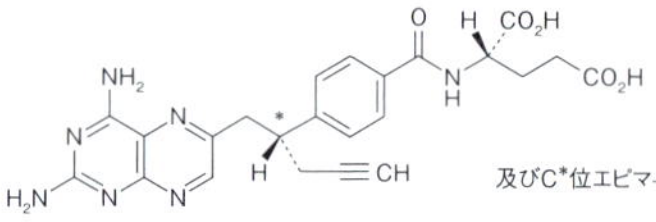

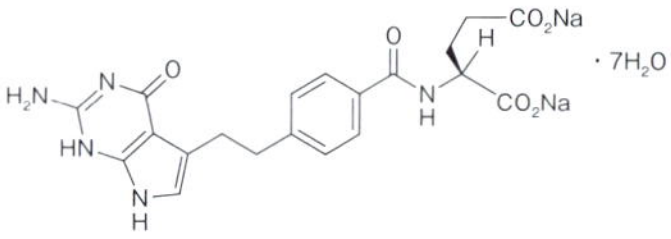

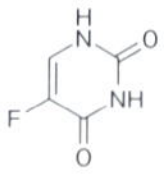

フルオロウラシル （**5-FU**錠/注/軟）	テガフール （**フトラフール** カ/腸溶顆/注/坐） 及び鏡像異性体	テガフール・ウラシル テガフール　ウラシル 及び鏡像異性体 （**ユーエフティ** E 配合顆（腸溶）/配合カ）	テガフール・ギメラシル・ オテラシルカリウム テガフール　ギメラシル　オテラシルカリウム 及び鏡像異性体 （**ティーエスワン**配合カ/配合OD錠/配合顆）

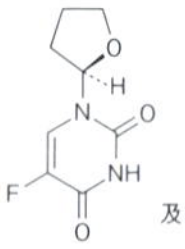

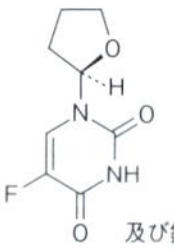

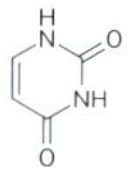

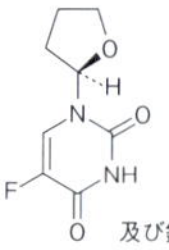

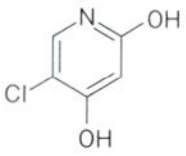

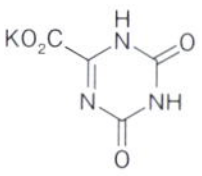

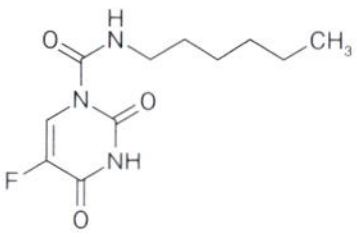

カルモフール	ドキシフルリジン （**フルツロン**カ）	カペシタビン （**ゼローダ**錠）	その他のフッ化ピリミジン系薬物 トリフルリジン　チピラシル塩酸塩 トリフルリジン ＋ チピラシル塩酸塩 （**ロンサーフ**配合錠）

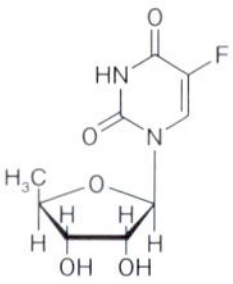

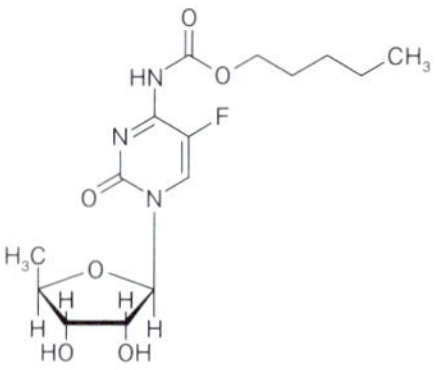

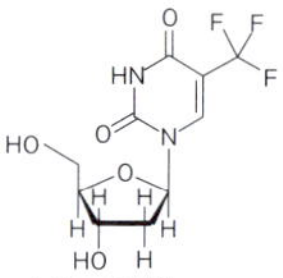

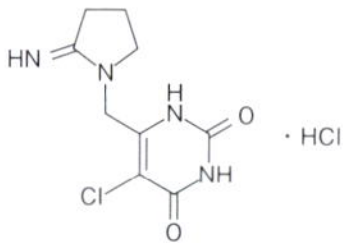

代謝拮抗薬

シトシンアラビノシド系

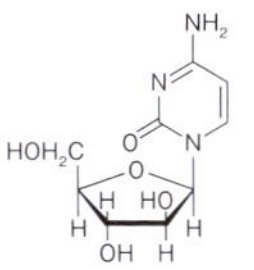

シタラビン
（**キロサイド**注/N 注）

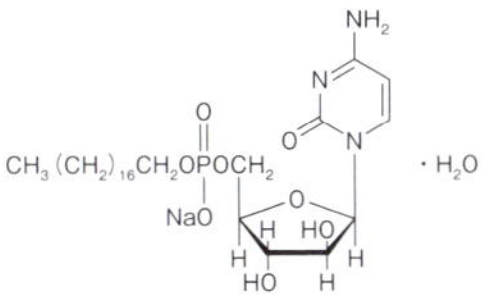

シタラビンオクホスファート水和物
（**スタラシド**カ）

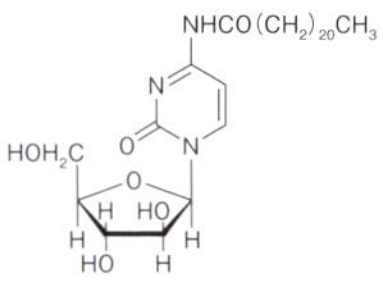

エノシタビン
（**サンラビン**点滴静注）

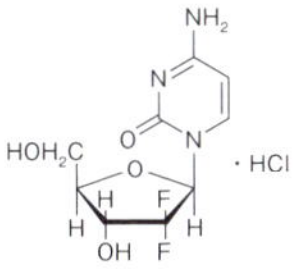

ゲムシタビン塩酸塩
（**ジェムザール**注）

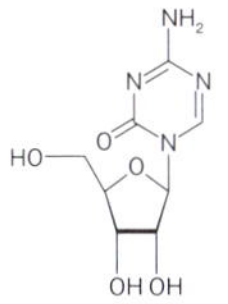

アザシチジン
（**ビダーザ**注射用）

プリン代謝拮抗薬

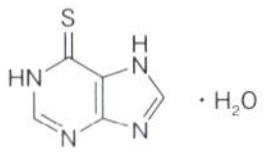

メルカプトプリン水和物
（**ロイケリン**散）

$H_2NCONHOH$

ヒドロキシカルバミド
（**ハイドレア**カ）

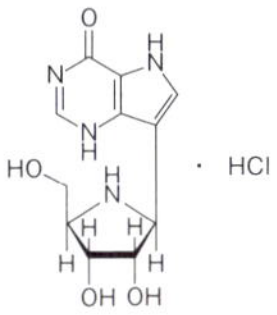

フォロデシン塩酸塩
（**ムンデシン**カ）

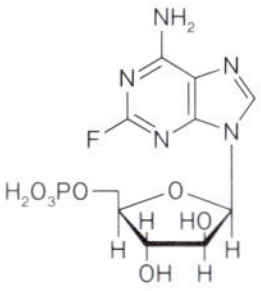

フルダラビンリン酸エステル
（**フルダラ**静注/錠）

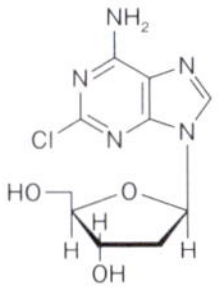

クラドリビン
（**ロイスタチン**注）

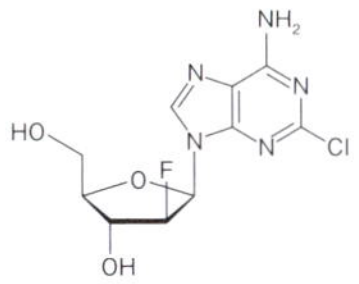

クロファラビン
（**エボルトラ**点滴静注用）

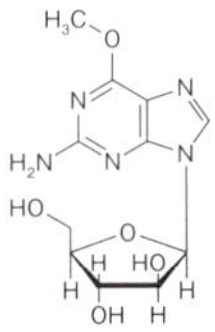

ネララビン
（**アラノンジー**静注）

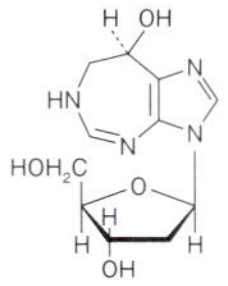

ペントスタチン
（**コホリン**注）

抗生物質

アントラサイクリン系薬物

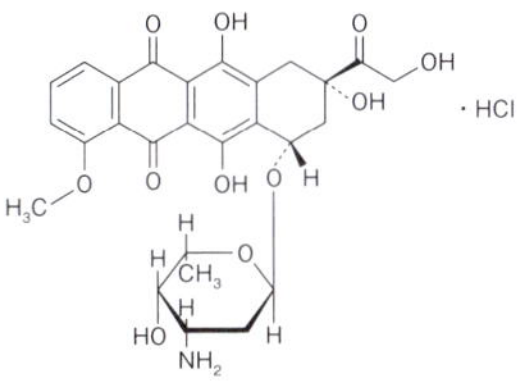

ドキソルビシン〈アドリアマイシン〉塩酸塩
（**アドリアシン**注，**ドキシル**注）

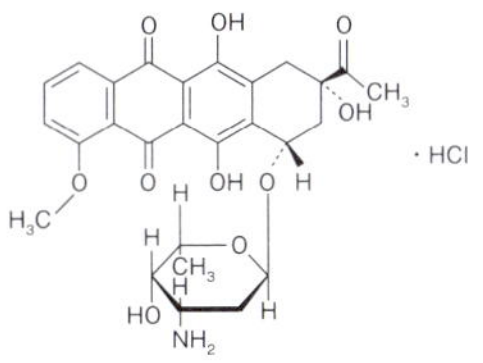

ダウノルビシン塩酸塩
（**ダウノマイシン**静注）

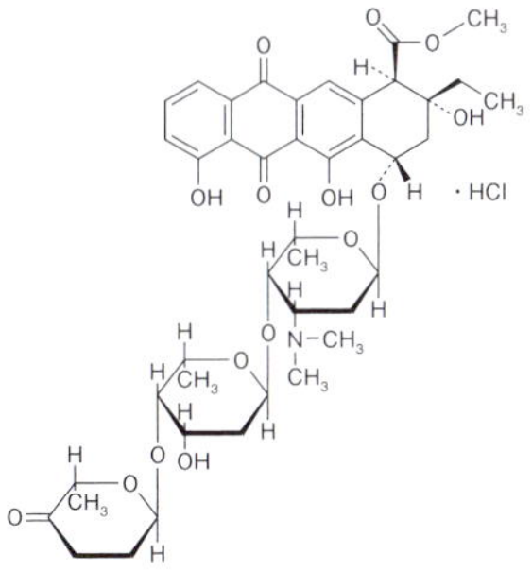

アクラルビシン塩酸塩
（**アクラシノン**注）

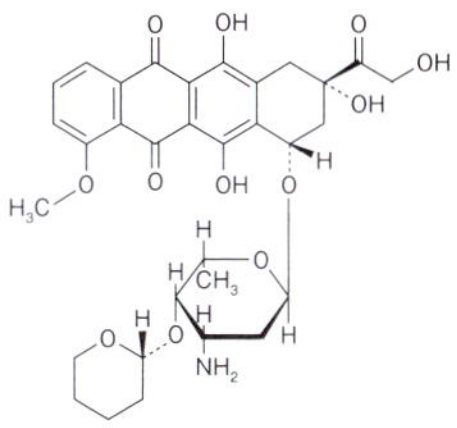

ピラルビシン
（**テラルビシン**注，**ピノルビン**注）

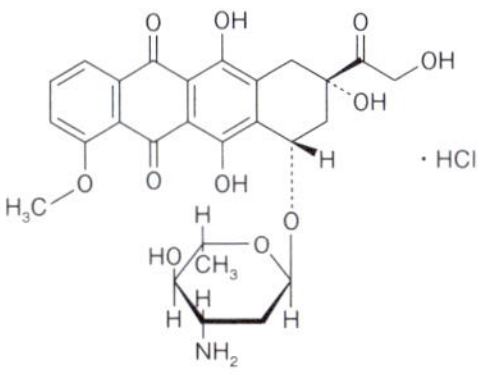

エピルビシン塩酸塩
（**ファルモルビシン**注/RTU 注）

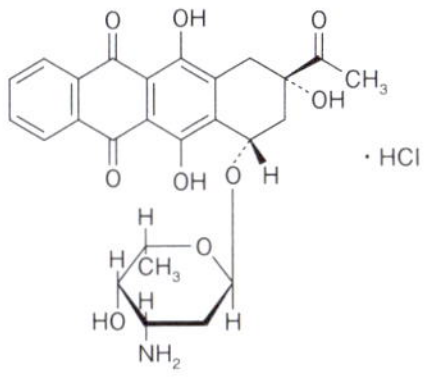

イダルビシン塩酸塩
（**イダマイシン**静注）

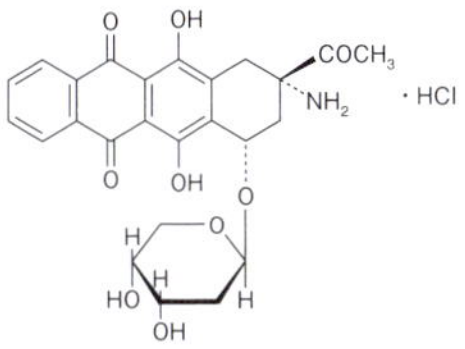

アムルビシン塩酸塩
（**カルセド**注）

抗生物質

その他

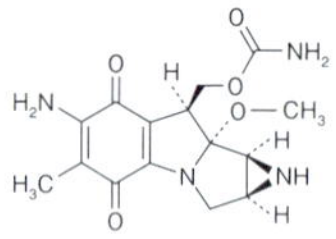

マイトマイシンC
（**マイトマイシン**注）

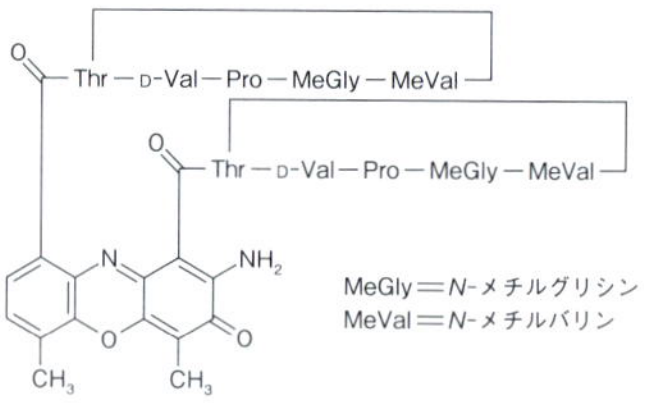

アクチノマイシンD
（**コスメゲン**静注用）

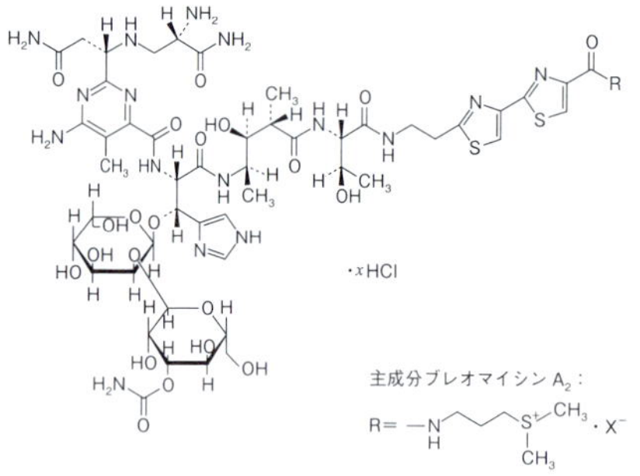

ブレオマイシン塩酸塩
（**ブレオ**注/S軟）

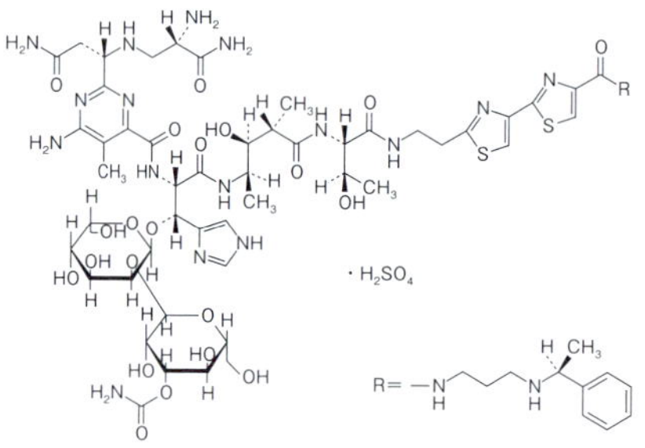

ペプロマイシン硫酸塩
（**ペプレオ**注）

白金錯体

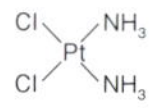

シスプラチン
（**ランダ**注，
アイエーコール動注用）

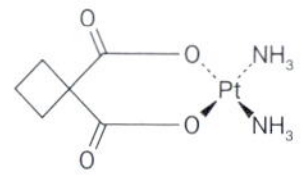

カルボプラチン
（**パラプラチン**注）

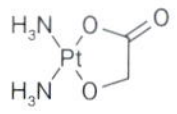

ネダプラチン
（**アクプラ**静注用）

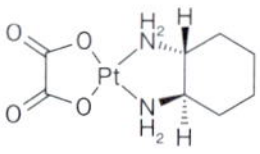

オキサリプラチン
（**エルプラット**点滴静注）

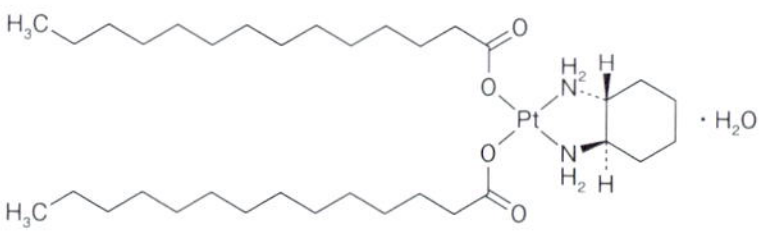

ミリプラチン水和物
（**ミリプラ**動注用）

天然物由来物質

微小管重合阻害薬

ビンカアルカロイド

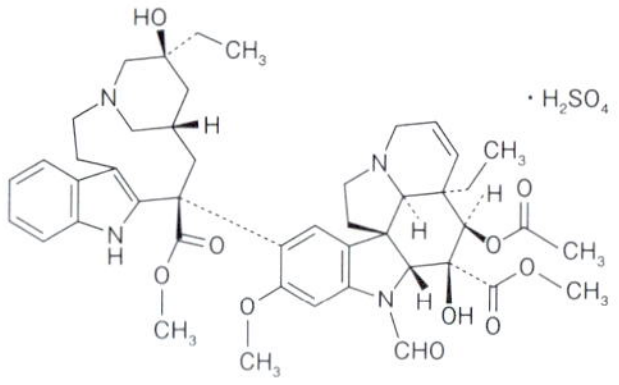

ビンクリスチン硫酸塩
（**オンコビン**注）

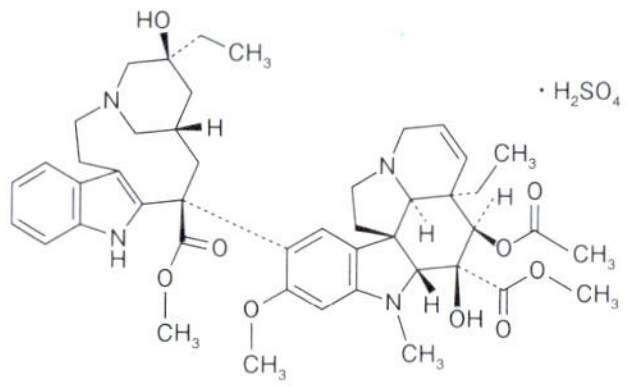

ビンブラスチン硫酸塩
（**エクザール**注）

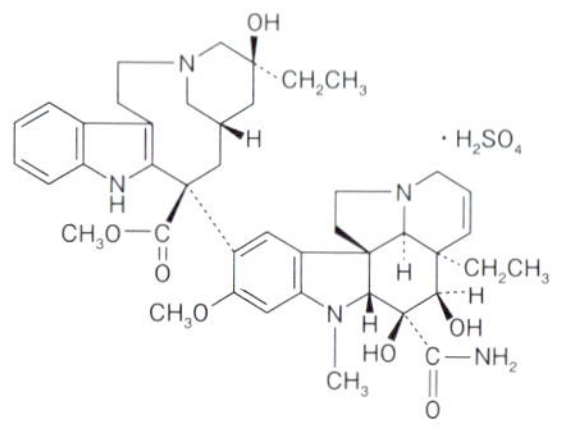

ビンデシン硫酸塩
（**フィルデシン**注）

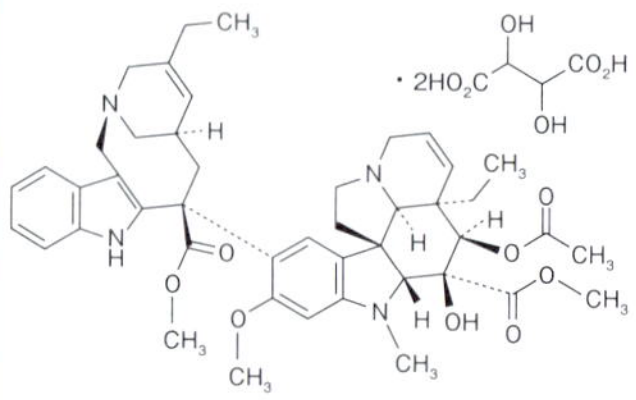

ビノレルビン酒石酸塩
（**ナベルビン**注）

海綿動物クロイソカイメン由来成分誘導体

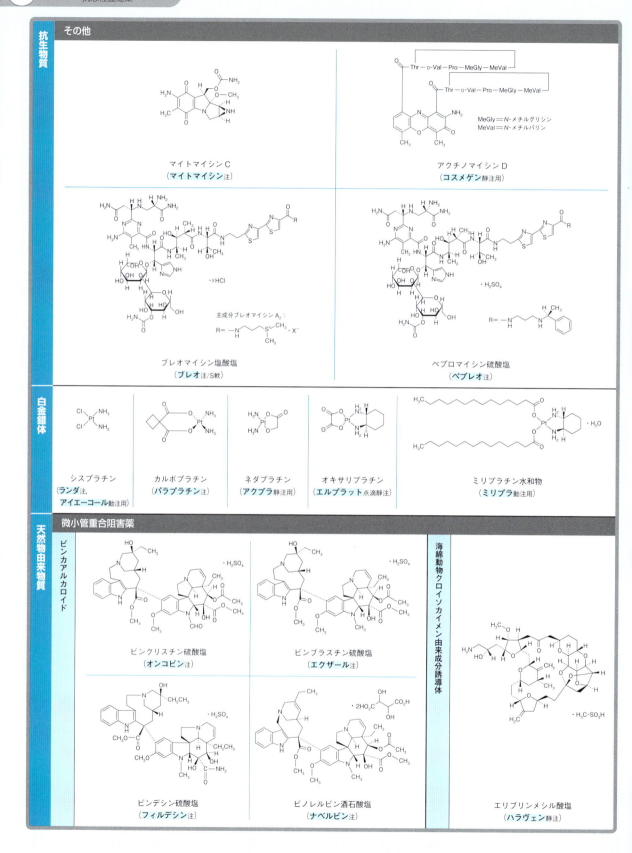

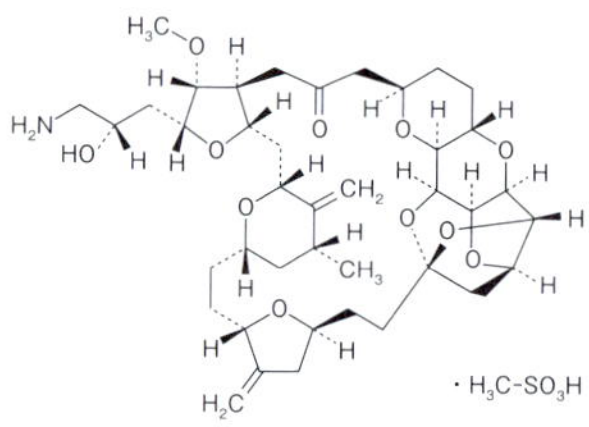

エリブリンメシル酸塩
（**ハラヴェン**静注）

天然物由来物質

微小管重合促進薬

タキソイド系

CH3 O O HO H O H OH
H3C–C–O–C N O H3C H CH3
CH3 H HO H H CH3 H · 3H2O
HO O
O–C–O H O–C–CH3

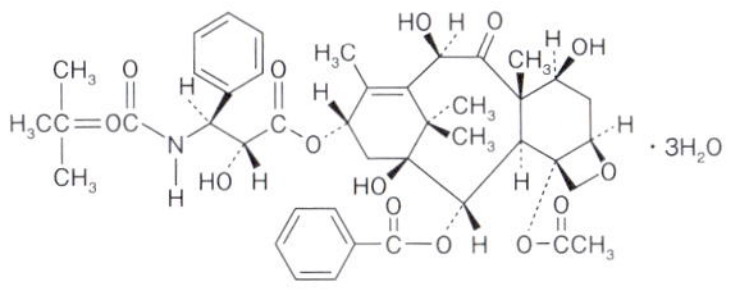

ドセタキセル水和物
（**タキソテール**点滴静注，**ワンタキソテール**点滴静注）

O
CH3C–O H O
H3C CH3 H OH
O H O H CH3
C–N O CH3 H
H HO H HO H O
O–C–O H O–CCH3

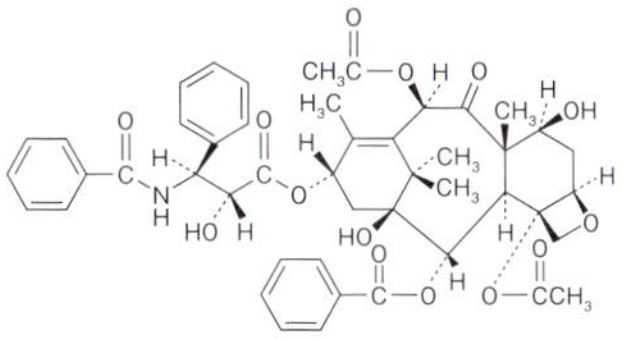

パクリタキセル
（**タキソール**注，**アブラキサン**点滴静注）

H3C O H O O–CH3
H3C CH3 O H3C CH3 H
H3C O NH H O H CH3 H H O
CH3 · H3C CH3
HO H OH H O O
O O CH3
O

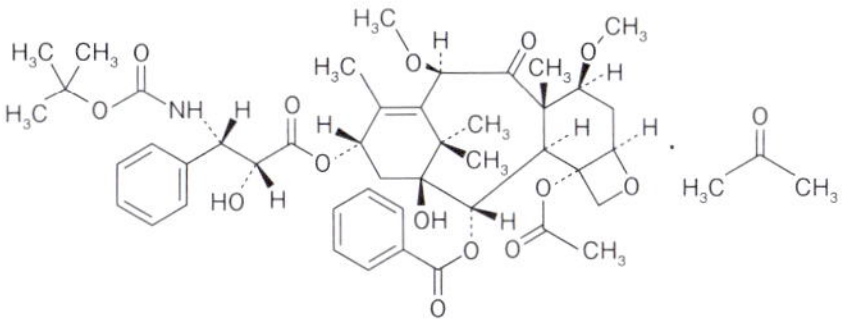

カバジタキセルアセトン付加物
（**ジェブタナ**点滴静注）

トポイソメラーゼⅠ阻害薬

カンプトテシン系

C2H5 O
N N O O · HCl · 3H2O
O N N O
HO C2H5

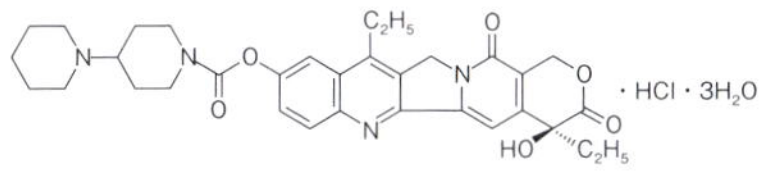

イリノテカン塩酸塩水和物
（**カンプト**点滴静注，**トポテシン**点滴静注，**オニバイド**点滴静注）

CH3
N CH3
HO N O · HCl
N O
H3C O
OH O

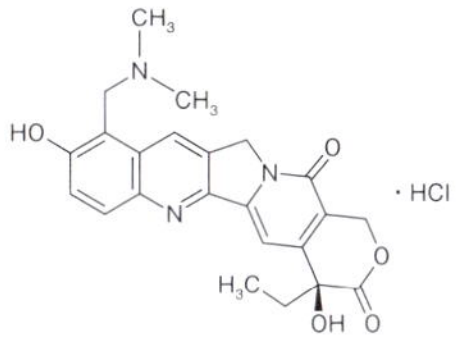

ノギテカン塩酸塩
（**ハイカムチン**注）

トポイソメラーゼⅡ阻害薬

ポドフィリン系

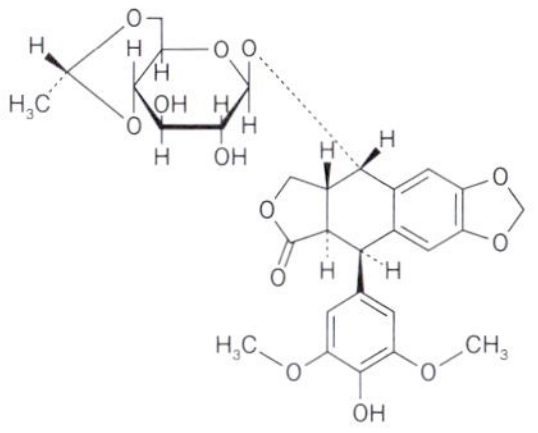

エトポシド
（**ベプシド**カ/注，**ラステット**Sカ/注）

ホルモン療法薬

乳癌/子宮癌治療薬

H3C CH2COOH
NCH2CH2O · HOCCOOH
H3C C=C CH2COOH
C2H5

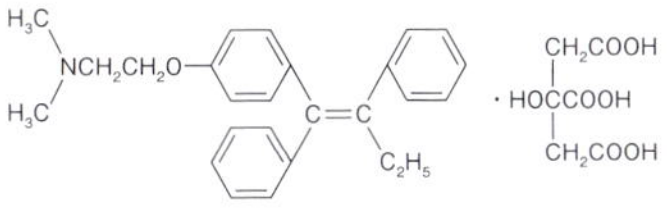

タモキシフェンクエン酸塩
（**ノルバデックス**錠）

H3C
NCH2CH2O CH2COOH
H3C C=C · HO–C–COOH
CH2CH2Cl CH2COOH

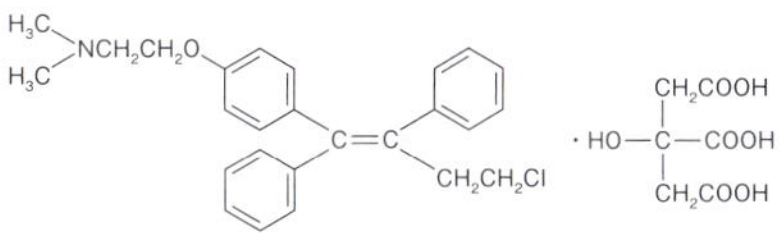

トレミフェンクエン酸塩
（**フェアストン**錠）

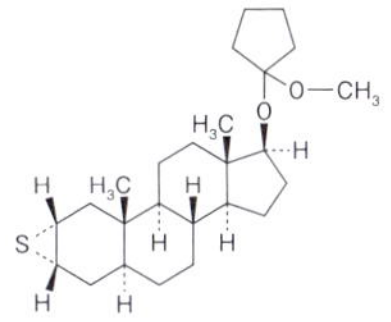

O–CH3
H3C O
H H3C H
S H H
H H

メピチオスタン
（**チオデロン**カ）

CH3 OH
H
H
H H O F F
HO S F
H F F

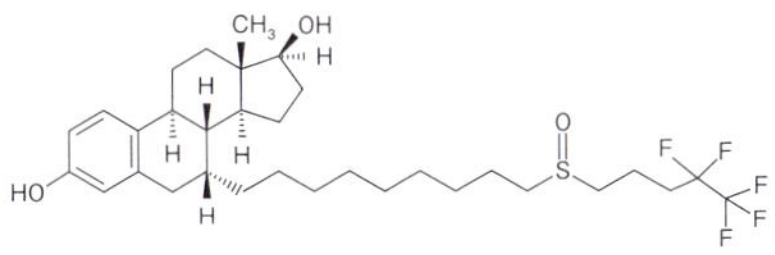

フルベストラント
（**フェソロデックス**筋注）

N N
N
CN CN
CH3 CH3 CH3 CH3

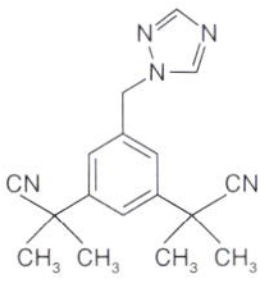

アナストロゾール
（**アリミデックス**錠）

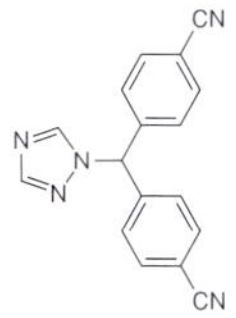

CN
N N
N
CN

レトロゾール
（**フェマーラ**錠）

N
N
CN

ファドロゾール

CH3 O
H3C H
H H
O
CH2

エキセメスタン
（**アロマシン**錠）

CH3
CO
H3C OCOCH3
H3C H
H H
O
CH3

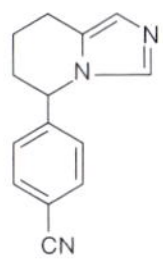

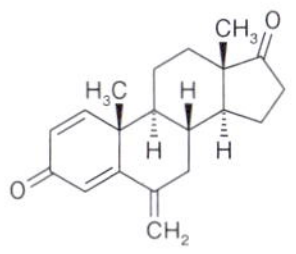

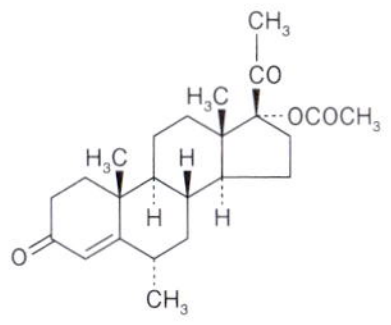

メドロキシプロゲステロン酢酸エステル
（**ヒスロンH**錠）

前立腺癌治療薬

5-oxo-Pro-His-Trp-Ser-Tyr-D-Leu-Leu-Arg-Pro-
NH-CH₂CH₃・CH₃COOH

$5\text{-oxo-Pro-His-Trp-Ser-Tyr-}\text{D-Leu-Leu-Arg-Pro-}$
$\text{NH-CH}_2\text{CH}_3 \cdot \text{CH}_3\text{COOH}$

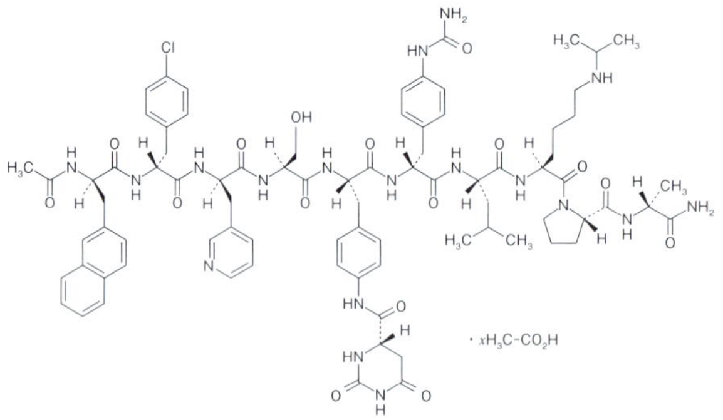

デガレリクス酢酸塩
（**ゴナックス**皮下注用）

リュープロレリン酢酸塩
（**リュープリン**注/PRO 注射用キット/SR 注射用キット）

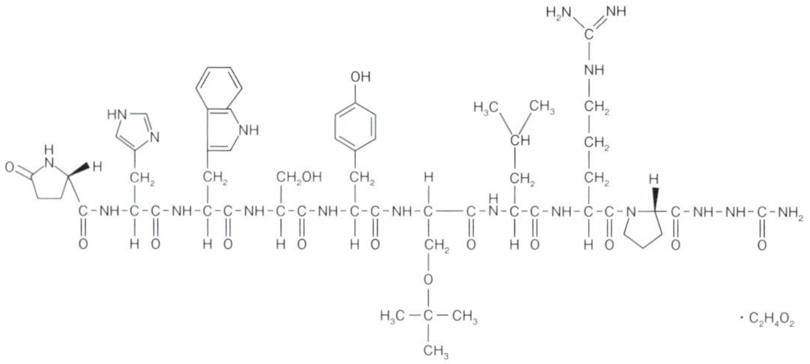

ゴセレリン酢酸塩
（**ゾラデックス**デポ，**ゾラデックス LA** デポ）

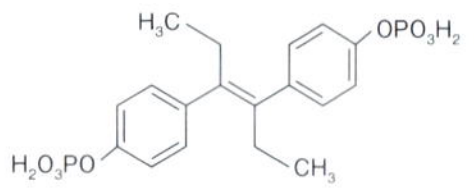

ホスフェストロール

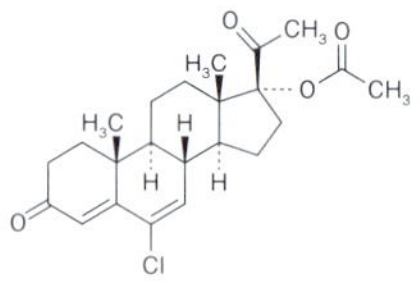

クロルマジノン酢酸エステル
（**プロスタール**錠）

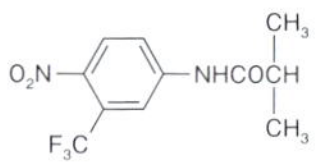

フルタミド
（**オダイン**錠）

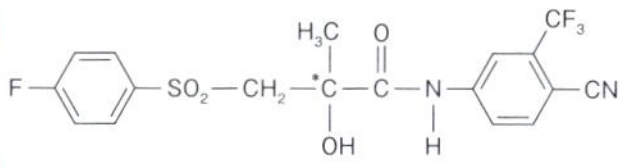

ビカルタミド
（**カソデックス**錠）

エンザルタミド
（**イクスタンジ**錠）

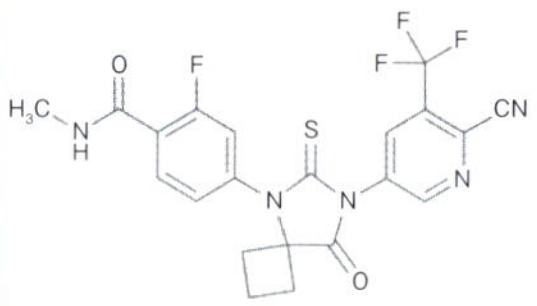

アパルタミド
（**アーリーダ**錠）

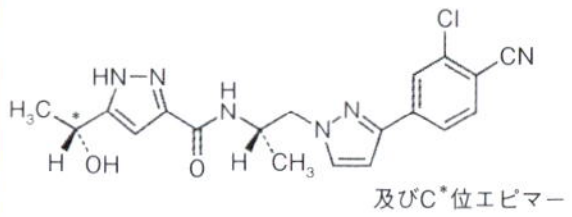

ダロルタミド
（**ニュベクオ**錠）

及びC*位エピマー

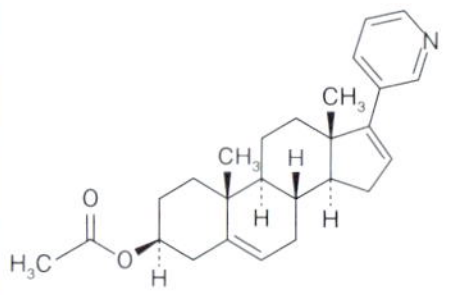

アビラテロン酢酸エステル
（**ザイティガ**錠）

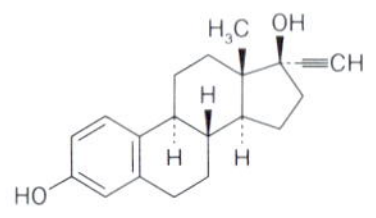

エチニルエストラジオール
（**プロセキソール**錠）

エストラムスチンリン酸エステルナトリウム水和物
（**エストラサイト**ヵ）

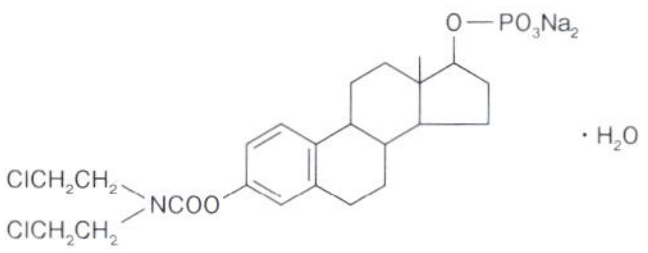

ホルモン療法薬

造血器腫瘍治療薬

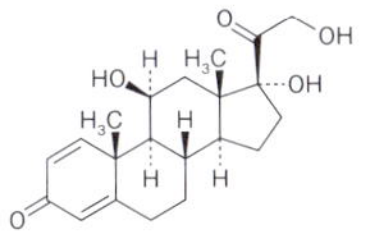

プレドニゾロン
（**プレドニゾロン**錠/散，
プレドニン錠）

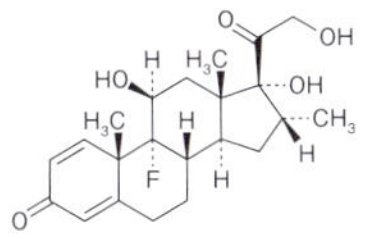

デキサメタゾン
（**デカドロン**錠/エリキシル，
レナデックス錠）

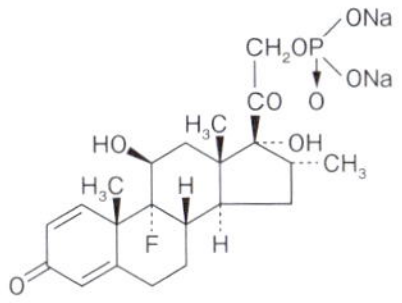

デキサメタゾン
リン酸エステルナトリウム
（**デカドロン**注，**オルガドロン**注）

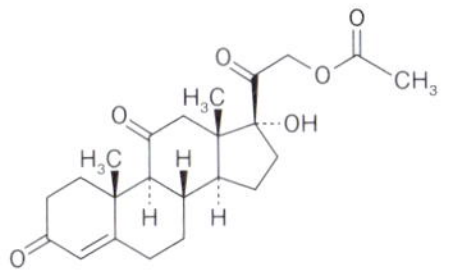

コルチゾン酢酸エステル
（**コートン**錠）

分子標的治療薬（受容体型チロシンキナーゼ阻害薬）

EGFR

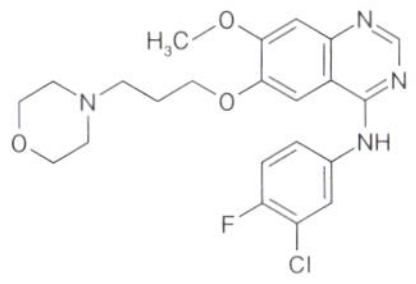

ゲフィチニブ
（**イレッサ**錠）

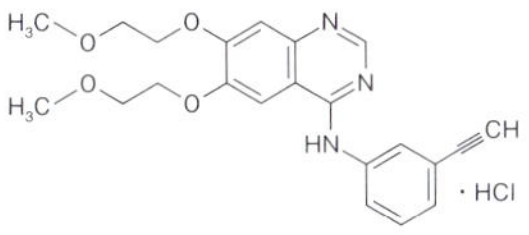

エルロチニブ塩酸塩
（**タルセバ**錠）

EGFR（T790M）

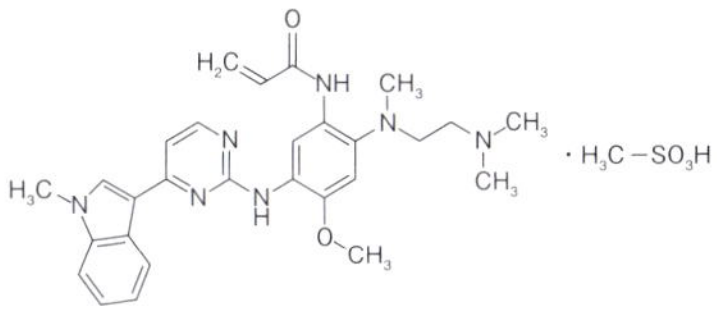

オシメルチニブメシル酸塩
（**タグリッソ**錠）

EGFR/HER2

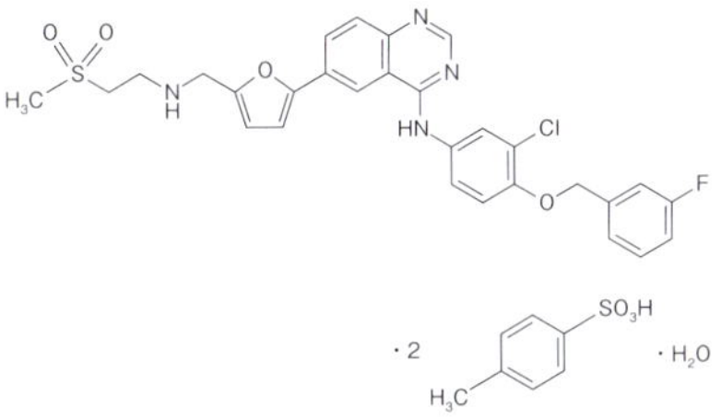

ラパチニブトシル酸塩水和物
（**タイケルブ**錠）

EGFR/HER2/HER4

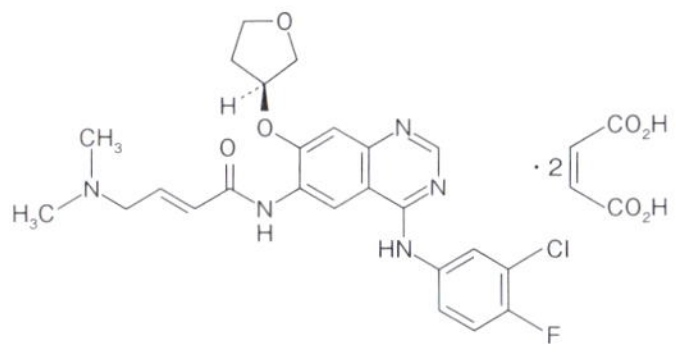

アファチニブマレイン酸塩
（**ジオトリフ**錠）

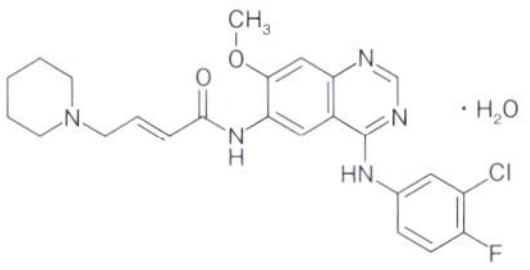

ダコミチニブ水和物
（**ビジンプロ**錠）

ALK

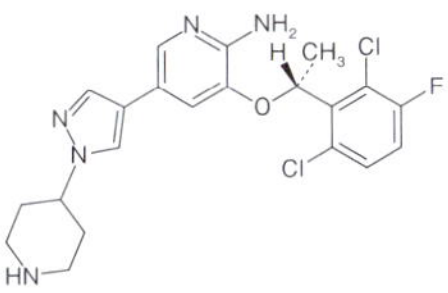

クリゾチニブ
（**ザーコリ**カ）

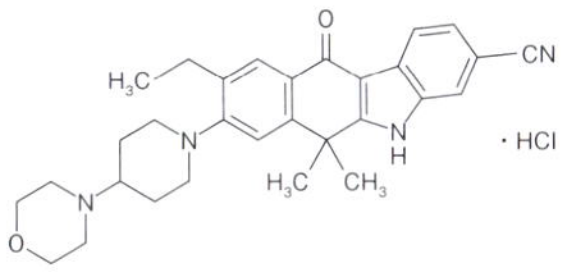

アレクチニブ塩酸塩
（**アレセンサ**カ）

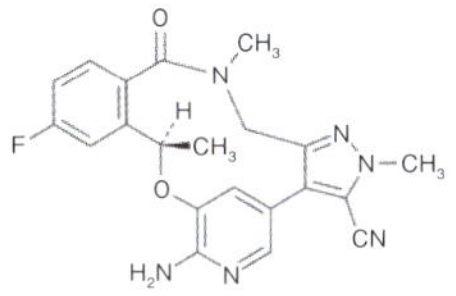

ロルラチニブ
（**ローブレナ**錠）

ALK/IGF-1R

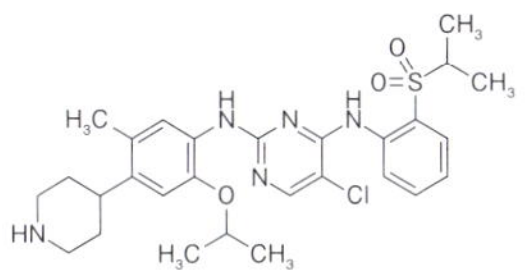

セリチニブ
（**ジカディア**カ/錠）

FLT3

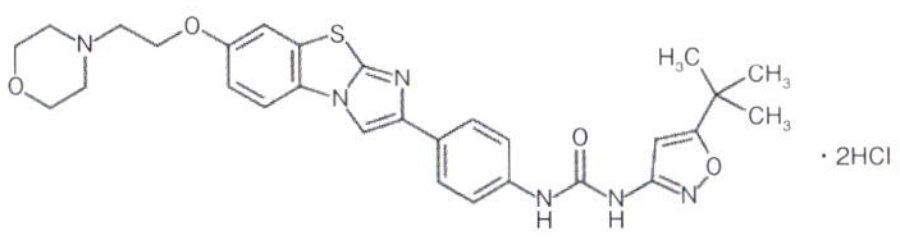

キザルチニブ塩酸塩
（**ヴァンフリタ**錠）

FLT3/AXL

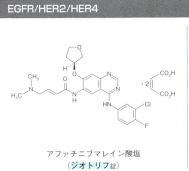

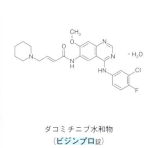

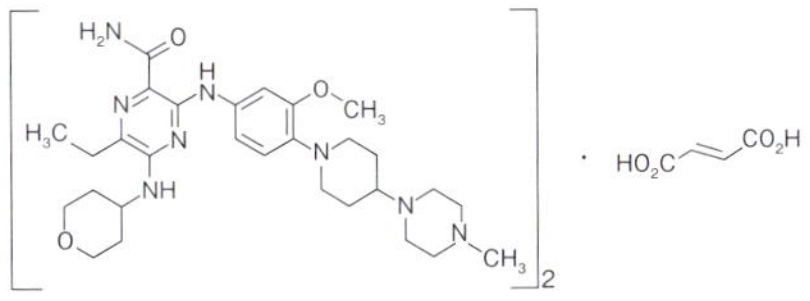

ギルテリチニブフマル酸塩
（**ゾスパタ**錠）

分子標的治療薬（受容体型チロシンキナーゼ阻害薬）

ROS1/TRK

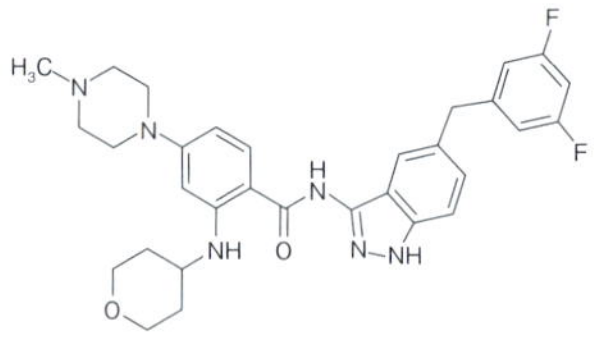

エヌトレクチニブ
（**ロズリートレク**カ）

MET

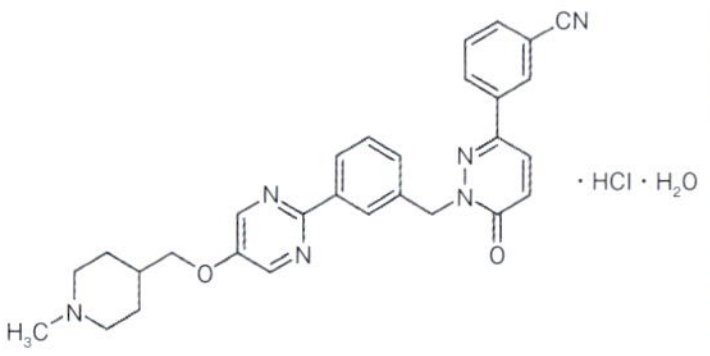

テポチニブ塩酸塩水和物
（**テプミトコ**錠）

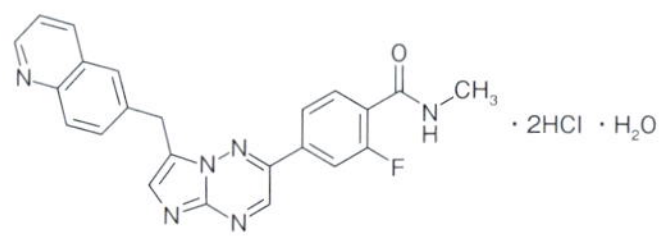

カプマチニブ塩酸塩水和物
（**タブレクタ**錠）

RET

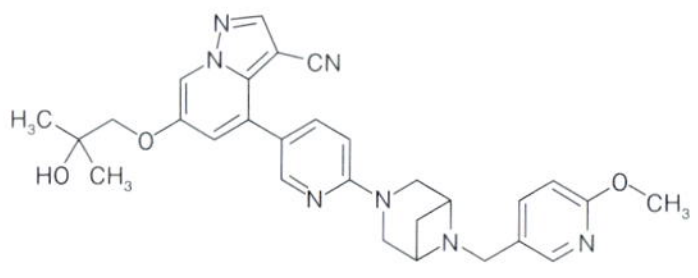

セルペルカチニブ
（**レットヴィモ**カ）

分子標的治療薬（非受容体型チロシンキナーゼ阻害薬）

BCR-ABL

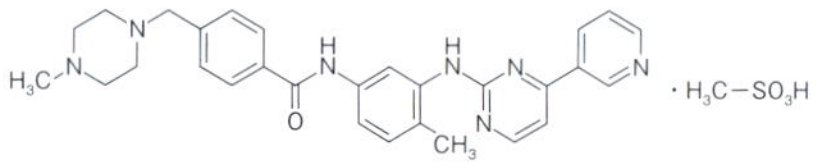

イマチニブメシル酸塩
（**グリベック**錠）

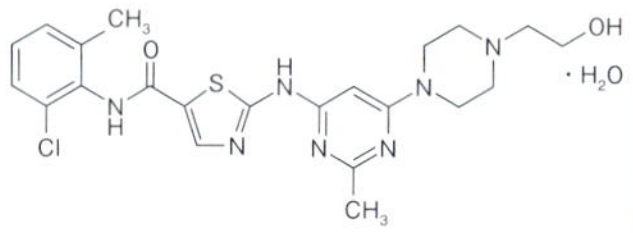

ダサチニブ水和物
（**スプリセル**錠）

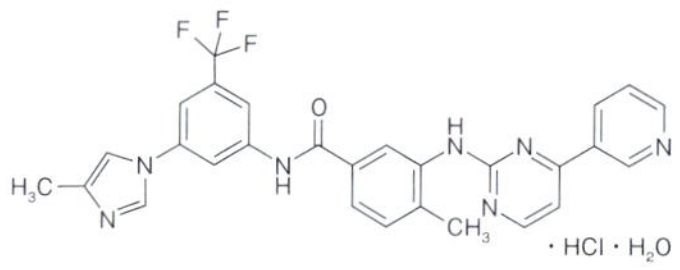

ニロチニブ塩酸塩水和物
（**タシグナ**カ）

BCR-ABL/SRC

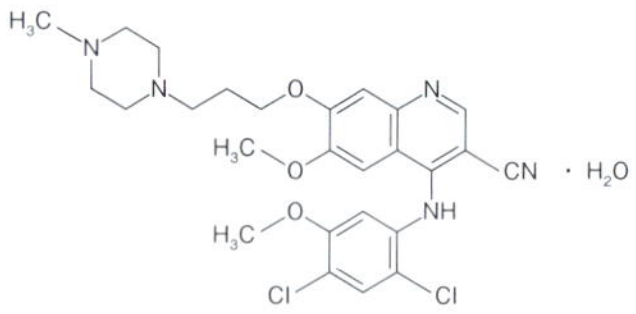

ボスチニブ水和物
（**ボシュリフ**錠）

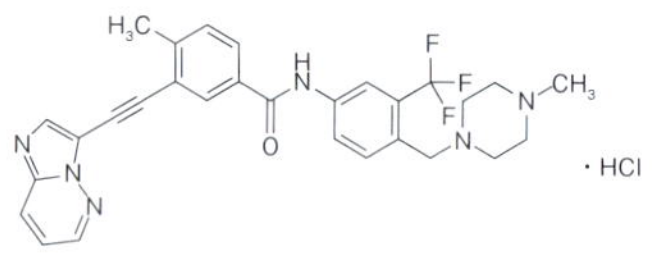

ポナチニブ塩酸塩
（**アイクルシグ**錠）

BTK

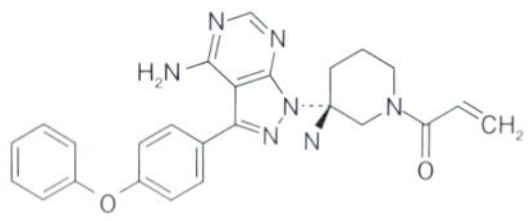

イブルチニブ
（**イムブルビカ**カ）

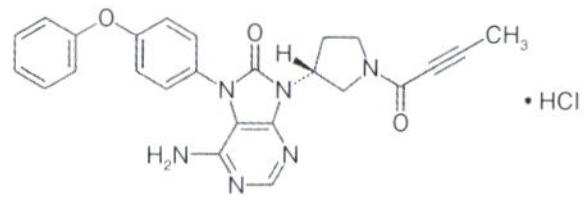

チラブルチニブ塩酸塩
（**ベレキシブル**錠）

JAK

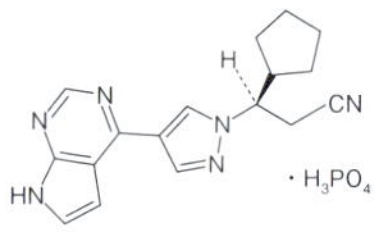

ルキソリチニブリン酸塩
（**ジャカビ**錠）

CDK4/6

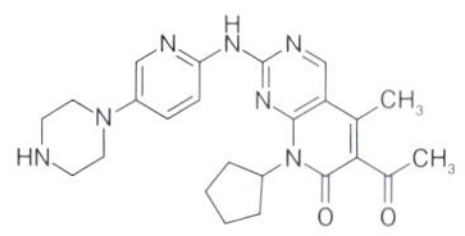

パルボシクリブ
（**イブランス**カ/錠）

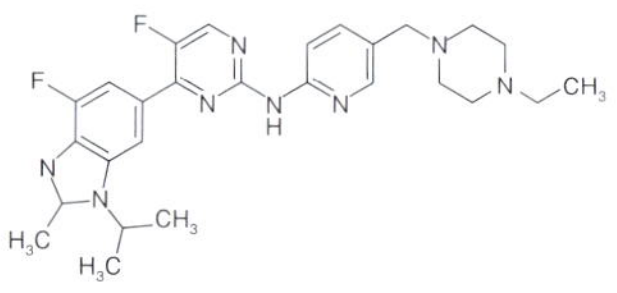

アベマシクリブ
（**ベージニオ**錠）

分子標的治療薬（セリン・スレオニンキナーゼ阻害薬）

mTOR

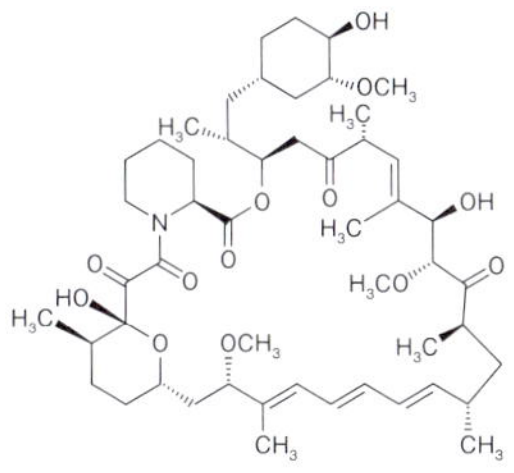

シロリムス〈ラパマイシン〉
（**ラパリムス**錠）

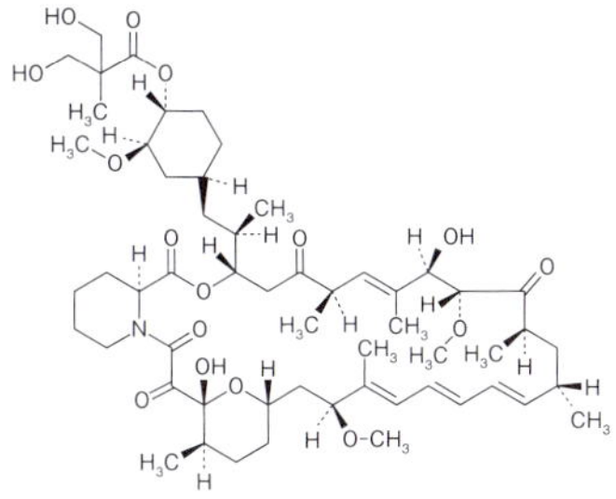

テムシロリムス
（**トーリセル**点滴静注用液）

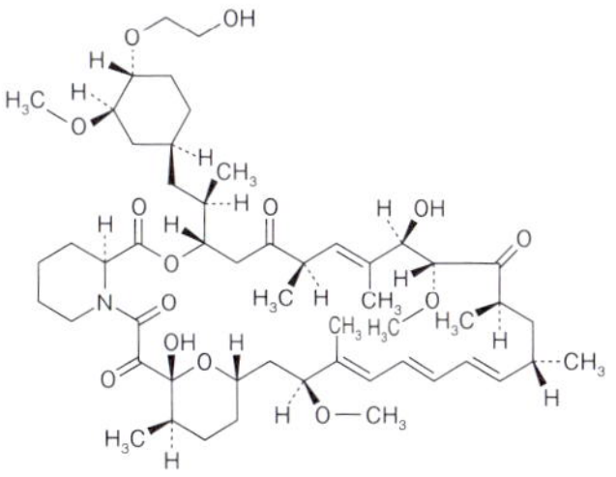

エベロリムス
（**アフィニトール**錠/分散錠）

BRAF

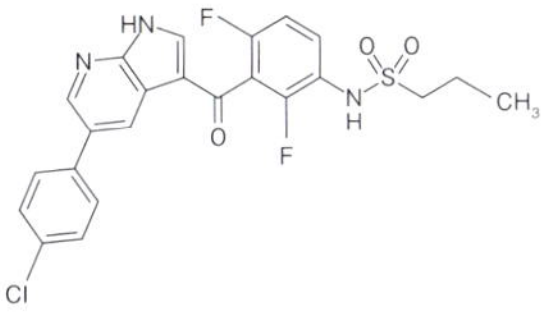

ベムラフェニブ
（**ゼルボラフ**錠）

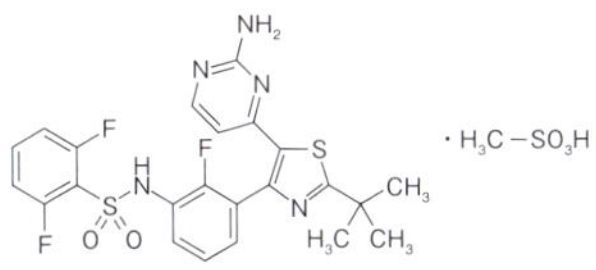

ダブラフェニブメシル酸塩
（**タフィンラー**カ）

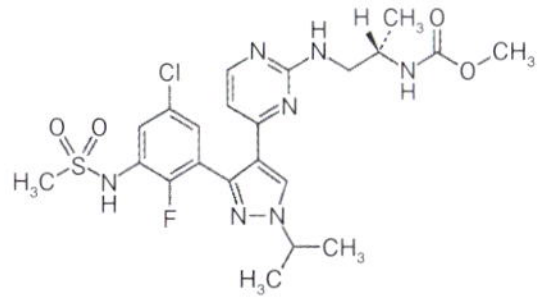

エンコラフェニブ
（**ビラフトビ**カ）

MEK

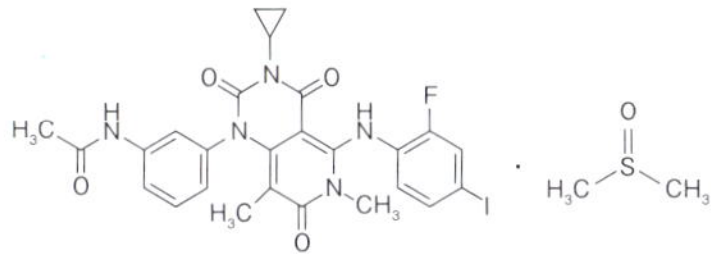

トラメチニブ ジメチルスルホキシド付加物
（**メキニスト**錠）

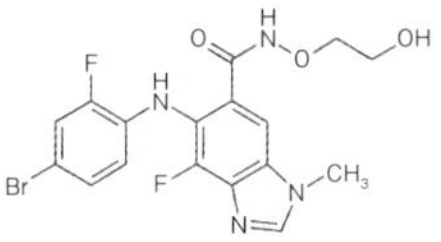

ビニメチニブ
（**メクトビ**錠）

分子標的治療薬（マルチキナーゼ阻害薬）

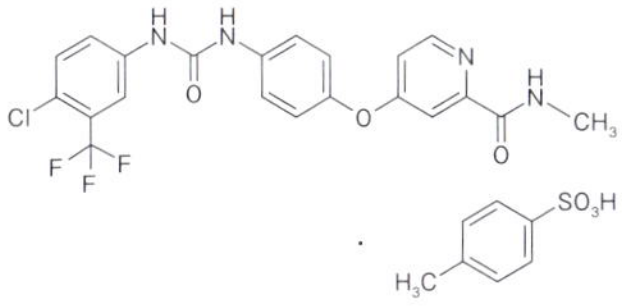

ソラフェニブトシル酸塩
（**ネクサバール**錠）

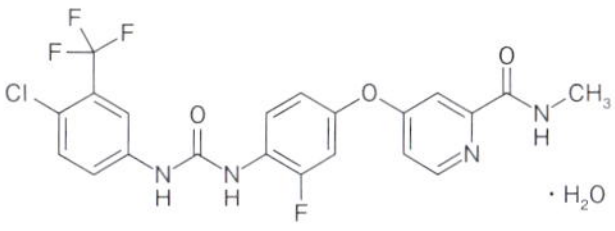

レゴラフェニブ水和物
（**スチバーガ**錠）

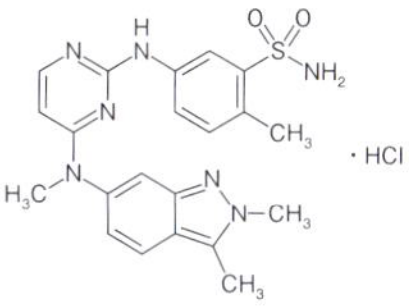

パゾパニブ塩酸塩
（**ヴォトリエント**錠）

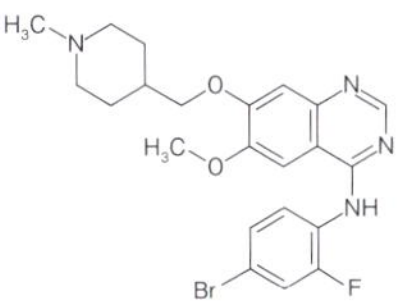

バンデタニブ
（**カプレルサ**錠）

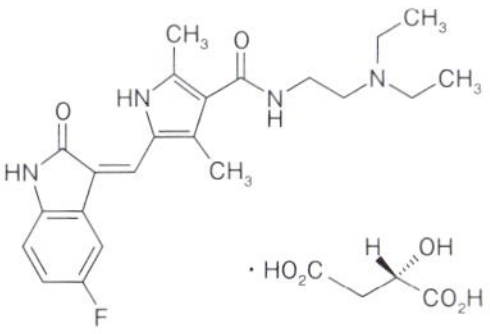

スニチニブリンゴ酸塩
（**スーテント**カ）

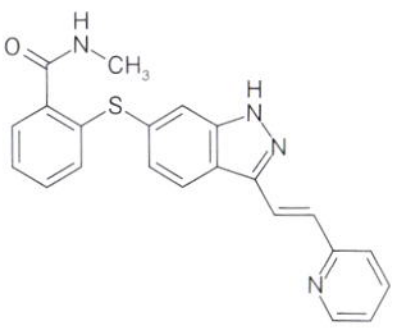

アキシチニブ
（**インライタ**錠）

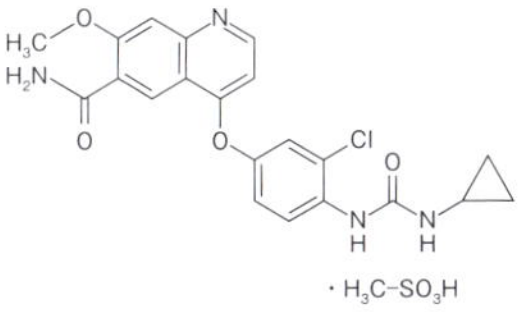

レンバチニブメシル酸塩
（**レンビマ**カ）

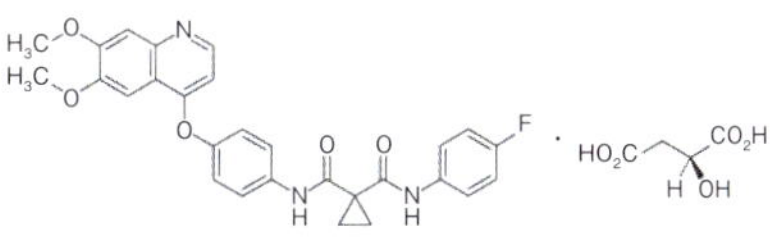

カボザンチニブリンゴ酸塩
（**カボメティクス**錠）

分子標的治療薬（その他の低分子製剤）

PARP

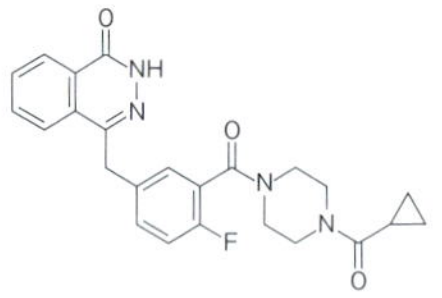

オラパリブ
（**リムパーザ**錠）

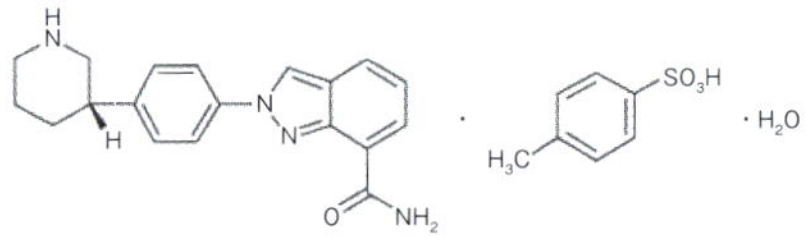

ニラパリブトシル酸塩水和物
（**ゼジューラ**錠/カ）

プロテアソーム

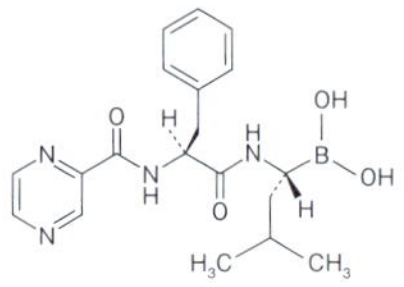

ボルテゾミブ
（**ベルケイド**注射用）

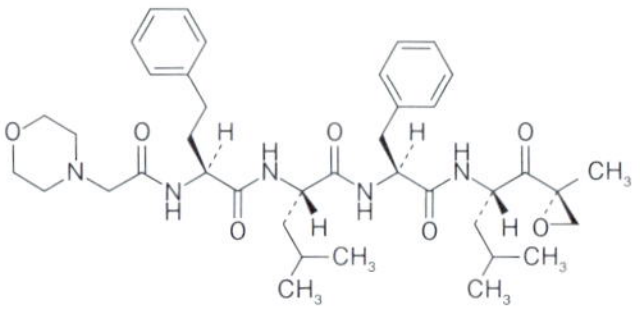

カルフィルゾミブ
（**カイプロリス**点滴静注用）

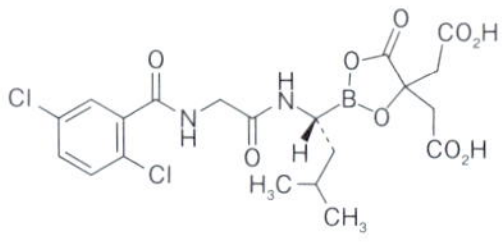

イキサゾミブクエン酸エステル
（**ニンラーロ**カ）

BCL2

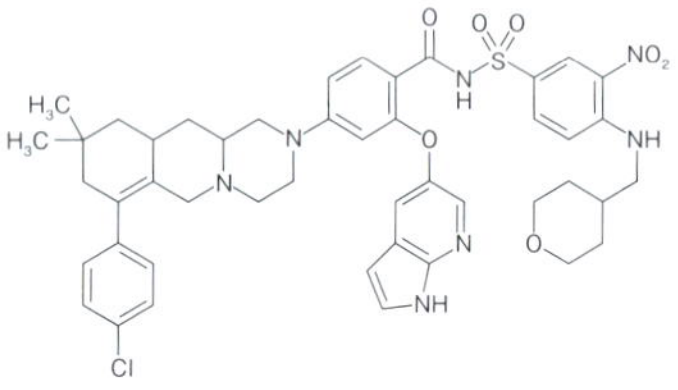

ベネトクラクス
（**ベネクレクスタ**錠）

HDAC

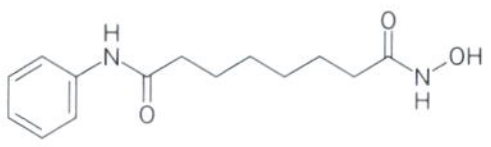

ボリノスタット
（**ゾリンザ**カ）

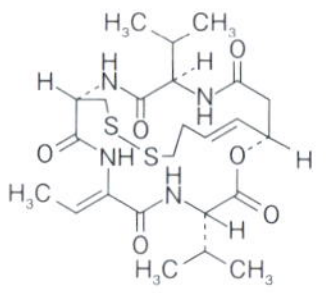

ロミデプシン
（**イストダックス**点滴静注用）

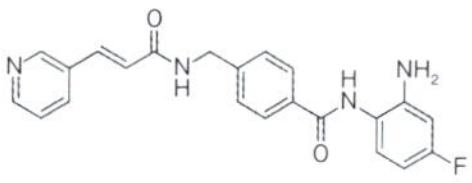

ツシジノスタット
（**ハイヤスタ**錠）

DAC

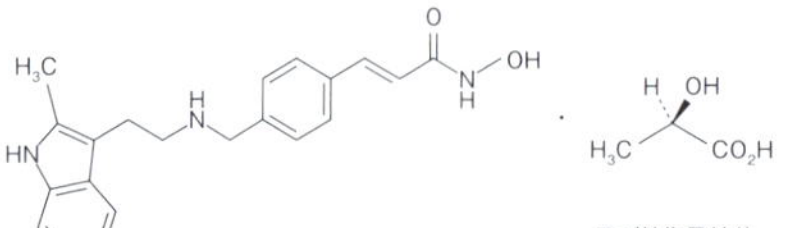

及び鏡像異性体

パノビノスタット乳酸塩
（**ファリーダック**カ）

EZH2

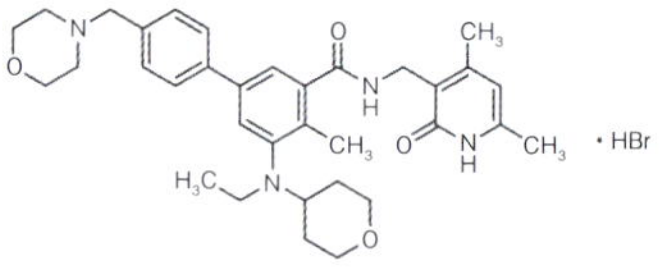

タゼメトスタット臭化水素酸塩
（**タズベリク**錠）

分子標的治療薬（高分子製剤）

遺伝子組換え型モノクローナル抗体製剤

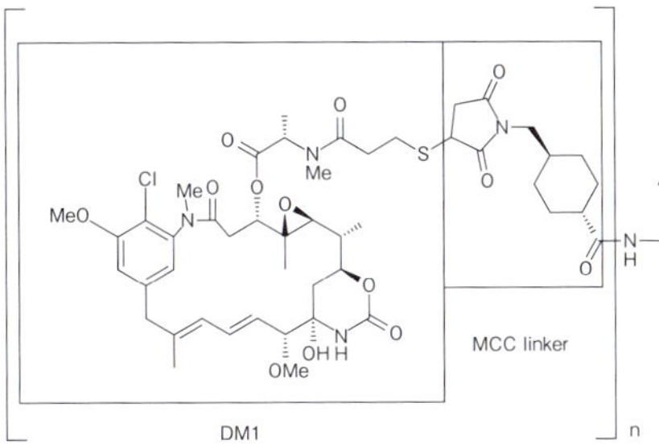

n～3.5：
トラスツズマブ1
分子に対して平均
約3.5分子のDM1
が結合している。

トラスツズマブ エムタンシン
（**カドサイラ**点滴静注用）

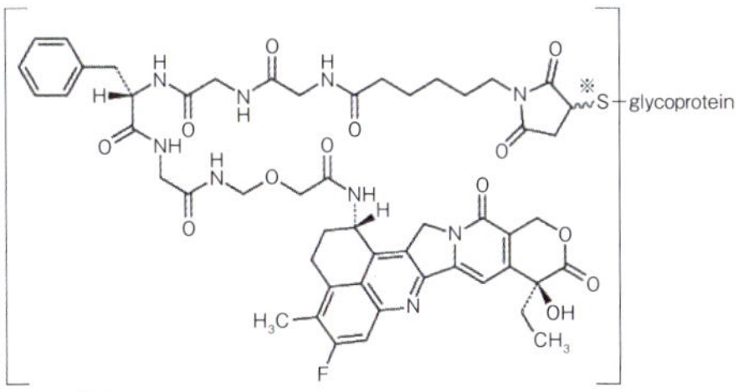

n=約8
※抗体部分のCys
残基の硫黄原子

デルクステカン
（トラスツズマブとの結合化合物：**エンハーツ**点滴静注用）

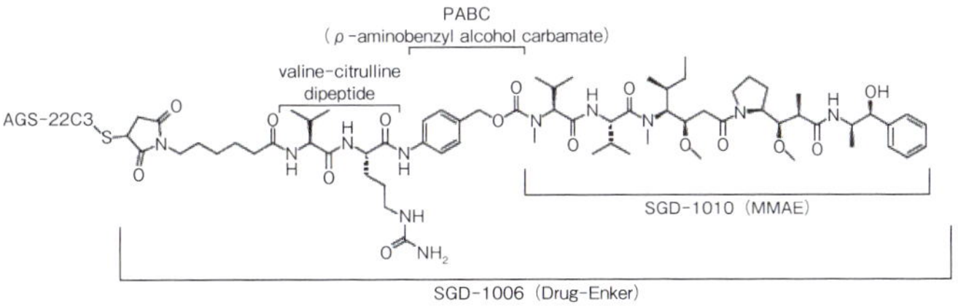

エンホルツマブ ベドチン
（**パドセブ**点滴静注用）

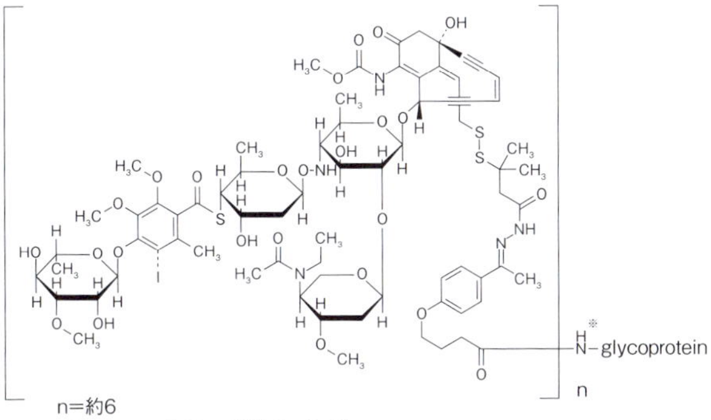

n=約6
※InotuzumabのLys残基のアミノ酸

イノツズマブ オゾガマイシン
（**ベスポンサ**点滴静注用）

分子標的治療薬（高分子製剤）

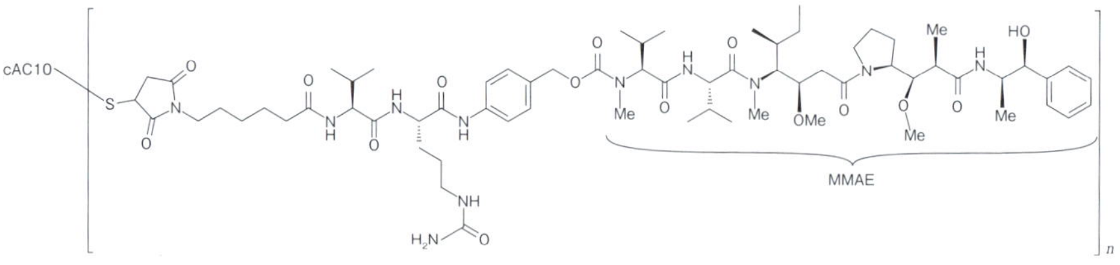

n＝3～5

cAC 10は，チャイニーズハムスター卵巣細胞で産生される抗体部分（キメラモノクローナル抗体：マウス抗ヒトCD 30抗体の可変部及びヒトIgG 1の定常部）。

ブレンツキシマブ ベドチン
（**アドセトリス**点滴静注用）

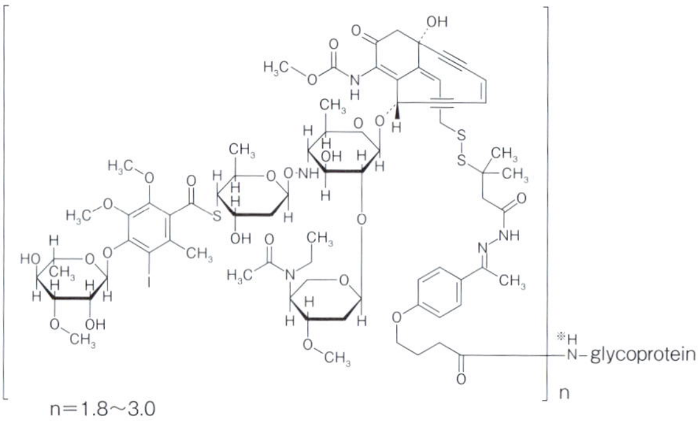

n=1.8～3.0

※Lys残基のアミノ基

ゲムツズマブオゾガマイシン
（**マイロターグ**点滴静注用）

その他の抗悪性腫瘍薬

メチルヒドラジン化合物

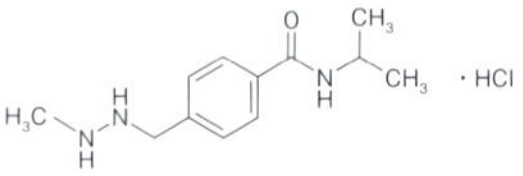

プロカルバジン塩酸塩
（**塩酸プロカルバジン**カ）

アントラキノン誘導体

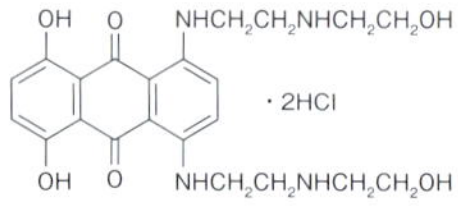

ミトキサントロン塩酸塩
（**ノバントロン**注）

DNAトポイソメラーゼⅡ阻害薬

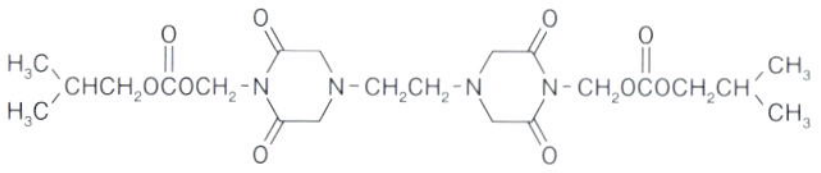

ソブゾキサン
（**ペラゾリン**細）

DNA塩基除去修復阻害薬

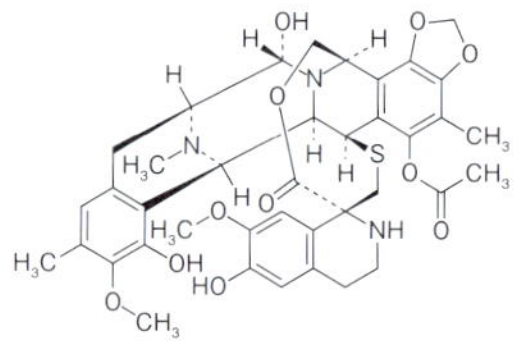

トラベクテジン
（**ヨンデリス**点滴静注用）

抗悪性腫瘍薬

その他の抗悪性腫瘍薬

サリドマイド関連薬

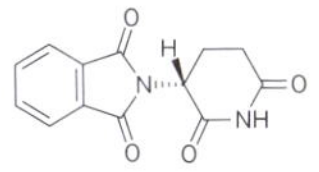

及び鏡像異性体

サリドマイド
（**サレド** カ）

・½ H₂O

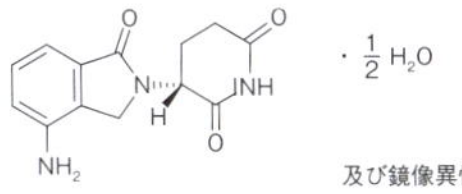

及び鏡像異性体

レナリドミド水和物
（**レブラミド**カ）

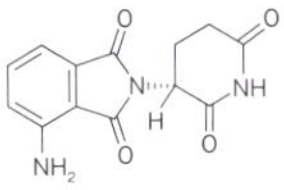

及び鏡像異性体

ポマリドミド
（**ポマリスト**カ）

レチノイド関連薬

亜ヒ酸製剤

COOH

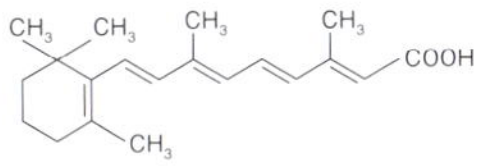

トレチノイン
（**ベサノイド**カ）

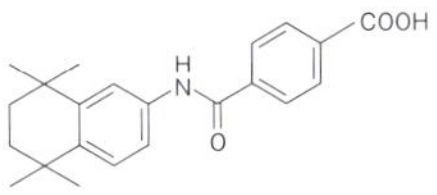

タミバロテン
（**アムノレイク**錠）

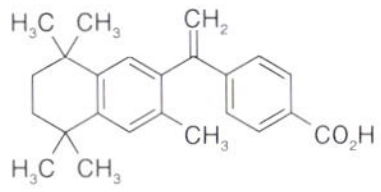

ベキサロテン
（**タルグレチン**カ）

As₂O₃

三酸化ヒ素〈亜ヒ酸〉
（**トリセノックス**注）

活性酸素発生薬

n=0～6
R=HO—CH or —CH=CH₂
　　　　CH₃

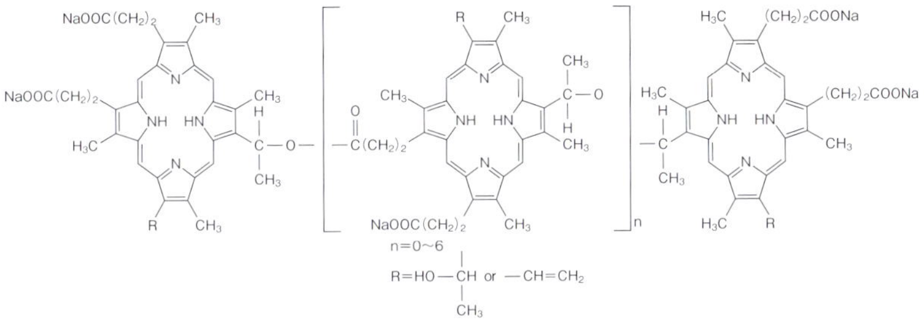

ポルフィマーナトリウム
（**フォトフリン**静注）

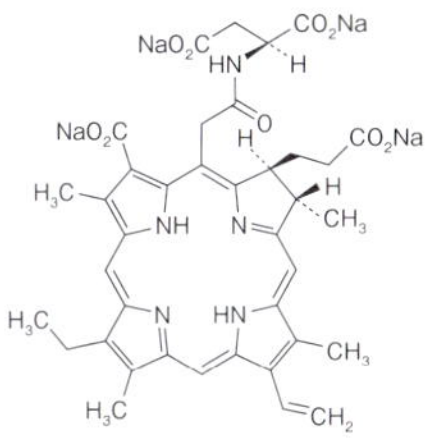

タラポルフィンナトリウム
（**レザフィリン**注）

ステロイド合成阻害薬 | ソマトスタチン類似体

ミトタン
（**オペプリム**カ）

D-Phe—Cys—Phe—D-Trp—Lys—Thr—Cys—NH—C—C—CH₃ · 2CH₃COOH

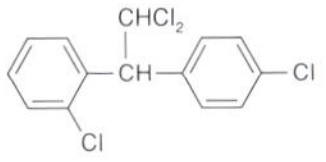

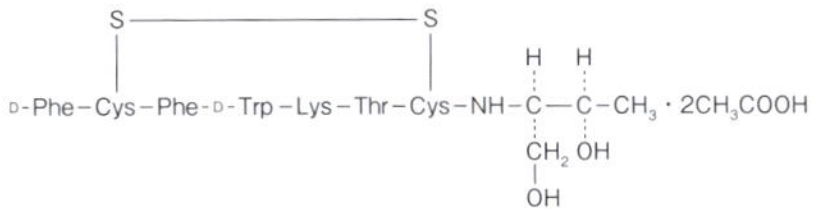

オクトレオチド酢酸塩
（**サンドスタチン**皮下注/LAR筋注）

Cys-Tyr-D-Trp-Lys-Val-Cys-Thr-NH₂ · xH₃C-CO₂H

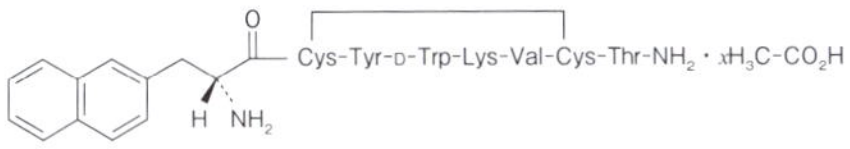

ランレオチド酢酸塩
（**ソマチュリン**皮下注）

チロシン水酸化酵素阻害薬

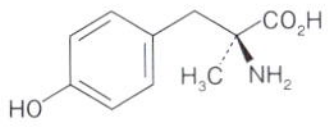

メチロシン
（**デムサー**カ）

その他の抗悪性腫瘍薬

放射性医薬品

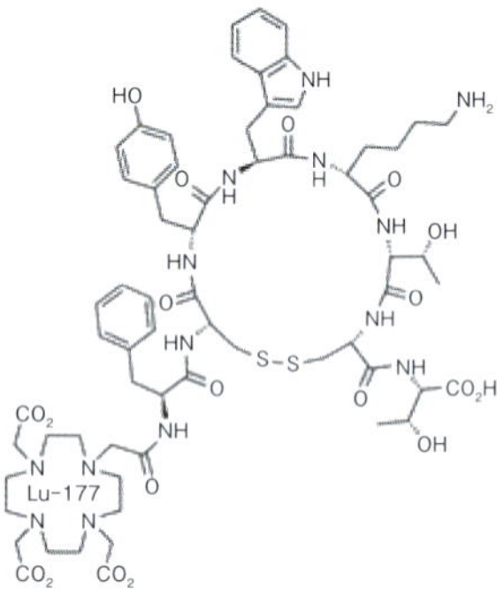

ルテチウムオキソドトレオチド(^{177}Lu)
(**ルタテラ**静注)

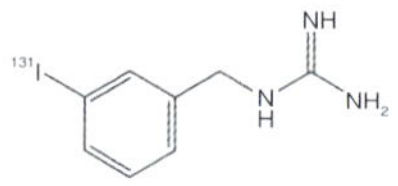

3-ヨードベンジルグアニジン(^{131}I)
(**ライアット MIBG-I131** 静注)

$^{223}RaCl_2$

塩化ラジウム(^{223}Ra)
(**ゾーフィゴ**静注)

中性子線療法

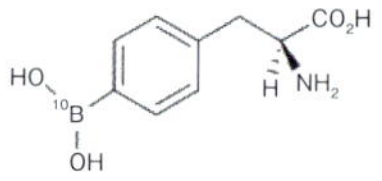

ボロファラン(^{10}B)
(**ステボロニン**点滴静注バッグ)

抗悪性腫瘍薬の補助薬

$HSCH_2CH_2SO_3Na$

メスナ
(**ウロミテキサン**注)

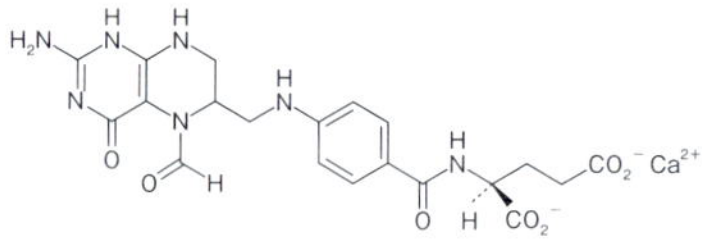

ホリナートカルシウム
〈ロイコボリンカルシウム〉
(**ロイコボリン**錠/注, **ユーゼル**錠)

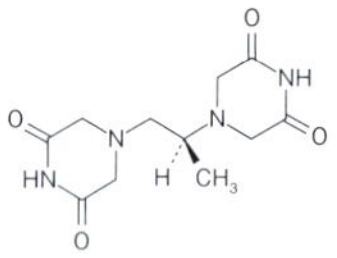

デクスラゾキサン
(**サビーン**点滴静注用)

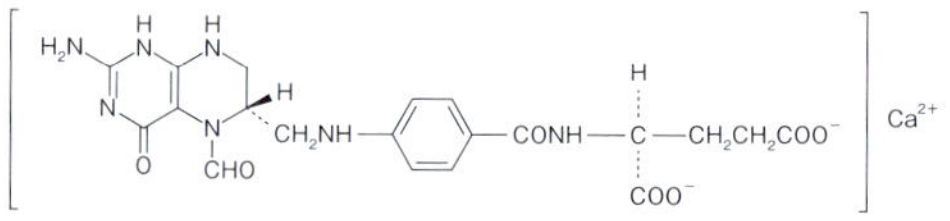

レボホリナートカルシウム
(**アイソボリン**点滴静注)

第19章　診断用薬

診断用薬 ☞本文 p578

診断薬及び関連薬

てんかん

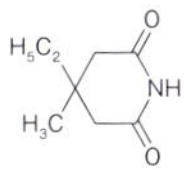

ベメグリド

H.pylori 感染

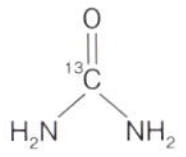

尿素〈^{13}C〉
（**ユービット**錠，**ピロニック**錠）

褐色細胞腫

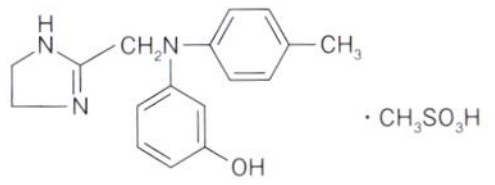

フェントラミンメシル酸塩
（**レギチーン**注）

糖尿病

デンプンを酸または酵素により部分分解したもので，ブドウ糖のほか，マルトース，オリゴ糖，デキストリン等を含む。

デンプン部分加水分解物
（**トレーラン G** 液）

インスリノーマ

His-Ser-Gln-Gly-Thr-Phe-Thr-Ser-Asp-Tyr-Ser
Lys-Tyr-Leu-Asp-Ser-Arg-Arg-Ala-Gln-Asp-Phe
Val-Gln-Trp-Leu-Met-Asn-Thr

グルカゴン
（**グルカゴン**(合成)注）

副甲状腺機能低下症

テリパラチド酢酸塩
（**テリパラチド酢酸塩**静注用）

重症筋無力症／筋弛緩薬投与後の遷延性呼吸抑制の鑑別診断

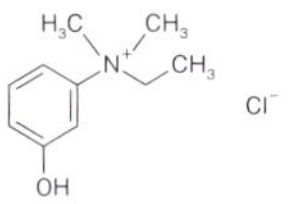

エドロホニウム塩化物
（**アンチレクス**静注）

眼疾患

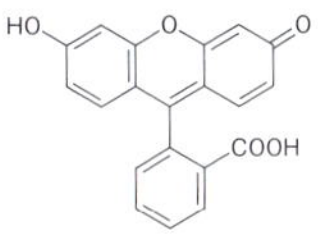

フルオレセイン
（**フルオレサイト**静注）

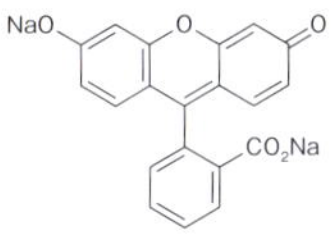

フルオレセインナトリウム
（**フローレス**眼検査用試験紙）

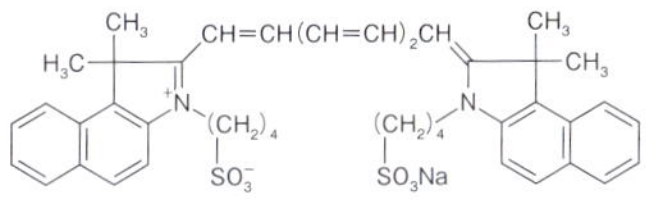

NaI（ヨウ化ナトリウム）を 5.0%以下含有

インドシアニングリーン
（**オフサグリーン**静注用）

勃起障害

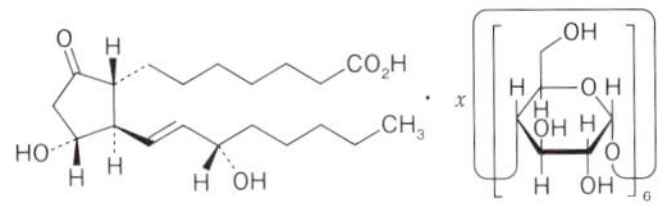

アルプロスタジル アルファデクス
（**プロスタンディン**注）

診断関連薬

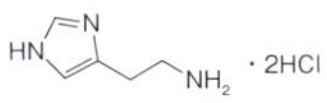

ヒスタミン二塩酸塩
（**ヒスタミン二塩酸塩**液）

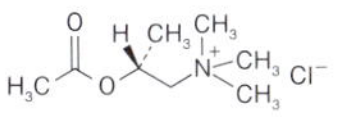

及び鏡像異性体

メタコリン塩化物
（**プロボコリン**吸入粉末溶解用，
ケンブラン吸入粉末溶解用）

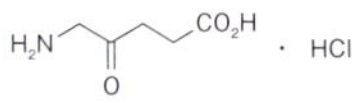

アミノレブリン酸塩酸塩
（**アラグリオ**顆粒剤，
アラベル内用剤）

機能検査薬

ACTH 分泌能

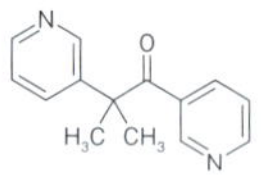

メチラポン
（**メトピロン**カ）

LH 分泌能

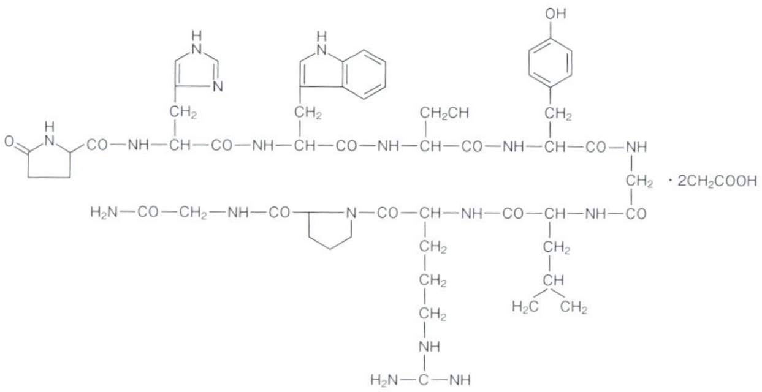

ゴナドレリン酢酸塩
（**LH-RH** 注）

TSH／プロラクチン分泌能

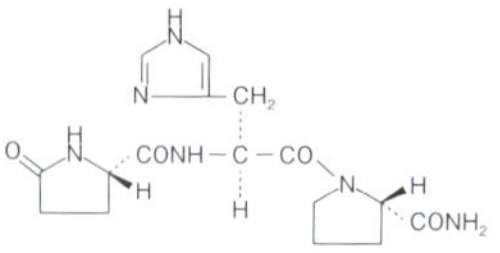

プロチレリン
（**TRH** 注）

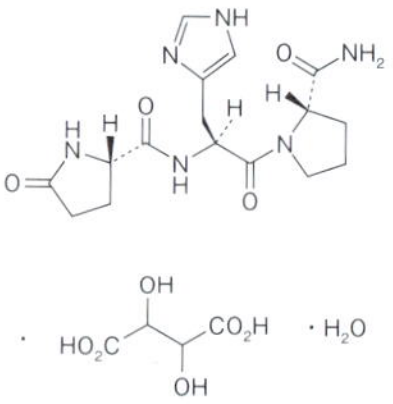

プロチレリン酒石酸塩水和物
（**ヒルトニン**注）

GH 分泌能

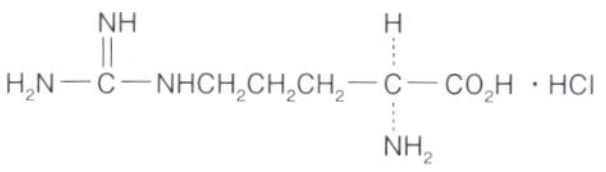

L-アルギニン塩酸塩
（**アルギニン**注）

Tyr–Ala–Asp–Ala–Ile–Phe–Thr–Asn–Ser–Thr–Arg–Lys–Val–Leu–Gly–Gln–Leu–Ser–Ala–Arg–Lys–Leu–Leu–Gln–Asp–Ile–Met–Ser–Arg–Gln–Gln–Gly–Glu–Ser–Asn–Gln–Glu–Arg–Gly–Ala–Arg–Ala–Arg–Leu–NH_2

・$6CH_3COOH$

ソマトレリン酢酸塩
（**GRF** 注）

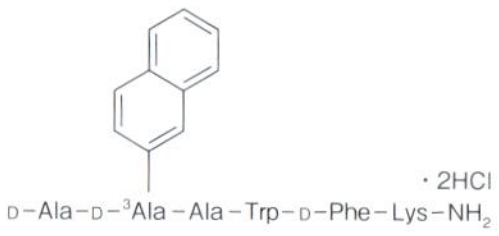

プラルモレリン塩酸塩
（**GHRP** 注）

視床下部・下垂体・副腎皮質系ホルモン分泌能

Ser-Glu-Glu-Pro-Pro-Ile-Ser-Leu-Asp-Leu-Thr-Phe-His-Leu-Leu-Arg-Glu-Val-Leu-Glu-Met-Ala-Arg-Ala-Glu-Gln-Leu-Ala-Gln-Gln-Ala-His-Ser-Asn-Arg-Lys-Leu-Met-Glu-Ile-Ile-NH_2

コルチコレリン
（**ヒト CRH** 静注用）

成長ホルモン分泌能

His-Ser-Gln-Gly-Thr-Phe-Thr-Ser-Asp-Tyr-Ser-Lys-Tyr-Leu-Asp-Ser-Arg-Arg-Ala-Gln-Asp-Phe-Val-Gln-Trp-Leu-Met-Asn-Thr

グルカゴン
（**グルカゴン**（合成）注,
グルカゴン G（遺伝子組換え）注）

外分泌能

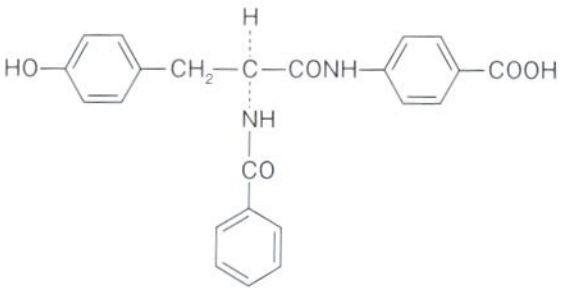

ベンチロミド
（**膵外分泌機能検査用 PFD** 内服液）

血漿消失率／血中停滞率／肝血流量

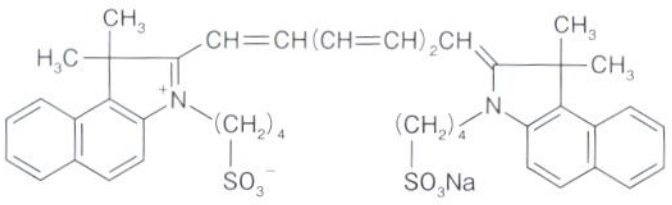

NaI（ヨウ化ナトリウム）を 5.0%以下含有

インドシアニングリーン
（**ジアグノグリーン**注）

腎排泄能

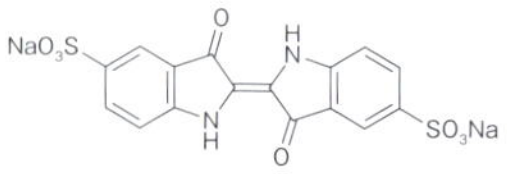

インジゴカルミン
（**インジゴカルミン**注）

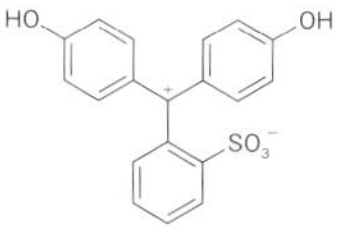

フェノールスルホンフタレイン
（**フェノールスルホンフタレイン**注）

有効腎血流量/尿細管排泄極量

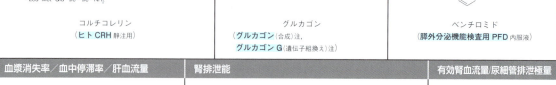

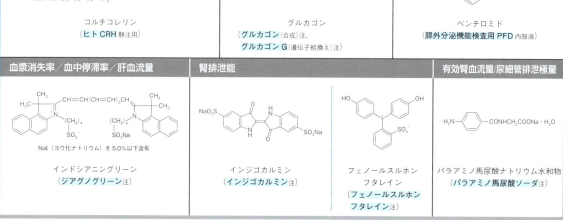

パラアミノ馬尿酸ナトリウム水和物
（**パラアミノ馬尿酸ソーダ**注）

診断用薬

機能検査薬

糸球体ろ過量（GFR）	局所脳血流量/局所脳血液分布	循環機能検査	肝糖原

糸球体ろ過量（GFR）

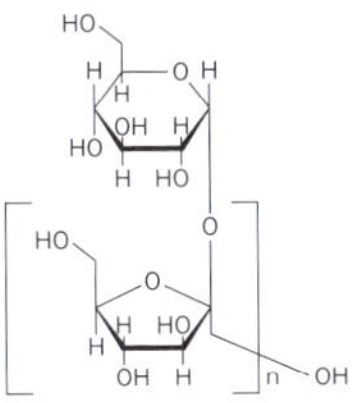

イヌリン
（**イヌリード**注）

局所脳血流量/局所脳血液分布

^{133}Xe

キセノン
（**ゼノンコールド**吸入用ガス）

循環機能検査

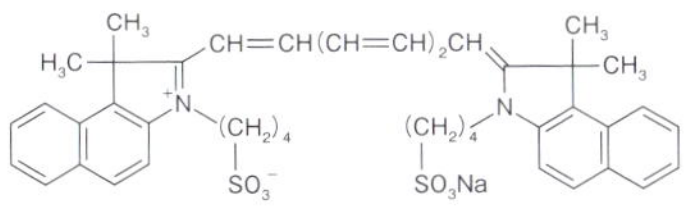

NaI（ヨウ化ナトリウム）を 5.0%以下含有

インドシアニングリーン
（**ジアグノグリーン**注）

肝糖原

His - Ser - Gln - Gly - Thr - Phe - Thr - Ser - Asp - Tyr - Ser
Lys - Tyr - Leu - Asp - Ser - Arg - Arg - Ala - Gln - Asp - Phe
Val - Gln - Trp - Leu - Met - Asn - Thr

グルカゴン
（**グルカゴン**（合成）注，
グルカゴン G（遺伝子組換え）注）

造影・内視鏡補助薬

下 剤

$MgHC_6H_5O_7 \cdot 5\,H_2O$

クエン酸マグネシウム水和物
（**マグコロール**液/散）

結腸内洗浄増強

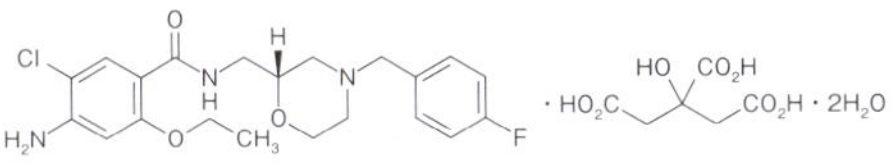

及び鏡像異性体

モサプリドクエン酸塩水和物
（**ガスモチン**錠/散）

便秘防止

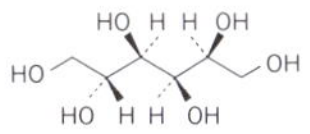

D-ソルビトール
（**D-ソルビトール**末/液）

発泡剤

$NaHCO_3$
炭酸水素ナトリウム　　酒石酸

炭酸水素ナトリウム・酒石酸合剤
（**バロス**発泡顆/S 顆）

消化管運動抑制

His - Ser - Gln - Gly - Thr - Phe - Thr - Ser - Asp - Tyr - Ser
Lys - Tyr - Leu - Asp - Ser - Arg - Arg - Ala - Gln - Asp - Phe
Val - Gln - Trp - Leu - Met - Asn - Thr

グルカゴン
（**グルカゴン注射用**（合成）注，
グルカゴン G 注射用（遺伝子組換え）注）

冠血管拡張

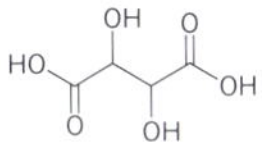

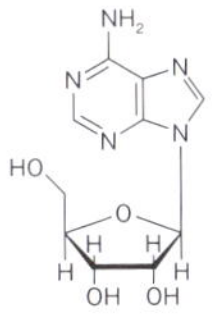

アデノシン
（**アデノスキャン**注）

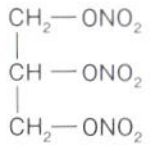

ニトログリセリン
（**ミリスロール**冠動注用）

冠動脈攣縮

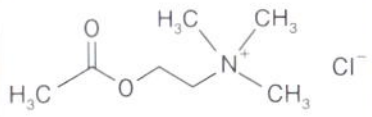

アセチルコリン塩化物
（**オビソート**注）

心抑制

・HCl

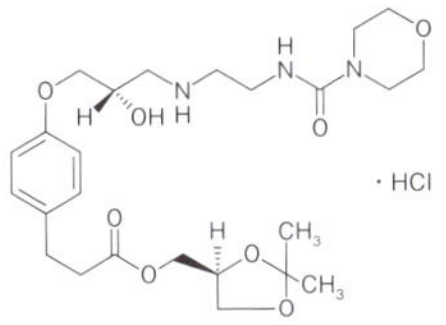

ランジオロール塩酸塩
（**コアベータ**静注用）

消 泡

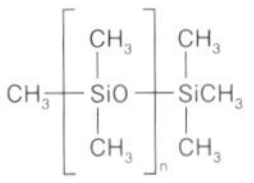

ジメチコン
（**ガスコン**錠/散/ドロップ内用液）

粘液除去

放線菌 *Streptomyces griseus* の
産生する蛋白分解酵素。

プロナーゼ
（**ガスチーム**散，
プロナーゼ MS 散）

胃運動抑制

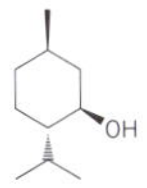

l-メントール
（**ミンクリア**内用散布液）

第21章　医薬品の安全性

● 急性薬物中毒 の 解毒薬　☞本文 p619

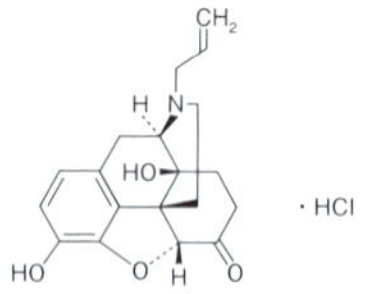

ナロキソン塩酸塩 （ナロキソン塩酸塩 静注）	レバロルファン酒石酸塩 （ロルファン 注）	ドキサプラム塩酸塩水和物 （ドプラム 注）
フルマゼニル （アネキセート 注）	ジモルホラミン （テラプチク 静注・皮下・筋注）	ネオスチグミンメチル硫酸塩・アトロピン硫酸塩水和物 （アトワゴリバース 静注）
スガマデクスナトリウム （ブリディオン 静注）	塩化カリウム （KCL 補正液, KCL 注, K.C.L.点滴液）	リドカイン塩酸塩 （キシロカイン 静注用, オリベス 静注/点滴, リドカイン 静注用シリンジ）	フェニトインナトリウム （アレビアチン 注）
サケ科などの魚類の成熟した精巣から得た塩基性ポリペプチドの硫酸塩。 プロタミン硫酸塩 （ノボ・硫酸プロタミン 静注用）	ビタミンK （ケイツー N静注）	アセチルシステイン （アセチルシステイン 内用液）
ピリドキシン塩酸塩	ピリドキサールリン酸カルシウム ビタミンB₆ （ビーシックス 注, ビタミンB₆ 散/錠）	チオクト酸 （チオクト酸 注）	コレスチラミン （クエストラン 粉末）	プラリドキシムヨウ化物 （パム 静注）

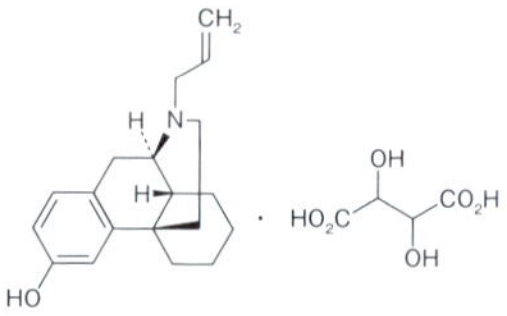

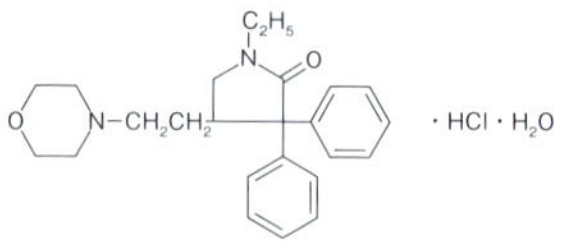

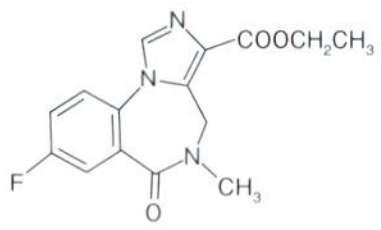

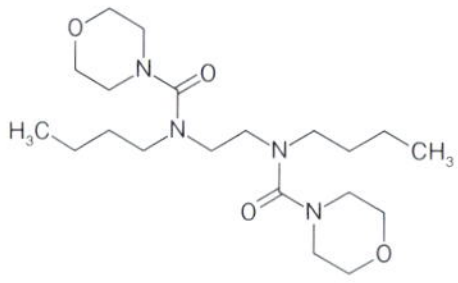

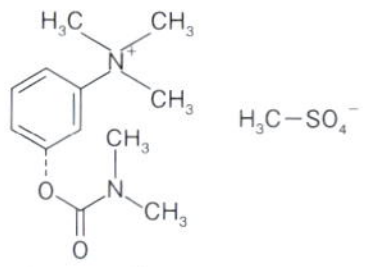

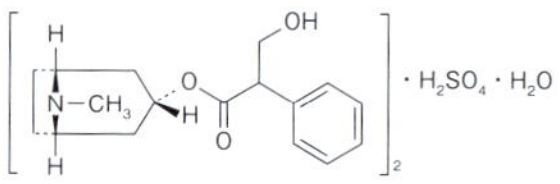

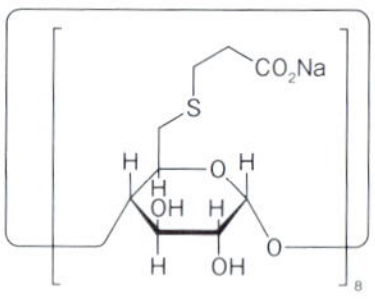

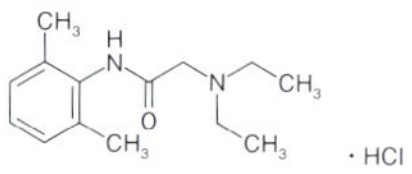

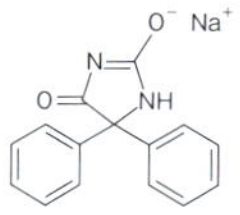

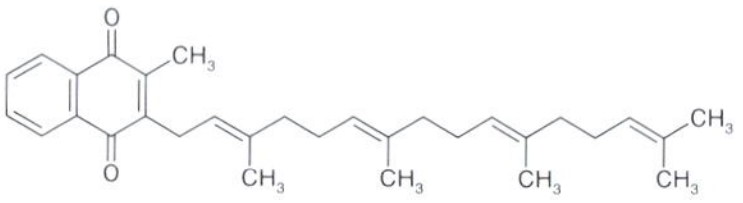

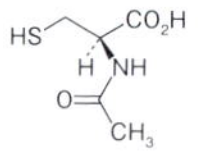

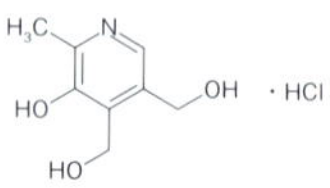

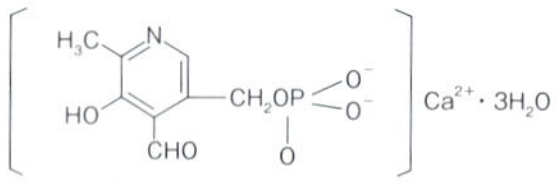

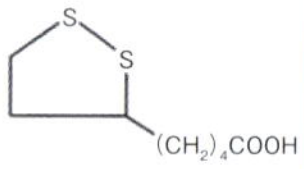

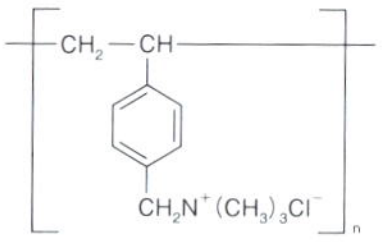

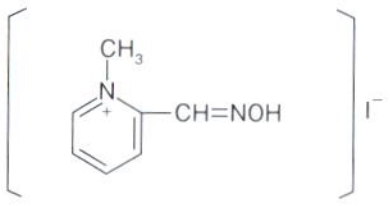

急性薬物中毒の解毒薬

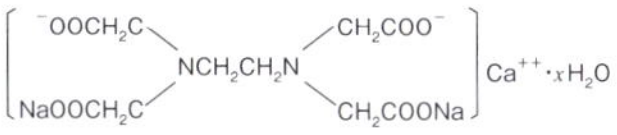

エデト酸カルシウムニナトリウム水和物
（**ブライアン**錠/注）

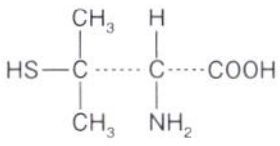

ペニシラミン
〈D-ペニシラミン〉
（**メタルカプターゼ**カ）

$H_2NCH_2CH_2NHCH_2CH_2NHCH_2CH_2NH_2$
$\cdot\, 2\,HCl$

トリエンチン塩酸塩
（**メタライト**カ）

$(H_3C\text{-}CO_2)_2\,Zn\cdot 2H_2O$

酢酸亜鉛水和物
（**ノベルジン**カ）

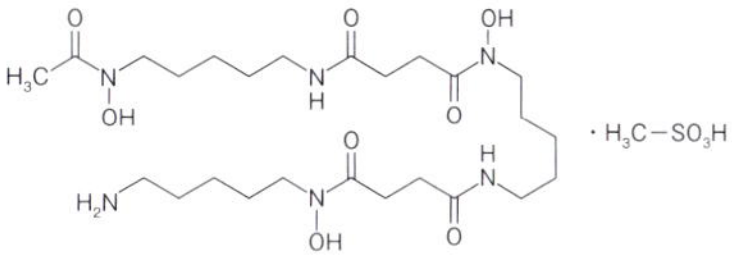

デフェロキサミンメシル酸塩
（**デスフェラール**注）

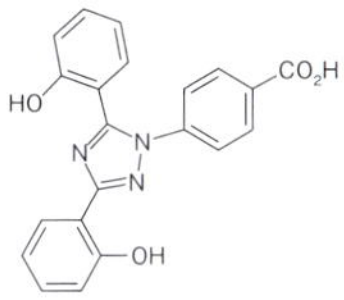

デフェラシロクス
（**ジャドニュ**顆）

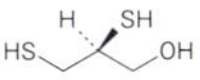

ジメルカプロール
（**バル**筋注）

$CH_3CHCONHCH_2COOH$
$\quad\quad SH$

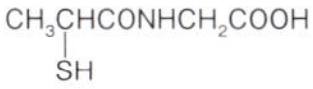

チオプロニン
（**チオラ**錠）

$Na_2S_2O_3\cdot 5H_2O$

チオ硫酸ナトリウム水和物
（**デトキソール**静注）

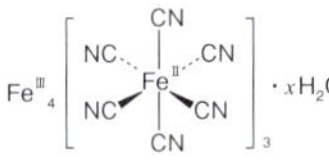

ヘキサシアノ鉄（Ⅱ）酸鉄（Ⅲ）水和物
（**ラディオガルダーゼ**カ）

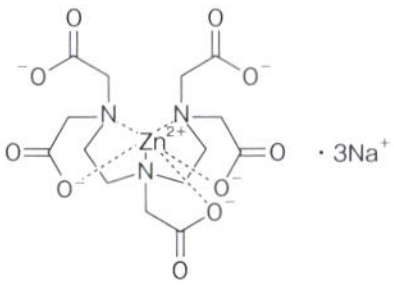

ペンテト酸亜鉛三ナトリウム
（**アエントリペンタート**静注）

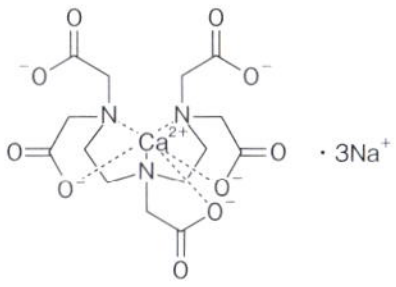

ペンテト酸カルシウム三ナトリウム
（**ジトリペンタートカル**静注）

CH_3CH_2OH

エタノール

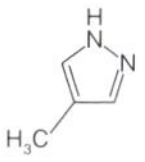

ホメピゾール
（**ホメピゾール**点滴静注）

メチルチオ二ニウム塩化物水和物
（**メチレンブルー**静注）

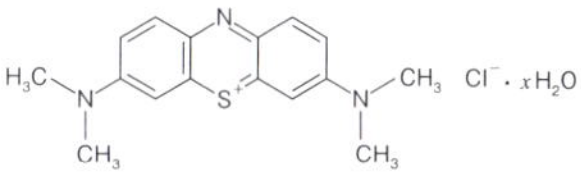

一般名 50音順索引

ア

一般名	商品名	掲載頁
アカルボース	グルコバイ錠/OD錠	107
アカンプロサートカルシウム	レグテクト錠	12
アキシチニブ	インライタ錠	141
アクタリット	オークル錠 モーバー錠	38
アクチノマイシンD	コスメゲン静注用	136
アクラトニウムナパジシル酸塩	アボビスカ	6, 65
アクラルビシン塩酸塩	アクラシノン注	135
アクリジニウム臭化物	エクリラ400μgジェヌエア30吸入用	8, 60
アクリノール	アクリノール末/液	133
アコチアミド塩酸塩水和物	アコファイド錠	9, 65
アザシチジン	ビダーザ注射用	135
アザセトロン塩酸塩	アザセトロン静注液	33, 64
アザチオプリン	アザニン錠 イムラン錠	37, 66
アシクロビル	ゾビラックス眼軟膏 ゾビラックス軟/ク ゾビラックス錠/顆/点滴静注	87 95 127
アジスロマイシン水和物	アジマイシン点眼液 ジスロマック錠/点/小児用細/小児用カ	118
アシタザノラスト水和物	ゼペリン点眼液	29, 84
アジルサルタン	アジルバ錠	34
アスコルビン酸	アスコルビン酸末 ハイシー顆 ビタシミン注	104
アズトレオナム	アザクタム注	116
アスピリン	バイアスピリン腸溶錠 バファリン配合錠A81錠	80
アスピリン〈アセチルサリチル酸〉	アスピリン末	44
アズレンスルホン酸ナトリウム水和物	アズノール錠/細/ガーグル顆/うがい液/ST錠口腔用 アズレミック錠口腔用 ノズレン細 ハチアズレ含嗽用顆 マズレニンG含嗽用散 AZ点眼液 アズラビン点眼液 アズレン点眼液 アズノール錠	46 46, 85, 88 63
アセタゾラミド	ダイアモックス錠/末/注 ダイアモックス錠	18, 26, 70, 84 57
アセチルコリン塩化物	オビソート注	6, 149
アセチルシステイン	ムコフィリン吸入液 アセチルシステイン内用液	58 150
アセチルフェネトライド	クランポール錠/末	18
アセトアミノフェン〈パラセタモール〉	アセリオ静注液 アルピニー小児坐 アンヒバ小児坐 カロナール錠/細/シ/末/坐/小児坐	23
アセトヘキサミド	ジメリン錠	105
アセナピンマレイン酸塩	シクレスト舌下錠	15
アセブトロール塩酸塩	アセタノールカ	2
アセメタシン	ランツジール錠	44
アゼラスチン塩酸塩	アゼプチン錠	31, 60
アゼルニジピン	カルブロック錠	55
アゾセミド	ダイアート錠	70
アタザナビル硫酸塩〈ATV〉	レイアタッツカ	127
アダパレン	ディフェリンゲル	91, 104
アデニン	ロイコン錠/注	79
アデノシン	アデノスキャン注	149
アデノシン三リン酸二ナトリウム水和物	ATP腸溶錠 アデホス腸溶錠/顆/L注 トリノシン腸溶錠/顆/S注	26, 27
アテノロール	テノーミン錠	2
アデホビルピボキシル	ヘプセラ錠	128
アトバコン	サムチレール内用懸濁液	125

一般名	商品名	掲載頁
アトバコン・プログアニル塩酸塩	マラロン配合錠	131
アトモキセチン塩酸塩	ストラテラカ/内用液	24
アトルバスタチンカルシウム水和物	リピトール錠	108
アドレナリン	アドレナリン注シリンジ エピペン注 ボスミン注/外用液 ボスミン注	5, 48, 56, 58 5, 56, 58 5, 58 48, 56
アドレノクロムモノアミノグアニジンメシル酸塩水和物	S・アドクノン錠	79
アトロピン塩酸塩水和物	日点アトロピン点眼液 リュウアト眼軟膏	85
アトロピン硫酸塩水和物	日点アトロピン点眼液 リュウアト眼軟膏 アトロピン硫酸塩注 硫酸アトロピン末	7 7, 51 7, 51, 72
アナグリプチン	スイニー錠	106
アナグレリド塩酸塩水和物	アグリリンカ	79
アナストロゾール	アリミデックス錠	100, 137
アバカビル硫酸塩〈ABC〉	ザイアジェン錠	126
アパルタミド	アーリーダ錠	138
アピキサバン	エリキュース錠	82
アビラテロン酢酸エステル	ザイティガ錠	138
アファチニブマレイン酸塩	ジオトリフ錠	139
アプラクロニジン塩酸塩	アイオピジンUD点眼液	1, 90
アプリンジン塩酸塩	アスペノン静注/カ	50
アプレピタント	イメンドカ	64
アプレミラスト	オテズラ錠	94
アフロクァロン	アロフト錠	19
アブロシチニブ	サイバインコ錠	93
アベマシクリブ	ベージニオ錠	140
アポモルヒネ塩酸塩水和物	アポカイン皮下注	20
アマンタジン塩酸塩	シンメトレル錠/細	20, 27, 130
アミオダロン塩酸塩	アンカロン錠/注	51
アミカシン硫酸塩	アミカシン硫酸塩注	117
アミトリプチリン塩酸塩	トリプタノール錠	17, 24, 32, 72, 107
アミノ安息香酸エチル〈ベンゾカイン〉	ハリケイン歯科用リキッドゲル ビーゾカイン歯科用ゼリー	10
アミノエチルスルホン酸〈タウリン〉	タウリン散	50, 69
アミノフィリン水和物	キョーフィリン注 ネオフィリン錠/末/注 アプニション静注 キョーフィリン静注 ネオフィリン錠/末/注/PL注/点滴用バック	49, 70 57 59
アミノレブリン酸塩酸塩	アラグリオ顆粒剤 アラベル内用剤	147
アムシノニド	ビスダーム軟/ク	42
アムホテリシンB	アムビゾーム点滴静注用 ファンギゾンシ/注	125
アムルビシン塩酸塩	カルセド注	135
アムロジピンベシル酸塩	アムロジン錠/OD錠 ノルバスク錠/OD錠	55
アメジニウムメチル硫酸塩	リズミック錠	6, 56
アメナメビル	アメナリーフ錠	127
アモキサピン	アモキサン細/カ	17
アモキシシリン水和物	アモリン細/カ サワシリン錠/カ/細 パセトシン錠/カ/細 ワイドシリン細	113, 132
アモスラロール塩酸塩	ローガン錠	5
アモバルビタール	イソミタール末	12
アモロルフィン塩酸塩	ペキロンク	124
アラセプリル	セタプリル錠	34
アラニジピン	サプレスタ顆/カ ベック顆/カ	55

	一般名	商品名	掲載頁
	アリスキレンフマル酸塩	ラジレス錠	34
	アリピプラゾール	エビリファイ錠/OD錠/散/内用液/持続性水懸筋注	15
	アリメマジン酒石酸塩	アリメジンシ	30
	アリルエストレノール	アリルエストレノール錠	71, 102
	アルガトロバン水和物	スロンノンHI注 ノバスタンHI注	82
	アルキルジアミノエチルグリシン塩酸塩	エルエイジ液 サテニジン液 テゴー51消毒液 ハイジール水	133
	L-アルギニンL-グルタミン酸塩水和物	アルギメート点滴静注	69
	L-アルギニン塩酸塩	アルギニン注	148
	アルギン酸ナトリウム	アルロイドG内用液/顆粒溶解用 アルト原末	63 79
	アルクロキサ	アルキサ軟	94
	アルクロメタゾンプロピオン酸エステル	アルメタ軟	43
	アルジオキサ	アルジオキサ錠/顆	62
	アルテメテル+ルメファントリン	リアメット配合錠	131
	アルファカルシドール	アルファロール散/カ/内用液 ワンアルファ錠	105, 111
	アルプラゾラム	コンスタン錠 ソラナックス錠	16
	アルプロスタジル	パルクス注/ディスポ リプル注/キット	35, 53, 80
	アルプロスタジル アルファデクス	プロスタンディン点滴静注用 プロスタンディン軟 プロスタンディン注	53, 56, 80 94 147
	アルプロスタジルアルファデクス	プロスタンディン注射用	35
	アルベカシン硫酸塩	ハベカシン注	118
	アルベンダゾール	エスカゾール錠	132
	アルミノパラアミノサリチル酸カルシウム水和物	アルミノニッパスカルシウム顆	122
	アレクチニブ塩酸塩	アレセンサカ	139
	アレンドロン酸ナトリウム水和物	フォサマック錠 ボナロン錠/経口ゼリー/点滴静注	112
	アログリプチン安息香酸塩	ネシーナ錠	106
	アロチノロール塩酸塩	アロチノロール錠	5
	アロプリノール	ザイロリック錠	110
	アンチピリン		23
	アンピシリン水和物	ビクシリン注/ドシ/カ	113, 132
	アンピロキシカム	フルカムカ	45
	アンフェタミン		6, 24
	アンブリセンタン	ヴォリブリス錠	35, 54
	アンブロキソール塩酸塩	ムコサール錠/ドシ/Lカ ムコソルバン錠/内用液/小児用シ/小児用ドシ/L錠/ドシ	58
	アンベノニウム塩化物	マイテラーゼ錠	9
	亜酸化窒素〈笑気ガス〉	液化亜酸化窒素	12
	亜硝酸アミル	亜硝酸アミル吸入液	51
イ	イカチバント酢酸塩	フィラジル皮下注	34
	イキサゾミブクエン酸エステル	ニンラーロカ	142
	イグラチモド	ケアラム錠	39
	イコサペント酸エチル	イコサペント酸エチル顆粒状カ エパデールカ/Sカ	36, 53, 80, 109
	イストラデフィリン	ノウリアスト錠	21
	イセパマイシン硫酸塩	エクサシン注	117
	イソクスプリン塩酸塩	ズファジラン錠/筋注	4, 53, 74
	イソコナゾール硝酸塩	アデスタンク	124
	イソソルビド	イソバイドシ メニレットゼリー	26, 70, 83
	イソニアジド	イスコチン錠/末/注 ヒドラ錠	122
	イソニアジドメタンスルホン酸ナトリウム水和物	ネオイスコチン錠/末	122
	イソフルラン	イソフルラン吸入麻酔液	12
	イソプレナリン〈イソプロテレノール〉塩酸塩	イソメニールカ プロタノールL注（l体） プロタノールS錠（dl体：徐放） アスプール吸入液（dl体）	4, 26 4, 48, 51 4, 51 4, 58
	イソプロパノール	イソプロパノール	132

	一般名	商品名	掲載頁
	イソプロピルアンチピリン	SG配合顆	23
	イソプロピルウノプロストン	レスキュラ点眼液	35, 83
	イダルビシン塩酸塩	イダマイシン静注	135
	イトプリド塩酸塩	ガナトン錠	65
	イトラコナゾール	イトリゾールカ/内用液/注	123
	イヌリン	イヌリード注	149
	イノシンプラノベクス	イソプリノシン錠/顆	130
	イノツズマブ オゾガマイシン	ベスポンサ点滴静注用	143
	イバブラジン塩酸塩	コララン錠	49
	イバンドロン酸ナトリウム水和物	ボンビバ錠/静注	112
	イフェンプロジル酒石酸塩	セロクラール錠/細	25, 27
	イブジラスト	ケタスカ ケタスカ/点眼液 ケタス点眼液	25, 27, 60 29 84
	イブプロフェン	ブルフェン錠/顆	45
	イブプロフェン L-リシン	イブリーフ静注	45
	イブプロフェンピコノール	スタデルム軟/ク ベシカム軟/ク	46
	イプラグリフロジンL-プロリン	スーグラ錠	107
	イプラトロピウム臭化物水和物	アトロベントエロゾル	8, 60
	イプリフラボン	オステン錠	112
	イブルチニブ	イムブルビカカ	140
	イベルメクチン	ストロメクトール錠	95, 131
	イホスファミド	イホマイド注	134
	イマチニブメシル酸塩	グリベック錠	140
	イミキモド	ベセルナク	93, 130
	イミダフェナシン	ウリトス錠/OD錠 ステーブラ錠/OD錠	8, 72
	イミダプリル塩酸塩	タナトリル錠	34, 107
	イミプラミン塩酸塩	イミドール錠 トフラニール錠	17, 32, 72
	イミペネム水和物	チエナム点滴静注用/キット/筋注用	115
	イメグリミン塩酸塩	ツイミーグ錠	107
	イリノテカン塩酸塩水和物	オニバイド点滴静注 カンプト点滴静注 トポテシン点滴静注	137
	イルソグラジンマレイン酸塩	ガスロンN錠/細/OD錠	63
	イルベサルタン	アバプロ錠 イルベタン錠	34
	イロプロスト	ベンテイビス吸入液	36, 54, 80
	インジゴカルミン	インジゴカルミン注	148
	インダカテロールマレイン酸塩	オンブレス吸入用カ	3, 59
	インダパミド	ナトリックス錠	70
	インドシアニングリーン	オフサグリーン静注用 ジアグノグリーン注	147 148, 149
	インドメタシン	インテバン坐 イドメシンゲル/ク/ゾル/パップ インサイドパップ インテバン軟/ク/液 カトレップパップ/テープ	44 46
	インドメタシンナトリウム	インダシン静注用	44
	インドメタシンファルネシル	インフリーカ/Sカ	44
	一酸化窒素	アイノフロー吸入用	54
	一硝酸イソソルビド	アイトロール錠	51
ウ	ウパシカルセトナトリウム水和物	ウパシタ静注透析用	99
	ウパダシチニブ水和物	リンヴォック錠	39, 93
	ウフェナマート	コンベック軟/ク フエナゾール軟/ク	46
	ウベニメクス	ベスタチンカ	38
	ウメクリジニウム臭化物	エンクラッセエリプタ	8, 60
	ウラピジル	エブランチルカ	1, 71
	ウルソデオキシコール酸	ウルソ錠/顆	68, 69
エ	エーテル		12
	エカベトナトリウム水和物	ガストローム顆	63
	エキセナチド	バイエッタ皮下注 ビデュリオン皮下注用	106
	エキセメスタン	アロマシン錠	100, 137
	エグアレンナトリウム水和物	アズロキサ顆	63
	エコチオパート		83
	エサキセレノン	ミネブロ錠	71

一般名	商品名	掲載頁
エスシタロプラムシュウ酸塩	レクサプロ錠	17, 32
エスゾピクロン	ルネスタ錠	13
エスタゾラム	ユーロジン錠/散	13
エストラジオール	エストラーナテープ ディビゲルゲル ル・エストロジェルゲル ジュリナ錠	100 100, 111
エストラジオール+レボノルゲストレル	ウェールナラ配合錠	111
エストラジオール吉草酸エステル	プロギノンデポー筋注 ペラニンデポー筋注	100
エストラムスチンリン酸エステルナトリウム水和物	エストラサイトカ	100, 138
エストリオール	エストリール錠/膣錠 ホーリン錠/膣錠 エストリール錠 ホーリン錠	100 111
エスフルルビプロフェン/ハッカ油	ロコアテープ	46
エスモロール塩酸塩	ブレビブロック注	2
エゼチミブ	ゼチーア錠	109
エソメプラゾールマグネシウム水和物	ネキシウムカ/懸濁用顆	62
エタノール		151
エダラボン	ラジカット注/バッグ	27
エタンブトール塩酸塩	エサンブトール錠 エブトール錠	122
エチオナミド	ツベルミン錠	122
エチゾラム	デパス錠/細	13, 16, 19
エチドロン酸二ナトリウム	ダイドロネル錠	112
エチニルエストラジオール	プロセキソール錠	100, 138
エチニルエストラジオール+デソゲストレル	ファボワール錠 マーベロン錠	74
エチニルエストラジオール+ノルエチステロン	シンフェーズ錠	74
エチニルエストラジオール+レボノルゲストレル	アンジュ錠 トリキュラー錠 ラベルフィーユ錠	74
L-エチルシステイン塩酸塩	チスタニン糖衣錠	58
エチレフリン塩酸塩	エホチール錠/注 エホチール錠 エホチール注	5 56
エデト酸カルシウムニナトリウム水和物	ブライアン錠/注	151
エテルカルセチド塩酸塩	パーサビブ静注透析用	99
エドキサバントシル酸塩水和物	リクシアナ錠/OD錠	82
エトスクシミド	エピレオプチマル散 ザロンチンシ	18
エトトイン	アクセノン末	18
エトドラク	オステラック錠 ハイペン錠	44
エトポシド	ベプシドカ/注 ラステットSカ/注	137
エトラビリン	インテレンス錠	126
エトレチナート	チガソンカ	93, 104
エドロホニウム塩化物	アンチレクス静注	9, 147
エナラプリルマレイン酸塩	エナラート錠/細 レニベース錠	34
エナロデュスタット	エナロイ錠	78
エヌトレクチニブ	ロズリートレクカ	140
エノキサシン水和物		121
エノキサパリンナトリウム	クレキサン皮下注キット	82
エノシタビン	サンラビン点滴静注	135
エバスチン	エバステル錠/OD錠	31
エパルレスタット	キネダック錠	107
エピナスチン塩酸塩	アレジオン錠/ドシ/点眼液 アレジオン錠/ドシ アレジオン点眼液/LX点眼液	31 60, 93 84
エピルビシン塩酸塩	ファルモルビシン注/RTU注	135
エファビレンツ〈EFV〉	ストックリン錠	126
エフィナコナゾール	クレナフィン爪外用液	124
エフェドリン塩酸塩	エフェドリン錠/散/注 エフェドリン錠/注	6 59
エプタゾシン臭化水素酸塩	セダペイン注	22
エプラジノン塩酸塩	レスプレン錠	57
エプレレノン	セララ錠	71

一般名	商品名	掲載頁
エペリゾン塩酸塩	ミオナール錠/顆	19, 26
エベロリムス	サーティカン錠 アフィニトール錠/分散錠	37 141
エボカルセト	オルケディア錠	99
エホニジピン塩酸塩エタノール付加物	ランデル錠	55
エポプロステノールナトリウム	フローラン静注用	36, 54, 80
エムトリシタビン〈FTC〉	エムトリバカ	126
エメダスチンフマル酸塩	ダレンカ レミカットカ	31, 93
エラスターゼ	エラスチーム錠	109
エリスロマイシン	エリスロマイシン錠	132
エリスロマイシンエチルコハク酸エステル	エリスロシンドシ/ドシW/W顆	118
エリスロマイシンステアリン酸塩	エリスロシン錠	118
エリスロマイシンラクトビオン酸塩	エコリシン眼軟膏 エリスロシン点滴静注用	118
エリブリンメシル酸塩	ハラヴェン静注	136
エルカトニン	エルシトニン注	99, 112
エルゴカルシフェロール	エレンタール内用剤 ビタジェクト注キット	105
エルゴタミン酒石酸塩	クリアミン配合錠	5
エルゴタミン酒石酸塩+無水カフェイン+イソプロピルアンチピリン	クリアミン配合錠	23
エルゴメトリンマレイン酸塩	エルゴメトリンマレイン酸塩注	5, 74
エルデカルシトール	エディロールカ	105, 111
エルトロンボパグオラミン	レボレード錠	79
エルバスビル	エレルサ錠	128
エルビテグラビル	スタリビルド配合錠	127
エルロチニブ塩酸塩	タルセバ錠	139
エレトリプタン臭化水素酸塩	レルパックス錠	24, 33
エロビキシバット水和物	グーフィス錠	68
エンコラフェニブ	ビラフトビカ	141
エンザルタミド	イクスタンジ錠	102, 138
エンタカポン	コムタン錠 スタレボ配合錠	20
エンテカビル水和物	バラクルード錠	128
エンパグリフロジン	ジャディアンス錠	107
エンビオマイシン硫酸塩	ツベラクチン筋注	122
エンフルラン		12
エンホルツマブ ベドチン	パドセブ点滴静注用	143
塩化カリウム	K. C. L.点滴液 KCL注 KCL補正液	150
塩化ラジウム (^{223}Ra)	ゾーフィゴ静注	146
オ		
オーラノフィン	オーラノフィン錠	38
オキサゾラム	セレナール錠/散	16
オキサトミド	オキサトミド錠/小児用ドシ	31, 60
オキサプロジン	アルボ錠	45
オキサリプラチン	エルプラット点滴静注	136
オキシグルタチオン	オペガードネオキット眼灌流液 ビーエスエスプラス眼灌流液	89
オキシコドン塩酸塩水和物	オキシコンチン徐放錠 オキノーム散 オキファスト注	22
オキシコナゾール硝酸塩	オキナゾール膣錠/ク/液	124
オキシテトラサイクリン塩酸塩	テラ・コートリル軟 テラマイシン軟	117
オキシドール	オキシドール液	133
オキシトシン	アトニン-O注	74, 98
オキシブチニン塩酸塩	ネオキシテープ貼 ポラキス錠	7, 72
オキシブプロカイン塩酸塩	ベノキシール点眼液 ラクリミン点眼液	10, 88
オキシペルチン	ホーリット錠/散	15
オキシメテバノール	メテバニール錠	57
オキセサゼイン	ストロカイン錠/顆	10, 64
オキソトレモリン		6
オクトチアミン	ノイビタ錠	102
オクトレオチド酢酸塩	サンドスタチン皮下注用/LAR筋注用 サンドスタチン皮下注/LAR筋注	98 145
オザグレル塩酸塩水和物	ドメナン錠	36, 61

一般名	商品名	掲載頁
オザグレルナトリウム	オキリコン注シリンジ カタクロット注 キサンボン注 キサンボンS注	27, 36, 80
オシメルチニブメシル酸塩	タグリッソ錠	139
オゼノキサシン	ゼビアックスローション ゼビアックスロ	91 120
オセルタミビルリン酸塩	タミフルカ/ドシ	130
オピカポン	オンジェンティス錠	20
オフロキサシン	タリビッド点眼液/眼軟膏 タリビッド耳科用液 タリビッド錠	87 91 95, 121, 123
オマリグリプチン	マリゼブ錠	106
オミデネパグイソプロピル	エイベリス点眼液	83
オメガ-3脂肪酸エチル	ロトリガ粒状カ	109
オメプラゾール	オメプラール腸溶錠/注（Na塩） オメプラゾン腸溶錠	62
オラネキシジングルコン酸塩	オラネジン消毒液	133
オラパリブ	リムパーザ錠	142
オランザピン	ジプレキサ錠/ザイディス錠/細/筋注	15
オルプリノン塩酸塩水和物	コアテック注/SB注	49
オルメサルタンメドキソミル	オルメテックOD錠	34
オロダテロール塩酸塩	スピオルトレスピマット	3, 59
オロパタジン塩酸塩	アレロック錠/OD錠/顆 パタノール点眼液	31 31, 84
オンダンセトロン塩酸塩水和物	オンダンセトロンODフィルム/注	33, 64
カ		
カスポファンギン酢酸塩	カンサイダス点滴静注用	123
ガチフロキサシン水和物	ガチフロ点眼液	87, 121
カナグリフロジン水和物	カナグル錠	107
カナマイシン硫酸塩	カナマイシンカ/シ 硫酸カナマイシンカ/注 硫酸カナマイシン注	117 122
ガニレリクス酢酸塩	ガニレスト皮下注	75, 97
カバジタキセルアセトン付加物	ジェブタナ点滴静注	137
ガバペンチン	ガバペン錠/シ	19
ガバペンチンエナカルビル	レグナイト錠	21
カフェイン	安息香酸ナトリウムカフェイン末 アンナカ注 カフェイン末 無水カフェイン末 レスピア静注・経口液	24
カプトプリル	カプトリル錠/細/R徐放カ	34
カプマチニブ塩酸塩水和物	タブレクタ錠	140
ガベキサートメシル酸塩	エフオーワイ注	69, 82
カペシタビン	ゼローダ錠	134
カベルゴリン	カバサール錠	20, 98
カボザンチニブリンゴ酸塩	カボメティクス錠	141
カモスタットメシル酸塩	フオイパン錠	69
ガランタミン臭化水素酸塩	レミニール錠/OD錠/内用液	9, 28
カリジノゲナーゼ	カルナクリン錠/カ ローザグッド錠	26
カルシトリオール	ロカルトロールカ/注 ロカルトロールカ	105 111
カルシポトリオール	ドボネックス軟	93, 105
カルテオロール塩酸塩	ミケラン錠/細/LA徐放カ/小児用細/点眼液/LA点眼液 ミケラン点眼液/LA点眼液	4 84
カルバコール		6
カルバゾクロムスルホン酸ナトリウム水和物	アドナ錠/散/注	79
カルバマゼピン	テグレトール錠/細	18
カルビドパ水和物	デュオドーパ配合経腸用液 ネオドパストン配合錠 メネシット配合錠	20
カルフィルゾミブ	カイプロリス点滴静注用	142
カルプロニウム塩化物	フロジン外用液	95
カルベジロール	アーチスト錠	5
カルペリチド	ハンプ注	49
カルボキシマルトース第二鉄	フェインジェクト静注	77
カルボシステイン	ムコダイン錠/シ/ドシ ムコダイン錠/細/シ/ドシ	58 91
カルボプラチン	パラプラチン注	136
カルムスチン	ギリアデル脳内留置用	134

一般名	商品名	掲載頁
カルモフール		134
ガレノキサシンメシル酸塩水和物	ジェニナック錠	121
ガンシクロビル	デノシン点滴静注	128
カンデサルタンシレキセチル	ブロプレス錠	34
ガンマ-アミノ酪酸〈GABA〉	ガンマロン錠	27
ガンマオリザノール	ハイゼット錠/細	109
カンレノ酸カリウム	ソルダクトン静注	71
過酢酸	アセサイド消毒液	132
過酸化ベンゾイル	デュアック配合ゲル ベピオゲル	91
含糖酸化鉄	フェジン静注	77
キ		
キザルチニブ塩酸塩	ヴァンフリタ錠	139
キセノン	ゼノンコールド吸入用ガス	149
キナプリル塩酸塩	コナン錠	34
キニーネ塩酸塩水和物	塩酸キニーネ末	131
キニジン硫酸塩水和物	キニジン硫酸塩錠/末	50
ギルテリチニブフマル酸塩	ゾスパタ錠	139
金チオリンゴ酸ナトリウム	シオゾール注	38
ク		
グアイフェネシン	フストジル注	57
クアゼパム	ドラール錠	13
グアナベンズ酢酸塩	ワイテンス錠	1
グアネチジン		6
グアンファシン塩酸塩	インチュニブ錠	24
クエチアピンフマル酸塩	セロクエル錠/細	15
クエン酸カリウム＋クエン酸ナトリウム	ウラリット配合錠/U配合散	110
クエン酸第一鉄ナトリウム	フェロミア錠/顆	77
クエン酸第二鉄水和物	リオナ錠	77
クエン酸ナトリウム水和物	チトラミン輸血用液	82
クエン酸マグネシウム水和物	マグコロール液/散	149
グスペリムス塩酸塩	スパニジン点滴静注	37
グラゾプレビル水和物	グラジナ錠	128
クラドリビン	ロイスタチン注	135
グラニセトロン塩酸塩	カイトリル錠/細/注/バッグ	33, 64
クラブラン酸カリウム	オーグメンチン配合錠 クラバモックス小児用配合ドシ	115
クラリスロマイシン	クラリシッド錠/ドシ（小児用） クラリス錠/ドシ（小児用）	118
グリクラジド	グリミクロンHA錠/錠	106
グリクロピラミド	デアメリンS錠	105
グリコピロニウム臭化物	シーブリ吸入用カ	8, 60
グリセオフルビン		125
グリセリン	グリセオール注	70, 83
クリゾチニブ	ザーコリカ	139
グリチルリチン酸二カリウム	ノイボルミチン点眼液	46, 85
グリチルリチン酸モノアンモニウム	強力ネオミノファーゲンシー静注 グリチロン錠/皮下注 ネオファーゲン静注	46, 68
グリチルレチン酸	デルマクリンA軟/ク ハイデルマートク	46
グリベンクラミド	オイグルコン錠 ダオニール錠	106
グリメピリド	アマリール錠/OD錠	106
クリンダマイシン塩酸塩	ダラシンカ	91, 119
クリンダマイシンリン酸エステル	ダラシンTゲル/Tロ ダラシンS注/Tゲル/Tロ	91 119
グルカゴン	グルカゴン（合成）注 グルカゴンG（遺伝子組換え）注 グルカゴンG注射用（遺伝子組換え）注 グルカゴン注射用（合成）注	147, 148, 149 148, 149 149
グルタチオン	タチオン錠/散/注 タチオン注 タチオン点眼用液	69 79 84
L-グルタミン	L-グルタミン顆	63
グルタラール	グルトハイド液 サイデックス液 ステリスコープ液 ステリゾール液 ステリハイド液	132
グレカプレビル水和物＋ピブレンタスビル	マヴィレット配合錠	129
クレゾール	クレゾール石ケン液	133

一般名	商品名	掲載頁
クレマスチンフマル酸塩	タベジール錠/散/シ テルギンG錠/ドシ	29
クレンブテロール塩酸塩	スピロペント錠	3, 59, 73
クロカプラミン塩酸塩水和物	クロフェクトン錠/顆	15
クロキサシリンナトリウム水和物	ビクシリンS配合錠/注	113
クロキサゾラム	セパゾン錠/散	16
クロザピン	クロザリル錠	15
クロタミトン	オイラックスク	92
クロチアゼパム	リーゼ錠/顆	16, 25
クロトリマゾール	エンペシド腟錠/トローチ/ク/液 タオンク/ゲル/液	124
クロナゼパム	ランドセン錠/細 リボトリール錠/細	18
クロニジン塩酸塩	カタプレス錠	1
クロバザム	マイスタン錠/細	19
クロピドグレル硫酸塩	プラビックス錠	27, 81
クロファジミン	ランプレンカ	95, 123
クロファラビン	エボルトラ点滴静注用	135
クロフィブラート	クロフィブラートカ	108
クロフェダノール塩酸塩	コルドリン錠/顆	57
クロベタゾールプロピオン酸エステル	デルモベート軟/ク/スカルプ	42
クロベタゾン酪酸エステル	キンダベート軟	43
クロペラスチン塩酸塩	フスタゾール糖衣錠/錠（小児用）/散/シ	57
クロミフェンクエン酸塩	クロミッド錠	100
クロミプラミン塩酸塩	アナフラニール錠/点滴静注 アナフラニール錠	17, 32 72
クロモグリク酸ナトリウム	インタール細/吸入液/エアロゾル/点眼液 インタール細/吸入薬/エアロゾル インタール点眼液 インタール細	29 60 84 93
クロラゼプ酸二カリウム	メンドンカ	16
クロラムフェニコール	クロラムフェニコール点眼液 クロロマイセチン耳科用液 クロロマイセチン錠/軟/局所用液/耳科用液	86 91 119
クロラムフェニコールコハク酸エステル	クロロマイセチンサクシネート静注用	119
クロルジアゼポキシド	コントール錠/散 バランス錠/散	16
クロルフェニラミンマレイン酸塩（*dl*体）	アレルギン散 クロダミンシ/注 ネオレスタミン散	30
クロルフェニラミンマレイン酸塩（*d*体）	ポララミン錠/散/ドシ/シ/注	30
クロルフェネシンカルバミン酸エステル	リンラキサー錠	19
クロルプロパミド	クロルプロパミド錠	105
クロルプロマジン塩酸塩	ウインタミン錠/細 コントミン糖衣錠/筋注	14, 65
クロルヘキシジングルコン酸塩	ステリクロン液/スクラブ液 ヒビテン液 ヘキザック水 マスキン液/スクラブ液	133
クロルマジノン酢酸エステル	プロスタール錠/L錠（徐放） ルトラール錠 プロスタール錠	71, 102 101 138
ケ		
ゲストノロンカプロン酸エステル	デポスタット筋注	71, 101, 102
ケタミン塩酸塩	ケタラール静注用/筋注用	12
ケトコナゾール	ニゾラールク/ロ	124
ケトチフェンフマル酸塩	ザジテン点眼液/点鼻液/カ/シ/ドシ ザジテンカ/シ/ドシ ザジテン点眼液	31 60 84
ケトプロフェン	カピステン筋注 ケトプロフェン坐 セクターゲル/ク/ロ ミルタックスパップ モーラスパップ/テープ	45 46
ケノデオキシコール酸	チノカ	68
ゲフィチニブ	イレッサ錠	139
ゲムシタビン塩酸塩	ジェムザール注	135
ゲムツズマブオゾガマイシン	マイロターグ点滴静注用	144
ゲメプロスト	プレグランディン腟坐	35, 74
ゲンタマイシン硫酸塩	ゲンタマイシン点眼薬 ゲンタシン注	86 117
結合型エストロゲン（エストロン硫酸エステルNa＋エクイリン硫酸エステルNa＋17α-ジヒドロエクイリン硫酸エステルNa）	プレマリン錠	100
コ		
コカイン塩酸塩	コカイン塩酸塩末	6, 10
ゴセレリン酢酸塩	ゾラデックスデポ ゾラデックスデポ注/LAデポ注 ゾラデックスLAデポ	75, 138 96 138
コデインリン酸塩水和物	コデインリン酸塩錠/末/散	22, 57
ゴナドレリン酢酸塩	ヒポクライン注 LH-RH注	96 96, 148
コバマミド	ハイコバールカ	77, 104
コリスチンメタンスルホン酸ナトリウム	エコリシン眼軟膏 オフサロン点眼液 オルドレブ点滴静注 コリマイシン散 メタコリマイシン顆/カ	86, 120 120
コルチコレリン	ヒトCRH静注用	96, 148
コルチゾン酢酸エステル	コートン錠	40, 139
コルヒチン	コルヒチン錠	110
コルホルシンダロパート塩酸塩	アデール点滴静注用	48
コレスチミド〈コレスチラン〉	コレバイン錠	109
コレスチラミン	クエストラン粉末	109, 150
コンドロイチン硫酸エステルナトリウム	アイドロイチン点眼液	89
合成バソプレシン	ピトレシン注	98
混合死菌浮遊液（大腸菌，ブドウ球菌，レンサ球菌，緑膿菌）＋ヒドロコルチゾン		92
混合死菌浮遊液ヒドロコルチゾン配合剤	エキザルベ軟	92
サ		
サーファクタント	サーファクテン気管注入用	57
サイクロセリン	サイクロセリンカ	116, 122
サキサグリプチン水和物	オングリザ錠	106
サクビトリルバルサルタンナトリウム水和物	エンレスト錠	49
ザナミビル水和物	リレンザブリスター	130
サフィナミドメシル酸塩	エクフィナ錠	20
サラゾスルファピリジン〈スルファサラジン〉	アザルフィジンEN腸溶錠 サラゾピリン錠/坐	38 66
サリチルアミド	PL配合顆	44
サリチル酸	サリチル酸ワセリン軟膏軟膏 スピール膏M絆創膏	95
サリチル酸ナトリウム	サリチル酸Na静注	44
サリチル酸メチル	MS温シップパップ MS冷シップパップ	46
サリドマイド	サレドカ	145
サリン		9
ザルトプロフェン	ソレトン錠 ペオン錠	45
サルブタモール硫酸塩	サルタノールインヘラー ベネトリン錠/シ/吸入液	3, 59
サルポグレラート塩酸塩	アンプラーグ錠/細	33, 80
サルメテロールキシナホ酸塩	セレベントロタディスク/ディスカス	3, 59
サントニン		131
酢酸亜鉛水和物	ノベルジンカ	151
酢酸ナファレリン	ナサニール点鼻液	75, 96
酸化亜鉛〈チンク〉	亜鉛華単軟膏 亜鉛華軟膏 チンク油懸濁剤	94
酸化セルロース	サージセル・アブソーバブル・ヘモスタット綿型シート/ガーゼ型/ニューニット	79
三酸化ヒ素〈亜ヒ酸〉	トリセノックス注	145
シ		
ジアセチルモルヒネ〈ヘロイン〉		22
ジアゼパム	セルシン錠/散/シ/注 ホリゾン錠/散/注 ダイアップ坐	16, 18, 19 18, 19
シアナミド	シアナマイド内用液	12
シアノコバラミン	シアノコバラミン注 サンコバ点眼液	77, 104 88
ジアフェニルスルホン	レクチゾール錠 プロトゲン錠	95, 123 123
ジイソプロピルフルオロホスフェート		9

一般名	商品名	掲載頁
ジエチルカルバマジンクエン酸塩	スパトニン錠	132
ジエノゲスト	ディナゲスト錠/OD錠 ディナゲスト錠	75 101
ジギトキシン		48
ジクアホソルナトリウム	ジクアス点眼液	89
シクレソニド	オルベスコインヘラー	41, 61
シクロスポリン	ネオーラル内用液/カ サンディミュン静注/内用液 パピロックミニ点眼液	37, 92, 94 37, 94 85
ジクロフェナクナトリウム	ナボールSRカ（徐放） ボルタレン錠/SRカ（徐放）/坐 ナボールゲル/テープ/パップ ボルタレンゲル/ロ/テープ ジクロード点眼液	44 46 88
シクロフェニル	セキソビット錠	100
シクロペントラート塩酸塩	サイプレジン点眼液	7, 85
シクロホスファミド水和物	エンドキサン錠/注 エンドキサン錠/末/注	37 134
ジクロロ酢酸ジイソプロピルアミン	リバオール錠/散	69
ジゴキシン	ジゴシン錠/散/エリキシル/注	48
ジサイクロミン〈ジシクロベリン〉塩酸塩	コランチル配合顆	7
ジスチグミン臭化物	ウブレチド錠/点眼液 ウブレチド錠 ウブレチド点眼液	9 72 83, 86
L-システイン	ハイチオール錠/散	79
シスプラチン	アイエーコール動注用 ランダ注	136
ジスルフィラム	ノックビン原末	12
ジソピラミド	リスモダンカ	50
ジソピラミドリン酸塩	リスモダンP静注 リスモダンR徐放錠	50
シタグリプチンリン酸塩水和物	グラクティブ錠 ジャヌビア錠	106
シタフロキサシン水和物	グレースビット錠/細	121
シタラビン	キロサイド注/N注	135
シタラビンオクホスファート水和物	スタラシドカ	135
シチコリン	ニコリン注/H注	27
ジドブジン〈アジドチミジン：AZT〉	レトロビルカ	126
ジドロゲステロン	デュファストン錠	101
シナカルセト塩酸塩	レグパラ錠	99
ジノプロスト	プロスタルモン・F注	35, 74
ジノプロストン	プロウペス腟用 プロスタグランジンE_2錠 プロウペス腟用	35 35, 74 75
ジヒドロエルゴタミンメシル酸塩		5
ジヒドロエルゴトキシンメシル酸塩		5
ジヒドロコデインリン酸塩	ジヒドロコデインリン酸塩末/散	22, 57
ジピベフリン塩酸塩	ピバレフリン点眼液	84
ジピリダモール	ペルサンチン-Lカ ジピリダモール静注 ペルサンチン錠/静注	52 52, 80
ジファミラスト	モイゼルト軟	92
ジフェニドール塩酸塩	セファドール錠/顆	26
ジフェンヒドラミン	レスタミンク	29
ジフェンヒドラミン塩酸塩	ジフェンヒドラミン塩酸塩注 レスタミン錠	29
ジフェンヒドラミンラウリル硫酸塩	ベナパスタ軟	29
ジブカイン塩酸塩	ネオビタカイン注シリンジ プロネスパスタアロマ軟	10
ジフルコルトロン吉草酸エステル	テクスメテン軟/ユニバーサルクリーム ネリゾナ軟/ク/ユニバーサルクリーム/ソリューション	42
ジフルプレドナート	マイザー軟/ク	42
ジプロフィリン	ジプロフィリン注	49, 59, 70
シプロフロキサシン	シプロキサン錠/注	121
シプロヘプタジン塩酸塩水和物	ペリアクチン錠/散/シ	25, 30, 33
ジフロラゾン酢酸エステル	ジフラール軟/ク ダイアコート軟/ク	42

一般名	商品名	掲載頁
ジベカシン硫酸塩	パニマイシン点眼液 パニマイシン注/点眼液	86 117
シベレスタットナトリウム水和物	エラスポール注	61
シベンゾリンコハク酸塩	シベノール錠/静注	50
ジメチコン	ガスコン錠/散/ドロップ内用液	149
シメチジン	カイロック錠/細 タガメット錠/細/注	62
ジメチルイソプロピルアズレン	アズノール軟	46, 94
ジメチルフェニルピペラジニウム		9
ジメトチアジンメシル酸塩	ミグリステン錠	24, 33
ジメモルファンリン酸塩	アストミン錠/散/シ	57
ジメルカプロール	バル筋注	151
ジメンヒドリナート	トラベルミン配合錠/注 ドラマミン錠	26 26, 29, 64
ジモルホラミン	テラプチク注 テラプチク静注/皮下・筋注	25, 57 150
ジョサマイシン	ジョサマイシン錠	119
ジョサマイシンプロピオン酸エステル	ジョサマイシ/ドシ	119
シラザプリル水和物	インヒベース錠	34
ジラゼプ塩酸塩水和物	コメリアン錠	52, 80
ジルチアゼム塩酸塩	ヘルベッサー錠/R徐放カ/注	51, 55
シルデナフィルクエン酸塩	レバチオ錠/ODフィルム/懸濁用ドシ バイアグラ錠	54 76
シルニジピン	アテレック錠	55
シロシビン		18
シロスタゾール	シロスレット内服ゼリー プレタールOD錠/散	27, 81
シロドシン	ユリーフ錠/OD錠	1, 71
シロリムス〈ラパマイシン〉	ラパリムス錠	141
シンバスタチン	リポバス錠	108
次亜塩素酸ナトリウム	次亜塩液 テキサント消毒液 ヤクラックス消毒液	133
臭化カリウム	臭化カリウム末	14
消毒用エタノール	消毒用エタノール	132
スガマデクスナトリウム	ブリディオン静注	11, 150
スキサメトニウム塩化物	スキサメトニウム注 レラキシン注	11
スクラルファート水和物	アルサルミン細/液	62
スコポラミン臭化水素酸塩水和物	ハイスコ皮下注	7
スチリペントール	ディアコミットカ/ドシ	19
ストリキニーネ		25
ストレプトゾシン	ザノサー点滴静注用	134
ストレプトマイシン硫酸塩	硫酸ストレプトマイシン注	117, 122
スニチニブリンゴ酸塩	スーテントカ	141
スピペロン	スピロピタン錠	14
スピラマイシン	スピラマイシン錠	119, 131
スピラマイシン酢酸エステル	アセチルスピラマイシン錠	119, 132
スピロノラクトン	アルダクトンA錠/細	71
スプラタストトシル酸塩	アイピーディカ/ドシ	29, 60, 93
スプロフェン	スルプロチン軟/ク スレンダム軟/ク トパルジック軟/ク	46
スペクチノマイシン塩酸塩水和物	トロビシン筋注	118
スボレキサント	ベルソムラ錠	13
スマトリプタンコハク酸塩	イミグラン注/キット/錠/点鼻液	24, 33
スリンダク	クリノリル錠	44
スルコナゾール硝酸塩	エクセルダームク/液	124
スルタミシリントシル酸塩水和物	ユナシン錠/細（小児用）	113, 115
スルチアム	オスポロット錠	18
スルトプリド塩酸塩	バルネチール錠/細	15
スルバクタムナトリウム	スルペラゾン静注キット ユナシン-S静注/キット	115
スルピリド	ドグマチール錠/カ/細/筋注 ドグマチール錠/カ/細/注	15, 27, 63, 65 65
スルピリン水和物	スルピリン注	23
スルファジアジン	テラジアパスタ軟	94, 121
スルファジアジン銀	ゲーベンク	94

一般名	商品名	掲載頁
スルファメトキサゾール・トリメトプリム〈ST 合剤〉	バクタ配合錠/配合顆 バクトラミン配合錠/配合顆/注	121, 125
スルフイソキサゾール		121
セ		
セコバルビタールナトリウム	アイオナールナトリウム注	12
セチプチリンマレイン酸塩	テシプール錠	17
セチリジン塩酸塩	ジルテック錠/ドシ	31
セトチアミン〈ジセチアミン〉塩酸塩水和物	ジセタミン錠	102
セトラキサート塩酸塩	ノイエル細/カ	63
セトロレリクス酢酸塩	セトロタイド注	75, 96
セビメリン塩酸塩水和物	エボザックカ サリグレンカ	6
セファクロル	L-ケフラール顆 ケフラールカ/細（小児用）	113
セファゾリンナトリウム	セファメジンα注/キット	113
セファランチン	セファランチン錠/末/注	79
セファレキシン	L-ケフレックス顆/小児用顆 ケフレックスカ/シ用細 ラリキシン錠/小児用ドシ	113
セファロチンナトリウム	コアキシン注	113
セフィキシム	セフスパン細/カ	114
セフェピム塩酸塩水和物	マキシピーム注	114
セフォゾプラン塩酸塩	ファーストシン静注/バッグS/バッグG	114
セフォタキシムナトリウム	クラフォラン注 セフォタックス注	114
セフォチアム塩酸塩	パンスポリン筋注/静注	114
セフォペラゾンナトリウム	スルペラゾン静注用/キット	114
セフカペンピボキシル塩酸塩水和物	フロモックス錠/小児用細	114
セフジトレンピボキシル	メイアクトMS錠/MS小児用細	115
セフジニル	セフゾン細（小児用）/カ	114
セフタジジム水和物	モダシン静注	114
セフチゾキシムナトリウム	エポセリン坐	115
セフチブテン水和物	セフテムカ	114
セフテラムピボキシル	トミロン錠/細（小児用）	115
セフトリアキソンナトリウム水和物	ロセフィン静注/キット	114
セフトロザン硫酸塩	ザバクサ配合点滴静注用	114
セフピロム硫酸塩	セフピロム硫酸塩静注	114
セフポドキシムプロキセチル	バナン錠/ドシ	115
セフミノクスナトリウム水和物	メイセリン静注	114
セフメタゾールナトリウム	セフメタゾン静注用/筋注用	114
セフメノキシム塩酸塩	ベストロン点眼液 ベストロン耳科用液 ベストコール筋注/静注	86 91 114
セフロキサジン水和物	オラスポア小児用ドシ	113
セフロキシムアキセチル	オラセフ錠	114
セボフルラン	セボフレン液	12
セマグルチド	オゼンピック皮下注 リベルサス錠	106
セラトロダスト	ブロニカ錠/顆	36, 61
セリチニブ	ジカディアカ/錠	139
セリプロロール塩酸塩	セレクトール錠	2
セルトラリン塩酸塩	ジェイゾロフト錠/OD錠	17, 32
セルペルカチニブ	レットヴィモカ	140
セレキシパグ	ウプトラビ錠	54, 80
セレギリン塩酸塩	エフピーOD錠	20
セレコキシブ	セレコックス錠	45
センノシド	センノサイド顆 プルゼニド錠	67
精製白糖・ポビドンヨード配合剤	ソアナース軟/軟分包 ユーパスタ軟/軟分包	94
ソ		
ソタロール塩酸塩	ソタコール錠	51
ゾテピン	ロドピン錠/細	15
ゾニサミド	エクセグラン錠/散 トレリーフ錠/OD錠	19 20
ゾピクロン	アモバン錠	13
ソファルコン	ソロン細/錠/カ	63
ソブゾキサン	ペラゾリン細	144
ソホスブビル	ソバルディ錠	129
ソマトレリン酢酸塩	GRF注	97, 148
ソラフェニブトシル酸塩	ネクサバール錠	141
ソリフェナシンコハク酸塩	ベシケア錠/OD錠	8, 72

一般名	商品名	掲載頁
D-ソルビトール	D-ソルビトール末/液	149
ゾルピデム酒石酸塩	マイスリー錠	13
ゾルミトリプタン	ゾーミッグ錠/RM錠（口腔内速溶錠）	24, 33
ゾレドロン酸水和物	ゾメタ点滴静注	112
タ		
ダイベナミン		4
ダウノルビシン塩酸塩	ダウノマイシン静注	135
タカルシトール水和物	ボンアルファ軟/ク/ロ	93, 105
ダカルバジン	ダカルバジン注	134
タクロリムス水和物	グラセプターカ プログラフ注/カ/顆 プログラフカ タリムス点眼液 プロトピック軟	37 38, 66 85 92
ダコミチニブ水和物	ビジンプロ錠	139
ダサチニブ水和物	スプリセル錠	140
タゼメトスタット臭化水素酸塩	タズベリク錠	142
タゾバクタム	ゾシン静注	115
タダラフィル	アドシルカ錠 ザルティア錠 シアリス錠	54 71 76
ダナゾール	ボンゾール錠	75, 101
ダナパロイドナトリウム	オルガラン静注	81
ダパグリフロジンプロピレングリコール水和物	フォシーガ錠	107
ダビガトランエテキシラートメタンスルホン酸塩	プラザキサカ	82
ダプトマイシン	キュビシン静注用	120
ダブラフェニブメシル酸塩	タフィンラーカ	141
タフルプロスト	タプロス点眼液 タプロス点眼液/ミニ点眼液	35 83
ダプロデュスタット	ダーブロック錠	78
タペンタドール塩酸塩	タペンタ錠	22
タミバロテン	アムノレイク錠	104, 145
タムスロシン塩酸塩	ハルナールD錠	1, 71
タモキシフェンクエン酸塩	ノルバデックス錠	100, 137
タラポルフィンナトリウム	レザフィリン注	145
タリペキソール塩酸塩	ドミン錠	20
タルチレリン	セレジスト錠/OD錠	97
ダルテパリンナトリウム	フラグミン静注	81
ダルナビルエタノール付加物	プリジスタ錠/ナイーブ錠	127
ダロルタミド	ニュベクオ錠	138
タンドスピロンクエン酸塩	セディール錠	16, 33
ダントロレンナトリウム水和物	ダントリウムカ/静注	11
炭酸水素ナトリウム	重曹末/注/錠 炭酸水素ナトリウム末/注 メイロン静注 重曹末 炭酸水素ナトリウム末	26 58
炭酸水素ナトリウム・酒石酸合剤	バロス発泡顆/S顆	149
炭酸リチウム	リーマス錠	15
チ		
チアプリド塩酸塩	グラマリール錠/細	27
チアプロフェン酸	スルガム錠	45
チアマゾール〈MMI〉	メルカゾール錠/注	99
チアミラールナトリウム	イソゾール注 チトゾール注	12
チアミン塩化物塩酸塩	メタボリン注/G注	102
チアミンジスルフィド〈チアミノジスルフィド硝酸塩〉	チアミンジスルフィド錠 バイオゲン静注	102
チアラミド塩酸塩	ソランタール錠	45
チオクト酸	チオクト酸注	104, 150
チオテパ	リサイオ点滴静注	134
チオトロピウム臭化物水和物	スピリーバ吸入用カ/レスピマット	8, 60
チオプロニン	チオラ錠	69, 84, 151
チオペンタールナトリウム	ラボナール注	12
チオ硫酸ナトリウム水和物	デトキソール静注	151
チカグレロル	ブリリンタ錠	81
チキジウム臭化物	チアトンカ	8
チクロピジン塩酸塩	パナルジン錠/細	81
チゲサイクリン	タイガシル点滴静注用	117
チザニジン塩酸塩	テルネリン錠/顆	19
チニダゾール	ハイシジン錠/膣錠	131

一般名	商品名	掲載頁
チペピジンヒベンズ酸塩	アスベリン錠/散/ドシ/シ/調剤用シ	57
チミペロン	トロペロン錠/細/注	14
チメピジウム臭化物水和物	セスデン注/カ	8
チモロールマレイン酸塩	チモプトール点眼液/XE 点眼液	84
チラブルチニブ塩酸塩	ベレキシブル錠	140
チラミン		6
チロキサポール	アレベール吸入液	58

ツ

一般名	商品名	掲載頁
ツシジノスタット	ハイヤスタ錠	142
d-ツボクラリン		11
ツロブテロール	ホクナリンテープ	3, 59
ツロブテロール塩酸塩	ベラチン錠/ドシ ホクナリン錠/ドシ	3, 59

テ

一般名	商品名	掲載頁
テイコプラニン	タゴシッド注	116
テオフィリン	テオドール徐放錠/徐放顆/ドシ/シ ユニフィル LA 徐放錠	29, 59
テガフール	フトラフールカ/腸溶顆/注/坐	134
テガフール・ウラシル	ユーエフティ E 配合顆（腸溶）/配合カ	134
テガフール・ギメラシル・オテラシルカリウム	ティーエスワン配合カ/配合 OD 錠/配合顆	134
デカメトニウム		11
デガレリクス酢酸塩	ゴナックス皮下注用	97, 138
デキサメタゾン	アフタゾロン口腔用軟膏 オイラゾンク デキサメサゾン軟/ロ/ク サンテゾーン眼軟膏 デカドロン錠/エリキシル レナデックス錠	41 41, 43 41, 85, 87 41, 139 139
デキサメタゾン吉草酸エステル	ボアラ軟/ク	41, 42
デキサメタゾンシペシル酸エステル	エリザスカ（外用）/点鼻粉末	41
デキサメタゾンパルミチン酸エステル	リメタゾン静注	41
デキサメタゾンプロピオン酸エステル	メサデルム軟/ク/ロ	41, 42
デキサメタゾンメタスルホ安息香酸エステルナトリウム	ビジュアリン点眼液/眼科耳鼻科用液 サンテゾーン点眼液	41 41, 85, 87
デキサメタゾンリン酸エステルナトリウム	オルガドロン注/点眼・点耳・点鼻液 デカドロン注 オルガドロン点眼・点耳・点鼻液 オルガドロン注	41 41, 139 85, 87, 90 139
デキストラン硫酸ナトリウムイオウ	MDS 錠	108
デキストロメトルファン臭化水素酸塩水和物	メジコン錠/散/配合シ	57
デクスメデトミジン塩酸塩	プレセデックス静注液/シリンジ	1, 14
デクスラゾキサン	サビーン点滴静注用	146
テジゾリドリン酸エステル	シベクトロ錠/点滴静注用	120
テストステロンエナント酸エステル	エナルモンデポー筋注	101
デスフルラン	スープレン吸入麻酔液	12
デスモプレシン酢酸塩水和物	デスモプレシンス ミニリンメルト OD 錠 デスモプレシン点鼻液/ス/注	73 73, 99 99
デスラノシド	ジギラノゲン注	48
デスロラタジン	デザレックス錠	31
テトラエチルピロホスフェート		9
テトラカイン塩酸塩	テトカイン注	10
テトラコサクチド酢酸塩	コートロシン注 コートロシン注/Z 注	38 98
テトラコサクチド酢酸塩（亜鉛懸濁液）	コートロシン Z 注	38
テトラサイクリン塩酸塩	アクロマイシン V カ/末/軟/トローチ	117
テトラヒドロカンナビノール		18
テトラヒドロゾリン塩酸塩	コールタイジン点鼻液	2, 90
テトラベナジン	コレアジン錠	21
テトロドトキシン		11
テネリグリプチン臭化水素酸塩水和物	テネリア錠	106
デノパミン	カルグート錠/細	2, 48
テノホビル アラフェナミドフマル酸塩	ベムリディ錠	128
テノホビル ジソプロキシルフマル酸塩〈TDF〉	ビリアード錠 テノゼット錠	126 128
デヒドロコール酸	デヒドロコール酸注	68
テビペネムピボキシル	オラペネム小児用細	115
デフェラシロクス	ジャドニュ顆	151
デフェロキサミンメシル酸塩	デスフェラール注	151
テプレノン	セルベックス細/カ	63
デプロドンプロピオン酸エステル	エクラー軟/ク/ロ/プラスター	42
テポチニブ塩酸塩水和物	テプミトコ錠	140
テムシロリムス	トーリセル点滴静注用液	141
デメチルクロルテトラサイクリン塩酸塩	レダマイシンカ	117
テモカプリル塩酸塩	エースコール錠	34
テモゾロミド	テモダール点滴静注/カ	134
デュタステリド	アボルブカ ザガーロカ	71, 102 102
デュロキセチン塩酸塩	サインバルタカ	17, 32, 107
テラゾシン塩酸塩水和物	ハイトラシン錠 バソメット錠	1, 71
デラプリル塩酸塩	アデカット錠	34
デラマニド	デルティバ錠	122
テリパラチド	フォルテオ皮下注キット	99, 111
テリパラチド酢酸塩	テリボン皮下注用/皮下注オートインジェクター テリパラチド酢酸塩静注用	99, 111 99, 147
デルクステカン	エンハーツ点滴静注用	143
デルゴシチニブ	コレクチム軟	93
テルビナフィン塩酸塩	ラミシール錠/ク/外用液/外用ス	124
テルフェナジン		31
テルブタリン硫酸塩	ブリカニール錠/シ/皮下注	3, 58
テルミサルタン	ミカルディス錠	34
デンプン部分加水分解物	トレーラン G 液	147

ト

一般名	商品名	掲載頁
ドカルパミン	タナドーパ顆	2, 48
ドキサゾシンメシル酸塩	カルデナリン錠/OD 錠	1
ドキサプラム塩酸塩水和物	ドプラム注	25, 57, 150
ドキシサイクリン塩酸塩水和物	ビブラマイシン錠	117
ドキシフルリジン	フルツロンカ	134
ドキソルビシン〈アドリアマイシン〉塩酸塩	アドリアシン注 ドキシル注	135
トコフェロール酢酸エステル	ユベラ錠/顆	105
トコフェロールニコチン酸エステル〈ニコチン酸 *dl*-α-トコフェロール〉	ユベラ N カ/ソフトカ/細 ユベラ N カ/ソフトカ	53, 108 105
トコン（有効成分エメチン，セファエリン）	トコンシ	64
トスフロキサシントシル酸塩水和物	オゼックス点眼液 トスフロ点眼液 オゼックス錠/錠（小児用）/細粒小児用 トスキサシン錠	87 121
ドスレピン塩酸塩	プロチアデン錠	17
ドセタキセル水和物	タキソテール点滴静注 ワンタキソテール点滴静注	137
ドチヌラド	ユリス錠	110
ドネペジル塩酸塩	アリセプト錠/D 錠/細/内服ゼリー/ドシ	9, 28
ドパミン塩酸塩	イノバン注/シリンジ カコージン注/D 注	2, 48, 56
トピラマート	トピナ錠/細 トピナ錠	19 24
トピロキソスタット	ウリアデック錠 トピロリック錠	110
トファシチニブクエン酸塩	ゼルヤンツ錠	39, 66
トフィソパム	グランダキシン錠/細	16, 25
ドブタミン塩酸塩	ドブトレックス注/キット点滴注 ドブポンシリンジ	2, 48, 56
トブラマイシン	トブラシン点眼液 トービイ吸入液 トブラシン注	86 117
トホグリフロジン水和物	アプルウェイ錠 デベルザ錠	107
トラスツズマブ エムタンシン	カドサイラ点滴静注用	143
トラセミド	ルプラック錠	70
トラゾドン塩酸塩	デジレル錠 レスリン錠	17, 32
トラゾリン塩酸塩		4, 53

一般名

一般名	商品名	掲載頁
トラニラスト	リザベンカ/細/ドシ/点眼液 リザベンカ/細/ドシ トラメラス点眼液/PF 点眼液 リザベン点眼液	29 60, 93 84
トラネキサム酸	トランサミン錠/カ/散/シ/注	79
トラピジル	ロコルナール錠/細	52
ドラビリン	ピフェルトロ錠	126
トラベクテジン	ヨンデリス点滴静注用	144
トラボプロスト	トラバタンズ点眼液	35, 83
トラマゾリン塩酸塩	トラマゾリン点鼻液	2, 90
トラマドール塩酸塩	ツートラム錠 トラマール OD 錠/注 ワントラム錠	22
トラメチニブ ジメチルスルホキシド付加物	メキニスト錠	141
トランドラプリル	オドリック錠	34
トリアゾラム	ハルシオン錠	13
トリアムシノロン	レダコート錠	40
トリアムシノロンアセトニド	アフタッチ貼付錠 オルテクサー口腔用軟膏 ケナコルト-A 筋注用/皮内用 レダコート軟 トリシノロンゲル/ク レダコート軟/ク マキュエイド硝子体内注用	40 43 90
トリアムテレン	トリテレンカ	71
トリエンチン塩酸塩	メタライトカ	151
トリクロホスナトリウム	トリクロリールシ	13
トリクロルメチアジド	フルイトラン錠	70
トリパミド	ノルモナール錠	70
トリフルリジン＋チピラシル塩酸塩	ロンサーフ配合錠	134
トリヘキシフェニジル塩酸塩	トレミン錠/散 アーテン錠/散	7 7, 21
ドリペネム水和物	フィニバックス点滴静注用/キット	115
トリミプラミンマレイン酸塩	スルモンチール錠/散	17
トリメタジオン	ミノアレ散	18
トリメタジジン塩酸塩	バスタレル F 錠	52
トリメタファン		9
トリメトキノール塩酸塩水和物	イノリン錠/散/シ/吸入液	3, 58
トリメブチンマレイン酸塩	セレキノン錠	66
ドルゾラミド塩酸塩	トルソプト点眼液	84
ドルテグラビルナトリウム	テビケイ錠	127
トルテロジン酒石酸塩	デトルシトールカ	7, 72
トルナフタート	ハイアラージン軟/外用液	124
トルバプタン	サムスカ顆/OD 錠 サムスカ錠/OD 錠/顆	71 99
トルブタミド		105
トレチノイン	ベサノイドカ	104, 145
トレチノイントコフェリル〈トコレチナート〉	オルセノン軟	94, 104, 105
トレピブトン	スパカール錠/細	67, 68
トレプロスチニル	トレプロスト注	36, 54, 80
トレミフェンクエン酸塩	フェアストン錠	100, 137
トレラグリプチンコハク酸塩	ザファテック錠	106
ドロキシドパ	ドプス OD 錠/細	6, 21, 56
トロキシピド	アプレース錠/細	63
ドロスピレノン	ヤーズ配合錠 ヤーズフレックス配合錠	101
トロピカミド	ミドリン M 点眼液	7, 85
ドロペリドール	ドロレプタン注	12
ドンペリドン	ナウゼリン錠/OD 錠/細/ドシ/坐	65
ナ		
ナイトロジェンマスタード		134
ナジフロキサシン	アクアチム軟/ク/ロ	91
ナテグリニド	スターシス錠 ファスティック錠	106
ナドロール	ナディック錠	4
ナファゾリン硝酸塩	プリビナ液/点眼液 プリビナ点眼液 プリビナ液	4 88 90
ナファモスタットメシル酸塩	フサン注	69, 82
ナフトピジル	フリバス錠/OD 錠	1, 71
ナブメトン	レリフェン錠	44
ナプロキセン	ナイキサン錠	24, 45
ナラトリプタン塩酸塩	アマージ錠	24, 33

一般名	商品名	掲載頁
ナルデメジントシル酸塩	スインプロイク錠	23, 68
ナルフラフィン塩酸塩	レミッチカ/OD 錠	23
ナルメフェン塩酸塩水和物	セリンクロ錠	12
ナロキソン塩酸塩	ナロキソン塩酸塩静注	23, 57, 150
ニ		
ニカルジピン塩酸塩	ペルジピン錠/散/LA 徐放カ/注	55
ニコチン	ニコチネル TTS 貼	9
ニコチン酸	ナイクリン注	26, 53, 92, 103
ニコチン酸アミド	ニコチン酸アミド散	26, 53, 103
ニコモール	コレキサミン錠	53, 108
ニコランジル	シグマート錠/注	51
ニザチジン	アシノン錠	62
ニセリトロール	ペリシット錠	53, 108
ニセルゴリン	サアミオン錠/散	27
ニトラゼパム	ネルボン錠/散 ベンザリン錠/細	13, 18
ニトレンジピン	バイロテンシン錠	55
ニトログリセリン	ニトロダーム TTS 貼 ニトロペン舌下錠 バソレーター注/テープ ミオコールス ミリステープ貼 ミリスロール注 ミリスロール冠動注用	51 149
ニトロプルシドナトリウム水和物	ニトプロ持続静注	56
ニフェカラント塩酸塩	シンビット静注	51
ニフェジピン	アダラート L 徐放錠/カ/CR 徐放錠 セパミット細/R 徐放カ/R 徐放細	55
ニプラジロール	ハイパジール錠/点眼液 ニプラノール点眼液 ハイパジール点眼液	5 5, 83 83
ニムスチン塩酸塩	ニドラン注	134
ニラパリブトシル酸塩水和物	ゼジューラ錠/カ	142
ニルバジピン	ニバジール錠	55
ニロチニブ塩酸塩水和物	タシグナカ	140
ニンテダニブエタンスルホン酸塩	オフェブカ	61
二硝酸イソソルビド	ニトロール錠/R カ/注/バッグ/シリンジ/ス フランドル錠/テープ	51
尿素	ウレパールク/ロ ケラチナミンク パスタロンソフト軟/ク/ロ	93
尿素〈^{13}C〉	ピロニック錠 ユービット錠	147
ネ		
ネオスチグミン臭化物	ワゴスチグミン散	9, 72
ネオスチグミンメチル硫酸塩	ワゴスチグミン注	9, 72
ネオスチグミンメチル硫酸塩・アトロピン硫酸塩水和物	アトワゴリバース静注	150
ネオスチグミンメチル硫酸塩・無機塩類配合剤液	ミオピン点眼液	86
ネダプラチン	アクプラ静注用	136
ネチコナゾール塩酸塩	アトラント軟/ク/液	124
ネパフェナク	ネバナック点眼液	44, 88
ネビラピン	ビラミューン錠	126
ネモナプリド	エミレース錠	15
ネララビン	アラノンジー静注	135
ノ		
ノイロトロピン	ノイロトロピン錠/注	24
ノギテカン塩酸塩	ハイカムチン注	137
ノスカピン	ノスカピン末	57
ノルアドレナリン	ノルアドレナリン注	5, 48, 56
ノルエチステロン	ノアルテン錠	101
ノルトリプチリン塩酸塩	ノリトレン錠	17
ノルフロキサシン	ノフロ点眼液 バクシダール点眼液 バクシダール錠	87 121
ハ		
バカンピシリン塩酸塩	ペングッド錠	113
パクリタキセル	アブラキサン点滴静注 タキソール注	137
バクロフェン	ギャバロン錠/髄注 リオレサール錠	19
バシトラシン	バラマイシン軟	116
パシレオチドパモ酸塩	シグニフォー LAR 筋注用キット	98

一般名	商品名	掲載頁
パズフロキサシンメシル酸塩	パシル点滴静注 パズクロス点滴静注	121
バゼドキシフェン酢酸塩	ビビアント錠	111
パゾパニブ塩酸塩	ヴォトリエント錠	141
バダデュスタット	バフセオ錠	78
パニペネム	カルベニン点滴用	115
パノビノスタット乳酸塩	ファリーダックカ	142
パパベリン塩酸塩	パパベリン塩酸塩末/散/注 パパベリン塩酸塩注	67 68
パミドロン酸二ナトリウム水和物	パミドロン酸二 Na 点滴静注用	112
パラアミノサリチル酸カルシウム水和物	ニッパスカルシウム顆	122
パラアミノ馬尿酸ナトリウム水和物	パラアミノ馬尿酸ソーダ注	148
バラシクロビル塩酸塩	バルトレックス錠/顆	127
パラチオン		9
パリシチニブ	オルミエント錠	39
パリペリドン	インヴェガ錠	15
パリペリドンパルミチン酸エステル	ゼプリオン水懸筋注	15
バルガンシクロビル塩酸塩	バリキサ錠/ドシ	128
バルサルタン	ディオバン錠/OD 錠	34
バルデナフィル塩酸塩水和物	レビトラ錠	76
パルナパリンナトリウム	ローヘパバイアル注/シリンジ注	81
バルニジピン塩酸塩	ヒポカ徐放カ	55
バルプロ酸ナトリウム	セレニカ R 徐放錠/徐放顆 デパケン錠/R 錠/細/シ	18, 24
パルボシクリブ	イブランスカ/錠	140
ハロキサゾラム	ソメリン錠/細	13
バロキサビル マルボキシル	ゾフルーザ錠/顆	130
パロキセチン塩酸塩水和物	パキシル錠/CR 錠	17, 32
ハロタン		12
パロノセトロン塩酸塩	アロキシ静注 アロキシ静注/バッグ	33 64
ハロペリドール	セレネース錠/細/内服液/注	14
ハロペリドールデカン酸エステル	ネオペリドール注 ハロマンス注	14
パロモマイシン硫酸塩	アメパロモカ	131
バンコマイシン塩酸塩	バンコマイシン眼軟膏 塩酸バンコマイシン点滴静注/散	86 116
バンデタニブ	カプレルサ錠	141
パンテチン	パントシン錠/散/細/注	92, 103, 109
パンテノール	パントール注	92, 103
パントテン酸カルシウム	パントテン酸カルシウム散	92, 103

ヒ

一般名	商品名	掲載頁
ビアペネム	オメガシン点滴用/バッグ	115
ヒアルロン酸ナトリウム	アルツ関節注/ディスポ サイビスク関節注 スベニール関節注/ディスポ オペガン液/ハイ液 オペリード液/HV 液 ヒアレイン点眼液/ミニ点眼液 ヒーロン眼粘弾液	39 89
ピオグリタゾン塩酸塩	アクトス錠/OD 錠	107
ビオチン〈ビタミン H〉	ビオチン散/ドシ/注	92, 104
ビガバトリン	サブリル散	19
ビカルタミド	カソデックス錠	102, 138
ピククリン		25
ピクロトキシン		25
ピコスルファートナトリウム水和物	スナイリンドシ ピコダルム顆 ラキソベロン錠/内用液	67
ビサコジル	テレミンソフト坐	67
ヒスタミン二塩酸塩	ヒスタミン二塩酸塩液	147
ビスベンチアミン	ベストン糖衣錠	102
ビソプロロール	ビソノテープ貼	2
ビソプロロールフマル酸塩	メインテート錠	2
ピタバスタチンカルシウム	リバロ錠/OD 錠	108
ビタミン B_6	ビーシックス注 ビタミン B_6 散/錠	150
ビタミン K	ケイツー N 静注	150
ビダラビン	アラセナ-A 軟/ク アラセナ-A 点滴静注/軟/ク	95 127
ヒドララジン	アプレゾリン錠/散/注	55
ヒドロキシカルバミド	ハイドレアカ	135
ヒドロキシジン塩酸塩	アタラックス錠/P 注	17, 25, 30
ヒドロキシジンパモ酸塩	アタラックス P カ/散/ドシ/シ	17, 25, 30
ヒドロキシプロゲステロンカプロン酸エステル	プロゲデポー筋注	101
ヒドロキソコバラミン酢酸塩	フレスミン S 注	77, 104
ヒドロクロロチアジド	ヒドロクロロチアジド錠/OD 錠	70
ヒドロコルチゾン	エキザルベ軟 オイラックス H ク コートリル錠 テラ・コートリル軟	40
ヒドロコルチゾンコハク酸エステルナトリウム	ソル・コーテフ注/静注	40
ヒドロコルチゾン酢酸エステル	強力レスタミンコーチゾンコーワ軟 デスパコーワ口腔用ク	40
ヒドロコルチゾン酪酸エステル	ロコイド軟/ク	40, 43
ヒドロコルチゾン酪酸プロピオン酸エステル	パンデル軟/ク/ロ	40, 42
ヒドロコルチゾンリン酸エステルナトリウム	水溶性ハイドロコートン注	40
ヒドロモルフォン塩酸塩	ナルサス徐放錠 ナルベイン注 ナルラピド錠	22
ビニメチニブ	メクトビ錠	141
ビノレルビン酒石酸塩	ナベルビン注	136
ビベグロン	ベオーバ錠	4, 72
ピペミド酸水和物	ドルコール錠	120
ピペラシリンナトリウム	ペントシリン注/バッグ	113
ピペリジノアセチルアミノ安息香酸エチル	スルカイン錠	10, 64
ビペリデン塩酸塩	タスモリン錠/細/注 アキネトン錠/細/注	7 7, 21
ピペリドレート塩酸塩	ダクチラン錠 ダクチル錠	7, 74
ビホナゾール	マイコスポール外用液/ク	124
ビマトプロスト	ルミガン点眼液 グラッシュビスタ外用液	35, 83 90
ピマリシン	ピマリシン点眼液/眼軟膏	87
ピモベンダン	アカルディカ	49
ピラジナミド	ピラマイド末	122
ビラスチン	ビラノア錠	31
ピラルビシン	テラルビシン注 ピノルビン注	135
ピランテルパモ酸塩	コンバントリン錠/ドシ	131
ビランテロールトリフェニル酢酸塩	アノーロエリプタ レルベアエリプタ	3, 59
ピリドキサールリン酸エステル水和物	ピドキサール錠/注	78, 92, 103
ピリドキシン塩酸塩	ビーシックス注 ビタミン B_6 散/錠	78, 92, 103
ピリドスチグミン臭化物	メスチノン錠	9
ピルシカイニド塩酸塩水和物	サンリズムカ/注	50
ビルダグリプチン	エクア錠	106
ピルフェニドン	ピレスパ錠	61
ピルメノール塩酸塩水和物	ピメノールカ	50
ピレノキシン	カタリン点眼用（錠)/K 点眼用（顆） ピレノキシン懸濁性点眼液	84
ピレンゼピン塩酸塩水和物	ガストロゼピン錠	7, 62
ピロカルピン塩酸塩	サラジェン錠/顆 サンピロ点眼液	6 6, 83, 86
ピロキシカム	バキソカ/坐 バキソ軟 フェルデン軟	45 46
ピロヘプチン塩酸塩	トリモール錠/細	7, 21
ビンクリスチン硫酸塩	オンコビン注	136
ビンデシン硫酸塩	フィルデシン注	136
ピンドロール	カルビスケン錠 ブロクリン L 徐放カ	4
ビンブラスチン硫酸塩	エクザール注	136

フ

一般名	商品名	掲載頁
ファスジル塩酸塩水和物	エリル点滴静注	27
ファドロゾール		137
ファビピラビル	アビガン錠	130
ファムシクロビル	ファムビル錠	127
ファモチジン	ガスター錠/散/注/D 錠	62

一般名	商品名	掲載頁
ファレカルシトリオール	フルスタン錠 ホーネル錠	105
ファロペネムナトリウム水和物	ファロム錠/ドシ小児用	115
フィゾスチグミン		9
フィダキソマイシン	ダフクリア錠	120
フィトナジオン	カチーフN錠/散 ケーワン錠 ビタミンK_1注	79, 105
フィナステリド	プロペシア錠	102
フィルゴチニブ	ジセレカ錠	39
フェキソフェナジン塩酸塩	アレグラ錠/OD錠/ドシ	31
フェソテロジンフマル酸塩	トビエース錠	7, 72
フェナセチン		23
フェニトイン	アレビアチン錠/散/注 ヒダントール錠/散	18, 50
フェニトインナトリウム	アレビアチン注	150
フェニレフリン塩酸塩	ネオシネジンコーワ注/点眼液 ネオシネジン注 ネオシネジンコーワ点眼液	1 56 85
フェノール	フェノール水	133
フェノールスルホンフタレイン	フェノールスルホンフタレイン注	148
フェノキシベンザミン		4
フェノテロール臭化水素酸塩	ベロテックシ/エロゾル	3, 59
フェノトリン	スミスリンロ	95
フェノバルビタール	フェノバール散/末/錠/注/エリキシル フェノバルビタール散/末	13, 18
フェノバルビタールナトリウム	ノーベルバール静注用 ルピアール坐 ワコビタール坐 ノーベルバール静注用	13 13, 18 18
フェノフィブラート	トライコアカ リピディルカ	108
フェブキソスタット	フェブリク錠	110
フェルビナク	セルタッチパップ/テープ ナパゲルン軟/ロ/ク	46
フェロジピン	スプレンジール錠	55
フェンシクリジン		18
フェンタニル	デュロテップMTパッチ貼 ワンデュロパッチ貼	22
フェンタニルクエン酸塩	アブストラル舌下錠 イーフェンバッカル錠 フェンタニル注 フェントステープ貼	22
フェントラミンメシル酸塩	レギチーン注	4, 147
フェンブフェン		44
フォロデシン塩酸塩	ムンデシンカ	135
フォンダパリヌクスナトリウム	アリクストラ皮下注	82
ブクラデシンナトリウム	アクトシン注 アクトシン軟	49 94
ブコローム	パラミヂンカ	45, 110
フシジン酸ナトリウム	フシジンレオ軟	119
ブシラミン	リマチル錠	38
ブスルファン	ブスルフェクス点滴静注 マブリン散	134
ブセレリン酢酸塩	スプレキュア点鼻液 スプレキュアMP皮下注 スプレキュア点鼻液/MP皮下注用	75 96
フタラール	ディスオーパ消毒液	132
ブチルスコポラミン臭化物	ブスコパン錠/注	8
ブデソニド	パルミコート吸入液/タービュヘイラー ゼンタコートカ レクタブル注腸	41, 61 41, 66
ブテナフィン塩酸塩	ボレー外用液/ク/ス メンタックス外用液/ク/ス	124
ブトキサミン		3
フドステイン	クリアナール錠/内用液 スペリア錠/内用液	58
ブトロピウム臭化物	コリオパン錠/顆/カ	8
ブナゾシン塩酸塩	デタントール錠/R徐放錠/点眼液 デタントール点眼液	1 83
ブピバカイン塩酸塩水和物	マーカイン注/注脊椎用	10
ブフェトロール塩酸塩	アドビオール錠	4
ブプレノルフィン	ノルスパンテープ貼	22

一般名	商品名	掲載頁
ブプレノルフィン塩酸塩	レペタン注/坐	22
ブホルミン塩酸塩	ジベトス錠	107
フマル酸第一鉄	フェルム徐カ	77
ブメタニド	ルネトロン錠/注	70
フラジオマイシン硫酸塩	ネオメドロールEE軟 リンデロンA点眼・点鼻液/眼・耳科用軟膏 ソフラチュール貼 デンターグル含嗽用散	86 118
プラジカンテル	ビルトリシド錠	132
プラスグレル塩酸塩	エフィエント錠	81
プラステロン硫酸エステルナトリウム水和物	レボスパ静注	75
プラゾシン塩酸塩	ミニプレス錠	1, 71
プラノプロフェン	ニフラン錠/点眼薬 ニフラン点眼液	45 88
プラバスタチンナトリウム	メバロチン錠/細	108
フラビンアデニンジヌクレオチドナトリウム	FAD点眼液 フラビタン眼軟膏/点眼液 フラッド注 フラビタン錠/シ/注	88 92 92, 103
フラボキサート塩酸塩	ブラダロン錠	72
プラミペキソール塩酸塩水和物	ミラペックスLA錠 ビ・シフロール錠	20 20, 21
プララトレキサート	ジフォルタ注射液	134
プラリドキシムヨウ化物	パム静注	150
プラルモレリン塩酸塩	GHRP注	97, 148
プランルカスト水和物	オノンカ/ドシ	36, 61, 90
プリジノールメシル酸塩	ロキシーン錠/注	19
プリマキンリン酸塩	プリマキン錠	131
プリミドン	プリミドン錠/細	18
ブリモニジン酒石酸塩	アイファガン点眼液	1, 83
ブリンゾラミド	エイゾプト点眼液	84
フルオシノニド	シマロン軟/ク/ゲル トプシム軟/ク/Eク/ロ/ス	42
フルオシノロンアセトニド	フルコート軟/ク/外用液/ス	42
フルオレセイン	フルオレサイト静注	147
フルオレセインナトリウム	フローレス眼検査用試験紙	147
フルオロウラシル	5-FU錠/注/軟	134
フルオロメトロン	オドメール点眼液 フルメトロン点眼液	41, 85, 87
フルコナゾール	ジフルカン静注/カ/ドシ	123
フルジアゼパム	エリスパン錠	16
フルシトシン	アンコチル錠	125
フルスルチアミン（塩酸塩）	アリナミンF糖衣錠/注	103
フルタゾラム	コレミナール錠/細	16
フルタミド	オダイン錠	102, 138
フルダラビンリン酸エステル	フルダラ静注/錠	135
フルチカゾンフランカルボン酸エステル	アラミスト点鼻液 アニュイティエリプタ	41 41, 61
フルチカゾンプロピオン酸エステル	フルタイドエアゾール/ディスカス/ロタディスク フルナーゼ点鼻液	41, 61 41, 90
フルトプラゼパム	レスタス錠	16
フルドロキシコルチド	ドレニゾンテープ	41
フルドロコルチゾン酢酸エステル	フロリネフ錠	40
フルニトラゼパム	サイレース錠/注	13
フルバスタチンナトリウム	ローコール錠	108
フルフェナジンデカン酸エステル	フルデカシン筋注	14
フルフェナジンマレイン酸塩	フルメジン糖衣錠/散	14
フルフェナム酸アルミニウム	オパイリン錠	45
フルベストラント	フェソロデックス筋注	137
フルボキサミンマレイン酸塩	デプロメール錠 ルボックス錠	17, 32
フルマゼニル	アネキセート注	57, 150
フルラゼパム塩酸塩	ダルメートカ	13
プルリフロキサシン	スオード錠	121
フルルビプロフェン	フロベン錠/顆 アドフィードパップ	45 46
フルルビプロフェンアキセチル	ロピオン静注	45
ブレオマイシン塩酸塩	ブレオ注 ブレオ注/S軟	95 136
ブレオマイシン硫酸塩	ブレオS軟	95

一般名	商品名	掲載頁
フレカイニド酢酸塩	タンボコール錠/細/静注	50
プレガバリン	リリカカ/OD錠	24, 107
ブレクスピプラゾール	レキサルティ錠	15
プレグナンジオール	ジオール錠	91
プレドニゾロン	プレドニゾロン錠/散/軟 プレドニン錠 プレドニゾロン軟/ク プレドニゾロン錠/散	40 40, 66, 139 43 139
プレドニゾロン吉草酸酢酸エステル	リドメックスコーワ軟/ク/ロ	40, 43
プレドニゾロンコハク酸エステルナトリウム	水溶性プレドニン注	40
プレドニゾロン酢酸エステル	プレドニン眼軟膏	40, 85, 87
プレドニゾロンリン酸エステルナトリウム	プレドネマ注腸	40, 66
ブレンツキシマブ ベドチン	アドセトリス点滴静注用	144
プロカインアミド塩酸塩	アミサリン錠/注	50
プロカイン塩酸塩	プロカイン塩酸塩末/注 プロカニン注 ロカイン注	10
プロカテロール塩酸塩水和物	メプチン錠/ミニ錠/顆/シ/ドシ/吸入液/キッドエアー/エアー/スイングヘラー	3, 59
プロカルバジン塩酸塩	塩酸プロカルバジンカ	144
プロキシフィリン	モノフィリン錠/末/注	49, 59, 70
プログルミド		62
プログルメタシンマレイン酸塩	ミリダシン錠	44
プロクロルペラジンマレイン酸塩	ノバミン錠	14
プロクロルペラジンメシル酸塩	ノバミン筋注 ノバミン錠/筋注	14 65
プロゲステロン	プロゲホルモン筋注 ウトロゲスタン膣カ ルティナス膣錠 ルテウム膣錠 ワンクリノン膣ゲル	74, 101 101
プロスルチアミン	アリナミン注	103
フロセミド	ラシックス錠/細/注	70
プロタミン硫酸塩	ノボ・硫酸プロタミン静注用	150
ブロチゾラム	レンドルミン錠/D錠	13
プロチレリン	TRH注	97, 148
プロチレリン酒石酸塩水和物	ヒルトニン注	27, 97, 148
プロトポルフィリン二ナトリウム	プロトポルト錠	69
プロナーゼ	ガスチーム散 プロナーゼMS散	149
ブロナンセリン	ロナセン錠/散/テープ	15
プロパゲルマニウム	セロシオンカ	129
プロパフェノン塩酸塩	プロノン錠	50
プロパンテリン臭化物	プロ・バンサイン錠	8, 72
プロピトカイン	エムラク/パッチ シタネスト-オクタプレシン歯科用カートリッジ注	10
プロピベリン塩酸塩	バップフォー錠/細	7, 72
プロピルチオウラシル〈PTU〉	チウラジール錠 プロパジール錠	99
プロフェナミン塩酸塩	パーキン錠	7
プロフェナミンヒベンズ酸塩	パーキン散	7
プロブコール	シンレスタール錠/細 ロレルコ錠	109
プロプラノロール塩酸塩	インデラル錠/注	4, 24
フロプロピオン	コスパノン錠/カ	67, 68
プロベネシド	ベネシッド錠	110
プロペリシアジン	ニューレプチル錠/細/内服液	14
プロポフォール	ディプリバン注/キット	12
ブロマゼパム	ブロマゼパム錠/細/坐 レキソタン錠/細	16
ブロムフェナクナトリウム水和物	ブロナック点眼液	88
ブロムヘキシン塩酸塩	ビソルボン錠/細/吸入液/注	58
ブロムペリドール	インプロメン錠/細	14
プロメタジン塩酸塩	ヒベルナ糖衣錠/散/注 ピレチア錠/細	21, 26, 30, 64

一般名	商品名	掲載頁
フロモキセフナトリウム	フルマリン静注/キット	114
ブロモクリプチンメシル酸塩	パーロデル錠	20, 98
ブロモバレリル尿素	ブロバリン末 ブロムワレリル尿素末	13
ヘキサシアノ鉄（Ⅱ）酸鉄（Ⅲ）水和物	ラディオガルダーゼカ	151
ヘキサメトニウム		9
ベキサロテン	タルグレチンカ	145
ベクロニウム臭化物	ベクロニウム静注	11
ベクロメタゾンプロピオン酸エステル	サルコート口腔噴霧カ リノコート鼻用パウダースプレー キュバールエアゾール リノコート鼻用吸入カ/パウダースプレー鼻用	41 41, 61 90
ベザフィブラート	ベザトールSR徐放錠	108
ベタキソロール塩酸塩	ケルロング錠 ベトプティック点眼液/エス懸濁性点眼液	2 84
ベダキリンフマル酸塩	サチュロ錠	122
ベタネコール塩化物	ベサコリン散	6, 65, 72
ベタヒスチンメシル酸塩	メリスロン錠	26
ベタメタゾン	リンデロン坐	41, 66
ベタメタゾン吉草酸エステル	ベトネベート軟/ク リンデロンV軟/ク/ロ	41, 42
ベタメタゾンジプロピオン酸エステル	リンデロンDP軟/ク/ゾル	41, 42
ベタメタゾン酪酸エステルプロピオン酸エステル	アンテベート軟/ク/ロ	41, 42
ベタメタゾンリン酸エステルナトリウム	リンデロン散/錠/シ/注/点眼・点耳・点鼻液 ステロネマ注腸 サンベタゾン眼耳鼻科用液 リノロサール眼耳鼻科用液 リンデロン点眼・点耳・点鼻液	41 41, 66 85, 87
ペチジン塩酸塩	ペチジン塩酸塩注	22
ベナゼプリル塩酸塩	チバセン錠	34
ベニジピン塩酸塩	コニール錠	55
ペニシラミン〈D-ペニシラミン〉	メタルカプターゼカ	38, 151
ベネキサート塩酸塩ベータデクス	ウルグートカ	63
ベネトクラクス	ベネクレクスタ錠	142
ヘパリンカルシウム	ヘパリンCa皮下注/注 ヘパリンカルシウム注	81
ヘパリンナトリウム	ヘパフラッシュシリンジ注 ヘパリンNaロック用シリンジ注 ヘパリンナトリウム注	81
ベバントロール塩酸塩	カルバン錠	5
ペフィシチニブ臭化水素酸塩	スマイラフ錠	39
ベプリジル塩酸塩水和物	ベプリコール錠	51
ヘプロニカート	ヘプロニカート錠	53
ペプロマイシン硫酸塩	ペプレオ注	136
ベポタスチンベシル酸塩	タリオン錠/OD錠	31
ペマフィブラート	パルモディア錠	108
ペミロラストカリウム	アレギサール錠/ドシ/点眼液 ペミラストン錠/ドシ/点眼液 アレギサール錠/ドシ ペミラストン錠/ドシ アレギサール点眼液 ペミラストン点眼液	29 60 84
ベムラフェニブ	ゼルボラフ錠	141
ペメグリド		25, 147
ペメトレキセドナトリウム水和物	アリムタ注	134
ペモリン	ベタナミン錠	24
ベラパミル塩酸塩	ワソラン錠/静注	51
ベラプロストナトリウム	ドルナー錠 プロサイリン錠 ケアロードLA錠 ベラサスLA錠	36, 53, 54, 80 36, 54, 80
ペラミビル水和物	ラピアクタ点滴用バッグ/点滴用バイアル	130
ペランパネル水和物	フィコンパ錠/細	19
ペリンドプリルエルブミン	コバシル錠	34
ベルイシグアト	ベリキューボ錠	49
ペルゴリドメシル酸塩	ペルマックス錠	20
ベルテポルフィン	ビスダイン静注用	89

一般名	商品名	掲載頁
ベルパタスビル	エプクルーサ配合錠	129
ペルフェナジン	トリラホン錠/散	14, 26, 65
ペルフェナジン塩酸塩	ピーゼットシー筋注	14, 26, 65
ペルフェナジンフェンジゾ酸塩	ピーゼットシー散	14, 26, 65
ペルフェナジンマレイン酸塩	ピーゼットシー糖衣錠	14, 26, 65
ベルベリン塩化物水和物	キョウベリン錠	67
ヘレニエン	アダプチノール錠	88, 104
ペロスピロン塩酸塩水和物	ルーラン錠	15
ベンザルコニウム塩化物	塩化ベンザルコニウム液 オスバン消毒液 逆性石ケン液 ザルコニン液 ヂアミトール水	133
ベンジルペニシリンカリウム	ペニシリンGカリウム注	113
ベンジルペニシリンベンザチン水和物	バイシリンG顆 ステルイズ水性懸濁筋注	113, 132 132
ベンズブロマロン	ムイロジン細 ユリノーム錠	110
ベンゼトニウム塩化物	エンゼトニン液 ハイアミン液 ベゼトン液	133
ベンセラジド塩酸塩	イーシー・ドパール配合錠 ネオドパゾール配合錠 マドパー配合錠	20
ベンダザック	ジルダザック軟	46
ペンタゾシン	ソセゴン注	22
ペンタゾシン塩酸塩	ソセゴン錠	22
ペンタミジンイセチオン酸塩	ベナンバックス注	125
ベンダムスチン塩酸塩	トレアキシン点滴静注	134
ベンチルヒドロクロロチアジド	ベハイド錠	70
ペンチレンテトラゾール〈ペンテトラゾール〉		25
ベンチロミド	膵外分泌機能検査用PFD内服液	148
ペンテト酸亜鉛三ナトリウム	アエントリペンタート静注	151
ペンテト酸カルシウム三ナトリウム	ジトリペンタートカル静注	151
ペントキシベリンクエン酸塩	ペントキシベリンクエン酸塩錠	57
ペントスタチン	コホリン注	135
ペントバルビタールカルシウム	ラボナ錠	12
ベンフォチアミン	ベンフォチアミン錠	102
ベンプロペリンリン酸塩	フラベリック錠	57
ベンラファキシン塩酸塩	イフェクサーSRカ	17, 32

ホ

一般名	商品名	掲載頁
ボグリボース	ベイスン錠/OD錠	107
ポサコナゾール	ノクサフィル錠/点滴静注	124
ホスアプレピタントメグルミン	プロイメンド点滴静注用	64
ホスアンプレナビルカルシウム水和物〈FPV〉	レクシヴァ錠	127
ホスカルネットナトリウム水和物	ホスカビル点滴静注	128
ボスチニブ水和物	ボシュリフ錠	140
ホスフェストロール		138
ホスフェニトインナトリウム水和物	ホストイン静注	18
ホスフルコナゾール	プロジフ静注	124
ホスホマイシンカルシウム水和物	ホスミシン錠/ドシ	116
ホスホマイシンナトリウム	ホスミシンS点耳液 ホスミシンS静注/バッグ	91 116
ホスラブコナゾール L-リシンエタノール付加物	ネイリンカ	124
ボセンタン水和物	トラクリア錠	35, 54
ポナチニブ塩酸塩	アイクルシグ錠	140
ボノプラザンフマル酸塩	タケキャブ錠	62
ポビドンヨード	イソジン液/スクラブ液/ガーグル液/ゲル/産婦人科用ク ポピヨドン液/スクラブ液/ガーグル液/ゲル ポピラール液/ガーグル液	133
ポマリドミド	ポマリストカ	145
ホミノベン		57
ホメピゾール	ホメピゾール点滴静注	151
ホモクロルシクリジン塩酸塩	ホモクロルシクリジン塩酸塩錠	30
ポラプレジンク	プロマックD錠/顆	63

一般名	商品名	掲載頁
ポリエンホスファチジルコリン	EPLカ	69, 109
ポリカルボフィルカルシウム	コロネル錠/細 ポリフル錠/細	66
ボリコナゾール	ブイフェンド錠/ドシ/静注用	124
ポリドカノール	エトキシスクレロール注 ポリドカスクレロール注	80
ホリナートカルシウム〈ロイコボリンカルシウム〉	ユーゼル錠 ロイコボリン錠/注	146
ボリノスタット	ゾリンザカ	142
ポリミキシンB硫酸塩	硫酸ポリミキシンB錠/散	120
ボルチオキセチン臭化水素酸塩	トリンテリックス錠	17, 32
ボルテゾミブ	ベルケイド注射用	142
ポルフィマーナトリウム	フォトフリン静注	145
ホルマリン	ホルマリン液	132
ホルモテロールフマル酸塩水和物	オーキシスタービュヘイラー	3, 59
ボロファラン (^{10}B)	ステボロニン点滴静注バッグ	146
放射性ヨウ素(ヨウ化ナトリウム)	ヨウ化ナトリウムカ	99
抱水クロラール	エスクレ坐/注腸キット	13

マ

一般名	商品名	掲載頁
マイトマイシンC	マイトマイシン注	136
マキサカルシトール	オキサロール軟/ロ オキサロール軟/ロ/注	93 105
マザチコール塩酸塩水和物	ペントナ錠/散	7, 21
マシテンタン	オプスミット錠	35, 54
マジンドール	サノレックス錠	25
マニジピン塩酸塩	カルスロット錠	55
マプロチリン塩酸塩	ルジオミール錠	17
マラビロク	シーエルセントリ錠	127
D-マンニトール	マンニットT注 マンニットール注	70
D-マンニトール	マンニットT注 マンニットール注	83

ミ

一般名	商品名	掲載頁
ミアンセリン塩酸塩	テトラミド錠	17
ミカファンギンナトリウム	ファンガード点滴用	123
ミグリトール	セイブル錠/OD錠	107
ミコナゾール	オラビ口腔用錠 フロリードF注/経口用ゲル/Dク/膣坐	123
ミコフェノール酸モフェチル	セルセプトカ	37
ミソプロストール	サイトテック錠	35, 63
ミゾリビン	ブレディニン錠	37, 39
ミダゾラム	ドルミカム注 ブコラム口腔用液 ミダフレッサ静注	12, 13 18
ミチグリニドカルシウム水和物	グルファスト錠/OD錠	106
ミトキサントロン塩酸塩	ノバントロン注	144
ミトタン	オペプリムカ	145
ミドドリン塩酸塩	メトリジン錠/D錠(口腔内崩壊錠)	1, 56
ミノサイクリン塩酸塩	ミノマイシン錠/カ/顆/点滴静注	91, 117, 132
ミノドロン酸水和物	ボノテオ錠 リカルボン錠	112
ミラベグロン	ベタニス錠	4, 72
ミリプラチン水和物	ミリプラ動注用	136
ミルタザピン	リフレックス錠 レメロン錠	17, 32
ミルナシプラン塩酸塩	トレドミン錠	17, 32
ミルリノン	ミルリーラ注/K注	49
ミロガバリンベシル酸塩	タリージェ錠	24

ム

一般名	商品名	掲載頁
ムスカリン		6
ムピロシンカルシウム水和物	バクトロバン鼻腔用軟	91, 119
無水カフェイン	レスピア静注・経口液	57

メ

一般名	商品名	掲載頁
メキサゾラム	メレックス錠/細	16
メキシレチン塩酸塩	メキシチール点滴静注/カ	50, 107
メキタジン	ゼスラン錠/小児用シ/小児用細 ニポラジン錠/小児用シ/小児用細	31, 60
メクロフェノキサート塩酸塩	ルシドリール錠	25, 27
メコバラミン	メチコバール錠/細/注	77, 104
メサドン塩酸塩	メサペイン錠	22
メサラジン	アサコール錠 ペンタサ錠/顆/注腸/坐 リアルダ錠	66
メスカリン		18

一般名	商品名	掲載頁
メスナ	ウロミテキサン注	146
メタコリン		6
メタコリン塩化物	ケンブラン吸入粉末溶解用 プロボコリン吸入粉末溶解用	147
メダゼパム	レスミット錠	16
メタンフェタミン塩酸塩	ヒロポン錠/末	24
メチキセン塩酸塩	コリンホール錠/散	7
メチシリン		113
メチラポン	メトピロンカ	148
dl-メチルエフェドリン塩酸塩	メチエフ（*dl*体）散/注	6, 59
メチルエルゴメトリンマレイン酸塩	パルタンM錠/注	5, 74
メチルジゴキシン	ラニラピッド錠	48
N-メチルスコポラミンメチル硫酸塩	ダイピン錠	8
メチルチオニニウム塩化物水和物	メチレンブルー静注	151
メチルドパ水和物	アルドメット錠	1
メチルフェニデート塩酸塩	コンサータ錠 リタリン錠	24
メチルプレドニゾロン	ネオメドロールEE軟 メドロール錠	40
メチルプレドニゾロンコハク酸エステルナトリウム	ソル・メドロール静注	40
メチルプレドニゾロン酢酸エステル	デポ・メドロール注	40
メチルメチオニンスルホニウムクロリド	キャベジンU錠/配合散 キャベジンU錠/顆/配合散	63 69
メチロシン	デムサーカ	145
メテノロンエナント酸エステル	プリモボラン・デポー筋注	101, 111
メテノロン酢酸エステル	プリモボラン錠	101, 111
メトカルバモール	ロバキシン顆	19
メトキサミン塩酸塩		1, 56
メトキサレン	オクソラレン錠/軟/ロ	95
メトキシフェナミン塩酸塩	アストーマ配合カ	3, 58
メトクロプラミド	プリンペラン錠/細/シ/注	63, 65
メトトレキサート〈MTX〉	メトレート錠 リウマトレックスカ メソトレキセート錠/注/点滴静注	37, 39 134
メトプロロール酒石酸塩	セロケン錠/L徐放錠 ロプレソール錠/SR徐放錠	2
メトホルミン塩酸塩	グリコラン錠 メトグルコ錠	107
メドロキシプロゲステロン酢酸エステル	ヒスロン錠 プロベラ錠 ヒスロンH錠	101 137
メトロニダゾール	アネメトロ点滴静注 フラジール内服液/膣錠 ロゼックスゲル	131
メナテトレノン	ケイツーN静注/カ/シ グラケーカ	79, 105 79, 105, 111
メピチオスタン	チオデロンカ	100, 137
メピバカイン塩酸塩	塩酸メピバカイン注シリンジ カルボカインアンプル	10
メピラミン〈ピリラミン〉		30
メフェナム酸	ポンタールカ/散/細/シ	45
メフェネシン		19
メフルシド	バイカロン錠	70
メフロキン塩酸塩	メファキン錠	131
メペンゾラート臭化物	トランコロン錠	8, 66
メベンダゾール	メベンダゾール錠	131
メマンチン塩酸塩	メマリー錠/OD錠/ドシ	28
メラトニン	メラトベル小児用顆	13
メルカプトプリン水和物	ロイケリン散	66, 135
メルファラン	アルケラン錠/静注用	134
メロキシカム	モービック錠	45
メロペネム水和物	メロペン点滴用/キット	115
l-メントール	ミンクリア内用散布液	149
モ		
モキシフロキサシン塩酸塩	ベガモックス点眼液 アベロックス錠	87 121
モザバプタン塩酸塩	フィズリン錠	71, 99
モサプラミン塩酸塩	クレミン錠/顆	15
モサプリドクエン酸塩水和物	ガスモチン錠/散	33, 65, 149
モダフィニル	モディオダール錠	25
モノエタノールアミンオレイン酸塩	オルダミン注	80
モフェゾラク	ジソペイン錠	44
モメタゾンフランカルボン酸エステル	ナゾネックス点鼻液 フルメタ軟/ク/ロ アズマネックスツイストヘラー	41 41, 42 41, 61
モリデュスタット	マスーレッド錠	78
モルヒネ塩酸塩水和物	アンペック注/坐 オプソ内服液 パシーフ徐放カ プレペノン注 モルヒネ塩酸塩錠/末/注	22
モルヒネ硫酸塩水和物	MSコンチン徐放錠	22
モンテルカスト	キプレス錠/OD錠/チュアブル錠/細 シングレア錠/OD錠/チュアブル錠/細	36, 61, 90
ユ		
ユビデカレノン	ノイキノン錠/糖衣錠/顆	50
ヨ		
ヨウ化カリウム	ヨウ化カリウム末/丸	99
ヨウ素	PA・ヨード点眼・洗眼液 プレポダインスクラブ/ソリューション/フィールド ヨードチンキ液	133
ヨウ素配合カデキソマー	カデックス外用散/軟/軟分包	94
ヨウ素レシチン	ヨウレチン錠/散 ヨウレチン錠	89 99
3-ヨードベンジルグアニジン（^{131}I）	ライアットMIBG-I131静注	146
葉酸	フォリアミン錠/散/注	77, 104
溶性ピロリン酸第二鉄	インクレミンシ	77
ラ		
ラクチトール水和物	ポルトラック末	69
ラクツロース	モニラック末/シ ラグノスゼリー	69
ラコサミド	ビムパット錠/ドシ	19
ラサギリンメシル酸塩	アジレクト錠	20
ラスクフロキサシン塩酸塩	ラスビック錠/点滴静注キット	121
ラタノプロスト	キサラタン点眼液	35, 83
ラタモキセフナトリウム	シオマリン静注	114
ラニチジン塩酸塩	ザンタック錠/注	62
ラニナミビルオクタン酸エステル水和物	イナビル吸入粉末/吸入懸濁用	130
ラニムスチン	サイメリン注	134
ラノコナゾール	アスタット軟/ク/液	124
ラパチニブトシル酸塩水和物	タイケルブ錠	139
ラフチジン	プロテカジン錠/OD錠	62
ラベタロール塩酸塩	トランデート錠	5
ラベプラゾールナトリウム	パリエット錠	62
ラマトロバン	バイナス錠	36, 90
ラミブジン〈3TC〉	エピビル錠 ゼフィックス錠	126 128
ラメルテオン	ロゼレム錠	13
ラモセトロン塩酸塩	ナゼア注/OD錠 イリボー錠/OD錠	33, 64 66
ラモトリギン	ラミクタール錠小児用/錠	19
ラルテグラビルカリウム	アイセントレス錠	127
ラロキシフェン塩酸塩	エビスタ錠	111
ランジオロール塩酸塩	オノアクト点滴静注 コアベータ静注用	2 2, 149
ランソプラゾール	タケプロンOD錠/カ/静注	62
ランレオチド酢酸塩	ソマチュリン皮下注	98, 145
リ		
リオシグアト	アデムパス錠	54
リオチロニンナトリウム〈T_3-Na〉	チロナミン錠	99
リキシセナチド	リキスミア皮下注	106
リザトリプタン安息香酸塩	マクサルト錠/RPD錠（口腔内崩壊錠）	24, 33
リシノプリル水和物	ゼストリル錠 ロンゲス錠	34
リスデキサンフェタミンメシル酸塩	ビバンセカ	24
リスペリドン	リスパダール錠/OD錠/細/内用液/コンスタ筋注	15
リセドロン酸ナトリウム水和物	アクトネル錠 ベネット錠	112
リゼルグ酸ジエチルアミド〈LSD-25〉		18

一般名	商品名	掲載頁
リゾチーム塩酸塩	ムコゾーム点眼液	85
リドカイン	ペンレステープ貼	10
リドカイン塩酸塩	キシロカイン注/筋注用/液/ゼリー/スプレー/ビスカス/点眼液 オリベス静注/点滴 キシロカイン静注用 リドカイン静注用シリンジ キシロカイン点眼液	10 50, 150 88
リトドリン塩酸塩	ウテメリン錠/注	3, 74
リトナビル〈rtv〉	ノービア錠	126
リナグリプチン	トラゼンタ錠	106
リナクロチド	リンゼス錠	66, 67
リネゾリド	ザイボックス錠/注	120
リバーロキサバン	イグザレルト錠/細	82
リパスジル塩酸塩水和物	グラナテック点眼液	83
リバスチグミン	イクセロンパッチ リバスタッチパッチ イクセロンパッチ貼 リバスタッチパッチ貼	9 28
リバビリン	コペガス錠 レベトールカ	128
リファキシミン	リフキシマ錠	69
リファブチン	ミコブティンカ	122
リファンピシン	リファジンカ	95, 122, 123
リボフラビン	強力ビスラーゼ末 ビタミンB_2散	92 103
リボフラビン酪酸エステル	ハイボン錠/細	92, 103
リボフラビンリン酸エステルナトリウム	ビスラーゼ注 ホスフラン注	92, 103
リマプロストアルファデクス	オパルモン錠 プロレナール錠	35, 53, 80
リュープロレリン酢酸塩	リュープリン注/PRO注射用キット/SR注射用キット	75, 96, 138
リラグルチド	ビクトーザ皮下注	106
リラナフタート	ゼフナートク/外用液	124
リルピビリン塩酸塩	エジュラント錠	126
リルマザホン塩酸塩水和物	リスミー錠	13
リンコマイシン塩酸塩水和物	リンコシン注/カ	119
硫酸亜鉛	サンチンク点眼液	88
硫酸鉄	フェロ・グラデュメット錠	77
硫酸マグネシウム〈硫苦, 硫麻〉	硫酸マグネシウム水和物末	67, 68
硫酸マグネシウム水和物	マグセント注/注シリンジ マグネゾール静注	74
ル ルキソリチニブリン酸塩	ジャカビ錠	140
ルストロンボパグ	ムルプレタ錠	79
ルセオグリフロジン水和物	ルセフィ錠	107
ルテチウムオキソドトレオチド（^{177}Lu）	ルタテラ静注	146
ルパタジンフマル酸塩	ルパフィン錠	31
ルビプロストン	アミティーザカ	35, 67
ルフィナミド	イノベロン錠	19
ルラシドン塩酸塩	ラツーダ錠	15
ルリコナゾール	ルコナック爪外用液 ルリコンク/液/軟	124
レ レゴラフェニブ水和物	スチバーガ錠	141
レジパスビルアセトン付加物	ハーボニー配合錠	129
レセルピン		6
レチノールパルミチン酸エステル	チョコラA錠/末/滴/筋注	93, 104
レテルモビル	プレバイミス錠/点滴静注	128
レトロゾール	フェマーラ錠	100, 137
レナリドミド水和物	レブラミドカ	145
レパグリニド	シュアポスト錠	106
レバミピド	ムコスタ錠/顆 ムコスタ点眼液	63 89
レバロルファン酒石酸塩	ロルファン注	23, 57, 150
レフルノミド	アラバ錠	37, 39
レベチラセタム	イーケプラ錠/ドシ/点滴静注	19
レボカバスチン塩酸塩	リボスチン点鼻液/点眼液 リボスチン点眼液	31 84
レボセチリジン塩酸塩	ザイザル錠/OD錠/シ	31
レボチロキシンナトリウム水和物〈T_4-Na〉	チラーヂンS錠/散/注	99

一般名	商品名	掲載頁
レボドパ	ドパストン散/カ/静注 ドパゾール錠	20
レボノルゲストレル	ノルレボ錠 ミレーナ腟内装着	101
レボブノロール塩酸塩	レボブノロール塩酸塩点眼液/PF点眼液	84
レボブピバカイン塩酸塩	ポプスカイン注	10
レボフロキサシン水和物	クラビット点眼液 クラビット錠/細/点滴静注 クラビット錠/細	87 121 122
レボホリナートカルシウム	アイソボリン点滴静注	146
レボメプロマジン塩酸塩	レボトミン筋注	14
レボメプロマジンマレイン酸塩	ヒルナミン錠/細/散/筋注 レボトミン錠/散/顆	14
レミフェンタニル塩酸塩	アルチバ静注用	22
レミマゾラムベシル酸塩	アネレム静注用	12
レムデシビル	ベクルリー点滴静注用	130
レルゴリクス	レルミナ錠	97
レレバクタム水和物	レカルブリオ配合点滴静注用	115
レンバチニブメシル酸塩	レンビマカ	141
レンボレキサント	デエビゴ錠	13
ロ ロキサチジン酢酸エステル塩酸塩	アルタットカ/細/静注	62
ロキサデュスタット	エベレンゾ錠	78
ロキシスロマイシン	ルリッド錠	118
ロキソプロフェンナトリウム水和物	ロキソニン錠/細 ロキソニンパップ/テープ/ゲル	45 46
ロクロニウム臭化物	エスラックス静注	11
ロサルタンカリウム	ニューロタン錠	34, 107
ロスバスタチンカルシウム	クレストール錠/OD錠	108
ロチゴチン	ニュープロパッチ貼	20, 21
ロピナビル〈LPV〉	カレトラ配合錠/配合内用液	126
ロピニロール塩酸塩	ハルロピテープ レキップ錠/CR錠	20
ロピバカイン塩酸塩水和物	アナペイン注	10
ロフェプラミン塩酸塩	アンプリット錠	17
ロフラゼプ酸エチル	メイラックス錠/細	16
ロペラミド塩酸塩	ロペミン細/カ/小児用細	67
ロベンザリット二ナトリウム	カルフェニール錠	38
ロミタピドメシル酸塩	ジャクスタピッドカ	109
ロミデプシン	イストダックス点滴静注用	142
ロメフロキサシン塩酸塩	ロメフロン点眼液/ミニムス眼科耳科用液 ロメフロン耳科用液/ミニムス眼科耳科用液 バレオン錠/カ ロメバクトカ	87 91 121
ロメリジン塩酸塩	ミグシス錠	24
ロラゼパム	ワイパックス錠 ロラピタ静注	16 16, 18
ロラタジン	クラリチン錠/レディタブ錠/ドシ	31
ロルノキシカム	ロルカム錠	45
ロルメタゼパム	エバミール錠 ロラメット錠	13
ロルラチニブ	ローブレナ錠	139
ワ ワルファリンカリウム	ワーファリン錠	82

英数

一般名	商品名	掲載頁
3-ヨードベンジルグアニジン(^{131}I)	ライアット MIBG-I131 静注	146
dl-メチルエフェドリン塩酸塩	メチエフ（*dl* 体）散/注	6, 59
D-ソルビトール	D-ソルビトール末/液	149
d-ツボクラリン		11
D-マンニトール	マンニット T 注 マンニットール注	70
D-マンニトール	マンニット T 注 マンニットール注	83
L-アルギニン L-グルタミン酸塩水和物	アルギメート点滴静注	69
L-アルギニン塩酸塩	アルギニン注	148
L-エチルシステイン塩酸塩	チスタニン糖衣錠	58
L-グルタミン	L-グルタミン顆	63
L-システイン	ハイチオール錠/散	79
l-メントール	ミンクリア内用散布液	149
N-メチルスコポラミンメチル硫酸塩	ダイピン錠	8

一般名

商品名 50音順索引

ア

商品名	一般名	掲載頁
アーチスト錠	カルベジロール	5
アーテン錠/散	トリヘキシフェニジル塩酸塩	7, 21
アーリーダ錠	アパルタミド	138
アイエーコール動注用	シスプラチン	136
アイオナールナトリウム注	セコバルビタールナトリウム	12
アイオピジン UD 点眼液	アプラクロニジン塩酸塩	1, 90
アイクルシグ錠	ポナチニブ塩酸塩	140
アイセントレス錠	ラルテグラビルカリウム	127
アイソボリン点滴静注	レボホリナートカルシウム	146
アイドロイチン点眼液	コンドロイチン硫酸エステルナトリウム	89
アイトロール錠	一硝酸イソソルビド	51
アイノフロー吸入用	一酸化窒素	54
アイピーディカ/ドシ	スプラタストトシル酸塩	29, 60, 93
アイファガン点眼液	ブリモニジン酒石酸塩	1, 83
アエントリペンタート静注	ペンテト酸亜鉛三ナトリウム	151
アカルディカ	ピモベンダン	49
アキネトン錠/細/注	ビペリデン塩酸塩	7, 21
アクアチム軟/ク/ロ	ナジフロキサシン	91
アクセノン末	エトトイン	18
アクトシン注 アクトシン軟	ブクラデシンナトリウム	49
アクトス錠/OD 錠	ピオグリタゾン塩酸塩	107
アクトネル錠	リセドロン酸ナトリウム水和物	112
アクプラ静注用	ネダプラチン	136
アクラシノン注	アクラルビシン塩酸塩	135
アクリノール末/液	アクリノール	133
アグリリンカ	アナグレリド塩酸塩水和物	79
アクロマイシン V カ/末/軟/トローチ	テトラサイクリン塩酸塩	117
アコファイド錠	アコチアミド塩酸塩水和物	9, 65
アザクタム注	アズトレオナム	116
アサコール錠	メサラジン	66
アザセトロン静注液	アザセトロン塩酸塩	33, 64
アザニン錠	アザチオプリン	37, 66
アザルフィジン EN 腸溶錠	サラゾスルファピリジン〈スルファサラジン〉	38
アシノン錠	ニザチジン	62
アジマイシン点眼液	アジスロマイシン水和物	118
アジルバ錠	アジルサルタン	34
アジレクト錠	ラサギリンメシル酸塩	20
アスコルビン酸末	アスコルビン酸	104
アスタット軟/ク/液	ラノコナゾール	124
アストーマ配合カ	メトキシフェナミン塩酸塩	3, 58
アストミン錠/散/シ	ジメモルファンリン酸塩	57
アズノール錠/細/ガーグル顆/うがい液/ST 錠口腔用	アズレンスルホン酸ナトリウム水和物	46
アズノール軟	ジメチルイソプロピルアズレン	46, 94
アズノール錠	アズレンスルホン酸ナトリウム水和物	63
アスピリン末	アスピリン〈アセチルサリチル酸〉	44
アスプール吸入液（dl 体）	イソプレナリン〈イソプロテレノール〉塩酸塩	4, 58
アスペノン静注/カ	アプリンジン塩酸塩	50
アスベリン錠/散/ドシ/シ/調剤用シ	チペピジンヒベンズ酸塩	57
アズマネックスツイストヘラー	モメタゾンフランカルボン酸エステル	41, 61
アズラビン点眼液	アズレンスルホン酸ナトリウム水和物	46, 85, 88
アズレミック錠口腔用	アズレンスルホン酸ナトリウム水和物	46
アズレン点眼液	アズレンスルホン酸ナトリウム水和物	46, 85, 88
アズロキサ顆	エグアレンナトリウム水和物	63
アセサイド消毒液	過酢酸	132
アセタノールカ	アセブトロール塩酸塩	2
アセチルシステイン内用液	アセチルシステイン	150

商品名	一般名	掲載頁
アセチルスピラマイシン錠	スピラマイシン酢酸エステル	119, 132
アゼプチン錠	アゼラスチン塩酸塩	31, 60
アセリオ静注液	アセトアミノフェン〈パラセタモール〉	23
アダプチノール錠	ヘレニエン	88, 104
アダラート L 徐放錠/カ/CR 徐放錠	ニフェジピン	55
アタラックス錠/P 注	ヒドロキシジン塩酸塩	17, 25, 30
アタラックス P カ/散/ドシ/シ	ヒドロキシジンパモ酸塩	17, 25, 30
アデール点滴静注用	コルホルシンダロパート塩酸塩	48
アデカット錠	デラプリル塩酸塩	34
アデスタンク	イソコナゾール硝酸塩	124
アデノスキャン注	アデノシン	149
アデホス腸溶錠/顆/L 注	アデノシン三リン酸二ナトリウム水和物	26, 27
アデムパス錠	リオシグアト	54
アテレック錠	シルニジピン	55
S・アドクノン錠	アドレノクロムモノアミノグアニジンメシル酸塩水和物	79
アドシルカ錠	タダラフィル	54
アドセトリス点滴静注用	ブレンツキシマブ ベドチン	144
アドナ錠/散/注	カルバゾクロムスルホン酸ナトリウム水和物	79
アトニン-O 注	オキシトシン	74, 98
アドビオール錠	ブフェトロール塩酸塩	4
アドフィードパップ	フルルビプロフェン	46
アトラント軟/ク/液	ネチコナゾール塩酸塩	124
アドリアシン注	ドキソルビシン〈アドリアマイシン〉塩酸塩	135
アドレナリン注シリンジ	アドレナリン	5, 48, 56, 58
アトロピン硫酸塩注	アトロピン硫酸塩水和物	7, 51
アトロベントエロゾル	イプラトロピウム臭化物水和物	8, 60
アトワゴリバース静注	ネオスチグミンメチル硫酸塩・アトロピン硫酸塩水和物	150
アナフラニール錠/点滴静注 アナフラニール錠	クロミプラミン塩酸塩	17, 32 72
アナペイン注	ロピバカイン塩酸塩水和物	10
アニュイティエリプタ	フルチカゾンフランカルボン酸エステル	41, 61
アネキセート注	フルマゼニル	57, 150
アネメトロ点滴静注	メトロニダゾール	131
アネレム静注用	レミマゾラムベシル酸塩	12
アノーロエリプタ	ビランテロールトリフェニル酢酸塩	3, 59
アバプロ錠	イルベサルタン	34
アビガン錠	ファビピラビル	130
アフィニトール錠/分散錠	エベロリムス	141
アブストラル舌下錠	フェンタニルクエン酸塩	22
アフタゾロン口腔用軟膏	デキサメタゾン	41
アフタッチ貼付錠	トリアムシノロンアセトニド	40
アプニション静注	アミノフィリン水和物	57
アブラキサン点滴静注	パクリタキセル	137
アプルウェイ錠	トホグリフロジン水和物	107
アプレース錠/細	トロキシピド	63
アプレゾリン錠/散/注	ヒドララジン	55
アベロックス錠	モキシフロキサシン塩酸塩	121
アポカイン皮下注	アポモルヒネ塩酸塩水和物	20
アボビスカ	アクラトニウムナパジシル酸塩	6, 65
アボルブカ	デュタステリド	71, 102
アマージ錠	ナラトリプタン塩酸塩	24, 33
アマリール錠/OD 錠	グリメピリド	106
アミカシン硫酸塩注	アミカシン硫酸塩	117
アミサリン錠/注	プロカインアミド塩酸塩	50
アミティーザカ	ルビプロストン	35, 67
アムノレイク錠	タミバロテン	104, 145
アムビゾーム点滴静注用	アムホテリシン B	125
アムロジン錠/OD 錠	アムロジピンベシル酸塩	55

商品名	一般名	掲載頁
アメナリーフ錠	アメナメビル	127
アメパロモカ	パロモマイシン硫酸塩	131
アモキサン細/カ	アモキサピン	17
アモバン錠	ゾピクロン	13
アモリン細/カ	アモキシシリン水和物	113, 132
アラグリオ顆粒剤	アミノレブリン酸塩酸塩	147
アラセナ-A 軟/ク アラセナ-A 点滴静注/軟/ク	ビダラビン	95 127
アラノンジー静注	ネララビン	135
アラバ錠	レフルノミド	37, 39
アラベル内用剤	アミノレブリン酸塩酸塩	147
アラミスト点鼻液	フルチカゾンフランカルボン酸エステル	41
アリクストラ皮下注	フォンダパリヌクスナトリウム	82
アリセプト錠/D 錠/細/内服ゼリー/ドシ	ドネペジル塩酸塩	9, 28
アリナミン注	プロスルチアミン	103
アリナミン F 糖衣錠/注	フルスルチアミン（塩酸塩）	103
アリミデックス錠	アナストロゾール	100, 137
アリムタ注	ペメトレキセドナトリウム水和物	134
アリメジンシ	アリメマジン酒石酸塩	30
アリルエストレノール錠	アリルエストレノール	71, 102
アルキサ軟	アルクロキサ	94
アルギニン注	L-アルギニン塩酸塩	148
アルギメート点滴静注	L-アルギニン L-グルタミン酸塩水和物	69
アルケラン錠/静注用	メルファラン	134
アルサルミン細/液	スクラルファート水和物	62
アルジオキサ錠/顆	アルジオキサ	62
アルダクトン A 錠/細	スピロノラクトン	71
アルタットカ/細/静注	ロキサチジン酢酸エステル塩酸塩	62
アルチバ静注用	レミフェンタニル塩酸塩	22
アルツ関節注/ディスポ	ヒアルロン酸ナトリウム	39
アルト原末	アルギン酸ナトリウム	79
アルドメット錠	メチルドパ水和物	1
アルピニー小児坐	アセトアミノフェン〈パラセタモール〉	23
アルファロール散/カ/内用液	アルファカルシドール	105, 111
アルボ錠	オキサプロジン	45
アルミノニッパスカルシウム顆	アルミノパラアミノサリチル酸カルシウム水和物	122
アルメタ軟	アルクロメタゾンプロピオン酸エステル	43
アルロイド G 内用液/顆粒溶解用	アルギン酸ナトリウム	63
アレギサール錠/ドシ/点眼液 アレギサール錠/ドシ アレギサール点眼液	ペミロラストカリウム	29 60 84
アレグラ錠/OD 錠/ドシ	フェキソフェナジン塩酸塩	31
アレジオン錠/ドシ/点眼液 アレジオン錠/ドシ アレジオン点眼液/LX 点眼液	エピナスチン塩酸塩	31 60, 93 84
アレセンサカ	アレクチニブ塩酸塩	139
アレビアチン錠/散/注 アレビアチン注	フェニトイン フェニトインナトリウム	18, 50 150
アレベール吸入液	チロキサポール	58
アレルギン散	クロルフェニラミンマレイン酸塩（*dl* 体）	30
アレロック錠/OD 錠/顆	オロパタジン塩酸塩	31
アロキシ静注 アロキシ静注/バッグ	パロノセトロン塩酸塩	33 64
アロチノロール錠	アロチノロール塩酸塩	5
アロフト錠	アフロクァロン	19
アロマシン錠	エキセメスタン	100, 137
アンカロン錠/注	アミオダロン塩酸塩	51
アンコチル錠	フルシトシン	125
アンジュ錠	エチニルエストラジオール ＋ レボノルゲストレル	74
アンチレクス静注	エドロホニウム塩化物	9, 147
アンテベート軟/ク/ロ	ベタメタゾン酪酸エステルプロピオン酸エステル	41, 42
アンナカ注	カフェイン	24
アンヒバ小児坐	アセトアミノフェン〈パラセタモール〉	23
アンプラーグ錠/細	サルポグレラート塩酸塩	33, 80
アンプリット錠	ロフェプラミン塩酸塩	17
アンペック注/坐	モルヒネ塩酸塩水和物	22
亜鉛華単軟膏	酸化亜鉛〈チンク〉	94
亜鉛華軟膏	酸化亜鉛〈チンク〉	94
亜硝酸アミル吸入液	亜硝酸アミル	51
安息香酸ナトリウムカフェイン末	カフェイン	24
イ		
イーケプラ錠/ドシ/点滴静注	レベチラセタム	19
イーシー・ドパール配合錠	ベンセラジド塩酸塩	20
イーフェンバッカル錠	フェンタニルクエン酸塩	22
イグザレルト錠/細	リバーロキサバン	82
イクスタンジ錠	エンザルタミド	102, 138
イクセロンパッチ	リバスチグミン	9
イクセロンパッチ貼	リバスチグミン	28
イコサペント酸エチル顆粒状カ	イコサペント酸エチル	36, 53, 80, 109
イスコチン錠/末/注	イソニアジド	122
イストダックス点滴静注用	ロミデプシン	142
イソジン液/スクラブ液/ガーグル液/ゲル/産婦人科用ク	ポビドンヨード	133
イソゾール注	チアミラールナトリウム	12
イソバイドシ	イソソルビド	26, 70, 83
イソプリノシン錠/顆	イノシンプラノベクス	130
イソフルラン吸入麻酔液	イソフルラン	12
イソプロパノール	イソプロパノール	132
イソミタール末	アモバルビタール	12
イソメニールカ	イソプレナリン〈イソプロテレノール〉塩酸塩	4, 26
イダマイシン静注	イダルビシン塩酸塩	135
イドメシンゲル/ク/ゾル/パップ	インドメタシン	46
イトリゾールカ/内用液/注	イトラコナゾール	123
イナビル吸入粉末/吸入懸濁用	ラニナミビルオクタン酸エステル水和物	130
イヌリード注	イヌリン	149
イノバン注/シリンジ	ドパミン塩酸塩	2, 48, 56
イノベロン錠	ルフィナミド	19
イノリン錠/散/シ/吸入液	トリメトキノール塩酸塩水和物	3, 58
イフェクサー SR カ	ベンラファキシン塩酸塩	17, 32
イブランスカ/錠	パルボシクリブ	140
イブリーフ静注	イブプロフェン　L-リシン	45
イホマイド注	イホスファミド	134
イミグラン注/キット/錠/点鼻液	スマトリプタンコハク酸塩	24, 33
イミドール錠	イミプラミン塩酸塩	17, 32, 72
イムブルビカカ	イブルチニブ	140
イムラン錠	アザチオプリン	37, 66
イメンドカ	アプレピタント	64
イリボー錠/OD 錠	ラモセトロン塩酸塩	66
イルベタン錠	イルベサルタン	34
イレッサ錠	ゲフィチニブ	139
インヴェガ錠	パリペリドン	15
インクレミンシ	溶性ピロリン酸第二鉄	77
インサイドパップ	インドメタシン	46
インジゴカルミン注	インジゴカルミン	148
インタール細/吸入液/エアロゾル/点眼液 インタール細/吸入薬/エアロゾル インタール点眼液 インタール細	クロモグリク酸ナトリウム	29 60 84 93
インダシン静注用	インドメタシンナトリウム	44
インチュニブ錠	グアンファシン塩酸塩	24
インテバン坐 インテバン軟/ク/液	インドメタシン	44 46
インデラル錠/注	プロプラノロール塩酸塩	4, 24
インテレンス錠	エトラビリン	126
インヒベース錠	シラザプリル水和物	34
インフリーカ/S カ	インドメタシンファルネシル	44
インプロメン錠/細	ブロムペリドール	14
インライタ錠	アキシチニブ	141
ウ		
ヴァンフリタ錠	キザルチニブ塩酸塩	139
ウインタミン錠/細	クロルプロマジン塩酸塩	14, 65
ウェールナラ配合錠	エストラジオール ＋ レボノルゲストレル	111
ヴォトリエント錠	パゾパニブ塩酸塩	141
ヴォリブリス錠	アンブリセンタン	35, 54

商品名	一般名	掲載頁
ウテメリン錠/注	リトドリン塩酸塩	3, 74
ウトロゲスタン腟カ	プロゲステロン	101
ウパシタ静注透析用	ウパシカルセトナトリウム水和物	99
ウブトラビ錠	セレキシパグ	54, 80
ウブレチド錠/点眼液 ウブレチド錠 ウブレチド点眼液	ジスチグミン臭化物	9 72 83, 86
ウラリット配合錠/U配合散	クエン酸カリウム ＋ クエン酸ナトリウム	110
ウリアデック錠	トピロキソスタット	110
ウリトス錠/OD錠	イミダフェナシン	8, 72
ウルグートカ	ベネキサート塩酸塩ベータデクス	63
ウルソ錠/顆	ウルソデオキシコール酸	68, 69
ウレパールク/ロ	尿素	93
ウロミテキサン注	メスナ	146

エ

商品名	一般名	掲載頁
エイゾプト点眼液	ブリンゾラミド	84
エイベリス点眼液	オミデネパグイソプロピル	83
エースコール錠	テモカプリル塩酸塩	34
エキザルベ軟	ヒドロコルチゾン 混合死菌浮遊液ヒドロコルチゾン配合剤	40 92
エクア錠	ビルダグリプチン	106
エクザール注	ビンブラスチン硫酸塩	136
エクサシン注	イセパマイシン硫酸塩	117
エクセグラン錠/散	ゾニサミド	19
エクセルダームク/液	スルコナゾール硝酸塩	124
エクフィナ錠	サフィナミドメシル酸塩	20
エクラー軟/ク/ロ/プラスター	デプロドンプロピオン酸エステル	42
エクリラ400μgジェヌエア30吸入用	アクリジニウム臭化物	8, 60
エコリシン眼軟膏	コリスチンメタンスルホン酸ナトリウム エリスロマイシンラクトビオン酸塩	86, 120 118
エサンブトール錠	エタンブトール塩酸塩	122
エジュラント錠	リルピビリン塩酸塩	126
エスカゾール錠	アルベンダゾール	132
エスクレ坐/注腸キット	抱水クロラール	13
エストラーナテープ	エストラジオール	100
エストラサイトカ	エストラムスチンリン酸エステルナトリウム水和物	100, 138
エストリール錠/腟錠 エストリール錠	エストリオール	100 111
エスラックス静注	ロクロニウム臭化物	11
エディロールカ	エルデカルシトール	105, 111
エトキシスクレロール注	ポリドカノール	80
エナラート錠/細	エナラプリルマレイン酸塩	34
エナルモンデポー筋注	テストステロンエナント酸エステル	101
エナロイ錠	エナロデュスタット	78
エバステル錠/OD錠	エバスチン	31
エパデールカ/Sカ	イコサペント酸エチル	36, 53, 80, 109
エバミール錠	ロルメタゼパム	13
エビスタ錠	ラロキシフェン塩酸塩	111
エピビル錠	ラミブジン〈3TC〉	126
エピペン注	アドレナリン	5, 56, 58
エビリファイ錠/OD錠/散/内用液/持続性水懸筋注	アリピプラゾール	15
エピレオプチマル散	エトスクシミド	18
エフィエント錠	プラスグレル塩酸塩	81
エフェドリン錠/散/注 エフェドリン錠/注	エフェドリン塩酸塩	6 59
エフオーワイ注	ガベキサートメシル酸塩	69, 82
エプクルーサ配合錠	ベルパタスビル	129
エブトール錠	エタンブトール塩酸塩	122
エフピーOD錠	セレギリン塩酸塩	20
エブランチルカ	ウラピジル	1, 71
エベレンゾ錠	ロキサデュスタット	78
エボザックカ	セビメリン塩酸塩水和物	6
エポセリン坐	セフチゾキシムナトリウム	115
エホチール錠/注 エホチール錠 エホチール注	エチレフリン塩酸塩	5 56
エボルトラ点滴静注用	クロファラビン	135
エミレース錠	ネモナプリド	15
エムトリバカ	エムトリシタビン〈FTC〉	126
エムラク/パッチ	プロピトカイン	10
エラスチーム錠	エラスターゼ	109
エラスポール注	シベレスタットナトリウム水和物	61
エリキュース錠	アピキサバン	82
エリザスカ（外用）/点鼻粉末	デキサメタゾンシペシル酸エステル	41
エリスパン錠	フルジアゼパム	16
エリスロシン錠 エリスロシン点滴静注用 エリスロシンドシ/ドシW/W顆	エリスロマイシンステアリン酸塩 エリスロマイシンラクトビオン酸塩 エリスロマイシンエチルコハク酸エステル	118 118 118
エリスロマイシン錠	エリスロマイシン	132
エリル点滴静注	ファスジル塩酸塩水和物	27
エルエイジ液	アルキルジアミノエチルグリシン塩酸塩	133
エルゴメトリンマレイン酸塩注	エルゴメトリンマレイン酸塩	5, 74
エルシトニン注	エルカトニン	99, 112
エルプラット点滴静注	オキサリプラチン	136
エレルサ錠	エルバスビル	128
エレンタール内用剤	エルゴカルシフェロール	105
エンクラッセエリプタ	ウメクリジニウム臭化物	8, 60
エンゼトニン液	ベンゼトニウム塩化物	133
エンドキサン錠/注 エンドキサン錠/末/注	シクロホスファミド水和物	37 134
エンハーツ点滴静注用	デルクステカン	143
エンペシド腟錠/トローチ/ク/液	クロトリマゾール	124
エンレスト錠	サクビトリルバルサルタンナトリウム水和物	49
液化亜酸化窒素	亜酸化窒素〈笑気ガス〉	12
塩化ベンザルコニウム液	ベンザルコニウム塩化物	133
塩酸キニーネ末	キニーネ塩酸塩水和物	131
塩酸バンコマイシン点滴静注/散	バンコマイシン塩酸塩	116
塩酸プロカルバジンカ	プロカルバジン塩酸塩	144
塩酸メピバカイン注シリンジ	メピバカイン塩酸塩	10

オ

商品名	一般名	掲載頁
オイグルコン錠	グリベンクラミド	106
オイラゾンク	デキサメタゾン	41, 43
オイラックスク	クロタミトン	92
オイラックスHク	ヒドロコルチゾン	40
オーキシスタービュヘイラー	ホルモテロールフマル酸塩水和物	3, 59
オーグメンチン配合錠	クラブラン酸カリウム	115
オークル錠	アクタリット	38
オーラノフィン錠	オーラノフィン	38
オキサトミド錠/小児用ドシ	オキサトミド	31, 60
オキサロール軟/ロ オキサロール軟/ロ/注	マキサカルシトール	93 105
オキシコンチン徐放錠	オキシコドン塩酸塩水和物	22
オキシドール液	オキシドール	133
オキナゾール腟錠/ク/液	オキシコナゾール硝酸塩	124
オキノーム散	オキシコドン塩酸塩水和物	22
オキファスト注	オキシコドン塩酸塩水和物	22
オキリコン注シリンジ	オザグレルナトリウム	27, 36, 80
オクソラレン錠/軟/ロ	メトキサレン	95
オステラック錠	エトドラク	44
オステン錠	イプリフラボン	112
オスバン消毒液	ベンザルコニウム塩化物	133
オスポロット錠	スルチアム	18
オゼックス点眼液 オゼックス錠/錠（小児用）/細粒小児用	トスフロキサシントシル酸塩水和物	87 121
オゼンピック皮下注	セマグルチド	106
オダイン錠	フルタミド	102, 138
オテズラ錠	アプレミラスト	94
オドメール点眼液	フルオロメトロン	41, 85, 87
オドリック錠	トランドラプリル	34
オニバイド点滴静注	イリノテカン塩酸塩水和物	137
オノアクト点滴静注	ランジオロール塩酸塩	2
オノンカ/ドシ	プランルカスト水和物	36, 61, 90
オパイリン錠	フルフェナム酸アルミニウム	45
オパルモン錠	リマプロストアルファデクス	35, 53, 80

商品名	一般名	掲載頁
オビソート注	アセチルコリン塩化物	6, 149
オフェブカ	ニンテダニブエタンスルホン酸塩	61
オフサグリーン静注用	インドシアニングリーン	147
オフサロン点眼液	コリスチンメタンスルホン酸ナトリウム	86, 120
オプスミット錠	マシテンタン	35, 54
オプソ内服液	モルヒネ塩酸塩水和物	22
オペガードネオキット眼灌流液	オキシグルタチオン	89
オペガン液/ハイ液	ヒアルロン酸ナトリウム	89
オペプリムカ	ミトタン	145
オペリード液/HV液	ヒアルロン酸ナトリウム	89
オメガシン点滴用/バッグ	ビアペネム	115
オメプラール腸溶錠/注（Na塩）	オメプラゾール	62
オメプラゾン腸溶錠	オメプラゾール	62
オラスポア小児用ドシ	セフロキサジン水和物	113
オラセフ錠	セフロキシムアキセチル	114
オラネジン消毒液	オラネキシジングルコン酸塩	133
オラビ口腔用錠	ミコナゾール	123
オラペネム小児用細	テビペネムピボキシル	115
オリベス静注/点滴	リドカイン塩酸塩	50, 150
オルガドロン注/点眼・点耳・点鼻液 オルガドロン点眼・点耳・点鼻液 オルガドロン注	デキサメタゾンリン酸エステルナトリウム	41 85, 87, 90 139
オルガラン静注	ダナパロイドナトリウム	81
オルケディア錠	エボカルセト	99
オルセノン軟	トレチノイントコフェリル〈トコレチナート〉	94, 104, 105
オルダミン注	モノエタノールアミンオレイン酸塩	80
オルテクサー口腔用軟膏	トリアムシノロンアセトニド	40
オルドレブ点滴静注	コリスチンメタンスルホン酸ナトリウム	120
オルベスコインヘラー	シクレソニド	41, 61
オルミエント錠	バリシチニブ	39
オルメテックOD錠	オルメサルタンメドキソミル	34
オングリザ錠	サキサグリプチン水和物	106
オンコビン注	ビンクリスチン硫酸塩	136
オンジェンティス錠	オピカポン	20
オンダンセトロンODフィルム/注	オンダンセトロン塩酸塩水和物	33, 64
オンブレス吸入用カ	インダカテロールマレイン酸塩	3, 59
カ		
カイトリル錠/細/注/バッグ	グラニセトロン塩酸塩	33, 64
カイプロリス点滴静注用	カルフィルゾミブ	142
カイロック錠/細	シメチジン	62
カコージン注/D注	ドパミン塩酸塩	2, 48, 56
ガスコン錠/散/ドロップ内用液	ジメチコン	149
ガスター錠/散/注/D錠	ファモチジン	62
ガスチーム散	プロナーゼ	149
ガストローム顆	エカベトナトリウム水和物	63
ガストロゼピン錠	ピレンゼピン塩酸塩水和物	7, 62
ガスモチン錠/散	モサプリドクエン酸塩水和物	33, 65, 149
ガスロンN錠/細/OD錠	イルソグラジンマレイン酸塩	63
カソデックス錠	ビカルタミド	102, 138
カタクロット注	オザグレルナトリウム	27, 36, 80
カタプレス錠	クロニジン塩酸塩	1
カタリン点眼用（錠）/K点眼用（顆）	ピレノキシン	84
カチーフN錠/散	フィトナジオン	79, 105
ガチフロ点眼液	ガチフロキサシン水和物	87, 121
カデックス外用散/軟/軟分包	ヨウ素配合カデキソマー	94
カドサイラ点滴静注用	トラスツズマブ エムタンシン	143
カトレップパップ/テープ	インドメタシン	46
カナグル錠	カナグリフロジン水和物	107
ガナトン錠	イトプリド塩酸塩	65
カナマイシンカ/シ	カナマイシン硫酸塩	117
ガニレスト皮下注	ガニレリクス酢酸塩	75, 97
カバサール錠	カベルゴリン	20, 98
ガバペン錠/シ	ガバペンチン	19
カビステン筋注	ケトプロフェン	45
カフェイン末	カフェイン	24
カプトリル錠/細/R徐放カ	カプトプリル	34
カプレルサ錠	バンデタニブ	141

商品名	一般名	掲載頁
カボメティクス錠	カボザンチニブリンゴ酸塩	141
カルグート錠/細	デノパミン	2, 48
カルスロット錠	マニジピン塩酸塩	55
カルセド注	アムルビシン塩酸塩	135
カルデナリン錠/OD錠	ドキサゾシンメシル酸塩	1
カルナクリン錠/カ	カリジノゲナーゼ	26
カルバン錠	ベバントロール塩酸塩	5
カルビスケン錠	ピンドロール	4
カルフェニール錠	ロベンザリット二ナトリウム	38
カルブロック錠	アゼルニジピン	55
カルベニン点滴用	パニペネム	115
カルボカインアンプル	メピバカイン塩酸塩	10
カレトラ配合錠/配合内用液	ロピナビル〈LPV〉	126
カロナール錠/細/シ/末/坐/小児坐	アセトアミノフェン〈パラセタモール〉	23
カンサイダス点滴静注用	カスポファンギン酢酸塩	123
カンプト点滴静注	イリノテカン塩酸塩水和物	137
ガンマロン錠	ガンマ-アミノ酪酸〈GABA〉	27
キ		
キサラタン点眼液	ラタノプロスト	35, 83
キサンボン注	オザグレルナトリウム	27, 36, 80
キサンボンS注	オザグレルナトリウム	27, 36, 80
キシロカイン注/筋注用/液/ゼリー/スプレー/ビスカス/点眼液 キシロカイン静注用 キシロカイン点眼液	リドカイン塩酸塩	10 50, 150 88
キニジン硫酸塩錠/末	キニジン硫酸塩水和物	50
キネダック錠	エパルレスタット	107
キプレス錠/OD錠/チュアブル錠/細	モンテルカスト	36, 61, 90
ギャバロン錠/髄注	バクロフェン	19
キャベジンU錠/配合散 キャベジンU錠/顆/配合散	メチルメチオニンスルホニウムクロリド	63 69
キュバールエアゾール	ベクロメタゾンプロピオン酸エステル	41, 61
キュビシン静注用	ダプトマイシン	120
キョウベリン錠	ベルベリン塩化物水和物	67
キョーフィリン注 キョーフィリン静注	アミノフィリン水和物	49, 70 59
ギリアデル脳内留置用	カルムスチン	134
キロサイド注/N注	シタラビン	135
キンダベート軟	クロベタゾン酪酸エステル	43
逆性石ケン液	ベンザルコニウム塩化物	133
強力ネオミノファーゲンシー静注	グリチルリチン酸モノアンモニウム	46, 68
強力ビスラーゼ末	リボフラビン	92
強力レスタミンコーチゾンコーワ軟	ヒドロコルチゾン酢酸エステル	40
ク		
グーフィス錠	エロビキシバット水和物	68
クエストラン粉末	コレスチラミン	109, 150
グラクティブ錠	シタグリプチンリン酸塩水和物	106
グラケーカ	メナテトレノン	79, 105, 111
グラジナ錠	グラゾプレビル水和物	128
グラセプターカ	タクロリムス水和物	37
グラッシュビスタ外用液	ビマトプロスト	90
グラナテック点眼液	リパスジル塩酸塩水和物	83
クラバモックス小児用配合ドシ	クラブラン酸カリウム	115
クラビット点眼液 クラビット錠/細/点滴静注 クラビット錠/細	レボフロキサシン水和物	87 121 122
クラフォラン注	セフォタキシムナトリウム	114
グラマリール錠/細	チアプリド塩酸塩	27
クラリシッド錠/ドシ（小児用）	クラリスロマイシン	118
クラリス錠/ドシ（小児用）	クラリスロマイシン	118
クラリチン錠/レディタブ錠/ドシ	ロラタジン	31
グランダキシン錠/細	トフィソパム	16, 25
クランポール錠/末	アセチルフェネトライド	18
クリアナール錠/内用液	フドステイン	58
クリアミン配合錠	エルゴタミン酒石酸塩 エルゴタミン酒石酸塩 + 無水カフェイン + イソプロピルアンチピリン	5 23
グリコラン錠	メトホルミン塩酸塩	107
グリセオール注	グリセリン	70, 83

商品名	一般名	掲載頁
グリチロン錠/皮下注	グリチルリチン酸モノアンモニウム	46, 68
クリノリル錠	スリンダク	44
グリベック錠	イマチニブメシル酸塩	140
グリミクロンHA錠/錠	グリクラジド	106
グルカゴン（合成）注	グルカゴン	147, 148, 149
グルカゴンG（遺伝子組換え）注	グルカゴン	148, 149
グルカゴンG注射用（遺伝子組換え）注	グルカゴン	149
グルカゴン注射用（合成）注	グルカゴン	149
グルコバイ錠/OD錠	アカルボース	107
L-グルタミン顆	L-グルタミン	63
グルトハイド液	グルタラール	132
グルファスト錠/OD錠	ミチグリニドカルシウム水和物	106
グレースビット錠/細	シタフロキサシン水和物	121
クレキサン皮下注キット	エノキサパリンナトリウム	82
クレストール錠/OD錠	ロスバスタチンカルシウム	108
クレゾール石ケン液	クレゾール	133
クレナフィン爪外用液	エフィナコナゾール	124
クレミン錠/顆	モサプラミン塩酸塩	15
クロザリル錠	クロザピン	15
クロダミンシ/注	クロルフェニラミンマレイン酸塩（*dl*体）	30
クロフィブラートカ	クロフィブラート	108
クロフェクトン錠/顆	クロカプラミン塩酸塩水和物	15
クロミッド錠	クロミフェンクエン酸塩	100
クロラムフェニコール点眼液	クロラムフェニコール	86
クロルプロパミド錠	クロルプロパミド	105
クロロマイセチン耳科用液 クロロマイセチン錠/軟/局所用液/耳科用液	クロラムフェニコール	91 119
クロロマイセチンサクシネート静注用	クロラムフェニコールコハク酸エステル	119
ケ		
ケアラム錠	イグラチモド	39
ケアロードLA錠	ベラプロストナトリウム	36, 54, 80
ケイツーN静注/カ/シ ケイツーN静注	メナテトレノン ビタミンK	79, 105 150
ゲーベンク	スルファジアジン銀	94
ケーワン錠	フィトナジオン	79, 105
ケタスカ ケタスカ/点眼液 ケタス点眼液	イブジラスト	25, 27, 60 29 84
ケタラール静注用/筋注用	ケタミン塩酸塩	12
ケトプロフェン坐	ケトプロフェン	45
ケナコルト-A筋注用/皮内用	トリアムシノロンアセトニド	40
L-ケフラール顆	セファクロル	113
ケフラールカ/細（小児用）	セファクロル	113
L-ケフレックス顆/小児用顆	セファレキシン	113
ケフレックスカ/シ用細	セファレキシン	113
ケラチナミンク	尿素	93
ケルロング錠	ベタキソロール塩酸塩	2
ゲンタシン注	ゲンタマイシン硫酸塩	117
ゲンタマイシン点眼薬	ゲンタマイシン硫酸塩	86
ケンブラン吸入粉末溶解用	メタコリン塩化物	147
コ		
コアキシン注	セファロチンナトリウム	113
コアテック注/SB注	オルプリノン塩酸塩水和物	49
コアベータ静注用	ランジオロール塩酸塩	2, 149
コートリル錠	ヒドロコルチゾン	40
コートロシン注 コートロシン注/Z注	テトラコサクチド酢酸塩	38 98
コートロシンZ注	テトラコサクチド酢酸塩（亜鉛懸濁液）	38
コートン錠	コルチゾン酢酸エステル	40, 139
コールタイジン点鼻液	テトラヒドロゾリン塩酸塩	2, 90
コカイン塩酸塩末	コカイン塩酸塩	6, 10
コスパノン錠/カ	フロプロピオン	67, 68
コスメゲン静注用	アクチノマイシンD	136
コデインリン酸塩錠/末/散	コデインリン酸塩水和物	22, 57
ゴナックス皮下注用	デガレリクス酢酸塩	97, 138
コナン錠	キナプリル塩酸塩	34
コニール錠	ベニジピン塩酸塩	55
コバシル錠	ペリンドプリルエルブミン	34
コペガス錠	リバビリン	128

商品名	一般名	掲載頁
コホリン注	ペントスタチン	135
コムタン錠	エンタカポン	20
コメリアン錠	ジラゼプ塩酸塩水和物	52, 80
コララン錠	イバブラジン塩酸塩	49
コランチル配合顆	ジサイクロミン〈ジシクロベリン〉塩酸塩	7
コリオパン錠/顆/カ	ブトロピウム臭化物	8
コリマイシン散	コリスチンメタンスルホン酸ナトリウム	120
コリンホール錠/散	メチキセン塩酸塩	7
コルドリン錠/顆	クロフェダノール塩酸塩	57
コルヒチン錠	コルヒチン	110
コレアジン錠	テトラベナジン	21
コレキサミン錠	ニコモール	53, 108
コレクチム軟	デルゴシチニブ	93
コレバイン錠	コレスチミド〈コレスチラン〉	109
コレミナール錠/細	フルタゾラム	16
コロネル錠/細	ポリカルボフィルカルシウム	66
コンサータ錠	メチルフェニデート塩酸塩	24
コンスタン錠	アルプラゾラム	16
コントール錠/散	クロルジアゼポキシド	16
コントミン糖衣錠/筋注	クロルプロマジン塩酸塩	14, 65
コンバントリン錠/ドシ	ピランテルパモ酸塩	131
コンベック軟/ク	ウフェナマート	46
サ		
ザーコリカ	クリゾチニブ	139
サージセル・アブソーバブル・ヘモスタット綿型シート/ガーゼ型/ニューニット	酸化セルロース	79
サーティカン錠	エベロリムス	37
サーファクテン気管注入用	サーファクタント	57
サアミオン錠/散	ニセルゴリン	27
ザイアジェン錠	アバカビル硫酸塩〈ABC〉	126
サイクロセリンカ	サイクロセリン	116, 122
ザイザル錠/OD錠/シ	レボセチリジン塩酸塩	31
ザイティガ錠	アビラテロン酢酸エステル	138
サイデックス液	グルタラール	132
サイトテック錠	ミソプロストール	35, 63
サイバインコ錠	アブロシチニブ	93
サイビスク関節注	ヒアルロン酸ナトリウム	39
サイプレジン点眼液	シクロペントラート塩酸塩	7, 85
ザイボックス錠/注	リネゾリド	120
サイメリン注	ラニムスチン	134
サイレース錠/注	フルニトラゼパム	13
ザイロリック錠	アロプリノール	110
サインバルタカ	デュロキセチン塩酸塩	17, 32, 107
ザガーロカ	デュタステリド	102
ザジテン点眼液/点鼻液/カ/シ/ドシ ザジテンカ/シ/ドシ ザジテン点眼液	ケトチフェンフマル酸塩	31 60 84
サチュロ錠	ベダキリンフマル酸塩	122
サテニジン液	アルキルジアミノエチルグリシン塩酸塩	133
ザノサー点滴静注用	ストレプトゾシン	134
サノレックス錠	マジンドール	25
ザバクサ配合点滴静注用	セフトロザン硫酸塩	114
サビーン点滴静注用	デクスラゾキサン	146
ザファテック錠	トレラグリプチンコハク酸塩	106
サブリル散	ビガバトリン	19
サプレスタ顆/カ	アラニジピン	55
サムスカ顆/OD錠 サムスカ錠/OD錠/顆	トルバプタン	71 99
サムチレール内用懸濁液	アトバコン	125
サラジェン錠/顆	ピロカルピン塩酸塩	6
サラゾピリン錠/坐	サラゾスルファピリジン〈スルファサラジン〉	66
サリグレンカ	セビメリン塩酸塩水和物	6
サリチル酸Na静注	サリチル酸ナトリウム	44
サリチル酸ワセリン軟膏軟膏	サリチル酸	95
サルコート口腔噴霧カ	ベクロメタゾンプロピオン酸エステル	41
ザルコニン液	ベンザルコニウム塩化物	133
サルタノールインヘラー	サルブタモール硫酸塩	3, 59

商品名	一般名	掲載頁
ザルティア錠	タダラフィル	71
サレドカ	サリドマイド	145
ザロンチンシ	エトスクシミド	18
サワシリン錠/カ/細	アモキシシリン水和物	113, 132
サンコバ点眼液	シアノコバラミン	88
ザンタック錠/注	ラニチジン塩酸塩	62
サンチンク点眼液	硫酸亜鉛	88
サンディミュン静注/内用液	シクロスポリン	37, 94
サンテゾーン眼軟膏 サンテゾーン点眼液	デキサメタゾン デキサメタゾンメタスルホ安息香酸エステルナトリウム	41, 85, 87
サンドスタチン皮下注用/LAR筋注用 サンドスタチン皮下注/LAR筋注	オクトレオチド酢酸塩	98 145
サンピロ点眼液	ピロカルピン塩酸塩	6, 83, 86
サンベタゾン眼耳鼻科用液	ベタメタゾンリン酸エステルナトリウム	85, 87
サンラビン点滴静注	エノシタビン	135
サンリズムカ/注	ピルシカイニド塩酸塩水和物	50
ジアグノグリーン注	インドシアニングリーン	148, 149
シアナマイド内用液	シアナミド	12
シアノコバラミン注	シアノコバラミン	77, 104
シアリス錠	タダラフィル	76
シーエルセントリ錠	マラビロク	127
シーブリ吸入用カ	グリコピロニウム臭化物	8, 60
ジェイゾロフト錠/OD錠	セルトラリン塩酸塩	17, 32
ジェニナック錠	ガレノキサシンメシル酸塩水和物	121
ジェブタナ点滴静注	カバジタキセルアセトン付加物	137
ジェムザール注	ゲムシタビン塩酸塩	135
ジオール錠	プレグナンジオール	91
シオゾール注	金チオリンゴ酸ナトリウム	38
ジオトリフ錠	アファチニブマレイン酸塩	139
シオマリン静注	ラタモキセフナトリウム	114
ジカディアカ/錠	セリチニブ	139
ジギラノゲン注	デスラノシド	48
ジクアス点眼液	ジクアホソルナトリウム	89
シグニフォーLAR筋注用キット	パシレオチドパモ酸塩	98
シグマート錠/注	ニコランジル	51
シクレスト舌下錠	アセナピンマレイン酸塩	15
ジクロード点眼液	ジクロフェナクナトリウム	88
ジゴシン錠/散/エリキシル/注	ジゴキシン	48
ジスロマック錠/点/小児用細/小児用カ	アジスロマイシン水和物	118
ジセタミン錠	セトチアミン〈ジセチアミン〉塩酸塩水和物	102
ジセレカ錠	フィルゴチニブ	39
ジソペイン錠	モフェゾラク	44
シタネスト-オクタプレシン歯科用カートリッジ注	プロピトカイン	10
ジトリペンタートカル静注	ペンテト酸カルシウム三ナトリウム	151
ジヒドロコデインリン酸塩末/散	ジヒドロコデインリン酸塩	22, 57
ジピリダモール静注	ジピリダモール	52, 80
ジフェンヒドラミン塩酸塩注	ジフェンヒドラミン塩酸塩	29
ジフォルタ注射液	プララトレキサート	134
ジフラール軟/ク	ジフロラゾン酢酸エステル	42
ジフルカン静注/カ/ドシ	フルコナゾール	123
ジプレキサ錠/ザイディス錠/細/筋注	オランザピン	15
シプロキサン錠/注	シプロフロキサシン	121
ジプロフィリン注	ジプロフィリン	49, 59, 70
シベクトロ錠/点滴静注用	テジゾリドリン酸エステル	120
ジベトス錠	ブホルミン塩酸塩	107
シベノール錠/静注	シベンゾリンコハク酸塩	50
シマロン軟/ク/ゲル	フルオシノニド	42
ジメリン錠	アセトヘキサミド	105
ジャカビ錠	ルキソリチニブリン酸塩	140
ジャクスタピッドカ	ロミタピドメシル酸塩	109
ジャディアンス錠	エンパグリフロジン	107
ジャドニュ顆	デフェラシロクス	151
ジャヌビア錠	シタグリプチンリン酸塩水和物	106
シュアポスト錠	レパグリニド	106
ジュリナ錠	エストラジオール	100, 111

商品名	一般名	掲載頁
ジョサマイシ/ドシ	ジョサマイシンプロピオン酸エステル	119
ジョサマイシン錠	ジョサマイシン	119
ジルダザック軟	ベンダザック	46
ジルテック錠/ドシ	セチリジン塩酸塩	31
シロスレット内服ゼリー	シロスタゾール	27, 81
シングレア錠/OD錠/チュアブル錠/細	モンテルカスト	36, 61, 90
シンビット静注	ニフェカラント塩酸塩	51
シンフェーズ錠	エチニルエストラジオール ＋ ノルエチステロン	74
シンメトレル錠/細	アマンタジン塩酸塩	20, 27, 130
シンレスタール錠/細	プロブコール	109
次亜塩液	次亜塩素酸ナトリウム	133
臭化カリウム末	臭化カリウム	14
重曹末/注/錠 重曹末	炭酸水素ナトリウム	26 58
消毒用エタノール	消毒用エタノール	132
スイニー錠	アナグリプチン	106
スインプロイク錠	ナルデメジントシル酸塩	23, 68
スーグラ錠	イプラグリフロジンL-プロリン	107
スーテントカ	スニチニブリンゴ酸塩	141
スープレン吸入麻酔液	デスフルラン	12
スオード錠	プルリフロキサシン	121
スキサメトニウム注	スキサメトニウム塩化物	11
スターシス錠	ナテグリニド	106
スタデルム軟/ク	イブプロフェンピコノール	46
スタラシドカ	シタラビンオクホスファート水和物	135
スタリビルド配合錠	エルビテグラビル	127
スタレボ配合錠	エンタカポン	20
スチバーガ錠	レゴラフェニブ水和物	141
ステーブラ錠/OD錠	イミダフェナシン	8, 72
ステボロニン点滴静注バッグ	ボロファラン（^{10}B）	146
ステリクロン液/スクラブ液	クロルヘキシジングルコン酸塩	133
ステリスコープ液	グルタラール	132
ステリゾール液	グルタラール	132
ステリハイド液	グルタラール	132
ステルイズ水性懸濁筋注	ベンジルペニシリンベンザチン水和物	132
ステロネマ注腸	ベタメタゾンリン酸エステルナトリウム	41, 66
ストックリン錠	エファビレンツ〈EFV〉	126
ストラテラカ/内用液	アトモキセチン塩酸塩	24
ストロカイン錠/顆	オキセサゼイン	10, 64
ストロメクトール錠	イベルメクチン	95, 131
スナイリンドシ	ピコスルファートナトリウム水和物	67
スパカール錠/細	トレピブトン	67, 68
スパトニン錠	ジエチルカルバマジンクエン酸塩	132
スパニジン点滴静注	グスペリムス塩酸塩	37
スピール膏M絆創膏	サリチル酸	95
スピオルトレスピマット	オロダテロール塩酸塩	3, 59
スピラマイシン錠	スピラマイシン	119, 131
スピリーバ吸入用カ/レスピマット	チオトロピウム臭化物水和物	8, 60
スピロピタン錠	スピペロン	14
スピロペント錠	クレンブテロール塩酸塩	3, 59, 73
ズファジラン錠/筋注	イソクスプリン塩酸塩	4, 53, 74
スプリセル錠	ダサチニブ水和物	140
スプレキュア点鼻液 スプレキュア点鼻液/MP皮下注用	ブセレリン酢酸塩	75 96
スプレキュアMP皮下注	ブセレリン酢酸塩	75
スプレンジール錠	フェロジピン	55
スベニール関節注/ディスポ	ヒアルロン酸ナトリウム	39
スペリア錠/内用液	フドステイン	58
スマイラフ錠	ペフィシチニブ臭化水素酸塩	39
スミスリンロ	フェノトリン	95
スルカイン錠	ピペリジノアセチルアミノ安息香酸エチル	10, 64
スルガム錠	チアプロフェン酸	45
スルピリン注	スルピリン水和物	23
スルプロチン軟/ク	スプロフェン	46

シ ス 商品名

商品名	一般名	掲載頁
スルペラゾン静注キット スルペラゾン静注用/キット	スルバクタムナトリウム セフォペラゾンナトリウム	115 114
スルモンチール錠/散	トリミプラミンマレイン酸塩	17
スレンダム軟/ク	スプロフェン	46
スロンノンHI注	アルガトロバン水和物	82
膵外分泌機能検査用PFD内服液	ベンチロミド	148
水溶性ハイドロコートン注	ヒドロコルチゾンリン酸エステルナトリウム	40
水溶性プレドニン注	プレドニゾロンコハク酸エステルナトリウム	40
セ		
セイブル錠/OD錠	ミグリトール	107
セキソビット錠	シクロフェニル	100
セクターゲル/ク/ロ	ケトプロフェン	46
ゼジューラ錠/カ	ニラパリブトシル酸塩水和物	142
セスデン注/カ	チメピジウム臭化物水和物	8
ゼストリル錠	リシノプリル水和物	34
ゼスラン錠/小児用シ/小児用細	メキタジン	31, 60
セタプリル錠	アラセプリル	34
セダペイン注	エプタゾシン臭化水素酸塩	22
ゼチーア錠	エゼチミブ	109
セディール錠	タンドスピロンクエン酸塩	16, 33
セトロタイド注	セトロレリクス酢酸塩	75, 96
ゼノンコールド吸入用ガス	キセノン	149
セパゾン錠/散	クロキサゾラム	16
セパミット細/R徐放カ/R徐放細	ニフェジピン	55
ゼビアックスローション ゼビアックスロ	オゼノキサシン	91 120
セファドール錠/顆	ジフェニドール塩酸塩	26
セファメジンα注/キット	セファゾリンナトリウム	113
セファランチン錠/末/注	セファランチン	79
ゼフィックス錠	ラミブジン〈3TC〉	128
セフォタックス注	セフォタキシムナトリウム	114
セフスパン細/カ	セフィキシム	114
セフゾン細（小児用）/カ	セフジニル	114
セフテムカ	セフチブテン水和物	114
ゼフナートク/外用液	リラナフタート	124
セフピロム硫酸塩静注	セフピロム硫酸塩	114
セフメタゾン静注用/筋注用	セフメタゾールナトリウム	114
ゼプリオン水懸筋注	パリペリドンパルミチン酸エステル	15
ゼペリン点眼液	アシタザノラスト水和物	29, 84
セボフレン液	セボフルラン	12
セララ錠	エプレレノン	71
セリンクロ錠	ナルメフェン塩酸塩水和物	12
セルシン錠/散/シ/注	ジアゼパム	16, 18, 19
セルセプトカ	ミコフェノール酸モフェチル	37
セルタッチパップ/テープ	フェルビナク	46
セルベックス細/カ	テプレノン	63
ゼルボラフ錠	ベムラフェニブ	141
ゼルヤンツ錠	トファシチニブクエン酸塩	39, 66
セレキノン錠	トリメブチンマレイン酸塩	66
セレクトール錠	セリプロロール塩酸塩	2
セレコックス錠	セレコキシブ	45
セレジスト錠/OD錠	タルチレリン	97
セレナール錠/散	オキサゾラム	16
セレニカR徐放錠/徐放顆	バルプロ酸ナトリウム	18, 24
セレネース錠/細/内服液/注	ハロペリドール	14
セレベントロタディスク/ディスカス	サルメテロールキシナホ酸塩	3, 59
ゼローダ錠	カペシタビン	134
セロクエル錠/細	クエチアピンフマル酸塩	15
セロクラール錠/細	イフェンプロジル酒石酸塩	25, 27
セロケン錠/L徐放錠	メトプロロール酒石酸塩	2
セロシオンカ	プロパゲルマニウム	129
ゼンタコートカ	ブデソニド	41, 66
センノサイド顆	センノシド	67
ソ		
ソアナース軟/軟分包	精製白糖・ポビドンヨード配合剤	94
ゾーフィゴ静注	塩化ラジウム（^{223}Ra）	146
ゾーミッグ錠/RM錠（口腔内速溶錠）	ゾルミトリプタン	24, 33
ゾシン静注	タゾバクタム	115
ゾスパタ錠	ギルテリチニブフマル酸塩	139

商品名	一般名	掲載頁
ソセゴン錠 ソセゴン注	ペンタゾシン塩酸塩 ペンタゾシン	22 22
ソタコール錠	ソタロール塩酸塩	51
ソバルディ錠	ソホスブビル	129
ゾビラックス眼軟膏 ゾビラックス軟/ク ゾビラックス錠/顆/点滴静注	アシクロビル	87 95 127
ソフラチュール貼	フラジオマイシン硫酸塩	118
ゾフルーザ錠/顆	バロキサビル マルボキシル	130
ソマチュリン皮下注	ランレオチド酢酸塩	98, 145
ゾメタ点滴静注	ゾレドロン酸水和物	112
ソメリン錠/細	ハロキサゾラム	13
ゾラデックスデポ ゾラデックスデポ注/LAデポ注	ゴセレリン酢酸塩	75, 138 96
ゾラデックスLAデポ	ゴセレリン酢酸塩	138
ソラナックス錠	アルプラゾラム	16
ソランタール錠	チアラミド塩酸塩	45
ゾリンザカ	ボリノスタット	142
ソル・コーテフ注/静注	ヒドロコルチゾンコハク酸エステルナトリウム	40
ソルダクトン静注	カンレノ酸カリウム	71
D-ソルビトール末/液	D-ソルビトール	149
ソル・メドロール静注	メチルプレドニゾロンコハク酸エステルナトリウム	40
ソレトン錠	ザルトプロフェン	45
ソロン細/錠/カ	ソファルコン	63
タ		
ダーブロック錠	ダプロデュスタット	78
ダイアート錠	アゾセミド	70
ダイアコート軟/ク	ジフロラゾン酢酸エステル	42
ダイアップ坐	ジアゼパム	18, 19
ダイアモックス錠/末/注 ダイアモックス錠	アセタゾラミド	18, 26, 70, 84 57
タイガシル点滴静注用	チゲサイクリン	117
タイケルブ錠	ラパチニブトシル酸塩水和物	139
ダイドロネル錠	エチドロン酸二ナトリウム	112
ダイピン錠	*N*-メチルスコポラミンメチル硫酸塩	8
ダウノマイシン静注	ダウノルビシン塩酸塩	135
タウリン散	アミノエチルスルホン酸〈タウリン〉	50, 69
ダオニール錠	グリベンクラミド	106
タオンク/ゲル/液	クロトリマゾール	124
タガメット錠/細/注	シメチジン	62
ダカルバジン注	ダカルバジン	134
タキソール注	パクリタキセル	137
タキソテール点滴静注	ドセタキセル水和物	137
ダクチラン錠	ピペリドレート塩酸塩	7, 74
ダクチル錠	ピペリドレート塩酸塩	7, 74
タグリッソ錠	オシメルチニブメシル酸塩	139
タケキャブ錠	ボノプラザンフマル酸塩	62
タケプロンOD錠/カ/静注	ランソプラゾール	62
タゴシッド注	テイコプラニン	116
タシグナカ	ニロチニブ塩酸塩水和物	140
タズベリク錠	タゼメトスタット臭化水素酸塩	142
タスモリン錠/細/注	ビペリデン塩酸塩	7
タチオン錠/散/注 タチオン注 タチオン点眼用液	グルタチオン	69 79 84
タナドーパ顆	ドカルパミン	2, 48
タナトリル錠	イミダプリル塩酸塩	34, 107
タフィンラーカ	ダブラフェニブメシル酸塩	141
ダフクリア錠	フィダキソマイシン	120
タブレクタ錠	カプマチニブ塩酸塩水和物	140
タプロス点眼液 タプロス点眼液/ミニ点眼液	タフルプロスト	35 83
タベジール錠/散/シ	クレマスチンフマル酸塩	29
タペンタ錠	タペンタドール塩酸塩	22
タミフルカ/ドシ	オセルタミビルリン酸塩	130
ダラシンTゲル/Tロ ダラシンS注/Tゲル/Tロ ダラシンカ	クリンダマイシンリン酸エステル クリンダマイシン塩酸塩	91 119 91, 119
タリージェ錠	ミロガバリンベシル酸塩	24
タリオン錠/OD錠	ベポタスチンベシル酸塩	31

	商品名	一般名	掲載頁
	タリビッド点眼液/眼軟膏 タリビッド耳科用液 タリビッド錠	オフロキサシン	87 91 95, 121, 123
	タリムス点眼液	タクロリムス水和物	85
	タルグレチンカ	ベキサロテン	145
	タルセバ錠	エルロチニブ塩酸塩	139
	ダルメートカ	フルラゼパム塩酸塩	13
	ダレンカ	エメダスチンフマル酸塩	31, 93
	ダントリウムカ/静注	ダントロレンナトリウム水和物	11
	タンボコール錠/細/静注	フレカイニド酢酸塩	50
	炭酸水素ナトリウム末/注 炭酸水素ナトリウム末	炭酸水素ナトリウム	26 58
チ	チアトンカ	チキジウム臭化物	8
	ヂアミトール水	ベンザルコニウム塩化物	133
	チアミンジスルフィド錠	チアミンジスルフィド〈チアミノジスルフィド硝酸塩〉	102
	チウラジール錠	プロピルチオウラシル〈PTU〉	99
	チエナム点滴静注用/キット/筋注用	イミペネム水和物	115
	チオクト酸注	チオクト酸	104, 150
	チオデロンカ	メピチオスタン	100, 137
	チオラ錠	チオプロニン	69, 84, 151
	チガソンカ	エトレチナート	93, 104
	チスタニン糖衣錠	L-エチルシステイン塩酸塩	58
	チトゾール注	チアミラールナトリウム	12
	チトラミン輸血用液	クエン酸ナトリウム水和物	82
	チノカ	ケノデオキシコール酸	68
	チバセン錠	ベナゼプリル塩酸塩	34
	チモプトール点眼液/XE点眼液	チモロールマレイン酸塩	84
	チョコラA錠/末/滴/筋注	レチノールパルミチン酸エステル	93, 104
	チラーヂンS錠/散/注	レボチロキシンナトリウム水和物〈T_4-Na〉	99
	チロナミン錠	リオチロニンナトリウム〈T_3-Na〉	99
	チンク油懸濁剤	酸化亜鉛〈チンク〉	94
ツ	ツイミーグ錠	イメグリミン塩酸塩	107
	ツートラム錠	トラマドール塩酸塩	22
	ツベラクチン筋注	エンビオマイシン硫酸塩	122
	ツベルミン錠	エチオナミド	122
テ	デアメリンS錠	グリクロピラミド	105
	ディアコミットカ/ドシ	スチリペントール	19
	ティーエスワン配合カ/配合OD錠/配合顆	テガフール・ギメラシル・オテラシルカリウム	134
	ディオバン錠/OD錠	バルサルタン	34
	ディスオーパ消毒液	フタラール	132
	ディナゲスト錠/OD錠 ディナゲスト錠	ジエノゲスト	75 101
	ディビゲルゲル	エストラジオール	100
	ディフェリンゲル	アダパレン	91, 104
	ディプリバン注/キット	プロポフォール	12
	デエビゴ錠	レンボレキサント	13
	テオドール徐放錠/徐放顆/ドシ/シ	テオフィリン	29, 59
	デカドロン錠/エリキシル デカドロン注	デキサメタゾン デキサメタゾンリン酸エステルナトリウム	41, 139
	デキサメサゾン軟/ロ/ク	デキサメタゾン	41, 43
	テキサント消毒液	次亜塩素酸ナトリウム	133
	テクスメテン軟/ユニバーサルクリーム	ジフルコルトロン吉草酸エステル	42
	テグレトール錠/細	カルバマゼピン	18
	テゴー51消毒液	アルキルジアミノエチルグリシン塩酸塩	133
	デザレックス錠	デスロラタジン	31
	テシプール錠	セチプチリンマレイン酸塩	17
	デジレル錠	トラゾドン塩酸塩	17, 32
	デスパコーワ口腔用ク	ヒドロコルチゾン酢酸エステル	40
	デスフェラール注	デフェロキサミンメシル酸塩	151
	デスモプレシンス デスモプレシン点鼻液/ス/注	デスモプレシン酢酸塩水和物	73 99
	デタントール錠/R徐放錠/点眼液 デタントール点眼液	ブナゾシン塩酸塩	1 83
	テトカイン注	テトラカイン塩酸塩	10
	デトキソール静注	チオ硫酸ナトリウム水和物	151

	商品名	一般名	掲載頁
	テトラミド錠	ミアンセリン塩酸塩	17
	デトルシトールカ	トルテロジン酒石酸塩	7, 72
	テネリア錠	テネリグリプチン臭化水素酸塩水和物	106
	テノーミン錠	アテノロール	2
	デノシン点滴静注	ガンシクロビル	128
	テノゼット錠	テノホビル ジソプロキシルフマル酸塩〈TDF〉	128
	デパケン錠/R錠/細/シ	バルプロ酸ナトリウム	18, 24
	デパス錠/細	エチゾラム	13, 16, 19
	テビケイ錠	ドルテグラビルナトリウム	127
	デヒドロコール酸注	デヒドロコール酸	68
	テプミトコ錠	テポチニブ塩酸塩水和物	140
	デプロメール錠	フルボキサミンマレイン酸塩	17, 32
	デベルザ錠	トホグリフロジン水和物	107
	デポスタット筋注	ゲストノロンカプロン酸エステル	71, 101, 102
	デポ・メドロール注	メチルプレドニゾロン酢酸エステル	40
	デムサーカ	メチロシン	145
	テモダール点滴静注/カ	テモゾロミド	134
	デュアック配合ゲル	過酸化ベンゾイル	91
	デュオドーパ配合経腸用液	カルビドパ水和物	20
	デュファストン錠	ジドロゲステロン	101
	デュロテップMTパッチ貼	フェンタニル	22
	テラ・コートリル軟	ヒドロコルチゾン オキシテトラサイクリン塩酸塩	40 117
	テラジアパスタ軟	スルファジアジン	94, 121
	テラプチク注 テラプチク静注/皮下・筋注	ジモルホラミン	25, 57 150
	テラマイシン軟	オキシテトラサイクリン塩酸塩	117
	テラルビシン注	ピラルビシン	135
	テリパラチド酢酸塩静注用	テリパラチド酢酸塩	99, 147
	テリボン皮下注用/皮下注オートインジェクター	テリパラチド酢酸塩	99, 111
	テルギンG錠/ドシ	クレマスチンフマル酸塩	29
	デルティバ錠	デラマニド	122
	テルネリン錠/顆	チザニジン塩酸塩	19
	デルマクリンA軟/ク	グリチルレチン酸	46
	デルモベート軟/ク/スカルプ	クロベタゾールプロピオン酸エステル	42
	テレミンソフト坐	ビサコジル	67
	デンターグル含嗽用散	フラジオマイシン硫酸塩	118
ト	トービイ吸入液	トブラマイシン	117
	トーリセル点滴静注用液	テムシロリムス	141
	ドキシル注	ドキソルビシン〈アドリアマイシン〉塩酸塩	135
	ドグマチール錠/カ/細/筋注 ドグマチール錠/カ/細/注	スルピリド	15, 27, 63, 65 65
	トコンシ	トコン(有効成分エメチン, セファエリン)	64
	トスキサシン錠	トスフロキサシントシル酸塩水和物	121
	トスフロ点眼液	トスフロキサシントシル酸塩水和物	87
	ドパストン散/カ/静注	レボドパ	20
	ドパゾール錠	レボドパ	20
	トパルジック軟/ク	スプロフェン	46
	トビエース錠	フェソテロジンフマル酸塩	7, 72
	トピナ錠/細 トピナ錠	トピラマート	19 24
	トピロリック錠	トピロキソスタット	110
	トプシム軟/ク/Eク/ロ/ス	フルオシノニド	42
	ドプスOD錠/細	ドロキシドパ	6, 21, 56
	ドブトレックス注/キット点滴注	ドブタミン塩酸塩	2, 48, 56
	ドブポンシリンジ	ドブタミン塩酸塩	2, 48, 56
	トブラシン点眼液 トブラシン注	トブラマイシン	86 117
	トフラニール錠	イミプラミン塩酸塩	17, 32, 72
	ドプラム注	ドキサプラム塩酸塩水和物	25, 57, 150
	トポテシン点滴静注	イリノテカン塩酸塩水和物	137
	ドボネックス軟	カルシポトリオール	93, 105
	トミロン錠/細(小児用)	セフテラムピボキシル	115

商品名	一般名	掲載頁
ドミン錠	タリペキソール塩酸塩	20
ドメナン錠	オザグレル塩酸塩水和物	36, 61
ドラール錠	クアゼパム	13
トライコアカ	フェノフィブラート	108
トラクリア錠	ボセンタン水和物	35, 54
トラゼンタ錠	リナグリプチン	106
トラバタンズ点眼液	トラボプロスト	35, 83
トラベルミン配合錠/注	ジメンヒドリナート	26
トラマール OD 錠/注	トラマドール塩酸塩	22
トラマゾリン点鼻液	トラマゾリン塩酸塩	2, 90
ドラマミン錠	ジメンヒドリナート	26, 29, 64
トラメラス点眼液/PF 点眼液	トラニラスト	84
トランコロン錠	メペンゾラート臭化物	8, 66
トランサミン錠/カ/散/シ/注	トラネキサム酸	79
トランデート錠	ラベタロール塩酸塩	5
トリキュラー錠	エチニルエストラジオール ＋ レボノルゲストレル	74
トリクロリールシ	トリクロホスナトリウム	13
トリシノロンゲル/ク	トリアムシノロンアセトニド	43
トリセノックス注	三酸化ヒ素〈亜ヒ酸〉	145
トリテレンカ	トリアムテレン	71
トリノシン腸溶錠/顆/S 注	アデノシン三リン酸二ナトリウム水和物	26, 27
トリプタノール錠	アミトリプチリン塩酸塩	17, 24, 32, 72, 107
トリモール錠/細	ピロヘプチン塩酸塩	7, 21
トリラホン錠/散	ペルフェナジン	14, 26, 65
トリンテリックス錠	ボルチオキセチン臭化水素酸塩	17, 32
ドルコール錠	ピペミド酸水和物	120
トルソプト点眼液	ドルゾラミド塩酸塩	84
ドルナー錠	ベラプロストナトリウム	36, 53, 54, 80
ドルミカム注	ミダゾラム	12, 13
トレアキシン点滴静注	ベンダムスチン塩酸塩	134
トレーラン G 液	デンプン部分加水分解物	147
トレドミン錠	ミルナシプラン塩酸塩	17, 32
ドレニゾンテープ	フルドロキシコルチド	41
トレプロスト注	トレプロスチニル	36, 54, 80
トレミン錠/散	トリヘキシフェニジル塩酸塩	7
トレリーフ錠/OD 錠	ゾニサミド	20
トロビシン筋注	スペクチノマイシン塩酸塩水和物	118
トロペロン錠/細/注	チミペロン	14
ドロレプタン注	ドロペリドール	12
ナ		
ナイキサン錠	ナプロキセン	24, 45
ナイクリン注	ニコチン酸	26, 53, 92, 103
ナウゼリン錠/OD 錠/細/ドシ/坐	ドンペリドン	65
ナサニール点鼻液	酢酸ナファレリン	75, 96
ナゼア注/OD 錠	ラモセトロン塩酸塩	33, 64
ナゾネックス点鼻液	モメタゾンフランカルボン酸エステル	41
ナディック錠	ナドロール	4
ナトリックス錠	インダパミド	70
ナパゲルン軟/ロ/ク	フェルビナク	46
ナベルビン注	ビノレルビン酒石酸塩	136
ナボールゲル/テープ/パップ	ジクロフェナクナトリウム	46
ナボール SR カ（徐放）	ジクロフェナクナトリウム	44
ナルサス徐放錠	ヒドロモルフォン塩酸塩	22
ナルベイン注	ヒドロモルフォン塩酸塩	22
ナルラピド錠	ヒドロモルフォン塩酸塩	22
ナロキソン塩酸塩静注	ナロキソン塩酸塩	23, 57, 150
ニ		
ニコチネル TTS 貼	ニコチン	9
ニコチン酸アミド散	ニコチン酸アミド	26, 53, 103
ニコリン注/H 注	シチコリン	27
ニゾラールク/ロ	ケトコナゾール	124
ニッパスカルシウム顆	パラアミノサリチル酸カルシウム水和物	122
ニトプロ持続静注	ニトロプルシドナトリウム水和物	56
ニドラン注	ニムスチン塩酸塩	134
ニトロール錠/R カ/注/バッグ/シリンジ/ス	二硝酸イソソルビド	51
ニトロダーム TTS 貼	ニトログリセリン	51

商品名	一般名	掲載頁
ニトロペン舌下錠	ニトログリセリン	51
ニバジール錠	ニルバジピン	55
ニプラノール点眼液	ニプラジロール	5, 83
ニフラン錠/点眼薬 ニフラン点眼液	プラノプロフェン	45 88
ニポラジン錠/小児用シ/小児用細	メキタジン	31, 60
ニュープロパッチ貼	ロチゴチン	20, 21
ニューレプチル錠/細/内服液	プロペリシアジン	14
ニューロタン錠	ロサルタンカリウム	34, 107
ニュベクオ錠	ダロルタミド	138
ニンラーロカ	イキサゾミブクエン酸エステル	142
日点アトロピン点眼液	アトロピン硫酸塩水和物 アトロピン塩酸塩水和物	7 85
ネ		
ネイリンカ	ホスラブコナゾール L-リシンエタノール付加物	124
ネオイスコチン錠/末	イソニアジドメタンスルホン酸ナトリウム水和物	122
ネオーラル内用液/カ	シクロスポリン	37, 92, 94
ネオキシテープ貼	オキシブチニン塩酸塩	7, 72
ネオシネジン注	フェニレフリン塩酸塩	56
ネオシネジンコーワ注/点眼液 ネオシネジンコーワ点眼液	フェニレフリン塩酸塩	1 85
ネオドパストン配合錠	カルビドパ水和物	20
ネオドパゾール配合錠	ベンセラジド塩酸塩	20
ネオビタカイン注シリンジ	ジブカイン塩酸塩	10
ネオファーゲン静注	グリチルリチン酸モノアンモニウム	46, 68
ネオフィリン錠/末/注 ネオフィリン錠/末/注/PL 注/点滴用バック	アミノフィリン水和物	49, 70 59
ネオペリドール注	ハロペリドールデカン酸エステル	14
ネオメドロール EE 軟	メチルプレドニゾロン フラジオマイシン硫酸塩	40 86
ネオレスタミン散	クロルフェニラミンマレイン酸塩（*dl* 体）	30
ネキシウムカ/懸濁用顆	エソメプラゾールマグネシウム水和物	62
ネクサバール錠	ソラフェニブトシル酸塩	141
ネシーナ錠	アログリプチン安息香酸塩	106
ネバナック点眼液	ネパフェナク	44, 88
ネリゾナ軟/ク/ユニバーサルクリーム/ソリューション	ジフルコルトロン吉草酸エステル	42
ネルボン錠/散	ニトラゼパム	13, 18
ノ		
ノアルテン錠	ノルエチステロン	101
ノイエル細/カ	セトラキサート塩酸塩	63
ノイキノン錠/糖衣錠/顆	ユビデカレノン	50
ノイビタ錠	オクトチアミン	102
ノイボルミチン点眼液	グリチルリチン酸二カリウム	46, 85
ノイロトロピン錠/注	ノイロトロピン	24
ノウリアスト錠	イストラデフィリン	21
ノービア錠	リトナビル〈rtv〉	126
ノーベルバール静注用	フェノバルビタールナトリウム	18
ノーベルバール静注用	フェノバルビタールナトリウム	13
ノクサフィル錠/点滴静注	ポサコナゾール	124
ノスカピン末	ノスカピン	57
ノズレン細	アズレンスルホン酸ナトリウム水和物	46
ノックビン原末	ジスルフィラム	12
ノバスタン HI 注	アルガトロバン水和物	82
ノバミン錠 ノバミン筋注 ノバミン錠/筋注	プロクロルペラジンマレイン酸塩 プロクロルペラジンメシル酸塩	14 14 65
ノバントロン注	ミトキサントロン塩酸塩	144
ノフロ点眼液	ノルフロキサシン	87
ノベルジンカ	酢酸亜鉛水和物	151
ノボ・硫酸プロタミン静注用	プロタミン硫酸塩	150
ノリトレン錠	ノルトリプチリン塩酸塩	17
ノルアドレナリン注	ノルアドレナリン	5, 48, 56
ノルスパンテープ貼	ブプレノルフィン	22
ノルバスク錠/OD 錠	アムロジピンベシル酸塩	55
ノルバデックス錠	タモキシフェンクエン酸塩	100, 137
ノルモナール錠	トリパミド	70
ノルレボ錠	レボノルゲストレル	101

ハ

商品名	一般名	掲載頁
パーキン散 パーキン錠	プロフェナミンヒベンズ酸塩 プロフェナミン塩酸塩	7 7
パーサビブ静注透析用	エテルカルセチド塩酸塩	99
ハーボニー配合錠	レジパスビルアセトン付加物	129
パーロデル錠	ブロモクリプチンメシル酸塩	20, 98
バイアグラ錠	シルデナフィルクエン酸塩	76
バイアスピリン腸溶錠	アスピリン	80
ハイアミン液	ベンゼトニウム塩化物	133
ハイアラージン軟/外用液	トルナフタート	124
バイエッタ皮下注	エキセナチド	106
バイオゲン静注	チアミンジスルフィド〈チアミノジスルフィド硝酸塩〉	102
ハイカムチン注	ノギテカン塩酸塩	137
バイカロン錠	メフルシド	70
ハイコバールカ	コバマミド	77, 104
ハイシー顆	アスコルビン酸	104
ハイジール水	アルキルジアミノエチルグリシン塩酸塩	133
ハイシジン錠/膣錠	チニダゾール	131
バイシリンG顆	ベンジルペニシリンベンザチン水和物	113, 132
ハイスコ皮下注	スコポラミン臭化水素酸塩水和物	7
ハイゼット錠/細	ガンマオリザノール	109
ハイチオール錠/散	L-システイン	79
ハイデルマートク	グリチルレチン酸	46
ハイトラシン錠	テラゾシン塩酸塩水和物	1, 71
ハイドレアカ	ヒドロキシカルバミド	135
バイナス錠	ラマトロバン	36, 90
ハイパジール錠/点眼液 ハイパジール点眼液	ニプラジロール	5 83
ハイペン錠	エトドラク	44
ハイボン錠/細	リボフラビン酪酸エステル	92, 103
ハイヤスタ錠	ツシジノスタット	142
バイロテンシン錠	ニトレンジピン	55
パキシル錠/CR錠	パロキセチン塩酸塩水和物	17, 32
バキソカ/坐 バキソ軟	ピロキシカム	45 46
バクシダール点眼液 バクシダール錠	ノルフロキサシン	87 121
バクタ配合錠/配合顆	スルファメトキサゾール・トリメトプリム〈ST合剤〉	121, 125
バクトラミン配合錠/配合顆/注	スルファメトキサゾール・トリメトプリム〈ST合剤〉	121, 125
バクトロバン鼻腔用軟	ムピロシンカルシウム水和物	91, 119
パシーフ徐放カ	モルヒネ塩酸塩水和物	22
パシル点滴静注	パズフロキサシンメシル酸塩	121
パズクロス点滴静注	パズフロキサシンメシル酸塩	121
バスタレルF錠	トリメタジジン塩酸塩	52
パスタロンソフト軟/ク/ロ	尿素	93
パセトシン錠/カ/細	アモキシシリン水和物	113, 132
バソメット錠	テラゾシン塩酸塩水和物	1, 71
バソレーター注/テープ	ニトログリセリン	51
パタノール点眼液	オロパタジン塩酸塩	31, 84
ハチアズレ含嗽用顆	アズレンスルホン酸ナトリウム水和物	46
バップフォー錠/細	プロピベリン塩酸塩	7, 72
パドセブ点滴静注用	エンホルツマブ ベドチン	143
パナルジン錠/細	チクロピジン塩酸塩	81
バナン錠/ドシ	セフポドキシムプロキセチル	115
パニマイシン点眼液 パニマイシン注/点眼液	ジベカシン硫酸塩	86 117
パパベリン塩酸塩末/散/注 パパベリン塩酸塩注	パパベリン塩酸塩	67 68
パピロックミニ点眼液	シクロスポリン	85
バファリン配合錠A81錠	アスピリン	80
バフセオ錠	バダデュスタット	78
ハベカシン注	アルベカシン硫酸塩	118
パミドロン酸二Na点滴静注用	パミドロン酸二ナトリウム水和物	112
パム静注	プラリドキシムヨウ化物	150
パラアミノ馬尿酸ソーダ注	パラアミノ馬尿酸ナトリウム水和物	148
ハラヴェン静注	エリブリンメシル酸塩	136
バラクルード錠	エンテカビル水和物	128
パラプラチン注	カルボプラチン	136

商品名	一般名	掲載頁
バラマイシン軟	バシトラシン	116
パラミヂンカ	ブコローム	45, 110
バランス錠/散	クロルジアゼポキシド	16
パリエット錠	ラベプラゾールナトリウム	62
バリキサ錠/ドシ	バルガンシクロビル塩酸塩	128
ハリケイン歯科用リキッドゲル	アミノ安息香酸エチル〈ベンゾカイン〉	10
バル筋注	ジメルカプロール	151
パルクス注/ディスポ	アルプロスタジル	35, 53, 80
ハルシオン錠	トリアゾラム	13
パルタンM錠/注	メチルエルゴメトリンマレイン酸塩	5, 74
バルトレックス錠/顆	バラシクロビル塩酸塩	127
ハルナールD錠	タムスロシン塩酸塩	1, 71
バルネチール錠/細	スルトプリド塩酸塩	15
パルミコート吸入液/タービュヘイラー	ブデソニド	41, 61
パルモディア錠	ペマフィブラート	108
ハルロピテープ	ロピニロール塩酸塩	20
バレオン錠/カ	ロメフロキサシン塩酸塩	121
バロス発泡顆/S顆	炭酸水素ナトリウム・酒石酸合剤	149
ハロマンス注	ハロペリドールデカン酸エステル	14
バンコマイシン眼軟膏	バンコマイシン塩酸塩	86
パンスポリン筋注/静注	セフォチアム塩酸塩	114
パンデル軟/ク/ロ	ヒドロコルチゾン酪酸プロピオン酸エステル	40, 42
パントール注	パンテノール	92, 103
パントシン錠/散/細/注	パンテチン	92, 103, 109
パントテン酸カルシウム散	パントテン酸カルシウム	92
ハンプ注	カルペリチド	49

ヒ

商品名	一般名	掲載頁
ヒアレイン点眼液/ミニ点眼液	ヒアルロン酸ナトリウム	89
ビーエスエスプラス眼灌流液	オキシグルタチオン	89
ビーシックス注	ピリドキシン塩酸塩 ビタミン B_6	78, 92, 103 150
ピーゼットシー筋注 ピーゼットシー散 ピーゼットシー糖衣錠	ペルフェナジン塩酸塩 ペルフェナジンフェンジゾ酸塩 ペルフェナジンマレイン酸塩	14, 26, 65
ビーゾカイン歯科用ゼリー	アミノ安息香酸エチル〈ベンゾカイン〉	10
ヒーロン眼粘弾液	ヒアルロン酸ナトリウム	89
ビオチン散/ドシ/注	ビオチン〈ビタミンH〉	92, 104
ビクシリン注/ドシ/カ	アンピシリン水和物	113, 132
ビクシリンS配合錠/注	クロキサシリンナトリウム水和物	113
ビクトーザ皮下注	リラグルチド	106
ピコダルム顆	ピコスルファートナトリウム水和物	67
ビ・シフロール錠	プラミペキソール塩酸塩水和物	20, 21
ビジュアリン点眼液/眼科耳鼻科用液	デキサメタゾンメタスルホ安息香酸エステルナトリウム	41
ビジンプロ錠	ダコミチニブ水和物	139
ビスダーム軟/ク	アムシノニド	42
ビスダイン静注用	ベルテポルフィン	89
ヒスタミン二塩酸塩液	ヒスタミン二塩酸塩	147
ビスラーゼ注	リボフラビンリン酸エステルナトリウム	92, 103
ヒスロン錠	メドロキシプロゲステロン酢酸エステル	101
ヒスロンH錠	メドロキシプロゲステロン酢酸エステル	137
ビソノテープ貼	ビソプロロール	2
ビソルボン錠/細/吸入液/注	ブロムヘキシン塩酸塩	58
ビダーザ注射用	アザシチジン	135
ビタジェクト注キット	エルゴカルシフェロール	105
ビタシミン注	アスコルビン酸	104
ビタミン B_2 散	リボフラビン	92
ビタミン B_6 散/錠	ピリドキシン塩酸塩 ビタミン B_6	78, 92, 103 150
ビタミン K_1 注	フィトナジオン	79, 105
ヒダントール錠/散	フェニトイン	18, 50
ビデュリオン皮下注用	エキセナチド	106
ヒトCRH静注用	コルチコレリン	96, 148

商品名	一般名	掲載頁
ピドキサール錠/注	ピリドキサールリン酸エステル水和物	78, 92, 103
ヒドラ錠	イソニアジド	122
ピトレシン注	合成バソプレシン	98
ヒドロクロロチアジド錠/OD錠	ヒドロクロロチアジド	70
ピノルビン注	ピラルビシン	135
ピバレフリン点眼液	ジピベフリン塩酸塩	84
ビバンセカ	リスデキサンフェタミンメシル酸塩	24
ビビアント錠	バゼドキシフェン酢酸塩	111
ヒビテン液	クロルヘキシジングルコン酸塩	133
ピフェルトロ錠	ドラビリン	126
ビブラマイシン錠	ドキシサイクリン塩酸塩水和物	117
ヒベルナ糖衣錠/散/注	プロメタジン塩酸塩	21, 26, 30, 64
ヒポカ徐放カ	バルニジピン塩酸塩	55
ヒポクライン注	ゴナドレリン酢酸塩	96
ピマリシン点眼液/眼軟膏	ピマリシン	87
ビムパット錠/ドシ	ラコサミド	19
ピメノールカ	ピルメノール塩酸塩水和物	50
ビラノア錠	ビラスチン	31
ビラフトビカ	エンコラフェニブ	141
ピラマイド末	ピラジナミド	122
ビラミューン錠	ネビラピン	126
ビリアード錠	テノホビル ジソプロキシルフマル酸塩〈TDF〉	126
ヒルトニン注	プロチレリン酒石酸塩水和物	27, 97, 148
ビルトリシド錠	プラジカンテル	132
ヒルナミン錠/細/散/筋注	レボメプロマジンマレイン酸塩	14
ピレスパ錠	ピルフェニドン	61
ピレチア錠/細	プロメタジン塩酸塩	21, 26, 30, 64
ピレノキシン懸濁性点眼液	ピレノキシン	84
ピロニック錠	尿素〈^{13}C〉	147
ヒロポン錠/末	メタンフェタミン塩酸塩	24
ファーストシン静注/バッグS/バッグG	セフォゾプラン塩酸塩	114
ファスティック錠	ナテグリニド	106
ファボワール錠	エチニルエストラジオール＋デソゲストレル	74
ファムビル錠	ファムシクロビル	127
ファリーダックカ	パノビノスタット乳酸塩	142
ファルモルビシン注/RTU注	エピルビシン塩酸塩	135
ファロム錠/ドシ小児用	ファロペネムナトリウム水和物	115
ファンガード点滴用	ミカファンギンナトリウム	123
ファンギゾンシ/注	アムホテリシンB	125
フィコンパ錠/細	ペランパネル水和物	19
フィズリン錠	モザバプタン塩酸塩	71, 99
フィニバックス点滴静注用/キット	ドリペネム水和物	115
ブイフェンド錠/ドシ/静注用	ボリコナゾール	124
フィラジル皮下注	イカチバント酢酸塩	34
フィルデシン注	ビンデシン硫酸塩	136
フェアストン錠	トレミフェンクエン酸塩	100, 137
フェインジェクト静注	カルボキシマルトース第二鉄	77
フェジン静注	含糖酸化鉄	77
フェソロデックス筋注	フルベストラント	137
フエナゾール軟/ク	ウフェナマート	46
フェノール水	フェノール	133
フェノールスルホンフタレイン注	フェノールスルホンフタレイン	148
フェノバール散/末/錠/注/エリキシル	フェノバルビタール	13, 18
フェノバルビタール散/末	フェノバルビタール	13, 18
フェブリク錠	フェブキソスタット	110
フェマーラ錠	レトロゾール	100, 137
フェルデン軟	ピロキシカム	46
フェルム徐カ	フマル酸第一鉄	77
フェロ・グラデュメット錠	硫酸鉄	77
フェロミア錠/顆	クエン酸第一鉄ナトリウム	77
フェンタニル注	フェンタニルクエン酸塩	22
フェントステープ貼	フェンタニルクエン酸塩	22
フオイパン錠	カモスタットメシル酸塩	69

商品名	一般名	掲載頁
フォサマック錠	アレンドロン酸ナトリウム水和物	112
フォシーガ錠	ダパグリフロジンプロピレングリコール水和物	107
フォトフリン静注	ポルフィマーナトリウム	145
フォリアミン錠/散/注	葉酸	77, 104
フォルテオ皮下注キット	テリパラチド	99, 111
ブコラム口腔用液	ミダゾラム	18
フサン注	ナファモスタットメシル酸塩	69, 82
フシジンレオ軟	フシジン酸ナトリウム	119
ブスコパン錠/注	ブチルスコポラミン臭化物	8
フスタゾール糖衣錠/錠（小児用）/散/シ	クロペラスチン塩酸塩	57
フストジル注	グアイフェネシン	57
ブスルフェクス点滴静注	ブスルファン	134
フトラフールカ/腸溶顆/注/坐	テガフール	134
ブライアン錠/注	エデト酸カルシウムニナトリウム水和物	151
フラグミン静注	ダルテパリンナトリウム	81
プラザキサカ	ダビガトランエテキシラートメタンスルホン酸塩	82
フラジール内服液/膣錠	メトロニダゾール	131
ブラダロン錠	フラボキサート塩酸塩	72
フラッド注	フラビンアデニンジヌクレオチドナトリウム	92
フラビタン眼軟膏/点眼液 フラビタン錠/シ/注	フラビンアデニンジヌクレオチドナトリウム	88 92, 103
プラビックス錠	クロピドグレル硫酸塩	27, 81
フラベリック錠	ベンプロペリンリン酸塩	57
フランドル錠/テープ	二硝酸イソソルビド	51
ブリカニール錠/シ/皮下注	テルブタリン硫酸塩	3, 58
プリジスタ錠/ナイーブ錠	ダルナビルエタノール付加物	127
ブリディオン静注	スガマデクスナトリウム	11, 150
フリバス錠/OD錠	ナフトピジル	1, 71
プリビナ液/点眼液 プリビナ点眼液 プリビナ液	ナファゾリン硝酸塩	4 88 90
プリマキン錠	プリマキンリン酸塩	131
プリミドン錠/細	プリミドン	18
プリモボラン錠	メテノロン酢酸エステル	101, 111
プリモボラン・デポー筋注	メテノロンエナント酸エステル	101, 111
ブリリンタ錠	チカグレロル	81
プリンペラン錠/細/シ/注	メトクロプラミド	63, 65
フルイトラン錠	トリクロルメチアジド	70
フルオレサイト静注	フルオレセイン	147
フルカムカ	アンピロキシカム	45
フルコート軟/ク/外用液/ス	フルオシノロンアセトニド	42
フルスタン錠	ファレカルシトリオール	105
プルゼニド錠	センノシド	67
フルタイドエアゾール/ディスカス/ロタディスク	フルチカゾンプロピオン酸エステル	41, 61
フルダラ静注/錠	フルダラビンリン酸エステル	135
フルツロンカ	ドキシフルリジン	134
フルデカシン筋注	フルフェナジンデカン酸エステル	14
フルナーゼ点鼻液	フルチカゾンプロピオン酸エステル	41, 90
ブルフェン錠/顆	イブプロフェン	45
フルマリン静注/キット	フロモキセフナトリウム	114
フルメジン糖衣錠/散	フルフェナジンマレイン酸塩	14
フルメタ軟/ク/ロ	モメタゾンフランカルボン酸エステル	41, 42
フルメトロン点眼液	フルオロメトロン	41, 85, 87
ブレオ注 ブレオ注/S軟	ブレオマイシン塩酸塩	95 136
ブレオS軟	ブレオマイシン硫酸塩	95
プレグランディン膣坐	ゲメプロスト	35, 74
フレスミンS注	ヒドロキソコバラミン酢酸塩	77, 104
プレセデックス静注液/シリンジ	デクスメデトミジン塩酸塩	1, 14
プレタールOD錠/散	シロスタゾール	27, 81
ブレディニン錠	ミゾリビン	37, 39
プレドニゾロン錠/散/軟 プレドニゾロン軟/ク プレドニゾロン錠/散	プレドニゾロン	40 43 139

商品名	一般名	掲載頁
プレドニン眼軟膏 プレドニン錠	プレドニゾロン酢酸エステル プレドニゾロン	40, 85, 87 40, 66, 139
プレドネマ注腸	プレドニゾロンリン酸エステルナトリウム	40, 66
プレバイミス錠/点滴静注	レテルモビル	128
ブレビブロック注	エスモロール塩酸塩	2
プレペノン注	モルヒネ塩酸塩水和物	22
プレポダインスクラブ/ソリューション/フィールド	ヨウ素	133
プレマリン錠	結合型エストロゲン（エストロン硫酸エステル Na ＋ エクイリン硫酸エステル Na ＋ 17α-ジヒドロエクイリン硫酸エステル Na）	100
プロイメンド点滴静注用	ホスアプレピタントメグルミン	64
プロウペス腟用	ジノプロストン	35, 75
フローラン静注用	エポプロステノールナトリウム	36, 54, 80
フローレス眼検査用試験紙	フルオレセインナトリウム	147
プロカイン塩酸塩末/注	プロカイン塩酸塩	10
プロカニン注	プロカイン塩酸塩	10
プロギノンデポー筋注	エストラジオール吉草酸エステル	100
プログラフ注/カ/顆 プログラフカ	タクロリムス水和物	37 38, 66
ブロクリン L 徐放カ	ピンドロール	4
プロゲデポー筋注	ヒドロキシプロゲステロンカプロン酸エステル	101
プロゲホルモン筋注	プロゲステロン	74, 101
プロサイリン錠	ベラプロストナトリウム	36, 53, 54, 80
プロジフ静注	ホスフルコナゾール	124
フロジン外用液	カルプロニウム塩化物	95
プロスタール錠/L 錠（徐放） プロスタール錠	クロルマジノン酢酸エステル	71, 102 138
プロスタグランジン E_2 錠	ジノプロストン	35, 74
プロスタルモン・F 注	ジノプロスト	35, 74
プロスタンディン注射用 プロスタンディン点滴静注用 プロスタンディン軟 プロスタンディン注	アルプロスタジルアルファデクス アルプロスタジル アルファデクス	35 53, 56, 80 94 147
プロセキソール錠	エチニルエストラジオール	100, 138
プロタノール L 注（*l* 体）	イソプレナリン〈イソプロテレノール〉塩酸塩	4, 48, 51
プロタノール S 錠（*dl* 体：徐放）	イソプレナリン〈イソプロテレノール〉塩酸塩	4, 51
プロチアデン錠	ドスレピン塩酸塩	17
プロテカジン錠/OD 錠	ラフチジン	62
プロトゲン錠	ジアフェニルスルホン	123
プロトピック軟	タクロリムス水和物	92
プロトポルト錠	プロトポルフィリン二ナトリウム	69
プロナーゼ MS 散	プロナーゼ	149
ブロナック点眼液	ブロムフェナクナトリウム水和物	88
ブロニカ錠/顆	セラトロダスト	36, 61
プロネスパスタアロマ軟	ジブカイン塩酸塩	10
プロノン錠	プロパフェノン塩酸塩	50
プロパジール錠	プロピルチオウラシル〈PTU〉	99
ブロバリン末	ブロモバレリル尿素	13
プロ・バンサイン錠	プロパンテリン臭化物	8, 72
ブロプレス錠	カンデサルタンシレキセチル	34
プロペシア錠	フィナステリド	102
プロベラ錠	メドロキシプロゲステロン酢酸エステル	101
フロベン錠/顆	フルルビプロフェン	45
ブロボコリン吸入粉末溶解用	メタコリン塩化物	147
ブロマゼパム錠/細/坐	ブロマゼパム	16
プロマック D 錠/顆	ポラプレジンク	63
ブロムワレリル尿素末	ブロモバレリル尿素	13
フロモックス錠/小児用細	セフカペンピボキシル塩酸塩水和物	114
フロリード F 注/経口用ゲル/Dク/腟坐	ミコナゾール	123
フロリネフ錠	フルドロコルチゾン酢酸エステル	40
プロレナール錠	リマプロストアルファデクス	35, 53, 80
ベイスン錠/OD 錠	ボグリボース	107
ベージニオ錠	アベマシクリブ	140
ベオーバ錠	ビベグロン	4, 72
ペオン錠	ザルトプロフェン	45
ベガモックス点眼液	モキシフロキサシン塩酸塩	87
ヘキザック水	クロルヘキシジングルコン酸塩	133
ペキロンク	アモロルフィン塩酸塩	124
ベクルリー点滴静注用	レムデシビル	130
ベクロニウム静注	ベクロニウム臭化物	11
ベサコリン散	ベタネコール塩化物	6, 65, 72
ベザトール SR 徐放錠	ベザフィブラート	108
ベサノイドカ	トレチノイン	104, 145
ベシカム軟/ク	イブプロフェンピコノール	46
ベシケア錠/OD 錠	ソリフェナシンコハク酸塩	8, 72
ベスタチンカ	ウベニメクス	38
ベストコール筋注/静注	セフメノキシム塩酸塩	114
ベストロン点眼液 ベストロン耳科用液	セフメノキシム塩酸塩	86 91
ベストン糖衣錠	ビスベンチアミン	102
ベスポンサ点滴静注用	イノツズマブ オゾガマイシン	143
ベゼトン液	ベンゼトニウム塩化物	133
ベセルナク	イミキモド	93, 130
ベタナミン錠	ペモリン	24
ベタニス錠	ミラベグロン	4, 72
ペチジン塩酸塩注	ペチジン塩酸塩	22
ベック顆/カ	アラニジピン	55
ベトネベート軟/ク	ベタメタゾン吉草酸エステル	41, 42
ベトプティック点眼液/エス懸濁性点眼液	ベタキソロール塩酸塩	84
ベナパスタ軟	ジフェンヒドラミンラウリル硫酸塩	29
ベナンバックス注	ペンタミジンイセチオン酸塩	125
ペニシリン G カリウム注	ベンジルペニシリンカリウム	113
ベネクレクスタ錠	ベネトクラクス	142
ベネシッド錠	プロベネシド	110
ベネット錠	リセドロン酸ナトリウム水和物	112
ベネトリン錠/シ/吸入液	サルブタモール硫酸塩	3, 59
ベノキシール点眼液	オキシブプロカイン塩酸塩	10, 88
ベハイド錠	ベンチルヒドロクロロチアジド	70
ヘパフラッシュシリンジ注	ヘパリンナトリウム	81
ヘパリン Ca 皮下注/注	ヘパリンカルシウム	81
ヘパリン Na ロック用シリンジ注	ヘパリンナトリウム	81
ヘパリンカルシウム注	ヘパリンカルシウム	81
ヘパリンナトリウム注	ヘパリンナトリウム	81
ベピオゲル	過酸化ベンゾイル	91
ベプシドカ/注	エトポシド	137
ヘプセラ錠	アデホビルピボキシル	128
ベプリコール錠	ベプリジル塩酸塩水和物	51
ペプレオ注	ペプロマイシン硫酸塩	136
ヘプロニカート錠	ヘプロニカート	53
ペミラストン錠/ドシ/点眼液 ペミラストン錠/ドシ ペミラストン点眼液	ペミロラストカリウム	29 60 84
ベムリディ錠	テノホビル アラフェナミドフマル酸塩	128
ベラサス LA 錠	ベラプロストナトリウム	36, 54, 80
ペラゾリン細	ソブゾキサン	144
ベラチン錠/ドシ	ツロブテロール塩酸塩	3, 59
ペラニンデポー筋注	エストラジオール吉草酸エステル	100
ペリアクチン錠/散/シ	シプロヘプタジン塩酸塩水和物	25, 30, 33
ベリキューボ錠	ベルイシグアト	49
ペリシット錠	ニセリトロール	53, 108
ベルケイド注射用	ボルテゾミブ	142
ペルサンチン錠/静注	ジピリダモール	52, 80
ペルサンチン-L カ	ジピリダモール	52
ペルジピン錠/散/LA 徐放カ/注	ニカルジピン塩酸塩	55
ベルソムラ錠	スボレキサント	13
ヘルベッサー錠/R 徐放カ/注	ジルチアゼム塩酸塩	51, 55
ペルマックス錠	ペルゴリドメシル酸塩	20
ベレキシブル錠	チラブルチニブ塩酸塩	140
ベロテックシ/エロゾル	フェノテロール臭化水素酸塩	3, 59
ペングッド錠	バカンピシリン塩酸塩	113
ベンザリン錠/細	ニトラゼパム	13, 18
ペンタサ錠/顆/注腸/坐	メサラジン	66
ベンテイビス吸入液	イロプロスト	36, 54, 80

商品名	一般名	掲載頁
ペントキシベリンクエン酸塩錠	ペントキシベリンクエン酸塩	57
ペントシリン注/バッグ	ピペラシリンナトリウム	113
ペントナ錠/散	マザチコール塩酸塩水和物	7, 21
ベンフォチアミン錠	ベンフォチアミン	102
ペンレステープ貼	リドカイン	10
ホ ボアラ軟/ク	デキサメタゾン吉草酸エステル	41, 42
ホーネル錠	ファレカルシトリオール	105
ホーリット錠/散	オキシペルチン	15
ホーリン錠/膣錠 ホーリン錠	エストリオール	100 111
ホクナリンテープ ホクナリン錠/ドシ	ツロブテロール ツロブテロール塩酸塩	3, 59
ボシュリフ錠	ボスチニブ水和物	140
ホスカビル点滴静注	ホスカルネットナトリウム水和物	128
ホストイン静注	ホスフェニトインナトリウム水和物	18
ホスフラン注	リボフラビンリン酸エステルナトリウム	92, 103
ホスミシン錠/ドシ	ホスホマイシンカルシウム水和物	116
ホスミシンS点耳液 ホスミシンS静注/バッグ	ホスホマイシンナトリウム	91 116
ボスミン注/外用液 ボスミン注	アドレナリン	5, 58 48, 56
ボナロン錠/経口ゼリー/点滴静注	アレンドロン酸ナトリウム水和物	112
ボノテオ錠	ミノドロン酸水和物	112
ポビヨドン液/スクラブ液/ガーグル液/ゲル	ポビドンヨード	133
ポピラール液/ガーグル液	ポビドンヨード	133
ポプスカイン注	レボブピバカイン塩酸塩	10
ポマリストカ	ポマリドミド	145
ホメピゾール点滴静注	ホメピゾール	151
ホモクロルシクリジン塩酸塩錠	ホモクロルシクリジン塩酸塩	30
ポラキス錠	オキシブチニン塩酸塩	7, 72
ポララミン錠/散/ドシ/シ/注	クロルフェニラミンマレイン酸塩（*d* 体）	30
ホリゾン錠/散/注	ジアゼパム	16, 18, 19
ポリドカスクレロール注	ポリドカノール	80
ポリフル錠/細	ポリカルボフィルカルシウム	66
ボルタレン錠/SRカ（徐放）/坐 ボルタレンゲル/ロ/テープ	ジクロフェナクナトリウム	44 46
ポルトラック末	ラクチトール水和物	69
ホルマリン液	ホルマリン	132
ボレー外用液/ク/ス	ブテナフィン塩酸塩	124
ボンアルファ軟/ク/ロ	タカルシトール水和物	93, 105
ボンゾール錠	ダナゾール	75, 101
ポンタールカ/散/細/シ	メフェナム酸	45
ボンビバ錠/静注	イバンドロン酸ナトリウム水和物	112
マ マーカイン注/注脊椎用	ブピバカイン塩酸塩水和物	10
マーベロン錠	エチニルエストラジオール＋デソゲストレル	74
マイコスポール外用液/ク	ビホナゾール	124
マイザー軟/ク	ジフルプレドナート	42
マイスタン錠/細	クロバザム	19
マイスリー錠	ゾルピデム酒石酸塩	13
マイテラーゼ錠	アンベノニウム塩化物	9
マイトマイシン注	マイトマイシンC	136
マイロターグ点滴静注用	ゲムツズマブオゾガマイシン	144
マヴィレット配合錠	グレカプレビル水和物＋ピブレンタスビル	129
マキシピーム注	セフェピム塩酸塩水和物	114
マキュエイド硝子体内注用	トリアムシノロンアセトニド	90
マグコロール液/散	クエン酸マグネシウム水和物	149
マクサルト錠/RPD錠（口腔内崩壊錠）	リザトリプタン安息香酸塩	24, 33
マグセント注/注シリンジ	硫酸マグネシウム水和物	74
マグネゾール静注	硫酸マグネシウム水和物	74
マスーレッド錠	モリデュスタット	78
マスキン液/スクラブ液	クロルヘキシジングルコン酸塩	133
マズレニンG含嗽用散	アズレンスルホン酸ナトリウム水和物	46
マドパー配合錠	ベンセラジド塩酸塩	20
マブリン散	ブスルファン	134

商品名	一般名	掲載頁
マラロン配合錠	アトバコン・プログアニル塩酸塩	131
マリゼブ錠	オマリグリプチン	106
マンニットT注	D-マンニトール D-マンニトール	70 83
マンニットール注	D-マンニトール D-マンニトール	70 83
ミ ミオコールス	ニトログリセリン	51
ミオナール錠/顆	エペリゾン塩酸塩	19, 26
ミオピン点眼液	ネオスチグミンメチル硫酸塩・無機塩類配合剤液	86
ミカルディス錠	テルミサルタン	34
ミグシス錠	ロメリジン塩酸塩	24
ミグリステン錠	ジメトチアジンメシル酸塩	24, 33
ミケラン錠/細/LA徐放カ/小児用細/点眼液/LA点眼液 ミケラン点眼液/LA点眼液	カルテオロール塩酸塩	4 84
ミコブティンカ	リファブチン	122
ミダフレッサ静注	ミダゾラム	18
ミドリンM点眼液	トロピカミド	7, 85
ミニプレス錠	プラゾシン塩酸塩	1, 71
ミニリンメルトOD錠	デスモプレシン酢酸塩水和物	73, 99
ミネブロ錠	エサキセレノン	71
ミノアレ散	トリメタジオン	18
ミノマイシン錠/カ/顆/点滴静注	ミノサイクリン塩酸塩	91, 117, 132
ミラペックスLA錠	プラミペキソール塩酸塩水和物	20
ミリステープ貼	ニトログリセリン	51
ミリスロール注 ミリスロール冠動注用	ニトログリセリン	51 149
ミリダシン錠	プログルメタシンマレイン酸塩	44
ミリプラ動注用	ミリプラチン水和物	136
ミルタックスパップ	ケトプロフェン	46
ミルリーラ注/K注	ミルリノン	49
ミレーナ膣内装着	レボノルゲストレル	101
ミンクリア内用散布液	*l*-メントール	149
ム ムイロジン細	ベンズブロマロン	110
ムコサール錠/ドシ/Lカ	アンブロキソール塩酸塩	58
ムコスタ錠/顆 ムコスタ点眼液	レバミピド	63 89
ムコゾーム点眼液	リゾチーム塩酸塩	85
ムコソルバン錠/内用液/小児用シ/小児用ドシ/L錠/ドシ	アンブロキソール塩酸塩	58
ムコダイン錠/シ/ドシ ムコダイン錠/細/シ/ドシ	カルボシステイン	58 91
ムコフィリン吸入液	アセチルシステイン	58
ムルプレタ錠	ルストロンボパグ	79
ムンデシンカ	フォロデシン塩酸塩	135
無水カフェイン末	カフェイン	24
メ メイアクトMS錠/MS小児用細	セフジトレンピボキシル	115
メイセリン静注	セフミノクスナトリウム水和物	114
メイラックス錠/細	ロフラゼプ酸エチル	16
メイロン静注	炭酸水素ナトリウム	26
メインテート錠	ビソプロロールフマル酸塩	2
メキシチール点滴静注/カ	メキシレチン塩酸塩	50, 107
メキニスト錠	トラメチニブ ジメチルスルホキシド付加物	141
メクトビ錠	ビニメチニブ	141
メサデルム軟/ク/ロ	デキサメタゾンプロピオン酸エステル	41, 42
メサペイン錠	メサドン塩酸塩	22
メジコン錠/散/配合シ	デキストロメトルファン臭化水素酸塩水和物	57
メスチノン錠	ピリドスチグミン臭化物	9
メソトレキセート錠/注/点滴静注	メトトレキサート〈MTX〉	134
メタコリマイシン顆/カ	コリスチンメタンスルホン酸ナトリウム	120
メタボリン注/G注	チアミン塩化物塩酸塩	102
メタライトカ	トリエンチン塩酸塩	151
メタルカプターゼカ	ペニシラミン〈D-ペニシラミン〉	38, 151
メチエフ（*dl* 体）散/注	*dl*-メチルエフェドリン塩酸塩	6, 59
メチコバール錠/細/注	メコバラミン	77, 104
メチレンブルー静注	メチルチオニニウム塩化物水和物	151
メテバニール錠	オキシメテバノール	57
メトグルコ錠	メトホルミン塩酸塩	107

商品名	一般名	掲載頁
メトピロンカ	メチラポン	148
メトリジン錠/D錠（口腔内崩壊錠）	ミドドリン塩酸塩	1, 56
メトレート錠	メトトレキサート〈MTX〉	37, 39
メドロール錠	メチルプレドニゾロン	40
メニレットゼリー	イソソルビド	26, 70, 83
メネシット配合錠	カルビドパ水和物	20
メバロチン錠/細	プラバスタチンナトリウム	108
メファキン錠	メフロキン塩酸塩	131
メプチン錠/ミニ錠/顆/シ/ドシ/吸入液/キッドエアー/エアー/スイングヘラー	プロカテロール塩酸塩水和物	3, 59
メベンダゾール錠	メベンダゾール	131
メマリー錠/OD錠/ドシ	メマンチン塩酸塩	28
メラトベル小児用顆	メラトニン	13
メリスロン錠	ベタヒスチンメシル酸塩	26
メルカゾール錠/注	チアマゾール〈MMI〉	99
メレックス錠/細	メキサゾラム	16
メロペン点滴用/キット	メロペネム水和物	115
メンタックス外用液/ク/ス	ブテナフィン塩酸塩	124
メンドンカ	クロラゼプ酸二カリウム	16
モ		
モイゼルト軟	ジファミラスト	92
モーバー錠	アクタリット	38
モービック錠	メロキシカム	45
モーラスパップ/テープ	ケトプロフェン	46
モダシン静注	セフタジジム水和物	114
モディオダール錠	モダフィニル	25
モニラック末/シ	ラクツロース	69
モノフィリン錠/末/注	プロキシフィリン	49, 59, 70
モルヒネ塩酸塩錠/末/注	モルヒネ塩酸塩水和物	22
ヤ		
ヤーズ配合錠	ドロスピレノン	101
ヤーズフレックス配合錠	ドロスピレノン	101
ヤクラックス消毒液	次亜塩素酸ナトリウム	133
ユ		
ユーエフティE配合顆（腸溶）/配合カ	テガフール・ウラシル	134
ユーゼル錠	ホリナートカルシウム〈ロイコボリンカルシウム〉	146
ユーパスタ軟/軟分包	精製白糖・ポビドンヨード配合剤	94
ユービット錠	尿素〈^{13}C〉	147
ユーロジン錠/散	エスタゾラム	13
ユナシン錠/細（小児用）	スルタミシリントシル酸塩水和物	113, 115
ユナシン-S静注/キット	スルバクタムナトリウム	115
ユニフィルLA徐放錠	テオフィリン	29, 59
ユベラ錠/顆	トコフェロール酢酸エステル	105
ユベラNカ/ソフトカ/細 ユベラNカ/ソフトカ	トコフェロールニコチン酸エステル〈ニコチン酸 *dl*-α-トコフェロール〉	53, 108 105
ユリーフ錠/OD錠	シロドシン	1, 71
ユリス錠	ドチヌラド	110
ユリノーム錠	ベンズブロマロン	110
ヨ		
ヨウ化カリウム末/丸	ヨウ化カリウム	99
ヨウ化ナトリウムカ	放射性ヨウ素（ヨウ化ナトリウム）	99
ヨウレチン錠/散 ヨウレチン錠	ヨウ素レシチン	89 99
PA・ヨード点眼・洗眼液	ヨウ素	133
ヨードチンキ液	ヨウ素	133
ヨンデリス点滴静注用	トラベクテジン	144
ラ		
ライアットMIBG-I131静注	3-ヨードベンジルグアニジン（^{131}I）	146
ラキソベロン錠/内用液	ピコスルファートナトリウム水和物	67
ラグノスゼリー	ラクツロース	69
ラクリミン点眼液	オキシブプロカイン塩酸塩	10, 88
ラジカット注/バッグ	エダラボン	27
ラシックス錠/細/注	フロセミド	70
ラジレス錠	アリスキレンフマル酸塩	34
ラステットSカ/注	エトポシド	137
ラスビック錠/点滴静注キット	ラスクフロキサシン塩酸塩	121
ラツーダ錠	ルラシドン塩酸塩	15
ラディオガルダーゼカ	ヘキサシアノ鉄（Ⅱ）酸鉄（Ⅲ）水和物	151
ラニラピッド錠	メチルジゴキシン	48
ラパリムス錠	シロリムス〈ラパマイシン〉	141

商品名	一般名	掲載頁
ラピアクタ点滴用バッグ/点滴用バイアル	ペラミビル水和物	130
ラベルフィーユ錠	エチニルエストラジオール ＋ レボノルゲストレル	74
ラボナ錠	ペントバルビタールカルシウム	12
ラボナール注	チオペンタールナトリウム	12
ラミクタール錠小児用/錠	ラモトリギン	19
ラミシール錠/ク/外用液/外用ス	テルビナフィン塩酸塩	124
ラリキシン錠/小児用ドシ	セファレキシン	113
ランダ注	シスプラチン	136
ランツジール錠	アセメタシン	44
ランデル錠	エホニジピン塩酸塩エタノール付加物	55
ランドセン錠/細	クロナゼパム	18
ランプレンカ	クロファジミン	95, 123
リ		
リアメット配合錠	アルテメテル ＋ ルメファントリン	131
リアルダ錠	メサラジン	66
リーゼ錠/顆	クロチアゼパム	16, 25
リーマス錠	炭酸リチウム	15
リウマトレックスカ	メトトレキサート〈MTX〉	37, 39
リオナ錠	クエン酸第二鉄水和物	77
リオレサール錠	バクロフェン	19
リカルボン錠	ミノドロン酸水和物	112
リキスミア皮下注	リキシセナチド	106
リクシアナ錠/OD錠	エドキサバントシル酸塩水和物	82
リサイオ点滴静注	チオテパ	134
リザベンカ/細/ドシ/点眼液 リザベンカ/細/ドシ リザベン点眼液	トラニラスト	29 60, 93 84
リスパダール錠/OD錠/細/内用液/コンスタ筋注	リスペリドン	15
リスミー錠	リルマザホン塩酸塩水和物	13
リズミック錠	アメジニウムメチル硫酸塩	6, 56
リスモダンカ	ジソピラミド	50
リスモダンP静注	ジソピラミドリン酸塩	50
リスモダンR徐放錠	ジソピラミドリン酸塩	50
リタリン錠	メチルフェニデート塩酸塩	24
リドカイン静注用シリンジ	リドカイン塩酸塩	50, 150
リドメックスコーワ軟/ク/ロ	プレドニゾロン吉草酸酢酸エステル	40, 43
リノコート鼻用パウダースプレー リノコート鼻用吸入カ/パウダースプレー鼻用	ベクロメタゾンプロピオン酸エステル	41 90
リノロサール眼耳鼻科用液	ベタメタゾンリン酸エステルナトリウム	85, 87
リバオール錠/散	ジクロロ酢酸ジイソプロピルアミン	69
リバスタッチパッチ	リバスチグミン	9
リバスタッチパッチ貼	リバスチグミン	28
リバロ錠/OD錠	ピタバスタチンカルシウム	108
リピディルカ	フェノフィブラート	108
リピトール錠	アトルバスタチンカルシウム水和物	108
リファジンカ	リファンピシン	95, 122, 123
リフキシマ錠	リファキシミン	69
リプル注/キット	アルプロスタジル	35, 53, 80
リフレックス錠	ミルタザピン	17, 32
リベルサス錠	セマグルチド	106
リボスチン点鼻液/点眼液 リボスチン点眼液	レボカバスチン塩酸塩	31 84
リボトリール錠/細	クロナゼパム	18
リポバス錠	シンバスタチン	108
リマチル錠	ブシラミン	38
リムパーザ錠	オラパリブ	142
リメタゾン静注	デキサメタゾンパルミチン酸エステル	41
リュウアト眼軟膏	アトロピン硫酸塩水和物 アトロピン塩酸塩水和物	7 85
リュープリン注/PRO注射用キット/SR注射用キット	リュープロレリン酢酸塩	75, 96, 138
リリカカ/OD錠	プレガバリン	24, 107
リレンザブリスター	ザナミビル水和物	130
リンヴォック錠	ウパダシチニブ水和物	39, 93

商品名

商品名	一般名	掲載頁
リンコシン注/カ	リンコマイシン塩酸塩水和物	119
リンゼス錠	リナクロチド	66, 67
リンデロン散/錠/シ/注/点眼・点耳・点鼻液 リンデロン点眼・点耳・点鼻液 リンデロン坐	ベタメタゾンリン酸エステルナトリウム ベタメタゾン	41 85, 87 41, 66
リンデロンA点眼・点鼻液/眼・耳科用軟膏	フラジオマイシン硫酸塩	86
リンデロンDP軟/ク/ゾル	ベタメタゾンジプロピオン酸エステル	41, 42
リンデロンV軟/ク/ロ	ベタメタゾン吉草酸エステル	41, 42
リンラキサー錠	クロルフェネシンカルバミン酸エステル	19
硫酸アトロピン末	アトロピン硫酸塩水和物	7, 51, 72
硫酸カナマイシンカ/注 硫酸カナマイシン注	カナマイシン硫酸塩	117 122
硫酸ストレプトマイシン注	ストレプトマイシン硫酸塩	117, 122
硫酸ポリミキシンB錠/散	ポリミキシンB硫酸塩	120
硫酸マグネシウム水和物末	硫酸マグネシウム〈硫苦，硫麻〉	67, 68

ル

ルーラン錠	ペロスピロン塩酸塩水和物	15
ル・エストロジェルゲル	エストラジオール	100
ルコナック爪外用液	ルリコナゾール	124
ルジオミール錠	マプロチリン塩酸塩	17
ルシドリール錠	メクロフェノキサート塩酸塩	25, 27
ルセフィ錠	ルセオグリフロジン水和物	107
ルタテラ静注	ルテチウムオキソドトレオチド（^{177}Lu）	146
ルティナス腟錠	プロゲステロン	101
ルテウム腟錠	プロゲステロン	101
ルトラール錠	クロルマジノン酢酸エステル	101
ルネスタ錠	エスゾピクロン	13
ルネトロン錠/注	ブメタニド	70
ルパフィン錠	ルパタジンフマル酸塩	31
ルピアール坐	フェノバルビタールナトリウム	13, 18
ルプラック錠	トラセミド	70
ルボックス錠	フルボキサミンマレイン酸塩	17, 32
ルミガン点眼液	ビマトプロスト	35, 83
ルリコンク/液/軟	ルリコナゾール	124
ルリッド錠	ロキシスロマイシン	118

レ

レイアタッツカ	アタザナビル硫酸塩〈ATV〉	127
レカルブリオ配合点滴静注用	レレバクタム水和物	115
レキサルティ錠	ブレクスピプラゾール	15
レキソタン錠/細	ブロマゼパム	16
レギチーン注	フェントラミンメシル酸塩	4, 147
レキップ錠/CR錠	ロピニロール塩酸塩	20
レクサプロ錠	エスシタロプラムシュウ酸塩	17, 32
レクシヴァ錠	ホスアンプレナビルカルシウム水和物〈FPV〉	127
レクタブル注腸	ブデソニド	41, 66
レクチゾール錠	ジアフェニルスルホン	95, 123
レグテクト錠	アカンプロサートカルシウム	12
レグナイト錠	ガバペンチンエナカルビル	21
レグパラ錠	シナカルセト塩酸塩	99
レザフィリン注	タラポルフィンナトリウム	145
レスキュラ点眼液	イソプロピルウノプロストン	35, 83
レスタス錠	フルトプラゼパム	16
レスタミンク レスタミン錠	ジフェンヒドラミン ジフェンヒドラミン塩酸塩	29 29
レスピア静注・経口液	カフェイン 無水カフェイン	24 57
レスプレン錠	エプラジノン塩酸塩	57
レスミット錠	メダゼパム	16
レスリン錠	トラゾドン塩酸塩	17, 32
レダコート錠 レダコート軟 レダコート軟/ク	トリアムシノロン トリアムシノロンアセトニド	40 40 43
レダマイシンカ	デメチルクロルテトラサイクリン塩酸塩	117
レットヴィモカ	セルペルカチニブ	140
レトロビルカ	ジドブジン〈アジドチミジン：AZT〉	126
レナデックス錠	デキサメタゾン	139
レニベース錠	エナラプリルマレイン酸塩	34

商品名	一般名	掲載頁
レバチオ錠/ODフィルム/懸濁用ドシ	シルデナフィルクエン酸塩	54
レビトラ錠	バルデナフィル塩酸塩水和物	76
レブラミドカ	レナリドミド水和物	145
レペタン注/坐	ブプレノルフィン塩酸塩	22
レベトールカ	リバビリン	128
レボスパ静注	プラステロン硫酸エステルナトリウム水和物	75
レボトミン筋注 レボトミン錠/散/顆	レボメプロマジン塩酸塩 レボメプロマジンマレイン酸塩	14 14
レボブノロール塩酸塩点眼液/PF点眼液	レボブノロール塩酸塩	84
レボレード錠	エルトロンボパグオラミン	79
レミカットカ	エメダスチンフマル酸塩	31, 93
レミッチカ/OD錠	ナルフラフィン塩酸塩	23
レミニール錠/OD錠/内用液	ガランタミン臭化水素酸塩	9, 28
レメロン錠	ミルタザピン	17, 32
レラキシン注	スキサメトニウム塩化物	11
レリフェン錠	ナブメトン	44
レルパックス錠	エレトリプタン臭化水素酸塩	24, 33
レルベアエリプタ	ビランテロールトリフェニル酢酸塩	3, 59
レルミナ錠	レルゴリクス	97
レンドルミン錠/D錠	ブロチゾラム	13
レンビマカ	レンバチニブメシル酸塩	141

ロ

ロイケリン散	メルカプトプリン水和物	66, 135
ロイコボリン錠/注	ホリナートカルシウム〈ロイコボリンカルシウム〉	146
ロイコン錠/注	アデニン	79
ロイスタチン注	クラドリビン	135
ローガン錠	アモスラロール塩酸塩	5
ローコール錠	フルバスタチンナトリウム	108
ローザグッド錠	カリジノゲナーゼ	26
ローブレナ錠	ロルラチニブ	139
ローヘパパイアル注/シリンジ注	パルナパリンナトリウム	81
ロカイン注	プロカイン塩酸塩	10
ロカルトロールカ/注 ロカルトロールカ	カルシトリオール	105 111
ロキシーン錠/注	ブリジノールメシル酸塩	19
ロキソニン錠/細 ロキソニンパップ/テープ/ゲル	ロキソプロフェンナトリウム水和物	45 46
ロコアテープ	エスフルルビプロフェン/ハッカ油	46
ロコイド軟/ク	ヒドロコルチゾン酪酸エステル	40, 43
ロコルナール錠/細	トラピジル	52
ロズリートレクカ	エヌトレクチニブ	140
ロゼックスゲル	メトロニダゾール	131
ロセフィン静注/キット	セフトリアキソンナトリウム水和物	114
ロゼレム錠	ラメルテオン	13
ロドピン錠/細	ゾテピン	15
ロトリガ粒状カ	オメガ-3脂肪酸エチル	109
ロナセン錠/散/テープ	ブロナンセリン	15
ロバキシン顆	メトカルバモール	19
ロピオン静注	フルルビプロフェンアキセチル	45
ロプレソール錠/SR徐放錠	メトプロロール酒石酸塩	2
ロペミン細/カ/小児用細	ロペラミド塩酸塩	67
ロメバクトカ	ロメフロキサシン塩酸塩	121
ロメフロン点眼液/ミニムス眼科耳科用液 ロメフロン耳科用液/ミニムス眼科耳科用液	ロメフロキサシン塩酸塩	87 91
ロラピタ静注	ロラゼパム	16, 18
ロラメット錠	ロルメタゼパム	13
ロルカム錠	ロルノキシカム	45
ロルファン注	レバロルファン酒石酸塩	23, 57, 150
ロレルコ錠	プロブコール	109
ロンゲス錠	リシノプリル水和物	34
ロンサーフ配合錠	トリフルリジン ＋ チピラシル塩酸塩	134

ワ

ワーファリン錠	ワルファリンカリウム	82
ワイテンス錠	グアナベンズ酢酸塩	1
ワイドシリン細	アモキシシリン水和物	113, 132

商品名	一般名	掲載頁
ワイパックス錠	ロラゼパム	16
ワゴスチグミン散 ワゴスチグミン注	ネオスチグミン臭化物 ネオスチグミンメチル硫酸塩	9, 72
ワコビタール坐	フェノバルビタールナトリウム	13, 18
ワソラン錠/静注	ベラパミル塩酸塩	51
ワンアルファ錠	アルファカルシドール	105, 111
ワンクリノン膣ゲル	プロゲステロン	101
ワンタキソテール点滴静注	ドセタキセル水和物	137
ワンデュロパッチ貼	フェンタニル	22
ワントラム錠	トラマドール塩酸塩	22

英数

商品名	一般名	掲載頁
5-FU錠/注/軟	フルオロウラシル	134
ATP腸溶錠	アデノシン三リン酸二ナトリウム水和物	26, 27
AZ点眼液	アズレンスルホン酸ナトリウム水和物	46, 85, 88
D-ソルビトール末/液	D-ソルビトール	149
EPLカ	ポリエンホスファチジルコリン	69, 109
FAD点眼液	フラビンアデニンジヌクレオチドナトリウム	88
GHRP注	プラルモレリン塩酸塩	97, 148
GRF注	ソマトレリン酢酸塩	97, 148
K. C. L.点滴液	塩化カリウム	150
KCL注 KCL補正液	塩化カリウム	150
LH-RH注	ゴナドレリン酢酸塩	96, 148
L-グルタミン顆	L-グルタミン	63
L-ケフラール顆	セファクロル	113
L-ケフレックス顆/小児用顆	セファレキシン	113
MDS錠	デキストラン硫酸ナトリウムイオウ	108
MS温シップパップ	サリチル酸メチル	46
MSコンチン徐放錠	モルヒネ硫酸塩水和物	22
MS冷シップパップ	サリチル酸メチル	46
PA・ヨード点眼・洗眼液	ヨウ素	133
PL配合顆	サリチルアミド	44
SG配合顆	イソプロピルアンチピリン	23
S・アドクノン錠	アドレノクロムモノアミノグアニジンメシル酸塩水和物	79
TRH注	プロチレリン	97, 148

主な内因性生理活性物質

アセチルコリン	$H_3C-C-O-CH_2-CH_2-N^+(CH_3)_3$ 　　　$\overset{\|}{O}$
ドパミン	$HO-$〈ベンゼン環〉$-CH_2-CH_2-NH_2$（2,3位にHO）
ノルアドレナリン	$HO-$〈ベンゼン環〉$-\overset{OH}{\overset{\|}{CH}}-CH_2-NH_2$
アドレナリン	$HO-$〈ベンゼン環〉$-\overset{OH}{\overset{\|}{CH}}-CH_2-\overset{}{NH}\,\overset{\|}{CH_3}$
グルタミン酸	$HOOC-CH_2-CH_2-\overset{}{CH}-NH_2$ 　　　　　　　　　$\overset{\|}{COOH}$
GABA	$HOOC-CH_2-CH_2-CH_2-NH_2$
グリシン	$HOOC-CH_2-NH_2$
ヒスタミン	〈イミダゾール環〉$-CH_2-CH_2-NH_2$
セロトニン	〈インドール環 (HO置換)〉$-CH_2-CH_2-NH_2$

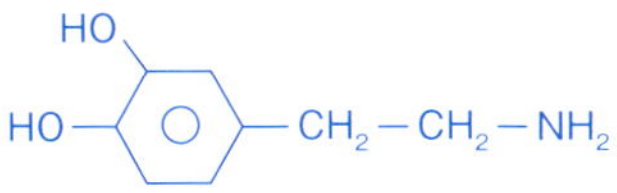

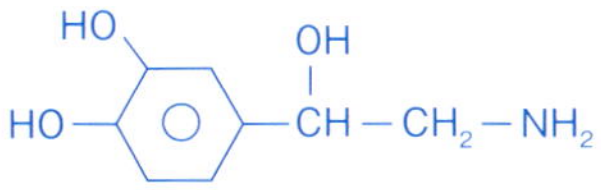

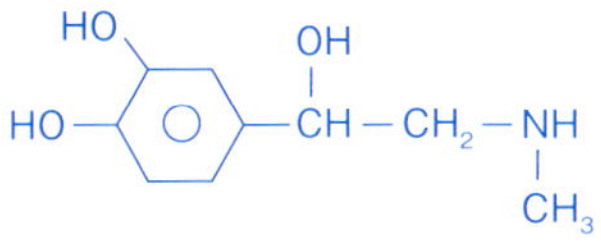

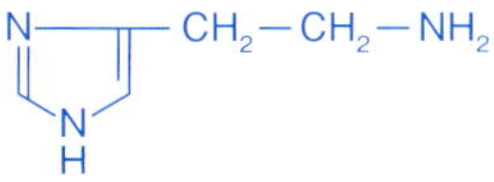

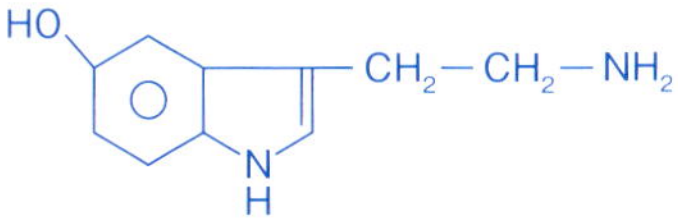

新 図解表説

薬理学・薬物治療学

第3版

菱沼　滋 著

医薬品一般名・商品名・構造一覧